Ornithologischer Verein

Mitteilungen des Ornithologischen Vereines in Wien

Die Schwalbe

Ornithologischer Verein in Wien

Mitteilungen des Ornithologischen Vereines in Wien

Die Schwalbe

Inktank publishing, 2018

www.inktank-publishing.com

ISBN/EAN: 9783747762332

Mittheilungen des ornithologischen Vereines in Wien

„DIE SCHWALBE“

Blätter für Vogelkunde, Vogelschutz, Geflügelzucht und Brieftaubenwesen.

Organ des ersten österreichisch-ungarischen Geflügelzucht-Vereines in Wien
und des I. Wr. Vororte-Geflügelzuchtvereines in Rudolfsheim.

Redigirt von C. PALLISCH unter Mitwirkung von Hofrath Professor Dr. C. CLAUS.

SECHSZEHNTER JAHRGANG.

1892.

Herausgeber: Der Ornithologische Verein in Wien

Druck von Johann L. Bondi & Sohn, Wien, VII., Stiftgasse 3.

INHALT.

Ausstellungs-Berichte.

Brieftauben-Wettflüge.

Kleinere Arbeiten und Notizen.

Todesanzeigen.

Literatur.

Ornithologischer Verein in Wien.

I. Oesterr.-ung. Geflügelzucht-Verein.

I. Wiener Vororte Geflügelzüchter-Verein.

Aus anderen Vereinen.

Ausstellungen.

Corrigenda.

14, 38, 278.

XVI. JAHRGANG. Nr. 1.

Blätter für Vogelkunde, Vogelschutz, Geflügelzucht und Brieftaubenwesen.

Organ des I. österr.-ung. Geflügelzuchtvereines in Wien und des I. Wr. Vororte-Geflügelzuchtvereines in Rudolfsheim

Redigirt von **C. PALLISCH** unter Mitwirkung von Hofrath Professor **Dr. C. CLAUS.**

15. Jänner.	„DIE SCHWALBE" erscheint **Mitte** und **Ende** eines **jeden Monates.** — Im Buchhandel beträgt das Abonnement 6 fl. resp. 12 Mark, Einzelne Nummern 30 kr. resp. 50 Pf. **Inserate** per 1 □ Centimeter 3 kr., resp. 6 Pf. **Mittheilungen** an das **Präsidium** sind an Herrn **A. Bachofen v. Echt** in Nussdorf bei Wien; die **Jahresbeiträge** der Mitglieder (5 fl., resp. 10 Mark) an Herrn **Dr. Karl Zimmermann** in Wien, I., Bauernmarkt 11; **Mittheilungen** an das **Secretariat** in Administrations-Angelegenheiten, sowie die für die **Bibliothek** und **Sammlungen** bestimmten Sendungen an Herrn **Fritz Zeller,** Wien, II., Untere Donaustrasse 13, zu adressiren. **Alle redactionellen Briefe, Sendungen etc.** an Herrn **Ingenieur C. Pallisch in Erlach** bei Wr.-Neustadt zu richten. **Vereinsmitglieder beziehen das Blatt gratis.**	1892.

Ornithologische Beobachtungen im Weitraer Gebiet (Niederösterreich.)

Von **J. Knotek.**

Wenn ich hier eine kurze Zusammenstellung der von mir beobachteten Vögel gebe, so hat dieselbe durchaus keinen Anspruch auf Vollständigkeit, vielmehr möge sie als ein schlichter Beitrag zur Kenntniss der Vogelwelt des Viertels ob dem Manhartsberge, speciell des Weitraer Gebietes dienen.

Die Beobachtungszeit war insoferne beschränkt, als sie sich ausschliesslich auf die Sommer- und Herbstmonate (von Juli bis November) der beiden Jahre 1888/89, meinem Forsteinrichtungs-Campagne-Aufenthalte im Weitraer Gebiet, ansdehnte. Demnach fehlen mir alle Beobachtungen über den Frühjahrszug und im Jahre 1888 wohl auch zum grossen Theile über den Herbstzug; ebenso über die nordischen Wintergäste, insbesondere der Wasservögel, welche sicher diese Gegend, besonders das Revier Thiergarten, berühren.

Auch konnte ich nicht dem einen oder anderen Vogel meine Zeit widmen, oder mich näher über dessen Vorhandensein informiren, da doch meine eigentliche Aufgabe eine andere war, wodurch ich mehr oder minder auf ein kleines Gebiet angewiesen wurde. Ich muss natürlicherweise alle Species weglassen, von deren Vorkommen ich zwar überzeugt bin, welche ich aber selbst zu beobachten nicht Gelegenheit hatte, mich auch auf Aussagen Anderer nicht verlassen konnte.

Die Zusammenstellung der Species ist nach dem „Verzeichniss der bisher in Oesterreich-Ungarn beobachteten Vögel" von Eugen, Ferdinand von Homeyer und Victor Ritter von Tschusi zu Schmidhoffen (herausgegeben vom permanenten internationalen ornithologischen Comité) angeordnet:

Hiezu eine Beilage: Programm der XVII. internat. Geflügel- und Vogelausstellung in Wien.

I. Ord. Rapaces — Raubvögel.

1. Milvus regalis, Rother Milan, nach Angabe des Försters Schlach von ihm in Joachimsthal erlegt.

2. Cerchneis tinnunculus, Thurmfalke, in dem zusammenhängenden Schwarzauer Waldcomplex ziemlich selten. Sonst Brutvogel, aber nicht allzuhäufig. Im Herbste habe ich ihn hie und da auf Feldern in der Nähe von Vorhölzern rüttelnd beobachtet.

3. Astur palumbarius, Hühnerhabicht. Ziemlich häufig, im Schwarzauer Forst Brutvogel am 21. Juni 1888, 3 Stück Junge beim Horste erlegt; im Thiergarten und Erdweis richtet er unter dem Federwild bedeutenden Schaden an.

4. Accipiter nisus, Sperber, Brutvogel; hatte nur einige Exemplare beobachtet.

5. Pernis apivorus, Wespenbussard. Ob dieser interessante Vogel im Gebiete horstet, konnte ich nicht ermitteln, da er zumeist vom Personale mit dem Mäusebussard verwechselt wird. Beobachtete im August 1888 in Thiergarten ein Exemplar beim Graben nach Wespennestern.

6. Archibuteo lagopus, Rauhfussbussard. Selbst hatte ich zwar keine Gelegenheit ihn zu beobachten, sah aber einige ausgestopfte Exemplare, die am Frühjahrszuge im Gebiete erlegt wurden.

7. Buteo vulgaris Mäussebussard, Brutvogel in der Schwarzau, wo alljährlich mehrere Paare horsten. Ein am 22. Juni 1888 aus dem Horst genommener wurde von mir aufgezogen und wurde so zahm, dass er ganz frei umherflog und regelmässig auf seine Stange zurückkehrte.

8. Circus cyaneus, Kornweihe, beobachtete ein Exemplar im September 1889 am Neuteich, auf Wasserwild Jagd machend.

9. Athene noctua, Steinkauz, Brutvogel, nicht selten in Schwarzau, wo man allabendlich den Ruf hören kann.

10. Syrnium aluco, Waldkauz, Brutvogel.

11. Strix flammea, Schleiereule, auf Schloss Weitra brütend.

12. Otus vulgaris, Waldohreule, im Thiergarten als Brutvogel beobachtet.

13. Brachyotus palustris. Gelegentlich einer Rebhühnerjagd auf den Feldern bei Weitra, Anfangs October 1888, 1 Stück gesehen.

II. Ord. Fissirostres — Spaltschnäbler.

14. Caprimulgus europaeus, Nachtschwalbe. In Erdweis und Thiergarten nicht selten. Ende Juli 1889 einen jungen Vogel erhalten.

15. Cypselus apus, Mauersegler, 2 Paar am Nebelstein, ebenso einige auf Schloss Weitra gesehen.

16. Hirundo rustica, Rauchschwalbe.

17. — urbica, Stadtschwalbe, beide gemein.

III. Ord. Insessores — Sitzfüssler.

18. Cuculus canorus, Kukuk, nicht zu häufig.

19. Alcedo ispida, Eisvogel, an der Leinsitz jedoch seltener.

20. Coracias garrula, Blaurake, fehlt dem Gebiete der Schwarzau vollständig. In den ebenen Revieren sehr selten und nur am Frühjahrszug.

IV. Ord. Coraces — Krähen.

21. Oriolus galbula, Pirol. Im Gebirge nicht angetroffen. Im Thiergarten 1 ♀ gesehen.

22. Sturnus vulgaris, Staar, gemein, Brutvogel, hat sich im Herbst am Waschelteich im Thiergarten massenhaft im Röhricht aufgehalten.

23. Lycos monedula, Dohle, Brutvogel, doch nicht in allzugrosser Zahl.

24. Corvus cornix, Nebelkrähe. In der Schwarzau eine einzige Brut beobachtet, im Thiergarten zahlreich, besonders im Herbst.

25. Corvus frugilegus, Saatkrähe. Im Herbste massenhaft.

26. Pica caudata, Elster, Brutvogel, jedoch nicht allzuhäufig und mehr in den Feldhölzern anzutreffen.

27. Garrulus glandarius, Eichelheher. Brutvogel. Am Herbstzuge sehr zahlreich.

28. Nucifraga caryocatactes, Tannenheher,

a) var. pachyrhynchus, R. Bl. dickschnäbl. Var. In den Bauernwaldungen von Lauterbach, dann im Waldorte „Steinau“ Brutvogel. Im August 1888 erhielt ich ein Exemplar aus der Steinau; im September 1889 beobachtete ein Exemplar in der Rhöndelwies.

b) var. leptorhynchus, R. Bl., dünnschnäblige Varietät, wurde 1887/88 am Zuge hier erlegt.

V. Ord. Scansores — Klettervögel.

29. Gecinus viridis, Grünspecht,

30. — canus, Grauspecht, beide Brutvögel, ziemlich häufig.

31. Dryocopus martius, Schwarzspecht. Noch recht häufig, besonders in Kuenring, Hausschache und Thiergarten.

32. Picus major, grosser Buntspecht, häufig.

33. Picus medius, mittlerer Buntspecht, im Thiergarten recht häufig.

34. Jynx torquilla, Wendehals, im ganzen 2 Exemplare beobachtet.

35. Sitta caesia, Spechtmeise, Brutvogel, in Erdweis und Thiergarten; sehr häufig.

36. Certhia familiaris, Baumlaufer. Ebenso.

37. Upupa epops, Wiedehopf, habe selbst keinen gesehen, wurde mir aber von glaubwürdiger Seite versichert, dass er in Erdweis im Frühjahr vorkommt.

VI. Ord. Captores — Fänger.

38. Lanius minor, grauer Würger, selten.

39. — collurio, Rothrückiger Würger, gemein.

40. Muscicapa grisola, grauer Fliegenfänger, im Thiergarten brütend vorgefunden.

41. Muscicapa luctuosa, schwarzrückiger Fliegenfänger. Ein einziges Exemplar bei Stossbruck gesehen.

42. Bombycilla garrula, Seidenschwanz, ist wiederholt im strengen Winter hier erlegt worden.

43. Troglodytes parvulus, Zaunkönig, häufiger Standvogel.

44. Cinclus aquaticus, Bachamsel, ein ausgestopftes Exemplar, das an der Leinsitz erlegt wurde, jedenfalls eine Seltenheit!

45. Poecile palustris, Sumpfmeise.

46. Parus major, Kohlmeise.

47. — ater, Tannenmeise.

48. Parus cristatus, Haubenmeise.
49. — coeruleus, Blaumeise.
50. Acredula caudata, Schwanzmeise. Sämmtliche sehr zahlreich angetroffen, besonders am Herbstzuge.

VIII. Ord. Cantores — Sänger.

51. Regulus cristatus, gelbköpfiges Goldhähnchen, in Erdweis—Thiergarten recht häufig.

52. Hypolais salicaria, Gartenspötter, in Weitra öfters gehört.

53. Acrocephalus turdoides, Drosselrohrsänger, am Wascheiteich 2 oder 3 Paare.

54. Calamoherpe phragmitis, Schilfrohrsänger, ebenfalls am Wascheiteich und auch am Neuteich.

55. Sylvia curruca, Zaungrasmücke.

56. — cinerea, Dorngrasmücke.

57. — atricapilla, schwarzköpfige Grasmücke.

58. — hortensis, Gartengrasmücke. Nur in wenigen Exemplaren beobachtet.

59. Merula vulgaris, Amsel, sehr häufig.

60. Turdus pilaris, Wachholderdrossel, Brutvogel! Im Herbste sehr zahlreich.

61. Turdus viscivorus, Misteldrossel, am Herbstzuge einzelne beobachtet.

62. Turdus musicus, Singdrossel sehr häufig.

63. Ruticilla tithys, Hausrothschwänzchen, gemein, bis tief in den Herbst auf Schlägen angetroffen. Am 4. und 5. October 1888 bei sehr kalter Witterung und Schneefall im Lusthause im Hausschupfen 10—12 Stück angetroffen, wo sie Schutz und an den massenhaft vorhandenen Fliegen genügende Nahrung fanden.

64. Ruticilla phoenicura, Gartenrothschwänzchen, hie und da ein Exemplar angetroffen.

65. Luscinia minor, ein einziges Exemplar in Weitra gehört, scheint selten zu sein.

(Fortsetzung folgt.)

Vorläufige Uebersicht der Ornis des Weissenburger Comitates in Ungarn.

Von Ladisl. Kenessey von Kenese.

(Fortsetzung.)

131. Passer montanus (L). An lichten Waldflecken und in Feldgehölzen gemein; occupirt verlassene sowie bewohnte Nester grösserer Vögel, mit Ausnahme von Accipiter nisus.

132. Serinus hortulanus. Koch. Bei harten Wintern manchmal schaarenweise; in 1886 fand Szikla einige Mitte Juni in den Csókaköer Waldungen,[4]) folglich wäre er ein Brutvogel; ♂ erlegte ich den 11. Februar 1891 in Pettend.

133. Loxia curvirostra (L). Anfangs November erschien eine Schaar in Kajtor und verweilte einen Monat dort;[5]) Exemplare erhielt Szikla 18. September 1888 aus Polgárdi; den 7. September desselben Jahres ein ♂ ad. aus Moór.[6])

134. Pyrrhula major C. L. Br. Regelmässiger Wintergast; erscheint zuweilen schon Ende September; verlässt uns im März.

135. Pyrrhuloryncha palustris Savi. Fast in gleicher Anzahl wie Exemplare Schoeniclus, mit dessen Lebensweise die seinige übereinstimmt.

136. Emberiza schoeniclus L. Zahlreich; brütet im Rohre; Ankunft März; Brutzeit Mai; im Herbst streift er herum, Ende November zieht er ab; überwintert zuweilen.

137. Emberiza citrinella L. Gemeiner Standvogel; Exemplare chlorochroistisch erlegte ich den 30. December 1890 in Pettend.

138. Emberiza hortulana L. Ein verdorbenes Exemplar erhielt ich den 1. Jänner des Jahres aus Velencze. Angeblich erlegte man dort 4 Exemplare.

139. Emberiza miliaria L. Standvogel manchmal ortwechselnd, brütet Mitte Mai, streift im Winter in grossen Schwärmen herum. Exemplare mit difformen Schnabel aus Velencze vom 4. Mai 1882, ein ♂ Albino aus Sárkeresztur vom 12. Mai 1887, ein Albino vom 26. März aus Sárosd im National-Museum.[7])

140. Plectrophanes nivalis (L). Aeusserst seltener Wintergast, Mehrere 1837 in Eresin, ♀ ad. aus Eresi vom 15. Februar 1891 im National-Museum.[8])

141. Alauda arvensis L. Gemein kommt Ende Februar, brütet im Mai, reist Ende November ab. Einzelne überwintern. Exemplare melanistisch aus Weissenburg vom Jahre 1889 im National-Museum.[9])

142. Alauda arborea z. Selten, 15. October 1886 sah Szikla ein Exemplar bei Iszka-Sz.-György.[10])

143. Galerida cristata L. Gemeiner Standvogel, brütet im Mai, im Winter kommt er in kleinen Flügen in die Höhe, starker Winter zwingt sie zum Abstreichen, so auch der heurige, 1881 schoss Szikla ein Exemplar mit weissem Schweife.[11])

144. Sturnus vulgaris L. Gemein; kommt Ende Februar und Anfang März, zieht im April in die Wälder, und erscheint Anfang Juli wieder in der Ebene und übernachtet in den Rohrbeständen; im Herbste besuchen sie die Wein- und Obstgärten, zieht Ende October ab.

145. Pastor roseus Temm. 1881 sah Szikla 3 Stück; Exemplare vom Jahre 1886 im Gymnasium, 1887 ein Exemplar in Velencze erlegt und an Szikla gesandt; Juni 1853 ♂ aus Eresi im National-Museum.[12])

146. Coracias garrula L. Gemein; Kommt Ende April; brütet im Juli, streicht nachher auf den Feldern herum, verreist Mitte September.

147. Merops apiaster L. Exemplar aus Vajta vom 10. Mai 1883 bei Szikla; Exemplar im Gymnasium; Exemplare sah ich 31. Mai 1890 in Pettend, 7. September desselben Jahres sah Szikla eine kleine Schaar bei Stuhlweissenburg.[13])

---

[4]) Jahresbericht 1883. p. 238.
[5]) Mitth. d. orn. Ver. XII. p. 8.
[6]) Szikla's Privat-Notizen.

[7]) Frivaldszky l. c. p. 93.
[8]) Ibid. p. 94.
[9]) Ibid. p. 96.
[10]) Jahresbericht 1886. p. 215.
[11]) Jahresbericht 1883. p. 249.
[12]) vgl. Jahresber. 1883. p. 122; Orn. Jahrb. II. p. 29; Frivaldszky l. c. p. 99.
[13]) vgl. Orn. Jahrb. II. p. 29.

148. Caprimulgus europaeus L. Sparsam; Kommt im Mai; brütet in Bakony Ende Juni; reist im Septemper ab.

149. Cypselus apus L. Einige Paare nisten bei Págnárd in einem felsigen Berge, den sogenannten „Zsidókö", kommt Mitte Mai an, reist Ende August ab.

150. Alcedo ispida L. Im Herbst und Winter bei offenen Gewässern mehrmals; behalten herrschsüchtig ihr eigenes Revier.

151. Upupa epops L. Gemein. Kommt Mitte März, nistet in hohlen Weiden, brütet im Mai und Juni, zieht Ende September und Anfangs October ab.

152. Cuculus canorus L. Kommt Anfangs April, im Mai findet man seine Eier, im August kreisen die Jungen in kleinen Flügen herum, während die Alten in den Wäldern sich aufhalten, zieht im September weg. Das abergläubische Volk verfolgt ihn stark.

153. Picus major L. Gemeiner Standvogel, brütet im Mai, im Herbst zieht er in die Ebene und verweilt dort bis zum Mai.

154. Picus medius L. Wie die vorige Art, jedoch seltener.

155. Picus minor L. Wie die vorigen, streicht gerne mit Meisen herum, 1891 brütete ein Paar in unserem Garten, jedoch auf einem unbesteigbaren, 35 Meter hohen Pappelbaume.

156. Dryocopus martius L. Aeusserst selten. Exemplar im Gymn Szikla, bekam ein ♂ den 3. November 1886 aus Dát.[1])

157. Gecinus viridis L. Ueberall häufig, wie die Buntspechte.

158. Gecinus canus L. Sparsamer, wie die vorige Art.

159. Jynx torquilla L. Häufig, brütet jedoch in geringer Zahl hier im Mai.

160. Columba oenas L. Kommt in grosser Zahl Anfangs März, verreist im November, brütet sehr selten hier, überwintert stellenweise.

161. Columba palumbus L. Selten, Exemplar December 1881 bei Weissenburg erlegt. Kommt Anfangs März, bleibt bis October hier.

162. Turtur auritus Ray. Gemein, kommt Mitte April, nistet in Wäldern, Gärten und Feldgehölzen Anfangs Mai, reist Anfangs October weg.

163. Syrrhaptes paradoxus Pall. Exemplar ♀ 21. Mai 1868 vom Sárét im Nat. Mus[2]), 1888 1 Stück, 12. October 13. 1 Stück 30. November 1 Stück erlegt[3]), Biologisch durch Szikla beobachtet.[4])

1891 im September ein Stück hier erlegt, Ich erliess sofort Aufrufe in den Zeitungen, die hoffentlich Wiederklang fanden, da es mir unwahrscheinlich vorkommt, dass dieses Exemplar ein versprengtes Glied der 1888er Schaaren wäre; übrigens ist es auch möglich, da auch nach Herrn v. Tschusi zu Schmidhoffen ein Stück 1865 in Nieder-Oesterreich erlegt wurde.[5])

1) Jahresbericht 1886 p. 133.
2) Frivaldszky l. c. p. 112.
3) Ornithologisches Jahrbuch, II. p. 31.
4) Vergleiche besonders den ausgezeichneten Aufsatz von Tschusi: Steppenhuhn etc. Graz 1890.
5) Zoologischer Garten, VII. p. 590.

164. Phasianus colchicus L. Fasanerien sind in Adony, Martonvásár, Iszka-Szt-György, Szt-Iván etc. In Ujfalu werden sie besonders sorgsam beim jagdliebenden Herrn Gf. Joh. Nep. Zichy gezüchtet und werden dort auch Kreuzungen mit Eriplocomus nycthemerus, Syrmaticus Rewesii, Tetrao tetrix etc. vollbracht. Schön, dass die Ornithologie so bei uns Förderer findet.

Interessant ist es, dass die Fasanen im Herbst oft weit abschweifen; so erlegte mein geliebter Vater, dem sich viele werthvolle interessante Daten über gemeinere Vögel verdanke, in den 60ger Jahren auf seiner Besitzung Pettend ein solches Exemplar.

* * *

131. Feldsperling.
132. Gierlitz.
133. Fichtenkreuzschnabel.
134. Nord. Gimpel.
135. dickschnäbl. Rohrammer.
136. Rohrammer.
137. Goldammer.
138. Gartenammer.
139. Grauammer.
140. Schneespornammer.
141. Feldlerche.
142. Heidelerche.
143. Haubenlerche.
144. Star.
145. Rosenstar.
146. Blaurake.
147. Bienenfresser.
148. Nachtschwalbe.
149. Mauersegler.
150. Eisvogel.
151. Widehopf.
152. Kukuk.
153. gr. Buntspecht.
154. mittl. Buntspecht.
155. kleiner Buntspecht.
156. Schwarzspecht.
157. Grünspecht.
158. Grauspecht.
159. Wendehals.
160. Hohltaube.
161. Ringeltaube.
162. Turteltaube.
163. Steppenhuhn.
164. Edelfasan.

(Fortsetzung folgt.)

Systematisches Verzeichniss

der bisher in Oesterr.-Schlesien beobachteten Vögel, nebst Bemerkungen über Zug, Brut und andere bemerkenswerthe Erscheinungen.

Von C. F. Řzebak.

(Fortsetzung.)

Familie: Ciconiidae, Störche.

Gattung: Ciconia, Briss. 1760. Storch.

188. Ciconia alba, J. C. Schäff. Weisser Storch, Klapperstorch, Adebar. Nur Durchzugsvogel, brütend in Schlesien noch nie beobachtet worden. Zug: Mitte März, April; Mitte August; wurde auch schon im November am Zuge gesehen.

189. Ciconia nigra, L. Schwarzer Storch. Viel seltener als voriger am Durchzuge. Wurde schon im Lande erlegt.

Familie: Ibidae, Ibisse.

Gattung: Platalea, L. 1735. Löffler.

190. Platalea leucorodia, L. Löffelreiher, Löffler, Löffelgans. Sehr selten verirrt sich dieser Vogel zu uns. Ein Exemplar wurde im Lande erlegt und befindet sich im Troppauer Gymnasial-Museum.

Gattung: Ibis, Möhr. 1752.[1]) Sichler.

191. Ibis falcinellus, L. Brauner Sichler, brauner Ibis. Ebenfalls verirrt am Durchzuge hier erlegt worden und ist ebenfalls im Troppauer Gymnasial-Museum aufbewahrt.

Ordnung: Cursores, Laufvögel.

Familie: Rallidae, Rallen.

Gattung: Fulica, L. 1735. Wasserhuhn.

192. Fulica atra, L. Blässhuhn, schwarzes Wasserhuhn. Häufiger Sommervogel, zuweilen einzeln überwinternd. Zug: März, November. Brutzeit: Mai bis Juni.

Gattung: Gallinula, Briss. 1760. Teichhuhn.

193. Gallinula chloropus, L. Grünfüssiges Teichhuhn. Nicht zu seltener Sommervogel zuweilen auch einzeln überwinternd. Zug: März, April, October. Brutzeit: Mitte Mai bis Juli.

Gattung: Ortygrometra, Leach. 1816. Sumpfhuhn.

194. Ortygometra porzana, L., Getüpfeltes Sumpfhuhn.

195. Ortygometra parva, Scop. Kleines Sumpfhuhn.

196. Ortygometra pusilla, Pall. Zwergsumpfhuhn. Nicht zu häufige Sommervögel. Zug: April, Mai, September. Brutzeit: Juni, Juli.

Gattung: Crex, Bechst. 1803. Wiesenralle.

197. Crex pratensis, Bechst. Wiesenralle, Wachtelkönig, „alte Mäd'". Sehr häufiger Sommervogel auf allen Wiesen mit hohem Graswuchs anzutreffen. Zug: Ende April, Mai, September. Brutzeit: Juni, Juli.

Gattung: Rallus, L. 1735. Schilfralle.

198. Rallus aquaticus, L. Wasserralle, Rohrhuhn. Nicht zu häufiger Sommervogel, auch einzeln überwinternd. Die Wasserralle kommt im März und April in unsere Gegenden, brütet im Mai bis Juni und zieht im October fort.

Familie: Gruidae, Kraniche.

Gattung: Grus, Pall. 1766. Kranich.

199. Grus communis, Bechst. Kranich. Nach Joh. Spazier sehr selten am Durchzuge im März und October.

Familie: Otididae, Trappe.

Gattung: Otis, L. 1735. Trappe.

200. Otis tetrax, L. Zwergtrappe. Sehr seltener Gast und nur am Durchzuge; wurde schon erlegt.

Familie: Scolopacidae, Schnepfen.

Gattung: Scolopax, L. 1735. Schnepfe.

201. Scolopax rusticula, L. Waldschnepfe. Besucht uns im Frühjahr und Herbst und wird auf dem Striche geschossen. Brütend nicht sehr häufig. Zug: März, April, October. Brutzeit: Mai.

Gattung: Gallinago, Roch. 1816. Sumpfschnepfe.

202. Gallinago gallinula, L. Kleine Bekassine, kleine Sumpfschnepfe. Nicht häufiger Sommervogel; öfter am Durchzuge als brütend. Zug: April, September. Brutzeit: Mai bis Juni.

203. Gallinago caelestis, Frenzel. Mittlere Bekassine, Himmelsziege. Seltener Sommervogel. Zug: April September. Brutzeit: Mai.

[1]) Plegad's, Raup. 1829.

204. Gallinago major, Gm. Grosse Bekassine, grosse Sumpfschnepfe. Sehr selten am Durchzuge, April, September.

Gattung: Numenius, Briss. 1760. Brachvogel.

205. Numenius aquatus, L. Grosser Brachvogel.

206. Numenius phaeopus, L. Regenbrachvogel. Sehr selten am Durchzuge; wurden jedoch beide schon im Lande erlegt.

Gattung: Limosa, Briss. 1760. Pfuhlschnepfe.

207. Limosa lapponica, L. Pfuhlschnepfe, rothe Uferschnepfe. Ebenso selten als die vorigen am Durchzuge, ist auch im Lande erlegt worden. Brutvogel in Norwegen und Lappland.

Gattung: Totanus, Cuv. 1800. Wasserläufer.

208. Totanus fuscus, L. Dunkler Wasserläufer.

209. Totanus ochropus, L. Punktirter Wasserläufer.

210. Totanus glareola, L. Bruchwasserläufer.

211. Totanus stagnatilis, Bechst. Teichwasserläufer. Seltenere Sumpfvögel. Zug: April, September. Brutzeit: Mai und Juni. Sehr selten verirrt angetroffen; ist im Lande erlegt worden.

Gattung: Actitis, Ill. 1811. Uferläufer.

212. Actitis hypoleucus, L. Flussuferläufer, Strandläufer. Sommervogel. Zug: April, September. Brutzeit: Mai und Juni.

Gattung: Machetes, Cuv. 1817. Kampfläufer.

213. Machetes pugnax, L. Kampfläufer. Kampfschnepfe. Sehr selten am Durchzuge im April und September.

Gattung: Tringa, L. 1735. Strandläufer.

214. Tringa minuta, Leisl. Zwergstrandläufer.

215. Tringa canutus, L. Isländischer Strandläufer.

216. Tringa temmincki, Leisl. Grauer Zwergstrandläufer. Sehr selten am Durchzuge. Wurden im Lande erlegt.

Gattung: Limicola, Koch. 1816. Sumpfläufer.

217. Limicola platyrhyncha, Temm. Sumpfläufer. Ebenso wie voriger am Durchzuge erlegt.

Gattung: Calidris, Cuv. 1800. Sandläufer.

218. Calidris arenaria, L. Sandläufer, Sanderling und

Gattung: Phalaropus, Briss. 1760. Wassertreter.

219. Phalaropus hyperboreus, L. Schwimmschnepfe, Schmalschnäbeliger Wasserträger, am Zuge erlegt worden und befinden sich im Troppauer Gymnasial-Museum.

Familie: Charadriidae, Regenpfeifer.

Gattung: Charadrius, L. 1735. Regenpfeifer.

220. Charadrius pluvialis, L. Goldregenpfeifer;

221. Charadrius squatarola, L. Kibitzregenpfeifer. Selten am Durchzuge im März und October.

222. Charadrius morinellus, L. Mornellregenpfeifer, Bergschnepfe. Sehr selten am Durchzuge; im Hochgebirge der Sudeten Sommervogel.[1]) Zug: April, October. Brutzeit: Juni.

[1]) Siehe meine Arbeit: „Ueber das Vorkommen des Charadrius morinellus im Altvatergebirge". Schwalbe, XIV, Jahrgang Nr. 10.

223. Charadrius caronicus, Gm. Flussregenpfeifer.

224. Charadrius hiaticula, L. Sandregenpfeifer. Nicht zu häufiger Sommervogel an den sandigen Ufern unserer Flüsse. Zug: April, October. Brutzeit: Mai, Juni.

Gattung: Vanellus, Briss. 1760. Kibitz.

225. Vanellus capella, L. Kibitz. Sommervogel. Zug: März, October. Brutzeit: April, Mai.

Gattung: Oedicnemus, Tem. 1815. Dickfuss.

226. Oedicnemus scolopax, Gm. Dickfuss. Sehr selten; am Durchzuge erlegt.

Ordnung: Lamellirostres, Zahnschnäbler.

Familie: Cygnidae, Schwäne.

Gattung: Cygnus, L. 1735 Schwan.

227. Cygnus olor, Gm. Höckerschwan.

228. Cygnus musicus, Bchst. Singschwan. Sehr selten am Zuge. Ersterer wird auch halbwild in Ziergärten gehalten. Der Singschwan wurde schon einige Male erlegt. (1851, 1867.)

Familie: Anseridae, Gänse.

Gattung: Anser, Briss. 1760. Feldgans.

229. Anser segetum, Gm. Saatgans;

230. Anser perus, Brünn. Graugans. Nur am Durchzuge zu treffen. März, September.

Familie: Anatidae, Enten.

Gattung: Anas, L. 1735. Schwimmente.

231. Anas crecca, L. Krickente.

232. Anas querquedula, L. Knäckente.

233. Anas boscas, L. Stockente, wilde Ente.

234. Anas acuta, L. Spiessente. Häufige Strich- und Standvögel. Brutzeit: Mai und Juni.

235. Anas penelope, L. Pfeifente. Sehr seltener Brutvogel, meist nur am Zuge im März, April, October.

236. Anas strepera, L. Schnatterente. Sehr selten und nur am Zuge.

237. Anas clypeata, L. Löffelente. Nicht sehr häufig als Brutvogel; öfter am Zuge im April und October.

Gattung: Fuligula, Steph. 1824. Tauchente

238. Fuligula nyroca, Güld. Moorente.

239. Fuligula ferina, L. Tafelente.

240. Fuligula cristata, Leach. Reiherente. Selten am Durchzuge im März, April, October.

241. Fuligula marila, L. Bergente. Noch seltener als vorige.

Gattung: Oidemia, Flemm. 1822. Trauerente.

242. Oidemia nigra, L. Trauernte.

243. Oidemia fusca, L. Sammtente. Selten am Zuge, März, April, October.

Gattung: Clangula, Flem. 1822. Schellente.

244. Clangula glaucion, L. Schellente sowie auch die

Gattung: Heralda, Leach. 1816. Eisente.

245. Heralda glacialis, Leach. Eisente und

Gattung: Erismatura, Bp. 1822. Ruderente.

246. Erismatura leucocephala, Scop. Ruderente sind sehr selten am Zuge im März und October zu treffen.

Familie: Mergidae, Säger.

Gattung: Mergus, L. 1735. Säger.

247. Mergus merganser, L. Grosser Säger;

248. Mergus serrator, L. Mittlerer Säger;

249. Mergus albellus, L. Kleiner oder Zwergsäger. Sehr seltene Wintergäste an unseren Flüssen und Teichen.

Ordnung: Steganopodes, Ruderfüssler.

Familie: Phalacrocoracidae, Flussscharben.

Gattung: Phalacerocorax, Briss. 1760. Kormoran.

250. Phalacrocorax carbo, L. Kormoranscharbe;

251. Phalacrocorax pygmaeus, Pall. Zwergscharbe. Sehr selten am Zug.

(Fortsetzung folgt.)

Ornithologisches aus Schiltberger's Reise.

Von **Paul Leverkühn.**

Nachtrag zum gleichnamigen Artikel. XV. Jahrg., pag. 156.

Ueber die Sage von der „weissen Frau" ist in Deutschland eine ganze Literatur vorhanden, von welcher ich Namen wie Justinus Kerner, Stolberg, Grillparzer (Die Ahnfrau!) nenne; v. Minutoli legt in einer Monographie „Die weisse Frau" (Berlin 1850 eine „Geschichtliche Prüfung der Sage und Beobachtung dieser Erscheinung seit dem Jahre 1486 bis auf die neueste Zeit" vor. Dem grösseren Publikum ist die Sage am bekanntesten aus Boildieu's melodiereicher Oper, in welcher (Act I, Nr. 3) der Gedanke aus Schiltberger's Erzählung in wenn auch geänderter Form wiederkehrt:

Seht ihr von fern die alten Mauern,
Beschattet dicht im grünen Moos?
Dort wandelt eine weisse Dame,
Bewachet sorgsam jenes Schloss.
Jeder Ritter, der ihr naht,
Der Verderbliches im Sinn hat,
Von dem Schlosse muss er gehen;
Die weisse Dame kann ihn hören,
Die weisse Dame sieht ihn an.
Sie beschützt vor allen andern
Das oft betrog'ne Frau'ngeschlecht,
Und alle ungetreuen Männer
Die foppt und züchtigt sie schon recht.

Othm. Reiser schrieb mir (am 30. Juli) aus Sarajevo, dass alljährlich in den ausgedehnten Sümpfen bei Livno Pelekane (Pel. crispus) erschienen, welche von den dortigen Einheimischen allgemein saka genannt würden, wie dies Reiser bereits 1890 im Glasnik des Serajevo'er Museums veröffentlicht habe. — Die von Eder gemeinte Stelle bei Gessner lautet:

Albertus sagt / Der Vogel habe einen ganssfüss / der jm fugklich ze schwümmen: den anderen aber / so mit scharpffen vnd krumben klawen bewaret / brauche er zů raub ... Ich C. Gessner hab selbs võ Engellenderen gehört dass sy söliche füss / als oben gesagt / habind ... Etliche Teutschen nennend disen ein Soker". Gessner. Vogelbuch, deutsch von R. Heusslin, Zürich 1557. S. IX. (Von dem Meeradler oder Fischarn. Haliaetus.) Ein längerer Aufsatz Eder's über Allegorie und Mythe in Zusammenhang mit dem Pelikan findet sich in den Mittheilungen des ornithologischen Vereines in Wien 1890 Nr. 14 und 15, S. 191/2/205.

Untersuchung von Mehlwürmern auf ihren Nährstoffgehalt.

Von Dr. Sauermann.

Soweit ich die Literatur verfolgen kann, ist bis jetzt eine derartige Untersuchung, ebensowenig wie über Ameiseneier, von Anderen nicht veröffentlicht worden, dagegen liest man häufiger über den schädlichen Einfluss auf zartere Weichfutterfresser bei zu reichlicher Fütterung derselben mit diesen.

So schreibt unter Anderem M. Rausch, „Gef. Welt“ 1890, Seite 5 über die Mehlwürmer, dass sie den Begattungstrieb der Vögel befördern und einen unwiderstehlichen Drang zum Gesang hervorrufen und deshalb nur mit Vorsicht und zu entsprechenden Zeiten an die verschiedenen Insectenfresser zu verfüttern sind.

Da nun diese Erfahrungen in der Praxis auch von verschiedenen anderen tüchtigen Vogelliebhabern gewonnen worden sind, so kann man wohl annehmen, dass in den Mehlwürmern die Nährstoffe in zu concentrirter Form vorhanden sind und dies scheint auch unten stehende Analyse zu beweisen. Besonders augenfällig dürfte dies hervortreten, wenn man die Analyse der Mehlwürmer mit derjenigen frischer Ameiseneier nebeneinander stellt. — Doch ist damit noch nicht gesagt, ob nicht die Mehlwürmer noch andere Reizmittel enthalten, denen die Wirkung auf die Vögel zugeschrieben werden muss. Letztere dürften wohl erst durch ein tiefer gehendes Studium und umfassendere langwierige Untersuchungen festzustellen sein. Vielleicht geben auch meine nacheinander folgenden Arbeiten über die verschiedenen Vogelfutterarten schon genügenden Aufschluss.

Eine auf wissenschaftlicher Grundlage beruhende Futterlehre für die einzelnen gefangenen Insectenfresser kann nach den wenigen Analysen, die ich hier veröffentlicht habe, noch nicht aufgestellt werden, wenn auch schon bedeutende Fingerzeige vorhanden sind.

Die Mehlwürmer, welche ich untersucht habe, waren nur zum Theile ausgewachsen, jedoch alle über Mittelgrösse; es muss also noch festgestellt werden, ob die Mehlwürmer kurz vor der Reife andere Zusammensetzung haben, als während des Wachsthums.

Die gewonnenen Zahlen sind folgende:

	In der Trockensubstanz.	In frischer Substanz.
Eiweiss	44.10%	20.29%
Fett	33.04%	15.21%
Asche	3.34%	1.54%
Chitin	5.94%	2.73%
Stickstofffreie Extractstoffe	13.58%	6.24%
Wasser	—	53.98%
	100.00%	99.99%

Ich stelle noch eine Analyse frischer, deutscher Ameiseneier, siehe Jahrg. XV., Seite 158*) zum Vergleiche darunter:

*) Dort hat sich ein Druckfehler eingeschlichen, es muss heissen: 9.74% Stickstofffreie Extractstoffe.

	In der Trockensubstanz:	In frischer Substanz:
Eiweiss	50.57%	12.64%
Fett	14.18%	3.55%
Chitin	14.54%	3.64%
Asche	10.97%	2.74%
Stickstofffreie Extractstoffe	9.74%	2.44%
Wasser	—	75.00%
	100.00%	100.01%

Die Zahlen der frischen Substanzen geben uns an, in welchem Verhältnisse die Nährstoffe mit Wasser im ursprünglichen Zustande verdünnt sind. Während nun bei frischen Ameiseneiern dreimal soviel Wasser als Trockenstoff vorhanden ist, haben Mehlwürmer beide nur zu gleichen Theilen.

Vergleicht man die Zahlen der Trockensubstanzen unter einander, so sieht man bei Ameiseneiern zwar einen etwas höheren Gehalt an Eiweiss, dagegen weniger als die Hälfte Fett und wiederum dreimal mehr Chitin und Asche.

Die verhältnissmässig wenigen mineralischen Bestandtheile, welche einem Vogel durch zu reichliche Mehlwurmfütterung zugeführt werden, dürften zur Erhaltung desselben nicht ausreichen und so ist es wohl denkbar, dass die Vögel bei Fütterung von frischen Ameiseneiern allein bestehen können und naturgemäss ernährt werden, dass sie aber bei ausschliesslicher Mehlwurmfütterung zu Grunde gehen müssen.

Das Fett, das ich aus Mehlwürmern dargestellt habe, ist in gewöhnlichem Zustande flüssig und scheint aus reinem Triolein zu bestehen.

Zur Züchtung der Gürtelamandine.

Von Baron Stella.

Die Gürtelamandine besitzt, wie dies ja bei den meisten der Prachtfinken in mehr oder weniger gerechtfertigter Weise der Fall ist, den Ruf leichter Züchtbarkeit. Dieser Ruf veranlasste mich denn auch hauptsächlich, mir vor etwa sechs Jahren ein Pärchen dieser Australier von einer Leipziger zoologischen Handlung für den, heutigen Begriffen nach, gewiss hohen Preis von 20 Mk. bringen zu lassen. Als die Vögel ankamen, zeigte es sich nun zunächst, dass sie der Anpreisung des Verkäufers, „tadellos im Gefieder“, in keiner Weise entsprachen, vielmehr recht zerlumpt aussahen, doch waren sie gesund und munter, so dass ich mich entschloss, die beiden Amandinen trotz ihrer Kahlköpfigkeit zu behalten. Kaum acht Tage waren die Vögel in meinem Besitze, da sah ich zu meinem grössten Erstaunen, denn alles Andere hätte ich von den Halbnackten ja eher erwartet, wie sie in das Schlafkörbchen, welches ich in ihrem Käfige angebracht hatte, um ihnen eine warme Ruhestätte für die Nacht zu schaffen, Fäden eintrugen, die aus dem Rande eines Vorhanges, welcher das Bauer streifte, gezupft waren, und dass während dieser Beschäftigung das Männchen seiner Gattin mit lebhaftem Kopfnicken, Tanzen und Singen den Hof machte und diese seine Huldigungen nach dem eifrigen Nicken mit dem Kopfe zu schliessen, auch wohlgefällig annahm.

Wenige Tage später zeigte sich das Weibchen

sehr schwerfällig und eines Morgens fand ich ein Ei im Neste und das Weibchen sehr matt über demselben sitzend, am nächsten Tage war es todt, beim Legen des zweiten Eies eingegangen. Ich schob dieses Ende hauptsächlich darauf, dass der Vogel noch nicht hinreichend gekräftigt war, sich genügend von den durchgemachten Strapazen, denn dass es solche durchgemacht hatte, bezeugte ja der Zustand seines Gefieders, erholt hatte, als er zur Brut geschritten war, und wartete daher mit der Anschaffung eines neuen Weibchens so lange, bis das Männchen nach der im August überstandenen Mauser sein Federkleid erneuert hatte und nun der, wenn auch bescheiden, so doch reizend gefärbte und gezeichnete, dabei sich stets so schmuck haltende Vogel war, der, wie alle gut gehaltenen Repräsentanten seiner Art, nun ebenso sehr durch sein Benehmen, wie durch sein Aeusseres gewiss jeden Beschauer entzückt.

Das neu angeschaffte Grasfinkenweibchen war an Schönheit ihrem Gemahle ebenbürtig und kaum in einem grossen, mit allerlei Nistvorrichtungen ausgestatteten Käfige vereint, hatten sich die beiden Vögel auch schon zusammengefunden, sofort begann das Männchen mit dem Baue eines Nestes in einer ausgehöhlten Cocusnuss, gegen welches Beginnen sich das Weibchen indess sehr gleichgiltig verhielt, denn während seine Vorgängerin mitgeholfen hatte, wollte sie lange nicht einmal den Einladungen ihres Gatten, in die Höhlung zu schlüpfen, folgen, schlief sogar auf der Sitzstange, während es sich dasMännchen des Nachts im Neste bequem machte. Endlich mochte die Ausdauer des Männchens den Widerstand der Schönen überwunden haben, denn schliesslich nahm sie seine Einladungen doch an, und nun schlüpften beide über Tags unzählige Male in's Nest, liessen in diesem langgezogene Rufe hören; des Nachts schliefen sie stets darin. Dies währte so etwa zwei Monate, trotzdem ich öfters eine Begattung beobachtet hatte, schien keine Brut zu erfolgen und auf einmal wurde in einem Harzerbauerchen ein neues Nest errichtet. Ich nahm die Cocusnuss heraus, um sie zu reinigen, und fand in derselben sechzehn Eier! Die Vögel hatten also gelegt, ohne zu brüten. Das neue Nest war fertig, ich hatte wieder neue Paarungen bemerkt, da finde ich eines Tages das Weibchen schwer krank — Legenoth. Unter Beihilfe meinerseits wurde das Ei gelegt, am nächsten Tage unter den gleichen Schwierigkeiten noch eines, dann schien auch diese Brut wieder ein Ende zu haben, denn abermals wurde ein neues gebaut; nun ging es fast ein Jahr so fort: Nester wurden gebaut, einige Tage bezogen, ein Gelege gemacht, und sobald dies vollständig war, sofort wieder verlassen — von Brüten nie eine Spur! Endlich, nachdem es mehrere Male sehr schwer gelegt hatte, ging auch dieses Weibchen an Legenoth ein. Wieder schaffte ich ein neues Weibchen ein, wieder dasselbe Resultat: Eier in Menge, aber stets nach höchstens dreitägigem Brüten verlassen. Nun schob ich die Schuld dieser Misserfolge auf das Männchen, gab das Paar ab und zwei neue hielten ihren Einzug; sie waren in ihrem Benehmen dem ersten Paare ganz gleich.

Bei dem Besuche eines Berliner Züchters fand ich Gürtelgrasfinken freifliegend, mit bestem Erfolge nistend, und ich glaubte nun, umsomehr, als mich der betreffende Züchter in dieser Ansicht bestärkte, dass freier Flug zum vollen Gedeihen der Bruten nothwendig sei. Also wurden meine zwei Paare Grasfinken in der sehr geräumigen und wenig bevölkerten Vogelstube freigelassen, sie vertrugen sich vortrefflich mit den übrigen Vögeln und untereinander, bis der Fortpflanzungstrieb nach überstandener Mauser neu erwachte; nun war es mit dem Frieden aus, denn die Bartfinken, statt selbst ein Nest zu erbauen, drängten sich in die Nester aller übrigen ein, warfen Eier und Junge aus denselben, wichen selbst den kühnsten Angriffen der rechtmässigen Insassen nicht, bis diese, endlich entmuthigt, ihr Heim verloren gaben. Kaum hatten die Grasfinken dann das Nest einige Tage bewohnt, so schien es ihnen auch schon nicht mehr zu gefallen, denn es wurde wieder verlassen, ein neues aufgesucht, eine neue Brut zerstört! Ungefähr ein halbes Jahr dauerte dieses Treiben, ich liess die Grasfinken immer noch gewähren, indem ich hoffte, doch noch die ersehnte Brut zu erzielen, da begann das eine Männchen aber in einer Weise zu wirthschaften, dass es nicht mehr zu dulden war. Der Störenfried zog von einem Neste zum andern, setzte sich auf Augenblicke in demselben fest, und fand er Eier oder kleine Junge vor, so genügten diese Augenblicke, um sie aus dem Neste zu werfen. Grössere Junge wurden mit dem Schnabel bearbeitet, dabei begleitete das Weibchen immer kopfnickend den Gatten, schlüpfte, sobald dieser reinen Tisch mit den bisherigen Bewohnern gemacht, zu ihm, nun drehten sich beide unter dem eigenthümlichen Nestgezwitscher einige Male herum, schlüpften heraus und sahen sich nach einem neuen Objecte für ihre Zerstörungswuth um. (Schluss folgt.)

Das „Paduaner"-Huhn.

Von I. B. Bruszkay.

Als ich im Jahre 1854 mir in Steiermark (bei Maria Trost) eine kleine Landwirtschaft, mehr als Voluptuar, als wirkliches landwirthschaftliches Object ankaufte, fand ich nicht nur auf meiner eigenen, sondern auch auf den Besitzungen in der Nachbarschaft einen Schlag Haubenhühner vor, welche den in der grossen landwirthschaftlichen Ausstellung ddo. 1890 in der Rotunde in Wien von Herrn Italo Mezzon, Villafranca Padovana ausgestellten Polverara-Hühnern überaus ähnlich sehen und von den Landleuten als „wällische" Hühner bezeichnet wurden. Dass „Wälschland" und Italien Synonima sind, ist bekannt, es war daher obige Bezeichnung der Paduaner-Rasse ganz gerechtfertigt. Diese Hühner waren aber nicht gleich den auf den heutigen Ausstellungen vorgezeigten Paduanern, sondern waren bedeutend hochbeiniger und stärker, so dass ein zweijähriger solcher Hahn, die Höhe des grössten Cochins erreichte, ohne jedoch dessen Breite zu besitzen. Diese Thiere kamen in allen Farben vor, einfärbig roth, gelb, schwarz, weiss gesperbert und gesprenkelt, erstere Farbe besonders bei den Hähnen sehr häufig. Der

Schopf war nicht so gross, wie man es heute auf unseren Ausstellungen als prämiirungsfähig verlangt, aber gesehen haben diese Hühner besser, auch standen die Haubenfedern mehr aufwärts, ohne deshalb kurz zu sein, und bildeten weniger eine Parapluiform, sondern waren mehr einem Federbusche auf dem Tschako eines Husaren ähnlich. Gelegt haben diese Hühner vorzüglich, waren hart gegen alle Witterungsunbilden und gaben, gekreuzt mit dem steirischen Landhuhne, dessen Hähne eine merkwürdige, den Dorkings ähnliche Farbe und Zeichnung, nur nicht dessen Grösse besassen, ein vorzüglich mästbares Product, den „steirischen Kapaun", welcher in früherer Zeit schon (vor Beginn der Thätigkeit der Geflügelzucht-Vereine) eine gewisse Berühmtheit, wenigstens innerhalb der österreichischen Grenzpfähle, erlangt haben. Später, als man mit Cochins und Brahmas der Grösse halber zu kreuzen begann, verloren die steirischen Kapaunen an Zartheit des Fleisches, gewannen jedoch an Umfang und Schwere. In ganz Untersteiermark trifft man heute die Mischproducte von den obengenannten zwei Rassen mit dem Landhuhne an, welche aber durchwegs ohne Haubenfedern sind und gelbe Füsse haben, während das ältere Kreuzungsproduct stets wenigstens einige aufwärtsstehende Schopffedern und blaugraue Beine (zuweilen auch fleischfarbige) zeigte. Diese Aenderung war aber nicht zum Vortheile der Geflügelzüchter, die Kapaune wurden nicht mehr so begehrt und bezahlt wie früher und alle Welt beklagte die Decadence dieser Thiere. Sic transit gloria — Kapauni. Um nun wieder zu den Paduanern zurückzukehren, ist diese Art Hühner der Urstamm, aus welchem dann durch Züchtung an verschiedenen Orten, in verschiedenen Climas und Beimengung anderer Rassen die „Creve-Coeurs" und „Houdans" in Frankreich, die heutigen „Paduaner in Deutschland, die fast eingegangenen „Brabanter" in Belgien, die „Holländer in Polen und Russland und die „Sultans" im Oriente entstanden. Mancher zunftmässige Gelehrte wird vielleicht mit überlegenem Lächeln meine Unkenntniss bedauern, aber ich habe für meine Hypothese, denn mehr ist es nicht, und kann es nicht sein, da der Beweis dafür natürlich nicht zu erbringen ist, viele bestätigende Thatsachen anzuführen, welche vielleicht doch nicht so ganz aus der Luft gegriffen sind.

Nehmen wir zuerst das Creve-Coeur-Huhn. Was ist natürlicher, als dass ein speculativer Franzose einen schwarzen Stamm Paduaner nach dem naheliegenden südlichen Frankreich verpflanzte, besonders günstige Entwicklungsbedingungen in der Gegend des kleinen Ortes „Creve-Coeur" vorfand und dieses Huhn dann als neue französische Rasse dem „Wälschen" zum Trotze „Creve-Coeur"-Huhn nannte; denn offen gestanden, ist zwischen dem schwarzen Paduaner-Huhn, das ich Eingangs erwähnter (alte Schlag), und dem Creve-Coeur gar kein Unterschied in der Grösse, Gefieder, Beinen etc., nur höchstens, dass letzteres in der Kammbildung mehr kritisch überwacht wurde und etwas umfangreicher geworden ist. Aehnlich mag es den scheckigen Paduanern, von welchen ich genau so wie die Houdans, gezeichnete Exemplare schon vor 35 Jahren in Steiermark fand, gegangen sein, die man in der Gegend von Houdan wahrscheinlich mit dem fünfzehigen Dorking der Engländer kreuzte und die hieraus ihre eigenthümlichen Beine und das „Hirschgeweih" aus dem hohen Kamme des Dorking mit dem beinahe mangelnden Fleischkamme des Paduaners erhielten. Wer da weiss, wie gerne die Franzosen auf allen Feldern sich als Autodidakten und Schöpfer geriren, wird mir zugestehen müssen, dass obige beide Annahmen nicht ungerechtfertigt sind. Gehen wir weiter; das deutsche Paduaner-Huhn ist durch das rauhere Clima kleiner geblieben als das italienische, in Folge dessen gedrungener und vielleicht nur durch genaue Zuchtwahl die schöne, regelmässige Zeichnung entstanden, wie wir sie bei den Gold- und Silberlack-, Chamois- und Hermelin-Paduanern bewundern. Es dürfte vielleicht weniger bekannt sein, dass man aus Goldlack und Weiss chamois-, aus Silberlack und Weiss hermelinfarbige Thiere erhält, was ich bei Gelegenheit von Kreuzungsversuchen wiederholt erzielte, welche ich in der Richtung anstellte, um das weisse Paduaner-Huhn mit dunkler Haube (schwarz oder blau) zu erzüchten. Jedermann kann sich selbst durch ein- oder zweimaligen Versuch von der Wahrheit meiner Behauptung überzeugen, dass Chamois- und Hermelin-Paduaner so entstanden sein müssen. Die Letzteren haben sich ja auch die Franzosen als französische Original-Rasse vindicirt. Wenn man bedenkt, dass die meisten Farbentauben (bei welchen eben hauptsächlich die correcte Zeichnung ausschlaggebend ist) in Deutschland und Oesterreich vorkommen, so ist es doch gestattet, zu vermuthen, dass auch bei den Hühnervögeln die deutsche Emsigkeit und Genauigkeit auf correct gezeichnete Paduaner grossen Werth legte und dadurch erst die Gold- und Silberlacks schuf, wie sie es früher bei dem haubenlosen Hamburger-Huhn erzielt hatte.

Das Brabanter-Huhn ist genau wie das alte italienische Paduaner-Huhn, nur bedeutend kleiner und schmächtiger, Folgen des ungünstigeren Climas, die Haubenform beinahe ganz dieselbe; übrigens ging neuerer Zeit der Ausdruck „Brabanter" ganz in dem Namen „Paduaner" auf und bezeichnet man damit höchstens nur schlecht gelungene Paduaner, weil wir nur grosshaubige Thiere als gut anerkennen, was eben ersteren fehlt. Bei den „Holländern", welche auch „Polland", „polnische" Hühner genannt werden, ist der Hauptunterschied die reinweisse Haube und das Fehlen des Federbartes. Erstere ist offenbar nur ein Züchtungsproduct, durch vorsichtige Wahl der zusammengestellten Thiere hervorgegangen, denn es gibt und gab zu jeder Zeit Paduaner mit weissen Federn in der Haube, ja mit halbweissen Hauben; ich hatte in der Reihe der Zuchtjahre sogar einzelne Thiere goldlack und silberlack, welche ganz reinweisse Hauben hatten, was gar nicht übel stand. Es ist daher meine obige Hypothese auch so ziemlich als begründet anzusehen, da leider die weisse Feder heute noch ganz unmotivirt bei Paduanern und Creve-Coeurs in den Hauben zum Vorschein kommt. Der Bart ist sehr leicht wegzuzüchten und möchte ich noch darauf aufmerksam machen, dass ich oft ganz weisse Thiere mit Hauben ohne Federbart angetroffen habe, welche augenscheinlich die Form der Holländer hatten. Nun bliebe nur mehr die Verwandtschaft der „Sultans" mit den „Paduanern" nachzuweisen, was bei der Anlage fast aller orientalischen Hühner-Rassen zur Rauhbeinigkeit auch keine Schwierigkeit bietet, eine Erklärung hiefür zu finden, und dass jene aus Italien nach der Türkei und überhaupt den Orient gebrachten Exemplare von Paduanern sich nach und nach diese Federbekleidung an den Füssen durch Mischung mit anderen rauhbeinigen Orientalen angeeignet haben. Jedenfalls steht so viel fest, dass das älteste, bekannte Haubenhuhn aus Italien (aus Padua) stammte und unter diesem Namen in alten Schriften schon erwähnt wurde, während alle anderen Rassenamen von Haubenhühnern neueren Ursprunges sind, daher mit Recht anzunehmen ist, dass man in demselben den Urstamm aller anderen Haubenhühner finden dürfte.

Gehen wir zu den Eigenschaften dieser Thiere über, so finden wir vor Allem, dass die Haubenhühner alle durchgehends schlechte Brüterinnen, aber gute Legerinnen sind, dass sie gutes, zartes Fleisch an Brust und Keulen reichlich ansetzen, dabei viel dünnere Knochen als andere gleichgrosse Hühner besitzen, daher alle, sowohl als Lege- als auch Tafelhühner sehr zu empfehlen sind. Ich muss bei dieser Gelegenheit für die Paduaner eine Lanze brechen, da es bei manchen Geflügel-Ausstellungen beliebt, diese Thiere nicht zu den sogenannten „Nutzrassen" zu zählen, während nur nach den besprochenen guten Eigenschaften sämmtlicher Haubenhühner die Einreihung derselben in die Nutzrassen ganz gerechtfertigt erschien, da der Einwurf, dass diese Thiere dadurch, dass sie sich durch Trinken aus Pfützen ihre Federhauben beschmutzen und dadurch Augenkrankheiten entstehen, kein stichhältiger ist, da es ja nie nothwendig ist, die Hühner aus den Pfützen trinken zu lassen, was bei richtiger Pflege, welche reines Trinkwasser vorschreibt, auch gewiss nicht geschehen wird. Uebrigens schlägt das Trinken aus Pfützen keinem Huhne gut an und können durch den Amoniakgehalt der in den Wirthschaftshöfen vorkommenden Jauchegruben auch bei anderen (Nicht-Hauben-) Hühnern Augenkrankheiten entstehen. Zu den Nutzrassen zählt man gewöhnlich Cochins und Brahmas, welche bei einem viel grösseren Futterbedarfe kaum zwei Drittel, ja manchmal nur einhalb so viele Eier als die Haubenhühner, speciell die Paduaner, legen. Ich habe dieselben die letzten 20 Jahre ausschliesslich, früher, aber alle anderen Rassen gezüchtet, und habe bei genauer Aufschreibung gefunden, dass meine Paduaner bei freiem Auslaufe und sonstigen zur guten Entwicklung nothwendigen Verhältnissen durchschnittlich eine jede Henne per Jahr und Kopf 175 Eier legte, welche alle über die Durchschnittsgrösse waren und mitunter sogar doppeldotterige. Ich glaube daher, dass das Paduaner-Huhn, wenn man nicht auf zu grosse Hauben und acurate Zeichnung sieht, gerade ein Nutzhuhn par excellence ist und nur in unserem stets nach Neuem auslugenden Zeitalter ganz mit Unrecht vernachlässigt oder hintangesetzt wird. Natürlich, zum Reclamemachen, wie Wyandottes oder Plymouth-Rooks, kann es nicht mehr verwendet werden, doch muss man sich damit trösten, dass bald auch diese durch die Mode verdrängt sein werden, wie einstmals die Phönixe, Yokohamas, Sumatras, mit denen seinerzeit auch so viel Aufhebens gemacht wurde. Man braucht wahrhaftig kein Zopf oder Feind des Neuen zu sein, wenn man nicht immer für die neuen Hühnerrassen schwärmt, auch erkenne ich ja an, dass es ein Vergnügen ist, in einer vorhandenen Rasse eine neue Farbe oder Zeichnung durch vorsichtige Zuchtwahl hervorzurufen, aber immer neue Rassen erzeugen zu wollen und sich bemühen, sie um jeden Preis in die Mode zu bringen und den Primeurs dadurch Geld zu schaffen, diese Speculation überlasse ich gerne Anderen, seien es nun einzelne Individuen oder ganze Vereine. Ich kenne nur zwei Richtungen, die in der Geflügelzucht eingeschlagen werden sollen, nützliche Thiere für den Landwirth, ohne Rücksicht auf Rassereinheit; und schönfärbige Rassethiere für den Liebhaber in den Städten zu schaffen, aber die 3. Richtung: immer nur neue Rassen als Erster auf den Markt zu bringen, muss ich perhorresciren.

Der kurzschnäbelige Weisskopftümmler.

Von **A. V. Curry**, Wien-Währing.

„Es wär' ein eitel und vergeblich Wagen,
Zu fallen in's bewegte Rad der Zeit:
Geflügelt fort entführen es die Stunden;
Das Neue kommt, das Alte ist verschwunden."

Selten haben am Felde edlen Tümmlersportes beharrliches Streben, Genie und ausdauernder Fleiss ein so hochgestecktes, weites Ziel erreicht, hat die von glühender Hingebung erfüllte echte, wahre Züchterkunst ein so herrlich grosses Werk vollbracht, als in unserem modernen, auf Kopf und Schnabel veredelten kurzschnäbeligen Weisskopftümmler.

Nach heutigen Begriffen dereinst eine unscheinbare Taube, in Gestalt und Aussehen durch ungeeinte Zuchtrichtung auf schwankem Rohre schaukelnd, war sie alle Zeit ein schliffbedürftiger Edelstein, der nur des Meisters kundiger Hand bedurfte, um den blendenden Glanz des Himmelslichtes mit verstärkter Kraft zu wiederspiegeln. „Edler Sinn liebt edlere Gestalten, und Herzen gibt's, die nur für's Erhabene erglüh'n." Diese reizenden Worte des grossen deutschen Dichterfürsten bewährten sich auch hier, denn kaum erscholl die Kunde, dass es Englands zäher Schaffenskraft gelungen, die beregte Taube zu ungeahnter Höhe der Vollendung zu erheben, so schwellte und vibrirte es in so mancher Sportsmannsbrust, der edelste Schaffensdrang beflügelte der Hände Fleiss, an keine Grenzen kehrte sich der allseitige Opfermuth — eine Pause des Werdens — und die österreichisch-deutsche Züchterkunst hatte sich bewährt.

In Regensburgs Vereinspräsidenten G. Buchmann ehrt der deutsch-österreichische Sport den bahnbrechenden Pionier einer sehr modern gewordenen Weisskopfzucht, ihm gebührt der Lorbeer, welcher von seiner Hand gepflanzt, zuerst auf deutschem Boden grünte, mit dereinen Hand den edlen Samen streuend, leuchtete seine andere mit der Fackel schöpferischen Geistes zum Ziele des Erfolges. Und nachdem ihm der Besten alle folgten und geeinte Kraft sich Selbstständigkeit und Unabhängigkeit errang, da konnten die bewährtesten Züchter Deutschland-Oesterreich-Ungarns im vorigen Frühjahre den schon lange erwarteten Beschluss fassen, jene Taube welche bisher mit „Englischer Weisskopf" benannt gewesen, als deutsches Ur- und Zuchtproduct fortan und für alle Zeiten mit dem Namen „Kurzschnäbeliger Wsisskopftümmler" zu benennen. Unter Einem wurde dem Vorstande des Clubs deutscher und österreichisch-ungarischer Geflügelzüchter die Bitte unterbreitet, den aus factischen Zuchtergebnissen abgeleiteten Standard dieses Tümmlers, neben dessen neuer Benennung seinerzeit in's deutsche Merkbuch aufzunehmen.

Sowie diese edelgeformte Taube unter dem bisherigen Namen „Englischer Weisskopf" leicht von ihrem wahrscheinlichen Stammvater, den „Elbinger", zu unterscheiden war, wird sie's auch in Hinkunft sein und braucht sich der Elbinger der Verdrängung nicht zu fürchten, denn was unter der Flagge dieses Namens Alles segelt, dem ist die Majorität noch für lange Zeit gesichert.

Gleichwie bei allen anderen Kurzschnabeltümmlern die edle Kopf- und Schnabelform jede andere Werthbedingung dominirt, so ist dies auch bei unserem modernen Weisskopftümmler selbstverständlich. Mit dem englischen Almond in die Categorie der Kurz- und Dünnschnäbel gehörend, ist er bei grosser Feinheit diesem im Kopfe völlig gleich, nur die unnatürliche Ausartung der Stirnstellung lässt man ihn vermissen, aber Höhe und Breite, wie der gewisse rechte Winkel zwischen Stirne und Schnabel, muss vorhanden sein. Das gerade abstehende Schnäbelchen soll in Form und Zartheit dem Finkenschnabel gleichen und ist dies hohe Bedingung wahrer Vollkommenheit, aber nicht eben häufig anzutreffen, denn nur selten beachten ihn die Züchter und lassen diese edle Schnabelform, wenn sie in der Nachzucht hin und wieder aufgetreten, im Gewirre anderer Schnabelformen unbeachtet wieder untergehen.

Wer darüber nicht die rechte Vorstellung besitzt und keine Gelegenheit findet, einen Finkenschnabel an lebenden Originalen zu bewundern, der sehe sich einmal die bei Richter in Hamburg gedruckten und in's Mustertaubenbuch aufgenommenen Bilder über englische Baltheads genauer an; nicht nur die Schnabelform, sondern auch die feine, zarte Hornsubstanz ist da eine völlig andere, als man es bei vielen sonst ganz guten Tauben vorfindet. Und es ist gar nicht einmal schwer, ihn zu erhalten, bei jedem guten Zuchtmateriale tritt er in der Nachzucht hin und wieder auf, man muss ihn dann nur festhalten; er neigt sehr zur Vererbung und mit wenigen solchen Thieren ist ein geschickter Züchter leicht im Stande, in paar Jahren seinen ganzen Bestand entsprechend zu umzüchten. Alle distincten Merkmale dieser Taube versammeln sich oben am Kopfe, in der Kopf- und Schnabelform, wie dem edlen, grossen Auge, drücken sie sich aus; verhüllt man diese alle, so wird es für den besten Kenner schwierig, zu errathen, ob die Taube ein Kurzschnäbeliger oder Elbinger Weisskopftümmler ist, entblösst man sie dagegen, so muss die edle Harmonie der Theile und des ganzen jedem Laien sofort in das Auge springen. Das Auge kann nicht gross genug gezüchtet werden, ist es aber klein, so deutet es auf ganz gemeine Abkunft oder ist ein Rückschlag auf ordinäre Ahnen. Ein feiner, rother Augenring erhöht die günstige Wirkung mit Rücksicht auf das weisse Feld, in dem das ganze Bild sich malt und wird dem befiederten Augenrande allenthalben gerne vorgezogen.

Die reizende, gemönchte Zeichnung ist überall bekannt und nur in Betracht des Schnittes ist zu sagen, je höher, desto entsprechender dem Namen, nichts anderes, als was „Kopf" heisst, solle weiss sein, also unter den Augen und der Kehle eine gerade, noch wahrnehmbare Grenzscheide. Etwas tiefer ist darum kein Fehler und hat der von den Züchtern aufgestellte Standard das Häufige dieser Erscheinung auch berücksichtigt, aber der dem Namen „Weisskopf" im wahren Sinne des Wortes entsprechendste und der Taube so gut stehende ideale Schnitt ist der vorne angegebene, welcher fast knapp unter den Augen und der Kehle läuft.

Die sogenannte Schwanengestalt, dieses erhabendste Bild edler Haltung einer Taube, tritt in der Nachzucht jedes guten Zuchtmateriales — so wie der Finkenschnabel — hin und wieder auf und kann bei gehöriger Beachtung und Nutzanwendung ebenfalls leicht festgehalten und vermehrt werden.

Auch dem Aermsten darf der Muth nicht sinken, wenn er ausser Stande ist, sich um schweres Geld sogleich das beste Zuchtmateriale anzuschaffen. „Gutes aus Gutem kann jeder Verständige bilden, aber der Genius ruft Gutes aus Schlechtem hervor." Diese Dichterworte mögen ihn beseelen, Fleiss und Ausdauer mit den Flügeln des Verstandes beschwingt, bringen den Erfolg. Wer aber gleichzeitig Alles will, erreicht nie viel. Das Wichtigste muss stets vorangehen, und erst wenn dies geschaffen, schreitet man zum anderen. Mindestens 3 4 Jahre lang werfe man bei äusserlich minderem, aber im Blute edleren Zuchtmateriale jede Rücksicht auf Gestalt, Farbe und Zeichnung über Bord, und erst, wenn man die edlen Kopf- und Schnabelformen festgehalten und das grosse Auge fixirt hatte, gehe man an's Uebrige, das sich dann schon geben wird.

Und damit gab ich den Freunden edelster Tümmlerzucht in gedrängter Form das Bild von einer Taube, in deren Vollkommenheit sich Formenpracht mit Anmuth und berückender Schönheit des Gesammtbildes vereint. Wer sie nie in der Vollendung sah, der kennt keine Erhabenheit im Tempel unseres Genius, in dessen Diensten sich des Meisters schaffender Hand in kunstsinniger Begeisterung an Gebilden der Erhabenheit erschöpfte. Und diesen Vorzügen entspricht auch die selten grosse Verbreitung dieser Taube, welche man in Deutschland, England und Oesterreich-Ungarn ebenso antreffen kann, als wie in Amerika (Hennig-Baltimore, Werneil-New-York), Afrika (Bekisdem-Alexandrien) und vielen anderen Gegenden der Welt. Der Balthead und kurzschnäbelige Weisskopf sind ein und dieselbe Taube und es können sie geographische

Grenzen nicht verschieden von einander machen, weil die Zuchtrichtung hier wie dort dieselbe ist. Durch den Cultus der Gegenwart aber erfüllte speciell der deutsche Sport eine längst schuldige Ehrenpflicht an dieser Taube, deren Wiege, der Legende nach, einst in Preussens Ostlanden gestanden, von dort in ihren besten Ahnen auf Schicksals- und auf Meereswellen in die ferne Welt entführt ward und nun in ihren edlen Nachkommen die deutsche Heimat wiederfand.

Kaum hatten es aber die berufensten, weil bewährtesten Züchter Deutschland-Oesterreich-Ungarns unternommen, nach Vollendung ihres, mit so viel Opfermuth, Fleiss und Ausdauer aufgebauten Werkes, dasselbe im Wege der loyalsten Kundgebung im Cluborgane, mit der nothwendig gewordenen Aufstellung des Standard zu bekrönen, so tönte es inmitten allgemeiner Befriedigung wie ein schriller Pfiff an's Ohr der ganzen Sportswelt, dass sich der Geflügelzucht-Verein zu Königsberg in Preussen für berufen hielt, sich dem für die deutsche Sportswelt so ehrenvollen Werke in factiösester Opposition entgegenzustemmen. Schonungslos setzte sich hiebei dieser Verein in bedauerlichstem Irrthume befangen, über die durch fremde Empfindlichkeit gezogenen Schranken hinweg, schlug Zeter und Mordio und verhalf durch seinen allgemein geschätzten Vorstand sogar die ehrsame Versammlung des Geflügelzüchtertages in Berlin, durch deren in gutem Glauben abgegebenen Beifall, zu einem superfeinen, echtäugigen Lapsus.

Die Erbitterung über dieses Vorgehen gab sich seinerzeit in den denkbar drastischesten Ergüssen kund, aber es ward bald offenbar, dass hier der bei den Wienern noch in guter Erinnerung stehende Verein in Königsberg, indem er zum Feuer seinen Wind geben musste, das Opfer eines einflussreichen Justamenters wurde, der überall nur demoliren möchte, wo er nicht gebaut hat, und darum liess ich auch meinen namens der deutsch-österreichisch-ungarischen Züchter losgelassenen Commentar auf dem altbekannten Sprichworte fussen: „Den Sack schlägt man und den Esel meint man." Nach einer Pause tiefen Schweigens, als die von der Leidenschaft getrübten Sinne sich geklärt, sendete ich die Bomben und Granaten im Wege des Cluborganes, der Dresdener und Leipziger Blätter franco retour und gab den bezüglichen Auseinandersetzungen nachfolgenden Abschluss: „Zum Schlusse hoffe ich, dass die Kriegsgefahr vorüber sei und das Chaos der Dissonanzen ausklingen möge in eine versöhnlich abschliessende Harmonie. Zu was die männliche Gelassenheit an der Flamme eines Strohwisches versengen lassen, eine Fehde schaffen, welche dem Wurme unter'm Boden gleich, an der Wurzel Schaffensfreude nagt. Es wird dann hin- und hergeschossen und ich bedauere es ganz lebhaft, wenn eine Bombe auf das Haupt Desjenigen gefallen, der ihr in gewagtem Vordrängen eine allzu grosse Blösse gab. Unsere Zeit heischt es mit gebieterischem Ernste, dass sich das Einzelinteresse dem der grossen Allgemeinheit unterordne; was schwache Kräfte nicht vermögen, erringt, erkämpft die hehre Tugend Eintracht, wenn von ihr beseelt in friedlicher Gemeinsamkeit sich kluge Hände regen in gleichem Streben zu demselben Ziele. Darum „seien wir ein einig Volk von Brüdern", Arm in Arm zu grosser Kraft geeint, dann schwelle deutsche Brust in jubellautem Hochgesange, dann die Bahn ist frei und offen, auch's höchste Ziel erstritten."

---

†

Sr. Hochwürden Herr P. Blasius Hanf

Ehrenmitglied unseres Vereines

starb am 2. Jänner 1892 in Mariahof.

Kleinere Mittheilungen.

Die Naturforschende Gesellschaft des Osterlandes zu Altenburg feiert im Herbst 1892 ihr fünfundsiebzigjähriges Stiftungsfest und beabsichtigt bei dieser Gelegenheit, das Andenken dreier Landsleute und Ehrenmitglieder der Gesellschaft durch ein einfaches, würdiges Denkmal zu ehren, das seinen Platz in der Landeshauptstadt Altenburg finden soll. Es sind dies Christian Ludwig Brehm, dessen Sohn Alfred Brehm und der zu Leiden verstorbene Professor Schlegel. Die Verdienste dieser drei Männer um die Erforschung der Thierwelt, insbesondere der Vogelwelt, sind nicht nur in den Kreisen der Fachgenossen, sondern in der gesammten gebildeten Welt rühmlichst anerkannt, so dass diese drei hochverdienten Gelehrten wohl würdig sind, dass ihr Andenken von der Nachwelt geehrt wird.

Das unterzeichnete Comité, dem als Protector das hohe Ehrenmitglied der Naturforschenden Gesellschaft, Se. Hoheit Prinz Moriz von Sachsen-Altenburg, beigetreten ist, erlaubt sich nun, an alle Freunde und Verehrer der drei berühmten Forscher die Bitte zu richten, durch Spendung von Beiträgen die Errichtung des geplanten Denkmales ermöglichen zu helfen.

Beiträge beliebe man, an den unterzeichneten Commerzienrath Hugo Koehler in Altenburg, Anfragen und Briefe an Dr. Koepert in Altenburg gelangen zu lassen.

Altenburg, im December 1891.

Das Comité: Moriz Prinz von Sachsen-Altenburg, Professor Dr. Blasius, Braunschweig. Director Professor Flemming, Altenburg. Major A. v. Homeyer, Greifswald. Commerzienrath Hugo Koehler, Altenburg. Dr. Koepert, Altenburg. Hofrath Professor Dr. Liebe, Gera. Professor Dr. Pilling, Altenburg. Dr. Reichenow, Berlin. Medicinalrath Dr. Rothe, Altenburg. Ritter v. Tschusi zu Schmidhoffen, Hallein. Dr. Voretzsch, Altenburg.

Zur Beschränkung des postalischen Verkehres für lebendes Geflügel nach Deutschland. Die in Jahrg. XV, pag. 164 dieser Blätter mitgetheilte Ministerial-Verordnung wurde von mehreren Seiten so gedeutet, dass auch die Einfuhr nach Oesterreich beschränkt sei. Nach eingezogenen Informationen ist dies unrichtig; die Beschränkung bezieht sich lediglich nur auf die Ausfuhr lebender Thiere aus Oesterreich nach Deutschland mit Ausschluss Bayerns. Die Einfuhr bleibt von der Verordnung unberührt.

Bei dieser Gelegenheit möchten wir auch einen Irrthum berichtigen, der uns von einigen Wiener Züchtern geäussert wurde, die die 5 Kilo-Beschränkung sogar auf den internen Verkehr in der öst.-ung. Monarchie ausgedehnt glaubten. Die Post befördert innerhalb des österreichischen Kaiserstaates*) lebendes Geflügel bis zu jedem Gewicht, doch muss die Aufgabe auf einem grösseren Postamte erfolgen (jeder Wiener Bezirk hat deren).

*) Nach Bosnien und der Herzegowina ist nur ein Max.-Gew. von 20 Kilo zulässig.

Filial-Postämter, mit beschränkter Aufnahme, übernehmen nicht nur Geflügelsendungen, sondern auch jede andere Sendung nur bis zum Maximalgewichte von 5 Kilo. Ph.

Erster Wiener Vororte-Geflügelzüchter-Verein. Montag den 28. December v. J. hatte die Brieftaubensection des „Ersten Wiener Vororte Geflügelzucht Vereines in XIV. Bez. in Rudolfsheim eine ausserordentliche Sitzung einberufen. Der bisherige Obmann Herr Josef Dexler sah sich veranlasst in Folge seiner Ernennung zum Landesthierarzt von Tulln und die damit verbundene Versetzung nach obiger Stadt, seine Stelle als Obmann der Brieftaubensection zurückzulegen. Nach vorgenommener Neuwahl des Obmannes (Herr Josef Müller) und vor Uebergang zur Tagesordnung stattete der neugewählte Obmann in seinem, sowie im Namen der Brieftauben-Section Herrn Dexler den wärmsten Dank ab. Herr C. B. Schick als Vorstand des Vereines hob die besonderen Verdienste hervor, die sich Herr Josef Dexler als eifrigster Förderer des Brieftaubenwesens erworben hat. Jedes einzelne Mitglied fühlte sich veranlasst diesem jovialen Manne durch einen warmen Händedruck seinen besten Dank auszusprechen. Sichtlich gerührt dankte Herr Dexler für die ihm dargebrachte Freundschaftsbezeugung und versprach auch fernerhin im Sinne des Vereines zu handeln und zu wirken.

Ausstellungen.

Das Programm der XVII. int. Geflügel- und Vogel-Ausstellung veranstaltet vom „Ersten öster.-ung. Geflügelzucht Verein" unter Mitwirkung des „ornithologischen Vereines in Wien" wird soeben verschickt. Ausser der geänderten Prämiirungsweise, die heuer probeweise angewendet werden soll und worüber bereits in der letzten Nummer dieses Blattes ausführlich berichtet wurde, ist zu bemerken, dass die Classen in der Hühnerabtheilung gegen die vorjährige Ausstellung, um vier verringert erscheinen, indem glatt- und rauhbeinige Langshans vereinigt, die Classe für „andersfarbige" Plymouthrocks, sowie steirische Landhühner und Sumatra gestrichen wurden; auch in der Taubenabtheilung wurden Streichungen in der Classenzahl vorgenommen, so dass das vorliegende Programm deren 42 aufführt.

Es ist selbstredend, dass nur solche Classen aufgelassen wurden, die erfahrungsgemäss in Wien nicht oder nur ganz unbedeutend beschickt werden.

Die fachgewerbliche Abtheilung der Ausstellung, die im vergangenen Jahre so viel Anerkennung seitens des Publicums fand, wird auch heuer, und zwar in noch erweitertem Massstabe, durchgeführt. Sie umfasst: a) alle Producte der Geflügelzucht, als: Eier, Mastgeflügel, Bett- und Nutzfedern, sowie alle gewerblichen Erzeugnisse aus letzteren, als: Phantasiegestecke, Fächer, Boas, Muffe etc. aus Geflügelfedern, b) alle zweckdienlichen Geräthe und Apparate, als: Käfige, Körbe etc.

Die ornithologische Abtheilung dürfte sich durch die reiche Dotirung mit Ehrenpreisen die schon heute gezeichnet sind, für die Aussteller sehr lohnende gestalten. Ausser den silbernen und bronzenen Ausstellungsmedaillen des „Ornithologischen Vereines in Wien", die nach Bedarf zur Verfügung der Jury stehen, sind bis heute schon vier goldene Medaillen als Ehrenpreise gestiftet. Eine solche ist für eine Mustercollection seltener europäischer Käfig-Vögel, eine zweite für eine Collection selbstgezüchteter Exoten bestimmt, während die Spender der zwei weiteren Gold-Medaillen sich noch nicht entschieden haben, für welche Leistung dieselben vergeben werden sollen. Dass als Anerkennung der hervorragendsten Leistung in dieser Abtheilung ebenso, wie in der Grossgeflügel- und Taubenabtheilung je ein Ehrendiplom zur Vertheilung gelangt, wurde bereits früher erwähnt.

Mit der Ausstellung ist eine Verloosung verbunden; als Gewinnste werden laut Comitébeschluss ausschliesslich Ausstellungsobjecte angekauft. — Programme sind zu beziehen durch das Secretariat des I. österr.-ung. Geflügelzucht-Vereines, in Wien, II., k. k. Prater 25. — Alle Auskünfte über die Ornithologische Ausstellung ertheilt Herr Fritz Zeller, I. Vicepräsident des „Ornithologischen Vereines in Wien" und Obmann der Ornithologischen Abtheilung, Wien, II., Untere Donaustr. 13.

Erster Wiener Vororte-Geflügelzucht-Verein in Rudolfsheim. Die diesjährige Ausstellung unseres Vereines findet zu den Osterfeiertagen (16. bis 22. April 1892), und zwar in Weigel's Etablissement (Dreher-Park) Wien Meidling statt. Die Programme kommen demnächst zur Versendung.

Die Vereinsleitung.

Club deutscher und österreichisch-ungarischer Geflügelzüchter. Unter dem Vorsitze des Herrn Commerzienrathes du Roi-Braunschweig fand in Freybergs Garten in Halle a. S. die Herbst-Haupt-Versammlung statt, an welcher auch die Mitglieder des ornithologischen Centralvereines theilnahmen. In der Hauptsache handelte es sich um Entscheidung der Frage, an welchem Orte die diesjährige Ausstellung des Clubs, um welche sich die Städte Hamburg, Bremen, Mainz, Königsberg, Leipzig und Halle beworben haben, veranstaltet werden soll. Nach sehr eingehenden Erörterungen wurde beschlossen, die Ausstellung in Halle, und zwar in „Freybergs Garten" abzuhalten. Halle wurde als Ausstellungsort wegen seiner günstigen geographischen Lage und der ausgezeichneten Bahnverbindung, hauptsächlich aber auch deshalb gewählt, weil die Bestrebungen und Erfolge des dortigen ornithologischen Centralvereines einhellig als hervorragende anerkannt wurden. Die Ausstellung wird in der Zeit vom 12. bis 15. Februar stattfinden. Die Ausstellung kann nur von Mitgliedern des Clubs oder Mitgliedern von Vereinen, welche dem Club angehören, beschickt werden; man will dadurch erreichen, dass nur das Beste auf dem Gebiete der Geflügelzucht in Halle zur Schaustellung gelangt. Von den Clubmitgliedern ist bereits ein Garantiefonds von 6000 Mark für die Ausstellung gezeichnet. Aus den weiteren Verhandlungen ist zu erwähnen, dass für 1893 eine grosse nationale Geflügelausstellung in Aussicht genommen ist, welche entweder im Krystallpalast zu Leipzig oder in Berlin abgehalten werden soll. Die Vorstandswahl ergab die Wiederwahl sämmtlicher bisheriger Vorstandsmitglieder. Die Frühjahrs-Hauptversammlung ist mit der nächstjährigen Club-Ausstellung in Halle verbunden.

Der uns soeben zugehende Entwurf der Classenaufstellung für die vom „Club deutscher und östr.-ung. Geflügelzüchter" in Halle vom 12. bis 15. Februar d. J. zu veranstaltende Geflügelausstellung weist in der Hühnerabtheilung 76 in der Taubenabtheilung 135 Classen auf. Das Standgeld beträgt für Grossgeflügel per Paar oder einzelnem Exemplar 3 Mark; die Preise: I. Preis 15, II. Preis 10, III. Preis 5 Mark. Für Tauben: Standgeld per Nummer 2 Mark: die Classenpreise 10, 6, 4 Mark. In vielen Racen sind Classen für einzelne Thiere garantirt, so für gelbe Cochin: Junger Hahn, junge Henne, altes Paar; für helle Brahma: junger Hahn, junge Henne, alter Hahn, alte Henne, auch: Phönix, Silber, Gold, Chamois, weisse Sperber und andersfärbige Paduaner, sowie Holländer sind in Hähne- und Hennen-Classen geschieden. In der Taubenabtheilung fielen uns 8 Bagdetten-Classen, 27 Kröpfer-Classen, 33 Mövchen-Classen, 25 Tümmler-Classen auf, wobei fast alle Kröpfer, die meisten Mövchen und viele Tümmler nach Geschlechtern gesondert ausgestellt sind. Die endgiltig richtiggestellte Classenaufstellung wird mit dem Programm unter einigen Tagen versandt werden.

Internationale Zucht- und Nutzviehschau, Wien 1892. Angeeifert durch die Erfolge der im vorigen Jahre abgehaltenen internationalen Zucht- und Nutzviehschau und den eminenten Werth solcher Schauen für die Viehzucht in Oesterreich erkennend, hat die k. k. Landwirthschafts-Gesellschaft in Wien beschlossen, in der Zeit vom 7. bis 11. September 1892 die II. internationale Zucht- und Nutzviehschau in Wien abzuhalten. Der Central-Ausschuss der k. k. Landwirthschafts-Gesellschaft in Wien hat zur Durchführung dieses Unternehmens ein Comité eingesetzt. Dasselbe hat bereits einige Sitzungen abgehalten und die einleitenden Schritte bezüglich Erlangung von Begünstigungen auf den Eisenbahnen, Zoll- und Verzehrungssteuer-Erleichterungen gemacht, und hofft auch auf Grund der gemachten Erfahrungen im Jahre 1892 den Beschickern der internationalen Zucht- und Nutzviehschau noch mehr entgegenkommen zu können, wie dies im Jahre 1891 der Fall war. Als Preise für diese Schau stehen sowohl solche vom Staate, als auch der Commune Wien, der k. k. Landwirthschafts-Gesellschaft in Wien und von mehreren Privaten in Aussicht. — Programme und Anmeldebögen werden noch im Laufe des Monates Jänner zur Verschickung gelangen. Bis heute sind bereits zahlreiche Anfragen eingelangt, ob im Jahre 1892 wieder eine solche Schau abgehalten wird. — Auf eventuelle Anfragen ertheilt das Secretariat der k. k. Landwirthschafts-Gesellschaft in Wien, I., Herrengasse 13, bereitwilligst Auskunft.

Ornithologischer Verein in Wien.

Protokoll der Sitzung vom 29. December 1891.

Gegenwärtig: Die Herren Adolf Bachofen v. Echt, Fritz Zeller, Dr. Othmar Reiser, Othmar Reiser jun., Dr. Reiser jun., Andreas Reischek, Alfred Haffner.

Entschuldigt: Herr Carl Pallisch.

F. Zeller bringt zur Kenntniss, dass der Administrator Herr Perzina seine Stelle zurückgelegt habe; es wird genehmigt, dass als Ersatz Herr J. F. Kaiser vorerst provisorisch auf die Dauer von zwei Monaten gegen dieselbe Salair auf Vorschlag des Herrn Zeller acceptirt, welcher sich mit dem betreffenden Herrn in Verbindung setzt; der Ausschuss beschliesst, dass dem Nachfolger alles in bester Ordnung seitens H. Perzinas zu übergeben ist.

Herr F. Zeller berichtet über die fortgeschrittenen Arbeiten des Ausstellungs-Comités, zusammengesetzt aus den Mitgliedern des Geflügelzüchtervereines und des ornithologischen Vereines. Ferners bittet derselbe um Genehmigung der Unterschrift des Herrn Präsidenten v. Bachofen auf dem Ausstellungsprogramm, was der Herr Präsident genehmigt.

Bei Punct, Medaillen für die Ausstellung wird beschlossen, dass ornithologische Objecte nur mit Medaillen unseres Vereines bedacht werden können, und übernimmt Herr Zeller sich wegen der Kosten jeder Art der Ausführung sich mit dem Medailleur, Herrn Regierungsrath Radnitzky, in's Einvernehmen zu setzen, dem Verein an der nächsten Sitzung Bericht zu erstatten und dem Ausstellungs-Comité zugleich über diese Kosten den Bericht zu erstatten, nachdem die für die Ausstellung zu verwendenden Medaillen das Gesammt-Comité die Kosten zu tragen hätte, auf derselben Grundlage, als die sämmtlichen Ausstellungskosten zu behandeln sind.

Herr Zeller berichtet, dass Herr Pallisch einen Ehrenpreis (Goldene Medaille im Werthe von ca. 5 #) für eine hervorragende Collection selbstgezüchteter Exoten gestiftet habe und erklärt sich der Präsident Herr v. Bachofen und Herr Fritz Zeller bereit ähnliche Preise zu stiften, die Leistung, wofür diese Preise zu gelten haben, sollen erst später bestimmt werden.

Bezüglich der Jahreskarten des Vereines wird bestimmt, dass solche in derselben Form, wie bisher zu bleiben haben, hingegen sollen für die nächstjährige Ausstellung Eintrittskarten in Form jener des ersten öst.-ung. Geflügelzuchtvereines angefertigt werden, welche zu einem 32maligen Besuche der Ausstellung in der Form berechtigen, dass so viel Besucher mit den Karten die Ausstellung betreten, ebensoviele Löcher in den auf den Karten angebrachten 32 Nummern eingezwickt werden. Diese Karten sollen gegen Vorweisung der Mitgliedskarte 1892 jedem Mitgliede ausgefolgt werden.

Herr Andreas Reischek berichtet über die von ihm im Vereinshause des Geflügelzüchtervereines zusammengestellte Sammlung und ersucht um die versprochene Reinschrift des Verzeichnisses der aufgenommenen Präparate etc.

Derselbe meldet als Mitglied Herrn Alfred Pick in Wien, I. Bez., Hegelgasse Nr. 7, an; wird einstimmig angenommen.

Herr Fritz Zeller berichtet, dass die geselligen Zusammenkünfte bei dem Restaurateur Hauswirth, Praterstrasse, zu geringe Betheiligung haben und daher aufzulassen seien, wird genehmigt.

Von mehreren Mitgliedern wird neuerdings der Wunsch ausgesprochen, dass die Einforderung des Mitgliedsbeitrages gleich immer Anfang des Jahres in der bereits beschlossenen Form durchgeführt werde.

Der Ausschuss ist einverstanden, dass die administrativen Arbeiten in Zukunft nicht mehr in dem Locale des Herrn Fritz Zeller besorgt werden, sondern dem Herrn Kaiser in seine Wohnung zugesendet werden können; die Einläufe bleiben aber nach wie vor, bei der gleichen Adresse: II. Bez., Untere Donaustrasse 13.

Herr Othmar Reiser jun. gibt in liebenswürdigster Weise zu, dass die Wahl des Vortragstages von 1. bis 10. Jänner 1892 nach Belieben des Ausschusses fixirt werden kann.

Herr Präsident v. Bachofen schlägt vor, nachdem Herr Dr. Othmar Reiser sen. die ihm auf Vorschlag mehrerer Ausschussmitglieder, zugedachte Stelle eines Vice-Präsidenten unter keinem Umstande anzunehmen in der Lage sei, das sich um den Verein so vielfach verdiente Mitglied, Herr Pallisch, unser Redacteur, für diese Ehrenstelle in Vorschlag zu bringen, was um so leichter sei, als derselbe Herr hier nicht zugegen sei und man daher rückhaltlos darüber verhandeln könne. Herr Dr. Othmar Reiser jun. will anstatt der einfachen Zustimmung die einstimmige Wahl durch Händeklatschen, allgemein als erfreulich documentirt, was sofort geschieht.

Schluss der Sitzung.

Wien, 29. December 1891.

Bachofen v. Echt, Präsident. Dr. Přibyl, Schriftführer.

Corrigenda.

Seite 287, Nr. 96, statt Setys — Selys;
„ 288, „ 119, Z. 2. statt satzigen — salzigen;
„ 288, „ 121, „ 3. „ Tujen — Thujen;
„ 288, „ 123, „ 3. „ Föhörztöl — Töbörzsök;
„ 288, „ 126, „ 1. „ o. — v.;
„ 288, Nonp., Nr. 1, „ bon. — Orn.
„ 288, „ „ 3, „ Frivaldzky — Frivaldszky;
„ 288, „ „ 6, „ Trivaldszky — Frivaldszky.

Es wird gebeten, den Mitgliedsbeitrag pro 1892, 5 fl. ö. W., an den Cassier, Herrn Dr. Carl Zimmermann (Wien, I., Bauernmarkt 11) einsenden zu wollen.

Verlag des Vereines. — Für die Redaction verantwortlich: Rudolf Ed. Bondi.
Druck von Johann L. Bondi & Sohn, Wien, VII., Stiftgasse 3.

XVI. JAHRGANG. Nr. 2.

Mittheilungen des ornithologischen Vereines in Wien

„DIE SCHWALBE"

Blätter für Vogelkunde, Vogelschutz, Geflügelzucht und Brieftaubenwesen.

Organ des I. österr.-ung. Geflügelzuchtvereines in Wien und des I. Wr. Vororte-Geflügelzuchtvereines in Rudolfsheim.

Redigirt von C. PALLISCH unter Mitwirkung von Hofrath Professor Dr. C. CLAUS.

31. Jänner. 1892.

„DIE SCHWALBE" erscheint **Mitte** und **Ende** eines **jeden Monates**. — Im Buchhandel beträgt das Abonnement 6 fl. resp. 12 Mark. Einzelne Nummern 30 kr. resp. 50 Pf.

Inserate per 1 □ Centimeter 3 kr., resp. 6 Pf.

Mittheilungen an das **Präsidium** sind an Herrn **A. Bachofen v. Echt** in Nussdorf bei Wien; die **Jahresbeiträge** der Mitglieder (5 fl., resp. 10 Mark) an Herrn **Dr. Karl Zimmermann** in Wien, I., Bauernmarkt 11;

Mittheilungen an das **Secretariat** in Administrations-Angelegenheiten, sowie die für die **Bibliothek** und **Sammlungen** bestimmten Sendungen an Herrn **Fritz Zeller**, Wien, II., Untere Donaustrasse 13, zu adressiren.

Alle redactionellen Briefe, Sendungen etc. an Herrn **Ingenieur C. Pallisch in Erlach** bei Wr.-Neustadt zu richten.

Vereinsmitglieder beziehen das Blatt gratis.

P. Blasius Hanf.

Ein Nachruf.

P. Blasius Hanf, der bekannte Ornithologe, ist am 2. Jänner d. J. einige Minuten nach 3 Uhr Nachmittags gestorben.

Die Nachricht von seinem Tode kommt nicht ganz unerwartet, denn man wusste, dass der dreiundachzigjährige Forscher seit mehreren Jahren öfter von den Beschwerden des Alters heimgesucht werde; dennoch wirkt sie schmerzlich überraschend.

Während noch zahlreiche Spenden der Liebe und Verehrung, Blumen und Kränze, den frischen Grabhügel schmücken, unter welchem der Verewigte den Todesschlaf hält, sei es uns gegönnt mit wenigen Strichen den Lebensgang desselben zu zeichnen, seinen vielen Freunden und Verehrern zum stillen Gedächtniss.

P. Blasius Hanf wurde am 30. October 1808*) in St. Lambrecht in Ober-Steiermark geboren.**) Er besuchte die Volksschule in seinem Geburtsorte und später in Admont, absolvierte sechs Gymnasialclassen an dem nun aufgelassenen Gymnasium in Judenburg, die 7. und 8. Classe aber, damals Philosophie genannt, in Graz. (1827—1828.)

Seinem inneren Drange folgend, widmete er sich dem Priesterstande, trat als Novize in das Benedictinerstift St. Lambrecht und vollendete die theologischen Studien in Admont.

Im Jahre 1832 (29. Juli) wurde er zum Priester geweiht. 1833—1843 finden wir ihn als Caplan in

*) Als ältester der sechs Kinder des Stifts-Apothekers Carl Hanf.

**) Er ward auf den Namen Carl getauft und erhielt den Ordens-Namen Blasius, am 28. September 1828, gleichzeitig mit dem Ordenskleide bei seinem Eintritte in das Benedictinerstift St. Lambrecht.

Mariahof, von 1843—1853 war er Pfarrer in Zeitschach, das beiläufig eine Stunde von Mariahof entfernt ist, 1853 aber wurde er Pfarrer in Mariahof, welchen Posten er bis zu seinem Tode inne hatte.

Schon in seiner Jugend war Hanf ein eifriger Vogeljäger; auch als Theologe in Admont oblag er in seinen freien Stunden eifrig der Jagd, und wenn es zu dieser Zeit auch noch nicht wissenschaftlicher Eifer war, der ihn hiezu trieb, sondern vielmehr die Freude an seltener Beute, so machte er doch manche Beobachtungen und bildete sich zum trefflichen Flugschützen, der in späteren Jahren das todtbringende Blei nur selten erfolglos entsandte.

Auch die Kunst des Präparierens hatte Hanf schon in seiner Jugend gelernt und geübt, und er bracht es in derselben zu solcher Meisterschaft, dass seine präparirten Vögel auf der Wiener-Weltausstellung mit dem Hamburger Preise ausgezeichnet wurden.

In den Ostertagen des Jahres 1833 hatte Hanf das seltene Glück, einen Kranich, der auf einem Acker sass, mit einem Kugelschusse zu erlegen. Dieses Ereigniss wurde die Veranlassung zu seiner späteren ornithologischen Thätigkeit. Schon früher hatte er einige seltenere, selbsterlegte Vögel präpariert und er wollte auch diesen schönen grossen Vogel nicht verderben lassen, weil aber weder er, noch sonst jemand in der Nähe den Vogel benennen konnte, sah er sich um ein ornithologisches Werk um, und von nun an gehen die Studien im Buche und die Beobachtungen in der Natur Hand in Hand. Während er früher nur seine Jagdlust befriedigte und namentlich grossen und auffallenden Vögeln nachstellte, beginnt er nun mit Auswahl abzuschiessen; er wählte seine Opfer stets mit Rücksicht auf seine Sammlung, die in erfreulicher Weise anwuchs und der er die möglichste Vollständigkeit zu geben trachtete.

So ist es ihm denn gelungen, in und um Mariahof 235 Arten der europäischen Vogelwelt zu erlegen, ein Erfolg, der die Bedeutung und die unermüdliche Thätigkeit des verewigten Forschers am besten kennzeichnet.

Allerdings ist Mariahof der für solche Thätigkeit ganz besonders geeignete Ort. Es liegt an der Zugstrasse der Wandervögel und in seiner Nähe befindet sich der sogenannte „Furtteich", ein künstlich geschaffener, fischreicher Teich von zehn Hektar Flächeninhalt. Er ist zum Theile mit Schilf bewachsen und grösstentheils von einem Fichtenbestande umsäumt. Dieser Teich nun bietet den gefiederten Wanderern aus allen Gegenden Europas eine erwünschte Raststation, dem eifrigen und geschickten Jäger aber die Gelegenheit, zahlreiche Arten der europäischen Vogelwelt zu erwerben.

Beim Furtteich war P. Blasius jeden Tag zu finden und wenn es ihm seine Gesundheit nicht erlaubte, zu Fuss zu gehen, so liess er sich auch im Wagen dahin bringen. Mit dem Fernrohre beobachtete er die geflügelten Gäste des Teiches und wählte sich seine Opfer, denen er entweder durch Nachfahren auf einem Kahn, oder durch Anspringen während des Tauchens oder wohl auch durch Kriechen in Schussnähe zu kommen trachtete. Im Röhrichte des Teiches hatte er sich ein Hüttchen gebaut, in dessen Nähe er sich auch die Teichgäste treiben liess, um sie aus dem sicheren Verstecke zu erlegen.

Aber auch den gefiederten Bewohnern unserer Berge und Wälder wendete Hanf seine volle Aufmerksamkeit zu und seine Vogelsammlung bietet ein vollständiges Bild derselben. Während seines Aufenthaltes in Zeitschach bestieg er unzählige Male die Grebenze, einen 1870 Meter hohen Berg im Südwesten von Mariahof; ebenso bestieg er von Mariahof aus oft und zu jeder Jahreszeit, auch mitten im Winter, den in der Nähe gelegenen 3400 Meter hohen Zirbitzkogel und seine Berichte in den Publicationen des naturwissenschaftlichen Vereines für Seiermark zeugen von den vielseitigen Beobachtungen und von den Erwerbungen, die Hanf auf diesen Wanderungen gemacht.

Zum letzten Male bestieg er den Zirbitzkogel am 23. August 1876 als 68jähriger Greis.

Hanf hat in seinem Leben eine grosse Anzahl Vögel und Säugethiere meisterhaft ausgestopft. Ein Theil derselben befindet sich im Stifte St. Lambrecht, ein Theil ist im Pfarrhofe Mariahof in einem eigens hiefür reservirten Zimmer auf künstlich hergestellten Felsen und Bäumen aufgestellt; viele Exemplare hat der unermüdlich Thätige auch für die Schulen gespendet oder an Freunde versendet.

Von allen in der Umgegend von Mariahof brütenden Vögeln hat Hanf auch die Gelege gesammelt. Es sind ungefähr hundert Nester mit Eiern.

Mehrmals zog er sich durch das Präparieren der Vögel und durch die Jagdstrapazen ernste Erkrankungen zu; sein Forschereifer erlahmte aber dadurch nicht.

Auch an Auszeichnungen fehlte es dem greisen Forscher nicht, obschon Hanf von der Natur mit einem Charakter beschenkt worden war, der nicht in der Befriedigung persönlichen Ehrgeizes, sondern nur darin sein Genügen fand, einer guten Sache Dienste geleistet zu haben; er war ein still und rastlos thätiger Gelehrter, dem die Freude an der Arbeit der beste Lohn war.

Am 24. November 1880 empfing er den Besuch des berühmten Naturforschers Brehm. Hanf ertheilte eben Religions-Unterricht in der Schule, als der unerwartete Besucher sich im Pfarrhofe anmeldete, über dessen Erscheinen Hanf hocherfreut war.

Der Einwirkung Brehms ist es zu verdanken, dass Hanf seine ornithologischen Beobachtungen und Erfahrungen, über die er seit vielen Jahren gewissenhaft Tagebuch führte, ordnete und sie dem naturwissenschaftlichen Vereine für Steiermark übergab, welcher sie in den Jahrgängen 1882 und 1883 seiner Mittheilungen veröffentlichte. Ein Separat-Abdruck hievon ist leider vergriffen.

Im Jahre 1882 feierte Hanf sein fünfzigjähriges Priester-Jubiläum. Es war ein Festtag für die Pfarrgemeinde, welche einen grossartigen Jagdzug veranstaltete, der den greisen Pfarrherrn gar freudig überraschte. Auch Brehm sendete ein freundliches Schreiben sammt seiner Photographie.

1883 wurde Hanf durch die Verleihung des goldenen Verdienstkreuzes mit der Krone ausgezeichnet.

Am 15. Mai 1888 traf den unermüdlichen Forscher ein Nervenschlag, der seiner ornithologischen Thätigkeit ein Ziel setzte.

Hanf war eben damit beschäftigt, ein Exemplar des arctischen Seetauchers (Colymbus arcticus) zu präpariren, als es Dunkel vor seinen Augen ward. Seit diesem Tage ruhte die Büchse; die zitternden Hände gestatteten keinen sichern Schuss mehr.

Die letzten Lebensjahre waren für den greisen Priester eine Zeit fortwährender Leiden, von welchen ihn nun der Tod nach hartem Kampfe erlöst hat.

Möge ihm die Erde leicht sein!

Mariahof. Rud. Wild.

Die Lappenkrähen (Glaucopis).

Von Andreas Reischek.

Auf Neuseeland kommen zwei Arten der Gattung Glaucopis vor, u. zw. auf der Nord-Insel und grossen Barrier, Glaucopis Wilsoni auf der Süd-Insel Glaucopis Cinerea.

Die Lappenkrähen haben die Grösse eines Eichelhähers Gannlus glandauus, die Färbung der Glaucopis Wilsoni ist aschgrau bis blaugrau, Flügel, Schweif und Abdomen braun; um die Schnabelwurzel und über die Augen zieht sich ein sammetschwarzes $1^1/_2$ Centimeter breites Band; das Auge ist dunkelbraun, der Schnabel und die Füsse schwarz, die Lappen ultramarinblau.

Die südliche Art Glaucopis Cinerea ist etwas grösser als ihr nördlicher Verwandter, das Gefieder ist blaugrau, die Flügel und der Schweif von braun in's schwarze übergehend; das schwarze Band sowie die Augen, Füsse und Schnabel sind wie bei der Nördlichen.

Bei ausgewachsenen Exemplaren ist die obere Hälfte der Lappen nahe dem Schnabel ultramarinblau, die untere tief orangengelb; die Lappen der jungen Vögel sind klein, blassroth in das bläuliche schillernd. Die Kokako, wie sie die Eingeborenen (die Maori) nennen, bevorzugen Bergseiten, im Sommer dunkle Dickichte von zahllosen Schlingpflanzen durchschlungen, im Winter sonnige Plätze und Waldränder.

Als ich 1877 auf einer Forschungs-Reise durch die Süd-Insel mein Packpferd führend den Porterspass hinauf stieg, hörte ich zum ersten Mal die flötenartig melodischen Töne der Lappenkrähe, konnte aber den Vogel nicht sehen, erst nach einigen Tagen, als ich auf dem Arthurpass Halt und Feuer machte, um eine Tasse Thee zu kochen, kam eine Lappenkrähe herbei, schnell durch das Gesträuch über Steine hüpfend mit etwas aufgestelltem Schweif und mit gesenkten Flügeln folgte eine zweite, es war das erste Paar Glaucopis Cinerea, welches ich schoss und balgte, Männchen und Weibchen.

Ferner fand ich die südliche Art auf meinen Expeditionen 1878, auf der Mount Alexander.

1879. In der Nähe des Seagel-Gletschers.

1884. Um den Sunden.

1887 und 1888 an der Westküste.

Die nördliche Glaucopis Wilsoni beobachtete ich:

1880 in den Wairoa- und Tokatea-Gebirgen;

1882 in den Pironzia- und Mokau-Gebirgen;

1883 auf der grossen Barrier-Insel;

1885 im Waitakeri- und Manakau-Gebirge;

1886 in den Morgamahu-Gebirgen und 1888 in Wangaihu nahe Ruapohu und den Taupo-Gebirgen, aber nirgend häufig, in Paaren oder Familien, aus Männchen, Weibchen und 3 bis 4 Jungen.

So lange sie nicht gestört werden, sind sie sehr zahm und spähen neugierig den Störer in diesen einsamen Wildnissen an; wenn sie belästigt werden, wissen sie durch schnelles Davonhüpfen sich der Verfolgung zu entziehen, wobei sie bei jedem Sprunge die Flügel benützen; da ihre Flügel nicht zu längerem Fluge ausgebildet sind, so fliegen sie nur bei äusserster Gefahr kurze Strecken, dagegen sind sie Meister im Hüpfen und Verbergen. In den Gebirgen von Dusky Sound beobachtete ich ein Paar Glaucopis Cinerea; als sie mich bemerkten verschwanden sie, mein Hund Cäsar stand vor und sah auf eine Miro (Podocarpus ferruginea). Bei aller Mühe konnte ich sie nicht sehen; ich verbarg mich daher in der Nähe; nach einer Weile sah ich den Kopf einer Lappenkrähe zwischen zwei Aesten durchspähen und als sie sich sicher glaubten, hüpften sie schnell davon.

In Milford Sound schoss ich eine Lappenkrähe von einem Verstecke aus, als sie zu Boden fiel, hüpfte die zweite anstatt sich zu flüchten, zu der gefallenen herunter, wiederholte einige Male den Lockruf und hüpfte in grösster Aufregung um den todten Kameraden herum.

Ich musste weggehen, denn ich konnte es nicht länger ansehen; es that mir herzlich leid das arme Thier geschossen zu haben.

Die Paarungszeit beginnt im October. Es ist interessant, die Männchen zu beobachten, wie sie sich bemühen, ihren Auserkorenen zu gefallen. Mit etwas aufgestelltem, ausgebreitetem Schweife und gesenkten Flügeln, den Kopf vorgestreckt, so wie der Spielhahn (Tetrao tetrix) in der Balz, hüpft das Männchen auf einem Aste herum und neigt den Körper nach beiden Seiten, als wenn es vor dem Weibchen tanzen würde, welches ruhig sitzend zusieht.

Das erste Nest fand ich im März 1880 in den Tokateogebirgen in einem Klumpen (Astelia) auf einer Ratta (Metrosideros robusta) bei 12 Meter Höhe; es waren 3 noch nicht ganz ausgewachsene Junge darinnen; 2 hüpften davon, welche ich schoss, das kleinste fing ich, es befindet sich jetzt mit einer schönen Serie von diesen Vögeln in der Neuseeländischen Sammlung im k. und k. naturhistorischen Hofmuseum, welche von mir gesammelt wurde.

Das Nest war aus dürren Zweigen gebaut und mit Moos ausgefüttert, 30 Centimeter im Durchmesser, 10 Centimeter tief; gewöhnlich legen die Weibchen im November oder December 3 graue Eier, mit braunen Flecken besonders markirt, auf dem dickeren Ende in der Grösse wie die Eier der Dohle, Corvus Monedula.

Den 3. Jänner 1885 fand ich in den Waitakerigebirgen auf einer Miro Podocarpus ferruginea, hoch oben zwischen zwei starken Aesten, ein Nest mit 3 flüggen Jungen von Glausopis Wilsoni, welche ausser dem Neste sassen, aber — als ich mich näherte — auf den Ruf der Alten sich schnell im Neste verbargen.

Die Eltern bewachen die Jungen sorgfältig und geben sich selbst der Gefahr preis, um ihre Jungen zu retten; die Paare sind unzertrennbar; ich bemerkte nie, dass sich Männchen und Weibchen mitsammen streiten; die Familie bleibt beisammen bis zur nächsten Paarungszeit, wo sich die Jungen dann von den Eltern trennen.

Ihre Nahrung besteht aus Knospen, Beeren und jungem Laub; in Chalky Sound, wo ich bei meinem Camp einen Gemüsegarten pflanzte, zogen mir die Lappenkrähen die jungen Kraut-, Salat- und Rübenpflanzen aus; schon bei Tagesgrauen begannen sie ihr Zerstörungswerk, obwohl ich nie nahe meinem Camp einen Vogel schoss, war ich doch gezwungen, diese kleinen Räuber zu schiessen. Ihr Fleisch ist trocken, gibt aber gute Suppe. Durch ihre Neugierde werden sie oft ein Raub der Katzen, und mit dem Verschwinden der Urwälder werden auch diese interessanten Vögel aussterben.

Ornithologische Beobachtungen im Weitraer Gebiet (Niederösterreich.)

Von J. Knotek.

(Fortsetzung.)

66. Dandalus rubecula, Rothkehlchen, sehr häufig.

67. Saxicola oenanthe, Grauer Steinschmätzer, 1 Stück an der Weitraerstrasse und 3 Stück im Thiergarten auf Feldern gesehen.

68. Pratincola rubetra, braunkehliger Wiesenschmätzer, im Sommer 1889 ein Pärchen bei Eichberg angetroffen.

69. Motacilla alba, weisse Bachstelze, gemein.

70. — sulphurea, Gebirgsbachstelze, in Schwarzau nicht selten, im Juli in Hirschenwies unter mehreren anderen ein auffallend helles Exemplar mit rein weissen Schwung- und Schwanzfedern gesehen.

71. Budytes flavus, Schafstelze, am Herbstzuge häufig.

72. Anthus pratensis, Wiesenpieper, am Herbstzuge 1889.

73. Galerita cristata, Haubenlerche, gemein.

74. Lullula arborea, Haidelerche, die weiten Schlagflächen der Schwarzau belebend.

75. Alauda arvensis, Feldlerche, in der Schwarzau hielten sich nur 2 Paare auf, sonst gemein.

VIII. Ord. Crassirostres — Dickschnäbler.

76. Miliaria europaea Grauammer, Brutvogel.

77. Emberiza citrinella, Goldammer, gemein.

78. Schoenicola schoeniclus, Rohrammer. Am Waschelteich, Brutvogel.

79. Passer domesticus, Haussperling, merkwürdigerweise kommt er in der Schwarzau selbst nicht vor, was seinen Grund darin haben mag, weil Schwarzau mitten in einem grossen Waldcomplexe liegt, und beinahe keine Felder hat, sonst sehr gemein.

80. Passer montanus, Feldsperling, ist mir nur im Thiergarten aufgefallen.

81. Fringilla coelebs, Buchfink, gemein, am Herbstzuge sehr zahlreich.

82. Fringilla montifringilla, Bergfink, soll im Winter vorkommen.

83. Coccothraustes vulgaris, Kirschkernbeisser, nur in den Landrevieren beobachtet.

84. Ligurinus chloris, Grünfink, Brutvogel.

85. Serinus hortulanus, Girlitz, Brutvogel, sowohl in Schwarzau, als Thiergarten häufig.

86. Chrysomitris spinus, Zeisig, einige im Herbste 1888 in Kuenring beobachtet.

87. Carduelis elegans, Stieglitz, Brutvogel.

88. Canabina sanguinea, Bluthänfling in der Schwarzau, Brutvogel.

89. Canabina flavirostis, Berghänfling, im Juli 1889 in Erdweis ein Paar beobachtet.*)

90. Pyrrhula europaea, Gimpel. Im Spätherbste 1888 in der Schwarzau zahlreich.

91. Loxia curvirostra, Fichtenkreuzschnabel, sehr zahlreich, besonders in der Schwarzau; oft Flüge von 80—100 Stück gesehen.

IX. Ord. Columbae — Tauben.

92. Columba palumbus, Ringeltaube.

93. — oenas, Hohltaube.

94. Turtur auritus, Turteltaube. Alle 3 Arten Brutvögel.

X. Ord. Rasores — Scharrvögel.

95. Tetrao urogallus, Auerhuhn; Standvogel in Erdweis sehr guter Stand.

96. Tetrao tetrix, Birkhuhn. Fehlt der Schwarzau, sonst im Waldviertel ziemlich verbreitet. Im Revier-Thiergarten angeblich erst seit ca. 8 Jahren. Vorkommen vorzüglich in Bauernwaldungen, wo Haide mit Buschwerk und Bäumen sehr verschiedenen Alters abwechselt.

97. Tetrao bonasia, Haselhuhn; in Schwarzau noch häufig. Fehlt Erdweis und Thiergarten, kommt aber im letzteren Jagdgebiete in den höher gelegenen Gemeidewäldern und am Förstel vor.

98. Starna cinerea, Rebhuhn; in Schwarzau nur einige Paare, Weitra'er Feldrevier sehr gut besetzt. Auch Thiergarten ist gut besetzt.

99. Coturnix dactylisonans, Wachtel. Durch beide Jahre nur sehr wenige angetroffen.

XI. Ord. Grallae — Stelzvögel.

100. Oedicnemus crepitans, Triel; im Thiergarten zweimal nur den Ruf eines hochziehenden Vogels gehört.

101 Vanellus cristatus, Kiebitz. Im Herbste 1889 haben sich am Waschelteich und den angrenzenden Feldern lange Zeit zahlreiche Flüge aufgehalten.

XII. Ord. Grallatores — Reiherartige Vögel.

102. Ciconia alba, weisser Storch; im Herbste 1889 7 Stück am Zuge gesehen.

103. Ardea cinerea, grauer Reiher. Haben noch vor einigen Jahren auf den alten Tannen in Brand

*) Das Auffallende dieser Erscheinung ist, mir wohl bekannt, doch ist ein Zweifel ausgeschlossen, da die Vögel wenige Schritte vor meinen Füssen Futter suchten und ich deutlich die schwarzen Füsse sehen konnte.

(Schwarzau) gehorstet, von wo aus sie die Gratzener Teiche besuchten. Am Waschelteiche haben sich einige Stücke aufgehalten, wovon nur 1 junger Vogel erlegt wurde.

104. Botaurus stellaris, gr. Rohrdommel; am Waschelteich hat sich ein Stück aufgehalten, und durch seinen nächtlich ausgestossenen Ruf den in der Nähe wohnenden Arbeitern zu Gespenstgeschichten Anlass gegeben, bis es von mir erlegt wurde.

105. Crex pratensis, Wachtelkönig. 1 Stück rufen gehört; ein weiteres Stück wurde im Herbste erlegt.

106. Gallinula porzana, Getüpfeltes Sumpfhuhn. Am Herbstzuge am Waschel- und Neuteiche nicht selten. 5 Stück erlegt.

107. Gallinula chloropus, grünfüssiges Teichhuhn, 1 Stück erlegt.

108. Fulica atra, Schwarzes Wasserhuhn. Beide Arten am Waschel- und Neuteiche brütend.

XIII. Ord. Scolopaces — Schnepfen.

109. Scolopax rusticola, Waldschnepfe, in der Schwarzau brütend. Am Herbstzuge 2 Stücke im Thiergarten angetroffen.

110. Gallinago scolopacina, Beccassine, am Waschel- und Neuteiche brütend.

111 Gallinago major, Grosse Sumpfschnepfe. Im Herbste 2 Stücke am Waschelteiche gesehen.

112. Gallinago gallinula, Kleine Sumpfschnepfe. 3 Stücke am Waschelteiche im Herbste erlegt.

113. Totanus ochropus, Waldwasserläufer, 2 Stücke am Waschelteiche im Herbste beobachtet.

114. Actitis hypoleucus, Flussuferläufer, am 8. September 1889, am Waschelteiche einen Flug von 13 Stück angetroffen und davon auf 2 Schüsse 7 Stück erlegt. Ein derartiges schwarmweises Vorkommen ist gewiss bemerkenswerth.

XIV. Ord. Anseres — Gänseartige Vögel.

115. Anser segetum, im Herbte vor 2 Jahren wurden einige Stücke gesehen. Zieht aber jährlich durch.

116. Anas boschas, Stockente. Am Waschel- und Neuteiche Brutvogel; im Herbste oft an 100 Stück zählende Ketten gesehen

117. Anas crecca, Krickente. Eine Brut war am Neuteiche.

118. Anas penelope, Pfeifente. Im October 1889 3 Stück am Waschelteich.

119. Fuligula nyroca, Moorente. Im October 1889 2 Stück am Waschelteiche.

120. Fuligula cristata, Reiherente. November 1888 am Ulrichsteiche bei Kuenring 2 Stücke.

XV. Ord. Colymbidae — Taucher.

121. Podiceps minor, Zwergsteissfuss, am Frühjahrs- und Herbstzuge am Neu- und Waschelteiche.

Jedenfalls kommt rubricollis, nigricollis und cristatus dann und wann am Waschelteiche vor, nachdem sie auf den benachbarten südböhmischen Teichen brüten.

XVI. Ord. Laridae — Möven.

122. Xema ridibundum, Lachmöve; war in grosser Anzahl Brutvogel am Neuteiche, wird aber seit 3 Jahren bei der Ankunft im Frühjahre verjagt, weil sie die Enten vollständig verdrängt haben soll.

123. Hydrochelion leucoptera, weissflügl. Seeschwalbe am 28. August 1889 3 Stück am Waschelteiche gesehen, davon 1 Stück erlegt. — Grosse Seltenheit für die Gegend.

(Fortsetzung folgt.)

Systematisches Verzeichniss der bisher in Oesterr.-Schlesien beobachteten Vögel, nebst Bemerkungen über Zug, Brut und andere bemerkenswerthe Erscheinungen.

Von C. F. Rźehak.

(Schluss.)

Ordnung: Longipennes, Seeflieger.

Familie: Sternidae, Seeschwalbe.

Gattung: Hydrochelidon, Boie. 1822. Binnenseeschwalben.

252. Hydrochelidon nigra, L. Schwarze Seeschwalbe. Nicht sehr häufiger Sommervogel. Zug: April, August. Brutzeit: Mai und Juni.

253. Hydrochelidon hybrida, Pall. Weissbärtige Seeschwalbe. Ein Exemplar dieser Möve wurde hier in Schlesien erlegt und befindet sich in der Sammlung von Ign. Dielles in Bielitz.

Gattung: Sterna, L. 1735. Seeschwalbe.

254. Sterna hirundo, L. Flussseeschwalbe.

255. Sterna minuta, L. Zwergseeschwalbe. Seltener Sommervogel. Zug: Mai, August. Brutzeit: Juni.

Familie: Laridae, Möven.

Gattung: Larus, L. 1735. Fischmöve.

256. Larus ridibundus, L. Lachmöve. Sehr häufiger Sommervogel. Zug: April, October. Brutzeit: Mai bis Juni.

257. Larus minutus, Pall. Zwergmöve.

258. Larus marinus, L. Mantelmöve.

259. Larus fuscus, L. Heringsmöve.

260. Larus glaucus, Brünn. Eismöve.

261. Larus melanocephalus, Natt. Schwarzköpfige Möve. Sehr seltene Wintergäste. Wurden schon im Lande erlegt.

Gattung: Lestris, Ill. 1811. Raubmöve.

262. Lestris catarrhactes, L. Grosse Raubmöve. Sehr selten am Zuge.

263. Lestris parasiticus, Brünn. Schmarotzer Möve. Ebenso wie vorige. Wurden ebenfalls hier erlegt.

Gattung: Rissa, Steph. 1825. Stummelmöve.

264. Rissa tridactyla, L. Dreizehige Möve. Nach Alb. Heinrich schon öfter im Winter an der Oppa erlegt worden.

Ordnung: Urinatores. Taucher.

Familie: Colymbidae, Steissfüsse.

Gattung: Podiceps, Lath. 1790. Fusstaucher.

265 Podiceps cristatus, L. Haubentaucher.

266. Podiceps rubricollis, Gm. Rothalssteissfuss.

267. Podiceps minor, Gm. Zwergsteissfuss.

268. Podiceps auritus, L. Ohrensteissfuss. Nicht sehr häufige Sommervögel. Zug: März, October. Brutzeit: Mai und Juni. Oft im Lande erlegt worden.

Gattung: Colymbus, L. 1735. Lappentaucher.

269. Colymbus arcticus, L. Polarseetaucher.

270. Colymbus glacialis, L. Eisseetaucher.

271. Colymbus septentrionalis, L. Nordseetaucher.

Sehr seltene Wintergäste, die schon im Lande erlegt worden sind.

Theorie über die Entartung (Degeneration) des Pinguine in den gemässigten Breiten der südlichen Erdhälfte.

Von Guido v. Bikkessy, Ung.-Altenburg.

Nachdem ich schon einmal Gelegenheit hatte, der Pingnine oder Fettgänse in den Spalten dieser Fachschrift im Allgemeinen zu erwähnen, kann ich gegenwärtig nicht umhin, auch die geographische Verbreitung der einzelnen Gattungen und Arten dieses so überaus merkwürdigen Vogelgeschlechtes und einige darauf bezügliche Vermuthungen, als eine von mir in dieser Hinsicht angenommene Theorie, zu discutiren. Ich glaube nämlich bemerken zu müssen, dass, wenn man die Annahme von Alfons Milne-Edwards, nach welcher die Pinguine ihr Productions-Centrum oder ihren Ausgangspunct in den eigentlichen Polarregionen der südlichen Erdhälfte besitzen (von wo aus sich dieselben nach der Auffassung des obenerwähnten Zoologen, nach allen Richtungen hin strahlenförmig ausbreiteten) vereint mit der Anschauung Lamarus und Darwin's, nach welcher veränderte klimatische sowie auch Nahrungsverhältnisse auf die Bildung neuer Gattungen und Arten einer Familie in sehr entschiedenerweise einzuwirken vermögen acceptirt, man gleichsam von selbst zur Schlussfolgerung gelangt, dass die in den gemässigten und wärmeren Breiten der südlichen Erdhälfte einheimischen Pinguine, gewissermassen nur als mehr oder weniger vollständig degenerirte (d. h. ausgeartete) Formen der in diesem Falle als Urspecies des ganzen Geschlechtes anzunehmenden Aptenodytes Forsteri (auch Aptenodytes imperator von einigen Ornithologen genannt), welche die grösste Art der ganzen Familie bilden und ausschliesslicherweise nur den kälteren südlichen Regionen angehören, zu betrachten wären. Für das Zutreffende der Anschauungen von Milne Edwards, sprechen abgesehen von der Autorität seines Namens auf dem Gebiete der ant-arktischen Ornis, auch noch anderweitige Gründe, welche selbst den mit der Zoologie und namentlich speciell der Ornithologie auch nur einigermassen vertrauten Laien als namhafte Beweisgründe dienen dürften. Wir brauchen ja nämlich nur den Körperbau und die äussere Erscheinung der Fettgänse einigermassen zu studiren, um es als höchst wahrscheinlich zu finden, dass die Natur diese Vögel ursprünglich blos für die (südliche) Polarzone bestimmte, denn nicht nur sind dieselben mit einem äusserst dichten, wohl nur für die kälteren Breiten bestimmten Federkleide bedeckt, sondern sie sind auch noch ausserdem unterhalb ihrer Körperhaut mit einer überaus dicken Fettschichte versehen (woher auch ihr eigenthümlicher Name herrührt), welcher Umstand eben den andauernden Aufenthalt in eisigen Gewässern ermöglicht. Als weiterer gewichtiger Beweisgrund für diese Annahme, lässt sich auch noch anhören, dass diese Vögel nirgends so zahlreich vorkommen, wie in den eigentlichen südlichen Polarregionen (ein weiterer Beleg, dass nur diese Gebiete ihren wirklichen Ausgangspunct bilden und die Gründung von Brutcolonien in den gemässigten und halbgemässigten ant-arktischen Breiten, blos durch spätere, theilweise höchstwahrscheinlich unfreiwillige Auswanderer erfolgten) sowie auch, dass dieselben an den Küsten derjenigen Continente, welche, wie Amerika, Afrika und Australien, mit ihren entferntesten Ausläufern bis in die gemässigte und halbgemässigte Zone der südlichen Erdhälfte hinein ragen, überall nur die innerhalb derselben liegenden äussersten Punkte und südlichen Spitzen bewohnen, (wie die magellanischen Länder als Südspitze Amerikas, sowie andererseits das Vorgebirge der guten Hoffnung als südlichsten Endpunkt Afrikas) während sie im entgegengesetzten Falle, an den Küstengestaden der betreffenden Erdtheile höchst wahrscheinlich auch weiter nordwärts vorkommen und sich immer weiter daselbst ausbreiten müssten.*) Wenn aber blos die Gattung der Aptenodytes in der eigentlichen südlichen Polarwelt einheimisch, während die kleinere Gattungsform der Eudyptes und die noch kleinere Spheniscus dagegen ausschliesslich den gemässigten ant-arktischen Breiten angehören, wo hingegen andererseits die Aptenodytes grösstentheils fehlen. Dieser Umstand nun spricht entschieden dafür, dass die ersten Auswanderer der Fettgänse, welche durch Wind und Wogen von dem ursprünglichen Entstehungsmittelpuncte des ganzen Geschlechtes verschlagen und durch Meeresströmungen und die auf denselben schwimmenden Eisschollen nordwärts getrieben wurden, hier aber in den Stationen der gemässigten und halbgemässigten Zone, Colonien gründeten, wie bereits angedeutet gleichfalls Aptenodyten waren (u. zw. zu der von mir wie bereits erwähnt, als Urspecies oder Stammrasse angenommenen Art der Aptenodytes Forsteri gehörten), sich aber durch die daselbst vorhandenen, von der eigentlichen südlichen Polarzone mehr oder weniger abweichenden, mithin veränderten klimatischen und Nahrungsverhältnisse in den nächstfolgenden Generationen immer mehr die Merkmale der Urspecies abstreifend, schliesslich zu selbstständigen Gattungsformen ausbildeten, welche blos noch die allgemeinen Kennzeichen der gesammten Familie an sich besitzen, da ja, wenn solches nicht der Fall wäre und die Gattungen der Eudiptes und Spheniscus bereits in dieser Form in welcher sie sich heute von den Aptenodyten unterscheiden von den ant-arktischen Polarregionen ausgewandert wären, sie ja gegenwärtig auch noch

*) Es lässt sich mit übergrosser Wahrscheinlichkeit vermuthen, dass die der magellanischen Region angehörenden Pinguinarten, an der Ostküste Patagoniens, nördlich des Hafens St. Julian, wenig oder gar keine Brutplätze mehr besitzen dürften; ebenso dürften auch die Spheniscus demersus an den Küstengestaden des südlichen Afrikas, nördlich der Saldankabai nicht allzuweit mehr brütend vorkommen, während sie bei entgegengesetzter Annahme doch auch zu Angrapequena, sowie an der Ostküste an der Delagoabai auftreten würden und auch die magellanischen Arten an der Ostküste Südamerikas weiter aufwärts zu finden wären.

daselbst vorkommen dürften und nicht blos der gemässigten Zone angehören würden. Wenn wir nun einen Blick auf die Karte der südlichen Erdhälfte werfen und dabei die geographische Verbreitung der einzelnen Gattungen der Fettgänse in Betracht ziehen, so müssen wir unbedingt bekennen, dass die Degeneration oder Entartung dieses seltsamen Vogelgeschlechtes in diesem Falle succesive immer deutlicher zu Tage tritt, je weiter sich dasselbe von seinem ursprünglichen Ausgangspunkte entfernte und nordwärts gegen den Wendekreis und Aequator hin ansiedelte. So finden wir, wenn wir vom südlichen Polarkreise aus unsere Rundschau beginnen, dass die auf dem nicht allzu weit von daselbst entfernt liegenden Neusüdgeorgien (sowie auch auf den allerdings bereits in der Nähe desselben gelegenen Südshetlandsinseln) vorkommenden Fettgänse noch zur Art des Aptenodytes Forsteri gehören, eine Art, oder noch viel weniger Gattungsveränderung hat hier also, gemäss der vorhin aufgestellten Theorie, noch in keiner Weise stattgefunden, welches vollkommen begreiflich erscheint, wenn wir die Thatsache berücksichtigen, dass Südgeorgien, obwohl vermöge seiner geographischen Lage bereits zu halbgemässigten Zone gehörend, doch noch ein vollkommenes subpolares Klima aufweist. Merkliche Abweichungen bemerken wir jedoch auf den nordwestlich von daselbst liegenden Falklandsinseln und den magellanischen Ländern, sowie auf dem ungefähr unter gleicher südlicher Breite im südlichen indischen Ocean gelegenen Kerguelensland, woselbst Aptenodytes Forsteri nicht mehr vorkommt, dagegen aber durch den etwas kleineren Aptenodytes Pennantii vertreten wird. Neben Aptenodytes Pennantii kommen aber an den soeben genannten Localitäten auch bereits die Eudyptes als degenerirte Gattungsform der gemässigten ant-arktischen Regionen mehr oder minder zahlreich vor, u. zw. vorzugsweise in der den Ornithologen bereits ziemlich bekannten Art, der Eudyptes chrysocoma*), mithin darf angenommen werden, dass sowohl einerseits die Falklandsinseln im südwestlichen, als auch andererseits Kerguelensland und die Krozetinseln im südöstlichen Erdwinkel, die nördlichen Verbreitungsgebiete bilden, bis wohin sich die Brutcolonien (Pookeries) der Aptenodyten erstrecken, ebenso wie sie auch andererseits als südlichste Nistplätze der Eudyptes anzusehen sind. Wir sehen somit, dass die Fettgänse sich eigentlich nur innerhalb der Region des südlichen Treibeises (wozu Kerguelensland noch so ziemlich gehört) bis wohin sich gewissermassen der eisige Hauch des ant-arktischen Polarklimas mehr oder weniger fühlbahr macht, wie ihrer ursprünglichen Gattungsform theilweise erhielten (wiewohl aber auch diese von den nördlichsten Brutstationen dieser Region, wie bereits erwähnt, von der Urform oder Stammart, schon etwas abweicht und bereits als eigene Art oder wenigstens Localrasse anzusehen ist) in der vollkommenen Artenreinheit der Urspecies jedoch nur in denjenigen ant-arktischen Gebieten, welche noch vollkommen subpolares Klima besitzen. Auf den bereits ausserhalb der Region des südlichen Treibeises gelegenen Inseln St. Paul und Amsterdam im südlichen indischen Ocean, sowie auch auf den im süd-atlantischen Ocean liegenden Tristan-d'akunha-Inseln kommen blos noch vollständig degenerirte Gattungsformen, u. zw. vorzugsweise (wo nicht ausschliesslich) die der Eudyptes vor, von denen namentlich speciell die bereits erwähnte Art der Eudyptes chrysocoma in grosser Anzahl daselbst brüte. Eine noch grössere und höchstwahrscheinlicherweise sogar die grösste Abweichung von der den eigentlich polaren und subpolaren südlichen Regionen angehörenden Fettgänse, bemerken wir jedoch bezüglich der Pinguinen-Ornis des dem Wendekreise bereits verhältnissmässig so nahe liegenden Cap der guten Hoffnung, da die daselbst zahlreich lebenden und gewissermassen die wichtigsten Charaktertypen der dortigen Meeresvögelfauna bildeten Spheniscus demersus, nicht nur so ziemlich zu den kleinsten Arten der ganzen Familie zählen, sondern auch hinsichtlich ihrer übrigen äusseren Erscheinung von den Aptenodyten einigermassen abweichen. Während nämlich erstere durch ihre langgestreckten Hälse sogleich in die Augen fallen, besitzen die Spheniscus demersus eine verhältnissmässig kürzere Halsform indem der Kopf mehr an den Rumpf gedrückt erscheint. Dass sich nun derartige, sogleich in deutlichster Weise wahrnehmbare Abweichung bei den daselbst vorkommenden Fettgänsen entwickeln mussten, erscheint vollkommen begreiflich, wenn wir die so überaus grosse klimatisch-biologische Verschiedenheit des der Tropenzone bereits so nahe liegenden Caps der guten Hoffnung, gegenüber der ant-arktischen Polarregion in Betracht ziehen. Ebenso gehören die auf den unmittelbar am Aequator im stillen Ocean gelegenen und zu Südamerika gehörenden Gallopagosinseln (der aller nördlichsten Station, wo dieselben durch die ant-arktischen, nordwärts liegenden Meeresströmungen hingetrieben, noch vorkommen) ausnahmsweise vorkommenden Fettgänse gleichfalls der Gattung der Spheniscus an. Schliesslich bleibt noch zu bemerken, dass der von mir in der Theorie angenommene Ausartungsprocess der Fettgänse, durchaus nicht immer in gleicher Weise vor sich ging, sondern sehr häufig an derselben Oertlichkeit bei gleichen klimatisch-biologischen

*) Eigenthümlich erscheint der Umstand, dass die Eudiptes chrysocoma, noch zu Ende des vorigen Jahrhunderts, sowie auch zu Anfange des gegenwärtigen, in der wissenschaftlichen Welt, als Aptenodytes chrysocoma bezeichnet und mithin einer anderen Gattung beigezählt wurden; so u. A. von dem berühmten englischen Reisenden John Barrow, welcher als Theilnehmer der Gesandschaftsreise des Lord Makartney nach China Gelegenheit hatte, dieselben an ihren zahlreichen Brutplätzen zu St. Paul und Amsterdam im indischen Ocean unterwegs zu besichtigen. (Siehe Barrow's Reise nach Cochin-China, pag. 182.) Noch eigenthümlicher erscheint aber der Fall, dass selbst in einer, im Laufe des soeben verflossenen Jahres erschienenen Nummer der „Leipziger illustrirten Zeitung" die im Berliner zoologischen Garten kurze Zeit lebenden Exemplare der Eudyptes chrysocoma, gleichfalls mit dem Gattungsnamen der Aptenodytes bezeichnet wurden, seitens des Verfassers von der bezüglich dieses Gegenstandes veröffentlichten Abhandlung. Nebenbei will ich noch bemerken, dass die heute in der Wissenschaft als Aptenodytes Pennantii bezeichnete Art zu Ende des vorigen Jahrhunderts, sowie auch in den ersten Decenien des gegenwärtigen, als Aptenodytes Patagonica genannt wurde, vermuthlich weil die Reisenden und Forscher in den magellanischen Ländern am meisten Gelegenheit hatten, dieselben zu beobachten.

Verhältnissen, mithin vollkommen übereinstimmenden Einflüssen, dennoch gänzlich verschiedene Gattungs- und Artenformen sich ausbildeten (wie bereits aus einer Stelle dieser Abhandlung ersichtlich ist). Solches gilt namentlich bezüglich derjenigen Localitäten der gemässigten ant-arktischen Hemisphäre, welche ich bereits vorhin als geographische Scheidewand des Verbreitungsgebietes der Aptenodyten und Eudyptes bezeichnete, an welchen Localitäten aber gleichwohl, beide Gattungen, wie bereits angeführt wurde, brütend vorkommen. So kommen beispielsweise auf Kerguelensland, nebst den bereits erwähnten Arten, der soeben bemerkten Gattungen, auch noch diejenige der Pigoscelis papua vor. Eine noch grössere Abweichung bezüglich des Umbildungsprocesses an derselben Oertlichkeit bemerken wir jedoch auf den überhaupt so ziemlich die meisten Artenanzahl aufweisenden Falklandsinseln, sowie auch in den eigentlichen magellanischen Ländern, an welch' letzterer Localität neben Aptenodytes Pennantii und Eudyptes chrysocoma, auch noch vier Arten der Gattungen Spheniscus als: Spheniscus magellanicus, S. mendicatus, S. Humboldtii und sogar die am Cap der guten Hoffnung, wie bereits erwähnt, vorkommenden S. demersus auftraten. Man bemerkt demnach, dass manchmal selbst ziemlich verschiedene, klimatisch-biologische Verhältnisse dennoch gleiche Arten erzeugen können, wiewohl es andererseits nicht geleugnet werden kann, dass das Vorkommen der Aptenodytes Pennantii auf Kerguelensland, sowie in gleicher geographischer Breite auf den Falklandsinseln dennoch auf ein gewisses Mass von Uebereinstimmung in dieser Richtung hindeutet. Es wäre wünschenswerth eine speciell sowohl in ornithologischen, als auch in allgemein zoologischen, wie überhaupt naturwissenschaftlichen Fachschriften derartige Gegenstände noch recht häufig zur Discussion gelangen würden

Schnee-Eule in Ungarn.

Die Schnee-Eule ist in Ungarn eine äusserst seltene Erscheinung. Nach Petényi's Nachrichten wurden im Jahre 1837 bei Prasiva (Com. Zólyom) zwei Exemplare erlegt.[1]) In der vorjährigen ornithologischen Ausstellung zu Budapest war auch ein zur Museal-Sammlung gehöriges Exemplar sichtbar, welches im März 1860 im Comitat Ungh erlegt und durch Gräfin Maria Sztáray-Waldstein dem National-Museum zugesandt wurde.[2])

In den verflossenen Tagen erlegte Andreas Freiherr von Orczy ein Exemplar bei Ujszász (Com. Pest) und sandte es dem Museum zu, wo es präparirt, dessen würdige Zierde sein wird.

Stuhlweissenburg, 15. Jänner 1892.

Ladislaus Kenessey v. Kenese.

[1]) Frivaldsky: Aves Hung. p. 24.
[2]) Ibid. sowie Madarász: Erläuterung z. orn. Ausst.

Aus Heinr. Gätke's „Vogelwarte Helgoland".

(Fortsetzung.)

Von Wanderfalken, Lerchen- und Thurmfalken, sowie von Finkenhabichten kommen jetzt fast nur alte, ausgefärbte Stücke vor, denen sich indess hin und wieder ein junger Geierfalke beigesellt.

Letztere Art ist hier noch niemals alt gesehen, wenigstens nicht erlegt worden, wohl aber in drei oder vier Fällen der nördlichere weisse Falke.

Rauhfuss-Bussarde stellen sich ein und Eulen ziehen, Sumpfohreulen schon seit Anfang des Monates, die Waldohreule aber erst gegen Ende desselben. Der hier hin und wieder erlegte Rauhfusskautz ist ebenfalls Ende October und in einigen Fällen sogar bedeutend später vorgekommen.

Noch ist der nächtlichen Vogelzüge zu gedenken, die in ihrer überwältigenden Massenhaftigkeit bei dem Lichte des Leuchtthurmes gesehen, eine der eigenthümlichsten und anziehendsten Phasen des ganzen Wanderphänomens bilden. Dieselben treten während der letzten Hälfte des Monates, besonders gegen Schluss desselben, am grossartigsten ein, und bestehen vorherrschend aus Feldlerchen, Staren und Drosseln, immer begleitet von den vielfältigen Formen der grossen Familie der schnepfenartigen Vögel. Merkwürdigerweise, obzwar nur selten tritt auch das gelbköpfige Goldhähnchen in derartigen Massen-Wanderflügen auf, so unter Anderem in der Nacht vom 28. zum 29. October 1882, während welcher der Leuchtthurm von diesen winzigen Geschöpfchen wie von Schneeflocken umschwärmt ward, und jeder Quadratfuss der Insel buchstäblich von ihnen wimmelte. Dieser Zug währte etwa von 10 Uhr Abends des einen Tages bis 9 Uhr Früh des nächsten. Ein ähnlicher ausnahmsweiser Lerchenzug fand im October 1883 statt.

Wenn unter der Wandelbarkeit des Wetters ein solcher Flug sich fast nie über die Dauer einer Nacht erstreckt, so währte derselbe im letzteren Falle vier volle Nächte, nach meinem ornithologischen Tagebuche am 21., Abends um 11 Uhr, mit Milliarden Lerchen und um ein geringes weniger Staare beginnend und in wechselnder Massenhaftigkeit bis zu den Morgenstunden des 31. andauernd.

Das landschaftliche Bild, welches einer so reichen Entfaltung des Thierlebens zum Hintergrunde dient, ist an und für sich schon ein ganz ausserordentlich fesselndes: eine ebenmässig stille, schwarze Nacht ohne Mond, ohne Sterne, begleitet von ganz schwachem, südöstlichem Luftzuge, sind die Bedingungen für möglichst grossartige Entfaltung solcher Wanderflüge; ist gleichzeitig die Athmosphäre sehr stark von Feuchtigkeit erfüllt, so trägt dies zur Steigerung der Erscheinung ausserordentlich bei. Die gleichmässig tiefe Finsterniss, inmitten welcher der grosse, helle Lichtkörper des Leuchtthurmes zu schweben scheint, die breiten Strahlen, welche nach allen Seiten hin von seinem Lichte ausgehen und in der trüben Luft sich bis in

*) Von A. B. v. E. Fortsetzung aus Nr. 23 des vor. Jahrg.

das Unendliche zu erstrecken scheinen, das Bewusstsein der Nähe des grossen, umgebenden Meeres und die vollständige Lautlosigkeit der ganzen Natur bilden, im Ganzen von ernstester, nahezu grossartiger Stimmung.

In dieser weiten Stille vernimmt man zuerst vereinzelt das leise Czip der Singdrossel, auch wohl hie und da den hellen Lockruf der Lerche, dann wieder ein oder zwei Minuten vollständiger Ruhe, plötzlich unterbrochen durch das weitschallende Ghiik der Schwarzdrossel, dem bald das vielfältige Tir—r—r einer vorbeieilenden Schaar Strandläufer folgt, die Lockrufe der Lerche steigern sich schnell an Zahl, man hört nah und fern kleinere und grössere Gesellschaften herannahen und entschwinden — zu dem heiseren Etsch der Bekassinen gesellt sich das klare Tüth der Goldregenpfeifer, das laut gerufene, helle Klüh—üh der Kibitzregenpfeifer, der wilde, weithallende Ruf des grossen Brachvogels, das vielfältige Schack—schack—schack der Wachholderdrossel, das gezogene Zieh der Rothdrossel, dann eine eilige, offenbar langgedehnte Schaar des isländischen Strandläufers, erkenntlich an dem hundertfältig schnell ausgestossenen Tütt-tütt—tütt-tütt—tütt-tütt, und zahllose pfeifende, scharrende und quäckende Stimmen, die allen hiesigen Jägern und Vogelstellern unbekannt sind und an die Melodie knarrender Wagenräder erinnern, von denen aber manche sehr laut und rauh ausgestossene Rufe offenbar dem Fischreiher und seinen mannigfaltigen Verwandten angehören.

Das ganze Firmament ist jetzt erfüllt von einem Chaos von hunderttausenden fern und nah erschallenden Stimmen, und nähert man sich dem Leuchtthurme, so bietet sich dem Auge ein Bild dar, welches dem durch das Ohr empfangenen mehr wie ebenbürtig sich anreiht: die das Leuchtfeuer in ab- und zunehmender Dichtigkeit umflutheten Lerchen, Staare und Drosseln erscheinen in der so intensiven Beleuchtung wie helle Funken, die ihn gleich einem flockigen Schneegestöber umwirbeln, stets verschwindend und stets durch neue Schaaren ersetzt — Goldregenpfeifer, Kibitze, Austernfischer Brachvögel und Strandläufer in grosser Zahl mischen sich dazwischen, hin und wieder wird eine Waldschnepfe sichtbar, und mit langsamem Flügelschlage taucht aus der Finsterniss eine Eule in den Lichtkreis auf, bald wieder verschwindend und begleitet von Klagetönen einer Singdrossel, die sie ergriffen hat.

Die ganze lange Herbstnacht hindurch dauert ein solcher Strom an, wiederholt sich, wie schon angeführt, unter besonders günstigen Umständen, sogar während mehrerer aufeinander folgenden Nächte und ist keineswegs auf eine eng bemessene sogenannte Zugstrasse beschränkt, denn der in der Nacht des 27. October 1883 hier stattgehabte, von Ost nach West gerichtete Millionenzug ward von einem jungen Helgoländer auch bei Hannover, achtundzwanzig Meilen südlicher, zu gleicher Zeit und in gleicher Massenhaftigkeit beobachtet; mehr noch: der ostwestliche Heerzug des Goldhähnchens im October 1882 erstreckte sich in einer Front, nicht allein über die ganze Ostküste Englands und Schottlands, sondern reichte sogar bis zu den Faröern hinauf, und solchen, durch den Menschengeist nicht zu fassenden Individuenzahlen gegenüber spricht man von wahrnehmbarer Verringerung der Vögel durch Menschenhand!

In gewisser Hinsicht findet allerdings eine merkliche Beeinflussung durch den Menschen statt, nicht aber durch Netz und Schiessgewehr, sondern dadurch, dass die fortschreitende Bodencultur jedes kleine oder grössere Gesträuch oder Gestrüpp als nutzloses Hinderniss ausrodet und so dem Vogel auch den letzten heimischen Schutz seines Nestes raubt. — —

Hat man solcherweise die armen Vögel in ferne, weniger dicht bevölkerte Striche gedrängt, so klagt man, ihren fröhlichen Gesang nicht mehr zu hören, ohne sich der selbstverschuldeten Ursache bewusst zu sein.

Zur Züchtung der Gürtelamandine

Von **Baron Stella**.

(Schluss.)

Jetzt gab ich alle Hoffnung bezüglich einer Grasfinkenbrut verloren, entfernte die Störenfriede aus der Vogelstube und schaffte sie überhaupt ganz ab.

Anfangs April des vergangenen Jahres besuchte ich meinen Freund, Herrn E. Perzina in Wien, erzählte demselben meine Misserfolge mit den Grasfinken und gab der Ansicht Raum, dass es mit der angeblich so leichten Züchtung dieser Vögel absolut nicht richtig und diese Angabe nur gemacht wäre, um für diese Art Reclame zu machen und den Händlern besseren Verkauf zu ermöglichen. Lächelnd hatte mein Freund diesen Ausführungen zugehört, dann nahm er von einem Kasten einen ziemlich kleinen Käfig herunter und stellte denselben vor mir hin. Es war schon gegen Abend und die Bewohner des Käfigs hatten sich in ein in demselben befindliches Holzkästchen zurückgezogen. Ein leises Klopfen an dasselbe, zwei Bartfinkenköpfe guckten aus der Oeffnung und auf erneuertes Anklopfen schlüpften auch deren Eigner heraus; gleich, nachdem diese Vögel das Nest verlassen hatten, erhob sich in demselben grosses Geschrei und durch eine Ritze konnte ich fünf junge Grasfinken entdecken, die halbbefiedert, die Köpfe baumelnd in die Höhe gestockt, mit weit geöffneten Schnäbeln Futter heischten! Gross war mein Staunen, diese für fast als unmöglich zu erreichend betrachtete Brut unter fast ungünstigen Verhältnissen — wenn man die sehr geringen Dimensionen des Käfigs bedenkt — so gut sich entwickeln zu sehen und ich bat den Besitzer der kleinen Familie so lange, um Ueberlassung derselben, bis er dieser Bitte willfahrte. Mit diesem Pärchen und seiner Nachzucht wurde mir auch die Freude zu Theil, den Bartfinken, diesen, wenn auch bescheiden, so doch so herrlich gefärbten Australier, bei mir zur Brut gelangen zu sehen und sowohl das alte Paar, wie vier aus seinen verschiedenen Bruten zusammengestellte Paare haben eben Eier oder Junge. Diese Bartfinken sind wirklich das, was der Art überhaupt zugeschrieben wird, gute, sehr gute Zuchtvögel. Der junge Bartfink wird ungemein früh reif, ich habe von vier Monate alten, die noch nicht einmal ganz ausgefärbt waren, befruchtete Eier erhalten.

Die Eier werden ungefähr dreizehn Tage bebrütet, die Jungen brauchen verhältnissmässig lange, bis sie das Nest verlassen und werden auch, wenn schon ausgeflogen, noch lange Zeit gefüttert. Lassen sich die Alten, weil sie vielleicht schon mit dem Baue eines neuen Nestes beschäftigt sind, nicht mehr dazu herbei, so ist es oft nöthig, den jungen Vögeln etwas mit der Ernährung nachzuhelfen, wenn man nicht Verluste haben will. Solche Unselbstständige, denen von den Eltern die Nahrung verweigert wird, setze ich in einen Käfig mit anderen Vögeln zusammen, von diesen lernen sie dann bald allein fressen.

Mit einigen importirten Paaren, welche ich mir neu anschaffte, um Blutwechsel zu erreichen, erzielte ich ebensowenig wie früher, und nachdem mein altes Paar auch ein hier gezüchtetes ist, scheint es mir fast, als ob von importirten Grasfinken nur in Ausnahmsfällen wirkliche Bruten, das heisst solche, in welchen es nicht nur Eier, sondern auch flügge Junge gibt, zu Stande kämen, Hiergezogene jedoch meistens gute Züchter seien; in dieser Annahme bestärkt mich der Umstand, dass nicht nur sämmtliche, aus den bei mir Gezogenen zusammengestellten Paare, welchen hiezu Gelegenheit geboten wurde, erfolgreich genistet haben trotz der Blutsverwandtschaft, sondern sich auch zwei von verschiedenen Züchtern bezogene, ebenfalls europageborene Gürtelamandinen in gleicher Weise als treffliche Nister gezeigt haben, die wohl ebenso wie die anderen Paare, hie und da ein Gelege verlassen, im Allgemeinen aber gut brüten und aufziehen, jedenfalls zuverlässiger als Zebrafinken in dieser Beziehung und gegen Störungen weit weniger empfindlich sind als diese.

Harmlose Betrachtung eines Idealisten über Rassegeflügelzucht.

Nicht ganz mit Unrecht wirft man uns Geflügelzüchtern vor, dass wir die Rassezucht nur aus Passion, als Sport und Spielerei betreiben, dass unser ganzes Streben nur auf das Ideale gerichtet, des reellen Bodens entbehre und der Nutzgeflügelzucht in ihrer landwirthschaftlichen Bedeutung sind besonders fördernd zur Seite stehe, sondern ihr einfach entbehrlich wäre. Gewiss sind dem Nutzgeflügelzüchter mit seiner praktischen Grundlage des Schaffens, weder mehr materielle Vortheile und lohnendere Verdienste abzusprechen, als seinem Genossen den Rassezüchter, der mit seinen hochfliegenden Ideen nach Verbesserungen beständigen Aufregungen unterworfen ist, aber man sollte nicht vergessen, dass neben dem Reellen auch das Ideale, neben der Natur die Kunst, neben dem Geschäft die Wissenschaft, neben dem Zwecke auch der Sport, die Passionen bestehen müssen, damit das Eine das Andere ergänze und erhalte, und dass es für den Einzelnen schlecht um den Vortheil stünde, wenn Alles und Alle sich um ihn versammelten und sich nicht Menschen zusammenfänden, welche dem Idealismus die Thore ihres Herzens öffneten, über den so Viele sich erhaben fühlen, um dessen undankbare und aussichtslose Anstrengungen mitleidig zu belächeln.

Gewiss ist bei uns die Rassegeflügelzucht mehr oder weniger nur als Sport zu betrachten, denn sie wird den, mit ganzer Thatkraft erfüllten Züchter niemals seine Mühen, mit pecuniärem Verdienste lohnen und auch die Ausstellungen, welche so viel Risico, Auslagen und keine nennenswerthen Preise bringen, können ihm wohl Ehren und Anerkennung seiner Parteigenossen, kaum jemals aber materiellen Nutzen eintragen.

Ganz anders verhällt sich dies in England, wo sich der Sport mit einem tüchtigen Gewinne vereinen lässt, wo enorm hohe Preise die Bestrebungen der Bewerber wesentlich unterstützen, wo Alles wetteifert an diesen Ausstellungen theilzunehmen und sie dem Publicum in's Gedächtniss zu bringen, wo Alles Preise ausschreibt, der Hof, der Staat, die Grafschaft, die Bahnen, die Vereine, bis zum kleinen Gentry herunter und wo zum eifrigen Besuche solcher Schaustellungen auf den Eisenbahnen Ermässigungen für die daran Betheiligten und für die Verfrachtung der Ausstellungsobjecte statthaben.

Beispielsweise sei nur erwähnt, dass in der vorjährigen Geflügelausstellung zu Birmingham als Geldclassenpreise die Summe von 1000 Pfund (20.000 Mark) ausgesetzt war, ferner für einzelne hervorragende Thiere nebst den Classen-, noch Specialpreise zu 50 Pfund (1000 Mark) ausserdem noch die obligaten Silberpocale.

Hier aber bei uns, wo durch die Gleichgiltigkeit des grossen Publicums die Ausstellungen nur schwach besucht werden, die Vereine nicht genügend unterstützt, geringe Preise bieten können, wenige Blätter, ausser der eigentlichen Fachjournale sich damit beschäftigen, kein hervorragender Maler sich für die, vor die Kritik der Oeffentlichkeit gebrachten Objecte interessirt und sie auf Thierbildern, wie dies schon lange in England gebräuchlich, zu verewigen, — die Producte des Fleisses dem Züchter nur verhältnissmässig wenig bezahlt werden, ist es doppelt hoch anzurechnen, wenn Menschen mit idealen Regungen von der Muthlosigkeit nicht erfasst, unbekümmert um den Beifall oder Hohn der Welt, an ihrem begonnenen Werke festhalten.

Die wahre Idealität ist eben sich selbst genug und beschützt vor jeder menschlichen Schwäche und Eitelkeit.

Und sind diejenigen nicht glücklich zu preisen, welche dieser Begeisterung, dieser Hingebung, diesem ganzen Aufgehen für eine einzige Passion fähig, welche sie mit allen erforderlichen phisischen und psychischen Anforderungen über die Realistik dieses Lebens zu jener reinen Höhe erhebt, deren Lufthauch schon die Seele adelt und die Gedanken schönheitstrunken mit auserwählten Farben berauscht!

Alle Passionen, welche nicht auf materiellen Vortheil basiren, und der Hast nach Ehrgeiz entspringen, sind gut und ideal zu nennen, sowie alles Lebende schön und werth ist, dass es der Mensch schütze und liebe; sei es ein Pferd, ein Hund, ein Vogel oder eine Blume, — und auf allen Gebieten gibt es Anhänger, die für ihre Ideale kämpfen, sie vertheidigen und mit dem unerschütterlichen Glauben an diese siegen oder unterliegen werden.

Ich kenne einen mir sehr achtenswerthen lieben Genossen, welcher sich durch eine Reihe von Jahren mit der Idee aus dem vorhandenen Materiale ein weisses Paduanerhuhn mit schwarzer Haube herauszuzüchten, so vertraut gemacht und identificirt hat, dass er unbeirrt von hundert andern Erfolgen seines Züchterfleisses und missglückten Versuchen dieses Experimentes, dennoch immer wieder mit heftigem Verlangen nach seinem Ideal strebt, von der aufrichtigen Ueberzeugung beseelt, es noch im Leben verkörpert zu sehen.

Und ist diese Fähigkeit einer Begeisterung für ein Ideal, welche den schlichtesten Schaffensdrang mit einem Duft von Poesie umschleiert, nicht Zeuge eines hohen Bildungsgrades, eines ungewöhnlichen Charakters und die höchste Potenz einer zarten Empfindungsgabe, welche unbefriedigt durch die Banalität der Alltäglichkeit, in der Liebe und dem Studium zur Natur ihre erweiterten Grenzen findet!

Und neben diesem lieben Parteigenossen stehen auch noch viele andere Idealisten, denn dazu gehören ja mit Recht die Rassezüchter dieses Jahrhunderts, weil sie ja hauptsächlich nur den einen edlen Zweck verfolgen, für das allgemeine Wohl der Landwirthschaft zu wirken, der von den Plänklern und Stänkern nicht ausser Acht gelassen werden sollte. Denn wo bliebe für den Nutzgeflügelzüchter, die sichere Basis, wenn sich nicht uneigennützige Seelen fänden, die auf den Altar des Fortschrittes ihre Opfer brächten und dem Landwirthe nicht das fruchtbringende Saatkorn für seinen Boden in die Hände lieferten?

Doch daran nun wieder knüpft sich die alte, sich immer wiederholende Geschichte von dem verschiedenartigen Erdreich in den das Samenkörnchen geworfen und sich entwickeln solle, der Umgebung, Pflege und Natur und mit diesen zugleich der ewige Streit mit den durch nichts zu bekämpfenden Eigensinn und hergebrachten Vorurtheilen der Menschheit.

Der Laie, welcher vermöge seiner Verhältnisse oder seiner weniger empfänglichen Natur unsere Passion weder theilen, noch begreifen kann, findet darin nicht selten eine gewisse Drollerie, eine Art Verirrung des Geschmackes und belächelt diese von allen Uebrigen isolirte Vorliebe für ein Thier, welches er nicht nur als das Untergeordnetste unter den Hausthieren, als auch aller Intelligenz bar, betrachtet.

Er versteht nicht wie viele Schönheiten sich in so einem weichen, warmen, flaumigen Körper zusammendrängen können, die unser Auge fesseln und entzücken, die man umfassen, liebkosen kann, wie viel Ausdruck in der sanften Harmonie der Bewegungen, dem stolzen Brüsten und Girren sich vereinigen, wie auch dieses von Vielen kaum beachtete Thier so vieler Stadien der Empfindungen fähig, deren stammelnde Laute nur der Naturfreund verstehen und zu deuten weiss.

Auch dieses gefiederte Geschöpf des Hofes nimmt wie jedes andere Thier, insbesonders, wenn es einer reinen Rasse entsprungen und dieselbe weiter vermehrt, einen hohen Rang in der Cultur ein; dem edlen Renner gleich, wenn er am Turf geführt, das stolze Haupt erhebend, die feurige Nüster bläht, die feine, sehnige Gestalt ihrer wunderbaren Symetrie bewusst, zur vollen Höhe strafft, der Hund, der mit gespitztem Ohr, sprungbereit, dem Ruf der Jagdfanfare horchend, von Nerv und Nerv durchbebt, das Edle seines Ursprungs offenbart, steht ebenbürtig auch der Hahn, wenn er mit stolzen Schritten über den Plan schreitet und seiner imposanten Schönheit sich bewusst aus seiner breiten Brust sein Krähen klingen lässt, der Puter, der vor prahlerischer Lust fast platzend, mit geblähtem Flügel den Hofraum fegt, der Fasan, wenn er in feuriger Vibration gleich einem Mantel seine Schwingen um sich breitet und durchzittern lässt, der eitle Pfau, wenn er das Rad mit seinen glänzenden Augen öffnet, die Taube und alle die befiederten Freunde des Wassers, sind schöne, herrliche Werke der Schöpfung und werth, dass sich der Mensch an ihnen ergötze und sie in ihrer Gestalt und Farbenpracht veredle.

Auch die Hühner und Tauben besitzen Intelligenz, Dankbarkeit und Treue; sie freuen sich, wenn man zu ihnen kommt und ihnen Aufmerksamkeit und Pflege schenkt und es geschieht nicht selten, dass Eines oder das Andere unserer Lieblinge das Futter seinem Kameraden überlässt, um zu uns zu eilen, nur von dem Bedürfnisse gedrängt, von unserer Hand liebkost zu werden.

Der Realist, der sich über so naive Empfindungen erhaben dünkt, wird darin nichts Anderes erblicken, als den rohen Trieb der Gewohnheit der thierischen Natur, geradezu, wie er Blumen, Sterne und die Himmelsröthe betrachtet, ohne darüber nachzudenken oder geheimnissvolle Beziehungen der Schöpfung daran zu knüpfen; er ist eben ein realer Mensch, seine Seele ohne Poesie, ohne Schwung, ohne Begeisterung.

So sehr ich in der Anschaffung von feinen Zuchtstämmen, die aus dem Auslande bringen zu lassen, einige Rasse-Liebhaber sich erlauben können, eine bedeutende Förderung und grossen Aufschwung der heimischen Geflügelzucht erblicke, eine wirkliche Befriedigung, einen wahrhaft beglückenden Stolz wird jeder Züchter immer nur in seinem eigenen gut gerathenen Producte erblicken, welches er als das Kind seines Schaffens, Pflegens und Erziehens lieb gewonnen und nur zagend in die Oeffentlichkeit sendet.

Niemand war schwerer zu befriedigen, niemand konnte sein Werk strenger kritisiren, als er selbst; er beurtheilt es ohne Rückhalt, ohne Schonung, aber frage man nur Einen, der durch angekaufte Stämme grosse Erfolge errungen, ob er je dieses Glücksgefühl empfunden, welches demjenigen warm durchströmt, dessen selbstgezogener Stamm, den er gleichsam aus dem Ei geschält, unter hunderterlei

Befürchtungen und Zufälligkeiten gross gezogen, seine verschwiegendsten Hoffnungen erfüllt!

Denn so wie jede Pflanze für den Gärtner ihre eingene Geschichte hat, besitzt auch Jedes dieser Pfleglinge eine theils heitere, theils traurige Historie von Freude, Sorge und Enttäuschungen, welche in den flüchtigen Kreislauf ihres Lebens nur für den Züchter eine dauernde Bedeutung hinterlässt.

Für den auf rein materiellen Vortheil gerichteten praktischen Geist des Menschen werden alle diese Betrachtungen bedeutungslos, weil er Alles verwirft, was nicht Gewinn bringend, die Kräfte aufreibt, ohne mehr Nutzen, als den der Erfahrung zu bringen und unbekannt mit dem ästhätischen Vergnügen des Idealisten, welches darin besteht, das Schöne und Edle zu verbreiten und daraus ein Werk zu schaffen, wie es eben nur die Natur im Vereine mit dem Menschen vollbringen kann, belächelt er nur dessen Anstrengungen für den allgemeinen Fortschritt zu wirken.

So wie wir, nach unseren verschiedenartigen Stimmungen, Charakter und Temperamente, Einer dieses und der Andere jenes, schön und liebenswürdig finden, so sollte auch Jedem für seine Interessen und Passionen in dieser Richtung ein freies Feld gelassen bleiben, in dem sich Alle gegenseitig unterstützen, Jeder des Andern Vortheile wahren und dessen Bestrebungen achte. Der Rassezüchter darf nicht den Nutzgeflügelzüchter belächeln und umgekehrt soll der Letztere die idealen Ziele des Ersteren nicht verkennen, noch als eine nichtige Spielerei betrachten.

Einer ist dem Andern so nothwendig, wie auch das Schöne jederzeit dem Zwecke nothwendig ist und denselben adelt; sowie keine edle Form bestünde, wenn der Urstoff sich nicht der Gestaltung fügte, der geistigen Kraft der Kultur sich unterordnend, welche nur immer Besseres erzeugen und die einfachsten Dinge des Weltalls zur idealsten Vollendung erheben möchte.

So träumt eben ein Jeder seine eigenen Fantasien je nach der Anregung, der er unterworfen, der Beschaffenheit seiner Natur, seines Gehirnes und den Verhältnissen, in die ihn das Geschick geschleudert und nur denjenigen nenne ich wirklich arm und beklagenswerth, den noch nie jenes Lustgefühl durchbebet, welches die Wünsche und Hoffnungen eines Menschen begleitet, jene erhabene Empfindung der Seele, welche uns gleichsam empor zu den Wolken hebet, sowie der Alpensegler aus sinkender Dämmerung des Thales sich in das stille Licht der Gletscher schwinget, um trunken die bessere Luft der hohen Berge zu geniessen!

Leithahof, 7. Jänner 1892. Fery.

Literarisches.

„Ornis", internationale Zeitschrift für die gesammte Ornithologie herausgegeben von Prof. Dr. Rudolf Blasius. VII. Jahrg. Heft II und III, 1891.

Der Inhalt dieses Doppelheftes ist folgener: Die Vögel der Madeira-Inselgruppe. Von Prof. Dr. R. Blasius.

L'amateur d'Oiseaux de volière, espèces indigènes et exotiques, caractères, moeurs et habitudes, reproduction en cage et en volière, nourriture, chasse, captivité, maladies, par Henri Moreau.

Librairie J.-B. Baillière et fils 19, rue Hautefeuille (près du boulevard Saint-Germain), à Paris.

In der Expedition der allgem. deutschen Geflügelzeitung in Leipzig sind erschienen:

Taschenkalender für Geflügelfreunde auf das Jahr 1692. herausgegeben von der Redaction der „allgem. deutschen Geflügelzeitung" in Leipzig.

Kalender für Vogelfreunde auf das Jahr 1892, herausgegeben von Mat. Bröse und Friedr. Kloss, Leipzig.

Gegen Einsendung von Mark 1·10 für einen oder 2.20 für beide Kalender in einen Band gebunden, erfolgt portofreie Zusendung.

—

Ausstellungen.

I. Wr. Vororte Geflügelzucht-Verein in Rudolfsheim. Wie schon mitgetheilt findet die diesjährige Ausstellung des Vereines in Weigl's Etablissement Dreherpark nächst dem k. k. Lustschloss Schönbrunn statt. Als Ausstellungsräume wurden die sehr geräumigen, hellen, gedeckten und zugfreien Arcadenhallen bestimmt, während für eine Vogelausstellung ein geschlossener, eventuell heitzbarer Saal zur Verfügung steht.

Der bisherige Prämiirungsmodus wird auch heuer beibehalten, doch wurden ausserdem 12 Collectionspreise für nachweisbare Eigenzucht-Collectionen creirt.

Mehrere der aufgestellten Classen sind noch speciell garantirt; so dass in diesen Classen die Preise doppelt zur Verleihung kommen. Den Mitgliedern des „I. österr.-ungar. Geflügelzucht-Vereines in Wien" sowie denjenigen des „I. oberösterr. Geflügelzucht-Vereines in Linz" werden gegenüber fremden Ausstellern insoferne Begünstigungen eingeräumt als für sie die Standgelder:

per Stamm Hühner (1·1 oder 1·2) statt fl. 1.60 blos 1.20,
für jedes weitere Stück . . . . . „ „ —.60 „ —.40,
für das Paar Tauben . . . . . . „ „ —.80 „ —.50

betragen werden.

Auswärtigen Ausstellern werden ihre Thiere frankirt retour gesandt. Die Mitgliedsbeiträge pro 1892 betragen für ordentliche Mitglieder 3 fl. ö. W., für unterstützende Mitglieder 2 fl. ö. W. Die bisher üblichen Aufnahmsgebühren entfallen.

XVII. int. Geflügel- und Vogelausstellung in Wien. In der Comitésitzung vom 15. l. M. wurde ein Fehler richtiggestellt, der sich in das Programm der diesjährigen Ausstellung eingeschlichen hatte. Nach dem nun richtiggestellten Programme haben nur jene Aussteller, die im Polizeirayon von Wien wohnen, und nicht Mitglieder der beiden, die Ausstellung arrangirenden Vereine („I. österr.-ungar. Geflügelzuchtverein" und „Ornithologischer Verein") sind, das erhöhte Standgeld von 1 fl. 20 kr. pr. Stück Grossgeflügel, resp. Paar Tauben zu entrichten, während alle übrigen Aussteller pr. Stück Grossgeflügel, resp. Paar Tauben 60 kr. zahlen.

Den Mitgliedern des „I. Wr. Vororte-Geflügelzucht Vereines in Rudolfsheim" wird, sofern sei nicht etwa als Mitglieder der arrangirenden Vereine ohnehin nur das einfache Standgeld zu zahlen haben, eine 25%ige Ermässigung eingeräumt, so dass also Mitglieder dieses Vereines, die im Polizeirayon Wien wohnen und keinem der arrangirenden Vereine angehören, 90 kr. per Stück Grossgeflügel, resp. Tauben zahlen werden.

Verlag des Vereines. — Für die Redaction verantwortlich: **Rudolf Ed. Bondi.**
Druck von **Johann L. Bondi & Sohn**, Wien, VII., Stiftgasse 3.

XVI. JAHRGANG. Nr. 3.

Blätter für Vogelkunde, Vogelschutz, Geflügelzucht und Brieftaubenwesen.

Organ des I. österr.-ung. Geflügelzuchtvereines in Wien und des I. Wr. Vororte-Geflügelzuchtvereines in Rudolfsheim.

Redigirt von C. PALLISCH unter Mitwirkung von Hofrath Professor Dr. C. CLAUS.

16. Februar. 1892.

„DIE SCHWALBE" erscheint **Mitte** und **Ende** eines **jeden Monates**. — Im Buchhandel beträgt das Abonnement 6 fl. resp. 12 Mark. Einzelne Nummern 30 kr. resp. 50 Pf.

Inserate per 1 □ Centimeter 3 kr., resp. 6 Pf.

Mittheilungen an das **Präsidium** sind an Herrn **A. Bachofen v. Echt** in Nussdorf bei Wien; die **Jahresbeiträge** der Mitglieder (5 fl., resp. 10 Mark) an Herrn **Dr. Karl Zimmermann** in Wien, I., Bauernmarkt 11;

Mittheilungen an das **Secretariat** in Administrations-Angelegenheiten, sowie die für die **Bibliothek** und **Sammlungen** bestimmten Sendungen an Herrn **Fritz Zeller**, Wien, II., Untere Donaustrasse 13, zu adressiren.

Alle redactionellen Briefe, Sendungen etc. an Herrn **Ingenieur C. Pallisch in Erlach** bei Wr.-Neustadt zu richten.

Vereinsmitglieder beziehen das Blatt gratis.

West-Florida.

Von **August Koch**.

Da ich den geehrten Lesern der Schwalbe in Nr. 9—10, Jahrgang 1891, versprochen hatte, später der Fortsetzung unserer Reise durch Florida von Merrilt Sland nach West-Florida und des dortigen, dreiwöchentlichen Aufenthaltes zu gedenken, greife ich abermals zur Feder.

Ohne Unterbrechung ging alles nach Wunsch bis nach Sacksonville, in welcher Stadt wir bis zum folgenden Morgen verweilen mussten. Neun Uhr Morgens ging der Zug direct westlich. nach dem etwa 200 Meilen entfernten Dampfer-Landungsplatze Chattahootshee.

Während der Fahrt dorthin, machten wir die Bekanntschaft eines älteren sehr gesprächigen und wissbegierigen Bostoner Herrn, der mich meines breitrandigen Hutes und von der Sonne gebräuntem Angesichtes wegen, für einen südlichen Pflanzer hielt. Er fragte mich über das Wachsthum verschiedener Producte: wie Baumwolle, Reis, Süsskartoffel, Zuckerrohr etc. aus, worauf ich dienstbeflissen meinen ganzen bisher aufgestauten Vorrath solchen Wissens auskramte.

Sobald ich aber den nun lästig werdenden Hut für eine leichte Reisekappe vertauschte, bekam der Herr einen ganz anderen Begriff meiner Naturgeschichte und Herkunft, er lachte sich nun selbst herzlich über seine Kurzsichtigkeit aus.

Weitere, sehr unterhaltende Reisegesellschaft bestand aus einem zweiten alten Herrn, der allem Anschein nach, Lehrer und dabei ein leidenschaftlicher Botaniker war und seinem, aus jungen Herrn und Damen bestehenden Gefolge. Bei jeder Station, wo einige Minuten verweilt wurde, suchten die jungen Leute schnell, einige der Bahn entlang wachsende Pflanzen, um solche dann ihrem alten Freunde oder

Lehrer zur Ansicht vorzulegen. Jedes Mal, wenn eine neue Lieferung eingebracht wurde, entfesselte sich ein wahrer Sturm von wissenschaftlichen Worten, was immer bei den Uebrigen nicht die Weihe empfangenen Mitreisenden sehr viel Belustigung hervorrief. Doch waren die eifrigen, hastig, hervorstürzenden Ausführungen des mit langen weissen Haaren bewachsenen alten Herrn, allen Anwesenden nicht wenig interessant. Indem er seine Lorgnette oder Microscop in kurzen Pausen zwischen die zu untersuchenden Pflanzen und sein intelligentes und feines Gesicht zog, erklärte er mit freundlichen Worten seinen sehr willigen Zuhörern.

Nach und nach verloren wir alle unsere Mitreisenden und waren noch die einzigen Fremden im Zuge, welche in dem aus wenigen Häusern bestehenden Flecken „Chattahootshee" abgesetzt wurden.

Zu unserer unangenehmen Ueberraschung wurden wir nun benachrichtigt, dass es heute nicht mehr weiter, also nicht bis zu dem etwa 5 Meilen weiter westlich liegenden Landungsplatze gehe.

Hier über Nacht zu bleiben, fiel mir gar nicht ein, einen zweirädrigen Ochsenkarren hätte man wohl möglicher Weise auftreiben können, diese Art Beförderung hätte mir für meine eigene Person sehr wenig Kummer gemacht, für meine Tochter schien es mir doch zu rauh.

Einstweilen machte ich letztere auf die schönen schon vom Eisenbahnwagen aus bemerkten, alle Gebüsche überwachsenden, herrlich riechenden gelben Jasminen aufmerksam, von denen sie stets eine Anzahl pflückte, während ich inzwischen tüchtig auf die fischblütigen Eisenbahnbeamten losdonnerte.

Ein kleiner Neger kam schüchtern heran und fragte mich, ob ich schon mit dem Herrn Bahnmeister gesprochen hätte? Solcher wurde nun auf mein Verlangen herbeigerufen, er war in blauen Zwilchkleidern, geschwärztem Angesicht und Händen, nicht im blauen Frack und Messingknöpfen wie die andern, aber desto mehr Gentleman in seinem Betragen.

Nach Ablauf einer halben Stunde werde er eine Locomotive mit einem Personenwagen bereit haben und uns, sowie unser Gepäck an den Ort unserer Bestimmung bringen, was auch geschah, die Extra-Kosten waren sehr gering.

Bald war die Dampfboot-Station erreicht, meiner eigenen Person nicht neu. Die Lage und Umgebung des, den Namen Hôtel führenden Bretterhauses könnte näher beschrieben werden. Das Hôtel selbst ist ziemlich hoch gelegen, denn der Fluss steigt hier zu Zeiten von 20 bis 50 Fuss in wenigen Tagen. Das Abladen der Dampfer geschieht mittelst Dampfwinde auf einer schiefen Ebene.

Das Hôtel und Depôt haben also in ihrer Frontlinie das Flussufer, welches schnell dem Wasser zu abfällt. Beide Seiten und Hintergrund bestehen aus ausgedehntem Wald und Sumpf. Hinter dem Hause formte eine tiefere Stelle des nächsten Sumpfes einen grossen, länglichen Tümpel der gewöhnlich von vielen Fröschen und von giftigen Moccasin-Schlangen bewohnt ist. Vor Einbruch der Nacht hört man vielfach den erschreckten Schrei eines Frosches, ein lautes Gurgeln und alles ist für den Augenblick still. Eine Schlange hat wieder einen armen Frosch erhascht und denselben zum ersten unter das Wasser gezogen, um ihn dann später in einem passenden Verstecke zu verschlingen.

Indem wir erst in der Nacht unser Dampfboot zu erwarten hatten, nahm ich meine Flinte um die Umgebung ein wenig auszukundschaften.

Ein eulenartiges Geschrei, zu Zeiten wie unterdrücktes Gelächter klingend, lockte mich immer weiter in den Wald, bis ich endlich am Rande eines unter Wasser stehenden Cypressen-Sumpfes ankam.

Während ich nun ruhig am Stamme eines der riesigen Bäume lehnte, kam ein grösserer Vogel herbeigeflattert, als ob er eigens gekommen sei den Eindringling zu besichtigen, drehte sich aber seitwärts ab und flog wieder dem Dickicht zu. Nach und nach kamen mehrere solcher Vögel, welche sich zum Theile auf im Wasser stehendes Gebüsch setzten, zum Theile in verschiedenen Windungen umherflogen.

Nach ruhiger Beobachtung erkannte ich sofort den gelbgekrönten Nachtreiher (Nycticorax violaceus) Lin., welchen ich bisher nur im Balg gesehen hatte. Gerne hätte ich einen dieser Reiher geschossen, denn die geisterhaften Vögel flogen im Halbdunkel des hochbewachsenen Sumpfes in meine nächste Nähe, niemals aber über das Land. Hätte ich welche der Vögel geschossen, wäre ich um keinen Preis in das braune, mit giftigen Moccasin-Schlangen besiedelten Wassers ohne lange Stiefel eingedrungen. Wegen blossem todtschiessen aber, mag ich keinem der schönen Geschöpfe das Leben nehmen, es geschieht ohnehin des Bösen zuviel in dieser Richtung.

Seit meinem damaligen Besuch des beschriebenen Hôtels ereignete sich ein besonderer Fall mit einem zehn Fuss langen Aligator — wie oben bemerkt wurde, steigt dieser Fluss mit dem Doppelnamen nach mehreren Tagen, starkem Regen zuweilen 20 bis 50 Fuss. So hoch auch das Hôtel vom Wasserspiegel gelegen, kommt doch der untere als Küche benützte Theil dann ganz in's Wasser.

Bei einer solchen Gelegenheit verirrte sich nun der oben bedachte Gäter in die Küche, wo er beim Abzug der Fluth zum Gefangenen gemacht wurde. Entweder schloss sich die Thüre durch das Zurücklaufen des Wassers oder möglicher Weise durch einen Windstoss. Dem Alligator muss es aber in der Küche sehr unbehaglich geworden sein, denn als das Wasser fort war, machte er sich zur Aufgabe, Alles zu zertrümmern, was sein starker Schwanz erreichen konnte.

Das eigentlich komische an der Sache ist nun der Bericht eines damals zufällig anwesenden Zeitungs-Reporters, dem die Aufwartung des Hôtels wenig zugesagt hatte.

Dieser Reporter behauptete nun, dass der Saurier in einem bedauerungswürdigen Zustande gewesen sei, denn die Kochkunst besagten Hôtels müsste dem armen Thiere so schreckliche Verdauungs-Beschwerden verursacht haben, dass er den verzweifelten Kampf um sein Leben mit dem ihn auf dem Boden der Küche umgebenden Kochgeschirr auszufechten gezwungen war.

Um wieder auf uns selbst zurückzukommen, möchte ich bemerken, dass endlich die Nacht hereinbrach. Nachdem wir dann mehrere Stunden den hageldicht einfallenden Stichen der hier in abnormer Anzahl vorhandenen Musquitos Stand gehalten oder eigentlich zum Standhalten gezwungen worden waren, wünschten wir uns weit von hier weg.

Ein Rückzug hinter, mit Musquito-Netzen überzogenen Thüren und Fenstern war hier keinem Sterblichen möglich gemacht.

Endlich hörten wir den willkommenen gedehnten Pfiff eines Bootes. Als sich aber die Rauchsäulen über den Bäumen zeigten, mussten wir zu unserem Leidwesen, wahrnehmen, dass es die entgegengesetzte Richtung herankam. Mit der opferfreudigen Resignation, welche nur das unwiderrufliche „Müssen“ hervorbringt, warteten wir ruhig bis Mitternacht weiter und zu gutem Glück wurde auch unsere Haut immer gefühlloser gegen die Stiche der kleinen Teufelsbraten. Als endlich unsere Erlösung herankam, entwickelte sich wieder eine der sich hier nächtlich und täglich wiederholenden, immer interessanten Scenen. Die hin und her rennenden Kinder Afrika's, laut singend wie immer, diesmal mit dem bläulichweissen, durch dichten Nebel dringenden Lichte der electrischen Lampen beschienen, mit allem bei Dampfern nöthigen und unnöthigen Lärmen. Trotzdem gegen ein halbes Dutzend verschiedener Dampfer hier anhielten, hatten wir doch das seltene Glück, vom Capitän abwärts beinahe alle uns von früher bekannten Charaktere der Schiffsbedienung hier vereinigt zu finden.

Der Capitän ist ein leidenschaftlicher Jäger, der auch an Bord seinem Jagdvergnügen huldigt, indem er jedem am Ufer sich zeigenden Alligator eine oder mehrere Kugel zusendet und der schon manchen Truthahn aus den, das Ufer bekränzenden Bäumen während der Fahrt erlegt hat.

Auch fand sich der uns von früheren Fahrten auf seinem seither verbrannten Dampfboot — her bekannte deutsche Stuart vor, ein alter im Dienste ergrauter Mann, der behauptete es gebe nur ein schönes Land — Gottes Land — oder „Deutschland über Alles“. Auch die Halbblut-Indianerin, welche schon Jahrelang als Stuartes hier figurirte und beim Brande mehrerer Boote verschiedenen Menschen durch ihre Kaltblütigkeit das Leben gerettet hat, begrüsste uns wieder mit freundlichen Geberden.

Die Fahrt den Fluss hinunter, habe ich bei früheren Gelegenheiten beschrieben. Als wir in der Stadt Apalachicola ankamen, machten wir uns wieder für einige Tage im Rosengarten unter Orangenbäumen und im Walde unter Palmen bequem.

Mein dortiger Aufenthalt war nicht so ergiebig in ornithologischer Hinsicht wie früher, indem der grösste Theil der sumpfigen Wälder noch unter Wasser stand und dann hat das manchmal recht schmutzige Geld, sowohl der hier wohnenden Juden, wie nördlicher noch viel geldwüthigeren Christen, das Seine gethan, indem für jede Rückenhaut eines grösseren und kleineren Reihers oder Flügel eines Seevogels ein lockender Preis ausgesetzt wurde. Leider hatte die heidnische Mode, mit zwei Seevogelflügel den Kopf des Höllenfürsten zu imitieren, oder wie ein Kaffer oder Indianer den vollbefiederten Kopf zu nicken, Millionen von armen Schmuckvögeln ihr schönes Leben gekostet und dem Verehrer der Natur den schönen Anblick, wahrscheinlich für immer in solchen Gegenden geraubt.

Nach einigen Tagen fuhr ich wieder eine Strecke weit den Fluss aufwärts, wo mein seitdem mit Tod abgegangener Schwager eine ausgedehnte Pflanzung besass und wo ich früher den schönen Elfenbein-Schnabelspecht erlegte.

Dieses Mal wurde ich mit einem in der Nähe wohnenden Jäger und Fischer bekannt. Derselbe besass ein vortreffliches Canoe (langes, an beiden Enden erhöhtes Boot), welches eigens leicht zum Gebrauche in den Sümpfen gebaut war.

Mein neuer Bekannter nahm bald so viel Interesse am Präpariren der geschossenen Vögel, dass er fast jeden Abend herüber kam, um mich bei der Arbeit zu sehen und später, um mit mir in die Sümpfe und Wälder hinaus zu ziehen.

Wenn William Morgens herüber kam, brachte er gewöhnlich etwas auf dem Wege oder den Abend zuvor geschossenes mit, eine Eule, Reiher oder schönen Fisch. Die Fahrt im Canoe am frühen Morgen brachte immer sehr viel Interessantes mit sich. Ein kleiner Theil des Hauptflusses nahm seinen Lauf nach vielen Windungen beinahe quer durch den Cypressen-Sumpf und nachdem dieser von der Natur gebildete Canal längere Zeit, einem leichthügligen, dicht bewachsenen Waldufer gefolgt war, ergoss er sich endlich einige Meilen weiter unten wieder in den Fluss.

Dieser natürliche Canal hatte nun ziemlich viel Strömung und ergoss sich an vielen Stellen weit in den Sumpf, um dort viele kleine und grössere, mit den grossen Cypressen bewachsenen See'n zu bilden. Stellenweise tauchten grössere Partien von hohem und sehr dichtem Gebüsch aus dem Wasser auf. Solches Gebüsch war gewöhnlich entweder dicht mit Dornen über- und durchwachsen oder die gelbe Jasmine besorgte diese Arbeit. Das so gebildete Dickicht ist oft durch die Stimme und das zwischen grünen Blättern leuchtend rothe Gefieder des Cardinals anziehend gemacht. Auch verschiedene andere kleinere Waldvögel arbeiten sich emsig suchend umher.

Einen grossartigen Eindruck machen die langen, schenkeldicken, sich vielfach vom Boden des Wassers bis zur höchsten Spitze der hohen Cypressen schwingenden Lianen, diese bilden oft allein in der Höhe ansehnliche Dickichte.

Die Riesenbäume selbst sind wie gewöhnlich in Florida mit Ellenlangen spanischem Moose behangen.

(Fortsetzung folgt.)

Vorläufige Uebersicht der Ornis des Weissenburger Comitates in Ungarn.

Von Ladisl. Kenessey von Kenese.

(Fortsetzung.)

165. Perdix cinerea Latham. Gemein; der heurige Winter schadete ihnen viel; ein ♂ Albino vom 20. October 1882 aus Velencze im Naturhistorischen Museum.[1])

166. Coturnix dactylisonans Mey. Gemein; Mitte April bis November. Heuer kamen sehr viele; überwintert einzeln.

167. Otis tarda L. Gemein; brütet Mitte April, in Ujfalu sind gezähmte Exemplare.

168. Otis tetrax L. Recht sparsam.

169. Oedicnemus crepitans L. Selten; heuer erschienen im September mehrere in der Umgebung.

170. Vanellus cristatus L. Gemein; kommt Ende Februar; Mitte October reist er ab.

171. Squatarola helvetica L. Seltener Irrgast; ♀ vom 23. September 1884 aus Ercsi im National-Museum[2]), 3 Exemplare vom 20. September 1890 aus Velencze im National-Museum[3]), Exemplar erlegte von Chernel in Velencze den 25. September d. J.; 9. October erlegte seine Hochwürden der Herr Cist.-Prof. M. Berger ein Exemplar in Velencze, welches jetzt präparirt wird, und in die hiesige Gymnasial-Sammlung kommen wird.

172. Charadrius apicarius L. Sparsam am Zuge; erscheint nicht jedes Jahr.

173. Aegialitis fluviatitis (L). Sparsam; kommt im April reist im October ab.

174. Aegialitis hiaticula (Bechst). Kommt Anfangs März in grosser Zahl; brütet in Erdvertiefungen im Mai; verreist im October.

175. Aegialites cantianus Lath. Häufig kommt er Anfangs April; brütet im Mai; verreist Ende October.

176. Glareola pratincola Mey. Kommt im Mai in grosser Zahl; die weniger brütenden zeitigen die Eier im Juni; Ende September reist er ab.

177. Strepsilas interpres (L.). 5. und 6. September 1888 wurden bei Velencze aus 7 Stück 4 erlegt (2 Exemplare bei mir, 1 Exemplar bei Victor Ritt. v. Tschusi zu Schmidhoffen, 1 Stück bei Carl Kunst, Lehrer in Somorja); in 1890 2 Stück, Benedict v. Messleny schoss aus ihnen 1 Stück. Chernel's Exemplar gingen in den Besitz des National-Museums über.[1])

178. **Grus cinerea** (L.). Selten am Zuge; 1888 hörte sie Chernel bei Agota am 5. November[2]); 1883 sah sie Szikla am 6 März[3]) sowie Ende October; 26. October 1890 sah ich sie bei Stuhlweissenburg ziehen. 2. November riefen sie in Velencze; 10. März 1891 wenige bei Stuhlweissenburg (Luftdruck 743mm, Temperatur +2·9° C.

179. Ardea cinerea (L.). Gemein; kommt Anfangs März, brütet im April; verreist Ende October.

180. Ardea purpurea L. Gemein; kommt später und verreist früher als A. cinerea.

181. Ardea alba L. Mehrmals; brütet nicht bei uns. 2 Stück sah Szikla 30. October 1883[4]); Mitte September 1888 wurde in Dinnyés ein Exemplar blessirt; 26. März 1888 Exemplar am Durchzuge; 24. October 1890 erlegte Hofrath Gf. Béla von Cziráky ein ad. in Dinnyés[5]); Exemplar erlegte man den Juli 1891 in Alap[6]); 7. April 1891 sah ich 3 am Zuge (Luftdruck 746 Mm. Temperatur 9·9° C., SE.[5]).

182. Ardea garzetta L. Selten; bei Adony auf der Reiherinsel seit Jahrzehnten brütend; J. S. v. Petenyi brachte dem National-Museum von hier zwei Eier.[7])

183. Ardea comata Pall. Kommt April; brütet selten hier; verreist Ende September.

184. Ardea minuta L. Gemein; kommt Ende April; brütet im Rohre im Juni; wird leicht zahm; verreist Mitte September.[8])

185. Botaurus stellaris (L.). Gemein; kommt im März, balzt im April, brütet im Mai; verreist im November, überwintert manchmal.

186. Nyctiardea nycticorax (L.). Gemein; brütet bei Dinnyés, sowie in Adony zwischen anderen Reiherarten; kommt Anfangs April, brütet im Mai; reist Anfangs October ab.

187. Ciconia alba (L.). Gemein; kommt Ende März, reist im October ab.

188. Ciconia nigra (L.). Selten; Exemplar von hier bei Apotheker Rieger; 8. April 1888 erlegte man ein Exemplar am Sóstó.[8])

189. Platalea leucorodia L. Bei Dinnyés zu 30—40 Paaren Brutvogel; 1890 brüteten 15 Paar; kommt Ende März; verreist im October.

190. Ibis falcinellus (L.). Häufig; selten brütend! Ankunft erste Hälfte des April; Eier Mitte Mai; Flügge werden Mitte oder Ende Juni; Mauser Ende Juni; Abreise October.

191. Nummenius arquatus (L.). Häufig; kommt Mitte März, zieht im November ab. Kr. B. v. Messleny besitzt in Valencze ein Exemplar mit aussergewöhnlich grossem Schnabel vom See.

192. Numenius phaeopus L. Selten brütend; Exemplar im Gymnasium.

193. Limosa aegocephala Bechst. Häufig; kommt Anfangs April, brütet im Mai; ist sehr dumm und dreist; verreist im October.

194. Totanus stagnatilis Bechst. Nicht häufig; kommt Mitte April, brütet im Mai; schweift im Sommer herum; reist im September ab.

195. Totanus calidris (L.). Gemein; überwintert manchmal; kommt Anfangs März, brütet Mai; schweift im Juli und August herum, reist im October ab.

196. Totanus ochropus (L.). Kommt in geringer Zahl Anfangs April.

197. Totanus glareola (L.). Zieht im April durch; kleine Schaaren erscheinen im Hochsommer.

198. Totanus glottis Bechst. Durchzügler; im

---

[1]) Vgl. Frivaldszky l. a. p. 115.
[2]) Ibid. p. 121.
[3]) Ornith. Jahrb. II. p. 80, p. 168.
[1]) Chernels briefliche Mitth.
[2]) Jahresber. 1886, pag. 311.
[3]) Jahresber. 1883, pag. 321.

[4]) ibid.
[5]) Orn. Jahrbuch II, p ag. 31.
[6]) Hrn. D. v. Hussárs Mitth.
[7]) Frivaldsky l. c., pag. 131.
[8]) Jahresber. 1886, pa. 281.

April stückweise, im September schaarenweise; Exemplar mit abnorm krummem Schnabel erhielt ich 21. September dieses Jahres aus Velencze.

199. Totanus fuscus (L.). Durchzügler; erscheint im März und April stückweise; vom September bis December in Schaaren; überwintert manchmal.

200. Tringoïdes hypoleucus (L.). Gemein; kommt Anfangs April, lebt gesellig, reist im November ab.

201. Recurvirostra avosetta L. Kommt in der ersten Hälfte des April; bleibt nicht immer hier zum Brüten. Watet bis zur Brust im Wasser, schwimmt nur ungern; ist sehr vorsichtig und scheu; fliegt sehr schnell; im Fluge lässt er einen Ruf lüpp-lüpp lüpp-lüpp ertönen.[1]) Exemplar vom Sóstó 1878 bei Szikla.[2])

202. Himantopus autumnalis Hass. Gemein; kommt Anfangs April, brütet im Mai; schwärmt nach vollendetem Brutgeschäfte herum, zieht im September ab.

203. Philomachus pugax (L.). Häufig; Ankunft Ende März; Nest aus Grashälmen; wie die Totaninae, schwärmen sie auch herum; reist Mitte September ab.[1])

204. Calidris arenaria L. Stephan von Chernel erlegte ein ♂ Exemplar dieses im ganzen Lande seltenen Vogels den 20. September 1890 in Velencze. Steht im National-Museum.

205. Tringa alpina (L.). Häufiger Durchzügler; besonders von Mitte April bis Ende Mai im Uebergangskleide; von August bis November sehen wir meistens Junge.

206. Tringa minuta L. Einzeln häufig am Zuge; über den Sommer nur invalide Exemplare.

207. Tringa Temmincki Leister. Häufig am Zuge in Schaaren; besonders vom August bis September's Ende an sandigen Ufern.

208. Tringa subarquata Güldenstadt. Häufig am Zuge; gesellt sich zu anderen Tringa-Arten.

209. Gallinago major (Gm.) Erscheint nicht häufig im März, und hält sich bis April und Mai in der Nähe unserer Teiche und Sümpfe auf. Am Herbstzuge selten; von Ende August bis Mitte September Zugnotizen:

1886: 8. April der erste, 15. April viele.

1888: 6. April 1 Stück, 8. April 3 Stück, 15. April 8 Stück, 18. April 15 Stück, 26. April 2 Stück 16., 18. und 21. August je eins.

Juv.: 18. Juni 1886 mit Dunen am Kopfe durch Szikla erlegt; hieraus erhellt meine Ansicht, dass diese Art in Ungarn irgendwo vielleicht in den nördlichen Karpathen brütet.

1891: 8. April 1 Stück (Luftdruck 741 Mm., Temp. +6·9° C., Windr. SE., Regen); 15. April kleine Schaar (Luftdruck 746 Mm., Temp. +9·5° C., Windr. SO., regnerisch); 1. Mai 1 Stück (Luftdruck 751 Mm., Temp. +16·5° C., Windr. S.).

210. Gallinago scolopacina Bp. Kommt Ende März und Anfangs April an; bewohnt mit niedrigem Grase bewachsene Stellen; Ende April ziehen sie ab, Mitte August erscheinen wieder einzelne und werden gegen Scoco zahlreich. Mitte September beginnt der Abzug, und dauert bis Mitte October.

(Fortsetzung folgt.)

[1]) Jahresber. 1883, pag. 144.
[2]) Orn. Jahrb. II, pag. 32.
[3]) Vgl. Mitth. d. orn. Ver. XV, pag. 206.

165. Rebhuhn.
166. Wachtel.
167. Trappe.
168. Zwergtrappe.
169. Triel.
170. Kibitz.
171. Kibitzregenpfeifer.
172. Goldregenpfeifer.
173. Sandregenpfeifer.
174. Flussregenpfeifer.
175. Seeregenpfeifer.
176. Halsbandgiarol.
177. Steinwälzer.
178. Kranich
179. Grauer Reiher.
180. Purpur-Reiher.
181. Edelreiher.
182. Kleiner Silberreiher.
183. Schopfreiher.
184. Zwergreiher.
185. Rohrdommel.
186. Nachtreiber.
187. Weisser Storch.
188. Schwarzer Storch.
189. Löffelreiher.
190. Ibis.
191. Grosse Brachschnepfe.
101. Regenbrachschnepfe.
193. Schwzschw. Uferschnepfe.
194. Teichwasserläufer.
195. Gambettwasserläufer.
196. Waldwasserläufer.
197. Bruchwasserläufer.
198. Heller Wasserläufer.
199 Dunkler Wasserläufer.
200. Flussuferläufer.
201. Avozett-Schnäbler.
202. Storchschnepfe.
203. Kampfschnepfe.
204. Sanderling.
205. Alpenstrandläufer.
206. Kleiner Strandläufer.
207. Temmink Strandläufer.
208. Bogenschblg. Strandläufer
209 Doppelschnepfe.
210. Bekassine.

Ornithologisches aus dem Erzgebirge.

Von Wenzel Peiter.

Bekanntlich ist der Star (Sturnus vulgaris L.) ein sehr geselliger Vogel, den man es gar nicht zutrauen würde, dass Männchen und Weibchen in unwandelbarer Treue aneinanderhängen. Könnte ich mich nicht auf eigene mehrfache Beobachtungen stützen, so müsste ich selbst die im Cölibat lebenden Starwitwer in das Reich der Fabel verweisen. Mögen es immerhin nur Ausnahmen sein, dass das Starmännchen nach dem Tode seines Weibchens freiwillig vereinsamt lebt, aber Thatsache ist und bleibt es. Meine Behauptung ist nicht die Frucht einer Beobachtung eines einzelnen Vogels in einem Jahrgange. Ich hatte Gelegenheit, Starwitwer — die betreffenden Individuen waren immer Männchen — durch mehrere Jahre zu belauschen, wie sie ihr altes Heim gegen Usurpirung von anderen Starpärchen tapfer vertheidigten und auch behaupteten, wie sie zum Nestbaue schritten und wie sie auch den ganzen Sommer hindurch einsam und allein in dem Starkasten hausten, aber nicht vielleicht nur durch einen Sommer, nein durch viele Sommer hindurch, bis ein böses Geschick oder vielleicht der Tod im fernen Süden sie von ihrem Witwerleben erlöste. Trotz der aufmerksamsten Beobachtung ist mir kein Fall vorgekommen, dass sich in einem oder dem anderen Jahrgange ein solcher Starwitwer wieder gepaart hätte. Auf fehlerhafte oder verkümmerte Ausbildung der Geschlechtsorgane ist diese Erscheinung nicht zurückzuführen, denn die beobachteten Vögel hatten nachweisbar in mehreren Fällen erst nach mehreren Bruten ihr Weibchen eingebüsst. Die Erscheinung in der Vogelwelt ist zu interessant, als dass sie nicht die Beachtung aller Ornithologen, überhaupt jedes Naturfreundes finden sollte. Vielleicht ist ein anderer, berufener Mitarbeiter dieses Blattes glücklicher, mehr über diesen Gegenstand schreiben zu können.

Anfangs November vorigen Jahres war noch am Waldsaume unweit Gottesgab im Hocherzgebirge ein Bachstelzenpärchen zu beobachten, trotzdem bereits längst alle Zugvögel das Hochplateau verlassen hatten. Ein Naturfreund, dem die armen Thierchen erbarmten, suchte zu ergründen, warum das Pärchen der Winterkälte zu trotzen versuchte. Nach mehrtägigen Beobachtungen fand er endlich das Nest derselben und darin einen ausgewachsenen, aber sehr abgemagerten Kukuk, dem die Bachstelzen noch immer Atzung zutrugen. Die Oeffnung der Baumhöhle, in welcher das Nest sich befand, war nämlich zu klein, und der Stiefsohn des Bachstelzenpärchens war dadurch zu unfreiwilliger Gefangenschaft verurtheilt. Aengstlich umflogen die Stiefeltern den Nistplatz, als der Beobachter die Oeffnung erweiterte und den Kukuk befreite. Derselbe war so entkräftigt, dass er schon nach einigen Tagen einging, aber auch das Bachstelzenpärchen war verschwunden, als dessen Stiefsohn nicht mehr im Neste war.

Als Curiosum sei hier noch mitgetheilt, dass ein Wirthschaftsbesitzer in Stolzenhan unter seiner Gänseschnur eine besass, bei der der Oberschnabel nicht auf den Unterschnabel klappte, sondern in einem sehr bedeutenden spitzen Winkel von demselben abstand, ohne dass die Gans durch Magerkeit u. s. w. sich von ihren schnatternden Schwestern unterschied.

Aus Heinr. Gätke's „Vogelwarte Helgoland".

(Fortsetzung.)

Der November hat seinen eigenen sehr ausgeprägten Charakter: Die kurzen rauhen kalten Tage vertreiben nunmehr auch die nördlicheren Land- und Seevögel aus ihrer Heimat; unter ersteren nehmen grosse Schaaren der so ungestümen Schneeammern einen besonders hervorragenden Platz ein; neben diesen sind es die Leinzeisige, die in kleineren oder grösseren Gesellschaften ankommen und manchmal sich zu zahllosen Massen steigern. Die Blut- und Grünhänflinge treten zahlreich auf, der Kernbeisser nur vereinzelt, der Garten- und Goldammer werden zerstreut gesehen und Berglerchen ziehen fast täglich in grosser Zahl, oft sich zu Hunderttausenden steigernd. Der Felsenpieper belebt in grossem Individuen-Reichthum das Geröll und die tangbewachsenen Klippen des Meergestades und neben ihm stellt sich der düstergefärbte Meerstrandläufer Tringa maritima ein.

Von Octobergästen kommen noch vereinzelte grosse Würger mit einfachem weissen Flügelsprengel vor; Krähen ziehen bis Mitte des Monats noch in grossen Schaaren, ebenso Staare, Wachholder- und Steindrosseln; von der Schwarzdrossel sieht man nur noch alte Vögel. Feldlerchen ziehen am Tage und während der Nächte immer noch massenhaft, die niedliche kleine Haidelerche aber nur in kleinen Gesellschaften. Der Goldregenpfeifer der grosse Brachvogel, Austernfischer und Alpenstrandläufer ziehen während finsterer Nächte noch zu Tausenden überhin und während der Tage sieht man grössere und kleinere Arten wilder Gänse und Süsswasser-Enten in ununterbrochener Hast dahineilen. Von ausnahmsweisen Erscheinungen sind während dieser Zeit zu erwarten; der schöne grosse östliche Dompfaffe, Pyrrhula major, der Seidenschwanz, hin und wieder ein alter Stelzenpieper, ein kleiner Fliegenfänger oder ein nordischer Wasserschmätzer (Cinclus melanogaster). Unter den jetzt auftretenden Raubvögeln ist es der Seeadler, Falco albicilla, den man, zumal bei östlichem Winde, umherkreisen sieht, aber fast immer nur junge Vögel; alte mit rein weissem Schwanze zählen zu den grössten Seltenheiten; merkwürdiger Weise sieht man zumeist auch jetzt die wenigen Korn- und Wiesenweihen, welche überhaupt hierherkommen, meist braune Vögel. Alte blaue Lerchenfalken kommen oft, alte Wanderfalken vereinzelt vor; die Sumpf-Ohreule verschwindet nach und nach und die Wald-Ohreule tritt vereinzelt auf, auch der kleine hübsche Tengmalmskautz kommt jetzt als seltene Erscheinung vor.

Auf dem Meere entfaltet sich unter dem Eintreffen nordischer Fremdlinge ein ganz besonders reges und mannigfaltiges Leben. Die Zahlen der dreizehigen Möven liegen ausser dem Bereiche jeder Schätzung; die Sturm-, Silber- und Mantelmöve, alte wie junge Vögel streifen und schweben aller Orten und zu allen Zeiten über dem Meere umher; die kleine hübsche Zwergmöve sammelt sich während stürmischer Tage in grossen Massen unter dem Lee der Insel an, verschwindet aber sofort, sowie sich das Wetter bessert. — Die stattlichen Raubmöven, Lestris pomarina und parasitica, erscheinen alljährlich im Laufe des November, der grossen Ueberzahl nach sind es junge Herbstvögel; vereinzelt kommt auch zu dieser Jahreszeit die kleine Raubmöve, L. buffoni, vor. Von der Familie der eigenthümlichen Sturmvögel, Procellana, erscheint P. glacialis meist vereinzelt, oft aber auch sehr zahlreich; P. Leachii wird nur sehr selten gesehen, die niedliche P. pelagica, der kleinste aller Schwimmvögel kommt alljährlich vor und wird auch des öfteren erlegt — ein gleiches ist mit dem plattschnäbligen Wassertreter, Phalaropus platyrhynchis der Fall. Die grossen nordischen Taucher, Colymbus glacialis und arcticus sind nur vereinzelte Erscheinungen, ganz anders ist es aber mit C. septentrionalis, der täglich, nah und fern von der Insel angetroffen, sehr häufig geschossen wird und dessen Wanderschaaren sich in einzelnen Fällen auf Hunderttausende steigerten. Noch ist zum Schlusse des kleinen niedlichen Krabbentaucher's, Alca alle, zu gedenken, der vereinzelt ziemlich in jedem Jahre, während der letzten Hälfte des November, erlegt wird, und nur in Ausnahmsfällen etwas häufiger auftritt — alle solche Stücke sind stets in hohem Grade abgemagert.

December. Während keines Monates des ganzen Jahres kommt die Einwirkung des zeitweiligen Wetters auf den Vogelzug in so schlagender Weise zum Ausdrucke, wie im Verlaufe des December, bleibt die Temperatur milde, so ziehen bis zum Schlusse des Jahres Staare, Schwarzdrosseln, Wacholder- und Weindrosseln, sowie Waldschnepfen und Bekassinen; so kamen z. B. im Jahre 1873 nicht allein auf Helgoland bis Ende des Monates täglich Drosseln und Schnepfen, wenn auch in geringer Zahl, vor, sondern, nach einer Mittheilung des Blattes „Field" traf man auch auf den Londoner Märkten ausnahmsweise viele Schnepfen den ganzen December hindurch an, — welch' letzterer Umstand wohl als Beweis gelten kann, dass alle diese Vögel noch auf dem normalen ost-westlichen Herbstzuge begriffen waren.

Ganz anders gestaltet sich diese Bewegung, wenn, anstatt milder Temperatur, zu Anfang des Monates schon Frost und scharfe Ostwinde eintreten, dann stürzt alles von diesen Arten, sowie von Brachvögeln, Goldregenpfeifer, Austernfischer und Strandläufern, welche noch in den Sommerwohnungen verweilte, in einer Nacht dem Winterquartier zu; während der Tage sieht man unzählige Flüge von Schwänen, Gänsen, Enten und Sägern über das Meer dahinziehen. Es zeigen sich sehr oft Seeadler, zahlreiche Mäusebussarde und einzelne Weihen; hin und wider kommt unter solchen Umständen ein Triel Oedicnemus crepitans, vor. Die alten Vögel von Tringa maritima arenaria und islandica stellen sich mehr oder weniger zahlreich ein; auf dem Meere trifft man den Hornsteissfuss ziemlich häufig, alle Vögel der Gryll Lumme ebenfalls, sowie den Nordsee- und Polartaucher des öfteren an.

Die Graumöve ist häufig, junge Eismöven ziemlich gewöhnlich und die Polarmöve wird hin und wider erlegt. Die Eisente taucht munter zwischen den Klippen nördlich von der Düne umher und vereinzelte Weibchen der Trauerenten umschwimmen den Felsen.

Wird der plötzlich eintretende Frost von schwerem Schneefall begleitet, so kommen in den Früh- und Vormittagsstunden des folgenden Tages Hunderte von Tausenden von Feldlerchen, Berghänflingen, Blut- und Grünhänflingen, Stieglitzen und Leinzeisigen an und bedecken buchstäblich alle schneefreien Plätze der Insel. Ist das Schneewetter andauernd, von heftigem Ostwinde und strenger Kälte begleitet, so sammeln sich sehr bald ziemlich zahlreich alle Arten nordischer Tauchenten auf dem Meere an; ausser den Weibchen und Jungen der Trauerente kommen zuerst zerstreut junge Sägetaucher, Mergus serrator, bald gefolgt von jungen Schellenten, an; dieselben tauchen in kleineren oder grösseren Gesellschaften, nach Nahrung suchend, ganz nahe am Fusse des Felsens umher. Darauf erscheinen in etwas weiterer Entfernung von der Insel Bergenten, Anas marila, diese halten sich gewöhnlich in Schaaren zusammen und bestehen zum grossen Theile aus ausgefärbten Männchen, ausnahmsweise erst später begleitet von einer oder einigen Tafelenten, Anas ferina. Der grosse Sägetaucher beginnt nun einzeln, zu dreien, sieben bis zehn Stücken umherzustreifen, fast nur schöne alte Männchen; die Weibchen mit rostfarbigem Kopfe werden mehr schwimmend angetroffen. Während dieses Stadiums des winterlichen Vogellebens kann ein tüchtiger Schütze mit verlässlichem Schiesszeug und gutem Pulver es im Laufe der Früh- und Vormittagsstunden schon auf fünfundzwanzig bis dreissig Stück bringen — es gehört aber dazu, dass der Bootsmann auch jagdkundig sei und wisse, wie er sich dem Wilde zu nahen habe.

Soll sich jedoch dies nordische Vogelleben in seiner ganzen Grossartigkeit entfalten, so ist es nothwendig, dass sehr strenger Frost und Ostwind mehrere Wochen anhalte. Dann bilden sich nämlich auf den Untiefen längs der Holsteinischen Küste, von der meilenweiten Elbmündung bis zur Weser hinan, während der Ebbe grosse Eismassen, die, mit darauffallendem Schnee und überhinspülenden Wellen, sehr bald eine Dicke von drei bis sechs Fuss erlangen; die nächste Fluth macht diese Eisfelder flott und der Ostwind drängt dieselben seewärts; mit jeder Ebbe und darauffolgenden Fluth wiederholt sich dieser Process, es belegt sich die ganze Bucht von der Jütischen Küste hinunter bis zur Jahde mit einer Decke fest zusammen und über einander gedrängter Eis- und Schneemassen; mit jeder Ebbeströmung rückt dies Eisfeld näher auf Helgoland zu und erreicht schliesslich dasselbe; — ja, es ereignete sich schon, dass diese Erscheinung so gewaltige Dimensionen annahm, dass auch westwärts hinaus das ganze Meer mit Eis bedeckt ward, und man, wie in den Jahren 1845 und 1855, sogar vom Leuchtthurm aus nicht die kleinste freie Wasserfläche zu erblicken vermochte.

Die nordischen Tauchenten, welche sich Anfang des Winters längs des ganzen obigen Küstenstriches angesammelt haben, weil sie dort, gegen den Ostwind geschützt, ruhige Futterplätze vorfinden; werden durch das Eis auf tieferes Wasser gedrängt. Anfänglich freilich, wenn der etwa eine Meile breite Eisgürtel durch die Fluth gehoben und vom Ostwind auf die See hinaus getrieben wird, und zwischen demselben und dem Lande wieder freies Wasser entsteht, fliegen die Enten dahin zurück; im Verlaufe einiger Tage nehmen die Eismassen jedoch so zu, dass den Vögeln dieser Ausweg verschlossen wird, und sie von nun an nothgedrungen vor dem Eisfelde her auf die See hinaus gehen müssen und so sehr bald in die Nähe Helgolands gelangen.

Mittlerweile hat sich auch die Ostsee mit Eis bedeckt, und alle die zahllosen Schaaren von Enten und Sägetauchern, welche dort zu wintern vermeinten, überfliegen in westlicher Richtung Holstein und gesellen sich zu den schon ungeheueren Schwärmen des Norden.

Da nun einestheils das weniger tiefe Wasser der Umgebung Helgolands den Thieren ihr Tauchen nach Nahrung in bedeutendem Grade erleichtert, anderntheils die Nahrung selber, kleinere Crustaceen und dergleichen, auf diesem von Felsenriffen durchzogenen Gebiet in viel grösserer Fülle vorhanden ist, so wird die Individuenzahl der sich hier unter solchen Umständen ansammelnden Arten schliesslich eine, jeder auch nur annähernden Schätzung spottende.

Zu den anfänglich Genannten gesellen sich nun sehr viele alte Männchen der Schellente und des Halsband-Sägetauchers, und in ungeheurer Zahl die alten Männchen der Trauerente, sowie zuletzt die der Sammetente — weniger zahlreich alte Männchen der Eiderente. Als letzte Erscheinung möge der kleine Sägetaucher, Mergus albellus, genannt werden, der jedoch stets nur in wenigen Stücken in die Nähe Helgolands kommt.

Der Anblick, welcher sich jetzt bis zu meilenweiter Entfernung von der Insel darbietet, ist ein so wunderbar schöner wie eigenthümlich grossartiger: Nach Norden, Osten und Süden hinaus dehnt sich ununterbrochen das unabsehbare weisse Eisfeld; unter seinem meist scharf begrenzten Rande herrscht Windstille, und das glatte Meer ist von Myriaden grosser glänzend schwarzer Enten bedeckt; der Insel näher halten sich die kleineren Arten auf, und vorherrschend nordwärts von derselben schwimmen in Gesellschaften von achtzig bis hundertundfünfzig Stücken die schönen alten Männchen des Halsband-Sägetauchers. Unzählbare Massen aller Arten streifen ausserdem nach allen Seiten hin, und in jeder Richtung in grösseren und kleineren Flügen, einzelnen Stücken wie paarweise umher; ja, ich habe Tage erlebt, an welchen der Blick nicht allein nach jeder Himmelsgegend hin, bis zur weitesten Ferne, die das Auge zu erreichen vermochte, auf in jeder Richtung sich kreuzende Schwärme dieser Vögel traf, sondern auch, wenn aufwärts gewendet, dort oben einem solchen Gewimmel begegnete, dass die in fernster Höhe schwärmenden Thiere nur noch wie kaum wahrnehmbarer Staub erschienen — das ganze Himmelsgewölbe also buchstäblich bis zu mehreren Tausend Fuss Höhe von diesen hochnordischen Gästen erfüllt war. Mit hastigen Flügelschlägen eilen hier Schaaren grünlich glänzender Trauerenten vorbei, deren Weg durchschneidend streifen zwanzig tiefschwarze Sammetenten mit blendend weissem Flügelschilde daher; an ihrem schön dunkelgrünen Kopf und dem eigenthümlich runden weissen Fleck zwischen Schnabel und Auge in weiter Ferne schon kenntlich, fliegen die schönen Schellenten einzeln und truppweise hierhin und dorthin. Kaum hat sich der Blick einer langen Kette der so sauber gezeichneten Bergenten zugewandt, als auch schon wieder eine Anzahl der prachtvoll röthlich-isabell gefärbten grossen Sägetaucher die Aufmerksamkeit auf sich zieht. Zwischen allen diesen wimmelt es, wie Insectenschwärme, von heller oder dunkler braungrau gefärbten Weibchen und Jungen aller möglichen Arten und der rastlos schweifende Blick findet nirgend einen Ruhepunkt — plötzlich erklingen, erst schwach, dann lauter, Töne wie ferne Trompetenstösse, welche die Aufmerksamkeit wieder aufwärts lenken, wo achtzehn bis zwanzig nordische Singschwäne in schneeig weissem Gefieder, in langer Reihe unter gemessenen Flügelschlägen ruhig überhin ziehen.

Das sind Tage für den leidenschaftlichen Jäger und Ornithologen! Aber leider ereignet sich derartiges nur so äusserst selten, denn nicht allein ist zur vollständigen Entfaltung dieser so wunderbaren und eigenartigen Phase des Vogellebens andauernder sehr scharfer Frost mit Schneefall erforderlich, sondern es muss auch die Windrichtung wenigstens während vier Wochen eine ununterbrochen östliche sein. Dieselben Ursachen, welche dann dem umgebenden Meere ein arktisch winterliches Ansehen geben, verleihen auch der kleinen Insel selbst einen vollständig polaren Charakter; die vereinten Kräfte von Wind und Strömung drängen grosse Eisschollen von vier bis sieben Fuss Mächtigkeit auf den Strand und auf die Riffe; an den Felswänden, namentlich an der Südspitze der Insel, thürmen sich diese gewaltigen Massen in abenteuerlicher Gestaltung zwanzig, dreissig Fuss hoch über einander, Schnee bedeckt theilweise dies Chaos, und die, unter der düsteren winterlichen Atmosphäre in so tiefer Farbenstimmung dasselbe überragenden zerrissenen Felswände bilden dazu einen Hintergrund und gestalten das Ganze zu einem Bilde, wie es die lebendigste Phantasie nicht ernster und schöner zu erfinden vermöchte.

An der Nordseite der Insel, wo die Felswände etwas überhängen, am Fusse mehr oder weniger stark unterwaschen und grottenartig gehöhlt sind, fliesst das ganze Jahr hindurch zwischen den dorthin geneigten Steinschichten Feuchtigkeit ab. Bei strengem Froste bilden sich hier zuvörderst kleinere Eiszapfen, die aber sehr bald, höher und tiefer, in Mannesgrösse von der Felswand herabhängen; sie nehmen, durch das ununterbrochen nachfliessende Wasser genährt, sehr rasch an Umfang und Länge zu, bis sie in unregelmässigen Abständen den Felsboden erreichen, Säulen von zwanzig bis sechzig Fuss Höhe bildend, zwischen und innerhalb welcher man hindurch zu gehen vermag — eine wunderbarere, phantastischere Schöpfung ist kaum denkbar. An einer anderen Stelle, wo etwa in halber Höhe der Felswand das Gestein sich unregelmässig terrassenförmig abwärts senkt, überzieht nach und nach das abfliessende und gefrierende Wasser all' die in mannigfaltiger Abwechslung gestalteten Absätze mit dicken Eisschichten, die der Natur ihrer Entstehung entsprechend durchaus die Formbildung eines hundertfältig gegliederten Wasserfalles aufweisen, und den Eindruck gewähren, als sei ein solcher inmitten seines lebendigen Laufes plötzlich in eisige Erstarrung gebannt.

(Fortsetzung folgt.)

Seidenraupen-Kokons als Vogelfutter.

Von Dr. Sauermann.

Im Anschluss an meine früheren Untersuchungen, bin ich heute in der Lage, auf ein ganz vorzügliches Futter für Insectenfresser aufmerksam zu machen, es sind dies Kokons der Seidenraupe.

Um zunächst etwas über die Herstammung und praktische Anwendung dieses Futters zu sagen, setze ich wohl am Besten die Worte von Dr. K. Russ aus seinem „Lehrbuch der Stubenvogelpflege, Abrichtung und Zucht" voran. Derselbe schreibt: „Die Seidenraupen-Kokons, welche in Italien bekanntlich als Bigatti (bei den Händlern fälschlich Bigado) zur Vogelfütterung benützt werden, hat man versucht, bei uns unter der Bezeichnung Galetta ebenfalls in den Handel zu bringen, um sie, sei es für herbthierfressende Vögel, sei es zur Aufzucht der Jungen bei Körnerfressern zu verfüttern. Da wir dieses Futter zu ungemein billigem Preise erlangen könnten, so verdient es wohl Beachtung. Es handelt sich dabei um drei verschiedene Stoffe und zwar erstens um die ausgedörrten und gepulverten Puppen des Seidenwurmes, bezüglich der Seidenraupe, aus den in den Gebrauch gezogenen Kokons, zweitens um die zuweilen massenhaft absterbenden Puppen in den Kokons selbst und drittens blos um die Eier der Seidenraupen, welche verdorben bezüglich abgestorben sind; schliesslich zieht man auch wohl die leeren Kokons, aus denen die Seidenwürmer als Schmetterlinge geschlüpft sind, in den Gebrauch. Herr Geometer Max Perko berichtete: „In Italien werden mit dem aus den Bigatti hergestellten Mehl allenthalben die Weichfutterfresser ernährt und es bezweifelt Niemand, dass dasselbe ein vorzügliches Futtermittel für dieselben sei; ich selbst könnte über das vortreffliche Gedeihen zarter Dünnschnäbler bei diesem Futter viel Vortheilhaftes berichten. Der Umstand aber, dass die Bereitung des Mehles aus den Seidenraupen-Puppen recht unangenehm ist, wegen des wiederwärtigen Geruches derselben nämlich, beeinträchtigt seine Verwendung ungemein. Dieser Uebelstand begründet sich in Folgendem: Zur Gewinnung der Seide werden die Kokons, nachdem durch trockene, starke Hitze oder auch vermittelst Schwefelkohlenstoff die Puppen getödtet sind, in siedendes Wasser geworfen, damit der klebrige Stoff, welcher die Seidenfäden aneinander haften lässt, sich auflöse. Wenn nun die bereits grösstentheils gedörrten Puppen wieder aufweichen und dann, nach der Abhaspelung in grösseren Massen angehäuft, längere Zeit feucht liegen bleiben, so beginnen sie bald in Fäulniss überzugehen und entwickeln eben jenen eckelhaften Geruch. Daher ist die Bereitung von Futtermehl aus denselben eine sehr gewagte."

Herr Dr. Russ fährt dann fort: „Obwohl ich weiss, dass in Italien alle kerbthierfresser den Vögel mit dem „Bigatto" in irgend einer Form und Polentamehl gefüttert und ungemein zahlreich aufgezogen werden, so kann ich diesem Futtermittel zum Gebrauch bei uns doch keineswegs das Wort reden, denn die Hülsen der ausgeschlüpften Seidenraupen und ebenso die vertrockneten Eier enthalten zu wenig Nahrungstoffe, als dass sie auch nur annähernd die Ameisenpuppen ersetzen können; die in den Kokons getödteten Puppen aber sind bei dem angegebenen Verfahren regelmässig bereits so sehr in Fäulniss übergegangen, dass sie als Nahrungsmittel für Vögel nicht mehr brauchbar sein können. Ausser Herrn Perko haben mehrere Andere im Laufe der Jahre bei mir dieserhalb angefragt; ich habe jedoch immer den Bescheid geben müssen, dass die Verwendung nur dann statthaft und vortheilhaft sein würde, wenn die zum Abhaspeln benützten Kokons sogleich sachgemäss ausgetrocknet und zubereitet werden könnten. Zu weiteren Versuchen, das Bigatti-Mehl bei uns in Deutschland als Vogelfutter einzuführen und zu verwerthen, sei hiermit angeregt; in Anbetracht dessen, dass die Ameisenpuppen von Jahr zu Jahr knapper und theuerer werden, dürften sich solche wohl entlohnen."

Aus meiner Analyse geht hervor, dass ich es mit den ausgedörrten, in dem Gebrauch gewesenen und wieder aufgeweichten Puppen der Seidenraupen zu thun hatte, denn die Zahlen waren folgende:

	In der frischen Substanz:	In der trockenen Substanz:
Wasser	9·38	—·—
Eiweiss	54·48	60·12
Fett	22·94	25·31
Chitin	4·04	4·46
Asche	5·02	5.54
Stickstofffreie Extractstoffe	4·14	4·57
	100·—	100·—

Man sieht aus diesen Zahlen, welch' ein werthvolles Futter diese Kokons sind, da sie sogar getrocknete Ameiseneier übertreffen, man lernt aber auch aus der Zusammensetzung die Anwendung als Futterstoff für Vögel.

So verderblich es wäre, einen Weichfutterfresser nur mit Mehlwürmern zu füttern, ebenso nachtheilig würde es sein, wollte man den Vögeln nur diesen Stoff allein im angefeuchteten Zustande geben. Es ist vielmehr nöthig, die gemahlenen Kokons durch andere Stoffe bedeutend zu verdünnen und dazu eignet sich keiner besser als Garnelenschrot.

Zwei Theile Garnelenschrot, ein Theil Kokons in Pulverform und ein Theil getrocknete Ameiseneier mit Morrübe innig gemengt, würden nicht nur das beste, sondern weitaus das billigste Futter für Insectenfresser sein. Die Vögel müssen sich natürlich auch hier erst an das Gemisch allmälig gewöhnen.

Die Kokons, die ich bezogen, waren ganz und mussten erst gemahlen werden. Es geschieht dies am Besten auf einer grösseren Kaffeemühle. Das Pulver muss dann unbedingt noch durch ein feineres Sieb gehen, damit gröbere Verunreinigungen herausgeschafft werden, auf diese Weise entfernte ich alle Wolle und Anderes vollständig und das Unbrauchbare betrug 6 Percent.

Noch muss ich bemerken, dass die Kokons nicht die Spur von Verdorbenheit zeigten, denn Schimmelpilze liessen sich unter dem Mikroscop nicht auffinden und das Fett war nicht zersetzt. Der Geruch war nach meiner Ansicht nicht unangenehm, sondern ähnlich dem besten amerikanischen Fleischmehl.

Der Preis betrug pro Kilo 1½ Mark.

Wenn nun auch die mir vorliegenden Posten nicht verdorben waren, so wird man doch zur Vorsicht, ebenso natürlich, wie bei allen anderen Futterarten überhaupt, die Waare bei regelmässigem, grösseren Bezug am nächstligenden Laboratorium auf Unverdorbenheit untersuchen lassen.

Der neue Brutofen von F. Sartorius.

Herr Sartorius in Göttingen hatte die Freundlichkeit mir einen seiner neuen Brutöfen zu Versuchszwecken und Erprobung ihrer Leistungsfähigkeit zu übersenden. — So weit ich bis jetzt beurtheilen kann, hat der neue Apparat mehrere wesentliche Vorzüge gegenüber den mir bekannten Brutmaschinen älterer Construction und ist vor allem die Einfachheit der Regulirung, sowie die regelmässige und ausgiebige Zufuhr von frischer Luft und Feuchtigkeit hervorzuheben.

Auf eine eingehende Beschreibung des Apparates hier einzugehen, würde zu weit führen, ich will nur in kurzen Worten die Thätigkeit des Apparates sowie den Mechanismus der Temparatur-Regulirung zu erklären suchen und weiters bemerken, dass Interessenten von Herrn Sartorius ausführliche Beschreibung und Gebrauchs-Anleitung auf Verlangen erhalten können.

Die Abbildung zeigt einen Doppelbrutofen für 200 Eier, die in den zwei Schubladen untergebracht sind, derselbe wird von zwei Petroleumlampen erwärmt, während zur Heitzung kleinerer Apparate eine Lampe hinreicht.

Oberhalb der Schublade liegt der Warmwasser-Behälter der von einem Rohrsystem durchzogen und durch dasselbe erwärmt wird, indem die von der Lampe abziehenden heissen Verbrennungsgase gezwungen werden, dasselbe zu durchstreichen und hier ihre Wärme an das Brutwasser abzugeben.

Ein ebenso einfacher als sinnreicher Mechanismus lässt aber von dem Momente an, wo die Temperatur im Brutraume das zulässige Maximum erreicht hat, die heissen Verbrennungsgase ohne das Rohrsystem passiren zu müssen direct durch de Blechcylinder s_1 entweichen, wodurch ein weiteres Steigen der Temperatur des Brutwassers sowie im Brutraume selbst vermindert wird. Die erwähnte Regulirung bewirkt ein im Brutraume direct unter dem Warmwasser-Behälter sicher gelagerte luftdicht verlöthete Blechkapsel.

Die eingeschlossene Luft derselben dehnt die eigenthümlich geformte Kapsel in vertikaler Richtung und diese geringe Bewegung genügt durch einen Stift übertragen, den Hebel h und durch ihn die Klappe d des Blechcylinders s, zu heben, um den Verbrennungsgasen freien Austritt zu gewähren.

Sobald die Temperatur im Brutraume dank der reichlichen Zufuhr frischer Luft zu sinken beginnt, hört auch die Spannung in der Blechkapsel auf, dieselbe zieht sich zusammen, welcher Bewegung der Hebel h wieder folgt und die Klappe d schliesst. — Nun sind die heissen Gase wieder gezwungen, das Rohr des Warmwasser-Behälters zu durchstreichen und erwärmen neuerdings das Brutwasser u. s. w.

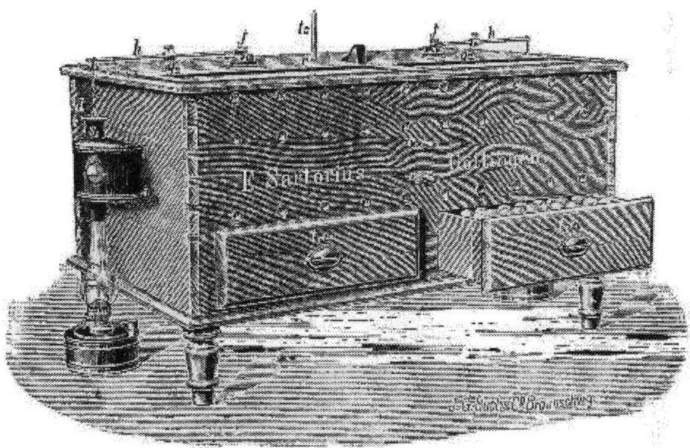

Ueber die Einstellung der Regulir-Vorrichtung sagt Herr Sartorius in seiner Anleitung folgendes:

Es handelt sich nun darum, die Einstellung des Regulirungshebels so zu bewirken, dass genau dann, wenn die Temperatur der Luft im Brutraume 40° C. beträgt, der an dem Regulirunghebel sich befindende Schornsteindeckel d soeben noch den Schornstein s, leicht zudeckt, bei einer Erhöhung der Lufttemperatur im Brutraume über 40° C. hinaus aber sich von dem Schornstein abhebt und in Folge dessen den von der Petroleumlampe erwärmten Gasen unmittelbaren Ausweg gestattet. Es kommt sehr viel darauf an, dass diese Einstellung richtig ausgeführt wird. Bei einiger Sorgfalt und Geduld verursacht dies auch keine Schwierigkeit. Die grobe Einstellung geschieht durch Schrauben an der Justirungsschraube j. Zur feineren Einstellung dient das auf dem Regulirungshebel verschiebbare Laufgewicht g_2. Man wartet ab, bis die Lufttemperatur im Brutraum, welche man an dem Termometer t_1, ablesen kann, wenn man es mittelst des Bändchens etwas aus dem Brutkasten herauszieht, nahezu 40° C. beträgt. Dann stelle man den Regulirungshebel h mittelst der Justirungsschraube j und des Laufgewichtes g_2 so ein, dass der Schornsteindeckel d den oberen Schornsteinrand schwebend berührt. Hierauf überlässt man den Bruthofen einige Stunden sich selbst, um zu erproben, ob die Regulirung schon gelungen ist oder nicht. Findet man nach einer Stunde, dass die Lufttemperatur im Brutraum 40° C. erheblich übersteigt, so ist die Justirungsschraube etwas anzuziehen; ist aber die Temperatur nur wenig höher als 40° C. so ist das Laufgewicht g_2 auf dem Regulirungshebel h in der Richtung nach der runden Metallscheibe hin zu verschieben. Sowohl durch das Anziehen der Justirungsschraube als durch Verschieben des Laufgewichtes in der angegebenen Richtung wird der Schornsteindeckel d etwas gehoben. Ist die Lufttemperatur im Brutraum niedriger als 40° C., so ist die Justirungsschraube zurückzuschrauben, oder es ist das Laufgewicht g_2 in der Richtung nach dem Schornsteindeckel d hin zu schieben, so dass sich der Schornsteindeckel auf den oberen Schornsteinrand auflegt. Wenn es nöthig sein sollte, muss die Regulirung zugleich durch Höher- oder Tieferschrauben des Dochtes der Petroleumlampe erfolgen.

Mit diesen Versuchen zur Einstellung der Regulirungsvorrichtung hat man fortzufahren, bis sich herausstellt, dass während mehrerer Stunden die Lufttemperatur des Bruttraumes nur um einen halben Grad von 40° C. verschieden gewesen ist.

In einer der nächsten Nummern der „Schwalbe" werde ich nun über die mit dem Apparate weiter vorzunehmenden Versuche berichten, bis heute war es mir in Folge andauernder Krankheit unmöglich den Apparat in Betrieb zu setzen und mit Eier zu belegen. Unser Vereinsmitglied Frau F. Shaniel hat mit einem heuer von Herrn Sartorius bezogenen Apparat bereits sehr schöne Erfolge aufzuweisen.

Die Apparate stellen sich ab Fabrik Göttingen nicht hoch, ein solcher auf 50 Eier kostet 75 Mark, doch erhöht sich der Anschaffungspreis durch Zoll und Fracht nach Oesterreich nicht unbedeutend.

Erlach, im Jänner 1892. C. Pallisch.

Eduard Ritter von Orel †.

Wieder hat der Tod uns einen Mann der Forschung, einen begeisterten Bewunderer der Natur und eifrigen Beachter ihrer Geschöpfe, entrissen.

Welcher Gebildete, insbesondere welcher Oesterreicher kennt seinen Namen nicht, welcher mit der vaterländischen Forschungsgeschichte für immer auf das Unzertrennlichste verknüpft ist und der kein kleines Ruhmesblatt in den Annalen unserer Marine füllt.

Von der Polar-Expedition heimgekehrt, war sein Augenlicht durch die überstandenen Strapazen so geschwächt, dass er sich genöthigt sah, aus dem ihm so lieb gewordenen Dienste der k. und k. Kriegsmarine zu scheiden.

Er wurde bald darauf zum Verwalter des kaiserlichen Schlosses Miramar ernannt, wo er bis zu seinem Hinscheiden, an 15 Jahre wirkte. Dort in ländlicher Abgeschiedenheit erwachte in ihm die Passion zur Geflügelzucht, er ward Züchter der eifrigsten einer, wenn er auch nie zum Aussteller geworden ist; aus naheliegenden humanen Gründen. Plymouth und Langshan waren die von ihm bevorzugten Racen und seine Erfolge in dieser Zucht sehr anerkennenswerth.

Der Erste österreichisch-ungarische Geflügelzucht-Verein, sowie der ornithologische Verein in Wien werden in ihm ein treues, bewährtes, schaffensfreudiges Mitglied vermissen.

Uns aber, die wir ihm nahestanden, war er mehr als dies, wir verlieren an ihm den Freund und welchen Freund? Fahre wohl, Orel, du Theurer, der du von uns allen geliebter warst, als du ahntest; ruhe im Frieden wackerer Kämpe, bester Kamerad, biederes, treuestes Freundesherz! Gebrochen stehen wir an Deinem Grabe an den Ufern jener Adria, die Du so oft durchquert hast; mit uns grüsst Dich, in Abendgluth getaucht, die in's Meer sinkende Sonne, sie wirft allabendlich ihre letzten Strahlen zu Dir hinüber, sie die Unvergängliche — gleich Deinen Thaten.

Leicht sei Dir die Erde, es begleitet Dich unser letzter Gruss hinüber und träumen wir die schönste aller Hoffnungen: Auf Wiedersehen!

Görz, 8. Februar 1892. S. Gironcoli.

Literarisches.

„Ornis", internationale Zeitschrift für die gesammte Ornithologie, herausgegeben von Prof. Dr. Rudolf Blasius. VII. Jahrg., Heft II und III, 1891.

Der Inhalt dieses Doppelheftes ist folgender: Die Vögel der Madeira-Inselgruppe. Von W. Hartwig. — Vogelleben an den deutschen Leuchtthürmen. Von Prof. Dr. R. Blasius. — Bericht über den II. internationalen ornithologischen Congress zu Budapest. Von Prof. Dr. R. Blasius.

Ausstellungen.

XVII. Intern. Geflügel- und Vogelausstellung in Wien.

Die Vorarbeiten zu dieser Ausstellung schreiten rüstig vorwärts. Von allen Seiten, insbesondere aus Deutschland laufen Meldungen ein, die diese Ausstellung zu einer sehr interessanten zu gestalten.

Der Präses des ungarischen Landesgeflügelzüchter Vereines, Herr Baron von Nyary und Herr Ober-Ingenieur Beiwinkler wurden vom Comité ersucht, der Jury beizutreten.

Die mit dieser Ausstellung verbundene fachgewerbliche Abtheilung wurde durch die niederösterreichische Handels- und Gewerbekammer mit fünf Silberpreisen ausgestattet. Der im Vorjahre mit Beifall begrüsste Versuch, die Producte der Geflügelzucht in ihrer vielfachen gewerblichen Verwendung, sowie alle gewerblichen Erzeugnisse, welche der Geflügel- und Vogelzucht zu dienen bestimmt sind, zur Darstellung zu bringen, wird heuer im grösseren Massstabe erneuert werden. Hierbei wird insbesondere auf die Darstellung der schmuckmässigen Verwendbarkeit des Federkleides vom Geflügel Gewicht gelegt werden und ergeht sonach an die P. T. Geflügelzüchter die Bitte, schönes, d. h. farbenprächtiges und schön gezeichnetes — dabei trocken gerupftes oder abgezogenes Federmaterial von eingegangenem oder geschlachtetem Geflügel, sowie von schädlichen Raubvögeln an die Adresse der Frau Künzel, Wien, VII., Spittelberggasse, mit der entsprechenden Mittheilung des Zweckes der Sendung, gratis und franco einzusenden. Aus dem eingesendeten Materiale werden zur Ausstellung Gegenstände aller Art: Phantasiegestecke, Fächer, Attrappen, Muffe, Boas, Besatzartikel etc. verfertigt und werden an denselben nicht nur Art und Race des Vogels, aus dessen Federkleid dieselben hergestellt wurden, sondern über Verlangen, auch die Namen der Einsender des Federmateriales bezeichnet werden. Für Einsender besonders schönen Federmaterials von schlachtbarem Hausgeflügel und von Raubvögeln, besteht die Absicht, kleine Ehrenpreise zur Widmung zu bringen. Kadaver-Einsendungen von nützlichen, durch das Gesetz geschützten Vögeln, wie Singvögel etc., können selbstverständlich nicht verwendet werden. Anlässlich dieser Ausstellung wird eine grössere Lotterie veranstaltet, zu welcher alle Treffer aus den ausgestellten Objecten angekauft werden; sowohl für die Einsender verkäuflicher Thiere als für jene fach- oder kunstgewerblicher Gegenstände erhöht sich dadurch die Wahrscheinlichkeit, einen Theil ihres Ausstellungsgutes zum Verkauf zu bringen. Zu dieser Ausstellung beabsichtigt das Comité einen elegant ausgestatteten und — bei entsprechender Betheiligung auch illustrirten Katalog in mehrtausendfacher Vervielfältigung aufzulegen, welcher für jeden Aussteller oder Besucher ein schönes Andenken an diese mit grossen Mitteln veranstaltete Geflügel- und Vogelschau bilden soll, und werden daher alle Herren Interessenten, welche in diesem Kataloge inseriren wollen, gebeten, ihre geneigten Aufträge mit den entsprechenden Clichés an das Secretariat des ersten österreichisch-ungarischen Geflügelzucht-Verein in Wien, II., k. k. Prater 25, ehestens einzusenden.

Der Obmann der ornithologischen Abtheilung der XVII. intern. Geflügel- und Vogelausstellung, Herr Fritz Zeller, versendet soeben nachstehende Einladung zur Beschickung dieser Abtheilung:

Euer Hochwohlgeboren!

Der Ornithologische Verein in Wien hält im Verein mit dem Ersten oesterr.- ung. Geflügelzucht-Verein vom 19. bis 27. März 1892 in den Sälen der k. k. Gartenbaugesellschaft eine ornithologische Ausstellung ab, zu deren freundlichen Beschickung wir Sie hierdurch höflichst einladen.

Nachdem die Räume uns ziemlich enge zugemessen sind, so werden wir umsomehr bestrebt sein, qualitativ eine recht gediegene Exposition zu insceniren und da erfahrungsgemäss unsere Ausstellungen sehr stark besucht werden, so ist auch ein Erfolg für ihre auszustellenden Objecte ausser Zweifel.

Ausser den in dem Programme angeführten Preisen sind eine grössere Zahl goldener Medaillen als Ehrenpreise für die hervorragendsten Leistungen in den einzelnen Zweigen dieser Abtheilung gestiftet.

Damit wir auch den Wünschen der P. T. Herren Aussteller möglichst gerecht werden können, bitten wir Sie, die Anmeldungen möglichst vor dem Schlusstermine, 5. März, vorzunehmen und stehen auf Verlangen Programme und Anmeldungsbögen gerne zu Diensten.

Für die gute Unterbringung lebender Vögel sind die Locale entsprechend hergerichtet.

Für die Verpflegung derselben während der Ausstellung sind die besten Vorkehrungen getroffen und betreffs genügender Wärme und Schutz vor Zugluft ist vollends gesorgt.

Eine Anzahl geräumiger, prachtvoller Ausstellungskäfige die sich besonders für einzelne Familien gezüchteter Exoten, für Collectionen oder auch für einzelne grössere Vögel eignen, stellen wir, so weit der Vorrath reicht, unentgeltlich zur Disposition unserer Aussteller.

Für Präparate aller Art, wie gestopfte Vögel, Scelete, Bälge, Eier, Nester etc. etc. ist ein eigener Saal reservirt.

Mit Schutzvorrichtungen, Pflege der Vögel im Freien, soll die Abtheilung reich beschickt werden, denn hier kann nicht belehrend genug gewirkt werden.

Nachdem überdies unser Verein nicht so häufig Ausstellungen veranstaltet, bitten wir uns mit ihren Objecten umso eher zu beehren

Hochachtungsvoll

Der Obmann d. Abtheilung der ornithologischen Ausstellung.
Fritz Zeller, Wien, II., Unt. Donaustrasse 13.

Aus den Vereinen.

Erster Wiener Vororte-Geflügelzucht-Verein. Bei der am 22 Jänner 1892 abgehaltenen Generalversammlung des ersten Wiener Vororte-Geflügelzucht-Vereines in Rudolfsheim wurde.

I. Der Rechenschaftsbericht pro 1891, recapitulirt und verlesen, dieser ergibt einen Saldo Vortrag 50 fl. 02 kr. und weist ein Vereins-Vermögen von 1760 fl. aus.

II. Statuten Aenderung.

Ueber Antrag der Statuten-Aenderung wurde Herrn C. Schick und Herrn Jos. Mantzell das Elaborat überwiesen, und wurden dieselben zur Ausarbeitung einzelner neuer Paragraphe eventuell Neubearbeitung einiger Paragraphe ermächtigt.

III. Wahl der Functionäre:

Es wurden laut vorliegender Candidaten Liste gewählt: Joh. Fleissner, Jos. Hentschl, Jos. Leithner, Jos. Mantzell, Carl Müller, Hans Pisecker, Carl Rödiger, Adolf Rustler, Leopold Saxl, Carl Schick, Franz Schlögl, Georg Zinnbauer, u. zw. sämmtliche Herren mit Acclamation.

Aus dem gewählten Ausschusse bildete sich der Vorstand und wurde gewählt: Carl Schick zum Vorstand, Jos. Leithner Vorstand - Stellvertreter, Jos. Mantzell, Schriftführer, Hans Pisecker, Schriftführer-Stellvertreter, Carl R. Rödiger, Cassier, neu, Carl Müller als Material Verwalter. Zu Ausschüsse: Joh. Fleissner, Leopold Saxl, Joh. Hentschl, Franz Schlögl, Georg Zinnbauer, neu.

IV. Anträge und Interpellationen der Mitglieder.

Wird der Antrag eingebracht dem ausgeschiedenen Vorstands-Mitgliede Herrn Jos. Dexler den Dank der Vorstand-Mitglieder schriftlich einzubringen und wird nach Wahl von 2 Rechnungs-Revisoren die Sitzung hierauf geschlossen.

Die Generalversammlung des Ersten österr.-ungar. Geflügelzucht-Vereines in Wien findet am 26. Februar 1892, Abends 6 Uhr, im Saale der k. k. Landwirthschafts-Gesellschaft, I. Bez. Herrengasse 13, 3. Stock, statt. Tagesordnung: 1. Jahresbericht des Präsidenten. 2. Rechnungs-Abschluss pro 1891. 3. Wahl der Revisoren. 4. Neuwahl des Directoriums. 5. Anträge und Interpellationen der Mitglieder. 6. Anträge des Directoriums.

Kleinere Mittheilungen.

Die Zwergtrappe Otis tetrax wurde in den Monaten November und December v. J. mehrfach in Oesterreich erlegt u. a. bei Troppau, Olmütz und Gleisdorf (Steiermark). Ein bei Budapest im Mai v. J lebend eingefangenes, prächtiges ♂ Budapester Thiergarten zu sehen.

Ein neuer Eierprüfer, dessen Abbildung die Annonce des Herrn F. Sartorius in Göttingen auf der Inseratenbeilage dieser Nummer der „Schwalbe" zeigt, übertrifft an Wirksamkeit und handlicher Construction bei Weitem die gebräuchlichen Vorrichtungen zur Untersuchung der Bruteier auf ihre Befruchtung. Das Licht der Petroleumlampe wird mit Hilfe eines Reflectors und Hohlspiegels zur kräftigen Beleuchtung des Ei-Inneren, und zwar von unten her, benützt. Das zu untersuchende Ei ruht in der Dunkelkammer auf einer mit entsprechend elliptischem Ausschnitt versehenen, mit Sammet überzogenen Pappe in horizontaler Lage und kann beliebig um die Längenaxe gedreht und besichtigt werden, während es von unten beleuchtet wird. Dieser Eierprüfer lässt sich auch bei directer Sonnenbeleuchtung gut verwenden, in welchem Falle, nachdem Lampencylinder und Reflector entfernt wurden, die Sonnenstrahlen vom Hohlspiegel aufgefangen und so reflectirt werden, dass sie den Eierträger, resp. das aufgelegte Ei von unten hell durchleuchten.

Ph.

Corrigenda

zu A. Reischek's „Lappenkrähen".

Pag. 17. Zeile	6	muss	stehen:	Garrulus glandarius.
„	33	„	„	Arthuspass.
letzte Zeile		„	„	Leyel-Gletscher.
Spalte II. Zeile	5	„	„	Pirongia.
„	7	„	„	Manakau.
„	8	„	„	Mongamahu.
„	50	„	„	Tokatea-Gebirge.

An die P. T. Mitglieder des Ornith. Vereines in Wien.

Zu dem jeden Freitag in Widhalm's Restauration, I., Canovagasse 4, stattfindenden Clubabenden des „I. öst.-ung. Geflügelzucht-Vereines in Wien" sind die Herren Mitglieder des „Ornithologischen Vereines in Wien" hierdurch höflichst eingeladen und gebeten, sich recht oft und zahlreich einfinden zu wollen.

Das Gesammt-Ausstellungs-Comité.

Verlag des Vereines. — Für die Redaction verantwortlich: Rudolf Ed. Bondi.
Druck von Johann L. Bondi & Sohn, Wien, VII., Stiftgasse 3.

XVI. JAHRGANG. Nr. 4

Blätter für Vogelkunde, Vogelschutz, Geflügelzucht und Brieftaubenwesen.

Organ des I. österr.-ung. Geflügelzuchtvereines in Wien und des I. Wr. Vororte-Geflügelzuchtvereines in Rudolfsheim.

Redigirt von C. **PALLISCH** unter Mitwirkung von Hofrath Professor **Dr. C. CLAUS.**

29. Februar — 1892.

„DIE SCHWALBE“ erscheint **Mitte** und **Ende** eines **jeden Monates.** — Im Buchhandel beträgt das Abonnement 6 fl. resp. 12 Mark. Einzelne Nummern 30 kr. resp. 50 Pf.

Inserate per 1 ☐ Centimeter **3** kr., resp. **6** Pf.

Mittheilungen an das **Präsidium** sind an Herrn **A. Bachofen v. Echt** in Nussdorf bei Wien; die **Jahresbeiträge** der Mitglieder (5 fl., resp. 10 Mark) an Herrn **Dr. Karl Zimmermann** in Wien, I., Bauernmarkt 11;

Mittheilungen an das **Secretariat** in Administrations-Angelegenheiten, sowie die für die **Bibliothek** und **Sammlungen** bestimmten Sendungen an Herrn **Fritz Zeller**, Wien, II., Untere Donaustrasse 13, zu adressiren.

Alle redactionellen Briefe, Sendungen etc. an Herrn **Ingenieur C. Pallisch in Erlach** bei Wr.-Neustadt zu richten.

Vereinsmitglieder beziehen das Blatt gratis.

Frühlingsboten?

„Eine Schwalbe macht noch keinen Sommer“ — sagt ein altes Sprichwort, aber auch zwei und selbst die tausendfache Zahl nicht, wenn sie zu einer Jahreszeit erscheinen, wo der Laie nur gewöhnt ist, ausser Nebelkrähen, Dohlen und Elstern nur Sperlinge, Goldammern und Haubenlerchen zu sehen, die Aufmerksamkeit des Ornithologen jedoch nur nordische Gäste auf sich lenken. Nein, nicht Frühlingsboten waren die beiden Rauchschwalben (Hirundo rustica, Linn.), welche am 23. December v. J. über den Platz und den Dächern der angrenzenden Häuser im blauen, sonnigen Aether sich anscheinend ganz munter und wohlgemuth herumtummelten.*)

*) Ausser mir sahen die Schwalben: Stadtpfarrer Fleischer, Major Kohn, die Kaufleute Papp, Fleissig, Zakarias, Hauptmann Kissling, Apotheker von Steinburg etc.

Es war gegen 11 Uhr Vormittags, als die ungewohnte Erscheinung die Passanten des Marktplatzes und auch mich zum Stillstehen und Beobachten veranlasste. Lautlos zwar, doch mit gewohnter Schnelligkeit und Anmuth segelten die Frühlingsboten durch die märzlich linde Luft, um nach längerer Zeit am Firste eines der grössten Häuser auszuruhen. Kaum hatte das Pärchen begonnen, das glänzende Gefieder zu ordnen, als auch schon ein Paar Haussperlinge mit lautem Geschrei auf die Ruhenden eindrang und sie zum Auffliegen bewog.

Bald waren 4 bis 5 dieser Vogelproletarier hinter den Schwalben, welche den Angriffen ihrer Feinde dadurch entzogen, dass sie sich in eine höhere Luftschichte erhoben, um schliesslich unseren Augen zu entschwinden. Am folgenden Tage sahen wir sie nicht, doch wollen mehrere Bewohner unserer Stadt an den milden Jannartagen die Schwalben noch gesehen haben.

Es ist eine eigenthümliche und — mich wenigstens — nicht erheiternde, das Mitleid wachrufende Erscheinung, wenn wir die zarten, nur für Wärme und Licht geschaffenen Wesen, mitten im rauhen, von Schnee und Eis starrenden Winter plötzlich — wenn auch an einem verhältnissmässig warmen, sonnigen Tag — erscheinen sehen. Wer fragt sich da nicht unwillkürlich, wo waren sie bis jetzt, wie brachten sie die langen, kalten Wintertage und Nächte zu und wovon nährten sie sich? Gerade die Schwalben scheinen zu den zartesten, wärmebedürftigsten Vögeln zu gehören. Wer erinnert sich nicht, wie dieselben an düsteren, nebligen regnerischen Frühlings- und Herbsttagen sich mit eingezogenem Kopte und allen Zeichen des Unbehaglichseins, an wind- und wettergeschützten Stellen dicht an- und übereinanderdrängen: Wie viele der armen „Frühlingsboten" gehen an solchen Tagen zu Grunde! Und doch muss die Schwalbe über eine grosse Portion Lebenszähigkeit verfügen, wenn sie unseren harten Winter ganz oder auch nur theilweise überdauern soll.

Dass Säugethiere, Amphibien und Insecten — letztere vom Ei bis zum vollkommen entwickelten Thiere — im Winterschlafe oder in mehr oder minder erstarrtem Zustande, den Winter ganz oder theilweise verbringen, wissen wir, dass es jedoch auch in der Vogelwelt Winterschläfer gibt, ist bis nun eine unbekannte Sache.

Und doch muss es, wie es die im Winter erscheinenden und aufgefundenen Schwalben bezeugen, auch bei den Bewohnern der Lüfte einen solchen geben. Weit entfernt, daran zu glauben, dass Schwalben den Winter im Schlamm eingebettet als Winterschläfer verbringen, glaube ich vielmehr, dass mehrere, oder besser gesagt, viele Schwalben von plötzlich eingetretenem Unwetter und Kälte überrascht, sich in einen hohlen Stamm, in Mauer und sonstige Löcher zurückziehen und hier der Kern, d. h. jene Schwalben, welche das Glück haben, in die Mitte des Vogelklumpens sich zu drängen, in einer verhältnissmässig warmen Umgebung bei eigener minimalster Körperwärme — jedoch nicht erstarrt — einen Theil oder vielleicht den ganzen Winter verbringen. Für diese meine Behauptung spricht auch jene Thatsache, dass oft in hohlen Baumstämmen gefundene Schwalben — wovon ich mich mit meinem Vater einmal selbst überzeugte — in's warme Zimmer gebracht, nur zum Theile wieder lebendig, d. h. wach werden. Die Todten mögen die Schutzhütte der Ueberlebenden gewesen sein. Brehm sagt ja auch in seinem Thierleben: „Dass bei plötzlich eintretender Kälte im Frühjahre oder im Herbste einzelne Schwalben in Löchern Zuflucht suchen, hier in gewissem Grade erstarren und, Dank ihrer Lebenszähigkeit, wieder aufleben mögen, wenn sie in die Wärme gebracht werden, will ich nicht gänzlich in Abrede stellen; von einem Winterschlafe aber ist, trotz aller „glaubwürdigen Zeugen" von Aristoteles her bis auf gewisse Beobachter unserer Tage, bestimmt nicht zu reden."

Wie unser Altmeister sich dieses „gewisse Erstarren" dachte, weiss ich nicht, doch muss er darunter jedenfalls nur ein solches verstanden haben, welches einige Tage oder im günstigsten Falle einige Wochen gedauert haben.

„Wer klärt mir, Graf Oerindur, diesen Zwiespalt der Natur?" wäre ich versucht, zu fragen, wenn es sich jedoch — wie dies bei den hier am 23. December und im Januar beobachteten „frei" herumfliegenden Schwalben — um viele Monate handelt! Fast wäre man versucht, zu glauben — und ist dies nicht unwahrscheinlich — dass die an warmen Märztagen sich zeigenden, vereinzelten Schwalben den ganzen Winter über bei uns verbracht haben.

Jedenfalls sind Schwalben, welche „à la Doctor Tanner" monatelang hungern können, beim Eintritte der kalten Jahreszeit sehr gut im Fleische gewesen und sehr fett, denn sonst wäre ein so langes Hungern und Frieren eine reine Unmöglichkeit. Auch Bär, Dachs, Siebenschläfer, Igel u. s. w. sind stets sehr feist und gehen magere, oder waidmännisch gesagt, geringe Exemplare stets ein oder zu Grunde. Alle Insektenfressenden Vögel sind im Herbste sehr fett und sind es besonders die Schwalben, welche abgebalgt, einen Fettklumpen repräsentiren. Bei der niederen Körperwärme dürfte bei Manchen dieses Fett — gleich dem Oel in einer Lampe — die Zeit des Winterschlafes oder wenn man so will, jene Zeit des Halbstarr-Zustandes überdauern. Dieses flüssige Fett dürfte den besten Widerstand gegen das Erfrieren liefern, da das eigene Federkleid zuwenig Schutz bietet, umsomehr, als sich unter demselben kein wolliges Dunenkleid befindet.

Ausser dem Fettschutz am eigenen Körper tragen in hohlen Bäumen der Mulm und in sonstigen Höhlungen und Löchern das Federkleid der allmälig ganz erstarrten, leblosen Kameraden dazu bei, dass die kleine Lebensflamme bei manchen nicht ganz erlischt Trotz alledem dürften nur wenige den Winter überdauern.

Die Mehlschwalbe scheint es auf ein Zurückbleiben nicht ankommen zu lassen, da solche — meines Wissens — nicht gefunden werden.

Bei uns erinnert sich jeder alte Bauer und besonders jene, welche viel mit Holzfällen zu thun hatten, in hohlen Baumstämmen ganze „Klumpen" Rauchschwalben, wenn auch nicht selbst gefunden, so doch solche Funde gesehen zu haben. Alle waren in scheinbar leblosem Zustande, welcher jedoch im warmen Zimmer aufhörte. So erweckte Schwalben gingen aber in kurzer Zeit zu Grunde, und zwar — durch Hunger. In Viehstallungen, wo es immer noch einige Insecten gibt, sollen sich manche längere Zeit gehalten haben.

Es wäre interessant und zugleich ein bedeutender Schritt zur Aufklärung, wenn man solche Schwalben, die im erstarrten Zustande gefunden werden, ununterbrochen beobachten könnte und nach ihrem Erwachen die weitere Lebensfähigkeit constatiren könnte.

Es gibt noch manches Blatt im grossen Buche der Natur, welches selbst die Brille der Wissenschaft nicht entziffern und deuten kann. Auch in dieser Frage wird einst der Zufall, wie in so vielen anderen, helfend eintreten müssen.

Fogaras in Siebenbürgen, im Februar 1892.

Eduard von Czÿnk.

West-Florida.

Von August Koch.

(Schluss.)

Während wir nun den Canal abwärts fahren, springen öfters graue Eichhörnchen über die vom Ufer quer herüber gestreckten Lianen und Reben und lassen mit zuckendem Schwanze und Körper ihr zorniges Gebelle erschallen, gleiten dann schlangenartig, schnell in gestreckten Windungen um eine Liane, um nach einigen weiten Sätzen den Blicken zu entschwinden.

Wir wollen diesen Thierchen nichts zu leide thun, indem wir jeden Augenblick die Stimme eines, seine Hennen rufenden Truthahnes erwarten.

Doch dort, wo das Eichhörnchen in der grössten Alteration umherrennt, ohne eigentlich zu wissen wohin und dabei mit lautem Bellen die grossen Stämme auf- und abfährt, sitzt auf einem hohen trockenen Aste ein grösserer Vogel, den ich für B. Lineatus Alleni Ridy. hielt. Leider aber nach dem Schusse sich als Buteo Latissemus (Hiels) producierte.

Gleich, nachdem der weithin dröhnende Schuss geknallt hat, hören wir auch das entrüstete Kollern unseres erwarteten Hahnes. Dicht neben mir der laute Schrei einer Eule — etwa Syrnium Nebulosum Alleni? nein, sondern die Stimme meines Begleiters der den Schrei obengenannter Eule nachahmt, um wiederholt die Stelle, wo sich der Hahn hat hören lassen, zu markiern. Kaum hat seine Stimme verklungen, ruft auch der nun erzürnte Truthahn wieder. Sobald wir festes Land bekommen, wollen wir aussteigen, raunte mir mein Begleiter zu.

Nachdem wir im festen Sumpf ausgestiegen waren, theilten wir uns, indem mein Begleiter die nördliche und meine Wenigkeit die südliche Richtung einschlugen. Nach längerem sehr vorsichtigen Umherziehen und öfters längerem Stillstehem, ertönte die Stimme der Eule wieder und wurde sogleich von einer zweiten Eule beantwortet, diesmal S. Neb. Alleni in natura, welche später von meinem Jagdfreunde für mich erlegt wurde.

Kaum waren die beiden Eulenstimmen verklungen, so antwortete auch der im Käu (einer Art Bambusrohr) verborgene Patriarch, sein Kollern rollte wie ferner Donner in seiner breiten Brust. Nachdem ich mich meiner Schätzung nach etwa bis zu 30 Schritten an den Hahn angeschlichen hatte, hörte ich plötzlich die mir heute keineswegs willkommene Pfeife eines den Fluss herab kommenden Dampfers, dann das tiefe Getöne der Maschinen und endlich das laute Singen der jetzt faulenzenden Schwarzen.

Mein Truthahn gibt natürlich kein weiteres Zeichen und stiehlt sich jedenfalls im Rohre fort. — Sieh, dort, etwa 90 Schritte entfernt, huscht ein dunkles Etwas am Rande einer ausgedehnten mit Gebüsch bewachsenen Wasserfläche hin. — Es ist der Truthahn, der eben zwischen den Stämmen zweier riesiger Cypressen zu verschwinden trachtet, ehe ihn meine Kugel erreicht. Er fällt auf die Brust ohne auf die Seite zu rollen und als ich näher lief, war ich nicht wenig überrascht, denselben trotz eines herabhängenden Laufes, schnell der Höhe zufliegen zu sehen, von wo ihn ein Schuss mit kleinen Posten so traf, dass er mit lautem Geprassel todt in's Rohr stürzte. Unsere Zusammenkunft am Ende der Jagd, war immer beim Canoe. — Nachdem einer von uns seine Jagd beendet hatte, schoss er seine Flinte zweimal schnell nacheinander ab, worauf der Zweite das Gleiche that und sofort zurückkehrte.

Bei einer derartigen Gelegenheit passierte es mir, dass ich mich für mehrere Stunden ganz gehörig im Sumpfe verloren hatte und als ich mich endlich wieder zum Canoe einfand, musste ich unter grossen Qualen mehrere Stunden lang den Miriaden von Musquitos und nebenbei noch einer Art eher schlimmeren, in grossen Schaaren anwesenden Fliege standhalten, die sich unaufhörlich auf Augen, Ohren und Nasenöffnungen stürzten.

Mein Begleiter hatte aus meinen zurückgelassenen Spuren ersehen, dass ich am Rande einer, sich im überflutheten Sumpfe gebildeten, grossen Halbinsel einlief und mich daher mit Gewissheit verirren musste. Daher war er mir mehrere Stunden gefolgt — um mich endlich am Canoe, wie verabredet zu finden.

Eines Abends bei der Heimfahrt im Canoe hörten wir lautes Geplätscher abseits im Sumpfe; auf meine Frage, ob es vielleicht Fischottern oder Alligatoren seien, war mein Begleiter ungewiss. — Da, ein Ruf, wie von einem gewürgten Thiere herstammend, ein Luchs oder gar ein Panther? Nichts von all' dem, es sind die Nachtreiher. Ein Vogel fliegt seitwärts durch die Bäume, ein Schuss, und einer meiner Bekannten von Chattahootscheo, der gelbköpfige Nachtreiher „Nicticorax Violaceus (Lim.) ist unser. Er fällt in einen kuppelförmigen Dornbusch, der etwa vier Fuss über dass Wasser heransragt.

Für mich scheint der Vogel unerreichbar, mein Freund aber bittet mich, mein Gewicht ganz auf das Hintertheil des Canoes zu bringen, auch er tritt vom Vordertheile zur Mitte. Nun schieben wir beide mit unseren Stangen, worauf sich unser Canoe auf den Dornbusch erhebt, bis wir uns mitten darauf befinden und das Ausheben unserer Beute leicht ermöglicht wird. Noch mehrere der zum ersten Male von mir erlegten Reiher wurden denselben Abend geschossen.

Am Abend ist es hier etwas feucht und daher das Sumpffieber immer in nächster Nähe zu haben; dieses veranlasste unseren Wirth, alle Abend ein hellbrennendes Kienholzfeuer (Lightwood) in dem breiten, altmodischen, in der gleichen Höhe des Fussbodens angebrachten Feuerplatz anzumachen. Vor dem Feuer wurden Schaukelstühle im Halbkreis placiert, in welchen wir uns behaglich ausruhten, die feucht gewordenen Kleider trockneten und entweder unsere selbstgerollten Cigaretten, oder die von seinem selbst gezogenen Tabak vom Pflanzer ebenfalls auf der Stelle gerollten Cigarren, rauchten.

Nun hörten wir so viel Interessantes, über die Gegend, das Wild, die Vögel und sehr viel über alte Zeiten vor und während des Bürgerkrieges, dass die Abendstunden nur so eilten. Mein Schwager war nämlich Oberst auf der Föderalen Seite und der Pflanzer und William, Soldaten für die südliche Conföderation. Ferner war unser Wirth in früheren Jahren Sclaven-Aufseher und William der Sohn eines reichen Pflanzers.

Oefters banden vorbeireitende Pflanzer ihre Gäule an die Penc (Zaun), um sich ebenfalls unserer Unterhaltung für eine Stunde anzuschliessen. Eines Abends, nachdem mir mein Freund William längere Zeit beim Präparieren zugesehen hatte, sprang er rasch auf und sagte — nun kann ich's auch. Wirklich sandte er mir nach meiner Ankunft im Norden mehrere gar nicht übel präparierte Bälge.

Oefters suchten wir in verschiedenen Richtungen nach den seltenen, früher in einigen Exemplaren erlegten Carolina-Papageien (Conurus Carolienses) ohne auf einer derartigen Expedition auch nur ein Zeichen zu erhalten. Endlich eines Morgens als wir eben die letzte Umzäumung überstiegen hatten, erspähte ich eine kleine Gesellschaft schnell ziehender Vögel. Eben wollte ich ausrufen Turteltauben, als sich die Vögel jäh abwärts auf die oberen Aeste eines der hohen Tannen warfen, was ich oben genannte Tauben niemals thun sah, entweder flattern dieselben in horizontaler Richtung einher und lassen sich so nieder oder lassen sich flatternd von oben herab. Der erste Schuss brachte mir zwei Exemplare und auf Nr. 2 fiel ein anderer im Flug, worauf der Sohn unseres Wirthes uns noch mit einem Vierten der Vögel der im Felde gefallen war, anrief.

Einen ganzen Tag widmete ich den beiden Geierarten, denn ich wünschte von jeder Art wenigstens ein gutes Exemplar für meine eigene und womöglich noch einige weitere Stücke für die Sammlungen meiner Freunde.

C. Atrata liess sich nur einmal in der Nähe des Hauses nieder, als ich ihm eine Kugel zusandte, flog er ab und ich verfehlte zu beobachten, dass er weiter drausen in's Gebüsch herunter fiel, wo ich am nächsten Morgen einen C. Amer aufstöberte, der im Begriffe war, die Leiche der ersteren Art Geier aufzufressen.

C. Aura konnte man täglich in nächster Nähe de. Hauses seine Kreise ziehen sehen, so oft ich diesen Vogel beobachtete muss ich seinen wunderschönen Flug bewundern, wogegen C. Atrata der schwarzköpfige Geier fledermausartig eine kurze Strecke flattert, dann wieder mit schwimmendem, aber nichts weniger wie langsamen Fluges fortzieht und dabei ein rabenartiges Krächzen hören lässt. Letzter Geier macht den Eindruck eines echten Galgenvogels, täglich zogen ansehnliche Flüge vorüber, ohne dass es mir möglich war welche zu schiessen, bis unser Wirth mich aufmerksam machte, dass an einer gewissen Stelle, in der Nähe einer Quelle ein gefallenes Stück Vieh sich befinde.

Hier stand ich eines Morgens auf der Lauer, bald fanden sich gegen zwanzig dieser abscheulichen Vögel ein, von denen ich sofort vier Stück erlegte. Ein Stück war ganz glänzend schwarz wie ein Rabe, während allle anderen mehr russfarbiges Gefieder trugen, ohne Zweifel war ersteres ein alter und ganz reifer Vogel.

Meine ganze eckelhafte Beute war so mit dem gänzlich verwesten Aase angefüllt (ein Beweis, dass dieselben schon in aller Früh ein Mahl eingenommen hatten), dass es der ganzen ornithologischen Leidenschaft zur Sache bedurfte, um mir selbst, nebst meinem stark protestierenden Magen, die Arbeit des Abbälgens zuzumuthen.

Oefters sagten mir die hier geborenen und aufgewachsenen Jäger und Pflanzer, dass C. Aura nur Aas und C. atrata nur frisches Fleisch verzehren, wogegen ich selbst immer das Gegentheil wahrnahm, denn C. atrata zeigt sich erst, wenn die Verwesung stark begonnen hat. Leider trockneten diese Vögel so schlecht, dass alle Bälge bis auf zwei untauglich waren, als solche später im Norden ankamen.

An einem warmen Nachmittag suchte ich einen kleinen mit Cypressen bewachsenen, theilweise trockenen, mit Gebüsch bewachsenen Hamack nach kleinen Vögeln ab. — Ein kleiner, dicker, kurzgeschwänzter und grauer Vogel erhob sich ohne Geräusch vom Boden und setzte sich in's Gebüsch. Als ich mich anschlich, erkannte ich die kleine Florida Varietät unserer kleinen Ohreule (Megascops asio Floridanus, Ridyn.). Indem ich nun unbeweglich still stand, liess ich meine Blicke sorglich umher suchen, um womöglich das Pärchen zu entdecken, was mir auch ohne Mühe gelang. Denn das rostrothe ♂ sass nur wenige Fuss vom ersteren ♀ und im nächsten Augenblicke lagen beide hübsche und sehr geschätzte Eulchen an der Erde, um später in Gesellschaft anderer Varietäten der gleichen Art Eule, in meiner Sammlung zu prangen.

Der sehr interessante Nachtvogel „Austrostomus Caroliensis" gewöhnlich Chuck-wills-midow genannt, liess sich allabendlich etwa 100 Schritte vom Hause hören, zog aber immer ab, wenn ich mich näherte, ehe ich seinen Sitzplatz markieren konnte.

Auf der Heimfahrt den Fluss herauf, hörten wir die Vögel an beiden Ufern des Flusses durch den grössten Theil der Nacht.

Endlich nahmen wir mit stillem Bedauern Abschied von unserer Umgebung und mit dankbaren Gefühlen von den gefälligen Menschen, die uns unseren Aufenthalt so angenehm gemacht hatten. Etwa drei Meilen weiter oben war die Landung des uns aufnehmenden Dampfers, der gewöhnlich zu ungewisser Stunde durch die Nacht zu erwarten war. Am Landungsplatze war schlechte Unterkunft, ein nach Guano duftendes Waarenhaus, dessen schmuzstarrender Boden mit Guano, Reis, Mais und anderen Säcken beworfen und mit einer zähen Mischung von Theer, Rosin und Molasses bedeckt war.

Wohl kann man hier auf einem Reissacke zu schlafen versuchen, woran man aber gründlich durch die in der Nacht von 75 bis 85 Grad Fahrenheit bis zu 50 herabsinkenden Temperatur verhindert wird. Um nun dieses unter solchen Umständen nichts weniger als angenehme Warten, der Insecten nicht zu gedenken, zu verkürzen, nahmen sich zwei in der Nähe wohnenden Leute unser an, luden uns zu ihrem aus Wildpret bestehenden Nachtmahl ein und machten uns den Aufenthalt bis neun Uhr so angenehm als möglich.

Als ich vor unserem Fortgehen noch durch das Fenster sah, zeigte sich mir wieder eines der eigenartigen in Florida so verschieden, durch den weissen Sand und das Mondlicht hervorgezauberten Landschaftsbilder. Vor dem Hause zog sich eine Landstrasse oder Weg hin, über der Strasse und ebenso zu beiden Seiten sah man in den Nadelwald hinein. — Der Mond warf gerade so viel Licht, um den feinen weissen Flugsand der sich auf den Aesten und Nadeln der Waldbäume abgesetzt hatte, sowie den weissen Sand des Waldbodens und der Strasse, als glitzernden Frost und Schnee erscheinen zu lassen. Unwillkürlich musste man sich leicht schütteln, wenn man vom warmen Kaminfeuer hinaus in die kühle Atmosphäre trat und sich in diesem Trugbild, umgeschaut hatte.

Am Waarenhause angekommen, gingen wir sogleich, auf Anleitung meines Schwagers der derartiges Campiren wohl gewöhnt war, an's Werk, so viel Holz aus einigen in der Nähe liegenden unbebauten Feldern zusammen zu stch — tragen, als für einige Tage zur Nahrung unseres Feuers nöthig war. Man hielt sich nun zum Feuer bis der Schlaf sich meldete, legte sich dann auf einen Reissack im Innern des Waarenhauses bis man immer wieder mit eiskaltem Rücken erwachte, um schleunigst wieder das oft niedergebrannte, im Nebel verblichene Feuer aufzusuchen. Kein Dampfer wollte sich zeigen und als endlich der Tag graute, gehen wir zum Wasser um uns die geräucherten Augen zu erfrischen, nehmen aber mit grossem Missbehagen war, dass die Oberfläche des Flusses am Morgen mit fusshoher Sumpfluft beladen war, welche keineswegs durch Blumenduft entstanden sein konnte.

Drei einander schnell folgende, auf dem Wasser weithin schallende Schüsse, lassen sich hören und gleich darauf durchschneidet auch die Pfeife des Dampfers die dicke Luft, während das Dampfboot langsam um eine Biegung des Flusses heraukommt. Auf dem Boote befanden sich drei Jäger, die im Begriffe waren auf eine Jagd und Fisch-Expedition zu gehen. Als das Dampfboot um die Biegung fuhr, zeigten sich zwei Truthähne in einem der alten Felder. Nach diesem Wilde hatten die Jäger ohne Erfolg ihre drei Büchsenschüsse abgefeuert.

Kurz darauf nahm man uns auch an Bord, um unsere Rückfahrt nach der golfbekränzten Stadt Apalachicola anzutreten, um wenige Tage später, wieder dem Norden, ohne Unterbrechung, Tag und Nacht zuzufliegen.

(Schluss folgt.)

Vorläufige Uebersicht der Ornis des Weissenburger Comitates in Ungarn.

Von Ladisl. Kenessey von Kenese.

(Fortsetzung.)

211. Gallinago gallinula (L.) Am Zuge häufig; kommt Ende März; steht sehr schwer auf; einige brüten nach Sziklas Beobachtungen hier[1]), zieht im October ab.

[1]) Jahresber. 1883, p. 338.

212. Scolopax rusticula (L.) Kommt Mitte März und zerstreut sich in den Wäldern an nassen Stellen; der Strich dauert bis Mitte April; besonders, wenn es in nördlichen Gegenden schneit oder Kälte eintritt, wo sie sich dann wieder nach Süden zurückzieht. Sie wird meistens Abends gejagt. Wenn das Wetter wärmer wird, zieht sie fortwährend nach Norden. Im Herbste zieht sie nach dem ersten Reife abwärts; zieht Mitte October ab.

213. Phalaropus hyperboreus (L.) Seltener Durchzügler; 2. Juni 1887 erlegte v. Chernel in Velencze ein falzendes ♂[3]), 1890 zog er vom 17. August bis 22. September fortwährend am See. Während des Durchzuges haben, von Madarász, die Gebrüder von Meszleny und von Chernel 9 Stück im Winterkleide erlegt. Sie waren zumeist zahlreichen Tringa-Schwärmen zugesellt, nur einmal schwammen 3 Stück allein im Wasser herum. Sie waren wenig scheu[3]).

25. September 1891 erlegte von Chernel bei Velencze wieder 2 Exemplare; ich sah eines am 23. August gelegentlich einer Treibjagd.

214. Rallus aquaticus (L.) Kommt Anfangs April zahlreich; reist im October ab.

1853/54 überwinterten sie in den Sümpfen von Ercsi; ein ♂ ann. hyem. vom 12. Jänner 1854 jenes Jahres steht im National-Museum[4]).

215. Ortigometra crex (L.) Um den Velenczeer See sparsamer; im Sárrét gemein; heuer kamen ungeheuer viele und brüteten selbst in Pettend in Folge des regnerischen Sommers, im Klee und Hafer. Kommt Mitte April an; nach der Brut schweift er herum, im September und October wieder zahlreich und bleibt manchmal bis November.

216. Ortigometra porzana (L.) Kommt sparsam Mitte April; zieht Mitte September ab.

217. Ortigometra pygmea Naum. 1882 ein Exemplar in einem Garten gefangen.[5])

218. Ortigometra pusilla Gm. Sparsam; kommt Ende März; steht schwer auf; verreist im September.

219. Gallinula chloropus (L.) Sparsam; kommt Anfangs April; brütet im Mai; verreist im September.

220. Fulica atra (L.) Ungemein häufig; kommt Anfangs März; zieht im November ab.

221. Podiceps cristatus (L.) Gemein; kommt Ende März und Anfangs April; Brutzeit: Mai und Juni. Abreise Ende September, Anfangs October.

222. Podiceps griseigena Bodd. Gemein, aber seltener als cristatus; brütet selten hier.

223. Podiceps auritus (L.) Zugart; 11. Mai 1890 sah v. Chernel in Dinnyés 3 Stück; den 13. Mai 2 Stück in Velencze[1]).

224. Podiceps nigricollis Sunder. Gemein, April, October.

225. Podiceps minor (L.) Sehr gemein; Ankunft: April; Brutzeit: Mai; Abreise: November.

226. Colymbus septentrionalis (L.) Zwei am Velenczeer See erlegte Exemplar im Winterkleide bei Grafen Szápáry in Velencze[2]).

[2]) Zeitschr. f. d. ges. Orn. IV. p. 189; Mitth. a. orn. Ver. XI., p. 166.
[3]) Orn. Jahrb., II., p. 31, 168.
[4]) Frivaldszky, l. c., p. 152.
[5]) Jahresber. 1883, p. 326.
[1]) Orn. Jahrb., II., p. 170.
[2]) Jahresber. 1883, p. 334.

227. Colymbus arcticus (L.) Im Spätherbste ordentlicher Gast; ist nicht scheu, sondern im Gegentheil frech; P. v. Meszleny erzählte mir eine interessante Beobachtung: Voriges Jahr wurde zu ihm, sowie zu seinem Bruder, je ein Exemplar gebracht. Erstens hielt er ihn im Zimmer, wo er jedoch eine Woche lang, ohne etwas zu fressen, sass. Da liess ihn Meszleny in einem Quellwasserteiche im Parke; hier wurde er munter, tauchte unablässig und verschluckte begierig die vorgeworfenen Fische. Menschen und Thiere verfolgte er in Sprüngen und hieb mit dem Schnabel auf sie los. Im December begann das Wasser des Teiches zuzufrieren und er wurde auf eine immer engere Fläche gedrängt; als endlich nur der Quell offen blieb, sass er beständig dort am Rande des Eises und tauchte wenn jemand nahte. Später kam das Thier in's Budapester Vivarium.

228. Mergus merganser (L.) Sparsam im Spätherbste und im Vorfrühjahre. Das Fischervolk nennt ihn „gönczögégér".

229. Mergus serrator (L.) Selten; ♂ im Gymnasium; ♂ im Sommerkleide vom 4. Mai 1890 aus Dinnyés im National-Museum[3]).

230. Mergus albellus (L.) Im Spätherbste sparsam; im Vorfrühjahre häufig.

231. Erismatura leucocephala Scop: Am Frühjahrszuge; im Mai 1887 sah man auch ein Stück, sonst sieht man sie gewöhnlich nur im März. Wie P. v. Meszleny behauptet, fallen ein, zwei Stücke jedes Frühjahr auf den Jagden.

232. Oidemia fusca (L.) Ein Exemplar erlegte Szikla den 17. März 1882 in Velencze[4]).

233. Harelda glacialis (L.) ♂ aus Velencze im National-Museum[1]) 2 Exemplare erlegte Szikla 1882 in Velencze.

234. Bucephala clangula (L.) Gewöhnlich im Vorfrühjahre und im Spätherbste; es kommen meistens nur Junge.

235. Fulix marila (L.) Mitte December 1883 6 Stück bei Alba[2]), 3 Exemplare 11. December 1885 bei Stuhlweissenburg erlegt; ♀ vom 6. December 1885 aus Stuhlweissenburg im National-Museum[3]).

236. Fulix cristata (L.) In grossen Schaaren am Zuge; heuer blieben sie aus.

237. Aithyia[4]) ferina (L.) Gemein; kommt Ende März; brütet im Rohre im Mai und Juni; reist im October ab; ist wenig scheu; das Volk nennt sie „Chocoladenente."

238. Nyroca leucophtalmos Bechst: Gemein; kommt im März; verreist im October; einzelne überwintern.

239. Chaulelasmus streperus (L.) Massenhaft gemein; kommt Ende März; brütet im Juni; verreist im October.

240. Spatula clypeata (L.) Gemein; kommt Anfangs März; brütet nicht immer hier; heuer brüteten mehrere; verreist im October.

241. Querquedula circia (L.) Gemein; Ankunft Ende März; brütet Ende April; bleibt bis November hier.

242. Querquedula crecca (L.) Kommt Ende Februar und Anfangs März; brütet nicht hier; verreist Ende October und Anfangs November; überwintert manchmal bei offenen Spiegeln.

243. Anas boscas (L.) Gemein; kommt Ende Februar; brütet auf Bäumen, Wiesen etc.; das Fischervolk behauptet, dass die Alten die Jungen den zweiten Tag ihres Lebens einzeln auf's Teichufer tragen und sie auf ihren Rücken drehen, dass sie ja nicht ablaufen; wenn alle hinbefördert wurden, werden sie wieder auf die Füsse gedreht und in's Wasser geführt. Szikla erklärt dies für unhaltbar[5]); verreist im November.

244. Dafila acuta (L.) Gemein am Durchzuge im März und November; selten brütend.

245. Marea penelope (L.) Gemein am Zuge; besonders im März und October.

246. Casarca rutila Fall: ♂ ad. vom 8. Mai 1853 aus Nagy-Loók im National-Museum[6]).

247. Tadorna cornuta (S. Gm.): ♂ sass und schoss an v. Chernel den 22. November 1887 in Velencze; ging jedoch in Verlust[1]).

248. Branta bernicla (L.) 2 Exemplare erlegte Szikla den 18. März 1883 bei St. Agota; wurde anfänglich mit B. leucopsis verwechselt[2])

249. Chen hyperboreus Pall: 2 Exemplare 15. Jänner 1886 bei Sz. György beobachtet[3]).

250. Anser cinereus (Gm.) Gemein bei Dinnyés brütend, am Zuge aller Orten: März, October.

251. Anser segetum (Gm.) Gemeiner Wintergast; October, März. Exemplare vom 26. Juli 1891 aus Dinnyés im National-Museum[4]). Ueber ihre hier geführte Lebensweise schrieb ein Ornithologe anonym einen vortrefflichen Aufsatz in „Vadászlap" VIII. p. 441.

252. Anser arvensis (C. L. Br.) Wie die vorige, jedoch sparsamer.

253. Anser brachyrynchus Baill: Exemplare 5. November 1887 aus Ágota im National-Museum[5]).

254. Anser albifrons Bechst: Selten; 2 Exemplare aus mehreren 20. Februar 1886 bei Stuhlweissenburg erlegt[6]).

255. Anser erythropus (Gm.) 2 Exemplare am 17. October 1890 am Stuhlweissenburger Marktplatze.

256. Cygnus musicus Bechst: 6 Stück, Mitte November 1887 bei Dinnyés am See[7]); daselbst am 10. März 1890, 2 Stück[8]).

257. Cygnus olor. (Gm.) Verirren sich manchmal auf den See; in den 70er Jahren 1 Stück am See[9]); am 17. August 1891, 1 Exemplar während

[3]) Vgl. Orn. Jahrb., II, p. 80, 169 Frivaltzky l. c. 160.
[4]) Jahresber. 1880, p. 356.
[1]) Frivaldszky l. c., p. 152.
[2]) Jahresber. 1888.
[3]) Frivaldszky l. cit., pag. 163.
[4]) Stamm vom griechischen Worte: αἴθυια — Taucher: also nicht Aythya.

[5]) Ueber das Fortr. junger Stocke d. d ♀. Mitth. d. orn. Ver., XI, p. 115.
[6]) Vgl. Zeitschr. f. d. ges. Ornith., I. p. 23; Ornith. Jahrb. II., p. 32, Frivaldtzky l. c., p. 171.
[1]) Mitth. d. orn. Ver., XII., p. 8.
[2]) Jahresber. 1883, p. 346, Orn. Jahrb. II., p. 80 Frivaldsky, l. c., p. 168.
[3]) Jahresber. 1883, p. 315. Orn. Jahrb. II., pag. 32.
[4]) Mitth. d. orn. Ver., p. 181, p. 206.
[5]) Mitth. d. orn. Ver., XII., p. 8, orn. Jahrb., p. 303, Friwaldszky l. c., p. 173.
[6]) Jahresber. 1886, p. 311.
[7]) Mitth. d. orn. Ver., XII. p. 8.
[8]) Orn. Jahrb., II., p. 169.
[9]) Jahresber. 1883, p. 346.

der Treibjagd bei Veleneze gesehen; 6 September in Dinnyés erlegt; 18. September wieder 1 Stück; 5. Mai brütete im Parke zu Moha das ♀, als ich es betrachtete wollte mich das ♂ mit Tauchen und Schnabelhieben vertreiben; interessant ist es, dass daselbst auch 2 einjährige Junge (♂ ♀) balzten, jedoch keine Brut hervorbringen konnten.

258. Stercorarius parasiticus (L.) Mitte September 1887 Exemplar in Veleneze erlegt[*]); Szikla sah den 7. October 1888, 3, den 12. September 2 Stück am See[16]).

(Fortsetzung folgt.)

211. Kleine Bekassine.
212. Waldschnepfe.
213. Wassertreter.
214. Wasserralle.
215. Wiesenralle.
216. Gespr. Sumpfhuhn.
217. Zwerg-Sumpfhuhn.
218. Kleines Sumpfhuhn.
219. Teichhuhn.
220. Wasserhuhn.
221. Haubentaucher.
222. Rothhals. Taucher.
223. Ohrensteissfuss.
224. Schwarzhalsiger Taucher.
225. Kl. Lappentaucher.
226. Nordseetaucher.
227. Polarseetaucher.
228. Grosser Säger.
229. Mittlerer Säger.
230. Kleiner Säger.
231. Ruderente.
232. Sammetente.
233. Eisente.
234. Schellente.
235. Bergente.
236. Reiherente.
237. Tafelente.
238. Moorente.
239. Schnatterente.
240. Löffelente.
241. Knäkente.
242. Krickente.
243. Stockente.
244. Spiessente.
245. Pfeifente.
246. Rostente.
247. Brandente.
248. Bernickelgans.
249. Schneegans.
250. Graugans.
251. Saatgans.
252. Feldgans.
253. Rothfüssige Gans.
254. Blässengans.
255. Zwerggans.
256. Singschwan.
257. Höckerschwan.
258. Schmarotzer Raubmöve.

Aus Heinr. Gätke's „Vogelwarte Helgoland".

(Fortsetzung.)

Richtung des Wanderfluges.

Wendet man sich von dem allgemeinen Bilde des Vogelzuges den einzelnen Erscheinungen desselben zu, so ist es vor Allem die Richtung des Fluges der dahineilenden Schaaren, welche die Aufmerksamkeit des Beobachters in besonderer Weise fesselt. Der Vorgang scheint sehr einfach zu verlaufen, so lange sich die Forschung nicht über den Horizont des Standortes hinaus erstreckt, versucht man jedoch den Pfad der Wanderer bis zu seinem Endziele zu verfolgen, so gestaltet sich die Frage oft zu einer anscheinend unentwirrbaren; namentlich ist dies der Fall, betreffs des Herbstzuges, welcher die Vögel von der Heimat bis zu den meist sehr fernen Winterquartieren führt. Der Verlauf des Frühlingszuges ist dagegen ein sehr einfacher.

Ein grosser Theil der Wanderer bewegt sich zwischen Ost und West, ein anderer zwischen Nord und Süd. Solche Arten, denen die westlichen Länder Europas noch keine genügenden Winterquartiere bieten, brechen dort ihren Westflug ab, um in südlicher Richtung weiter zu ziehen; diejenigen jedoch, deren Herbstzug ein südlich gerichteter ist, halten diesen Flug von den Brutstätten bis zum Ende der Reise inne, manche derselben unter einer geringeren oder bedeutenderen östlichen Abweichung.

Vorherrschend wird der Zug in einer breiten Front zurückgelegt, die bei den westlich wandernden der Breitenausdehnung ihres Brutgebietes entspricht und bei den südwärts ziehenden der Längenausdehnung ihrer Niststätten gleichkommt. Die in neuerer Zeit viel besprochene Ansicht, dass die wandernden Vögel den Richtungen von Meeresküsten, Stromgebieten oder Thalsenkungen, als festen Zugstrassen folgen, dürfte nicht haltbar sein; ihr widersprechen zu viele Thatsachen, unter welchen, als eine der schlagendsten, der Flug des am fernsten von Helgoland heimischen seiner Besucher, des Richard-Piepers, angeführt werden möge. Wie viele grosse Ströme nebst der Uralkette derselbe während seiner Reise von Daurien bis Helgoland allherbstlich in einem fast rechten Winkel überfliegt, weist schon ein flüchtiger Blick auf die Karte auf das schlagendste nach.

Was hier auf Helgoland von der Wegrichtung der ziehenden Vögel zur unmittelbaren Wahrnehmung gelangt, d. h. was man am Tage zu sehen oder während der Nachtstunden an den Lockrufen der überhinziehenden Wanderer zu erkennen vermag, und was von allen so zur Beobachtung kommenden Arten und Individuen strenge eingehalten wird, ist ein im Herbste von Ost nach West gerichteter und im Frühjahre in entgegengesetzter Richtung verlaufender Flug. Seltene Abweichungen hiervon übersteigen ein bis zwei Compassstriche nicht.

Auf diesem einfach westlich gerichteten Herbstzuge erreichen jedoch nicht alle Arten die Gebiete ihres Winteraufenthaltes, sondern viele derselben haben sich früher oder später südwärts zu wenden, um in die entsprechenden tieferen Breiten zu gelangen; bei manchen Arten wird die ursprüngliche westliche Flugrichtung während der ganzen ungeheuren Wegstrecke von den östlichen Amurländern bis zum westlichen Spanien eingehalten, dort erst südlich abbiegend, um bei Gibraltar das Mittelmeer zu überschreiten; andere, höher nördlich heimisch, wenden sich in England südwärts, um über den Kanal nach Frankreich oder über das Biscayische Meer nach Spanien zu gelangen; und noch andere, aus dem hohen Norden des europäischen oder asiatischen Russlands stammend, thun dies schon im oberen Scandinavien. Dass eine solche Aenderung der Flugrichtung nicht etwa durch Erblickung des Meeres veranlasst werde, geht daraus hervor, dass die ziehenden Schaaren schon lange vor Erreichung desselben ihren Kurs ändern; es gelangt z. B. die graue Krähe nicht bis in das westliche England, sondern wendet sich schon in der Mitte des Landes südwärts.

Den westlich gerichteten Herbstzug der am Tage ziehenden Vögel bringen neben Bussarden, Staaren, Lerchen, Seglern, Regenpfeifern, Brachvögeln und Gänsen ganz besonders deutlich zur Anschauung die zahllosen Schaaren der meist sehr niedrig ziehenden Krähen, Corvus cornix.

[16]) Mitth. d. orn. Ver., XII, p. 8, orn. Jahrb. II., p. 33.

Das Brutgebiet dieser Art erstreckt sich ostwärts bis Kamtschatka; nach den langjährigen Beobachtungen Eugen v. Homeyer's kommen in Pommern die wandernden Flüge von Osten her an und ziehen in westlicher Richtung weiter; diejenigen dieser Wanderer, welche in Holstein übernachten, treffen hier in Helgoland um acht Uhr in der Frühe ein, von da an folgt, in Hunderten und Tausenden Schaar auf Schaar ohne Unterbrechung bis etwa um zwei Uhr Nachmittags; alle werden am östlichen Horizont sichtbar, diejenigen der breiten Front ihres Zuges, welche hinter der nördlichen Spitze der Dünenhügel auftauchen, ziehen in gerader Linie über Helgoland dahin, was eine genaue ost-westliche Flugbahn ergibt, sie verschwinden im fernen Westen über dem Meere, der Küste des mittleren England zusteuernd; dort werden sie wiederum so genau östlich am Horizont sichtbar, dass der Volksmund ihnen daraufhin den Namen Dänische Krähen beigelegt hat. Aber auch jetzt endet dieser westlich gerichtete Flug noch nicht ganz. Der eifrige Forscher John Cordeaux, dessen Beobachtungsgebiet an der Ostküste Englands in gleicher Breite mit Helgoland liegt, theilt mir mit, dass solche Schaaren ziehender Krähen nach Erreichung der dortigen Küste sich nicht sofort niederlassen, sondern ihren Weg landein in westlicher Richtung verfolgen, und Stevenson (Birds of Norfolk I. p. 261) führt an, dass auch noch im Innern des Landes Hunderte dieser Vögel während des Herbstzuges in westlicher Richtung ihren Flug fortsetzen. Ein Theil der so Zugezogenen verbringt den Winter im östlichen England, bis in seine westlichen Theile gelangen nur einzelne derselben, denn Rodd (Birds of Cornvall und Scilly Islands p. 64) sagt, dass er die graue Krähe nur als zufälligen Besucher aufführen könne. Nach Irland erstreckt sich der Zug ebensowenig; es leben zwar daselbst Krähen, diese sind aber dort heimisch und verlassen das Land nicht, auch findet kein Zuzug statt, denn nach den eingehenden Beobachtungen und Mittheilungen Thompsons (Natural History of Ireland. Vol. I Birds. p. 310) steigert oder vermindert sich zu keiner Zeit des Jahres die Zahl derselben.

Für all' die Millionen von Krähen, welche jeden Herbst von hier aus über die Nordsee nach England fliegen, bieten nun aber die östlichen und mittleren Provinzen des Landes auch nicht entfernt genügenden Raum, um daselbst überwintern zu können. Da sie nach Rodd und Thompson weder das westliche England, noch Irland erreichen, und nach Stevenson in Norfolk nur noch nach Hunderten zählen, so ergibt sich, dass sie schon sehr früh über den Canal nach Frankreich gehen und demnach ihren weiten Westflug durch einen südlich gerichteten Abschluss beenden.

Wenn in dem Vorhergehenden nun auch nur eine in ost-westlicher Richtung zurückgelegte Wegstrecke von nahezu zweihundert Meilen nachgewiesen worden, so darf dieser Nachweis wohl die Annahme rechtfertigen, dass all' die endlosen Schaaren dieser Krähen, deren Individuenzahl weit über die Möglichkeit irgend einer auch nur annähernden Schätzung hinaus liegt, vom Beginne ihres Zuges schon diese Richtung eingehalten haben, und in der That kann auch nur ein Brutareal, welches von der Westgrenze Russlands sich ostwärts bis nach Kamtschatka erstreckt, einen Wanderstrom von solcher Mächtigkeit hervorbringen, wie ihn diese Krähen während des ganzen October und einem grossen Theile des November allherbstlich hier darbieten.

Mit welcher Beharrlichkeit, oder besser, Hartnäckigkeit die Flugrichtung der ziehenden Vögel eingehalten wird, auch dafür liefern diese, vorherrschend niedrig ziehenden Krähen einen sehr schlagenden Beweis. Es geschieht nämlich während des Herbstzuges öfter, dass sie hier draussen in See in einen stärkeren Wind hineingerathen, als ihnen zusagend ist; hierzu gehört besonders ein heftiger Südost. Um der Unannehmlichkeit zu entgehen, dass dieser Wind ihnen schräg von hinten in das Gefieder wehe, wenden sie den Körper südwärts, anscheinend in dieser Richtung fliegend; dem ist aber nicht so: nicht die geringste Vorwärtsbewegung findet statt, sondern der Flug geht ebenso genau westwärts, und mit derselben Geschwindigkeit von statten, als ob die Vögel unter günstigen Umständen geradeaus, d. h in der Achsenrichtung ihres Körpers sich dahin bewegten. Die über dem Scheitel des Beobachters dahinziehenden Schaaren veranschaulichen dies in überzeugendster Weise

Nicht allein die Krähen, sondern auch manche, vielleicht alle anderen Arten besitzen die Fähigkeit, sich nicht nur unter zwingenden Einflüssen während ihrer Wanderflüge, sondern auch während ihrer täglichen Lebensthätigkeiten einer solchen seitwärts gerichteten Flugbewegung und beliebiger Beschleunigung derselben sowohl für vorübergehende Zwecke, wie andauernd zu bedienen. Anfänglich glaubte ich, dass die Krähen, als nicht sehr ausgezeichnete Flieger, gleich einem schlecht segelnden Schiffe, bei heftigem Seitenwinde ebensoviel Abtrift leewärts hätten, als sie geradeaus flögen, und dass solcherweise ihre Zugrichtung sich demnach ziemlich genau west gestalte. Fortgesetzte Beobachtungen haben mich jedoch von der Hinfälligkeit dieser Auffassung überzeugt; auch habe ich in zahllosen Fällen nicht nur Krähen, sondern auch Bussarde, namentlich auch Wespenbussarde, einen gleichen Wanderflug innehalten sehen; Möven, besonders Larus marinus, argentatus und canus bieten den Anblick eines schnelleren oder langsameren, im rechten Winkel mit der Achsenlage ihres Körpers, bald rechts bald links sich bewegenden Fluges täglich und stündlich dar.

Einen weiteren Beleg für den fern von Ost nach West gerichteten Herbstzug bietet der Wespenbussard. Die Brutzone dieser Art erstreckt sich unterhalb des Polarkreises von Skandinavien aus durch das europäische und (nach Pallas) ganze mittlere asiatische Russland. Es muss dieser Bussard in den endlosen Wäldern dieser letzteren beiden Gebiete thatsächlich sehr zahlreich brüten, denn nur so ausgedehnte Nistreviere können eine solche Anzahl von Individuen hervorbringen wie hier manchmal im Laufe des September auf westlich gerichtetem Wege vorüber ziehen.

(Fortsetzung folgt).

Der Dorndreher in der Gefangenschaft.

Schon von jeher hatte ich eine grosse Vorliebe für obengenannte Vögel gefasst, und ich erinnere mich noch lebhaft, als ich eines Tages als ganz kleines Mädchen mit meiner Grossmutter auf einem Spaziergange beim Fenster eines Bauernhauses, zwei dem Neste entnommene Dorndreher sah, ich nicht eher ruhte, als bis mir dieselbe auf langes Bitten die Vögelchen kaufte.

Wer war froher als ich! Mit rohem, länglich geschnittenem Rinderherz wurden dieselben aufgezogen und gediehen prächtig, dabei wurden sie so zahm und zutraulich, wie ich es noch an keinem anderen Vogel bemerkt hatte.

Doch leider die Freude daran währte nicht zu lange, denn schon im ersten Jahre bei der Mauser stellten sich die Federn nicht mehr so recht ein, und die Thierchen giengen zu Grunde.

Ich hatte dann in späteren Jahren noch oft Thiere dieser Gattung aufgezogen, doch hielten sie sich ebenfalls immer nur kurze Zeit im Käfig.

Man sagt diesen Vögeln nach, sie zerstörten die Nester der Singvögel, fressen deren Junge, so dass, wo Dorndreher wären, keine Singvögel anzutreffen seien, und doch hatten wir noch in keinem Garten so viele Singvögel, namentlich Grasmücken, als in Mauer, wo wir unseren Sommer-Aufenthalt nahmen, und gerade dort wimmelt es so zu sagen von Dorndrehern.

Hier war es nun, wo ich eine Episode erzählen will, die vielleicht manchen Vogelfreund interessieren dürfte. Es war eines Nachmittags, als die Kinder unseres Hausmeisters mir einen jungen Dorndreher brachten, den sie im Garten gefunden, wo er wahrscheinlicherweise aus dem Neste gefallen war.

Ich liess mir die Stelle zeigen, wo das Thierchen gelegen, doch konnte ich mit aller Mühe kein Nest finden, um es wieder zurückgeben zu können. Nun beschloss ich dasselbe aufzuziehen, ihm jedoch sobald es flügge sein würde, die Freiheit zu schenken.

Es kostete gar keine grosse Mühe den Vogel zum Sperren zu bewegen, und mit rohem Rinderherz in Wasser getaucht und frischen Ameiseneiern genährt, gedieh er prächtig.

Nach einigen Wochen als er schon selbst Nahrung aufnahm, sollte ihm nun die Freiheit geschenkt werden.

Ich trug seinen Käfig in den Garten, öffnete, und husch war er am nächsten Baum und besah sich von hier aus seine neue Welt. Aber nicht lange dauerte es, als er wieder zurückflog, zu schreien begann und mich, wie er es gewohnt war, um etwas bat, sei es ein Mehlwurm od. dgl. Mich belustigte die Geschichte und wir wiederholten dasselbe Manöver einige Male.

Als es nun gegen Abend gieng, beschloss ich ihn wieder über Nacht in den Käfig zu setzen, am andern Tage ihn aber nochmals frei zu lassen.

Schon am nächsten Morgen machte er grössere Ausflüge, kehrte aber immer wieder zur Stelle zurück, wo ich mit meiner Familie sass, flog bald auf unseren Stuhl, bald auf den Tisch, um sich einen Leckerbissen zu holen, liess sich gutwillig fangen, ohne nur ihm geringsten scheu zu sein. Tagtäglich vergrösserte er seine Ausflüge blieb oft halbe Stunden lang aus, kehrte aber immer wieder.

Endlich kam der Herbst, und es hiess zur Stadt zurück.

Meinen herzigen „Butzerl", mit welchem Namen wir ihn riefen, liess ich aber nicht da, er war mir zu lieb geworden, er musste mit.

Doch auch bei im, trotzdem er den ganzen Sommer die Freiheit genossen hatte, stellte sich, wie bei den anderen im Käfig gehalten Thieren, die Mauser schlecht ein und er erhielt nur ein etwas zausiges Federkleid. Den kommenden Sommer hatten wir unser Domicil in Rodaun aufgeschlagen und auch hier flog er wieder frei im Garten herum, trotzdem ihm doch die Gegend ganz unbekannt war.

Da ihm aber das fliegen einestheils schon schwerer fiel, anderntheils aber im Hause selbst sehr viele Katzen waren, so konnte ich ihm immer nur die Freiheit schenken, wenn ich selbst im Garten zugegen war.

Die zweite Mauser überstand er nicht mehr, eines schönen Morgens lag er todt im Käfig.

Purkersdorf im Februar 1892. B. N.

Nachschrift der Redaction: Die anscheinend robusten Würger-Arten bedürfen in der Gefangenschaft sorgfältigster Pflege und müssen besonders während der Mauser gleich den zartesten Sängern behandelt werden. Da diese während der kalten Monate Jänner bis Februar vor sich geht ist besonders jeder Temperaturwechsel, sowie Zugluft sorgfältigst zu vermeiden. Das Futter dieses Vogels muss sehr nahrhaft sein, einige Stückchen rohes Herzfleisch, sowie täglich etwa 20 Mehlwürmer während der Mauser dürfen nie fehlen.

Für Taubenzüchter.

Von A. V. Curry, Wien-Währing.

Die complicirte Zusammensetzung der verschiedenen Organismen mit ihren so mannigfachen Bedingungen des Lebens und Gedeihens, wie der fortgesetzte Kampf um die Existenz aller lebenden Wesen, fordern nothgedrungen die aufmerksamste Beachtung und Beobachtung aller äusseren Erscheinungen heraus, will man deren Ursprung, Ursache und Wirkung finden und zwischen Vor- und Nachtheil hingeleitet, allmälig den Pfad entdecken, der uns in diesem stummen Reiche des Werdens und Vergehens auf dem schwachen Stabe einiger Erfahrungen gestützt, dahinwandern lässt, zu dem von uns selbst bis in nebelhafte Ferne vorgerückten Ziele. Spiegelt sich doch im einfachsten Wesen die erhabene Idee der seelenbildenden, vollendeten Natur; wie ein Uhrwerk von unnachahmbarer Kunst klappt hier Rad in Rad, jeder Anblick findet Räthsel, die viele versuchen, aber wenige lösen, und unserer Unwissenheit nicht immer bewusst, entschlagen wir uns gerne selbst der nothwendigsten Mühe, erst die Stufen zu erbauen, bevor wir es versuchen, zu jener Höhe emporzusteigen, die unseren Gesichtskreis erweitern und dem Blicke einen winzigen Bruchtheil jener Geheimnisse offenbaren soll. Die einfachste Pflanze, die auf spärlichem Felsboden kümmerlich vegetirt, versetzen wir sie an geschützteste Stelle in üppigsten Gartenboden und sie welkt und stirbt dahin, das Vöglein des Waldes, das wir, der Sorgen seines Daseins enthebend, in's Bauer sperren, es endet viel rascher seinen Lebenslauf, und so winkt überall Verderben, wo die natürlichen Bedingungen des Lebens aufgehoben und die angepasste Fürsorge der Natur in ihrer Ausübung gehindert ward. Aehnliche Bedingungen des Lebens bestehen auch für jene Organismen, bei welchen es gelungen, sie aus der freien Heimat der Natur mit Erfolg in's Bereich unserer Willkür zu verpflanzen. Wohl Keinen gibt es, dem all' diese Bedingungen bekannt sind, wenige, die ihr Denken daran setzten, viele, die sich gar nicht darum kümmern und in der Passion allein den Zauberstab erblicken, der den Vorhang der Natur zum Heben bringen und das grosse Bild der unendlichen Weisheit offenbaren soll. Und so sehen wir denn Tausende von Schiffen segeln, die glückliche Insel suchend, im endlosen Meere, das Dünkel zum Compass, im Geleite betrüglicher Sterne herumgewirbelt, steuern sie niemals zur Höhe des Meeres und gelangen nie an das Land jenes Glück's, was heute umsonst war, wird morgen vergebens und so schwinden die Jahre dahin.

Fordert schon das einfachste Handwerk seine Lehrzeit, um wie viel mehr die kunstvolle Nachahmung der Natur in Schaffung von Gebilden, die wir nach idealer Vorstellung zu lebender Gestalt erwecken wollen. Unsere Rückerinnerungen sind erfüllt von Phasen naivster Ideengänge, die erst der durch Erfahrung gereifte, durch Schaden und Vortheil gewitzigte Verstand begreifen kann. Denken wir zurück, was uns einst gehindert hat, unsere Lehrjahre zu kürzen und früher jene Höhe zu erklimmen, die uns den erweiterten Horizont der Gegenwart geschaffen, so gelangen wir zu der Erkenntniss, dass es nichts als Eigendünkel, Eigensinn und völlige Geringschätzung des Umstandes gewesen, dass es ohne Lernen auch in der Taubenzucht kein Wissen und ohne Uebung darin keinen Meister gibt. Glücklich sind sie in ihren Erfolgen, die frühzeitig den Standpunkt dieser Einsicht acceptirt, aber eine Menge der jüngeren Genossen steht davon noch abseits, und noch mehr der älteren liegt sclavisch in den Ketten alter Gebräuche gefangen, die ihren Erfolgen ewig widerstreiten.

Auf keinem Gebiete vielleicht ist die Störrigkeit so gross, als auf dem unseren. Die Hartnäckigkeit, mit welcher so Mancher an der verfehltesten, aber einmal eingebildeten Methode festhält, vermag nicht einmal der crasseste Misserfolg zu brechen. Pessimist vom Scheitel bis zur Sohle, wittert ja ein solcher Falschheit in jedem wohlgemeinten Rathe und sieht in den Erfolgen Anderer nur das Walten eines dummen Glückes, nicht im Entferntesten die Consequenz eines durch Talent, Wissbegier und Studium geschaffenen, weiseren Systemes. Eine Zeitung lesen, ist für sie ganz überflüssig, und Jene, die es thun, ziehen daraus wenig oder keinen Nutzen, weil sie es einmal nicht glauben können, dass es auf der Welt noch solche Taubenzüchter gebe, die, edler denkend als wie sie, ihre Erfahrungen und besten Gedanken der Allgemeinheit widmen, sobald solche nur einmal die ihrigen geworden. Und dieser blasse Neid! Das Unglück des Nächsten wird Jenem zur Wonne, der Erfolg des Einen, dem Anderen zur Marter. Die bewunderungswürdigsten Leistungen eines Mitgenossen, wie die fortgesetzten eigenen Schlappen erschüttern nicht die Ueberzeugung solcher Dickköpfe, dass ausser ihnen Jeder nur ein naiver, armseliger Tropf sei. Dem begabtesten Fachmanne dem „Kenner" absprechen, ist Regel. Ueber Anderer Tauben spötteln sie so lange, bis solche die ihrigen geworden, sind aber von da ab empfindlich über Alles, wenn man den früheren „Schund" nunmehr für etwas anderes als für Perlen zu betrachten wagt. Stellen sie wo aus, so sind sie eine helle Plage für Comité und Preisrichter, üben sie aber selbst solche Functionen aus, dann gibt es ein Spreizen, das weit über die Decke ihrer Würde reicht. Als Vereinsmitglieder bilden sie das Centrum aller Unzufriedenen, wittern in gemeinnützigsten Handlungen nur egoistische Impulse, verschleiern das Verdienst des Anderen nach Kräften, weil ihnen der Glanz desselben ihre Augen blendet, und so geht es fort bei solch' verkörperten Extremen, dass man schier zum Glauben neigen möchte, es habe hier ein böser Dämon alle Teufeln der Hölle in Taubenzüchter umgewandelt. Wenn solche Charaktersonderlinge unseren denkenden jüngeren Genossen auch nicht zur Nachahmung hinreissen, so wird es diesen doch nicht immer möglich, unter solchen Traufen mit völlig trockenen Kleidern durchzukommen und es bleiben ihnen sehr leicht Anschauungen haften, welche der schönen Einfalt des Charakters, wie der Zartheit ihrer edleren moralischen Gefühle widerstreiten. Aber diese Richtung braucht nun nothwendigerweise keiner mehr zu wandeln, denn der in den Vereinen gepflegte Gemeinsinn und gesellige Verkehr bietet Gelegenheit genug zum Anschlusse an edler denkende Vereins- und Fachgenossen, deren reiche Erfahrungen und Kenntnisse dem Anhänger zu statten kommen. In den Clubs findet jeder Züchter die Hilfsmittel aufgestapelt, welche sein Wissen bereichern und den Weg des Erfolges deuten, die vornehmste Presse des In- und Auslandes erschliesst ihm hier die Quelle, aus welcher vom denkenden, besseren Theile der Fachwelt das Licht der Belehrung herunterströmt und von einem wahrhaft erspriesslichen Vereinsleben genährt, in milderen Strahlen auf die Gesammtheit sich verbreitet; von hier aus fliessen richtige Begriffe und klarere Auffassung durch die Adern der Menge, es schwinden die Nebel und so manches Dunkel weicht da dem siegenden Lichte.

(Schluss folgt.)

Der neue Brutofen von F. Sartorius.

Meinen Mittheilungen über diesen Brutapparat in Nr. 3 der „Schwalbe" kann ich heute zufügen, dass von 12 zur versuchsweisen Bebrütung eingelegten Eiern sich am fünften Tage neun als befruchtet erwiesen und aus denselben am zwanzigsten Tage der Bebrütung acht gesunde lebenskräftige Küchen schlüpften. — Ein Küchen war zu schwach die Schale selbstständig zu durchbrechen und ging nach einigen Tagen ein, während die acht Küchen kräftig sind und gut gedeihen. — Dieser Erfolg ist jedenfalls so befriedigend, dass ich den Apparat auf's Beste empfehlen kann.

Eine gleichzeitig mit dem Apparat auf 13 Eier angesetzte Bruthenne brachte ebenfalls acht Kücken aus, und führt nun auch die künstlich Erbrüteten; wodurch ich der Aufzucht der Letzteren in der künstlichen Glucke enthoben bin.

Erlach, 24. Februar 1892.

C. Pallisch.

Ornithologischer Verein in Wien.

Protokoll

der am 12. Februar 1892 stattgehabten Sitzung des Ausschusses des ornithologischen Vereines in Wien.

Anwesend: Vicepräsident Zeller, die Ausschussmitglieder Alfred Haffner, Hofrath Klaus, Krämer, Pallisch, Pribyl, Reischek, Zecha.

Entschuldigt: Präsident Bachofen von Echt, Dr. Reisser sen., Zimmermann.

Der Vorsitzende: Vicepräsident Fritz Zeller eröffnet um ³/₄7 Uhr die Sitzung und bringt die Spende einer goldenen Medaille für die ornithologische Ausstellung seitens des Herrn Krämer zur Kenntniss, wofür demselben der Dank ausgesprochen wird. Das Protokoll der letzten Sitzung wird verlesen und genehmigt. Herr Pallisch erklärt die Wahl zum Vicepräsidenten nicht annehmen zu können und bleibt nach eingehender Debatte bei seinem Beschlusse.

Der Herr Vorsitzende F. Zeller legt die Rechnungen der Geschäftsleitung, Eichinger, der Akademie der Wissenschaften der Druckerei Bondi, Buchhandlung Künast vor. Es wird beschlossen, die Ordnung dieser Angelegenheiten zu vertagen, bis der Präsident und Cassaverwalter zugegen wären. — Bis dahin wird auch die Ordnung der Honorarangelegenheiten der Zeitschrift „Schwalbe" vertagt.

Der Herr Vorsitzende legt den Ausweis der Aussenstände der Zeitschrift „Schwalbe" ex 1891 per fl. 215.25 vor; dies wird zur genehmigenden Kenntniss genommen.

Als neues Mitglied wird über Vorschlag Custos Reisser Herr Legationssecretär Eduard Horowitz, in Zutheilung beim Reichsfinanzministerium einstimmig angenommen.

Nachdem der neubestellte Vereinsbeamte Kaiser in Folge Erkrankung seine Stelle niederlegen musste, wird die Ernennung Karl Nussers als Vereinsbeamte über Antrag des Herrn Fritz Zeller genehmigt und dieser ermächtigt den Präliminarvortrag mit dem Genannten abzuschliessen.

Die sofortige Einhebung der Mitgliedsbeiträge für das laufende Vereinsjahr wird beschlossen und der Cassaverwalter mit der Durchführung betraut.

Bezüglich der zu veranstaltenden populären Vorträge für das grosse Publicum wird nach eingehender Debatte, an welcher sich alle anwesenden Ausschussmitglieder betheiligen, beschlossen, in den nächsten Tagen hiemit zu beginnen und es wird Hietzing als erster Vortragsort gewählt, wobei eine Mitwirkung des Hietzinger Vereines der Gartenfreunde anzustreben ist. Nachdem Herr Reischek sich bereit erklärt hat, einen Vortrag über „Neuseeland und dessen Fauna und Ornis" dort halten, und Herr Haffner die mündlichen Besprechungen mit den massgebenden Persönlichkeiten in Hietzing übernahm, wird ein engeres Comité zur Durchführung dieser Vorträge, bestehend aus den Herren Bachofen von Echt, Haffner, Dr. Pribyl und Reischek gewählt. Ueber Dr. Pribyl's Antrag wird beschlossen, an Herrn Landesrath Brusskay heranzutreten, dass derselbe einen Vortrag über Wiener Tauben halte.

Es wird ferner zum Beschlusse erhoben, dass die Veranstaltung dieser Vorträge mit möglichst geringen Kosten für den ornithologischen Verein zu geschehen habe.

Es wird beschlossen mit der mährischen Flachs- und Ackerbauschule in Schönberg in Schriftentausch zu treten.

Die Anschaffung der nöthigen Drucksorten und Papiere mit der Firma des ornithologischen Vereines wird nach dem Antrage des Herrn Zeller genehmigt.

Es wird beschlossen, in dem Ausstellungscataloge der vom österr.-ungar. Geflügelzuchtvereine veranstaltete 17. internationalen Ausstellung in Verbindung mit dem ornithologischen Vereine, ein vollständiges Mitgliedsverzeichniss aufzunehmen; als Basis gilt das Versandtbuch unserer Vereins-Zeitschrift „Schwalbe."

Herr Reischek theilt das Ergebniss seiner mühevollen Arbeiten behufs Aufstellung und Catalogisirung der Vereinssammlung mit, welche aus 466 ausgestopften Vögeln, 336 Bälgen, 2 Skeletten (Kiwi und Adler besteht; die Ordnung der Eiersammlung war derzeit in dem ungeheizten Raume nicht möglich. Die Reinschrift des Cataloges wird nochmals protokollarisch urgirt.

Der Herr Vorsitzende schliesst um 8 Uhr die Sitzung.

Wien, 12. Februar 1892.

Fritz Zeller	Dr. Leo Pribyl
als Vorsitzender.	Schriftführer.

Ausstellungen.

XVII. Intern. Geflügel- und Vogelausstellung in Wien.

An dieser Ausstellung beabsichtigt sich auch der Verein „Vogelfreunde edler Sänger in Wien", Obmann Anton Schilbach mit einer grossen Collection edler einheimischer Gesangsvögel zu betheiligen. Eine Ausstellung, in welcher die Vögel lediglich in Bezug auf ihren Gesang prämiirt worden ist, in dem Maassstabe in Wien wohl noch nicht veranstaltet worden und erhält dadurch die ganze Ausstellung einen neuen Anreiz.

Obgenannte Collection soll an den drei letzten Tagen, also vom 25. bis 27. März zur Ausstellung gelangen.

In der Sitzung des Ausstellungs-Comités vom 19. Febr. 1892 wurde über Antrag des Obmannes Baron Villa Secca beschlossen mit Rücksicht auf den neuen auf dieser Ausstellung zum erstenmale zur Anwendung kommenden Prämiirungsmodus, nach welchem alle Thiere zuerst nach ihrer Qualität in drei Rangsclassen (I., II. und III. Rangsclasse) getheilt werden, die von den Preisrichtern ausgestellten Thiere, welche von jeder Prämiirung ausgeschlossen sind, an dieser Qualification theilnehmen zu lassen, und dieselben, über Wunsch der ausstellenden Preisrichter als eine mit dem Namen des Ausstellers zu bezeichnende Collection zusammenzustellen.

Zu Preisrichtern in der Abtheilung für Grossgeflügel wurden nominirt Julius Baron Nyary und Ober-Ingenieur Beiwinkler aus Ungarn, Seiht in Reichenberg, Sinner in Hetzendorf, Baron Villa Secca in Wien.

In der Taubenabtheilung: Architect Otto Reuther, Hausbesitzer, A. V. Curri, Bureauchef der Staatsbahn, G. Reissner, H. Zaoralek, Kaufmann in Wien, Marktcommissär Schick, eventuell Fabrikant Mantzel & Richter Ferdinand, Landes-Rechnungsrath J. B. Brusskay.

In der ornithologischen Abtheilung: Dr. Carl Claus, k. k. Professor, Hofrath etc. etc., Hermann Fournes, Eduard Hadek jun., Ludwig Höllwarth, A. Kraus, Inspector in Schönbrunn, Carl Pallisch, Ingenieur, Alfred Haffner, Präparator, Andreas Reischek und Mittermayer.

In der gewerblichen Abtheilung: Oskar Ebersberg, Rudolf Gerhard und Fritz Zeller.

Die Herausgabe eines illustrirten Ausstellungs-Cataloges wurde beschlossen, und für denselben 22 Bilder in Aussicht genommen.

Ueber Antrag des Obmannstellvertreters Fritz Zeller wird Herr Max Krämer, VIII., Josefsgasse 5 in's Comité cooptirt, desgleichen wurde beschlossen, aus der Reihe der Vorstandsmitglieder des Vereines der „Vogelfreunde edler Sänger“ eine Persönlichkeit nach gepflogener Rücksprache mit dem Obmanne dieses Vereines Herrn Schilbach zum Eintritte in das Comité zu ersuchen.

Die Mittheilung des Obmannstellvertreters Zeller, dass der Präsident des ornithologischen Vereines eine goldene Medaille gestiftet hat, wird mit dem Ausdrucke des Dankes für den Spender zur Kenntniss genommen.

Das Entrée wird für den ersten Besuchstag mit 50 kr., für die übrigen Tage mit 30 kr. ö. W. festgesetzt, ferner wird die Ausgabe von Schülerkarten à 10 kr. ö. W. beschlossen und Herr Kaute übernimmt die Ueberreichung eines Gesuches an den Bezirksschulrath.

Für die zur Ausstellung angemeldeten Enten, Gänse, Truthühner, Pfauen etc. wurde die Aufstellung von Volieren in der dem Eingange gegenüberstehenden im Fonde des grossen Saales liegenden Ausbuchtung beschlossen.

Die Ausstellung von Bruteiern, wurde an die im Vorjahre gelegentlich des XVI. internationalen Geflügel- und Vogelausstellung in Wien festgesetzten Bedingungen geknüpft.

Nach denselben haben die Aussteller von Grossgeflügel das Recht von jedem ausgestellten Stamme je eine Collection von 13 Stück Bruteiern zur Ausstellung zu bringen, der Aussteller hat dieselben, und zwar bei einem Preise von höchstens 40 kr. ö. W. per Stück verkäuflich zu stellen und dem Käufer die übliche 50 Percent Befruchtung zu garantiren.

Für diese Ausstellung sind kleine silberne Medaillen, Diplome und Privatpreise bestimmt worden.

Racegeflügel-Ankauf zur Hebung der Geflügelzucht in Ungarn. Auf Anregung des ung. Ackerbau-Ministers Graf And. Bethlen wird unter der Leitung des „ungar. Landes-Geflügelzuchtvereines“ im Budapester Thiergarten am 16. März ein Racegeflügelmarkt abgehalten, auf dem von Seite des ungar. Ackerbau-Ministeriums Geflügel zum Zwecke der unentgeltlichen Vertheilung an die ackerbautreibende Landbevölkerung angekauft wird.

Für die Veredlung der Landschläge wurden nachstehende Racen in Aussicht genommen und müssen Thiere derselben in Stämmen zu 1·2 angemeldet werden. Diese Racen sind: Plymouth-rocks, Langshan, helle Brahma, Peking-Enten und Emdener Gänse.

Das eingesandte Geflügel wird am Tage vor dem Markte von einem eigenen, hiefür gewählten Comité, bestehend aus den Herren: Jul. Baron Nyary, Graf Coloman Csáky, L. Tolnay und St. Kovásznay besichtigt, das den vorgesehenen Zwecken Entsprechende ausgewählt und Letzteres dem Ackerbau-Ministerium zum Ankaufe empfohlen.

In welch' bedeutendem Maasstabe diese Action zur Verbesserung der ungarischen Landracen ausgeführt werden soll erhellt aus der Thatsache, dass Sr. Excellenz der Herr Ackerbau-Minister zu diesem Zwecke einen Fond von 12.000 fl. ö. W. bestimmt hat, aus dem succesive ähnliche Ankäufe zu machen sein werden, und im ungar. Ackerbau-Ministerium die Stelle eines ständigen Referenten für Geflügelzucht-Angelegenheiten creirt wurde. Ph.

Erster oberösterreichischer Geflügelzuchtverein in Linz. Am 6. und 7. März l. J. findet in der städtischen Volksfesthalle in Linz eine Geflügelschau, verbunden mit grossem Taubenmarkt, statt. Es kommen an verdienstvolle Züchter Geldpreise, Medaillen und Diplome zur Vertheilung, auch stehen einige Ehrenpreise für Gesammt-Collectionen zur Verfügung. Auf Grund der Statuten haben die Mitglieder kein Standgeld zu entrichten, es sind daher nur die Transportkosten zu tragen. Anmeldungen sind bis 1. März l. J. an den Vereinsvorstand zu richten. Specielle Programme werden nicht ausgegeben.

Kleinere Mittheilungen.

Ornithologisches aus Italien.

Rivista ital. di. sc. nat Ad. Siena 1892, 15 Jänner.

Faboni K. in Valle di Morbegno. 31. October 1891 — pag. 2. Motacilla alba isabellfarbig mehr weniger stark Accenta modularis ♂ 1884 24. August in Val del Bitto (Berna 1000 Meter Höhe) erlegt, gänzlich schwarz Russ. Hirundo rustica albina, ausgenommen einige kleine Punkte auf der Brust isabellfarbige — erlegt 1889 Valtellina.

Sturnus vulgaris 1889 zweigänzlich weisse Individuen. Derselbe gibt auch Erklärung über den Isabellnimo, Milanismus und Albin an den Vogesen.

Albinism- von Zusammenziehung der Gefässe, welche das Pigment der Federn tragen; milanism von der Schlaffheit derselben Gefässe.

Ein absoluter Mangel von Pigment führenden Gefässen oder ihre absolute Schlaffheit oder Zusammenziehung kommt schwerlich vor.

Ein absoluter Mangel von Pigment an ein Individuum, wie auch Albin, findet sich nicht.

Periodischer Albinum der Lagopus mutus in November hängt nicht von Federn-Wechsel wie Saratz meint, u. a. aber wohl von Anzahl von Pigment etc.

Gemer Jos. in Minerbe. 29. November 1891. pag. 5.

Otis tarda erlegt im Februar 1890, 7½ Mil. u. gespeist. Lugurinus cloris, welchem der obere Schnabel fehlte — er nährte sich mit Kernen der Sonnenblume und Hanf.

Fabani C. aus der Voltellina.

Anthus pratensis, im October — Albin.

Caradrius pluvialis jung, ♂ — sehr selten in Valtellina — von Giglioli in seiner Technischen ornitol ital. nicht aufgeführt.

Accentor collaris, sehr gemein bei Schneefall, die Gedärme gänzlich erfüllt mit gardius aquaticus.

Lebende Kiwis in Berlin. Der Thierhändler G. Reiss in Berlin erhielt zwei Stücke lebende Mantell's Schnepfenstrausse, die vom dortigen zoolog. Garten (Director Dr. Heck) sofort angekauft wurden.

Der **Polartaucher Colymbus arcticus** wurde in den letzten Monaten des Jahres 1891 häufiger erlegt; bei einem Thierhändler in Wien sah ich zwei in Steiermark erlegte Exemplare, in der Menagerie Schönbrunn einen lebenden Vogel dieser Ort; auch berichtet Herr F. Schulz im „Jahrbuch“ über mehrfaches Vorkommen in Krain. Ph.

Generalversammlung des I. öster.-ungar. Geflügelzuchtvereines in Wien*) am 26. Februar 1892. Die Neuwahl des Directoriums bildete den wichtigsten Punkt der Tagesordnung und ergab die nachstehend verzeichneten Namen.

Ausführlich berichten wir über den Verlauf der Generalversammlung in der nächsten Nummer.

Directorium. Präsident: Villa-Secca Ludwig Freiherr v. Novarro d'Andrade, I. Vicepräsident: Brusskay J. B., n.-ö. Landes-Rechnungsrath, II. Vicepräsident: Pallisch C., Ingenieur, Erlach per Aspangbahn.

Directionsmitglieder: Bachofen von Echt, A. jun., Batthyani S., Graf, Dirner Ludw., Dr., Ebersberg Oskar, Faas Franz, Gasparetz E. G., Gerhart Rud., Glöckler V., Höllwarth Ludw., Kaute J., Kernast, Mittermayer Th., Reissner G., Schönpflug Ad., Steinhauser, Dr.

Ersatz-Direction-Mitglieder: Pilshofer, Spale, Wagner, Zimmermann.

*) Nach Schluss des Blattes eingetroffen.

Verlag des Vereines. — Für die Redaction verantwortlich: Rudolf Ed. Bondi.
Druck von Johann L. Bondi & Sohn, Wien, VII., Stiftgasse 3.

XVI. JAHRGANG. Nr. 5.

Blätter für Vogelkunde, Vogelschutz, Geflügelzucht und Brieftaubenwesen.

Organ des I. österr.-ung. Geflügelzuchtvereines in Wien und des I. Wr. Vororte-Geflügelzuchtvereines in Rudolfsheim.

Redigirt von **C. PALLISCH** unter Mitwirkung von Hofrath Professor **Dr. C. CLAUS.**

16. März. 1892.

„DIE SCHWALBE“ erscheint **Mitte** und **Ende** eines **jeden Monates.** — Im Buchhandel beträgt das Abonnement 6 fl. resp. 12 Mark, Einzelne Nummern 30 kr. resp. 50 Pf.

Inserate per 1 □ Centimeter 3 kr., resp. 6 Pf.

Mittheilungen an das **Präsidium** sind an Herrn **A. Bachofen v. Echt** in Nussdorf bei Wien; die **Jahresbeiträge** der Mitglieder (5 fl., resp. 10 Mark) an Herrn **Dr. Karl Zimmermann** in Wien, I., Bauernmarkt 11;

Mittheilungen an das **Secretariat** in Administrations-Angelegenheiten, sowie die für die **Bibliothek** und **Sammlungen** bestimmten Sendungen an Herrn **Fritz Zeller**, Wien, II., Untere Donaustrasse 13, zu adressiren,

Alle redactionellen Briefe, Sendungen etc. an Herrn **Ingenieur C. Pallisch in Erlach** bei Wr.-Neustadt zu richten.

Vereinsmitglieder beziehen das Blatt gratis.

Ornithologische Beobachtungen aus dem Aussiger Jagd- und Vogelschutzvereine 1890.

6. Theil. — Von **Anton Hauptvogel.**

Allgemeines.

Das Jahr 1890 begann mit Nebel, der vom 1. bis zum 20. Jänner Tag und Nacht die ganze Gegend bedeckte. Am 20. Jänner war das 1. Gewitter mit Donner, Blitz und Regen. In Königswald schlug es einige Male im Walde ein. Am 24. Jänner erhob sich ein grosser Sturm, der manchen Schaden verursachte. So wurde in Pömmerle das Touristenhäuschen am Schulberge, welches die Section daselbst errichtet hatte, fast bis auf die Strasse herabgeschleudert und zerbrochen. Auf der Burg Schreckenstein wurde das Dach am Tanzsaal abgedeckt und das eiserne Geländer der Burg herabgeworfen u. s. w. den ganzen Monat lag kein Schnee und es war angemessen warm. Die Futterplätze waren nicht besonders besucht. Man sah sehr viele Finkenmännchen, Goldammer, Schopflerchen, Stieglitze (bis 13 Stück beisammen), Kohl-, Blau-, Schwarz- und Sumpfmeisen. In Pömmerle waren durch einige Zeit an 100 Grauammern. In Liebshausen überwinterten mehrere Rothkehlchen. Auch das Finkenmännchen mit dem weissen Kopf erschien wieder am Marktplatze in Aussig, doch verschwand es Ende Jänner; wahrscheinlich wurde es abgefangen, da es nie mehr zu sehen war. Der Feber hatte bei Tag Sonnenschein, in der Nacht Frost, wodurch die Saaten sehr viel Schaden erlitten. Den 26. und 27. schneite es in der Nacht und am 28. war den ganzen Tag Schneegestöber. Die angekommenen Staare zogen wieder fort, die paarweise geflogenen Rebhühner zogen sich in Ketten zusammen, junge Hasen erfroren.

März: Anfangs sehr viel Schnee und starke Kälte. Die stärkste Kälte war den 2. März, — 16° R. Den 7. März änderte sich das Wetter, es fing an zu regnen und wurde warm. Am 10. war Eisgang auf der Elbe und den 17. wurde die Dampfschifffahrt eröffnet. Beobachtet wurden: Lachmöven, Kibitze, Hausrothschwänzchen, Ringeltauben, Singdrosseln, Dohlen, Bachstelzen, Staare, Baumpieper und Feldlerchen. In Pömmerle kamen sehr viele Staare an.

Im April waren in Pömmerle sehr viele Rothschwänzchen. Im Mai auf einem Spaziergange nach Seesitz traf ich viele Goldammern, Grauammern und Gartenammer. Den 26. war es sehr kalt, es erfroren besonders viele Schwalben. Ich fand einige unter und hinter Oleanderbäume geflüchtete todt. Auch der 2. Juni war ein so schlimmer Geselle. An vielen Orten erfroren auf den Feldern die Erdäpfel. Ende Juli und Anfang August waren sehr viele Flügelameisen, so dass man sich ihrer kaum erwehren konnte und man oft ganz von ihnen bedeckt war. Mitte August scheint ein grosser Theil Hausrothschwänzchen fortgezogen zu sein. Im September regnete es sehr stark vom 1. bis zum 4., dabei war es sehr kalt und viele Schwalben fanden ihren Tod. Ich fand deren am Fusse des Marienberges auf der Bahn in Pömmerle, und von Leitmeritz und anderen Orten kam dieselbe Kunde.

Am 4. September gegen Abend liess der Regen nach und am 5. war ein heiterer, prachtvoller Tag.

Das Wasser der Elbe stieg rapid und erreichte fast den Wasserstand von 1845. Eine Menge Flossholz, Flösse, Kähne, Zäune, Brücken eine Rauchfangkehrerleiter mit Besen, 2 Leichen, grosse Mengen Flaschen aus einer Fabrik brachte die Elbe. In Aussig selbst wurden mehrere grosse Kähne abgerissen und mit fortgenommen. Auf einem Spaziergange am 8. nach Pömmerle fand ich zwischen Nestomitz und Wesseln auf dem Bahndamme eine grosse Anzahl Hausrothschwänzchen, weisse Fliegenschnapper, Neuntödter, Wendehälse und weisse Bachstelzen. Den 11. October auf einem Spaziergange sah ich auf den Feldern bei Doppitz eine grosse Anzahl Hausrothschwänzchen, an 300—400 Finken meist Männchen, Goldammer und Feldsperlinge bei Leimtsch, Hausrothschwänzchen, im Walde „Dollitsch" Eichelhäher am Zuge. Der November war ohne Schnee. Die erste Hälfte des December war mitunter sehr kalt bis —15° R. Am 18. fand ich am Marktplatze eine erfrorene Schopflerche. Der Monat war trocken, ohne Schnee.

II. Theil.

1. Mäusebussard. Am 14. December bei Pömmerle 1 Stück auf der Jagd geschossen.

2. Mauersegler. Am 28. April 1 Stück früh 7 Uhr in Aussig, am Nachmittage etwas heiter. Gegen Abend 10 Stück. Am 25. Juli Abends, nach sehr starkem Gewitter, sammelten sie sich unter starkem Geschrei, zogen immer höher und ein grosser Theil flog fort, der andere am 27. Juli Früh 9 Uhr. Am 30. Juli sah ich noch 2 Stück in Pömmerle. Den 1. August zog über Aussig eine grosse Schaar Nachmittag gegen S. W.

3. Rauchschwalben. In diesem Jahre waren sehr wenig. Am 31. März erschienen 2 Stück in Pömmerle, 1 Stück davon nistet im Hause Nr. 10. Am 8. waren 4 Stück da. In Aussig sah ich die ersten, 5 Stück am 3. April auf der Biela, Nachmittags bei heiterem kalten Wetter. In Kleinpriesen am 5. April, Mutzke am 16. April, Saubernitz ein Stück am 16. April, in Aussig mehrere am 17. April. Am 18. April erschienen die in der Malzfabrik, den 20. April, die in der Eckelmann'schen Fabrik in Schönpriesen, am 14. April, die im Lump'schen Hause in Aussig. Am 16. Mai kam das Paar an, welches im Warm's Gasthause nistete, wahrscheinlich die letzten am Zuge. Sie flogen aber wieder fort und kamen erst den 14. Juli wieder und fingen an zu bauen. Den 27. April kamen die, welche in Nr. 10 in Pömmerle ihre Nester haben alle an. Um diese Zeit waren noch sehr wenig da und noch keine Stadtschwalbe. Am 22. October wurde ein Stück von mehreren beobachtet, welches am Marktplatze herumflog. Am 24. October wurden an 50 bis 60 Stück, meist Junge gesehen, welche sich zur Mittagszeit am Telegraphendraht auf der N. W. Bahnbrücke niedergelassen hatten und ab und zu nach Insecten abflogen. Wie schon erwähnt giengen Viele Anfangs September durch Regen und Kälte zu Grunde. Auf der Bahn unterm Marienberg fand ich 5 Stück todt, auch auf der Elbe kamen einige geschwommen, welche ermattet beim Insectenfange in das Wasser gefallen und so ihren Tod fanden. Einige wurden selbst mit den Händen gefangen. Am 23. September waren die letzten fortgezogen; denn den 24. September sah ich keine mehr. Die später beobachteten waren Zuzügler auf der Reise von Norden.

4. Stadtschwalbe. Am 13. April die erste zu Mittag in Pömmerle angekommen, kühl, trüb, regnerisch. Dieselbe wurde auch vis-à-vis in Kleinpriesen gesehen. Sie war wahrscheinlich am Durchzuge, weil sie dann nicht mehr gesehen wurde. Am 18. April erschien eine grössere Parthie in Kleinpriesen, ruhte aus und zog wieder weiter. Am 28. April 1 Stück in Aussig, am 2. Mai Ankunft in Mutzke, am 4. Mai in Pömmerle eine grosse Anzahl, wahrscheinlich der Hauptzug. Am 25. Juli sammelten sich in Pömmerle die Schwalben am Telegraphendrahte und machten Flugübungen. Am 30. Juli Sammlung derselben in Saubernitz. Der erste Zug machte am 5. August Abends von Pömmerle fort. Am 17. August um $^{3}/_{4}$12 Uhr ein 2. Zug von Pömmerle. Am 22. August kamen in Pömmerle an 40 Stück am Zuge an; die anderen waren schon alle fort. Den 7. September kam ein grösserer Zug daselbst an, setzte sich auf die Telegraphendrähte um auszuruhen. Wahrscheinlich blieben sie auch über Nacht. Am 12. September Früh zog ein Zug von 200 Stück über Pömmerle gegen S. W. Am 13. September kam ein neuerlicher Zug von 500—600 Stück in Pömmerle an. Sie besetzten alle Schwalbennester und da sie darin nicht Platz hatten, so setzten sie sich ermattet haufenweise auf die Fenstergesimse. Den 14. September an 200 Stück zwischen Nestersitz und Grosspriesen gegen 5 Uhr Abends am Zuge nach Insecten jagend.

(Fortsetzung folgt).

Vorläufige Uebersicht der Ornis des Weissenburger Comitates in Ungarn.

Von Ladisl. Kenessey von Kenese.

(Schluss.)

259. Larus marinus (L.). Kommt äusserst selten vor.[1])

260. Larus argentatus. Brünn: Exemplar vom Juni 1890 aus Dinnyés zu Szikla gebracht.[2])

261. Larus fuscus (L.). Exemplar im Gymnasium; Exemplar bei Grafen Szápáry; junges Exemplar sah v. Chernel am 20. März 1890 ob dem See.[3])

262. Larus canus (L.). Durchzügler, selten in kleinen Flügen; Exemplar vom 22. November 1887 aus Velencze im Museum;[4]) Exemplar bekam ich durch Herrn von P. v. Meszleny den 23. März 1891.

263. Larus ridibundus (L.). Brütet in einer ungeheueren Colonie bei Velencze, sowie bei Szt. Mihály; leicht zähmbar.

264. Larus minutus (Pall.). Seltener Durchzügler; ♂ 5. Mai 1887 bei Velencze, juv. 16. September 1887 bei Seregélyes, zwei ♀ den 3. und 24. Mai in Dinnyés, zehn Exemplare juv. 6. September 1890 bei Velencze, juv. 18. September 1890 in Dinnyés erlegt.[5])

265. Rissa tridactyla (L.). Selten, im Spätherbste, sowie im Frühjahre bei offenem Wasser.[6])

266. Hydroprogne caspia (Pall). Exemplar den 28. April 1888 bei Gárdony erlegt; im National-Museum.[7])

267. Sterna fluviatilis (Naum.). Häufig; kommt Ende April; brütet vereinzelt zwischen den Lachmöven; verreist im August.

268. Sterna nilotica (Hass.). Verirrt sich vom Plattensee, wo er brütet, manchmal zu uns. Unbelegt.

269. Sterna minuta (L.). Regelmässiger Durchzügler.

270. Hydrochelidon fissipes (L.). Gemein; kommt Ende April; ihr Nest findet vereinzelt in den L. ridibundus-Colonien; verreist im September.

271. Hydrochelidon leucoptera (Meiser). Sparsamer Zug-, seltener Brutvogel.

272. Hydrochelidon hybrida (Pall.) Bisher nur sparsam am Zuge; heuer bekam ich jedoch den 7. Juli aus Velencze ein pull. Hiemit halte ich ihn als Brutvogel nachgewiesen.

273. Graculus carbo (L.). Vordem häufig, jetzt selten am See; in Adony hat der Vogel eine ansehnliche Brutcolonie.

274. Graculus pygmaeus (Pall). Aeusserst selten; Exemplar vom See bei Grafen Szápáry;[8]) zwei Exemplare sah ich am 1. August ober dem See.[9])

---

[1]) Jahresber. 1883, pag. 364.

[2]) Orn. Jahrb. II., pag. 34.

[3]) Jahresber. 1883, pag. 364; Mitth. d. orn. Ver., XII., pag. 8; Orn. Jahrb. 34, pag. 170.

[4]) Mitth. d. orn. Ver., XII., pag. 8; Frivaldszky l. c., pag. 168.

[5]) Vgl. Orn. Jahrb. II., pag. 34, pag. 170; Frivaldszky l. c., pag. 178; Mitth. d. orn. Ver., XII., pag. 9; Mitth. d. orn. Ver., XI., pag. 106.

[6]) Chernel's Privat-Notizen.

[7]) Orn. Jahrb. II., pag. 34; Frivaldszky l. c., pag. 179.

[8]) Jahresb. 1886, pag. 335.

[9]) Mitth. d. orn. Ver., XV., pag. 206.

Bezüglich meines Artikels will ich noch die bisherige ornithologische Literatur unseres Comitates zusammenstellen.

Selbe ist Folgende:

Abonyi, Arpád: Madár társadalom (Vogelwelt) — Magyar Hirlap. I. 1891 Nr. 62—65 (Biologisches).

Bársony, Stephan: Tudományos vadászat (Wissensch. Jagd). Pesti Hirlap, XII. 1890. Nr. 269.

Chernel von Chernelháza, Stephan: Adatok Vas-Sopron-Pozsony és Fejérmegye madárfaunájához (Beiträge zur Ornis der Eisenb. Oedenburg-Pressburg und Weissenb. Com.) (Oreo I. Rapaces.) Vadászlap. VIII. pag. 175—178.

— A velenczei tóvidék életéből (Aus d. Leben d. Ver. Seegegend). Vadászlap. VIII. 1887, pag. 374 bis 377 (Abb.)

— Sammlung von Vögeln, Nestern und Eiern gelegentlich eines mehrwöchentlichen Aufenthaltes behufs ornithologischer Beobachtungen und Forschungen am Velenczeer See. (Weissenb. Com.) in Ungarn. — Mittheilungen des ornithologischen Vereines in Wien. XI. 1887, pag. 106—107.

— A pusztai talpastyuk ez idei megjelenése hazánkban. Term. Tud. Közl. XX. 1888. pag. 449 bis 457. (Ueber d. Steppenh.)

— Seltene Durchzügler und Wintergäste in Ungarn. Mittheilungen des ornithologischen Vereines in Wien. XII. 1888. pag. 8—9.

— Die Erlegung eines Phalaropus hyperboreus Bp. am Velenczeer See. Zeitschr. f. d. ges. orn. N. 1888. p. 188—190.

— Calamodyta melanopogon Bp. Brutvogel im Moraste und in den Röhrichten von Dinnyés in der Umgebung vom Velenczeer See. Zeitschr. f. d. ges. Orn. IV. 1888. pag. 191—192.

— Xema minutum, Pall., am Velenczeer See (Stuhlw. Com.) in Ungarn erlegt. — Zeitschr. f. d. ges. Orn. IV. pag. 435—437.

— Fehérmegyei tájszók (Velenczei tovidék). (Trivialnamen.) Magy. Nyelvör. XVII. 1888. pag. 430—431.

— Egy magyar madárhegy. (Ein ungarischer Vogelberg.) (Vortrag, gehalten im Oedenburger Vereine für Literatur und Kunst.) Sopron XIX. 1889. Nr. 35—38.

Vadászlap X. 1889. pag. 193—194, 205—207, 235—236 (Biologie über die Lachmöven).

— Interessantere Erscheinungen in der Vogelfauna Ungarns im Jahre 1890. — Orn. Jahrb. II. 1891. pag. 167—170.

— Bibliographia Orn. Hung. — Magy. Könyvszemle. XIII. 1889. pag. 9—51. Sep. Budapest. 1890. 46 pp.

Esterházy, Andreas, Graf (Sársd): A reznek tuzok (vgl. Tschusi: Die Zwergtrappe). Vadász und Versenyl. VI. 1862. pag. 504.

Fekete, Dr. Isidor: Rejtélyek az állatvilágból (Öngyilkos tengelicz). (Räthsel aus der Thierwelt. Selbstmord. Stieglitz.) Vadászlap N. 1883. pag. 170.

Firbás, Ferdinand: Az idei madárvonulási megfigyelések eredményei. Vadászlap. XI. 1890. pag. 449—450.

Földes, Ferdinand: Utóhangok az ornithológiai

Cogressusról. (Nachrufe über den ornithologischen Congress). — Vadászlap. XII. 1891. p. 225—227.

Frivaldszky, Emerich v.: Jellemzö adatok Magy. orsz. faunájához (Charakt. Dat. z. Fauna Ung.) Budapest 1866. 8°. 275 pp. (13 Taf.)

Frivaldszky, Johann v.: Aves Hungariae Enum. hyst. av. H. c. not. brev. biol. locis invent. virorumque a qu. oriuntur. Budapest 1891. 8°. 197 pp.

Herman, Otto: Ueber die ersten Ankunftszeiten der Zugvögel in Ungarn (Frühjahrszug). Budapest 1891. Fol. 42 pp. Ung. in: Pótf. a Term. Tud. Közl. XV. 1891 pag. 97—117.

Kenessey von Kenese, Ladislaus: Ueber einige seltenere Vögel des Weissenburger Comitates. Orn.Jahrb.II.1891.pag.27—34,Berichtigung ibid.p 80.

Külföldiek a velenczei tavon (Ausl. am Velenczeer See. Székesf. és Wid. XIX. 1891. Nr. 62.

— Tavaszi madárélet a velenczei tavo (Frühlings-Vogelleben am Velenczeer See). Ibid. Nr. 72.

— Die Erlegung einer Saatgans im Sommer in Ungarn. Mittheilungen des ornithologischen Vereines. XV. 1891. pag. 180—181.

— Sammlung von bemerkenswertheren Vögeln am Velenczeer See in Ungarn während des Sommers 1891. Mittheilungen des ornithologischen Vereines. XV. 1891. pag. 205—206.

— Aufruf an alle Vogelkenner der österreichisch-ungarischen Monarchie. Ibid. p. 200.

— Vetési tud nyár derekán a velenczei tavon (Saatgans im Hochsommer am Velenczeer See). Term. Tud. Közl. XXIII. 1891. pag. 497.

— Talpastyuk Fejérmegyében (Syrrh. parad. im Weissenb. Com.) Egyetértes XXV. 1881. Nr. 455.

— A talpastyuk megfigyelése (Aufruf wegen Syrrh. parad.) Pesti Hirlap XIII. 1891. Nr. 258.

— Nyári madárélet a velenczei tavon (Sommer-Vogelleben am Velenczeer See). Vortrag geh. in Stuhlweissenburg 29. Nov. 1891.

— A madarak költözése sróla szólószakvél em ények. (Die Wanderungen der Vögel und diesbezügliche Theorien) Vortrag gehalten in Stuhlweissenburg 15. November 1891. — Székesfehérvár rs Vidéke XIX. 1891. Nr. 153—154.

Landbeck, Ludwig: Die Reiher-Insel bei Adony in Ungarn. Isis 1892. p. 267—283.

Lorenz von Liburnau, Ludw. Ritt.: Bericht über meine Reise nach Ungarn zur Theilnahme am II. internationalen ornithologischen Congress und zum Besuche des Velenczeer und kleinen Plattensees. — Annalen des k. k. naturhistorischen Hofmuseums. Wien 1891, B. VI. H. 2. Notizen. pag. 106—109.

Homeyer, Major Alex. v.: Auf dem Velenczeer und Plattensee. —Orn. Monatsschr. d. d. Ver. z. Sch. d. Vogelw. XVI. 1891. pag. 277—284, 310 bis 313.

Madarász, Dr. Julius von: Die Raubvögel Ungarns. — Zeitschr. f. d. ges. Orn. I. 1884. pag. 243 bis 260.

— Die Singvögel Ungarns. Ibid. pag. 112—156. (Vgl. Petényi.)

— Michel, Julius: Ornith. Ausflüge in Ungarn. — Nordböhmische Vogel- und Geflügelzeitung. N. 1891. Sep. 11 pp.

Petényi, J. S. v.: A kék vércse (Cerchneis vesp. L.) Publ. im Gedenkb. d. II. intern. ornith. Congr. pag. 47—79 (1 Taf.)

— Ueber die Entenarten Ungarns (N. s. Notizen, bearb. durch J. v. Madarász). — Zeitschr. f. d. ges. Orn. I. 1884. pag. 26—56.

P. R. L.: Vadludvadászat (Gänsejagd). Vadászlap. VIII. 1887. pag. 441—442.

Quintus: Vizen (Vadásztárcza). Am Wasser (Jagd-Feuilleton). Pesti Hirlap. XIII. 1891. Nr. 227.

Rudolf, Se. k. u. k. Hoheit weil. Erzh., Kronpr.: Fünfzehn Tage an der Donau. Wien 1878. 8°. 310 pp. Ung. Budap. 1890. 8°. 267. pp.

Salamon, Sigismund v.: Tuzokveszedelem (Gefahr der Trappen). Vadász-és Versenyl. N. 1860.

Szikla, Prof. Gabriel: Zum Zuge des Tannenhehers im Herbste 1885 — Mitth. d. ornith. Ver. IX. 1885. pag. 309—310.

— Notiz über die Nachahmungslust bei den Vögeln. Ibid. X. 1886. pag. 310.

— Ueber das Forttragen junger Stockenten durch das Weibchen. Ibid. XI. 1887. pag. 115—116.

Talsky, Josef: Vom II. internationalen ornithologischen Congresse (Mai 1891). Die Excursion zum Velenczeer und kleinen Plattensee. Mitth. d. orn. Ver. XV. 1891. pag. 167—169, 177—180.

Tschusi zu Schmidhoffen, Vict. Ritter v.: Vorläufiges über den Zug des Steppenhuhnes (Syrrh. parad. Pall.) durch Oesterreich-Ungarn im Jahre 1888,89. — Mitth. d. orn. Ver. XIII. 1889. pag. 208 bis 214, pag. 497—500.

— Die ornithologische Literatur Oesterreich-Ungarns 1888. — Ibid. XIII. 1889. pag. 230—235, 242—250.

— Das Steppenhuhn (Syrrh. parad. Pall.) in Oesterreich Ungarn. Graz 1890. — Sep. a. d. Mitth. d. naturw. Ver. f. Steierm. 1889. 100 pp. (1 Karte) und von Chernel: Die ornithologische Literatur Oesterreich-Ungarns (1889). — Orn. Jahrb. I. 1890. pag. 217—224, 228—240 und C. Dalla-Torre: II. (1883) Jahresbericht d. Com. f. orn. Beob.-Stat. in Oesterr.-Ung. Ornis I. 1885. pag. 187—576. Sep. Wien 1886. 8°. 380 pp.

— Fünfter Jahresbericht etc. Suppl. z. Ornis N., 306 pp. Wien 1888 8°.

— Sechster Jahresbericht etc. Ornis VI. 1889. pag. 340—609 (Mitarbeiter Szikla).

Für ein so kleines Terrain ein schönes Resultat. Mögen auch alle Ornithologen Ungarns so fleissig sein, als die hier erwähnten Herren!

Stuhlweissenburg in Ungarn, 12. October 1891.

v. Kenessey.

259. Mantelmöve.	267. Flussseeschwalbe.
260. Silbermöve.	268. Lachseeschwalbe.
261. Heringmöve.	269. Zwergseeschwalbe.
262. Sturmmöve.	270. Graulfügelige Seeschwalbe.
263. Lachmöve.	271. Schwarze Seeschwalbe.
264. Zwergmöve.	272. Weissflügel. Seeschwalbe.
265. Dreizehige Möve.	273. Cormoran-Scharbe.
266. Kaspische Seeschwalbe.	274. Zwergscharbe.

Aus Heinr. Gätke's „Vogelwarte Helgoland".

(Fortsetzung.)

In Deutschland und Frankreich tritt diese Art nur noch zerstreut als Brutvogel auf, und in Spanien wird sie als solcher nicht mehr angetroffen; bewegte sich der Herbstzug dieses Bussards somit in südlicher oder südwestlicher Richtung, so müsste er während desselben etwa vom Baikal-See bis Griechenland und Italien zahlreich gesehen werden, dem entgegen kommt derselbe jedoch während dieser Zeit nur höchst selten und ausnahmsweise in Turkestan, an der unteren Wolga und in Griechenland vor, (Sewertzoff, Dresser, von der Mühle) wird auf Malta (Wright) nur in kleinen Gesellschaften von fünf bis höchstens zwölf Stücken gesehen, ist auf Sardinien gar nicht beobachtet und sogar auf den Balearen vom Major A. von Homeyer nicht angetroffen worden. In Nordost-Afrika ist derselbe sehr selten und bei Algier nur vereinzelt vorgekommen.

Plötzlich tritt aber dieser Bussard bei Gibraltar und der gegenüberliegenden afrikanischen Küste in grossen Massen auf. Favier (Irby. Ornithology of Gibraltar) sagt, dass während des Frühlingszuges Schaaren von weit über hundert Stücken bei Tanger, nordwärts fliegend, gesehen worden, und Irby stimmt dem für Gibraltar bei, hinzufügend, dass dieser Zug sich über mehr als zwanzig Tage erstrecke. Beide Beobachter bemerken dabei, dass diese Vögel im Herbste in viel geringerer Zahl gesehen werden und Flüge von fünfzehn Stücken nicht übersteigen; Lord Lilford beobachtete jedoch im Innern Spaniens grosse Schaaren „large flocks" im September südwärts ziehend. Diese Verschiedenheit in der Stärke des Frühlings- und Herbstzuges ist aber nur eine anscheinende, indem die Wespenbussarde in der letzteren Jahreszeit auch während der Nachtstunden ziehen und somit grosse Massen der im Frühjahre so zahlreich am Tage gesehenen, im Herbste das Meer bei Gibraltar unbemerkt während der Nächte überflogen haben. Hier auf Helgoland z. B. werden während des nächtlichen Vogelfanges beim Leuchtfeuer im Herbste des Oefteren Wespenbussarde erbeutet, was im Frühjahre aber noch niemals vorgekommen ist.

Nach Portugal gelangt der Wespenbussard nicht, (Tait, Birds of Portugal. Ibis. 1887) es bestätigt sich also auch hier, was schon bei den Krähen hervorgehoben worden, dass nicht das Erblicken des Meeres die westwärts ziehenden Vögel bestimmt, sich plötzlich südwärts zu wenden, sondern, dass dies ohne nachweisbare Veranlassung als Abschluss des westlich gerichteten Wanderfluges mitten im Lande stattfinde. Auch bietet diese Art eine gleiche Erscheinung schon in England dar. Dort ist der Wespenbussard ein nur ganz vereinzelter Brutvogel, trifft aber während des Herbstzuges an dessen Ostküste ziemlich zahlreich ein; diese den asiatischen und europäischen oberen Grenzen ihrer Brutzone entstammenden Stücke finden in England schon den Abschluss ihres westlichen Fluges, sie wenden sich dort südlich, um durch das westliche Frankreich und durch Spanien nach Afrika in ihr Winterquartier zu gelangen. Das Biscayische Meer dürften wohl nur wenige überfliegen, denn nach Rodd (Birds of Cornwall) sind diese Vögel in jener Westspitze Englands, einschliesslich der Scilly-Inseln, eine sehr seltene Erscheinung. Immerhin muss dies aber doch hin und wieder geschehen, da nach Thompson dreimal Pärchen dieser Vögel während der Sommermonate in Irland gesehen wurden, und auch in jedem Falle einer derselben erlegt ward.

Des schon anfänglich kurz erwähnten, so schlagenden Beispieles eines fern westlich gerichteten Wanderfluges möge hier nochmals gedacht werden. Der Richard-Pieper, Anthus Richardi, durchwandert während seines Herbstzuges thatsächlich die ungeheure Wegstrecke vom Ochotzkischen Meere bis zu dem vom Atlantischen Ozean bespülten Spanien. Es ist zwar bei Behandlung mehrerer zwischen Nord und Süd ziehender Arten die Ansicht ausgesprochen worden, dass deren Züge, je nach ihrer nördlicheren oder südlicheren Heimat, sich nur über eine bestimmte, dementsprechend höher oder tiefer liegende Zahl von Breitegraden bewege, dieser Pieper liefert aber einen unanfechtbaren Beleg dafür, dass bei den von Ost nach West gerichteten Wanderzügen analoge, in Längegrade zerfallende Stufenfolgen nicht anzunehmen sind, indem diese interessante Art als Brutvogel einzig und allein auf Daurien beschränkt ist, woselbst es Dybowsky vor etwa zwanzig Jahren gelang, die Nester derselben aufzufinden, während keiner der zahlreichen früheren oder späteren Reisenden, welche das europäische und asiatische Russland ornithologisch durchforschten, sie westlich vom Baikal-See brütend angetroffen hat.

Wie wunderbar auch immerhin die Wanderreise dieses nur kleinen Vogels von einem Ende der alten Welt bis zum anderen erscheinen möge, so unterliegt es dennoch keinem Zweifel, dass die während des Herbstzuges hier auf Helgoland, in Holland, England, Frankreich und Spanien vorgekommenen Richard-Pieper dem fernen Daurien entstammen, wobei noch bemerkt werden mag, dass diese, so fern von ihrer Heimat angetroffenen Stücke keineswegs als vereinzelte oder gar „verirrte" Seltenheiten angesehen werden dürfen, denn dieselben kommen nicht allein regelmässig jeden Herbst auf Helgoland vor, sondern sie erscheinen auch öfter in der vergleichsweise grossen Zahl von zehn bis fünfzig an einem Tage, eine Zahl, die sich in zwei oder drei Fällen bis zu Hunderten steigerte.

Dem Richard-Pieper liesse sich noch das kleine gelbbraunige Laubvögelchen, Sylvia superciliosa, anreihen, welches gleichfalls Brutvogel im östlichen Asien ist, und dennoch neben seinem normalen südlichen Herbstzuge auch ziemlich zahlreich weit westwärts wandert. Hier auf Helgoland erscheint dasselbe bei günstiger Witterung regelmässig jeden Herbst und muss, da hier auf der kleinen Insel des öfteren zwei, drei und mehr Stücke an einem Tage beobachtet wurden, in Deutschland ebenso regelmässig und ziemlich zahlreich vorkommen; unzweifelhaft setzt es seinen Zug von dort auch bis Frankreich und vielleicht noch weiter fort. In England ist es nur zweimal erlegt worden, aber zweifellos über Helgoland viel öfter dahingelangt —

wie viel günstige Umstände müssen aber zusammentreffen, bis in dem endlosen Gebüsche und Gestrüppe von Gärten und Flussufern ein so winziges Thierchen bemerkt, erkannt und erlegt werden kann, zumal da wohl sehr Wenigen der europäischen Ornithologen der Lockton dieser Art bekannt sein dürfte.

Wendet man sich von den obengenannten Vögeln zu solchen zurück, deren Zugrichtung, auf unmittelbare Sinneswahrnehmung gestützt, nachgewiesen werden kann, so bieten während der Dauer des Tages Lerchen, Staare, viele Sumpfvögel und besonders die vielbesprochenen, grossen, dunkelfarbigen, in dichten Schaaren ziehenden Krähen, zwar sehr deutliche, der Individuenzahl nach aber immerhin noch beschränkte Anhaltspunkte dar. Ganz anders gestaltet sich dies aber im Laufe solcher finsteren Herbstnächte, während welcher starker Zug stattfindet; dann hat man in viel ausgedehnterer und interessanterer Weise Gelegenheit, derartige Beobachtungen zu machen. Die weithallenden Stimmen der, oft das ganze Firmament erfüllenden Massen von Regenpfeifern, Brachvögeln, Limosen, Austernfischern, Wasserläufern, Strandläufern, und vieler anderen weniger lauten Arten, wie Lerchen und Drosseln, künden dann durch die Stille der Nacht aus weiter Ferne schon sehr vernehmbar an, von welcher Himmelsrichtung her sie eintreffen, und wiederum sagen es ebenso deutlich die nach und nach verhallenden Laute der Davonziehenden, in welcher Richtung sie enteilen: aller Flug geht rastlos und unwandelbar in einer von Ost nach West gerichteten Strömung dahin.

Zu einem gleichen Ergebnisse haben die mannigfaltigsten, unmittelbar in der freien Natur gemachten Beobachtungen anderer Forscher geführt; allen voran möge die gewichtige, unanfechtbare Stimme Naumanns stehen.

(Fortsetzung folgt.)

Die Vögel des zoologischen Garten in Frankfurt a. M.

Zu den Glanzpunkten des an Thierschätzen so reichen zoologischen Gartens in Frankfurt a. M. stellen die befiederten Bewohner desselben einen grossen Theil; unter der vertretenen fremdländischen Ornis findet sich viel des Interessanten, die europäische Vogelwelt ist sehr gut vertreten und namentlich von den Kleinvögeln unseres Welttheiles ist eine Sammlung vorhanden, welche gewiss die schönste und reichhaltigste dieser Art ist, Seltenheiten ihr Eigen nennt, welche jeden Vogelfreund entzücken müssen, umso mehr, als all' die vorhandenen Vögel frisch und munter sind, fast ausnahmslos im schönsten Gefieder prangen.

Schreiber dieses hatte in der zweiten Hälfte Jänner a. c. Gelegenheit, unter der liebenswürdigen Leitung des Herrn Dir. Dr. Haacke, diese prächtigen Vogelsammlungen kennen zu lernen und wird sich von der Voraussetzung ausgehend, hiefür gewiss das Interesse der verehrten Leser zu finden, erlauben, in Nachstehendem über dieselben einige Mittheilungen zu machen.

Gleich beim Eingange in den Thiergarten bot sich mir ein überraschender Anblick, in einer Schaar von Kakadus, Arara's und Amazonen, welche — es war Jänner und die Witterung nicht gerade milde — völlig im Freien, auf ihren Schwebestangen sassen; diese Kinder Asiens, Amerikas und Australiens, unter welchen als interessant ein grosser Nasenkakadu, ein Jukakakadu, dessen Haube statt gelb, weiss gebändert ist, und eine stark gelbgefleckte Blaustirnamazone zu nennen sind, verriethen keinerlei Unbehagen über die herrschende winterliche Temperatur, sondern verriethen in ihrem Benehmen und Aeusseren vollendetes Wohlbefinden, denn auf etwas anderes wird man es doch gewiss nicht deuten können, wenn die Amazonen und Araras mit Flügelschlägen ihre Schaukeln in Bewegung setzten, die grossen Gelbhaubenkakadus eifrig nickend ihr Haubenspiel trieben und einer der Nasenkakadus, kreischend vor Lust sich an seiner Kette mit einem Fusse anhing und nun kopfunterst all' seine Turnkünste zum Besten gab.

Herr Director Dr. Haacke geht bei der Haltung seiner Thiere von der Ansicht aus, dass zu deren Wohlbefinden in erster Linie stets reine und frische Luft nöthig sei, geringe Wärmegrade hingegen gesunden und gut genährten Thieren nicht nachtheilig seien und die erzielten Erfolge geben dieser Ansicht recht, denn ebenso wie die bereits erwähnten Papageien sind die meisten jener Thiere, welche man an anderen Orten über Winter sehr warm zu halten pflegt, theils ganz im Freien und nur während der Nacht im geschützten Raume untergebracht, wie z. B. sämmtliche Raubthiere, Antilopen etc., deren Aussehen strotzende Gesundheit verräth, theils steht ihnen aus dem erwähnten Innenraume stets der Zutritt in's Freie offen und hier kann man sehen, wie sich z. B. die Affen im Schneegestöber munter tummeln — nebenbei bemerkt, ist in dem ganzen Affenhause nicht ein krankes Thier, all' die Vierhänder, der prächtige, ungemein kernige Chimpanse an der Spitze, sind in bester Condition, freilich sind sie aber auch sehr sorgfältig gepflegt und gut gefüttert, — namentlich aber die verschiedenartigsten Vögel und zwar ebensowohl tropische, als unsere heimischen Zugvogelarten mit Vorliebe den Aussenraum ihrer Wohnstätten aufsuchen und hier eine Unempfindlickkeit gegen die Kälte zur Schau tragen, welche geradezu merkwürdig ist. Doch hievon später!

Gegenüber den Papageiständern sind die Fasane und verschiedene Rassetauben und Hühner untergebracht; unter den Fasanen fällt uns ein Lady Amhersthahn durch Grösse und die ganz besondere Pracht seiner Farben, sowie die so schön gezeichneten Pfaufasanen oder Spiegelpfauen auf.

An den Teichen mit dem Wassergeflügel, unter demselben ein Paar der in Gefangenschaft seltenen Singschwäne, welche im Vorjahre drei Junge erbrütet und auch glücklich grossgezogen haben, und an einem Käfige mit verschiedenen Rabenvögeln vorbei, gelangt der Besucher zum Vogelhause. Dieses ist ein langer schmaler Bau, welcher sein Licht von oben empfängt, die eine Längswand wird von grösseren Volièren eingenommen, welche durch kleine mittelst verstellbarer Klappen schliessbare Mauerlucken mit den sich aussen hinziehenden Käfigen, deren Grösse mit der der Inneren ziemlich übereinstimmt, in Verbindung stehen; diese Mauerlucken sind Tag und Nacht geöffnet, doch liegt für die Vögel keinerlei zwingender Grund vor, sie zu passieren und sich damit in's Freie zu begeben, denn Wasser und Futter ist ebensowohl innen wie aussen vorhanden. In der ersten Volière, der Heimstätte verschiedener Tauben sahen wir die zierlichen Sperber-, Broncéflügel- und Schopftauben den Aussenkäfig entschieden bevorzugen, ja die Schopftauben haben, trotz des Winter, hier, und nicht in dem erwärmten Innern des Hauses ihre Nester erbaut, Junge erbrütet und erzogen!

In dem benachbarten Käfig treiben einheimische und fremdländische Finkenvögel, Sonnenvögel und einige europäische Weichfresser ihr Wesen, gerade während ich sie beobachtete ein reizendes Bild bietend. Auf der Eiskruste, welche sich am Rande des Wasserbeckens gebildet hat, sitzen in bunter Reihe die den verschiedensten Welttheilen entstammenden Vögel; neben der Gürtelamandine Australiens, sehen wir da als Vertreter Afrikas Weber, eine Paradieswiddah mit wallendem Schweife, Silberschnäbelchen und Astrilde, während sich von den Kindern Asiens Reisfinken und Nonnen eingefunden haben zum lustigen Bade! Zum Bade, ja, denn unbekümmert um die so und so viele Grade unter 0, plätschern da die kleinen Befiederten zwischen den Eisstücken herum, immer wieder stürzen sie sich in die eisige Fluth, bis sie endlich durch und durch eingenässt abfliegen, dazu schmettert ein Mozambiquezeisig und einige Sonnenvögel ihre Lieder munter hinaus, eine Zaungrasmücke lässt von einem Zweige, an welchem Eiszapfen hängen, herab ihr heiteres Klappern erschallen, es ist ein Stück winterlichen Vogellebens wie es eigenartiger kaum gedacht werden kann!

Die übrigen Volièren beherbergen verschiedene Staar- und Rabenvögel, Sittiche, Papageien, Loris, verschiedene Hühnervögel, unter diesen die merkwürdigen Steisshühner etc. Als besondere Seltenheiten, seien unter der reichen Zahl der Fremdländer, nur ein prächtiges Paar Schlangenhalsvögel und der stattliche Hornrabe genannt, wobei aber zu bemerken ist, dass diese keineswegs die einzigen welche beachtenswerth sind, vielmehr wäre da so viel zu nennen, dass die blosse Aufzählung all' der besonders interessanten Schauobjecte, den zu Gebote stehenden Raum weit übersteigen möchte.

Im Innern des Hauses, in welchem die beständig geheizten Oefen eine Temperatur von 8—10° R. erhalten, durch die fortwährend geöffneten Thüren und Mauerlucken stets mit frischer Luft versorgt, ist an der zweiten Längswand, in geräumigen Käfigen die Sammlung europäischer Kleinvögel aufgestellt. Diese Sammlung muss als ein Juwel des Gartens bezeichnet werden, umsomehr, als in den meisten zoologischen Gärten die europäische Vogelwelt leider in der Regel sehr spärlich und nur in den gewöhnlichsten Arten vertreten ist, trotzdem doch gerade diese für uns viel interessanter wäre, als die meist reichlich vorhandenen Exoten. Es ist gewiss das richtigste System, welches die Leitung des Frankfurter zoologischen Gartens befolgt, in dem sie auf den Ankauf solcher fremdländischer Thiere, welche sehr theuer sind und ausser ihrer Seltenheit und Kostbarkeit nicht mehr bieten als der Repräsentant einer gewöhnlicheren und daher auch billigeren Arten der Ordnung, ebenso wie auf vollzählige Sammlungen der Arten solcher Familien, deren verschiedene Mitglieder in ihrem ganzen Wesen ja meist so viel übereinstimmendes haben, dass eine Art den Gesammttypus hinreichend vertritt, verzichtet, und sich damit begnügt, jede Ordnung durch einige für diese typische Arten vertreten zu haben, dafür aber alle unsere europäischen Thierarten in möglichster Vollzähligkeit zu erlangen trachtet.

Fast alle Kleinvögel unserer Heimat sind in der Frankfurter Sammlung vertreten, darunter viele, welche für die Gefangenschaft als grösste Seltenheit, manche die als Unica für diese gelten können. So die beiden prächtigen Wasserschwätzer, ein ebenso schöner als stürmischer Schwarzspecht, vier Bienenfresser, bei welchen wir insbesondere die Farbenpracht und die völlige Unversehrtheit des Gefieders bewunderten, Zwergfliegenfänger, unter diesen ein rothbrüstiges Exemplar, von einer Schönheit der Farbe, wie ich dies weder an einem der lebenden Vögel, noch an den vielen Bälgen der Art, welche ich zu sehen Gelegenheit hatte, früher in dieser Pracht je beobachtete. Als weniger selten, aber doch leider sehr wenig in Gefangenschaft zu sehen, verdienen, Ohrensteinschmätzer, Braunkelchen, Fitislaubsänger, Sumpf- und Drosselrohrsänger, Alpenflurvogel, Wendehals, kleiner und grosser Buntspecht, alle vier Würgerarten, der Raubwürger in beiden Varietäten, Pirole, Blauracken, Kukuk, Alpenlerchen, ihrer Vollständigkeit halber die Collection heimischer Meisen, Zaunkönige, Baumläufer besonders genannt zu werden.

Unter den häufiger zu sehenden Arten, fallen durch besonders schöne Exemplare je ein Garten- und Hausrothschwanz, Schaf-, Gebirgs- und Bachstelze auf, tadellos ist das meiste, in vorzüglicher Condition alles. Die Pflege, welcher sich die Vögel hier erfreuen, ist wirklich mustergiltig, das Futter von bester Qualität, die Reinlichkeit geradezu peinlich. Auszusetzen wäre blos an den Käfigen, in welchen die Vögel gegenwärtig untergebracht sind; dieselben sind wohl gross und geräumig, doch da ganz aus verzinktem Drathe verfertigt, für Weichfresser nicht recht geeigt, übrigens werden sie demnächst durch Kistenkäfige, welche für eine öffenliche Schaustellung entschieden die praktischeste Behältnissform sind, ersetzt werden. In einer der grössten Aussenvolieren des Vogelhauses sind verschiedene Reiher, Strandläufer, Wasserhühner etc., in Gesellschaft einiger sehr schöner Brandenten untergebracht. Unter den Reihern fällt der seltene amerikanische rosenfarbene Löffelreiher auf.

Das Raubvogelhaus ist sehr gut besetzt und in Folge der sehr grossen Käfige präsentieren sich die Insassen in einer Schönheit des Gefieders, welche wohl kaum übertroffen werden kann. Von Europäern sind vorhanden: Stein-, Kaiser-, See-, Schrei- und ein sehr schöner Zwergadler, Kutten, Gänse, Schmutzgeier, rothe und schwarze Milane, Habichte, Rohrweih Bussarde, von Fremdländern je ein Gauklеradler, Ohren-, Kahlkopf- und Königsgeier, Condor, Aguja, Carancho. Die Nachtraubvögel, welche sich mit wohl etwas zu engen Behältnissen begnügen müssen, sind durch Pharaonen und europäischen Uhu, eine sehr schöne Schneeeule, Schleier- und Waldohreule, Stein- und Waldkauz vertreten. Das Straussenhaus, welches in kurzer Zeit neu erbaut und reicher bevölkert werden wird, birgt derzeit einen jungen Kasuar, Emu und drei Nandus', welch' letztere wohl dadurch, dass sie in Europa gezüchtet wurden, besonders interessant sind. Ernst Perzina.

Wien, 29. Februar 1892.

Mehr Selbstständigkeit bei der Zucht.

Von D. Werner.

(Nachdruck verboten.)

„Warum willst du weiter schweifen? Sieh', das Gute liegt so nah. Lerne nur das Glück ergreifen; denn das Glück ist immer da." — Wenn wir auch mit dem Inhalte diese altdeutschen Spruches uns nicht ohne Einschränkung einverstanden erklären können, so enthält er doch eine sehr ernste Wahrheit und eine ebenso ernste Warnung und wird leider viel zuwenig auch von den Geflügelzüchtern beider Categorien beherzigt. Das Gute liegt manchmal sehr nahe, mitunter ist's auf dem eigenen Hofe, aber man kennt es nicht oder will es nicht kennen, eben weil es zu nahe liegt. Ueber den Ocean oder über den Canal muss das Geflügel kommen, dann findet es den Weg geebnet, dann hat es Werth und das gar oft trotz seiner gänzlichen Werthlosigkeit. Was wir selbst Gutes haben, darüber wird gar leicht der Stab gebrochen. Was ist z. B. aus unserem abgehärteten vielfach recht guten Landhuhn geworden? Es hat fremden Eindringlingen Platz machen müssen; sicherlich aber nicht immer zum Besten der ländlichen Geflügelzucht. Wäre nur ein Bruchtheil jener Summen, die für Wirthschafts-Geflügel dem Auslande gezahlt wurden, zur Aufbesserung des akklimatisierten Landhuhnes verwandt worden, es stände in der That besser um die Nutz-Geflügelzucht. Wenn man es nur noch jetzt erkennen wollte, dass man sich auf schiefer Ebene befinde. Aber nein. In allen Tonarten werden Jeremiaden angestimmt, man sucht noch immer in der Ferne nach einem sogenannten Zukunftshuhn und rollt weiter auf der schiefen Ebene. Und das Gute liegt so nahe. Es gibt noch so viele gute Landhuhnschläge, man braucht sie nur zu veredeln, und das Zukunftshuhn ist da. Freilich nicht ein solches, das unter allen Verhältnissen den höchsten Anforderungen genügt, denn ein solches Wunderthier existirt nur in der Phantasie gewisser Unkundiger. Was wir hier über Nutzgeflügel gesagt, bezieht sich auch auf die Rassenzucht. In diesem Punkte haben wir uns noch mehr dem Auslande tributpflichtig gemacht. Wir österreichischen und deutschen Züchter müssen mehr auf eigenen Füssen stehen. Durch eigene Schuld haben wir das wenig schmeichelhafte Verhältniss schaffen helfen. Es fehlt uns an der Einigkeit; es fehlt uns an der Ausdauer; es fehlt uns ein richtiges Prämiirungssystem. Jenseits des Oceans und des Canals ist man praktischer. Man setzt sich ein bestimmtes Ziel, fixirt die Rasse und strebt dann mit aller Energie dem Ziele entgegen verbündet sich auch wohl zu Specialclubs, um mit vereinter Kraft dem Ziele entgegen zu steuern. Wie ganz anders bei uns. Wo ist bei uns diese Selbstständigkeit, diese Einigkeit, diese Ausdauer? Man bezieht vom Auslande und operiert auf eigene Faust. Und wehe dem, der es wagt, einmal mit dem Finger an das importierte Material zu rühren, oder dessen Echtheit oder Fertigkeit zu bezweifeln. So hat der Exporteur (Züchter darf man sicher nicht oft sagen) geschrieben, ergo . . . . . Wir wollen den ausländischen Züchtern ihren Ruf nicht streitig machen, wollen ihre Verdienste keineswegs schmälern, aber alles gut heissen, was im Auslande geschieht, können wir nicht. Noch viel weniger stimmen wir dafür, dass wir alles nachäffen sollen. Es sei gern zugestanden, dass England z. B. uns auf dem Gebiete der Geflügelzucht einen guten Schritt voraus ist. Aber das soll uns nicht entmuthigen, im Gegentheile, es soll uns zu fleissigem Schaffen anspornen, vor allem mehr Selbstständigkeit zu erlangen. Wir lassen es uns nicht streitig machen, dass wir in Oesterreich und Deutschland Züchter haben, und zwar nicht wenige, die auf dem Gebiete der Taubenzucht und der Zucht des Grossgeflügels an Kenntniss und Geschicklichkeit den Züchtern im Auslande keineswegs nachstehen. Aber wir vermissen das Selbstbewusstsein, vermissen wieder die Einigkeit. Statt dessen findet man die leidige Fehde, eine Fehde um Kleinigkeiten. Oder aber, man ist zu bescheiden. Bescheidenheit ist zwar eine kleidsame Tugend, aber sie darf das Ehrgefühl nicht verletzen, sie muss gepaart sein mit Festigkeit, mit Muth und Selbstvertrauen. Selbstachtung ist die nothwendige Schwester der Bescheidenheit. Der deutsche Michel hatte so Unrecht nicht, als er schrieb: Bescheidenheit ist eine Zier, doch kommt man weiter ohne ihr.

Wenn Amerika und England mit Verständniss und Glück Rassen erzüchtet, die wir nicht haben, so sind wir keineswegs dagegen, dass wir solche Rassen einführen. Freilich thut es uns leid um die exorbitanten Preise, die wir dafür zahlen müssen; aber es lässt sich das einmal nicht umgehen. Wenn es aber den Züchtern im Auslande gefällt, die Rassen nach der Mode umzumodeln, so finden wir es gar nicht recht, dass wir gleich die Füsse in Bewegung setzen sollen, wenn man drüben in die Posaune stösst. Man soll mit der Mode gehen, aber die Mode soll uns nicht beherrschen, wir vielmehr sollen die Mode beherrschen. Heuer will man bei uns mit besonderem Nachdruck die Wirthschaftszucht fördern, und das mit Recht. In diesem Punkte ist uns das Ausland wenig dienlich, ja nach unserer festen Meinung mehr hinderlich. Vor unlängst klagte Herr Zitto in dieser Zeitung, dass das Langshahnhuhn zu sehr verglattbeinigt werde und das compakte gute Nutzhuhn dadurch an Werth verliere. Wir bedauern noch mehr, dass die Rassen heute zuviel bantamisiert werden. Es ist, als herrsche eine reine Wuth, alles zu bantamisieren. Wir wollen den Liebhabern diese Spielerei gerne gönnen, versagen auch der Kunst unsere Anerkennung nicht.

Aber was ist dabei gewonnen? Für die Wirthschaftszucht gar nichts, sie leidet nur dadurch Und für den Sport können wir wohl dasselbe sagen. Es ist gewiss recht hübsch, wenn die Ausstellungskäfige mit schönen Exemplaren dieser verschiedenen Zwerge besetzt sind. Aber ob derselbe Effect nicht auch mit anderen Thieren guter Qualität erreicht würde, das ist wenigstens eine offene Frage. Wollte man Nachfrage halten bei den Ausstellern der verschiedenen Bantamrassen, wir würden die Ueberzeugung gewinnen, dass die grösste Mehrzahl der kleinen Zwerge englischer Abkunft sind. Hierzulande ist man in der Kunst des Bantamisierens noch nicht weit gekommen und das nicht zu unserem Schaden, und wir wünschten nur, dass man die Spielerei nicht zu weit triebe. Unser Rassenverzeichniss wächst in erschreckender Weise an, ein Stillstand ist noch gar nicht vorauszusehend Die Zucht der guten alten Rassen leidet darunter. Das ist eben ein wesentlicher Grund, weshalb bei manchen Rassen ein so geringer Fortschritt erkennt bar ist, weil man eben von Einem auf das Andere fällt und zu sehr der Neulust Rechnung trägt und dadurch die Kraft zersplittert. Wir animieren das Ausland geradezu dazu, derSchaffenslust die Zügel schiessen zu lassen, da wir die willigen Abnehmer sind. Ferne sei es von uns, den ausländischen Züchtern unedle Motive unterzuschieben. Aber was offen zu Tage liegt, lässt sich einmal nicht wegdisputieren.

Die Amerikaner und Engländer sind praktische Leute. Sie wissen sehr gut ihren Züchterruf auch mit klingender Münze zu vereinigen. Das eben spornt diese Züchter an, dass sie die Gewissheit haben, der pekuniäre Erfolg wird dem anderen folgen. Sie wissen gar zu gut, dass ihre Waare zu guten Preisen Abnehmer findet, dass Kosten und Mühen nicht umsonst aufgewendet werden. Wie ganz anders wieder bei uns. Es ist fast beschämend, aber wahr. Haben bei uns die berufenen Züchter aus gutem Zuchtmateriale wirklich gute Nachzucht erzielt, dann ist's noch lange keine Kleinigkeit, auch das Ueberflüssige zu annehmbaren Preisen an den Mann zu bringen. Abnehmer wären wohl genug da, aber das Gute liegt zu nahe. Vom Auslande muss bezogen werden. Um irriger Meinung vorzubeugen, bemerken wir, dass wir keineswegs zu denen zählen, die aus Geschäftsrücksichten Geflügelzucht betreiben. Das thut eben wieder unserer Zucht noth, dass für Absatz guter Thiere Quellen geschaffen werden. Wissen unsere Züchter, dass ihre reelle Waare zu annehmbaren Preisen Abnehmer finden, dann wird das schon mit ein Sporn sein, der Zucht mehr Aufmerksamkeit zu schenken; daneben können die Liebhaberei und Züchterehre unbeschadet als erstes und leitendes Motiv bestehen. Es muss sogar erstrebt werden, dass das Ausland von uns bezieht, wenn es auch nicht eben England ist. Wir geben noch zu bedenken, dass wir nur in seltenen Fällen Thiere erster Güte vom Auslande bekommen. Das widerspricht schon dem praktischen Sinne des Züchters, wie ja auch bei uns der richtige Züchter das beste Zuchtmateriale für sich behält. Wenn wir das nicht sicher wüssten, so zeigen es uns die Fachschriften auf die klarste Weise. Es ist allbekannt, dass der Engländer ein Sportsmann ist, mehr wie andere Nationen, dass er auch fabelhafte Preise zahlt, wenn es sich um Sport handelt. Wenn wir nun auch nach unseren Begriffen schon hohe Preise zahlen für gutes Rassegeflügel, so doch keineswegs so exorbitante Preise, wie sie in England nicht zu den Seltenheiten gehören. Was wir also von England bekommen, wird nur in den seltensten Fällen Waare erster Qualität sein; wir müssen uns mit Mittelwaare begnügen, wenn nicht mit noch Wenigerem. Dazu kommt noch, dass die grossen Kosten des weiten Transportes den Import noch vertheuern. Unsere Züchter können die Preise billiger stellen, und wir werden schwerlich fehl greifen, wenn wir sagen um ein ganz Bedeutendes. Wir sind nicht dafür, dass der Import gänzlich einzustellen sei; aber er müsste eingeschränkt werden. Soll dies aber möglich werden, dann müssen die Züchter darnach streben immer Besseres zu erzielen. Sie müssen es möglich machen, dass sie wenigstens die gleiche Qualität in Zucht- und Ausstellungsthieren für civile Preise abgeben können. Dazu ist nun Vieles erforderlich. Vor allem wünschen wir mehr Concentration bei der Zucht. Man muss sich mehr an wenige Rassen halten, muss mehr Specialzucht treiben. Dieser steht leider unser Prämiirungssystem entgegen. Wir wollen die verschiedenen Systeme nicht einer Prüfung auf ihren Werth oder Nichtworth untersuchen. Der Stein ist einmal in's Rollen gerathen; man hat sich in den Fachschriften verschiedentlich darüber ausgesprochen und beginnt mit Versuchen. Hoffentlich bringen diese Klarheit in die Sache. Das aber möchten wir für heute betonen, dass es der Zucht geradezu entgegensteht, wenn man auf Ausstellungen die höchsten Auszeichnungen auf die höchste Anzahl errungener Puncte legt. Man verleitet dadurch geradezu die Züchter, mit möglichst viel Rassen zu operiren oder möglichst viel zusammenzukaufen. Die höchste Auszeichnung kommt unseres Erachtens dem zu, der in der Zucht, wenn auch nur in einer Rasse, das Höchste erreicht hat Es gibt, Gottlob, wie vorhin bemerkt, in Oesterreich und Deutschland Züchter, welche in verschiedenen Rassen sich wirklich auf der Höhe befinden. Solche Züchter soll man unterstützen. Sie sind es eben, welche unserer Zucht die Selbstständigkeit bringen müssen. Und was wir von den Züchtern gesagt, gilt in doppelter Beziehung von unseren Preisrichtern. Wenn diese gleich Wetterfahnen loben und tadeln, wenn diesen die Selbstständigkeit, das klare Urtheil fehlt, dann werden die Züchter schwerlich zu zielbewusstem Selbstbewusstsein kommen. Nur Muth und Selbstvertrauen, es muss, es wird besser werden.

Für Taubenzüchter.

Von **A. V. Curry**, Wien-Währing.

(Schluss.)

Viele Missbräuche, welche die Vertrauensseligkeit dem nächsten besten gegenüber schon gezeitigt, müssen aber zu grosser Vorsicht warnen, wenn man, von besten Intentionen erfüllt, die praktische Unterweisung an die theoretische anzuknüpfen versucht und zu diesem oder einem anderen Zwecke das friedliche Heim unserer Tauben willig öffnen wollte Jedem, der da Einlass heischend an die Thüre pocht. Die gröblichsten und unmenschlichsten Missethaten waren schon die Folge so manch' complimentereichen Visite in unseren Taubenschlägen und das bekannte „Trau, schau, wem?“ ist inmitten des von Neidpflanzen überwuchernden Bodens unserer Taubenzucht wie bald nirgends mehr am Platze. Viele der älteren Züchter werden davon zu erzählen wissen und so manch' Andere beweinten schon die Wirkung und dachten gar nie an die eigentliche Ursache. Es ist überhaupt eine eingebürgerte Unsitte, in einem fremden Schlage jede Taube, die man zu irgend welchem Zwecke vorgezeigt erhält, sogleich auch schon abzugreifen, statt sie, wie bei Hühnern, aus der Volière zu besichtigen. Ein halbwegs gutes Auge mit nur einigem Kennerblicke gerüstet, vermag doch aus dem ohnehin bis hart an das Gesicht gerücktem Käfige genügend viel zu sehen, ja es sieht sogar mehreres, was ihm aus der Hand entgehen würde; zu was denn also immer erst das Abgreifen? Ja, der Eigenthümer wird seine Tauben stets gerne mit der Hand betrachten, aber wie kommen dazu Andere? Da heisst es: „Hands off!“ und wer es nicht verstehen will, dem sage man's halt leise in's Ohr, dass dies soviel heisst als Hände weg! Wie leicht ist ja ein Druck geschehen, muthwillig, heimtückisch oder aus purer Ungeschicklichkeit. Ist dann eine Taube kurz darauf marod oder geht sie zufällig ein, so ist der Verdacht mit allen seinen peinlichsten Consequenzen fertig, auch wenn in Wirklichkeit die eigentliche Ursache in einem völlig anderen Umstande gelegen ist. Also für Alle ist es rathsam, fremde Tauben stets nur aus der Volière zu besehen und man sollte, will man ruhig schlafen, den Schlag und Futterplatz der Tauben auch nur von vertrauenswürdigsten Personen betreten lassen. Ich will damit in unser, des freundschaftlichsten Verkehres bedürftigen, Sportsleben kein überspanntes gegenseitiges Misstrauen geschleudert haben; unsere, Gottlob in der Mehrzahl stehenden, redlich denkenden Fachgenossen werden ja selbst Alles vorsichtig vermeiden, was sie in Verdacht bringen oder dem Anderen seine Ruhe stören könnte, und indem wir die gebotene Vorsicht eines Anderen respectiren, dürfen auch wir sie Anderen gegenüber üben, dann schwindet die Empfindlichkeit und es kommt nicht gleich zum obligaten Streite.

Es gibt aber auch Neidhanseln, die es im Verleiden des Vergnügens ihrer Sportscollegen soweit treiben können, dieselben durch zeitweise Nachschau buchstäblich zu controliren. Ein förmliches Verhör ist da das Schicksal eines gutmüthigen Liebhabers. Woher das und jenes, von wem, wie theuer? Und wohin das und jenes, warum und zu was? Mit solchen Fragen wird er überstürmt. Hat er aber gar sein Ueberflüssiges veräussert, so geht das Fragen von neuem an und es wird ihm am Schlusse Schachern vorgeworfen, und dies immer nur von jenen Evangeliumaufsagern, welche ihrerseits den Verkauf von Tauben gewohnheitsmässig gar nicht auf den selbsterzeugten Ueberfluss beschränken, sondern noch Billiges erwerben und es ihren Bestellern mit meist unverhältnissmässigem Gewinne anhängen. Solche Onkeln verleiden Vielen ihre Passion und discreditiren nicht selten die ganzen Zuchtproducte eines Ortes, indem sie einheimische Primawaare anbieten und Schund versenden; sind noch ärger, als wie jene merkwürdigen Sonderlinge, die aus ihrem Schlage Niemandem „auch nur eine Feder“ geben wollen, weil sie da schon fürchten, ein geschickter Züchter könnte selbst den Abfällen ihrer Zucht noch Goldkörner entwinden, deren Besitz sie keinem Anderen gönnen wollen. Aber auch diese sind so gut wie verlorene Posten in der Rechnung der Allgemeinheit unserer Sportswelt, ihr Inventar gehört der todten Hand an, denn engherzig dämmen sie den Strom ein, statt ihm zu gestatten, in seinem Uebertreten die benachbarten Felder zu befruchten.

So finden wir am bunten Felde unserer Sportswelt neben den lieblichsten Blumen auch jene Schlinggewächse eingestreut, welche im Streben nach oben jene umwinden und den usurpirten Stützen das Licht des Lebens schmälern. Die edelste Absicht, das Beste zu fördern, wird aber nur vollkommen durch Bekämpfung des Bösen, und wenn es uns auch niemals vollständig gelingen wird, die Summe aller Widerwärtigkeiten auszutilgen, ja, sie auch nur zu vermindern, so ist es schon Gewinn genug für unsere Sache, wenn wir uns damit bekannt gemacht. In unserem Fache begegnen wir nothgedrungen den verschiedensten Charakteren, wir weichen aus, bekämpfen sie oder unterliegen, aber sie überraschen uns nicht mehr, wenn wir ihre Anschläge kennen und darauf auch vorbereitet sind. D'rum halte die Presse den Narren den Spiegel vor Augen und beschäme sie mit heilsamem Spotte, sie bringe die Larve des Pharisäers zum Fallen, die Schminke des Neiders zum Schwinden und ziehe die nackte Wahrheit ohne Umschweifen vor ein unbestechliches Gericht. So wird, ohne roth zu werden, vielleicht so Mancher danken für die discrete Ermahnung.

Diese Gedanken bestimmten meine Absicht, das grellste Fragment am Felde unserer Taubenzucht flüchtigen Schrittes mit Schwert und Waage zu durchschreiten, jenem Dünkel zu steuern (??), das uns allen Irrthum und Unsinn erschöpfen lässt, bevor wir uns zum schönen Ziele der Weisheit hinaufgearbeitet und jene moralischen Störungen an's Licht der Oeffentlichkeit zu ziehen, welche, aus dunkler Tiefe steigend, den Schimmer der Freude verkümmern und der Sache unseres Sportes schon so viele ihrer schönsten Zierden raubten. Ein reiner Himmel solle sich hier wölben, wo das Vergnügen unserer Seele leere Stunden des Daseins füllen soll, denn wenn Kummer an unserem Herzen nagt, trübe Laune die einsamen Stunden vergällt, wenn uns die Welt und die Geschäfte anwidern und Laster aller Art die Schulter drücken, dann empfange uns das muntere Heim unserer Tauben, in diesem sollen wir die Sorgen des Lebens vergessen, sollen uns wiedergegeben werden und das Blut treibe von hier aus wieder in frischeren Wallungen.

Ausstellungen.

Erster steiermärkischer Geflügelzucht Verein in Graz. Die IX. allgemeine Geflügel- und Vogelausstellung dieses Vereines findet in der Zeit vom 6. bis 9. Mai d. J. in den Sälen der Industriehalle in Graz statt.

Mehrfach geäusserten Wünschen entsprechend, hat das Directorium beschlossen, heuer ausnahmsweise die Prämiirung nicht nach dem Classensystem vorzunehmen.

Es kommen für diese Ausstellung neben Staatsmedaillen und Medaillen der k. k. steiermärkischen Landwirthschafts-Gesellschaft, noch silberne und bronzene Vereinsmedaillen, sowie Geldpreise zur Vertheilung.

Das Preisgericht wird aus heimischen Fachmännern, sowie aus Solchen aus befreundeten vaterländischen Vereinen gebildet werden.

Die Programme werden demnächst ausgegeben und kommen wir sodann wiederholt auf diese Ausstellung zurück.

Geflügelausstellung in Paris. Wir erhalten folgende Zuschrift:

Hochgeehrter Herr!

Die Zucht des Hühnerhof-Geflügels hat seit einigen Jahren so grosse Wichtigkeit und so grossen Beifall errungen, dass die Société nationale d'Acclimation es für eine Nothwendigkeit gehalten hat, eine specielle praktische Avicultur-Section zu gründen.

Diese Abtheilung, in welche sich alle Mitglieder unseres Vereines einschreiben lassen können, welche aber auch fremde Anhänger mittelst eines bescheidenen jährlichen Beitrages aufnimmt, hält öfters Sitzungen ab, in welchen die verschiedenen Fragen, bezugnehmend auf die Veredelung der Racen und die besten Mittel zur Anlegung eines Hühnerhofes, das Füttern und Aufziehen der Thiere, besprochen werden. Ein besonderer Bericht erscheint monatlich und wird umsonst den Mitgliedern überlassen.

Hiedurch war jedoch ihre Thätigkeit nicht beendet; sie hat es für ihre besondere Aufgabe gehalten das Interesse für die Zucht zu verbreiten, indem sie es dem Publicum ermöglichte selbst über die erzielten Erfolge zu urtheilen.

Zu diesem Zwecke wurde im April 1891 eine internationale Ausstellung im Jardin zoologique d'acclimation eröffnet, die, ungeachtet der kurzen Zeitfrist, welche ihrer Einrichtung gewidmet sein konnte, als sehr gelungen gelten dürfte. Eine zweite Ausstellung hat am selben Orte im October des erwähnten Jahres stattgefunden, und wir konnten uns an derselben eines gleichen guten Erfolges erfreuen. Zahlreiche wohlbekannte Züchter aus Frankreich und aus der Fremde waren unserem Rufe gefolgt, und hatten meist sehr bemerkenswerthe Probestücke ausgestellt.

Indem wir unseren Ausstellungen einen ganz neuen eleganten Charakter verliehen, suchten wir sie dabei für das grosse Publicum anziehend zu machen und dadurch die Zahl der Käufer und besonders der tüchtigen Züchter zu vermehren.

Unsere Concurse finden zwei Mal im Jahre statt, im Frühling und im Herbst. Wir vermehren so viel als möglich die Classen, und die Zahl der Preise (Denkmünzen, Diplome) ist der Anzahl der angemeldeten Nummern entsprechend.

Obwohl die Anzahl der ausgesetzten Preise schon eine genügende ist, hoffen wir sie noch zu vermehren; heute jedoch sind sie schon hinreichend, den Aussteller für die ihm durch die Ausstellung erwachsenen Kosten zu entschädigen.

Sie werden, hochgeehrter Herr, ohne Zweifel den überaus freisinnigen Charakter dieser Anordnungen zu schätzen wissen, und werden sich in Anbetracht der erzielten Resultate zu uns gesellen und uns in unseren Bestrebungen unterstützen nur mit der Hilfe tüchtiger Personen von gutem Willen wird es uns möglich sein der Section praktischer Avicultur die Ausdehnung und Wichtigkeit, welche ihr zukommt, zu verleihen.

Unsere nächste Ausstellung, deren Programm von heute an schon zu Ihrer Verfügung steht, wird im April 1892, in den neuen und grossen Gebäuden des Jardin d'Acclimation stattfinden; die Avicultur Concurse werden von nun an eine bis jetzt unerreichte Ausdehnung erhalten.

Wir würden uns glücklich schätzen, hochgeehrter Herr, Sie unseren Ausstellern beirechnen zu dürfen, und bitten Sie uns mit einigen schönen Exemplaren der von Ihnen gezüchteten Racen zu beehren.

Ebenso dankbarst nehmen wir alle von Ihnen gesandten Mittheilungen, Auskünfte und Anzeigen entgegen und werden selbe in den Specialberichten der Société nationale d'Acclimation eingehender Besprechung gewürdigt.

Hochachtungsvollst

Der Präsident der speciellen Abtheilung für Avicultur:
Oustalet.

Der Vice-Präsident der Abtheilung:
H. Voitellier.

Der Secretär der Abtheilung:
J.-J. Lejeune.

Der Assistent-Secretär der Abtheilung:
J. de Claybrooke.

Concursbedingungen:

§ I. Die Classen, 125 an der Zahl, sind wie folgt vertheilt:

Henne und Hennen.

1° Grosse französische Racen	10 Classen
2° Grosse fremde Racen	27
3° Zwergracen	12
Perlhühner und Truthühner.	
4° Perlhühner	1
5° Truthühner	4
Schwimmvögel.	
6° Gänse	5
7° Enten	6
Tauben.	
8° Grosse Racen	9
9° Brieftauben	4
10° Tauben aus verschiedenen Racen	33
11° Boulants Tauben	8
Kaninchen und Meerschweinchen.	
12° Kaninchen	6
13° Meerschweinchen	3
	125 Classen.

§ II. — Die ausgestellten Thiere werden in speciellen Abtheilungen einzeln untergebracht; sie sind also ganz isolirt. Die Tauben werden paarweise vereinigt.

§ III. — Die durch die Jury zuerkannten Preisen bestehen aus Diplomen und Silberpreisen, im Gesammtwerthe von 3.530 Francs.

Die ausgezeichneten Aussteller erhalten ausserdem Münzen, auf welchen die Preise und die Ehrendiplome verzeichnet erscheinen.

Ausser den oben angezeigten Silberpreisen wird ein ergänzender Preis (Silbermünze oder Diplom) zuerkannt, wenn die Zahl der ausgestellten Thiere zwölf übertrifft. Z. B.: Wenn 12 Stück Geflügel von Creve coeur ausgestellt sind, werden ihnen die zwei ausgesetzten Preise zuerkannt (vorausgesetzt, dass die Thiere überhaupt prämiirt werden); wenn 13 Stück Geflügel vorhanden sind, wird ein ergänzender Preis den zwei vorigen zugefügt; wenn 25 Stück, ein weiterer ergänzender Preis und so fort.

§ IV. — Die Preise werden durch mehrere französische oder fremde Juroren, welch' letztern von der Section bezeichnet werden, zuerkannt. Die Juroren, welche als Aussteller an dem Concurs Theil nehmen sind im eventuellen Fällen ausser Concurs in der Categorie, in welcher sie prämiiren.

§ V. Die Section übernimmt den Empfang, die Installation und die Zurücksendung der Thiere, deren Besitzer abwesend wären, sowie den Verkauf zu den durch sie festgesetzten Preisen. Die Thiere werden während der Ausstellung unentgeltlich gefüttert.

Eine specielle Commission wird bei der Uebernahme beauftragt, den Eintritt kranken oder verdächtigen Thieren zu versagen.

§ VI. — Die Einschreibungs-Bedingungen sind folgende:

3 Francs per Hahn, Henne, Perlhuhn, Ente, Kaninchen oder Meerschweinchen;

3 Francs für ein paar Tauben;

4 Francs per Truthuhn oder Gans.

Der für das Zuchtmaterial reservirte Platz wird mit 5 Francs für den Quadratmeter berechnet.

Eine Herabsetzung um 40% der Preise dieses Tarifs wird den Mitgliedern der Société nationale d'Acclimatation und der Section practischer Avicultur gewährt.

I. Wiener Vororte-Geflügelzucht-Verein in Rudolfsheim.

(Wien, XIV. Bezirk).

Das Programm der V. allgemeinen Geflügel-, Vogel- und Kaninchen-Ausstellung wurde eben ausgegeben.

Es sind für Hühner: 32, für Enten: 4, für Gänse: 3, für Trut- und Perlhühner sowie für Ziergeflügel je eine Classe ausgeschrieben, während die Tauben-Abtheilung 52 Classen aufweist.

Ferner folgen noch Classen für: Vögel, Kaninchen, Mastgeflügel, Präparate, Käfige und Geflechte, Literatur und Futterproben u. dgl.

In den Hühnerclassen betragen die Classenpreise: I. 5 fl., II. 3 fl., III. 2 fl. ö. W., während in den Gänse- und Entenclassen an Stelle des III. Preises eine bronzene Medaille tritt.

In den Classen für Trut- und Perlhühner, sowie für Ziergeflügel ist der I. Preis eine silberne Vereins-Medaille, der II. Preis eine bronzene Vereins-Medaille, der III. Preis ein Ehren-Diplom (soll wohl richtig heissen Anerkennungs-Diplom, da im Allgemeinen das Ehrendiplom die höchste Auszeichnung zu sein pflegt, die die Jury einer Ausstellung zu verleihen hat).

In der Taubenabtheilung sind die Classen-Geldpreise 4, 3 und 2 Gulden ö. W., u. zw. für alle Classen gleich.

In den übrigen Abtheilungen sind wieder Medaillen sowie als dritter Preis das Ehrendiplom angesetzt.

Ausser der Classen-Preisen stehen noch je vier silberne und bronzene Staatsmedaillen, sowie eine grosse Anzahl werthvolle Collections- und Privatpreise zur Verfügung der Jury.

Mit der Ausstellung ist ein Brieftaubenwettflug Tulln-Wien projectirt und wurde zu diesem Behufe eine Brieftaubenstation am Ausstellungsplatze „Dreherpark" errichtet.

Programme und Anmeldungsbögen sind erhältlich durch Herrn Jos. Mortzell, Wien, Sechshaus, Wehrgasse 3.

Aus den Vereinen.

I. österr.-ungar. Geflügelzucht-Verein in Wien.

General-Versammlung am 26. Februar 1892.

Der Präsident Herr Baron Villa-Secca eröffnete nach 6 Uhr die General-Versammlung mit der Darlegung der Vereinsthätigkeit im verflossenen Jahre.

Vorerst gedenkt er der beiden dem Vereine durch den Tod entrissenen Mitgliedern Ferd. Harrer und E. R. v. Orel und fordert die Versammlung auf, das Andenken der Dahingeschiedenen durch Erheben von den Sitzen zu ehren. Hierauf kommt Redner auf die Ausstellungs-Angelegenheiten zu sprechen, die wir hier als allen Lesern der „Schwalbe" aus zahlreichen Berichten und Notizen bekannt voraussetzen und somit übergehen können. Der Prämiirungsmodus, wie er für die heurige Ausstellung geplant ist, kommt zur eingehenden Besprechung und dankt die Versammlung dem Redner für seine in dieser Angelegenheit ergriffene Initiative, durch lebhaften Beifall. Auch die Mittheilung, dass das Directorium Schritte gethan, für die heurige Ausstellung einen Kaiserpreis zu erlangen, wird mit Dank und Beifall aufgenommen.

Hierauf legt der Vicepräsident nied.-öst. Rechnungsrath J. B. Brusskay den Rechenschaftsbericht vor, der von der General-Versammlung zur genehmigen den Kenntniss genommen und dem abtretenden Directorium das Absolutorium ertheilt wird.

Es folgt die Neuwahl des Directoriums und der Directionsräthe.

Mehrere langjährige verdiente Directoriumsmitglieder hatten in Folge Geschäftsüberbürdung abgelehnt eine Neuwahl anzunehmen, wodurch die Wahl einiger jüngerer Kräfte nöthig wurde. Wir haben schon in der letzten Nummer dieses Blattes die Namen der in's Directorium Berufenen mitgetheilt und bemerken nur, dass fast alle Herren einstimmig gewählt wurden.

Nachdem noch die Wahl zweier Rechnungs-Revisoren der Herren Josef Kührer und A. V. Curry per Acclamation erfolgte, schliesst der Vorsitzende, indem er den Versammelten für ihr Erscheinen dankt und das neuerwählte Directorium auffordert, energisch für die Interessen des Vereines einzutreten.

Herr V. Curry dankt dem Präsidenten für seine hingebungsvolle Leitung des Vereines im Namen des Plenums, während Herr Baron Villa-Secca wieder den beiden Vice-Präsidenten nied.-österr. Rechnungsrath J. B. Brusskay und Ingenieur C. Pallisch für die ihm geleistete Unterstützung dankt und sie auffordert, auch in Zukunft an der Leitung des Vereines so thätigen Antheil zu nehmen.

Ornithologischer Verein in Wien.

Populäre Vorträge über Ornithologie. Der Ausschuss des Ornithologischen Vereines hat den Beschluss gefasst, durch Veranstaltung populärer, allen Vogelfreunden zugänglicher Vorträge, den Sinn für Ornithologie in weiteren Kreisen zu verbreiten. Der Besuch dieser Vorträge ist unentgeltlich. Dank dem Entgegenkommen des Vereines der Gärtnerfreunde in Hietzing, insbesondere des verdienstvollen Vicepräsidenten W. Richter wurden die Vorarbeiten dahin geleitet, dass Samstag, 19. März, Abends 7 Uhr, in Hietzing im grossen Saale des Hôtels „Weisser Engel", der erste dieser Vorträge stattfinden wird. An diesem Tage wird Herr Andreas Reischek über die „Vogelwelt und Fauna-Neuseelands" sprechen, die derselbe durch langjährigen Aufenthalt kennen lernte und dessen Sammlungen einen Weltruf besitzen. Eingeladen zu diesem hochinteressanten Vortrage sind alle Vogelfreunde (mit ihren Damen.)

Verlag des Vereines. — Für die Redaction verantwortlich: **Rudolf Ed. Bondi.**
Druck von **Johann L. Bondi & Sohn,** Wien, VII., Stiftgasse 3.

XVI. JAHRGANG. Nr. 6

Blätter für Vogelkunde, Vogelschutz, Geflügelzucht und Brieftaubenwesen.

Organ des I. österr.-ung. Geflügelzuchtvereines in Wien und des I. Wr. Vororte-Geflügelzuchtvereines in Rudolfsheim.

Redigirt von **C. PALLISCH** unter Mitwirkung von Hofrath Professor **Dr. C. CLAUS.**

31. März — 1892.

„DIE SCHWALBE" erscheint **Mitte** und **Ende** eines **jeden Monates**. — Im Buchhandel beträgt das Abonnement 6 fl. resp. 12 Mark, Einzelne Nummern 30 kr. resp. 50 Pf.

Inserate per 1 □ Centimeter 3 kr., resp. 6 Pf.

Mittheilungen an das **Präsidium** sind an Herrn **A. Bachofen v. Echt** in Nussdorf bei Wien; die **Jahresbeiträge** der Mitglieder (5 fl., resp. 10 Mark) an Herrn **Dr. Karl Zimmermann** in Wien, I., Bauernmarkt 11;

Mittheilungen an das **Secretariat** in Administrations-Angelegenheiten, sowie die für die **Bibliothek** und **Sammlungen** bestimmten Sendungen an Herrn **Fritz Zeller**, Wien, II., Untere Donaustrasse 13, zu adressiren.

Alle redactionellen Briefe, Sendungen etc. an Herrn **Ingenieur C. Pallisch in Erlach** bei Wr.-Neustadt zu richten.

Vereinsmitglieder beziehen das Blatt gratis.

Ornithologische Beobachtungen aus dem Aussiger Jagd- und Vogelschutz-Vereine 1890.

Von **Anton Hauptvogel.**

(Fortsetzung.)

In Mutzke erfolgte der Hauptzug am 27. September und am 28. September zogen die letzten fort. Einen interessanten Zug beobachtete ich am 21. September in Pömmerle. Es war ein prächtiger klarer Sonntagmorgen. Ich ging die Poststrasse auf und ab, um wenn möglich, ornithologische Beobachtungen zu machen. Gegen 8 Uhr gewahrte ich hoch in der Luft kleine schwarze Punkte. Ach, Zugvögel dachte ich und trachtete freie Aussicht zu gewinnen. Meine Blicke schweiften überall herum, nirgends war etwas zu sehen, als die vom Norden ziehenden Punkte, welche sich südlich gegen die bewaldete Gebirgsspitze der Katzenkappe im Grosspriesener Reviere, vis-à-vis am rechten Elbeufer langsam niederliessen. Erst zählte ich 4—5, gleich wieder waren an 20- 100, einige Hunderte wie in einem Augenblicke. Sie umflogen die Waldbäume des Berges, rasch, schnell nach Insecten jagend; während immer mehr wurden, kamen die ersten auch immer tiefer bis zur Elbe. Es waren Stadtschwalben. Nun kamen sie auch herüber nach Pömmerle, suchten die Obstbäume der Felder, Wiesen und Gärten ab, alles aber mit Hast und Eile. So waren circa seit dem Erblicken bis jetzt an dreiviertel Stunden vergangen. Nun folgte das Interessanteste. Beim Bahnhofe stehen zwei grosse Birken. Fast wie auf Commando, man kann sagen in einigen Augenblicken, waren alle an 500—600 Stück Schwalben bei den Birken. Sie umflogen diese wie ein Bienenschwarm, denen sie ganz ähnlich und erregten die Aufmerksamkeit der Bewohner, welche sich dieses Schauspiel bewundernd ansahen. Es war aber auch höchst eigenthümlich, wie hurtig sie alle beisammen um diese 2 Birken flogen. Jedenfalls hatten sich an den Blättern dieser Bäume sehr viele Insecten gesammelt, die jetzt den Schwalben eine willkommene Mahlzeit boten. Nach einer viertel Stunde war das Schauspiel vorüber. Sie verliessen nach und nach die Bäume, zogen sich in die Höhe und nicht lange dauerte es, so sah man blos hoch in den Lüften einige Nachzügler, welche den Vorangegangenen gegen Süden folgten. Es war halb 10 Uhr; um 10 Uhr war dann keine mehr zu sehen. Sie hatten sich wieder gesammelt und waren fortgezogen. Ich wünschte allen glückliche Reise.

7. Theil.

5. Uferschwalbe. Am 21. April in Aussig 6 Stück. Am 13. August sammelten sie sich in Pömmerle, Nachmittags 5 Uhr, das erste Mal auf dem Telegraphendrahte der Staatsbahn am Ende der Sammelstelle der Stadtschwalben einige 20 Stück durch einige Tage und zogen wahrscheinlich den 19. fort. Am 27. August waren wieder daselbst 3 Stück bei Stadtschwalben. Den 30. und 31. August sah ich noch 10 Stück bei Wessela und 3 Stück bei Grosspriesen auf der Elbe.

6. Kukuk. Am 17. April bei Mutzka, am 18. April bei Kleinpriesen, am 19. April bei Pömmerle, am 20. April bei Salesel, am 26. April in den Bielabüschen bei Aussig das erste Mal gehört. Abgang in Mutzke am 5. August.

7. Goldamsel. Am 26. April bei Aussig, am 3. Mai bei Pömmerle und Mutzke.

8. Mandelkrähe. Am 22. August glaube ich bei Wessela auf einem Felde auf einem Haufen gedörrten Klee 1 Stück gesehen zu haben.

9. Staar. Am 24. Februar bei Seestadtl an 100 Stück auf den nassen Wiesen. Am 24. Februar bei Tillisch angekommen, am 25. Februar in Aussig unterm Marienberg, in Aussig, Pockau, Krammel und Pömmerle. Am 3. Februar (?) sollen welche in böhm. Pockau und böhm. Kahn gesehen worden sein. Am 3. März die ersten in Dittelsbach. Am 4. März der erste Zug von Liebshausen gegen Brüx N., am 6. März daselbst ein weit grösserer Zug. Am 7. März der erste Staar in Mutzke, mehrere am 10. März. Am 16. März in Kleinpriesen. Am 26. März sah ich die ersten Staare auf der Aussiger Stadtkirche. Am 4. Mai hatte ich in den Nistkästchen schon Junge. Am 6. September kamen sie in Pömmerle wieder von der Mauser an. Am 9. September um dreiviertel 6 Uhr Abends ein Zug von 80—100 Stück über Aussig nach W. gezogen. Am 16. October ein grosser Zug über Aussig nach SW. Am 18. October sah ich in Aussig noch ein Stück. Am 25. October bei Mosern auf den Feldern 5 Stück. Von Mutzke ging der Zug ab am 30. October, die letzten am 11. November.

10. Rabenkrähen. Am 18. October um halb 2 Uhr an 200 Stück über Aussig niedrig von NO. gegen W.

11. Nebelkrähe. 17. März nach viertel 6 Uhr ein Zug von 100 Stück SW. gegen O. bei Lerchenfeld, um halb 6 Uhr ein zweiter Zug, 2—300 Stück, um dreiviertel 7 ein dritter Zug, niedrig und rasch, dicht beisammen, über Aussig, an 100 Stück gegen O. Westwind, sehr schön und heiter. In der sogenannten Mittelmühle in Kleinpriesen kamen nach und nach 3 junge Gänseln weg, beim 4. erwischten sie eine Krähe, welche der Räuber war.

12. Dohlen. Am 31. März an 40 Stück am Marienberg. Am 28. März, Früh 8 Uhr, 2 Stück am Zuge. Am 26. August, Nachmittag halb 6 Uhr, bei Pömmerle 2 Stück von O. gegen W. Am 27. August, um 9 Uhr Früh, ein Zug und um 10 Uhr ein zweiter von 11 Paaren unter vielem Geschrei von O. gegen W., bei Pömmerle lange Zeit kreisend. Am 8. September ein Stück zwischen Nestersitz und Mosern, um 10 Uhr von O gegen W., bei Grosspriesen ein grosser Zug, der sich dort aufhält. Am 2. October, nach heftigem Gewitterregen und bei starkem Sturme, 9 Stück über Aussig gegen S. Am 12. October am Marienberg 10 Paare.

13. Grauschechte. 2 Stück am 10. November in Aussig.

14. Wendehals. Am 4. April in Pömmerle den ersten gehört. Am 30. Juli Früh flogen aus einem Nistkästchen die Jungen aus. Man hörte sie von Weiten an dem Rufe zizisisisi.

15. Rothrückiger Würger. In diesem Jahre waren sehr wenige zu sehen. Den ersten fand ich am 10. Mai bei Kleischa. Am 11. Mai je je ein ♂ am Marienberg, Seesitz und Doppitz. Am 12. Mai und W. bei Pömmerle. Beim Hochwasser am 8. September am Bahndamme bei Nestomitz ein Stück, bei Mosern 4 Stück.

16. Grauer Fliegenschnäpper. Den ersten am 4. Mai in Pömmerle, wahrscheinlich erst angekommen. Am 8. September beim Hochwasser unterm Ziegenberg bei Wessela ausgeflogene Junge, welche von der Alten gefüttert wurden.

17. Haubenmeise. Am 11. October im Dollitscher Walde.

18. Sumpfmeise. Mehrere am 11. October bei Doppitz, Leimisch, Seesitz und Reindlitz. Sie halten sich überhaupt bei uns mehr im Mittelgebirge auf, weniger im Thale der Elbe, besonders gerne dort, wo an Bächen sich Sträucher vorfinden. Zur Zeit der Mohnreife, besuchen sie gerne diese und hacken die Mohnköpfe auf.

19. Schwanzmeisen. Im Winter sah ich in Pömmerle mehrere Male an 20 Stück beisammen. Am 25. März fand ich daselbst 2 ausgebaute Nester. Das eine war auf einem Apfelbaume in einer Höhe von 3·5 Meter, kaum 4 Meter vom nächsten Hause entfernt, das andere auf einer Pappel am Bache in gleicher Höhe. Flugloch gegen S. Beide fand ich 4. April vom Schädlichen zerstört. Seit 1887 war es das erste Mal, dass sie bei Pömmerle wieder bauten.

20. Weidenlaubsänger. Mehrere in Pömmerle am 31. März. Am 21. September Nachmittag in Bertbagrund einen singend.

21. Gartengrasmücke. Am 4. Mai in Pömmerle. Am 20. August wieder singend gehört.

22. Schwarzplättchen. Sehr viele in dem Walde der Edmundsklamm. Am 22. Juli daselbst ausgeflogene Junge.

23. Gartenspötter. Am 4. Mai den ersten gehört in Pömmerle.

24. Ziemer. Am 8. November im Walde bei Pömmerle 15 Stück.

25. Singdrossel. In Mutzke am 17. März, im Fasangarten Borngrund am 16. März, bei Pömmerle Mitte März angekommen.

26. Braunkehliger Wiesenschmätzer. An der Biela am 4. April ein ♂.

27. Weisskehliger Wiesenschmätzer. Hier Grasbetsche genannt. Am 24. Juni auf den Wiesen bei Grosskandern ausgeflogene Junge.

28. Weisssterniges Blaukehlchen. Karl Eschler in Kreibitz hat ein ♂.

29. Grauammer. Am 28. März bei Aussig den ersten gehört. Am 29. Juni sehr viele bei Grosskandern.

30. Hausrothschwanz. Am 25. März ein ♂ in Pömmerle angekommen. Sehr schön und warm. Ankunftszeit 8 Uhr Morgens. In Aussig den 27. März, in Mutzke am 26. März, in Kleinpriesen am 24. März, am 5. April in Pömmerle sehr viele. Am 5. October 6—7 Stück in Pömmerle singend. Das letzte gesehen am 28. October in Aussig am Thurme der Stadtkirche, hoch oben, auf der Ost- und Südseite bei Sonnenschein Insecten fangend. Es war ein ♂.

31. Gartenrothschwanz. ♂ und ♀ am 23. April bei Pömmerle. Am 27. April 2 Paare an ihrem Nistorte daselbst.

32. Weisse Bachstelze. Am 12. März in Pömmerle sehr viele angekommen. Am 18. März in Mutzke, am 6. März in Kleinpriesen. Am 4. Mai hatte ich schon Junge in Nistkästchen. Auf den Feldern und dem Bahndamme bei Nestomitz viele beim Hochwasser am 8. September. Am 2. November ein Stück an der Elbe bei Nestersitz. Ein Paar soll im Fabriksgebäude in der Woltschlinge überwintert haben.

33. Gelbe Bachstelze. 4 Stück in Pömmerle am 10. März.

34. Baumpieper. Die erste am Ziegenberg gehört am 16. März, in Mutzke am 29. März.

35. Nachtigall. Am 2. Mai am Zuge ein ♂ geschlagen in Siechens Graben bei Pömmerle, den anderen Tag war sie fort. Am 23. und 24. Mai ein ♂ am Schulberg in Pömmerle. Am 26. Mai das erste Mal nistend im Babigraben bei Meischlowitz.

36. Feldlerche. Am 21. Februar sollen hier einige gesehen worden sein. In Mutzke angekommen am 9. März. Am 5. September sah ich noch einige am Marienberg. Am 11. October abgezogen bei Mutzke. Am 22. October soll der Stationschef in Schönfeld, A. T. E., den Passagieren einen ganzen Teller voll todter Feldlerchen gezeigt haben, die sich am Telegraphendrahte erschlagen und er aufgelesen hatte. Herr Seiche, Kaufmann hier, hatte vor vielen Jahren vom Kronenwirthe Thamm eine abgerichtete Lerche gekauft, die er noch neunzehn Jahre hatte.

37. Heidelerche. Im Gehege bei Troschig am 18. März.

(Fortsetzung folgt.)

Aus Heinr. Gätke's „Vogelwarte Helgoland“.

(Fortsetzung.)

In seinem unvergleichlichen Werke spricht er es wieder und wieder auf das Bestimmteste aus, „dass die Vögel beim Wegzuge vom Aufgang gegen den Niedergang der Sonne ziehen und so umgekehrt, wenn sie im Frühjahre wiederkommen;“ oder „dass ihr Zug im Herbste gerade von Osten nach Westen gerichtet ist.“ Durch genügsame Beispiele wird von ihm nachgewiesen, unter welchen Umständen man dies am Tage beobachten könne oder des Nachts aus den Stimmen der Vögel wahrzunehmen vermöge. (Vögel Deutschlands, I. Einleitung.)

Ein gleiches Ergebniss haben die höchst interessanten Beobachtungen geliefert, welche seit 1879 auf den Leuchtthürmen und Leuchtschiffen der englischen und schottischen Küsten, über Arten, Zahl und Flugrichtung der ziehenden Vögel gemacht worden sind. Nach diesen Beobachtungen trafen an der englischen Ostküste alle herbstlichen Wanderer, mit Ausnahme mancher nordischen Schwimmvögel, auf westlich gerichtetem Fluge ein. Ein Gleiches fand an der schottischen Ostküste statt und hier hatte man ausserdem Gelegenheit, zu beobachten, wie dieser Flug in unveränderter Richtung über das Land hin bis zur Westküste desselben fortgesetzt wurde. In manchen Fällen endete auch dort diese Flugrichtung noch nicht, denn man beobachtete z. B. am Cap Whrat, der nordwestlichsten Spitze des schottischen Festlandes, Sula alba, sechs bis acht Tage westwärts vorbeiziehend, und schätzte die Zahl derselben auf zwei- bis dreitausend. Dieser Flug musste nun aber nothwendigerweise an den nördlichen Hebriden enden (Migration Reports.)

Waldschnepfen trafen gleichfalls zahlreich an der schottischen Ostküste ein; zerstreuter wurden sie an östlichen Punkten der ganzen Orkneygruppen gesehen, und von den Shetlandsinseln berichtet Saxby (Birds of Shetland), dass auch dort des öfteren Waldschnepfen im Laufe des Herbstes eintreffen. Da diese Art nur noch vereinzelt über das mittlere Schweden hinaus brütet, so können alle die Genannten doch einzig und allein auf westlichem Fluge nach Schottland und seinen nördlichen Inselgruppen gelangt sein, dass von dort aus diese westliche Zugbahn nothgedrungen in eine südliche übergehen muss, lehrt ein Blick auf die Karte des Landes.

Das nördlichste Beispiel eines von Ost nach West gerichteten Herbstzuges liefern Beobachtungen des leider so früh geschiedenen John Wolley (durch Professor A. Newton mir brieflich mitgetheilt), denen zufolge er sich schon im ersten Jahre seines Aufenthaltes zu Muonioniska in Lappland, 68° N., von einem solchen Zuge überzeugte. Es war der Goldammer, Emberiza citrinella, der durch sein zahlreiches Eintreffen am Schlusse des Sommers zuerst ihn diese Bewegung erkennen liess. Die an dem genannten Orte während der Herbstwanderung in so grosser Zahl zuziehenden Vögel konnten eben aus keiner anderen Richtung her anlangen, als aus einer östlichen. Der bis dahin westliche Zug auch dieser Ammern muss sodann eine südliche Wendung nehmen, da dieselben auf den Shetlandinseln nur sehr vereinzelt angetroffen werden (Saxby). Sie ziehen südwärts bis in das untere Schweden, woselbst sie sich dann wieder dem Westfluge weiter südlich heimischer Artgenossen anschliessen und so theilweise nach England gelangen, in dessen östlichen Provinzen sich die Zahl derselben regelmässig mit dem Herannahen des Winters steigert.

Aehnlich verhält es sich mit den Berglerchen, die im Herbste im östlichen Finnmarken von Osten her eintreffen und dort in Folge dessen russische Schneeammern genannt werden; Collet sagt (siehe Dresser IV, Alauda alpestris), dass dieselben östlich von Norwegen ziehen, also Schweden hinunter, und dass sie im unteren Norwegen äusserst selten gesehen werden. Im südlichen Schweden vereinigen sie sich dann mit den von Asien kommenden, und es entstehen so die zahllosen Schaaren, welche während der letzten Jahrzehnte hier auf Helgoland gesehen worden sind. Ueber die weiteren Zugbewegungen dieser Art siehe die spätere Behandlung derselben!

Schliesslich mögen noch die Bergfinken, Fringilla montifringilla, angeführt werden, deren westlichste Nistplätze in der nördlichen Hälfte Skandinaviens liegen, wo sie in grosser Zahl brüten und im Herbste hinunter in die südlichen Theile des Landes ziehen; dieselben müssen dort sich westwärts wenden und die Nordsee überfliegen, denn sie treffen an der schottischen Ostküste massenhaft ein (Migration Reports). Sie kommen dagegen auf den Orkney und Shetlandinseln nur in geringer Zahl vor, und dies beweist, dass ihr Zug nicht etwa von den Niststätten aus sofort in südwestlicher Richtung erfolge, indem in solchem Falle der Hauptzug auf diesen Inseln eintreffen müsste. Im Innern des Landes und an der Westküste desselben sammeln sich diese Vögel in ungeheuren Massen an, um von dort ihre Reise südlich fortzusetzen; sie überwintern zahlreich in Spanien und gehen in Ausnahmefällen sogar über die Strasse von Gibraltar (Irby).

Das westliche Schottland und seine Küsten bieten während der Herbstmonate den Anblick zahlloser Schaaren grösserer und kleiner Landvögel dar, sowie von Enten, Gänsen, Schwänen und anderen Wasservögeln, die alle auf südlichem und süd-südöstlichem Wege ihren Winterquartieren zueilen. Diese Schaaren bestehen theilweise aus Vögeln, die gleich den Bergfinken, an der Ostküste des Landes eingetroffen sind und dasselbe in westlicher Richtung überflogen haben, theilweise aus solchen, die dem schottischen Festlande angehören, und aus solchen, deren Heimat die Hebriden und inneren schottischen Inseln sind. Der Herbstzug aller dieser bewegt sich hier nothwendigerweise in südlicher Richtung.

Hiemit wären diese Wanderer auf ihrem Fluge vom östlichen Asien bis zu den westlichen, vom Weltmeere bespülten Gestaden Europas geleitet. Die nachgewiesene Uebereinstimmung in der Richtung des Wanderfluges der verschiedensten Arten auf so weit getrennten Gebieten, wie das mittlere Deutschland, Helgoland, die britische Ostküste einschliesslich der Orkney- und Shetländischen Inselgruppen, bis hinauf zu 70° N. in Finnmarken, deren Breiteausdehnung eine Zugfront von zweihundert und vierzig deutsche Meilen ergibt, dürfte wohl zur Genüge die dargelegte Ansicht bestätigen, dass eine grosse, wenn nicht die grösste Zahl unserer herbstlichen Wanderer die längste im Vogelzuge überhaupt vorkommende Wegstrecke in einer von Ost nach West liegenden Richtung zurücklege, dass aber manche zeitweilig, die meisten jedoch am Schlusse ihres Westfluges sich südlich wenden — vollständig unbeeinflusst von der Phisiognomie der Oberfläche des ungeheuren Continentes, welchen sie überfliegen.

In dieser langen Zugwoge folgt nun aber nicht etwa jede der hundertfältigen Arten, aus welchen dieselbe zusammengesetzt ist, einer eigenen, mehr oder weniger eng begrenzten Zugstrasse, sondern fast alle brechen von ihrem Brutgebiete in westlicher Richtung auf und verfolgen, unter dem Breitegrade ihrer Niststätte, ihren Weg bis an das Endziel, manche zeitweilig, andere erst vor dem Abschluss der Wanderung eine südliche Richtung einschlagend.

Natürlich mag es ja vorkommen, dass irgend ein Bruchtheil des breiten Zuges in der Richtung eines tief unter demselben liegenden Meeresgestades dahin gegangen und fort und fort dahingeht, aber wahrlich doch nur, weil geologische Bedingungen die Uferlinie gleichlaufend der Zugbewegung, Ost-West oder Nord-Süd geformt haben, sicherlich aber nicht in Folge irgend welcher Absicht seitens der Wanderer. Man unterziehe doch nochmals die Reiseroute des Richard-Piepers und der anderen vielen ostasiatischen Arten, welche Helgoland jeden Herbst so zahlreich besuchen, einer näheren Prüfung. Die ungeheure Wegstrecke von jenseits des Baikal-Sees bis zur östlichen Spitze Preussens legen all' diese Vögel ohne irgend welche der angeblichen Merkzeichen oder Wegweiser zurück; an der Ostsee angekommen, sollten sie nun plötzlich sich nicht anders zu helfen wissen, als dass sie der vergleichsweise kleinen Spanne Ostseeküste bis Holstein folgten! Und welcher Leitfaden ist ihnen dann weiter geboten, wenn sie nach Ueberfliegung Holsteins die Nordsee vor sich haben und bald jede Küste aus Sicht verlieren?

Beobachter, welche derartige Wanderer über dem Meeresstrande in der Richtung der Küstenlinie fliegen sahen, fassten die einander folgenden Vogelschaaren als einen lang gestreckten Heerzug auf, und dachten nicht daran, dass sie sich möglicherweise in der Mitte einer breiten, meilenweit see- und landwärts sich erstreckenden Zugfront befinden könnten, und doch war dies ganz unzweifelhaft der Fall. Eine Bestätigung hierfür liefern die oft erwähnten, allherbstlich Helgoland in endlosen Zügen auf ostwestlichem Wege passirenden Krähen, deren Zugfront ein paar Meilen nördlich von der Insel bei dort liegenden Fischerbooten noch nicht endete, und die zur selben Zeit von dem, von hier nach der Weser gehenden Dampfboote aus bis zu der sechs Meilen südlich entlegenen Küste überall gleich zahlreich westwärts dahinziehend gesehen würden. Wenn an solchen Tagen obige Beobachter sich auf den Inseln jener Küste: Wangeroog, Norderney bis Borkum hinaus befunden hätten, so würden sie zweifellos das Gesehene als einen schlagenden Beweis für ihre Hypothese: dass wandernde Vögel die Küstenlinien als vorgezeichnete Heerstrassen benützen, geltend gemacht haben, nicht ahnend, dass sie sich in einer Zugfront befanden, die sich von ihrem Standpuncte aus, in nördlicher Richtung, wenigstens acht bis zehn Meilen in See hinaus erstreckte, und landeinwärts sicherlich noch meilenweit reichte.

Noch ein weiteres Beispiel des in breiter Zugfront westwärts gerichteten Herbstzuges möge hier folgen. Es lieferte dies das gelbköpfige Goldhähnchen, Regulus flavicapillus, während des Octobers 1882. Helgoland passirte dasselbe während der ganzen Zugzeit in ausserordentlich grossen, in manchen Fällen sich bis zum Unbegreiflichen steigernden Massen, und Beobachtungen, welche gleichzeitig auf allen Leuchtthürmen und Leuchtschiffen, sowie an Landstationen der ganzen Englischen und Schottischen Ostküste gemacht wurden, ergaben, dass unter anderen Tagen, z. B. am 7., 8. und 9. des gedachten Monats, an allen diesen Puncten, von der Insel Guernsey aufwärts bis Bressay in der Mitte der Shetlandgruppe, dies kleine Vögelchen in zahllosen Massen westwärts wanderte, also in einer nachgewiesenen Zugfront von nahezu elf Breitegraden oder ungefähr hundert und sechzig deutschen Meilen. Da nun aber die Breite von Guernsey, $49\frac{1}{2}$° N., noch nicht die unterste Grenze des Brutgebietes dieses Goldhähnchens bildet, so hat sich diese, an und für sich schon so ungeheure Zugfront, zweifellos noch weiter südlich erstreckt.

Nach dem englischen Migration Report für 1882 ging dieser staunenerregende Massenzug über ganz England und über den St. Georg-Kanal dahin bis in Irland hinein; da aber all' diese Millionen Thierchen schwerlich in letzterem Lande überwinterten, so müssen dieselben sich von da aus südlich gewandt haben, um nach einem abermaligen Fluge über das Meer — von gleicher Ausdehnung wie der vom unteren Schweden bis zur Englischen Ostküste — nach Spanien zu gelangen; und dies während langer, schwarzfinsterer October-Nächte und in einer gleichmässig dunkelbewölkten Atmosphäre, wie sie wenigstens hier für alle solche Massenzüge Bedingung ist.

Wenn aber dennoch, abweichend von den in Obigen nachgewiesenen breiten Zugbewegungen, in südlicheren Breiten, namentlich während des Herbstzuges, manche Arten in grosser Zahl an Strömen oder in deren Nähe angetroffen werden, so findet dies eine einfache Erklärung darin, dass die der Regel nach an solchen Oertlichkeiten mannigfaltigere Vegetation eine grössere Samenfülle und reicheres Insectenleben aufweist und somit der Mehrzahl der Wanderer willkommene Futterplätze darbietet.

Alle entweder nordwärts oder südwärts abfliessenden Ströme von der Lena bis zum Ebro werden, dem grösseren Theile ihres Laufes nach, von den zahllosen Schaaren der in ausgedehnterer oder geringerer Front westwärts ziehenden Vögel überflogen. Diese Knotenpuncte werden erklärlicher Weise von solchen Abtheilungen des Zuges, welche etwa der Ruhe bedürfen, der Nahrung oder des Wassers halber als Rastplätze benützt, und folglich müssen die Vögel längst solcher Stromgebiete zahlreich, ja oft massenhaft angetroffen werden; während abseits auf dürrer Haide oder meilenweiten abgeernteten Ackerflächen ihr Vorkommen, mit Ausnahme von Lerchen und dergleichen, nur ein höchst beschränktes sein kann. Es lag demnach bei einer oberflächlichen Beobachtung dieser Erscheinung die Auffassung, dass die an dem Laufe von Flüssen und Strömen angetroffenen Wanderer der Richtung derselben wohl nachzögen, allerdings viel näher, als diejenige, dass sie auf einer dieselbe kreuzenden Strasse zu ihnen gelangt seien. Dass jedoch Massen von Vögeln, namentlich solche, deren Herbstzug überhaupt von Nord nach Süd gerichtet ist, wenn sie in mittleren Breiten nicht mehr zu unverzüglicher Weiterreise gedrängt, nahrungsuchend zeitweilig der Richtung eines Stromgebietes, oder, was meist gleichbedeutend, einer Thalsenkung folgen, ist sehr natürlich, berührt aber die Hauptfrage in keiner Weise.

Man hat für die Fluss-Strassentheorie z. B. oft die grosse Masse der Wanderer angeführt, welche während des Herbstzuges im Rhonegebiete angetroffen werden sollen; dass eine derartige Erscheinung nun aber nicht allein sehr wohl stattfinden könne, sondern thatsächlich auch stattfinden müsse, jedoch auf andere Ursachen zurückzuführen sei, ist in dem Ebengesagten schon dargelegt worden. Der Lauf der Rhone, von ihrem Zusammenflusse mit der Saone an, ist ohne nennenswerthe Unterbrechung ein fast genau südlich gerichteter, er liegt also in der Bahn, welche die von Norwegen, Holland und Belgien kommenden südwärts ziehenden Wanderer jedenfalls über diesen Theil Frankreichs verfolgen würden, auch wenn die Rhone nicht unter diesem Abschnitt ihrer Zugfront dahinflösse; da dieselbe aber mit ihren Niederungen vorhanden ist, so benützen die Vögel dieselbe als gelegene Futter- und Ruheplätze, und solche Arten, die in diesen tieferen Breiten nicht mehr grosse Eile haben, folgen auch während längerer oder kürzerer Rastpausen auf ihren täglichen Nahrungsflügen dem Laufe derselben. Aber ebenso werden auch die von England kommenden, südlich ziehenden Wanderer die Ufer der Loire als Rast- und Futterplätze benützen, trotzdem der Lauf dieses Flusses vom mittleren Frankreich an ein von Ost nach West gerichteter ist und der Flug dieser Vogelscharen ihn rechtwinklig kreuzt; träfe man hier dem Laufe des Flusses folgende Individuen an, so könnten sie nur Arten angehören, die überhaupt westwärts ziehen und diese Flugrichtung bis zur Westküste Frankreichs innehalten.

(Fortsetzung folgt.)

Eulennamen.

Ein kleiner Beitrag zur deutschen Cultur- und Sittengeschichte.

Von **Franz Brasky.**

Seit den ältesten Zeiten bringen die Menschen den gefiederten Bewohnern des Erdballes grosse Theilnahme entgegen. Weil viele der Vögel mit Hilfe ihrer Flugkraft von der Erdscholle weg sich kühn in die Lüfte schwingen können, weil sie den Aether mit Leichtigkeit zu durchsegeln, über Berg und Thal, über Land und Wasser zu schweben verstehen, und weil sie mit ihren Schwingen Höhen hinanklettern, wohin ihnen kaum das menschliche Auge zu folgen vermag, so erblickte man von jeher etwas Höheres in diesen Wesen, und das bewegte einfältige Gemüth empfand vor diesen Seglern der Lüfte sogar ein geheimnissvolles Ahnen und hielt sie für Boten und Mittler zwischen Himmel und Erde, von denen die einen Glück verheissen, die anderen Unheil künden, oder die, je nach Umständen, bald Gutes, bald Schlimmes bescheren sollen. Eine Fülle von Beinamen, die einzelne Vögel erhalten haben, gibt diesem Empfinden der menschlichen Seele bald mehr oder minder beredten Ausdruck.

Aber nicht bald hat ein Vogel und eine ganze Vogelfamilie so viele verschiedene und seltsame Vulgär- und Trivialnamen erhalten, wie die Eule und ihr ganzes Geschlecht. Die eigenthümliche Gestalt dieser Vögel, das weiche, geschmeidige Federkleid, der leise, stille Flug, das klagende, unheimliche Geschrei, das bald als dämonisches Gelächter, bald als jauchzendes Huhu, und bald wieder als ein Bellen und Fauchen in die Nacht hinaustönt, dann die verhältnissmässig grossen, mehr nach vorne als nach seitwärts gestellten Augen, was ihnen einigermassen eine entfernte Menschenähnlichkeit verleiht, die aufrichtbaren Federbüschel, welche einige Arten über den Ohren haben, endlich das ganze nächtliche Treiben und die abenteuerlichen Orte, die dieses geflügelte Volk zu seiner Behausung sich wählt; das alles ist Ursache, dass diese Vögel im deutschen Volksglauben vorwiegend als unheimliche Gäste gelten, als Gäste, die Unglück verheissen, Unheil bringen, den Tod ankündigen. Wiewohl die Naturfreunde von nicht wenigen Arten dieser Thiere viel Rühmliches und Lobenswerthes zu melden wissen, die kleineren und mittleren Eulen sogar als „fleissige Mäuse- und Insectenvertilger“ bezeichnen, die man schonen soll (von Frauenfeld in den Blättern für Landeskunde von Niederösterreich, IV. Bd. 89), so stehen sie doch bei der grösseren Menge des Volkes in üblem Rufe, sind verachtet, gefürchtet, gemieden, verhasst, und nur selten lassen auch die Dichter den guten Ruf der Eule ungeschmälert, und da nur meistentheils im Hinblick auf den antiken Volksglauben, wie z. B. Müller von Königswinter, bei dem es im Frühlingsconcert (I. 6.) heisst, die Eule sei der Gelehrte der Vögel. In Overbeck's Pompeji, S. 346, wo einige Abbildungen aus der Fullonica (Tuchwalkerei) dargestellt sind, bemerkt man einen Arbeiter, der ein Drahtgestell herbeiträgt, über welches die Stoffe zum Schwefeln gelegt wurden; Minervens, der Göttin der Handarbeit, heilige Eule sitzt auf dem Drahtgestelle. In einer Fabel Nicolay's, in welcher der Rabe unseren Vogel ein trübseliges Stiefkind der Natur nennt und nicht begreifen kann, weshalb er Athenes Liebling sei, lässt der Dichter die Eule erwidern: sie sei der Schützling der Göttin, weil sie im Finstern sehen könne und zu schweigen verstehe. Allerdings versinnbildlicht die Eule Geist, Witz, Ueberlegung, Scharfsinn. Sie ist daher auch das Wappenthier der Buchhändler. August Niemann stellt in seinem Romane „Eulen und Krebse“, Gotha, C. F. Windaus (J. Goetsch), 1888, den ganzen Handel und Wandel, das Leben und Treiben, die Licht- und Schattenseiten der Buchhändlergilde auf 379 Seiten in ermüdender Weite und Breite dar. Da lernt man „die Eulen“ mit ihren Listen und Ränken in ihrem Lieben und Hassen der Manuscripte und mit dem widerlichen Lärm der Reclametrommel u. a. m. genau kennen. Der Held dieses Romanes ist Friedrich Schottmüller. Als der Jahrestag, an dem er sein Geschäft eröffnet hatte, zum fünfzigsten Male wiederkehrte, sollte ihm von den Angestellten seines Hauses als bleibendes Andenken an diesen Ehrentag eine zierlich mit Eulen und Krebsen geschmückte silberne Säule überreicht werden (S. 3). Was die Krebse im Buchtitel und auf dieser silbernen Säule andeuten sollen, das besagen folgende Stellen des Romanes: In unserem Lagerraume sind gegen 20.000 Krebse aufgestappelt, lauter schwer gelehrte Werke und mindestens 40.000 Bände, die ganz unverkäuflich sind, lagern auf dem Boden im alten Hause (S. 66). Es machte ihm Vergnügen, den Antoren gute Honorare zu zahlen, und er hatte seine Augen nicht der Thatsache geöffnet, dass so viele seiner Bücher sich in Krebse verwandelten (S. 82).

Die Narren und Lustigmacher verwichener Zeiten führten auch die Eule in ihrem Scepter. Der Verein Schlaraffia in Wien, der sich die schöne Aufgabe gestellt hat, in sinniger Weise den Humor zu pflegen, nahm diesen Vogel mit dem Beisatze in arte voluptas in das Vereinssiegel auf. Als Ulk gelten noch immer Spässe, Scherze, Schwank und Streich, aber eine Taube der Venus und die Eule der Pallas beschliessen ihr Gespräch mit den folgenden, sinnigen Gedanken:

Die Taube: Die Weisheit aber soll die Menschen fröhlich machen!

Die Eule: Zwar fröhlich — aber nicht bis zu dem lauten Lachen!

(Leonhard Lier, Gleims, ausgew. Werke, S. 98.)

In der Kunst und Industrie wurde die Eule mannigfach verwendet. Man erzeugt Metalllampen mit Nachteulen oder in Form von solchen Wesen, Gefässe aus Porzellan, zum Aufbewahren von Tabak, Thee u. dgl., Federbesen mit Eulenköpfen, wie wir sie aus Vossens siebzigstem Geburtstage kennen; man nennt diese Federbesen Eulen oder Handeulen. Wer kennt nicht in Wien die aus Frankfurt a. M. importirte Eulenseife? Sie „ist die beste Seife der Welt“ (N. F. Presse vom 9. Jänner 1892, S. 13) und hat als Schutzmarke eine Eule, einen Uhu, aufgeprägt.

Man macht auch Licht und Lampenschirme aus Drahtgeflecht, überzieht sie meist mit rothem Stoffe und gibt dem Ganzen die Form einer Eule. Die Artillerie kennt heutzutage blos Geschütze, Kanonen, höchstens noch Stücke, und unterscheidet in den Batterien die einzelnen ganz arithmetisch mit Nr. 1, 2, 3 u. s. f. Welche poetische Namen trugen die Geschütze in vergangenen Tagen! Götter und Menschen, Engel und Teufel, Vögel und Schlangen mussten herangezogen werden, um die Wurfmaschine zu individualisiren, zu benennen. Unter den Vögeln stand zu diesem Zwecke aus naheliegenden Gründen der Falke obenan, daher die Namen Falkaunen, Falkenette. Auch die Eulen werden als Geschütznamen erwähnt (Kleinpaul, die Räthsel der Sprache, S. 145) und dazu mit dem Bemerken, in Persien und Indien seien diese Vögel noch heutzutage geachtete Beizvögel.

Im Zeitalter des dreissigjährigen Krieges heissen die Sechsunddreissigpfünder unter den Geschützen Adler, die Vierundzwanzigpfünder Falken, die Zwölfpfünder Geier, die Sechspfünder Habichte, die Dreipfünder Sperber, die sechszigpfündigen Mörser aber Eulen. (G. Freytag, Bilder aus der deutschen Vergangenheit. III, 29.)

Die Goldschmiedekunst verfertigte ehemals hübsche Willkommbecher in Form von getriebenen Thiergestalten, worunter nicht nur Fuchs, Hund, Wolf und Hirsch, sondern auch die Eule vertreten ist, meist Nürnberger- und Ulmerarbeit.

Reizende Nippsachen werden auch aus Elfenbein gemacht. In Gleichenberg, dem berühmten steirischen Curort für Lungenkranke sah ich bei Herrn Rieger, dem dortigen Elfenbeinwaaren-Erzeuger, einen stylvollen Briefbeschwerer mit Eulenschmuck. Dieses Schreibtischgeräth bestand aus einer Elfenbeinplatte; auf dieser war ein aus demselben Stoffe geschnitztes und aufgeschlagenes Büchlein angebracht, auf dem ein Elfenbeinkänzchen so stand, dass es mit den Fängen die Blätter des Buches niederhielt, auf dass der Wind durch Verblättern nicht Unheil stifte. Der Gedanke des Künstlers, die Eule als Wächterin des Buches zu bestellen, verdient Beifall. Der Kauz hätte freilich noch zierlicher und niedlicher ausgearbeitet werden können.

Derartige Leuchter, Lampenschirme, Gefässe aus Porzellan, Briefbeschwerer, Kanonen, Besen und Trinkgefässe, wie wir sie der Reihe nach kennen gelernt haben, nennt man kurzweg Eulen. Vielleicht spielt dieser Vogel sogar in der Heraldik eine bedeutende Rolle, worüber ich freilich nichts Bestimmtes anzugeben vermag, denn dieses Gebiet ist mir zu fremd, als dass ich mir in dieser Hinsicht ein Urtheil zutrauen dürfte; aber ich komme auf diesen Gedanken, weil mir vom k. k. Wiener Cassier Wilhelm Edlen v. Thann eine Visitkarte vorliegt, auf der ein hübsches Wappen eingedruckt ist, auf welchem eine kleine reizende Eule sitzt.

Die zu Anfang des vorigen Jahrhunderts unter der Regierung des Kaisers Karl VI. ausgemünzten Ducaten, zu denen man das Gold aus dem Bergwerke zu Eule in Böhmen nahm, nannte man Eulenducaten, denn sie trugen die Eule als Münzzeichen eingeprägt. Man unterschied einfache und doppelte Eulenducaten. Sehr beliebt war es auch, die Eule, bezw. den Kauz, als sog. avis funebris zu verwenden. Auf einer etruskischen Vase (in A. Baumeisters Denkmälern des classischen Alterthums, S. 1795) bemerkt man den Kauz als Todtenvogel, und Hades führt, wie aus der Erklärung bei Theseus und Pirithous zu ersehen ist, in seiner Rechten ein Scepter, auf dem ein Kauz als avis funebris sitzt. Manche Menschen führen von dem Vogelgeschlechte ihre Namen, ganz gewiss Uhlenspiegel, Eulenspiegel, Uhlenhut, Eulenburg. Der Euler geht jedenfalls richtiger auf den Aulet, Töpfer zurück, als auf die Eule, desgleichen stammen auch die Ul, Uhl, Uhlo häufiger von Odilo und Udilo, als vom Nachtraubvogel. (Vergl. Andresen, Concurrenzen, S. 63, 91.) Bei Häusern, die auch nicht selten „zur Eule“ benannt werden, muss es oft unentschieden bleiben, ob der Vogel oder der Töpfer den Namen gegeben haben. Aber die Käuze unter den Menschen, seien es seltsame, komische, drollige oder närrische, oder ist es gar einer der lächerlichsten Käuze, wie A. Grün unterm 11. October 1856 an seinen Freund Gottfried Leitner schreibt, die haben ihre Spitznamen vom Eulengeschlecht. Noch älter als der Kauz und die Käuze ist der Zuname Kuz oder Küz, den Feder Bech (Germ. XX. 45) in den Formen Conradum dictum Kuiz und Conrado dicto Kuze belegt, und auch im Vogelsang IV. (W. Wackernagel, voces v. a. S. 108, Nr 6) heisst es:

„Der Kutz, Rapp, Wyg.
die selben dry
vf ellend thuend sy styfften.“

Der Name Eule bezeichnet sogar einen Vogel aus anderem Geschlechte; Biereule ist ein sächsischer Vulgärname für die Goldamsel (oriolus galbula) und eine Schmetterling-Familie zählt eine Gold-, eine Gamma-, eine Saat-, eine Kartoffel-, eine Kohl-, eine Kiefern-, eine Pfeil-, eine Hasen- und eine Psieule unter ihre Repräsentanten (Altum und Landois, Zoologie, S. 116).

Wenn auch die Eule zur Benennung von Menschen, von reizenden Kunst- und Industrie-Erzeugnissen herhalten musste, so bleibt sie doch im deutschen Volksglauben das Sinnbild der Nacht, der Finsterniss, das Sinnbild der Fortschrittsfeinde, der Dunkelmänner, der Feinde der Aufklärung und aller lichtscheuen Menschen, oder, um mit Konrad v. Megenberg (S. 209) zu reden: Pei der äuln verstê wir all poes übeltaetig läut, sam diep, schächer, êprecher, die hazzent daz liecht der wârhait, als unser herr spricht: wer übel würkt, der hasset daz liecht. Tschu-Kong nennt diejenigen, welche ihn verleumden und anfeinden, widerwärtige Eulen (Fr. Rückert's poëtische Werke. VI. S. 229).

Der Fabelschatz unseres guten Vaters Pestalozzi (Basel 1803, S. 241) kennt einen Erzvater der Käuze, durch dessen Einfluss es gelang, den Mittelstand zu vernichten. Gegen alle Vereinigung der Vogelgeschlechter wird zu Felde gezogen, alles Schlimme, Verderbliche und Sträfliche wird den Mitgliedern des Mittelstandes angedichtet, bis man es dahin bringt, dass dieser Stand durch fortwährendes Verläumden von aller Welt verfolgt und endlich vernichtet wird. Zu spät erkennt man das Unrecht, was man begangen und was der Erzvater der Käuze angerichtet hat. Seit dieser Zeit herrscht auch ein ewiger Hass zwischen den friedlichen Vögeln und dem Käuzengeschlechte, das sie also verführte zu Gunsten der Tyrannen und der Unterdrücker.

Hagedorn (Werke, III. S. 37) benützt die Eulen, um an ihnen die Einfaltspinsel, die Streber, die sich in Selbstberäucherung und Selbstbespiegelung so sehr wohlgefallen, anschaulich darzustellen. Er singt:

„Der Uhu, der Kauz und zwo Eulen
Beklagten erbärmlich ihr Leid:
Wir singen, doch heisst es, wir heulen
So grausam, belügt uns der Neid.
Wir hören der Nachtigall Proben
Und weichen an Stimme nicht ihr.
Wir selber, wir müssen uns loben;
Es lobt uns ja keiner, als wir.“

In einer der Fabeln Gleims (Die Eule und die Nachtigall) wird die Eule geradezu eine Thörin gescholten.

Von schrecklichem Ernste ist auch der Gedanke eines Zaubermärchens, welches meldet: ein Land, das traurig wie das Grab, schwarz wie die Nacht ist, ein Land, in welchem Gottes Sonne niemals scheint, müsse man fliehen und den Eulen und Fledermäusen überlassen. (Jos. Wenzig, westslav. Märchenschatz, S. 182.)

Sogar in den mit grosser Heftigkeit und Leidenschaft geführten Wahlkampf mengt sich unser Gevögel ein. Am 20. Februar 1891 hielt der Parteimann der Demokraten seine Candidatenrede in Neulerchenfeld (Wien), in welcher er scharfe Ausfälle namentlich gegen den Prinzen Alois von Liechtenstein, seinen Gegencandidaten, machte. Der Demokrat (Dr. Kronawetter) behauptete: Prinz Liechtenstein wolle, dass die alten Adelsruinen in die Neuzeit hereinragen, er aber (Kronawetter) wolle diese Nester für Nachtvögel und Eulen abtragen. Eulennest ist ein metaphorischer Ausdruck für einsame, schwer zugängliche, unheimliche und verrufene Wohnplätze. (Vergl. In Ritterburgen. A. Groner, S. 123.)

(Fortsetzung folgt.)

Die Vogelfamilie der Ramphastiden, Tukane oder Pfefferfresser.

Von **Guido v. Bikkessy**, Ung.-Altenburg.

Die Ramphastiden oder Ramphastos, bekannt unter dem Namen Tukane oder Pfefferfresser, bilden vermöge ihrer ungewöhnlich grossen Schnabelform nebst den andererseits durch ihre winzig kleine Körpergestalt, Farbenpracht und eigenthümliche Lebensweise so überaus bemerkenswerthen Troshiliden (Kolibris) die beiden merkwürdigsten Charaktertypen der Ornis des tropischen Südamerika, und besitzen erstere in der alten Welt, blos in den dem Faunengebiete Malayasiens angehörenden Nashornvögeln, hinsichtlich dessen einigermassen ihre analogen Vertreter (welch' letztere nebst einem auffallend grossen Schnabel, auch noch ein hornartiges Gebilde an demselben besitzen). So sehr nun auch dieser ungewöhnlich grosse Schnabel die Ramphastiden unter sämmtlichen übrigen Nesthockern in auffallendster Weise kennzeichnet, so hindert derselbe die Vögel dieser Familie dennoch nicht im mindesten an den anmuthig gewandten Bewegungen des Körpers, da die Hornschale desselben äusserst dünn und zellig geformt ist, und folglich auch leicht getragen wird. Auch hinsichtlich des Gefieders verdienen diese Vögel volle Beachtung; denn wenn auch der grösste Theil des Körpers bei den meisten Arten einfärbig schwarz erscheint, so sind doch der untere Theil des Halses nebst Kehle und bei manchen auch die Brust mit einer überaus prächtigen orangegelben Tafel geziert, welche bei manchen Arten in einen scharlachrothen Fleck endigt. Die geografische Verbreitung der Ramphastos erstreckt sich über die gesammten Waldregionen des tropischen Südamerika, von den Küstenstrichen des Karaibischen Meeres bis in die südlichen Theile Brasiliens, sowie auch der Breite nach von den atlantischen Gestaden des letzteren Landes bis zum Fusse der Andeskette im westlichen Südamerika, woselbst diese Vogelfamilie in ziemlich vielen Arten (deren bekannteste bei uns in Europa der gemeine Tukan [Ramphastos piscivorus] bildet) von der Grösse eines Pirol bis zu der einer starken Nebelkrähe vorkommt, die meisten Arten sind indess von der Grösse einer gemeinen Haustaube. Als Aufenthalt wählen sich die Ramphastiden am liebsten die dichtesten Baumkronen (ähnlich wie bei uns die Pirole) so dass man sie nicht allzuhäufig zu sehen bekommt. Manche Arten dieses eigenthümlichen Vogelgeschlechtes leben gesellig und halten sich in grösseren Schaaren beisammen, andere dagegen leben einzeln. Die Nahrung der Ramphastiden besteht zwar grösstentheils aus Beeren und Früchten, daneben verschmähen sie aber auch animalische Kost und sogar kleine Vögel nicht, wie man an einem in der Gefangenschaft gehaltenen Exemplare beobachtete, dem man einen lebenden Stieglitz in den Käfig gab, welcher allsogleich von demselben mit dem Schnabel erfasst, zu einem Brei zerquetscht und hinabgewürgt wurde. In ihrer Heimat wird den Tukanen sowohl von den wilden Völkerstämmen des südamerikanischen Innern, als auch von den europäischen Kreolen eifrig nachgestellt u. zw. sowohl wegen ihres Fleisches (welches letztere als schmackhaft gerühmt und namentlich zur Brühebereitung ähnlich dem der Krähen bei uns, seitens der ärmeren Volksclassen verwendet wird) als auch der Federn halber, welche namentlich von den ersteren mit Vorliebe zu allerlei Kopfputz gebraucht werden. Zu letzterem Zwecke werden dieselben von den wilden Eingeborenen nicht immer getödtet, sondern sehr oft nur vermittelst eines schwach vergifteten Blasrohres angeschossen, worauf der Vogel betäubt zur Erde fallend, seiner besten Schweiffedern beraubt, dann aber wieder frei gelassen wird, um später abermals solches an ihm wiederholen zu können. Aber auch in dem europäisirten Theile Südamerika's werden die Federn der Tukane zu mancherlei Zierrathen verwendet u. zw. sogar in den allerhöchsten Kreisen der Gesellschaft; so war beispielsweise der Halskragen des Staatsmantels, welchen der verstorbene Kaiser Dom Pedro von Brasilien, bei feierlichen Anlässen, wie gelegentlich der Eröffnung der Parlamentsversammlung trug, gleichfalls mit Tukanfedern geziert.*) Was die vulgären Namensbezeichnungen der Tukane in ihrer Heimat betrifft, so werden dieselben von den portugiesisch-sprechenden Kreolen Brasiliens Casperiteros (wegen ihres Hammerns mit dem Schnabel an alten Bäumen) genannt. Die wilden Volksstämme der Eingeborenen nennen einige Arten nach ihrem Geschrei Takatukas. Bei uns in Europa sind die Tukane bisher verhältnissmässig nicht eben allzuhäufig gesehene Exoten, wenigstens lange nicht in dem Masse wie manche ihrer Heimatsgenossen, beispielsweise die Araras oder gar die Amazonen-Papageien. Namentlich als Stubenvögel scheinen dieselben bisher noch äusserst wenig in Betracht gekommen zu sein, da Dr. Russ im ersten Bande seines Handbuches für Vogelliebhaber „Die fremdländischen Stubenvögel" ihrer gar nicht erwähnt, obwohl daselbst alle überhaupt in Frage kommenden Käfigvögel aus ferneren Erdstrichen behandelt werden. Doch erinnere ich mich in einer Nummer einer der früheren Jahrgänge unseres Vereinsorganes einmal unter den Annoncen die Ankündigung eines Thier- oder Vogelhändlers gelesen zu haben, wonach derselbe eine Anzahl Tukane zum Verkaufe anbot.**) Hinsichtlich ihrer Eigenschaften glaube ich übrigens, dass dieselben, u. zw. namentlich die kleineren Arten, vermöge ihres schönen Gefieders, auffallenden Aeusseren und drollig-anmuthigen Wesens halber, als auch ihres bedeutenden Grades von Zähmbarkeit wegen (wovon ich sogleich in den nachfolgenden Zeilen, ein von mir selbst als Augenzeuge beobachtetes Beispiel anführen werde) zu recht liebenswürdigen Hausgenossen des Menschen vollkommen geeignet wären. Gleichzeitig glaube ich aber bemerken zu müssen, dass man dieselben ja nicht in einen zur Zierde hingestellten Glockenbauer wie die der Papageienarten halten darf, sondern womöglich in einen für längeren Flug construirten geräumigen Käfige, da sie im Gegensatze zu ersteren anstatt auf schwingend kletternde Bewegungen, mehr auf hüpfende Flugbewegung angewiesen zu sein scheinen. In den zoologischen Gärten unseres Erdtheiles, zählen die Tukane bisher gleichfalls blos zu den etwas seltener gehaltenen Vögeln, denn ich meinerseits habe bisher fünf derselben besichtigt (nämlich die zu Dresden, Leipzig, Breslau, Budapest, sowie auch die k. k. Menagerie zu Schönbrunn) Tukane jedoch nirgends daselbst angetroffen. Lebende Exemplare dieser Vögel habe ich überhaupt bisher blos zwei Gelegenheit gehabt zu beobachten; nämlich eines in einer im Parke des Schlosses Mirabel zu Salzburg befindlichen Schaustellung lebender Vögel und das zweite im neuerrichteten Vivarium des k. k. Prater zu Wien, welche beide zur Art des gemeinen Tukan (Ramphastos piscivorus) gehörten. An dem in der Salzburger Volière beobachteten Exemplare hatte ich Gelegenheit wahrzunehmen, inwieferne diese Vögel (wie ich bereits mit einigen Worten erwähnte) auch eines bedeutenden Grades von Zähmbarkeit und Zutraulichkeit gegen den Menschen fähig sind, denn dasselbe war gegen seinen Pfleger so überaus kirre, dass dieser ihm sogar den Finger zwischen die beiden Schnabelhälften stecken durfte, und auch im übrigen sich auf alle mögliche Weise von demselben liebkosen lies. Auch das im Vivarium des k. k. Prater befindliche Exemplar schien ziemlich zutraulich zu sein, da es beinahe jedem Besucher bis an das Gitter seines Käfiges entgegenhüpfte, gleichsam als wenn es einen Leckerbissen von demselben erwarten wollte. Es wäre somit sehr zu wünschen, wenn sämmtliche zoologische Anstalten Europa's bestrebt wären, eine oder womöglich mehrere Arten dieser merkwürdigen Exoten dem besuchenden Publicum zur Anschauung vorzuführen. In den bemerkenswerthen Museen der europäischen Hauptstädte sind natürlicherweise die Ramphastiden mehr oder weniger überall in ansehnlicher Weise vertreten; auch das k. k. naturhistorische Hofmuseum zu Wien enthält eine überaus reichhaltige, sehenswerthe und prächtige Collection derselben.

*) Graf Charles d'Ursel, Südamerika. Reisen durch Brasilien, die Laplatastaaten, Chile und Peru. Der Verfasser wohnte als Glied der königl. belgischen Gesandtschaft der Eröffnung des brasilianischen Parlamentes in den siebziger Jahren selbst als Augenzeuge bei.

**) Sie sind in einigen spec. wirklich häufige Erscheinungen des Vogelmarktes. D. Red.

Eine Vorrichtung zum Anlegen der Nester für Webervögel.

Von Dr. Sauermann.

Obwohl ich ein grosses, zweifenstriges Zimmer für meine zahlreichen Webervögel zur Verfügung habe, ist es doch nicht möglich gewesen, darin eine ausreichende Zahl von Zweigen anzubringen, worin die Vögel ihre Nester errichten konnten, ohne sich gegenseitig zu belästigen. Dies kommt theils daher, dass die meisten Arten von Webervögel ihre Nester mindestens einige Meter über dem Boden errichten, theils auch davon, dass nicht alle Wände des Zimmers gleichmässig ausgenützt werden, so dass besonders bevorzugte Stellen über und über bebaut sind, während eine andere Wand oft gar keine Anziehungskraft auf die Vögel ausübt und gar nicht aufgesucht wird.

Die Gewohnheit der Vögel, mehr nach der Zimmerdecke zu ihre Nester zu errichten, brachte mich auf die Idee, ihnen an der Decke selbst Nistvorrichtungen zu schaffen, in denen die Vögel gerne ihre Nester anlegten. Es wäre vielleicht das Einfachste gewesen, dort Aeste anzubringen, aber einmal ist dies nicht an allen Stellen durchführbar und dann würde schliesslich durch den häufigen Wechsel der Zweige einem die Decke und später der Hausherr, bei dem man zur Miethe wohnt, auf den Kopf kommen.

So blieb nichts weiter übrig, als Drahtvorrichtungen zu wählen. Ich machte zweierlei Arten von Drathanlagen, erstens starke Drathringe, die nach allen Seiten mit schwächerem, ausgeglühten Draht durchflochten waren, so dass das Ganze eine Kugel, mit einem Durchmesser von einem halben Meter darstellte, zweitens weites Drahtgeflecht das ich in Trichter- oder Kegelform zusammenlegte und an der Decke aufhieng. — Die Drathkugeln wurden mit Vorliebe benützt, wenigstens waren alle Brutnester dort errichtet, während die Netze nur von jüngeren Vögeln gebaut wurden, in Folge dessen bin ich von diesen ganz abgekommen.

So hängt nun in meiner Vogelstube Ring an Ring in kurzen Zwischenräumen von einander entfernt, so dass sich dieselben hin und her bewegen können, ohne aneinander zu stossen; jede Kugel ist an einem Hacken aufgehängt, in welchem sie sich frei bewegt, jeder Vogel hat seine besondere Kugel, in welcher er eine Reihe von Nestern erbaut, manchmal 6 bis 7 Stück, wovon eines mit ganz besonderer Sorgfalt hergestellt ist, das Brutnest. Sämmtliche Nester sind aus Agavefasern erbaut und oben mit eingespreizten Kiefernadeln verdichtet, wohl, um das Regenwasser nicht durchzulassen, eine Vorsicht, die freilich im Zimmer unnütz angewandt ist. Des Abends werden diese Nester von den Webervögeln als Schlafplätze aufgesucht, denn die Vögel fühlen sich dort oben sicher.

Ein Herausfallen der jungen Webervögel aus dem Neste beim Schaukeln der Kugeln ist nicht zu befürchten, denn ich habe seit mehreren Jahren zahlreiche Junge flügge werden sehen, man muss nur dafür sorgen, dass sich die Kugel nicht nach der Seite bewegen kann und der Eingang zum Nest immer nach unten gerichtet bleibt, deshalb hängt man die Ringe an einer Stelle auf, wo sich die Drähte kreuzen.

Ein Hängenbleiben in den Drahtschlingen ist bei Webervögel ausgeschlossen, da sich dieselben, wenn es einmal vorkommt, geschickt loszumachen verstehen; hat man aber noch andere Vögel in demselben Raume, so muss man die Drähte an den Berührungspunkten sorgfältig verlöten.

Solche Drahtringe mit Nestern vom Textor, bringe ich zum ersten Male auf die Ausstellung des ornithologischen Vereines, verbunden mit der des I. österr.-ung. Geflügelzucht-Vereines in Wien und hoffe, dass sie in Zukunft eine Anregung und willkommenes Hilfsmittel zur Pflege der Webervögel in der Gefangenschaft sein werden.

Zuchtbetrachtungen.

Es ist Fasching. Ich lehne im Sopha und beschäftige mich mit Geflügelzucht. Vor mir liegen einige Fachblätter, in welchen ich Artikel über Rassenzucht, Hebung der Nutzgeflügelzucht, fremde Rassen etc., finde. Jeder schreibt über das, wovon ihm eben im Augenblicke das Herz voll ist. Mir geht es im Momente ebenso. Zu oft finde ich, dass viele, darunter selbst Züchter, sich noch nicht klar sind über Geflügelzucht und die Richtungen derselben. Gar grell tritt zu Tage, dass viele nicht wissen, wo die Rassenzucht aufhört und die Nutzgeflügelzucht beginnt, wodurch sich beide unterscheiden etc.

Dieses in feste Grenzen zu ziehen, ist die Aufgabe meiner heutigen Zeilen.

Ich unterscheide in der Geflügelzucht eigentlich drei Richtungen:

1. Reine Rassenzucht,
2. Nutzgeflügelzucht und
3. Wilde Zucht.

In einem der renommirtesten Fachblätter viele Worte über „Reine Rassenzucht“ zu verlieren, halte ich für überflüssig; denn jeder, der so ein Blatt liest, steht auf einer Stufe der Bildung, welche die Kenntniss jenes Classenwortes als selbstverständlich voraussetzt. Viel verworrener sind die Begriffe über die „Nutzgeflügelzucht“. Die meisten verstehen unter Nutzgeflügelzucht die Art und Weise, wie heute unsere Landleute Geflügelzucht betreiben, wild und ziellos.

Dem ist aber nicht so! Wir Nutzgeflügelzüchter würden uns schönstens bedanken, wenn man unsere Thätigkeit als wild und ziellos betrachten wollte!

Wirkliche Nutzgeflügelzucht ist eigentlich, wollten wir ganz strenge unterscheiden, auch Rassenzucht, freilich Rassenzucht auf anderem Wege. Der rechte Rassenzüchter scheut keine Kosten, sein Ziel zu erreichen. Er verwendet zum Ankaufe von Musterstämmen die grössten Summen, er füttert auf eine sehr kostspielige Weise; er bedient die Thiere auf eine Art, die viel Zeit und Geld erfordert. Geld spielt beim Rassenzüchter keine Rolle, er richtet sein Augenmerk nur auf die grösste körperliche Vollkommenheit seiner Thiere ohne Rücksicht auf die darauf verwendeten Kosten.

Anders ist es beim Nutzgeflügelzüchter, welcher ganz Fachmann ist, also seine Richtung mit Bewusstsein nach einem bestimmten Ziele verfolgt. Er ist auch Rassenzüchter, aber er sucht sein Ziel zu erreichen ohne grosse Kosten, bei ihm müssen sich die Thiere die auf sie verwendeten Auslagen selbst verdienen durch Eier, Federn, Fleisch und Nachwuchs. Beim Nutzgeflügelzüchter darf eben die Zucht von Geflügel nicht nur nichts kosten, sondern es soll und muss auch noch ein kleiner Nutzen bei der Zucht herausschauen, denn nur dann erklärt und bestätigt sich die Bezeichnung „Nutzgeflügelzucht“. Mit diesen wenigen Zeilen habe ich klargelegt, was unter „Nutzgeflügelzucht“ zu verstehen sei: zielbewusste Rassenzucht mit einem Nutzertrage bei der Zucht.

Solche Nutzgeflügelzüchter gibt es aber bis dato nur wenige.

Freilich ist der Weg des reinen Rassenzüchters nicht so beschwerlich als die Erreichung des Zieles beim Nutzgeflügelzüchter, denn es ist doch keine so grosse Kunst, mit Aufwendung von vielen Mitteln und Hinausgeben von grossen Geldsummen gute Resultate zu erzielen, d. h. wenn der Züchter genügend Zuchtverständniss besitzt; viel schwerer ist es aber, sein Ziel zu erreichen ohne materielle Opfer.

Heute stehen im Lager der reinen Sportleute nur Leute, welche in finanzieller Beziehung gut situirt sind und Geldauslagen nicht zu scheuen brauchen; dem Lager der Nutzgeflügelzüchter hängen bis dato aber meist Züchter an, welche vom Schicksale nicht so günstig bedacht sind, über grössere Geldmittel verfügen zu können. Die ersteren schaffen Thiere von der besten körperlichen Qualität, die anderen aber produciren Thiere, welche in Punkto Nutzwerth den Anforderungen vollkommen Rechnung tragen, dabei aber auch körperlich vollkommen sein sollen. Welche Arbeit wohl die schwerere sei, darüber mag sich jeder Fachmann die Antwort selbst geben. Man wird mir von verschiedenen Seiten einwenden, dass die Nutzgeflügelzucht mit der körperlichen Vollkommenheit eigentlich nichts zu schaffen habe. Oberflächlich genommen, wohl wahr. Aber dann dürften die Geflügelzüchter keine Fachmänner sein, jeder solche sucht aber immer mit dem Nutzen auch Schönheit des Thieres zu paaren.

Fast allgemein war bis jetzt die Ansicht verbreitet, und die meisten von Euch, geehrte Leser, werden daran festhalten, — zu den Nutzgeflügelzüchtern seien die Landleute zu rechnen, jene, welche bis jetzt den Markt mit Eiern, Tafelgeflügel und Federn versehen. Dieser Ansicht trat und trete ich entschieden entgegen! Als Züchter betrachte ich nur jenen, welcher mit Bewusstsein züchtet, und das ist bei den meisten von unseren heutigen Landleuten nicht der Fall.

Alle Nichtzüchter, also auch das Gros unserer Landwirthe, zähle ich zur dritten Richtung, welche ich bezeichnet habe mit den Worten: „Wilde Zucht."

Durch diese meine Auslassungen will ich auch den Beweis erbracht haben, dass Rassezüchter und Nutzgeflügelzüchter ihrer Arbeit nach eigentlich in ein Lager gehören, in das Lager der „bewussten Züchter", dass von beiden grosse Fachkenntniss und reiche Erfahrung verlangt wird, dass beide sich eigentlich ergänzen, wenn auch beide auf verschiedenen Wegen wandeln. Also „Hand in Hand" sollten wir wandeln, uns ergänzen, uns unterstützen, anstatt einander anzufeinden, wie es gar oft geschieht. Aufgabe der Fachpresse ist es, hier die Vermittlung und Aufklärung zu übernehmen. Aufgabe beider Richtungen aber ist es auch, belehrend und überzeugend auf die dritte Richtung, auf die Angehörigen der unbewussten und ziellosen Zucht, also der „Wilden Zucht" in rechter Weise einzuwirken.

Hier wäre es Aufgabe der Regierung, ja sogar Pflicht derselben, unterstützend mit einzugreifen durch Bewilligung von jährlichen Dotationen. (Soeben lese ich, dass der ungarische Ackerbau-Minister zu diesem Zwecke einen Fond von 12.000 fl. bestimmt hat. Man fühlt also dort bereits, dass die Geflügelzucht werth sei, gehoben zu werden!) Diese von der Regierung bewilligten Gelder sollten eine zweifache Verwendung finden. (Ich setze voraus, dass diese Beträge doch nur zur Hebung der Nutzgeflügelzucht verwendet werden dürften.)

1. Zum Ankaufe von Rassen zur Verbesserung des Landschlages oder der Landschläge. Darüber in einem nächsten Aufsatze.

2. Zur Verbreitung von als gut erkannten Nutzrassen.

Nach meiner Ueberzeugung und in Erwägung aller daraus entspringenden Vortheile sollte eine Gegend nach der anderen mit einer Nutzrasse bevölkert werden und zwar ausschliesslich mit dieser Rasse.

Werden einzelne Stämme über das Land zerstreut, so dauert es gar nicht lange, dass diese Stämme verschwunden sind und — die Nachzucht ausgeartet ist.

Ich mache deshalb folgenden Vorschlag: Es werde ein Dorf mit einer bestimmten Rasse, jedoch nur in einem einzigen Farbenschlage, bevölkert. Ich getraue mich z. B. ein grösseres Dorf mit jährlichen 50 fl. Dotation in drei Jahren mit ein und derselben Farbe einer Rasse zu bevölkern. Dabei müssten sämmtliche Züchter des Ortes verhalten werden, nur diesen einzigen Farbenschlag dieser Rasse zu züchten, weil dann keine Degenerierung oder Kreuzung zu befürchten wäre. Im Gegentheile könnte dieser Hühnerschlag auf diese Weise zu immer grösserer Vollkommenheit gelangen. Ein Nachbardorf bekommt dieselbe Rasse, jedoch einen anderen Farbenschlag, ein drittes, viertes, fünftes Dorf etc. immer noch dieselbe Rasse, nur überall in anderer Farbe. Wir kämen dadurch soweit, dass in weniger als zehn Jahren die Rasse in einer Gegend so eingebürgert und gut ausgezüchtet wäre, dass die Gegend dadurch in Ruf käme und exportfähig würde, abgesehen von der Möglichkeit der Erreichung der grössten Nutzfähigkeit.

So denke ich mir die Hebung der Nutzgeflügelzucht auf dem Lande und im Lande; wer es anders versuchen will, hat noch nicht genügend darüber nachgedacht oder wandelt auf unsicherem Pfade.

Ich unterliess es an dieser Stelle, irgend eine Rasse als Proberasse zu empfehlen, weil ich ganz objectiv bleiben wollte. Ich bin der Meinung, aus sehr vielen Rassen liesse sich durch Auszüchtung und verständnissvolle Kreuzung auf dem von mir angedeuteten Wege etwas recht Gutes herauszüchten.

Noch weiteres. Wenn ein Dorf in oben angedeuteter Weise bevölkert und die Landbevölkerung durch schriftliche und praktische Belehrung zur verständnissvollen Zucht gebracht wurde, so könnte man noch einen Schritt weiter gehen. Eine Orts-Commission besucht alle Höfe und sucht die besten Stämme aus, (denn auch aus dem Körperbaue der Hühner kann man nach längerer Beobachtung die besten Legehühner erkennen lernen), welche dann eine Prämiirung erhalten. Diese preisgekrönten Thiere wären dann auch das Materiale zur Beschickung von Ausstellungen. Diese preisgekrönten Thiere könnten in kleinere einzeln stehende Höfe versetzt werden, um dort von ihnen reine Nachzucht zu erhalten, um so die Rasse immer mehr und mehr zu vervollkommnen.

Wenn die Landleute materiellen Nutzen bemerken, sind sie sehr leicht zugänglich und zur Annahme von Verbesserungen geneigt.

Soweit wäre alles gut, es fehlt nur noch — die Staatshilfe!

Pihl, am 28. Februar 1892.

Franz Jul. Rascho.

Kleinere Mittheilungen.

Neue Depeschenkapsel für Brieftauben. Abermals ist es mir gelungen, eine neue und sichere Art Befestigung von Nachrichten an Brieftauben zu erfinden, die sowohl an Sicherheit Dauerhaftigkeit und praktische leicht zu handhabende Anbringungsart alle bisherigen in Verwendung gebrächten Arten übertrifft. Im Nachfolgenden erlaube ich mir, diese neue Befestigungsart zu erklären: Es ist dies eine aus Aluminium hergestellte Kapsel, diese be hat eine Länge von 42 Millimeter und einen Durchmesser von 5 mm. In der Mitte dieser Kapsel befindet sich eine Schlinge, die in einer Platz um die Kapsel läuft und einen $4\frac{1}{2}$ mm. in Durchmesser habenden Ring bildet. An diesen Ring befindet sich gleichfalls ein Ring (Fassring), je doch in wagrechter Lage aus starkem, gut dehnbaren Gummi, derselbe ist 3 mm. breit und hat 8 mm. im Durchmesser und ist mit ein starkes Seidenbändchen am Kapselring festgemacht. Das Ganze sammt eingeschlossener Depesche und mit Wachs verklebter Oeffnung hat blos ein Gewicht von nur 1¼ Gramm. Die Befestigung geschieht auf folgende Art: Die Zehen der Brieftaube werden ein wenig zusammengehalten, während man den Gummiring auseinanderdehnt und darüberzieht. Wenn sich dann die Kapsel am Fusse befindet, so lässt sich das Ganze nach Bequemlichkeit und Willkür richten. Da der Raum zwischen den Füssen der Brieftaube 50 mm. beträgt, während die halbe Kapsel blos 21 mm. hat, so ist dies der Taube weder im Fluge, noch im Gehen hinderlich, ja die Brieftaube gewöhnt sich an das Tragen dieser Kapsel so, dass sie ihr nicht einmal beim Brüten hinderlich wird. Mehrere Versuche und Beobachtungen bei Zuchtpaare haben zu dem Resultate geführt, dass die Taube, so oft sie auf's Nest geht, die ihr belassene Hülse mit dem Schnabel nach ihrer Bequemlichkeit richtet. Lässt man besagte Kapsel immerwährend an der Brieftaube, so entfällt dadurch die gebrechliche Numerirung mit Fussringe, die an der Aluminiumkapsel lässt sich ausser Nummer und Jahreszahl noch bequem die ganze Adresse des Eigenthümers einprägen oder graviren, so dass dadurch das leicht vergängliche Abstempeln der Brieftaube entfällt.

Neue Brieftaubenstation. Die Brieftauben-Section des „Ersten Wiener Geflügelzucht-Vereines" im XIV. Bezirk Rudolfsheim hat eine Brieftaubenstation im Dreher-Parke zu Meidling nächst dem k. k. Lustschlosse Schönbrunn errichtet. Herr Joh. Weigl hat zu diesem Zwecke der Brieftauben-Section in liebenswürdiger Weise den linken Flügel seines im grossen Parke befindlichen Arkadenhauses zur freien Benützung überlassen. Auf diesem Baue führte die Section einen den modernsten Anforderungen entsprechenden Brieftauben-Pavillon in der Höhe eines Stockwerkes auf, dessen Innenraum ein wahres Musterhaus für Zucht und Pflege unseres heimatlichen Brieftaubenwesens bildet. Zu diesem Baue hat in uneigennütziger Weise Schieferdeckermeister Herr August Korn den ganzen Aufbau mit Schiefer bekleidet, während Bau- und Kunstschlosser, Herr Josef Leithner in gleicher Art für die nöthigen Facharbeiten und für die Beistellung von Futtergrand, Trinkgefässen und Fussringen sorgte. Unter der Leitung der Herren Josef Mantzell und Carl Müller wurde das Werk zustande gebracht und dank dieser Herren ist heute die Brieftauben-Section des „Ersten Wiener Geflügelzuchtvereines im XIV. Bezirke Rudolfsheim" im Besitze einer Brieftaubenstation, die der anlässlich der land- und forstwirthschaftlichen Ausstellung in Wien im Jahre 1890 errichteten Brieftaubenstation würdig zur Seite gestellt werden kann. Die damals errichtete Station währte blos über die Zeit der Ausstellung, während die neu errichtete Brieftaubenstation eine bleibende Heimstätte der seit kurzem dort internirten 120 Stück junger Brieftauben sein wird. Mit dem Trainiren dieser jungen Flieger für die Strecke Tulln-Wien wird vier Wochen vor Abhaltung des Wettfluges begonnen. Emil Goldstein.

Ausstellungen.

Geflügel- und Vogelausstellung in Wien.

Vom denkbar schönsten Wetter begünstigt, wurde die diesjährige Geflügel- und Vogelausstellung des „Ersten österr.-ungar. Geflügelzucht-Vereines" und des „Ornithologischen Vereines in Wien" am 19. März eröffnet.

Dieselbe kann trotz aller sie beeinträchtigender unvorhergesehener Verhältnisse doch in allen Theilen als sehr gelungen bezeichnet werden, und gewiss ist, dass wir in Wien seit der letzten Ornithologischen Ausstellung im Jahre 1886 keine Geflügelausstellung sahen, die einen solchen Massenbesuch aufzuweisen hatte, wie die heurige.

Wir geben für heute nur einen kurzen Ueberblick des Gebotenen und behalten uns vor, in den nächsten Nummern eingehende Specialberichte über die einzelnen Gruppen zu bringen.

Die Grossgeflügelabtheilung erscheint mit 208 Nummern besetzt und sind besonders die Classen: gelbe Cochin, helle Brahma, Plymouthrocks, sowie die Classe: Deutsche Landhühner hervorzuheben.

Die Taubenabtheilung weist 466 Nummern auf, worunter wieder die Mövchen-, Blondinetten- und Satinetten-Classen qualitativ hervorragen.

Die in der heutigen Nummer enthaltene Prämiirungsliste dieser beiden Gruppen gibt dem Leser vorläufige Uebersicht.

Die Ornithologische Abtheilung weist in der Präparaten Gruppe wahre Perlen moderner Dermoplastik auf; die Ateliers der Herren Gebrüder Hodek, Alfred Haffner, Max Maly, J. A. Adam, sowie des Amateurs Bürgerschullehrer Jul. Michel in Bodenbach sind durch Arbeiten allerersten Ranges vertreten.

Neuseelandforscher Reischek bringt eine herrliche Collection Scelete und gestopfte Exemplare neuseeländischer Vögel zur Schau.

Zahlreiche weitere Berufs- und Amateur-Präparatoren reihen sich den Genannten mit Collectionen gestopfter Vögel, Eier- und Vogelschädelsammlungen etc. an.

In der Abtheilung lebender Vögel fallen vor Allem interessante Käfig-Züchtungen, wie: Gilbdrosseln, Kronfinken aus Südamerika, Ceresfinken etc. auf. Papageien sind in grosser Kopf- und Arten-Zahl vertreten.

Die europäische Vogelfauna repräsentirt sich durch prächtige Collectionen, zum grössten Theile musterhaft gepflegter Singvögel; doch fehlen auch seltenere Käfigbewohner, wie: Nachtschwalbe und Alpensegler, Kukuk und Spechte nicht.

Raubvögel sind durch eine sehr schöne Schneeeule und einen ebenso tadellosen, wie werthvollen isländischen Jagdfalken vertreten.

Die zur Gesangsconcurrenz angemeldeten ca. 120 „Gesangsvögel" (meist schwarzköpfige Grasmücken und Gartenlaubvögel) werden in den letzten Tagen der Ausstellung einen grossartigen Sängerkrieg auszufechten haben.

In der Abtheilung „Literatur und Artistisches" finden wir die neuesten ornithologischen und „hühnerologischen" Werke, theils von den Autoren selbst, theils von Verlags- und Buchhändlerfirmen ausgestellt.

Die fachgewerbliche Abtheilung ist reich und vielseitig beschickt.

Wir finden eine grosse Collection Tafeleier, Federschmuck in den mannigfaltigsten Anordnungen, Bettfedern-Collectionen, Apparate und Präparate, Futter und Heilmittel, Geflechte, Korbwaaren etc. etc.

Der Besuch der Ausstellung ist vom ersten Tage angefangen sehr stark und steigerte sich an manchen Nachmittagen so sehr, dass die Cassen zeitweilig geschlossen werden mussten.

I. Wiener Vororte-Geflügelzuchtverein in Rudolfsheim. In den für eine Geflügelausstellung besonders geeigneten Räumlichkeiten inmitten eines Jahrhunderts alten prächtigen Parkes findet vom 11.—21. April die V. allgemeine Geflügel-, Vogel- und Kaninchen-Ausstellung des I. Wiener Vororte Geflügelzuchtvereines in J. Weigls Etablissements Dreherpark, Obermeidling-Wien statt, ihre Mitwirkung als Preisrichter haben zugesagt: für Grossgeflügel: Herr Baron Villa Secca, Wien, Herr Egyd Sinner, Hetzendorf, Herr A. F. Bayer, Linz; in der Abtheilung Tauben a. Tümler: Herr A. Dietrich, Wien, Herr A. Scorepa, Wien, Herr J. Fuchs, Wien: in der Abtheilung Tauben b. andere Racen: Herr C. B. Schick, Wien, Herr Ferd. Marquart, Hütteldorf-Wien, Herr T. Zach, Linz, Ob.-Oest; in der Abtheilung c. Brieftauben: Herr Anton Dimmel, Wien; in der Abtheilung Sing- und Ziervögel: Herr Wilh. Marker, Wien, Carl Till, Wien; in der Abtheilung Kaninchen; Herr Adolf Altmann, Wien, Herr Leopold Sess, Wien; für leblose Gegenstände: Herr Franz Schlögl, Herr C. R. Rödiger, Herr Josef Leithner, Herr Jos. Mantzell. Diese Ausstellung dürfte diesmal ganz besonders sehenswerth sein. Das Trainiren der sich in der Station „Dreherpark" befindlichen jungen Tauben (1892er) hat begonnen, und wird der Wettflug Ostermontag, Vorm., Tulln—Station-Dreherpark für das besuchende Publicum sehr interessant sich gestalten. Ebenso reichhaltig wie zahlreich werden die Abtheilungen Tauben vertreten sein, sehr stark vertreten durch Tümler grosse Nutzracen, Kröpfer, sowie Farbentauben, in auserlesenster Qualität. Von auswärts sind viele Anmeldungen von Kaninchen eingelaufen, und dürfte sich auch diese Abtheilung diesmal würdig präsentiren. Da auch die Anmeldungen für die Abtheilungen Grossgeflügel und Ziergeflügel heute schon sehr zahlreich eingegangen, dürite diese Geflügelausstellung daher überaus sehenswerth sein. An sämmtlichen Tagen der Ausstellung findet Correspondenzdienst mit Brieftauben statt.

Verlag des Vereines. — Für die Redaction verantwortlich: **Rudolf Ed. Bondi.**
Druck von Johann L. Bondi & Sohn, Wien, VII., Stiftgasse 8.

XVI. JAHRGANG. Nr. 7.

Mittheilungen des ornithologischen Vereines in Wien

„DIE SCHWALBE"

Blätter für Vogelkunde, Vogelschutz, Geflügelzucht und Brieftaubenwesen.

Organ des I. österr.-ung. Geflügelzuchtvereines in Wien und des I. Wr. Vororte-Geflügelzuchtvereines in Rudolfsheim.

Redigirt von C. PALLISCH unter Mitwirkung von Hofrath Professor Dr. C. CLAUS.

16. April. 1892.

„DIE SCHWALBE" erscheint **Mitte** und **Ende** eines **jeden Monates.** — Im Buchhandel beträgt das Abonnement 6 fl. resp. 12 Mark, Einzelne Nummern 30 kr. resp. 50 Pf.

Inserate per 1 □ Centimeter 3 kr., resp. 6 Pf.

Mittheilungen an das **Präsidium** sind an Herrn **A. Bachofen v. Echt** in Nussdorf bei Wien; die **Jahresbeiträge** der Mitglieder (5 fl., resp. 10 Mark) an Herrn **Dr. Karl Zimmermann** in Wien, I., Bauernmarkt 11;

Mittheilungen an das **Secretariat** in Administrations-Angelegenheiten, sowie die für die **Bibliothek** und **Sammlungen** bestimmten Sendungen an Herrn **Fritz Zeller,** Wien, II., Untere Donaustrasse 13, zu adressiren,

Alle redactionellen Briefe, Sendungen etc. an Herrn **Ingenieur C. Pallisch in Erlach** bei Wr.-Neustadt zu richten.

Vereinsmitglieder beziehen das Blatt gratis.

Die Raubvögel Oesterr.-Schlesiens.

Von **Emil C. F. Rzehak.**

Die bei uns in Oesterr.-Schlesien erscheinenden Geier- und Adlerarten und ebenso einige Species aus den Familien der Falken und Eulen, sind keineswegs sämmtlich eingeborene Kinder unserer Lokalornis, sondern meist Bewohner höherer Gebirgsformationen, steiler Felswände, tiefer, dunkler Forste, verirrte Gäste, die auf ihren weit ausgedehnten Streifzügen, Beute suchend, zu uns kommen und ebenso wieder verschwinden.

Ihr Vorkommen bei uns ist aber auch nicht immer und bei allen ein zufälliges, sondern wird oft durch andere, natürliche Erscheinungen bedingt; ich erinnere nur an die sogenannten „Mäusejahre", wo gewisse Falken, Bussarde und manche Eulen oft schaarenweise auftreten, die kleinen, der Landwirthschaft so schädlichen Nager vertilgen und unter solchen Umständen für den Haushalt der Natur von grossem Nutzen sind.

Wohl nehmen einige Arten nur im Hochgebirge ihren Stand und verlassen dasselbe nur ausnahmsweise, während andere wieder mehr ebene Gegenden bewohnen. Bei den meisten kann jedoch von einem eigentlichen Standorte keine Rede sein, denn bei der Eigenthümlichkeit ihres Nahrungserwerbes sind sie genöthigt, weite Länderstrecken zu durchstreifen, bei welcher Gelegenheit sie sich eben zu uns verirren.

Von den Geiern, den Riesen unter den Raubvögeln, erscheinen sehr selten welche bei uns, denn sie bewohnen meistens nur einsame, menschenleere Gegenden, und zwar zumeist die Hochgebirge der gemässigten und warmen Zone, wie z. B. die Pyrenäen, die Tiroler, Salzburger, Schweizer und

Italienischen Alpen, die Hochgebirge Griechenlands, Afrikas und Asiens.

Sehr selten sind Fälle zu verzeichnen, dass sich einer dieser fremden Gäste in unsere Gefilde verirrt hat, noch seltener, dass dieser oder jener erlegt worden ist. Wohl hat man früher, dann und wann im Hochgebirge der Karpathen Adlerhorste entdeckt, die auf hohen Felsen aufgeschlagen waren; jetzt ist es als eine sehr grosse Seltenheit zu bezeichnen, wenn in dem genannten Gebirge ein brütendes Adlerpaar angetroffen wird.

Wie mit den befiederten Tagräubern, so ist es auch mit jenen abenteuerlichen Vögeln, welche durch ihr nächtliches Treiben, ihren leisen, geisterhaften Flug, ihre wirklich unheimliche Stimme eine reiche Quelle für die verschiedensten abergläubischen Sagen geworden sind, — den Eulen, die durch so viele charakteristische Merkmale von ihren übrigen Classengenossen ausgezeichnet sind, dass sie in keinem Falle mit ihnen verwechselt werden können. Wie unter den Tag-, so gibt es auch unter diesen Nachtraubvögeln welche, die sich aus dem höchsten Norden zu uns verflogen haben und auch unter ihnen sind Arten anzutreffen, für die der Name „Raubvogel“ eigentlich gar nicht passt, denn ihr Nutzen überwiegt bei Weitem die oft kaum nennenswerthe Schädlichkeit.

Wie in unserem Nachbarlande Mähren, so treten auch hier in Schlesien die Raubvögel gegen frühere Zeiten bedeutend seltener auf, sind also in steter Abnahme begriffen, welche Ursachen nur in der fortschreitenden Wald- und Bodencultur zu suchen sind, wie ich bereits in meiner früheren Arbeit: „Zur Charakteristik der Vogelfauna in Jägerndorf und Umgebung“ in den Mittheilungen der k. k. mähr.-schles. Gesellschaft zur Beförderung des Ackerbaues, der Natur- und Landeskunde, Brünn 1891, näher erörterte.

Die Raubvögel brüten, wenn sie nicht gestört werden, nur einmal im Jahre, und zwar im Frühjahr, manche sogar sehr zeitlich. Die Horste stehen meist auf Bäumen, doch auch auf Felsvorsprüngen, in Höhlen steiler Felswände, in Ruinen, in Mauerlöchern alter, hoher Gebäude, ja selbst auf glattem Boden. Es sind meist grosse Gebilde aus Reisern, von denen die gröbsten als Unterlage dienen, während nach oben zu immer feinere liegen; der innere Hohlraum ist mit weichen Stoffen und Laubreisern zu einer Mulde verarbeitet, in welche die Eier gelegt werden. Viele Raubvögel haben den Brauch, ihre Horst mit frischen Reisern von Fichten, Birken, Buchen u. a. zu belegen, nicht nur während der Brutzeit, sondern auch für die Dunenjungen, was nicht blos Spielerei ist, sondern zur Reinhaltug des Horstes und zum Gedeihen der Jungen viel beiträgt. Viele ziehen es vor, alte, schon bestehende Horste zu benützen. So fand z. B. E. F. von Homeyer in Horsten, die anfänglich wahrscheinlich vom Bussard erbaut worden waren, Schreiadler, Königsadler, Wanderfalken, Habichte, Sperber und andere brüten.

Die Eier sind rundlich, meistens ziemlich rauhschalig und entweder rein weiss oder auf blass gelblich- oder grünlich gefärbten Grunde dunkler gefleckt. Die Zahl der Eier eines Geleges schwankt zwischen 2 bis 7. Ueberhaupt sind die Raubvögel weniger fruchtbar als die übrigen Vogel-Gattungen, was vorzugsweise zur Erhaltung des Gleichgewichtes in der gesammten organischen belebten Welt viel beiträgt.

Nun, wenn auch keine Condore, wenn auch keine Lämmergeier unsere heimischen Gegenden unsicher machen, so haben wir dennoch für die Ornis unseres kleinen Schlesiens gewaltige, befiederte Räuber aufzuweisen. Leider ist die Kenntniss ihrer selbst und ihrer Lebensweise eine sehr beschränkte: oft werden sehr nützliche Raubvögel als gefährliche Feinde, harmlose Vögel, welche hoch in den Lüften ganz bedächtig ihre Kreise ziehen oder ganz unbeweglich an einer Stelle zu schweben scheinen, als „Geier“ bezeichnet und von unwissenden Jägern unbarmherzig heruntergeschossen.

Im Nachstehenden gebe ich ein Verzeichniss der bisher in Oesterr.-Schlesien beobachteten Raubvögel und bemerke, dass ich in Bezug auf Systematik und Nomenclatur dem von Herrn Ernst Hartert verfassten „Catalog der Vogel-Sammlung im Museum der Senckenbergischen naturforschenden Gesellschaft“ in Frankfurt a. M. 1891, gefolgt bin, weil dieses gediegene und mit grosser Sachkenntniss verfasste Werk wohl berufen ist, einer einheitlichen Systematik und Nomenclatur den Weg zu bahnen. Nur nach dem Prioritätsprincip lässt sich das angestrebte Ziel erreichen und dieses Princip ist von Herrn Hartert gewissenhaft befolgt worden.

Wie für mein „Verzeichniss der bisher in Oesterr.-Schlesien beobachteten Vögel, etc.“, in den „Mittheilungen des ornithologischen Vereines“, „Die Schwalbe“, Wien 1891/92, so habe ich auch für dieses vorliegende, die schlesische ornithologische Literatur benützt. Das beste und zuverlässigste Hilfsmateriale, das zur genauen Durchführung meiner Arbeit viel beitrug, waren mir doch die Aufzeichnungen des hochverehrten, erzherzoglichen Ober-Försters Herrn Josef Želisko in Dzingelau bei Teschen, die mir der genannte Herr mit der grössten Bereitwilligkeit zukommen liess und für die ich ihm hiermit meinen besten Dank zolle. Ebenso muss ich den Herren: Prof. Emanuel Urban in Troppau, Graf Kuenburg in Bransdorf bei Jägerndorf und Apotheker Dr. Conv. Spatzier in Jägerndorf, die mich schon für mein oben genanntes Verzeichniss unterstützten, auch hier meinen besten Dank ausdrücken.

Wiese bei Jägerndorf, Oesterr.-Schlesien, Weihnachten 1891.

Familie: Strigidae, Eulen.

Unterfamilie: Striginae.

1. Strix flammea, L. Schleiereule.

Einer der schönsten unserer Eulen, die hier genug häufig anzutreffen ist. Weil sie sehr gerne in den Kirchthürmen haust und angeblich das Oel aus den Kirchenlampen trinken soll, wird sie von der Landbevölkerung auch „Oeldieb“ genannt. Sie wird obwohl nicht ganz unschädlich, da sie sogar Wiesel anzugreifen wagt, hier nicht verfolgt.

Unterfamilie: Syrniidae.

2. Glaucidium noctua, Retz[1]). Steinkauz.

Eine der häufigsten Eulenarten, die allen unseren Wäldern als Standvogel vorkommt. Unter der Bevölkerung wird sie auch „Todtenvogel" genannt.

3. Glaucidium passerinum, L.[2]) Sperlingseule.

Die Sperlings- oder Zwergeule, ein sehr niedlicher und harmloser, fast ganz unschädlicher Vogel, ist in unserem Hochgebirge, wie in den Ausläufern der Karpathen, den sogenannten „Beskiden", so in den Sudeten Standvogel und horstet in grösseren Waldungen der „Lissa", Travni", „Barania" etc. So wie viele andere Vögel, so verschwindet auch diese Eule in Folge der jetzigen Waldcultur immer mehr und mehr; sie beansprucht mit hohlen Bäumen versehene Altbestände.

4. Nyctala tengmalmi, Gm.[3]) Rauhfusskauz.

In den Gebirgswaldungen der Ausläufer der Karpathen ein nicht sehr häufiger Brutvogel, in den Wäldern der Ebene jedoch seltener. Diese Eule lebt sehr versteckt und wird deshalb, auch wo sie häufiger vorkommt seltener beobachtet.

5. Surnia ulula, L.[4]) Sperbereule.

Wohl die schönste Tageule und einem Falken nicht unähnlich, so dass man sie auch „Eulenfalk" genannt hat. Sie ist für Schlesien wohl keine so grosse Seltenheit, da sie schon wiederholt erlegt wurde, so im Jahre 1851 bei Friedeck 1 Stück, 1862 ein Stück, 1864 ein Stück in Althammer und 1875 ein Stück bei Dzingelau. Sie kommt hier nur in den höchsten Bergen vor und da in grossen, geschlossenen Waldungen; sie ist aber durchaus nicht als häufig zu bezeichnen.

Sie bewohnt den hohen Norden Europas und Asiens, geht aber nicht so weit über den Polarkreis hinaus, wie die Schneeeule.

6. Nyctea scandiaca, L.[5]) Schneeeule.

Das einzige in Schlesien erlegte und bekannt gewordene Exemplar dieser schönen Eule, deren Heimat die Länder um den Nordpol in Europa, Asien und Amerika sind, wurde im Jänner 1862 in einem Hausgarten des Gebirgsdorfes Gross-Waldstein bei Olbersdorf von einem Baume heruntergeschossen. Dieses sehr seltene Stück befindet sich jetzt mit der Ad. Schwab'schen Sammlung im Brünner Franzensmuseum.

[1]) Stix noctua, Scop. 1769. Carine noctua Kaup 1829. Athene noctua, Bp. 1850. Glaucidium noctua, Retz, 1826.

„Ich vereinige mit Reichenone die Gattung Carine und Glaucidium, nur mit dem Unterschiede, dass ich nicht den erst 1829 gegebenen Namen Carine (Typus noctua), sondern den schon 1826 veröffentlichten Namen Glaucidium anwende, zumal die unter Glaucidium bisher aufgezählten Arten 22 sind, während Carine nur die 4 Arten Carnie noctua, glaux, spilogastra, brama mit Subspecies pulchra umfasst. Obwohl man bei Betrachtungen von Steinkauz und Sperlingskäuzchen zweifellos zur Trennung von zwei Gattungen geneigt ist, findet man unter den ausländischen Arten so viele Zwischenformen, dass eine scharfe Begrenzung der beiden Gattungen schwierig, wenn nicht unmöglich wird und zwecklos erscheint." Vergl. Ernst Hartert, „Catalog der Vogel-Sammlung des Museums der Senckenbergischen naturforschenden Gesellschaft." Frankfurt a. M. 1891, pag. 167, Anmerkung 365.

[2]) Strix pygmea, Bechst. 1805. Athene passerina, Boje, 1822.

[3]) Strix daspus, Bechst. 1791.

[4]) Surnia nisoria, M. & W. 1810.

[5]) Strix Nivea, Thumb, 1798. Nyctea nivea, Steph. 1824.

In Mähren ist auch nur ein einziges Exemplar, im Februar 1830 bei Iglau geschossen worden und wird ebenfalls im Franzensmuseum in Brünn aufbewahrt.

Das Erscheinen dieser nordischen Eule in unserer Gegend hat Herr Professor Josef Talsky in Neutitschein in seinem Werke: „Die Raubvögel Mährens", (Zeitschrift für die gesammte Ornithologie von Dr. Jul. von Madarász, 1885) als ein ornithologisches Ereigniss bezeichnet.

7. Syrnium aluco, L. Waldkauz.

Dieser Kauz ist einer der gemeinsten Standvögel unter den Eulen und über das ganze Land verbreitet, wie in gebirgigen so auch in ebenen Gegenden. Hier in Schlesien wird er viel verfolgt, weil er grösseren Vögeln, als Fasanen und Rebhühnern und selbst den Hasen nachjagt. Seine Jagd beginnt schon nach Sonnen-Untergang. Es wurde die Beobachtung gemacht, dass dieser Kauz bei Schnee, bei mondhellen Nächten auf Rebhühner jagte und diese mit der Wuth eines Sperbers weite Strecken verfolgte. Selbst in Taubenschläge kommt diese Eule und wird oft in Eisen gefangen.

Der Waldkauz horstet in hohlen Bäumen, aber auch in alten verlassenen Krähennestern. Auch wird er oft statt des Uhu auf der Krähenhütte verwendet, weil er von den Krähen leidenschaftlich verfolgt wird.

8. Syrnium uralense, Pall Uraleule.

Nach Pallas ist diese Eule eine der gemeinsten in den felsigen Gebirgen des Ural. Sie bewohnt den Norden und Osten Europas, Mittel-Asien in gleichen Breiten vom Ural bis zum fernsten Osten am Ochotskischen Meere, in den Ostsee-Provinzen soll sie Brutvogel sein; sonst ist sie überall eine seltene Erscheinung: wie in Polen, Galizien, Siebenbürgen, Ungarn, Böhmen, Mähren etc. Was Schlesien betrifft, so fand ich in Alb. Heinrichs Werke: „Mährens und k. k. Schlesiens Fische, Reptilien und Vögel", Brünn 1856, auf pag. 72 folgende Anführung: „Er, (der östliche Kauz) bewohnt eigentlich das nordöstliche Europa, kommt aber bis in die Hochgebirge Galiziens und k. k. Schlesiens herab." — Leider bin ich ausser Stande, diese Angaben weder zu bestreiten noch zu bestätigen und muss dies weiteren Forschungen überlassen.

(Fortsetzung folgt.)

Ornithologische Beobachtungen aus dem Aussiger Jagd- und Vogelschutz-Vereine 1890.

Von **Anton Hauptvogel.**

(Schluss.)

38. Rothkehlchen. In Pömmerle das erste am 28. März. Am 23. April sah ich das zweite daselbst am Bache, welches jedenfalls am Zuge gekommen. Bei Mutzke angekommen Ende März. Den 16. December sah ich am Eingange des Berthagrundes bei — 5 Grad R. 3 Stück, das eine sang kurz, dann bissen sie sich, jedenfalls waren alle 3 Männchen. Später flogen sie zu den Häusern am Ende der Dulce, um sich Nahrung zu suchen.

39. Nachtschwalbe. Die erste bei Pömmerle gehört am 7. Mai, 22. September ein Stück auf den

Nestersitzer, am 14. September ein Stück in der Salzlacke bei Pömmerle, am 19. September halb 8 Uhr Abend sein Stück in Sieches Garten in Pömmerle.

40 Steinschmätzer. Am 3. April in Pömmerle.

41. Girlitz. In Bodenbach ein ♂ angekommen, Früh am 31. März.

42. Wiedehopf. Am Morgen des 31. März, halb 8 Uhr Früh, auf den Elbewiesen in Pömmerle ein Stück am Zuge. Er kam von W. und zog gegen O., liess sich in den Gärten nieder und suchte nach Würmer. Er flog dann auf einen Apfelbaum und dann wieder auf den Boden. Sein Flug gleicht ganz dem des Eichelhehers. Es war sehr schön, aber kühl.

43. Gartenammer. Einige singend am 11. Mai bei Doppitz und Seesitz.

44. Trauerfliegenfänger. Am 8. September eine bedeutende Anzahl am Zuge auf den Bäumen des Bahndammes bei Mosern. Sie zogen von Osten gegen Westen.

45. Schwarzspecht. Am 6. September 2 Stück am Ziegenberg.

46. Wachtel. Die erste gehört am 1. Mai bei Soblitz. Sie nehmen in der ganzen Gegend hier ganz ab. Am 24. Juni ein Stück bei Gabschken.

47. Kohlmeise. Am 11. Mai Junge in einem Nistkästchen.

48. Weissbindiger Kreuzschnabel. Anfang Juli wurde ein Stück von Anton Krolop in Kreibitz gefangen.

49. Schopflerche. Am 18. December, — 13 Grad R. ein Stück erfroren gefunden am Marktplatze.

50. Seidenschwanz. Im Mittelgebirge heissen sie Frieslich. Am 26. März 2 Stück in Schwaden gesehen, welche der Besitzer von Grulich erhalten hatte.

51. Stieglitz. In Ohnesorg's Garten in Pömmerle am 31. Juli ausgeflogen aus einem dortigen Neste.

52. Rothhänfling. Am 4. April einige bei Blankersdorf im Walde.

53. Grünhänfling. Am 29. December zwei ♂ und ein ♀ in Pömmerle am Futterplatze.

54. Haussperling. In Doppitz am 11. Mai ausgeflogene Junge.

55. Lachmöve. Bei Pömmerle die erste am 14. März angekommen. Am 21. März 4 Stück über den Brand gegen N. gezogen. Am 15. Juni 5 Stück auf der Elbe bei Schwaden. Am 7. August waren sie fort.

56. Ringeltaube. Bei Pömmerle am 17. März die erste gehört. Bei Borngrund am 26. März. Bei Mutzke am Durchzuge am 28. März, daselbst abgezogen am 18. October zwei grosse Züge. Am 8. November sah ich die letzten vier Stück bei Pömmerle.

57. Kibitz. Am 19. März 4 Stück über die Horka bei Zibernick gegen O. gezogen.

58. Haselhuhn. Am 23. September in der Pradel bei Pömmerle 11 Stück in einer Kette.

59. Buchfink. Am 30. März auf den Feldern bei Meischlowitz an 600 Stück, fast lauter ♂, welche fröhlich sangen. Am 19. August bei Wessela auf einem Felde, das dicht mit Zwetschkenbäumen besetzt ist, an 300 Stück. Am 24. August auf einem gleichen Felde bei Pömmerle sehr viele, aber meist ♀. Am 11. October bei Doppitz auf einem mit Obstbäumen besetzten Felde 3—400 Stück, meist ♂.

60. Quäcker. Am 30. März bei Meischlowitz ein Stück unter Finken. Am 1. November Nachmittag ein Stück bei Pömmerle gehört.

61. Hohltaube. 15—16 Stück am 6. April bei Mutzke am Durchzuge. Am 26. April 3 Stück bei Pömmerle geschossen. Es waren mehrere daselbst, obwohl sie keine Brutplätze haben.

62. Wiesenschnarrer. Den ersten gehört am 11. Mai bei Seesitz, den 16. bei Pömmerle. Am 12. September bei Meischlowitz 2 Stück bei Rebhühnern. Am 24. Juni ein Stück gehört bei Gatschken, den 11. Mai bei Doppitz, den 16. Mai bei Zibernick. In diesem Jahre waren sehr wenig.

63. Reiher. Am 7. Juni 6 Stück auf der Elbe zwischen Lobositz und Birnei.

64. Wildgänse. 21. und 22. September zogen einige Nachmittag 5 Uhr über den Tschiken von NO. gegen S. Am 27. September um halb 12 Uhr Nachts ein Zug über Aussig gegen S. Am 28 September um 10 Uhr Nachts desgleichen.

65. Stockenten Am 8. November 7 Stück auf der Elbe bei Pömmerle.

66. Flussregenpfeifer. Am 10. August auf der Elbe bei Hochwasser bei Pömmerle 9 Stück.

67. Pfeifente. Am 16. März auf der Elbe bei Kleinpriesen ein ♂ geschossen.

68. Storch. Am 26. April über Mutzke ein grosser Zug.

Aussig, am 3. März 1892.

NB. Am 23. Februar d. J. soll in Pömmerle beim Hause Nr. 2 eine Schwalbe gesehen worden sein, welche dort herumflog. Es war ein heller, klarer, warmer, prachtvoller Tag. (?)

Eulennamen.

Ein kleiner Beitrag zur deutschen Cultur- und Sittengeschichte.

Von **Franz Branky.**

(Fortsetzung.)

Das Volk fasst unter Eule sämmtliche Repräsentanten dieser interessanten und zahlreichen Raubvogelfamilie zusammen. Unter Eule, Nachteule und Nachttrapp werden Ohreule, Huhu, Steineule, Schleiereule, Kircheule und der niederländische und welsche Kanz verstanden. (Forst-, Fischer- und Jagdlexikon I. 642.) Für Nachteule begegnen die Namen d'Aubl, Hu Eul. Konrad von Megenberg (ed. Pfeiffer, p. 173) kennt die Gattungsnamen „auf" und „haw", wie dies der erste Satz im 12. Capitel zeigt: „Bubo haizt ain auf oder in anderm däutsch ain haw."

Das lateinische Wort strix erklärt er als „ain säuser oder „zandklaffer", weil die Stimme dieses Vogels so tönt, wie wenn man die Luft durch die Vorderzähne streichen lässt. Megenberg führt noch die Namen ama, amer, ämerich an, die auf lateinisches amor deuten, denn dieser Vogel soll seine Jungen ungemein lieb haben. Strix oder ama führt in anderen Mundarten die Namen wutsch oder steinäul, „und ist einer äulen geleich, danne daz er kleiner ist, und wenn er schreit, so schreit er zitterent hu hu hu, als ob ihn friese, oder er zandklaffe vor froscht.“ Deshalb ist der Name zitraer oder zandklaffer sehr bezeichnend (p. 224). Im Cap. 53 lernt man den Nachtraben (nocticorax) als Eulennamen kennen und ulula wird mit „Klagvogel“ übersetzt, dessen Geschrei und Stimme nach den Vogelweisen Unglück, sein Schweigen aber Glück bedeute (S. 227).

Im Renner erscheint ein hauwe. Huwe, huwele, hiewele sind Eulennamen aus älterer Zeit, abgeleitet vom klagenden, heulenden und unheimlichen Rufe dieser Thiere.

Colerus setzt für die Eule folgende Formen an: ul, eül, uwel, ulula, huhu, vhu, vho, schufut, schufaus, schufus, schuffeule.

Von den bekannten Namen iule, iuwele u. dgl. kann hier ganz abgesehen werden.

Im Geisterglauben unseres Volkes gelten die Eulen häufig als verzauberte und verwünschte Menschen. Das ahd. holzruna, holzmuoja bedeutet einen Vogel, der im Walde muhend vernommen wird, woraus später der Ausdruck Klagemuhme für Eule entstanden ist (Grimm, Myth., 950). „holzmuoja“ übersetzt in ahd. Glossen die Eule, was auf einen Zusammenhang dieses tod- und unheilverkündenden Vogels mit den Riesinnen deutet. Skrikia, die Schreierin, wird unter den Namen der Riesinnen aufgezählt und wiederum heisst screechowl die Todteneule (W. Mannhardt, germ. Myth. 198).

Die Stimme der Eule wird in unseren Tagen auch sehr verschieden bezeichnet. Die Eule schreit, klagt, heult, uhut, schuhut, muht, jugatzt. Bei Konr. v. Megenberg 223 aber sûnset sie. Der kleine Kauz schreit äme! pupu! pupu kliat! livit kliat! klivit kukukio! (Th. v. Gumperts Töchteralbum, 35. Bd., S. 40.) Der Geistliche wixte wie eine Eul', heisst es im Simplicissimus (Tittmann, I. 191.) „Die tolle Comtess“ vernimmt den Pfiff einer Fledermaus und das Lachen eines Käuzchens. (Roman von E. Wolzogen, I. 74.) Ein Eulenschrei gellt manchmal in den Schluchten. (Gedichte v. Reinh. Fuchs, S. 127.) Andere Stimmen der Eulen folgen bei den Namen der einzelnen Species nach.

Am Lechrain führen Eule und Käuzel den bezeichnenden Namen Holzweibl. „Wenn sie schreien muss eins sterben; sie sind arg geschiochen; aber vom Holzweibl der Eule bis zum Holzweibl dem Unhold ist wenig oder kein Unterschied. In der Eule denkt man sich meist nur den Unhold, der jetzt gerade die Gestalt dieses wilden Vogels angenommen hat.“ (V. Leoprechting, Aus dem Lechrain, S. 82.)

Die Scheu, welche die Menschen vor der Eule haben, stammt zum guten Theile vom Hexenglauben her. Die Strigen des Alterthums wurden schon als gefrässige Wesen in Eulengestalt gedacht. Bei Apulejus verwandelt sich Pamphile, indem sie auf nächtliche Liebesabenteuer ausgeht, in eine Eule. (Soldan, Geschichte des Hexenprocesses, S. 44 fg.) In Deutschland wird bei solchen Verwandlungen neben der Eule auch die Fledermaus häufig genannt, wie z. B. in der Gred von G. Ebers, I. 122. In der Alectryomantia von Joh Prätorius (Frankfurt 1681, S 61) sind nach Ovid „die Stryges nächtliche Vögel, so den Kindern Schaden thun.“

Zu Reinsdorf (Mecklenburg) sass eine in eine Eule verzauberte Hexe auf einem Thorpfosten. Ein vorwitziger Knecht schlägt sie mit der Peitsche über den Kopf und verwundet sie dadurch. Sie fällt hinter den Zaun, und wie er nachsieht, findet er ein altes Weib, das am Kopfe blutet. Die sagt ihm: „Du solltest mich nur nicht verwundet haben, dann wäre es Dir schlimm ergangen.“ (K. Bartsch, Sag., Märch. und Gebräuche I. 132.) Im Frickthaler Dorfe Wallach (Rochholz, Sag. II. 165) heisst eine Hexe Henelschneiderin, und das ist eine Name, der auf Nachteule und zugleich auf ein Weib in zerzausten Haaren deutet.

Die Nachteule heisst in Bayern Huwil, Hueule; sie ist eine verzauberte böse Stiefmutter, welche ihr Stiefkind mordete und heute noch ihr klägliches Geschrei im Walde vernehmen lässt. (Panzers Beiträge II. 172.) Diesen Gedanken hält auch die Salzburger Sage fest: Eine Mutter aus dem Marktflecken Zell in Pinzgau sagte zu ihren zwei Kindern, welche durch Bettel wenig Geld nach Hause brachten und die Mutter doch um etwas baten, damit sie ihren Hunger stillen konnten: „Ich wollte, ihr wäret Steine, dann wäre ich von euch befreit!“ Dieser Wunsch ging augenblicklich in Erfüllung. Ein furchtbares Unwetter brach los, der Donner rollte, die Blitze erleuchteten die ganze Umgebung des Dorfes. Nachdem sich das Wetter verzogen hatte, erblickte man statt der Kinder zwei Steine, die ihrer Gestalt ähnlich sahen. Zur Strafe muss die Hartherzige, die den Namen Eulenmutter führt, bei Tage als Eule herumflattern und Nachts wandelt sie in ihrer wahren Gestalt ruhelos einher. In manchen Nächten soll man sie bei den Steinen sehen, wo sie um ihre Kinder weint und klagt. (Th. Vernaleken, Alpensagen 276 fg.)

Im Bilde der Eule erblickt man auch alte Jungfrauen, die ihre Liebhaber verscheuchen und ehelos bleiben wollen. Das Volk sagt diesen weiblichen Wesen nach, dass sie oft ein schlimmes Spiel treiben und nur mit Katzen, Eulen und anderem Gelichter Verkehr haben. (Edm. v. Feisthal, des deutschen Volkes Sagenschatz, S. 131.) Solche Frauenzimmer sind dann der Gegenstand des Spottes und werden so die Eule unter den Krähen.

Mythische Wesen haben häufig die Eule in ihrem Gefolge. Man sieht das an der Furten-Wila und an Hackelberg.

Die Furten-Wila ist ein den südslavischen Elementargeistern angehöriges Wesen, das ganz an die saligen oder wilden Fräulein der Alpenländer gemahnt; sie will den Helden Marko, der in ihr Gebiet eingedrungen, verderben. Sie stösst einen gellenden Ruf aus, was bewirkt, dass der ganze Wald lebendig wurde. Eulen, Krähen, Dohlen kommen krächzend herbei und umflattern den Helden. Adler und Geier stürzen auf ihn zu und wollen ihn mit ihren gewaltigen Fängen vom Rosse schleudern. (Frd. Zöhrer, österr. Sag. und Märchenbuch, Seite 111.)

Hackelberg hat eine grosse feueraugige Ohreule im Gefolge. Diese Feuereule war vormals Nonne eines Klosters und hiess Ursula. (Felsthal a. a. O. 189.) Von dieser Ursula ist in Thüringen eine schauerliche Sage im Umlauf: In einem fernen Kloster lebte da vor Zeiten eine Nonne, Ursel geheissen, die störte mit ihrem heulenden Gesange noch bei Lebzeiten den Chor; daher nannte man sie Tut-Ursel. Noch ärger wurde es nach ihrem Tode, denn von 11 Uhr abends steckte sie den Kopf durch ein Loch des Kirchthurmes und tutete kläglich, und alle Morgen um 4 Uhr stimmte sie ungerufen in den Gesang der Schwestern. Einige Tage ertrugen sie es; den dritten Morgen aber sagte eine voll Angst leise zu ihrer Nachbarin: „Das ist gewiss die Ursel!" Da schwieg plötzlich aller Gesang, ihre Haare sträubten sich zu Berge, und die Nonnen stürzten aus der Kirche, laut schreiend: „Tut-Ursel, Tut-Ursel!" Und keine Strafe konnte eine Nonne bewegen, die Kirche wieder zu betreten, bis endlich ein berühmter Teufelsbanner aus einem Kapuzinerkloster an der Donau geholt wurde. Der bannte Tut-Ursel in Gestalt einer Ohreule in die Dumenburg auf dem Harz. Hier traf sie den Hackelberg und fand an seinem huhu! so grossen Gefallen, als er an ihrem uhu! und so ziehen sie beide zusammen auf die Luftjagd. (Dr. Aug. Witzschel, Sagen aus Thüringen, S. 324.)

Aber nicht nur Frauenzimmer, die ehelos bleiben, auch solche, deren Körpergestalt auffallende Hässlichkeit auszeichnet, sowie solche, die hochbetagt sind, nennt man Eulen, Nachteulen. Im Inneren der Wartburg hat die Hand des Künstlers das menschliche Leben in Thiergestalt sinnbildlich dargestelt. (Vergl. Zeitschr. für deutsche Philologie 23, 390 ff.) Das weibliche Geschlecht erscheint da unter folgenden Symbolen: 10 Jahre ein Küchlein, 20 Jahre ein Täubchen, 30 Jahre eine Elster, 40 Jahre ein Pfau, 50 Jahre eine Henne, 60 Jahre eine Gans, 70 Jahre ein Geier, 80 Jahre eine Eule, 90 Jahre eine Fledermaus, 100 Jahre ein Schnabeltodtenkopf. Dem Maler, dem Künstler gilt die achzigjährige Matrone eine Eule. „Störst uns nur die gute Laune, alte Nachteule", höhnt ein Wirtssohn ein verkrüppeltes Weib, das um eine milde Gabe fleht. (Vom Donaustrande, Ludwig Bowitsch, Seite 13.)

Mit dem Begriffe Eule verbindet sich auch der der Unbarmherzigkeit, der Bosheit, der Unsittlichkeit. Die Eule gilt in Menzel's christl. Symbolik, I. 257, als eine verzauberte Bäckerstochter, die von dem Teige stahl, aus dem die fromme Mutter für den Heiland ein Brod backen wollte. Im schwarzen Erdtheil erblickt man in der Eule gar das Kannibalische: In Dahome heisst sie Aza-che und das ist so viel, als Kannibale, welcher die Feinde tödtet und verzehrt. (Dr. L. Hopf, Thierorakel und Orakelthiere, S. 108). Beikusch ist ein tartarischer und Louron ein talyscher Eulenname, womit der Uhu bezeichnet wird. In deutscher Sprache bedeuten diese Namen: Unglücklicher, Familienloser, Armer. (G. Radde aus Tiflis im IV. Jahrgange der Ornis, S. 491.)

Gefürchtet und gemieden ist die Eule wegen ihres klagenden, durch die Stille der Nacht unheimlich dahintönenden Geschreies, das, wie eingangs bemerkt, als Unglück verheissend gedeutet wird. Darauf beziehen sich die Namen: Die Klag, die Klage, die Klagefrau, die Klagemutter, die Wehklage, die Leich, das Leichenhuhn, das Leichhuhn. (Herm. Hartmann, Bilder aus Westphalen, S. 128), die Leicheneule, die Todteneule, die Leichenvögel. (Simrock, Myth. 406), das Leichenhähnchen, der Todtenvogel.

Von jeher war das Volk erfinderisch, den Lauten und Schällen, den Tönen und Geräuschen, die es in der Natur vernimmt, bestimmten Sprachinhalt unterzulegen. Natürlich ging dabei die Stimme der Eule nicht leer aus. Das bewegte, abergläubische Gemüth, glaubte im Geschrei dieser Vögel, welches etwa wie ku-witt tönt, die Worte zu vernehmen: „Komm' mit! komm' mit!" (Montanus, Volksfeste, S. 174) oder: „Geh' mit! geh' mit!", daher die Eulennamen: „Kommitchen", „Gehmitvogel". Mitkommen, mitgehen heisst soviel, als in's Jenseits wandern, daher der Glaube: Wenn ein Käuzchen (Klage) abends in der Nähe eines Hauses schreit, stirbt bald Jemand in demselben. (J. V. Zingerle, S. G. u. M. des Tiroler Volkes, S. 46.) Die Klag stellt man sich in Tirol als einen unheimlichen Vogel vor. Bei Söll gilt sogar der Glaube, die Klag sei eine riesenhafte, weissgekleidete Frau, die zu Zeiten nahender Drangsale auf dem Freithof weine und schauerlich singe. (Ders. S. 83.) In Siebenbürgen ist die Eule neben dem Hunde der gefürchtetste Todesbote. In Bekokten heisst sie Todtenvogel, in Tartlau Sterbevogel, in Bulkesch Leichenvogel, anderorts Tschuwik (Zur Volkskunde der Siebenbürger Sachsen, S. 293) und die Kärntner nennen sie Tschuk. Herm. Rollet gibt ihr die Namen: Hexen-, Zauber- und Nachtthier. (Blätter des Vereines für Landeskunde von Niederösterreich Jhrg. 1877, S. 66.) Im Strassburger Vogelbuche v. J. 1554 erscheinen die Namenformen: Waldeul, Nachteulen, Kirch- und Ohreulen. (Ernst Martin, Jahrb. f. Gesch. Spr. u. Litr. Elsass-Lothringens, IV. Jahrg. 1888, S. 54.)

Als Glück verheissender, Gutes bescheerender, und Angenehmes meldender Vogel erscheint die Eule selten: Dem todten Schneewittchen weint wohl eine Eule Thränen nach, den wendischen Frauen verkündigt sie glückliche Niederkunft, in Mecklenburg und Hannover gibt man in das Bett des Kindes Eulenfedern, weil dadurch dessen Schlaflosigkeit beseitigt werden soll. (Bartsch, a. a. O, II., S. 53.) Die Tartaren und Kalmücken glauben, die Schneeeule sei ein Glücksvogel. (Dr. Hopf a. a. O., S. 104.) In Schlesien, Thüringen und Sachsen schützt die gemeine Eule, wenn sie an das Scheunenthor angenagelt wird, das Getreide vor Bezauberung. (Dr. A. Wuttke, der deutsche Volksaberglaube der Gegenwart § 223.) Was fabelte die gute alte Zeit nicht alles noch vom Huwenfleisch, Huwenblut, Kautzenfleisch, Kutzenblut, von Kutzeneiern u. dgl. Wie viele Krankheiten, wusste man nicht damit zu heilen, wie viele Schmerzen zu stillen! Vieles in dieser Hinsicht bietet Gessner's Thierbuch. Nun genug von dem Glück, welches die Eule bescheert. Kehren wir wieder zu dem Namen dieses Vogels zurück!

Die Eule erscheint im Gefolge der wilden Jagd und heisst daher auch der wilde Jäger. In

Schwaben führt die dem wüthenden Heere voranfliegende Eule die Namen: Tutosel, Tutursel, Tuturschel. (Meier, schwäbische Sagen, S. 34.) Bei der Feuereule machten wir bereits mit diesem Wesen Bekanntschaft. Wer dem wüthenden Heere begegnet, hört deutlich den Ruf: Huhu! huhu! oder im Norden Deutschlands ku—i oder hu—i. (Zeitschr. für Volkskunde. III. 83.) Die Tiroler nennen die Eule schlechtweg den Vugel vom Röschner (J. V. Zingerle Schildereien, II. 72); auch dieser Name steht mit der wilden Jagd in Zusammenhang. Röschner bedeutet Fuhrmann, Rossknecht und Wagen und Wagenlenker erscheinen ja auch in diesem wilden Gefolge.

Der wilde Jäger ist an vielen Orten in den Teufel übergegangen, wie z. B. in Niederösterreich, wo man sagt: „Wenn die Eulen schaarenweise fliegen, so reitet der Teufel durch die Luft". Der wilde Jäger heisst auch der Auf und reitet glühende Rosse. Auf ist auch n.-ö. Eulenname, das zeigt der Volksreim aus dem Waldviertel:

Wan da Auf jugatzt und da Euling schreit,
So is da Teufl a net weit.

(Kremser, Jahresb. 2. J. 1869, S. 23.)

In Bayern heisst die Eule Tschuban, ein Name, der fast an den Gottseibeiuns Schubai (Firmenich, II. 383) gemahnt. Der Teufel gilt auch als Negation. Der fragt den Teufel darnach, oder wie man in Oesterreich mit Verstärkung meistens hören kann: Der fragt einen blauen Teufel darnach, bedeutet so viel, als: er fragt nichts, beziehungsweise gar nichts darnach. In den Niederlanden negiert auch die Eule: In het jaar een, als die uilen preeken (holländisch), 't jaar een, als de uilen preeken (vlämisch.) (Reinsberg—Düringsfeld, Globus, XVIII. S. 253.) In Mecklenburg sagt man von einer feldgeschlagenen Hoffnung: dor hett ne Ul seten und dem nichts gelingt, der ist mit „Ulensat beseit". (K. Bartsch, a. a. O., II. 178.) Hieher gehört auch die Redensart: Am Nimmerleinstag, waun die Eulen backen. (Dr. W. Binders, Sprichwörterschatz, Nr. 2682.)

Aber nicht nur als Negation, sondern auch als Interjection wird in der volksthümlichen Rhetorik unser Vogel verwendet. In der Schweiz hört man: „Bim Heuel! (bei der heil Wahrheit!), bim Aveheuel! Letzteres ist eine im Dorfe Rupperswil an der Aar übliche Formel. Dieser Heuel (Nachtkauz) hat Mannshöhe, tellergrosse Feueraugen und zwei Federbüsche am Kopfe, die gleich feurigen Hörnern starren. Auf der eine Viertelstunde vom Dorfe entfernten Heuelmühle ist sein Wohnort. Er geht des Nachts horchend an den Häusern umher, um böse Kinder abzufangen." (E. L. Rochholz, Der deutsche Aufsatz, S. 206.)

Auch das Eulengesicht gehört zu den Fluch- und Scheltwörtern der kräftig derben Rhetorik: „O, gehen Sie zum Teufel! Ihr Eulengesicht verscheucht uns die Kunden." (Eulen und Krebse, S. 118.) Und wenn J. P. Hebel schreibt: Er hörte die Nachteulen der Mitternacht, er hörte die Hähne rufen, er hörte die Morgenglocke läuten (Kürschners deutsche Nationalliteratur, 142 B. 181), so müssen die Nachteulen, die Hähne und die Morgenglocken rhetorische Dienste leisten und dem allgemeinen ganz farblosen Ausdrucke die Nacht hindurch concrete Wirklichkeit, individuelle Färbung, Lebendigkeit der Rede und Anschaulichkeit der einfachen Zeitvorstellung verleihen. Sollen aber die Schauer der Furcht und des Grauens in der menschlichen Seele wachgerufen werden, dann reden Dichter und insbesondere Romanschriftsteller von der schwarzen Nacht, dem heulenden Sturme, der knarrenden Windfahne, der unheimlichen Geisterstund und dem schauerlichen Geschrei der Eulen. Sogar Max Haushofer verschmäht dieses Mittel nicht, in den Verbannten. S. 278 schildert er den Höllen-Cancan also:

„Und eine Tanzmusik erklang dabei,
Wie wenn sich Eulenruf und Rabenschrei,
Und Mäusepfiff und Sturmeszischen
Mit Operettenklang vermischen."

Nicht anders machte es Hans Sachs im Schwank von der Insel Bachi. Auch da müssen die schwarzen Wolken, die leuchtenden Blitze, der grausame Donnerstrahl, die Schlangen, Kröten, Fledermäuse, Eulen, Löwen, Wölfe, wilde Schweine und bellende Hunde das Ihrige thun, um die Schrecken eines grässlichen Traumbildes in derb sinnlicher Weise zu malen.

In Baselland heisst eine der Eulen Phuluss. Rochholz (Schweizer Sagen, II. 165) bezieht diesen Namen auf Gott Pohl. Die Bewohner um Wolfpassing und Greifenstein a. d. Donau in Niederösterreich nennen die Eule die Nachtfledermaus und das wirkliche Flatterthier kurzweg die Fledermaus.

—

Unglaublicher Hybrid zwischen Haushuhn und „Leierschwanz".

Mitgetheilt von Dr. O. Finsch.

Durch Güte eines unbekannten Freundes in Melbourne erhielt ich kürzlich eine Nummer der dort erscheinenden Zeitung „The Argus" (vom 15. Februar 1892), welche eine ebenso curiose, als unglaubliche ornithologische Mittheilung enthält. Ich gebe dieselbe hier in genauer Uebersetzung wieder, ohne jeden weiteren Commentar, da wohl jeder Ornithologe wissen wird, was davon zu halten ist.

„Eigenthümlicher Hybride."

„An den Herausgeber des „Argus".

„Mein Herr! — Vielleicht dürfte die nachfolgende Beschreibung eines merkwürdigen Hybrids das Resultat einer Kreuzung zwischen einem Männchen des Leierschwanz (Menura superba) und einer gewöhnlichen hellfarbigen Henne von Interesse für einige Ihrer wissenschaftlichen Leser sein. Die Vögel, zwei an der Zahl, (Männchen und Weibchen) sind nun in meinem Besitze und wurden in einem Busche dieses Distriktes gefangen.

Männchen. — Alter, anscheinend 3 Monate, Gefieder lose, dick und haarähnlich, den ganzen Körper bedeckend; vorherrschende Farbe braun, mit weiss gefleckt: Ende der Halsdecken rothbraun gespitzt; Körper, dem eines Huhnes ähnelnd, aber schlanker; Kopf, ähnlich dem eines gewöhnlichen

Haushühnchens, mit rothem Kamm, Schnabel wie beim Huhn, ausgenommen die Spitze, welche mehr gebogen und ausgeschnitten ist; keine Mundwinkelborsten wie beim Leierschwanz; Nasenlöcher wie beim Huhn; keine bedeckende Haut der Nasenlöcher, wie beim Leierschwanz; Flügel abgerundet, aus 9 Schwingen bestehend, die ersten 5 abgestuft, und alle in haarähnliche Büschel endend. Schwanzfedern haarähnlich, werden sich aber vermuthlich wie beim männlichen Leierschwanz entwickeln; Bügelfedern mehr verlängert als bei gewöhnlichen Hühnern; Beine in Färbung ähnlich wie beim Leierschwanz, aber dicker; Haut dick, lederartig und mohngrünfarben.

Weibchen. — Küchel, anscheinend 6 Wochen alt; Gefieder lose, dick und haarähnlich, wie beim Männchen; vorherrschende Färbung schwärzlichbraun mit rostrothen Federrändern.

Ich habe keinen Stimmlaut von diesen Vögeln gehört, welche anzeigen könnten, ob dieselben die des Leierschwanzes geerbt haben, aber es liegt nicht ausser dem Bereiche der Möglichkeit, dass sich die Stimme noch entwickeln kann.

Es ist sehr möglich (??), dass derartige Hybride Ornithologen bereits bekannt sind, aber ich habe nie eine Beschreibung eines solchen gesehen und bemühe mich, mit ornithologischen Vorkommnissen in Berührung zu bleiben.

A. W. Milligan

Bonnie Doon, Travalgon 4. Februar."

Aus Heinr. Gätke's „Vogelwarte Helgoland".

(Fortsetzung folgt.)

Dass die Wanderer, wenn sie schon tiefer südlich gelangt, ihre Eile zu unterbrechen geneigt sind, um gemächlich der Nahrung nachzugehen, bestätigt eine Angabe Naumann's (Band I, Einleitung), die sich auf Witterungseinflüsse bezieht und welche lautet: „Der Vogelsteller bemerkt dies — das Herannahen schlechten Wetters — sehr oft an dem Zuge der kleineren Waldvögel, der dann gegen ihre Gewohnheit, nicht dem Gebüsche nach, sondern unaufhaltsam über das freie Feld, gerade gegen Westen gerichtet ist, — — — — sie eilen nur vorwärts, ohne sich so viel Zeit zu nehmen, als dazu erforderlich ist sich satt zu fressen."

Der grosse Meister stellt hier aber das in den Vordergrund, was für die kleineren Waldvögel in seiner Heimat, dem mittleren Deutschland, offenbar nicht mehr die drängende Zugbewegung, sondern die so weit südlich schon vorherrschende Nebenerscheinung ist — während es doch unzweifelhaft ist, dass in dem, was als Ausnahme angeführt wird, nämlich in dem „unaufhaltsam gerade gegen Westen gerichteten Fluge" thatsächlich der rastlos vorwärts strebende herbstliche Wandergang deutlich gekennzeichnet ist, der ja oft während fallendem oder tiefem Barometerstande besonders schlagend zum Ausdrucke gelangt.

Die nächste grosse herbstliche Wanderbewegung, welche sich der ebenbesprochenen ost-west lichen, der Individuenzahl und der Länge der Wegstrecke nach nicht nur ebenbürtig anreiht, sondern dieselbe in letzterer Hinsicht in manchen Fällen noch bedeutend übertrifft, ist der schon Anfangs dieses Abschnittes erwähnte, zwischen Nord und Süd verlaufende Zug einer sehr grossen Zahl von namentlich hochnordischen Arten. Wie ebenfalls schon angedeutet, ist die Kenntniss dieser letzteren Zugrichtung aber nicht auf unmittelbare Sinneswahrnehmungen gestützt, wenigstens nicht so weit Helgoland in Betracht kommt, sondern es ergibt sich dieselbe aus dem Vergleiche der zeitweiligen Aufenthaltspuncte dieser Arten mit solchen Orten, an welchen sie während ihres Zuges angetroffen werden oder nicht vorkommen.

Belege für Zugrichtungen dieser Art liefern manche Sänger, von denen besonders das nordische Blaukehlchen, Sylvia suecia, genannt werden möge; es brütet im hohen Norden der Alten Welt, von Kamtschatka bis in das obere und mittlere Norwegen, überwintert in ganz Südasien und der östlichen Hälfte des oberen Afrika. Auf Helgoland ist es allherbstlich eine ganz gewöhnliche Erscheinung, ebenso in Deutschland und Italien; in England ist es dagegen aber nur in Zwischenräumen von vielen Jahren ganz vereinzelt angetroffen worden und in Frankreich und Spanien niemals vorgekommen (Dresser). Hieraus ergibt sich auf das Bestimmteste, dass dies Vögelchen im Herbst in der Längenausdehnung seines Nistgebietes in fest eingehaltener Richtung südlich wandert, und dass Helgoland die westlichste Grenze dieser ungeheuren Zugfront bildet; eine geringe westliche Abweichung der im westlichen Norwegen brütenden Individuen von ihrer südlichen Zugrichtung müsste dieselben zahlreich an die Englische Ostküste führen. Neben diesen Blaukehlchen möge der rothkehlige Pieper, Anthus cervinus, angeführt werden; derselbe brütet ebenfalls vom ganzen nördlichen Asien an bis in das obere Norwegen. Diese Art muss ihren südlich gerichteten Herbstzug auf das bestimmteste einhalten, denn sie berührt Helgoland nur in seltenen Ausnahmsfällen und ist während fünfzig Jahren etwa sechs Mal erlegt worden. Auch von dem Nordischen Laubvogel, Sylvia borealis, welcher von Alaska an durch das hochnordische Asien bis Finnmarken heimisch ist und im Winter bis zu den Sunda-Inseln hinunter geht, können die von Collett während der Sommermonate am Porsanger Fjord noch über 70 N. hinaus beobachteten Individuen nur geraden Weges südlich ziehen, denn hier auf Helgoland ist dieser Vogel nur einmal, im October 1854, erlegt und in Deutschland nie beobachtet worden. Diesem Sänger möge noch der Sprosser, Sylvia philomela, angereiht werden, dessen westlichste Nistplätze im südlichen Schweden und Dänemark liegen, der aber, wenn er nur irgend dazu neigte, von seinem südlich gerichteten Herbstzuge westlich abzuweichen, Helgoland allherbstlich, wenn auch nicht zahlreich, berühren müsste; dementgegen ist aber nur ein Beispiel seines Vorkommen bekannt, welches noch dazu einen Vogel betrifft, der in der Nacht vom 4. zum 5. Mai 1885 beim Leuchtfeuer gefangen ward, mithin nicht einmal für die gegenwärtige Frage von Werth ist.

Das demnächst in Frage kommende Gebiet umfasst Finnland und das weitere nördliche europäische Russland; hier liegen die westlichsten Nistplätze von Sylvia tristis, Motacilla citreola, Emberiza aureola, Limosa cinerea, und bis Archangel hinauf zahlreich noch von Falco rufipes. Alle diese Arten liefern durch ihr sehr seltenes Erscheinen oder gänzliches Fehlen auf Helgoland den Nachweis, dass ihr Herbstzug ein streng südlich gehaltener sein muss, da eine westliche Abweichung von demselben sie ebenso zahlreich hierher führen müsste, wie dies mit anderen ebendaselbst heimischen Arten der Fall ist. Sylvia tristis ist hier nur einmal gefangen und noch zweimal gesehen worden; von Motacilla citreola habe ich während fünfzig Jahren nur fünf junge Herbstvögel erhalten; von Emberiza aureola zwei junge Herbstvögel und ein Weibchen im Frühjahre. Limosa cinerea ist auf Helgoland niemals gesehen, in Deutschland und dem oberen Frankreich, wie es scheint, nur je einmal erlegt, und sonst nirgendwo westlich von ihren Brutstätten angetroffen worden. Falco rufipes ist zwar fünfmal auf Helgoland geschossen worden, aber stets im Sommer und unter Umständen, die annehmen liessen, dass diese Stücke zu den aus Griechenland und Kleinasien während der ersten Sommermonate hierher gelangenden verwittweten Brutvögeln zu zählen waren, eine Erscheinung, welcher eingehender gedacht werden wird im Abschnitte über die ausnahmsweisen Erscheinungen.

Es ist diese Behandlung des südlich gerichteten Herbstzuges nicht wohl zu verlassen, ohne der grössten, wahrhaft wunderbaren Wegstrecke zu gedenken, welche einige Arten während desselben zurücklegen. Unübertroffen sind hier die beiden Strandläuferarten Tringa subarquata und islandica. Die Eier beider Arten kennt man bisher nicht, von letzterer hat Capitän Fielden Vögel im Daunenkleide von Grinnell-Land, 82° N., heimgebracht, die Nistplätze von subarquata sind aber noch nicht erreicht worden und können sich nur auf dem im Polarbecken liegenden Insel- und Landgebiete befinden; siehe hierüber bei Behandlung dieser Arten. Im Winter hat man nun aber diese beiden Strandläufer auf Neuseeland angetroffen, die somit einen Südflug von nahezu einem halben Erden-Umfang zurückgelegt hatten.

Neben dem besprochenen, einestheils westlich, anderentheils südlich gerichteten Herbstzuge bietet sich nun noch die überraschende Erscheinung dar, dass von manchen Arten, deren normaler Herbstzug der letzteren Richtung angehört, eine mehr oder weniger bedeutende Individuenzahl sich von der Niststätte westlich wendet und statt in das südliche Asien, in das westliche Europa wandert. Es ist diese Neigung keineswegs solchen Arten eigen, deren Brutgebiet sich in das westliche Asien oder nordöstliche Europa erstreckt, wie Sylvia tristis, Emberiza aureola und Limosa cinerea beweisen, sondern den Erfahrungen nach viel mehr solchen, deren Heimat am weitesten von Europa entfernt ist, z. B. Sylvia superciliosa, die jenseits des Jenisei und namentlich Anthus Richardi, der nur jenseits des Baikal-See brütet. Dass eine solche Neigung sich nur auf einige Arten erstreckt, während sie anderen derselben Gattung nicht beiwohnt, davon liefern unter anderem die beiden im nordöstlichen europäischen Russland fast noch Nest neben Nest brütenden Ammern, Emberiza aureola und pusilla einen sehr ausgesprochenen Beweis. Ersterer ist während mehr als fünfzig Jahre hier nur drei Mal gesehen und, mit Ausnahme eines bei Genua vorgekommenen Stückes, nie im mittleren oder westlichen Europa beobachtet worden, wohingegen pusilla jeden Herbst auf Helgoland erscheint und oft geschossen wird. Sie ist gewiss schon zwanzig- bis dreissig Mal durch meine Hände gegangen. In Holland ist dieselbe des öfteren während des Herbstzuges gefangen, und von England ist ein solches Beispiel bekannt; so auch sind in Oesterreich und Oberitalien einige derselben vorgekommen; im südlichen Frankreich aber, wo der Endpunkt des Herbstzuges der westlich wandernden Stücke dieses Ammers zu liegen scheint, soll er „der gewöhnlichste der seltenen Ammern“ sein und bei Marseille in kleinen Gesellschaften überwintern (Newton, Yarrell, Brit. Birds). Da nun beide Arten noch gleich zahlreich in der Nähe von Archangel brüten und beide zu den im Herbst südlich ziehenden gehören, so steht man vor der Frage: was möglicherweise die Veranlassung sein könne, dass eine derselben, aureola, sich kaum jemals von der gemeinsamen Niststätte aus westlich wendet, während die andere, pusilla, dies alljährlich in so grosser Zahl thut.

Unzweifelhaft haben viele Vogelarten die Neigung, neben ihrem normalen südlichen Zuge in geringerer oder grösserer Zahl westwärts zu wandern, was von manchen anderen gar nicht zu geschehen scheint, nur bieten die gewöhnlicheren, weitverbreiteten Arten nicht dieselbe günstige Gelegenheit zur Beobachtung der Erscheinung, wie die obigen, oft angeführten, welche sich entweder durch ihr auffallenderes Kleid oder ein strenger abgegrenztes Brutgebiet besser hierzu eignen. Dass viele der ostasiatischen Arten aber einer solchen Neigung unterworfen sind, beweist die grosse Zahl allein auf Helgoland erlegter und beobachteter, schon angeführter Beispiele, zu denen noch genannt werden mögen: Lanius phoenicuroides; Turdus varius, ruficollis, atrigularis und pallens; Sylvia nitida, viridana, coronata, reguldides, fuscata, salicaria, pallida, agricola und certhiola; Alauda tatarica und sibirica; Emberiza rustica und pithyornis; Charadrius fuscus und asiaticus — sowie manche andere, weniger hervorragende Namen der Vogelwelt.

Wenn von den Genannten die Mehrzahl auch nur einmal auf Helgoland erlegt worden, so sind andere derselben, wie Sy. viridana dreimal, Emb. rustica mehr als zehnmal, und Turd. varius bis fünfzehnmal vorgekommen; eine so lange Reihe hervorragender Namen lässt nun aber nicht mit Sicherheit darauf schliessen, dass neben denselben noch viele andere die Insel besucht, der Beobachtung aber entgangen sind, sondern die grosse Zahl der auf einem so kleinen Raume Vorgekommenen beweist auch, dass derartige Erscheinungen allherbstlich noch viel häufiger in das nahe Deutschland, sowie in das mittlere und westliche Europa gelangen müssen.

Wendet man sich nunmehr dem Frühlingszuge zu, so zeigt derselbe in allen seinen Erscheinungen sofort einen, von dem Vorhergehenden auffallend abweichenden Charakter. Jetzt sieht man nirgends einen Versuch, den langen Wanderflug in kurze bequeme Wegstrecken zu theilen, wie dies im Herbst nach dem ersten grossen Vorstoss ja sehr bald geschieht; jetzt ist auch nirgends eine Neigung für längere Rast bemerklich. Unruhe und drängende Hast sind die überall hervortretenten Kennzeichen seines ganzen Verlaufes. Von den vor Anbruch des Tages und in erster Morgenfrühe angelangten Wanderern ziehen viele schon nach wenigen Stunden weiter, die grösste Zahl derselben hat um zehn Uhr Vormittag die Insel bereits wieder verlassen, und bald nach Mittag sind fast alle verschwunden. Es treffen aber, wenn das Wetter verspricht günstig zu bleiben, im Laufe des Tages noch manche wieder ein, Schaaren von Seglern eilen während des Tages überhin, Krähen ziehen jetzt bis zum Sonnen-Untergange, und während der späteren Nachmittagsstunden ruhiger sonniger Tage sieht man, tausende von Fuss hoch, in der klaren Atmosphäre Brachvögel und ähnliche Arten, von West nach Ost in reissend schnellem Fluge über Helgoland dahinziehen — kaum vernehmbar schallt wohl ihr klarer Ruf aus ferner Höhe herunter, aber keiner der Wanderer zögert in seinem Zuge oder macht Miene einen Moment zu verweilen.

Bei schönem, günstigen Wetter unterliegt somit während dieser Zeit der Zug fast gar keiner Unterbrechung, denn hat man unter obigen Umständen gegen Abend noch manche Arten hoch überhin ziehen sehen, so beginnt etwas später, wenn die Ruhe der Dämmerung eingetreten ist, der Aufbruch von solchen Singdrosseln, Rothkelchen, Brunellen, Goldhähnchen und anderen, die hier wenige oder mehrere Stunden verweilt und sich anscheinend schon zur Nachtruhe in das Gesträuch der Gärten begeben hatten. Plötzlich erschallt aber durch die Abendstille der Lockruf eines aufsteigenden Vogels, seine Artgenossen antworten und folgen ihm, nach bedeutender Erhebung sammelt sich die Schaar, und bald sind alle, ostwärts dahinziehend, den Blicken entschwunden. Wegzüge dieser Art finden innerhalb einer Stunde nach Sonnen-Untergang statt, dann tritt anscheinend eine Pause von kurzer Dauer ein, bald nach Mitternacht aber beginnt der Zug durch zahllos eintreffende Wanderer auf's Neue, mit dem Grauen des nahenden Tages von Stunde zu Stunde sich steigernd.

(Fortsetzung folgt.)

Die lebenden Vögel auf der ornithologischen Ausstellung.

Die Ausstellungen, welche der ornithologische Verein in früheren Jahren selbstständig in den Blumensälen arrangirte, hatten sich in dem vogelfreundlichen Wien rasch grosse Popularität erworben, welche sich am besten durch den ganz enormen Besuch dieser Veranstaltungen auswies, dessen Höhe manchmal derart stieg, dass, wie 1886 die überfüllten Säle geschlossen werden mussten und man den Hunderten Einlassheischender den Zutritt nur partienweise gestatten konnte.

Diese Beliebtheit hatten sich die Vogelschauen des ornithologischen Vereines redlich errungen, denn regelmässig war viel des Sehenswürdigen vorhanden, das Arrangement war meistens ganz reizend, so namentlich bei der Ausstellung 1884, deren Einrichtung geradezu als Muster einer derartigen Veranstaltung gelten kann; freilich war, unseres Wissens, der Erfolg dieser Expositionen für den Verein nur ein moralischer, denn so viel auch an Entrée einging, es überstieg kaum je die Kosten des Arrangements und anderer Auslagen, unter welch' letzteren namentlich jene Kosten zu nennen sind, welche dadurch, dass man um Sehenswürdiges bieten zu können, sich manchen Ausstellern werthvoller Collectionen bezüglich des Verkaufes der letzteren sehr entgegenkommend verhalten musste, nachdem derselbe garantirt worden war; jedenfalls ist der Verein den richtigen Weg gegangen, wenn er bei seinen Ausstellungen sich stets mehr nach dem Ehrenpunkte als dem eventuellen Gewinne richtend, es sich keine Kosten scheuen liess, wirklich sehenswerthes zu bieten, denn der eigentlich im Auge zu behaltende Werth unserer Ausstellungen liegt ja einzig und allein darin, durch dieselben unserer schönen Wissenschaft neue Verbreitung zu ermöglichen, neue Anfänger zuzuführen, auf weitere Kreise belehrend zu wirken und um diesem Ziele gerecht zu werden, darf die materielle Seite nicht zu sehr in Betracht gezogen werden; Reichthümer sind noch bei keiner Vogelschau gesammelt worden.

Wer diese Verhältnisse der früheren ornithologischen Ausstellungen in Wien kannte, dem musste es nun um das Zustandekommen jener Exposition, deren Arrangement der ornithologische Verein durch sein Mitwirken an der Ausstellung, welche heuer der I. österr. ung. Geflügelzuchtverein in den Blumensälen vom 19.—27. März veranstaltete, übernommen, bange sein, denn einerseits waren die für die ornithologischen Abtheilungen bewilligten Installationskosten verhältnissmässig ungemein gering, so dass von der Beistellung von Collectionen seltener fremdländischer Vögel, wie wir solche seinerzeit in den Collectionen des Antwerpner Thiergartens und des Londoner Händlers Abrahams bewundert haben, durch die aber eben bedeutende Kosten entstehen, ebenso abgesehen werden musste, wie von einem stylvollen Arrangement, andererseits waren ja auch die zur Verfügung stehenden Räume im Vergleiche gegen früher, so sehr beschränkt, dass eine auch nur einigermassen günstige Unterbringung der befiederten Schauobjecte nur bei einer geringeren Zahl derselben möglich schien.

Nun, die Wiener Vogelschau des Jahres 1892 hat mehr gebracht, als wir uns von ihr versprochen hätten und ihre Leistung ist umso höher anzuschlagen als sie grösstentheils durch Wiener Aussteller bestritten worden war.

Wenden wir uns zunächst den europäischen Vögeln zu unter diesen verdient unserer Ansicht nach die kleine Sammlung von C. Pallisch, Erlach, die Krone, denn in derselben sind neben einem prächtigen Rauchschwalbenpärchen, einen kleinem Buntspecht mit seiner munteren Gesellschafterin, einer Haubenmeise, auch je ein Alpensegler und Ziegenmelker vertreten, Vögel, welche für die Gefangenschaft wohl als Unica gelten können. Sehr interessante Schauobjecte enthielt auch die Collection von E. Perzina—Wien, ein tadellos vermauserter Sumpfrohrsänger, derselbe ist ausser jenem Vogel dieser Art, welchen Herr L. Piauta im Jahre 1886 ausgestellt hatte, der einzige Rohrspötter, welchen wir als vermauserten gesunden Vogel je in Gefangenschaft gesehen haben; eine Sperbergrasmücke erregte unsere Bewunderung, ebenso sehr wie die der meisten Ausstellungs-Besucher durch ihren herrlichen Gesang, welchen der ungemein zahme Vogel unbekümmert um all' den Lärm und all' die fremden Gesichter unermüdlich hören liess; diese Grasmücke zeichnet sich auch durch ihre Färbung von anderen ihrer Art aus, es ist ein Prachtkleid von seltener Schönheit, das der schlanke Vogel trägt, ein sehr lichtes Grau mit bläulichem Stiche, von welchem sich die Wellenzeichnung in dunkelster Schattirung sehr scharf abhebt, viele Federn sind weiss gesäumt, in den Steuer- und Schwungfedern finden sich förmliche Spiegel von dieser Farbe. Derselbe Aussteller brachte noch: Sprosser, Nachtigall, Blaukehlchen, Rothkelchen, Gartensänger, Schwarzplättchen, braunkehligen Wiesenschwälzer, Dorndreher, und eine sehr fleissig rufende Goldamsel. Mathias Rausch, Wien, führte Sprosser, Nachtigall, Schwarzplättchen, Gartengrasmücken, Edelfinken etc. vor, bei welchen es von Interesse war, angegeben zu finden, aus welcher Gegend dieselben stammen, da der Vogelgesangsliebhaber dadurch sich informiren konnte, welche Schlagarten in jenen Gegenden bei den betreffenden Arten heimisch sind, weiters ein hübsches Pärchen Schwanzmeisen, einen Seidenschwanz, Amsel, Drosseln unter diesen eine Singdrossel mit reinweisser Kopfplatte, einen Melanismus zeigenden Stieglitz und verschiedene Finkenvögel. Die Aussteller Nietsche, Ehrlich, Rauscher und Hocke hatten einheimische Insectenfresser mit zum Theile guten Gesangsleistungen und in sehr gutem Pflegezustande gebracht; es waren Mönchs und Gartengrasmücken, Gartensänger, Sprosser, Steinröthel. Weniger gefielen uns die Thiere des Wiener Händlers Hahn, welche allerdings nicht zur Prämiirung angemeldet waren, denn die meisten derselben waren im Gefieder ziemlich zerlumpt, immerhin war aber die Gesundheit der Vögel, Pirole, Blaukehlchen, Schafstelze, Gartenrothschwanz, Sperber- und Mönchsgrasmücken ein guter, viele sangen eifrig und man kann also annehmen, dass der desolate Zustand des Gefieders nicht durch ungeeignete Pflege hervorgerufen ist, sondern, dass die betreffenden Exemplare besonders starke Nachtwandler sind.

(Fortsetzung folgt.)

Winke über Bezug und Versandt von Bruteiern.

Die Brutsaison ist wieder da. Freilich ist's spät geworden. Der Winter wollte seine Herrschaft gar nicht abtreten. Endlich scheint jedoch der lang ersehnte Lenz den Sieg davongetragen zu haben. Da planen nun viele angehende, sowie auch langjährige Züchter über den Bezug von Bruteiern. Der eine will sich auf diese Weise gute Stämme beschaffen, der andere will zur Ergänzung oder Verbesserung seiner Zuchtstämme sich Material heranzüchten. Theure Thiere kaufen ist nicht Jedermanns Sache; man hofft, durch Bezug von Bruteiern billiger abzukommen und sicherer zu fahren. Aber auch hier wird manche Hoffnung zu Grabe getragen. Es gibt hierbei sehr Vieles zu beachten, und es werden mitunter Forderungen gestellt, die nicht realisirbar sind. Der angehende Züchter muss sich zunächst klar darüber werden, von welcher Rasse er die Eier wählt. Die Rasse muss nicht nur seinem Geschmacke ganz entsprechen, sondern auch den Localverhältnissen, weil sonst Ende und Anfang der Zucht sich begrenzen. Dann kommt die zweite Frage: „Woher beziehe ich die Bruteier?“ Nichts einfacher als das, könnte man denken. Und doch ist die Sache nicht einfach, sondern im Gegentheile sehr schwer. In Hunderten und Tausenden von Annoncen findet man Bruteier angeboten, das ist freilich wahr. Aber ein Vergleich dieser Annoncen zeigt uns sofort, dass die Geschichte ihren Hacken hat. Der Eine bietet die Eier zu einer Mark pro Stück an, der Andere Eier derselben Rasse zu 20 Pfennig, vielleicht noch bei freier Verpackung. Einer hebt in der Annonce hervor, dass er die Eier von importirten Thieren abgibt, ein Anderer bezieht sich auf die Bezugsquelle bei diesem oder jenem renommirten Züchter. Wieder Andere citiren eine ganze Reihe höchster Preise, die sie auf Ausstellungen errungen haben. Was nun den Preis anbelangt, so ist es nicht unmöglich, dass man für billiges Geld gute Waare, andererseits aber auch nicht garantirt, dass man für viel Geld unbedingt gute Waare erhält. Es darf ferner Niemand glauben, dass importirte Thiere die besseren seien und andere schon durch ihre Geburt auf dem Continente geringwerthig geworden; auch die Bezugsquelle kann den Werth der Thiere nicht immer erhöhen, noch auch macht die Zahl der errungenen Preise es aus. Es liesse sich hierüber ein langes Lied singen; wir wollen jedoch die Frage nicht weiter erörtern. Hier ist schwer zu entscheiden und zu rathen. In der Regel darf man aber wohl sagen, dass der Werth der Bruteier den geforderten Preisen entspricht. Die Züchter, welche durch Kosten und Mühen in den Besitz guter Zuchtthiere gelangt sind, werden nicht leicht zu Spottpreisen die Eier abgeben; desgleichen darf man wohl voraussetzen, dass Andere für Mittelwaare nicht hohe Preise fordern. Freilich, keine Regel ohne Ausnahme. Der Bezug von Rassegeflügel ist Vertrauenssache, mehr noch der Bezug von Bruteiern. Ersteren kann man den Werth vielfach ansehen, wenigstens soweit es sich um Rassemerkmale handelt, letzteren niemals. Wir rathen entschieden dazu, die Bruteier bei Züchtern zu entnehmen, von deren Leistungsfähigkeit und Reellität man überzeugt ist, oder die einem von Vertrauensmännern empfohlen sind. Ein reeller Züchter braucht sich keiner künstlichen Mittel zu bedienen oder marktschreierische Reclame zu machen, um etwas los zu werden, und Schwindel kann sich nicht lange der Oeffentlichkeit entziehen. Dann aber darf man bei Bezug von Bruteiern die Forderungen nicht zu hoch stellen. Wenn aus jedem befruchteten Ei ein Musterthier ausschlüpfte, dann wäre es mit der Zucht nichts, dann zerfiele mit einem Male aller Reiz und damit auch alles Weiterstreben. Aber reinrassige Thiere, die dem Angebot entsprechen, ist der Käufer zu fordern vollauf berechtigt. Freilich kann auch in dieser Beziehung der Verkäufer ohne seine Schuld gar leicht in schlimmen Verdacht kommen, besonders bei importirten, überhaupt neu beschafften Zuchtthieren. Mögen diese noch so schön und prämiirungsfähig sein, hat man nicht die nöthige Garantie über deren Abstammung, so kann die Nachzucht leicht fehlschlagen. Bei gewissen Rassen kommen selbst bei aufmerksamster Zucht nach Jahren noch Rückschläge vor. Es ist also nicht angebracht, immer sofort das Schlimmste zu denken. Aber solche Fälle dürfen sich selbstverständlich nur in bescheidenen Grenzen halten; die Ausnahmen dürfen nicht zur Regel werden. Sehr oft haben die Käufer von Bruteiern alle Ursache zur Unzufriedenheit, indem sie Thiere erhalten, die keine Aehnlichkeit haben mit den viel gepriesenen Zuchtstämmen oder Preisthieren. Die Lieferanten müssen ihre Ehre darein setzen, die Besteller zu befriedigen. Wer seinen Züchterruf gebrauchen wollte zu absichtlichem Betrug, verdiente an den Pranger gestellt zu werden. Die Züchterehre setzt man für ein paar Gulden oder Mark doch sicherlich nicht auf's Spiel.

Mehr Unzufriedenheit aber als über die Qualität der ausgeschlüpften Kücken herrscht über die geringe Zahl derselben. Das ist nun eine sehr traurige Wahrheit, dass aus den weit versandten Eiern in der Regel nur sehr wenig Kücken ausschlüpfen. Es liegt das eben an dem Transport. Zwar kommt die Verpackung hier mit in Betracht, aber auch bei der besten Verpackungsweise, die man bis jetzt kannte, hat man kaum befriedigende Resultate erzielt. Hätten wir eine Verpackungsweise, welche die Brutfähigkeit der Eier nicht beinträchtigte, so wäre der Geflügelzucht ein ganz unschätzbarer Dienst erwiesen. Vielleicht gelingt es, eine solche zu ersinnen. Wir selbst haben viel darüber nachgedacht und werden mit neuen Versuchen, die ihre erste Probe gut bestanden, fortfahren. Vorläufig rathen wir zu Doppelkisten, deren Zwischenräume mit elastischem Material ausgefüllt sind. Ueber unsere weiteren Versuche werden wir demnächst berichten.

Dackweiler.

Ausstellungen.

IX. Zuchtviehmarkt in Budapest. Der ungarische Landes-Agricultur-Verein veranstaltete unter dem Protectorate des hohen königl. ungarischen Ackerbauministeriums in den Tagen vom 28. April bis 1. Mai in Budapest einen, mit Prämiirung verbundenen Zuchtviehmarkt.

Bei diesem Anlasse ist auch für die Ausstellung von Geflügel Vorsorge getroffen und zur Prämiirung derselben sind vom ungarischen Ackerbauministerium 600 Francs in Gold ausgesetzt.

Die Geflügelausstellung umfasst drei Gruppen, und zwar:

I. Gruppe: Ungarische Rassen:

Ungarische Landhühner, Siebenbürger Nackthälse, Perlhühner, Truthühner, Enten, Gänse.

II. Gruppe: Ausländische Rassen:

Plymouthrocks, Langshans, Brahma, Italiener, Truthühner, Enten, Gänse.

III. Gruppe: Kreuzungen:

Hühner, Enten, Gänse, Truthühner.

Für Tauben scheinen Geldpreise nicht vorgesehen zu sein; als zur Ausstellung geeignet werden im Programme: Brieftauben, Römer und Malteser angeführt.

Wie wir hören, ist der Präsident des I. österr.-ungar. Geflügelzucht-Vereines in Wien, Herr L. Baron Villa Secca als Jury-Mitglied für die Geflügelabtheilung eingeladen werden.

Internationale Hundeausstellung. Wien, 1892. Mit 1. April hat der Anmeldetermin für die im Mai d. J. in Wien stattfindende internationale Hundeausstellung begonnen und laufen im Ausstellungsbureau, Wien, I., Jasomirgottstrasse 6, sehr zahlreiche Anmeldungen ein, so dass eine enorm reiche Beschickung der Ausstellung zu erwarten steht. Da dem Comité auch sehr viele und werthvolle Ehrenpreise zur Verfügung gestellt werden, dieses auch neue künstlerisch ausgestattete Medaillons in Silber und Bronce für die Ausstellung gewidmet hat, welche den Prämiirten ein sehr werthvolles Erinnerungszeichen bleiben dürften, so wird diese Ausstellung gewiss sowohl in quantitativer Beziehung, als auch was die Qualität des zur Exposition gelangenden Hundemateriales betrifft, ihre Vorgängerinnen übertreffen. Um der Sache auch eine Abwechslung und neue Anziehungspunkte zu verleihen, werden am Ausstellungsplatze in den Tagen vom 20. bis 22. Mai Preisschliefen für Dachshunde und Fox Terriers, sowie Hunderennen für grosse und kleine Luxushunde vom Comité veranstaltet werden.

Prämiirungs-Liste der internationalen Geflügel-Ausstellung in Wien.

Gewerbliche Abtheilung.

Das Ehrendiplom wurde verliehen:

dem k. und k. Hof-Spengler Josef Denk, für diverse Käfige.

Silberne Handelskammer-Medaille:

Federnschmuckfabrikanten: Josef Künzel.

„ Ludwig Kleemann.

„ Ferd. Braunsteiner.

Käfigerzeuger Anton Ehold.

Silberne Ausstellungs-Medaille:

Fächerfabrikant J. H. Kaiser, Neubaugasse.

„ Gottfried Moser, Schottenfeldgasse.

Nistkästchenfabrikant Fritz Zeller.

Käfigerzeuger Kremer in Olmütz.

„ Minichreiter in Wien.

Federnschmücker Morawetz.

Grosse broncene Medaille:

Federnschmücker A. Sild.

„ L. Posch.

„ Carl Kattor, Neubaugasse.

Bettwaarenfabrikant Anton Pauly.

„ Michael Hell's Witwe.

Anerkennungsdiplome:

Modistin Therese Zimmler in Schwechat.

„ Therese Riedl in Wien.

Eierhändler Medak.

Hauptmannswitwe Josefine Werister in Neupölla für Schmuckgegenstände aus Gänsekielen.

Bürstenbinder Franz Wanko, Neubaugasse.

Vogelbadstuben-Erzeuger Sadnikar.

Ersten österreichischen Prägeanstalt von Christelbauer.

Käfigerzeuger Häusler & Comp.

Waldviertler Korbwaaren-Erzeugung Franz Kastner in Rappoltenstein.

Prag-Rudniker Korbwaarenfabrik.

Herr Lederer und Kessenyi.

Hilfsarbeiterpreise wurden zuerkannt:

Zwei Hilfsarbeiter des Herrn Josef Künzel 2 Ducaten.

Hilfsarbeiter des Herrn Ludwig Kleemann 1 Ducaten.

„ „ „ Ferd. Braunsteiner 1 Ducaten.

„ „ „ C. Kattor 1 Ducaten.

„ „ „ L. Posch 3 fl.

Hilfsarbeiterin der Therese Zimmler 1 Ducaten.

„ „ Therese Riedl 3 fl.

In der Bruteier-Concurrenz je eine kleine silberne Medaille:

Dr. O. Finsch. — Delmenhorst.

Betti Nagl in Purkersdorf.

Verlag des Vereines. — Für die Redaction verantwortlich: **Rudolf Ed. Bondi.**
Druck von **Johann L. Bondi & Sohn**, Wien, VII., Stiftgasse 3.

XVI. JAHRGANG. Nr. 8.

Blätter für Vogelkunde, Vogelschutz, Geflügelzucht und Brieftaubenwesen.

Organ des I. österr.-ung. Geflügelzuchtvereines in Wien und des I. Wr. Vororte-Geflügelzuchtvereines in Rudolfsheim.

Redigirt von C. **PALLISCH** unter Mitwirkung von Hofrath Professor Dr. C. **CLAUS.**

30. April. 1892.

„DIE SCHWALBE" erscheint **Mitte** und **Ende** eines **jeden Monates.** — Im Buchhandel beträgt das Abonnement 6 fl. resp. 12 Mark, Einzelne Nummern 30 kr. resp. 50 Pf.

Inserate per 1 □ Centimeter 3 kr., resp. 6 Pf.

Mittheilungen an das **Präsidium** sind an Herrn **A. Bachofen v. Echt** in Nussdorf bei Wien; die **Jahresbeiträge** der Mitglieder (5 fl., resp. 10 Mark) an Herrn **Dr. Karl Zimmermann** in Wien, I., Bauernmarkt 11;

Mittheilungen an das **Secretariat** in Administrations-Angelegenheiten, sowie die für die **Bibliothek** und **Sammlungen** bestimmten Sendungen an Herrn **Fritz Zeller,** Wien, II., Untere Donaustrasse 13, zu adressiren.

Alle redactionellen Briefe, Sendungen etc. an Herrn **Ingenieur C. Pallisch in Erlach** bei Wr.-Neustadt zu richten.

Vereinsmitglieder beziehen das Blatt gratis.

Die Raubvögel Oesterr.-Schlesiens.

Von Emil C. F. Rzehak.

(Fortsetzung.)

Unterfamilie: Buboninae.

9. Pisorhina scops, L.[6]) Zwergohreule.

Ueber das Vorkommen dieser Eulen in Schlesien kann ich aus eigener Erfahrung nichts anführen; sie ist ein Bewohner des mittleren und südlichen Europa, kommt auch häufig in Steiermark, Kärnten, Krain, Croatien, in den Wäldern Ungarns und der Dobrudscha vor.

Alb. Heinrich erwähnt in seinem oben erwähnten Werke auf pag. 75 über diese Eule folgendes: „Vor 12 Jahren erhielt ich vom Förster Richter aus k. k. Schlesien ein Exemplar, das er in seinem Reviere bei Krautenwalde geschossen hat. Es kann meines Wissens bis nun für ein Unicum gelten." — Und ein Unicum ist sie bis heute geblieben, denn seit jener Zeit, also seit 50 Jahren, hat man hier noch keine einzige weder beobachtet, noch erlegt.

10. Asio otus, L.[7]) Waldohreule.

Als Strich- und Standvogel in unseren Gebirgs-Waldungen sehr häufig, im Sommer jedoch seltener anzutreffen als im Herbst und Winter, da sie gewöhnlich schaarenweise auf Mäusejagd ausgehen, sie erscheinen plötzlich und verschwinden ebenso, sobald der tägliche Tisch karg dotirt ist. An jenen Orten, wo sie mehrere Nächte zugebracht und geruht haben, ist das Gewölle oft handhoch aufgeworfen; selbes besteht meist nur aus Mäuse-Ueberresten. In manchen Jahren ist diese Eule sehr selten, je nachdem der Zug auf Nahrung trifft.

Sie wird selten geschossen, fängt sich jedoch zuweilen in dem Habichtskorb.

11. Asio accipitrinus, Pall.[6]) Sumpfohreule.

Wie die vorige, so auch diese als Strich- und Standvogel ziemlich häufig, wo sich Teiche und sumpfige Gegenden befinden. Sie horstet in alten Weiden, zumeist aber im Rohre auf der Erde, bewohnt auch Laub- und Nadelholz-Waldungen, hält sich aber auch in Büschen und Kartoffelfeldern auf. In den Vorbergen kommt sie nur als Strichvogel vor, oft 6 bis 8 Stück beisammen und das meist im Herbst. Auf Teichen soll diese schöne Eule auch jungen Enten nachstellen; sie ist aber, da sie viele schädliche Nager verzehrt, unter die nützlichsten Vögel zu zählen und verdient mit Recht den vollen Schutz.

12. Bubo bubo, L.[9]) Uhu.

Der Uhu, die grösste unserer Ohreulen, horstet nur noch zuweilen in dem hohen Gebirge des mähr.-schles. Gesenkes, und in den Beskiden; sonst nur als Strichvogel vorkommend. Das letzte in den Beskiden erlegte Exemplar, ein ♂, stammt aus dem Jahre 1885, das im April im Reviere „Ogrodzow" geschossen wurde. Bei Lobenstein, unterhalb Jägerndorf, wurde vor mehreren Jahren ebenfalls ein Uhu erlegt.

Familie: Falconidae. Falken.

Unterfamilie: Falconidae.

13. Falco peregrinus, Tunst. Wanderfalk.

Dieser schöne Falk ist für Schlesien als sehr selten zu bezeichnen und als Brutvogel sogar für ganz Deutschland; doch kommt er in manchen Gebieten viel häufiger vor als in anderen. Bei uns ist er nur im Herbste anzutreffen.

Professor Dr. Kolenati erwähnt in seiner: „Naturhistorische Durchforschung des Altvater-Gebirges im Jahresbericht der naturwissenschaftlichen Section der k. k. mähr.-schles. Gesellschaft für Ackerbau, Natur- und Landeskunde für das Jahr 1858." Brünn 1859, auf pag. 78, dass er ein Pärchen des Hierofalco peregrinus sah, welches im Kessel an — (soll wohl „auf" heissen) — dem höchsten Nadelbaume horstete und sein Revier über die „hohe Haide" und dem „Peterstein" erstreckte, wo es besonders viel Alpenlerchen gibt."

Prof. Kolenati's Mittheilungen, resp. Beobachtung ist sehr zweifelhaft und mit grosser Reserve aufzunehmen, denn jedenfalls liegt hier eine Verwechslung mit einem anderen Vogel vor. Nachdem Herr Prof. Jos. Talský in Neutitschein in Mähren in seinem Werke: „Die Raubvögel Mährens" diese Angabe ganz und gründlich wiederlegt hat, enthalte mich eines jeden Commentars darüber und verweise auf obiges Werk.

Herr Oberförster Zelisko theilt mir über diesen Falken Folgendes mit: „Selten, zumeist im Herbste einzeln anzutreffen, ohne hier zu horsten. Er fängt Fasanen und Hühner im Fluge."

14. Falco subbuteo, L. Lerchenfalk, Baumfalk.

Ein Bewohner der gemässigten und wärmeren Länder Europas ist der Lerchenfalk. Obwohl er in unserem Lande keine Seltenheit ist, so tritt er dennoch viel seltener auf, als der Thurmfalk. Als Zugvogel bleibt er den Sommer über bei uns, horstet in Feldhölzern wie auch in grossen Waldungen, manchmal aber auch auf einzelnen, freistehenden Kiefern. Wie die meisten Raubvögel, so benützt auch er sehr gerne, der Bequemlichkeit halber, alte Krähennester, die er ausbessert und vornehmlich die Nestmulde viel mehr als es die anderen Raubvögel thun, vertieft. Sein Horst ist also nie flach und ähnelt dem des Thurmfalken.

Auf seinem Herbstzuge, im September und October, bei welcher Gelegenheit er ein steter Begleiter der Lerchen und Wachteln ist, wird er öfter gesehen als den Sommer über. Die jungen Vögel gehen im Herbste mehr der Mäusejagd nach, während die Alten Vögeln und Rebhühnern nachstellen; ein mitunter laufender Hase wird auch nicht verschmäht.

Aehnlich wie der Hühnerhabicht, zieht auch der Lerchenfalk knapp ober der Erde.

15. Falco aesalon, Tunst.[10]) Merlinfalk.

Wie die forstämtlichen Berichte der Kammer Teschen ausweisen, erlegte im Herbste des Jahres 1860, gelegentlich einer Hühnerjagd, Herr Waldbereiter Strzemcha in Drahomischl bei Schwarzwasser ein ♂ und ein ♀ dieses seltenen Zwergfalken. 1867 ist ebenfalls ein Stück, u. zw. bei Friedeck geschossen worden und im Frühjahr 1891 beobachtete Herr Oberförster Zelisko ebenfalls ein Stück, ohne es jedoch erbeuten zu können.

Der Zwergfalk ist im Norden heimisch und wenn der Eintritt kalter Jahreszeit seine Beutevögel südwärts treibt, muss er sich ebenfalls zur grossen Reise über alle Länder bequemen, wo er dann als Durchzugsvogel bei uns eintrifft.

16. Cerchneis[11]) tinnunculus, L. Thurmfalk.

Mit Ausnahme des hohen Nordens, aber doch bis zum Polarkreis und selbst noch darüber hinaus, bewohnt der Thurm- oder Rüttelfalk ganz Europa, Asien in gleichen Breiten bis Indien, in Nord-Afrika und den Kanaren ist er Brutvogel. Zu seinem Aufenthalte wählt er gerne ebene Gegen-

---

[6]) Scop Aldrovandi, Willughbi et Ray. Scops ephialtes, Sav. 1809. Asio scops, Reich. 1882.

[7]) Otus vulgaris. Flemm. 1822. Asio otus. Less. 1828.

[8]) Otus brachyotus. Steph. 1824. Brachyotus palustris, Gould. 1837.

[9]) Bubo maximus. Charlet. 1677; — Sibb., 1684. — Flem. 1822. Bubo ignavus, Forst 1781.

[10]) Accipiter aesalon, Briss. 1760. Hypotriorchis aesalon, Boie 1826.

[11]) „So wenig ich auch den Sinn und Zweck einer Zersplitterung der Gattung Falco in Hierofalco, Gennaia, Hypotriorchis und Chicquera einsehen kann, so wenig scheint es mir gerathen, die „Rötelfalken", die ich unter Cerchneis zusammenfasse, ebenfalls damit zu vereinigen. Während Falco in meinem Sinne, „Edelfalken", eine übereinstimmende Lebensweise führen, die raschesten und muthigsten aller Raubvögel sind, sich grösstentheils vom Raube fliegender Vögel nähren, haben die „Rötelfalken" (die schon von den alten Falknern als unedle Falken weit getrennt wurden) unter sich übereinstimmend, einen plumpen, kurzzehigeren Fuss und eine, hiermit übereinstimmende, andere Lebensweise, indem sie hauptsächlich von kleinen Nagethieren, Heuschrecken, grossen Käfern, am Boden geschlagenen Vögeln etc. leben, auch ist im Allgemeinen das Gefieder reicher und weicher. Zur Beobachtung des Erdbodens „rütteln" sie über den Feldern, ihr Flug ist lange nicht so reissend, wie der der Edelfalken". Vergl. Ernst Hartert, Catalog der Vogelsammlung des Museums der Senkenbergischen, naturforschenden Gesellschaft, Frankfurt a. M. 1891, pag. 171, Anmerkung 317.

den, bewohnt aber auch die Mittelgebirge, ja man trifft ihn nicht selten in den Hochalpen bis zu 2000 Meter Höhe.

Wie überall, so ist er auch bei uns keine Seltenheit zu nennen; sein Erscheinen ist jedoch nicht mehr so zahlreich wie früher und obwohl dieser, durch Vertilgung vieler, der Landwirthschaft schädlicher Nager sehr nützliche Falke von Seite der Jäger — aber nicht von der der „Sonntagsjäger" — den vollen Schutz geniesst, wird er in den meisten Fällen verkannt und als vermeintlich „Geier" heruntergeschossen.

Wenn es auch eine vom Herrn Oberförster Zelisko bestätigte Thatsache ist, dass dieser Falk mitunter auch Rebhühnereier nimmt, so verdient er dennoch mit Recht den vollen Schutz, denn seine Hauptnahrung bilden Mäuse. Seine Horste werden auch nicht ausgenommen und nicht zerstört, höchstens von Unwissenden.

Um sich die Mühe des Nestbaues zu ersparen dient ihm in den meisten Fällen ein altes Krähennest als Horst, das nothdürftig ausgebessert und die Nestmulde mit Moos und Wurzelfasern ausgelegt wird.

Dieser Falke ist von allen Raubvögeln am leichtesten zu zähmen.

(Fortsetzung folgt.)

Eulennamen.

Ein kleiner Beitrag zur deutschen Cultur- und Sittengeschichte.

Von **Franz Branky**.

(Fortsetzung.)

Als Nachtgespenst erscheint die Eule in einer der Lessing'schen Fabeln (I. 101. Ausg. Lachmann) und in einer der Daniel Holzmann'schen (A. G. Meissner Leipzig, 1782, S. 16) wird sie eine diebische Nachteule und ein Bösewicht gescholten.

Vom Bösewicht zum Teufel ist nur ein Schritt. Auf, Euling und Teufel, hörten wir im Volksreim aus dem Waldviertel, sind nicht weit von einander entfernt. Die Eulen heissen ja hie und da Teufelsvögel. Den Teufel soll man nicht rufen, sonst erscheint er. Merkwürdigerweise gilt das auch von der Eule. Wie der Gottseibeiuns straft auch sie das Herbeirufen. Ueber das Locken dieser Vögel theilt mir mein College in Laibach, Herr Jul. Schmidt, folgende interessante Meinungen und Bräuche aus Krain mit:

„Auf den Almen am Stou hat man den Versuch gemacht, Nachteulen durch den Ruf chui, chai! anzulocken. Sie kamen stets."

„Zu Gradetz in Unterkrain gilt die kleine Eule als Todtenvogel. Nach ihrem Rufe nennt man sie da Čeviuk. An anderen Orten vernimmt das menschliche Ohr kiwwit und in Oberkrain človek, das ist Mensch. Um diese Eule zu locken, fertigt man in Unterkrain eine kleine Mundpfeife, indem man ein sehr fein geschabtes Stückchen Fischbein in ein Holz einklemmt. In dieses Instrument stösst man den Ton Čeviuk und lockt so die Eulen und auch andere Vögel auf Leimruthen oder auf die Aeste eines seiner Blätter beraubten Baumes, den man mit Vogelleim bestreicht. Der Locker verbirgt sich in einer aus Gesträuch errichteten unter dem Baume befindlichen Hütte. Trotz dieses Schutzes drangen auf einen Bauern aus St. Cantian in Unterkrain ein halbes Dutzend Schleiereulen und hackten nach seinen Augen. Der Bedrohte hieb mit Stock und Messer nach den Angreifern und hielt sie nur mit Mühe ab.

Den Ruf einer Eule darf man nicht nachahmen, sonst kommt sie. (Franzdorf, Innerkrain; Trifail, Steiermark.)

Die Eule kann man durch einen mittelst Zusammenlegens der ganzen Hand hervorgebrachten dumpfen Pfiff anlocken — den Teufel durch einen scharfen Pfiff auf zwei Fingern. Ein Bauer aus Schwarzenberg (Innerkrain), der nach Predgriže durch einen Wald ging, pfiff auf die erste Art und eine Schaar Eulen kam, umflatterte ihn und stiess ihn mit den Schnäbeln in den Kopf. Er musste sein Heil in der Flucht suchen.

II.

Wenden wir uns nun den Vulgärnamen der einzelnen Species zu. Die grösste der Eulen ist der Uhu, die grosse Ohreule, der Repräsentant der Heul-Eulen (strix bubo, bubo maximus). Im Gedichte „der Uhu und die Lerchen" nennt ihn Lichtwer den Monarchen der Eulen. Grossherzog heisst er auch, weil er nach Aristoteles die Wachteln auf ihrer Reise im Herbst begleitet oder gar anführen soll. Gewöhnlich gilt die Wiesenralle als die Anführerin der Wachteln, daher ihr Name Wachtelkönig. Auch von der Schleiereule wird gemeldet, dass sie diese Anführerschaft besorge. (Caji Plinii. Bücher und Schriften, Frankfurt, 1600.) Eduard Rüdinger bezeichnet den Uhu im Töchteralbum der Th. v. Gumpert, 35. Jhrg., S. 36 als den ewig unzufriedenen, stets verdriesslichen und ärgerlichen, gleichsam in Zwiespalt mit sich und der Welt befindlichen König der Nacht. Der Franzose nennt ihn le grand duc, der Italiener dugo (M. Höfer, Wörtb. I. 128); viele andere derartige fremdländische Beinamen führt noch Nemnich an. Als Schuhu verzeichnet ihn das Jagdlex. S. 643, als Buhu die Monographie vom Schlosse Hernstein in Niederösterreich I, 683, als Buhu und A-ühl Franz Höfers Manuscript der Volksnamen von den in Niederösterreich vorkommenden Thieren, und der Name Adlereule (Nemnich) ist sogar in Wotzel's Anschauungsunterricht in Wort und Bild (Prag, 1857, S. 223) übergegangen. Herr v. Frauenfeld nennt ihn und die Schnee- und Uraleule einen kühnen Räuber, der dem Jagdrecht zu überantworten ist. (Blätter des Vereines f. Landeskunde v. Niederöst. IV. 89.) Die Steirer kennen ihn noch als Buhalm, Buhvogel im Mürz- und Ennsthal, Habergais (Rottenmann), Wildgjaid (Admont), Auf, Stockauf (Stef. v. Washington im X. Bd. der Mitth. des ornith. Vereins in Wien). In Hans Sachsens Schwank „Das Regiment der anderthalb hundert Vögel", wo geschildert wird, wie man den Adler zum König wählt, und welche Amtleute man ihm zuweist, heisst es:

„Der auff war thorwart, hüt der thür.“

(Bibl. d. littr. Vern. Stuttgart, Bd. CV, S. 280, V. 31). Der Buuchhahn ist auch der Uhu (M. Höfers Wörtb. I 125). Aus Schlesien sind die Namen: Puhuy, Berghu, Huhu, Puhu überliefert (Ornith. Jahrb. 1891, S. 53). Das deutsche Wörterbuch IV³ Sp. 1825 führt ihn als grosse Horneule an; andere landläufige Eulennamen, die ihn bezeichnen, sind; Huhu, Schufu, Schufaus, Schufus, Schufeule. In Jac. Th. Kleins verbesserter und vollständiger Historie der Vögel (Herausg. v Gottf. Reyger. Danzig, 1760, S. 53) begegnet er als Schubuteule, als Berghu und als Huhay, in Gessners Thierbuch (Frankfurter Ausg. MDC, S. 358) als Huw oder Hürn und auch als Berghuw, dem man nachsagt, dass er gern in Kirchen wohne, Oel aus den Lampen trinke und dieselben beschmeisse. Der Tiroler gibt ihm den Namen Buhin „Wenn nachts der Buhin schreit, sterben Leut.“ Man unterscheidet aber da genau, ob der Vogel Buhin oder Gorhin ruft. Der erstere Ruf bedeutet, dass bald viele Buben, der letztere, dass viele Mädchen und Weiber sterben (Zingerle, Sitten, M. G. d. T. V, p. 78). Nach dem heulenden Tschuk nennen ihn die Slovenen in Unterkrain Čuk; er gilt ihnen als Todtenvogel und in seinem Geschrei wollen sie povjem, povjem! vernehmen, d. i. ich fange dich. Im Zürichgebiet begegnet der mundartliche Name Heuel oder Schuderheuel, und man legt dem Uhu die Worte in den Mund: „Schuderihu! Wenn gömer is Bett? Z'Nacht um zwölfi.“ In Entlibuch heisst er nach den Lauten pu, pu, die er ausstösst, der Puvogel. (Voces var. animantium p. 24.) In der Schweiz gilt er noch als Huivogel, zu Werdenberg als Faulenz, in Appenzell als Steineule, im Luzernischen als Steinkauz und Puivogel, in Bern als Guutz, in Bünden als Huher (Tschudi, Das Thierleben der Alpenwelt, 179). Mit einem Diebe, der in finsterer Nacht leben muss, nur in dieser Zeit mit Weib und Kind der Jagd pflegen kann und fortwährend das Licht der Sonne scheut, vergleicht ihn Hoffmann von Fallersleben in seinem Uhu-Liedlein (Kinderlieder, Berlin, 1877, S. 187); dieses wundersamen Gebarens wegen gilt er auch als ein Gesell, den kein Vogel mag. (W. Wackernagel a. a. O. 120); nach Konr. von Megenberg, S. 173, ist er gar ein Sünder, der offenbar sündigt und dadurch andere Leute zur Sünde verleitet. Vater Gleim macht den Uhu in einer seiner reizenden Fabeln gar zum Minister des Königs Adler. „Lieber Alter,“ fragte eines Tags die Majestät:

„Dulden wir die Nachtigall,
Die nichts kann, als singen?“

„Jeden, welcher sonst nichts kann,
Rath ich, umzubringen.“

fiel da der Bescheid des Ministers Uhu.

Diesem Blutrath, ausgeführt,
Folgte dumpfes Aechzen,
Und im Lande hört man
Nur noch Raben krächzen.

Einen Schuft nennt Rückert (II. 204) diesen uhuhenden Uhu, diesen schuschuhenden Schuhu, und unsere Schulkinder in Oesterreich kühlen, freilich mehr in läppischer als sinniger Weise dadurch an diesem Vogel ihr Müthchen, indem sie singen:

„Der Uhu ist am Tag ein armer Wicht,
Beim hellsten Sonnenscheine sieht er nicht.“

(Pract. Wegweiser, Wien, S. 152.)

(Fortsetzung folgt.)

Aus Heinr. Gätke's „Vogelwarte Helgoland“.

(Fortsetzung.)

In allen Erscheinungen des Frühlingszuges ist klar das Motiv ausgesprochen: Für einen bestimmten Zweck ein fest vorgestecktes Ziel in einer streng einzuhaltenden Zeit zu erreichen. Von diesem Bestreben wird denn auch ganz besonders die Zugrichtung beinflusst, die, um in kürzester Zeit vom Winterquartier zu den, meist unter bedeutend höheren Breiten gelegenen, Nistplätzen zu führen, eine gerade auf das Ziel gerichtete, als der grösseren Zahl der Fälle nach eine mehr oder weniger nördliche sein muss. Die im Herbste südlich wandernden Arten folgen an und für sich schon im Frühjahre dieser nördlichen Richtung; aber auch solche, deren westlicher Herbstzug sich schliesslich in England, Frankreich oder Spanien südlich wandte, gelangten auf diese Weise ebenfalls in bedeutend tiefere Breiten als die, unter welchen ihre Brutstätten liegen, sie lassen in Folge dessen bei ihrem gerade auf die Heimath gerichteten Rückwege nunmehr solche Puncte, die ihr Herbstzug berührte, weitab nördlich zur Seite liegen — ziehen also auf der Hypotenuse des Winkels, den ihr Herbstzug beschrieb, der Heimath wieder zu. Hieraus erklärt sich denn auch die Anfangs so auffällige Erscheinung, dass alle solche östlichen Arten, welche der Herbst in grosser Zahl hierher führt, die aber später sich südlich wenden, während des Frühlingszuges fast gar nicht wieder gesehen werden. Nicht allein hat dies Bezug auf die mancherlei selteneren Erscheinungen aus dem fernen östlichen Asien; sondern auch Vögel, welche, gleich dem Richard-Pieper, im Herbste hier zu den gewöhnlichen zählen, erblickt man im Frühjahre kaum in vereinzelten Stücken wieder — dies sind unzweifelhaft solche, die im südlichen England oder Irland gewintert haben. Auch der kleine Laubvogel, Sylvia superciliosa, welcher während des Herbstzuges bei günstigem Wetter fast täglich gesehen wird, ist im Laufe einer langen Reihe von Jahren nur zweimal im Frühlinge wieder bemerkt worden; der Zwergammer, Emberiza pusilla, niemals. Sogar von einer so gemeinen Art, wie die graue Krähe, die im Herbste in solchen Massen über Helgoland hin England zuwandert, dass dort nicht alle Platz und Nahrung zu finden vermögen und ein grosser Theil über den Canal in das nördliche Frankreich zieht, auch von diesen kehrt im Frühjahre kaum die Hälfte über Helgoland zurück, weil eben jene, die von England nach Frankreich hinübergingen, auf ihrem östlichen Rückwege zur Heimath über kommen konnten. Wenn wir noch den sehr seltenen isländischen Jagdfalken des Herrn Teyar-Wien, sowie den Schreiadler von Georg Kraus in Prejedor, einen Uhu von Glück-Wien, endlich eine sehr schöne Grosstrappe des Geflügelhofes Erlach-Linsberg erwähnen, so wären die interessantesten der auf der Ausstellung vorhandenen europäischen Vögel — die Singvögel-Concurrenz findet gesonderte, spätere Besprechung — aufgezählt.

Von den Vögeln fremder Zonen interessiren uns naturgemäss am meisten jene, welche in Europa das Licht der Welt erblickten, hier gezüchtet wurden, und so wollen wir den Reigen derselben mit den beiden Gilbdrosseln (Turdus Grayi Bp.) ausgestellt von Herrn Hofrath Professor Dr. K. Th. Liebe in Gera eröffnen. Wenn die Zuchtergebnisse mit Weichfressern vor solchen mit Körnerfressern, der meist unendlich schwierigen Erreichung derselben halber, schon für den Züchter erhöhte Bedeutung haben, so ist dies in diesem Falle, wo es sich um äusserst selten, nun schon seit Jahren überhaupt nicht mehr eingeführten Vögel handelt, in doppelter Weise der Fall und wir können es uns an dieser Stelle nicht versagen, zu Gunsten dieser beiden hochinteressanten Ausstellungsobjecte etwas ausführlicher zu werden. Die Gilbdrossel ist in Südamerika einheimisch und namentlich nach den Berichten des Reisenden Dr. A. von Francius, in Costa-Rica die allerhäufigste, weitverbreiteste Drosselart und auch in einer „Uebersicht der im Berliner Museum befindlichen Vögel von Costa-Rica“ äussert Cabanis bei Anführung von Turdus Grayi, diese Art müsse in Costa-Rica die gemeinste sein, da die drei Reisenden, welche von dort Bälge gesandt, diese Art sämmtlich mitgeschickt hätten. Trotz dieser Häufigkeit in ihrer Heimat ist die Gilbdrossel erst ein einziges Mal, im Jahre 1888 von Gebrüder Reiche in Alfeld, lebend eingeführt worden und ging das Pärchen, welches als Turdus olivaceus ausgeboten worden war, in den Besitz des Hofrathes Dr. K. Th. Liebe über. Der genannte Ornithologe, welcher die Art als T. Grayi feststellte, hat nun von diesem Pärchen während zweier Jahre sieben Junge gezogen, und ist der Ueberzeugung, dass sich diese Art vortrefflich zur Domestication eignen würde; jedenfalls besitzt sie, von der leichten Zuchtbarkeit abgesehen, sehr viel Vorzüge eines werthvollen Stubenvogels, denn neben grosser Dauerhaftigkeit und Anspruchslosigkeit ist sie, wenn auch nicht durch lebhafte Farben prangend, durch die Zierlichkeit der Gestalt, die Glätte des Gefieders eine schmucke, dem Auge wohlgefällige Erscheinung und leistet als Sänger ganz bemerkenswerthes. Während der Ausstellung sangen beide Drosseln trotz des vorüberdrängenden Menschenstromes wohl leise, aber sehr fleissig, und wenn uns schon dieses an das leise Geschwätz unserer Singdrossel erinnernde Geplauder ansprach, so sind wir von dem lauten Gesange einer dieser Drosseln — beide Vögel sind in Wien geblieben, — welche wir vor Kurzem einmal zu hören Gelegenheit hatten, ganz entzückt gewesen.

(Fortsetzung folgt.)

Das Grossgeflügel auf der XVII. internationalen Geflügel-Ausstellung in Wien.

Nach langjähriger Unterbrechung wurde heuer die Ausstellung des I. österreichisch-ungarischen Geflügelzucht-Vereines wieder in den für solche Veranstaltungen so günstig gelegenen Sälen der k. k. Gartenbaugesellschaft abgehalten.

Ueber den immensen Besuch, dessen sie sich zu erfreuen hatte, wurde bereits an anderer Stelle berichtet; heute kann hinzugefügt werden, dass der pecuniäre Erfolg auch ein sehr zufriedenstellender ist. Qualitativ war die Grossgeflügel-Abtheilung sehr gut besetzt, ja in manchen Classen haben wir in Wien so gute Beschickung überhaupt noch nicht gesehen. Hervorzuheben in dieser Hinsicht sind die Classen: Plymouthrock, Houdan, helle Brahma und die Classe deutscher Landhühner. Bei abermaliger Benützung der Säle der k. k. Gartenbaugesellschaft würde eine bessere Aufstellung der Hühnerkäfige empfehlenswerth sein, indem heuer sich die Beleuchtung, besonders der dem Haupteingange zunächst aufgestellten Hühnerkäfige als unzulänglich erwies.

Die Aufstellung einer prächtigen Doppelvoliere der Firma Hutter & Schranz, die mit wilden Bronzetruten, weissen Pfauen und weissen Perlhühnern bevölkert war, im Fond des Mittelsaales, gewährte einen herrlichen Anblick und hob das Gesammtbild ungemein — doch nahm sie den beleuchtetsten Theil des Saales in Anspruch.

Die versuchsweise Prämiirung nach einem neuen, vom Präsidenten Herrn Baron L. Villa-Secca vorgeschlagenen Modus, wonach jeder standardmässige Stamm erst nach seiner Qualität mit ersten oder zweiten Rang classificirt wurde, ehe die eigentliche Auswahl der drei besten Stämme jeder Race für die Zuerkennung der Classenpreise erfolgte, bewährte sich vollkommen.

Sie befriedigte ebensosehr die Aussteller, deren Thiere zwar von guter Qualität, aber doch von noch Hervorragenderen überflügelt wurden, daher nicht mit Classenpreisen prämiirt werden konnten, als sie auch den Verkauf sehr begünstigte.

Manche Käufer wählten unter den nicht prämiirten, aber mit Rangclasse bezeichneten Stämmen, mit dem Bewusstsein, dennoch Thiere erworben zu haben, die allen Anforderungen entsprechen, die bezüglich Racereinheit etc. gestellt werden können.

Ohne die Anerkennung, die wir dem neuen Prämiirungs-System im vollsten Maasse entgegenbringen, schmälern zu wollen, möchten wir uns bezüglich späteren Ausstellungen, denen dieses Prämiirungs-System zu Grunde gelegt wird, den Vorschlag erlauben, dass man den Herren Preisrichtern einen sicheren Maasstab für die Eintheilung in die Rangclassen dadurch in die Hand gebe, dass man bestimmt: Sämmtliche, äussersten Falles doch die zwei ersten Classenpreise dürfen nur Thiere der ersten Rangclasse erhalten; — höchstens sollte gestattet werden, einen dritten Classenpreis an ein Thier zweiter Rangclasse zu vergeben.

Heuer war man — wie wir glauben — mit der Bezeichnung „erster Rang“ zu streng, wodurch es kam, dass zahlreiche II. Classenpreise auf Thiere entfielen, die mit „zweiter Rangclasse“ bezeichnet waren.

Ein mit II. Classenpreis prämiirtes Thier muss unserer Ansicht nach zweifellos alle Racemerkmale in ausgeprägter Weise tragen; der Unterschied zwischen ihm und einem mit I. Classenpreis prämiirten Thier darf nur in kleinen, unbedeutenden Schönheitsfehlern, nie in bedeutenderen Mängeln liegen. Der Begriff erster Rangclasse sollte sonach solche Thiere, die wir noch eines II. Classenpreises für würdig halten, zweifellos einschliessen.

Dies vorausschickend, gehen wir nun zur Besprechung des in dieser Abtheilung ausgestellten Geflügels über.

Die Grossgeflügel-Abtheilung enthielt in 47 Classen eingetheilt, 194 Stämme Hühner, 14 Stämme Enten, 5 Paare Gänse, 5 Stämme Truthühner, 6 Nummern Pfauen und Perlhühner.

1. Langhans, schwarz. Wir haben diese Classe in Wien schon qualitativ besser besetzt gesehen und finden, dass in den letzten Jahren die Zucht dieser, ursprünglich speciell in Oesterreich in hoher Blüte gestandenen Race stetig abwärts geht. Obwohl glatt und rauhbeinige Stämme in der Classe I diesmal vereinigt worden waren, fiel es fast schwer, die drei Preise zu vergeben. Ein hübscher, glattbeiniger importirter Stamm der Frau Fery Shaniel trug den ersten Preis davon, während sich der ebenfalls glattbeinige Stamm des Herrn A. F. Beyer, Linz mit einem zweiten begnügen musste.

Der rauhbeinige, noch junge Stamm des Geflügelhofes „Erlach-Linsberg" erhielt einen dritten Classenpreis. Der Hahn dieser Nummer zeichnete sich durch stattliche Figur und gute Formen aus; die Fussbefiederung war aber eine sehr schwache. Es wurde schon des Oefteren darauf hingewiesen, dass es nothwendig sei, will man schon glatt und federfüssige Langhans fortzüchten, dann bei letzteren auf wirklich genügende Befiederung zu sehen.

Bemerkenswerth war noch der glattbeinige Stamm des Herrn A. F. Beyer auf Nr. 11 stehend, sowie der Stamm Nr. 18 des Herrn A. Schönpflug, dessen Henne uns als besonders mächtig auffiel.

Herr V. Glöckner, Wien, stellte zwei Stämme federfüssige „rosenkämmige" Langhans aus. Diese „Varietät" wurde in den letzten Jahren mehrfach bei uns gezeigt; wir hoffen und wünschen, dass sie wieder verschwinde! In den Ausstellungskäfig passt sie entschieden nicht, wenn man ihr schon wirthschaftliche Vorzüge nachrühmen will.

2. Classe. Andersfärbige Langshan. Vor allem fielen uns in dieser Classe die prächtigen, ausser Concurrenz stehenden blauen Langshans des Herrn Baron Villa-Secca auf, besonders der junge Hahn, war tadellos in Farbe und Figur. Die weissen Langshans des Geflügelhofes „Erlach-Linsberg" (2 Stämme) trugen die silberne Staatsmedaille davon; ein Stamm der Frau Therese Thornton, Wien, Hietzing, erhielt zweiten Classenpreis. Der Stamm war hübsch, doch zeigte der Hahn etwas Stulpenansatz. Der Stamm des Herrn Baron Villa-Secca enthielt einen sehr schönen Hahn. Die Thiere der Frau Raschka waren weissohrig, konnten also bei der Prämiirung nicht in Betracht kommen.

3. Classe. Plymoutrocks ist die bestbeschickteste Hühnerclasse, sowohl in quantitativer wie ganz besonders in qualitativer Beziehung. Wir haben Plymoutrocks noch nie so gut vertreten gesehen, wie heuer in Wien und die Auswahl der Preisstämme machte den Preisrichtern denn auch viel Arbeit. Der fraglos beste, weit entwickeldste Stamm, ist der Nr. 41 des Herrn Rom. Svoboda in Pecek, der mit der silbernen Staatsmedaille ausgezeichnet wurde; der Hahn ist ein mächtiges, in jeder Hinsicht edles Thier, von dunkler, reiner Zeichnung, die Henne ebenbürtig. Diesem Stamme zunächst standen die Thiere des Fürstlich Hohenlohe'schen Geflügelhofes Slaventzitz einer, und die des Geflügelhofes „Erlach-Linsberg" andererseits.

Die Preisrichter entschieden sich dahin, dem erstgenannten Stamme die Medaille der k. k. landwirthschaftlichen Gesellschaft, dem letztgenannten den zweiten Classenpreis zuzuerkennen. Der dritte Preis fiel auf die Thiere des Herrn Prieber in Hirschfelde. Alle vier genannten Stämme waren bei der Vorprämiirung in die erste Rangclasse eingetheilt worden und standen factisch in der Qualität fast gleich hoch.

Ausser den genannten vier Preisen wurde noch auf den Stamm 42, ebenfalls Herrn Rom. Svoboda gehörig, ein Anerkennungs-Diplom zugesprochen.

4. Classe. Gelbe Cochins. Wieder eine sehr gute Classe, die sich mehr durch allgemein gute qualitative Beschickung, als durch besonders hervorragende Einzelheiten auszeichnete.

Von den importirten Stämmen war der des Herrn Ant. Feischl, Wien, der Beste; besonders gefielen uns die Hennen dieses Stammes, ihm zunächst kam ein ebenfalls importirter Stamm der Frau Fery Shaniel in Katzelsdorf, doch auch in diesem Stamme war die Henne dem Hahne überlegen, was noch mehr bei einem zweiten, jüngeren Stamme derselben Ausstellerin hervortrat.

Ein sehr schöner Hahn des Geflügelhofes „Erlach-Linsberg", der seiner Henne ebenbürtig in Qualität gewesen wäre, war bereits über die erste Jugend hinaus, was seine reichlich hellen Sicheln bewiesen. Die drei besprochenen Stämme erhielten in der angeführten Reihenfolge die drei Classenpreise.

Sehr schöne Thiere hatte noch Baron Villa-Secca (hors concours), ferner Ant. Schoureck, Gablonz und Rom. Svoboda, Pecek gesandt.

5. Classe. Weisse Cochin standen nicht auf der Höhe, wie wir sie in Wien gewohnt sind. Die mit erstem Preise prämiirten Thiere des Geflügelhofes „Erlach-Linsberg" waren, was die Hennen betrifft, allerdings mustergiltig; der zugestellte noch sehr junge Hahn blieb jedoch hinter denselben zurück. Besonders fanden wir die Beinbefiederung des Hahnes schwach, wodurch jene breitspurige Erscheinung verloren geht, die wir bei den Thieren unserer österreichischer Züchter oft bewunderten. Die tadellose Reinheit und Weisse, ohne Spur von gelbem Anflug, fiel bei diesem Stamme angenehm auf. Ein Stämmchen, neun Monate alter weisser Cochins des Herr Taucher in Waltersdorf zeigte edle Abstammung und dürften diese Thiere ihrem Besitzer noch manchen hohen Preis einbringen; für ihre grosse Jugend

Holland und die Nordsee also nur von solchen wieder überflogen wird, die für den Winter in England verblieben.

Die Flugrichtung der letzteren dieser heimkehrenden Krähen ist naturgemäss eine west-östliche; aber eine ebenso überraschende, wie kaum erklärliche Erscheinung bleibt es daneben, dass, wie im Herbste, so auch jetzt im Frühjahre, der Zug aller Wanderschaaren, die man am Tage sieht oder während der Nächte hört, sich ausnahmslos zwischen diesen beiden Puncten bewegt — wenigstens auf Helgoland und auf dem umgebenden Meere sieht man im Frühjahre nie einen ziehenden Vogel, dessen Flug von Süd nach Nord gerichtet wäre; dennoch aber müssen deren so viele sein, wie z. B. die schon angeführten Blaukehlchen, Laubvögel, Schafstelzen, Wiesenschmätzer und viele andere, von denen die ersten mit der Morgendämmerung eintreffen und deren Zahl sich mit der aufsteigenden Sonne oft bis zum Unglaublichen vermehrt, aber im Laufe weniger Stunden schon wieder vermindert, ohne dass man wahrzunehmen vermöchte, wie und woher sie eingetroffen, oder auf welche Weise und in welcher Richtung sie davon ziehen.

Solche Arten, deren Wanderungen zwischen Nord und Süd verlaufen, weisen denn auch keine so grosse Verschiedenheit in der Individuenzahl der Abreisenden und der Rückkehrenden auf, als solche, die im Herbste von Ost nach West gezogen sind und schliesslich sich südlich gewandt haben. Unter ersteren das obige Blaukehlchen, Rothkehlchen, die kleinen Laubvögel, trochilus und rufa, Rothschwänzchen, Steinschmätzer, Wiesenschmätzer und andere — diese alle bringt der Frühling ebenso zahlreich zurück, wie sie der Herbst entführte, und kaum sollte man glauben, dass doch nothwendiger Weise die Fährlichkeiten der langen Winterabwesenheit so manchen aus ihren Schaaren weggerafft haben müssen, da z. B. am 26. Mai 1880 alle Gärten der Insel in solchem Grade von nordischen Blaukehlchen wimmelten, dass meine Vogelfänger und ich, für die nächstgelegenen derselben, ihre Zahl auf weit über fünfhundert anschlugen; Steinschmätzer waren in solchen Massen da, dass Aeukens dieselben auf „Milliarden" schätzte, in meinem Journal sind dieselben auf „viele Tausende" beziffert. Beiläufig bemerkt, wiesen beide Arten nur noch ganz vereinzelte männliche Vögel auf, was darauf hindeutete, dass deren Zugperiode sich ihrem Abschlusse zuneigte.

Es ist im Laufe dieses Abschnittes gesagt, dass die Vögel ihre Reise vom Winterquartier zur Brutstätte möglichst in einem ununterbrochenen Fluge zurücklegen. Beobachtungen, die man hier während des nächtlichen Vogelfanges beim Leuchtfeuer zu machen Gelegenheit hat, unterstützen diese Ansicht in hohem Grade. Es ist nämlich eine, jedem hiesigen Vogelfänger bekannte Thatsache, dass im Frühjahre die Wanderer erst nach Mitternacht etwa von ein bis zwei Uhr Morgens an, einzutreffen beginnen, dass ferner ihre Zahl sich nicht allein mit dem herannahenden Tage steigert, sondern ihr Ankommen sich noch lange Zeit nach Sonnenaufgang fortsetzt, ja dass Schnepfen und Schwarzdrosseln zahlreich noch während des ganzen Vormittags anlangen, namentlich, wenn es vor Tagesanbruch stark gereift hatte und die Vormittagsstunden von stillem, warmen Sonnenschein begleitet sind.

(Fortsetzung folgt.)

Mischlinge vom Textor und dottergelben Webervogel

Hyphantornis textor, Gr., Hrtl., Fusch., Hgl. et Hyphantornis vitellinus, Hrtl., Fusch.

Gezüchtet von **Dr. Sauermann.**

Seltsame Mischlingsbruten hat man schon bei den Vögeln in der Gefangenschaft meistentheils wohl unabsichtlich erzielt. Allgemein bekannt sind die zahlreichen Mischlingsehen, welche der Kanarienvogel eingeht, man braucht ja denselben nur mit Hänfling, Zeisig, Girlitz u. s. w. zusammen in einer Vogelstube zu halten, so wird man bald derartige Erfolge zu verzeichnen haben; auch ich habe früher darin mein Möglichstes geleistet. Ferner ist bekannt, dass sich auch unsere einheimischen Vögel in der Gefangenschaft kreuzen, wie z. B Dompfaff und Stieglitz, von welchen zuerst in England und dann auch in meiner Vogelstube Mischlinge erhalten wurden. Auch verschiedene Arten von fremdländischen Vögeln paaren sich mit Erfolg untereinander und hier habe ich ein Züchtungsresultat zu verzeichnen, wie es vielleicht einzig in seiner Art dasteht, weil sich seit einigen Jahren immer dieselbe Erscheinung gezeigt hat, nämlich Textor und dottergelber Weber brüteten zusammen, obwohl von beiden Arten Männchen und Weibchen vorhanden waren.

Schon im Jahre 1890 habe ich eine Reihe von Jungen dieser Art erhalten, dann setzten die Vögel im Jahre 1891 das Brutgeschäft fort und da ereignete sich dann der seltene Fall, dass ein zweites Textormännchen, das ich inzischen angeschafft hatte, sich auch mit dem Weibchen des dottergelben Webers paarte, so dass abwechselnd einmal mit dem alten, dann dem jüngeren Textor ein Gelege zu Stande kam. Ohne Rauferei ging das selbstverständlich nicht ab, der Friede kehrte erst dann zurück, wenn sich das Weibchen für ein Nest von diesem oder jenem Männchen entschieden hatte. Stets aber war das Männchen dottergelber Weber ein unbetheiligter Zuschauer, seine Nester wurden von dem eigenen Weibchen nie bezogen.

Es ist dies eine ganz unerklärliche Erscheinung, dass sich zwei Vögel von verschiedener Art und vor Allem von so ungleicher Grösse paaren, wie es hier der Fall ist, denn der Textor erreicht an Grösse nahezu den Staar, während das Weibchen des dottergelben Webers ungefähr die Grösse des Feldsperlings hat; wenn nun auch die Vögel sehr nahe verwandt sind, so begreift man doch nicht, warum nicht die richtigen Paare zusammen brüten, denn von den beiden Arten sind ja Männchen und Weibchen vorhanden. Der Fall ist hier ähnlich wie beim Blutschnabelweber und Swainsonsperling, über die ich früher berichtet habe.

Ueber den ganzen Brutverlauf ist wenig zu sagen, diese Gelbweber sind ja schon oft in der Gefangenschaft gezüchtet und ihre Entwicklung ist beschrieben, dass ich mir eine eingehende Schilderung sparen kann. Wie schon angedeutet, brütete das Weibchen des dottergelben Webers stets in einem vom Textor erbauten Neste, polsterte dasselbe mit Federn und kurzen Agavefasern aus und brütete, wenn das zweite Ei gelegt war. Hatte das Weibchen das Nest bezogen, so baute das Männchen dasselbe vollends aus und verlängerte das Flugloch. Die Auffütterung der Jungen fiel, wie auch sonst bei diesen Vögeln, ganz allein dem Weibchen zu, während das Männchen sich auf eine sorgsame Bewachung der Brut beschränkte. Die Begattung habe ich häufig beobachtet, sie geschieht sehr schnell und ist schwer zu beschreiben, das Männchen scheint dabei förmlich in der Luft zu schweben.

Die Brutdauer beträgt 12—13 Tage, 20 Tage sitzen die Jungen im Neste; die Eier gleichen denen des dottergelben Webers. Gefüttert habe ich das Weibchen während der Brutzeit nur mit frischen Ameiseneiern und Mehlwürmern, die letzteren holte sich der Vogel von meiner Hand.

Die Jungen waren nach dem Ausfliegen schon bedeutend grösser als das Weibchen, und es sah merkwürdig genug aus, wenn das kleine Ding die grossen Bengels fütterte. Leider war unter den dutzend Jungen, die ich in den zwei Jahren züchtete, kein Weibchen. Alle Jungen waren gleich gross, hatten die Gestalt des Textors, waren aber kleiner als dieser, dagegen wieder grösser als der dottergelbe Weber (Männchen). Sämmtliche Junge von 1890 legten im darauffolgenden Jahre das gleiche Prachtgefieder an, so dass man glaubte, eine beständige Art, keine Mischlinge vor sich zu haben, da letztere, wenn sie auch von einem Neste sind, doch in der Regel nach Gestalt und Farbe abändern, wie z. B. die verschiedenen Kanarienmischlinge u. A.

Der Gesang, wenn man von solchem reden kann, ist ähnlich dem des Textors, aber lange nicht so kräftig, sondern viel milder, von dem Gesange des dottergelben Webers ist aber nichts dazwischen.

Es bliebe nun noch übrig, die Verfärbung der jungen Vögel zu beschreiben.

Jugendkleid in den ersten fünf Wochen: Schnabel an der Spitze und vorderen Hälfte hornfarben, an der Wurzel fleischfarben; Wachshaut weiss; Oberkopf graubraun, vom Schnabel bis zum Hinterkopf breiter, isabellfarbener Streifen, darunter ein zweiter, von gleicher Farbe; Augen braun; Kehle bräunlichgelb; Bauch und ganze untere Seite fahl isabellfarben; Flügel und ganzer Oberkörper graubraun; grosse Schwungfedern gelblich gesäumt; obere Schwanzdeckfedern graubraun, untere isabellfarben; Beine horngrau; Zehen fleischfarben.

Verfärbung nach der ersten Mauser, welche nach fünf Wochen eintritt: Genau so wie beim Weibchen des dottergelben Webers.

Prachtgefieder, welches ein Jahr darauf angelegt wurde: Genau so wie beim Männchen des dottergelben Webers, nur der Kopf ist abweichend gefärbt, derselbe ähnelt weder dem des Textors, noch dem des dottergelben Webers. Stirn und Oberkopf hellbraun; Backen schwarz, der schwarzgefärbte Theil schliesst mit dem Auge nach oben ab, geht in rundem Bogen bis zur Kehle, diese selbst ist lebhaft gelb.

Die Jungen vom Jahre 1891 werden wohl in diesem Jahre ebenfalls dasselbe Prachtgefieder anlegen, da sie auch sonst in Farbe und Gestalt ganz mit denen des Jahres 1890 übereinstimmen.

Die lebenden Vögel auf der ornithologischen Ausstellung.

(Fortsetzung.)

Rohracher-Lienz hatte ein Pärchen Alpenfluevögel, sowie eine Schneeeule gesandt. Einige sehr interessante einheimische Insectenvögel wurden in den Händlercollectionen von G. Findeis, A. Bammer u. Häusler Cie. vorgeführt; so brachte ersterer verschiedene Meisenarten, mehrere Steindrosseln, Alpenfluevögel, eine ihrer Artenzahl halber interessante Lerchensammlung, nämlich Haide-, Feld-, Schopf- und Kalanderlerche, Sprosser, Nachtigall, Schwarzplättchen, Sperbergrasmücke, Gartensänger; Bammer eine prächtig ausgefärbte Blaumerle, einen gut vermauserten Drosselrohrsänger, Kukuk, Schwarzplättchen, Amseln und Drosseln, Häusler & Co. zeigten ebenfalls eine sehr schöne Blaumerle, sowie einen Pirol im Kleide des zweijährigen Vogels, welcher indess nicht abgemausert zu haben scheint. Ein Edelfink von Anton Rancak, Wien, mit fehlerfreiem „Gester-Wildsauschlag" fand bei den zahlreich die Ausstellung besuchenden Finkenliebhabern die verdiente Anerkennung. Moriz Schmidt, Wien, brachte Wachtel, Feld- und Haidelerche, sowie einen Staar, welcher verschiedene Weisen flöten soll, von dem wir aber nur ein fürchterliches Kreischen gehört haben, wahrscheinlich war er, da wir ihm uns vorstellten, gerade nicht zum Zeigen seiner Künste disponirt. Als Sprechkünstler ersten Ranges erwies sich hingegen der Staar von Frau Fanni Schwedt, Wien. Es ist wirklich bewunderungswürdig, wie viel und mit welch' gutem Ausdrucke dieser Staar völlig deutlich und verständlich spricht, dabei bringt er stets alles in der richtigen Reihenfolge und trotzdem wir das Thierchen einigemale besuchten, konnten wir nie ein Durcheinanderbringen der Worte, wie dies die „gelernten" Staare sonst fast ausnahmslos mehr oder minder in Gewohnheit haben, beobachten. Da es gewiss manchen der verehrten Leser interessiren dürfte, zu wissen, wie viel Worte ein Staar nachsprechen kann, so führen wir das Repertoir des kleinen Schwätzers an. Nach einleitendem „Tak, Tak, Tak", welches wohl das Klopfen an eine Thüre imitiren soll, sagt er: „Herein, nehmen's Platz, was gibt's Neues in der Stadt, schöner Herr, brauchen's keinen schönen Staarl? Ich kann schön sprechen und singen: Vivat Kaiser Franz Josef von Oesterreich!" Hierauf pfeift er die Volkshymne und spricht weiter: „Bibi willst a Bier, schöne Frau gib mir a Busserl, Busserl, Busserl!" Dann schnalzt er, als ob er wirklich einen recht herzhaften Kuss bekommen würde und bricht in ein fröhliches Lachen aus, in das gewiss die meisten der vielen Zuhörer, welche der „Sprachmeister" stets um sich versammelt hatte, anerkennend einstimmten. Liederpfeifende Gimpel wurden von einem Händler aus Deutschland gebracht, doch war eine Beurtheilung der Leistungen derselben unmöglich, da die Collection unmittelbar neben Papageien stand, gegen deren Lungenkraft die der Dompfaffen allerdings nicht auf-

und der derselben entsprechenden Entwicklung waren sie mit II. Classenpreise reichlich bedacht. Die weiteren erschienenen weissen Cochins konnten auf eine Anerkennung nicht Anspruch erheben. Rebhuhn- und Andersfärbige fehlten ganz.

7. Classe. Dunkle Brahma. Eine Race, die trotz opferfreudiger Importation von Seite unserer heimischen Züchter nicht mehr die Qualität erreichen will in der man sie vor Jahren in Wien zeigte.

Herr Ant. Freischl brachte vier Stämme zur Ausstellung, auf deren drei ihm collectiv die silberne Staatsmedaille zuerkannt wurde. Einen zweiten Classenpreis erhiehlt ein ebenfalls importirter Stamm der Frau Fery Shaniel.

8. Classe. Helle Brahma, wies vier Musterstämme auf; drei davon gehörten dem Geflügelhof „Erlach-Linsberg" (Eigenzucht) dem hiefür der wohlverdiente erste Classenpreis (silberne Staatsmedaille) zuerkannt wurde; der zweite Classenpreis dem ebenfalls sehr guten Stamme der Frau Fery Shaniel, Katzeldorf.

Im Verhältnisse, wie die in Oesterreich so sehr beliebten dunklen Brahma in Qualität zurückgehen, scheint die bisher nur wenig beliebte und seltener gezüchtete helle Varietät sich zu verbessern.

9. Classe. Wyandotte. Die silbergesäumte Varietät wird durch die goldgesäumte sichtlich verdrängt; wenn es auch letztere zu keinem ersten Preise bringen konnte, so standen doch die Goldwyandotte qualitativ bedeutend im Vordergrunde.

II. Classenpreis erhielt Herr Jos. Klein, Pfalzau (Gold). III. Preis: R. v. Rossmanith'sche Gutsverwaltung Rothwein (Silber). Die Goldwyandotte des fürstlich Hohenlohe'schen Geflügelhofes Slaventzitz hätten wohl auch eine Anerkennung verdient; wenn auch der Hahn hinter dem J. Klein'schen zurückstand, so war doch die Henne sehr schön in Figur und Zeichnung.

10. Classe. Houdans. Achtzehn fast durchwegs gute Stämme standen in Concurrenz — zwölf davon der bekannten Züchterin dieser Race Frau Irma Nagl in Graz gehörig.

Das Preisgericht zeichnete drei Stämme dieser schönen Collection mit erster Rangclasse aus und sprach der Collection den ersten Classenpreis (silberne Staatsmedaille) zu. Herr Ant. Freischl Wien, erhielt auf seine ebenfalls mit erster Rangclasse bezeichneten Thiere den zweiten Classenpreis. Den dritten Preis: Herr Mich Lindmeyer, Kagran.

Anerkennung entfiel noch auf ein, Herrn Fr. Czerny, Wien gehöriges Paar.

Dorkings waren nur in zwei Stämmen vertreten, wovon ein sehr schönes importirtes Paar der Frau Fery Shaniel mit der bronzenen Medaille der k. k. Landwirthschaftlichen Gesellschaft ausgezeichnet wurde.

So vorzüglich von den französischen Racen in Wien stets und auch heuer, die Houdans vertreten sind, so wenig Anklang finden bei uns Lafléche und Crève coeur.

Frau Fiedler in Mödling holte sich mit einem Stamm Lafléche, der Geflügelhof „Erlach-Linsberg" auf ein Paar Crève coeur je den zweiten Classenpreis.

Die Classen 14 und 15 den Paduanern eingeräumt, zeigte weniger gute Thiere als sonst in Wien.

Ein prachtvoller Stamm Silberpaduaner des Herrn Baron Villa-Secca stand ausser Preisbewerbung. Frau Therese Thornton, Hietzing, erhielt den zweiten Classenpreis auf sehr hübsche Silberpaduaner und den ersten Classenpreis (bronzerne Staatsmedaille) auf je einen Stamm hochfeine Chomois-Paduaner und weisse Paduaner. Die Chomois-Paduaner dieser Dame sind so schön, wie wir nur je welche gesehen, die weissen, ihrer grossen Seltenheit wegen besonders hervorzuheben.

Sehr hübsche Chamois-Paduaner sandte Herr Nöstlinger, Linz, für die ihm der zweite Classenpreis zugesprochen wurde.

Anerkennungs-Diplom: Den dunkelhaubigen weissen Paduanern des Herrn J. B. Brusskay Wien.

16. Classe. Holländer. Der erste Classenpreis wurde auf den Stamm des Herrn Ant. Freischl vergeben, in die weiteren Preise theilten sich Herr A. Bock, Wien und Geflügelhof „Erlach-Linsberg" doch gefiel uns auch ein Stamm der Frau Th. Thornton sehr gut, der leider ohne Auszeichnung blieb.

Sehr bemerkenswerth war die 19. Classe Minorka. Ersten Classenpreis (bronzene Staatsmedaille) erhielt Fräulein Betti Nagl, Purkersdorf auf vorzügliche Weisse. Hahn, wie Hennen dieses Stammes waren durchaus musterhaft. Zweiter Preis: J. G. Bambach Gottmannsgrün, für brillante schwarze.

Der dritte Classenpreis wurde einem jungen Stamm des Geflügelhofes „Erlach-Linsberg" zuerkannt.

Die Classe Italiener war, wie immer in Wien, schwach besetzt, die Race ist hier und in Oesterreich überhaupt unbeliebt. Herr Wenzel Bartl in Weipert, Böhmen, erhielt den zweiten, der Geflügelhof „Erlach-Linsberg" den dritten Classenpreis auf ganz hübsche, doch nicht hervorragende Stämme.

(Fortsetzung folgt)

„Die Tauben" der Geflügel- und Vogel-Ausstellung des I. öst. ung. Geflügel-Zucht-Vereines (März 1892).

War auch das Contingent der ausgestellten Thiere gegenüber früheren Ausstellungen etwas zurückgeblieben (circa 500 Nr.), so war doch die Qualität derselben eine vorzügliche, ja in manchen Classen eine noch nie dagewesene; ich brauche dabei nur auf die asiatischen Mövchen und die Carrier's zu deuten, welche Erstere 50, Letztere 14 Nummern aufwiesen, von denen ein Paar schöner als das andere war. Doch will ich der Classen-Reihung des Kataloges folgen und diesen entsprechend zuerst die Tümmler hervorheben, welche in 73 Paaren ausgezeichnet vertreten waren. Herr Hauptmann Katt, aus Wr.-

Neustadt hat in allen Farben und Zeichnungen mustergiltige Thiere eingesendet, ebenso Hr. Horváth, Steinbruch; 1 Paar gute dunkelgestorchte hatte Hr. Groch, Wien, lichtgestorchte Hr. Gasparetz, Budapest, Letzterer ausser Preisbewerbung ausgestellt. Originell waren die Brander von Hofmann, Burgstedt, Krakauer Elstern von Svoboda, Pecek, und die Calotten von Baron Villa-Secca, Wien. Die Altstämmer von Fricke, Magdeburg, standen nicht auf der erwarteten Höhe, dagegen dessen Almond's den wohlverdienten I. Preis errangen. Mövchen füllten 6 Classen mit 60 Nummern aus. Hier kämpften Scholz, Poisdorf und Györffy, Debreczin, um die Siegespalme einen harten Strauss. Beider Thiere waren vorzüglich und in grosser Anzahl vorhanden und erhielt Ersterer nur dadurch den Vorrang, dass er auch deutsche, egyptische und chinesische Mövchen nebst den anatolischen, Blondinetten, Satinetten u. s. w. zur Anschauung brachte, während Györffy nur in den letztgenannten Classen excellirte. Auch Fricke, Magdeburg, hatte 1 schönes Paar Anatolier, Blondinetten und Satinetten ausgestellt, welche auch prämiirt wurden. Gasparetz, Budapest und Höllwarth, Wien, hatten hievon auch einige ganz hübsche Paare ausser Preisbewerbung vorgezeigt. — In Classe 61 war eine treffliche Collection des letztgenannten Herrn in Lahore, Lybanon, Kurdistan und Samobia zu sehen, welche orientalische Rassen trotz ihrer schönen Zeichnungen in Wien keinen rechten Boden zur Verbreitung finden können, was sie wohl verdienen würden, da sie unseren einheimischen Farbentauben gewiss nicht nachstehen und ganz gute Brüter sind.

Unter den Perücken-Tauben ragte das Paar englisch weisse von Textoris, Nyiregyháza über alle anderen hervor durch die Grösse und Geschlossenheit der Kapuze, kurzen Schnabel und Länge der Flügel. Zunächst kamen die gelben und schwarzen des strebsamen Züchters Saxl, Wien, welcher noch der Einzige ist, welcher unsere alte, einfärbige, deutsche kleine Perückentaube unentwegt fortzüchtet, trotzdem sie sonst schon überall der eingeführten englischen das Feld räumen muss. Wo kamen sie hin, unsere schönen blauen und isabelfarbigen, mit reinweissen Binden, unsere blutrothen kurzschnäbligen Perücken von einst? Es sind kaum 20 Jahre, dass die wechselnde Mode sie verschlang. Aus dieser Periode stammen auch die weissen doppelkuppigen, welche Kovács, Debreczin und Fräulein Rozty, Raab (Letztere erst nach Schluss des Anmeldetermines, daher nicht in den Katalog aufgenommen) ausgestellt hatten, für welche Specialität ebenfalls die Liebhaber aussterben: ich erinnere mich noch, dieselben zu Anfang der 1870er Jahre in allen 4 Hauptfarben gezüchtet zu haben — Von zweifärbigen englischen holte sich Fricke, Magdeburg, den I. Preis, obwohl meiner Ansicht nach die Thiere Györffy's, Debreczin, (II. und III. Preis) noch besser waren. Auch die von Baron Villa-Secca, ausgestellten schwarzgemönchten waren ausgezeichnet schöne Thiere. — Nun kommen wir zu den Pfautauben, deren 28 Paar in der Classen-Ausstellung erschienen waren, da meine aus 25 Paare bestehende Collection ausser Preisbewerbung separat am Schlusse der Tauben-Abtheilung postirt war. In den weissen war kein tadelloses Paar erschienen, ebensowenig wie in den färbigen Thieren, obwohl es bei Ersteren viel leichter gewesen wäre. Swoboda's, Pecek, Thiere haben zu viel Schwanz über den Kopf, bei Kernast war der Tauber wohl tadellos, aber die Täubin nicht ebenbürtig, bei Fricke war gar ein sonst hübscher Seidenpfautäuber mit einer glatten englischen Pfautäubin beisammen, mit einem Worte kein I. Preis zu vergeben. Ebenso waren die schwarzen und gelben von Baron Villa-Secca wohl recht gute, aber nicht tadellose Pfautauben.

An einfärbige Pfautauben muss man schon einen etwas strengeren Massstab anlegen, als an schildige oder schwänzige. Letztere waren ausschliesslich nur von Baron Villa-Secca, Wien, u. zw. in 13 sehr hübschen Farben-Varianten ausgestellt, konnten sich aber bei der Scrupulosität der Preisrichter nur II. und III. Preise erringen, obwohl die schwarzen Weisschwänze und die satinettfarbig geschuppten Paare wirklich reizende Thiere waren. Classe 69, „Weissbindige“, blieb in Folge der Ausscheidung meiner Collection, in welcher sie wohl fast in allen Farben-Nuancen vertreten waren, diesmal leer. — — Von Kröpfern waren sehr nette isabelle und weisse Brünner von Schmied, Wien, schöne schwarze und rothe m. w. B. von Gregorowitsch, Brünn, isabelfärbige Holländer von Svoboda, Pecek, und von demselben auch gelbgeherzte Pommer'sche, die nicht viel den englischen nachgaben, endlich auch die bei uns seltenen Amsterdamer Ballonbläser von Mantzel und Dumtsa, (beide Wien) in sehr guten Exemplaren zur Schau gestellt. Englische und Französische, die leider zusammen nur eine Classe bildeten, daher nur 3 Preise zur Verfügung der Preisrichter waren, zeigten, dass wir auch hierzulande tüchtige Züchter dieser Rassen haben, und erhielt Hr. Leiter, Wien, und Hr. Seydl, Laa a. d. Th., für ihre Collectionen den I. und II. Preis, während die Thiere Frike's sich, obwohl sie auch sehr schön waren, mit dem III. Preise begnügen mussten. Jedenfalls waren unter den 24 Paaren dieser Classe sehr viele vorzügliche einzelne Stücke, die aber leer ausgehen mussten, weil die wenigen Preise doch nur gleichwerthigen Paaren zugesprochen werden konnten.

Die schweren, sogenannten „Nutz-Tauben“ waren in 6 Classen mit 85 Paaren vertreten, und errang hier Völkl, Linz, auf Malthesor und Hühnerschecken den hart von Eder und Friedl, Wien, bestrittenen Sieg. Ober-Oesterreich ist wohl die Fundgrube und Heimath dieser Rassen, und darf es Einem daher nicht wundern, wenn ein Linzer das Beste von dort hersendet. Uebrigens hatten auch Kernast und Reissner, Wien, sehr schöne Maltheser und Hühnerschecken ausgestellt. Eder's Florentiner mit ihren massiven Gestalten imponirten jeden auch noch so laienhaften Beschauer, sowie die in Zeichnung diesen ähnlichen Strasser der Herren Seydl, Laa, und Kernast, Wien, durch ihre Correctheit. Modeneser waren schwach und nicht prima vorhanden. Die relativ Besten waren von Nohle, Merseburg, und Svoboda, Pecek. Für Locken-Tauben erhielten Fricke, Magdeburg, Fölkl, Linz und Kosács, Debreczin, die ausgesetzten 3 Preise. Trommler waren keine besonders schönen erchienen, die Bucharen nicht nahe gross genug, die anderen gewöhnliche Thiere, wie solche in vielen Bauernschlägen Böhmen's als Feldflüchter ihr Leben fristen.

Von Indianern excellirten die von Horváth, Steinbruch, vor denen Eder's, Wien, welcher in früheren Jahren bessere Thiere dieser Rasse gezüchtet hatte. Die nach diesen beiden annähernd besten zeigte Fricke, Magdeburg, obwohl selbe viele Kriegs-, (resp. Ausstellungs-) Jahre hinter sich haben mochten. Ein gutes Paar französischer Bagdetten von Svoboda, Pecek, holte sich einen II. Preis in Classe 83, die beiden anderen Preise blieben unvergeben. Dagegen hatte die Jury in Classe 84, „Carries", nicht genug Belohnungen und Anerkennungen, wo Hr. Reissner, Wien, allein 10 schöne Paare ausgestellt hatte, wovon die blauen den I. Preis erhielten. Diesen kamen zunächst die schwarzen von Kammercáth, Leipnik, und die chocoladefärbigen von Fricke, Magdeburg, fast durchgehends prächtige Thiere.

Seydl, Laa a. d. Th., schlug mit seinen gelben Römern alle übrigen, und konnten nur noch die weissen von Reissner, Wien, und die blauen von Stolz, Temesvár, sich daneben sehen lassen. An Gimpeln war fast nicht's, Schwalben und andere Farbentauben wenig zur Ansicht gelangt. Die blauen vollplattigen Nürnberger des Herrn Richter, Wien, die schuppigen Schwarzflügel von Heine, Halle a. d. S., die bayerischen von Czerny, Wien, und die schwarzen weissbindigen von Baldeweg, Bautzen, waren hier die nennenswerthesten. Brieftauben hatte Hr. Gasparetz, Budapest, eine sehr schöne Collection, darunter auch „Schautauben" eingesendet, jedoch ausser Preisbewerbung; es erhielten also die gestifteten 3 Preise die Herren Mittermeyer, Schönpflug und Gerhard, Wien. In der Schluss-Classe 90, „Diverse Rassen", wurde ein Paar allerliebste italienische Pudermövchen von Scholz, Poisdorf, und ein Paar sehr nette Owls von Kerngott, Ravensburg, mit II. und III. Preise ausgezeichnet. Es wurden in der Tauben-Abtheilung 300 fl. in Geldpreisen, 13 silberne und broncerne Medaillen, und über 20 Anerkennungs - Diplome vertheilt, welchem Prämiirungs-Aufwande ein Eingang von 260 fl. an Standgeldern gegenübersteht, da die Thiere der Preisrichter als „ausser Preisbewerbung" auch kein Standgeld zu bezahlen hatten. Der neue Modus mit der vorausgehenden Classificirung der Thiere hatt sich ganz gut bewährt und diente dem kaufenden Publikum als richtiger Leitfaden bei der Auswahl. Noch ist zu erwähnen, dass der Gesundheitsstand der Thiere trotz der 9tägigen Ausstellung ein vorzüglicher bis zum Ende war.

Bruszkay.

Kleine Mittheilungen.

Thiermaler Jean Bungartz, der bekanntlich vom deutschen Kriegsministerium beauftragt war, die Einführung des Kriegshundewesens in der deutschen Armee zu leiten, wurde von Sr. Majestät dem deutschen Kaiser für seine diesbezüglichen verdienstlichen Leistungen durch die Verleihung des Kronen-Ordens IV. Classe ausgezeichnet.

Ornithologisches aus Nordamerika. Die nordamerikanischen Fachblätter meldeten im vergangenen Jahre ein ungewöhnlich zahlreiches Auftreten der dort heimischen Vogelarten und eine Abnahme des allseitig verfolgten Eindringlings, des Haussperlings. Die ungewöhnlich rasche Verbreitung dieses streitsüchtigen Eindringlings vertrieb allenortes die heimischen Vogelarten. Der furchtbare Schneesturm (Blizzard) im März 1888, welcher über einen grossen Theil der Vereinigten Staaten dahinraste, vernichtete unzählbare Scharen von Sperlingen, welche diesem grausen Naturereignisse nicht widerstehen konnten. Die Folge war das massenhafte Erscheinen der einst überall in diesen Gegenden heimischen Vogelarten, die den durch den Sperling eroberten Landestheil neuerlich in Besitz nahmen. Diese Erscheinung wurde auch in Gegenden beobachtet, welche von diesem verheerenden Blizsturm verschont blieben. Gebüsche, Wälder und Wiesen z. B. von Illinois waren von Tausenden Vögelchen belebt, in einer Menge, wie sich die ältesten Einwohner nicht zu erinnern wussten. Selbst die Bäume in den Städten bevölkerte eine zahlreiche, muntere Vogelschaar statt der sonst allein herrschenden Sperlinge. Der Sperling ist nun in den meisten Unionstaaten vogelfrei erklärt und mit allem Eifer wird an dessen Ausrottung gearbeitet. Wenn diese Bemühungen den Erfolg haben, den verdrängten heimischen Vogelarten wieder zu ihrem Rechte zu verhelfen, so kann man diesen Bestrebungen auch nicht entgegentreten; denn trotz aller Rechtfertigungen und Ehrenrettungen ist und bleibt der Hausspatz ein Gassenjunge unter den Vögeln, der sich auf Kosten der bescheideneren und nützlicheren Vogelarten breit macht und dieselben verdrängt. Der Wiener Stadtpark ist in dieser Hinsicht ein sehr lehrreiches Object. Die Spatzen haben fast alle übrigen, einst dort heimischen Vogelarten aus dem Felde geschlagen.

Das dritte diesjährige **Tauben-Preisfliegen von Köln nach Berlin**, 176 Kilometer Luftlinie sollte am verflossenen Sonntag vom Verein für Brieftaubenzucht „Pfeil" hierselbst, veranstaltet werden. Des ungünstigen Wetters wegen konnten die Tauben aber nicht aufgelassen werden und mussten bis zum letzten Mittwoch in der Festung Köln verbleiben. Es wurden vom genannten Vereine 107 Tauben auf diese Tour gebracht und am Mittwoch Vormittag um 8 Uhr Früh von Köln aus endlich in Freiheit gesetzt. Die ersten Tauben trafen bereits um 1 Uhr 54 Minuten in Berlin ein. Die vom Vereine ausgesetzten 16 Preise waren innerhalb 50 Minuten vergeben. Bis Abends 8 Uhr wurden dem Vorstande des Vereines 69 Tauben als in ihren Schlag zurückgekehrt gemeldet. Das Ergebniss ist als ein überaus günstiges zu bezeichnen.

Bei dem Mitte dieses Monates veranstalteten **Preiswettfliegen von Brieftauben** zwischen Charlottenburg und Köln haben, wie man uns berichtet, einige Tauben der Charlottenburger Brieftaubenvereine „Pfeil" und „Moltke" den 476 Km. langen Weg bei sehr ungünstigem Wetter in 5¾ Stunden zurückgelegt, es ergibt dies also eine Schnelligkeit von rund 83 Km. in der Stunde, 1390 Meter in der Minute. Wie bedeutend diese Leistung ist, zeigt sich aus folgender Mittheilung im „Militärwochenbl.": Versuche, welche in letzter Zeit in Italien in Bezug auf die Schnelligkeit des Taubenfluges angestellt worden sind, haben eine mittlere Geschwindigkeit von 46 Km. in der Stunde ergeben. „Le Progrès militaire" führt einige Beispiele an, welche zeigen, dass diese Geschwindigkeit nicht selten weit übertroffen wird. So kam von 619 Tauben, welche am 30. Juli 1889 Morgens 4 Uhr 30 Minuten in Brüssel auf flogen, die erste am folgenden Tage um 3 Uhr 16 Minuten Nachmittags an ihrem Bestimmungsorte Calvi auf Corsica an. Die Entfernung beträgt in der Luftlinie 900 Km., von denen 150 Km. auf den Flug über das Mittelländische Meer kommen. Die Taube hatte also durchschnittlich 555 Meter in der Minute, 9 Meter in der Secunde zurückgelegt. Bei kürzeren Reisen, welche etwa 5 bis 10 Stunden in Anspruch nahmen, sind geringere Flugzeiten als die in Italien ermittelten, häufig. So durchflogen bei einem am 24. Juni 1888 zu Périgieux angestellten Versuche die zehn zuerst angekommenen Tauben eine Entfernung von 430 Km. in 6 Stunden 37 Minuten, also 1100 Meter in der Minute, und am 30. September desselben Jahres gebrauchte bei stürmischem Wetter eine Taube, um 220 Km. zu überfliegen, 2 Stunden, 54½ Minuten. Dieselbe hatte mithin eine Schnelligkeit von 1200 Meter in der Minute, oder von 20 Meter in der Secunde gezeigt." Hierrach hätten die deutschen Tauben an Geschwindigkeit die schnellsten französischen noch um 180 Meter in der Minute übertroffen.

Ausstellungen.

Geflügel-Ausstellung und Congress in St. Petersburg. Die russische Gesellschaft für Geflügelzucht, welche sich durch ihre Rührigkeit auszeichnet, eröffnete am 3. April d. J. ihre vierte Ausstellung von Rassengeflügel und zugleich einen Bazar für verkäufliches Hausgeflügel. Die Ausstellung war recht gut beschickt und dieses Mal war das Wassergeflügel besonders zahlreich und gut vertreten. Die übrigen Theile der Ausstellung machten auch einen guten Eindruck, doch wollen wir heute auf die Einzelheiten nicht eingehen. Die Abtheilungen für Ziervögel und Tauben enthielten viele und gute Exemplare.

Mit der Ausstellung war ein Congress von Geflügelzüchtern verbunden, der Sonntag den 3. April d. J. zusammentrat. Die Eröffnung fand Abends um 8 Uhr im Saale der Stadtduma statt. Das Programm dieses Congresses umfasste nachstehende Verhandlungsgegenstände:

Am 3. April: 1) Die moderne russische Geflügelzucht und die wirthschaftliche Bedeutung derselben für die Land- und Hauswirthschaft; 2) die Bedingungen zur Verbesserung der Rassen unseres Hausgeflügels; 3) Wahl der Rassen für Kreuzungen in verschiedenen Gegenden des Reiches. Constanz und Fruchtbarkeit der Kreuzungsproducte. Referenten: Herr P. N Pelagin: „Rolle der Geflügelzucht unter den anderen Zweigen der Landwirthschaft", Frau S. N. Iwanow: „Resultate der im Jahre 1891 gemachten Beobachtungen über das ordinäre (unveredelte) Landhuhn.

Am 4. April: 4) Pflege und Wartung des Hausgeflügels; 5) Krankheiten des Hausgeflügels und deren Behandlung; 6) Bedingungen des Transports des Geflügels, Mängel und Mittel zur Abhilfe; 7) Verschiedene praktische Verfahren zum Verpacken der zur Zucht bestimmten Eier. Referenten: a) Herr G. Psalty: Ueber die thierische Nahrung der Vögel; b) Herr Wladimirow: Die abnormen Formen der Hühnereier und deren Ursachen; c) Herr P. Kwassjuk: Ueber die künstliche Kückenzucht.

Am 5. April: 8) Die Mittel, um die übrigen Producte der Geflügelzucht, ausser den Eiern, zu verwerthen und zu utilisiren; 9) Mittel und Wege, um den Handel mit Geflügel und mit den Producten der Geflügelzucht zu heben und zu regeln; 10) Acclimatisation und Zähmung von Vögeln; 11) Methoden des Fütterns und des Unterhaltes des Hausgeflügels. Referenten: a) A. A. Alexandrowa: Ueber die Gründung einer besonderen Section für Kanarienvögelzucht; b) G. J. Weinberg: Der Handel mit Eiern in Paris.

Am 6. April: 12) Unterhalt und Pflege der Ziervögel 13) Der Taubensport und seine Bedeutung. Referenten: a) A. A. Nekljudow: Ueber die Nothwendigkeit der Dressur von Brieftauben; b) A. A. Alferow: Die Wasser-Tümmler. 14) Feststellung des Nutzens und des Schadens der Vögel, Mittel zum Schutze der nützlichen und zur Vernichtung der schädlichen Vögel; Referenten: a) J. A. Kalinski: Materialien zur Vorausbestimmung des Geschlechtes der Nachzucht; b) A. Tcheljukani: Die Geflügelhäuser des türkischen Sultans.

Der Congress hat sich, wie man sieht, ein reiches und vielseitiges Programm gestellt und wenn in den verschiedenen aufgeworfenen Fragen tüchtige einschlägige Referate zu Tage gebracht werden, so wird der Congress wohl mit Stolz auf seine Thätigkeit zurücksehen können.

V. allgemeine Geflügel-, Vogel- und Kanninchen-Ausstellung

veranstaltet vom I. Wr. Vororte-Geflügelzuchtverein in Rudolfsheim (XIV. Bez., Wien).

Der heuer gewählte Ausstellungsplatz, der Dreherpark in Meidling mit seinem halbkreisförmigen, innenseitig offenen Arcadenbau, würde für eine Sommerausstellung sehr geeignet sein — die hübsch arrangirte Ausstellung in den Ostertagen litt aber leider zu sehr unter der Ungunst der Witterung.

Nach einem herrlichen Vorfrühling trat mit dem Eröffnungstage schlechtes Wetter ein das zum grossen Leidwesen des Comités — der Aussteller, und gewiss nicht weniger der ausgestellten Thiere — bis zum Schlusse der Ausstellung anhielt.

Trotz des wahrhaft elenden Wetters war die Ausstellung von über 6000 zahlenden Personen besucht und soll der Verkauf circa 1000 fl. ergeben haben.

Die Grossgeflügelabtheilung wies unter 138 Stämmen Hühner, 6 Paaren Enten, einigen Gänsen und Truten etc. sehr bemerkenswerthe Thiere auf, und was besonders hervorzuheben ist, auch in Racen, die sonst in Oesterreich seltener gezeigt werden, wie: Minorca, Andalusier, Lafléche, Crève coeur und Andere.

Die Houdan-Classe war mustergiltig beschickt.

Weit hervorragender als die Hühnerabtheilung präsentirten sich die Tauben.

Selten dürften auf einer Wiener Ausstellung z. B. die Kröpfer (Brünner allein 80 Paare) in so grosser Zahl und so feiner Qualität gezeigt werden wie hier. — Ebenso vorzüglich vertreten waren die grossen Nutzracen: Florentiner, Strasser Maltaser, Hühnerschecken und Römer.

Prächtig ausgestellt erschienen die Tümmler; besonders schön die dunkelgestorchten (Paradiser), Einfärbige und Almond Partsch), die Geganselten (Reuther). — Sehr schön: Pfautauben (Baron Villa Secca, E. Sinner), Perücken, Mövchen etc.

Die Vogelabtheilung wies ausser der grossen Collection der Händler Häusler & Comp, die sehr schöne und zum Theile auch seltenere Exemplare enthielt, wohl nur wenige — meist inländische Gesangsvögel auf, bildete aber immerhin einen sehenswerthen, und — sie war in einem geschlossenem und geheitzten Saale untergebracht — sehr gerne besuchten Theil der Gesammt Ausstellung.

In demselben Raume waren auch einige gestopfte Vögel, Bücher und Zeitschriften, Futterproben und einschlägige gewerbliche Erzeugnisse untergebracht.

Wir kommen auf die Grossgeflügel-, wie auch auf die Taubenabtheilung in nächster Nummer noch ausführlich zurück.

Verlag des Vereines. — Für die Redaction verantwortlich: **Rudolf Ed. Bondi.**
Druck von Johann L. Bondi & Sohn, Wien, VII., Stiftgasse 3.

XVI. JAHRGANG. Nr. 9.

Blätter für Vogelkunde, Vogelschutz, Geflügelzucht und Brieftaubenwesen.

Organ des I. österr.-ung. Geflügelzuchtvereines in Wien und des I. Wr. Vororte-Geflügelzuchtvereines in Rudolfsheim.

Redigirt von C. **PALLISCH** unter Mitwirkung von Hofrath Professor **Dr. C. CLAUS.**

16. Mai. — 1892.

„DIE SCHWALBE“ erscheint **Mitte** und **Ende** eines **jeden Monates**. — Im Buchhandel beträgt das Abonnement 6 fl. resp. 12 Mark. Einzelne Nummern 30 kr. resp. 50 Pf.

Inserate per 1 □ Centimeter 3 kr., resp. 6 Pf.

Mittheilungen an das **Präsidium** sind an Herrn **A. Bachofen v. Echt** in Nussdorf bei Wien; die **Jahresbeiträge** der Mitglieder (5 fl., resp. 10 Mark) an Herrn **Dr. Karl Zimmermann** in Wien, I., Bauernmarkt 11;

Mittheilungen an das **Secretariat** in Administrations-Angelegenheiten, sowie die für die **Bibliothek** und **Sammlungen** bestimmten Sendungen an Herrn **Fritz Zeller**, Wien, II., Untere Donaustrasse 13, zu adressiren.

Alle redactionellen Briefe, Sendungen etc. an Herrn **Ingenieur C. Pallisch in Erlach** bei Wr. Neustadt zu richten.

Vereinsmitglieder beziehen das Blatt gratis.

Die

XVI. Generalversammlung

des

ornithologischen Vereines in Wien

findet

Montag, den 23. Mai 1892

um **7 Uhr Abends** im

grünen Saale der k.k. Akademie der Wissenschaften

I., Universitätsplatz 3

statt.

TAGESORDNUNG:

1. **Begrüssung der Versammlung durch den Präsidenten.**
2. **Rechenschaftsbericht über das abgelaufene Vereinsjahr.**
3. **Cassabericht über die Gebarung im Jahre 1891.**
4. **Wahl zweier Rechnungsrevisoren**
5. **Wahl eines Herrn zum Ehrenmitgliede.**

Auf ornithologischen Streifzügen.

Von **Paul Leverkühn.**

Wenn ein Waidmann vor dem HERRN seine Abenteuer mit allen Einzelheiten erzählt, ob mündlich oder für einen weiteren Hörerkreis in einer Zeitschrift, so lauscht Jeder, welcher Sinn für Naturleben hegt, mit gespanntem Ohre und nimmt es dem Jünger Huberti nicht übel, wenn er die kleinen Erlebnisse selbst mit epischer Breite ausmalt. Von Forschungsreisenden ist man dergleichen schon weniger gewohnt, vollends aber nicht von einer Categorie von Leuten, welche gewöhnlich wie der Dieb in der Nacht Haus und Herd verlassen, um diesem oder jenem Vogel nachzuspüren, dort jenen Horst seines köstlichen Inhaltes zu berauben, hier eine seltene Art zu erbeuten, sei es auch mit Stockflinte, Leimruthe oder Zwille, einer Categorie von Menschen, welche ebenfalls aus Liebe zur

Natur in's Freie eilen, gewöhnlich ohne die legale Berechtigung, welche dem Grünrock schon das Tragen seiner Flinte verleiht. Aber gerade darum ereignet sich auch auf solchen „ornithologischen Streifzügen“ weit mehr des Interessanten, als derjenige glaubt, dem Interesse dafür fehlt, oder der nie daran theilgenommen. Ich möchte bezweifeln, dass ein Field-Ornithologist, oder sprechen wir deutsch: ein Nestflüchter auch nur e i n e Tour in seinem Leben unternommen hat, von dem ihm nicht diese oder jene interessante Erinnerung geblieben sei. Gerade so aber, wie der Jäger von seinen Pürschgängen, sowie der Arzt von interessanten Fällen ein gutes Recht hat zu erzählen, darf der Ornithologe und Derjenige, welcher hofft, jenen Namen einst führen zu dürfen, berichten von den mancherlei Gefahren, die ihn bedrohen, von den verschiedensten Mitteln und Wegen, welche ihm oft zur Erfüllung seiner Wünsche dienen müssen. Und so wage ich es, ermuthigt durch den Beifall, den die detaillirte Beschreibung*) einer von mir unternommenen Gotthardbesteigung im Schnee zum Zwecke der Beobachtung seltener Alpenvögel gefunden hat, und längst zur Mittheilung des Folgenden von ornithologischen Freunden aufgefordert, den freundlichen Leser zu bitten, mir ein Weilchen zu folgen: auf ornithologischen Streifzügen!

I.

Beginnen wir mit einem Frühlingsausfluge in hannoverschen Landen! Mitte April, zu einer Zeit, wo ausser dem melancholischen Waldkauz (Syrnium aluco), der Heidelerche (Alauda arborea) und dem Fischreiher (Ardea cinerea) bei uns eigentlich noch kein Vogel Eier im Neste liegen hat, schlenderte ich von R—hausen, nahe einem kleinen Gebirgszuge, aus, um dieses Mal in Begleitung eines Forstbeamten ein paar Bussardhorste (Buteo vulgaris) zu visitiren. Zu einer solchen Excursion gehört eine ganz eigene Art Ausrüstung, welche wiederum nichts für den Passanten Auffälliges haben darf. Darum steckt Alles in einer enormen braunen Botanisirkapsel, welche an einem kräftigen, anderthalb Meter langen Lederriemen auf der einen Schulter hängt. Oeffnen wir das Buchstabenschloss, welches jeden unberechtigten Neugierigen lange Zeit beschäftigen würde, so sehen wir zunächst in gesondertem Futteral ein zweiäugiges, scharfes Perspectiv, welches, wenn die Trommel anderweitig gefüllt, an einem eigenen Riemen getragen werden kann. Daneben liegt ein trefflicher Trinkbecher aus Gummi, mit Leinen überzogen, der Art, wie ihn die englische Armee in Indien führt. Mehrere Blechschachteln, flach, mit abgerundeten Ecken, inwendig raffinirt eingerichtet, zur Aufnahme kleiner Eier, mit Baumwolle ausgekleidet und von Eisendrähten durchquert, etliche kleinere Apothekerschachteln, hochcylinderförmig (flache, runde sind ganz unbrauchbar!), und eine grössere, welche sieben jüngere Brüder in sich birgt, sorgen dafür, dass die eventuelle Beute ja heil nach Hause kommt. Zwei Kletterssporen (System Pralle, mit Verbesserung Leverkühn. D. R. P. Vom 31. December cal. graec.) aus gutem, festem Eisen, mit je zwei dauerhaften Fussriemen, bilden einen der wichtigsten Punkte der Ausrüstung. Ueber ihnen liegen fortlaufend gedrehte Messingdrähte, an ihrem Ende in reizende en miniature-Schmetterlingsnetze auslaufend; es sind Catcher von verschiedener Grösse, um sowohl dem Kauz, wie der Schwanzmeise ihr Köstlichstes sorgfältig zu entführen. Festes Papier, viel Hede und Baumwolle bilden den Schluss der oologischen Abtheilung. Bei Touren an der See und bei Gelegenheiten, wo es sich vermuthlich um Identification schwieriger Arten in nicht allzugrosser Nähe handeln wird, thront ein einäugiges Bardou'sches ausgezeichnetes, grosses Fernrohr, das sich durch Einschieben auf ein Minimum reduciren lässt, in eigenem Futteral in der grossbauchigen Botanisirbüchse. Doch genug von den Präliminarien!

Wir gehen in einem hohen Buchenwalde; spärlicher Vogelgesang trifft unser Ohr. Die Meisen (Parus major, coeruleus) lärmen am relativ lautesten, der Kleiber (Sitta caesia) lässt recht vernehmlich seine wechselnde Stimme erschallen, von allen Zweigen tönt das „Pink“ des Buchfinken (Fring. coelebs.), da schreit auf einmal die Waldkatze ihr Hii—äh, Hii—äh, der Bussard, den wir gesucht. Er hat bei seinem Horste zu thun, einem grossen, stammständigen Bau auf einer mächtigen Buche. Trotzdem dies der dritte schwere Horst an jenem Morgen war, den ich erstieg, und trotzdem sehr wenig Aussicht auf Erfolg war — auch Nr. 1 und 2 enthielten nur frischgebrochene, grüne Laubzweige — beschloss ich, hinauf zu klettern. Mein begleitender Förster wollte ein paar Waldarbeiter aufsuchen und liess mich allein mit einem alten Holzknecht, der gerade aufgeklaftert hatte. Ich schnallte die Eisen an und stellte mich auf den hart am Stamme eingesetzten Jagdstuhl, um wenigstens die kleine Entfernung Kraft zu sparen. Martin schob von unten dann noch ein wenig nach. Ich konnte den Stamm so eben umklammern, nachdem ich etwa 10 Kletterschlüsse gemacht hatte. Eins, zwei — eins, zwei. Noch ging's. Aber der Athem wird kürzer. Beim vierzigsten Kletterschluss ruhe ich ein wenig aus. Noch ein paar Fuss, und der erste solide Ast winkt freundlichst. Nach einem ermuthigenden Blick nach oben und einem entmuthigenden an dem glatten Stamme hinunter nach unten, steige ich weiter. Bravo, da ist der Ast! Nun folgt ein fataler Moment! An der Stelle nämlich, wo ein Ast aus dem Stamme herausragt, wird natürlicherweise der Umfang des Baumes bedeutend dicker. Die beiden Arme können nicht mehr den Stamm sichernd umschliessen, sondern in einem Augenblicke muss die rechte Hand z. B. loslassen, über den Ast greifen und dann mit dem Körper weiterarbeiten. Dieser Augenblick ist bei starken Bäumen und dicken Aesten oft recht unangenehm! Ja, man ist häufig genöthigt, als zweite Hilfe zur Haltung des Rumpfes das Gesicht in Mitleidenschaft zu ziehen, und z. B., wenn man links den Arm gerundet um den Baum liegen hat, mit der linken Backe gegen den Stamm zu stem-

*) In: Monatsschrift des Deutschen Vereines zum Schutze der Vogelwelt, Jahrgang 13. 1888. („Ein Flug durch die Schweiz.“) pp. 242—244, 245—248, 254—263, 264—268. Ferner abgedruckt in: (Hugo's) „Jagd-Zeitung.“ Jahrgang 32. 1889. pp. 239—241. 267—270 und in: „Zeitschrift für Ornithologie.“ Jahrgang 13. 1889. pp. 135—142, 148—154, 191—171.

men, um dann rechts loszulassen und den Ast zu gewinnen.

Aber dieses Mal glückt es. Eine lange Pause folgt. Von hier bis zum Horste ist höchstens noch ein Drittel des ganzen Weges, und jetzt hat der Baum jene angenehme Dimension, welche jedem Kletterer als besonders wünschenswerth bekannt ist. Endlich wird auch dies Stück bewältigt. Am Horst aber gilt es noch einen schweren Kampf. Wir sind unter dem horsttragenden Ast. Unmittelbar am Stamme steht der Riesenbau, welcher auf einem gewöhnlichen Esstisch für vier Personen nicht Platz finden würde. Wie auf den Ast kommen? Ich muss mit der einen Hand in den Schmutz des Horstunterbaues meine Finger graben, um Halt auf dem Aste zu gewinnen! Dabei fällt natürlich Dreck, Erde, kleine Zweige, Kalk etc. mir in's Gesicht und über den Körper. So, jetzt fusst die Hand. Ein Kletterschluss, ein kühner Aufschwung und jener köstlichste ecstatische Moment des Kletterns kommt, wo das gierige Auge über den Rand des lang ersehnten Horstes schaut . . . Leer, leer . . . . nur ein paar halbtrockene Buchenblätter . . . . Ach wie unendlich oft diese Enttäuschung die Mühen verspottet! Wahrlich, jener Mann sei gesegnet, welcher uns eine Art Luftballons erfände, die man unter jedem zweifelhaften Baume füllen und steigen lassen könnte, um von ihnen aus sicher den Horstinhalt zu inspiciren. Selig auch der, welcher uns wie jene Wilden Affen zähmte, die, durch treffliche Belohnung angespornt, den steilen Baum hinaufklimmen, „hinan, hinan zum sprossenreichen Gipfel“, um oben sorgsam in das mitgegebene Futteral die Eier zu verpacken. Aber nein! Gerade die Ocularinspection gibt den Eierexcursionen den Reiz; das Ei in der fremden Sammlung, das vom Hütejungen gebrachte hat nicht mehr Interesse, als ein normales, von einem Anderen erbeutetes Gehörn.

Nach dieser längeren Betrachtung wollen wir herabklettern. Bis an den bewussten Ast geht's gut. Aber nun zeigt sich, dass ich meine Muskeln doch schon überangestrengt hatte. Drei starke Buchen, Horsthöhe 50—75 Fuss jede, das ist etwas viel! Ich merkte, dass mir nicht ganz geheuer zu Muthe war und rief mir Martin hart an den Stamm. Nun weiter! Die ersten Kletterschlüsse gehen noch zur Noth. Da fasst in der wässerig weichen Buchenrinde der Haken der Eisen nicht. Ich rutsche, und das Schlimmste, ein heftiger Krampf, biegt mir beide Arme weit vom Leibe ab. „Ich falle!“ donnerte ich dem Alten zu. Ich stürzte, er stürzte. Er heil, ich unversehrt. Der gute Alte hatte sich so an den Baum gestellt, dass er seine ganze Rückenbreite nach oben wies, den Kopf nach unten. Ich war auf seinen Rücken gefallen, er quer über eine stämmige Wurzel auf die Erde. Nach einer halben Stunde Erholung und nach einem urkräftigen Zuge Quellwasser (mit dem bewussten Becher!) ging's weiter.

Durst pflegt sich beim Klettern stets einzustellen, da man die feinen Partikelchen der Eichen- und Buchenrinde mit einathmet und überschluckt, wenn man so zärtlich das Antlitz dicht an den trockenen Stamm presst. Daher habe ich noch dieses Jahr (1886), als ich in Holstein einen Kolkrabenhorst (Corv. corax) erstieg, auf dem ersten Aste mir ganz fidel einen Cognac heraufwinden lassen, da man dann mit angefeuchteter Kehle weit besser vorwärts kommt. (Fortsetzung folgt.)

Die Raubvögel Oesterr.-Schlesiens.

Von Emil C. F. Rzehak.

(Fortsetzung.)

17. Cerchneis cenchris, Naum. Röthelfalk.

Ein sehr seltener Gast in unserem Lande ist der Röthelfalk; als ein Bewohner Südeuropas kommt er nur auf dem Zuge bei uns vor. Im Jahre 1853 wurde auf der Kammer Teschen bei Friedek ein altes ♀ erlegt, das der kürzlich verstorbene Apotheker Ad. Schwab in Mistek in Mähren, bekanntlich ein eifriger Ornithologe, für seine Sammlung erwarb. Dasselbe dürfte sich jetzt mit Schwab's Sammlung im Brünner Franzensmuseum befinden.

Ausserdem wurde — nach Mittheilungen des Herrn Oberförsters Zelisko — im Jahre 1856 und 1862 je ein Stück am Zuge erlegt. Wo diese Exemplare sich befinden, ist mir nicht bekannt.

Genannter Herr sah den Röthelfalken nur ein einziges Mal.

18. Cerchneis vespertinus, L.[15]) Rothfussfalk, Abendfalk.

Eine seltene Erscheinung in Schlesien, sonst ein Bewohner Süd-Osteuropas; in unserem Erdtheile bewohnt er hauptsächlich Ungarn, Polen, Russland, Serbien, Moldau, Wallachei; gemein ist er in den Deltawäldern der Dobrudscha.

Ein einziges Exemplar, das mir als im Lande erlegt, bekannt ist, befindet sich in der Sammlung von Zg. Dieles in Bielitz († 1876 in Wien).

Da ich selbst über das Vorkommen dieses Vogels in Schlesien aus eigener Beobachtung leider nichts aussagen kann, so lasse ich die interessanten Beobachtungen, die mir Herr Oberförster Zelisko auch über diesen Falken gütigst zukommen liess, wörtlich folgen:

„Der Rothfuss-, auch Abend- oder ungarischer Falke kommt sehr selten hier vor; es ist sehr interessant, diesen Vogel bei der Maikäferjagd zu beobachten. Ich hatte im Jahre 1882 Gelegenheit, diesen Vogel mehrere Tage hindurch zu beobachten; es war höchst interessant zuzusehen, wie er die Maikäfer im Fluge fing und verzehrte. Das Fangen ging mit den Fängen vor, wo er kreisend bald da, bald dort einen fing, dann sich wie ein „Tabak-Trafik-Adler“ in die Luft aufstellte und den gefangenen Maikäfer aus den Fänger verzehrte.

Bei Tage sah ich diesen Vogel nicht; vielleicht entging er meiner Beobachtung, obwohl der Wald, in dem er schlief, nicht über 2 Joch gross war; am Abend aber, vor Sonnenuntergang und zeitlich Früh war er stets zu sehen. Die Jagd dauerte bis es vollkommen dunkel wurde. Ob er in Schlesien je gehorstet hat, ist unbestimmt, ich glaube kaum, dass es der Fall je gewesen wäre.“

[15]) Falco rufus, Scop. 1786. Falco rufipes, Besecke 1792. Cerchneis vespertinus, Boie 1826. Erythropus vespertinus Brehm 1831.

Unterfamilie: Gypaëtinae.

19. Gypaëtus barbatus, L. Lämmergeier.

Caj. Rud. Koschatzky, Stadtcaplan in Jägerndorf († 1824), ein sehr eifriger Naturforscher, erwähnt in seinem Werke: „Ueber Schlesien und dessen Naturkunde", Erneute vaterländische Blätter für die österreichische Kaiserstadt, 1819, pag. 375, den Vultur barbatus von „Rücken des Gesenkes".

Sonst ist über das Vorkommen dieses sehr seltenen, übrigens auch in den Alpen bereits auf dem Aussterbe-Etat[13]) befindlichen Raubvogels nichts weiter bekannt geworden.

Wohl ist es möglich, dass Koschatzky den Lämmergeier damals im mährisch-schlesischen Gesenke beobachtet hat; nachdem jedoch in der ganzen schlesischen ornithologischen Literatur über das Vorkommen dieses Raubvogels in unserem Lande nirgends weiter Erwähnung gethan wird und so eifrige Ornithologen, wie Apotheker Joh. Spatzier in Jägerndorf († 1883) — ein Schüler Koschatzky's — und Prof. Alb. Heinrich vor 80, beziehungsweise 60 Jahren bemüht waren, die Vogelfauna Schlesiens zu durchforschen, diesen Geier in ihren Werken ebenfalls nicht führen, so dürfte Koschatzky's Notiz mit grosser Vorsicht aufzunehmen sein. Wahrscheinlich hat Spatzier und ebenso Heinrich das Vorkommen, resp. die Beobachtung Koschatzky's bezweifelt, denn sonst hätten sie dieselbe gewiss zur Bereicherung ihrer ornithologischen Werke aufgenommen. Jedenfalls liegt hier eine Verwechslung mit einem anderen Vogel vor.

Familie: Aquilidae. Adler.

Unterfamilie: Pandioninae. Fischadler.

20. Pandion haliaëtus, L. Fisch- oder Flussadler.

Der Fischadler horstet manchmal an der unteren Weichsel bei Schwarzwasser, in der Nähe der grossen Teiche. Ueberhaupt kommt er in der Weichselgegend viel häufiger vor, als in der Ostrawitza-, Olsa- und Oppagegend. Sonst im ganzen Lande nur als Strichvogel anzutreffen.

Auf der erzherzoglichen Kammer Teschen, werden jedes Jahr einzelne Exemplare geschossen. In den letzten fünf Jahren sind auch im Oppathale zwei Exemplare des Fischadlers, u. zw. bei Bleischwitz, nächst Jägerndorf, nahe der preussischen Grenze geschossen worden, was ich bereits im Ornithologischen Jahrbuch, Bd. II, pag. 110, 1891, mittheilte.

Unterfamilie: Buteoninae. Bussardartige.

Gruppe: A. Miloinae. Milanartige.

21. Pernis apivorus, L. Wespenbussard.

Weder in Schlesien noch in Mähren ist er ein häufiger Brutvogel[14]), obwohl sich seine Verbreitung über ganz Europa erstreckt.

[13]) Dieser seltene Raubvogel konnte noch am Schlusse des vorigen Jahrhunderts zur Schweizer Ornis gezählt werden; nach neueren Berichten des Dr. Girtanner ist er jedoch in den Schweizer Alpen als „ausgerottet" zu bezeichnen.

[14]) Aus dem südwestlichen Mähren sind mir Eier dieses Bussards zugekommen, während ich aus Schlesien bis jetzt noch keine erhalten konnte.

Im Jahre 1888 fing Herr Oberförster Zelisko bei nasskalter Witterung ein junges ♂ mit der Hand; der Vogel war ganz matt vor Hunger.

(Fortsetzung folgt.)

Eulennamen.

Ein kleiner Beitrag zur deutschen Cultur- und Sittengeschichte.

Von **Franz Branky**.

(Fortsetzung.)

Verachteter Geselle, Dieb, öffentlicher Sünder Wicht, Schuft sind nichts weniger als schmeichelhafte Beinamen. Das muss man wissen, dass auch solches im Bilde des Uhu liegt, um zu fühlen, wie trefflich Herm. Sudermann (Der Katzensteg, S. 14) den saubern Schradener Gutsbesitzer zeichnet, wenn er von ihm sagt: „seit fünf Jahren soll er zwischen den schwarzen Brandmauern hausen wie ein Uhu."

Die Kirgisen haben freilich eine bessere Meinung von diesem Vogel. Sie tragen (Nemnich II. 1378) auf der Jagd und auf Reisen gerne einen Uhuflügel bei sich, weil das, wie sie meinen, wider alle Zauberei schütze und auf der Jagd und im Handgemenge Glück bringe. Dies gründet sich auf ein Märchen, nach welchem der tapfere, unverletzbare Kämpfer (Batyr) Bai Tibet endlich von einem von ihm verachteten Ritter und Zauberer nicht nur überwunden, sondern auch in einen Uhu verwandelt wird, so dass der Ritter im Uhu noch immer sein Unglück bejammert; sein Geschrei lautet Huhu, Puhu!

Mannigfach beschäftigen sich die Fabeln Gleims mit dem Uhu. Ein armseliger Denker und ungeschickter Kunstrichter gilt als Uhu (Leonh. Lier Gleims ausgewählte Werke, S. 75). Ein andermal wird er als Philosoph bezeichnet, der alle Welt vergisst und der schwatzhaften Elster Schweigen zuruft (daselbst S. 80). Dass dem Uhu das Quaken der Frösche besser gefällt als die schönsten Lieder der Frau Nachtigall, dagegen lässt sich nicht viel einwenden, denn der Geschmack ist eben sehr verschieden (daselbst S. 98).

Der Uhu soll auch ein guter Wetterprophet sein. Heult er ungewöhnlich stark, so kündigt er Regen an (Hellwigs 100jähriger Hauskalender auf das Jahr 1807, S. 58). In Mähren sagt man; wenn der Uhu vom Gehölze mehr landeinwärts sich entfernt, tritt heiteres Wetter ein; verlässt er die Wälder, wenn bereits schönes Wetter eingetreten ist, so bleibt es lange Zeit schön; lässt er aber zu später Abendzeit, besonders im Sommer tief im Forst sein hohles Geschrei ertönen, dann tritt sicher bald Regenwetter ein (Znaimer Lehrerbote, Jhrg. 1875, S. 136).

Etwa dreissig Namensformen hat Nemnich für diesen Vogel zusammengestellt, von denen sprachlichbedeutsam Puhi (und Puhuy), Urhu und Gauf sind. Berghuhn, wie auch für Uhu gesagt wird (Krünitzens Encyclp., Stichwort Huhn), soll aus Huhu verderbt sein, was sehr wahrscheinlich ist; denn nach dem DW. bedeutet ja auch der Name Berghuhn tetrao rufus.

In der neuen Welt, in Amerika, heisst eine grosse Eule Kokokoho (K. Knortz, Märch. u. Sag., S. 197).

Der kleine Uhu (otus vulgaris) hat auch eine Menge Beinamen. Zum Unterschiede vom grossen Uhu nennt man ihn die gemeine, die mittlere, die kleine Ohreule, den Ohrkauz, die Horneule, die Hörnereule (DW. IV² 1823), den kleinen Schuhu, den Waldauf, die Waldohreule. Bei Richard Müller (Die Kennzeichen der Vögel, S. 29) begegnen die Namen: Fuchs-, Knapp- und kleine Horneule, bei Klein a. a. O. kleiner Schubut, rothgelber Schubut, bei Freiherrn von Washington a. a. O. Stockeile (Eilkoder), kleiner Buhu, kleiner Auf, bei Nemnich Katzen-, Uhr- und Eselseule. Huuk-huuk-hoho tönt ungefähr seine Stimme. In Tirol heisst dieser Vogel die „Habergeis“ (Alpenburg, Mythen, 385); man schildert diese als ein Wesen, welches halb Vogel und halb Geis ist: es ist nicht rathsam, ihr Geschrei nochzuahmen, denn das straft sie (Vergl. Zeitsch. f. d. d. Mythol. I. 236). „Um Nüziders sagt man die Habergaess sei ein Vogel mit gelbem Gefieder und der Stimme einer Geiss; derselbe werde beim Beginne der Maienzeit nur den Blicken bevorzugter Sterblicher sichtbar, und seine meckernde Stimme sei ebensogut ein Frühlingsbote, als der Ruf des Kukuks. Die mehr prosaischen Leute daselbst glauben nicht an den gelb gefiederten, Frühling kündenden Wundervogel und sagen, die Habergaess sei nichts mehr als eine ganz gewöhnliche und gemeine Nachteule (Vonbuns Sag. Vorarlbergs, S. 187). Unter Habergeiss stellt man sich überhaupt Teufelsvögel, ja wohl den Teufel selbst vor.

(Fortsetzung folgt)

Das Grossgeflügel auf der XVII. internationalen Geflügel - Ausstellung in Wien.

(Fortsetzung.)

Classe 21. Deutsche Landhühner war wohl noch nie in Wien so reich beschickt wie heuer durch die Collection des Herrn B. Bachofen v. Echt in Jülich. Wir sahen Lakenfelder, bergische Kücher, bergische Schlotterkämme, Krüper (Dachshühner), Todleyer, Ramelsloher, Thüringer, Bausbäckchen, Elsässer und Schaumburg Lippe'sche Landhühner in durchwegs correcten Exemplaren. Der ebenso lehrreichen, als seltenen Collection*) wurde die Silberne Staatsmedaille zuerkannt.

Die Classen für österreichische, böhmische und ungarische Landhühner, sowie für Siebenbürger Nackthälse blieben unbesetzt — was sich übrigens ziemlich regelmässig alle Jahre wiederholt; es wäre zeitgemäss, diese Classen, die man seinerzeit der Nutzgeflügelzüchter zuliebe creirte, wieder zu streichen.

Es wäre genug eine Classe für „österreichische Landhühner“ beizubehalten, das Vacat wäre dann doch nur einmal zu drucken!

Classe 26 enthielt zwei sehr schöne Stämme Hamburger Silbersprenkel, wovon der von J. G. Bambach aus Gottmannsgrün den I., der des Geflügelhofes Slaventzitz den II. Classenpreis erhielt. Classe 27, Hamburger Lackhühner, war sehr gut besetzt. Es ragten vor Allen ein prächtiger „Silberlack“, sowie ein schwarzer Stamm des Herrn Bachofen v. Echt in Jülich hervor, auf beide Stämme wurde der I. Classenpreis (collect.) verliehen. Ein III. Preis entfiel auf die sehr schönen Thiere der Frau Ida Fiedler, Mödling; dieser Stamm, dessen Hennen tadellos sind, hätte eine höhere Auszeichnung erhalten, wären die Sichelfedern des Hahnes rein weiss, doch waren diese stark schilfig.

Herr Mittermeyer, Wien, erhielt noch einen III. Classenpreis auf Schwarzlack, Herr Bergmann, Ebersbach eine Anerkennung auf Goldlack.

Classe 28, Malayen, erschien wie immer in Wien quantitativ schwach besetzt. — Der Geflügelhof „Erlach-Linsberg“ hatte je einen Prachtstamm, braune und weisse, aus der bekannten Zucht des Herrn Gironcoli aus Görz stammend, zur Schau gestellt und erhielt darauf den wohlverdienten I. und II. Preis.

In der Kämpfer-Classe hatten wir zwei Hennen, „braune mit Goldbehang“ zu bewundern Gelegenheit, die von Mr. Cavood aus Enzersfeld exponirt waren, — ausserordentlich typische Thiere, die trotz des Fehlens des Hahnes mit einer Anerkennung bedacht wurden.

Zwei Stämme „Indische Kämpfer“ trugen wesentlich zur Verunzierung der Ausstellung bei, solche Thiere sollten von der Annahme-Commission zurückgewiesen werden.

Yokohama fehlten, Phönix waren nur in einem vom fürstlich Hohenlohe'schen Geflügelhof Slaventitz eingesandten recht hübschen Stamm Goldhalsiger vertreten.

Unter „Diversen“ stand ein Paar japanesischer Seidenhühner des Geflügelhofes „Erlach-Linsberg“ (II. Classenpreis), sowie ein Stamm „Weissenbacher“ der Frau Baronin Jordis (III. Preis).

Unter Kreuzungen ist ein Paar Brahma × Crève Coeur zu nennen, das von Herrn Dr. Otto Finsch in Delmenhorst bei Bremen exponirt wurde, diese Thiere sind kein Zufallsproduct, sondern mit grossem Fleiss und Ausdauer auf Grundlage eingehendster Vergleiche und Wägungen des Fleisch- und Eier-Ertrages als wirkliches Nutzhuhn herangezüchtet. Das Paar wurde mit der silbernen Vereins-Medaille ausgezeichnet. Auch eine Collection Eier dieser Kreuzung waren eingesandt und erhielten in der Bruteier-Concurrenz als die Grössten und Schwersten den I. Preis.

Auch noch andere Kreuzungen waren ausgestellt, doch haben solche Expositionen ohne jedwede nähere Angaben über Nutzwerth etc. selbstredend gar keinen Werth.

Classe 34, Bantams, war qualitativ nicht besonders beschickt; die Preisrichter fanden sich nicht

*) Wir kommen in einer nächsten Nummer ausführlich auf die einzelnen Schläge zurück.

veranlasst auch nur einen Stamm mit erster Rangclasse zu bezeichnen.

Einen zweiten Classenpreis erhielten die schwarzen Bantams des Geflügelhofes „Erlach-Linsberg“, während eine bronzene Vereins-Medaille den schwarzen Bantams der Frau Ida Fiedler in Mödling und eine ebensolche den Gold- und Silber-Bantams des Geflügelhofes Slaventzitz zuerkannt wurde. Besser beschickt war die letzte Hühnerclasse, die der Zwergkämpfer! Der Geflügelhof „Erlach-Linsberg“ stellte eine Collection hochfeiner, äusserst schnittiger Zwergkämpfer in den drei Hauptfarben: goldhalsig, silberhalsig und scheckig aus, die sämmtlich mit ersten Rang und als Collection mit I. Classenpreis ausgezeichnet wurden. Ihnen ebenbürtig war ein Stämmchen weisse, des Herrn Wichmann in Oed, Niederösterreich, die die silberne Vereins-Medaille erhielten.

Sehr hübsche goldhalsige Zwergkämpfer sandte noch Herr Rom. Svoboda in Pecek und Herr M. Lindmayer in Kagran, denen beiden eine Anerkennung ausgesprochen wurde.

Das Wassergeflügel erschien minder zahlreich als sonst, doch — wenigstens in den in Oesterreich überhaupt allein beliebten Rassen Peking und Rouen in vorzüglichster Qualität.

In Pekingenten trug der Geflügelhof „Erlach-Linsberg“ auf zwei eingesandte Stämme die silberne Staats-Medaille heim; die Thiere sind von ausserordentlicher Grösse und sehr guter Figur. Die ausser Preisbewerbung gestandenen Enten des Herrn A. Schönpflug sind sehr schön aber zu schmächtig, weil der Aussteller auf die „Pinguin-Stellung“ zu viel Werth legt und die weit wichtigeren übrigen Standartpunkte dieser unterordnet. II. Classenpreis erhielten die ebenfalls schönen Enten des Geflügelhof Slaventzitz.

In Rouenenten, siegte Frau Fery Shaniel in Katzelsdorf leicht über den ebenfalls sehr feinen Stamm von Herrn Herbrecht Aplerbeck (Westphalen) und F. Bieberhofer, Wien und wurden die drei Classenpreise in der angeführten Reihenfolge verliehen.

Hübsch waren auch die Rouen des Geflügelhofes Slaventzitz, die mit II. Rangclasse bezeichnet erschienen.

Die Smaragd-Enten des ebengenannten Geflügelhofes, sowie des Herrn A. F. Beyer, Linz, erhielten Anerkennung.

Emdener Gänse waren durch ein vorzügliches Paar des Geflügelhofes „Erlach-Linsberg“, dem die silberne Staats-Medaille zuerkannt wurde, vertreten, während die übrigen erschienenen Gänse irgend einen Preis ebensowenig verdient hätten, wie den ihnen gegebenen — Namen.

Toulonser Gänse waren in zwei sehr guten Stämmen vertreten; die importirten der Frau Fery Shaniel erhielten die silberne Staats-Medaille, die jungen, selbstgezüchteten des Geflügelhofes Slaventzitz den II. Classenpreis.

An Truthühner war nur der weisse Stamm des Geflügelhofes „Erlach-Linsberg“ (Australier) von Bedeutung, sie erhielten den I. Classenpreis. Die mit II. Classenpreis prämiirten weissen Truten standen den erstgenannten sehr viel nach.

Ein prachtvoller Stamm wilde amerikanische Bronzetruthühner der Forst-Verwaltung Sr. königl. Hoheit des Herzogs Robert von Parma, in einer Abtheilung der grossen Volière im Hauptsaale untergebracht, erregte allgemeinste Bewunderung der Besucher. Es waren völlig ausgefärbte, dreijährige, eben der Freiheit entnommene Thiere, die sich in der in den Mittagsstunden von der Sonne hell beschienenen Volière herrlich präsentirten. — Prämiirt wurden sie (da sie eigentlich der ornithologischen Abtheilung angehörten) mit der grossen silbernen Medaille des „ornithologischen Vereines in Wien“.

Neben obigen Truten, die zweite Abtheilung der schönen Volière bewohnend, war ein prachtvolles Paar weisser Pfauen, sowie ein Paar weisser Perlhühner, beide dem Geflügelhofe „Erlach-Linsberg“ gehörig, untergebracht (I. und II. Classenpreis).

Blaue Pfauen waren in einer rechts vom Haupt-Eingange aufgestellten Volière, von Frl. Münz in Baden und Fr. Math. Schieder in Wien ausgestellt.

Das Ehren-Diplom, als höchste vom Vereine vergebende Auszeichnung wurde dem Geflügelhofe „Erlach-Linsberg“ zuerkannt. Derselbe hatte für 26 ausgestellte Stämme (17 erste und 9 zweite, also programmgemäss zusammengezogen) 21 Rangclassen erworben.

Die nächstmeisten Rangclassen (8) waren dem fürstlich Hohenlohe'schen Geflügelhof Slaventzitz zuerkannt, der die silberne Vereins-Medaille empfing.

Für die nächstmeisten Rangclassen (7) erhielt endlich Frau Fery Shaniel die bronzene Vereins-Medaille. Ph.

Bericht über die Tauben-Abtheilung der in den Tagen vom 16. bis 21. April 1892 abgehaltenen Ausstellung des Wiener Vororte-Geflügelzuchtvereines.

Man kann sich wohl keinen schöneren Platz denken als ihn obgenannte Ausstellung hatte; Zahl und Qualität der Thiere war vorzüglich, das ganze Arrangement der Ausstellung ein lobenswerthes, — das Wetter hingegen das denkbar schlechteste.

An der Hand der Prämiirungsliste folgt nachstehend eine kurze Skizze der Tauben-Abtheilung:

Tümmler waren zahlreich und schön ausgestellt und errang sowohl in den „dunkel-“, als „roth-“, bezw. „gelbgestorchten“ der bekannte Züchter dieser Rassen Herr Rud. Paradieser die ersten Preise.

Die schönsten Gelbschecken brachte Herr Reiter, Wien, die schönsten Rothschecken Herr Kurz, Wien.

Sowohl erwähnte Gestorchte, als Schecken waren fast tadellose Exemplare. In den „einfärbigen Schwarzen, bezw. Weissen“ errang sowohl den I. als II. und III. Preis der Matador in dieser Varietät, Herr Otto Reuther, für seine „vom Kopf und Schnabel“ hochvollendeten, allen Tümmlerzüchtern wohlbekannten Thiere. Höher gehts nimmer, hörte ich einen Tümmlerkenner treffend über diese Thiere sagen. In den einfärbig gelben, bezw. rothen, erhielt Herr Partsch für seine niedlichen gelben den I.,

Herr Reuther für seine rothen den II. und Herr Casper für seine gelben den III. Preis. In der Classe „schwarz-, bezw. blaugeganselte“, erhielt Herr O. Reuther für seine in Kopf- und Schnabelform hochfeinen Thiere alle Preise, wogegen in den „gelb- und rothgeganselten“ die Herren Horvath und Partsch für ihre schönen, wenngleich nicht tadellosen Thiere die Preise einheimsten.

Letztgenannte beide Herren hatten auch die besten „Englischen“ ausgestellt und war besonders das von Herrn Partsch ausgestellte und mit I. Preis prämiirte Paar ziemlich standardrichtig. Das schönste Paar dieser Rasse war jedoch ein blos mit Diplom bedachtes des Herrn Partsch, das nur deshalb nicht den I. Preis errang, weil die Thiere durch die arge Kälte und Wind etwas gelitten hatten und sich daher ungünstig präsentirten. Kopf-, Schnabel- und Körperform könnten nicht mehr vollkommener sein. In den Mövchen sahen wir besonders schön Blondinetten und Satinetten, wogegen die deutschen, chinesischen und ägyptischen Mövchen in den Ausstellungen früherer Jahre bereits in besseren Exemplaren gezeigt wurden.

Von seltener Schönheit waren die schwarzgeschuppten Blondinetten des Herrn Fricke, Magdeburg, welche die hier noch nicht gesehene Zeichnung, wie wir sie bei den Silber-Shebrigt-Hühner finden, hatten. Die Satinetten und Bluetten des Herrn Scholz, Poisdorf und Völkl, Linz waren durchwegs hochfeiner Qualität, sowohl was Farbe, Reinheit der Zeichnung, besonders der „Spiegel“, als auch Kopf und Wamme betraf.

Die (Bluetten) Satinetten und Blondinetten gehören unstreitig zu den ästhetisch schönsten und feinsten Tauben-Gattungen und finden immer mehr Freunde und Verbreitung in der Züchterwelt. Trommler waren wie gewöhnlich schwach vertreten, ebenso waren die Nürnberger blos in einigen Paar blauen, vier Paar rothen und ein Paar schwarzen vorhanden, so dass es fast den Anschein hat, als sei diese schöne Rasse am Aussterbe-Etat.

Die Gimpeltauben waren in zwei Paar blauen mit weissen Binden und sechs Paar „kupferfärbigen“ vertreten. In dieser Rasse macht sich von Jahr zu Jahr besonders in den blauen weissbindigen ein Fortschritt bemerkbar.

In den „einfärbigen, bezw. bindigen Perücken“ dieser einst so allgemein beliebten und theuer bezahlten Rasse, waren bloss schöne gelbe vorhanden, — rothe und weisse fehlten gänzlich. Schade, dass auch diese Rasse im steten Rückgange begriffen ist.

Als erwähnenswerth kann 1 Paar schwarzer (dunkelgrauer) mit fast weissen Binden, ausgestellt von Herrn O. Reuther, bezeichnet werden. Wenn dieser Varietät auch noch manches zur Vollkommenheit fehlt, so kann doch der „Versuch“ immerhin ein gelungener genannt werden.

Qualitativ besser als die „einfärbigen“ waren die gemönchten Perücken, insbesonders 1 Paar blaugemönchte mit weissen Binden des Herrn O. Reuther, 1 Paar gelbe des Herrn Fricke, Magdeburg, 1 Paar rothgemönchte von Th. Goldstein, Wien, und 1 Paar schwarz gemönchte des Herrn Br. Villa Secca, Wien.

Die Pfautauben waren sowohl in einfärbigen, als schildigen, farbenschwänzigen und weissschwänzigen; in Prima-Thieren jedoch nur in letztgenannter Zeichnung vorhanden.

Lackgelb mit rein weissem Schwanz, ebenso gezeichnete lackirte und schwarze, alle federreich, am ganzen Körper egal tief in Farbe, mit schöner Figur und breiten Rändern. Die Pfautaube, die wohl mit Recht die ästhetisch schönste aller Tauben genannt werden kann, findet in neuerer Zeit immer mehr Verbreitung aber auch mehr Vervollkommnung.

Zu den stärksten Classen in Bezug auf Quantität gehörte die der Brünner, hatte doch Herr Dwelly allein circa 30 Paare hierin, und zwar in allen Farben und in dieser Rasse vorkommenden Zeichnungen ausgestellt. Genannter erhielt für seine Thiere sowohl die silberne Vereins-Medaille, als auch einen Collectionspreis.

Hochprima in Qualität war 1 Paar blauer m. w. B. des Herrn Mantzell, eines langjährigen Specialzüchters dieser Rasse.

Die „englischen und französischen Kröpfer“ waren — besonders Erstere — in guten Exemplaren vorhanden. Die besten jene des Herrn Seidl, Laa a/Th., Fricke, Magdeburg und Mantzell, Wien.

Amsterdamer Ballonbläser in tadellosen Exemplaren wurden von Herrn Mantzell, Wien ausgestellt.

Indianer sowohl, als Carrier waren quantitativ schwach, qualitativ hingegen sehr gut vertreten. Die schwarzen Indianer des Herrn Fricke hatten richtige Würfelköpfe, kurze dicke Schnäbel und correcte grosse Augenringe. Die Carrier Herrn Fricke's sowohl, als jene der Herren Saxl und Kirchmaier, Wien, waren sowohl in Figur, Farbe, Schnabel als Augenringen durchwegs correct.

Bagdetten, Dragon, Modeneser, Monteauban waren sehr schwach vertreten.

Strasser sandte nur Herr Seidl, Laa a Th. in guten Exemplaren.

Römer waren diesmal wieder zahlreicher und in besserer Qualität als man sie bei den letzten Ausstellungen fand. Insbesonders 1 Paar gelbe des Herrn Seidl a Th. zeichnete sich durch Grösse und richtige Kopf- und Schnabelform aus. 1 Paar gelbe des Herrn Grauer waren zwar schöner in Farbe als vorgenannte, aber etwas kleiner. Sehr gross war auch 1 Paar chocoladefarbiger des Herrn Echinger, Wien.

Florentiner in allen Farben hatte in sehr guten Exemplaren Herr Leithner, Wien — der Specialzüchter in dieser schweren Nutzrasse — gezeigt. Derselbe erhielt hiefür die silberne Staatsmedaille.

Malteser waren schon seit Langem nicht so zahlreich und schön vertreten als diesmal.

Das schönste in dieser Rasse, gross aber kurz im Körper, hoch in Figur, mit feinem eleganten Typus waren insbesondere 1 Paar blaugehämmerte des Herrn Obermüller, Thanstätten, ferner 1 Paar fahle des Herrn Maihofer, Leonding.

Wie die vorgenannte Classe zu den besten gehörte, ebenso ist es auch jene der Hühnerschecken gewesen.

Insbesonders waren diesmal die rothen in vielen und schönen Thieren vorhanden, diesen reihten sich die schwarzen an, dann folgten die blauen. Gelbe hingegen waren schwach.

Die rothen waren in Schaaren vertreten, von denen fast jedes Paar einen Preis verdiente, insbesonders jene des Herrn Lander', Enzing und Obermüller, Thanstätten. Unter den schwarzen ist als ein ideales Paar in „Adlerkopf"-Grösse und Zeichnung jenes des Herrn Obermüller zu bezeichnen. Mit denselben Atributen waren auch die blauen des letztgenannten Ausstellers ausgestattet.

Wien, XII., 28. April 1892. S.

Aus unserem Vereine.

Rechenschaftsbericht

des

Ausschusses über die Thätigkeit des ornithologischen Vereines im Jahre 1891.

Wird vorgelegt in der XVI. ordentlichen Generalversammlung.

Im Auftrage unseres Vereinsausschusses beehre mich im Nachfolgenden den Thätigkeitsbericht über das abgelaufene 15. Vereinsjahr zu erstatten.

Wenn ich mit einem Worte das verflossene Vereinsjahr charakterisiren darf, so war es ein Jahr der Sammlung unserer Kräfte, und zwar nach verschiedenen Richtungen. Wir haben in ruhiger Arbeit die letzten Jahre im Sinne unseres Programmes und der Statuten fortgearbeitet. Das bestehende Erprobte wurde zu erhalten gesucht, Neues wurde angebahnt. Der Ausschuss konnte sich der Erwägung nicht verschliessen, dass eben auf diesem Wege nicht fortgefahren werden könne, dass frischeres Leben in dem Vereine pulsiren müsse, und wie wir glauben, hat der Ausschuss in dieser Richtung seine Aufgabe erfüllt, wenngleich über die Ergebnisse dieser Thätigkeit erst der nächstjährige Bericht eingehendere Erläuterungen zu geben vermögen wird.

Wir müssen vor Allem lebhaft bedauern, dass der Tod in den Reihen unseres Ausschusses eines unserer verdienstvollsten und thätigsten Mitglieder entriss. Der Name August von Pelzeln ist mit dem ornithologischen Vereine untrennbar vereinigt. Der Verein verlor in Aug. von Pelzeln eines seiner eifrigsten Mitglieder, der Ausschuss seinen Vicepräsidenten und ersten Redacteur der Vereinszeitschrift; er betrauert in dem Geschiedenen eine Zierde der ornithologischen Wissenschaft, einen weit über die Grenzen des Vaterlandes berühmten und gefeierten Gelehrten, einen selbstlosen, edlen Mann, der unermüdlich thätig, mit innigster Liebe unsere Bestrebungen zu fördern und bekanntzumachen suchte, dessen Andenken besonders in unserem Kreise stets in liebevollster Erinnerung bleiben, dessen Namen wir mit aufrichtiger Verehrung nennen werden. Die Wissenschaft hat eine ihrer Stützen, unser Verein einen trefflichen Führer, wir alle einen Freund verloren. Die Erde sei ihm leicht! Vergessen werden wir August v. Pelzeln niemals. Einen weiteren Verlust erlitt unser Verein durch die Erklärung unseres ersten Secretärs, Landesrath Georg Spitschan, der wegen Ueberbürdung mit Berufsgeschäften seine Ehrenstelle niederlegte. Es ist unsere Pflicht, an dieser Stelle demselben für die opferwillige Führung unseren Dank auszusprechen.

Für diese Verluste musste der Ausschuss Ersatz zu schaffen suchen, und die berufenen Ersatzmänner bemühen sich, den Vorgängern nachzueifern.

Zu jenen Actionen, die für unseren Verein die wichtigste ist, gehört die Herausgabe unseres Vereinsorganes die „Schwalbe". Es ist ein ja offenkundiges Geheimniss, dass nur die Opferwilligkeit unseres verehrten Obmannes das Erscheinen dieser als Fachorgan hochgeschätzten Zeitschrift ermöglicht. Wir danken unserem Präsidenten Adolf Bachofen von Echt die Möglichkeit, dass unsere „Schwalbe" die Aufgabe erfüllt, nicht nur das Bindemittel für die weit in den Ländern der Welt verstreuten Mitglieder zu sein, dass sie aber insbesondere unseren Contact mit den verwandten und näherstehenden Vereinen, sowie mit den Kreisen der Wissenschaft, in erster Linie auf allen Gebieten der Ornithologie aufrechterhält und sich eines hochgeachteten Namens allüberall erfreut. Wir constatiren mit aufrichtigem Danke die abgegebene Erklärung unseres verehrten Präsidenten, auch im kommenden Vereinsjahre 1892 diese Opfer auf sich zu nehmen.

Die materielle Beihilfe allein würde nicht genügen, das Blatt auf der erreichten Höhe zu erhalten. Unser verehrliches Ausschussmitglied Ingenieur Pallisch wendet sein bestes Können und Wissen daran, das Blatt seiner schönen Aufgabe gemäss zu gestalten, und dass ihm diese grossen Mühen gelungen, beweist die erhöhtere Auflage unserer Vereinspublicationen, sowie das Ansehen, das sich dies Fachorgan nicht nur im Kreise der Ornithologen allein erworben hat. Unterstützt wird diese Arbeit durch die Betheiligung unseres verehrten Ausschussmitgliedes Hofrath Dr. Claus, dessen Name allein für die wissenschaftlich strenge Redigirung die beste Bürgschaft bietet. Es ist eine Pflicht der Dankbarkeit, dieser beiden Männer zu gedenken.

Allein die Arbeit bei einer Zeitschrift ist nicht bloss eine redactionelle; ein solches Unternehmen muss auch administrativ richtig geleitet sein. Ausschussmitglied Fritz Zeller, unser Obmann-Stellvertreter, unterzog sich in uneigennützigster Weise diesen zeitraubenden Arbeiten, und dies gebietet uns ihm an dieser Stelle unseren Dank auszusprechen.

Wie allgemein bekannt sein dürfte, besitzt unser Verein eine höchst werthvolle Vogel- und Eier-Sammlung. Bisher fehlte es an geeigneten Räumlichkeiten, dieselbe aufzustellen. Der Vereinsausschuss trat durch Herrn Fr. Zeller und C. Pallisch in freundschaftlichen Verkehr mit dem I. österr.-ung. Geflügelzuchtverein, welcher unseren Sammlungen in dessen Vereinshause (Prater 13) einen Saal unentgeltlich überliess, in welchem die Sammlungen aufgestellt werden konnten. Unser Ehrenmitglied, Herr Präparator Andreas Reischek widmete viele Tage der Ordnung und Aufstellung der Vogelsammlung, zu welcher nun auch ein vollständiger Catalog vorliegt.

Die Ordnung der Eiersammlung erfolgt durch den Genannten im kommenden Vereinsjahre. Uns obliegt es, sowohl dem I. öst.-ung. Geflügelzuchtvereine, resp. dessen verdienstvollen Obmanne, Ludwig Freiherr von Villa Secca, sowie Herrn Reischek unseren Dank auszusprechen.

Im Frühjahre des Jahres 1891 fand in Budapest der internationale ornithologische Congress statt. Der Ausschuss folgte bereitwilligst der Aufforderung, durch Delegirte an diesen Verhandlungen theilzunehmen, und bestimmte die Herren Fritz Zeller, C. Pallisch, Dr. Přibyl, August von Pelzeln und Sigfr. Gironcoli an diesen Verhandlungen sich zu betheiligen, und insbesondere in der Frage des internationalen Vogelschutzes den Standpunkt unseres Vereines zu wahren. Die Verhandlungen geben Zeugniss, dass die Delegirten unseres Vereines diesem Auftrage nachgekommen sind. Wenn die Ergebnisse dieses Congresses nicht den beabsichtigten Erfolg bezüglich dieser wichtigen Angelegenheit aufwiesen, so ist dies nicht Schuld unserer Delegirten.

Im Schosse des Ausschusses wurde die Nothwendigkeit hervorgehoben, durch periodische Zusammenkünfte, mindestens zweimal im Monate, einen engeren Contact mit den Mitgliedern herzustellen. Es sollte durch diese geselligen Abende ermöglicht werden, dass Freunde der Ornithologie mit unseren Mitgliedern in Contact kämen, eventuell denselben ein Ort geboten werden, wo Gesinnungsgenossen ungezwungen zusammenkämen. Als Versammlungsort jeden 1. und 3. Freitag im Monate wurde für den Winter Hauswirth's Restaurant (II., Praterstrasse 68) bestimmt. Allein diese Zusammenkünfte wurden wegen mangelnder Theilnahme bald aufgelassen. Abgesehen von den Ausschussmitgliedern betheiligten sich nur sehr selten Herren aus dem Mitgliederstande an diesen zwanglosen Zusammenkünften.

Der Vereinsausschuss sah sich genötigt, zur Bewältigung der vielfachen Schreibgeschäfte und insbesondere zur Erledigung des administrativen Theiles der Vereinszeitschrift eine ständige Hilfskraft zu bestellen. Hierdurch trat auch in der Expedition der Zeitschrift eine wünschenswerthe Pünktlichkeit ein; die vielen Reclamationen der früheren Zeit haben seither aufgehört.

Unser Verein stand wie in den früheren Jahren im regen Schriftenaustausche mit den Vereinen und Körperschaften, welche gleiche Richtung verfolgen.

Zu den regelmässigen Vereinsveranstaltungen gehören die hochinteressanten Vorträge, die bei den Zusammenkünften gehalten werden. Im abgelaufenen Vereinsjahre hörten wir die Erörterungen unserer Mitglieder: Custos Othmar Reisser aus Serajevo über dessen Reisen im Südosten Europas, den hochinteressanten Vortrag Hofrath Dr. Claus über stammgeschichtliche Ableitung der Vögel.

Wir können an dieser Stelle den Herren Vortragenden nur Namens des ornithologischen Vereines unseren wärmsten Dank aussprechen.

Im Berichtsjahre wurde vom Ausschusse der Beschluss gefasst, populäre, allgemein zugängliche Vorträge zu veranstalten, um den Sinn für Ornithologie und Vogelpflege in weiteren Kreisen zu verbreiten.

Wir müssen hinaus, in die Massen des Volkes, und durch diese Vorträge wird dann auch die Aufmerksamkeit auf unseren Verein, auf unsere Bestrebungen gelenkt werden. Wir können dem Berichte für das nächste Vereinsjahr vorgreifen und dankend constatiren, dass am 19. März 1892 in einer von Hunderten besuchten Versammlung Herr Andreas Reischek einen fesselnden Vortrag über die Vogelwelt Neuseelands hielt. Der lebhafte Applaus bewies den Dank der Versammlung. Durch diesen Erfolg ermuthigt, werden im Jahre 1892 diese Vorträge fortgesetzt, und gleichsam zu Wanderversammlungen des Vereines gestaltet werden. Wir hoffen hiemit ein neues Erblühen unseres Vereines.

Viele Arbeiten erforderte die Durchführung der vom I. österr.-ung. Geflügelzuchtvereine in Verbindung mit unserem Vereine geplante internationale Geflügel- und Vogelausstellung, die in glänzender Weise verlief; über welche wir eingehend im nächsten Berichtsjahre berichten wollen.

Wir müssen dankend der Unterstützung der Tages- und Fachpresse gedenken, welche bereitwilligst alle unsere Mittheilungen aufnahm.

Es obliegt uns ferner die Pflicht, an dieser Stelle der Akademie der Wissenschaften in Wien unseren Dank auszudrücken, da durch deren bereitwilliges Entgegenkommen für unsere Zusammenkünfte diese Localitäten, sowie jene für die Berathungen des Ausschusses unentgeltlich überlassen wurden. Wir werden in geziemender Weise diesen Dank zur Kenntniss bringen.

Es erübrigt uns noch die traurige Pflicht, derer zu gedenken, die der Tod aus unserer Mitte gerissen.

Mit tiefem Schmerze wird jedes Mitglied das Scheiden August von Pelzen's vernommen haben. Der Tod erlöste einen unserer hochgestelltesten Mitglieder, Se. Majestät Dom Pedro von Brasilien, von seinen Leiden. Wir betrauern das Scheiden unseres langjährigen Mitgliedes, des kön. preussischen Oberstabsarztes Dr. Fried. Kutter, sowie des Wiener Präparators Jos. Aug. Adam.

Ich glaube im Sinne aller Mitglieder zu sprechen, wenn ich die hohe Generalversammlung bitte, durch Erheben von den Sitzen dieser Trauer sichtbares Zeichen zu geben.

Ueber die finanzielle Gebarung werden die Herren Revisoren Bericht erstatten.

Namens des Ausschusses stelle ich den Antrag, die hohe Generalversammlung wolle diesen Thätigkeitsbericht zur genehmigenden Kenntniss nehmen und dem Ausschusse für die Geschäftsführung im abgelaufenen Vereinsjahre 1891 das Absolutorium ertheilen.

Wien, April 1892. Dr. Leo Přibyl
I. Secretär.

Albert Völkerling. †

Wieder hat die Geflügelzucht einen herben Verlust erlitten. Der unerbittliche Tod hat einen unserer Besten weggerafft; Herr Albert Völkerling ist nicht mehr. Seinem erfolgreichen Wirken wurde ein schnelles Ende; über den Sternen geniesst er den Lohn seines mühevollen, aber gesegneten Erdenwallens. War er auch für die Geflügelzucht kein Züchter, der durch Fleiss und Geschick sich einen Namen erworben, so hat er umsomehr als Redacteur der „Blätter für Geflügelzucht" sehr viel für die gute Sache gethan. Er war einer von den Wenigen, welche die Geflügelzucht nach den verschiedenen Seiten richtig aufzufassen verstand. Sein Programm bei Uebernahme der Redaction zeigte uns das in deutlichster Weise. Seinem Programm ist er treu geblieben. Was er als richtig erkannte, das hat er auch mit Entschiedenheit vertreten. Er liess dem Sport seine ganze Gerechtigkeit willfahren, aber die national öconomische Bedeutung der Geflügelzucht stand bei ihm höher. Die „Blätter für Geflügelzucht" hat er auf der Höhe gehalten; sie sind unter seiner Leitung das gern gelesene, viel begehrte nach Form und Inhalt gut redigirte Fachblatt geblieben. Von edlem Charakter, wusste er auch die Ansicht des Gegners zu achten, und suchte daher in strittigen Fällen, wie sie in letzter Zeit so schroff hervortraten, stets versöhnend einzugreifen. Alle die ihn näher kannten, werden in ihm einen edlen Menschen kennen gelernt haben und ihm ein ehrendes Andenken gerne bewahren. Auch wir rechnen es uns zur Ehre, mit ihm in freundschaftlichem Verkehre gestanden zu haben und empfinden seinen Verlust mit den lieben Seinigen auf's tiefste. Friede sei um seinen Grabstein. Sie haben einen guten Mann begraben, und uns war er mehr. Dackweiler.

Kleine Mittheilungen.

Vor Kurzem erhielt ich ein im Semmeringgebiete geschossenes einjähriges männliches Exemplar des bekannten **Eichelhähers** (garrulus glandarius). Beim Abbalgen desselben bemerkte ich inmitten der flaumigen Federn zwischen der linksseitigen Schwinge und dem Stosse eine Schwungfeder; in der Meinung, dieselbe sei nur beim Hantiren am Präparationstische zufällig dahin gelangt, wollte ich sie entfernen. Nun bemerkte ich, dass dieselbe festgewachsen sei und einer kleinen flügelartigen Bildung entspräche, die Feder steckt nämlich nebst 2 kleinen Stifteln, welche sich, nach ihrer Stärke zu schliessen, jedenfalls auch zu Schwungfedern entwickelt hätten, in einer 5 mm. tiefen, 3 mm. breiten, täschchenförmigen Hautausstülpung und befindet sich an der linken Seite 4·5 cm. vom unteren Flügelansatze, 1·7 cm. vom Bügel. Die entwickelte Feder ist 8·8 cm. lang, davon entfallen auf die Spule (calamus) 0·9 cm., auf den Schaft (rhachis) 2·9 cm. Die mittleren Strahlen (rami) der Aussenfahne haben eine Länge von 10, die der Innenfahne von 4 mm. Rami, radii und hamuli zeigen genau die Ausbildung der Schwungfedern. Die beiden noch unentwickelten Federn sind 9, resp. 7 mm. lang. Skelett und übriges Federkleid zeigen keinerlei Unregelmässigkeit. Anton Abraham jun., Wien.

Brieftauben-Wettflug. Am Oster-Montag fand der Brieftauben-Wettflug der in der neu errichteten Brieftaubenstation im Dreherpark in Meidling von der Brieftaubensection des „Ersten Wiener Vororte-Geflügelzucht-Verein im XIV. Bezirk internirten jungen Brieftauben statt. Die Ankunft der jungen Flieger, die bei nicht besonders günstigem Wetter vom ehemaligen Obmanne der Brieftauben-Section, Landesthierarzt Herrn Josef Dexler in Tulln um halb 11 Uhr Vormittags in Freiheit gesetzt werden mussten, war besonders spannend, da die erste Taube, die anlangte, und Eigenthum des Herrn August Dorn in Rudolfsheim war, nicht gewilligt war, gleich in den Schlag zu gehen. Dajedoch die Wettbestimmung des „Wiener Vororte-Geflügelzucht-Vereines" lauten: Dass nur diejenige Brieftaube, welche als Erste, Zweite u. s. w. den Schlag passirt, Anspruch auf Preiszuerkennung hat, musste die als Erste angekommene Taube des Herrn Dorn, welche als Dritte den Schlag passirte, sich mit diesem Platze begnügen, es ist dies ein Fall, der sich sehr häufig bei Wettflügen von jungen Brieftauben ereignet. Folgenden Herren wurden Preise zuerkannt u. zw.:

			Eigenthümer		
I. Preis	Brieftaube Nr.	99.	Herr Josef Leithner,	XV.	Bezirk.
II.	„	„ 54.	„ Emil Goldstein,	XV.	„
III.	„	„ 28.	„ August Dorn,	XIV.	„
IV.	„	„ 59.	„ F. Katerschafka,	XIII.	„
V.	„	„ 91.	„ Franz Smitter,	XIII.	„
VI.	„	„ 2.	„ Alois Brusatti,	XIV.	„
VII.	„	„ 82.	„ C. B. Schick,	XIV.	„
VIII.	„	„ 86.	„ Josef Bruner,	XIV.	„

Zahlreiche Zuschauer wohnten diesem Wettfluge mit regem Interesse bei. Emil Goldstein.

Die Ausstellung des „I. steiermärk. Geflügelzucht-Vereines in Graz", die in den Tagen vom 6.—11. Mai stattfinden sollte, und über deren Programm etc. wir in Nr. 5 der „Schwalbe" auf Grundlage directer Mittheilungen des Directoriums wir berichteten, wurde — nicht abgehalten. Eine diesbezügliche Mittheilung an die Fachblätter oder direct Anfragenden wurde sonderbarer Weise nicht ertheilt.

Mittheilung der Redaction.

Ich bitte meine Herren Correspondenten die Nichtbeantwortung Ihrer letzten Briefe etc. entschuldigen zu wollen — sie wird durch längere Krankheit verschuldet.

C. Pallisch.

Prämiirungsliste der V. allgemeinen Geflügel-, Vogel- und Kanninchen-Ausstellung,

veranstaltet vom I. Wr. Vororte-Geflügelzuchtverein in Rudolfsheim (XIV. Bez., Wien).

I. Grossgeflügel.

Preisrichter: Br. L. Villa-Secca; A. F. Beyer, Linz; E. Sinner, Hetzendorf.

Ehrenpreise des k. k. Ackerbau-Ministeriums.

Silberne Staatmedaille:

A. F. Beyer für Langshans.
R. Echinger für Andalusier 91.

Broncene Staatsmedaille:

Geflügelhof „Erlach-Linsberg" für Plymouthrocks.
A. Schönpflug für Pekingenten.

Collectionspreise:

Herr A. Feischl, Wien, für dunkle Brahma und Houdan.
Geflügelhof „Erlach-Linsberg" für helle Brahma etc.
Frau Irma Nagel, Graz, für Houdan.

Silberne Vereinsmedaille:

Herr J. Leithner für schw. Langshans Nr. 1.
Frau F. Shaniel für d. Brahma Nr. 838, 839.
Herr A. Feischl für glb. Cochin „ 84, 85.
„ R. Echinger für Houdan „ 62.
„ „ „ „ Crève coeur „ 75.
„ „ „ „ La flèche „ 76.
„ „ „ „ Minorka „ 87.
„ „ „ „ Bantam „ 130.
Frau Kathi Brameshuber für Hamburger „ 112.
„ C. Zeinlinger, Wien für altmod.-engl. Kämpfer „ 116.
Geflügelhof „Erlach-Linsberg" für Emdener Gänse „ 151.

Broncene Vereinsmedaille:

Herr Hofer, Linz, für Bantam „ 132, 133.
„ Schilgen für Minorka „ 89.
Frau Tintara für Plymouth. „ 51.
Herr J. Strouha für Langshans „ 9.
„ Cl. Dwelly.

I. Classen-Preise:

Geflügelhof „Erlach-Linsberg" für helle Brahma „ 21.
Herr A. F. Beyer, Linz, für rebhfarb. Cochin „ 47.
Frau A. Schick für schw. Italiener „ 80.
Herr J. Ditrich für Paduaner, gld. „ 94.
Frau Th. Thornton für Paduaner, cham. „ 102.
„ „ „ „ Holländer „ 104.
Herr Scholz für Zwergkämpfer „ 121.
Geflügelhof „Erlach-Linsberg" für Pekingenten „ 147.

II. Classen-Preise:

Oberöst. G.-Z.-V., Linz, für schwarze Langshans „ 2.
Frau Th. Thornton für weisse Langshans „ 17.
Oberöst. G.-Z.-V., Linz, helle Brahma „ 20.
Geflügelhof „Erlach-Linsberg" für Cochin „ 43.
Oberöst. G.-Z.-V., Linz, für Goldwyandotte „ 59.
Herr A. Feischl für Houdan „ 63, 64.
Oberöst. G.-Z.-V., Linz, für Crève coeur „ 74.
„ „ „ „ Italiener, rebh. „ 83.
Herr Schlickert für Italiener, rebh. „ 82.
Herr Wilh. Höhnel, Linz, für Minorka „ 88.
Frl. Betti Nagl, Purkersdorf, für Minorka, weiss „ 90.
Frau Th. Thornton für Paduaner (silberf.) „ 97.
Herr August Dorn für Paduaner (cham.) „ 99.
Herr Hofer, Linz, für Bantam „ 132, 133.
Geflügelhof „Erlach-Linsberg" für Zwergkämpfer „ 122, 123

III. Classen-Preise:

Herr Schönpflug, Wien, für schw. Langshans „ 3.
Geflügelhof „Erlach-Linsberg" für schw. Langshans „ 19.
„ „ „ „ dunkle Brahma „ 30.
Herr A. Feischl für Cochin, rebhf. „ 46.
Frau Ida Fiedler, Mödling, für La flèche „ 77.
„ Schieder für Paduaner (silberf.) „ 98.
Herr E. Waschka für Holländer „ 107.
„ J. Krenn, Poisdorf für Hamburger „ 113.
„ F. Merkl für Malayen „ 115.
„ A. Feischl für Zwergkämpfer „ 126.
„ A. F. Beyer für Bantams „ 135.

Anerkennungs-Diplome

Herr F. Schlinkert für Langshans „ 7.
Frau Th. Thornton für Brahma, hell „ 22.
„ M. Schwarz für Cochin „ 31—33.
„ C. Zeinlinger für Plymouthrocks „ 54.
Herr G. Völkl für Silber-Wyandotte „ 57.
„ J. Hofer, Linz, für Silber-Wyandotte „ 56.
„ J. Merkl für Paduaner (cham.) „ 101.
„ R. Echinger für Zwergkämpfer „ 125.
Frau K. Brahmeshuber für Hamburger „ 111.
Herr J. Hentschel für Kreuzungen „ 137.
„ A. Mautzell „ „ „ 138.

II. Tauben.

Preisrichter: A. Dietrich, A. Schcorepa, Joh. Fuchs, Wien.

Classe 43: Wr. Tümmler dunkelgestorcht.

1. Cl. Pr. R. Paradieser, Wien, XIII.
2. „ „ R. Caspar, Wien, XII.
3. „ „ W. Piatnik, Wien, VII.
Diplom K. Groch, Wien, XVI.
„ R. Casper, Wien, XII.

Classe 44: Wr. Tümmler gelb und roth gestorcht.

2. Cl. Pr. R. Paradieser, Wien.
3. „ „ Derselbe.

Classe 45: Budapester Gestorchte.

1. Cl. Pr. R. Paradieser, Wien.
2. „ „ Derselbe.

Classe 46: Schecken.

1 Cl. Pr. (rothe) J. Kurz, Wien.
2. „ „ (gelbe) Bäck & Reitter, Wien.
Diplom (roth) Gust. Partsch, Wien.

Classe 47: Einfärbig, schwarz und weiss.

1. Cl. Pr. (weiss) Otto Reuther, Wien.
2. „ „ (weiss) Derselbe.
3. „ „ (schwarz) Derselbe.

Classe 48: Einfärbige, gelb und roth.

1. Cl. Pr. (gelb) Gust. Partsch, Wien.
2. „ „ (roth) Otto Reuther, „
3. „ „ (gelb) R. Casper. „
Diplom (gelb) Otto Reuther, „

Classe 49: Geganselte, schwarz und blau.

1. Cl. Pr. (blau) Otto Rücker, Wien.
2. „ „ (schwarz) Derselbe.
Diplom (blau) Derselbe.

Classe 50: Geganselte, roth und gelb.

2. Cl. Pr. Ant. Horváth, Steinbruch.
3. „ „ Gust. Partsch, Wien.
Diplom Ant. Horváth, Steinbruch.

Classe 51: Englische Almonds.

1. Cl. Pr. Gust. Partsch, Wien.
2. „ „ Ant. Horváth, Steinbruch.
Diplom Fricke, Magdeburg.
„ Gust. Partsch, Wien.
„ Ant. Horváth (Tümmler blau).

Classe 52: Deutsche Tümmler.

1. Cl. Pr. (rothe Bärtchen) Hanns Piseker, Wien.
2. „ „ (gelbe Elstern) C. Grauer, Wr.-Neudorf.

Classe 54: Mövchen, chinesische und ägyptische.

2. Cl. Pr. C. Scholz, Poisdorf.
3. „ „ Aug. Partsch, Wien.

Classe 55: Blondinetten und Satinetten.

Silberne Vereinsmedaille C. Scholz, Poisdorf.
2. Cl Pr. M. Völkl, Linz.
2. „ „ H. Pisecker, Wien.

Classe 56: Andere orientalische Rassen.

2. Cl. Pr. Turbiteen C. Scholz, Poisdorf.
Diplom Fr. Fricke, Magdeburg.

Classe 57: Trommler.

2. Cl. Pr. (blauschild.) J. Kurz, Wien.
3. „ „ G. Völkl, Wien.
Diplom Kandler & Schinko, Wien.

Classe 58: Nürnberger und Schwalben.

Ehrenpreis Ernst Lantzsch, Saultitz S.
3. Cl. Pr. J. Kurz, Wien.
Diplom H. Pisecker, Wien.

Classe 59: Gimpeltauben.

1. Cl. Pr. Egyd. Sinner, Hetzendorf.
2. „ „ Derselbe.
3. „ „ J. Kurz, Wien.

Classe 60: Perrücken, engl.

3. Cl. Pr. Thom. Goldstein, Wien.

Classe 61: Perrücken einfarbig und bindig.

Silberne Vereinsmedaille Otto Reuther.
1. Cl. Pr. (gelb) C. Müller, Wien.
2. „ „ (schwarz) L. Saxl, Wien.
3. „ „ (gelb) Derselbe.

Classe 62: Perrücken gemöncht.

1. Cl. Pr. (gelb gem.) Fricke. Magdeburg.
2. „ „ (roth gem.) Thom. Goldstein, Wien.
3. „ „ (schwarz gem.) Br. Villa-Secca, Wien.
3. „ „ (Mohrenköpfe) C. Grauer, Wr.-Neudorf.

Classe 63: Pfautauben.

2. Cl. Pr. (weiss) Br. Villa Secca, Wien.
3. „ „ (schwarz) Derselbe.
4. „ „ (weiss) A. Dimmel, Wien.

Classe 64: Pfautauben, schildig.

2. Cl. Pr. (schwarzsch.) Br. Villa-Secca, Wien.

Classe 65: Pfautauben, farbenschwänzig.

1. Cl. Pr. (weiss m. bl. Schw.) Br. Villa-Secca, Wien.
3. „ „ (weiss m. glb. Schw.) J. Kurz, Wien.

Classe: 66: Pfautauben, weissschwänzig.

1. Cl. Pr. (gelbe) Egyd. Sinner, Hetzendorf.
2. „ „ (roth) Derselbe.
3. „ „ (schwarz) Br. Villa-Secca, Wien.
3. „ „ (gelb) Jos. Mantzell.

Classe 67—69: Brünner Kröpfer.

Ehrendiplom Jos. Mantzell, Wien.
Silberne Vereinsmedaille Cl. Dwelly, Hetzendorf 377—379.
Collectionspreis Derselbe.
Silberne Vereinsmedaille Joh. Mandl, Wien, für engl. Kröpfer.
2. Cl. Pr. (bl. m. w. B.) Max Schmidt, Wien.
2. „ „ (weiss) Derselbe.

Classe 70: Engl. Kröpfer.

1. Cl. Pr. J. Seydl, Laa a. Th.
2. „ „ F. Fricke, Magdeburg.

Classe 71: Französische Kröpfer.

2. Cl. Pr. J. Seidl, Laa a. Th.
2. „ „ J. Mantzell, Wien.

Classe 72: Amsterdamer Ballons.

1., 2. und 3. Cl. Pr. J. Mantzell, Wien.

Classe 73: Deutsche Kröpfer.

Kein Preis zug.

Classe 74: Indianer.

2. Cl. Pr. Fr. Fricke, Magdeburg.
3. „ „ C. Grauer, Wr.-Neudorf.

Classe 75: Carrier.

1. Cl. Pr. Fr. Fricke, Magdeburg.
2. „ „ L. Saxl, Wien.
3. „ „ J. Kirchmayer, Wien.

Classe 76: Bagdetten.

2. Cl. Pr. Hans Bauer, Obertraubling, Bayern.

Classe 77: Dragon.

2. Cl. Pr. Fr. Fricke, Magdeburg.

Classe 78: Modeneser.

2. Cl. Pr. Br. Villa Secca, Wien.
3. „ „ Ernst Lantzsch, Saultitz.

Classe 79: Römer.

Silberne Vereinsmedaille R. Echinger, Wien.
1. Cl. Pr. J. Seidl, Laa a. d. Th.

Classe 81: Strasser.

1. Cl. Pr. (blau Hohlfl.) J. Seidl, Laa a. Th.
2. „ „ (roth). Derselbe.

Classe 82, 83: Florentiner.
Silberne Staatsmedaille Jos. Leithner, Wien.
Broncene „ Ferd. Eder, Wien.
Collectionspreis Jos. Leithner, Wien.
2. Cl. Pr. (blau) F. Eder, Wien.
2. „ „ (schwarz) J. Leithner, Wien.
3. „ „ (roth) F. Eder, Wien.
Diplom (blau) J. Leithner, Wien.

Classe 84: Maltheser, gelb und roth.
Ehrenpreis (roth) J. Hentschl, Wien.
1. Cl. Pr. (gelb) G. Zinnbauer, Wien.
2. „ „ (gelb) C. Grauer, Wien.
3. „ „ (roth) J. Leithner, Wien.
Diplom (roth) G. Zinnbauer.

Classe 85: Maltheser, schwarz und weiss.
2. Cl. Pr. J. Hentschl, Wien.
2. „ „ M. Völkl, „
3. „ „ J. Hentschl, „
3. „ „ H. Pisecker, „

Classe 86: Maltheser blau und fahl.
Broncene Staatsmedaille A. Friedl, Wien.
1. Cl. Pr. (fahl) Ferd. Maihofer, Leonding, Ober-Oest.
2. „ „ „ F. Eder, Wien.
3. „ „ „ A. Friedl, Wien.
Diplom J. Obermüller, Thanstetten, Ober-Oest.
„ Fr. Czerny, Wien.

Classe 87: Maltheser braun und blau geschimmert.
1. Cl. Pr. J. Obermüller, Thanstetten.
2. „ „ H. Pisecker, Wien.
3. „ „ J. Hinterleitner, Thanstetten.

Classe 88: Maltheser andersfärbig.
2. Cl. Pr. M. Völkl, Linz.
2. „ „ J. Hinterleitner, Thanstetten.
3. „ „ A. Friedl, Wien.

Classe 89: Hühnerschecken, gelb und roth.
1. Cl. Pr. J. Landerl, Enzing, Ober-Oest.
2. „ „ J. Obermüller, Thanstetten, Ober-Oest.
3. „ „ J. Landerl, Enzing, Ober-Oest.
Diplom M. Völkl, Linz.

Classe 90: Hühnerschecken, schwarz.
1. Cl. Pr. J. Obermüller, Thanstetten.
2. „ „ J. Hinterleitner, „

Classe 91: Hühnerschecken blau und andersfärbig.
1. Cl. Pr. J. Obermüller, Thanstetten.
2. „ „ J. Hinterleitner, „
3. „ „ A. Friedl, Wien.
Diplom J. Obermüller, Thanstetten.

Classe 92: Farbentauben.
Broncene Vereinsmedaille J. Schwab, Wien.

Classe 93: Diverse Rassen.
2. Cl. Pr. M. Völkl, Linz.
3. „ „ Derselbe.
Diplom F. Czerny, Wien.

RECHNUNGS-ABSCHLUSS

des

ornithologischen Vereines in Wien

für das Jahr 1891.

Post-Nr.	Einnahmen	fl.	kr.	fl.	kr.
1	Cassarest von 1890			47	67
2	Mitgliedbeiträge			770	42
3	Einnahmen aus den „Mittheilungen der Schwalbe" a) als Abonnement u. Blattverkauf . . . . . . b) Inserate . . . . . . c) Diverse			1573	72
	Summa . .			2391	81

Post-Nr.	Ausgaben	fl.	kr.	fl.	kr.
1	Saalbenützung, Sitzungslokale, Reinigung			23	32
2	Kanzlei, Secretariats-Portoauslagen			143	61
3	Inventar Anschaffung und Erhaltung			6	07
4	Kosten der „Mittheilungen" „Schwalbe": a) Drucksorten	1278	61		
	b) Expeditions- und Administrationskosten . .	923	24	2201	85
5	Steuer und Gebühren . . .			13	94
6	Schliesslicher Kassarest . .			3	02
	Summe der Ausgaben			2391	81

Wien, den 5. Mai 1892.

Adolf Bachofen von Echt m. p. — Präsident.
Dr. Leo Prybil m. p. — Schriftführer.
Dr. Carl Zimmermann m. p. — Cassier.

Geprüft und richtig befunden und wird die Ertheilung des Absolutoriums beantragt.

Wien, den 9. Mai 1892.

Der Revisor:

Anton Rieder m. p.

Verlag des Vereines. — Für die Redaction verantwortlich: **Rudolf Ed. Bondi.**
Druck von **Johann L. Bondi & Sohn,** Wien, VII., Stiftgasse 3.

XVI. JAHRGANG. Nr. 10.

Mittheilungen des ornithologischen Vereines in Wien „DIE SCHWALBE"

Blätter für Vogelkunde, Vogelschutz, Geflügelzucht und Brieftaubenwesen.

Organ des I. österr.-ung. Geflügelzuchtvereines in Wien und des I. Wr. Vororte-Geflügelzuchtvereines in Rudolfsheim.

Redigirt von C. **PALLISCH** unter Mitwirkung von Hofrath Professor Dr. C. **CLAUS**.

31. Mai. 1892.

„DIE SCHWALBE" erscheint **Mitte** und **Ende** eines **jeden Monates**. — Im Buchhandel beträgt das Abonnement 6 fl. resp. 12 Mark. Einzelne Nummern 30 kr. resp. 50 Pf.

Inserate per 1 □ Centimeter 3 kr., resp. 6 Pf.

Mittheilungen an das **Präsidium** sind an Herrn **A. Bachofen v. Echt** in Nussdorf bei Wien; die **Jahresbeiträge** der Mitglieder (5 fl., resp. 10 Mark) an Herrn **Dr. Karl Zimmermann** in Wien, I., Bauernmarkt 11;

Mittheilungen an das **Secretariat** in Administrations-Angelegenheiten, sowie die für die **Bibliothek** und **Sammlungen** bestimmten Sendungen an Herrn **Fritz Zeller**, Wien, II., Untere Donaustrasse 13, zu adressiren.

Alle redactionellen Briefe, Sendungen etc. an Herrn **Ingenieur C. Pallisch in Erlach** bei Wr.-Neustadt zu richten.

Vereinsmitglieder beziehen das Blatt gratis.

Ornithologische Beobachtungen am Velenczeer-See in Ungarn während des Sommers 1891.

Von **Ladislaus Kenessey von Kenese.**

Der Velenczeer-See, dessen typischere Vogelarten ich in diesem Aufsatze behandeln will, liegt zwischen den geogr. Graden 47°11'30" und 47°14'23" nördlicher Breite, sowie 36° 11' 13" bis 36° 20' östlich von Ferro. Seine Länge beträgt ungefähr 11, seine grösste Breite (zwischen Pákozd und Dinnyés) 2·5 Km. Der See ist nach Velencze hin viel klarer, wie gegen Dinnyés, weshalb die scheueren Vogelarten alle um Dinnyés sich herumtreiben; die südlichen versumpften, salzigen Ausläufer bei Dinnyés (deren Abführung jetzt projicirt wird), bilden den sogenannten „Nádas-tó" (Rohrsee), welcher am Zuge für Gänsearten, Wasserläufer etc. einen willkommenen Aufenthaltsort bildet. Der See ist überall mehr oder weniger dicht mit gemeinem Rohre, Phragmites communis bewachsen; hiezu gesellt sich an manchen Stellen Rohrkolben, Typha latifolia, sowie Arundo donax. An den Ufern wächst Riedgras, Carex acuta, und Teichbinse, Scirpus lacustris.

Die Tiefe des Wassers nimmt nach innen stufenweise zu; selbe beträgt durchschnittlich 2, höchstens 3·5 Meter. Das Wasser ist klar, süss; der Boden besteht aus feinem eisenhaltigen Sande. Bei sehr trockenem Sommer nimmt der See an Umfang bedeutend ab, und wird die Wasserfläche überall von Characeen verdeckt.

Die Ornis des Sees kann in zwei Hauptabtheilungen, in diejenige der Brut- und jene der Zugvögel gefällt werden. Diesmal beabsichtige ich die typischeren Brutvögel, nämlich die Rohrsänger und die Mövenarten bekannt zu machen.

Die interessanteste Erscheinung in der Reihe der Rohrsänger ist zweifelsohne der niedliche kleine Tamarisken-Rohrsänger (Lusciniola melanopogon Temm.), der 16. Juli 1835 im Banat[1]) als Ungarns Gast, als Brutvogel jedoch erst 6. Juni 1887[2]) entdeckt wurde.

Der kleine Sänger kommt, je nach den Witterungsverhältnissen, in der ersten oder zweiten Hälfte des März an; er zerstreut sich im ganzen See, ist jedoch bei Velencze nur einzeln, in Dinnyés dagegen in grosser Zahl zu treffen; er liebt jene Rohrpartien, wo undurchdringliche Rohrdickichte mit lockereren Partien abwechseln. Er ist von sehr unruhigem Naturell; er schlüpft behend im Rohre, fliegt geschickt zwischen dem Dickichte, liebt überhaupt das Rohr „hoch über See!"

Bald nach seiner Ankunft erwacht in ihm der Fortpflanzungstrieb, er sucht eifrig nach einer Gattin, und versucht sie mit allerlei Künsten zu bethören; er klettert mit gewandter Schnelligkeit an den Rohrstengeln empor, und singt, an ihren Spitzen sich herumwiegend, sein mannigfaltiges Lied, welches Herr A. v. Homeyer[3]) treffend mit dem Gesange des Blaukehlchens vergleicht. Er bezeichnet den Hauptton desselben mit den Silben ü riri. Meiner Ansichten und Beobachtungen nach halte ich sein Lied in vielem jenem der Nachtigall (Erithacus luscinia L.) ähnlich, welches jedoch manchmal besonders nach den Tönen ü riri mit einem eigenthümlichen Schwirren, welches man ungefähr mit den Silben cz cz sr srsr czrczr sr bezeichnen könnte, unterbrochen wird; manchmal erhebt er sich in die Luft, um durch — nicht sehr kunstvolle — Flugkünste auf das ♀ zu wirken, es geschieht auch manchmal, dass 2 ♂ sich ineinander — wie nach Sperlingsart — festbeissen, und wirbelnd herabfallen. Ist das ♂ von den Gegnern los, so hüpft es glückselig um das ♀ herum, mit den herabhängenden Flügeln zitternd und dem Schwanze wippend; das ♀ sieht diesem Treiben mit possierlichen Kopfbewegungen zu, während dem es sich platt auf den Schilfstengel drückt.

Bei der Begründung des Haushaltes suchen sie sich einen geeigneten Platz zum Nestbau aus; dieser besteht gewöhnlich aus feinen Rohr- und Binsenblättern, welche künstlich ineinander geflochten und weich ausgepolstert sind; das Nest ist entweder an 3—4 Rohrstengel geflochten, und gleicht dann dem des Drosselrohrsängers (Acrocephalus turdoïdes L.), oder sind am See Rohrbündel an mehreren Orten zur Bezeichnung von Fischergarnen etc. liederlich zusammengeknickt angebracht, in welchen welken oder frischen Bündeln alle Rohrsängerarten, besonders aber die melanopogon sehr gerne wohnen.

Die Zahl der Eier schwankt von 4 bis 7; am gewöhnlichsten findet man 6 Eier, sie sind graugrün, mit feineren und gröberen braunen Poren besäet, und gestrichelt; eben diese Strichelung unterscheidet sie von den Calamoherpe phragmitis Eiern.

Während das ♀ brütet trägt ihm das ♂ sorgfältig Kerfe zu; wenn sich ein Kahn dem Neste nähert, lässt das beständig in dessen Nähe verweilendes ♂[1]) einen sehr feinen, dem Locktone der Goldhähnchen ähnlichen Ruf hören, worauf das ♀ auf der gedeckten Seite sofort in's Rohr schlüpft. Die Brütezeit dauert 15 Tage; die hervorgekrochenen Sprösslinge werden von den Eltern mit aller Sorgfalt gefüttert, bei Gefahr jedoch verlassen.

Nach etwa 3 Wochen sind die Jungen befiedert; bis sie vollständig flugfähig werden, halten sie sich im Rohrdickicht auf, hüpfen von einem Rohrstengel auf den anderen, wippen mit dem Schwanze und zucken mit den Flügeln nach jedem Flugversuche; meiner Ansicht nach bleiben sie bis zur Abreise in Gesellschaft ihrer Eltern, die sie bei drohender Gefahr aufmerksam machen.

Nach dem Flüggewerden sind sie sehr behend; sie laufen hurtig im Dickicht herum, schlüpfen mit der Behendigkeit einer Maus durch das dichteste Pflanzengewirr; sie können sich in einer Minute verbergen, und ebenso schnell zum Vorschein kommen.

Im Fluge ist er weniger gewandt, dem Bachstelzenfluge ähnlich streift er über das Rohr dahin, bald schwirrend, bald flatternd, bald in verschlungenen Linien, jedoch nur geringe Strecken, und stürzt mit eingezogenen Schwingen pfeilschnell in's Rohr.

Beim Suchen seiner Nahrung erinnert er in vielem an die Meisen.

Im August besuchen sie immer häufiger das Riedgras der Ufer; wenn sie aufgescheucht werden, fliegen sie zum Rande des hohen Rohres, geben sich aber so viel Blösse, dass sie ohne Mühe erlegt werden können. Ende August erfolgt ihre Abreise.

Die zweite nicht minder interessante Sehenswürdigkeit unseres Sees ist die Velenczeer Mövencolonie.

Auf einer Fläche von 28—30.000 □-Meter stehen ungefähr 6—7000 Nester; dies ist der Wohnort der Möven, Fluss- und schwarzen Seeschwalben.

Die Lachmöven kommen Ende März schon im Hochzeitskleide an. Nach beendeter Balze knicken sie paar Rohrstengel zusammen, häufen hierauf einige Rohrhalme, und polstern das Ganze liederlich mit etlichen Schilfblättern aus. Manchmal stehen diese Nester weit von einander, manchmal dagegen kann man 4—5 auf einem Haufen finden.

Die Fluss- und schwarze Seeschwalbe kommt Ende April und Anfangs Mai an, während schon um diese Zeit die Lachmöven ihre Brut deponirt haben. Die Seeschwalben haben es mit dem Brutgeschäfte nicht so eilig. Vor Juni findet man selten ein vollständiges Hydrochelidon nigra oder Sterna fluviatilis Gelege. Ausser diesen zwei Arten brüten hier noch Hydrochelidon leucoptera Meisn. und Schinz., sowie H. hybrida Pall.; letztere Art äusserst selten, den einzigen bisherigen Fall hatte ich seiner Zeit verzeichnet.[2])

Wenn die fortwährend steigende Hitze die im See in grosser Zahl vorhandenen Characeen ganz verhärtet, klaubt Hydrochelidon nigra etliche Rohr-

[1]) Landbeck: Okens Isis. 1835. p. 83—84.
[2]) Chernel: Zeitschr. f. d. ges. Orn. IV. p. 188—190.
[3]) Orn. Monatschr. d. d. Ver. z. Sch. d. Vogelw. XVI. 1891, p. 277—284.

[1]) Es ist bemerkenswerth, dass das Männchen die schwarzen Kopffedern in der Balze, im Spiel, im Kampf, im Gesang, aber auch bei nahender Gefahr sträubt.
[2]) Mitth. d. orn. Ver. XV. 1891, p. 205—206.

hahne zusammen, setzt sie auf einem beliebigen Ort einer solchen schwimmenden Insel, und das Bett der Nachkommenschaft ist fertig.

Es ist bemerkenswerth, dass diese Seeschwalben keine separate Colonie bilden, sondern zu 50 bis 100 Nestern hie und da zwischen den Möven nisten; ebenda kann man auch — jedoch recht sparsam — das Nest von Sterna fluviatilis finden.

Sie zeigen wirklich staunenswerthen Muth; ganz nahe zu unseren Köpfen fliegen sie weg oder lassen sich auf das Wasser nieder. Im Falle der Verfolgung werden die Möven vorsichtiger; die Seeschwalben jedoch sind immer zutraulich und neugierig. Als ich im Sommer für meine Sammlung ohne zwecklosem Morden und in kurzer Zeit S. fluviatilis verschaffen wollte, warf ich nur eines der beschädigteren Beutestücke in's Wasser; gleich waren sie da und stiessen auf selbes hernieder.

Beim Zeitigen der Eier können wir noch ausserdem vieles der Sonnenwärme zuschreiben; denn das unruhige Volk der Möven steht selbst in der Nacht oft von den Nestern auf. Am Brüten betheiligen sich ♂ und ♀ gleicherweise; die Erziehung der Sprösslinge fällt der Mutter zu; bei Gefahr vertheidigt das Ehepaar die Pfleglinge heldenmüthig; beim Herannahen einer Weihe kommt die ganze Colonie in Aufruhr und mit Schnabelhieben wird der Feind verjagt.

Die Lachmöve zeitigt in 16–18, die Flussseeschwalbe in 16–17, die Schwarze in 15 Tagen ihre Eier. Die ersten paar Tage verweilen sie im Neste, und erst vollständig gekräftigt steigen sie in's Wasser. Um diese Zeit finden wir zahlreich im Rohrwasser herumschwimmende Mövenjungen, die bei Herannahen des Feindes durch die Aelteren gewarnt sogleich dem schützenden Rohre zusteuern. Mit dem Netze können wir leicht viele einfangen; die Fischer bedienen sich ganz einfach der Antauchstange, womit sie den Vogel unter das Wasser drücken und so betäuben.

Gefangene Lachmöven sind leicht am Leben zu erhalten, und ihre possierliche Allüren gewähren ihrem Pfleger viele Freude.

Sie sind mit rohem, aber auch gekochtem Fleische, sowie mit allerlei Mehlspeisen zu füttern. Es ist rathsam, sie eine Woche lang im Käfig zu halten, dann können sie leicht in's Freie gelassen werden; sie unternehmen zwar kleine Streiftouren, kehren jedoch immer zurück. Sie gewöhnen sich zu ihrem Pfleger, umschwärmen ihn jedesmal, wenn er sich ihnen nähert und nehmen das Futter aus der Hand, wobei manchmal völlige Raufereien entstehen. Sie lesen auch auf eigene Hand Kerfe auf, schnappen sogar Bienen weg.

Sie baden sehr oft und sonnen sich darnach in allerlei Stellungen; bei zu grosser Sonne begeben sie sich unter schattige Bäume; in das Gebüsch verstecken sie sich jedoch nur Abends zum Schlafe sowie bei Gewitter. Vordem sind sie jedoch sehr unruhig, und jagen sich in der Luft herum. Tags fliegen sie sonst nur gehetzt auf.

Seeschwalben erhalten sich nicht in der Gefangenschaft.

Solche gefangene Exemplare gehen jedoch Mitte August durch; der Wandertrieb zwingt sie zum Herumirren.

Im Juli werden alle Möven und Seeschwalben flügge und stückweise verlassen sie den See. Seeschwalben sind im Hochsommer zahlreich, Möven jedoch nur sparsam am See. Im September verschwinden alle. Die Möven ziehen zur Donau, die Seeschwalben begeben sich in südlichere Regionen.

Die Raubvögel ausgenommen, leben die Möven mit jeder Vogelart in Frieden. Sie werden, bis unser schöner See, und mit ihm der „ungarische Vogelberg", wie v. Chernel, der vorzügliche Erforscher der See die Colonie nannte, existirt, immer zu den anmuthigsten Erscheinungen unserer Ornis gerechnet.

Stuhlweissenburg, 28. März 1892.

Die Raubvögel Oesterr.-Schlesiens.

Von Emil C. F. Rzehak.

(Fortsetzung.)

22. Milvus milvus, L.[15]) Rother Milan, Königsweihe.

Nach mir zugekommenen Mittheilungen ist die Königsweihe für Schlesien als keine Seltenheit zu bezeichnen. Im Jahre 1887 horstete ein Paar im Lomna-Thale bei Jablunkau. In den Vorbergen ist die Gabelweihe oft zu sehen und besucht auch gerne Teiche, um nach Wasserwild zu jagen.

Diese Weihe ist in Deutschland nirgends häufig; in der Dobrudscha, in Bulgarien und Rumänien viel häufiger; am häufigsten aber in Nordwest-Afrika anzutreffen.

23. Milvus migrans, Bodd.[16]) Schwarzbrauner Milan.

Diese Weihe ist in Schlesien viel sparsamer vertreten, als die vorige. Nach Vermuthungen des Herrn Oberförsters Zelisko musste im vorigen Jahre, 1890, diese Weihe in den Beskiden gehorstet haben und das wahrscheinlich am „Skrzicziny", bei Bielitz, auf der galizischen Seite, da der genannte Herr fast täglich das ♂, manchesmal aber auch beide Vögel beobachtet hatte, ohne jedoch einen erbeuten zu können. In diesem Jahre, 1891, wurden sie wieder beobachtet.

Der schwarzbraune Milan liebt vorzugsweise ebene, wasserreiche Gegenden. Häufig ist er in Nieder-Oesterreich, Ungarn und der ganzen Donau entlang, in der Dobrudscha gemein. In manchen Gegenden tritt er häufiger auf, als der Rothmilan. Er streicht nicht hoch über der Erde, sucht aber regelmässig und emsig das Terrain ab.

Gruppe: B. Buteoninae.

24. Buteo ferox, Gm. Adlerbussard.

Zu den seltensten Erscheinungen der Ornis Oesterreich-Ungarns gehört der in Mittelasien

[15]) Linné cit. 1746—66 Falco milvus; 1766 Milvus regalis; ebenso Brisson 1766. Milvus ictinus. Sav. 1809.

[16]) Milvus niger, Brisson 1760. Falco migrans, Boddärt, 1783. Falco ater, Gm. 1788. Milvus ater, Daudin 1800. Milvus migrans, Strickl. 1855.

heimische, aber auch nicht selten in Kleinasien vorkommende Adlerbussard, der sich von dort in's südliche Russland verbreitet, von wo aus er bis in unsere Monarchie sich verflogen hat. In den Steppen Russlands vertritt der Adlerbussard unseren heimischen Mäusebussard, der ein naher Verwandter des asiatischen ist.

Der Adler- auch Weissschwanzbussard ist grösser, stärker und hochbeiniger, als unser Mäusebussard und an seinem beinahe ganz weissen Schwanze zu erkennen.

Bis jetzt sind in der ganzen österreichischen Monarchie, einschliesslich des Occupationsgebietes, acht[17]) Exemplare dieses seltenen Vogels erlegt worden, von welchen auch ein Stück auf unser kleines Schlesien entfällt. Nach Dieles wurde Mitte der Sechziger Jahre nächst Saybusch ein Adlerbussard im Monate October geschossen. Diess musste jedenfalls in Schlesien, hart an der galizischen Grenze, also „nächst Saybusch" gewesen sein, da der Vogel als „in Schlesien erlegt" bezeichnet wird. Es dürfte hier mit dem Vogel dasselbe Verhältniss obwalten, wie es in Mähren mit dem in Schlesien erlegten Zwergadler, Nisaëtus pennatus, ist. Ebenso gut konnte ja der Vogel in Galizien erlegt werden.

25. Buteo buteo, L.[18]) Mäusebussard.

Ein unter den schlesischen Raubvögeln am häufigsten vorkommender Standvogel ist unser „Mauser" einer von jenen, die von Unwissenden fälschlich als „Geier" bezeichnet wird. Dass dieser sonst nützliche Raubvogel von Seite unwissender Schützen unbarmherzig verfolgt wird, erwähnte ich schon in meiner früheren Arbeit:

„Zur Charakteristik der Vogelfauna von Jägerndorf und Umgebung" in den Mittheilungen der k. k. mähr.-schles. Gesellschaft für Ackerbau, Natur- und Landeskunde, Brünn, 1891.

26. Archibuteo lagopus, Brünn, Rauhfussbussard.

Das Horsten des Rauhfussbussards in Mähren wird von mehreren Seiten bestritten, da bis jetzt noch keine Beweise dafür vorliegen.

In Schlesien ist er sicher Brutvogel und schreibt mir Herr Oberförster Želisko über diesen Bussard Folgendes:

„Im Gebirge horstet er in alten, lichten Beständen, am alten Horste sehr gerne. Der Horst ist zumeist auf Tannen, selten auf Buchen, in halber Stammhöhe, meist ziemlich gross aus dürren Aesten angelegt, die Nestmulde mit Moos und Wurzeln ausgepolstert. Am Horste fand ich bei den drei Jungen einen jungen Auerhahn, ganz frisch, einen halb verzehrt und ein halbverfaultes, altes Haselhuhn. Er bringt, wenn es angeht, mehr Futter, als die Jungen verzehren können. Ich fing beide Alte im Eisen; nächstes Jahr war der Horst wieder besetzt. Im Winter, wo das Wild ermattet, ist er ein recht unangenehmer Gast, aber im Fangen des lebenden alten Wildes ist er ungeschickt. Ich beobachtete, dass fünf Stück sich zusammenthaten, um eine gesunde, im Strauche versteckte Fasanenhenne zu erbeuten. Die Attaque dauerte lange, bis ich dazwischen kam und die Henne befreite. Am Zuge zur Herbstzeit sind oft mehrere Stücke beisammen, zumeist aber nur einzelne Familien. Unter sich sind sie sehr zänkisch und neidisch. Oft kommt es vor, dass ein alter Vogel die Beute dem Jungen abschlägt, wie ich im Herbste Gelegenheit hatte zu beobachten."

Aus meiner eigenen Erfahrung kann ich den rauhfüssigen Bussard im Oppathale nur als sparsamen Wintergast bezeichnen. Seine eigentliche Heimat ist die nordische Steppe, die „Tundra".

Gruppe C.: Haliaëtinae.

27. Haliaëtus albicilla, L. Seeadler.

Die bei uns in Schlesien erscheinenden Seeadler mögen sich wohl aus den Donautiefländern zu uns verfliegen, wo bekanntlich viele dieser Vögel horsten, auch aus dem Norden mögen sie manchmal kommen, denn sie sind Bewohner ganz Europas und besonders der Meeresküsten. Der Seeadler ist ziemlich häufig als Wintervogel an der Nordsee, als Brutvogel an der Ostsee. Ebenso häufig in Ungarn, der Donau entlang, in der Dobrudscha sehr häufig. Die meisten Seeadler bauen ihre Horste an den Gestaden der nordischen Meere und selten soll ein Horst mehr als eine halbe Stunde vom Wasser entfernt sein. In Oesterreich finden sich die einzigen Brutstätten dieses Adlers in Südungarn, Slavonien und im Banat bis an die serbische Grenze.

Im Jahre 1858 erlegte Herr Waldbereiter Strzemcha bei dem Dorfe Wojkowitz 1 Stück und im Jahre 1879 bei Drahomischl ebenfalls 1 Stück.

Im Herbste 1878 sah Herr Oberförster Želisko 13 Stück Seeadler am Zuge.

Wie mir Herr Graf Kuenburg freundlichst mittheilte, erlegte er am 7. Mai des Jahres 1883 in seinem Garten in Brausdorf ebenfalls einen Seeadler, der sich in seinem Schlosse zu Brausdorf befindet.

Auch bei Jägerndorf ist ein Seeadler geschossen worden, und zwar im Jahre 1885, im sogenannten „Heegerwald" am „Burgberge".

---

[17]) Die acht, in Oesterreich-Ungarn erlegten Exemplare des Adlerbussards vertheilen sich auf folgende Länder:

Auf Ungarn entfallen 3 Stück, von denen eines im Jahre 1857 im Wieselburger Comitate geschossen wurde und sich im k. k. naturhistorischen Hofmuseum befindet.

Das zweite Exemplar wurde Anfangs der Siebziger Jahre im Neutraer, das dritte vor vielen Jahren im Zipser Comitate geschossen. Das letztere befindet sich im Kesmarker Lyceum.

Im Occupationsgebiete wurde am 21. Jänner 1886, bei „Utovo blato" ein Adlerbussard erlegt und ist im bosnisch herzegowinischen Landesmuseum in Sarajevo aufbewahrt.

In Oesterr.-Schlesien das oben erwähnte Stück.

Böhmen hat ebenfalls 1 Stück, u. zw. ein Weibchen aufzuweisen, das vor einigen Jahren bei Pürglitz erlegt wurde und sich jetzt in der fürstlich Fürstenberg'schen Sammlung zu Nieschburg befindet.

In Nieder-Oesterreich sind zwei Exemplare erlegt worden, u. zw. das erste im Jahre 1872, welches im Tullnerfelde geschossen wurde und das damals in den Besitz weiland Se. k. u. k. Hoheit des Kronprinzen Rudolf gelangte; das zweite wurde am 7. September 1889 bei Gross-Enzersdorf auf der Uhuhütte erlegt und befindet sich jetzt in einer Privatsammlung in Unter-Meidling bei Wien. — Siehe auch darüber: Ornithologisches Jahrbuch, Bd. I, Heft X, pag. 199, 1890.

[18]) Buteo vulgaris, Scop. 1769, Bechst. 1802, Reichenow 1882.

Gruppe D.: Aquilinae.

28. Aquila chrysaetus, L.[19]), Steinadler, Goldadler.

Alle Steinadler, die in Schlesien beobachtet worden sind, kommen aus Ungarn und Galizien, und zwar aus dem nahen Karpathengebirge und sind grösstentheils junge Thiere. Für Mähren ist der Steinadler nur Strichvogel, während er in Schlesien auch horstend gefunden wurde. Nach Angabe des erzherzoglichen Waldbereiters Herrn Zinsmeister horstete im Jahre 1850 ein Goldadlerpaar im Morawka-Thale am Berge „Tranny". 1852 wurde demselben Horste ein Ei entnommen das ♀ erlegt und seit vielen Jahren ist der Horst nicht mehr bezogen worden, wenigstens wird in den forstämtlichen Berichten darüber nichts erwähnt. Im Jahre 1889 wurde zufälligerweise ein Horst auf dem Berge „Lissa" entdeckt, aus diesem wurde ebenfalls ein Ei entnommen; der alte Vogel wurde nicht erlegt, verliess aber den auf einer Tanne erbauten Horst.

Im Februar 1883 ist im Goldoppathale, bei Olbersdorf, ebenfalls ein Steinadler geschossen worden.

Vor zehn Jahren erlegte ein Heger in Dzingelau bei Teschen im Monate Mai auf der Uhuhütte ein junges ♀ mit Schrot, das Herr Oberförster Želisko ausgestopft bewahrt.

Der letzte in Schlesien erbeutete Steinadler stammt vom November 1890, und zwar wurde dieser vom Herrn Forstadjunkt Santarius in Suchau bei Teschen erlegt. Das Thier hat über 2 Meter Flugweite.

Junge Adler, einzeln, werden beinahe jedes Jahr beobachtet und auch manchmal erlegt.

Herr Oberförster Želisko schreibt mir: „Im Winter streicht der Vogel oft sehr niedrig und lässt bis auf Kugelschussweite an sich ankommen. Auf der Krähenhütte ist er dreist und vergisst seine Vorsicht, stösst nicht lange auf den Uhu und übergeht gerne nach 2 Stössen zum Angriff".

Das Troppauer Gymnasial-Museum und die Sammlung von Ig. Dieles in Bielitz enthalten je ein Exemplar dieses Adlers.

29. Aquila melanaëtus, L.[20]), Kaiseradler.

Obwohl der Kaiser- oder Königs-Adler eine sehr weite Verbreitung hat, so hat man dennoch bis jetzt kein Exemplar hier in Schlesien beobachtet, wenigstens ist über sein Vorkommen hier nichts weiter bekannt.

Unser Nachbarland Mähren ist so glücklich, ein im Lande erbeutetes Exemplar aufzuweisen; es wurde im Jahre 1879 in Freiberg bei Neutitschein von Landleuten auf einem Felde mit einem Stocke erschlagen.

Er bewohnt Südost-Europa, Nordost-Afrika, Mittel-Asien und selbst in China ist er anzutreffen; in unserem Erdtheile kommt er als Brutvogel in Süd-Ungarn vor, häufiger jedoch in Slavonien, Siebenbürgen, Rumänien und Süd-Russland, an der unteren Donau, in Griechenland und der Türkei.

(Fortsetzung folgt)

Eulennamen.

Ein kleiner Beitrag zur deutschen Cultur- und Sittengeschichte.

Von **Franz Branky.**

(Fortsetzung.)

Die Federbüschel an den Ohren sind Ursache, dass man den kleinen Uhu auch Kirntl-Auf heisst, wobei Kirntl so viel als Horn besagen will. Auch Menschen empfangen den Namen Ohreule (otus vulg.), zumal diejenigen, welche sich durch Tanzen fangen, übervortheilen lassen. J. Pietsch, Herleitung und Aussprache der wissenschaftlichen Namen der Vögel Deutschlands (Wien, Gerold, 1888, S. 10). Dass aber auch der Vogel am Tanze der Menschen Interesse findet, das versichert M. J. Colerus, Oeconomiae (5. Th. Wittenberg, 1603, S. 132), wo man liest: „Die Kautzen sind seltsame Kautzen, haben ihre sonderliche Lust an den tantzen vnd springen der Menschen, sehen denselbigen so fleissig zu, dass sie darüber gefangen werden." Was den Namen Stockeule anlangt, so findet sich der öfters auch bei Hans Sachs. Einmal redet er von den furchtsamen stock-ewlen; ein andermal meldet er:

Des stund die schlayreul mit scham
Die stockewl thet sich auch sehr mewlen.

(A. a. O. 258, 284.)

Die Waldohreule (syrnium aluco, L.) führt folgende Vulgärnamen: Waldkauz, gemeiner Kauz, Buhu, wilder Jäger (II. sächs. Jahresb., S. 39), der grosse Waldkauz (V. Ritter v. Tschusis ornith. Jahrb. I. 222), Baumkauz, grosse Baumeule, Knarr- und Schnarreheule, Nachtrapp, Brand- und Knappeule, gemeiner Auf, Stockauf. Als gemeine Eule zählt sie J. Baumanns Naturgeschichte, S. 480ª auf. Die rothbraunen Varietäten sind es, die man als Brand- oder Fuchseulen bezeichnet (Schmarda Zoologie II. 561). Die Waldohreule ist der Eilkoder und Glurvogel der Steirer Gluren sind grosse, unheimlich leuchtende Augen, wie sie eben Katzen und Eulen eigenthümlich sind. In Schlesien kennt man diesen Vogel auch unter dem Namen: Grau-Puscheule, Milchsauger, Kindermelker (Ornith. Jhrb. II. S. 53), und Dombrowskis Encycl. V. 416 unter Waldkautz, Katzeneule, Katzenkopf. Im Glarnerlande heisst diese Eule Wiggerli oder Wigesser, im Bernerlande Nachthuri, im Bündnerlande wilder Geissler. In ihrem Geschrei vernimmt man ein deutliches hu-hu, hu, von dem der Grossätti aus dem Leberberg S. 124 meldet:

---

[19]) „Synonym aber weder Art noch Unterart ist Aquila fulva, L." Vergl. Ernst Hartert, Catalog der Vogelsammlung im Museum der Senckenbergischen naturforschenden Gesellschaft, Frankfurt a. M., pag. 178, Anmerkung 328. Zur besseren Erklärung dieser Anmerkung theilt mir Herr Ernst Hartert, (British Museum, Natural History, London), dem ich den schon in der Einleitung erwähnten, höchst lehrreichen Catalog verdanke, mit, dass e neute Untersuchung ihm wieder bewiesen hat, dass eine Trennung der grossen Steinadler in Aquila chrysaëtus, fulva et nobilis unmöglich ist und es daher nur eine Art bei uns gibt: Aquila chrysaëtus, L.

[20]) Aquila heliaca, Sav. 1809. Aquila imperialis, Bechst 1812. Cuv. 1817.

Schreit e Wiggle by me Hus,
So git's e Todfall drus.

Wiggli ist schweizerisch und bedeutet die Art des Pfiffes, womit Vogelsteller und Jäger locken. Die Vögel sollen unter diesem Rufe einen Uhu zu hören meinen, zu dessen Verfolgung sie herbeikommen. Und dass das Wiggle den Tod ankündige, lehren die Sprüche:

„Der Aegerist verkündet Strît,
Schreit 's Wiggli, isch der Tod net wît."

(E. L. Rochholz, alm. Kindersp. und Kinderlied, S. 73).

„Wenn dir 's Wiggle schreit,
Wirst bald usse treit."

(derselbe).

Andere Schweizernamen für diesen Vogel sind: Hauri, Huri, Tschudereul (Rochholz, schweiz. Sag. II. 165). Im Bernerlande gilt die Elster als Hexe, der Gugger prophezeit, wie bald man stirbt, und wenn's Huuri rüeft, so hat das zu bedeuten, dass man verreisen, d. i. sterben müsse; doch Gretchen, auf das sich das Lied vom Unglücksvogel bezieht, kennt nur einen Vogel, der ihr Herz mit banger Sorge erfüllt, den scheut sie mehr als den Tod, und das ist der Gyritz (Kiebitz), in welchen nach scherzhafter Sage alte Jungfrauen verwandelt werden (Firmenich, germ. Völkerst. II. 582).

Von den Namen, die Nemnich zusammengestellt hat, führe ich an: Braune Eule, rothe Eule, Graueule, graue Waldeule, graue Buscheule, Mauseule, Grabeule, Punscheule, Weule, Hurru, Nachtrapp, Nachtram, Nahram.

Im nördlichen Böhmen gelten die Waldkauzen als Wetterpropheten. Wenn sie in der Dämmerung oder die ganze Nacht hindurch huhuhuhuu und gimitt erschallen lassen, kann man sicher auf Wechsel des Wetters rechnen.

Der Steinkauz (Athene noctua) heisst auch Steinauf, Steineule, Buscheule, das Wichtel; dieser Name ist in Wien und Niederösterreich sehr geläufig (C. M. Blaas, Germ. XX. 353). Das Strassburger Vogelbuch führt neben Kautz noch die Namen Klugen, Wald- und Steinkutzen an (E. Martin a. a. O). — Anderwärts nennt man die Athene noctua Kauz, Käutzl, grosser Kauz, Todtenvogel, Leichhuhn, Leichkauz, Habergeiss (Admont in Steiermark). Um sich gegen den unheilverkündenden Ruf der Habergeiss zu schützen, ist es bei den Bäuerinnen jener Gegend Brauch, ein Gericht aus Hafermehl zu bereiten, sogenannte Habertalken. Diese Opfergabe stellen sie vor die Hausflur und bringen damit, wie sie versichern, den Unhold zum Schweigen (Washington a. a. O.). In Sachsen ist der Steinkauz der Gehmitvogel, das Kommittchen, in Schlesien das Leichenhuhn, der Todtenvogel, die Tud-, Haus-, Stockeule und die Webklage (Ornithl. Jahrb. II. S. 53). In Schmardas Zoologie II. 561 ist die Athene noctua das Steinkäuzchen, der Minervavogel. Gewiss meint auch Konr. v. Megenberg mit den Namen wutsch, säuser, zitraer, zandklaffer, und amrinch diesen Vogel. Die Böhmen wollen in seinem Rufe ein poid, poid! d. i. komm mit, komm mit! vernehmen. Die Bewohner Mährens nennen ihn nach seinem Rufe Kulišek. Der Schrei klingt huit, huit, wie das heisere Bellen junger Hunde; ähnlich heult auch der Tuchik (Neuntödter). Beide Vögel gelten in Mähren als Todesboten. Anderwärts legt man seiner Stimme den Inhalt „komm mit, komm mit! Hof-Hof" unter und deutet das auf den Friedhof (Th. v. Gumpert, Album a. a. O. S. 39). Den Namen Fausthöberl bezieht M. Höfer (etym. Wörtb.) auf die kurze, gedrungene Gestalt dieses Vogels, und Hügerl soll entweder von dem Rufe hu-hu-hu oder von hugen, haugen (schleichen, leise herankommen) gebildet sein. Klageule, Klagvogel heisst diese Eule bei Dombrowski (Encyclp. V. 438), Würgengel im Forst-, Fisch- und Jagdlex. (I. 645) und aller Wahrscheinlichkeit nach ist auch die Tudail des Kuhländchens dieser Vogel (Mitth. d. ornth. Vereines Jhrg. 1889, Nr. 4). Bei Klein a. a. O. ist das Steinkäuzchen die Stock-, Haus-, kleine Wald- und die Scheuereule, bei Nemnich die braune Eule, die heulende Eule, die Kirch- und Buscheule, der Kutz, Kutzka und die Thurmeule. Die Namen Tschiavitl (Elenchus v. W. H. Krammer, Wien 1756, S. 324), Schofittl (Ornis Vindobonensis von Marschal S. 26), Schafhittl (um Admont in Obersteier), das schaffickl (Hans Sachs a. a. O.) haben alle Aehnlichkeit mit dem Tschafytlein, wie C. Gessner i. a. Thierbuche S. 357 die Zwergohreule bezeichnet.

(Schluss folgt.)

Auf ornithologischen Streifzügen.

Von **Paul Leverkühn**.

II.

Wenden wir uns von der Ebene zum Gebirge! Vom ersten Frühling einige Wochen weiter zu der Zeit, wo im flachen Lande die Obstbäume bereits ihren Blüthenschmuck verloren haben, wo die Nachtigallen in Jasmingebüschen flöten; dann sieht es 1000 Fuss ober der Meeresfläche noch sehr unwirthlich aus und für den Ornithophilen besonders traurig. Ich war ein ganzes Jahr nach einem solchen Sibirien verbannt, auf ein Hochplateau eines deutschen Gebirges in eine traurige Stadt, welche wenig anziehende Menschen und an sich gar nichts Anziehendes besitzt. Einige Excursionen waren gänzlich resultatlos verlaufen — die gewöhnlichsten Arten nur constatirt. Kein Nest gefunden, keine bisher ungesehene Niststätte entdeckt. Aus der Ebene liefen täglich von meinen Freunden die lockenden Schilderungen beutereicher ornithologischer Touren ein, und ich hatte noch gar nichts! Die einzigen Nester, die ich erspäht, waren die oft geschauten des gewöhnlichen Buchfinken (Fr. coelebs), welcher in den unschönen Ahorn- und Eichbäumen, den Begleitern der Hauptstadtwege, sein der Umgegend „angepasstes" Wohnhaus gebaut. In der Noth frisst der Teufel Fliegen — sei's d'rum! Aber wie? Am helllichten Tage — ganz unmöglich. Also Nachts! Eines Abends, 10 Uhr verliess ich zum Erstaunen meiner Wirthin das Haus, eilig, denn ich wünschte nicht, dass man die seltsam aufgekrempelten Hosen sehen sollte, an denen blinkernd die guten Steigeisen festgeschnallt waren. Wie der Dieb in der Nacht huschte ich durch ein Paar Strassen, bis ich an der Stelle angelangt, wo ein Tags zuvor gesehenes Buchfinkennest sass, etwa 30 Fuss hoch in einer dicht mit Flechten bewachsenen Eiche, die noch unbelaubt. Der fragliche Baum stand an der Strasse, ein Haus vor einer Wegkreuzung — sogar einer der ersten Strassen des Ortes. Ein stets laufender Brunnen begünstigte durch sein Plätschern mein Vorhaben. Nachdem ich mich versichert, dass kein Späher oder auch argloser Passant mich störte, begann ich den Anstieg. Ach, es hatte geregnet und die bösartigen Flechten sich fest- und vollgesogen wie ein nasser Schwamm! Allein, umkehren ist nie mein Fall gewesen, daher kletterte ich munter weiter, bis ich an den ersten soliden Ast kam, selbst nass wie ein Schwamm, von der innigherzlichen Berührung mit dem harten Holz. Ein Krachen bei ungeschicktem Auftreten machte mein Herz höher klopfen, da gerade in dem Momente ein Paar Waschweiber sich bei dem erwähnten Brunnen einfanden. Ich hielt mich mäuschenstill, denn wenn sie mich sahen, riefen sie gewiss den Nachtwächter unter Zetermordio zu Hilfe; leider sass ich in einer recht unbequemen Stellung. Es ist eine zu oft beglaubigte Thatsache, dass alte Weiber am Brunnen lange Redenhalten, als das sich besonders zu bethenern nöthig hätte, dass auch diese zwei Exemplare keine Ausnahme machten. Endlos salbaderten sie, schwatzten sie, quatschten sie. Es war nicht sehr warm, dies gewiss der Grund, dass sie schon nach einer guten Viertelstunde den Ort ihrer gemüthlichen Unterhaltung verliessen!

Etwas steif geworden, klimmte ich höher. Sapperlot, das Fenster in der ersten Etage des Hauses, vor dem unmittelbar mein Baum steht, ist ja noch hell! Nun, das wird hoffentlich der Vorplatz sein . . . Aber nein! Als ich vorsichtig meinen Körper höher ziehe, gewahre ich in einer gemüthlichen Stube an einem viereckigen Eichentisch einen ehrwürdigen Geistlichen (der Physiognomie nach zu urtheilen!) in der Bibel lesend. Wenn er mich erblickte, musste er mich für einen Einbrecher halten. Etwa vier Aeste waren noch zu nehmen. Katzenartig wuchs ich an dem Baume herauf, jeden Augenblicke den biederen Pater verdächtig anschielend. Ich erreichte ungefährdet den vierten. Blechkapsel heraus, Watte in den Mund, eine Hand am Baume, die andere zitternd zum Neste geführt. Kalte Eier — natürlich! denn das Weibchen hatte gewiss schon bei meinem ersten Kletterschluss seinen Platz geräumt, und während des Altweibergewäsches waren die Eier gestorben. Eins, zwei, drei, vier, so! alle in Sicherheit! Das Nest sorgfälltigst ausgehoben, in's Taschentuch gewickelt und das ganze in oder unter den geräumigen Hut gesteckt. Aber in dieser interessanten Arbeit hatte ich vergessen, in das feindliche Zimmer zu sehen. Als ich schnell hinblickte, sitzt der Pater nicht mehr am Tische! Er geht im Zimmer auf und ab. Jetzt nähert er sich dem Fenster: Baum und Rumpf sind ein Körper! Er entfernt sich; blitzschnell kraxle ich abwärts. Ratsch — da trete ich auf einen morschen Ast, welcher krachend zur Erde fällt. Ein Hund kläfft wüthend los, sein Hund. Stillgeklebt! denn von „stillgestanden“ und „stillgesessen“ ist in meiner Situation keine Rede . . Das Fenster öffnet sich. Er sieht in's Dunkle. — Gott sei Dank! Denn, wenn er schlau genug seine Lampe ausgeblasen, hätten sich seine Augen bald accomodiert, und er mich gesehen. So war ich gerettet. Er schloss das Fenster, der Hund beruhigte sich, ich kletterte hinab. Elf Uhr packte ich zu Haus die Beute aus.

(Fortsetzung folgt.)

Die Präparaten-Abtheilung der V. Ornitholog. Ausstellung in Wien.

Die vom Ornithologischen Vereine auf der diesjährigen XVII. internationalen Geflügel- und Vogel-Ausstellung veranstaltete Präparaten-Ausstellung kann erfreulicher Weise als eine besonders gelungene bezeichnet werden. Von unseren besten Präparatoren reichhaltig beschickt, übersichtlich und geschmackvoll angeordnet, bildete dieselbe einen Hauptanziehungspunkt nicht nur für die Ornithologen und für die wissenschaftlichen Kreise, sondern auch für das Publicum überhaupt, so dass sie sich auch stets des regsten Besuches erfreute.

Bei der Fülle des Gebotenen müssen wir uns selbstverständlich darauf beschränken, die interessantesten Objecte der Ausstellung hervorzuheben. Zuerst wollen wir uns mit den Präparatoren von Beruf beschäftigen.

Die altrenommirte Firma Brüder Hodek brachte sehr hübsche Tableaux, Stillleben von Fasanen und Wassergeflügel, ferner einen Gyps fulvus, weissköpfigen Geier im Fluge, einen Haliaetus albicilla, Seeadler im Abfluge, einen Tetrao urogallus, Auerhahn balzend und einen Bubo ignavus, Uhu, den Raub überstellend, zur Ausstellung; sämmtliche Thiere sind wahre Prachtexemplare, naturgetreu dargestellt, und zeigen, welch' genaue Beobachter der Thierwelt diese Präparatoren sind und wie sie die Kunst des Präparators beherrschen.

Alfred Haffner, obwohl noch ein junger Präparator, zeigt entschiedene Fortschritte. Bei zwei ausgestellten Haliaetus albicilla, Seeadler im Abfluge, gelangte der Blick des Raubvogels besonders hübsch zur richtigen Darstellung. Als sehr hübsche Exemplare sind weiters zu erwähnen: Eine Gruppe Seeadlerpaar sammt Eier, weiters zwei ♂ ♀ Falco peregrinus, Wanderfalken, sowie Medaillons Stillleben, Bonasia betulina, Haselhuhn und Logopus albus Moor, Schneehühner.

Ein besonderes Interesse bot auch eine Serie aquarell gemalter Photographien eigener Präparate des Ausstellers, aus den Ateliers Müller und Sulti in Wien, colorirt vom Maler István Thot, welche jedem Salon zur Zierde gereichen würden; wirklich ausgezeichnet, sehr naturgetreu und sorgfältig gearbeitet, so dass jede Feder hervortritt, gelangten hiebei zur Ausstellung: ein Auerhahn, balzend, Aquila fulva, Steinadler, Wanderfalken und Fuchsgruppen mit Raub; auch ein besonders grosses, rein gearbeitetes Skelet von Struthio Camelus, afrik. Strauss, erregte Aufmerksamkeit.

Die altrenommirte Firma Adam, die Fräulein Adam, stellten eine ziemlich reichhaltige Collection aus; worunter sich ausgezeichnete Exemplare befanden, so ein Auerhahn-Stillleben, ein Steinadler mit Beute, ein Pavo cristatus, ein prachtvoller Pfau ♂, eine Garrulus glandarius, Nusshäher-Gruppe, eine Ente mit Jungen; besonders gut waren eine Serie kleiner europäischer, sowie exotischer Vögel.

Max Maly, gleichfalls ein noch junger Präparator, legt ein anerkennenswerthes Streben an den Tag und wird wohl ein würdiger Schüler seines Lehrers, des berühmten Präparators Herz in Stuttgart, des Meisters in der Plastidermie, werden. Von den ausgestellten Exemplaren heben wir hervor: Einen rothen Milan, Milvus regalis, einen Astur nisus, Sperber, einen Buteo vulgaris, Mäusebussard, einen Gypaetus barbatus, Bartgeier, zwei Botaurus stellaris, sowie den ausgestellten Taubenschlag mit Tauben.

Franz Kalkus brachte gleichfalls eine grössere Collection zur Ausstellung, die sehr charakteristisch dargestellt war; eine Gruppe Corvus frugilegus, Saatkrähen, ein Bubo ignavus, sibir. Uhu und eine Fasanen-Gruppe.

Aus der sehr netten Collection von Franz Schlögel sind die Raubvögel hervorzuheben: Ein Seeadler, ein Mäusebussard, ein Nictale tengmalmi, Rauchfusskautz, eine Scops carniolica, Zwergohreule; besonderes Lob verdient die Wahl der richtigen künstlichen Augen, welcher von den Präparatoren leider nicht immer die nöthige Aufmerksamkeit geschenkt wird.

J. Biering, zoologischer Präparator in Warnsdorf, Böhmen, hat ebenfalls eine grössere Collection zur Ausstellung gebracht, aus welcher wir Astur nisus, Finkenhabicht mit Nest und Jungen, sowie eine Schneeeule, Nyctaea nivea, hervorheben.

Franz Hackl führte einige hübsche Exemplare von Raubvögeln vor, welche mackellos im Gefieder waren.

Als Präparatoren von Beruf betheiligten sich an der Ausstellung weiters noch: Die alte Firma Schuster in Wien, welche namentlich Präparate für Lehranstalten liefert und deren Inhaber das anerkennenswerthe Bestreben an den Tag legt, den Ruf der Firma zu wahren.

August Gude aus Wien, ein Anfänger, stellte auch einige Exemplare aus.

Eine besondere Aufmerksamkeit verdienen die von mehreren Amateur-Präparatoren und einigen Sammlern ausgestellten Objecte.

Ingenieur Pallisch, der verehrte Redacteur unserer Vereins-Mittheilungen, hatte in zwei Glaskästen eine sehr interessante Schädelsammlung europäischer Vögel, sowie einen Soxia bifasciata, Bindenkreuzschnabel mit in der Gefangenschaft erbautem Neste, zur Ausstellung gebracht; erstere erregte insbesondere auch das Interesse der wissenschaftlichen Kreise; sie ist ausserordentlich sorgfältig zusammengestellt und rein gearbeitet.

Bürgerschullehrer Michel in Bodenbach a. d. E., sendete eine hervorragende ornithologische Collection. Die ausgestellten Gruppen: Lanius collurio, Dorndreher raubt ein Emberiza Citrinella Goldammernest; beim Ausfluge verunglückte junge Regulus ignicapillus Sommergoldhähnchen von den Alten gefüttert; alte und junge Muscicapa parva, Zwergfliegenfänger, zeigen von aufmerksamster Naturbeobachtung; für den Ornithologen war auch eine Sammlung von Bälgen, von Zwergfliegenfängern und weissbindigen Kreuzschnäbeln interessant.

Herr stud. jur. Ernst Reiser stellte eine interessante Gruppe von zwei Lestris pomatorhina, nördliche Raubmöven aus, welche den 26. October in Bergenthal bei Marburg erlegt wurden, worüber Herr Ernst Reiser in der „Schwalbe“, XV. Jahrg., Nr. 5 ausführlich berichtet. Die Stellung dieser Möven ist sehr naturgetreu.

Die Arbeiten des Heinrich Glück, eines jungen stud. med. veter. zeigen Fleiss und genaue Beobachtung; er ist als junger Amateur-Präparator zu beglückwünschen.

Alfred Sattler aus Pisek hatte eine interessante Abnormität eines Rebhuhnes, Perdix cinerea, ausgestellt.

Sehr interessant und sorgfältig zusammengestellt war auch die Eier-Sammlung des Apothekers Czoppelt aus Szász Regen in Siebenbürgen. Namentlich das Interesse der wissenschaftlichen Kreise erregten die vom Präsidenten des Ornithologischen Vereines Bachofen von Echt und die von Magistrats-Secretär Linsbauer ausgestellten, von dem Naturforscher Andreas Reischek in Neu-Seeland gesammelten Objecte und wir müssen uns deshalb etwas eingehender damit beschäftigen. Die vom Präsidenten Bachofen von Echt ausgestellte überaus interessante Collection sehr seltener neuseel. Vögel bestand aus einem Männchen und einem Weibchen von Nestor Notabilis (Papageien, welche zu Raubvögel ausarteten und den Schafzüchtern grossen Schaden zufügen), aus einem Stringops habroptilus, Alpenvarietät M. Höhlenpapagei, aus einer Ocydromus Australis Resenralle und aus ♂ ♀ von Apteryx Bulleri, brauner Kiwi; sämmtliche Thiere sind naturgetreu nach Reischek's Beobachtungen von diesem selbst präparirt. Magistrats-Secretär Linsbauer stellte eine Gruppe von Apteryx Owenii, grauer Kiwi, aus; selbst die Farn und Moose, auf welchen die interessanten Vögel stehen, sind aus Neu-Seeland. Die weiters von dem Genannten ausgestellte Sammlung von Skeleten neuseeländischer Vögel, u. zw. Typen der verschiedenen Familien, umfasst folgende Exemplare: Glaucopis cinerea Lappenkrähe; Prosthemadera Novae Zealandiae, Pastorvogel; Nestor meridionalis; Stringops habroptilus, Höhlenpapagei, Porphyrio melanotus, Sumpfhuhn Aestrelata Cooki, kl. Sturmvogel, Majopeus Parkinsoni, gr. Sturmvogel, Eudiptula minor, kl. Pinguin, Apteryx Owenii, grauer Kiwi. Herr Reischek selbst hatte ein ausgestopftes ♀ Exemplar des bereits ausgestorbenen Apteryx australis, Alpen-Kiwi und das Skelet eines solchen Vogels ausgestellt, so dass sich dem Beschauer ein vollständiges Bild der Apteryx-Familie und einige andere seltener Vertreter der Ornis Neu-Seelands bot.

—R.—

Die lebenden Vögel auf der ornithologischen Ausstellung.

(Fortsetzung.)

Als ein weiterer schöner Züchtungserfolg präsentiren sich je zwei Kronfinken von Südamerika und Ceresastrilde des Herrn Stiehler in Kötzschenbroda. Die beiden reizenden Südamerikaner, welche fleissig ihr, uns an den Gesang des Goldhähnchens erinnerndes Liedchen hören liessen, dürften die ersten in Europa gezüchteten ihrer Art sein, der schmucke australische Ceresfink ist wohl schon öfters gezüchtet, immerhin ist aber ein voller Erfolg seiner Bruten erwähnenswerth. Herr Stiehler brachte auch gezüchtete japanische Mövchen in der braunbunten Spielart, Niederreiter Kilb solche in reinweissen und gelbbunten Gefieder. Letzterer Aussteller zeigte auch selbstgezogene Elsterchen, Halsband, Zebra und weisse Reisfinken, interessanter aber, als diese sich im Käfige ja so überaus leicht fortpflanzenden Amandinen, erschienen uns Bastarde von japanischen Mövchen einerseits mit kleinen Elsterchen, andererseits mit Malabarfasänchen. Wenn solchen in Gefangenschaft erzielten Mischlingsbruten ja auch schliesslich weiters kein wissenschaftlicher Werth beizulegen ist, so können sie doch immerhin Material zum Studium über d e Fortpflanzungsfähigkeit der Bastarde liefern und sich für den Züchter vielleicht auch zur Blutauffrischung verwendbar erweisen. Kammerzelt-Wien brachte ebenfalls gezüchtete gelbbunte Mövchen, sowie ein Männchen der Gürtelamandine, Pagany-Wien selbstgezogene Reis- und Zebrafinken, Wellensittiche und Mövchen.

Unter den importirten Fremdländern fiel zunächst die Papageien-Collection der Frau Zelinka Wien durch ihren Reichthum an Araras auf; fünf dunkelrothe, ein hellrother und zwei blaue, gelbbrüstige Araras, gewiss ein schönes Sortiment dieser farbenprächtigen Vögel.

Unter den dunkelrothen Araras befanden sich zwei von ganz immenser Grösse, welche ihrem Benehmen gegeneinander nach zu schliessen, ein richtiges Paar sein dürften, eine der Araraunas, ein ungemein zahmer und liebenswürdiger Vogel zeigte sich auch als guter Sprecher. Ausser diesen Riesen des Papageiengeschlechtes brachte Frau Zelinka mehrere grosse Gelbhaubenkakadus, einen Molukken- und ein Paar Rosenkakadus — letztere haben sich während der Ausstellungszeit einigemale gepaart und auch sonst sehr nistlustig gezeigt, so dass, nachdem die Vögel billig verkäuflich sind, es sehr zu wünschen wäre, wenn sie in den Besitz Jemandes, welcher mit ihnen Züchtungsversuche zu machen in der Lage ist, übergiengen — einige Blaustirn- je eine Müller-, Surinam und Goldnacken-Amazone, letztere recht tüchtige Sprecher.

Unter den Händler-Collectionen verdient jene von Häusler & Cie., Wien, in erster Linie genannt zu werden; dieselbe wies ebenfalls eine recht arten- und zahlreiche Papageiensamm'ung auf: hellrothe und blaue Arara, Blaustirn, Surinam und eine selten schöne grosse Gelbkopfamazone, Molukken-, kleinen und grossen Gelbhaubenkakadu, Graupapagei, ein Pärchen Mohrenköpfe, Mönchs-, Jendaya-, Alexander-, Sing-, Nymphen-Wellen und Königssittich, Grau- und orangeköpfige Zwergpapageien, ein schönes Gebirgsloripaar. Auch an fremdländischen Weichfressern brachten diese Aussteller einige bemerkenswerthe Schauobjecte, so eine, der so selten lebend eingeführten Rampos-Spottdrosseln, Lappen- und Haubenmeinastaar, den interessanten neuseeländischen Pastorvogel, je ein Exemplar der so schmucken und lebhaften Blaukappenraben und Blauheher.

Unter den Finkenvögeln fielen uns neben den gewöhnlichen Erscheinungen besonders ein Pärchen der so herrlich gefärbten Gouldsamandine und grüne Kardinäle auf. Albert Ulrich-Wien führte blaustirnige und Goldnackenamazonen, Rosa- und Molukkenkakadu, sowie einen hellrothen Arara, welchen wir als das schönste und grösste Exemplar, welches wir von dieser Art noch gesehen haben, bezeichnen müssen, weiters verschiedene kleine Fremdländer in den gemeineren Arten vor. Ebenfalls einen sehr schönen hellrothen Arara, welcher, jetzt augenscheinlich noch sehr jung, später vielleicht dem Vorerwähnten ebenbürtig werden dürfte, dabei ungemein zahm ist, ein Männchen des Halmafra-Edelpapageie's eine Surinamamazone, verschiedene kleine Finkenvögel, unter diesen einige Mövchenbastarde zeigte A. Bammer-Wien. Auch die Collection von G. Findeis-Wien nannte einen hellrothen Arara ihr eigen, ferner sehr schöne Blaustirnamazonen, Gelbhauben und Rosenkakadus, Nymphen-Wellen, Jendaysittiche, Zwergpapageien, ein Pärchen Blaukappenraben und ein wahres Prachtexemplar des Pastorvogel. Unter den kleinen Prachtfinken dieses Ausstellers fiel uns ein sehr schönes Männchen des olivengrünen Astrild auf. J. Wesely-Wien hatte an Papageien eine selten schön ausgefärbte Gelbwangenamazone, Blaustirnamazonen, Rosa- und Gelbhaubenkakadu, Braunohr- und rosenbrüstigen Alexandersittich.

Auch Rausch-Wien hatte Surinam- und Blaustirnamazonen zur Schau gebracht.

(Fortsetzung folgt.)

Bericht über die Grossgeflügel-Abtheilung der in den Tagen vom 16. bis 21. April 1892 abgehaltenen Ausstellung des Wiener Vororte-Geflügelzuchtvereines.

Langshans waren in Classe I und II mit 19 Nummern vertreten.

Uns gefiel weitaus am besten der mit der silbernen Vereins-Medaille prämiirte Stamm des Herrn J. Leithner, Wien; besonders der Hahn dieses Stammes erinnerte noch an jene Langshans, wie sie vor Jahren in Wien gezeigt wurden. Ein hübscher Stamm des Herrn A. F. Bayer, Linz, erhielt collectiv mit einem blauen Stamm, dessen Henne mustergiltig zu nennen ist, die silberne Staats-Medaille.

Bemerkenswerth war noch der Stamm des Herrn Schöpflug, Wien (III. Cl.-Pr.).

In weissen Langshans zeigte Frau Therese Thornton zwei Stämme, wovon besonders der eine (Nr. 17) hervorzuheben ist (II. Cl.-Pr.), dessen Hahn nebstbei bemerkt, uns wesentlich besser zu sein schien, als der von derselben Ausstellerin im März in Wien gezeigte.

Helle Brahma waren durch einen guten jungen Stamm des Geflügelhof „Erlach-Linsberg" (Ehrenpreis und I. Cl.-Preis), sowie einen Stamm des oberösterreichischen Geflügelzucht-Vereines in Linz (II. Preis) gut vertreten.

Ein Stamm der Frau Th. Thornton erhielt noch eine Anerkennung.

Dunkle Brahma erschienen in 7 Nummern. Weitaus der beste Stamm war der von A. Feischl in Wien; er ward mit Privat-Ehrenpreis ausgezeichnet. I. Cl.-Pr. wurde zwei Stämmen der Frau Fery Shaniel verliehen.

Cochin gelb. Obwohl 10 Stämme erschienen, war doch nur einer derselben (Nr. 35), Herrn

A. Feischl, Wien, gehörig, von Bedeutung. Die Preisrichter ertheilten ihm den I. Preis und gingen an den übrigen Stämmen vorüber.

Von den angemeldeten weissen Cochin war nur ein Stamm des Geflügelhofes „Erlach-Linsberg" erschienen, der mit II. Cl.-Pr. reichlich hoch bedacht war; die schöne Henne kam neben dem geringeren Hahn nicht zur Geltung.

In der Classe „andersfärbige Cochins" stand ein Prachtstamm rebhuhnfarbige des Herrn A. F. Beyer, Linz; jedenfalls die besten Thiere in den Cochin-Classen. — Rebhuhn-Cochins dieser Qualität waren in Wien schon lange nicht gezeigt. — Sie erhielten selbstredend den I. Cl.-Pr.

Ein Stamm des Herrn A. Feischl wurde mit III. Cl.-Pr. prämiirt.

Plymouthrocks waren zwar in 7 Stämme ausgestellt, aber nur zwei Stämme darunter konnten prämiirt werden. Der Hahn des einen Stammes (Bes. Geflügelhof „Erlach-Linsberg") ist von hervorragender Schönheit; sehr gross und kräftig die Henne, sehr rein in Zeichnung und von edler Figur. Die Jury zeichnete den Stamm mit der broncenen Staats-Medaille aus. Eine bronzene Vereins-Medaille wurde noch auf Cat. Nr. 53 vergeben, ein Diplom auf Nr. 54.

Dorking waren zu unbedeutend, um auf einen Preis Anspruch machen zu können.

Wyandotte waren in 3 Nummern erschienen, wovon die goldgesäumten des oberösterreichischen Geflügelzucht-Vereines in Linz recht hübsch waren und II. Classenpreis erhielten.

Von den Silberwyandottes des Herrn Völkl, Wien, war eine der Hennen sehr rein gezeichnet. Dieser Stamm erhielt eine Anerkennung, ebenso ein Stamm des Herrn J. Hofer, Linz.

Eine der Musterclassen der Ausstellung war die der Houdans, die 14 Stämme aufwies.

Einen Collectionspreis erhielt Frau Irma Nagel in Graz auf 4 Stämme: den I. Classenpreis Herr Rob. Echinger, Wien, den II. Classenpreis Herr Anton Feischl, Anerkennung Herr A. Schönpflug. I. und II. Classenpreis hätten wir lieber vertauscht gesehen, wenn wir auch einräumen, dass die Kammbildung beim Hahn des Echinger'schen Stammes bestechend schön ist.

Créve coeur und La flêche waren mit zwei, respective drei Stämmen beschickt und erhielt in jeder der beiden Classen Herr Rob. Echinger einen I. Preis. Die beiden Stämme waren hübsch, doch nicht genügend kräftig. — Die ihnen verliehenen hohen Preise sind immerhin durch die Seltenheit des Erscheinens guter Thiere dieser Rassen auf unseren Ausstellungen zu rechtfertigen.

Italiener waren, besonders in der schwarzen Varietät, sehr gut durch zwei Stämme der langjährigen Züchterin dieser Rasse, Frau Antonie Schick vertreten. (I. Cl.-Pr.)

Rebhuhnfarbige Italiener zeigte in sehr guten Exemplaren Herr Franz Schlinkert, Wien, erhielt jedoch blos II. Preis, welche Auszeichnung auch dem ebenfalls rebhuhnfarbigen Stamm des Oberösterreichischen Geflügelzucht-Vereines in Linz zuerkannt wurde.

Minorka haben wir in Oesterreich noch nicht so schön ausgestellt gesehen wie hier.

Der schwarze Stamm des Herrn R. Echinger ist ein Musterstamm allerersten Ranges; demselben wurde der I. Classenpreis zuerkannt, die bekannten prächtigen weissen, des Fräulein Betti Nagel in Purkersdorf, mussten sich neben diesen mit II. Preis begnügen. Weiters wurde noch ein II. Preis Herrn W. Hähnel, Linz und eine bronzene Vereins-Medaille Herrn H. Schilgen, Schönigen, zuerkannt.

Ein prachvoller Stamm Andalusier des Herrn Rob. Echinger wurde mit der silbernen Staats-Medaille prämiirt; auf jeden Fall aber standen die Minorka desselben Ausstellers qualitativ noch höher und wäre die Staats-Medaille auf jenem Stamm besser angebracht gewesen.

In den Paduanerclassen blieben die renommirten Züchter: Frau Therese Thornton in Chamoir- und Silber-Paduanern und Herr Jacob Ditrich in Gold-Paduanern Sieger. Herr Aug. Dorn erzielte noch auf Chamois-Paduaner II., Frau Math. Schieder auf Silber-Paduaner III. Classenpreis.

Holländer waren durch einen Stamm der Frau Th. Thornton (I. Cl.-Pr.) und des Herrn Anton Feischl (II. Cl.-Pr.) sehr gut vertreten, auch die mit 3. Preis prämiirten Thiere des Herrn Waschka waren noch recht gut.

Hamburger gewinnen bei uns in letzter Zeit an Beliebtheit, u. zw. besonders in der Varietät „Silberlack".

Die Specialzüchterin der Rasse, Frau Kathi Brameshuber in Wilhering, Ober-Oesterr., erzielte I. Preis und Diplom auf drei ausgestellte Stämme Silberlack, weitere Classenpreise wurden zuerkannt, dem Ober-Oesterreichischen Geflügelzucht-Vereine in Linz und Herrn Krenn, Poisdorf, sowie Herrn Reichberger, Wien (Schwarzlack).

Die zwei vorgeführten Stämme Malayen waren zu unbedeutend. Auf einem Stamm altmodischer, englischer Kämpfer, erhielt Frau Caroline Zeinlinger, Wien, silberne Vereins-Medaille.

Die Classe Zwergkämpfer war qualitativ, wie quantitativ sehr gut besetzt.

Die Prämiirung ergab I. Preis für ein Stämmchen Goldhalsige des Herrn Scholz, Poisdorf, II. Preis (colletiv) für je ein Stämmchen Goldhalsige und Rothschecken des Geflügelhofes Erlach-Linsberg und III. Preis für ein Stämmchen Goldhalsige des Herrn A. Feischl, Wien. Uns schien besonders der Hahn des letztgenannten Ausstellers der Schnittigste von Allen zu sein.

Bantams stellte Herr R. Echinger, Wien, hübsche Gold- und Silber-Seberight's (I. Cl.-Pr.) aus, während uns die noch vorhandenen und auch prämiirten Sperber-Bantam und schwarzen Bantams nicht genügt hätten.

Zwei Stämme Langshan-Landhuhn- und Langshan-Plymoutrocks-Kreuzungen machten den Schluss der Hühnerabtheilung.

Ueber das erschienene Wassergeflügel ist wenig zu sagen:

Pekingenten sandte Geflügelhof „Erlach-Linsberg" und Herr A. Schönpflug; der erstgenannte Stamm erhielt I. Cl.-Pr., der zweitgenannte bronzene Staats-Medaille.

Ronenenten waren ungenügend. Dem einzig vorhandenen Stamm Emdener Gänse des Geflügelhofes „Erlach-Linsberg" wurde die silberne Vereins Medaille zuerkannt.

Die Prämiirung in der Grossgeflügel-Abtheilung muss, als eine äusserst Freigebige bezeichnet werden, sozwar, dass die ausbezahlten Classenpreise allein, das eingegangene Standgeld beiweitem überstiegen, dessgleichen kann dem Arangement, der Pflege und Wartung, sowie der raschen Rücksendung des Geflügels ein unumschränktes Lob gezollt werden.

Gallus.

Ausstellungen.

II. Jahresausstellung des Vereins Vogelfreunde „Edler Sänger".

Dieser Kampf gefiederter Sänger, welcher von dem Verein in Braun's Localitäten, VI., Gumpendorferstrasse 141, für Sonntag den 1. Mai ausgeschrieben wurde, hatte, wie vorauszusehen war, einen sehr interessanten Verlauf, und es erfreute sich diese zweckentsprechend und hübsch decorirte Ausstellung trotz ungünstiger Witterung eines sehr regen Besuches. Die Preise bestanden aus künstlerisch ausgeführtem Vogel sammt Wappen, massiv in Bronze mit reicher Vergoldung, auf welchem das Ausstellungsdatum ersichtlich gemacht, und auf färbigem Bande die Gold- und Silber-Prämien befestigt waren. Dieselben gingen aus Herrn Josef Kremser's allbekannter Metallgiesserei hervor, und wurden von obgenannten Herrn dem Vereine kostenlos gespendet; in gleicher Weise kamen die Vereins Mitglieder Bildhauer Herr Engelbert Langer und Ciseleur Herr Franz Hons dem Vereine entgegen.

Erste Preise erhielten: Für „Nachtigallen" die Herren Serda und Schwindt; für „Gelbe Spotter" die Herren Lederer, Hons und Schmidt; für „Graue Spotter" die Herren Deibl und Russ; für „Spanische Grasmücken" Herr Eckl; für „Schwarzblättchen" die Herren Stamminger, Sladek und Hons; für „Singende Goldhähnchen" und „Graue Bachstelzen" die Herren Langer sen. und Schumann.

Ferner erhielten noch Preise die Herren: Schillbach, Langer jun., Rohbauer, Merker, Kremser jun., Sachse, Puldl, Bognar, Hartl, Nisser, Rančak, Schnaiter, Ziegler, Herschmann, Peckary, Fuchs, Langheinrich, Hallas und Wenezek.

Sch.

Vereinsnachrichten.

Frankfurt a. M. Die hiesige Gesellschaft der Vogelfreunde hat in den letzten zwei Jahren unter der umsichtigen Leitung ihres neuen Vorsitzenden, Branddirector a. D., Rauft, einen derartigen Aufschwung genommen (nahezu 300 Mitglieder), dass die seitherige Anzahl der Vorstandsmitglieder zur Erledigung der Geschäfte nicht mehr genügen konnte und die Neucreirung weiterer Vorstandsämter zur unabweisbaren Nothwendigkeit wurde. Natürlich ward hierdurch eine vollständige Aenderung der Statuten bedingt; die indessen auch nach anderen Richtungen hin einer wesentlichen Umarbeitung bedürftig geworden waren. Auf Grund dieser neuen Statuten fand in der letzten Generalversammlung die Neuwahl des Vorstandes für die Dauer der nächsten drei Jahre statt, die folgendes Resultat ergab: I. Vorsitzender: Branddirector C. Rauft, II. Vorsitzender: Franz Flach, I. Schatzmeister: C. Kilb, II. Schatzmeister: Ernst Diehl, I. Schriftführer: Rudolf Frank, II. Schriftführer: Robert Weigel, I. Inventarverwalter: Ferdinand Strohecker, II. Inventarverwalter: Heinrich Stromeyer und Büchereiverwalter: Carl Mittler. Zur Feier des 25jährigen Bestehens der Gesellschaft wird beabsichtigt, in diesem Jahre, nebst anderen Festlichkeiten, eine grosse Geflügel-Ausstellung abzuhalten, und zwar wird dieselbe in den Tagen vom 13.—17. August stattfinden. Zur Wahl dieses, für ein solches Unternehmen, nicht ganz günstig erscheinenden Zeitpunktes, war die Gesellschaft deshalb genöthigt, weil das einzige, hier zur Verfügung stehende Local, die landwirthschaftliche Halle, bedeutenden baulichen Umänderungen unterworfen wird, die erst zu dieser Zeit beendigt sein werden. Trotz dieses Umstandes rechnet die Gesellschaft auf eine rege Betheiligung von Nah und Fern, da die Frankfurter Ausstellungen bekanntlich immer reich mit Preisen dotirt sind und auch hier stets gutes Geflügel gerne gekauft wird. Mit der Ausstellung ist eine Lotterie verbunden, zu welcher 12.000 Lose ausgegeben werden, deren Vertrieb im ganzen Regierungsbezirke gestattet ist. Die Vorarbeiten sind lebhaft im Gange und wird das Programm schon demnächst zur Ausgabe gelangen. Einstweilen wird dieser Tage die provisorische Classenaufstellung an alle Vereine und bekannten Züchter versendet werden. Es soll dadurch Jedermann die Möglichkeit geboten werden, für etwa nicht vorgesehene Rassen oder seltenen Farbenschläge eigene Classen, sogenannte Garantieclassen stiften zu können.

F.

Kleine Notizen.

Kämpfende Steinadler. Am 7. d. M. erschienen zwei Steinadler ober der Ortschaft Seregélyes und verfolgten sich im wüthenden Kampfe. Nach ungefähr einer Stunde liessen sie ermüdet mit dem Kampfe auf. Der eine bäumte in einem Hausgarten auf, wo man ihn erlegte, der andere flüchtete sich mühsamen Fluges, flog auf ein Dach, stürzte jedoch, in Folge seiner Wunden, todt auf die Erde. Dieses Exemplar ging zu Grunde, das andere wird aber präparirt und kommt in den Besitz des dortigen Verwalters F. Czeilich. Beide waren ausgefärbte alte ♂, Aquila chrysaetos.

Stuhlweissenburg, 10. Mai 1892.

Ladisl. Kenessey v. Kenese.

Bemerkenswerthes vom Frühjahre 1892 im Weissenburger Comitat. Ende April 3 Milvus korschun Gm. in Csala erlegt. 6. Mai: Muscicapa parva L. ♂ bei Stuhlweissenburg erlegt. 7. Mai: Gyps fulvus Gm. ad in Gákozd erlegt. 11. Mai: Ein Pernis apivorus L. in Csala erlegt. Alle diese Exemplare kamen zu unserem Mitgliede, Herrn Prof. Gabr. Szikla.

Stuhlweissenburg, 14. Mai 1892.

Ladisl. Kenessey v. Kenese.

Merkwürdige Pflegemutter. In meinem Nachbardorfe Stettanich bei Jülich besitzt ein Schreinermeister Schmitz eine Katze, die ihre Jungen todt biss und dafür sieben Kücken einer bösen Henne adoptierte, die solche nicht annehmen wollte. Die Henne hatte bereits gleichfalls zwei Kücken todtgebissen, bis sie am dritten Tage abgesetzt wurde. Die Katze erbarmte sich der übrigen sieben Kücken, drückte sie zärtlich an sich, bebrütete sie und führte sie in der Küche und auf dem Hofe umher. Sie fängt fleissig Mäuse für die Kücken und bringt sie ihnen lebendig. Die sorgsame Frau Schreinermeisterin zerstückelt sie, worauf sie von den Kücken verzehrt werden. Die Kücken sind jetzt drei Wochen alt. Besonders scharf ist die Katze gegen sich nähernde Hunde, wie unser „Sausewind" heute Morgen schmerzlich erfahren musste.

Bernard Bachofen von Echt.

Massenhof bei Jülich, 14. Mai 1892.

Frühlingsbulletin vom Gute Siworitza bei Gatschino. Am 31. März hatten wir den ersten, bis gegen 2 Uhr Nachmittags vollkommen windstillen, warmen Frühlingstag. In den Lüften jubelten hunderte von Lerchen, grosse Staarengesellschaften gurgelten und zwitscherten an ihren Brutkästen, Goldammer, Kohl- und Sumpfmeisen bemühten sich nach besten Kräften mit ihren schwachen Stimmmitteln das Concert zu vervollständigen und ein eben angelangtes Buchfinken-Männchen (Fringilla coelebs) rief sein munteres „pink, pink" dazwischen, lustig auf dem schneefreien Stückchen Erde vor mir hüpfend. Ein grosser Ameisenhaufen war dicht bedeckt von seinen fleissigen Bewohnern, die selbst den ersten warmen Tag nicht unbenutzt vorübergehen lassen wollten. Mit lustigem Zirpen zog eine grosse Schaar Schwanzmeisen (Orites caudatus) durch das Birkengezweig vorüber, eine Schaar Ringeltauben (Columbus torquatus) sass auf dem schneefreien Wiesenstreifen am Bache und durch den Wald dröhnte das Liebesgetrommel des Schwarzspechts. Am 1. April war das Wetter wieder unangenehm, kalter Wind bei Sonnenschein ohne Wärme. Im Schatten thaute es den ganzen Tag über nicht. Auf einem Feldzaune sah ich eine Sperbereule (Surnia nitoria) sitzen. (Die nordischen Eulen, in deren Sommerheimat die Sonne nicht untergeht, sind nicht im Mindesten lichtscheu, sie sind vollkommene Tagvögel.)

Bevor ich meine Frühlingsberichte fortsetze, will ich, um dem Leser ein volles Bild unserer Fauna zu geben, unsere Standvögel und Vierfüssler aufzählen. In diese Kategorie stelle ich blos die Thiere, die unter allen Umständen ihren Wohnsitz nicht verlassen.

Ständig leben auf unserem Gebiete: Fuchs, Dachs, Iltis, Stein- und Baummarder Wiesel, Fischotter, Spitzmaus, Maulwurf, einige Feldmausarten, Hausmaus, Wanderratte, Wasserratte, zwei oder drei Fledermausarten, Eichhörnchen, weisser und brauner Hase; Kälberluchs und Wolf sind in einigen Exemplaren regelmässige Gäste im Winter; Bär, Reh, Elen werden zuweilen im Sommer gesehen.

Von Vögeln sind ständige Bewohner unseres Gebietes, Certhia familiaris (Baumläufer), Sitta europaea (Klaiber), Corvus corax, cornix, monedula (Kolkrabe, Nebelkrähe, Dohle), Pica caridata (Elster), Garrulus glandarius (Eichelhäher), Passer domesticus und montanus (Haus- und Feldsperling), Emberiza citrinella (Goldammer), Parus major, ater, borealis (Kohl-, Tannen-, Sumpfmeise), Picus martius, leucourtus, major, minor, canus, viridis (Schwarz-, Elster-, grosser Bunt-, kleiner Bunt-, Grau- und Grünspecht), Astur palumbarius (Taubenhabicht), Bubo maximus (Uhu), Ulula aluco, lapponica (Wald- und lappländischer Kauz), Dosypus Tergmalusi (Rauchfusskauz), Glaucidium passerinum (Zwergkauz), Lagopus albus (Schneehäher), Tetrao tetrix, bonasia (Birk- und Haselhuhn), Perdix cinerea (Rebhuhn), Phasianus colchicus (Fasan); auf dem Schlossteiche in Gatschino überwintert auch in strengsten Wintern Anas boschas (Stockente); Troylodytes parvulus (Zaunkönig); Dendrofalco aesalon (Merlinfalk) ist gewöhlich Wintergast, in diesem Jahre nicht. (Fortsetzung folgt.)

Aus unserem Vereine.

Protokoll

der am 5. Mai 1892 stattgefundenen Ausschuss-Sitzung des Ornithologischen Vereines.

Anwesend: v. Bachofen, Haffner, Dr. Přibyl, Reischek, Zecha, Zeller, Dr. Zimmermann.

Entschuldigt (krank): Red. C. Pallisch.

Der Herr Vereinspräsident Bachofen von Echt eröffnet um 1/27 Uhr die Sitzung.

1. Herr Fritz Zeller berichtet über den Einlauf der Dankschreiben von Hrn. Adam und Reischek (Ernennung zum Ehrenmitglied), dieselben werden zur Kenntniss genommen.

2. Herr Dr. Zimmermann legt den Abschluss der Rechnung pro 1891 vor. Dieselbe wird genehmigt und beschlossen, selbe zur Prüfung den Revisoren vorzulegen.

3. Dr. Přibyl verliest den Thätigkeitsbericht für das Jahr 1891. Der Bericht wird einstimmig angenommen.

4. Es wird über Antrag des Hrn. Vorsitzenden beschlossen, die diesjährige General-Versammlung (die 16. ordentliche General-Versammlung) Montag, 23. Mai, Abends 6 Uhr, im grünen Saale der Akademie der Wissenschaften, abzuhalten.

5. Herr Arth. Zecha wird einstimmig zum 2. Vicepräsidenten des Vereines gewählt.

6. Es wird einstimmig beschlossen, die Aussenstände der Mitgliedsbeiträge jetzt durch das Bureau des Vereines einzufordern und erklärt sich Herr Dr. Zimmermann bereit, die Liste der Aussenstände umgehend dem Vereinsbeamten zu übermitteln, damit das Erforderliche veranlasst werde.

7. Es wird beschlossen, eine Aenderung in der Leitung des Vereinsbureaus vorzunehmen; dem bisherigen Beamten Nusser ist per 1. Juni zu kündigen und wird Herr Dr. Přibyl ersucht, die Verhandlungen mit dem von ihm vorgeschlagenen Beamten, königl. Rath Gamauf, wegen Uebernahme der Geschäfte einzuleiten. Dr. Přibil erklärt sich bereit, dem neuen Beamten in der Vereinsführung zu unterstützen. Herr Pallisch ist hievon zu verständigen.

8. Das Ansuchen Nussers wegen einer Remuneration anlässlich der Mehrarbeiten bei der Ausstellung, wird dahin erledigt, dass demselben aus Vereinsmitteln der Betrag von Zehn Gulden angewiesen werde.

9. Herr And. Reischek referirt über den Zustand der Sammlung und erklärt sich bereit, selbe nochmals zu ordnen und aufzustellen. Es wird beschlossen, eine Annonce zu veröffentlichen, um geeignete Kästen zur Aufstellung der Sammlungen zu erwerben, um die Umräumungen zu ersparen. Ferner ist ein Schriftenkasten anzuschaffen, um die Bibliothek und die Vereinszeitschrift unterzubringen.

10. Herr Fritz Zeller bringt das Schreiben Schultz — Hetzendorf zur Verlesung. Jos. Schultz wird aus der Mitgliedsliste gestrichen und ist derselbe hievon zu verständigen.

11. Ueber Vorschlag des Herrn Reischek werden als Mitglieder aufgenommen:

1. Ludwig von Führer, Stud. der Veterinärkunde, IX., Porzelangasse 2.
2. Heinrich Glück, Stud. der Veterinärkunde, IX., Porzelangasse 2.
3. Präparator Maly, IV., Starhemberggasse 4.
4. Präparator Franz Kalkus, Weinhaus, Herrengasse 8.
5. Anton Abraham, Beamter, Messenhausergasse 2.

Behufs Verständigung der Aufgenommenen ist eine neue Drucksorte aufzulegen und wird Dr. Přibyl ersucht, selbe directe bei der Vereinsdruckerei zu bestellen.

Der Herr Vorsitzende schliesst um 8 Uhr die Sitzung.

Ad. v. Bachofen — Obmann.

Dr. Leo Přibyl — Schriftführer.

Verlag des Vereines. — Für die Redaction verantwortlich: Rudolf Ed. Bondi.
Druck von Johann L. Bondi & Sohn, Wien, VII., Stiftgasse 3.

XVI. JAHRGANG. Nr. 11.

Mittheilungen des ornithologischen Vereines in Wien „DIE SCHWALBE"

Blätter für Vogelkunde, Vogelschutz, Geflügelzucht und Brieftaubenwesen.

Organ des I. österr.-ung. Geflügelzuchtvereines in Wien und des I. Wr. Vororte-Geflügelzuchtvereines in Rudolfsheim.

Redigirt von **C. PALLISCH** unter Mitwirkung von Hofrath Professor **Dr. C. CLAUS.**

16. Juni. 1892.

„DIE SCHWALBE" erscheint **Mitte** und **Ende** eines **jeden Monates.** — Im Buchhandel beträgt das Abonnement 6 fl. resp. 12 Mark. Einzelne Nummern 30 kr. resp. 50 Pf.

Inserate per 1 □ Centimeter 3 kr., resp. 6 Pf.

Mittheilungen an das **Präsidium** sind an Herrn **A. Bachofen v. Echt** in Nussdorf bei Wien; die **Jahresbeiträge** der Mitglieder (5 fl., resp. 10 Mark) an Herrn **Dr. Karl Zimmermann** in Wien, I., Bauernmarkt 11;

Mittheilungen an das **Secretariat**, ferner in Administrations-Angelegenheiten, sowie die für die **Bibliothek** und **Sammlungen** bestimmten Sendungen an Herrn **Dr. Leo Přibyl**, Wien, IV., Waaggasse 4, zu adressiren.

Alle redactionellen Briefe, Sendungen etc. an Herrn **Ingenieur C. Pallisch in Erlach** bei Wr.-Neustadt zu richten.

Vereinsmitglieder beziehen das Blatt gratis.

Der problematische Winterschlaf im Vogelleben.

Von **Ph. C. Dalimil Vladimír Vařečka.**

I.

Ueberwinternde Rauch- und Stadtschwalben. (Hirundo rustica L. et H. urbica L.)

„Relata refero."

Fast alle Jahre wurde mir von glaubwürdigen Personen berichtet, dass in der Umgegend von Pisek Rauch- und Stadtschwalben überwinterten, und dass deren ganze Klumpen in mehr oder weniger erstarrtem Zustande in hohlen Stämmen von Eichen, Linden, Buchen, Pappeln u. s. w. gefunden wurden. Da ich in allen mir zugänglichen ornithologischen Schriften keine Andeutung fand, dass man dieses Phänomen irgend je auch in Böhmen beobachtet hätte, so nahm ich mir die Mühe, alle diesbezüglichen, von glaubwürdigen Zeugen constatirten Daten zu sammeln und daran auch meine eigenen, mit dieser Erscheinung wahrscheinlich zusammenhängenden Wahrnehmungen anzuknüpfen.

Der erste unbezweifelte Beobachtungsfall dieser Erscheinung fällt hier in's Jahr 1874.

Im Jahre 1874, 12. December, wurden im Dorfe Vondřichov bei Pisek einige Bauernhöfe durch einen Brand verheert. In der Nähe des abgebrannten Bauernhofes Nr. 6 stand eine alte Linde, von welcher nach dem Brande nur der Hauptstamm mit einigen Stumpfen verkohlter Aeste übrig blieb.

Diese mit einer gewissen Pietät vom Volke verehrte Linde wurde bald nach dem Brande in Gegenwart der noch heute lebenden Dorfinsassen, Jos. Blaha, V. Soukup und seines Sohnes, der jetzt Seelsorger in Cerekve ist, und noch anderer Bauern gefällt. Im Inneren des Stammes fand man eine Höhlung mit einem Klumpen von erstarrten Rauchschwalben (Hirundo rustica L.), deren Zahl an 200 geschätzt wurde. Man brachte diesen Klumpen in einem Korbe in die Wohnung des Herrn V. Soukup und legte ihn theils zwischen die Doppelfenster, theils auf den Ofen. Binnen wenigen Stunden wurden die meisten nach und nach lebendig und fingen auch an im Zimmer hurtig herumzuflattern. Ob die nicht erwachten, todten Schwalben den aufgelebten eine wärmende Schutzhülle darboten, darüber konnte ich auf meine Erkundigungen keine Aufklärung erlangen. Nur so viel erfuhr ich, dass alle die erwachten Vögel trotz der von den Hausgenossen angewandten Mühe, sie im Hause am Leben zu erhalten, sich kaum lebensfähig zeigten. Einige von ihnen verendeten noch desselben Tages, andere später. Nur wenige von ihnen, angelockt von den damals gerade wärmenden Strahlen der Decembersonne, flatterten in die freie Natur hinaus, und wurden nach Angabe des Herrn V. Soukup sogar noch am 21. December an sonnigen Orten des nahen Berges Kamejk fliegend gesehen. Seit dem 23. December war jedoch keine mehr zu sehen. Bemerkenswerth war hiebei der Umstand, dass alle die Schwalben, die von den Leuten auf den warmen Ofen gelegt wurden, bald verendeten, während von den in den kühlen Zwischenfensterraum gebrachten, einige im Zimmer herumflatterten und von da hinaus in's Freie gelangten.

Im Jahre 1875 fand man nach der Angabe des Herrn Mathyasko bei Mirotitz in einer gefällten, zum Theile verfaulten Kiefer erstarrte Schwalben, unter denen sich auch einige schon gänzlich verweste Stücke befanden.

Im Jahre 1880 wurde im Paseker Revier in einer alten gefällten Kiefer, im Beginne des damals sehr strengen Jänners, eine so grosse Menge erstarrter Rauchschwalben gefunden, dass man einen ganzen Korb mit ihnen gefüllt hatte. Unter diesen Rauchschwalben befanden sich auch einige Hausschwalben

In demselben Monate desselben Jahres, kam man beim Graben nächst dem fürstlichen Meierhofe in Drhovle auf ein grösseres Erdloch, wahrscheinlich eine verlassene Wildhöhle, worin ein Knäuel von erstarrten Rauchschwalben lag. Im Jahre 1882 wurde ein ähnlicher Fund mir aus Rakov bei Bernarditz constatirt.

Im Jahre 1886 im März, kam man unter ähnlichen Verhältnissen nach der verlässlichen Aussage des Fasanenjägers H. Zita in Čišt unweit Čejtitz beim Fällen einer alten Buche bei Drahonitz auf eine so grosse Menge überwinternder Schwalben, dass man damit zwei Handkörbe gefüllt hatte. Die Vögel lagen lose und verwirrt durch- und nebeneinander und nicht zusammengeknänlt in der grossen Höhlung, und zwar nach der Vergleichung meines oben genannten Gewährmannes wie ein Haufen aus einer Furche herausgegrabener, zerstreut zerworfener Kartoffeln.

Im Jahre 1889, Ende Jänner, wurde ein gefällter, halbverfaulter Eichenstamm vom Berge „Zubovský" dem Insassen Th. Pelikán in Putim (Hausnummer 38) zugeführt. Etwa in der Höhe von 3 Metern vom Fusse des Stammes bemerkte man eine kleine Oeffnung, die mit einem durchscheinenden, gelatinösen aber ziemlich festen Stoffe verklebt war. Diese Oeffnung führte in eine bedeutende Höhlung des innen halb vermoderten Stammes. Aus dieser Höhlung wurden in Gegenwart des Herrn Th. Pelikán, seines Bruders, des Hegers J. Pelikán, des Gemeindevorstandes Herrn Žižka und des Hausgesindes einige 50 Stück erstarrter Hausschwalben (Hirundo urbica L.) herausgehoben und in's warme Zimmer gebracht. Bald wurden alle wach, einige rutschten mühsam auf dem Fussboden hin und her, andere versuchten aufzufliegen. Trotz aller Schonung und Hilfe seitens der Hausleute waren bald alle Vögel verendet. Sonderbar ist es, dass die betreffenden Beobachter die Todesursache dieser Vögel deren vorzeitigem Erwachen zuschrieben.

Im Winter desselben Jahres kam man auch auf einen Fund von leblosen Rauchschwalben im Temesvarer Walde, Revier Nové Sedlo, bei Pisek, und zwar in einem Kieferstocke. Merkwürdig war der Eingang in die Stockhöhlung; denn dieser war ein kleines Loch, das an der Spitze eines stärkeren Wurzelastes beginnend, durch diesen als ein schmaler röhrenartiger Gang bis in die Stockhöhlung sich fortsetzte. Nur durch diese vermuthlich von Mäusen ausgenagte Röhre haben die Schwalben, deren man nach Angabe des Herrn Mathyasko mehrere gefunden hatte, in den hohlen Baumstock gelangen können.

Im Jahre 1890 fand man Mitte Februar in einem dem Landwirth Herrn Srnka in Putim zugeführten alten Buchenstamme einige Rauchschwalben im erstarrten Zustande, und zu Ende Februars kam man auch zufällig in einem alten Keller der Burg Zvíkov (Klingenberg) auf einen Klumpen erstarrter Rauchschwalben. Im Jahre 1891 wurde ein unter ähnlichen Verhältnissen gemachter Fund von einem aus Rauch- und Stadtschwalben zusammengeknäulten Klumpen mir aus der Gegend von Oudraž bei Albrechtitz zur Kenntniss gebracht.

Der letzte mir aus der Umgegend von Pisek bekannt gewordene Fund solcher den Winter im tiefen Schlafe verbringenden Schwalben datirt vom 16. März 1892. An diesem Tage wurde im Piseker Reviere Hurka in Gegenwart des Hegers J. Pelikán eine alte Eiche gefällt. Beim Durchsägen des Stammes zeigte sich am Fusse desselben eine schmale Oeffnung, die in einen nach oben immer mehr sich erweiternden Gang sich hinzog, der mit einer runden Höhlung endigte. In dieser Höhlung fand man sieben Stadtschwalben, die in einem so tiefen Schlafe erstarrt lagen, im hintersten Theile mit den Schnäbeln gegen einander geballt, dass sie nicht einmal durch starken Tabakqualm wach wurden. Der birnförmige Eingang hatte $3^1/_2$ Cm. im Durchmesser, und war mit einem zähen, dünnen, durchscheinenden und leimartigen Stoffe verklebt. Im Innern der Höhlung fand man sonst gar nichts, das auf gewisse Vorrichtungen und Anstalten der Vögel für ein Ueberwintern in diesem Raume hätte deuten können. In's warme Zimmer vom Heger gebracht, wurden sie zwar nach und nach alle lebendig, doch erhielten sie sich nur eine sehr kurze Zeit am Leben. Dieser Fund wurde mir nebst anderen Personen auch vom Herrn Gemeindevorsteher in Putim H. Žižka constatirt. Der Heger H. J. Pelikán versicherte mich nebenbei auch, dass dieser Fall während seiner Dienstzeit in dem dortigen Reviere bereits der dritte gewesen wäre.

Aehnliche Berichte über constatirte Funde von überwinternte Schwalben (Rauch- und Stadtschwalben) habe ich noch aus mehreren anderen Orten von folgenden glaubwürdigen Gewährsmännern erlangt: Vom Herrn Kouba, Förster in Zálesí unweit Volyň, vom Herrn Vyskočil in Blaník unweit Tábor, vom Herrn Albert, Bürger in Pisek, vom Herrn Plička, Bürger in Wodňan, vom Herrn Mergl, Bürger in Pisek, vom Herrn Kopenec, Förster im Hurka-Revier bei Pisek, vom Herrn F. Hessler, Forstadjuncten in Pisek, vom Herrn Albert in Moldauteyn, von dem vor kurzem verstorbenen fürstl. Wirthschaftsverwalter J. Dušek, in Kestřan bei Pisek u. v. a.; vom Herrn Kunt, Gärtner und Fischknecht in Pisek, der mich versicherte Zeuge gewesen zu sein, wie man einigemal überwinternde Schwalben in den Terassenrissen der Teichdämme fand.

Aus den angeführten, von verlässlichen Berichterstattern mir zugekommenen Daten ist unzweifelhaft, dass Funde von solchen in scheinbar leblosem Zustande überwinternden Schwalben in Böhmen gar nicht zu den seltenen Erscheinungen zählen, und man wäre versucht, die zwar noch fast allgemein bestrittene Thatsache anzuerkennen, dass von den so vielen bei uns überwinternden Schwalben wenigstens mehrere den Winter lebensfähig überdauern können. Für diese Annahme spricht wohl auch die schon seit jeher gemachte und auch in Volkssprüchwörtern aufbewahrte Wahrnehmung, dass in allen Wintermonaten an milden Sonnentagen diese „Frühlingsboten" sich mitunter sehen lassen, und dass einige Schwalbenpaare bei anhaltend lauem Wetter schon in den ersten Märztagen lange noch vor der Ankunft der Südschwärme sogar auch nistend beobachtet wurden. So wurden dieses Jahr am 17. März im Dorfe Putim vom Gemeindevorsteher H. Žižka, meinem Bruder Emanuel, Lehrer in Putim, und anderen Dorfleuten mehrere Rauchschwalben im warmen Sonnenschein hurtig flatternd gesehen. Am 24. März sah ich auch selbst über dem Wasserspiegel des städtischen Teiches einige Schwalben flattern; ja am 4. April gewahrte man sogar schon einige Rauchschwalben an den Häusern der Gasse Drlíčov in Pisek mit der Ausbesserung der alten Nester beschäftigt, obwohl später noch am 23. April sonst in der ganzen Stadt nirgends etwas ähnliches beobachtet wurde. Es scheint demnach, dass alle diese so frühzeitig gesehenen Schwalben zu jenen wohl gehören mögen, die den Winter hier lebensfähig überdauert hatten, und durch die milden Märztage zum Leben erwacht, in die Natur hinausgelockt wurden, wo sie dermal genug Nahrung finden konnten, wie ich denn selbst an diesen Tagen eine sehr reichliche Käferlese zu machen Gelegenheit hatte.

(Fortsetzung folgt.)

Die Raubvögel Oesterr.-Schlesiens.

Von **Emil C. F. Rzehak.**

(Schluss.)

30. Aquila clanga, Pall.[21]), Grosser Schreiadler, Schelladler.

Ueber das Vorkommen dieses Adlers in Schlesien bin ich ausser Stande, etwas anzuführen; selbst die älteren Ornithologen, Joh. Spatzier, Prof. Dr. Kolenati, nach Alb. Heinrich führen in ihren Werken den Schelladler an, woraus sich schliessen lässt, dass er noch nie hier beobachtet wurde. In Mähren ist ein einziges Exemplar im October 1878 bei Neutitschein geschossen worden und befindet sich in der Sammlung des Herrn Professors Jos. Talsky in Neutitschein.

Die Verbreitung des Schelladlers soll nach C. F. v. Hormeyer eine höchst eigenthümliche sein.

31. Aquila clanga pomarina, Brehm. Kleiner Schreiadler.

Der kleine Schreiadler horstet dann und wann in der Weichselebene bei Drehomischl und Schwarzwasser; sonst in den Vorbergen als Strichvogel vorkommend. Wenn auch im nahen Galizien und Ungarn zu Hause, ist er vorzugsweise ein Bewohner von Mittel- und Nord-Ost-Europa und besucht zu Zeiten die Gegenden der Weichsel, Oder und Oppa, welche er, als Zugvogel, im October wieder verlässt.

In Mähren ist dieser Adler viel seltener als bei uns. Das Troppauer Gymnasial-Museum bewahrt ein Exemplar in seiner Sammlung. Nach Angabe des verstorbenen Apothekers Joh. Spatzier in Jägerndorf soll dieser Adler überaus grosse Läuse haben, von denen er schrecklich geplagt wird.

32. Nisaëtus pennatus, Gm.[22]) Zwergadler.

Das einzige Exemplar des Zwergadlers, das sich aus den nahen Karpathen zu uns verflogen haben mag, ist jenes aus dem Jahre 1881, welcher Vogel unterhalb des Berges Lissa, hart an der mährischen Grenze von einem erzherzoglichen Heger im Monate September erlegt worden ist. Dieses seltene Exemplar wurde dem um die Ornithologie Mährens und Schlesiens so hochverdienten Apothekers Ad. Schwab in Mistek in Mähren eingeliefert und dürfte sich jetzt im Brünner Franzens-Museum befinden. Sonst ist über sein Vorkommen hier in Schlesien, wie in Mähren nichts weiter bekannt. In unserem Erdtheile findet man diesen niedlichen Adler — nach Beobachtungen des Kronprinzen Rudolf — in den ausgedehnten Wäldern Ungarns, in den Donauländern, in der Türkei, in Süd-Russland, ziemlich häufig in Spanien, mehr vereinzelt in den westlichen, österreichischen Provinzen, sehr selten in Deutschland.

[21]) „S. Sharpe, Cat. B. I, p. 246. Es ist nicht festzustellen, auf welche Art sich falco naevius, Gm. bezieht. Aber auch F. maculatus ist etwas dunkel. Man wird daher am besten A. pomarina annehmen, ein Name, der keinen Zweifel zulässt. Der grosse (A. clanga, Pall., 1811) und der kleine Schreiadler (A. naevia, Meyer, A. naevia Gm.? A. pomarina Brehm 1831) stehen einander ausserordentlich nahe und sind jedenfalls nur subspecifisch zu trennen. Im Stuttgarter Museum stehen zwei Exemplare, welche nach den „Kennzeichen der deutschen Tagraubvögel" von Matschie. J. f. O. 1890, S. 90 nicht zu bestimmen sind. Es ist überhaupt misslich, Artunterschiede auf sehr kleine Maassunterschiede zu begründen. Da gehe man doch lieber zur Subspecies über, wie es bei den Schreiadlern durchaus geboten erscheint. Die Stuttgarter Exemplare halte ich indessen doch für clanga Pall. Ich habe den Schreiadlern stets eine besondere Aufmerksamkeit zugewendet und ihrer viele untersucht, das Endresultat ist, dass ich Sharpe, Gurney u. a. m. beistimme, sie nur subspecifisch zu trennen." Vergl. Ernst Hartert, Katalog der Vogelsammlung im Museum der Senckenbergischen naturforschenden Gesellschaft in Frankfurt a. M., p. 178, Anmerkung 331.

[22]) Aquila pennata, Cuv. 1817, Nisaëtus pennatus, Hodgs. 1836, Hiraëtus pennatus, Kaup. 1845.

Gruppe E: Accipitrinae.

33 Accipiter nisus, L.[23]) Sperber.

Ein durch seine Dreistigkeit, — ich möchte fast sagen Unverschämtheit — bekannter Vogel ist der Sperber oder Finkenhabicht, der bei uns als Standvogel viel häufiger vorkommt als der Hühnerhabicht. Nach wiederholten Beobachtungen des Herrn Oberförsters Želisko, die er in verschiedenen Gegenden anstellte, legt der Sperber seinen Horst meist in's Stangenholz nahe eines alten, unbenützten Weges, auf dem er sehr bequem und gedeckt zum Horste gelangt. Auch dieser Vogel verfolgt seine Beute mit Wuth und kommt leicht in Gefangenschaft.

34. Astur palumbarius, L., Hühnerhabicht.

Ein unter der Land- und wohl auch Stadtbevölkerung oft auch als Geier bezeichneter Vogel ist unser Hühnerhabicht, der, als Standvogel, das ganze Jahr hindurch ein gefürchteter und gefährlicher Feind der Vogelwelt ist und auch unter dem Wilde viel Schaden anrichtet. Dieser Vogel ist einer der verwegendsten unserer Raubvögel, kommt jedoch nicht mehr so häufig vor. Für manche Gegenden ist er eigentlich nur Strichvogel, während er in anderen als Brutvogel vorkommt. Seine Horste legt er in Altbestände, zumeist auf Tannen, seltener auf Buchen, unter der Krone an und benützt ungemein gerne alte Horste, die im Frühjahr wieder respectabel ausgebessert und bewohnbar gemacht werden. Wenn mehrere Junge im Horste sind, — mehr als 5 werden nie angetroffen, meistens nur 3 — so sind sie stets ungleich entwickelt; einzelne haben schon Kiele, während eines noch ganz unbeholfen in seinen Dunen sitzt. Aehnliches findet sich auch beim Sperber. Sein Treiben wird in der Nähe des Horstes wenig bemerkt, bis sich die Jungen selbst verrathen. Er gelangt sehr gut gedeckt zum Horst, ist dreist, keck und unermüdlich; in der Verfolgung seiner Beute vergisst er oft seine eigene Sicherheit. Einmal in Gefangenschaft gerathen und nach einer Zeit wieder freigemacht, ist er einer der ärgsten Räuber; er kennt den Menschen und scheut ihn nicht mehr so wie früher.

35. Circus macrurus, Gm.[24]) Steppenweihe.

Eine in den Steppen der Dobrutscha sehr gemeine Weihe, sonst überall weniger häufig; in Deutschland ein sehr seltener Brutvogel, in manchen Ländern ganz fehlend. Hier in Schlesien ist dieser Raubvogel schon öfter erlegt worden und bekam ich vom Herrn Oberförster Želisko darüber folgende Mittheilungen: „Im Jahre 1885 sind auf der Kammer Teschen drei Stück und 1890 fünf Stück beobachtet und einzeln erlegt worden. Dieser Vogel kommt manchesmal im Herbste vor und wird, da er nicht menschenscheu ist, leicht erlegt. Im Jahre 1885 jagden wir auf Rebhühner; obwohl geschossen wurde, hat es dem Vogel durchaus nicht gehindert, sobald Hühner aufstanden, zwischen uns selbe zu verfolgen. 1890 erlegte ich ein Stück, das vor mir einen Hasen attaquirte und als sich der Hase Deckung verschaffte, wurde mein Vorstehhund verfolgt. Ich glaube, dass er in seiner Heimat in Süd-Russland gar nicht verfolgt wird. Mäuse und Vögel nimmt er gerne, ist aber im Fangen ziemlich ungeshickt.

36. Circus cyaneus, L.[25]) Kornweihe.

Diese Weihe ist hier ziemlich selten, nur manches Jahr und da nur am Zuge zu sehen. Aus eigener Erfahrung und Beobachtung kann ich über das Vorkommen dieser Weihe in Schlesien nichts berichten. Da Schlesien vorwiegend ein Gebirgsland ist und diese Weihe flache Gegenden mit weitläufigen Kornfeldern, Wiesen etc. am liebsten bewohnt, so ist ihr seltenes Erscheinen hier bei uns erklärlich. In den Ebenen Mährens ist sie Brutvogel.

Am 24. Jänner 1854 wurde bei Dzingelan bei Teschen ein altes ♂ erlegt.

37. Circus pygargus, L.[26]) (cineraceus, Mont.) Wiesenweihe.

Was von der Kornweihe erwähnt wurde, bezieht sich ebenfalls auf die Wiesenweihe, nur dass diese noch viel seltener am Zuge vorkommt. Meines Wissens ist noch kein einziges Exemplar hier in Schlesien erlegt worden.

Sie liebt einsame, weit ausgedehnte Ebenen mit Wasser, besonders sehr weitläufige Felder, grosse Wiesen. Sie ist — nach Kronprinz Rudolf — ein Vogel der Tiefebene und wird ebenso wenig im Gebirge, wie im Walde angetroffen. In Mähren ist sie zuweilen Brutvogel.

38. Circus aeruginosus, L. Rohrweihe.

Nach Mittheilungen des Herrn Oberförsters Želisko horstet die Sumpf- oder Rohrweihe in der Nähe der grossen Teiche, besonders bei Drahomischl und Schwarzwasser. In den Vorbergen kommt sie nur im Herbste und nur einzeln vor. Herr Želisko schoss im Jahre 1890 ein junges ♀, das mit wahrer Wuth eine Kette Rebhühner attaquirte. In Mähren ist diese Weihe öfter anzutreffen als hier.

---

[23]) Accipiter nisus. Pal. 1811. Reichenow 1882. Astur nisus. K. & Bl. 1840.

[24]) Es bestehen zwischen den Habichten und Weihen so viele Annäherungen, wie z. B. Geranospiza, Micrastur, Cooperastur, dass ich Sharpe, Reichenow und vielen anderen Forschern folge, indem ich die Circinal (das Gnaus Circus allein) mit den Habichten vereinige, Gurney trennt sie. Das alte ♂ der Steppenweihe ist die von Rüppel im Mus. Senkenb. II. p. 177, als C. dalmatinus abgebildet und beschrieben Weibe C. mawurus-pallidus-swainsoni vieler Autoren. Vergl. Ernst Hartert, Katalog der Vogel-Sammlung im Museum der Senkenbergischen, naturforscheneen Gesellschaft in Frankfurt a. M. pag. 181. Anmerkung 337.

[25]) Circus cyaneus, Boie 1822. Falco pygargus, Naum. 1822

[26]) Der Name C. pygargus, L. ist von Naumann und vielen Anderen für die Kornweihe gebraucht und bleibt somit stets ungewiss und zu Missverständnissen verführend. Auch Gurney nimmt cineraceus an. Vergl. Ernst Hartert, Catalog der Vogel-Sammlung im Museum der Senkenbergischen naturforschenden Gesellschaft in Frankfurt a. M., pag. 182. Anmerkung 339.

Gruppe F.: Circaëtinae.

39. Circaëtus gallicus, Gm. Schlangenadler.

Dieser schöne Raubvogel ist ein sehr seltener Gast in unserem Lande und nur am Zuge zu treffen. Meines Wissens sind bis jetzt in Schlesien überhaupt nur zwei Stück geschossen worden. Das erste, ein junges ♀ im Jahre 1858 von einem erzherzoglichen Heger bei Drahomischl und das zweite im Jahre 1880 im Reviere „Barani" in den Beskiden, nahe der ungarischen Grenze.

Er ist ein Bewohner der wärmeren Länder, Spanien, Süd-Frankreich, Italien, Balkan u. s. w.

Bei uns in Oesterreich-Ungarn kommt er nur in den Südstaaten häufiger vor.

Sonst ist dieser Raubvogel auch in Nordwest- und Nordost-Afrika, sowie in Mittel-Asien bis Indien anzutreffen.

Familie: Vulturidae. Geier.

40. Gyps fulous, Gm. Gänsegeier.

Dieser Raubvogel ist mehr ein Felsenbewohner und unter den in Europa vorkommenden Geiern einer der am weitest verbreitete. Aus der Türkei und Griechenland, wo er ein allbekannter Vogel ist, greift er in die Dobrudscha, Bosnien, Siebenbürgen und Ungarn über, von wo aus er sich auch weiter verfliegt und auf diese Weise bis zu uns gelangt.

So fand im Jahre 1821 der Revierjäger Fielbier aus Ustron am Ursprunge der Weichsel auf dem Berge Gross Barania, im Teschner Kreise, einen Horst dieses Geiers, erlegte auch ein Exemplar, das im Scherschnik-Museum in Teschen aufbewahrt wird.[27]) Das Troppauer Gymnasial-Museum, dessen ornithologische Sammlung eine der grössten und bedeutendsten des ganzen Landes ist, befindet sich ebenfalls ein Exemplar aufbewahrt.

Herr Oberförster Želisko theilt mir über diesen Geier mit, dass mitunter 6 bis 8 Stück dieser Vögel auf einmal sind beobachtet worden.

41. Vultur monachus, L. Kutteugeier.[28])

Dieser Geier ist einer der grössten unseres Erdtheiles, bewohnt die ebenen und gebirgigen Waldungen Süd-Europas, verfliegt sich jedoch auf seinen weit ausgedehnten Streifzügen nicht selten bis weit nach Norden.[29])

Bei uns in Schlesien kommt er nur in den Karpathen und Sudeten und auch da äusserst selten vor; er ist schon mehrere Male beobachtet und auch erlegt worden. Die ersten zwei Exemplare ein ♂ und ein ♀ wurden, — so weit als mir die ältesten Nachrichten zugekommen sind, — im Jahre 1838[30]) im Ostrawitza-Thal erlegt, als sie eben mit dem Verschleissen eines frisch geschlagenen Rehes beschättigt waren.

Als nächstes folgte das im Jahre 1861 im erzherzoglich Albrecht'schen Reviere Neuhof bei Friedek erlegte Stück; seit 1861 ist dieser Raubvogel in Schlesien nicht mehr geschossen worden. Zum letzten Male wurde einer dieser Riesen-Raubvögel im September des Jahres 1861, im Reviere Weichsel, Sallasch, „Smrekowetz", vom Herrn Oberförster Želisko beobachtet.

Die erlegten Thiere dürften sich sämmtlich in Privatbesitz befinden, da die öffentlichen Schulen und Sammlungen des ganzen Landes keines derselben aufzuweisen haben.

[27]) Vergl. Alb. Heinich „Mährens und k. k. Schlesiens Fische, Reptilien und Vögel". Brünn 1856, pag. 60.

[28]) Die Bezeichnung „grauer Geier" ist nicht zutreffend; ist doch der Vogel mehr braun als grau.

[29]) Vor mehreren Jahren in Holstein beobachtet.

[30]) Von dem im Brünner Franzens-Museum aufbewahrten 2 Exemplaren stammt das eine aus dem Jahre 1837, das zweite aus dem Jahre 1839. Beide sind in Mähren erlegt worden.

Eulennamen.

Ein kleiner Beitrag zur deutschen Cultur- und Sittengeschichte.

Von Franz Branky.

(Schluss.)

Die Schleiereule (strix flammea, L.) kennt man noch als Schleierkauz, wegen der perlähnlichen Tupfen des Gefieders als Perleule, bei Nemnich als Busch-, Ranz- und Kohleule, als geflammte Eule und als feurige Nachteule, bei Klein als Kirch- und Rantzeule; sie ist die Goldeule (Württemberg), vielleicht auch die Knappeule des nützlichen und vollständigen Taubenbuches (Ulm 1790, S. 231), welche als Taubenfeindin bezeichnet wird, obwohl die Schleiereule den Tauben gerade nicht gefährlich werden soll, sondern sich nur gern in Taubenschlägen aufhält; sie ist der Schleierauf (in Frz. Höfers Manuscript), das Schnarchel, das Schnatzel und der Eilkoder der Steirer (Washington a. a. O.), die Herz-, Thurm-, Kirch-, Rantz- und grosse Tudeule der Schlesier (ornith. Jahrb. II. 53), die Schleyer eyl der Elsässer (E. Martin a. a. O., die schlayrоul Hans Sachseus (a. a. O.) und nach dem wimmernden Schrei — oder wie der Dichter sagt: nach dem „schwermuthvollen Ruf" (Reinh. Fuchs a. a. O. 170, IX.) — wird sie in der Schweiz Gwiggli, Wichsi, Kleewit und Kivvit genannt.

Dieses letzte Wort soll nichts anderes besagen als „kümm mit!". Das Bestimmungswort in Kleewit erklärt Rochholz als Grab- oder Leichenhügel, weil hlô im aargauischen Volksmunde diese Bedeutung hat (Deutscher Glaube und Brauch I. 155). Zu Steina am Harz heisst auch eine Eule Klewitt, ob aber das gerade die Schleiereule ist, steht dahin, denn in den norddeutschen Sagen von Kuhn und Schwarz S. 452 ist bloss angemerkt: schreit der Klewitt des Nachts, so stirbt bald einer. Müllers Kennzeichen der Vögel S. 37 bezeichnen den Schleierauf noch als Herz-, Thurm-, Schläfer-, Klag-, Feuer-, Flammen- und Goldeule. Das Wort flammea wird häufig auf die Farbe der Flamme bezogen, aber gewiss mit Unrecht; denn bedeutend näher liegt flammeum, der Brautschleier, mit welchem flammea verwechselt sein mag (S. T. Salvadori, Ibis vol. 4. p. 377) und mit einem derartigen zarten Gewebe hat der ganze Habitus der Schleiereule viel mehr Aehnlichkeit als mit der röthlichen Farbe mancher Flammen. Das Märchen vom Trudchen sucht den Namen Schleiereule auf poetischem Wege zu erklären: Eine Eule beraubte Trudchen des Schleiers, als dieses unvorsichtige Kind in den Wald lief und sich da verirrte. Der räuberische Vogel nahm diesen feinen leichten Stoff an sich und verwendete ihn als Gesichtshülle. So wurde aus der Eule eine Schleiereule (Rudolf Baumbach, Sommermärchen, S. 82).

Im slovenischen Volksmunde führt sie den Namen mrtvaška tiča (Todtenvogel). Die Bewohner von Oberkrain vernehmen in ihrem Rufe človek (Mensch). Wenn im Sturmgebraus der wilden Jagd der Ruf človek zu hören ist, so pflegt man zu sagen: Jetzt erwischt der krumpete Mann wieder einen, dem er den Schädel spaltet (Oberkrain).

Die Sperlingseule (Athene passerina) heisst noch Auf, kleiner Auf, Äuferl, das Weibchen sogar Äufin. In Franz Höfers Manuscript erscheint sie als Todtenvogel, als Äu, Öla, Tschiavitl, Schofitl, Nemnich kennt sie als kleinen Kauz, als kleine Eule, kleine Haus-, Wald- und Scheuereule, als Spatzeneule und Lerchenkäuzchen, Müller a. a. O. S. 33 als Zwergkäuzchen, Zwergeule, Tannen-, Tagkäuzchen, arkadische Eule. J. M. Bechstein, Naturgeschichte der Stubenvögel (Gotha, 1800, S. 41) nennt sie Hauseule, Todtenhühnchen, Toden- und Leicheneule. Bei alemannischen Schriftstellern kommt sie unter den Namen Huf, Huwo, Uwo, und bei schwäbischen als Weule vor. (A. Ueberfelders Idiotikon, S. 19). Eugène Rollands faune populaire II. 56 bezeichnet diesen Vogel al. Perleule; das ist allerdings ein Name, der besser auf die Schleier- als auf die Sperlingseule passte.

Der Vogelfänger und Vogelwärter von D. J. Tscheiner recte Ditscheiner (Pesth, Hartleben 1820, S. 278) erklärt die strix passerina als die beste Eule, die man zum Vogelfang verwenden kann; denn sie lässt sich hiezu am leichtesten abrichten, besonders wenn sie jung aufgezogen wird. Ditscheiner nennt sie die sog. Vichtel, auf die alle Vögel sehr erpicht sind; die Pfeife, die der Vogelsteller zum Locken benöthigt, ist die Vichtelpfeife. (Beschreibung und Abbildung dieses Lockinstrumentes a. a. O.)

Die Zwergohreule (ephialtes scops) ist streng genommen der eigentliche Todtenvogel, denn aller Orten führt sie diese Bezeichnung. Bei Müller heisst sie noch kleine Ohreule, kleine Baumeule, Posseneule, bei Washington Tschukeile, Eiferl, Tschafittel, Schmalzel, Tschibik, Tschubik, Tschiwik, bei Nemnich Stockeule, Posseneule, aschfarbiges und gehörntes Käuzchen. Tschudi (Thierleben in der Alpenwelt, pag. 100) vernimmt in ihrer Stimme deutlich die Laute: ki-töd-töd-töd! und bemerkt, dass man sie in Wallis „Jokkein", im Tessin Civetta cornuta nennt. Der Italiener bezeichnet mit Civitta nottola die Coquette; denn wie das Käuzchen beim Vogelfang die Vögel anlockt, so sucht das gefallsüchtige Frauenzimmer unüberlegte Männer in ihr Netz zu bekommen.

Der rauhfüssige Kauz (nyctale tengmalmi) ruft kew-kew-kuuk-kuuk (Tschudi a. a. O. 101). Im Riesengebirge nennt man ihn Puppereule oder wie andere wollen Puppeneule. In Steiermark unterscheidet man diese Eule vom Steinkauz nicht. Mit dem Namen Katzenlocker bezeichnet man die eine wie die andere Species. Nach Leunis Synopsis I. 419 käme diese Eule nur in Nordeuropa vor und ginge in Deutschland südlich bis zum Harz.

Die Sumpfohreule (brachyotus palustris) ist die Kohleule (Dr Aug. Reichenow, system. Verzeichniss der Vögel Deutschlands, pag. 31), die Brülleule (Washington) und bei Müller die Wiesen-, Bruch-, Moor-, Rohr- und Brandeule, die kurzohrige Eule, die Schnepfeneule.

Wenige Vulgärnamen haben die Schnee-, Sperber-, Bart- und Habichtseule und diese wenigen sind theils allgemein bekannt, theils von geringem sprachlichen Interesse.

Halten wir nun Rückschau und betrachten wir übersichtlich diese Fülle von Namen, so kommt man zu folgendem Ergebnisse: Unter dem Worte Eule stellt man sich nicht nur sämmtliche Species dieses Raubvogelgeschlechtes vor, sondern man versteht Personen weiblichen Geschlechtes, alte, hässliche und unsittliche, man begreift darunter gewisse Industrie- und Kunsterzeugnisse, dann phantasiegeschaffene Wesen wie verzauberte Menschen, insbesondere böse Weiber, hartherzige Mütter, Hexen, böse Geister, den wilden Jäger, ja sogar den Teufel selbst. In dieser Fülle von Beinamen, Metaphern, Vulgär- und Trivialnamen, die alle vom Reichthum der deutschen Sprache Zeugniss ablegen, offenbart sich nicht nur das scharfe Erkennen des deutschen Volksgeistes, der das Charakteristische, das Auffällige dieses Vogelgeschlechtes meistentheils durch ebenso sinnige, als zutreffende Wörter zum Ausdrucke bringt, sondern es zeigt sich auch in psychologischer Beziehung die zarte Empfindung der Volksseele, die schnell zu projicieren versteht, so dass das mit Angst und Furcht erfüllte abergläubische Gemüth sogar der Stimme, dem Geschrei dieser Vögel bestimmten Sprachinhalt unterlegt, der Schlimmes, Uebles, ja den Tod selbst ankündigt.[1])

Wien, 1892.

Auf ornithologischen Streifzügen.

Von Paul Leverkühn

(Schluss.)

III.

Auf einem kleinen holsteinischen See, den ich anno 1886 schon schätzen und kennen lernte, beabsichtigte ich im Jahre darnach, abermals eine kleine Razzia abzuhalten Das erste Mal war es mir geglückt, den Fischer, welcher den See gepachtet hatte, ausfindig zu machen und auf seinem unendlich schwerfälligen Boote in seiner Begleitung die verschiedenen kleinen „Warder" zu betreten. Sie dienen theils Schafen zur Weide, theils, speciell die kleineren, sind lediglich die Domänen von brütenden Seeschwalben, Möven, Enten und verschiedenen

[1]) Herrn Robert Eder aus Neustadtl in Böhmen bin ich zu Dank verpflichtet, weil er mich auf nicht wenige der mitgetheilten Vulgärnamen aufmerksam gemacht hat.

Sumpfvögeln. Da ich bei meinem zweiten Besuche, von dem ich hier nur kurz erzählen will, den Fischer nicht fand, machte ich Abends 6 Uhr mit einem guten Freunde selbst das Boot klar, — wo der Schlüssel lag, wusste ich, — und ruderte hinüber. Darunter darf man sich aber kein regelrechtes Rudern vorstellen, sondern man denke sich eine sehr langsame Vorwärtsbewegung eines sehr schweren, langen, breiten Flachbootes (wie die Torfkähne in Torfmooren), mittelst zweier sehr langer, in vierkantigen Ausbuchtungen ruhenden Ruderstangen — so lang, dass sie sich vor dem Ruderer kreuzen, mit ca. $^{3}/_{4}$ Meter Länge, so dass man über Kreuz rudert, mit der rechten Hand das linke Ruder führt, mit der linken das rechte. Ich erzähle dies so genau, um darzuthun, dass man mit einer solchen Arche Noah nicht auf Fluchtgedanken kommen kann. Diese Expedition gelang wundernett — ich hatte das besondere Glück, mein erstes Moorenten-Nest, (Ful. nyroca) zu finden, worüber ich (ohne den hier gegebenen Commentar!) an anderer Stelle berichtete[1]). Da ich für den anderen Morgen und ganzen folgenden Tag Pläne auszuführen hatte, konnte ich weder den Fischer nachträglich um die genommene Erlaubniss bitten, noch ihm ein gern gegönntes Douceur zutragen. Dieses rächte sich schwer! — Ein paar Wochen später war ich wieder in der Gegend und gelüstete abermals, nach jenen Inseln zu kommen. Meine Zeit war so durch Gänsesäger (Merg. merganser) und Graugänse (A. cinereus) beschlagnamt, dass ich für diese kleine Tour nur nur die Stunden von 5—10 Uhr an einem Sonntage erübrigen konnte. Pflichtschuldig suche ich Abends vorher, in allen Kneipen — denn zu Hause war er nicht — nach meinem Fischer, umsonst! Er war die Nacht fort zum Karpfenfange. Somit musste ich wiederum ohne Recht mein Recht zu finden suchen. Um $^{1}/_{2}$5 löste ich das Marterboot, NB! das einzige am ganzen See! und gondelte auf die glücklichen Inselchen zu. In meiner grossen Botanisirtrommel hatte ich noch einen Theil der Beute von gestern, die auszupacken mir die Zeit gemangelt hatte. Auf der ersten Insel fand ich ein sehr abnorm gefärbtes Kibitzgelege (Van. cristatus), just von derselben Zeichnung, wie am selben Platze im vorigen Jahre auch, offenbar von den gleichen Eltern, die sich jedoch absolut nicht hören liessen; diese letztere Beobachtung machte ich stets, wenn ich in nächster Nähe eines Kibitznestes war. Nur in einer gewissen Entfernung, und wenn sie Junge haben, zetern die Kibitze in bekannter und wenig beliebter Art und Weise. Langsam schlängelte ich das Boot weiter zu Nr. 2 der Inseln, woselbst ich nur ein Paar Moorenten hoch brachte, ohne etwas zu finden, und landete endlich auf Nr. 3, wo ich seinerzeit das schöne Moorenten-Nest gefunden, und wo dieses Jahr eine kleine Colonie Flussschwalben (Sterna fluviatilis) nisteten. Ich legte thörichterweise vor dem Winde an, so dass ich bei der Abfahrt grosse Mühe hatte, das vom Wind auf's Land getriebene Boot wieder flott zu bekommen, ohne gleichzeitig die Beute durch heftiges Rütteln zu gefährden. Auf einem gemächlichen Rundgange fand ich nur ein von Krähen (C. corone) zerhacktes Märzenten-Nest (A. boschas) das neben 5 gebrochenen, 6 heile Eier barg. Ich nahm sie alle, sorgsam jedes einzelne in Papier gehüllt mit, wickelte in meine Weste das Nest und ruderte von dannen. — Als ich etwa 10 Minuten vom Landungsplatze entfernt war, hörte ich, wie eine rauhe Männerstimme mich sehr barsch anschrie. Ein Blick durch's Glas liess mich meinen alten Freund (?), den Fischer, erkennen. Einige, natürlich völlig unabsichtlich gelenkte Ruderschläge veränderten den Curs meines oder besser seines Bootes mehr dem anderen Ufer zu, was ihn veranlasste, seine Ruderanstrengungen zu verdoppeln und mir wie Polyphem zuzuschreien, an Entrinnen brauche ich nicht zu denken. Das wäre mir auch gar nicht mit diesem ungefügigen Holzkasten und seinen vorsündfluthlichen Ruderwerkzeugen eingefallen. Ich besänftigte ihn also mit Worten und der von ihm kaum erwarteten That, direct auf ihn loszusteuern. Als unsere Fahrzeuge an einander stiessen, konnte der Gute seine Schadenfreude nicht verbergen im Hinblicke auf meine Weste und die grosse Trommel. Er erklärte kurz und bündig, er bringe mich zum Bürgermeister, der dann wohl meine Einsperrung veranlassen würde. Ich war sehr folgsam, ruhig und ironisch und verbat mir nur, dass er das Corpora delicti tragen wollte. Im übrigen spornte ich sehr zur Eile an (— da ich sonst den Vormittagzug versäumt hätte und nicht präcise zu Professor F. zum Diner gekommen wäre!) Auf dass ich ihm nicht echappire, liess mich der Fischer vorangehen und folgte voller Genugthuung dem Delinquenten. Beim Eintritte in den Ort machte er plötzlich Halt, um in ein Haus zu treten, dabei ganz geschickt mich vor sich herbugsirend. Er fragte nach einem Herrn X, der leider nicht zu Hause war. Ich fasste Verdacht und merkte mir sicherheitshalber, dass vor dem Hause eine Weintraube aus Metall hing. — Nunmehr versuchte ich, ihn anzuführen und wollte in meinem Hôtel verschwinden, um die Trommel zu entleeren, da sie ja viele Stücke von gestern enthielt! Aber der Fischer rief Leute und protestirte im Flur des Gasthauses so energisch, dass ich einen anderen Plan fasste und wieder ganz artig die Segel strich und folgte — zum gestrengen Herrn Bürgermeister! Im Corridor des Hauses dieses letzteren attrapirte ich einen dienstbaren Geist, gab ihm meine Visitenkarte und ersuchte, mich beim Herrn Bürgermeister zu melden. Mittlerweile hatte ich auch Glacés anzuziehen Zeit gefunden. Glücklicherweise war Sonntag und somit die Amtsstube, in der wir empfangen wurden, leer, so dass nicht die zweite Hälfte des Verses wahr werden konnte:

„Die Scene wird zum Tribunal.“ Ich stellte mich vor, schnitt dem Fischer das Wort ab und setzte auseinander, dass ich im Interesse der wissenschaftlichen Sache, der ich alle meine Zeit opfere, das Recht übertreten und mir das Boot angeeignet habe, wofür ich natürlich volle Entschädigung zu zahlen bereit sei. Der Fischer, der darauf eine ziemlich zusammenhangslose Anklage-Rede los liess, verlangte Oeffnen der Trommel und Untersuchung des Inhalts. „Nichts thue ich lieber als das“, er-

[1]) Ornith. Excursionen im Frühjahr 1886. — (Ornith.) Monatsschrift d. „d. Vereines z. Schutze d. Vogelwelt“, Jahrg. XII., pp. 241—247, 256—264, 286—294, 322—331.

widerte ich, „denn in der Trommel sind faule Gänseeier, die ich gestern auf dem . . . . See, mit Erlaubniss des Besitzers (hier legte ich eine sehr zugkräftige Legitimation für jenen See vor) sammelte“. Aber das Nest, warf der Fischer ein, das ist ein Entennest, und die Eier davon werden wohl auch drin sein. — „Gewiss“, gab ich zur Antwort, „es enthielt 6 heile Eier“ — ein greuliches Grinsen ergoss sich über das Gesicht meines Gegners! — „und ausserdem 5 von den bösen Krähen gehackte“. Und nun wickelte ich die gebrochenen und Schnabelspuren der Krähe aufweisenden Eier einzeln auf! — Tableau! — Der Bürgermeister referirte dem Fischer, ich sei bereit, ihm „Brotsmiethe“ zu zahlen, was dieser wüthend abschlug! — Da fiel mir das Haus mit der Traube ein! Ich fragte den Fischer, wer da wohne, was er da gewollt, und bat den Bürgermeister um Angabe der Adresse des Jagdbesitzers, um bei Letzterem neuen Anklagen vorzubeugen. „Das ist der Weinhändler Y.“ Aha! — Ich eilte, nach dankbarlichem Abschiede vom Bürgermeister in's Hôtel, zahlte meine Rechnung und expedirte das umfängliche Gepäck, und eilte in Begleitung eines Hausknechtes, der Trommel und Westen-Enten-Nest tragen musste, zum Hause mit der blauen Weintraube. Ich traf den Geschäfts-Inhaber Y zu Hause, setzte ihm den Fall auseinander, den er sehr nachsichtig beurtheilte, da es sich ja nur um ein zerstörtes Entennest gehandelt hatte. Weil es gut in dem Bureau nach Rebensaft duftete, ersuchte ich zum Schlusse um seine Weinkarte, die er mir tiefbücklings überreichte, wählte ein Paar Flaschen aus und erntete die Genugthuung, (daraufhin?) eingeladen zu werden, doch ja bald wieder zu kommen, im Herbste an den Entenjagden theilzunehmen und so oft es mir beliebt, den See zu besuchen. — Bei Tisch beim Professor F., wo ich die Erlebnisse zum Besten gab, wurde herzlichst gelacht. (Fortsetzung folgt.)

Aus Heinr. Gätke's „Vogelwarte Helgoland“.

(Fortsetzung.)

In völligem Gegensatze hierzu kommen die Vögel im Herbste schon gleich nach Eintritt der Dunkelheit, sieben bis acht Uhr Abends, hier an; ihre Zahl steigert sich nicht mit dem Vorrücken der Nacht, sondern verringert sich mit dem herannahenden Morgen, und der Zug, mit Ausnahme der später anlangenden nur am Tage ziehenden Krähen und Finkenarten, denen sich auch die Nacht und Tag ziehenden Staare noch während der Vormittagsstunden zugesellen, erlischt nach Sonnenaufgang gänzlich; so dass z. B. der Schnepfenfänger im Herbste, wenn der Fang am Morgen nicht sehr ergiebig gewesen ist, seine Netze schon um sieben Uhr Morgens einzieht, sie unter gleichen Umständen im Frühjahre aber sicherlich bis Mittag und darüber hinaus mit Erfolg noch stehen lässt.

Da die Erfahrung nun lehrt, dass alle hier in Betracht kommenden nächtlichen Wanderer theilweise schon gegen Abend, theilweise bald nach Sonnenuntergang zur Reise aufbrechen, so ist aus dem frühen, anfangs zahlreichen, nach und nach sich vermindernden Eintreffen während der Herbstnächte, nur der Schluss zu ziehen, dass diese Vögel nahen oder wenig ferneren Stationen entstammen; dass dahingegen aber jene im Frühjahre um ein oder zwei Uhr in der Frühe Ankommenden und von da ab an Zahl sich steigernden Wanderer solche sein müssen, die von sehr fernen Länderstrichen aufgebrochen sind, die zuerst eintreffenden dieser Letzteren etwa aus dem südlichen Europa, die späteren aus dem nördlichen und mittleren Afrika; unter diesen beispielsweise wiederum unser alter Freund, das nordische Blaukehlchen, welches auch noch dadurch den Beweis für seine lange Reise liefert, dass es sie während der Nachtstunden beim Leuchtfeuer gesehen wird, sondern nach seinem wunderbaren, ununterbrochenen Fluge vom nördlichen Afrika her, immer erst gegen Sonnenaufgang hier auf Helgoland eintrifft.

Wie in diesem Abschnitte nachgewiesen ist, sind die Wege, auf welchen die Vögel zweimal im Jahre ihre besonderen Zwecke zu erreichen suchen, ebenso verschieden, wie diese Zwecke selbst von einander abweichen. Der Herbstzug führt die Wanderer in mannigfaltigen Richtungen ihren Winterquartieren zu; diese erstrecken sich vom westlichen Afrika durch Indien zu den Philippinen, den Sunda-Inseln, bis Neu-Guinea hinüber; ja manche ostasiatische Arten gehen sogar bis Australien und Neu-Seeland hinunter. Mit dem Beginne des Frühlings strömen von dieser, den Umfang der halben Erde umfassenden, anfangs so ungeheueren Zugfront, tausende von Schaaren in drängender Hast auf gerader Strasse der dem Pole näher oder ferner liegenden Heimat wieder zu. Die Zahl der zwischen West und Ost wandernden ist jetzt eine sehr verminderte, gleichviel aber, ob im Herbste die ost-westlich ziehenden in grösserer Zahl als die nord-südlich gehenden vertreten sind, oder ob im Frühjahre die vom Aequator dem Pole zustrebenden überwiegen, in beiden Fällen entrollt sich ein unfassbar grossartiges Bild des Vogellebens in der Betrachtung dieser Myriaden rastloser Wanderer, wie sie während langer, finsterer Herbstnächte oder während des Frühlings durchlichteten Mitternachtsstunden, auf so vielen sich kreuzenden Pfaden fernen Winterquartieren oder heimischen Niststätten zuziehen, jede Art in höheren oder tieferen Regionen des Himmelsraumes sicherlich einer bestimmten Strasse folgend, nicht einer durch den ärmlichen Lauf eines Flusses oder Bergzuges vorgezeichneten, sondern einer von jeder physischen Gestaltung der Erdoberfläche unabhängigen, viele tausend Fuss hoch über dieselbe hin fest auf das Ziel gerichteten Bahn.

(Fortsetzung folgt.)

Ueber die Gelehrsamkeit eines Eichelhehers.

Fast kein Sommer vergeht, ohne dass ich Pflegevater irgend einer im freien nistenden Vogelart werde. Bekannt im ganzen Umkreise, als Vogelfreund, bringt mir Alt und Jung zur Brutzeit, hilflose aus dem Neste gefallene Vöglein oder zur Zeit der Ernte, Rebhühner, Wachteln, deren Mütter in Ausübung ihrer Mutterpflicht durch die Sense eines Schnitters den Tod fand. In meisten Fällen ziehe ich sie so weit gross bis sie selbstständig genug sind, ihr Leben in freier Natur fortzubringen. Hie und da, wird wohl einer mir so lieb, dass ich mich nicht entschliessen kann, ihm die Freiheit wiederzugeben und so kam es, dass ich mir schon manchen kleinen Künstler heranzog. Durch oben angeführten Umstand, kam ich Ende Juni 1890 im Besitz eines Eichelheher's, er wurde mir von einem Schulknaben, der denselben unter einem Baume fand, gebracht. Als ich ihn zur Hand nahm sperrte er gleich den Schnabel, also gab es keine Schwierigkeiten ihn aufzufüttern. Ungefähr 8 Tage musste ich ihn atzen, in dieser Zeit wurden wir schon recht gute Freunde, rief ich ihn, mit dem ihn gegebenen Namen „Hansi" hüpfte er mir entgegen. Lange konnte ich ihm, dieses ungebundene Leben nicht gönnen, theils aus Reinlichkeitsrücksichten, theils aus Sorge für sein Leben, da gewöhnlich frei im Wohnzimmer gehaltene zahme Vögel, ein gewaltsames Ende finden; — einen ziemlich unsanften Fusstritt, der aber glücklicher Weise ohne bleibende üblen Folgen ablief, hatte er ohnehin schon erhalten. Schnell im Käfig eingewöhnt, wurde er ein sehr aufmerksamer Zuhörer, von ihm Vorgepfiffenen und sehr bald, hörte ich ihn dasselbe probiren, Gleichzeitig begann er Sprechversuche, und eines Morgens, welches Staunen von mir, sagte er ganz deutlich „wart nur du Spitzbua", welche Worte ich beim Futterreichen, oft zu ihm sagte. Im Alter von kaum zwei Monaten, den Vogel schon sprechen zu hören, liess mir an ihn einen gelehrigen Schüler gefunden zu haben, erhoffen, und war auch diese Hoffnung keine trügerische! In kurzer Zeit, sprach er Alles, was ich zu ihm, während ich mit Füttern oder Käfigreinigen mit ihm beschäftigt war, sprach. So sagte er nun ausser dem schon erwähnten „wart nur du Spitzbua", „wo ist denn mein schöner Hansi", „Hansi da geh her, du bist ein rechter Lump", dann verwechselt er die Sätze und sagt: „du bist ein schöner Spitzbua" oder „du bist ein rechter Hansi". Andere Worte, die ich ihm lehren wollte, fasste er nicht auf, nur solche die sein werthes Ich berührten. Im Pfeifen erreichte er die Meisterschaft! Er pfeift rein und fehlerlos „militärische Signale" den „Generalmarsch" und den sogenannten „Jägermarsch", letzteren so tactvoll, dass man darnach marschiren könnte und so laut, wie nur ein kräftiger Mann pfeifen kann. Unendlich komisch klingt sein Nachahmen, des gesungenen Generalmarsches; es geschah, dass, wenn er oft recht fleissig denselben pfiff, ich ihm spottweise die Melodie mit den Worten „trara trara" nachsang, welches er sich bald aneignete und wo ihm das von der Natur aus, kreischende in seiner Stimme sehr zu Statten kommt. Vielseitig wird die Behauptung aufgeworfen, es gebe ausser Papageien keinen sprechenden Vogel, was als gesprochen von einem Vogel angegeben wird, läge mehr oder minder in der Phantasie des Lehrers, dem aber kann ich ganz gut aus Erfahrungen widersprechen! Ein Beweis hiefür!

Ein allerliebster noch nicht drei Jahre alter aufgeweckter Knabe, kommt täglich zu mir, eines Tages unterhält er sich mit seiner Spielerei ohne auf irgend etwas zu achten. In seiner Nähe steht der Heher am Boden und spricht fleissig, auf einmal sagt das Kind „du bist ein rechter Lump"! Ich frage, wer sagt denn so? Die Antwort des Kindes „der Hansi". Der Heher kommt immer mehr in Eifer, schimpft weiter, „wart nur du Spitzbua", da wird es dem Knaben zu toll, geht zum Käfig und sagt, „Hansi nimmer sagen." Während des Schreibens dieser Zeilen kommt ein Bauer zu mir, der meine Vögel bewundernd, in Hansi's Nähe kommt, „bist ein rechter Lump" ruft der Vogel ihm zu, der Bauer schaut ganz verwundert, denn er hat den Heher sofort verstanden und muss herzlich über diesen lachen. Ein lieber Zug des Vogels, ist seine Gutmüthigkeit, meinem kleinen Hühnerstande (Bantams) gegenüber. Diese kommen täglich vom Hofe in's erste Stockwerk zu mir auf Besuch, wird ihnen die Thüre geöffnet, so eilen sie zu seinen Käfig, wo er ihnen alles, was er in seinem Käfig an Futter findet, zu seiner und der Hühner Freude durch die Drähte des Käfigs zusteckt, dabei wird sein ganzes Sprach-Verzeichniss in Anwendung gebracht. Ist der Käfig offen und geht eines der Hühner Futter suchend zu ihm hinein, setzt er sich am Sprossen und sieht friedlich ihrem Beginnen zu!

Sehr begierig war ich auf die Mauser, da dieselbe bei dieser Art Vögel nicht leicht vor sich geht Vor Jahren zog ich mir auch einen Heher gross, der nicht vermausen konnte, ein erbärmliches Aussehen bekam! Kopf, Rücken und Bauch nackt, Flügel und Schwanz nur Kiele, lebhaft würde ich an ein Stachelschwein erinnert! Ich gab ihn einem Bekannten, der ihn im Garten frei herumspazieren liess, ich dachte die Freiheit werde ihm besser bekommen. Dort aber wurde er das Opfer einer Katze. Mein jetziger Heher überstand nun zwei Mausern schnell und leicht, ist tadellos im Gefieder, glaube, dass dazu viel die Fütterung beiträgt. Ich gebe ihm zur Zeit der Mauser reichlich rohes Rinderherz in Ermanglung dieses, auch rohes Rindfleisch, als Hauptdelikatesse zeitweise eine Maus, die er bis auf Balg und Schweif aufzehrt. Die zarten Knöchlein der Maus werden ihm jedenfalls auch sehr zuträglich sein. Im Uebrigen nimmt er Alles, was ihm vom Mittagstische gereicht wird.

Meine Mühe mit dem Vogel ist reich belohnt. Es ist nicht zu viel gesagt, wenn ich behaupte, dass er bei einer Ausstellung, wenn er all' sein Können hören liesse, die Bewunderung Aller erregen würde.

Kilb, im Februar 1892.

Anton Niederreiter.

Allerlei vom Geflügelhofe.

Von W. Dackweiler.

Es hofft der Mensch, so lang er lebt. Das ist eine bekannte Redensart. Ja die Hoffnung ist es, welche der Leitstern ist bei all' unseren Unternehmungen. Die Hoffnung ist es auch, welche den Geflügelzüchter ansporut zu fleissigem Schaffen, zu immer neuen Versuchen; sie ist es, welche ihn aufrecht hält, wenn Unglück oder Misserfolg ihn treffen. Wie oft findet sich der Züchter in seinen Erwartungen getäuscht. Aber auf den Trümmern des Zukunftsgebäudes legt die Hoffnung den Grund zu einem neuen. Man forscht nach den Gründen, welche das Missgeschick verursachten und sucht neue bessere Wege, die man künftighin wandern will. Gerade die Zuchtperiode ist für den Züchter so recht die Zeit der Hoffnung. Bei diesen Hoffnungen wollen wir vorab verweilen und versuchen zu erwirken, dass die Züchter getäuschte Hoffnungen leichter verschmerzen und neu beleben.

Als die Zuchtperiode herannahte, da wurden mit bester Sachkenntniss und möglichster Sorgfalt die Zuchtstämme zusammengebracht. Jetzt ist die Brützeite ihrem Ende nahe gerückt. Wie ist nun der Erfolg? Der eine Züchter freut sich über die stattliche Zahl junger Thiere; er sieht mit Vergnügen, wie sie sich von Tag zu Tag mehr entwickeln, wie sie auch in ihrer äusseren Erscheinung seinem Ideale immer näher kommen, wie ein Vorzug nach dem andern immer mehr zu Tage tritt. Bei einem anderen ist das gerade Gegentheil der Fall. Dort ganze Schaaren junger, vielversprechender Thiere, hier nichts oder nur weniges, und auch dies wenige kann ihn keineswegs befriedigen. Es dauert mitunter gar lange, bis der Züchter so recht selbstständig geworden. So lange er auf andere angewiesen ist, hat er mit vielen oft recht fatalen Umständen zu rechnen und dies um so mehr, je mehr er sich auf andere verlassen muss. Da hat sich z. B. ein Züchter dazu verstanden, theuere Zuchtthiere zu erwerben, und um recht radical vorzugehen, um des Erfolges ganz sicher zu sein, griff er recht tief in den Geldbeutel. Die Zuchtthiere entsprechen auch in ihrem Aeusseren allen Anforderungen, aber nachher erwiesen sie sich als nicht mehr zuchtfähig. Man sollte kaum glauben, dass die Züchter auf diese Weise so oft angeführt werden, ja es nimmt den Anschein, als ob die Gewissenlosigkeit bei dem Bezug von Rassegeflügel eher zu als abnehme. Haben die Thiere in Folge des Alters oder durch andere versteckte und verdeckte Umstände für den Besitzer den Werth verloren, dann werden sie zu hohen Summen in die weite Welt verkauft, jetzt können sie keine Concurrenz mehr schaffen. Um die Anpreisungsmittel ist man gar nicht verlegen, man hat die Thiere überzählig oder gibt die Liebhaberei auf. Wir sind nicht Schwarzseher sondern können unsere Behauptungen mit Beispielen belegen und die starke Correspondenz mit Züchter des In- und Auslandes zeigt uns dass die Zahl solcher Fälle keineswegs eine geringe ist. Im verflossenen Jahre bezog ein uns bekannter Züchter aus dem Auslande einen Stamm Rassegeflügel 1, 2 für über 500 Mark. Er wollte eben seiner guten Zucht neues Blut zuführen und hoffte für diesen Preis etwas ganz Vorzügliches zu erhalten. Die Thiere waren auch bester Qualität, aber — sie waren nicht mehr zuchtfähig. Der Hahn war so alt und steif, dass er ganz theilnahmslos bei seinen Hennen stand und eben noch zu seiner Erhaltung ein wenig Futter nahm. Eine der Hennen legte nicht ein einziges Ei, die anderen lieferten im Juli noch 10 Eier. Für ein Zehntel des Preises wollte der Lieferant die Thiere nicht zurücknehmen und so starben sie an Altersschwäche, fern vom heimatlichen Boden. Ein anderer bekannter Züchter erstand ebenfalls für vieles Geld einen Stamm Hühner, die in Fachblättern als ein namhaftes Aquisit für die deutsche Zucht genannt wurden. Auch dieser Züchter erhielt nichts von den Thieren. In der Meinung, es könne vielleicht an den Localverhältnissen liegen, wurden uns die Thiere zu weiteren Versuchen überwiesen. Aber wir kamen bald zu der Ueberzeugung, dass dieselben wohl aus Noah's Zeiten stammen dürften. Sie führten ein stilles beschauliches Leben am Futternapf und hockten in sonnigen Ecken, als dächten sie nach über ihr bewegtes Leben, über die vielen weiten Reisen von Ausstellung zu Ausstellung und freuten sich der hohen Belobung und der errungenen Preise. Das Messer hat endlich ihrem beschaulichen Dasein ein Ende gemacht. So werden Hoffnungen zu Grabe getragen, die wie ein heller Stern eine kurze Zeit an dem Züchterhimmel prangten. Wenn man in solchen Fällen die Namen der Lieferanten in den Fachblättern veröffentlichte, so wäre dies gewiss nicht ungerecht; aber es setzt das viel böses Blut ab, und gar leicht könnte man auch wieder Unrecht thun. Der eigentliche Schurke ist der, welcher zuerst die Thiere abgab und von ihrer Zuchtunfähigkeit Kenntniss hatte, aber durch wieviel Hände gehen manchmal solche Thiere noch, bis sie ihrem Schicksale erliegen oder ein ehrenhafter Mann einem weiteren Verhandeln ein Ziel setzt. Die Lehre möge sich jeder freundliche Leser selbst ziehen. Sie heisst Vorsicht beim Bezuge fremder Thiere.

Enttäuschungen aller Art gibt es aber auch für die Züchter, wenn wir von solchen eben genannten Fällen absehen. Besonders in diesem Frühjahre gibt es deren recht viele. Eine allgemeine Klage bei den Züchtern hiesiger Gegend ist die über unbefruchtete Eier. Wir selbst haben diesen Umstand zu beklagen. Wir hatten z. B. einen Stamm Cochin bester Qualität zur Zucht eingestellt, Hahn und Henne zweijährig und nicht blutsverwandt, hatten die Thiere auch in einem ganz zweckmässigen Raum, wo wir seit Jahren grössere Stämme derselben Rasse gehalten, untergebracht, erhielten aber nur unbefruchtete Eier. Von einem Stamme prachtvoller Langshan müssen wir dasselbe sagen, und dauerte dies hier nur eine Zeit lang, bis sich der Hahn seiner Pflicht bewusst zu werden schien. Wäre dieser Umstand nicht hier in der ganzen Gegend allgemein, so müssten wir nothwendig in unsere Localverhältnisse nach Gründen suchen, trotzdem diese ganz dieselben wie in früheren Jahren waren. Wir sind also gezwungen, sie in der ungünstigen Witterung vermuthen zu müssen. Und darin stimmen alle unsere Erkundigungen bei anderen Züchtern überein. Bei Eintritt freundlicher Witterung gabs auch befruchtete Eier. Bei nasskalter windiger Witterung hocken die Thiere still umher, die Hähne werden träge und kommen ihren Pflichten nicht nach. Besonders bei schweren Rassen und älteren Thieren kann man das beobachten; junge Thiere und solche von mehr feurigen Rassen sind stets lebendiger. Auch ungestörte Freiheit ist ein sehr günstiger Moment. So wurden auch manche Hoffnungen sehr niedergedrückt, aber das sind doch Zwischenfälle, welche sich eher verschmerzen lassen; sie sind auch nur vorübergehend und ermuntern den Züchter zu grösster Aufmerksamkeit. Man wirft dann nicht die Flinte in's Korn, sondern rafft sich auf zu neuer Hoffnung.

Mancher hatte grosse Hoffnung gesetzt in den Bezug guter Bruteier. Da müssen wir von vorneherein bekennen, dass dies ein Unternehmen von sehr zweifelhafter Natur war. Es konnte deshalb auch nicht fehlen, dass der Erfolg nur vereinzelt den Erwartungen entsprach. Dies trifft aber Jahr für Jahr zu und wenn auch begründete Hoffnung vorhanden, dass es gelingen werde, eine Verpackung zu erfinden, welche die Bruttähigkeit bei dem Transport weniger beeinträchtigt, so werden immer noch viele Wünsche unerfüllt bleiben. Was die Qualität der, diesen Bruteiern entschlüpften Kücken betrifft, so wollen wir darüber nicht viel sagen. Es ist zu bedenken, dass auch aus den Eiern bester Zuchtthiere nicht immer Musterthiere fallen. Man ist beim Bezug theuerer Bruteier berechtigt, rassereine Thiere zu fordern, die auch dem Preise und der Beschreibung entsprechen. Aber auch bei bestem Willen kann man in den Verdacht der Unredlichkeit kommen, besonders wenn man fremde Zuchtthiere einstellt. So hatten wir im vorigen Jahre, als wir einen fremden Langshanhahn unseren Zuchtthieren beigesellten unter 30 Kücken 5 braune. Uebrigens sind die ehrlichen Züchter sowie auch die unehrlichen bald bekannt, und man wird sich hüten, da weiter zu beziehen, wo man angeführt wurde, noch auch wird man solche Bezugsquellen empfehlen.

Was bei dem Bezug von Bruteiern bis jetzt am Wenigsten befriedigte, war die geringe Zahl der ausschlüpfenden Kücken. Der Erfolg ist nur in seltenen Fällen ein befriedigender. Allgemein ist man nun der Ansicht, dass durch den Transport die Brutfähigkeit der Eier zerstört wird, und wir sind derselben Ansicht. Man ist deshalb schon lange bestrebt, eine Verpackungsweise zu erfinden, welche für die Eier ohne Nachtheile ist; leider ist es bis jetzt noch nicht gelungen. Es sind nun wiederholt Stimmen laut geworden, welche trotz der allgemeinen Ansicht der Züchter behaupten, die Brutfähigkeit könne bei einem wirklich befruchteten Ei durch den Transport nicht beeinträchtigt werden. Man stützt sich dabei auf Beispiele, wie bei einem Transport von vielen Meilen der Erfolg ein so überaus günstiger gewesen sei. Dabei bedenkt man aber nicht, wie sehr verschieden die Sendungen auf derselben Strecke behandelt werden können. Wir haben Eier bezogen von Züchtern, deren Ehrenhaftigkeit ausser allem Zweifel stand und erhielten das eine Mal nicht ein einziges Kücken, das andere Mal nahezu 100 Percent. Die Eier kamen von demselben Zuchtstamme und in derselben Verpackungsweise. Wir selbst haben Eier versandt auf hunderte Meilen und erfuhren nachher, dass der Erfolg ein ganz befriedigender war, dagegen haben wir bei ganz kleiner Entfernung, wo wir Eier auf unseren eigenen Stationen zu Verwandten schickten, gänzlichen Misserfolg gehabt. Deshalb lassen wir es uns nicht streitig machen, dass der weite Transport den Eiern nachtheilig ist und wir müssen es zu erstreben suchen, wenn auch noch viele Versuche nicht zum Ziel führen, eine möglichst zweckmässige Verpackungsweise zu erfinden. Wenn mitunter der Erfolg bei den bezogenen Bruteiern ein günstiger war, so erklären wir uns das dahin, dass der Korb oder die Kiste eine günstige Stelle in dem Eisenbahnwagen gefunden, etwa auf andere Gegenstände Körben, Kisten, Ballen etc., so dass die anhaltende schüttelnde und rüttelnde Bewegung paralisirt wurde, wo hingegen das andere Mal die Sendung direct auf dem Boden Platz fand und all' dem Schütteln direct ausgesetzt war. Unsere diesjährigen Versuche nach dieser Seite sind noch nicht zum Abschlusse gekommen, wir werden demnächst weiter darüber berichten. (Fortsetzung folgt.)

Kleine Mittheilungen.

Notizen aus Ungarn. 22. Mai ein chlorochroistisches ♂ von Aquila heliaca (Sav.) bei Dinnyés am Seeuler erlegt. Daselbst am See mehrere leere Nester, ein Nest mit Dunenjungen zwei Gelege von 2—4 Eiern des Lusciniola melanopogon Temm. gefunden.

Ein Gelege von 5 Eiern der Locustella luscinioides Savi daselbst gefunden.

Zwei Gelege von je 4 Eiern des Acrocephalus palustris (L.) und A. arundinaceus (Gm.) ebenda gefunden.

Bei Gákozd am See zwischen dem Gelege von Nyroca leucophtalmos (L.) ein Ei von Aithyia ferina (L.) gefunden.

Alle diese Beutestücke sind in der Sammlung des Herrn Prof. G. Szikla, Mitglied unseres Vereines.

Ausserdem ist noch zu erwähnen, dass im Comitat bei Sz. Mihály am Sárrét sich Hydrochelidon leucoptera Meisn. & Sch. in einer kleinen Colonie, und bei Vörs am Plattensee Cerchneis Naumanni Flesch in vier Paaren sich zum Nisten angesiedelt haben.

Stuhlweissenburg, 24. Mai 1892.

Ladisl. Kenessey von Kenese.

Bei Freistadt in Ober-Oesterreich traf ich am 24. Mai d. J. ein Männchen von Turdus pilaris, das aus einem gemischten Hochholzbestande mit balzender Kehle auf eine Lindenbaumgruppe zustrich. Leider gestattete mir die Eile nicht, nach der Nistcolonie dieser Drosselgattung zu forschen, die in den oberösterreichischen Gebirgswäldern sich gut zu acclimatisiren scheint. Kotz.

Ornithologisches vom Hocherzgebirge. Eine eigenthümliche Erscheinung der hocherzgebirgischen Vogelwelt ist das Fehlen der Elster (Corvus pica L.) in den Waldstrecken und auf den Fluren auf und um dem 1275 Meter hohen Keilberg. Vor etwa 30 bis 40 Jahren war dortselbst C. pica kein seltener Vogel. Alle älteren Leute kennen die „Ocholaster", wie die Elster im Volksmunde genannt wird; der jüngeren Generation ist dementgegen der Name derselben schon fremd. Da die Bodenverhältnisse dieselben geblieben sind, der Winter eher milder als strenger geworden ist, so lässt sich kein stichhältiger Grund finden, warum dieser Vogel sich mehr in die Thäler zurückgezogen hat. Am Kamme des Hocherzgebirges wird die Elster nur noch in der Gegend von Oberhals und Kupferberg öfters beobachtet.

Der heurige Winter mit seinen Schneestürmen und Wettern hat die auf dem Hocherzgebirge gebliebenen Krähen gar oft gezwungen, sich in die Nähe der menschlichen Behausungen zu wagen, um sich einen Brocken zum kargen täglichen Menu zu erobern. Allgemein fiel es auf, dass die Mehrzahl derselben Nebelkrähen (Corvus conix L.), eine sonst im Hocherzgebirge sehr selten vertretene Vogelart, waren.

Im Vorjahre und in vielen anderen Jahrgängen trillerten schon im Februar über den Schneeflächen die Lerchen, pfiffen gar lustig neben ihren Häuschen trotz Schneegestöber und eisigem Wind die Stare und stolzierten auf dem Eise der Bäche mit hochaufgeschürztem Röcklein die Bachstelzen; heuer hat sich noch kein einziger von diesen Frühlingsboten auf dem Hocherzgebirge blicken lassen, trotzdem wir schon den 15. März schrieben. W. Peiter.

Aus dem Gefangenschafts-Leben des Alpenseglers (Cypselus melba). — (Briefliche Mittheilung an den Herausgeber). Wenn die Sonne recht in den Käfig brennt und sich der Segler eine Weile dem behaglichsten Genusse der geliebten Wärme hingegeben hat, richtet er den Kopf plötzlich hoch auf, bewegt denselben einigemale in kreisförmigen Bogen, beugt ihn dann etwas gegen den Nacken zurück, ruft in dieser Stellung mit weitaufgerissenem Schnabel in ungemein schrillem, weithin schallenden Tone „gi-gi-gi-wa-wawa-wawawa-giii-gigiaaa“, macht einige nickende Stösse mit dem Kopfe, öffnet die Flügel und beginnt nun mit diesem heftig zu rütteln, ziemlich anhaltend, etwa zwei bis drei Minuten lang, stösst dann auf dem Höhepunkt seiner Begeisterung angekommen, noch einmal den erwähnten Ruf aus, aber mehr in die Länge gezogen, namentlich das „gi-giaaa“ öfters wiederholt aus, auch fügt er noch eine Schlussstrophe bei, welche mich lebhaft an das Zischen des Textorwebers erinnert. Während dieses Treibens sondert sich in den beiden Schnabelwinkeln ein weisslicher, glänzender Schleim ab, dessen sich der Vogel sofort nachdem die Endstrophe seines Gesanges ertönte — dieser scheint der Schluss des Spieles zu sein, mit einer gewissen Hast entledigt, indem er denselben stets an ein und derselben Stelle, ein Rindenstück, welches seinen Lieblingssitz bildet, durch Reiben des Kopfes gegen dasselbe abstreift; hierauf ist der Vogel stets sehr bewegungslustig und wie es scheint unruhig erregt, kriecht und klettert im Käfig umher, schlägt viel mit den Flügeln. Anfangs hielt ich dieses Treiben für etwas krankhaftes, etwa durch Krämpfe hervorgerufenes, aber da der Vogel dasselbe sofort beendet, wenn man zum Käfige tritt, glaube ich nun in demselben einen Ausdruck der Paarungslust, ein — dadurch, dass auf der Erde vollführt, statt wie im Freien wahrscheinlich in der Luft in den höchsten Schichten, welche diese herrlichen Flieger ersteigen, wohin ihnen das menschliche Auge nicht zu folgen vermag, — entstelltes Liebesspiel deuten zu können. E. Perzina.

Am letzten Sitzungstag des Congresses der russischen Geflügelzüchter, am 10. April, kamen zwei Referate zur Verlesung. Das erste Referat des Herrn Kalinski betitelt sich: „Materialien zur Vorausbestimmung des Geschlechts der Nachzucht.“ Referent behandelt einige (übrigens seit 30 Jahren bekannte) die Frage behandelnde Theorien; zunächst die von dem Schweizer Thüry aufgestellte und von Cornatz, dem bekannten Schweizer Viehzüchter, auf experimentalem Wege geprüfte Theorie, dass das Geschlecht der Nachzucht im Zusammenhange stehe mit den Perioden der Brunst des weiblichen Thieres. Jedem mit der Fachliteratur bekannten Landwirth kommen noch jetzt gemachte ernsthafte Erörterungen über die oben angeführte Theorie einigermassen komisch vor, da dieselbe ein längst überwundener Standpunkt ist und trotz sorgfältiger, von thierzüchterischen Autoritäten ausgeführter Beobachtung zu keinem irgendwie ausschlaggebenden Resultat geführt hat. Dasselbe Schicksal hat ja auch die zweite von Herrn Kalinski angeführte und als plausibel hingestellte Hypothese, dass das im gegebenen Falle stärkere Thier der Nachzucht sein Geschlecht vererbe, gehabt. Diese Theorie war von dem Franzosen J. de Buzerlingens aufgestellt.

Frühlingsbulletin vom Gute Siworitza bei Gatschino. (Schluss.) Den Dompfaff (Pyrrhula vulgaris) und Leinzeisig (Accanthis linaria) glaube ich zu den Wintergästen zählen zu müssen, da ich sie bisher im Sommer nicht beobachtete. Der Zeisig (Spinus vulgaris) und die Schwanzmeise (Orites caudatus) bleiben in milden Wintern, in diesem waren sie verschwunden. Die Kreuzschnäbel (Loxia pityopsittacus und curvirostra, zeigen sich blos in samenreichen Jahren, brüten dann vielleicht auch, Seidenschwanz (Bombicylla garrula) Hakengimpel (Pinicola enucleator), Loxia bifasciata (Zweibindiger Kreuzschnabel), Nyctea nivea (Schneeeule), Surnia nisoria (Sperbereule sind nicht regelmässig erscheinende Wintergäste, die Waldohreule (Otus verus) habe ich bisher nur im Sommer gesehen, sie dürfte aber wahrscheinlich auch Standvogel sein. Haliaetus albicylla und Aquila fulva (See- und Steinadler) sieht man zuweilen unabhängig von der Jahreszeit.

Um von vorn herein Missverständnissen vorzubeugen, die entstehen dürften, wenn ich vom Dompfaff z. B. als Wintergast spreche, während er für das St. Petersburger Gouvernement im Allgemeinen Standvogel ist, oder wenn ich den Auerhahn nicht als vorkommend anführe u. a. m., so will ich hier bemerken, dass meine Notizen sich ausschliesslich auf ein Gebiet von ca. 3 Quadrat-Meilen beziehen werden, die zum grössten Theile von Feldern und Wiesen, zum kleineren — von trockenen, fast sumpffreien Wäldern eingenommen sind. Es ist das Gebiet des Gutes Ssiworiza mit seiner nächsten Nachbarschaft die Stadt Gatschino als nördlichsten Punkt betrachtet, als Westgrenze — die Warschauer Chaussée bis zur 20. Werst von Gatschino gerechnet, als Ostgrenze — die Warschauer Eisenbahn bis zur 10. Werst von Gatschino gerechnet und als Südgrenze — eine Linie gezogen gedacht zwischen diesen beiden Punkten. Das bei der Station Ssuida, östlich von der Eisenbahn liegende Gebiet des Gutes Ssuida betrachte ich auch noch als zu meinem Beobachtungsgebiet gehörig.

Nach diesen Vorbemerkungen will ich in meinem Frühlingsbericht fortfahren: Am 28. März beobachtete ich die Ankunft der Wachholderdrossel (Turdus pilaris), des Finkenhabicht (Accipiter nisus) eine Schaar Spinus viridis (Zeisig), 2 Staare (Sturnus vulgaris) und ein Perisoreus infaustus (Unglückshäher). Lezterer Vogel ist für das St. Petersburger Gouvernement eine Seltenheit. Ich habe ihn nur einige Male, und zwar immer in kalten Wintern beobachtet. Oestlich von Sjas in den sumpfigen Wäldern des Nowgorodschen ist er schon häufiger, brütet dort auch schon. Am häufigsten kommt er in Nord-Friesland, im Archangelschen, Olonezschen und Wologdaschen vor. Am 29. Morgens langten endlich die Sing-Lerchen (Alauda arvensis) an. Ein Pärchen flog früh Morgens singend über meine Wohnung hin. An demselben Tage beobachtete ich auch schon zahlreiche Staarenschaaren an verschiedenen Punkten des Gebietes, es erschien der Wanderfalk (Falco peregrinus) und sassen auf den mistreichen Landstrassen auf vielen Stellen zahlreiche Schaaren Alpenlerchen und Schneesporner, die nach ihrem ersten Erscheinen am 14. März wieder verschwunden waren. Am 30. jubelten am Morgen schon zahlreiche Sing-Lerchen, doch liess sich noch keine hier nieder, alle zogen vorüber. Am Abend zog eine Schaar Singschwäne (Cygnus musicus) ziemlich niedrig in nördlicher Richtung dahin.

Verlag des Vereines. — Für die Redaction verantwortlich: **Rudolf Ed. Bondi.**
Druck von **Johann L. Bondi & Sohn**, Wien, VII., Stiftgasse 3.

XVI. JAHRGANG. Nr. 12.

Blätter für Vogelkunde, Vogelschutz, Geflügelzucht und Brieftaubenwesen.

Organ des I. österr.-ung. Geflügelzuchtvereines in Wien und des I. Wr. Vororte-Geflügelzuchtvereines in Rudolfsheim.

Redigirt von **C. PALLISCH** unter Mitwirkung von Hofrath Professor **Dr. C. CLAUS.**

30. Juni 1892.

„DIE SCHWALBE“ erscheint **Mitte** und **Ende** eines **jeden Monates.** — Im Buchhandel beträgt das Abonnement 6 fl. resp. 12 Mark. Einzelne Nummern 30 kr. resp. 50 Pf.

Inserate per 1 □ Centimeter 3 kr., resp. 6 Pf.

Mittheilungen an das **Präsidium** sind an Herrn **A. Bachofen v. Echt** in Nussdorf bei Wien; die **Jahresbeiträge** der Mitglieder (5 fl., resp. 10 Mark) an Herrn **Dr. Karl Zimmermann** in Wien, I., Bauernmarkt 11;

Mittheilungen an das **Secretariat**, ferner in Administrations-Angelegenheiten, sowie die für die **Bibliothek** und **Sammlungen** bestimmten Sendungen an Herrn **Dr. Leo Pribyl**, Wien, IV., Waaggasse 4, zu adressiren.

Alle redactionellen Briefe, Sendungen etc. an Herrn **Ingenieur C. Pallisch in Erlach** bei Wr.-Neustadt zu richten.

Vereinsmitglieder beziehen das Blatt gratis.

Ornithologische Mittheilungen aus Ostfriesland.

Von **Edm. Pfannenschmid.**

Es ist eine traurige Thatsache, dass seit einigen Jahren die ostfriesische Küste immer ärmer an Sumpf- und Wasservögeln wird. Suchen wir nach den Ursachen, so finden wir, dass die Entwässerungen, besonders aber die Ausraubung der Eier und die sinn- und zwecklose Schiesswuth die Abnahme der Vögel herbeiführen.

Während der Badezeit wird von den nach Hunderten zählenden Jägern auf den Inseln, besonders auf dem jetzigen Schiess-Eldorado „Borkum“, der reine Vogelmord betrieben.

Die ihrer Eier beraubten Sumpfvögel der Niederungen, ich führe nur einige an, als: Kibitz, Uferschnepfe (Limosa melanura), Rothschenkel (Totanus calidris), verlassen schon im Juni die Brutplätze um auf den Inseln zu rasten; sie sind willkommene Gäste und werden eine Beute der schiesslustigen . . . Jäger.

Dass ein solcher Vernichtungskrieg nicht ohne rasch sichtbare Folgen bleiben kann, liegt auf der Hand.

Die zahlreichen Strafbefehle wegen Jagdübertretungen und unerlaubten Schiessens in diesem Sommer, besonders auf Borkum, dürften der Behörde nachgerade hinlängliches Material geliefert haben zur Erlassung eines Verbots allen Schiessens auf Vögel jeder Art während der Badezeit auf den Inseln. Ein solcher Erlass würde gewiss von allen denjenigen, die noch ein Herz für die Thier- und Vogelwelt haben, mit Freuden begrüsst werden

Nicht weniger aber ist die Eiersucherei zu einem wahren Unfug ausgeartet. Es ist natürlich, dass die hohen Preise, — in diesem Jahre bezahlten die Aufkäufer die ersten Kibitzeier mit drei Mark per Stück, — eine so sorgfältige Nachsuche nach Eiern veranlassten, dass kein Nest verschont blieb. Die Eiersucher, meistens routinirte Subjecte, besitzen eine ausserordentliche Gewandtheit und Sicherheit in der Auffindung der Nester; sie wissen nachgerade, dass sich alle frischen Vogeleier zu Geld machen lassen, und da sie früh aufstehen und schon vor Sonnenaufgang suchen und die Eier ausnehmen, haben sie ihren Raub längst in Sicherheit gebracht, wenn andere Arbeiter mit der Tagesarbeit beginnen.

Auf den Inseln wird die Eiersuche noch rationeller betrieben. Darüber klagte schon Ferd. Baron v. Droste vor 25 Jahren.

Von den Wildenten zu reden, bleibt wohl kein Ei liegen, ein jeder Sucher kennt sein Revier, die Enten, die sich darin aufhalten und alle anderen Vögel; erst nimmt er die Eier und dann schiesst er — wenn er kann — die Alten todt. Die erstaunlich rasche Abnahme der Sumpf- und Wasservögel auch in anderen Gegenden ist eine Thatsache, welche sich nicht wegstreiten lässt; alle einsichtigen Forstleute, Jäger und Vogelkundigen werden mit mir übereinstimmen, dass es hohe Zeit ist, auf dem Wege der Gesetzgebung die Wegnahme der Kibitz- und Möveneier sowohl im Innern Deutschlands, als auch in den Küstengegenden und Inseln zu verbieten. Von dem Nutzen, den viele dieser Vögel der Landwirthschaft bereiten, will ich gar nicht einmal reden.

Für die Jägerei bleibt, so wie die Verhältnisse gegenwärtig vorliegen, nicht viel mehr übrig. Kommt der erste Juli in's Land, sind die Niederungen ohne Vögel und an den Matten fehlt ebenfalls der frühere Vogelreichthum.

Es bleibt die Hoffnung auf den Herbstzug! Doch damit steht es auch nicht viel besser, von Jahr zu Jahr lässt sich einsehen, dass der Zug weniger wird. Macht, durch Witterungsverhältnisse, Sturm und Kälte beeinflusst, die eine oder andere Vogelart einmal eine Ausnahme, und wandert in grösserer Kopfzahl durch, so wird dadurch im Allgemeinen nichts gebessert.

Der werthvollste Zugvogel ist die Ente, wie es mit dem Zuge bestellt ist, ist jedem Jäger bekannt; man plante im Vorjahre hier an der Küste einen Entenfang einzurichten, die Idee ist aufgegeben, weil die Aussichten auf Erfolg sich zu unbedeutend herausstellten.

Die meisten Enten werden immer noch auf Lyst gefangen, das Resultat berechnet sich auf etwa ein Viertheil weniger gegen früher. Man glaubte, durch Anlage neuer Kojen den Fang zu verbessern, erreichte aber nur unbedeutende Erfolge. Eine neue Koje auf Beitum 1882 in Betrieb gesetzt, rentirte in den ersten Jahren gar nicht, man gab der Leitung die Schuld, später verbesserte sich der Fang. Die interessanten Fangresultate dieser und einer anderen Koje lasse ich hier folgen. Es wurden gefangen im Herbst 1882 bis 1890:

1882	1 grosse (grove)	1 mittel	
1883	62 „		
1884	12 „	9 „	1 kleine
1885	28 „	9 „	
1886	179 „	114 „	1 „
1887	622 „	307 „	
1888	1295 „	812 „	4 „
1889	494 „	833 „	10 „
1890	355 „	728 „	21 „
	3048 grosse	2813 mittel	37 kleine

Total in 9 Jahren 5898 Stück!

In einer anderen Koje auf Beitum wurden von drei Arten zusammen gefangen:

1885	1550 Stück
1886	4397 „
1887	6385 „
1888	4289 „
1889	2281 „
1890	4678 „

Total in 6 Jahren 23580 Stück.

In einer dritten Koje wurden im Jahre 1890 etwa noch 1000 Stück gefangen. In früheren Jahren sollen jährlich im Herbst 30 bis 45.000 Stück gefangen worden sein.

Nach dem ostfriesischen Sprachgebrauch versteht man unter „Groven" Stock, Spiess und Krebs[1]), unter „mittel" Pfeif, beztl. Moor und Reiher und unter „kleinen" Krickenten.

Die Bezeichnung dürfte mit der Sylter stimmen; Anfragen über die Richtigkeit der Arten blieben unbeantwortet Da auf Sylt nur Süsswasserenten gefangen werden, können schwerlich Taucheuten (Seeenten) mit gemeint sein. Bekanntlich werden den Enten die Hälse umgedreht.

Auf Femarn und den anderen Inseln und Orten an der Ostsee gelegen, fängt man im Winter hauptsächlich Tauchenten, als: Jäger-, Eis-, Berg-, Sammt- und Trauerenten, bekannt unter den Collectivnamen „Seeenten".

Die Fangweise ist die grausamste und auch die ekelhafteste, die es gibt. Sobald das Eis stark genug ist, schlägt man grosse Löcher hinein, in welche Netze unter dem Wasser ausgespannt werden. Die nach Wasser suchenden Tauchenten stossen hinein und bleiben mit den Köpfen in den Maschen hängen, wo sie den Erstickungstod sterben und voll Wasser laufen.

Von diesen Enten gelangen oft grosse Posten in die Markthallen der grossen Städte, Berlin, Brüssel u. a., der Verkaufspreis an Ort und Stelle ist für gewöhnlich per 100 Stück 30 bis 35 Mark.

In günstigen Jahren werden etwa 10 bis 15.000 gefangen.

Aus der Zusammenstellung geht hervor, dass der Entenzug der Gegenwart nur noch ein Schatten von ehemals ist. Am längsten widerstand die Pfeifente dem Vernichtungskriege. Die Massenmorde der englischen Sportsjäger von Boten aus, mit Mörsern und Mitrailleusen an der nördlichen und südlichen Seite der Nordseeküste seit etwa zehn Jahren betrieben, räumten furchtbar unter dieser Art auf.

[1]) Krebs = Schnatterente.

Die von Droste geschilderten grossartigen Züge dieser schönen Ente an der ostfriesischen Küste existiren nicht mehr. Doch nun genug von den Enten. Die Schwärme des Kibitzregenpfeifers und seines Vetters, des Goldregenpfeifers, waren unerheblich, der gemeine Kibitz ist wieder sehr zahlreich und überwintert in ziemlicher Kopfzahl.

Die Züge der Tringen waren klein, Tringa subarquata fehlte. Drosseln wurden wenig gefangen, die Schwarzdrossel, im Vorjahre noch starker Durchzugsvogel, zeigte sich nur in wenigen Köpfen, es ist anzunehmen, dass der Zug Nachts passirte.

Holzheher waren an einigen klaren Octobertagen auf dem Zuge, Spechte fehlten, Holztauben aus dem Osten und Norden wanderten in kleinen Trupps durch; erlegt wurden recht wenige.

Im Anfang September kamen die Graugänse. Diese Art muss sich einer ganz besonderen Fürsorge in Schlesien erfreuen; nach einer Zeitungsnotiz konnten auf einem schlesischen See an einem Tage von zehn Jägern 900 (?) junge Gänse todtgeschossen und todtgeschlagen werden.

Ende September waren die Graugänse in ausserordentlich grosser Kopfzahl auf ihren Weideplätzen eingetroffen, gleichzeitig erschienen die Blässgänse, denen Mitte October die Saatgänse folgten.

Ungeachtet der sehr grossen Anzahl Gänse wurden doch nur einzelne erlegt, man könnte sagen, dass die Gänse mit jedem Jahre an Klugheit und Verstand zunehmen und den geriebensten Jäger zum Narren haben.

Die interessanteste der hier kurze Zeit Rast machenden Gänse ist die Rothfussgans (Anser brachyrhynchus Baill.); sie ist leicht kenntlich an der rosenrothen Querbinde über dem kurzen Schnabel und den rosenrothen Füssen, welche nach dem Tode ein mehr fleischfarbenes Colorit annehmen. Alte Exemplare tragen gleich der Ackergans (Anser arvensis Brehm.) ein weisses Band um die Schnabelwurzel, welches bei dem Ganter breiter, bei der Gans schmäler ist.

Nach meiner Beobachtung, soweit von einer solchen überhaupt die Rede sein kann, will es mir scheinen, dass die Ehe eine feste bleibt und sich auch auf dem Zuge nicht lockert.

Alte Paare dieser Art hatte ich seither selten Gelegenheit anzutreffen und zu erlegen. Aller Wahrscheinlichkeit nach, ziehen die alten Gänse ohne zu rasten südlicher, während die Jungen dieser Art hier rasten und sich der Führung der Graugänse überlassen, ohne sich jedoch mit den letzteren zu vermischen. Bei starkem Nebel wird sie gelegentlich in Fussschlingen gefangen.

Wasser-, Rohrhühner und Rallen waren sehr zahlreich auf dem Zuge, letztere waren bis in den Spätherbst hinein auf dem Marsche, immer genau der Sonne folgend.

Mit den Octoberstürmen wurden die Schwäne herangetrieben, die erlegten Exemplare gehörten der kleinen Art an, vom Singschwan sah ich nur Junge, Cygnus olor wusste seine Haut in Sicherheit zu bringen.

Recht seltene Gäste waren die Lummen, ein ganzer Zug wurde von dem Sturm in die Ems getrieben, viele geriethen bei dieser Gelegenheit in die Buttfänge, wo sie lebend gefangen wurden.

Merkwürdigerweise fing sich auch eine junge Graugans in solchem Korbe. Ob die kluge Gans Schutz vor dem Unwetter suchen wollte?

Becassinen waren in Masse da; die überschlickten Anwüchse an dem linken Emsufer entlang boten den feisten Langschnäblern, welche vor lauter Wohlbeleibtheit bei stürmischen Südwest kaum imstande waren, Wind unter die Flügel zu bekommen, vorzügliche Aesungsplätze. Die Becassinenjäger hatten vielfache Gelegenheit mit den verborgenen tiefen Gräben und Löchern lebensgefährliche Bekanntschaften zu machen, denn der Dichter singt: „Mit des Geschickes Mächten, ist kein trauter Bund zu flechten.“

Weihen, Bussarde, Sperber, Thurm-, Baum- und Merlinfalken, wurden von den Stürmen zurückgeworfen; erlegt wurden schöne Exemplare der Steppenweihe, des Rauhfussbussard und selten schöne Sperbermännchen.

Der bemerkenswertheste Vogel auf dem Herbstzuge war die Rohrdommel (Botaurus stellaris L.). Mit dem 1. October trat die vollendete Beleuchtung der Ems, bezl. der Küste in Wirksamkeit.

Ich lasse es einstweilen noch unerörtert, in wie weit die gegenwärtige Erleuchtung der Küste den Wanderflug vieler Vogelarten beeinflusst. Die Rohrdommel reist nicht in Gesellschaften, ausser der Paarungszeit lebt sie allein und verfolgt eine jede ihren eigenen Weg. Obgleich im September schon viele Rohrdommeln durchwanderten, ohne lange zu rasten, — sie reist nur bei Nacht — konnte man im October eine auffallende Kopfzahl derselben gewahren. Es wurden mir an mehreren Tagen nach einander vier bis sechs Stück, während des ganzen Monats Dubletten und einzelne, und am 24. November die letzte eingeliefert. Eine so grosse Anzahl der Rohrdommel ist hier an der Küste während des Herbstzuges noch nicht vorgekommen. Bei ihrer versteckten Lebensweise und Vorsicht und auch ihre nächtliche Wanderung, lässt sich nicht einmal abschätzen, wie viel durchgewandert sein mögen.

Der problematische Winterschlaf im Vogelleben.

Von Ph. C. Dalimil Vladimir Vařečka.

(Schluss.)

II.

Ueberwinternde Feldlerchen (Alauda arvensis L.).

Der in Böhmen rühmlichst bekannt gewesene Ornithologe Palliardi hatte die auch dem Landvolke nicht unbekannte Thatsache bestätigt, dass Feldlerchen milde Winter in Böhmen öfter überdauerten.

Doch macht dieser Forscher nirgends die Erwähnung, dass man auch schon hie und da halberstarrte Feldlerchen an wettergeschützten Stellen gefunden hätte. Da ich meinen Nachforschungen über die überwinternden Schwalben nachging, hörte ich von verlässlichen Personen die Behauptung, dass auch die Feldlerchen in den „Winterschlaf“ verfallen. Meine darüber angestellten Nachforschungen haben mich auf Grund der Aussagen von verlässlichen

Gewährsmännern von der Richtigkeit dieser Thatsache überführt. Als Beleg dafür mögen nachstehende von mir gesammelten Daten dienen.

Im Jahre 1870, anfangs Jänner, kamen Steinbrecher im Walde „auf dem Lager“ im Steinbruche auf einige Feldlerchen, die in einer Felswandritze verborgen im festen Schlafe waren. Drei von ihnen wurden dem Herrn Mathyásko zum Ausstopfen gebracht. Etwa zwei Stunden darnach, gerade als sich der Herr Mathyásko zum Präpariren derselben anschickte, wurden die anscheinlich todten Vögel lebendig, doch blieben sie nur noch bis zum folgenden Tage am Leben, ohne das ihnen gereichte Futter angerührt zu haben.

Im Jänner 1876 wurden in den Těschiner Wäldern bei Wodňan in einer kleinen Erdhöhlung sieben schlafende Feldlerchen gefunden. Zwei von den erwachten wurden am Leben erhalten.

Im Jahre 1880 im December, fand man bei Mirowitz zwischen Vrabsko und Lažiště beim Graben einige schlafende Feldlerchen, ebenso im Jänner desselben Jahres traf man bei Štětitz unweit Heřmaň in einem Feldkeller einige schlafende Feldlerchen.

Im Jahre 1883 wurde ein ähnlicher Fund von die Wintermonate verschlafenden Feldlerchen laut Angabe des Herrn Plička im „Brechhaus“ bei Wodňan gemacht; und laut Angabe des Herrn Präparators Mathyásko in Pisek kam man auf einige überwinternde Feldlerchen in einer Mauerspalte des zu der Einschichte „Honziček“ zugehörigen Kellers.

Im Jahre 1886 zu Ende November, kam man bei der Budweiser Vorstadt in Pisek beim Fällen alter Linden auf acht schlafende Feldlerchen, die zwischen den Wurzelästen in einem Loche zusammengekauert lagen. Zwei von ihnen wachgeworden, wurden dem Herrn Mathyásko zum Ausstopfen gebracht.

Im Jahre 1889 kam man Ende December in Podolsko auch auf nur einige schlafende Feldlerchen in einer hohlen Erle; und im Jänner desselben Jahres fand man auch nur einige dieser schlafenden Vögel bei Heřmaň in der unterirdischen sogenannten „Wald-Bankethütte“.

Aus diesen sichergestellten Angaben und auch nach anderen, jedoch nicht genug local constatirten Aussagen des Volkes kann man sich der Vermuthung nicht erwehren, dass auch die Feldlerche die Lebenszähigkeit besitzt, womit sie im halbstarren Zustande den Winter überdauern kann, wobei man aber den auch dem Volke hier wohl bekannten Umstand nicht unbeachet lassen darf, dass diese Erscheinung weit seltener beobachtet werde, als die der überwinternden Schwalben. Auch ist nicht zu übersehen, dass die Anzahl der so den Winter gemeinsam verschlafenden Feldlerchen nur sehr klein ist, und dass die von ihnen gewählten Schlafstellen von denen der Schwalben in den meisten Fällen verschieden sind. Auch bei den in den hypothetischen Winterschlaf verfallenen Lerchen wurde hier die Wahrnehmung gemacht, dass die meisten derselben zum Leben erwacht, in kurzer Zeit zu Grunde gingen, mit Ausnahme eines einzigen, von dem ausgezeichneten Vogelkenner H. Albert, Bürger und Goldarbeiter in Pisek, mir berichteten Falles, wo eine von diesen wach gewordenen Winterfeldlerchen weiterhin von einem Bürger in Wodňan im Käfig genährt wurde.

Schliesslich kann ich nicht die Bemerkung unterdrücken, dass ich der Meinung des Herrn Verfassers des in der Nr. 4 dieses Jahrganges erschienenen Artikels „Frühlingsboten“ aus ganzer Seele beipflichte, dass es nämlich ein bedeutender Schritt zur Aufklärung dieser räthselhaften Erscheinungen im Vogelleben wäre, wenn man die im erstarrten Zustande gefundenen Schwalben oder eventuell andere Vögel ununterbrochen beobachten könnte. Hiebei kann ich auch meinen lebhaften Wunsch nicht unterdrücken, das alle eifrigen Ornithologen nicht die Mühe scheuten, jeden besonderen diesbezüglichen Fund augenscheinlich zu prüfen, zu registriren und wo möglich die erwachten Vögel physiologisch zu behandeln. Nur nach dieser Methode, die auch der berühmte Physiker „Arago“ einhielt, als er der Natur der athmosphärischen Elektrizität nachforschte, wird man wohl auch endlich den problematischen Winterschlaf im Vogelleben enträthseln können.

Pisek den 24. April 1892.

Ph. C. Dalimil Vl. Vařečka.

Vogelleben in Süd-Amerika.

Von **Carl Lehl**, Naturalist, Stralsund z. Z. Süd-Amerika.

In der Neuzeit ist der Zielpunkt der meisten naturwissenschaftlichen Beobachter und Forscher Afrika, und auch ich hatte die Absicht das Leben und Treiben der Thierwelt dort kennen zu lernen. Wie ich aber zu Anfang dieses Jahres zur Betheiligung an eine naturwissenschaftliche Reise nach Süd-Amerika, speciell Brasilien aufgefordert wurde, zog ich eine solche der ersteren vor, welches mir bis heute auch nicht leid ist.

Als Ornithologe konnte ich auch nach meinen bisherigen Erfahrungen wohl kaum ein günstigeres Feld finden, als das Erwählte. Alle Bedürfnisse, welche die Vogelwelt stellt, werden hier in Fülle geboten. Wo finden wir so viele Flüsse, Bäche, Seen, Moore, wo eine ähnliche Vegetation als hier!

Wie reichlich sind hier die Insecten zu finden, welche das Tropenklima in Hülle und Fülle stets neu erzeugt, mithin auch die Insectenfresser nie Mangel an Futter haben. Es wird jeder somit von vornherein annehmen können, dass unter so günstigen Bedingungen, die Vogelwelt sehr reichhaltig sein muss. Ich kann nur sagen, dass meine Erwartungen übertroffen wurden; obgleich ich doch viele Gegenden Deutschlands besuchte, wo Vögel noch in grosser Zahl anzutreffen sind, auch die vogelreichen Gegenden in Mähren, das Donaugebiet und Italien bereiste. — Bevor ich auf die Vögel selbst eingehe, will ich den hiesigen Urwald und meine Ausrüstung für eine Waldtour kurz besprechen. Palmen verschiedener Art, wachsen überall, aber es lässt sich nicht sehr bequem „unter ihnen wandeln“, weil niederes Buschwerk, Farne und andere Pflanzen im Vordringen sehr erschwert; ausserdem hängt man oft mit Arm und Beine an den Schlingpflanzen derart fest, dass man nicht weiter kann. Der südamerikanische Urwald ist mit einem deutschen Walde nicht im entferntesten zu vergleichen. Weitere Bäume sind „Canjarana, Canella, Jacaranda, Lucurana, Arariba, Urucurana, Tajuba, Ceder, Areca, Ipe" sämmtlich Nutzhölzer und viele andere, welche nicht weiter aufzählen will. Diese Bäume sind nun über und über mit Schmarotzern bedeckt: in erster Linie die Bronelien, verschiedene, lang herabhängende Moos- und Flechtenarten, Cacteen, Orchideen mit den prächtigsten Blumen und Farne von 2—4 Meter Höhe und 10—25 Ctm. Stärke. Der Sipo hängt überall schnurgerade in 20—30 Meter Länge von den Bäumen und schlägt sobald er den Boden erreicht, auf's neue Wurzeln. Das grösste Dickicht aber bilden die verschiedenen Rohrarten, welche oft eine undurchdringliche Mauer bilden und alles, selbst die höchsten Bäume überwuchern und zu ersticken drohen. Unter dem Rohr kommt auch eine Art mit messerscharfen Blättern vor, welches auch alles überzieht; geräth man da hinein, so kommt man mit zerschnittenen Armen, Händen und Gesicht wieder heraus und schmerzen diese oft bis auf die Knochen gehenden Wunden sehr. Von Pilzen findet man meist nur kleinere Arten, diese aber in unglaublicher Anzahl. Das Terrain ist meist bergig mit Bächen reichlich durchzogen. Felsen und Klüfte, sowie die von Alter oder Sturm umgestürzten Bäume versperren oder erschweren einem den Weg. Soeben hat man mühsam eine Anhöhe erklommen und mit einem Aufschwung erfasst man einen starken armdicken Stamm einer abgestorbenen Cocere oder Bahube, aber in demselben Augenblick bricht derselbe wie ein Streichholz ab und man purzelt mit demselben einige Meter herunter. Oft geht der Pfad auf einen, über eine Kluft liegenden Stamm, der sich mit Stiefel schlecht überschreiten lässt, da er sehr glatt ist; ohne Fussbekleidung geht es besser. Auch versuchte ich auf die Weise, wie es die Eingeborenen machen, in den Wald zu gehen, aber mühsam kam ich wenige Schritte vorwärts und zog schleunigst Strümpfe und Stiefel wieder an.

Als Anzug hatte mein, von Deutschland mitgebrachtes Zeug und auf dem Kopf einen breitrandigen Hut gegen die Sonne. Auf dem Rücken trug ich einen Tornister in dem sich Flaschen und Kästchen und einige andere Utensilien zur sofortigen Aufnahme, resp. nothdürftigen Präparation der erbeuteten Thiere befanden. Dann im Arm, was die Hauptsache war, die Flinte, ausserdem eine entsprechende Anzahl Patronen, einen Compass und zeitweise Revolver und Waldmesser (Facon). Vorerst habe ich es nun mit Brasilien zu thun, die Nordstaaten wurden nur berührt, hingegen habe ich die Vogelwelt im Staate Santa Catharina in dem halben Jahr bereits ein wenig kennen gelernt. Die grösste Mehrzahl aller gefiederten Freunde sind nach meinem Dafürhalten Insectenfresser, die zweitgrösste Zahl sind Frucht-, resp. Beerenfresser, von denen viele nebenbei auch Insecten zu sich nehmen. Ein kleiner Theil nährt sich ausschliesslich von Körnern, die meisten Körnerfresser fressen ebenfalls, gleich unseren Finken, nebenbei Insecten. Von den reptilien-, fisch-, fleisch- und aasfressenden Vögeln sind Erstere in grösster, Letztere in kleinster Artenzahl anzutreffen. Ausserdem kommt hier bei einigen Vogelarten eine Ernährung vor, wie wir sie in Deutschland nicht finden. Ich meine die Vögel, welche sich von dem Honigsaft der Blumen, dem Blüthenstaub oder dem Saft von Früchten ernähren, aber auch diese nehmen kleine Insecten zu sich. Nicht allein durch Beobachtung in der Natur, sondern durch Untersuchung des Magens von vielen hundert Vögel kam ich zu dieser Ueberzeugung. Die Färbung des Gefieders ist bei vielen Vögeln der Zone entsprechend recht lebhaft und mehrfarbig, bei manchen schillernd und glänzend wie Metalle und Edelsteine. Obenan stehen die verschiedenen Kolibriarten, Tangaren, Staar- und Krähenvögel, Eisvögel, Tukane und Papageien. Man trifft aber auch eine Unmenge nur erdfarben aussehende, sowie einfärbige, vom reinsten Weiss, als die Schmiedetaube, Chasmarhynchus nudicollis mit tief grünblauer nackter Kehle, den weissen Reiher, Ardea alba, welcher die beliebten Reiherfedern liefert, mit blendend weissem Gefieder und sofort bis zum schwarzen Ani Crothophaga, Anu hier Anu genannt und den Rabengeier, Urubu Cathartes atratus.

In Gestalt hat man viele recht sonderbare Formen, die keiner deutschen Gattung anzupassen sind, als da die Kolibris, Tukane etc. Der Gesang im Palmenwald ist angenehm, hauptsächlich die Drosseln singen sehr hübsch. Man glaubt Lerchen, Drosseln, Grasmücken zu hören, dazwischen ertönt dann plötzlich in nächster Nähe ein zirt-zirt von einem kleinen, pfeilschnell vorbeisausenden Kolibri oder der Lockton und das Gehämmer eines Spechtes, welche hier in vielen Arten vorkommen. Auch ein Sperling, der hier vorkommt, singt ein niedliches, wenn auch nur kurzes Lied und übertrifft unsern deutschen Feldsperling, mit dem er Aehnlichkeit hat. Aber auch unangenehme Töne muss man hören und dazu gehören das blöckende Gelärme der Tukane, das Geschrei, welches drei- oder vierhundert fliegende Papageien erschallen lassen und die kreischenden Töne der Blauraben. Die Feinde der Vögel sind kleinere Raubthiere als Gamba, Beutelratte, Didelphys Azarae, der Grison, Galictis rittata, die Hyrare Galera barbara, die Eyra, Puma Eyra, die Tiegerkatze, Felis tigrina etc. Kleinere werden von den grossen meterlangen Eidechsen, Schlangen und Raubvögeln gefressen. Von Menschen werden die Vögel für wissenschaftliche Zwecke nur in sehr geringem Umfange erlegt, hingegen viele nur zur Belustigung oder zur Nahrung geschossen oder gefangen, und zwar zur Orangereife in einem Fangbauer hunderte an einem Tage, von den buntfarbigsten Arten, von Sperlings- bis Drosselgrösse. In Lochfallen oder mit Schlingen werden Urus, Inambus, Tauben und andere Laufvögel gefangen. Geschossen werden hauptsächlich Baumhühner, Tauben, Sittiche, Papageien und Tukane, die letzten Arten werden hier viel gegessen und schmecken gut. Die Paarungszeit scheint September und October zu sein.

(Fortsetzung folgt.)

Einiges über den Schutz und die Abnahme unserer einheimischen Kleinvögel.

Von Guido v. Bekkessy, Ung.-Altenburg.

Der Massenfang unserer kleinen Singvögel zu Speisezwecken, welcher in unseren Tagen, die Aufmerksamkeit fast aller ornithologischen Kreise so sehr in Anspruch nimmt, wurde in den Mittelmeerländern bereits seit den Zeiten des Alterthums in bedeutendster Weise ausgeübt, da schon die alten Athenienser, dieses in culinarischer Hinsicht so sehr verwöhnte Volk, im Zeitalter des Perikles, welches ja als die berühmteste Kulturepoche dieser Nation bezeichnet werden darf, in eifrigster Weise demselben nachhingen, und in dieser Hinsicht wahrscheinlich so ziemlich dasselbe leisteten wie die Italiener der Neuzeit. Wir ersehen nämlich aus dem Werke eines berühmten französischen Gelehrten über Alt-Griechenland*), woselbst die Sitten der alten Hellenen in ebenso anziehender, wie detaillirter Weise dargestellt werden, dass bei den meistentheils überaus üppigen Gastmählern der reichen Athenienser, kleine Vögel und darunter unsere edelsten Singvögel, wie: Grasmücken, Rothkehlchen, Lerchen, Drosseln u. dgl., sowie höchstwahrscheinlich auch unsere Nachtigallen nebst allen übrigen Kleinvögeln unserer Zone**) ein sehr beliebtes Leckergericht bildeten. Dass es nun anderseits die durch ihre geradezu fabelhaft verschwenderischen Gastmähler in der Geschichte so überaus berühmt gewordenen Römer, wie namentlich Lucullus, Kaiser Vitellius es nicht besser machten, versteht sich wohl von selbst. Wir bemerken somit, dass unsere kleinen Zugvögel auf ihren Frühjahrs- und Herbstwanderungen, welche sie durch die südeuropäischen Länder führen, zu allen Zeiten den grössten Nachstellungen ausgesetzt waren. Und dennoch glaube ich der eventuellen Annahme, als wäre die Anzahl derselben durch diesen, sozusagen seit Jahrtausenden ausgeübten Massenfang in wesentlicher Weise beeinträchtigt worden, widersprechen zu müssen auf Grund eigener Wahrnehmungen; denn überall wo ich auf meinen ländlichen Spaziergängen im Frühjahre in hiesiger Umgegend hinkomme, tönt mir aus jedem Busche der Nachtigallenschlag entgegen, sowie auch in ziemlich zahlreicher Weise der herrliche Gesang unserer einheimischen Grasmücken, als auch sehr häufig der klangvolle Flötenruf des Pirol; von wandernden Körnerfressern aber am zahlreichsten der herzerfrischende Schlag des Buchfinken. Namentlich sind von Wurmvögeln die Nachtigall, von Samenvögeln hingegen der letztere besonders zahlreich hier vorhanden In ziemlich entgegengesetzter Weise verhält sich dies jedoch mit unseren Stand- und Strichvögeln; bezüglich derselben erscheint die von vielen Seiten vorgebrachte Klage, über die Verminderung unserer Singvögel nur allzu begründet, u. zw. namentlich hinsichtlich der bei uns überwinternden Finkenvögel; denn ich mache oft die längsten Spaziergänge in hiesiger Umgegend, ohne der lieblichen Töne des Distelfinken oder des Zeisigs hörbar zu werden, woraus sich mit aller Bestimmtheit der Schluss folgern lässt, dass dieselben in Abnahme begriffen sind. Die Gründe davon sind unschwer aufzufinden; denn, während nämlich die kleinen Zugvögel diejenigen Länder des europäischen Südens, woselbst sie den vielfältigsten Verfolgungen ausgesetzt sind, blos mehr oder minder im Durchzuge passieren, ohne sich allzulange daselbst aufzuhalten, den eigentlichen Winter jedoch in Nord- oder Central-Afrika oder aber auch im südwestlichen Asien zubringen, woselbst ihnen die eingeborene moslemitische Bevölkerung im ganzen genommen, nur wenig nachstellt; sind unsere Stand- und Strichvögel, in strengen Wintern, wie sie im Laufe der letzten Jahre, der Reihe nach vorkamen, sowohl den furchtbarsten Unbilden der rauhen Witterung, als auch dem daraus entstehenden schrecklichen Nahrungsmangel und endlich auch den gerade in dieser Jahreszeit mit grösstem Erfolge betriebenen Nachstellungen seitens der Menschen fortwährend ausgesetzt. Ich glaube überhaupt bemerkt zu haben, dass beispielsweise unsere Distelfinken nach gelinden Wintern sich weit häufiger zeigten, wie nach langen, mit zahllosen Schneefällen verbundenen, wie wir sie im vorigen Jahre gehabt haben, wo die Vögel bei halbklafter hoher Schneedecke des Erdbodens im buchstäblichen Sinne des Wortes oft dem grössten Hunger preisgegeben sind und sich sehr leicht nach Nahrung suchend, auf die aufgerichteten Leimruthen oder übrigen Fangvorrichtungen begeben, da bei letzteren immerhin ein mehr oder minder namhafter Theil der Sommerbruten zu Grunde geht. Besser erhalten sich dagegen die derberen Arten unserer Körnerfresser, wie Ligurinus chloris*) und merkwürdigerweise auch im Ganzen genommen, die bei uns überwinternden Insectenfresser, wie: die Meisenarten, Zaunkönige u. dgl. So sehr nun auch vom rein humanitären Standpunkte aus entsprechende Schutzgesetze für unsere kleinen Zugvögel, um dieselben während ihrer Herbst- und Frühjahrswanderungen durch Italien nach Möglichkeit zu schützen, eifrig befürwortet werden sollen, so glaube ich doch hervorheben zu müssen, dass unsere Stand- und Strichvögel derselben fast noch mehr bedürfen,

---

*) Barthélemy, Reise des jüngeren Anacharsis durch Griechenland, 400 Jahre vor der gewöhnlichen Zeitrechnung. Der gelehrte Verfasser dieses ausgezeichneten Werkes, lässt nämlich in dieser blühendsten Culturepoche Alt-Griechenlands, dasselbe durch einen erdichteten Scythen seiner Phantasie, welche barbarische Nation, nämlich mit den Griechen, durch die von letzteren an der Küste des schwarzen Meeres gegründeten Kolonien in ziemlich lebhaftem Verkehre stand) in allen seinen Theilen eingehend bereisen und beobachten und liefert ein in diese hochinteressante Darstellungsweise gebrachtes culturhistorisches Gemälde des antiken Landes, auf Grund mühsamster und gründlichster Untersuchungen nach den besten, ihm zu Gebote stehenden Quellen, pag. 379 und 382.

**) Dieselben wurden meistentheils mit einer sehr heissen Brühe übergossen aufgetragen, welch' letztere aus geschabtem Käse, Oel und Weinessig bereitet wurde. Aus derselben Stelle dieses Werkes, pag. 382, ersehen wir auch, dass die reichen Athenienser bereits Phasanerien hatten, nachdem unser gemeiner Phasan, (Phasianus colchicus) schon gelegentlich des Argonautenzuges im heroischen Zeitalter nach Griechenland gekommen, aus Kaukasien sein soll.

*) Sowie auch: Pyrhula vulgaris, Emberiza citrinella Alauda cristata u. dgl.

da strenge Winter mit ihren vorhinerwähnten Folgen, dieselben noch in viel ärgerer Weise verhindern, wie der Massenfang seitens der Italiener die Zugvögel. Die für erstere nothwendigen Schutzgesetze müssten sich vornehmlich auf zwei Puncte erstrecken; nämlich, dass sowohl der Vogelfang im Winter unter strengsten Strafen zu verbieten sei, als auch dass womöglich an allen Orten in dieser Jahreszeit Futterplätze errichtet und womöglich auf Grund bereits vorhandener Schutzgesetze behördlich angeordnet würden. Jeder Vogelfreund muss tief bedauern, dass, namentlich die ärmeren Volksclassen den Vogelfang im Winter, sowohl auf das eifrigste, als auch (da sich nur allzu häufig leider auch Knaben damit befassen) auf das unverständigste betreiben und die meisten sogar ein förmliches Gewerbe aus demselben machen, da die frisch eingefangenen Vögel, nach allen Richtungen des betreffenden Ortes zum Verkaufe herumgetragen werden. Dies erscheint umso beklagenswerther, da die von derlei Leuten gefangenen und in der Gefangenschaft gehaltenen Vögel, der verständnissvollen Pflege des wirklichen echten Liebhabers meistentheils vollkommen entbehrend, nur allzuhäufig der Mehrzahl nach baldigst zu Grunde gehen im Käfige. Ich glaube daher in dringendster Weise empfehlen zu müssen, dass der Vogelfang im Winter in ganz gleicher Weise wie im Frühjahre während der Brutzeit zu verbieten sei, u. zw. umsomehr, da die speciell gegen Ende des Winters eingefangenen Vögel, aus Sehnsucht nach der Paarung, in den Käfig gebracht, meistentheils sehr schnell dahinsterben. Hinsichtlich der Errichtung von Futterplätzen für Wintervögel verdient so leicht meines Wissens kein Ort unserer Monarchie so sehr die wärmste Anerkennung aller Vogelfreunde, wie speciell der Kurort Karlsbad, woselbst der städtische Oberförster im Namen der Gemeinde die milden Gaben, sowohl der Curgäste, als auch der Bewohner zu diesem schönen humanen Zwecke erbittet und alle Tage im Laufe des Winters an einem bestimmten Orte ein- oder mehreremale Futter für die frierende hungernde Vögelschaar ausgeworfen wird. Bei gehöriger, wirklich überaus wünschenswerther Nachahmung dieses schönen Beispieles, verbunden mit energischer Unterdrückung des Wegfangens während der rauhen Jahreszeit, könnte sich die Anzahl unserer kleinen Stand- und Strichvögel binnen einigen Jahren vielleicht in ziemlicher Weise vermehren, welches letztere gewiss die meisten Naturfreunde nur mit lebhaftester Freude begrüssen dürften. Namentlich glaube ich, speciell hier in Ungarn, die erwähnte Verschärfung der Schutzgesetze verbunden mit der behördlichen Einführung der Futterplätze in dringendster Weise empfehlen zu müssen, da hier ohnedies in dieser Richtung noch so manches zu thun übrig bleibt und die Idee des Vogelschutzes sich noch bei Weitem nicht in gebührender Weise entwickelte, welches gleichwohl gegenwärtig, nach dem im soeben verflossenen Frühjahre zu Budapest abgehaltenen II. internationalen Ornithologen-Congress und der daraus hervorgehenden Anregung auf diesem Gebiete, mehr als je bisher der Fall sein könnte. Gleichzeitig glaube ich überhaupt bemerken zu müssen, dass bei künftigen Fachcongressen der den Wintervögeln zu gewährende Schutz, möglichst eingehender Aufmerksamkeit gewürdigt werden sollte, und als ein wichtiger Zweig unseres einheimischen Vogelschutzes in detaillirtester Weise mit Recht zur Berathung gelangen sollte. Als einen Hauptfehler, glaube ich es auch bezeichnen zu müssen, dass man bisher bei Verfassung, sowie auch Berathung von Vogelschutzgesetzen, fast ausschliesslicherweise nur die eventuelle Nützlichkeit oder Schädlichkeit der einzelnen Vogelarten in Betracht nahm, ohne den in dieser Hinsicht gewiss auch wichtigen ästhetischen Standpunct der gehörigen Aufmerksamkeit dabei in entsprechender Weise zu würdigen. So lange man nun aber, bei den zum wirksamen Schutze der Vogelwelt abzielenden Gesetzen letzteren Umstand nicht auch in gebührender Weise berücksichtigt, müssen die darauf Bezug habenden Bestrebungen, verhältnissmässig ziemlich unvollkommene genannt werden; denn der wirkliche, echte Vogel- und Naturfreund darf mit Recht erwarten und wünschen, dass man Vögel nicht allein blos deshalb schützt, damit dem Gartenbesitzer und Obstzüchter eine reichere ergiebigere Obsternte zu Theil werde oder aber den Waldbesitzern nicht ihre Baumstämme, durch die den Forstculturen schädlichen Käfer zerstört werden und dieselben in ihren Erträgnissen bedeutende Einbusse erleiden, sondern nebst diesen allerdings auch in gewichtigster Weise massgebenden Beweggründen, auch vorzugsweise deshalb, weil die meisten Vögel die schönste Zierde unserer freien Natur bilden und viele geradezu durch ihren Gesang sowie auch manche durch die Schönheit des Gefieders Auge und Gemüth ergötzen, ihr Mangel oder selteneres Vorkommen daher nur schmerzlich vermisst würde. Ueberdies fällt hiebei auch der Umstand sehr in die Wagschale, dass bezüglich der überwiegenden Nützlichkeit oder Schädlichkeit vieler Vogelarten die meisten Ornithologen selbst nicht ganz einig sind unter sich; eine ausschliessliche Classificirung auf Grund dessen, daher schon im vorhinein alle Bestrebungen zum Schutze unserer Vogelwelt nicht wenig erschwert, sowie auch, dass manche Vogelarten in gleicher Weise nützlich und auch schädlich sind, über das Ueberwiegende der einen oder anderen Eigenschaft jedoch die differirendsten Anschauungen unter Ornithologen vorkommen. Würde man jedoch beiden Beweggründen die gebührende Aufmerksamkeit widmen, so könnten auf diesem Gebiete mit verhältnissmässig weit leichterer Mühe gute Erfolge erzielt werden. Ich glaube daher nochmals entschieden betonen zu müssen, dass bei künftigen Ornithologen-Congressen sowohl der rein öconomische, als auch der ästhetische Standpunct in gleicher Weise berücksichtigt werden sollte.

Aus Heinr. Gätke's „Vogelwarte Helgoland".

(Fortsetzung.)

III. Höhe des Wanderfluges.

Die Höhe der Zugregion der verschiedenen Vogelarten ist eine weitere Seite des Wanderphänomens, welche die Aufmerksamkeit in besonderem Grade fesselt. Nach vieljährigen Beobachtungen bin ich zu der Ueberzeugung gekommen, dass, so lange der Zug unter normalen Bedingungen verläuft, er bei der überwiegend grössten Zahl aller Vögel in einer Höhe von statten geht, die ihn vollständig jeder menschlichen Sinneswahrnehmung entzieht, und dass das, was vom wirklichen Zuge zur Anschauung kommt, zumeist nur die durch meteorologische Einwirkungen herbeigeführten Störungen und Unregelmässigkeiten desselben sind. Es dürfte nöthig sein, hier daran zu erinnern, dass unter dem wirklichem Zuge die grossen Bewegungen zu verstehen sind, welche einestheils im Herbste die Wanderer während eines ununterbrochenen, meist nächtlichen Fluges von ihren Brutstätten nahezu oder gänzlich bis in das Winterquartier führen; sowie andererseits die Frühlingsreise vom Winterquartier zur Niststätte, welche noch vorherrschender in einem solchen ununterbrochenen Fluge zurückgelegt wird.

Von diesen ganz verschieden sind die kurzen wenn auch in der allgemeinen Zugrichtung liegenden, niedrigen Flüge, welche kleinere oder grössere Gesellschaften von Vögeln am Tage, besonders im Herbste, von Feld zu Feld, von Gehölz zu Gehölz ausführen, während welcher sie längst des Weges Nahrung nehmen, und die mit dem schwindenden Tage enden. In dieser Weise reisende Gesellschaften dürften mehr oder weniger zusammengesetzter Natur sein und theilweise aus zeitweilig vom wirklichen Zuge rastenden, sowie aus diesem sich ausschliessenden, den nächsten oder wenig ferneren Kreisen entstammenden Individuen bestehen, welche alle durch Witterungszustände zwar beeinflusst, dennoch dem inneren Wanderdrange nicht gänzlich zu wiederstehen vermögen. Solche in der alltäglich unbeeilten Flugweise zurückgelegte kurze Tagreisen haben aber nichts gemein mit dem grossen, gewaltigen, in ungekannten Höhen, mit reissender Schnelle, und vorherrschend während der dunklen Nachtstunden von statten gehenden Zuge, wie er hier vorliegt und auf Helgoland vorherrschend zur Wahrnehmung kommt.

Beobachtungen über die äusserste Höhe des Vogelfluges, auf unmittelbare Anschauung gestützt, stehen allerdings nur in sehr beschränktem Maasse zu Gebote, aus demselben geht jedoch hervor, dass Vögel befähigt sind, ohne Beschwerde in Luftschichten von solcher Höhe und so geringer Dichtigkeit zu verweilen, wo weder der Mensch, noch zweifellos irgend ein anderes warmblütiges Geschöpf auszudauern vermöchte. Die Vögel müssen also nothwendiger Weise derartig organisirt sein, dass sie einestheils unbeeinflusst bleiben von der so beträchtlichen Verminderung des Luftdruckes in einer Höhe von 25,000 bis 35,000 Fuss, und anderentheils auch müssen sie zu bestehen vermögen unter Aufnahme einer so sehr verringerten Sauerstoffmenge, wie sie jene so wenig dichten Luftschichten darbieten. Oder aber ihr Respirationsapparat muss so beschaffen sein, dass er auch jenen sauerstoffarmen Höhen das dem Blute nöthige Quantum mit derselben Leichtigkeit abzugewinnen im Stande ist wie den der Erdoberfläche nächsten Schichten; Organisationsverhältnisse, die den Vögeln einen vollständig isolirten Platz unter allen Warmblütern anweisen.

Wenn nun schon ein eigenartiger Respirationsmechanismus angenommen werden muss, der die Vögel befähigt in Luftschichten zu verweilen, die weit über den Bereich alles sonstigen organischen Lebens hinausliegen, so ist es noch viel schwieriger von den Hilfsmitteln Rechenschaft abzulegen, welche denselben das Fliegen in Luftschichten von so erheblich verringerter Tragkraft möglich machen. Man könnte hier in erster Reihe daran denken, dass die Vögel befähigt sind, verhältnissmässig grosse Luftmassen aufzunehmen und beliebige Zeit hindurch zurückzuhalten, u. zw.: nicht allein in ihrem theilweise marklosen Knochengerüst, sondern namentlich und in bedeutend grösserem Umfange in Luftsäcken, welche sich sowohl in der Brust- und Bauchhöhle befinden, als auch zwischen der äusseren Haut und dem Körper liegen. Luftsäcke der zweiten Art liegen, soweit meine Beobachtungen reichen, an allen nicht mit Spulfedern besetzten Körpertheilen, in besonders grosser Ausdehnung aber zu beiden Seiten der Halswurzel, unter den Flügeln und hinter den Schenkeln. Anatomisch ist nachgewiesen, dass alle diese Luftsäcke mit den Lungen der Vögel in Verbindung stehen und von ihnen ausgefüllt werden. Die Vermuthung liegt nahe, dass die Ausrüstung mit diesen Luftsäcken es ist, welche den Vögeln das Fliegen in höheren Luftschichten so erleichtert, dass die Muskelkraft der Flugwerkzeuge fast ausschliesslich auf die Vorwärtsbewegung verwendet werden kann. Dies bezieht sich nicht nur auf den Umstand, dass durch Füllung solcher Luftsäcke das Volumen des Vogels vergrössert und somit sein specifisches Gewicht vermindert wird, sondern auch darauf, dass die in irgend einer mehr oder weniger grossen Höhe aufgenommene Luft durch die Körperwärme des Vogels bedeutend erwärmt und verdünnt wird, dass somit der Inhalt der Luftsäcke stets aus einem in hohem Grade leichteren Stoff besteht, als der den Vogel umgebende Raum ihn enthält.

Es übertrifft nach meinen Beobachtungen das gesammte Volumen der gefüllten äusseren Luftsäcke an und für sich schon dasjenige des Vogelkörpers, und es dürfte sich unter Hinzurechnung der in der Brust- und Bauchhöhle, sowie in den Knochen und Federspulen enthaltenen Luft leicht auf das Doppelte der festen Substanz des Körpers steigern. Andererseits liegt die Temperatur der in Frage kommenden Luftschichten immer sehr beträchtlich unter dem Gefrierpunkt. Glaisher beobachtete z. B. in einer Höhe von 20,000 Fuss 25° C. unter Null, während die Blutwärme der Vögel etwa 42° beträgt, so dass der Temperaturunterschied zwischen der äusseren und der in den Luftsäcken enthaltenen Luft bis auf 67° und darüber steigen kann. Obzwar genauere Berechnungen auf Grund physikalischer Gesetze nun freilich erkennen lassen, dass diese so erwärmte Füllung der Luftsäcke den Vögeln keine sehr bedeutende Erleichterung während ihrer Flüge zu gewähren vermag, so zwingen mich fortgesetzte Beobachtungen in der Natur dennoch unabweislich zu der Annahme, dass denselben irgend eine von dem Gebrauch ihrer äusseren Flugwerkzeuge unabhängige Schwebefähigkeit zu Gebote stehen müsse. Schon bei dem Anblick grosser Möven, die über dem Meere, u. zw. nicht nur im Sturme, sondern auch bei völliger Windstille in Höhen bis zu sechshundert Fuss stundenlang in jeder beliebigen Richtung und Wendung umher schweben, ohne die geringste Flügelbewegung zu machen, ist es unmöglich, den Gedanken zurückzudrängen, dass diese wunderbaren Flieger nicht über andere Mittel noch, als die mechanischen ihrer Schwingen zu verfügen haben sollten, um sich so andauernd und anscheinend mühelos schwebend erhalten zu können.

Diese Vermuthung steigert sich aber zur festen Ueberzeugung, wenn man, wie ich, hier während so vieler Jahre, Bussarde in grosser Zahl zum Wegzuge aufbrechen sieht. In einem der letzteren dieser Fälle schwebten z. B. die Vögel, Falco buteo, etwa 200 Fuss hoch über Helgoland. Absichtlich richtete ich meine Aufmerksamkeit ausschliesslich auf einen derselben. Dieser stieg ohne Flügelbewegung höher und höher, in etwa 400 Fuss Erhebung machte er ein paarmal noch zwei bis drei träge Flügelschläge, dann schwebte er aufwärts, ohne weiter die Schwingen zu regen. Der Wind war ganz schwach Süd-Ost, fast Windstille, der Himmel in Meilenhöhe mit einer leichten weissen Cirrusschicht ebenmässig bedeckt, also so günstig wie möglich für derlei Beobachtungen. Die Körperlage des Vogels war etwa Süd-Süd-Ost, fast Süd; ohne die Achsenrichtung seines Körpers, noch auch dessen horizontale Lage zu ändern, erreichte derselbe, senkrecht aufwärts schwebend, im Verlaufe einer Minute die Höhe von wenigstens tausend Fuss, bewegungslos höher und höher steigend, bis er dem Blicke in der hellen mittägigen Atmosphäre entschwand und mit ihm in gleicher Weise zwanzig bis dreissig Vögel derselben Art.

Was das Eigenthümliche der Erscheinung so ausserordentlich steigert und ganz besonders den Vergleich mit einem aufsteigenden Ballon hervorruft, ist, dass solche Vögel vollständig regungslos, stetig und rasch in ungebrochenen Linien zu Höhen aufschwebten, in welche das Auge nicht mehr zu folgen vermag, welche in dem vorliegenden Falle also mindestens 12.000 Fuss betragen würden.

(Fortsetzung folgt.)

Die lebenden Vögel auf der ornithologischen Ausstellung.

(Schluss.)

Jedenfalls eine der interessantesten Abtheilungen der Ausstellung war die während der letzten drei Tage derselben abgehaltene Gesangsconcurrenz guter Singvögel, deren Leitung der Verein „Vogelfreunde edler Sänger" in die Hand genommen hatte. Derartige Wettsingen sind, wie ja bekannt, bei den Wiener Vogelliebhabern sehr beliebt und finden während der Frühlingsmonate in gewissen Gasthäusern einzelner der äusseren Bezirke Wiens öfters statt, immerhin war eine solche aber für einen grossen Theil der Ausstellungsbesucher eine Neuheit welche viel Interesse und Beifall fand, welch' letzterer allerdings reichlich verdient war, denn soviel Gesangsvogelausstellungen wir auch schon gesehen, haben wir noch keine gefunden, welche so zahlreich und mit so gutem Materiale beschickt war, wie diese, dabei war das Arrangement ein durchaus zweckmässiges und das Ehrendiplom, welches dem Vereine „Vogelfreunde edler Sänger" über Veranlassung des „Ornithologischen Vereines in Wien" als höchste Auszeichnung verliehen wurde, war jedenfalls ebenso sehr durch die so überaus gelungene Ausstellung, wie durch das sonstige Wirken des Vereines verdient. Eigenthümlicher Weise wurden von einigen Herren des Gesammt-Ausstellungscomités den Arrangeuren und den von Seiten der „Vogelfreunde" nominirten Preisrichtern so viel wie möglich Steine in den Weg gelegt ein Vorgehen, über welches wir uns nicht näher auslassen wollen; jedenfalls erscheint es umso anerkennenswerther, dass diese Herren sich hiedurch nicht in der tadellosesten Durchführung der übernommenen Aufgabe stören liessen. Die Gesangsconcurrenz wies 5 Classen auf, je eine für Nachtigallen, Schwarzplättchen, Gartensänger (Gelbe Spotter), Gartengrasmücken (Graue Spotter) und eine für diverse Singvögel. Die erschienenen Nachtigallen schienen für diesmal dem alten Sprichworte: „Reden ist Silber, Schweigen aber Gold" huldigen zu wollen, denn es liess sich keine dazu herbei, ihren Schlag hören zu lassen, woran wohl die für den Gesang dieser Vogelart noch etwas frühe Jahreszeit viel Schuld getragen haben mag; hätte die Ausstellung etwa einen Monat später stattgefunden, so hätten sich die Schreiber dieses als ganz vorzügliche Sänger bekannten Nachtigallen Serda's gewiss ihre schönen Preise geholt. Umso fleissiger schlugen die Schwarzplättchen, welche auch numerisch am zahlreichsten erschienen waren, vor allem zeichnete sich unter diesen der Vogel des Herrn Franz Hons aus, der geradezu unermüdlich schien und durch die vielen der schönsten Touren, welche er in seinem Gesange brachte, wieder einmal seinen Ruf, eines der gesanglich besten Schwarzplättchen Wiens zu sein bewies; der erste Preis, welchen er erhielt, war wohl verdient. An dem Schwarzplättchen Herrn Stammingers bewunderten wir wohl den höchsten Grad jener durch „Dressur" erzielten Zahmheit des „Hetzvogels," welche der Wiener Liebhaber so sehr schätzt, diese erzielt zu haben, ist aber eigentlich mehr ein Verdienst des früheren Besitzers des Thieres, Herrn F. Pekari — dessen ausgestellter Vogel nebenbei bemerkt, auch schon deutlich den Einfluss seiner kundigen Erziehung zeigt. auch einige „Haidios" sind an dem Stammingerschen Vogel zu schätzen, beides konnte uns aber nicht für die vielen falschen Pfiffe und „Tänze", welche derselbe brachte, entschädigen, und können wir nicht umhin uns der Ansicht vieler Ausstellungs-Besucher, welche dahin ging, dass ein derartiger „Tanzmeister" überhaupt nicht auf eine Ausstellung von edlen Singvögeln gehöre, nur anschliessen, schon der Gefahr halber, welche für die sämmtlichen übrigen Vögeln darin liegt, von solch' einem Kunstpfeiffer etwas abzulernen und dadurch verdorben zu werden. Es würde zu weit führen, wenn wir auf die genaue Besprechung der Leistungen all' der „guten" Schwarzplättchen dieser Exposition eingehen wollten, sehr gut und gut waren die meisten und so wollen wir nur noch die durch ihre Färbung interessanten Vögel dieser Art des Herrn Nisser erwähnen; dieselben, drei an der Zahl, haben bei ihrem gegenwärtigen Besitzer eine eigenthümliche Schwarzfärbung der Federn des gesammten Kopfes angenommen, in einer Zeichnung, welche uns an diejenige der Schleier-Grasmücke Madairas erinnert.

Da diese drei Vögel keinesfalls Nestgeschwister sind und auch die Fütterungsweise nicht wesentlich von der allgemein gebräuchlichen abweicht, so ist wohl anzunehmen, dass die Wohnungsverhältnisse des Ausstellers zur Herbeiführung dieser melanistischen Färbung Veranlassung sind. Im Gegensatze zu diesen drei Schwarzplättchen zeigte ein solches des Herrn Schuhmann ein weissbuntes Federkleid. Auch für die „gelben Spotter" war die Ausstellungszeit eine etwas verfrühte, nur die wenigsten derselben zeigten bereits jenen Grad von Bruthitze, welcher für eine gesangliche Concurrenz wünschenswerth ist und so mussten manche Vögel, welche sehr guten Namen in Vogelliebhaberkreisen besitzen, wie die alten Vögel des Herrn Joh. Rothbauer und Franz Hons etc. leer ausgehen. Die Spotter der Herren Schmidt, Merker, Langer jun. und sen. gefielen uns sehr in dem reichen Wechsel der Touren, welche sie brachten und auch die Vögel von J. Schöberl, Schilbach und anderen erschienen uns für später noch vielversprechend. Auch bei den „grauen Spottern" erfüllte der als Favorit geltende, sonst wirklich ganz ausgezeichnete Vogel des Herrn Max Pasch die in ihn gesetzten Hoffnungen nicht — zu einer späteren Zeit würde er jedenfalls wacker gearbeitet haben. Goldhähnchen können wohl im Allgemeinen nicht den edlen Sängern beigezählt werden, und wir haben manches Kopfschütteln bemerkt, als diesen in der Gesangs-Concurrenz eine silberne Medaille zuerkannt wurde, wir finden dies indess durchaus nicht so ungerechtfertigt, denn Goldhähnchen in so schöner Condition, wie die des Herrn Langer sen., verdienen schon an und für sich eine hohe Auszeichnung, und dann werden die Herren Preisrichter gewiss auch bei Verleihung des Preises auf die sonstigen grossen Verdienste, welche sich der Besitzer der reizenden Thierchen um die Vogelliebhaberei erworben, gebührende Rücksicht genommen haben. Die gelbe Bachstelze des Herrn Russ und die Sperber-Grasmücke des Herrn Eckel, seien zum Schlusse noch als eifrige Sänger genannt.

Zur Geschichte des Huhnes.

Die älteste Erwähnung des Huhnes ist in den chinesischen Annalen bei Fohi (3456 v. Chr.), der bereits Hühner züchtete, obwohl Hahngeschrei bereits unter seinem Vorgänger erwähnt wird (Pauthier). Es ist natürlich, dass man die Verbreitung des Huhnes nach Nordasien den Chinesen zuschrieb.

Die Petersburger Akademie hat aber eine Arbeit von Chwolzov und Radloff über Syrisch-nestorianische Grabinschriften aus Semiretschensk (Turkestan) publicirt (1890). Von diesen 207 Grabinschriften sind 167 datirt, und zwar theilweise nach dem türkischen, mongolischen und chinesischen zwölfjährigen Thiercyclus, theilweise nach der Seleucidenära. Bekanntlich ist ein Jahr des obigen Thiercyclus nach dem Huhne benannt, und zwar hier mit dem türkischen tagaku (dakuk bei Utukbeg, taguk bei Birdni), welches Radloff, einer der ersten Kenner turanischer Sprachen, sowie Jule vom talmudisch-syrischen, zagta, oder arabischer degaga ableiten. Dies würde auf eine Einführung des Huhnes nach Turan vom Westen hinleiten, wobei der Name des Hasen, der auch aramäisch klingt, unterstützend wirkt (Annales de Musée Guimet 22 vol. Nr. 3). Nur ältere Denkmale, die in Centralasien nicht fehlen (Karakorum 56), können hierüber Gewissheit geben. Prf. P—y.

Allerlei vom Geflügelhofe.

Von W. Dackweiler.

(Fortsetzung.)

Gross ist die Hoffnung des Züchters, wenn es ihm gelungen, in den Besitz eines recht guten Zuchtstammes zu gelangen. Dass seine Hoffnung oft in bitterster Weise getäuscht wird, hörten wir bereits in voriger Nummer. Für diesmal wollen wir uns mit den Züchtern beschäftigen, welche vom Glücke insoferne begünstigst wurden, dass sie wenigstens eine gute Zahl junger Thiere ihr eigen nennen. Wenn die jungen Thiere sich gut entwickeln und von Krankheiten verschont bleiben, dann ist der Wirthschaftszüchter befriedigt. Er kennt nur das einzige Ziel seines Strebens, genügend junge Thiere zu züchten für den Wirthschaftsbetrieb, sei es zum Mästen oder zur Eierproduction. Ganz anders ist es beim Rassenzüchter oder Liebhaber. Bei ihm fällt die Zahl der jungen Thiere erst an zweiter Stelle in's Gewicht, Qualität ist ihm Hauptsache. Wenig und gut gilt ihm ungleich höher als viel und schlecht. In diesem Punkte bedarf es noch sehr der Belehrung. Der erfahrene Züchter weiss sehr wohl, dass nicht jedes junge Thier sich zu einem Musterexemplar entwickeln wird; er gibt sich gerne zufrieden, wenn ein Theil der Thiere seinen Anforderungen entspricht. Der Anfänger hingegen, ist nicht so leicht zufrieden gestellt. Er glaubt, weil sein Zuchtstamm gut ist, weil er die Bruteier aus bester Quelle bezogen, könnte auch die Nachzucht nur Thiere erster Qualität liefern. Darum denn auch so viele Enttäuschungen und Unzufriedenheit. Hier muss man erwägen, dass der Erfolg vielfach auch an die Rasse gebunden ist. Das ist freilich wahr. Je vollkommener der Zuchtstamm, desto besser die Nachzucht, desto höher der Procentsatz guter Thiere. Aber bei der einen Rasse ist es entschieden nicht so, wie bei der anderen und auch aus dem besten Zuchtstamme wird man nicht leicht nur Gutes züchten. Man vergleiche z. B. die Zucht der Andalusier und Minorka. Während letztere eine verhältnissmässig leicht zu züchtende Rasse sind, obschon sie gewiss Schwierigkeiten genug bietet, finden sich bei der Zucht der Andalusier diese Schwierigkeiten in ungleich höherem Masse. Da können wir uns die Enttäuschung des Züchters leicht vorstellen, wenn er in der Kückenschaar unter blauen, auch mindestens ebenso viel schwarze, weisse und bunte der verschiedensten Schattirung erblickt. Man ist dann schnell dabei, den Lieferanten der Zuchtthiere oder Bruteier, der Unredlichkeit zu zeihen, weil man es nicht versteht, dass hier die blaue Farbe eine so wichtige Rolle spielt und so schwer nachzüchtet. Bei den Minorka fallen die jungen Thiere wenigstens in der Farbe der Zuchtthiere, einige weisse Federchen, die sich vielfach einstellen, aber vermausern, abgerechnet. Man vergleiche ferner die Zucht der weissen und farbigen Cochins, der schwarzen und gezeichneten Hamburger, der Peking und Rouenenten etc. etc. Gewiss bietet jede Rasse der Zuchtschwierigkeiten genug, aber die eine doch ungleich mehr, als die andere. Und die Kunst der Züchter schafft noch fortwährend neue Schwierigkeiten, weil man hinsichtlich Figur, Farbe u. s. w. Rasseneigenschaften zusammenfügen will, die oft sehr schwer miteinander zu vereinigen sind. So finden wir z. B. bei den Houdan, dass eine schöne Vollhaube und guter Blätterkamm Rassemerkmale sind, die nur selten bei demselben Thiere in vollkommener Weise angetroffen werden. Wir behaupten deshalb wohl mit Recht, dass es dringendes Bedürfniss ist, dass sich die Züchter mit all' den Zuchtschwierigkeiten bekannt machen, und dass manche Enttäuschung erspart würde und manche Klage verstummte, wenn man mit der Zucht mehr vertraut wäre. Auch erhellt daraus, dass man bei Wahl der Rassen wohl die Augen offen halten soll. Eine schwer zu züchtende Rasse erfordert einen ganzen Züchter, erfordert ganz besonders Geduld und Ausdauer. Wer sich mit der Zucht schwer zu züchtender Rassen abgibt, ist ferner darauf angewiesen, die Zucht in entsprechendem Umfange zu betreiben. Man glaube nur nicht gute Fortschritte zu machen, wenn man eins oder zwei Gelege Eier ausbrüten lässt und etwa ein Dutzend Kücken gross zieht. Bei einzelnen Rassen mag das genügen, bei den meisten entschieden nicht. Je grösser der Umfang der Zucht bei entsprechend guten Zuchtthieren, desto eher wird etwas erreicht, weil die Auswahl der Thiere eine viel umfangreichere wird. Es kommt vor, dass bei einer Brut oft nicht ein einziges Thier sich befindet, welches den Anforderungen des Züchters so recht entspricht, bei anderen Bruten sind oft recht viel bester Thiere. Dass der Umfang der Zucht sich gleichzeitig auch nach den localen Verhältnissen richten muss, ist selbstverständlich. Es liegt der Erfolg ja eben wieder nicht darin, dass eine möglichst grosse Zahl Kücken den Eiern entschlüpft, sondern dass die Thiere zu guter Entwicklung gebracht werden. Und damit wären wir an einem neuen Punkte angelangt, der den Züchtern viel Schwierigkeit bietet. Wie anders ist es zu erklären, dass Anfänger immer und immer wieder nach Aufzuchtsmethoden fragen und selbst erfahrene Züchter über gewisse Punkte streiten. So war es noch jüngst eine Streitfrage, ob frische Milch dem Junggeflügel zuträglich wäre oder nicht. Jahr für Jahr geht eine ganze Masse Junggeflügelzucht zu Grunde, durch Vernachlässigung oder verkehrte Aufzucht. Wir glauben nicht fehl zu greifen, wenn wir annehmen, dass etwa nur der vierte Theil der jungen Thiere zu voller Entwicklung gelangt. Da kann also wohl nicht alles seine Richtigkeit haben und es ist gewiss erwünscht, wenn erfahrene Züchter das ihrige dazuthun, dass einem so schwerwiegenden Uebel abgeholfen werde, dass sie ihre Erfahrungen veröffentlichen zu Nutz und Frommen der Züchter und der Zucht. Natura est optima magistra, sagt ein Practicus. Man weist immer darauf hin, dass die Natur so glänzende Erfolge aufzuweisen hat bei der Aufzucht der freilebenden Thiere. Wir sind gewiss der Ansicht, dass man die Natur zum Lehrmeister nehme, dass man sich ihr möglichst eng anschliessen und ihr Vieles nachmachen muss. Dass aber dort der Erfolg immer und ausschliesslich ein so auffallend günstiger ist, das bestreiten wir entschieden. Auch in der Natur gibts Wechsel, guten und schlechten Erfolg. Man braucht nur die Augen zu öffnen und man kann sich tagtäglich davon überzeugen.

(Fortsetzung folgt.)

Ornithologischer Verein in Wien.

Protokoll

der am 23. Mai 1892, Abends 7 Uhr, im Saale der Academie der Wissenschaften in Wien stattgefundenen 16. ordentlichen Generalversammlung des Ornithologischen Vereines in Wien.

Der Präsident Adolf Bachofen von Echt eröffnet die Generalversammlung um $^{1}/_{4}$8 Uhr Abends und begrüsst

Punct I. die Erschienenen.

Punct II. Dr. Přibyl als Secretär erstattet den Bericht über das abgelaufene Vereinsjahr.

Der Herr Vorsitzende verliest die Namenliste der Verstorbenen und fordert die Versammlung auf, zum Zeichen der Trauer sich von den Sitzen zu erheben. Die Versammlung erhebt sich von den Sitzen. Der Bericht wird einstimmig genehmigt und dem Vereinsausschusse einstimmig das Absolutorium für die Geschäftsgebarung pro 1891 ertheilt.

Punct III. Herr Dr. Carl Zimmermann als Cassaverwalter verliest den vom Herrn Rechnungsrevisor Rieder geprüften Rechnungsausweis für das Vereinsjahr 1891; die Vereinsrechnung wird einstimmig genehmigt und dem Vereinsausschusse pro 1891 das Absolutorium ertheilt.

Punct IV. Herr Rechnungsrevisor Rieder wird mit Acclamation wiedergewählt. Als 2. Revisor wird einstimmig Herr Eduard Hodek gewählt.

Punct V. Ueber Vorschlag des Herrn Präsidenten Namens des Ausschusses wird mit Stimmeneinhelligkeit Herr Heinrich Gädtke in Helgoland zum Ehrenmitgliede gewählt.

Punct VI. Anträge seitens der Mitglieder werden keine gestellt.

Der Herr Vorsitzende schliesst hierauf die Generalversammlung.

Ad. Bachofen v. Echt
Präsident des ornitholog. Vereines
als Vorsitzender.

Dr. Leo Přibyl
als Schriftführer.

Kleine Mittheilungen.

Bemerkenswerthes aus Ungarn. 5. Juni dieses Jahres wurde ein altes ♀ von Nisaëtus pennatus Pall. in Csala erlegt. — Stefan von Chernel erlegte in den letzten Maitagen drei Larus minutus Pall. am Neusiedlersee. — Daselbst bei Pomogy wurde eine nordische, bisher noch nicht bestimmte, dem National-Museum zugesande Xema erlegt.

Pettend, 12. Juni 1892.

Ladisl. Kenessey von Kenese.

Brehm-Schlegel-Denkmal. Am 1. Juni l. J. fand in Altenburg unter dem Präsidium Sr. Hoheit des Prinzen Moriz von Sachsen-Altenburg eine Sitzung des Denkmal-Comités statt, in welcher über Antrag Dr. Leverkühn's (München) das Project, das Denkmal schon heuer zu enthüllen, fallen gelassen und dagegen der Beschluss gefasst wurde, bei der 75jährigen Stiftungsfeier der naturforschenden Gesellschaft des Osterlandes den Grundstein zu legen. Die bisher eingelaufenen Beiträge beziffern sich auf 3670 Mark. Es wird gebeten, weitere freundliche Zuschüsse an Herrn Commerzienrath Köhler in Altenburg oder an Herrn Dr. Leverkühn, München zu senden.

Die so seltenen **Eier von Calidris arenaria**, die Seebohm in Sibirien vergebens suchte, bildet Nares (Voyage to the Polar Sea) ab. Er fand in 82° 33 (Nord-Grönland) zwei Stück längliche gelblich gefärbte Eier mit braunen Tüpfelchen in einem Neste aus Weidenkätzchen und Blättern.

Brieftauben im Dienste der Zeitungen. Der moderne Journalismus hat ausser dem Telegraphen und dem Telephon auch die Brieftauben in seinem Dienst. Letzteres ist besonders in England der Fall. Die Edinburger Blätter z. B. haben auch einen sehr gut eingerichteten Brieftaubendienst zu dem Zwecke, Berichte von entlegenen Plätzen, welche nicht durch Telegraph oder Telephon mit dem Bureau verbunden sind, möglichst schnell zu übermitteln; das sind z. B. die Ergebnisse von Wettrennen, Cricketkämpfen etc. Viele Leute haben über die Leistungen der Brieftauben ganz falsche Vorstellungen. Sie halten es für möglich, die Vögel nach Belieben auszusenden und meinen, dass man sie bei ein wenig Uebung sogar dazu abrichten kann, dem Berichterstatter aus dem nächsten Restaurant das Frühstück zu besorgen. Das ist natürlich übertrieben. Der Reporter verlangt von seinen Tauben nur, dass sie geraden Weges von dem Orte heimfliegen, wo sie in Freiheit gesetzt sind. Will man die Tauben benützen, so lässt man sie am vorhergehenden Tage leicht füttern, weil sie dann rascher und sicherer ihrer Heimat zustreben. Die Tauben werden des Morgens eingefangen und in einen bequemen Käfig gesperrt. Diesen Käfig nimmt der Berichterstatter nach seinem Bestimmungsort Er schreibt seine Berichte auf ganz leichtem Papier, sogenanntem „Postverdruss", möglicht gedrängt, um viel auf einen Bogen zu bekommen. Diesen befestigt er, zusammengerollt, mit einem elastischen Bande an dem Fusse des Vogels. Dann wird die Taube in Freiheit gesetzt, und da sie zu Hause ein gutes Futter erwartet, heeilt sie sich, so schnell wie möglich ihren Schlag zu erreichen. An ihrem Bestimmungsort angelangt, lässt sie sich auf den vorstehenden Rand des Schlages nieder. Um durch die gewöhnliche Hauptöffnung zu gelangen, muss sie einige leichte Drahtstäbe zur Seite schieben, welche sich sofort wieder zusammenschlies-en. Wenn auch im Schlage, so ist der Vogel doch nicht in seiner eigenen Behausung. Vor derselben ist ein Brett befestigt, welches, durch des Vogels Gewicht niedergedrückt, im Bureau eine elektrische Glocke in Bewegung setzt, worauf ein Angestellter hinaufeilt, um dem Vogel die Botschaft abzunehmen. Die meisten Tauben fliegen stetig und schnell, andere sind nicht so zuverlässig; viele zögern auf dem Wege wenn das Wetter schön ist. Sie lieben es, sich auf dem First eines benachbarten Hauses ein wenig zu sonnen, ehe sie sich nach ihrem Schlage begeben. Die Gefühle eines aufgeregten Redacteurs, der von Minute zu Minute auf die Botschaft wartet, lassen sich unter solchen Umständen besser denken als beschreiben. In einem sehr wichtigen Falle wurde die Taube, um einen Verzug zu verhindern, heruntergeschossen, als sie sich dem Schlage näherte. Für Presszwecke werden die Tauben selten weiter als zwanzig englische Meilen von ihrem Heim hinausgeschickt, aber in einer Entfernung von zehn Meilen werden sie häufig benutzt und leisten dann recht gute Dienste.

Auf dem Bahnhofe Jessen hat ein Bachstelzen-Paar sein Nest in den Werkzeugkasten eines sogenannten Transportwagens gebaut. Nachdem das Weibchen vier Eier gelegt hatte, brütete es dieselben aus, trotzdem der Wagen während dieser Zeit täglich sechs- bis achtmal hin- und hergefahren wurde. Die Alten begleiten nun regelmässig ihre Jungen auf den Fahrten und füttern dieselben, sobald der Wagen still steht.

Alle Freunde der Störche in Deutschland werden gebeten, diese braven Thiere davor zu warnen, ihre Winterreise im nächsten Herbst nach Algerien zu richten. Eben hat nämlich auf den Antrag des Directors des Museums zu Algier der Gouverneur an diejenigen Gemeinden des Landes, in deren Gebiet sich archäologisch interessante Bauten und Ruinen befinden, den Erlass gerichtet, dass sie auf jede Weise für die Ausrottung der Störche sorgen sollten, da diese Vögel besonders gern auf alten Trümmern ihre Nester anlegen und dadurch deren Verfall bedeutend beschleunigen.

Literarisches.

Paul Leverkühn. „Fremde Eier im Nest." Ein Beitrag zur Biologie der Vögel.

Mit unendlichem Fleiss und einer erstaunlichen Vertrautheit mit der ornithologischen Gesammtliteratur hat der Verfasser den in den verschiedensten Werken und Zeitschriften vieler Völker zerstreuten Stoff zu einem Werke zusammengetragen und durch werthvolle eigene Beobachtungen ergänzt. Die Arbeit ist als eine umso mühevollere zu schätzen, als abgesehen von den im Allgemeinen fast unbekannten Versuchen A. J. Lottinger's und M. & P. de Montbeillards dem Gegenstande im Grossen und Ganzen von den Fachgenossen wenig Beachtung entgegengebracht, und die vorhandenen älteren Beobachtungen vielfach in einzelnen Notizen mehr zufällig der Gegenwart überliefert wurden. —

Die Gründe, welche die Vögel veranlassen mögen, ihre Eier fremden Nestern resp. Pflegern anzuvertrauen, sowie das diesfällige Benehmen Letzterer werden an einer Anzahl beobachteten Fällen erörtert, sodann aber an einer Reihe von experimentellen Beobachtungen das Verhalten einzelner Vögel oder Vogelspecies gegenüber ihnen von Menschenhand ins Nest geschmuggelter Eier ihrer eigenen oder anderen Art gezeigt und damit wichtige Beiträge zur Biologie der betreffenden Species gegeben.

Die dem Buche beigefügten Tabellen gestatten einen übersichtlichen Ueberblick über alle im Werke besprochenen Fälle und erleichtern die Orientirung in dem umfangreichen Materiale.

Sie führen an:

I. Verhalten der Nestvögel gegen zugelegte Eier derselben Art (152 Arten 88 Fälle).

II. Verhalten der Nestvögel gegen zugelegte Eier anderer Art ohne Eingriff der Menschen (55 Arten 113 Fälle.)

III. Verhalten der Nestvögel gegen zugelegte Eier derselben Art nach Eingriff des Menschen (74 Arten 307 Fälle).

Schon aus diesen Ziffern erhellt die Reichhaltigkeit des in „Fremde Eier im Neste" behandelten Materiales, das wir jedem Ornithologen — jedem Naturfreunde überhaupt zu studiren angelegentlich empfehlen. Ph.

Hugo Finckler „Anleitung zur Hebung und Förderung der landwirthschaftlichen Geflügelzucht in Schlesien."

Der Verfasser, langjähriger Leiter des fürstl. Hohenlohe'schen Geflügelhofes in Slaventzitz, gibt in der kleinen Schrift beherzigenswerthe Winke über Auswahl der für die landwirthschaftlichen Verhältnisse Preussisch-Schlesien geeigneten Geflügelracen; über Einrichtung der Geflügelstätte, Pflege, Mast, Schlachtung und Vernichtung des geschlachteten Geflügels für den Markt etc.

Im Capitel „Wassergeflügel" bricht derselbe eine Lanze gegen das „Rupfen" der Gänse und weist ziffermässig den pecuniären Verlust nach, den diese so allgemein geübte Thierquälerei dem Landwirthe verursacht. Die weiteste Verbreitung der kleinen Schrift in den Kreisen für die sie geschrieben, wird gewiss fördernd auf landwirthschaftlichen Geflügelzucht Ober-Schlesiens wirken. Ph.

Verlag des Vereines. — Für die Redaction verantwortlich: **Rudolf Ed. Bondi.**
Druck von **Johann L. Bondi & Sohn**, Wien, VII., Stiftgasse 3

XVI. JAHRGANG. Nr. 13.

Blätter für Vogelkunde, Vogelschutz, Geflügelzucht und Brieftaubenwesen.

Organ des I. österr.-ung. Geflügelzuchtvereines in Wien und des I. Wr. Vororte-Geflügelzuchtvereines in Rudolfsheim.

Redigirt von C. PALLISCH unter Mitwirkung von Hofrath Professor Dr. C. CLAUS.

16. Juli. 1892.

„DIE SCHWALBE" erscheint **Mitte** und **Ende** eines **jeden Monates.** — Im Buchhandel beträgt das Abonnement 6 fl. resp. 12 Mark. Einzelne Nummern 30 kr. resp. 50 Pf.

Inserate per 1☐ Centimeter 3 kr., resp. 6 Pf.

Mittheilungen an das **Präsidium** sind an Herrn **A. Bachofen v. Echt** in Nussdorf bei Wien; die **Jahresbeiträge** der Mitglieder (5 fl., resp. 10 Mark) an Herrn **Dr. Karl Zimmermann** in Wien, I., Bauernmarkt 11;

Mittheilungen an das **Secretariat**, ferner in Administrations-Angelegenheiten, sowie die für die **Bibliothek** und **Sammlungen** bestimmten Sendungen **an** Herrn **Dr. Leo Pribyl,** Wien, IV., Waaggasse 4, zu adressiren.

Alle redactionellen Briefe, Sendungen etc. an Herrn **Ingenieur C. Pallisch in Erlach** bei Wr.-Neustadt zu richten.

Vereinsmitglieder beziehen das Blatt gratis.

Seltene Gäste.

Von **Eduard von Czynk.**

Fast scheint es, als passe auch in der Ornithologie der bekannte Satz Ben Akiba's: „Es ist schon Alles dagewesen . . . ." — Manches, was uns heute als neu, als noch unbekannt erscheint, ist ganz gewiss schon lange vorher dagewesen und nur dem Auge des Beobachters entgangen oder überhaupt nur während der Zeit des Beobachtens nicht dagewesen. Wie vieles Interessante aus der Vogelwelt erscheint Menschen, die entweder in der Naturgeschichte unbewandert sind, oder gar keinen Werth auf ornithologische Seltenheiten setzen. So wie in all' und jedem, hilft auch hier meist der Zufall, wenn auch dadurch vieles verzögert wird und der Zeiger der Uhr der Wissenschaft nur langsam vorwärts rückt. Wohl haben sich seit nahezu einem Jahrzehnt ornithologische Beobachtungs-Stationen organisirt — doch seit dem Tode unseres unvergesslichen Kronprinzen scheint die Triebfeder, welche das grosse Werk in Bewegung setzte — wenn auch nicht gebrochen, so doch geschwächt zu sein. Aus den „Jahrbüchern" konnte man ersehen, dass die Zahl der Beobachter in Oesterreich-Ungarn eine recht stattliche war, dass dieselbe im Wachsen begriffen war und — besonders was das Vorkommen von einzelnen Vogelarten anbelangt — vieles zur Klärung und auch Berichtigung beigetragen hat. Nun scheint es, als „ruhen alle Wälder . . . ." Wie vieles liesse sich da thun, wenn der Staat oder reiche Protectoren der Wissenschaft sich in's Mittel legen würden und besonders tüchtige Ornithologen subventioniren würden! Auch die Kunst geht in den weitaus meisten Fällen nach — Brod, auch die Wissenschaft kann wenig oder nichts ohne Geld.

Wie manchen bindet Amt oder Beruf, wie viele hindert Geldmangel an verhältnissmässig kostspieligen Ausflügen oder längerem Aufenthalt z. B. im Hochgebirge, Sumpf, Wald etc. Es sind eben „viele berufen, wenige aber auserkoren". Auch ich bin ein Prometheus der Wissenschaft. Meine beste Hilfe ist der Zufall und so wie der Blinde sich auf den Stock verlässt, so baue ich auf ihn. Er hat mir schon manchen Dienst erwiesen, so auch im vergangenen Jahre. Schon vor drei Jahren erzählte mir Herr Hauptmann Berger aus Hermannstadt — ein Freund und Jagdgefährte — dass er in den Felsen des Negoi (2536 Meter über dem Meere) den Aasgeier, Neophron percnopterus, Linn. gesehen habe. Principiell verlasse ich mich nur auf das, was ich mit eigenen Augen sehe, doch liess ich mir den Vogel und dessen Gebahren beschreiben und musste zugeben, dass Freund Berger wirklich den Aasgeier gesehen. Herr Hauptmann Berger ist einer unserer berühmtesten siebenbürgischen Jäger — doch kein Ornithologe und war daher von vornherein jede „Wichtigthuerei" oder Unwahrheit ausgeschlossen. Die Sache liess mir mit dem Neophron keine Ruhe und als endlich mein „magerer" Urlaub es mir erlaubte in meine schönen Berge zu steigen, theils um die leichtläufige Bewohnerin der Höhen — die Gemse — zu jagen, theils um zu beobachten; da sah auch ich ihn, wie er um die Felsen — welche die Grenze Ungarns und Rumäniens bilden — schwebte und sich auf einer schroffen Zinke neben die weissgelbe, schwarzbeschwingte Ehehälfte niederliess. Lange beobachtete ich das Paar, konnte aber leider nicht zum Schusse kommen. Mit meinem guten Glas konnte ich jede Feder genau unterscheiden und wäre der Stecher eine Büchse gewesen, so würde gewiss ein Neophron meine Sammlung zieren, und den Beleg zu meiner Beobachtung liefern, doch — „es wär' zu schön gewesen, es hat nicht sollen sein".

Später wurde der nette Geier mit dem orangerothen „Gesicht" nicht mehr gesehen. Er ist für uns eine der seltensten Erscheinungen und dürfte wahrscheinlich aus Rumänien zu uns gestrichen sein. In der benachbarten Bukowina und auf den Mörnler-Alpen des Krassó-Syrmier Comitates soll er auch schon einigemale beobachtet worden sein.

Dort, wo die Fichte nicht einmal als krüppelhafter Zwerg ein kümmerliches Dasein fristen kann, wo Latschen, Alpenerle und das Siebenbürgen eigene Alpenröslein (Rhododendron myrthifolium) die stärksten Vertreter des Pflanzenreiches sind, wo massiges Gestein, mit Geröll und Schutthalden abwechselt, dort fand ich schon in den Jahren 1883, 1884 ein bekannt erscheinendes Vögelein. Es war ein Rothschwanz, doch nicht so schwarz wie Ruticilla tithys Linn., das Hausrothschwänzchen, sondern etwas lichter. Als ich den Vogel in der Hand hatte, erkannte ich in ihm das Bergrothschwänzchen, Ruticilla var. montana Ch. L. Br. oder Cairii Gerb. Nur hier und da und nicht jedes Jahr bemerkte ich den Vogel. Oft sass er auf einem trockenen Ast, in den meisten Fällen jedoch war er am Boden, um, aufgescheucht, auf einen Felsblock zu fliegen. Der seltene Vogel war, trotzdem er hier mit Menschen — wenigstens mit feindlich gesinnten — nicht in Berührung kam, scheu und konnte ich ihn nur aus ziemlicher Entfernung erlegen.

Wenn der Herbstwind das roth und gelb gewordene Laub gleich unzähligen Faltern herumtanzen macht, wenn des Jägers Lieblingsvogel, die Waldschnepfe, durch den ersten Schnee im Gebirge herabgedrückt wird, dann erscheint mit ihr auch eine grosse Eule. Es ist der Uralkautz oder die Habichteule, Syrnicus uralense, Pall. Nur vereinzelt und selten stösst der Jäger zufällig auf diese eigentliche Bewohnerin des Nordens, die übrigens auch in verschiedenen Provinzen Oesterreich-Ungarns brütet, so auch bei uns. Ich fand sie nur während der Schnepfensuche. Einst sass sie auf einer beinahe ganz entblätterten jungen Weide am Ufer des Mühlbaches, ein andermal fand ich sie auf dem knorrigen Ast einer mächtigen Eiche, ein drittesmal auf den unteren Aesten einer Tanne und einmal in einem Windbruche. Ob sie bei uns brütet, weiss ich nicht, doch halte ich es für wahrscheinlich. Die von mir erlegten Exemplare — von welchen sich unter Anderen je ein Exemplar in den Händen der bekannten Ornithologen und Präparatoren Herrn Michel und Kunszt befinden — waren alle sehr dunkel gefärbt und durchwegs alte Exemplare.

Bald vereinzelt, bald paarweise bemerkte ich schon einige Winter früher, wenn der Nord über die Aluta fegte, eine eigenthümliche, hier noch nicht beobachtete Ente. Ich sprach sie für Harelda glacialis, Leach., die Eisente an. Wieder war es der Zufall, welcher mir den seltenen Gast am 27. December v. J. in die Hände lieferte. Es war ein prächtiges Männchen, welches, als ich, nach Enten suchend, längs der Aluta trotz Wind und Schneegestöber ging, in reissendem Fluge flussaufwärts strich. Unwillkürlich schoss ich auf den noch nie erbeuteten Vogel, und hatte das Glück, als ihn meine brave Bella trotz der Eisschollen apportirte, eine Eisente in den Händen zu halten. Das schöne Exemplar ziert einstweilen als Balg meine Sammlung, um später in's National-Museum nach Budapest zu wandern. Die Eisente ist jedenfalls einer unserer seltensten Wintergäste, welcher am Durchzuge erscheint. Wohl mag sie öfter das Beobachtungsgebiet durchstrichen haben, ohne bemerkt worden zu sein. Auch erlegt mag sie schon worden sein, doch ist mir bis nun noch kein Fall aus Siebenbürgen bekannt, in welchem das Vorkommen dieser Entenart mit Gewissheit constatirt worden wäre. Gewöhnlich sprechen Jäger die Schellente, Clangula glaucion, Linn. für die Eisente an.

Zum Schlusse möchte ich noch erwähnen, dass das Frühjahr 1892 sich durch viele und artenreiche Sänger und hauptsächlich Reiher auszeichnete. Von ersteren bemerkte ich Acrocephalus palustris, et arundinacea, Locutella naevia et fluviatilis, Calamoherpe aquatica und Sylvia nisoria. Die letzte, welche ich heuer in mehreren Exemplaren bereits sah und erlegte, ist hier eine sehr seltene Erscheinung und in manchen Jahren gar nicht zu sehen. Von Reihern sah und schoss ich neben einigen Exemplaren von Ardea purpurea und Nycticorax griseus, auch den sonst seltenen Rallenreiher, Ardea ralloides, Scop. Dieser schöne Reiher zeigt sich auch nicht oft, dürfte jedoch in dem Mundraer Sumpf brüten, da ich vor einigen Jahren im August ein junges Exemplar bei uns erlegte.

Ardea egretta, Bechst. und Ardea garzetta sah ich nur einmal vereinzelt, dagegen Ardetta minuta und Botaurus stellaris des öfteren.

Noch ist das Jahr nicht zu Ende, wer weiss, was noch alles dem beobachtenden Auge sich präsentiren wird. Bin ich so glücklich, wieder etwas Seltenes zu sehen und vielleicht auch zu wissenschaftlichem Zwecke zu erlegen, so soll die „Schwalbe" es der ornithologischen Welt mittheilen.

Fogaras, Ungarn (Siebenbürgen), 1892, April.

Einige ornithologische Reise-Erinnerungen.

Von Jul. Michel.

Wieder waren die Ferien mit ihrer goldenen Freiheit gekommen und bald rüstete ich mein Ränzchen zu frischer, fröhlicher Wanderfahrt. Der erste Morgenzug des 28. Juli 1890 trug mich nach dem vielthürmigen Prag. Nach einem kleinen Rundgange bei den bekanntesten Vogelhändlern, wobei ich ausser den gewöhnlichen Exoten ziemlich viel junge Steindrosseln (Mont. saxatilis) und „Sprachmeister" (Hyp. salicaria), sowie ein Pärchen der Schneemeise (Acred. caudata) antraf, eilte ich in's Museum, um die ornithologischen Seltenheiten Böhmens zu besichtigen.

Leider war der Custos der zoologischen Abtheilung, Herr Dr. A. Fritsch, nicht mehr in Prag anwesend. Da die Ornis Böhmens nicht gesondert aufgestellt ist, so war es mir bei der kurzen Zeit, die mir zu Gebote stand, unmöglich, aus der grossen Zahl der vorhandenen Objecte die wichtigsten, einheimischen Vertreter unserer Vogelwelt aufzusuchen. Ich beschränkte mich daher auf einen allgemeinen Rundgang und unterzog nur die mir in's Auge fallenden, seltenen Arten, wie Falco lanarius etc. einer genaueren Besichtigung.

Am nächsten Morgen traf ich am Gange zum Bahnhofe im Stadtparke ein Spatzenpaar mit seiner kleinen Sippschaft, unter der sich ein vollständiger Albino (mit isabellfarbenem Anflug) befand.

Der kleine Proletarier hatte jedenfalls keine Ahnung von seinem ornithologischen Werthe und meinem schwarzen, leider unausführbaren Gedanken, denn mit grösster Seelenruhe und der Sicherheit eines Grosstädters, holte sich derselbe die hingestreuten Semmelbröckchen aus meiner unmittelbaren Nähe und bot mir so Gelegenheit, ihn genau zu betrachten.

In brennender Sonnenhitze ging es nun dem Süden, dem Wasservogel-Paradiese von Wittingau, zu. Die Fahrt durch die meist einförmige Gegend bot wenig Anziehendes und ausser Nebelkrähen, Goldammern und dergleichen „Aves vulgaris" war nichts zu bemerken. Erst die Gegend von Sobieslau brachte etwas Abwechslung in das Stillleben meiner mit Todesverachtung schwitzenden Wenigkeit. Im schnellen Vorübersausen bemerkte ich nämlich einen kleinen, mit vielen Seerosen bedeckten Teich, der von Wasserhühnern (Ful. atra und wohl auch Gall. chloropus) förmlich wimmelte. Mit alter Augurenweisheit wurde dieser Anblick als günstiges Vorzeichen aufgefasst und stillvergnügt von den zu erwartenden Freuden geträumt. Leider hielt die pietätlose Gegenwart nicht das Versprechen des Alterthums, und so war ich einige Tage später nahe daran zu glauben, ich sei unter dem Sternbilde des Schusterpeches geboren. —

Bald änderte sich das Landschaftsbild. Glänzende Wasserspiegel im Wechsel mit Wiesen und Feldern, einzelnen, mächtigen Eichen- und kleineren Nadelholzbeständen breiteten sich vor meinen Blicken aus. Endlich war das vorläufige Ziel, Lomnitz, erreicht.

Hier gedachte ich den Sohn des verstorbenen Präparators Spatny vom Frauenberger Museum, welcher hier als Förster angestellt war, aufzusuchen.

Meine ersten Orientirungs-Versuche auf dem Wege zu dem kleinen, dorfähnlichen Städtchen, fielen nicht gerade glänzend aus, da die Leute meine mühsam unterwegs eingelernte Frage nach dem erwähnten Herrn wohl verstanden und bereitwilligst darauf antworteten, ich aber zu meinem Bedauern wegen gänzlichen Mangels an čechischer Sprachkenntniss diese für mich hieroglyphischen Auskünfte nicht zu deuten wusste. Als ich endlich im Honoratiorenstübchen des bedeutendsten, nach meinen Begriffen jedoch sehr primitiven Gasthauses sass und mich an dem durch das geöffnete Fenster eindringenden kräftigen Dufte der nahen Düngerstätte erquickt und mit den zahllosen Fliegen einen ziemlich erfolglosen Kampf um Bier und Brot gekämpft hatte, erhielt ich die nicht gerade tröstliche Nachricht, dass der in Rede stehende Herr bereits seit Wochen sein Domicil geändert habe. Ein Besuch bei seinem Nachfolger war ebenfalls erfolglos, da derselbe auf der Jagd war. — Was nun thun?

Zu Fusse mit dem schweren Ränzchen nach Wittingau pilgern oder mehrere Stunden auf den nächsten Zug warten? Angesichts der im Westen aufsteigenden Gewitterwolken entschloss ich mich zu dem Letzteren und war so glücklich, bei einem Streifzuge in unmittelbarer Nähe des Ortes einen kleinen Teich zu entdecken, an dem ich die freie Zeit verbrachte.

Einige schwarze Seeschwalben (Hydr. nigra), alte und junge, schwebten über dem Teiche und den angrenzenden sumpfigen Wiesen. Aus dem in der Mitte befindlichen Schilfe tönte der Ruf des Lappentauchers (Pod. cristatus), und bald wurde ein Stück sichtbar. Ausserdem konnte ich noch eine kleine Gesellschaft schwarzer Wasserhühner (F. atra) beobachten. Zwar nicht viel, aber doch für den Gebirgsbewohner etwas Neues. Am Ufer des Teiches waren nur Goldammern, weisse Bachstelzen, Spatzen und einige Hausschwalben zu bemerken.

Der Abend nahte bereits, als ich voll Freude dem langweiligen Orte den Rücken kehren konnte. Prächtiges Abendroth färbte die grossen Wasserflächen, welche sich nun zu beiden Seiten der Bahn hin erstreckten, und ab und zu bemerkte man einfallende Enten. Nach kurzer Fahrt winkten die Thürme Wittingau's aus dem mächtigen Parke herüber. Mit einbrechender Dämmerung zog ich in das alterthümliche, anheimelnde Städtchen und bald erquickte ich meinen Gaumen an atzlichen, vortrefflichen „Wittingauern".

Der Morgen des nächsten Tages wurde zu einem kleinen Spaziergange um die Stadt benützt. Dieselbe ist noch jetzt vielfach mit der ehemaligen Stadtmauer umgeben, mit gewaltigen Thoren versehen und liegt unmittelbar an zwei grossen Teichen. Ein herrlicher Eichenwald umfängt einen Theil des Ortes und bietet reizende Spaziergänge. Die gewaltigen Wasserspiegel lagen völlig vereinsamt da und nur einige Pärchen der unvermeidlichen Wasserhühner liessen sich vernehmen. Nach der Besichtigung des prachtvollen Mausoleums der Schwarzenberge und einem Rundgange durch die Stadt, begab ich mich zum Forstmeister, Herrn Heyrowsky, dem ich durch Herrn von Tschusi empfohlen war.

Gern hätte ich einen der grossen Teiche in Begleitung eines Waidmannes besucht, da aber am nächsten Tage der Fürst kommen sollte, so musste ich auf die Erfüllung meines Wunsches verzichten. Deswegen balgte ich sofort die zwei kleinen Rohrdommeln (Ard. minuta) ab, welche mir Herr Heyrowsky geschenkt hatte, stärkte mich für die zu erwartenden Strapazen und dann „zog ich zur stillen Stadt hinaus", zurück gen Frauenberg.

In der Station Zamost verliess ich den Zug und pilgerte einsam weiter. Bald schimmerte das grossartig angelegte neue Schloss von dem waldbedeckten Höhenzuge herüber. Ohne mich aufzuhalten, wanderte ich daran vorüber nach dem alten Schlosse Ochrad, in dem sich die weitbekannte „Frauenberger Sammlung" der Fürsten Schwarzenberg befindet. Der Custos derselben, Herr Förster Hönig, war, wie ich bereits im Stillen befürchtet hatte, nicht anwesend, doch konnte ich bereits die Sammlung besichtigen. Eben wollte mich das „erhaltende Princip" der Sammlung, das Factotum Hönigs, der vorgeschrittenen Zeit wegen, trotz meiner Gegenrede auf höfliche Weise an die Luft setzen, als der genannte Herr selbst erschien und mir in der liebenswürdigsten Weise den Cicerone durch das reichhaltige Museum machte. Nach all' den bisherigen Misserfolgen überkam mich ordentlich ein beruhigendes Gefühl, wie das des endlich im Hafen anlgelangten Schiffers. Erst die einbrechende Dämmerung vertrieb mich aus der Sammlung. In dem kleinen Gasthofe des Dorfes Frauenberg war ich recht gut aufgehoben und hatte noch das Vergnügen, in Herrn Goulet, einem Jünger der grünen Gilde, eine gleichgesinnte Seele zu finden, mit der ich die Abendstunden angenehm verbrachte.

Der erwähnte Herr erzählte mir, dass er einige Morgen hindurch einen alten Lappentaucher (Pod. cristatus) mit zwei Jungen in nächster Nähe beobachtete. Die Mittheilung über die von dem Alten eingeschlagene Methode, um den Jungen das selbstständige Fischen zu lernen, erregte den lebhaften Wunsch in mir, diesen interessanten Vorgang selbst zu beobachten. Herr Goulet versprach mir in der zuvorkommendsten Weise, mich am nächsten Morgen an den betreffenden Platz zu führen und dann mit mir einen kleinen Rundgang um den Munitzer Teich zu machen.

Bei Zeiten war ich am 1. August munter und am Zusammenkunftsorte. Auf dem Wege dorthin traf ich einen Teichrohrsänger (Acroceph. arundinacea), welcher in dem dichtesten Schilfe eines ehemaligen Teichleins munter umherschlüpfte. Bald nach meiner Ankunft traf auch Herr Goulet ein und wenige Minuten später sahen wir, hinter Bäumen versteckt, dem Treiben der immer nur 30 bis 40 Schritte entfernten Taucher zu. Es war ein herrlicher Morgen und die Oberfläche des Teiches glitzerte wie flüssiges Silber in den Strahlen der Morgensonne.

Der Alte tauchte unablässig, erhob sich von Zeit zu Zeit aus dem Wasser und spritzte mit kräftigen Flügelschlägen die noch haftenden Wassertropfen ab. Die streifigen, ziemlich ausgewachsenen Jungen schwammen munter in der Nähe umher.

Jetzt taucht der alte Vogel mit einem glitzernden Fischlein aus der Tiefe. Auf seinen Lockruf eilen die beiden Jungen in grösster Hast, mehr auf dem Wasser laufend, als schwimmend herbei. Der Alte lässt sie näher kommen und taucht dann mit dem Fischlein unter. Mit begehrlichen Blicken folgen die Kleinen dem entschwundenen Leckerbissen, aber keines bequemt sich dazu, der so an sie ergangenen Einladung folge zu leisten.

Da kommt der alte Taucher wieder zum Vorscheine, und sofort sind die beiden Sprösslinge wieder an seiner Seite. Abermals taucht derselbe unter. Jetzt folgt der eine der Jungen und entschwindet ebenfalls unseren Blicken. Ohne Fischlein kommen sie wenige Augenblicke später wieder an die Oberfläche. Nach einiger Zeit wiederholt sich diese Scene, Das eine der Jungen ist gelehrig und erhält dafür einige Fischlein. Als endlich das andere keine Anstalten trifft, sich das gebotene Fischlein zu verdienen, lässt der Alte das letztere in's Wasser fallen, erwischt den Kopf des muthlosen Kindes und taucht denselben förmlich unter Wasser.

Dieser Vorgang spielte sich, wie ich bereits früher erwähnte, in geringer Entfernung vom Ufer ab. Ausserdem unterstützte mich auch mein guter Feldstecher in der Beobachtung.

Unterdessen kam aber auf dem Damme ein Bauernfuhrwerk dahergerasselt und verscheuchte die kleine Familie weiter gegen die Mitte des Teiches, wo sie sich hierauf meistens aufhielt.

Daher traten wir unsere Rund-Reise um den „Munitzer See" an. In dem Gehölze am Ufer liessen einige Pirole (Oriolus galbula) ihr eigenthümliches, katzenartiges Geschrei hören und bald sah ich das prächtige, alte Männchen sich mit einigen Anderen umhertreiben.

Eine knapp vor unseren Augen aufstehende Wiesenralle (Crex pratensis) fiel in nächster Nähe, in einem im Sumpfe stehenden Strauche ein und wurde trotz aller Mühe nicht mehr entdeckt. Auf den Bäumen der Umgebung sah ich den rothrückigen Würger (Lan. collaris), viele Kohlmeisen (P. major), Girlitze (Ser. hortulanus), Ziemer (Turd. pilaris) und viele Spechtmeisen (Sitta europaea).

Am Teiche selbst hörten wir den Ruf des „Braunkopfes" (Fuligula ferina) und der Wasser- und Rohrhühner. Von Rohrsängern konnte ich den Teichrohrsänger (Acroceph. arundinacea), sowie in den mit niederen Binsen und Seggen bestandenen sumpfigen Theilen des Teiches einen zweiten, wahrscheinlich den Binsenrohrsänger (Calam. aquatica) wahrnehmen. Der Drosselrohrsänger, der nach der Aussage meines Begleiters ebenfalls hier vorkommt, war nicht zu sehen. Mein sehnlichster Wunsch, einige Rohrsänger mitzunehmen, musste unerfüllt bleiben, da wir ohne Wasserstiefel und einen Hund die etwaige Beute nicht herausholen hätten können.

Nach Beendung des Rundganges begab ich mich noch in den Schlosspark in Frauenberg, wo nach Versicherung Hönigs der Halsbandfliegenfänger (Musc. albicollis) nistet. Zu meinem Leidwesen war es mir auch nicht vergönnt, diesen für mich neuen Vogel in der Natur zu beobachten. Ich sah nur ein Stieglitzpärchen, welches seine Jungen fütterte, und einige andere gewöhnliche Arten. Deshalb wandte ich meine Schritte wieder eiligst dem Jagdschlosse Ochrad zu, um die Sammlung weiter so eingehend als möglich zu besichtigen. Es war bereits 10 Uhr, als ich dort anlangte. Ich besuchte zuerst Herrn Hönig in seinem Laboratorium und hatte dabei Gelegenheit; denselben als tüchtigen Enthomologen kennen zu lernen. Ein Tags zuvor erlegtes altes Männchen des Rallen- oder Schopfreihers (Ard. ralloides), das zweite Stück seit Hönigs Gedenken, erregte mein höchstes Interesse.

Sodann studirte ich in Begleitung des liebenswürdigen Custos die Sammlung so gut als möglich durch.

(Fortsetzung folgt.)

Künstliche Nistanlagen für Eisvogel, Wasserstaar, Uferschwalbe.

Von Staats von Wacquant-Geozelles.

Nachdem ich Jahre lang mit gekauften und selbstgefertigten Nistkästen operirt und nach und nach glänzende Erfolge damit erzielt hatte, wagte ich es, auch für verschiedene andere Vögel, denen durch die Cultur ihre Nist-Gelegenheiten oder Nist-„Bedingungen" mehr und mehr entzogen werden, künstliche Nistgelegenheiten zu schaffen. — Und ich habe wahrlich die geringe, aufgewendete Mühe nicht bereut; denn, wenn ich schon seit langem von allen, die „Nistkästen" beziehenden Vogelarten dankbarst belohnt wurde, so waren meine Bemühungen, auch solchen bedrängten Vögeln, wie Eisvogel, Wasserstaar und Uferschwalbe, Nistgelegenheit künstlich zu schaffen, von fast sofortigem Erfolge begleitet.

Zunächst der arme, vielgeschmähte Eisvogel. — Derselbe ist hier in der weiteren Umgegend nicht selten, und da man sich hier der Fischerei so gut wie gar nicht annimmt; da man es ruhig gestattet, dass vielfach Enten auf den, gut mit Forellen belebten Gewässern gehalten werden, ja, — sogar den Flachs im Bachbette „rosten" lässt, wodurch natürlich alljährlich Tausende von Fischen sterben, so nahm ich mich selbstverständlich des Eisvogels in Wort und Schrift mit bestem Erfolge an. — Sonderbar . . . um die Fischerei bekümmerte man sich einfach so gut wie gar nicht, wie soeben dargethan, — — der Eisvogel aber, dieser wundervolle Kerl, wurde wo nur irgend möglich abgeschossen, „weil? . . . . er schädlich sei!!" Nun? ich hatte Gründe genug, unter sothanen Umständen eine Lanze für ihn zu brechen und diejenigen, welche gegen ihn eiferten, einfach tief zu beschämen.

Aber ich wünschte, diesen „smaragdenen Fischer", wie ihn Hofrath Professor Dr. Liebe nennt, noch mehr in der Nähe zu haben und — habe ihn jetzt seit langem in unmittelbarer Nähe. Ich erreichte dieses sofort dadurch, dass ich im Februar ein schräges Bachufer durch wenige Spatenstiche senkrecht zurichtete und hatte die Freude, schon im folgenden April ein Pärchen Eisvögel sich dort erfolgreich ansiedeln zu sehen! Im nächsten Herbste stach ich den oberen Rand einer Mergelgrube ebenfalls senkrecht ab, und da die senkrecht zugerichtete obere Schichte aus reinem Lehm bestand, so wurde auch diese künstlich geschaffene Nistgelegenheit im nächsten Frühjahre bezogen.

In wie vielen Gegenden lebt der Eisvogel während des grössten Theiles des Jahres sein stillbeschauliches Fischerleben, ohne „Brutvogel" zu sein — ohne Brutvogel „sein zu können". Wie oft wird er in unseren Zeitschriften für diese oder jene engere Umgegend von Beobachtern aufgeführt mit den Worten: „Eisvogel: kommt vor; leider nicht als Brutvogel!" — Ich bin der festen Ueberzeugung, dass gar mancher mitfühlende Vogelfreund sich und seinem Beobachtungsreviere den Eisvogel verschaffen kann, wenn er mein Vorgehen nachahmt und diesem Thiere „künstlich Nistgelegenheit" einfach schafft. Am besten richtet man das Ufer oder die Sand-, Lehm- oder Mergelgruben schon im Herbste, oder doch sehr zeitig schon im Frühjahr zu, damit die Sache nicht mehr gar zu frisch aussieht.

Seit ich dem Eisvogel hier hilfreich Hand gereicht, scheint er mich nun auch belohnen zu wollen; denn alljährlich hält sich ein Exemplar, sowie die Brutzeit und die nachfolgende Familienfrage, resp. Familien-„Zusammengehörigkeit" beendigt ist, Monate lang dicht neben dem Hause an unserem Teiche auf und zeigt sich so wenig scheu, dass er seinen „Sitzplatz" selbst dann nicht verlässt, wenn dreissig Schritte vor ihm Wasser geholt wird.

In unserem Teiche befindet sich kein einziger Fisch; aber hunderte der Larven der „grossen Wasserjungfer" und tausende von Rückenschwimmern (Notonecta glauca) und Wasserkäfer-Larven leben darin — und wer die ungemeine Raubgier dieser Insecten, ihren ungemeinen, der Fischerei zugefügten Schaden genau kennen lernen will, der lege sich nur einmal einige „Aquarien" an!

Da wird sich dem Auge des Beobachters ein gewaltiger „Kampf um's Dasein" darbieten; denn er wird mit Staunen sehen, wie sehr die Larven der verschiedensten Wasser-Insecten gegen Fischlaich und gegen Fischbrut wüthen! — Vergreift sich doch die mit gefährlicher, sicherer Greifzange ausgerüstete, ungefähr vier Centimeter lange Larve der erwähnten „Wasserjungfer" selbst an Fischen, die ebenso lange sind als sie selbst, um sie, trotz allem Sträuben festzuhalten und zu zerkauen oder aus ihnen grosse Stücke herauszufressen! — Fische von der Grösse eines ausgewachsenen Stichlings werden unbedenklich von diesem Raubinsect angegriffen und unfehlbar getödtet, wenn die Larve ihr Opfer am Schwanze oder einer Brustflosse packte!

Der allgemein bekannte Rückenschwimmer überfällt kleine Fischbrut und vernichtet oft ein halbes Dutzend Fischchen an einem Tage. Letzteres Insect ist um so gefährlicher, als es keine Winterruhe hält, sondern Sommer und Winter hindurch mobil ist. Man kann dieses Insect leicht beobachten, wie es sich ganz vergnügt unter dem Eise mit seinen langen Ruderbeinen ruckweise umhertreibt und das Pflanzengewirr am Boden durchstöbert. Sind keine Fische und sonstige kleine Lebewesen vorhanden, so geräth der Rückenschwimmer noch lange nicht in Noth; denn er ist ein „Allesfresser" und nährt sich, wie mich meine langjährigen „winterlichen Aquarien-Beobachtungen" gelehrt, im Falle der Noth auch von Pflanzenstoffen, z. B. von Teichlinsen, Lemnaceae. — In stehenden Gewässern halten sich die Rückenschwimmer oft zu Tausenden auf und wie schädlich sie der Fischbrut alsdann sind, kann man sich denken. Hat doch ein Forscher, Simpson, im September 1846, einen 25 Meilen langen Zug dieses Insectes am Mississippi fliegen sehen! — Aus den Eiern einer verwandten Art backen die Mexikaner einen „Hantle" genannten Kuchen, welcher — — starken Fischgeschmack hat. — Hier in Deutschland werden oft gewaltige, stundenlange Züge der Wasserjungfer gesehen; ich sah einen solchen vor mehreren Jahren durch das Städtchen Salzhemmendorf ziehen, welcher über eine Stunde währte.

Doch kehren wir zurück — nicht zu unseren Aquarien, welche uns all' diese Beobachtungen ermöglichten, sondern zu meinem Teiche und „seinem" Eisvogel! — Ich werde den Teich wieder mit Fischen besetzen und ich weiss, dass ich nichts mehr zu fürchten haben werde, als die genannten Wasserinsecten, deren Leben wir soeben gesehen haben; aber auch sie sind dem wichtigen Naturgesetz, „Kampf um's Dasein" genannt, unterstellt — und dasjenige Geschöpf, welches ihnen wiederum am erfolgreichsten Abbruch zu thun vermag, das ist der arme, vielgeschmähte Eisvogel.

Ich werde mich nicht am Leben des Eisvogels vergreifen, „weil er anderswo unter Umständen schädlich werden kann!" — Ich habe hier mit gutem Gewissen dem prächtigen Fischer Nistgelegenheit geschaffen und werde mich auch in Zukunft „meines" Eisvogels freuen, wenn er auf Monate zu mir „auf Besuch" kommt, um unstreitig die interessanteste Zierde meines Parkgewässers zu sein, zu sein mein „fliegendes Juwel!"...

Gehen wir nunmehr zum zweiten, in der Ueberschrift genannten Vogel, zum Wasserstaar — Cinclus aquaticus — über. — Auch von ihm heisst es hier und da: „Kommt zuweilen in meinem Beobachtungskreise vor; aber nicht als Brutvogel." — Nun kann man aber auch dieser, nicht minder lieblichen Zierde unserer Bäche künstliche Nistgelegenheit schaffen und den Vogel zur dauernden Ansiedlung veranlassen. Zu diesem Behufe erforsche man, ob eine der Brücken im Reviere etwa nur aus schweren Steinen aufgeschichtet, d. h. ohne Mörtel, sondern etwa nur mit Moos verbaut und oben mit Stämmen belegt ist, wie dies so häufig in den Feldmarken vorkommt. — Bei diesen Brücken wird man leicht einen überflüssigen Stein seitwärts oben unter der Balkenanlage entfernen können, und wenn die dadurch entstandene Höhlung gross genug ist für den „Monstre-Baumeister Cinclus", wenn ausserdem das Wasser den „Durchlass" der Brücke möglichst ausfüllt, so wird sich der reizende Vogel nur zu gern zur Besitznahme eines solchen, geeigneten Ortes bequemen.

Auch unter älteren, mit Mörtel aufgeführten Brücken ist leicht ein „baufälliger" Stein absolut ohne Schaden zu entfernen und in sehr vielen Fällen wird man von etwaigen Privat-Besitzern solcher Brücken bereitwilligst die Erlaubniss zu solchen gänzlich belanglosen Vornahmen erhalten.

Ich habe hier in der Gegend mehrfache Erfolge zu verzeichnen. Vom Besitzer des Schlosses Schwäbber dahier erhielt ich Erlaubniss, einen Stein unter der Brücke zu entfernen und wird die Höhlung in diesem Jahre zum dritten Male von Cinclus benützt. — Ebenso eine Höhlung unter einer Brücke unweit des Dorfes Dehmke. — In der „Radkammer" der Pulvermühle Reher dahier habe ich eine Balkenlücke veranlasst und Erfolg zu verzeichnen und eine andere Brücke endlich wurde gleich von vornherein entsprechend erbaut.

Mögen diese meine Erfolge ein „Vorschlag" sein und bei vogelfreundlichen Männern möglichst viele Nachahmer finden!

Die Uferschwalbe — Hirundo riparia — ist an ebensolchen Stellen — und ebenso — wie der Eisvogel „künstlich anzusiedeln" und kann man für sie weit leichter eine Erdwand oder einen „Bruch" finden, da man nicht in der Nähe des Wassers zu bleiben braucht.

Auch diese Schwalbe wird in manchen Gegenden arg durch „Wassercorrectionen" bedrängt, und wenn kein Sand-, Lehm-, Mergel- etc. Bruch ihnen zur Verfügung steht, so wird eine solche Schwalben-Siedelung auch wohl ganz und gar verdrängt.

Im Frühjahre fliegen stets einzelne Paare weit umher und werden dann alle Wände und Brüche von ihnen genau auf ihre Nistbrauchbarkeit untersucht. Dies habe ich mehrfach beobachtet und habe ich desshalb mitten in einem Fichtenwalde die obere Lehmschichte eines Keuper-Sandsteinbruches für dieses anmuthende Geschöpf entsprechend zugerichtet.

Niemals hatten sie vorher dort genistet, nisten können, heute brüten dort 17 Paare und haben mich daselbst manche Stunde erfreut, wenn ich „bei meinen Schwalben" rastete!

Darf ich schliesslich noch einigen anderen Vögeln das Wort reden, so möchte ich allen denen, welche so glücklich sind, die den Wald so sehr durch ihr Gebahren verschönernde Hohltaube — Columba oenas — zu besitzen, dringend anempfehlen, nach Möglichkeit Versuche zu machen, diese Taubenart bei Zeiten an „künstliche Nistkästen" zu gewöhnen. — So scheu sie auch ist, so habe ich sie hier dennoch schon in unmittelbarer Nähe einer stark-frequentirten Chaussée brütend gefunden und ebenso befand sich ein anderes Nest in einer hohlen

Eiche, direct über einem sehr begangenen Fusswege. — Einige Baumhöhlungen, welche ich mit Beil und Waidmesser für diese schönen Tauben zurichtete, bezw. aus denen ich das darin befindliche morsche Holz, Mulm etc. entfernte, wurden alsbald von dem Vogel bezogen. — In einem anderen Walde, in welchem sie seit einem Jahrzehnt nicht mehr gewohnt, bürgerte sie sich sofort wieder ein, als darin eine grosse Anzahl von Staaren-Nestern durch Frevelhand behufs Erlangung der „jungen Bruten" roh „ausgehauen" worden.

Ich betone: Die Staaren-Nester waren „roh-" ausgehauen und bezogen die Tauben die nunmehr entsprechend weitgewordenen Höhlungen, trotzdem der „Eingriff von Menschenhand", d. h. Beilhiebe deutlich sichtbar und „Splitter" vorstanden, waren.

In meinem eigenen, engeren Beobachtungs-Reviere war die Hohltaube seit 30 Jahren gänzlich verschwunden. — Seit diesem Frühjahre aber habe ich die Freude, sie in einer, von mir ausgehauenen Baumhöhlung angesiedelt und meinem Revier einen „vertriebenen Vogel" somit wieder zugeführt zu haben! — Kein „Ton des Waldes" ist mir momentan anmuthender, als das „Ho-lup" des bei mir nun ansässig gewordenen Hohltaubers!

Darum Versuche gemacht! . . . . , erst durch ausgehängte, möglichst mit Rinde behaftete „Stammstücke" und dann durch „genagelte Bretter-Kästen!"

Der Erfolg wird nicht ausbleiben, haben doch hier bei mir selbst die misstrauischen Dohlen schon viermal künstliche Nistkästen bezogen!! —

Zuletzt möchte ich erwähnen, dass es gar viele Reviere gibt, in welchen man ohne Skrupel den Eulen künstliche Niststätten bieten kann. Das niedliche Steinkäuzchen — Ath. noctua — und die Schleiereule — Str. flammea — bewohnen hier bei mir seit Jahren an geeigneten Stellen ausgehängte Nistkästen und ein Mal habe ich auch den grämlichen Finsterling Waldkautz — Syrnium aluco — mit Familie zu Gaste gehabt.

Auch letzterer wird durch Forstcultur stellenweise arg bedrängt, zu Nutz und Frommen der schädlichen Nager, und wie sehr die Eulen für den Forst „am Platze" sind, das habe ich häufig an solchen Stellen beobachtet, wo die „Mäuseplage" arg grassirte. — So traten im Laufe der letzten Jahre mehrmals die Mäuse in den Forsten der Stadt Hameln verheerend auf; — alsbald waren (im Herbst) eine grosse Menge von Eulen an den gefährdeten Stellen, um sich an den Nagern förmlich zu mästen und sie zusehends zu vermindern.

An einer dieser Stellen habe ich in einer Reihe heller August-Nächte constatirt, dass, ausser einigen Waldkauz- und Steinkautz-Familien, nicht weniger als 33 Wald-Ohreulen — Otus vulgar. — sich versammelt hatten, welche dort so lange verblieben, bis die Mäuse verschwunden waren!

Gelegentlich einer Jagd im „Weentzer Bruche" dahier wurde eine geradezu erstaunliche Menge von Wald-Ohreulen und sehr viele Waldkäuze bemerkt; — auch diese wurden damals durch eine grassirende Mäuseplage an jenen Ort gefesselt und der damals die Jagd leitende Herr Ober-Förster Gieseler sprach vor Beginn des Treibens die edlen Worte: „Drei Thaler Strafe, meine Herren, zahlt derjenige, welcher auf eine Eule schiesst!" —

Gehet hin und thuet desgleichen.

Sophienhof bei Grupenhagen, Juni 1892.

Vogelleben in Süd-Amerika.

Von **Carl Lehl**, Naturalist, Stralsund z. Z. Süd-Amerika.

(Fortsetzung.)

Am See.

Mit Hilfe des Facao (Waldmesser) bahnten wir uns den Weg, der oft durch Moor ging, das mit wilden Bananen, Marantaceen und anderen Sumpfpflanzen bewachsen war, welche uns im Vorwärtskommen sehr hinderten, dann wieder durch dichtes Gestrüpp bis dicht an einen kleinen See. Es war im Januar, der Himmel hatte keine Wolke und die Sonnenstrahlen waren, obgleich es noch früh war, recht lästig und trieben uns den Schweiss aus allen Poren. Vor uns lag der spiegelglatte See, umgeben vom dichten Urwalde, in dem sich die riesigen Bäume spiegelten. Ein Raubvogel schoss durch die Baumkronen und brachte eine Gesellschaft Drosseln und Kasiken in Aufregung. Da erhob sich am gegenüberliegenden Ufer ein schöner weisser Reiher und setzte sich auf einen aus dem Wasser hervorragenden Zweig eines vom Sturmwind abgebrochenen mannesstarken Astes in Schussweite nieder. Weil wir denselben vom Lande aus, falls er tödtlich getroffen, nicht bekommen konnten, so schossen wir nicht. Wir bewunderten noch das zarte Gefieder, die sogenannten Reiherfedern, des Unterrückens, als plötzlich ein grosser Eisvogel dicht über die Wasserfläche dahingeschossen kam und einen für uns günstigen Sitzplatz wählte. Es war ein schönes Thier, die weisse Brust wandte er uns halb zu, der Bauch war rostfarben, Rücken und Schwingen schön hellgrau; zeitweise zog er den Kopf mit dem grossen Schnabel ruckweise ein, dabei eine wippende Bewegung mit dem Schwanze machend; nachdem ich denselben so eine Zeit beobachtet hatte, schoss ich ihn herunter und war bald darauf im Besitze des Vogels. Die Messungen ergaben eine Länge von 470mm., Schwanz 140mm., Umfang 270mm. und Flügelspannung 740mm. Es war ein Männchen und hatte Fische im Magen. Er ähnelt dem australischen Jägerliest, Paralcyon gigas, in Gestalt, ich habe aber nie bemerkt, dass er, wie dieser das Gefieder aufbläst, sondern es stets glatt anliegend trägt, auch scheint er nicht, die eigenartigen lauten Töne, wie sein australischer Verwandter hervorbringen zu können, welcher hierin aussergewöhnliches leistet. P. gigas habe ich in der Gefangenschaft zwei Jahre gehalten*) und beobachtet, sowie mehrfach bei Ausstellungen dem Publikum vorgeführt, unter anderen in Hamburg, Berlin, Braunschweig, wo sie durch ihre gerade nicht melodischen, aber auch nicht unangenehmen Töne Aufsehen erregten. Sie producirten sich mit ihrem eigenartigen Vortrage den königlichen Hoheiten Prinzen Albrecht und Prinzessin Marie von Preussen und zeigten die

*) Auf der IV. ornith. Ausst. in Wien waren welche ausgestellt, ebenso besitzt „Schönbrunn" den hübschen Vogel seit längerer Zeit. D. R.

königlichen Hoheiten für ihr drolliges Gebaren, lebhaftes Interesse und musste ich auf Wunsch näheres über die Vögel mittheilen. Wie laut die Stimme ist, beweist, dass dieselben in Berlin bei einer Ausstellung, welche in der ersten Etage eines Hauses an der verkehrsreichsten Stelle der Königsstrasse, nahe der Colonaden veranstaltet war, woselbst immer starkes Geräusch ist, die Passanten veranlassten, sich nach den eigenartigen Tönen erstaunt umzusehen und darnach Erkundigungen einzuziehen. Paarung habe ich bei diesen beobachtet, doch schritten sie trotz zweckmässiger Einrichtung nicht zur Brut. Die Vögel wurden im Jahre 1889 von dem Director Dr. Hermes, in meinem Geschäfte in Berlin für das Berliner Aquarium angekauft. Hoffentlich gelingt es mir, auch von dem hiesigen Liste einige lebend zu erhalten und in der Gefangenschaft zu beobachten. Zeitweise fliegen sie dicht über der Wasserfläche, aber ebenso häufig höher und wählen um freie Aussicht zu haben, meist einen Platz auf dem Ast einer Inbahuva. Oft fliegen sie an einem Tage hoch von Seen nach Flüssen und zurück, beim Fliegen stossen sie in Zwischenräumen einen kurzen Ton aus, welchen man mit „tag" oder „kak" vergleichen kann, oder als wenn man mit der Zunge schnalzt. Sie leben paarweise. Ausser diesen gibt es noch verschiedene kleine Arten hier, doch keiner kommt unserem deutschen Eisvogel an Schönheit gleich.

Nach dieser Abschweifung, kehre ich wieder an meinen Standplatz zurück, wo es unaufhörlich neues zur Beobachtung gibt. In der Ferne flogen mehrere kleine, graue, weisse und gelbe Reiher, welche eine Länge von nur 470—560—640 mm und dabei eine Flügelspanne von 640—900 bis 1 Meter haben. Heuschrecken, Frösche und Fische bilden ihre Nahrung. Einige Enten glitten langsam über das Wasser und in dem Rohr und Schilf, schrieen ohne Unterbrechung eine grössere Zahl verschiedener Teichhühner. Hie und da lugten einige vorsichtig aus den sicheren Verstecken hervor und liessen die warnenden Töne „dchiid, dchiid, dchiid" erschallen, andere flogen mit Geschrei auf, anscheinend von einem stürmischen Liebhaber verfolgt, um sich gleich darauf wieder in das schützende Grün zu verbergen. Da fiel mein Auge auf einen langsam und gemessen dahinschwimmenden Vogel, gefolgt von fünf ca. 100 mm grossen, mit Daunen bedeckten Jungen und bald darauf einen zweiten, wahrscheinlich das Männchen. Es waren blaue Teichhühner, das Gefieder prangte im schönsten Blau, über dem Schnabel mit schönem gelb, blau und rothen Bloss geschmückt. Die anmuthigen Bewegungen fesselten ungemein und die muntere kleine Schaar, schnappte nach Anleitung der Alten unaufhörlich nach den auf und im Wasser schwimmenden kleinen Thierchen. Um die Vögel nicht zu ängstigen, schlugen wir eine andere Richtung ein, auf dem Wege erlegten wir eins der grossen oliv und grau gefärbten Teichhühner und fanden am Ufer, nicht hoch über dem Wasser ein Nest von den kleineren, ebenfalls oliv und grau aussehenden Teichhühnern mit rothen Füssen und grünem Schnabel, der Vogel war bei der Annäherung eilig davongelaufen. Das Nest bestand aus wenigen, zusammengetragenen Stengeln, dürrem Gras und Schilf, auf einem kleinen erhabenen Sumpf. Die Eier sind schmutzig weiss, mit braunrothen Tüpfeln und 32×25 gross. Die Jungen haben, wie unsere Hühner, ein glänzend schwarzes Wollhaar, schwarze Füsse und Schnabel und folgen bald der Mutter zu Wasser und zu Lande. Die Teichhühner ernähren sich von Insecten, Würmern, Schnecken und Körner. Gefangene, die ich hatte, wurden bald zahm und hielten sich bei Mais vortrefflich. Man trifft sie auch auf Weiden, an Gräben und kleinen Bächen, welche mit Gebüsch umgeben sind, entfernen sich aber nicht weit davon; sie gehen meist im schnellen Schritte mit Unterbrechungen, den kurzen Schwanz aufrecht tragend und zeitweise damit wippend, wenn Gefahr droht, laufen sie schnell. Am häufigsten hört man das langgezogene „djiiid" mehrere Male hintereinander, zeitweise rufen sie „Krai" und „dschiid—dit" oder „jiiid—jerr"; die Brasilianer nennen den Vogel Siracura und behaupten, dass wenn der Vogel viel und anhaltend schreit, Regen in Aussicht sei, was natürlich zeitweise eintrifft. Nester fand ich auch an kleinen, durch Moor fliessenden Bächen. Die grün-grauen Arten sind fast überall zu treffen, kommen nahe an die Wohnungen heran, die blauen lieben ödere Gegenden, sie werden mit Schlingen und Lochfallen gefangen, auch geschossen. An manchen Orten, werden sie deshalb verfolgt, weil sie die keimenden Maiskörner herausscharren und fressen und so den Colonisten schädlich werden. Das Fleisch schmeckt zart, ähnlich wie Tauben. Lebensweise und Betragen stimmt im Allgemeinen mit unserem deutschen grünfüssigen Teichhuhn überein. Die hier vorkommenden Arten, werde bei Rückkehr nach Deutschland lebend mitbringen, Bälge werden bereitwilligst abgelassen.

(Fortsetzung folgt.)

Selten im Käfig gepflegte europäische Vögel.

IX. Der Heuschreckenrohrsänger (Locustella naevia Bodd.)

Von E. Perzina.

Alle Rohrsänger sind anziehende Gefangene, welche, trotzdem nur ein einziges Mitglied ihrer Familie als guter Sänger zu betrachten ist, gewiss jeden Pfleger durch die Eigenart ihres Thun und Treibens, ihrer Bewegungsweise, das sonderbare Gebahren während des Vortrages ihrer Lieder zu fesseln wissen. Der eigenartigste unter diesem eigenartigen Völkchen dürfte wohl der Heuschreckenrohrsänger oder Schwirl sein, den Wodzicki so überaus treffend gewissermassen einen Vertreter der Rallen in der Sängerfamilie nennt und von ihm sagt: „Hat man je Gelegenheit gehabt, diese Vögel beim Neste zu beobachten, wie sie emsig hin und herlaufen auf nassem Boden, selbst kleine, mit seichtem Wasser bedeckte Stellen überschreiten, wie sie im Wasser, ohne sich aufzuhalten, die auf ihrem Wege sich vorfindenden Kerbthiere erhaschen, dieselben in grösster Eile ihren Jungen zutragen und wieder fortrennen, wie sie auf die Grasstufen springen, ein paarmal schwirren und dann wieder eifrig weitersuchen; hat man sie endlich beim Singen gesehen, mit ausgestrecktem Hals und aufgeblasener Kehle, so wird man gewiss an die Wasserralle denken . . ."

Alle Rohrsänger wird man nur sehr selten im Käfige des Liebhabers finden, wohl keinen aber seltener als den Schwirl, trotzdem etwas, was bei den meisten übrigen Arten diese im Interesse der Kenntniss unserer Vögel bedauerliche Thatsache wenigstens zum Theil erklären kann, nämlich der Umstand, dass die Erlangung, der Fang derselben in Folge ihres Aufenthaltsortes oder ihrer Gewohnheiten bei den meisten sehr schwierig, mehr oder weniger ein Ding des Zufalles ist, gerade bei ihm nicht zutrifft, denn der Schwirl ist für den mit seinen Gewohnheiten Vertrauten sehr leicht lebend zu erbeuten. Wenn man ihn einige Zeit auf seinem Standplatze beobachtet, wird man bald finden, dass er seinen Gesang mit Vorliebe von gewissen Lieblingssitzen, Grasbüscheln etc. herab erschallen lässt, dieselben beim Singen abwechselnd aufsucht, ja, sich sogar ziemlich sicher stets von einem zum anderen scheuchen lässt, so dass man jene einfache Fangart, welche ja auch für die Würger, Schmätzer und anderen gebräuchlich ist, das „Treiben" auf ihn anwenden kann. Das „Treiben" besteht bekanntlich darin, dass man die erkundeten Lieblingssitze des Vogels mit Leimruthen besteckt, und ihn dann nach denselben scheucht.

Der Grund, warum der Heuschreckenrohrsänger fast nie gefangen gehalten wird, ist eben derjenige, welcher ausser ihm noch so vielen anderen Vögeln den ungestörten Genuss der Freiheit sichert, der Umstand, dass sich die Vogelliebhaberei nahezu ausschliesslich mit jenen Arten befasst, welche als gute Sänger, fast möchte ich sagen in die Gesellschaft „eingeführt" sind, alles übrige aber als nicht des Haltens würdig einfach verwirft, ohne je einmal den Versuch zu machen, ob ein Vogel die Pflege, welche er geniesst, nicht auch in anderer Weise, als durch hervorragende Gesangsleistung, wie durch fesselndes Benehmen, Anmuth der Bewegungen, Zahmheit belohnen könne!

Wer je auf diese Eigenschaften hin mit dem Schwirl einen Versuch unternehmen wollte, der würde gewiss über dessen Resultat befriedigt sein; kann sich unser Vogel in seinem bräunlich-grünen, dunkel gefleckten Gefieder auch nicht den durch Farbe oder Zeichnung auffallenden Erscheinungen des befiederten Völkchens beizählen, so weiss er dieses schlichte Kleid doch stets so rein, so glatt anschliessend zu tragen, dass es ihm im Vereine mit der schlanken, zierlichen Körpergestalt, dem Köpfchen, dessen spitzschmale Form, die lustig blinzelnden Augen einen gewissen verschmitzten Ausdruck geben, zu einer hübschen Erscheinung verhilft. Und welche Anmuth in all' seinen Bewegungen! Es wird wenige Vögel geben, welche so überaus schnell und gewandt in ihren Bewegungen sind und dabei doch keine derselben überstürzen, stets die gleiche, sichere Haltung bewahren. So flink das Meisenheer in seinen Turnübungen auch ist, so prägt sich doch stets in ihrem Treiben eine gewisse Eile und Hast aus, diese wird man bei dem Heuschreckenrohrsänger trotz all' der nimmermüden Emsigkeit, welche gerade er entwickelt, nie finden, ob er pfeilschnell wie eine Maus, über dem Boden dahinhuscht, oder ob er nach Pieperart langsam und zierlich ein Bein nach dem andern hebend, dahinwandelt, ob er nur mit dem Kopfe nach links oder rechts späht, oder ob er sich mit blitzschneller Wendung ganz nach einer dieser Seiten wendet, immer erscheint sein Thun wie überlegt, wie vorbedacht, nie scheint er seine Ruhe zu verlieren, sich zu einer ungraziösen Bewegung hinreissen zu lassen.

(Fortsetzung folgt.)

Das Preisrichteramt.

Das Bewusstsein, seinem Nächsten überlegen zu sein oder das Bestreben, ihm überlegen zu werden, ruht gewiss tief in jedes Menschen Brust. Und wohl dem, dass es so ist; dieser grosse Hebel im Menschenleben bildet zum nicht geringsten Theil jene hehre Kraft, welcher wir das stetige Fortschreiten in der Cultur verdanken.

Jeder will „Herr" werden und um Herr zu sein, bedarf es aber der Knechte.

Im bürgerlichen Leben ist die Grenze zwischen dem Befehlenden und dem Gehorchenden eine sehr präcise und allgemein anerkannte. Niemand wird glauben, dass der Lehrling den Meister zu belehren im Stande ist, wenngleich der Meister noch Vieles selbst zu lernen brauchte. Die bürgerliche Rangsordnung stellt ihn eben auf die Stufe des Meisters, und der Lehrling und der Gehilfe haben ihm zu gehorchen.

Anders verhält es sich mit dem Stande der Richter. Bei unseren Altvorderen waren es die Alten, Erfahrenen, die Weisen aus dem Volke; bei den klassischen Völkern waren es theils erwählte, theils ernannte Tribunale und hiebei halten wir auch heute noch. Immer aber finden wir als Richter Solche, welche entweder durch ihre reichen Erfahrungen, oder durch angelerntes, jedoch eminentes Wissen befähigt erscheinen, richtig, d. i. gerecht zu urtheilen.

Wenn Schiedsgerichte auch im bürgerlichen Leben nicht zu den Seltenheiten gehören, so ist doch anzunehmen, dass die Mehrzahl der Klagebegehren und Delicte dem staatlich eingesetzten Richter zugewiesen werden.

Dass aber der von den Parteien selbst gewählte Richter, welcher sein Amt einer edlen Sache zuliebe ohne Entgeltung und mit Rückweisung jeglichen Dankes versieht, höher zu stehen kommt, als jener, dessen Richteramt ihm Erwerb ist, bedarf wohl keines weiteren Commentars.

Trotz alledem wissen jene, welche auch nur einmal ein Preisrichteramt, und sei es auch nur in dem kleinen Kreise der Geflügel- und Vogelzüchter, übernommen haben, ein Lied zu singen, in welchem er bei Isis und Osiris schwört, nie mehr ein's anzunehmen.

Die grosse Menge der Prämiirten und Nichtprämiirten gehört durchschnittlich wohl der Classe der Besonnenen an, und findet er auch in der besser prämiirten Nachbars-Brut ein Haar in Gestalt einer falschen Feder, so schweigt er doch aus Achtung vor dem Richter, oder auch nur, weil er nichts zu reden hat, denn inappelabel ist der Spruch des Preisgerichtes.

Immer finden sich aber einige Schreier, welche als solche oft typisch sind, denn überall erscheinen sie und überall wird ihnen weh' gethan.

Gewöhnlich sind es ganz emsige Züchter, nur blind gemacht durch einige vielleicht unverdiente Erfolge. So gerne wir sie als Freunde begrüssen, presst es uns doch ein „Herr, verschone uns" aus der Brust, sobald sie anheben, sich selbst ein Loblied anzustimmen und unsere oft mit Mühe erbetenen Preisrichter in Atome zu zerfasern.

Klein ist die Zahl der unabhängigen Männer, welche befähigt sind, das Preisrichteramt zu versehen und es wäre Sache der Vereine, sich Hyänen vom Leibe zu halten, welche aus Egoismus und Eitelkeit nur für sich Gewinn und Ehre suchen, die Institutionen der Vereine nur schmähen und hochachtbare Männer beleidigen können.

Falsch ist die Methode, wenn sich der Preisrichter dadurch vor etwaigen Anwürfen schützt, dass er durch unverdiente Vergebung von Preisen sich liebenswürdig zeigt, denn er hat die Pflicht, Recht zu sprechen, und nicht das Recht, aus Vereinsmitteln Gnade zu spenden.

Der Ausspruch des Preisgerichtes kann wohl discutirt, darf aber nie reprochirt werden. Mit der Bekrittelung wird auch der directe Vorwurf frei und damit alle Autorität begraben.

Wo keine Autorität, ist auch keine Disciplin; es bleibt daher Aufgabe der Vereinsleitungen, ihre Preisrichter zu schützen, um selbst bestehen zu können.

Wien, Juli 1892. Rudolf Gerhart.

Allerlei vom Geflügelhofe.

Von W. Dackweiler.

(Fortsetzung.)

Sehen wir ganz davon ab, wie viel junge Thiere durch Raubwild verloren gehen, so halten wir auch dann noch unsere Behauptung aufrecht. Wie oft findet man in verlassenen Vogelnestern faule Eier oder todte Jungen. Und wenn man die lebenden Nestinsassen näher mustert, wie verschieden von Grösse sind dieselben; es ist sicher keine Seltenheit, wenn ein Nesthockerl dabei ist, das als ein verkrüppeltes, im Wachsthum zurückgebliebenes Thierchen, nachher seinen Untergang findet. Man sucht uns immer durch schlagende Beweise zu überzeugen, dass durch das Eingreifen des Züchters mehr Schaden als Vortheil herbeigeführt werde. Da hat z. B. eine Henne im Verborgenen gebrütet, Niemand wusste um sie oder konnte sich um sie und das Brutnest kümmern, und da kommt das Thier mit einer ganzen Zahl munterer Kücken hervor. Man hat das Nest aufgesucht und siehe, alle Eier hatten Kücken gebracht und die Eischalen waren so schön halbirt. Das ist dann ein unwiderleglicher Beweis, dass man sich um brütende Thiere nicht kümmern soll. Vorab bemerken wir hierzu, dass, abgesehen von den vielen Glucken, die bei dem Brüten im Verborgenen sammt den Eiern von Raubwild geholt werden, auch in sehr vielen solcher Fälle ein ganz schlechtes Brutresultat erzielt wird, und dass auch ganz günstige Resultate unter der Aufsicht des Züchters zu verzeichnen sind. Nicht, dass die Henne im ersten Falle ganz ungestört blieb, und sich ihr Brutnest nach ihrem Naturtriebe anlegen konnte ist die Ursache eines guten Erfolges; ebensowenig das Eingreifen des Züchters auf der anderen Seite der Grund des Misslingens, wobei wir selbstverständlich von Fehlern des Züchters absehen müssen. Bei dem Brüteprocess kommen recht viele Umstände in Betracht. Wenn der Züchter diese kennt und naturgemäss regelt, so thut er nicht mehr, als ihm sein Züchterberuf vorschreibt. Gerade so verhält es sich mit dem Aufkommen der jungen Thiere. Nicht alle ausgeschlüpften Thiere entwickeln sich zu vollkommener Grösse, viele davon gehen verloren und nicht bloss durch oder unter der Pflege des Züchters, sondern auch bei den freilebenden Thieren. Nicht, weil hier die Aufzucht eine freie natürliche ist, muss sie unbedingt gedeihen. Das Gedeihen hängt eben wieder von den begleitenden Umständen ab. Wer kennt nicht die Klagen unserer Nimrode über die nasskalte Witterung im Frühjahre; sie wissen eben zu gut, dass darauf ihr Wildbestand beruht. Freilich ist alles in der Natur vollkommen; aber die Natur wird auch zu ihrem eigenen Feinde. Was an der einen Stelle fördert, kann an der anderen schädigen. Der Landmann freut sich über den erquickenden Regen und der Jäger beklagt dabei den Untergang seines jungen Wildbestandes. Gehen wir nun auf die Aufzucht unseres Junggeflügels näher ein, so dürfen wir sagen, dass die Aufzuchtsmethode unstreitig die beste ist, die sich der Natur am meisten anschmiegt. Wir haben das Huhn zum Hausthiere gemacht und da ist es selbstredend, dass auch die Aufzucht desselben eine andere werden musste; sie hat sich nur nach der Natur der Thiere zu richten, muss sich dieselbe zur Richtschnur nehmen. Wollten wir die Glucke, nachdem sie die Küchlein ausgebrütet, sich ganz selbst überlassen, es würde traurig um die Geflügelzucht aussehen. Wir müssen eben eingreifen und der Natur zu Hilfe kommen. Das Erste zu einer gedeihlichen Aufzucht sind gesunde, kräftige Zuchtthiere. In diesem Punkte ist uns die Natur ein rechter Lehrmeister. In ihr kommen durchwegs nur kräftige Thiere zur Fortpflanzung. Alles Schwächliche geht durch den Einfluss der Witterung oder im Kampfe mit dem Stärkeren zu Grunde. Wenn man dagegen bedenkt, welch' erbärmliches Zuchtmateriale von unvernünftigen Züchtern oft zur Zucht eingestellt wird, dann braucht man sich über das Weitere nicht zu wundern. Junge, noch nicht ausgewachsene und altersschwache Thiere gebraucht man als Zuchtthiere und bringt diese dazu oft noch in Räumlichkeiten unter, die nichts weniger als gesunde Aufenthaltsräume sind, die eher Gefängniss oder Marterstätte genannt zu werden verdienten. Setzt man sich da nicht mit sich selbst in Widerspruch, wenn man von solchem Zuchtmateriale lebenskräftige Nachzucht erzielen will? Das Fundament der Zucht sind gesunde, kräftige Zuchtthiere. Wer nicht auf diesem Fundamente aufbaut, dessen Hoffnung gleicht Seifenblasen. Sind lebensfähige, junge Thiere vorhanden, dann kommt an zweiter Stelle eine naturgemässe, vernünftige Aufzuchtsmethode. Wenn wir sagen „naturgemässe", so meinen wir damit eine solche, welche der Thiergattung und der natürlichen freien Aufzucht entspricht. Junge Enten müssen z. B. ganz anders behandelt werden als junge Hühner. Die ländlichen Verhältnisse kommen der Aufzucht der freilebenden Thiere am nächsten; daher finden wir auch, dass in der Landwirthschaft bei sehr geringer Sorgfalt das Junggeflügel weit besser gedeiht als bei den städtischen Liebhabern. In der frischen Luft bei freiem Auslauf in Hof, Garten und Wiese entwickeln sich die Thiere kräftig, werden abgehärtet und haben doch den nöthigen Schutz gegen die Unbill rauher Witterung. Dann finden sie auch die verschiedensten, ihnen zusagenden Nahrungsstoffe. Die aufmerksame Bäuerin sorgt auch dafür, dass die kleinen Dinger nebenbei passendes Futter bekommen und nicht zu ungehöriger Zeit und an unpassenden Orten herumstreichen. Der Liebhaber muss künstlich ersetzen, was hier die Natur im reichsten Masse bietet. Aber auch die naturgemässe ganz vorzügliche Aufzuchtsmethode in der Landwirthschaft hilft nichts, wenn nicht gute Witterung vorherrscht. Da geht es den Landhuhnküchen geradeso wie den Jungen der freilebenden Vögel; sie kränkeln und gehen zu Grunde. Unsere Nimrode taxieren den Wildbestand nach der Witterung. Sie wissen lange vorher, ehe sie mit Pulver und Blei ihr Gehege durchstreichen, was die Jagd ihnen bieten wird. Wenn die frische Luft das Lebenselement ist, ohne welches ein gutes Gedeihen gar nicht denkbar ist, dann ist ein zweites, nicht minder wichtiges Erforderniss Wärme. Im warmen Sonnenschein fühlen sie sich wohl, Nässe und Kälte führt ihren Untergang herbei. Frische Luft und Wärme sind für die Aufzucht des Junggeflügels ganz untrennbar. Wenn trotz aller aufgewandter Mühen und bei der denkbar besten Pflege dem Rassenzüchter so viel Junggeflügel eingeht, so liegt nach unserem Dafürhalten der Hauptgrund darin, dass man auf oben genannte zwei Grundsteine nicht den nöthigen Werth legt. Aus zu grosser Sorgfalt lässt man es in den einen oder anderen Punkte fehlen, indem man die Abhärtung oder Verweichlichung zu weit treibt. Die Glucke ist der beste Ofen für die jungen Thiere. Gibt die Sonne mit ihren erwärmenden und belebenden Strahlen nicht die den kleinen Wesen nöthige Wärme, dann soll diese unter dem Federkleide der Glucke gefunden werden. Wir tadeln es ganz entschieden, wenn man die jungen Küken, eben um sie abzuhärten, bei Wind und Wetter im Freien campiren lässt auch bei der besten Glucke; denn diese folgt nicht nur dann ihrem Naturtriebe, wenn sie die Kleinen unter ihrem schützenden Gefieder birgt, sondern auch, wenn sie mit denselben emsig umherstreift, um Futter für sie zu suchen. Ebenso entschieden tadeln wir es, wenn man das Junggeflügel vor jedem rauhen Lüftchen zu bergen sucht und sie in warmen Ställen, im geheizten Zimmer oder an anderen Orten, vielleicht sogar in Treibkasten unterbringt. Bei sorgsamster Behandlung und nachheriger aufmerksamer langsamer Gewöhnung an die frische Luft mag ein solches Verfahren in Ausnahmefällen angebracht sein. In der Regel aber erzielt man dadurch Weichlinge, die zwar anfangs gut gedeihen, dann aber umso schneller einem sicheren Untergange entgegen geführt werden. Wir haben unsere grosse Sorgfalt auf diese Weise oft sicher büssen müssen. Ein befreundeter Züchter, der auch in jedem Jahre eine Anzahl junger Thiere verlor, wie es wohl bei den meisten Züchtern der Fall sein wird, ersuchte uns vor unlängst, ihn zu besuchen und seine Zuchteinrichtung zu besehen. Ich habe in diesem Jahre nicht ein einziges Kücken verloren und hoffe, demnächst eine gute Zahl Junggeflügel zu haben. Die Angaben des betreffenden Herrn interessirten uns, und wir säumten nicht lange, den versprochenen Besuch abzustatten, da fanden wir denn in einer grossen Doppelreihe von Treibkasten die Glucken mit kleinen und mehreren Wochen alten Kücken untergebracht. Damit die Sonne nicht gar zu arg durch die Glasbedeckung den Raum erhitze, waren die Fenster grösstentheils mit Tuch belegt; also auch noch das Licht war den armen Thieren benommen. Als der Besitzer freudestrahlend zu uns herantrat und noch die Bemerkung machte: Da hab' ich Sie als alten Practicus aber einmal überboten, da haben wir einfach entgegnet: Früher haben Sie ihre Thiere jung verloren, jetzt gehen sie Ihnen ein, wenn sie grösser geworden und ein ordentliches Quantum Futter verzehrt haben. Ob und wie unsere Anleitung befolgt wird, an betreffender Stelle, wissen wir nicht. Der freundliche Leser ist aber sicher unserer Meinung, dass eine solche Aufzuchtsmethode unnatürlich und unvernünftig ist und an Thierquälerei grenzt. Ohne Luft und Wärme ist eine gute Aufzucht nicht denkbar, und wer dem Junggeflügel das nicht bieten kann, der lasse seine Finger von der Zucht. Er erspart sich dadurch viel Verdruss und viele Kosten und Mühen. Zu den genannten beiden Grundpfeilern muss sich dann eine geregelte Fütterung gesellen.

(Fortsetzung folgt.)

Kleine Mittheilungen.

Eine Schwarzkopfmöve in Ungarn. Wie ich aus dem Sitzungsberichte der Mai-Sitzung 1892 der allgemeinen deutschen ornithologischen Gesellschaft zu Berlin erfahre, war die bei Pomogy*) am Neusiedlersee erlegte Möve eine Xema melanocephalum Natt. juv. Nach Herrn Reichenows Aeusserung ist am Vogel der schwache Schnabel, besonders aber die dunkle, fast schwarze Färbung der Füsse und des Schnabels auffallend.

Pettend in Ungarn, 7. Juli 1892.

Ladisl. Kenessey von Kenese.

*) „Schwalbe" XVI. Jhrg., Nr. 12, pag. 145, „Bemerkenswerthes aus Ungarn".

Amtlichen Nachrichten zufolge, ist während der letztvergangenen Zeit im südlichen Theile der Provinz Mailand die **Hühnercholera** in so heftiger Form aufgetreten, dass Hunderte, ja selbst Tausende von Hühnern an dieser Krankheit zu Grunde gehen; in einigen Gehöften und Dörfern ist der gesammte Hühnerstand vernichtet. Mit Rücksicht auf die zu befürchtende Einschleppung dieser Geflügelkrankheit erscheint es rathsam, dass seitens der betheiligten Kreise alle Transporte lebenden und geschlachteten Geflügels aus Italien einer sorgfältigen Beobachtung unterzogen werden. Ueber die gedachte Krankheit des Geflügels wird in der „Leipz. Ztg." nachstehende Auslassung aus sachverständigen Kreisen veröffentlicht: Die Geflügelcholera ist eine ansteckende, überimpfbare, durch einen Mikroorganismus veranlasste Infectionskrankheit, die nicht nur die Hühner, sondern auch andere Vögel, z. B. Tauben, Enten, Gänse, Puten u. s. w. befällt, aber am liebsten und häufigsten die Hühnerhöfe aufsucht und dort grosse Verheerungen anrichtet. Sie führt in der Regel den Tod der befallenen Thiere herbei und ist die gefährlichste unter allen beim Hausgeflügel auftretenden Krankheiten. Sie tritt seuchenhaft, aber in der Regel endemisch, d. h. in kleineren Bezirken, selten in grösserer Ausbreitung auf. Sie ist in Frankreich, Spanien und Italien vielfach vorgekommen und hat dort erhebliche Verluste unter dem Federvieh herbeigeführt. Aber auch in Deutschland wird diese Seuche nicht selten beobachtet. Häufig kann bei den Seuchenausbrüchen in Deutschland die Einschleppung der Seuche aus Frankreich oder Italien festgestellt werden. Zuweilen bleibt aber die Ursache des Auftretens der Krankheit unbekannt. Wenn das Leiden in einem Hühnerhofe in Folge von Nachlässigkeit erst festen Fuss gefasst hat, wenn also alle Gegenstände daselbst und der Boden der Laufräume und Ställe angesteckt sind, dann bleibt die Krankheit oft Jahre lang bestehen, wenn auch oft grössere, bis zu einem Jahre lange Pausen eintreten. In Bezug auf die Vorbeuge gegen die Krankheit und ihre Tilgung in Hühnerhöfen, in denen sie ausgebrochen, ist Folgendes beachtenswerth: Der Ansteckungsstoff ist nicht flüchtig, sondern an die Ausleerungen der Kranken und an die Leichen gebunden. Am häufigsten erfolgt die Verbreitung der Krankheit durch den Koth der Erkrankten, sodann aber auch durch Schleim, Speichel und dergleichen und durch Theile und Abfälle, namentlich auch das Blut der Gestorbenen oder Getödteten. Aus diesen Thatsachen ergibt sich, dass die Krankheit bei strenger Reinlichkeit, Desinfection und bei der Trennung der gesunden von den kranken und der vorläufigen Trennung der neu angekauften von den vorhandenen gesunden Hühnern sowohl leicht abzuhalten, als auch nach stattgehabtem Ausbruche leicht zu tilgen ist. Beim Auftreten der Krankheit ist es am besten, die wenigen erkrankten sofort zu tödten, die Cadaver zu verbrennen und den Geflügelhof gründlich zu desinficiren, nachdem die gesunden Thiere vorher entfernt worden sind. Diese müssen längere Zeit (etwa 14 Tage) in den neuen Räumen, in denen ganz besondere Reinlichkeit und gute Lüftung herrschen muss, verbleiben und gut gefüttert und getränkt werden. Als Getränk erhalten sie $\frac{1}{2}$—1 v. H. Lösung von schwefelsaurem Eisenoxydul (Eisenvitriol) in Wasser oder Salzsäurewasser (drei bis vier Esslöffel Salzsäure auf einen Eimer Wasser). Der Koth aus den Ställen, in denen sich kranke Hühner befunden haben, ist zu verbrennen, die Ställe sind zu scheuern und auszuweissen, das Holzwerk in denselben ist abzuhobeln und mit einer 5 v. H. Eisenvitriollösung abzuscheuern. Die Fussböden sind mit eben dieser Lösung oder einer 2 v. H. Schwefelsäure zu reinigen. Auch sind Chlordämpfe in den Ställen zu entwickeln. Die Behandlung der kranken Thiere ist meist erfolglos.

Einen Beweis für die **Gewalt der Stürme**, die im letzten Herbste im atlantischen Ocean wütheten, liefert die grosse Zahl von Seevögeln, die von fernen Meeren, von anderen Festländern oder gar aus der neuen Welt selbst durch den Sturm vertrieben und nach den regendurchtränkten Fluren Englands verschlagen sind. Ein fachmännisches Blatt, die „Annalen der Hydrographie und maritimen Meteorologie" berichtet darüber: Ohne Zweifel sind alle Küstenvögel der Gefahr ausgesetzt, während eines Sturmes landeinwärts getrieben zu werden; selten aber nur, wenn überhaupt, gehen sie im Sturm zu Grunde. Seemöven und Kormorane, Papageitaucher und Alken haben ihre Heimstätte, ihre Sandbank oder ihr Riff, wo sie jede Nacht schlafen und von wo aus sie jeden Morgen auf die See hinausschweifen, sobald der erste Strahl der Morgendämmerung auf dem Wasser erscheint. Aber sie sind nur Küstenvögel, die wohlgeborgen in ihren Schlupfwinkeln liegen können und wie ihre Rivalen, die Fischer, während des Sturmes wesentlich nur durch die Unterbrechung ihrer Fischerei zu leiden haben. Wenn dagegen die Vögel des offenen Oceans, wie die Sturmvögel, mitten im Lande todt oder sterbend gefunden werden, wie während der letzten Monate, so kann man sicher annehmen, dass das Unwetter auf beiden Seiten des atlantischen Oceans nicht nur den Schiffen gefahrbringend geworden ist, sondern auch ihren Begleitern, unseren Sturmvögeln. Grosse Mengen von ihnen sind während der Stürme im letzten Herbste an den Küsten und im Binnenlande von England erschienen. Man hat wenigstens zwei Arten unterscheiden können: eine, Wilsons Sturmvogel, geht gewöhnlich östlich über die Azoren hinaus, ist aber damals in Irland, in County-Down, gesehen und soll am Lough-Erme geschossen sein. Eine zweite oceanische Art, der Gabelschwanz-Sturmvogel, ist dagegen in viel grösseren Zahlen aufgetreten. Dieser Vogel ist in Donegal und in Argyllshire, in Westmoreland und im Cleveland-District in Yorkshire gesehen worden. Die durch einen heftigen Nordweststurm nach Yorkshire verschlagenen Vögel sind nicht nur vom atlantischen Ocean hereingekommen, sondern auch über ganz England weggeflogen, ehe sie erschöpft zu Boden gefallen sind. Diese Art Vögel ist ausserdem noch in Tipperary, zu Limerik und Dumfries und in Northampton beobachtet. Nach einem Berichte über die in Argyllshyre gesehenen Sturmvögel haben sie nach ihrer langen Reise all' ihr Vertrauen zum Menschen beibehalten, das sie auszeichnet, wenn sie Schiffe auf hoher See begleiten. Nachdem fünf von ihnen von dem Eigenthümer einer Yacht auf Loch Melfort geschossen waren, liessen die übrigen sich auf dem Schiffe nieder und einer liess sich sogar unter dem Südwester eines Matrosen fangen.

Der **Eierverbrauch Berlins** hat im verflossenen Jahre 4,579.316 Schock betragen und gegen das Vorjahr um 263.658 Schock abgenommen. Der Verbrauch hat bei einer auf 1,470.000 Seelen angenommenen Bevölkerungsziffer für den Kopf und das Jahr 186·8, gegen 204·2 im vorigen Jahre betragen. Dieser Abnahme liegen verschiedene Ursachen zu Grunde. Im Inlande war die Verringerung zumeist noch eine Folge der harten Winter der zwei Vorjahre und der diese begleitenden Ueberschwemmungen und in unseren ausländischen Hauptzufuhrquellen, Galizien und Russland, beruht sie zum grössten Theile auf Futtermangel, beziehungsweise schlechter Ernte, die durch die Dürre des Vorsommers veranlasst worden. Es ist anzunehmen, dass in jenen Gegenden ausserordentlich viel Hühner geschlachtet worden sind.

Verlag des Vereines. — Für die Redaction verantwortlich: **Rudolf Ed. Bondi.**
Druck von **Johann L. Bondi & Sohn,** Wien, VII., Stiftgasse 3.

XVI. JAHRGANG. Nr. 14

Blätter für Vogelkunde, Vogelschutz, Geflügelzucht und Brieftaubenwesen.

Organ des I. österr.-ung. Geflügelzuchtvereines in Wien und des I. Wr. Vororte Geflügelzuchtvereines in Rudolfsheim

Redigirt von **C. PALLISCH** unter Mitwirkung von Hofrath Professor **Dr. C. CLAUS.**

31. Juli. | 1892.

„DIE SCHWALBE" erscheint **Mitte** und **Ende** eines **jeden Monates.** — Im Buchhandel beträgt das Abonnement 6 fl. resp. 12 Mark. Einzelne Nummern 30 kr. resp. 50 Pf.

Inserate per 1 □ Centimeter 3 kr., resp. 6 Pf.

Mittheilungen an das **Präsidium** sind an Herrn **A. Bachofen v. Echt** in Nussdorf bei Wien; die **Jahresbeiträge** der Mitglieder (5 fl., resp. 10 Mark) an Herrn **Dr. Karl Zimmermann** in Wien, I., Bauernmarkt 11;

Mittheilungen an das **Secretariat**, ferner in Administrations-Angelegenheiten, sowie die für die **Bibliothek** und **Sammlungen** bestimmten Sendungen an Herrn **Dr. Leo Pribyl**, Wien, IV., Waaggasse 4, zu adressiren.

Alle redactionellen Briefe, Sendungen etc. an Herrn **Ingenieur C. Pallisch in Erlach** bei Wr.-Neustadt zu richten.

Vereinsmitglieder beziehen das Blatt gratis.

Die Neu-Seeländischen Lappenstaare, Creadion.

Expedition nach der Taranga-Insel zur Beobachtung dieser Vögel.

Creadion carunculatus ist in der Grösse und im Körperbau dem gemeinen Staar (Sturnus vulgaris) ähnlich; das Gefieder ist sammtschwarz, der Rücken rothbraun in Form eines Sattels, daher er auch von den Engländern Saddleback (Sattelrücken) genannt wird. Die Eingeborenen heissen ihn Ticke, nach seinem Ruf. Die zwei Fleischlappen von Gurkenkerngrösse und orangegelber Farbe hängen nahe der Schnabelwurzel herunter und sind bei den Männchen mehr entwickelt, beim Weibchen sind sie kleiner und lichter. Schnabel und Füsse sind schwarz, die Augen braun. Ich beobachtete und schoss diese seltenen Vögel zum ersten Male im December 1877, an der Gebirgskette, welche sich am linken Teremaken Ufer hinzieht, ferner 1878, nahe dem Brunner-See, auf den Grünstein-Gebirgen und auf dem Mount Alcidus Rakaia Fork, dann im Inneren und an der Westküste der Südinsel. Auf meinen Forschungen durch die Nord- und umliegenden Inseln fand ich 1880 vereinzelte Exemplare auf der Hauturu-Insel, welche 12 englische Meilen östlich von Wangaric Head der Nordinsel entfernt liegt und über 4000 Acker Land enthält. Diese Insel ist bei 700 Meter hoch, mit vielen Abhängen und von tiefen Schluchten durchschnitten, die Küste herum ist felsig, ohne Hafen, die Landung ist daher gefährlich; diese Insel ist dicht bewaldet, längst der Küste an den Wänden wachsen die Pohotokawa (Metrosideros tomentosa; ein Baum, welcher zu Weihnachten mit dunkelrothen Blüthen beladen ist, auf welchen sich Honigsauger (Anthornis melanura) herumtummeln, so dass diese Insel von Ferne einem Rosengarten gleicht.

Der Wald besteht meistens aus Manuka, Leptospernum scoparium; der Riese der Neuseeländischen Wälder, die Kauri-Fichte (Damara australis), welche bis zu 20 Fuss Durchmesser erreicht und die elegante Nikau-Palme (Areca sapida) zieren diesen Wald. An der Südwestseite ist der Wald geschlagen, hier liegt die Kainga, das Moori-Dorf, sowie ihre Cultivationen. Im October 1882 erhielt ich vom Häuptling Tinatahi, dem Eigenthümer dieser Insel die Erlaubniss Pfade durch diese dichten Wälder von Süden nach Norden und von Osten nach Westen zu hauen, eine schwierige Arbeit wegen der vielen Abhänge und zahllosen Schlinggewächse, welche den Boden überwucherten. Bei dieser Arbeit sah ich selten einen Creadion, aber mehrere Würfe junger Katzen in hohlen Bäumen, welche ich herausnahm, tödtete und die Alten schoss, da sie Tag und Nacht den Vögeln nachstellen. Im November 1880 liess ich mich von Mr. M-leod mit einem Fischerboote an der Taranga-Insel landen. Diese Insel ist von ovaler Form mit steilen Bergwänden, dicht bewaldet, ohne Hafen und unbewohnt; sie liegt nördlich von der Hauturn, ist 700 Meter hoch, hat keine Schweine, Katzen oder verwilderte Bienen; darum ist die Vogelwelt reich vertreten, es kommen 36 Arten vor. Eine Anzahl Creadion carunculatus kletterten auf den Korari, den 3½ Meter hohen Blüthenstöcken mit den honiggefüllten Kelchen vom Lilien-Flachs (Phorneum tenax) herum und saugten den Honig. Nachdem ich die Hütte fertig hatte, durchforschte ich diese Insel. In einer Höhe von 600 Meter fand ich auf einem Manuka-Baum in einer Gabel unter dichten Aesten 3½ Meter über der Erde ein Nest des Creadion carunculatus mit einem weissen Ei mit braunen Punkten; das Nest war aus dünnen Zweigen, Moos und feinem Gras gebaut. Mangel an Nahrung und eine Verletzung, welche ich mir durch einen Absturz im Nebel zuzog, veranlassten mich, mein Robinsonleben aufzugeben und diese interessante Insel zu verlassen, um bei erster Gelegenheit zurückzukehren. Im Februar 1883 segelte ich mit einem Boote von meinem Assistenten und Freunde J. Dobson und meinem Hunde Caesar begleitet von Aukland ab nach der Taranga-Insel. Schon in der ersten Nacht überraschte uns ein heftiger Sturm, so dass wir nur mit grösster Anstrengung unser kleines nur 7 Meter langes Boot steuern konnten; obwohl wir nur das vordere Jib und das dreieckige Sturmsegel gespannt hatten, schaukelte es uns so stark, dass ich mich beim Steuern an das Boot schnallen musste um nicht hinausgeschleudert zu werden. Durchnässt und ermattet erreichten wir am nächsten Tage den südlichen Hafen der Kawau-Insel, wo wir ankerten; als sich das Wetter besserte, segelten wir nördlich und als wir durch die Deckung dieser Insel wiederum auf die hohe See kamen, fanden wir sie noch hoch. Eine Yacht passirte uns mit zerschmettertem Bugsprit und zerrissenen Segeln. Mein Assistent wollte dass wir umkehren, aber ich steuerte nach der Taranga-Insel; leider wurde es Nacht und wir hatten die Insel noch nicht erreicht, das Wetter wurde immer schlechter, der Wind heulte und die Wellen gingen hoch, ich musste beilegen damit es uns nicht verwehte; ich machte viele Stürme mit, aber diese Nacht werde ich nie vergessen. Als der Tag zu grauen anfing, liess der Wind etwas nach und wir hörten das Geschrei der Sturmvögel, welche diese Insel als Brutplätze benützen. Wir segelten an der Südseite näher, die Segel wurden eingezogen und wir ruderten zwischen den Felsen durch die gefährlichen Stellen unserer Landung näher. Der grosse Anker wurde in die Tiefe gelassen, ich entkleidete mich, nahm ein Seil um die Mitte, eine Axt in die Hand und sprang von dem Sterntheil des Bootes durch die Brandung, befestigte das Seil an einen Baum, damit das Boot von zwei Seiten festgehalten wurde und es an den nahen Felsen nicht zerschellte, denn das Boot verlieren auf einer solchen Insel heisst dann verhungern. Ich trug auf dem Kopfe alle Utensilien und den Proviant durch die Brandung an das Land. Mein Assistent warf die Steine, welche als Ballast dienten heraus und als das Boot leer war, wurde es auf Seits (Baumstämmchen) mit Seilen und dreifachem Flaschenzuge an das Land gezogen und auf einem sicheren Platze geborgen. Ich hatte mein Schlafgemach im Boote und mein Freund bereitete sich sein Nachtlager in einer Höhle. In der Nacht regnete es stark, wodurch ein Wasserstrahl durch eine Oeffnung der Höhle drang und meinen Assistenten ausschwemmte, welcher sich triefend in das Boot flüchtete.

Am nächsten Morgen stieg ich in nördlicher Richtung den Berg hinauf und bemerkte zu meiner Freude, dass sich die Creadion carunculatus seit meinem letzten Besuche vermehrt hatten; als ich schon ziemlich hoch mich durch dichtes Gestrüpp durcharbeitete, hörte ich Laute, welche von den anderen Neu-Seeländischen Vögel verschieden waren. Ich ging vorsichtig näher und sah fünf Creadion carunculatus; von einem Verstecke konnte ich ihr Treiben beobachten, es waren drei Junge, welche das Nest verlassen hatten, Männchen und Weibchen fütterten sie abwechselnd.

In den nächsten Tagen beobachtete ich noch mehrere Familien und schoss eine Serie von verschiedenem Alter; die Jungen hatten alle die Farbe wie die Alten, schwarz mit rothbraunem Sattel nur etwas matter; die Lappen waren kaum sichtbar. Auf der Südinsel fand ich die Creadion meistens in den höheren Gebirgsthälern im dichten Gestrüppe. Auf der Taranga-Insel fand ich sie überall auf den Bergen und an der Küste. Auf dem Festlande der Nordinsel sind sie so selten, dass ich nur im März 1882 als ich das Land des Moori Königs durchforschte, auf den Rangitoto-Gebirgen ein Paar sah; ein zweites Paar beobachtete ich im Juni auf der grossen Barrier-Insel, diese Vögel streifen von Früh Morgens an durch die Wälder, jede Ritze in der Baumrinde, oder morsches Holz wird durchsucht und wenn sich ein Insect oder Larve darin befindet, mit dem scharfen Schnabel herausgeholt; sie bewegen sich meistens kletternd oder hüpfend, wenn sie etwas ihnen fremdes sehen oder hören, kommen sie sogleich herbei, verbergen sich hinter einem Ast, von wo sie den Störer mit geschlossenen Flügeln und ausgestrecktem Halse neugierig beobachten und dabei schrille Laute ausstossen, wie „vi, zi, o" „te, te, te". Wenn sie Gefahr vermuthen verschwinden sie schnell im Dickicht des Urwaldes, ihre Flügel benützen sie nur bei äussester Noth, wo sie dann wegflattern, da ihre Flügel wie bei den Lappenkrähen etwas verkümmert sind. Im Monate October fängt die Paarungszeit an und Ende des Monats beginnen sie das Nest zu bauen, im Monate November legt das Weibchen drei weisse Eier mit braunen Tupfen, welche beide Eltern bebrüten und dann die Jungen füttern; nachdem die Jungen das Nest verlassen haben, bleiben sie mit den Alten über den Winter zusammen, das Männchen macht den Führer warnt sie vor Gefahr und sucht Nahrung auf.

Beim Untersuchen fand ich in ihren Mägen Ueberreste von Insecten, Beeren und kleine Sämereien. Die zweite Art, Creadion cinereus, ist etwas grösser als Creadion carunculatus, hat längeren Schnabel und Schwanz. Die Farbe ist olivenbraun, die Lappen sind kleiner und lichter. Creadion cinereus beobachtete ich zum ersten Male im December 1877 am Grünstein-Gebirge und im Februar 1878 auf dem Mount Alexander; zusammen mit Clithonyx achrocephala, Certiparus novaezelandis und Creadion carunculatus hüpften sie lärmend von Ast zu Ast nach Nahrung suchend, die Flugkraft ist auch bei dieser Art schwach. Ihre Nahrung besteht aus Insecten, Larven, Beeren und Sämereien. Sir W. Buller beschrieb diese Art als Creadion cinereus und da er keine Bälge von jungen Creadion carunculatus bekommen konnte, so hiess es, dass der olivenbraune Staar der Junge von Creadion carunculatus ist und erst im dritten Jahre die Farbe der Alten bekommt. Ich schoss eine Serie von Creadion cinereus und fand bei den meisten die Reproductions-Organe beider Geschlechter so entwickelt, was mich überzeugte, dass es alte Vögel sind. Als ich nach Christchurch, der Hauptstadt von Canterbury zurückkam, wurde mir auf meine Bemerkungen die Antwort, dass es doch die Jungen von Creadion carunculatus sind. Ich correspondirte mit Dr. Sir W. Buller, welcher mit mir übereinstimmte, dass die olivenbraunen Staare eine Art sind. So verfolgte ich diese Sache fünf Jahre, bis am 7. Februar 1883 an der Taranga-Insel meine Mühe gekrönt wurde. Wie ich schon früher bemerkte, schoss ich nämlich Creadion carunculatus in verschiedenem Alter, alle hatten dieselbe Farbe, schwarz mit rothbraunem Sattel. Ich sendete sogleich an Sir W. Buller ein Paar Alte mit den jungen Creadion carunculatus, so auch ein Paar Creadion cinereus, damit er Beweise für seine verlorene Species hat. Sir W. Buller hielt im Philosophischen Institut in Wellington darüber einen Vortrag und illustrirte in seinem Prachtwerke beide Arten. Auf der Nord- und den anderen umliegenden Inseln, welche ich nach allen Richtungen durchforschte, bemerkte ich nie einen Creadion cinereus; er ist auch im Süden seltener, wie Creadion carunculatus, er bewohnt die ausgedehnten Urwälder an der Westküste, auch beobachtete ich sie im Juni 1884 in Dusky-Sound und im October in Milford-Sound. Eine schöne Serie von Bälgen, Skeletten beider Arten, sowie Eier und Nest, befinden sich in der Neu-Seeländischen Sammlung im k. k. Naturhistorischen Hof-Museum in Wien von mir.

Andreas Reischek.

Einige Notizen zur Ornithologie Böhmens.

Von Ph. C. Dalimil Vladimir Vařečka.

Pandion haliaetus L. Im Jahre 1886 wurde ein ♂ und ♀ bei Kužwarta von Herrn Fr. Hessler, jetzigen Forstadjunkten in Písek, geschossen. Ausgestopft befinden sich beide Exemplare beim Herrn Forstverwalter.

Falco communis, L. Wurde neuerdings im Jahre 1891 in Čišť bei Čejtic unweit Strakonitz von dem fürstlichen Fasanenjäger Herrn J. Zita erlegt*), der ihn ausgestopft bewahrt. In der Gegend von Pisek ist er als ein häufig vorkommender Brutvogel bekannt. Im Winter wird er hier öfter auf den Krähenhütten erlegt. Auch bei Příbram nach Angabe des Herrn Lehrers J. Jelinek kommt er häufig vor.

Falco subbuteo, L. Ad ♂*) wurde im Mai 1891 bei Čišť von Herrn J. Zita geschossen, der es ausgestopft noch besitzt. Im Monate August desselben Jahres wurde ein anderes Exemplar vom Herrn Forstadjuncten Bubeníček in Vráž bei Pisek erlegt. Ausgestopft wurde es in Pisek vom Herrn Matouš.

Auch im Gebiete der Stadt Příbram wurde dieser Vogel oft auf dem Zuge beobachtet und mitunter erlegt. Bei Pisek wird er im Sommer öfter gesehen und gar nicht selten erlangt. Hie und da wurde er auch nistend getroffen. Die Sammlung des Herrn S. Škola in Zásmuk enthält auch ein Exemplar dieses dort im Jahre 1889 erlegten Vogels. — Alte Männchen gehören bei Pisek zu den selteneren Erscheinungen.

Falco aesalon, Tunst. Ein ♂ juv.*) im Jahre 1891 bei Putim erlegtes Stück befindet sich ausgestopft in der Sammlung des Lehrers Em. Vařečka in Putim. Im Příbramer Gebiete wurde er nach Angabe des oben genannten Beobachters einigemal sowohl auf seinem Frühjahrs-, wie auch auf seinem Herbstzuge, ja sogar auch mitten im Winter erlegt.

Falco apivorus, L. Dieser alle Jahre in Böhmen brütende Vogel wurde neuerdings beim Dorfe Smrkovic unweit Pisek im Monate August 1891 erlegt. Das letzte mir aus der Umgegend von Pisek bekannte Exemplar befindet sich ausgestopft in der Sammlung des Lehrers Em. Vařečka in Putim.

Laut Angabe des Herrn L. Fencl, Zöglings an der Pisecker Waldbauschule, kommt er in der Gegend von Kolin, jedoch nur spärlich vor. Im Sommer vorigen Jahres wurde dort ein Stück geschossen, das ausgestopft der Herr Zuckerfabriks-Director in Zásmuk J. Škola in seiner Sammlung besitzt. Brütend wurde er auch in der Umgegend von Příbram von dem Herrn J. Jelinek beobachtet, der auch ein dort erbeutetes Exemplar in seiner Sammlung besitzt.

Astur palumbarius, L. Im Sommer 1891 bei Čišť unweit Čejtic vom Herrn J. Zita ein erwachsenes Männchen geschossen, (ad. ♂*). — Ausgestopft ist es gegenwärtig in seiner Sammlung.

Im Jahre 1891 wurde dieser Vogel bei Pisek einigemale beobachtet und auch erjagt.

Im December desselben Jahres kaufte der Herr Mathyásko ein von einem Bauer geschossenes Exemplar*), dessen Färbung so seltsam war und von allen mir bekannten Färbungsübergängen dieses Vogels

*) Siehe Massen-Tabelle.

so sehr abwich, dass ich es der Mühe werth hielt, eine detaillirte Beschreibung dieses Exemplares zu verzeichnen.

Der Oberkörper ist dunkelbraun, die Deckfedern mit licht rostgelben Rändern, die Brust licht fahlgelb mit grossen dunkelbrannen pfeilförmigen Längsflecken; die Hosen und etliche Stellen an der Brust, den Flügeln und dem Bauche weiss mit schmalen, feingewellten, schwarzen Querstreifen, wie man es gewöhnlich an alten Männchen sieht. Am dunkelbraunen Kopfe zieht sich von der Stirn nach dem Nacken ein quer weiss und schwarz gewellter Streifen. Die Mittelschwingen sind aschgrau und schwärzlich gestreift. Der Schwanz oben dunkelgrau mit sechs breiten, schwärzlichen, lichtumsäumten Streifen. Das Auge und die Füsse hellgelb, die Krallen schwarz; der Schnabel bläulichgrau, seine Spitze schwarz.

Der Hühnerhabicht ist im Piseker Gebiete ein allgemein bekannter Nistvogel.

Im Jahre 1884 im August wurde ein Stück sogar in der Stadt Pisek gefangen, und zwar auf Fangeisen, die man in den städtischen Schanzmauern dem Hausmarder aufzustellen pflegt. Auch im Příbramer Gebiete wird er durch das ganze Jahr beobachtet, und auch zur Zeit nistend getroffen, so durch mehrere Jahre hindurch im Revier Komorsko, dann bei Větrov und am Kurzbach.

Circus cyaneus, L. In der Piseker Umgegend wurde er öfter beobachtet und auch nistend schon gefunden. Er kommt hier im April an und zieht im October fort. Im Příbramer Gebiete erscheint er auch öfter und wurde dort auch schon nistend beobachtet. Das zuletzt bei Pisek am 10. Juni 1891 geschossene Exemplar ist ein junges Männchen und befindet sich in der Sammlung des Herrn F. Mathyásko.

Circus cineraceus, Mont. In der Piseker Gegend wurde er bisher nicht so häufig, wie die vorige Art beobachtet. Im Jahre 1890 wurde im August ein juv. ♂*) bei Putim erlegt. Vom Herrn Matouš in Pisek ausgestopft, befindet es sich in der Sammlung des Herrn Lehrers E. Vařečka in Putim.

Dieser Vogel erscheint bei Pisek wie die vorige Art zu Ende des Monates April oder Anfangs Mai und zieht im September oder October fort. Im Jahre 1883 wurde ein Exemplar sogar am 10. December bei Topělec erlegt. Im Příbramer Gebiete erscheint er ebenso minder häufig, wie bei Pisek; im Jahre 1886 wurde er bei Althütten unweit Dobříš auch nistend gefunden.

Glaucidium passerinum, L. Als Nistvogel kommt diese Eule sowohl im Piseker, wie auch im Příbramer Gebiete, obwohl nur selten vor. Nach Angabe des Herrn Jelinek nistete sie im Jahre 1882 bei Neu-Knin, und erlegt wurde sie 1885 bei Orlov unweit Příbram.

Nyctale funerea, Bp. Bei Pisek ist sie eine seltene Erscheinung und ist bis jetzt nicht ermittelt, ob sie hier auch niste. Bei Příbram wurde auch nach der verlässlichen Angabe des Herrn Jelinek bei Birkenberg (Březová Hora) im Jahre 1880 ein Exemplar erlegt, seit welcher Zeit dort kein zweites Exemplar gesehen wurde. Das im Kabinet des k. k.

*) Siehe Massen-Tabelle.

Gymnasiums in Pisek befindliche Exemplar stammt nicht aus der Piseker Gegend.

Nyctea nivea, Thumb. Im Příbramer Gebiete sehr selten. Nach verlässlicher Angabe wurde im Jahre 1874 ein Exemplar von dem Herrn Müller Jech in den Dubnover Bergen geschossen.

Das letzte vom Herrn Mathyásko in Pisek gestopfte Exemplar wurde im Jahre 1890 auf dem Berge Mehelnik bei Pisek geschossen; einige andere Exemplare wurden im Jahre 1884 auf dem Skočitzer Berge und im Jahre 1888 bei Mladějovitz unweit Cehnitz im Piseker Kreise vom Herrn Bubeníček, Forstadjuncten im Monate October erlegt. Diese Eule wird von den Jägern „Bucheneule" genannt und bei uns ist sie eine ungemein seltene Eule.

Syrnium uralense, Pall. Dieser seltene Vogel wurde in den Waldungen von Čišť bei Čejtic in den Jahren 1861 und 1872 vom Herrn Fasanenjäger Zita erlegt, der das im Jahre 1872 geschossene Exemplar*) ausgestopft in seiner Sammlung noch besitzt und dasselbe auf der Krähenhütte zum Abschiessen der Krähen benützt. Auch in den Wäldern von Klingenberg (Zvíkov) wurde er im Jahre 1884 erlegt und dem Herrn Mathyásko in Pisek zum Ausstopfen gebracht.

Diese Eule ist hier bei den Jägern unter dem Namen Tanneneule (Sova jedlová) bekannt.

Das im Kabinete des k. k. Gymnasiums in Pisek befindliche Exemplar stammt nicht aus der Piseker Gegend.

Strix flammea, L. Im Jahre 1891 ein ad ♂*) vom Herrn J. Zita in Čišť bei Čejtic erlegt. Nistet im ganzen Gebiete, doch kommt sie hier überall nur spärlich vor und ist viel seltener, als Syrnium aluco, Sav. und Otus vulgaris, Flem., die hier zu den verbreitetsten Eulenarten gehören. Im Příbramer Gebiete wird sie alle Jahre nistend beobachtet. In der Piseker Gegend ist diese Eule, gleichwohl dem Volke bekannter, als die vorhergenannten zwei Arten, wiewohl sie hier seltener vorkommt, als diese, und dies wohl darum, weil sie an dem Volke zugänglicheren und von den Menschen besuchteren Orten, wie auf Kirchthürmen, Dachböden, Scheunen, ja oft auch in Taubenschlägen nistet und darum auch leichter gefangen wird.

Brachyotus palustris, Forster. Im Jahre 1891 ein Exemplar im Februar bei Helfenburk vom Herrn Krallert in Krajnicko geschossen. Desselben Jahres bekam ein Exemplar der Herr Matouš und ein zweites der Herr Mathyásko zum Ausstopfen. Ein in demselben Jahre bei Záboří erlegtes Exemplar ad ♂*) bewahrt der Herr Lehrer Bratka in seiner Sammlung. Im Jahre 1892 wurde ♂ juv.*) am 16. Februar bei Pisek beobachtet und erlegt, vom Herrn Mathyasko präparirt. Zufolge verlässlicher Nachrichten kommt diese Eule oft im Piseker und Příbramer Gebiete vor, und zwar hauptsächlich im September, October und im März oder Februar vor. Auf den Herbstjagden wird sie hier nach Angabe der Förster öfter erlegt. — Ob sie im Piseker Gebiete niste, konnte ich nicht ermitteln, gleichwohl wäre ich geneigt zu behaupten, dass man sie in Hinsicht auf mehrere im Sommer der früheren Jahre

*) Siehe Massen-Tabelle.

hier geschossenen Exemplare jedenfalls zu den Nistvögeln der Piseker Umgegend zählen dürfe.

Bubo maximus, L. Ist im Piseker Gebiete ein zwar alle Jahre, jedoch überall nur selten vorkommender Nistvogel. Auch hier wählt der Uhu zu seinem Brutplatze nur einsame Wald- und Felsenorte an den Ufern der Otava und der Moldau, wie auch in dem anliegenden, weit ausgedehnten Waldgebiete. Ueber das hierortige Vorkommen dieser Eule konnte ich bisher nur die folgenden nachgewiesenen Daten erbringen. (Fortsetzung folgt.)

Einige ornithologische Reise-Erinnerungen.

Von Jul. Michel.

(Fortsetzung.)

Das Frauenberger Museum soll alle auf den Herrschaften des Fürsten Schwarzenberg in Böhmen, Niederösterreich, Steiermark und Bayern vorkommenden Thiere enthalten. Bis jetzt sind hauptsächlich nur Säugethiere und Vögel, sowie einige Fische und niedere Thiere vorhanden. Hönigs Bestreben ist es, die Sammlungen auch in Bezug auf die letzteren so reichhaltig zu gestalten, wie dies bei den ersten beiden Classen der Fall ist.

Die eigentliche wissenschaftliche Sammlung befindet sich in mehreren Sälen und Zimmern des 1. Stockwerkes und ist in musterhafter Ordnung.

Im 2. Stocke treffen wir eine Anzahl vom verstorbenen Spatny mit grossem Aufwande von Geschicklichkeit hergestellte Gruppen, von denen jedoch ein Theil jedes wissenschaftlichen Werthes entbehrt, indem humoristische Scenen in der Art der allbekannten Fabel von Reinecke Fuchs zur Darstellung gelangen. Doch befinden sich an demselben Orte auch einige hübsche, wohl aus neuerer Zeit stammende Gruppen aus dem Thierleben. So entsinne ich mich einer Rebhuhnfamilie, welche von einem Hermelin bedroht wird. Die beiden Alten bieten alle Künste auf, um das Leben der in's Gras geduckten Jungen zu erhalten. Auch einige Enten mit Dunenjungen etc. machen einen guten Eindruck.

Ehe ich auf die ornithologische Sammlung näher eingehe, will ich noch einige Worte über die daselbst aufgestellten Säugethiere verlieren. Im Ganzen sind 52 Arten (in vielen Exemplaren) vertreten, von denen ich nur folgende seltene erwähnen will:

1 Wolf — 1 Bastard zwischen einer Wölfin und einem ungarischen Schäferhunde — 1 Wildkatze (Bayern) — der letzte Bär des Böhmerwaldes (1857 erlegt) — 1 Nörz (1845 erlegt, bisher der einzige) — der letzte Biber von Wittingau — 1 Hausratte von Gratzen.

Die ornithologische Sammlung ist sehr reichhaltig und umfasst gegen 270 Arten, welche oft in vielen Exemplaren vorhanden sind.

Eine kleine Uebersicht mag dem geschätzten Leser einen Begriff von dem Werthe derselben vermitteln.

I. Raubvögel, 35 Arten. Darunter: 1 Gyps fulvus — brauner oder Gänsegeier (Frauenberg); 9 Aquila fulva — Steinadler (der letzte von Nattolitz, 1883); Aquila naevia — Schreiadler; 19 Haliaëtus albicilla — Seeadler (hat früher hier genistet); mehrere Pandion haliaëtus — Fischadler; 1 Circaëtus gallicus — Schlangenadler (von der Warner Alpe in Steiermark).

Die Bussarde sind in grossen Collectionen vorhanden, so besonders Pernis apivorus — Wespenbussard und Buteo vulgaris — Mäusebussard (darunter ein sehr helles Exemplar). Milvus regalis et niger — Rother und schwarzbrauner Milan (der letztere hat früher hier genistet);

Falco peregrinus — Wanderfalk; Falco Eleonorae — Eleonorenfalk; Falco lanarius — Würgfalk*); 8 Erythropus vespertinus — Rothfussfalk (sämmtliche vom Frauenberg); Cerchneis cenchris — Röthelfalke; 2 Surnia nisoria — Sperbereule (Wittingau); 1 Scops Aldrovandi — Zwergohreule (Niederösterreich); 5 Athene passerina — Sperlingskauz (Böhmerwald); mehrere Syrnium uralense — Ural-Habichtseule (darunter 3 Junge im dunklen und 1 solches im hellen Kleide).

II. Klettervögel, 10 Arten. Darunter: Picus leuconotus — Weissrückiger Buntspecht; Picoides tridactylus — Dreizehenspecht, beide aus dem Böhmerwalde.

III. Schreivögel, 6 Arten. Dabei: 1 Merops apiaster — Bienenfresser (bei Lomnitz, 1882).

IV. Sänger, 101 Arten. Darunter: Tichodroma muraria, Mauerläufer; Parus cyanens (nur einmal vom Munitzer Teiche); Parus biarmicus — Bartmeise (Niederösterreich); Merula torquata — Ringdrossel (nisten bei Winterberg, der Flügelzeichnung nach nur var. alpestris Ch. L. Br.); 6 Rohrsängerarten. 1 Sylvia nisoria — Sperbergrasmücke (Frauenberg); 1 Cyanecula suecia — Rothsterniges Blaukehlchen; Monticola saxatilis — Steindrossel; Muscicapa albicollis, Halsbandfliegenfänger (Frauenberg) Lanius rufus — Rothkopfwürger (nistet hier); Nucifraga caryocatactes — Tannenheher, alte und junge (Böhmerwald und Steiermark); Corvus corax — Rabe (Winterberg bei Böhmen und Steiermark); Pyrrhocorax alpinus — Alpendohle (Steiermark); 5 Pastor roseus — Rosenstaar (Süd-Böhmen); Plectrophanes nivalis — Schneespornammer; 1 Loxia pityopsittacus — Kiefernkreuzschnabel, ♀; Montifringilla nivalis — Schneefink (Steiermark); Canabina flavirostris — Berghänfling.

V. Tauben, 3 Arten.

VI. Hühnervögel, 10 Arten (Gold- und Silberfasan, sowie ein Bastard nicht mitgerechnet). Syrrhaptes paradoxus — Steppenhuhn (ein Stück vom Jahre 1863 und 1 ♂ von Gross-Lippen, 1889); Tetrao tetrix, hybr. medius, — Rackelhuhn. (1 alte und 2 junge Hähne, fast ausschliesslich Birkhahntypus; nur 1 junger am Flügel mehr auerhahnartig. Auch 1 ♀ aus der Zucht von Kral.).

VII. Sumpfvögel. (Diese, sowie die folgende Ordnung ist entsprechend den localen Verhältnissen, besonders zahlreich.) 53 Arten. Darunter: Gallinula minuta — kleines Sumpfhuhn; Gallinula pygmea — Zwerg-Sumpfhuhn; 2 Grusus cinerea — gem. Kranich

*) Bei dieser Art machte mich Herr v. Tschusi aufmerksam, auf die unteren Stossdecken zu achten. Als ich ihm mittheilte, dass dieselben gebändert seien, sagte er mir, dass dann das betreffende Exemplar auch kein echter F. lanarius sei.

(1 Stück vom Munitzer Teiche und 1 von Wittingau); 3 Otis tarda — grosse Trappe (Gegend von Wessely); 1 Otis tetrax — Zwergtrappe (Wessely); mehrere Charadrius squatarola — Kibitzregenpfeifer (Frauenberg); 1 Eudromias morinellus — Mornell (Frauenberg); 2 Strepsilas interpres — Steinwälzer (Herbst 1886 bei Wittingau); 1 Phalaropus hyperboreus — Schmalschnäbl. Wassertreter (Wittingau);

Viele Wasser- und Strandläufer, darunter der für Böhmen seltene Tringa minuta — Zwergstrandläufer; ferner 1 Tringa Temmincki — Temminckis, Zwergstrandläufer (Steiermark); 2 Limosa lapponica — Rostrothe Uferschnepfe; 1 Numenius phaeopus — Regenbruchvogel (Steiermark); Falcinellus igneus — dunkler Sichler.

Die verschiedenen Reiher, darunter manche in allen Kleidern. Ardea egretta — Silberreiher, Ardea garzetta — Seidenreiher (beide in Frauenberg, aber sehr selten); Ardea ralloides — Rallen- oder Schopfreiher (selten); 3 Platalea leucorodia — Löffelreiher (Munitzer Teich, 1863).

VIII. Schwimmvögel, 51 Arten. Einige Anser albifrons — Blässengans (Frauenberg); 1 Bernicla leucopsis — Weisswangengans (Nettolitz); 1 Bernicla torquata — Ringelgans (3. Februar 1882, Sulowiz); 1 Tadorna casarca — Rostente (Frauenberg); 2 Tadorna cornuta — Brandente (2 junge Exemplare); 1 Oidemia nigra — Trauerente (stammt aus älterer Zeit, sehr selten); 1 Harelda glacialis — Eisente; mehrere Enten- und Gänsebastarde; Hydrohelidon leucoptera — Weissflügelige Seeschwalbe; Hydrohelidon hybrida — Weissbärtige Seeschwalbe; Lestris parasitica — Schmarotzerraubmöve; Lestris Buffoni — Kleine Raubmöve; Colymbus arcticus — Polarseetaucher (Mitte Jänner 1885, Nettolitz); Podiceps rubricollis — Rothhalstaucher; Podiceps arcticus — Gehörnter Steissfuss.

Auch eine ziemliche Anzahl Abnormitäten ist vorhanden. So bieten 85 Exemplare dem Liebhaber Gelegenheit, den Albinismus, Melanismus etc. bei 35 Arten zu studiren. Besonders fielen mir 2 junge Wasserhühner (Fulatra), 2 junge Knäkenten (An. querquedula) und 1 Schwarzhalstaucher (Pod. nigricollis) auf, welche eine schöne rosenrothe Brust, bezw. Kehle besitzen. Auch Schnabeldeformitäten sind vertreten, z. B. Korkzieher und nashornartige Schnäbel beim Rebhuhn etc.

Schliesslich ist noch eine kleine Eier- und Nestersammlung (121 Species) vorhanden, aus welchen nur Einiges erwähnt sei.

So fand ich: 1 Ei von Aquila naevia — Schreiadler; 2 Eier von der Uraleule (Syrn. uralense); 5 Eier (2 Nester) von der Ringdrossel (Merul. torquata) Winterberg; 1 Nest (mit 6 Eiern) von einer Dorfschwalbe, welches auf einem als Schreckgespenst gegen die Schwalben aufgestellten, ausgestopften Sperber erbaut ist; 2 Nester und 6 Eier vom Tannenheher — Nucifraga caryocatactes (aus den Alpen); 1 Kukuksei in einem Gimpelneste; 2 Eier vom Schneehuhn — Lagop. mutus (Alpen); 4 Eier von Gallinago gallinula — Kleine Sumpfschnepfe.

(Fortsetzung folgt.)

Aus Heinr. Gätke's „Vogelwarte Helgoland".

(Fortsetzung.)

Schon bei aufmerksamer Betrachtung des Fluges der vorher erwähnten grossen Möven, wenn sie während Windstille stundenlang ohne Flügelbewegung in gleicher Höhe umherschweben, gelangt man zu der Ueberzeugung, dass die Fläche ihrer regungslos ausgestreckten Flügel allein nicht im Stande sein könne, fallschirmartig das Gewicht eines solchen Vogels vor dem Sinken zu bewahren; und wenn dies schon nicht sein kann, um wie viel weniger ist es da möglich, dass ein Aufwärtsschweben, gleich dem der obigen Bussarde, vermöge derselben unbeweglich gebreiteten Flügelfläche zu erreichen sein sollte.

Es können Vögel wohl in einer Schraubenlinie aufwärtssteigen, wenn sie durch kräftige, nach längeren oder kürzeren Zeitabschnitten wiederholten Flügelschläge eine gewisse Fluggeschwindigkeit unterhalten und vermöge derselben durch geringe Hebung des Vorderkörpers gleichsam an dem Widerstande der Luft aufwärts gleiten, wie dies durch einige die obigen Bussarde begleitende Thurmfalken thatsächlich geschah; es können auch Vögel, wie manche der kleinen Falkenarten, während des sogenannten Rüttelns, oder Lerchen während ihres Gesanges, durch schnelle, fast zitternde Flügelbewegung momentan an einem Punkte in der Höhe verweilen; keiner aber vermag unter alleiniger Hilfe seiner ausgebreiteten Flügel in stiller Atmosphäre sich dauernd in gleicher Höhe ruhig schwebend zu erhalten, geschweige denn aufwärts zu steigen.

Es könnten zur Unterstützung des Gesagten Beispiele auf Beispiele gehäuft werden, es möge hier jedoch nur noch eines derselben stehen, und zwar ein Vogel, der sehr wenig für einen solchen Schwebeflug geeignet erscheinen dürfte, nämlich der Goldregenpfeifer. Während der hiesigen Herbstjagd auf junge Vögel dieser Art, lockt man dieselben in Schussnähe durch Nachahmung ihres Lockrufes; nun kommt es vor, dass diese sonst wenig misstrauischen Vögel, durch wiederholtes Schiessen schon gemacht, ausser Schusshöhe fliegend, dennoch dem Locken folgen; wenn dieselben bis nahezu senkrecht über dem Jäger herangeflogen sind, stehen sie fast regelmässig längere oder kürzere Zeit mit ruhig ausgebreiteten Flügeln schwebend still, herunterspähend und die Lockrufe des Jägers erwidernd, bis sie entdecken, dass dieselben nicht von ihres Gleichen ausgehen, worauf sie unter raschen Flügelschlägen schnell enteilen. Diese Thiere sind fast ausnahmslos sehr wohlgenährt, und ihr Gewicht ist im Verhältniss zu ihrer Flügelfläche ein so bedeutendes, dass sie, wenn nicht durch weitere Hilfsmittel unterstützt, ohne Flügelbewegung sofort sinken müssten; diese Hilfsmittel aber sind in vorliegendem Falle weder in schneller Bewegung des Vogels, wie oben schon angegeben, noch auch in einer Luftströmung zu suchen, da die geschilderten Jagdmomente fast nur bei schönem, ganz ruhigem Wetter eintreten.

Bei allen mir bekannten Versuchen der Erklärung des Vogelfluges geht man von dem Grundsatze aus, dass die Vögel entweder durch fortgesetzte schnellere oder langsamere Bewegungen ihrer Flügel, gleich den Armen eines im Wasser schwimmenden Menschen, sich sowohl schwebend erhalten, als auch vorwärts bewegten, oder aber, dass ein genügend starker Luftstrom herrsche, vermöge dessen sie ein Gleiches auch ohne fortgesetzte Bewegung der ausgebreiteten Flügel erreichten, dass aber ohne die eine oder die andere dieser Bedingungen ein Fliegen der Vögel unmöglich sei. Capitän F. W. Hutton sagt z. B. in seinen Mechanical Principles involved in the Sailing Flight of the Albatros: „Ein Albatros mit ausgebreiteten Flügeln, aber ohne Vorwärtsbewegung würde bei völliger Windstille herunterfallen."

Mit allen derartigen, auf mechanische Gesetze allein gestützten Erklärungen stehen meine, über ein langes Menschenleben sich erstreckenden, durch das für Form und Bewegung geschulte Auge des Künstlers unterstützten, und unter strengster Selbstkritik gemachten unablässigen Beobachtungen jedoch so vollständig im Widerspruch, dass ich nicht anders kann, als die Frage des Vogelfluges als eine zur Zeit noch völlig ungelöste und durchaus offene zu bezeichnen.

Ein dem Schweben in der Luft verwandter, wenn auch in entgegengesetzter Weise sich bethätigender Vorgang, ist das theilweise oder gänzliche Versenken des Körpers in das Wasser; eine Befähigung, die vielen, wenn nicht allen Tauchern eigen ist. Grosse nordische Taucher, Steissfüsse, Kormorane, Tauchenten und andere dergleichen Arten, wenn sie während des Schwimmens auf dem Meere vom Jäger im Boote dauernd verfolgt werden, senken sich nach und nach so tief in das Wasser, dass schliesslich nur noch der Kopf und der obere Theil des Halses über dasselbe hervorragt, werden sie aber sehr hart bedrängt, so versinken sie vollständig unter die Wasserfläche, schwimmen unter derselben hundert bis hundertfünfzig Schritt weit in horizontaler Richtung fort und kommen, um zu athmen, momentan nur mit Kopf und Hals wieder hervor, ja Steissfüsse, zumal wenn schon auf dieselben geschossen worden, nur mit dem Schnabel bis zu den Augen.

Alle diese Vögel, wenn lebend und nicht beunruhigt, oder auch als todter Körper, treiben so leicht auf dem Wasser, dass sie kaum einen merklichen Eindruck in dasselbe machen, was aber weiter nicht überraschen darf, da alle hier in Frage kommenden Arten an ihrer ganzen Unterseite mit einer Feder- und Daunenhülle bekleidet sind, die an der Brust eines im Kabinet schon eingetrockneten Steissfusses von mittlerer Grösse immer noch die Dicke von 15 Mm. hat und an einem ebensolchen grossen nordischen Taucher 20 bis 25 Mm. erreicht. Dass diese Vögel auf einer solchen, an und für sich fast gewichtlosen, noch dazu von warmer Luft erfüllten Unterlage ganz leicht treiben, ist selbstverständlich, wie sie aber trotz derselben in das Wasser zu sinken und unter seiner Fläche beliebig lange zu verweilen vermögen, ist eine schwer zu beantwortende Frage. Ein kleiner Steissfuss, Podiceps minor, wusste sich hier z. B. in einem Wassertümpel von etwa sechzig Schritt Durchmesser und einer Tiefe von zwei bis drei Fuss längere Zeit dadurch der Entdeckung zu entziehen, dass er sich in der Mitte desselben, bis zu seinem Schnabel und den Augen versenkt, ruhig verhielt; überraschender Weise hatte er hierzu eine Stelle erwählt, wo wenige trockene Grashalme und einige etwa zolllange Holzspäne trieben, welche die Aufmerksamkeit von dem ohnehin schon so unbedeutenden sichtbaren Theil seines Kopfes und Schnabels gänzlich ablenkten. Ein andermal hielt sich ein ebensolcher Vogel an demselben Orte am Rande des Wassers, wo dasselbe nur noch etwa sechs Zoll tief war, ganz ruhig so weit versenkt, dass nur Schnabel und Augen die Wasserfläche überragten. Es möge noch besonders bemerkt werden, dass in ersterem Falle die Tiefe des Wassers, sowie die Abwesenheit jedweden Pflanzenwuchses die Annahme, der Vogel könne irgend einen Halt unter Wasser gehabt haben, vollständig ausschloss; und im zweiten Falle war der Grund so eben und fest, dass auch hier an ein Anhalten mit den Füssen nicht gedacht werden konnte. In beiden Fällen verhielten die Vögel sich vollkommen regungslos, die geringste Bewegung der höchstens dreissig Schritt entfernten Thiere würde ihr Versteck sofort verrathen haben. Aehnliches erzählt Naumann von diesem kleinen Taucher Band IX seines grossen Werkes.

Eine weitere äusserst werthvolle Beobachtung des ruhigen Versenkens des Körpers gewährte mir vor Jahren ein Kormoran in einem Teiche des Hamburger Zoologischen Gartens. Dieser Vogel hatte sich zum Zwecke des Fanges von Schwalben, welche ziemlich zahlreich über die Wasserfläche niedrig dahinstreiften, so weit unter Wasser gesenkt, dass nur sein Kopf über demselben sichtbar war; er verhielt sich ganz regungslos an derselben Stelle, die geringste Thätigkeit seiner Füsse würde sofort das spiegelglatte Wasser verrathen haben. Die Schwalben, welche offenbar nichts Böses ahnten, kamen ihm oft sehr nahe, und wenn er glaubte eine derselben erreichen zu können, schoss er blitzschnell den eingezogenen Hals hervor und schnappte danach. Nach vier- bis fünfmaligen Fehlgriffen erhaschte er thatsächlich eine derselben, er schüttelte sie etwas im Wasser herum und verschlang sie, worauf er wieder ruhig den Körper versenkte und mit eingezogenem Halse auf weitere Beute lauerte.

(Fortsetzung folgt)

Selten im Käfig gepflegte europäische Vögel.

Von E. Perzina.

(Fortsetzung.)

Die Eingewöhnung des Heuschreckenrohrsängers ist bei älteren Vögeln nicht eben leicht, da dieselben in den meisten Fällen tagelang die selbstständige Nahrungsaufnahme verweigern, dabei sehr stürmisch sind; es erscheint daher nothwendig, ihrer Ernährung während der ersten Tage durch Einstopfen von Futter, am besten mit feingeschabtem rohen Herzfleisch, untermischt mit Ameisenpuppen nachzuhelfen; als Eingewöhnungskäfig empfiehlt sich am besten eine jener flachen, niedrigen Steigen ohne Sprunghölzer, wie diese in Oesterreich ja allenthalben für diesen Zweck in Gebrauch sind, deren Boden etwa einen Finger hoch mit grobem Flusssand bedeckt wird und welche als einzige Einrichtung das in der Mitte aufzustellende Futter und ein ganz kleines Trinkgefäss, welches dem Vogel das Baden unmöglich macht, hat. In diese Steige, welche für den Anfang mit einem leichten, lichtdurchlässigen Stoffe, am besten bereits gewaschener Leinwand überdeckt sein muss, um zu verhindern, dass der Vogel, was bei offenem Gitter regelmässig geschieht, und dann sehr oft zur Todesursache wird, sich zwischen den Drähten am Kopfe, über dem Schnabel, wund stösst, wird nun der Schwirl mit durch einen leichten Wollfaden gebundenen Flügeln gebracht. Mehr als einem Vogel dieser Art in einer Steige unterzubringen, erscheint nicht rathsam, da sie sich durch ihr unruhiges Hin- und Herlaufen zum mindesten belästigen und unnöthiger Weise erregen würden, sehr oft aber namentlich wenn zwei männliche Exemplare in demselben Raume untergebracht sind, ein wüthendes Verfolgen und Kämpfen derselben stattfindet, welches ein zur Ruhe kommen der Vögel gänzlich ausschliesst. Als erstes Futter wirft man dem Schwirl lebende Mehlwürmer, welche etwas ermattet sind, so dass sie sich nicht im Sande verkriechen können und dadurch dem Vogel unerreichbar werden, vor, und zwar in der Weise, dass sie im ganzen Käfige verstreut umherliegen.

Diesen Leckerbissen vermag unser Vogel nicht lang zu widerstehen, nimmt er dieselben gut auf, so ist es dann Zeit ihn mit Hilfe derselben an ein Ersatzfutter zu bringen. Stehen als solches frische Ameisenpuppen zur Verfügung, so verursacht dieses keinerlei weitere Schwierigkeiten, denn wenn diese der Vogel nicht überhaupt ohne Weiteres freiwillig annimmt, so ist es nur nothwendig einen oder zwei Tage lang zerschnittene Mehlwürmer, so unter die Ameisenpuppen zu mengen, so dass dieselben an deren Inhalt kleben bleiben, um eine Annahme derselben zu bewirken. Schwieriger ist es, wenn keine frischen Ameisenpuppen vorhanden sind; man bereite dann ein Mischfutter aus gleichen Theilen trockener aber in heissem Wasser augequollener Ameisenpuppen, geriebenen Käsequark und hart gekochtem Ei, unter welches reichlich in ganz kleine Theile zerschnittene Mehlwürmer gemengt sind. Anfangs sucht sich der Vogel aus der Mischung die Mehlwurmstücke heraus, doch bleiben an denselben ja immer kleine Theilchen des Ersatzfutters haften, so dass sich der Vogel allmählig an dessen Geschmack gewöhnt. Anfangs ist ein öfteres Nachschauen des Mischfutters und Ersetzen der verzehrten Mehlwürmer dringend nothwendig, auch muss man dabei die Mischung mit dem Finger etwas auflockern, denn der Schwirl tritt viel in dem Futter herum, so dass dasselbe nach einiger Zeit ohne diese Massregel eine compacte Masse werden würde, deren Aufnahme verschmäht wird. Nimmt der Vogel dieses Futter gut auf, so verringert man die Menge der zu reichenden Mehlwürmer allmählig bis auf etwa zehn Stück für den Tag und auch die Mischung erfährt eine Aenderung, indem man dieselbe nun aus gleichen Theilen geschwellter Ameisenpuppen, Käsequark, Gelbrübe und fein geschabten Herzfleisch bestehend, reichen kann. Auch kann nun der Vogel in einen geräumigeren Käfig übersiedelt und ihm die Flügel geöffnet werden, jedoch ist es nothwendig das Bauer noch durch einige Zeit verhängt zu lassen und die Umhüllung nur langsam und allmählig zu entfernen. Der Heuschreckenrohrsänger hält sich im Käfige grösstentheils auf dem Boden auf, Sitzstangen benützt er nur wenig, doch sollen solche keinesfalls fehlen und namentlich eine solche in sehr schräger, fast verticaler Richtung vorhanden sein; eine solche sucht er mit Vorliebe beim Singen auf. Der Käfigboden muss sehr dicht mit Sand oder Torfmull bestreut sein, da sich sonst sehr rasch kranke Füsse einstellen, auch ist es zweckmässig auf denselben einige grössere Steinstücke zu legen, da diese der Vogel gerne besteigt, oder auch sich hinter ihnen zu verstecken liebt.

(Fortsetzung folgt.)

Die Katze als Vogelfeind.

Von Engelbert Langer sen.

Unter den ärgsten Feinden unserer heimischen Kleinvögel ist die Hauskatze in erster Linie zu nennen; namentlich in Städten wie z. B. Wien wird fast jede Vogelbrut von ihr vernichtet, denn während man einerseits hier weit mehr Katzen hält, als auf dem Lande, stehen den Vögeln andererseits weit weniger günstige Nistgelegenheiten zu Gebote als dort, sie sind auf die Gartenanlagen angewiesen und können hier ihr Nest nicht so gut wie im Walde, vor dem Raubthiere, welches Tag und Nacht die Gärten durchschleicht verbergen. Wie viele edle Singvögel in den Wiener Gartenanlagen alljährlich Katzen zum Opfer fallen, wer weiss es?

Der Mensch hat von jeher allen Thieren, welche vom Raube leben den Krieg erklärt, er befeindet die Marderarten, er vernichtet den Fuchs und die Wildkatze, wo er nur kann, und der Jäger, welcher in seinem Reviere einer herumstreifenden Hauskatze auf die Spur kommt, wird gewiss auch auf sie seine Büchse richten, denn er weiss recht gut, dass das, was dieser Räuber mit den sammtenen Pfötchen hier sucht, weit weniger in Mäusen, als in leckerem und wohl auch leichter zu erlangenden Braten, wie Jungvögeln und Junghasen besteht! In vielen Gegenden erhält der Erleger einer solchen wildernden Hauskatze für solche eine Schussprämie ausbezahlt. — In Wien hingegen kann dieser böse Vogelfeind hausen, wie er will. In manchen Häusern findet man wohl ein Dutzend Katzen, welche infolge ihrer grossen Anzahl nur mangelhaft gefüttert werden können, und dadurch mehr oder weniger gezwungen sind, sich ihre Nahrung selbst zu verschaffen; solche Katzen machen dann die ganze Umgegend unsicher, sie tödten nicht nur alle freilebenden Vögel, welche ihnen vor die Augen kommen, sondern werden auch den von den Menschen gepflegten, den Tauben und Käfigvögeln gefährlich. Wenn im Frühlinge der Vogelfreund seinen Lieblingsvogel, um ihm den vollen Genuss der frischen Luft zugänglich zu machen in's Freie hängt, dann übersieht er trotz sorgfältiger Umschau doch oft den in einem Verstecke in der Nähe auf der Lauer liegenden Erbfeind desselben, die Katze; kaum hat er sich entfernt, so schleicht sie sich heran, ein Sprung, der Käfig liegt am Boden, und ob dann dessen Insasse durch den Sturz getödtet ist, oder von den scharfen Krallen durch's Gitter gezogen wird, kommt für den Eigenthümer des gemordeten Vogels wohl auf eins heraus. Nicht nur die Vogelliebhaber haben unter dem Treiben solcher herumstreifender Katzen zu leiden, auch andere Leute können über dasselbe ein Liedchen singen; man frage nur einmal bei den Wiener Ziergärtnern an, wie oft es ihnen vorkomme, dass ihre Beete von den Katzen durchwühlt, der frisch gesetzte junge Pflanzenwuchs durch dieselben zertreten und vernichtet wird! Und wenn ein derart Beschädigter dann in seinem gerechten Unwillen gegen das Raubgezücht vorgeht, dasselbe erschiesst oder in sonstiger Weise vertilgt, dann kann es ihm passieren, dass er sich einer Klage wegen boshafter Beschädigung fremden Eigenthumes aussetzt und womöglich noch verurtheilt wird oder dass unberufene Leute ihm mit dem Thierschutzgesetze drohen!

Es ist ja gewiss richtig, dass unter gewissen Bedingungen, an Orten, wo viele Nahrungsmittel aufgespeichert liegen, Katzen zum Schutze gegen Mäuse und Ratten nothwendig und nützlich sind, sie sind aber nur insolange nützlich, als sie sich auch an diesen Orten aufhalten, sobald sie herumzustreifen beginnen, ist es mit ihrer Nützlichkeit auch schon vorbei, denn die Katze, welche das Haus verlässt, ist erfahrungsgemäss keine gute Mäusefängerin. Die Katze gehört in den Keller, auf den Boden oder die Magazine, dort erhält sie ihr Futter, dort soll sie ihre Jagd nach Nagern ausüben, wo anders hat sie nichts zu suchen und sollte hier angetroffen, unnachsichtlich vertilgt werden. Ein ganzes Dutzend von Katzen in einem Hause zu halten, wie man dieser Unsitte in Wien so oft begegnet, ist völlig unnöthig und überflüssig, die Mäuse und Ratten hält eine Katze besser dem Hause fern, als eine grössere Anzahl solcher, denn während für eine genügend Beschäftigung ist und sie sich dabei zur passionirten Mäusejägerin ausbildet, haben mehrere nichts zu thun, und verfallen schon aus Langeweile darauf, sich auswärts Beschäftigung zu suchen.

Für die Hunde ist in allen grösseren Städten eine gewisse Controlle eingeführt, welche ein Ueberhandnehmen derselben schon dadurch verhindert, dass für jedes Exemplar eine Steuergebühr entrichtet wird, herrenlos herumstreichende Hunde werden durch den Wasenmeister eingefangen und vertilgt, — könnte eine ähnliche Controle nicht auch für die Katzen eingerichtet werden?

Sobald eine Kopfsteuer für die Katzen eingeführt würde, möchten gewiss nicht mehr von diesen gehalten werden, als man thatsächlich benöthigt, diese Wenigen würde der Besitzer zu beaufsichtigen und vom Herumstreifen abzuhalten vermögen — die Folgen hievon würde man bald daran erkennen, dass unsere Gartenanlagen, in welchen sich jetzt fast nur das lärmende Spatzenheer herumtreibt, von edlen Singvögeln bevölkert werden würden.

Goldphönix-Hühner wilder Aufzucht.

In der fürstlich Hohenlohe'schen Fasanerie Slupsko in Preussisch-Oberschlesien wurden im Frühjahr 1889, 1.4 Goldphönix ausgesetzt, nachdem dieselbe vorher im Fürstlichen Geflügelhof Slawentzitz in der Volière gehalten wurden. Durch Beobachtung erkannte ich bez. Lebensweise der Phönixe fast vollständige Uebereinstimmung mit unserem Edel- oder Jagdfasan. Da ausserdem im Stalle und in der Volière der schöne lange Schweif und Behang des Hahnes von den Hennen stets abgetreten wurde, konnte der Hahn niemals in vollem Glanze seines Schmuckes prangen. Dies veranlasste mich, die Thiere in obiger Fasanerie in Freiheit zu setzen.

Die Fasanerie ist ein ungefähr 4 ha grosser parkartiger Garten, an den sich eine 20 ha grosse, vor fünf Jahren angelegte Remise und ein Complex von 75 ha Wiesen anschliesst. Durch die Wiese schlängelt sich ein fliessender Graben schönsten klaren Wassers, so dass das ganze Terrain zur Fasanenaufzucht ungemein geeignet ist.

Ausser einer künstlichen Aufzucht von circa 1200 Stück Fasanen, welche in einem besonderen Aufzuge durch Puten erbrütet, werden in günstigen Jahren eben so viele Fasane wild ausgebrütet. — Einige Tage nachdem die Goldphönixe ausgesetzt waren, sah man dieselben schon recht freundschaftlich gemeinsam mit den Fasanen einherstolziren und gegen Mitte April fand man Phönix- und Fasaneier in gemeinschaftlichem Neste. Die Eier dieser beiden Geflügelarten sind wenig unterschiedlich. Leider bekamen wir gegen Mitte und Ende Mai, also zwei Mal Hochwasser, welches gerade den Wiesen- und Remisentheil überschwemmte, in welchem Fasanenhennen auf Nestern, welche zum Theil mit Fasan-Goldphönix-Eiern besetzt waren, brüteten. Ein einziges höher gelegenes Nest mit sechs Goldphönix- und acht Fasaneiern blieb unbeschädigt. Fünf junge Phönixe und vier Fasanen schlüpften davon aus, welche sämmtlich in vollständiger Wildheit gross gezogen wurden.

Die Goldphönix-Hähnchen entwickelten sich sehr schön und hatten zu Anfang October ein ungefähr 60 bis 80 Cm langes Spiel. — Die alten sowohl, wie später die jungen Phönixe bäumen Abends auf und nächtigen in den Fichten-Deckungen. In diesem Frühjahr und z. Z. sieht man 14 Phönix-Hähne und gegen 30 Stück Hennen unter den Fasanen herumtummeln. Man fand in vielen Fasanennestern Eier von Phönixen und sind dieselben bis jetzt gut ausgekommen. Bei Gelegenheit der vorjährigen Fasanenjagd zu Ende December wurde ein Hahn im Abstreichen krank geschossen, der leider nicht gefunden wurde und wahrscheinlich in irgend einem Wassergraben verendete.

Unter dem heutigen Bestand von 14 Hahnen befinden sich drei Schecken, deren Gefieder zu einem Dritttheil weiss ist, obwohl der ausgesetzte Zuchtstamm vollkommen rein im Gefieder war. Im vorigen Jahre kam ebendaselbst ein Kreuzungs-Product (Hahn) von Gold-Sebright-Bantam-Hahn und Phönix-Henne aus. Dieser Hahn wurde erst bei Fütterung im Spätherbst vorigen Jahres, nachdem er fast ausgewachsen war, bemerkt. Figur und Höhe ist gleich einem Goldphönix, Gefieder bis auf den Schwanz ganz Gold-Sebright-Bantam, Schweif voll gleich Gold-Phönix, dunkelsmaragdgrün, jedoch ohne die langen Sichelfedern. Dieser Hahn hat vollständig im Freien überwintert und gemeinschaftlich mit den Fasanen in den Fichten-Dickungen aufgebäumt. In diesem Frühjahr hatte er sechs Phönix- und zwei Fasanenhennen um sich und wird sich erst später zeigen, ob bez. welche Nachzucht daraus vorhanden. Dieser Hahn ist ungemein schon und lebhaft; ich habe denselben zu der diesjährigen Frühjahrs-Ausstellung in Wien mitbringen wollen, konnte ihn jedoch nicht einfangen. Endlich gegen Ende Juni gelang es uns denselben mittelst Netzes einzufangen und halte ich denselben jetzt mit weissen Yokohama-Hennen in einer grossen Volière. Zur nächsten Ausstellung in Wien werde ich denselben gemeinschaftlich mit einer Goldphönix- und Gold-Sebright-Bantam-Henne ausstellen und glaube ich, dass es sich verlohnen würde, dieses schöne Thier photographisch aufzunehmen.

Wie ich vermuthe werden in diesem Jahre mehrere seiner Kreuzungs-Producte vorhanden sein und würde ich diesfalls nicht ermangeln, solche in Wien auszustellen, sowie seiner Zeit darüber zu berichten.

Slawentzitz, Preuss.-Oberschlesien, im Juli 1892
Finckler.

Der einfärbige Wiener Tümmler.

Von **A. V. Curry**, Wien-Währing.

Die fast übergrossen Ansprüche, welche der Wiener Sportsmann seit Altersher an seinen einheimischen Mustertümmler stellte, haben zähe, ausdauernde Züchterhände zur Vollbringung unglaublichster Vollkommenheit angeregt und im Laufe langer Zeiten jene erfolggekrönten Werke schaffen lassen, welche — wie beim geganselten, so auch beim einfärbigen Tümmler alle Reize des Schönen und alle Kraft des Erhabenen zu wundervoller Wirkung tragen, sowohl durch die hinreissende Pracht der Formen, als in Hinsicht auf das schlichte Kleid, durch den unwiderstehlichen Zauber edelster Einfachheit. Aber nur selten kommen diese Wiener Kinder weiter weg von ihrer Heimath, denn ihr Besitzer hängt daran voll Liebe, wie der Steppenmensch an seinem Pferde; gleich jenem redet er zu ihnen voller Zärtlichkeit, ein jeder neue Tag lässt ihn am selben Bilde neue Reize finden, wie Hamlet seinen Horatio, so trägt er sie im Herzen seines Herzens und in ihrem überwältigenden Anblicke findet er so recht der Seele ungestillt Verlangen. Aus seiner Nähe lässt der Wiener seine Tauben nicht so leicht und es kostet ihn schon viel der Ueberwindung, wenn er sie von eifersüchtiger Liebe getrieben, hin und wieder zu einer einheimischen Ausstellung hinstellen soll, aber auch dann verbringt er seine freie Zeit bei ihnen, füttert sie selbst mit allerbesten Körnern und ist voll Glück bei seinen Lieblingen, denn nur dort will er sie haben, wo er selber ist und sich dort, wo seine Tauben sind. Man muss nur einen echten Wiener Sportsmann sehen, wenn er von der Uebergewalt seiner Gefühle erfasst, in eine Art Andacht versunken, vor dem Käfige eines vollendet edlen Taubenpaares steht; sein Geist in Aufregung, das Auge gereizt und das Herz entzündet, ist es da vorüber mit den Sorgen seines Daseins, denn, wo es ihm um's Herz so „wirbelig" wird, da möchte er am liebsten die ganze Welt umarmen, da kann er die Gegenstände seiner schwärmerischen Anziehung nicht lassen und weidet und erhebt nun seine Seele an jenen geliebten Bildern seines Herzensideals, deren Zauber ihn seit Kindestagen so viele Stunden des Daseins mit dem Schimmer der Freude vergoldet und so viele Sorgen des Lebens in einem Traume seligster Empfindungen vergessen liessen.

Der einfärbige Tümmler spielt in Wien schon seit Altersher eine hervorragende Rolle und wurde in schon längst vergangenen Zeiten mit den Ganseln als Flugtaube gehalten. „Von Kopf und Schnabel" musste er wohl immer sein, aber erst mit den fünfziger Jahren erstrahlte die Morgenröthe jener Anfänge, welche in ihrer Fortentwicklung, am Felde edelsten Tümmlersports mit ungeahntem Glanze in Gegenwart und Zukunft hinüberleuchten sollte. Was von da ab alles geleistet worden, muss, soweit sich Sinn für Grosses findet, Jung und Alt zur Begeisterung entflammen und für immer der herrlichste Schmuck bleiben in der Krone jener idealen Schöpfungen, welche echte wahre Züchterkunst mit Hingebung und Fleiss geeint, nach genialstem Vorwurfe geschaffen haben. Viele, die am Aufbau dieser Werke mitgethan, zogen längst dahin in bessere Gefilde, unter ihnen auch jener grösste unter allen, welcher durch seine unvergleichlich genialen Leistungen den Grundbau zur heutigen Grösse schuf und seiner Zeit die ganze Sportwelt Wiens in Erstaunen und Bewunderung gesetzt hat. Lange blieb der Name dieses grossen Züchters unbekannt, denn neben dem Genie als Taubenzüchter war er der einfachste und bescheidenste Mensch der Welt. Als ausgedienter Soldat liess er sich in dem schönen Dorfe Göttlesbrunn bei Bruck a. L. nieder und von hier aus setzte er seine herrlichen Zuchtproducte Jahre hindurch bei dem damaligen grossen Händler Hofbauer am Salzgries um kaum nennenswerthe Preise ab, da ihm in der ganzen Sportswelt Wiens Name und Adresse auch nur eines einzigen Züchters gänzlich unbekannt gewesen. Bei diesem Stadium meiner Schilderungen angelangt, citire ich die competentesten und werthvollsten Auskünfte aus Heinrich Zaoraleks Feder, dem ich im Namen aller, besten Dank sage, für seinen im Auszuge wiedergegebenen, nachfolgenden Brief:

„Jener rühmenswerthe Göttlesbrunner Taubenzüchter verdient in der That eine ganz specielle und ehrende Erwähnung, indem er durch eine lange Reihe von Jahren, mittel- oder unmittelbar, viele unserer hervorragendsten Taubenfreunde mit seinen hochedlen Thieren beglückte. In den Jahren 1840 bis 1860, wo der Taubensport in Wien ganz grossartig betrieben ward, war an Wochentagen der Salzgries der Versammlungsort aller Vogel- und Taubenfreunde Wiens und es waren dort circa 40 Händler etablirt, im Parterre der nun längst demolirten Kaserne haben allein 16 offene Läden bestanden. Es gab bedeutende Händler, welche eigene Wärter hielten und auf Aquisitionsreisen gingen oder vertrauenswürdige Fachmänner behufs Kauf- oder Verkaufes in verschiedene Städte des Continents geschickt haben. So manche Händler wurden reich und es entstanden sogar handelsgerichtlich protokollirte Firmen: wie Haller, Friedmann, Hofbauer und andere. Letzterer war in Tauben der allergrösste Macher und zeigte zuerst die bisher in Wien ganz unbekannten Almonttümmler, wie er auch die Brünner, recte Prager Kröpfer in ganzen Zuchten vorführte. Dieser Mann bekam nun im Herbste jeden Jahres hochedle Kurzschnäbel, zumeist in gris piqué (weissbunt) Zeichnung, welche fälschlich Harlequinzeichnung genannt ward, — aber auch eintönig rothe, gelbe und schwarze — niemals jedoch reinweisse oder geschwingte (weissgespiesste) Thiere. Hofbauer liess sich dieselben theuer bezahlen und es ist bekannt, dass er sich von dem damaligen grossen Sportsmann Göschl einzelne Tauben mit 80 bis 100 Gulden und darüber bezahlen liess. Es ist selbstverständlich, dass der Händler von allen Seiten um die Herkunft der schönen Thiere gefragt wurde, aber lange Jahre hindurch foppte er die Züchter, indem er das entfernte London als Bezugsquelle bezeichnete und nach vielen Zweifeln endlich Glauben fand, trotzdem die Façon bei der entschieden abweichenden Zuchtrichtung der Engländer, — dort kurz und dünn, hier kurz und dick, dort runder Kof, hier eckiger, — alle Wiener stutzig machen musste. Da lüftete der Zufall jenen Schleier, welchen Hofbauer so ängstlich über die wahre Bezugsquelle gebreitet hat, denn als eines Tages ein unscheinbares Bäuerlein mit einem noch unscheinbareren Körblein in's Geschäft eintrat, war daselbst gerade ein Wiener Taubenzüchter anwesend. Dieser Pfiffikus verliess sofort das Local, um dem Händler Glauben zu machen, dass ihm die Sache gar nicht aufgefallen sei, postirte sich jedoch an die nächste Gassenecke und ging dem Manne nach, sobald dieser aus dem Geschäfte des genannten Händlers trat. Nun erfuhr er alles, was er längst so gerne wissen wollte, welches Ereigniss für die weitere Sportswelt aber noch lange ohne Nutzen blieb. Bürgermeyer hiess der Glückliche, welcher sich nun durch viele Jahre die Zuchtproducte jenes Göttlesbrunner Taubenzüchters holte, aber er verschwieg auch seinerseits nach alter Jogelart die Quelle und speiste alle Fragenden mit der kurzen Antwort ab, dass er sie von Bruck a. L. hole, welches Städtchen vom wahren Bezugsorte noch circa 1½ Stunden weit gelegen ist. Bürgermeyer zeigte fortan wahre Elitethiere, insbesondere in der schon erwähnten gris piqué Zeichnung und kaufte schliesslich den guten Göttlesbrunner fast ganz aus, Ende der sechziger Jahre starb dieser in der ganzen Umgebung „der Taubenvater" genannte geniale Züchter und hinterliess seinem Neffen nur mehr einige Paare, welche Bürgermeyer bis auf 2 Stück ebenfalls übernahm.

(Fortsetzung folgt.)

Kleine Mittheilungen.

Für die **Zerstörung besetzter Horste von Reihern und Kormoranen** erhalten die königlich preussischen Förster gemäss einer im Februar vergangenen Jahres erlassenen Verfügung des Landwirthschaftsministers je 3 Mark und bei Erlegung von Reihern oder Kormoranen — sowohl für erlegte junge, wie alte Vögel, gleichviel, ob der Vogel vor oder nach dem 15. Mai geschossen ist — je 50 Pfennig. Der „Fischereiverein für die Provinz Brandenburg" theilt mit, dass auch seinerseits vom 1. Juli 1891 ab, dieselben Preise bewilligt worden, wenn als Legitimation die Köpfe der Vögel an sein Bureau, Berlin NW., Spenerstrasse 47 (am besten unter gleichzeitiger Beifügung einer Quittung) eingereicht werden.

Zur Diphtheritis. Nachdem beobachtet worden, dass Hühner, Tauben, Puten, Fasanen u. dgl. von der Diphtheritis befallen werden, hat nach der Wiener allgem. medic. Ztg. neuerdings Professor Gerhardt (Würzburg) festgestellt, dass diese Diphtheritis des Geflügels auf den Menschen übertragbar sei. In die Hühnerbrutanstalt zu Nesselhausen (Baden), kamen im September 1881 2600 Hühner aus der Gegend von Verona, von denen einzelne Diphteritis mitbrachten. Von diesen Hühnern verendeten circa 1400 Stück. Im Sommer vorigen Jahres wurden aus Eiern von verschiedenen Gegenden 1000 Hühner ausgebrütet, bei denen nach 6 Wochen die Diphtheritis gleichfalls auftrat, und zwar so bösartig, dass alle Thiere in kurzer Zeit daran zu Grunde gingen. An dieser Krankheit verendeten auch 5 Katzen, die in der Anstalt gehalten wurden, ebenfalls erkrankte so ein dort verpflegter Papagei, der jedoch wieder genas. Im November v. J. biss ein an Diphtheritis erkrankter italienischer Hahn, während er im Rachen mit Carbolsäure gebeizt wurde, den Oberwärter der Anstalt auf den Rücken des Fusses und in das linke Handgelenk. Der Gebissene erkrankte unter heftigem Fieber und starker Auschwellung in der Umgebung der Wunden an einer schweren Wunddiphtheritis, deren Heilung nur sehr langsam erfolgte. Das war aber nicht der einzige Fall von Uebertragung der Hühnerdiphtheritis auf den Menschen: zwei Drittel aller Arbeiter, die sich mit den Hühnern beschäftigten, erkrankten an Rachen-Diphtheritis, und ein Arbeiter steckte seine drei Kinder an. Bemerkenswerth ist aber dabei, dass während dieser Zeit in Nesselhausen keine anderen Erkrankungen an Diphtheritis vorkamen, so dass kein Zweifel obwalten kann, dass alle diese Fälle von den Hühnern übertragen worden sind.

Literarisches.

Subscriptions-Einladung. Demnächst erscheint im Verlage der Universitäts-Buchdruckerei von C. L. Pfeil in Marburg a. d. L. „Versuch einer Avifauna der Provinz Schlesien" von Curt Floericke, Assistenten a. zoolog. Inst. d. Universität Marburg. Die Arbeit wird ca. 400—450 Druckseiten in Gross-Octav umfassen und von 2 Karten und 4 Tafeln begleitet sein. Der Subscriptions-Preis ist auf Mk. 9 festgesetzt. Nach dem Erscheinen der Arbeit erhöht sich der Buchhändlerpreis auf Mk. 12. Anmeldungen wolle man direct an den Autor richten.

Ausstellungen.

I. österr.-ungar. Geflügelzucht-Verein in Wien. Laut Directoriums-Beschluss vom 8. Juli l. J. wird die diesjährige Junggeflügelschau, verbunden mit einem Geflügelmarkte am 1. October im Vereinshause im k. k. Prater eröffnet. — Mit der Ausstellung wird wie alljährlich, eine Prämiirung hervorragender diesjähriger Züchtungsproducte verbunden sein, wofür silberne und bronzene Staatsmedaillen, sowie Diplome des Vereines zur Verfügung der Preisrichter stehen. — Wir kommen auf diese Ausstellung noch ausführlicher zurück.

Internationale Geflügel-Ausstellung in Budapest. Der „Ungarische Landesgeflügelzucht-Verein" (Országos baromfitenyésztési egyesület) in Budapest plant für 22. September bis 2. October d. J. eine Ausstellung von Grossgeflügel, Tauben, Vögel (lebend und präparirt), sowie Kunst- und Literatur-Producten.

Geflügel wird in zwei Gruppen zur Schau gebracht u. zw. Aelteres Geflügel in der Zeit vom 22. bis 26. September, Junggeflügel vom 27. September bis 2. October.

Mit dieser Ausstellung soll eine Brutmaschinen Concurrenz, sowie ein Markt für Consum-Geflügel und -Eiern verbunden und die Mastanstalt des Vereines den Besuchern in Betrieb vorgeführt werden.

Von Seite des ungar. Landwirthschafts-Ministeriums werden auch diesesmal bedeutende Einkäufe an Racegeflügel zur Vertheilung an ländliche Züchter beabsichtigt.

Vereins-Director Géza v. Parthay wird während der Ausstellung einen Lehrcurs über Geflügelzucht abhalten, während die hervorragendsten Fachmänner des Landes für Vorträge gewonnen sind.

Diese Ausstellung verspricht somit viel Neues zu bringen und wird für den Geflügelzüchter und -Liebhaber sich gleich interessant, wie den Geflügelhändler gestalten.

Nähere Auskünfte ertheilt die Direction des „Ungarischen Landesgeflügelzucht-Vereines" in Budapest, Andrássystrasse 79, wo auch Programme und Anmeldungen erhältlich sind.

Landwirthschafts-Ausstellung in Wr.-Neustadt. Der landwirthschaftliche Bezirksverein in Wr.-Neustadt veranstaltet zur Feier des 700jährigen Bestehens der Stadt am 5. und 6. September eine Viehschau im Rahmen einer land- und forstwirthschaftlichen Regonal-Ausstellung. Für Geflügel (Grossgeflügel und Tauben) ist eine Gruppe vorgesehen die von Ausstellern aus ganz Niederösterreich beschickt werden kann. — Der I. österr.-ung. Geflügelzucht-Verein hat sich bereit erklärt, seine Ausstellungskäfige dem Unternehmen leihweise zur Disposition zu stellen und hat auch einige Preise gestiftet; ausser diesen werden silberne und bronzene Ausstellungsmedaillen, Geldpreise und Diplome zur Vertheilung gelangen. — Als Preisrichter werden Mitglieder der beiden Wiener Vereine (I. österr.-ung. Geflügelzucht-Verein und Vororte Geflügelzucht-Verein) fungiren. Standgeld für Grossgeflügel 50 kr. (pr. Stamm), für Tauben 25 kr. (pr. Paar). — Auskünfte ertheilt das landwirthschaftliche Ausstellungs-Comité in Wr.-Neustadt.

Brieftauben-Wettflüge.

Das Resultat der am 10. Juli d. J. von der Brieftauben-Section des I. österr.-ungar. Geflügelzucht-Vereines veranstalteten Wettflüge ist folgendes:

I. Krakau-Wien, Luftlinie: 413 Kilom. Die Tauben wurden morgens 5 Uhr 30 Min. aufgelassen und erreichte die erste, Herrn Helfer gehörige Taube um 12 Uhr 10 Min. den heimatlichen Schlag; II. Helfer, III. Reuther, IV. Gerhard, V. Pinter, VI. Dimmel, die VII., Herrn Pascher gehörige Taube traf um 12 Uhr 30 Min. ein.

II. Mähr. Schönberg-Wien, Luftlinie: 196 Kilom. Auflug: 7 Uhr 15 Min. Die erste, Herrn Mittermeyer gehörige Taube traf um 11 Uhr ein. II. Pascher, III. Dimmel, IV. Helfer, V. Zimmermann, VI. Pinter (12 Uhr 16 Min.)

III. Passau-Wien, Luftlinie: 295 Kilom. Auflug 6 Uhr 30 Min. Die erste, Herrn Mittermeyer gehörige Taube traf um 10 Uhr 27 Min. II. Helfer, III. Reuther, IV. Dimmel, V. Ehrmann, VI. Pinter, VII. Helfer (12 Uhr 51 Min.) ein.

Brieftaubenwettflug Budapest-Linz. Der I. oberösterr. Geflügelzucht-Verein in Linz veranstaltete am 20. Juni einen Wettflug auf der Strecke Budapest-Linz, der unter den Folgen der ungünstigen Witterung zu leiden hatte. — Von den um 7 Uhr Früh freigelassenen Tauben erreichte die erste, (Herrn M. Wiessbauer gehörig) um 2 Uhr 43 Min. Nachm. den heimatlichen Schlag, (d. i. 7 Stunden 43 Min. Flugzeit). — Ihr folgten die Tauben der Herren F. Neumüller und C. Leittinger, (Flugzeit 8 Stunden) endlich jene des Herrn F. Pichler, (8 Stunden).

Welchen Umfang der **Brieftaubensport in Belgien** angenommen hat, davon mag die Thatsache eine ungefähre Vorstellung geben, dass man am Sonntag vor Pfingsten über 200.000 Brieftauben in Frankreich, wohin sie aus ganz Belgien gebracht waren, fliegen liess. Aus Mons ging an dem Tage vor jenem Sonntage ein Zug ab, der aus 58 Wagen bestand, die keine andere Ladung als Brieftauben hatten. Wer es noch nie mit eigenen Augen gesehen hat, der kann sich — so schreibt man der „Fr. Z." — überhaupt schwer einen Begriff davon machen, was für ein Leben und Treiben an einem solchen Tage, an welchem die für das Wettfliegen bestimmten Tauben weggeschickt werden, in den belgischen Städten und vor Allem in Antwerpen zu herrschen pflegt. Ununterbrochen treffen ganze Wagenladungen mit Tauben aus allen Enden der Stadt auf dem Ostbahnhofe ein und in den letzten Stunden vor dem Abgange des Taubenzuges kann man kaum eine Strasse passiren, ohne einem mit Tauben beladenen Wagen zu begegnen, hinter welchem in der Regel die für die glückliche Ankunft der Thiere besorgten Eigenthümer der Letzteren einherschreiten. Dieses Treiben ist mitunter recht interessant; noch interessanter indessen, wenn auch in einer für die Unbetheiligten keineswegs angenehmen Weise, wird dasselbe an dem Tage, an welchem man die Rückkehr der Tauben erwartet. Ueberall stehen dann Männer in Hemdärmeln und Holzschuhen vor den Hausthüren, die erwartungsvoll nach dem Taubenschlage auf dem Dache die Augen gerichtet halten. Ein Strick ist von dem Taubenschlage auf die Strasse heruntergelassen, dessen Ende sich in den Händen eines Jungen befindet. Da mit einem Male kommt eine Taube durch die Luft geflogen und lässt sich langsam auf dem Dache nieder. Das Thierchen hat Hunger und Durst, es eilt sofort dem Schlage zu. Unten allgemeine Aufregung und hochgespannte Erwartung. „Sie geht hinein", ruft einer der Männer „sie ist d'rinnen", schreit jubelnd ein Zweiter und gleich darauf gleitet an dem Stricke blitzschnell die Taube herunter, welche man oben schleunigst in einen leinenen Sack gesteckt hatte. Mit fieberhafter Hast erfasst der Junge diesen Sack, die Holzschuhe fliegen von den Füssen und nun rennt er auf den blossen Strümpfen, mit dem Sacke zwischen den Zähnen über die Strasse, unbekümmert um die Passanten, nur mit dem einen Ziele im Auge, den zweiten Jungen, der etwa 150 Schritte weiter aufgestellt ist, um jeden Preis so rasch wie möglich zu erreichen. Aus den Händen dieses zweiten Jungen wandert die Taube ebenso rasch in diejenigen eines dritten und vierten u. s. w., die bis zu dem Locale, in welchem die Taube behufs der Preiszuerkennung abgeliefert werden muss, sich in regelmässigen Zwischenräumen aufgepflanzt haben. Die hohen Geldpreise, welche den Siegern bei den Wett-Taubenfliegen winken machen diese Eile erklärlich, die allerdings recht oft zu unliebsamen Zusammenstössen mit Passanten führt.

Tgl. Rundschau.

Verlag des Vereines. — Für die Redaction verantwortlich: **Rudolf Ed. Bondi.**
Druck von **Johann L. Bondi & Sohn**, Wien, VII., Stiftgasse 3.

XVI. JAHRGANG. Nr. 15.

Blätter für Vogelkunde, Vogelschutz, Geflügelzucht und Brieftaubenwesen.

Organ des I. österr.-ung. Geflügelzuchtvereines in Wien und des I. Wr. Vororte-Geflügelzuchtvereines in Rudolfsheim

Redigirt von **C. PALLISCH** unter Mitwirkung von Hofrath Professor **Dr. C. CLAUS.**

15. August.	„DIE SCHWALBE“ erscheint **Mitte** und **Ende** eines **jeden Monates.** — Im Buchhandel beträgt das Abonnement 6 fl. resp. 12 Mark. Einzelne Nummern 30 kr. resp. 50 Pf. **Inserate** per 1 □ Centimeter 3 kr., resp. 6 Pf. **Mittheilungen** an das **Präsidium** sind an Herrn **A. Bachofen v. Echt** in Nussdorf bei Wien; die **Jahresbeiträge** der Mitglieder (5 fl., resp. 10 Mark) an Herrn **Dr. Karl Zimmermann** in Wien, I., Bauernmarkt 11; **Mittheilungen** an das **Secretariat**, ferner in Administrations-Angelegenheiten, sowie die für die **Bibliothek** und **Sammlungen** bestimmten Sendungen an Herrn **Dr. Leo Pribyl,** Wien, IV., Waaggasse 4, zu adressiren. **Alle redactionellen Briefe, Sendungen etc.** an Herrn **Ingenieur C. Pallisch in Erlach** bei Wr.-Neustadt zu richten. **Vereinsmitglieder beziehen das Blatt gratis.**	1892.

Zur ornithologischen Durchforschung des mährisch-schlesischen Gesenkes.

Von **Václav Čapek.**

Im Juli 1887 und im August 1890 durchstreifte ich einige Tage das genannte Gebirge, um dessen ornithologische Verhältnisse kennen zu lernen. Die Ergebnisse der beiden Besuche theile ich hier mit.

Es ist freilich nicht viel, was ich biete. Einestheils war mein Verbleiben im Gebirge nur auf kurze Zeit bemessen, und zweitens war die vorgerückte Jahreszeit zu Beobachtungen nicht ganz günstig; zu ornitho-faunistischen Studien ist nun einmal die Brutzeit geschaffen, das andere ist blosse Nachlese. Mein Beruf als Lehrer erlaubt mir jedoch nicht aus West-Mähren in's Gesenke zur Brutzeit zu kommen. Ich hoffe jedoch, dass ich selbst diese kleine Arbeit nicht nutzlos unternommen habe und bemerke zugleich, dass ich mehrere Angaben den Mittheilungen von drei verlässlichen Forstleuten verdanke.

Zuerst halte ich es für nothwendig, eine kurze Schilderung des ganzen Gebietes vorauszuschicken, um den Leser mit den natürlichen Existenzbedingungen der einzelnen Arten bekannt zu machen.

I. Theil. Schilderung des Gebietes.

1. **Allgemeine Lage.** Unter dem Namen „das Gesenke“ versteht man den östlichsten Theil des Sudeten-Gebirgs-Systemes auf der Grenze zwischen Mähren und dem Oppalande.

Es ist in jeder Hinsicht a) das Hochgesenke und b) das Niedergesenke zu unterscheiden.

Vom ornithologischen Standpuncte kann uns heute blos das Hochgesenke durch seinen eminent montanen Charakter interessiren, indem das Niedergesenke ein flaches, hie und da mit niedrigen (400—640 m) Rücken und Kuppen durchzogenes Hügelland bildet. Es ist auch geologisch vom Hochgesenke verschieden, da es aus Devon- und Kulmgebilden zusammengesetzt ist, indem das Hochgesenke dem Urgebirge (meist Gneis, auch Glimmer- und Urthonschiefer) angehört.

Der Gebirgsknoten des Spieglitzer (Glatzer) Schneeberges, der sich in der nordwestlichen Ecke des mährischen Nordens erhebt, kann mit vollem Rechte in unsere Abhandlung aufgenommen werden, da er ein Verbindungsglied zwischen den böhmischen Sudeten und dem Gesenke bildet, und da seine Verhältnisse mit denen des Hochgesenkes identisch sind.

2. Der Hauptrücken des Hochgesenkes. Das Hochgesenke beginnt am mährischen Boden etwa am 50° n. B., und zwar mit dem Berge Backofen, 7 km (immer wird Luftlinie gemeint) östlich von der Endstation der mährischen Grenzbahn Zöptau. Von hier zieht sich der Hauptrücken 7 km in nordöstlicher Richtung auf die Hohe Haide, wo er die schlesische Grenze erreicht, wendet sich hier in etwas stumpfem Winkel gegen Nordwest, um sich unter dem Hochschar — 17 km von der Hohen Haide — in den Ramsauer Sattel zu senken.

Die etwas isolirte Kuppe des Spieglitzer Schneeberges erhebt sich 19 km westlich vom Hochschar. Zwischen diesen beiden Bergen ziehen sich längs der Landesgrenze in mehreren Krümmungen (gegen Norden) vollständig bewaldete Rücken mit einigen Kuppen von 1000—1130 m Höhe.

Der ganze Gebirgszug fällt mit der europäischen Hauptwasserscheide und mit der Landesgrenze von Mähren zusammen. Hier sind auch die höchsten Bergriesen der beiden Kronländer zu suchen. Es sind dies der Reihe nach: der Backofen 1312 m, die Schieferhaide 1355, der Hirschkamm 1366 m, Mai-Berg 1381, Heiligenhübl 1422, Hohe Haide 1464, Peterstein 1446 (bisher ist es die sogenannte Janowitzer Haide), der Altvater 1490 — also die grösste Erhebung — der Leiterberg 1367, Gr. See-Berg 1304, Kl. See-Berg 1194, Keilig-Berg 1170, der Rothe Berg oder Bründl-Haide 1333, Fuhrmanstein 1377, Kepernik 1424, Hochschar 1351, endlich der Sp. Schneeberg 1422. Zu diesem Hauptrücken gehört noch die „Wiesenberger-Haide“ (mit dem Ameisenhübl 1343), welche sich vom Mai-Berge in nordwestlicher Richtung abzweigt. — Die übrigen Seiten- und Querrücken fallen recht steil in beide Länder ab, sind niedriger und ganz bewaldet.

Die sehr zahlreichen Bäche und Quellen des Hochgesenkes werden auf mährischer Seite durch die March, auf der schlesischen durch die Oder vereinigt. In Mähren sind es: die March selbst, die am Schneeberge entspringt, der Graupa- und der Mittelbordbach, der Tessfluss mit dem Merta-Bache. Im Oppalande verdienen die Mohra, Oppa und Biela Erwähnung.

3. Der Charakter des Hauptrückens. Der Rücken des Hochgesenkes ist recht gleichmässig hoch (1200—1490) und hat keine tiefen Einsenkungen (die tiefste hat 1011 m Höhe). Die Abfälle des Hauptkammes sind sehr steil, die Scheitel sind jedoch mässig abgerundet, oft mit weiten Gras- und Moos- bewachsenen Flächen — ein Merkmal dieses Gebirges.

Die ornithologisch wichtigsten Localitäten des Hauptkammes sind: a) die obersten Wälder und Dickichte, b) die Grasflächen, c) die Sümpfe und Moore, d) die Felsenpartien.

Ad a. Die Lehnen und niederen Kuppen sind gänzlich bewaldet. Der dominirende Baum ist die Fichte. Etwas tiefer, jedoch auch bis 1000 m hoch, gibt es auch herrliche Rothbuchenbestände, z. B. längs der Merta, im Tessthale, um den Schneeberg etc.; auch die Tanne ist bis 1000 m stark verbreitet; hie und da sind auch Lärchen zu sehen, indess die Eberesche stellenweise bis 1300 m in strauchartigen hohen Gruppen zu sehen ist.

Die Baumgrenze (bei der Fichte) zieht sich etwa in einer Höhe von 1330 m. In den obersten Lagen ist natürlich die Fichte schon verkrüppelt und niedrig. So befinden sich zu beiden Seiten der Grasflächen Partien vom verkrüppelten Fichtengestrüppe, welche hier die Knieholzdickichte des Riesengebirges vertreten. Solche Zwergfichten mit meist abgestorbenem Gipfel, mit dichten, bis zum Boden sich neigenden Aesten, werden hier „Rauzen“ genannt. — Stellenweise stösst man auf sehr alte, ganz abgestorbene lichtgraue Fichtenstämme mit verwitterten geneigten Aesten, z. B. bei den Quellen der Weissen Oppa, besonders aber ist ein solcher bizarrer Bestand bei „Drei Grenzen“ unter dem Kepernik zu sehen; ganz zutreffend werden solche Stämme „Leichen“ geheissen. — Das Knieholz (Pinus pumilio) sah ich blos als junge Aufforstungen, und zwar am Kepernik und Hochschar, neulich auch auf der schlesischen Seite des Altvaters und des Leiterberges.

Ad b. Die Grasflächen (Wiesen, Haiden) sind auf dem Kamme von Backofen bis auf den Leiterberg in einem zusammenhängenden Gürtel ausgebreitet. Ausserdem sind sie noch wie Inseln auf den Scheiteln anderer Kuppen isolirt; hieher gehören: der Schneeberg mit seinem weiten Scheitel, der Ameisenhübl, der Kepernik, mit kleinen Felsenpartien, der Hochschar und theilweise der Rothe Berg.

Die Wiesen selbst sind grösstentheils trocken und mit kurzem, wie dürrem gelblichen Grase bedeckt; dieses ist jedoch mit verschiedenen alpinen Pflanzen geschmückt; auch die Moose (Cetraria Cladonia) sind stark verbreitet. Häufig, besonders in der Nähe von Zwergfichten sind dichte Gruppen von Heidelbeeren (Vaccinium, dazu tritt auch Linnaea borealis und Salix herbacea). In geschützten Lagen begegnet man der üppigsten Gebirgs-Vegetation, z. B. am Ursprunge der W. Oppa, im „Kessel“ etc.

Ad c. In flachen Sätteln (z. B. zwischen dem Peterssteine und dem Altvater, dann um den Heiligenhübl, bei den „Drei Grenzen“), sowie auf einigen flachen Stellen des Rückens selbst (vom Altvater zum Leiterberge, auf den „See-Bergen“) entstehen Wasseransammlungen und dadurch Sümpfe und Moore mit reicher Moosvegetation auf dem zitternden Boden; an solchen Stellen sind immer Gruppen von Fichten strauch- oder baumartig zu sehen.

Ad d. Auf einigen Stellen befinden sich ornithologisch beachtenswerthe Felsenpartien, die jedoch mit den riesigen Steinhalden und Kuppen des Riesengebirges nicht zu vergleichen sind. Die grössten darunter sind: eine Steinhalde am südwestlichen Abhange des Schneeberges; die auf dem Scheitel des Fuhrmannsteines emporragende Felsenmasse; der schmale und schroffe Bärenkamp und in dessen Nähe die zerklüfteten Felsenwände im „Wilder-Steingraben", beides vom Altvater zum Tess-Thale; der sagenhafte, 11 m hohe Felsenblock am Gipfel des Peterssteines mit Dr. Kolenati's Gedenktafel; die Felsen tief im „Mönchschachtgraben" bei der Tessquelle; eine steinige Partie auf der Schieferhaide etc.

Temperatur. Was diese anbelangt, erwähne ich nur Folgendes. Die Niederschläge sind sehr bedeutend; die mährische Seite ist günstiger als die schlesische, wo besonders im Winter der kalte „polnische" Wind die Temperatur herabdrückt. Im Mai, selten später, verschwinden auch die letzten Spuren von Schnee und Eis. Die wenigen Gasthäuser werden vom April bis October bewohnt; nur drei Gebirgswohnungen werden auch im Winter nicht ganz verlassen.

Literatur. Ornithologisch wurde das Gesenke noch wenig erforscht. Ausser einigen älteren Arbeiten, die sich auch theilweise auf unser Gebiet erstrecken (von Kaluza, Gloger, Ens etc.), sind blos zwei Forscher für uns von Wichtigkeit: 1. Joh. Spatzier, Apotheker zu Jägerndorf, der das Gesenke ornithologisch durchforschte und ein „Verzeichniss mit Bemerkungen" in den „Mittheilungen der k. k. mähr.-schles. Gesellschaft zur Beförderung des Ackerbaues, der Natur- und Landeskunde" 1831 et 1832 veröffentlichte; 2. Dr. Fried. Kolenati, Professor in Brünn, ein gründlicher Forscher, der jedoch kein Ornitholog war. Seine für uns wichtige Arbeit ist die „Naturhistorische Durchforschung des Altvatergebirges" in denselben „Mittheilungen" pro 1858. — Ich kenne nur diese zweite Arbeit im Auszuge.

(Fortsetzung folgt.)

Einige Notizen zur Ornithologie Böhmens.

Von **Ph. C. Dalimil Vladimír Vařečka.**

(Fortsetzung.)

Im Jahre 1878 ein Exemplar bei Protiwin erlegt laut der Zeitschrift „Háj" (Hain).

Im Jahre 1880 wurde zwischen Putim und Smrkowitz vom Piseker Bürger Herrn Otto ein Stück geschossen, in dessen Magen Reste vom Igel sich befanden (laut Zeitschrift „Otavan").

Im Jahre 1885 bekam Herr Mathyásko in Pisek ein auf dem Berge Mehelnik erlegtes Exemplar zum Ausstopfen und ein anderes, das bei Kloub unweit Vodňan geschossen wurde. Desselben Jahres bekam der Herr Mathyásko noch vier andere Exemplare zum Ausstopfen, die alle in der Umgegend von Pisek, und zwar bei der Burg Zvikov (Klingenberg), im Mlaker Revier, beim Teufelsgraben (Čertova Strouha) und auf dem Berge Provazec erlegt wurden.

Im Jahre 1888 wurden nach dem Jagdausweise (vom Jahre 1889) zwei Exemplare, bei Šerkov und bei Spole auf der Vorliker Herrschaft erlegt. Desselben Jahres wurden vom Herrn Mathyásko zwei Exemplare ausgestopft, von denen das eine bei Podolsko an der Moldau, das andere im Hůrkaer Revier bei Pisek erlegt wurde. Nach Angabe des Herrn Försters Vojta wurde dieser Vogel dieses Jahr auch auf dem Gipfel des Skočitzer Berges bei Vodňan horstend getroffen.

Im Jahre 1889 wurde ein Stück bei Vorlik erlegt und ein anderes im Radaner Revier horstendes Exemplar vom Herrn Vojta belauert, aber nicht erlegt.

Im Jahre 1890 nistete diese Eule nach Angabe des Herrn Forstadjunkten Ledninský bei Roth-Oujezdec unweit Pisek.

Im Jahre 1891 kam den beiden Ausstopfern in Pisek kein Exemplar zum Präpariren zu, und ist mir auch nicht gelungen, verlässliche Angaben über die diesjährige Erscheinung dieses Vogels im Piseker Gebiete zu erbringen. Ausser diesen nachgewiesenen Daten kommen mir noch versicherte Berichte zu, dass der Uhu schon seit vielen Jahren auf den Bergen Mehelnik (624 m. H.) und Matka (571 m. H.) alle Jahre horste. Im Monate April hören die Forstwarte dort zur Zeit seiner Paarung bald sein klägliches Gestön und trauriges Wehklagen, bald sein gespenstiges Gejauchze. Solche wehklagende, schauerlich durch das nächtliche Dunkel erschallende Töne und ängstliches Nothgeschrei vernahm auch ich, als ich im Jahre 1888 in einer mondhellen Nacht von Moldau-Teyn nach Pisek durch die tiefen Piseker Waldungen meinen Weg verfolgte, und zwar war es auf dem Berge Němec (577 m. H.), wo mich diese einem menschlichen Weherufe so sehr ähnlichen Töne nicht wenig erschreckt hatten.

Picus medius. L. Kommt hier als Nest- und Standvogel, obwohl nur spärlich vor. — Im Jahre 1891 wurde ein bei Pisek erbeutetes Männchen vom Herrn Matouš ausgestopft. — Auch im Příbramer Gebiete kommt er nur selten vor.

Picus canus. L. Gehört ebenfalls zu den selteneren Erscheinungen im Piseker und Příbramer Gebiete. Im Jahre 1891 bekam Herr Mathyásko ein auf dem Berge Hradišt bei Pisek geschossenes Exemplar zum Ausstopfen. Auch das Piseker Gymnasium besitzt ein bei Pisek erlegtes und von Herrn Mathyásko ausgestopftes Exemplar.

Jynx torquilla. L. Ist hier als Zugvogel wohl bekannt. Kommt im April an und zieht im September, zuweilen auch schon im August, fort. Die letzten mir bekannten Exemplare wurden im Jahre 1891 bei Putim und Mladějowitz unweit Cehnitz erbeutet. Desselben Jahres wurde er bei Čišť unweit Čejtitz nistend beobachtet. — Ein Ei aus diesem Gelege besitze ich in meiner Sammlung.

Upupa epops. L. Ist im Piseker und Příbramer Gebiete ein seltener Nistvogel. Kommt im April, zuweilen schon Ende März an, und zieht im October fort. Im Jahre 1891, im Monate August, wurde ein Stück bei Radobytce unweit Mirotitz und ein anderes Stück bei Zátaví unweit Pisek geschossen, dann wieder im Monate September ein Exemplar bei Pisek und ein anderes bei Ostrovec erbeutet. Bei Čišť im Mladějowitzer Walde wurde er im Jahre 1885 in einer hohlen Weide nistend getroffen. Ein in Čišť unweit Čejtitz 1891 erlegtes Exemplar besitzt Herr Zita in seiner Sammlung.

Masse der von mir gemessenen Raubvögel.

Namen	Totallänge	Flugweite	Flügellänge	Schwanzlänge	Länge des mittleren Fingers mit Kralle	Länge der Kralle	Länge des hinteren Fingers mit Kralle	Länge der Kralle	Schnabellänge	Schnabelhöhe	Ohrenlänge	Bemerkung
	in Centimetern											
Falco communis, L.	49	—	28	17	7·5	2·5	5	2·5	3·5	2	0	♂ ad.
Falco subbuteo, L.	40	—	27	13·5	5	1	2·5	1	2	1·5	0	♂ ad.
Falco aesalon, Tunst.	30	—	20	11·5	4	1	2	1	1·5	1	0	♂juv.
Falco apivorus, L.	61	125	39	25	5·5	1·5	4·5	3	4	2·5	0	♂juv.
Astur palumbarius, L.	60	—	32	23	6·5	1·5	5	3	2·5	2	0	♂ ad.
— — —	69	130	40	28	8·5	2·5	6·5	4	4	2·5	0	♂
Circus cinerascens, Mont.	45	—	36	24	5 8	1·8	3·8	2	2·5	1·5	0	♂juv.
Syrnium uralense, Pall.	66	—	37·5	28	5	3	4	2·5	4	3·5	0	♂
Strix flammea, L.	39	—	28	10	3·5	2	2·5	1·5	3	1	0	♂ ad.
Brachyotus palustris, Forster,	44·5	—	34	16·5	4·5	2	3	1·7	2·6	2·5	2·2	♂ ad.
— — —	36	—	32	15	4	1·5	2·8	1·5	1·8	2	1·5	♂juv.

Caprimulgus europaeus, L. Ist hier und bei Přibram allgemein als Nistvogel bekannt. Kommt im April an und zieht im October fort. Im Jahre 1891 wurde eine Nachtschwalbe, ♂ ad., im August, 5 Uhr Abends, vom einem Schwarm Krähen und Dohlen vom Thurme der Dechanteikirche in Pisek zur Erde niedergeschlagen. Jämmerlich zugerichtet wurde dieses Stück dem Herrn Mathyásko überbracht, der es mir zu Handen kommen liess. Totallänge: 30 cm, Flügelweite: 60 cm, Schwanzlänge: 14·5 cm — Im Jahre 1891, im Sommer, wurde er bei Zásmuk erlegt. Nach Angabe des Herrn L. Fencl kommt dieser Vogel in der Umgegend von Kolin nur spärlich vor.

Coracias garrula, L. Ist im Piseker Gebiete ein constatirter, obwohl nur selten erscheinender Nistvogel, der unter dem Volke unter dem Namen Blauvogel (modrák) bekannt ist. Kommt im April, zuweilen erst Aufangs Mai an und zieht im September fort. Ein im Jahre 1891 unweit Záhoří erlegtes Exemplar (♂ ad.) besitzt der Herr Pfarrer in Záhoří unweit Pisek. Desselben Jahres wurde bei Sedlitz ein anderes Stück (juv. ♂) erlegt. Beide Stücke wurden vom Herrn Mathyásko ausgestopft, der das bei Sedlitz erlegte Exemplar noch in seiner Sammlung bewahrt. Im Přibramer Gebiete ist die Mandelkrähe als Nistvogel noch nicht sichergestellt. Dem Herrn Jelínek sind aus der dortigen Gegend nur zwei erbeutete Exemplare bekannt, eines aus der Gegend von Dobříš im Jahre 1880 und das andere aus der Umgegend von Přibram im Jahre 1887.

Nucifraga caryocatactes, L. Dieser im Piseker, Přibramer und Netolitzer Gebiete seltene Gast wurde in der Piseker Gegend zuerst im Jahre 1852 beobachtet, in welchem Jahre dem Herrn Mathyásko mehrere Stücke zum Ausstopfen eingeliefert wurden. Das erste Exemplar davon, das bei Pisek auf dem St. Wenzels-Felsen erlegt wurde, hatte derselbe im Jänner erhalten.

Nachher wurde dieser Vogel in den Jahren 1860, 1866, 1869, 1870, 1880, 1882, 1884—1890 bei Pisek mehr oder weniger beobachtet und auch erlegt (meist nach den Verzeichnissen des Herrn Mathyásko und Herrn Matouš). — Häufiger wie je erschien er in den Jahren 1884—1888. Bei Pisek trat er immer in den ausgedehnten Nadelholzbeständen auf, wo gleichwohl keine Zierbelkiefern vorkommen. Hier sei auch des auffallenden Umstandes erwähnt, dass Herr Mathyásko den Tannenheher auch im Monate Juni einigemale erhielt; eines dieser Sommer-Exemplare wurde im Jahre 1886 von ihm für das Gymnasium in Pisek präparirt. In den Jahren 1886 und 1887 wurde er in den Piseker Wäldern so häufig beobachtet und auch erlegt, wie nach Angabe der Förster nie zuvor. Auch bei Přibram wurden im Jahre 1887 zwei Stücke erlegt, eines bei Neu-Knin, das andere bei Milin. Im Süden des Piseker Gebietes, gegen die Vorberge des Böhmerwaldes scheint dieser Vogel nur sehr spärlich vorzukommen. So wurde er in der Gegend von Netolitz nach Angabe des Herrn Fachlehrers H. Kozák von den Jahren 1880—1891 nur einigemal von dem genannten Herrn Lehrer präparirt, aber vielemal beobachtet. Die im Kabinete des k. k. Gymnasiums und der k. k. Realschule befindlichen drei Exemplare sind aus der Piseker Umgegend.

Muscicapa atricapilla L. Im Piseker Gebiete ein seltener Nistvogel, kommt im Mai an und zieht im September fort. Im Přibramer Gebiete ebenfalls selten. Ein in Čišťden 15. Juni 1891 unweit Cejtitz ausgehobenes Ei dieses Vogels besitze ich in meiner Eiersammlung.

Orts- und Jahres-Angabe der Erscheinung des Tannenhehers im Pisker Gebiete vom Jahre 1852—1891

	1852	1860	1866	1869	1870	1876	1880	1882	1884	1885	1886	1887	1888	1889	1890	1891
Albrechtitz bei Moldau-Tein		—							—		—					
Alt-Dobew bei Pisek							—	—					—			
Alt-Sattel bei Vorlik										—		—				
Audraž bei Protiwin					—						—					
Bor (Einschichte) b. Křeschťowitz														—		
Březnitz								—			—					
Berg Mehelnik b. Klouk unw. Pisek							—					—				
— Kamejk b. Vondřichow unw. Pisek											—			—		
— Kuřidlo bei Strakonitz			—	—							—					
Bernatitz										—					—	
Cerhonitz bei Mirotitz											—					
Čižowa bei Pisek	—				—						—					
Čižť bei Čejtitz							—								—	
Čimelitz					—											
Čerwená bei Ober-Záhoři									—	—					—	
Dobeschitz bei Pisek									—				—			
Drahonitz bei Vodňan							—									—
Drhowel bei Pisek	—						—				—	—				
Helfenburg-Ruinen b. Taurow							—		—					—		
Heřmaň bei Pisek							—									
Horaždowitz		—			—										—	
Humňan bei Heřmaň					—		—								—	—
Chlaponitz bei Čižowa									—		—					
Gold-Berg bei Heřmaň							—					—		—		
Klouk bei Pisek							—			—		—				
Kranitz bei Barau											—				—	
Křešťowitz bei Pisek										—				—		
Mirowitz					—								—			
Mladotitz bei Čižowa							—				—					
Mlaka-Dorf bei Klouk						—				—						
Mlaka-Einschichte bei Mladotitz											—					
Markowec-Teich unweit Mladotitz							—				—					
Nepodřitz bei Pisek							—				—					
Neu-Sattel bei Pisek									—		—				—	
Oslaw bei Záhoři							—				—	—				
Ober-Záhoři unweit Pisek	—								—	—						
Pisek	—	—	—	—	—		—	—	—		—	—		—		—
Podolsko a d Fl. Moldau b. Bernatic								—	—	—					—	
Protiwin					—		—				—					
Putim unweit Pisek											—	—				
Ražitz bei Putim					—						—				—	
Skočitzer Berg bei Vodňan							—	—					—			
Semitz bei Pisek				—					—							
Smrkowitz bei Pisek							—					—				
Strakonitz		—					—		—	—	—	—				
Střela-Ruinen bei Strakonitz											—	—				
Strunkowitz								—				—				
Taurow bei Barau							—							—		
Varwaschau												—	—			
Vodňan		—			—					—	—	—		—		
Volyň			—						—							
Vondřichov bei Pisek								—			—					
Vorlik am Flusse Moldau					—			—		—		—		—		
Vrcovitz bei Pisek										—					—	
Unter-Záhoři									—					—		
Zátaw bei Pisek						—							—			
Zbenitz bei Milin		—									—					
Ždákow bei Vorlik	—							—								
Žichowetz bei Strunkowitz								—				—				—

Muscicapa albicollis, L. Ist im Piseker Gebiete noch seltener als der schwarzrückige Fliegenschnäpper. Nistet regelmässig bei Čišť und erscheint gleichzeitig mit dem vorigen.

Auch von dieser Art besitze ich ein ebenfalls bei Čišť d. 25. Juni 1891 ausgenommenes Ei.

Lusciola rubecula, L. Im Jahre 1891, 14. October nach 10 Uhr Nachts erschien über Pisek ein Schwarm von einigen Tausend Rothkehlchen auf ihrem Durchzuge. Angelockt von den electrischen Bogenlampen der Stadt flogen sehr viele dem Stadtplatze zu, wo sie die drei Bogenlampen im wilden Reigen umkreisten. Einige stiessen an die Lampenschirme oder an deren Leitungsdrähte so heftig an, dass sie betäubt oder auch todt auf's Pflaster niederfielen; andere gleich als ob vom electrischen Lichte geblendet, senkten sich nieder und drangen nahe der Erde unstät umherflatternd in die beleuchteten Hausfluren oder flogen auch auf die ebenerdigen lichten Fenster. Viele von diesen wurden gefangen; der Herr Präparator Mathyásko fing selbst drei, und drei andere todte bekam er noch diesen Abend zum Ausstopfen. Nach der Aussage dieses Herrn war dieser Rothkehlchen-Schwarm so dicht, dass davon sogar das electrische Lampenlicht weilenweise verfinstert wurde. Dabei erscholl durch die Stille der Nacht ein durchdringendes Gezisch und sausendes Gesumme. (Schluss folgt.)

Einige ornithologische Reise-Erinnerungen.

Von Jul. Michel.

(Fortsetzung.)

Gegen 1 Uhr musste ich mich endlich entschliessen, die Besichtigung zu beenden, da die Zeit der Weiterreise heran nahte. Die Sammlung hatte mich in hohem Grade befriedigt, und nachdem ich noch die 10 grossen Gemälde von Hamilton (1710), welche verschiedene Jagdscenen, als: Sauhatz, Bärenjagd etc. in grossartiger, meisterhafter Weise zur Darstellung bringen und einen Werth von ca. $1^1/_2$ Millionen Gulden besitzen sollen, einer eingehenden Betrachtung unterzogen, schied ich mit herzlichem Danke von dem so zuvorkommenden Custos, Herrn Hönig.

Nach einer kleinen Wanderung durch das mit schütterem Laubwald bestandene Gelände gelangte ich auf die Bahn-Station Frauenberg, von wo aus ich bald in Budweis anlangte. Die bis zum Abgange des nächsten Zuges sich ergebende freie Zeit wurde zu einem kleinen Spaziergange durch die Stadt benützt. Sodann ging es in der Richtung gegen Linz weiter. Die Bahn, welche einigemale die historischen Trümmer der ersten Pferdeeisenbahn von Budweis nach Linz kreuzt, führt durck kleinere, malerische Thäler und bietet viel Abwechslung. Es war schon ziemlich spät, als wir in Linz anlangten. Der nächste Tag, der 2. August, war der Besichtigung des Museums, der Stadt und ihrer nächsten Umgebung gewidmet.

Die Morgenstunden benützte ich zu einem Ausfluge auf dem nahe der Stadt gelegenen Freimberg, von dem sich eine prächtige Rundsicht auf Linz und die Donau bietet. Unterwegs hörte ich in einem Garten den Fitissänger (Phyll. trochilus). Am Berge selbst traf ich Pirole, einen noch seine Jungen fütternden grauen Fliegenfänger, Rothkehlchen, Meisen und dergleichen gewöhnliche Vögel.

Später besuchte ich das Museum. Die Sammlungen des Francisca-Carolinum befanden sich noch in dem alten Gebäude. Nach flüchtiger Besichtigung der hochinteressanten Hallstädter Funde und anderen werthvollen Alterthümer nahm ich die zoologische Abtheilung in Augenschein, und zwar besonders die Vogelsammlung. Dieselbe enthält eine ziemliche Anzahl aus Oberösterreich stammender Seltenheiten, über welche mir leider der Diener keinen Aufschluss geben konnte. In Folge der etwas düsteren Räumlichkeiten (die Sammlung war eigentlich an diesem Tage gesperrt und wurde nur partiell erleuchtet) und der meist alterthümlich aussehenden Präparate machte die Sammlung keinen so freundlichen Eindruck auf mich. Eine hübsche Eiersammlung war in kleinen Nestchen aus Werg untergebracht.

Die noch übrigen Nachmittagsstunden konnte ich nicht ausnützen, denn die Hitze war zu einer solchen Höhe gestiegen, dass ich unfähig war, etwas zu unternehmen. Der Abendzug brachte mich nach Salzburg, wo ich noch in später Abendstunde Gelegenheit fand, in den unterschiedlichen „Tigern, Lämmern, Rössern und dgl.“ eine Wohnungssuche abzuhalten. „Alles besetzt!“ schien das Schlagwort zu sein, und ich war herzlich froh, endlich in einer stillen Gasse ein Unterkommen zu finden.

Frühzeitig ging es aus den Federn, denn es galt, die für Salzburg so kurz bemessene Zeit von einem Tag ordentlich auszunützen. Das bisher so herrliche Reisewetter schien mich nun im entscheidenden Momente im Stiche lassen zu wollen, denn trüb und düster blickte der Himmel, der Geisberg hatte noch seine Nachthaube auf und ab und zu kam ein kleiner Spritzer. Doch „freut euch des Lebens, so lange der Regen nicht kannenweis' giesst“, dachte ich mir und stieg frisch den Kapuzinerberg empor. Der schöne Buchenwald war wie ausgestorben. Nachdem ich den herrlichen Anblick über die Stadt genossen, besuchte ich die Feste Hohensalzburg.

Leider war die Fernsicht bereits eingeschränkt.

Dann wurde die Stadt durchstreift, vor allem der alterthümliche Kirchhof zu St. Peter besichtigt, ein Gläschen im Peterskeller genehmigt und hierauf das Museum aufgesucht.

Die ornithologische Sammlung ist wohl klein, weist aber dafür fast ausschliesslich sehr hübsche Präparate auf, wie man sie in wenig Museen trifft.

Ich notirte mir folgendes:

2 Gyps fulvus — Brauner- oder Gänsegeier; 1 Gypaëtus barbatus — Bartgeier; Erythropus vespertinus — Rothfussfalke; mehrere Aquila fulva — Steinadler; 1 Circaëtus gallicus — Schlangenadler; 2 Syrnium uralense — Ural-Habichtseule — Athene passerina — Sperlingskauz; Scops Aldrovandi — Zwergohreule; 3 Merops apiaster — Bienenfresser; 3 Loxia pityopsittacus — Kiefernkreuzschnabel (♀); 7 Accentor alpinus — Alpenbraunelle; 3 Emberiza cia. — Zippammer; 1 Emberiza hortulana — Garten-

ammer; Tichodrama muraria — Alpenmauerläufer; Corvus corax — Kolkrabe; Pyrrhocorax alpinus — Alpendohle; Pyrrhocorax graculus — Alpenkrähe; Monticola saxatilis — Steindrossel; 1 Pastor roseus — Rosenstaar; Muscicapa aurila — Ohrenschmätzer; Montifringilla nivalis — Schneefink; Lagopus alpinus — Alpenschneehühner mit Jungen; Ciconia nigra — schwarzer Storch; 1 Hirundo rustica — Dorfschwalbe, rein weisses Exemplar.

Die meisten Exemplare sind von dem Schuldiener Claushofer hergestellt worden.

Die Eiersammlung ist ein Geschenk Victor von Tschusi.

Ueber die schöne culturhistorische Sammlung des Salzburger Museums zu sprechen, ist hier nicht der richtige Ort, nur so viel sei erwähnt, dass das ganze Museum mit einen Glanzpunkt meiner Reise bildet.

Dass ich den obenerwähnten Präparator mit aufsuchte, ist wohl ganz erklärlich. Ich fand in ihm einen lieben, freundlichen Herrn, und es freute mich daher wirklich, als ich denselben einige Tage später in Wien noch einmal traf.

Hierauf lenkte ich meine Schritte nach dem Schlösschen Mirabell, um die dort befindliche Vogelhandlung einer kleinen Besichtigung zu unterziehen. Ausser 1 Gänsegeier, 1 Merlin (Hypotr. aesalon), mehrere Bussarde, 1 Alpendohle und einige Eulen waren nur die gewöhnlichsten einheimischen Sänger, wie Gimpel, Zeisig etc. nebst einigen Entenarten in einer Voliere vertreten. Einige Papageien und eine grosse Zahl von Prachtfinken bildeten die exotischen Vertreter der Vogelwelt.

(Fortsetzung folgt.)

Bibliographisches über die „Schwalbe" (Mittheilungen des ornithologischen Vereines in Wien).

Von Dr. Paul Leverkühn.

Gelegentlich eines Besuches in Wien im April 1892, bei welchem ich aus den Restbeständen früherer Jahrgänge unseres Vereinsorganes mein Exemplar vervollständigte, fiel mir ein, im Interesse anderer Vereinsmitglieder, welche vielleicht den gleichen Wunsch hegen, zusammen zu stellen, was bisher von dem unter so verschiedenem Regime verwalteten Blatte erschienen ist, um eine solche Arbeit zu erleichtern, zumal auch bislang ein General-Index zur „Schwalbe" fehlt; es ist nicht ausgeschlossen, dass ich, wie ich ein solches Nachschlagebuch für die „Ornithologische Monatsschrift" (Band I—XII und in Arbeit: Band XIII—XVIII) verfasste, auch für die „Schwalbe" ein Gesammt-Register mit Aufführung aller Autoren, aller Arbeiten und aller Arten aufstellen werde, um den Gebrauch der ganzen Serie der inhaltsreichen Zeitschrift zu erleichtern.

Dem eigentlichen Hauptblatte giug ein Vorläufer unter dem Titel: Ornithologischer Verein in Wien / — / Mittheilungen des Ausschusses / an die Mitglieder, welche am 26. April 1876 mit Nr. 1 begann (in 4°. Nr. 1 1. S. Nr. 2, 29. Mai 7 S. Nr. 3, 12. Juli 7 S. Nr. 4. 7. November 7 S. nebst: Nachtrag zur Nummer 4 / der / etc. / 1. December 1 S. alles unpaginiert bis hieher; Nr. 5. 5. Jänner 1877 12 S Nr. 6, 24. Februar. Mehr als 8 S. [nur 8 Seiten gesehen]. In der letzten Nummer (6) wurde das Erscheinen der Mittheilungen des Vereines angekündigt.

Die Zeitschrift „Mittheilungen (Vignette: eine fliegende Schwalbe) des / Ornithologischen Vereines in Wien. / Blätter für Vogelkunde, Vogelschutz und Pflege" trat im Januar 1877 in's Leben, vom ornithologischen Vereine herausgegeben, wie seitdem ohne Unterbrechung*) und redigirt von August von Pelzeln und Dr. Carl von Enderes; aus der Redaction schied im October 1880 Dr. C. v. Enderes aus und Herr v. Pelzeln führte dieselbe allein weiter (seit Nr. 10, 1880 allein als Redacteur genannt, ebenso auf den Titel allein) bis März 1882, zu welcher Zeit er die Präsidentschaft über den Verein und die Redaction der Zeitschrift wegen überhäufter Berufsgeschäfte niederlegte. Nunmehr leiteten (Nr. 3, 1882) für kurze Zeit Joseph Kolazy und Aurelius Kermenic die Redaction, von denen ersterer schon nach Monatsfrist mit Eduard Hodek (sen.) tauschte (seit Nr. 4, 1882) und letzterer wiederum nach vier Monaten mit Dr. Gustav von Hayek wechselte (seit Nr. 9, 1882), welcher zusammen mit Kermenic das Amt des Redacteurs bis November 1883 führte (seit Nr. 11, 1883 und auf dem Titel von 1883, G. v. Hayek allein) und von dann an allein.

Im Juni des Jahres 1884 trennte G. v. Hayek von den eigentlichen ornithologischen Mittheilungen ein Sectionsblatt ab, unter folgendem Titel: „Mittheilungen des Ornithologischen Vereines in Wien" (im Halbkreise gedruckt, darunter die alte Titel-Vignette, fliegende Schwalbe, und darunter die Fantasie-Landschaft, welche bisher nur auf den Einzel-Nummern abgedruckt war). Section für Geflügelzucht und Brieftaubenwesen. / Redacteur: Dr. Gustav von Hayek. / Erster Jahrgang, 1884, / — / Auf dem Titel der einzelnen Nummern findet sich der Titel: „Beiblatt / zu den / Mittheilungen des Ornithologischen Vereines in Wien" (Vignette: Schwalbe mit Landschaft). Blätter für Geflügelzucht, Brieftaubensport und populäre Vogelkunde. Als Mitredacteur („unter Mitwirkung von") wird von Nr. 1—18 inclusive genannt: Konrad Goetz, seit Nr 19 als „verantwortlicher Redacteur" G. v. Hayek allein, ebenso auf dem Titel. Der II. und letzte Band des Beiblattes führt auf dem Titel die gleiche Bezeichnung, auf den einzelnen Nummern dagegen: „Mittheilungen des Ornithologischen Vereines in Wien" / Section für Geflügelzucht und Brieftaubenwesen (ohne Vignette). Auch diese Zeitschrift gab der ornithologische Verein heraus, aber sie hatte nur einen Bestand von einem Jahre (Juni 1884 bis Juni 1885); seit dieser Zeit wurden die „Sectionen" wieder zum Hauptblatte vereinigt.

Dr. v. Hayek legte Anfangs April 1886 die Redaction nieder (Nr. 10, 1886) und Othmar Reiser trat an seinen Platz (seit Nr. 11, 1886). Im Titel der Zeitschrift war seit Nr. 7 eine kleine Aenderung eingetreten, insofern als der Charakter der zeitweise abgezweigten Section in dem Haupttitel auf jeder Nummer und auf dem Haupttitel des Bandes auf-

*) Dieser Vermerk fehlt nur auf dem Jahrgange 1889, Band XIII. Lev.

genommen wurde: Blätter für Vogelkunde, Vogelschutz und -Pflege, Geflügelzucht und Brieftaubenwesen. Auf dem Bandtitel steht als Redacteur O. Reiser, welcher aber mit Ende des Jahres die Redaction wieder niederlegte. An seine Stelle trat Dr. Fr. Knauer, unter dessen Regime (bis ultimo 1889) die Zeitschrift für ein Jahr Format und Titel änderte. Aus dem bisher üblichen Quartformat ging sie in das handlichere Octav über und aus dem langathmigen und lästig zu citirenden bisherigen Titel ging jener Name hervor, unter welchem sie gewissermassen familiär und nicht officiell längst in Fachkreisen citirt und bekannt war: „Die Schwalbe" nach der hübschen Titel-Vignette, unter welcher das Blatt bisher seine Wanderungen angetreten hatte. Genau bibliographisch lautete im Jahre 1889 der Titel der Nummern: „Die Schwalbe (/Vignette, die alte in verkleinertem Massstabe) Mittheilungen /des unter dem Protectorate Sr. kaiserl. und königl. Hoheit des durchlauchtigsten/Kronprinzen Erzherzog Rudolf/stehenden/ornithologischen Vereines in Wien./ Blätter für Vogelkunde, Vogelschutz, Geflügelzucht und Brieftaubenwesen"; von Nr. 5 an mit der leider nöthig gewordenen Aenderung des einen Wortes: „stehenden" in „gestandenen". Der Haupttitel lautete: „Die Schwalbe" /—/Mittheilungen / des / ornithologischen Vereines in Wien. / — / Blätter für Vogelkunde, Vogelschutz, Geflügelzucht und Brieftaubenwesen. /—/Somit war der bisherige Ausdruck: „Vogelschutz- und Pflege", in „Vogelschutz" zusammengezogen. Dem Dr. Fr. Knauer folgten im Amte der schon früher an dem Blatte thätig gewesene A. v. Pelzeln und C. Pallisch, welche den nunmehr officiell angenommenen Namen „Die Schwalbe", wenn auch unter dem alten stehend (Mittheilungen etc.) beibehielten, aber die Zeitschrift wieder im alten Quart-Format, sogar noch $1^1/_2$ cm grösser, erscheinen liessen. Nach dem Tode A. v. Pelzeln's (2. September 1891) führte Ingenieur C. Pallisch allein die Schriftleitung (Nr. 17) und seit November (Nr. 20) unter Mitwirkung des Hofrath Professor Dr. v. Claus.

Die Zeitschrift erschien in den ersten Jahren ihres Bestehens monatlich (1877—1884, I—VIII); von Juli 1885 an wöchentlich, nachdem, wie schon bemerkt, sich das „Beiblatt" ebenfalls mit wöchentlichem Erscheinen, von Juni 1884 bis ebenda 1885 abgezweigt hatte. Im X. Jahrgange fand die Ausgabe anstatt vier Mal, zwei Mal monatlich statt, kehrte vom XI. Bande an zum alten Standard von einem Male pro Monat zurück, schwang sich im XIII. Jahrgange wieder zum wöchentlichen Erscheinen auf, um vom XIV. Jahrgange an wieder alle 14 Tage stattzufinden.

In diesen letzten Daten spiegelt sich ein Stück Vereinsgeschichte ab, auf die hier näher einzugehen nicht der Platz ist. Wünschen wir dem Vereine ferneres Gedeihen, gute Redacteure für die „Schwalbe" und Förderung der ornithologischen Wissenschaft in erspriesslichster Weise!

Zum Schlusse gebe ich eine bibliographische Aufzeichnung über die ersten 15 Bände der Zeitschrift.

Bibliographie der „Schwalbe".

I. Jahrgang. In 4°. 1877. Titel, Inhalt, Register, nicht paginirt IV Seiten. Nr. 1 u. 2, 3. u. 4, 5—12 (einzeln). Jänner bis December. 94 Seiten. Ohne Tafeln und Textbilder.

II. Jahrgang. In 4°. 1878. Titel, Inhalt, Register. VI Seiten. Nr. 1—12. Jänner bis December. 124 Seiten. Ohne Tafeln und Textbilder.

III. Jahrgang. In 4°. 1879. Titel, Inhalt, Register. VI Seiten. Nr. 1—12. Jänner bis December. 124 Seiten. Ohne Tafeln. 2 Textbilder auf Seite 113.

IV. Jahrgang. In 4°. 1880. Titel, Register, Inhalt. VI Seiten. Nr. 1—12. Jänner bis December. 92 Seiten. Ohne Tafeln und Textbilder.

V. Jahrgang. In 4°. 1881. Titel, Register, Inhalt. VI Seiten. Nr. 1—12. Jänner bis December. 100 Seiten. Ausserdem Beilage zu Nr. 2 (nicht paginirt), Verzeichniss der Mitglieder des Vereines, 2 Seiten. Ohne Tafeln und Textbilder.

VI. Jahrgang. In 4°. 1882. Titel, Inhalt, Register. IV Seiten. Nr. 1—12. Jänner bis December. 126 Seiten. Ohne Tafeln und Textbilder.

VII. Jahrgang. In 4°. 1883. Titel, Inhalt. IV Seiten. Nr. 1—12. Jänner bis December. 268 Seiten. Mit 3 Karten (zu Nr. 9, S. 184, zu Nr. 10, S. 220, zu Nr. 12, S. 256), 1 farbigen Tafel (zu Nr. 11, S. 230), 2 Textbildern auf Seite 211, 1 auf S. 212, 3 auf S. 213, 1 auf S. 214, 1 auf S. 215, 1 auf S. 216, 1 auf S. 263.

VIII. Jahrgang. In 4°. 1884. Titel, Inhalt. IV Seiten. Personal-Bestand des Vereines 10 Seiten. Nr. 1—12. Jänner bis December. 192 Seiten. Mit 1 Karte (zu Nr. 3, S. 43), 3 farbigen Tafeln (zu Nr. 6, S. 87, zu Nr. 7, S. 104, zu Nr. 11, S. 172) und 4 Textbildern auf S. 8, 9 u. 24 (2).

I. Jahrgang. Section für Geflügelzucht und Brieftaubenwesen. In 4°. 1884. Titel, Inhalt. IV Seiten. Nr. 1—28. 21. Juni, 28. Juni etc. (jeden Samstag) bis 28. December. 220 Seiten. Mit drei Textbildern auf S. 43, 50, 164.

IX. Jahrgang. In 4°. 1885. Titel, Inhalt, IV Seiten. Personal-Bestand des Vereines 16 Seiten. Nr. 1—6, Jänner bis Juli (monatlich), Nr. 7—32, 5. Juli bis 27. December (wöchentlich) 328 Seiten. Mit zwei farbigen Tafeln (zu Nr. 5, S. 323, Aufdruck irrthümlich „VII. Jahrgang 1885" statt „IX. Jahrgang" und zu Nr. 25, S. 240) und 8 Textbildern auf S. 27, 28, 29, 199, 206 (2), 259 u. 261.

II. Jahrgang. Section für Geflügelzucht und Brieftaubenwesen. In 4°. 1885. Titel, Inhalt. IV Seiten. Nr. 1—26. 4. Jänner bis 28. Juni (wöchentlich) 108 Seiten.

X. Jahrgang. In 4°. 1886. Titel, Inhalt, IV S. 3. Jänner bis 7. Februar (wöchentlich), 15. Februar bis 15. December (2 mal monatlich) Nr. 1—27. 324 Seiten. Mit 1 farbigen Tafel (zu Nr. 18, S. 207) und 44 Textbildern auf S. 57 (2), 58, 114, 115 (29 Stück), 116 (10), 117.

XI. Jahrgang. In 4°. 1887. Titel, Inhalt. IV Seiten. Personal-Bestand des Vereines 6 Seiten. 15. Jänner bis December (monatlich). Nr. 1—12. 184 Seiten. Mit 2 Karten (zu Nr. 1, S. 28 u. Nr. 3, S. ?), einer schwarzen Tafel (zu Nr. 6, S. 88) und 3 Textbildern (auf S. 49, 118, 127).

XII. Jahrgang. In 4°. 1888. Titel, Inhalt. IV Seiten. Personal-Bestand des Vereines 6 Seiten.

Jänner bis December. Nr. 1—12. 180 Seiten. Mit schwarzem Vollbilde (S. 163) und 26 Textbildern auf S. 12 (3), 13 (4), 14 (4), 15, 18, 34 (4), 70, 73, 88, 89, 90, 109, 118, 119, 132.

XIII. Jahrgang. In 8°. 1889. (Auf dem Titelblatte steht irrthümlich „XII. Jahrgang".) Titel, Inhalt. XII Seiten 7. Jänner bis 31. December, wöchentlich (nicht ganz regelmässig). Nr. 1—48. 618 Seiten und XIV Seiten Sachregister (auf welchem ebenfalls „XII." statt „XIII." Jahrgang steht). Mit 53 (rectius: 54) Abbildungen, worüber specielles Verzeichniss im „Inhalt", letzte Seite.

XIV. Jahrgang. In 4°. 1890. Titel, Inhalt. IV Seiten Personal-Bestand des Vereines 4 Seiten. 15. Februar bis 31. December (2 mal monatlich). Nr. 1—24 358 Seiten. Mit 11 Textbildern auf S. 44, 56, 96 (2), 97, 198, 199, 255, 265, 331, 352.

XV. Jahrgang. In 4°. 1891. Titel, Inhalt. IV. Seiten. Nr. 1—24. 296 Seiten. Ohne Tafeln und Textbilder.

XVI. Jahrgang. In 4°. 1892. Nr. 1—13. (16. Juli.) Im Erscheinen!

Wien, im April 1892.

Selten im Käfig gepflegte europäische Vögel.

IX. Der Heuschreckenrohrsänger.
(Locustella naevia Bodd.)

Von E. Perzina.

(Schluss.)

Hat sich der Vogel in diesem Käfige eingewöhnt, so lernt er bei verständiger Behandlung bald seinen Pfleger kennen und wird in hohem Grade zahm, so dass er Mehlwürmer und andere Leckerbissen von der Hand abnimmt, ja er kommt sogar um solche bettelnd an's Gitter herangetrippelt so bald er seines Ernährers nur ansichtig wird. Ist der Schwirl im Frühjahre gefangen worden, so wird ihn der innewohnende Paarungstrieb bald zum Singen veranlassen; schön kann sein Lied allerdings wohl kaum genannt werden, denn es erscheint fast wie eine Imitation des Schwirrens der grossen Heuschrecken, klingt ganz so monoton wie dieses, jedenfalls kann aber diese Strophe, nach welcher er ja auch seinen Namen erhalten hat, zu den eigenartigsten Gesangsleistungen eines Vogels gezählt werden, ist durch ihre Eigenart interessant. Der Heuschreckenrohrsänger gehört zu jenen Vogelarten, welche mit Vorliebe ihre Weisen während der stillen Nachtzeit erschallen lassen. Der Frischfang singt, so lange er sich im Käfige noch unsicher fühlt, überhaupt nur des Nachts, wo ihm die Störungen des Tages fern bleiben; zahm geworden, ist er im Vortrage seines Schwirrens geradezu unermüdlich, dann scheint ihm Tag und Nacht gleich zu sein und auf dem Höhepuncte seines Gesangstriebes etwa Ende Mai bis Mitte Juni, scheint er fast gar keines Schlafes zu bedürfen, denn dann kann man in Intervallen von etwa zwei bis drei Minuten aufeinander folgend seinen Gesang fast jederzeit vernehmen. Während des ersten Jahres seines Gefangenlebens singt er meist nur mit halber Tonstärke und nicht lange, indem er gewöhnlich schon Ende Juni pausirt, überwintert beginnt er unmittelbar nach beendeter Mauser, im ersten Jahre oft sogar schon noch während des Federwechsels seinen Gesang und endigt ihn erst Mitte bis Ende August. Höchst eigenartig ist das Benehmen des Schwirls während des Vortrages; eben ist er noch langsam, wie jeden Schritt messend auf dem Käfigboden dahin spaziert, hat zum wer weiss wie viel Hundertsten Male unter ein auf diesem liegendes Steinstück wie nach Insecten suchend gespäht, da plötzlich eine blitzschnelle Drehung des Körpers, eine sprungartige Bewegung, die aber nichts von der Art und Weise an sich hat, mit welcher ein anderer Vogel auf einen erhöhten Gegenstand springen würde, vielmehr an das Emporschnellen einer Feder erinnert und er sitzt auf dem schiefen, fast senkrecht emporsteigenden Springholz, streckt lang den Hals aus, legt das Gefieder glatt an, spreizt die Stossfedern, bläst die Kehle förmlich kugelig auf und dem weit geöffneten Schnabel entströmt nun die sonderbare Weise. Ganz im Gegensatze zu allen anderen Rohrsängern, welche während des Singens in sonderbarster Weise zu agieren lieben, verhält sich der Schwirl während seines Singens ganz still, keine Feder zittert, die Gestalt scheint wie in Erz gegossen, alles Leben auf die Kehle concentrirt. Kaum ist der letzte Ton seines Gesanges erklungen, stürzt sich der Schwirl noch ganz in der starren Haltung, welche er während des Singens eingenommen, auf den Boden herab, huscht in gebückter Stellung, so weit es der begrenzte Raum des Käfigs gestattet, pfeilschnell dahin, dann nach einer seiner raschen Wendungen richtet er sich auf und trippelt wieder so langsam und gemächlich dahin wie zuvor. Nur während seiner stärksten Gesangszeit bleibt er manchmal nach Schluss seines Liedes auf demselben Platze ruhig sitzen, um nach secundenlanger Pause eine Wiederholung zu beginnen, dann zieht er seine Strophe auch am meisten in die Länge, denn während diese sonst etwa eine Minute währt, hält er sie nun fast die doppelte Zeit aus.

Eine der wichtigsten Bedingungen für das Wohlbefinden und Ausdauern des gefangenen Schwirls ist der regelmässige und vollständige Vollzug des Federwechsels; dieser fällt bei ihm in die Monate Jänner und Februar und während dieser Zeit bedarf der Vogel der aufmerksamsten Pflege, denn die Mauser, namentlich die erste, vollzieht sich in den meisten Fällen ziemlich schwer, immerhin aber doch leichter, als beim Sumpfrohrsänger. Während der Herbst- und Wintermonate bis December ist es ganz gut, wenn der Vogel sehr gut bei Leibe, ja selbst fett ist, es hilft ihm das die langen Winternächte mit ihrem Fasten leichter zu überstehen, mit Beginn der Mauser aber soll der Vogel wohl gut genährt, darf aber nie fett sein, denn, ist dies der Fall, so vollzieht sich der Federwechsel viel schwerer und langsamer als sonst. Um dem Vogel das überflüssige Fett zu nehmen, darf man denselben aber natürlich nicht Hunger leiden lassen, sondern sucht dies durch leichtere Nahrung und Erzielung eines stärkeren Stoffwechsels zu erzielen. Zu letzterem Behufe erscheint als geeignetestes Mittel, das Vorsetzen von stark mit Wasser durchweichten Ameisenpuppen, welche man einfach in den Wasserbehälter werfen kann, aus welchem sie der Vogel gerne herausfischt. Während der Mauser muss die Mehlwurmgabe bedeutend gesteigert werden, man beginnt damit allmählig Mitte December, geht damit bis auf etwa dreissig Stück für den Tag, welche Zahl mit zu Ende gehender Mauser wieder ebenso allmählig auf die gewohnte Menge verringert wird. Der Schwirl ist ein grosser Wasserfreund und es soll ihm nie ein grösseres Wassergefäss fehlen, denn er watet und badet in demselben sehr gerne, während des Federwechsels ist das stete Vorhandensein einer Badegelegenheit unumgänglich nöthig, denn es erleichtert öfteres Baden denselben bekanntlich sehr. Sollte sich die Mauser sehr schwer vollziehen, so kann man in's Badewasser auch etwas Glycerin mengen, es ist dies ein Mittel, welches in den meisten Fällen die gewünschte Wirkung erzielt.

Junge Heuschreckenrohrsänger lassen sich leicht mit Ameisenpuppen und rohem Herzfleisch aufziehen und werden ungemein zahm und zutraulich, in weit höherem Grade, als die altgefangenen, doch sind sie wohl nur selten erhältlich, da das Nest des Schwirls ungemein schwierig zu finden ist; ist man ein solches mit Jungen zu entdecken so glücklich gewesen und beabsichtigt dieselben aufzuziehen, so beeile man sich nur mit dem rechtzeitigen Ausnehmen derselben, denn noch vor dem Flüggewerden, so bald sie nur erst einmal ordentlich die Augen geöffnet, verlassen sie bei Störung das Nest und sind dann, dank ihrer unglaublichen Geschicklichkeit im Verstecken, in der Regel nicht mehr aufzufinden.

Allerlei vom Geflügelhofe.

Von W. Dackweiler.

(Schluss.)

Wer hätte nicht einmal einen Vergleich angestellt zwischen dem Aussehen der Stadtjugend und der auf dem Lande? Der Unterschied ist so in die Augen springend, dass es nicht eines Kennerauges des Arztes bedarf, um ihn zu entdecken. Jeder Laie wird sofort das frische, blühende Aussehen der Landjugend bewundern und die schwächlichen Stadtkinder bemitleiden. Die gute Luft auf dem Lande ist die Ursache, lautet das allgemeine Urtheil. Wenn wir nun aber den Vergleich fortsetzen zwischen der Jugend in der Stadt und auf dem Lande unter sich, so wird uns derselbe Unterschied begegnen. Wir finden Kinder mit vollen, runden Wangen, Kinder, die frisch und froh in Gottes Welt hineinschauen, deren ganzes Erscheinen eine Fülle von Gesundheit verräth. Daneben werden wir auch solche antreffen, die, ohne eigentlich krank zu sein, mit blassem, hagerem Gesichte fast theilnahmslos dahergehen und müde und traurig ohne die rechte Lebenslust dem lustigen Treiben ihrer glücklicheren Gefährten zuschauen. Da sie in derselben Luft leben, so muss noch wohl eine andere Ursache vorhanden sein. Und dieser Grund ist die verschiedene Kost nebst den begleitenden Umständen. Wasser und Brot macht die Wangen roth, sagt ein bekanntes Sprichwort. Dies Sprichwort darf nun keineswegs im strengen Sinne des Wortes genommen werden. Der Sinn liegt tiefer. Es will sagen: Eine einfache, kräftige Nahrung, ist besser, als allerlei den Gaumen kitzelnde Sachen. Wir finden in der That in den Häusern der geringeren Leute die blühendsten Gesichter; der Arzt verschreibt die meisten Mixturen für die besseren Familien. Die Sache ist ganz natürlich. In der Familie des gewöhnlichen Mannes erhalten die Kinder eine einfache, aber nahrhafte Kost; sie finden daneben allerlei Beschäftigung und Arbeit und dadurch hinreichend Bewegung, hauptsächlich im Freien. Arbeit und Bewegung fördern die Verdauung, die Kinder sind stets bei gutem Appetit. Und da nun auch alle erhitzenden und schädigenden Speisen und Getränke der Umstände halber hier fortfallen, so kann es gar nicht wundern, wie sich alle in strotzender Gesundheit zeigen. In den besseren Häusern gehören verschiedene Arbeiten und Spiele nicht zu dem guten Ton, da gibt's feine Handarbeiten, Musicieren etc., alles Sachen, die in sitzender Stellung verrichtet werden; die Verdauung wird gestört, der Appetit mangelt und in falscher Liebe erhält der Liebling jetzt Näschereien etc. Wie kann da der junge Weltbürger sich naturgemäss entwickeln. Sieht man in den Familien mitunter einzelne Kinder, welche im Gegensatze zu den anderen so rechte Bleichgesichter sind, dann sind es in der Regel solche, welche am Tische nicht recht mitmachen und lieber hinter dem Rücken sich mit Näschereien abgeben. Man verzeihe diese Abschweifung. Wir wollten damit beweisen, dass auch bei der Aufzucht der Thiere die Nahrung eine Hauptrolle spielt. Die Nahrung des Junggeflügels soll dem Alter der Thiere angemessen, sie soll leicht verdaulich und nahrhaft sein. Wenn diese drei Puncte mehr Berücksichtigung fänden, dann würden zweifelsohne die Klagen der Züchter über Verluste und schlechtes Wachsthum der Thiere mehr verstummen. In den ersten Tagen wird schon vielfach der Keim gelegt zu späterem Siechthum durch unzweckmässige Nahrung. Der junge Magen ist noch gar nicht an Verdauung gewöhnt und da muthet man ihm schon so viel zu und fabriciert mitunter ein künstliches Futter, das für einen abgehärteten Magen kaum geeignet wäre und glaubt, den Thieren gut zu sein. Je einfacher und natürlicher und je verdaulicher das erste Futter ist, desto besser für die Thiere. Und da ist uns nun wieder die Natur ein rechter Lehrmeister gewesen. Sie hat uns in der frischen Milch ein Nahrungsmittel gegeben, ganz vollkommen in seiner Art, ein wahres Kunstwerk, vollkommen in seiner Zusammensetzung, so dass sie dem menschlichen, wie auch dem thierischen Körper alles bietet, was zu seinem Aufbau nöthig ist und gleichzeitig auch in der passendsten Menge. Wir haben frische Milch auch als ein vorzügliches Aufzuchtmittel beim Geflügel kennen gelernt und können uns nur wundern, wie man diesem, so ausgezeichneten Nahrungsmittel seinen Werth absprechen will für die Aufzucht des Junggeflügels. Freilich kann auch die Milch verkehrt gebraucht werden, wie alles

Gute, aber in der Hand des vernünftigen Züchters ist sie von unberechenbarem Werthe. Dazu ist sie leicht zu beschaffen und verhältnissmässig billig. Nicht so günstig lautet unser Urtheil über die Eier. Auch diese sind freilich ein Kunstwerk der Natur und für den menschlichen, wie den thierischen Körper in der Jugend, wie auch im späten Alter von unberechenbarem Werthe; aber sie stehen in jeder Beziehung der Milch nach. Dazu kommt noch der Umstand, dass man sie durch Sieden in einen sehr schwer verdaulichen Zustand bringt. Wir können uns nur darüber wundern, wie man hart gesottene Eier als erstes Nahrungsmittel für junge Kücken so warm empfehlen kann. Wir halten dieselben nicht gerade für ganz ungeeignet, aber doch für schwer verdaulich und geben der frischen Milch vor den hart gesottenen Eiern entschieden den Vorzug. Zu dem gestattet durchgehends auch der Preis es nicht, dass man ausgiebigen Gebrauch davon mache, und wir finden die Eierfütterung deshalb auch nur auf dem Hofe des besser gestellten Züchters. Frische Milch kann auch der minder bemittelte Züchter seinen jungen Thieren als Zugabe leicht bieten. Wir geben den jungen Kücken in den ersten Tagen nur in Milch eingeweichtes Weizenbrod und gewöhnen sie vor und nach an trockenes, hartes Futter, reichen dann aber noch auf längere Zeit frische Milch zum Trinken. Das altbekannte „Spratts Patent" halten wir für ein sehr gutes Nahrungsmittel für das junge Geflügel. Mit Milch angefeuchtet leistet es sehr gute Dienste. Es geht freilich auch ohne dies und in der Landwirthschaft wird man schwerlich zu diesem Futtermittel greifen. Hier thut altbackenes Waizen-, Roggen- oder Haferbrot dieselben Dienste, besonders wenn man frische Milch als Getränk bieten kann. Es muss nur bedacht werden, dass man die Thiere vor und nach an härtere Kost gewöhnt. Bei freiem Auslauf geschieht dies ohne Zuthun des Züchters, aber in der Absperrung aufgezogenes Geflügel muss vorsichtiger behandelt werden und da muss man diesem Umstande grosse Aufmerksamkeit schenken. Wir zweifeln nicht daran, dass durch Ausseracht lassung der nöthigen Vorsicht bei der Entwöhnung der jungen Thiere viele Fehler gemacht werden, die sich nachher schwer rächen.

Das Huhn gehört zu den körnerfressenden Vögeln und wir finden, wie die jungen Kücken schon recht früh darnach greifen. Aber nicht deshalb, weil die jungen Thiere begierig darnach sind, sind sie ihnen auch gedeihlich, ebensowenig als unreifes Obst oder verschiedene Näschereien unserer Jugend zuträglich sind. Gerade mit der Körnerfütterung muss man vorsichtig sein. Anfangs gebe man nur wenige und möglichst aufgeweichte Körner, und zwar leicht verdaulichen geschälten Hafer, Hirse, kleinkörnigen Waizen etc., erst später gebe man gröbere Körner und in entsprechenden Portionen. Sind die jungen Thiere etwas hungrig geworden und man lässt sie sich sättigen von Körnern, so kann man gewiss sein, dass noch auf mehrere Tage diese Körner unverdaut im Kropfe und Magen sich befinden. Die Thiere hocken dann traurig umher und nehmen selbst von dem Lieblingsfutter nichts auf. Wir sind der festen Ueberzeugung, dass ein grosser Procentsatz der Verluste der zu frühen und zu reichlichen Körnerfütterung zuzuschreiben ist und können es nicht genug betonen, dass man hierbei vorsichtig sein muss. Manche Züchter wollen das Wachsthum der Thiere fördern durch Fleischfütterung. Wir verkennen nicht, dass man auf diese Weise bei der nöthigen Vorsicht, ganz ausgezeichnete Resultate erzielen kann und bedauern nur, dass das Fleisch durchgehend schwer zu beschaffen, d. h. zu diesem Zwecke und dazu sehr kostspielig ist. Aber auch hier ist Vorsicht geboten, soll nicht das gerade Gegentheil von dem erreicht werden, was man erstrebt. Das Fleisch kann nur Zugabe bleiben, dann wollen wir nicht verschweigen, dass durch die Fleischfütterung am ehesten die Federfresser erzielt werden. Das Fleischfuttermehl ist sehr nährstoffreich; es hat aber einen sehr unangenehmen Geruch, wird ungern von den Thieren genommen, verdirbt leicht und führt deshalb auch leicht zu Krankheiten. Es empfiehlt sich, dasselbe dem heissen Weichfutter beizumengen, damit etwa schädliche Organismen durch die Siedehitze unschädlich gemacht werden. Wir halten das Fleischfuttermehl für ganz junges Geflügel nicht geeignet, wohl aber für herangewachsene und alte Thiere. Frisches Grün ist eine Wohlthat für junges Geflügel, man gebe das Grün aber doch ja in frischem Zustande und nicht nass und kalt; deshalb lasse man die jungen Thiere auch nicht auf die Weide bevor das Gras trocken geworden, halte sie bei Regenwetter möglichst aus dem nassen Grase fern. Dann bemerken wir zum Schlusse, dass auch frisches Wasser unbedingtes Erforderniss ist zu einem guten Gedeihen der jungen wie alten Thiere. Je mehr Sorgfalt der Züchter auf die Aufzucht des Junggeflügels verwendet, desto sicherer wird der Erfolg. Unaufmerksamkeit oder Vernachlässigung straft sich in bitterster Weise.

Der einfärbige Wiener Tümmler.

Von **A. V. Curry**, Wien-Währing.

(Fortsetzung.)

Als auf diese Art das schöne Göttlesbrunn mit seinen Kurzschnäbeln so ziemlich fertig war, rüstete ich in der Meinung, dort noch Diamanten zu finden, eine Expedition nach dorten aus und fuhr mit einigen meiner Freunde hin, sah den Rest und kaufte ihn.

„Diese Göttlesbrunner-Rasse, nach dem nahen Bruck a. Leitha noch heute „Brucker" genannt, hatte unendlich grosse Vorzüge. In erster Linie waren es zarte, feingebaute Thierchen mit prachtvoll kurzen Schnäbeln und einzig schönen Köpfen. Ganz besonders hervorzuheben habe ich auch ihre Augenränder, welche niemals wulstig wurden, sondern selbst bei 5- bis 6jährigen Tauben noch flach und zartroth blieben. Edlere Würfelköpfe züchtete noch keine andere Rasse und auch Muschwecks grosse Zuchterfolge waren von Anfang an auf Brucker Basis aufgebaut." Dies aus Heinrich Zaoraleks Schreiben,

Ueber die Provenienz des Zuchtmateriales jenes Göttlesbrunner Züchters ist man nicht völlig im Klaren. Aeltere Züchter erzählen, dass er die vorhandenen Wiener Tauben mit Hilfe eines einzigen, vom Händler Hofbauer erworbenen Harlequintaubers veredelte, welcher prachtvolle Formen besass und mit den Andersfarbigen die schönsten Gelben, Rothen und Schwarzen, wie Seinesgleichen züchtete. Es darf aber nicht unerwähnt gelassen werden, dass die eben damals in Prag gezüchteten hervorragend schönen Sultantauben das Ihrige mitgethan haben dürften und erinnert sich auch Heinrich Zaoralek auf's Bestimmteste, dass die Feinsten jener kleinen Indianer in Wien zu Kreuzungszwecken verwendet worden sind.

Nach dem Hingange eines so hervorragenden Meisters, wie es jener Göttlesbrunner war, musste man auf Erhaltung seiner Werke denken, sein Geist sollte fortleben und Richtschnur bleiben in allem weiteren Schaffen. Heinrich Zaoralek, schon damals die Seele und der Bannerträger des ganzen Wiener Taubensportes, sah schmerzlich jene Lücke und fahndete mit seiner immer nur für die Allgemeinheit empfundenen begeisterten Hingebung nach Mitteln, sie zu füllen. Er wollte nunmehr Göttlesbrunn in Wien erstehen machen und so innerhalb seiner Vaterstadt das Licht anzünden, welches in Göttlesbrunn erloschen war. Selbst beruflich gehindert, warf er unter den vielen grossen Wiener Züchtern seine Blicke auf den Wiener Wagenfabrikanten Ludwig Muschweck, in welchem er die ausgezeichnetsten Fähigkeiten mit der seltensten Hingebung vereint fand. Und indem er diesen durch seine besondere Gunst beneidenswerth gemacht, täuschte er sich nicht in seinem Manne, denn, was nun Ludwig Muschweck schuf, steht unübertroffen da und überlieferte uns Werke, in welche alles zusammenfliesst, was wir jetzt modern nennen. Die herrlichen Einfärbigen, geschwingten und weissen Tümmler, welche Otto Reuther im Jahre 1889 zu Königsberg gezeigt hat, waren durchwegs Schöpfungen jenes hervorragenden Züchters. Neben diesen haben sich Baumeister Bürgermeyer (†), Photograph Carl Schneider, Fabrikant Erbler, Privatier Jacob Hoffmann und andere rühmenswerth hervorgethan. Letzterer insbesondere schuf jene herrlich schönen Gelben, welche jedem unvergesslich bleiben, der sie je gesehen. Aber es wäre ungerecht, an dieser Stelle der bedeutenden Verdienste zu vergessen, welche am beregten Gebiete den Züchtern der ungarischen Residenzstadt Budapest gebühren. Seit jeher verknüpfte diese Stätte edelster Taubenzucht ein brüderliches Band innigster freundschaftlicher Eintracht mit der anderen grossen Schwesterstadt und wie einem und demselben Banner folgend, strebten beide mit geeinten Kräften nach demselben Ziele. Das anmuthreiche Wesen unserer Wiener Tümmler fand in Budapest seit jeher grossen Anklang und die besten Züchter wetteiferten mit den Wienern und hielten diesen in hochrühmenswerther Weise nicht selten die Waage.

(Schluss folgt.)

Kleine Mittheilungen.

Die Herbst-Ausstellung (verbunden mit einer Junggeflügel-Schau und einem Geflügelmarkte) des I. österr.-ung. Geflügelzucht-Vereines in Wien findet in den Tagen vom 1. bis incl. 9. October d. J. statt.

An Stand- und Futtergeld zahlen die Vereinsmitglieder per Stück Huhn und Ente oder per Paar Tauben 10 kr., per Stück Gans oder Trute 20 kr., per Stück Kaninchen 10 kr. und für den Wurf 20 kr. Nichtmitglieder zahlen das Doppelte.

Ausserdem stehen, soweit der Vorrath reicht, grosse Volièren zur Verfügung, in welche einzusetzen bis zu 10 Stück Hühner gestattet ist. Für deren Benützung wird als Aufzahlung zum Standgelde der Betrag von 50 kr. eingehoben.

Die Prämien bestehen in silbernen und bronzenen Staats-Medaillen, sowie in Anerkennungs-Diplomen. — Die Anmeldungen (schriftlich oder mündlich) werden vom Secretariate des Vereines in Wien, k. k. Prater Nr. 25, bis 8 Tage vor Beginn der Ausstellung entgegengenommen.

Ungar. Landesgeflügelzucht-Vereines in Budapest. An das Präsidium des „Ornithologischen Vereines", sowie des „I. öst.-ung. Geflügelzucht-Vereines" ist nachstehendes Schreiben des Directoriums des „Ungar. Landes-Geflügelzucht-Vereines" in Budapest eingelangt.

Indem wir dasselbe publiciren, laden wir die p. t. Herren Mitglieder ein, die gewiss dankenswerthe Bemühung des Budapester Vereines um Hebung der Nutzgeflügelzucht durch Bezug von Mastgeflügel auch ihrerseits zu fördern.

Die Red. d. „Schwalbe".

Hochverehrter Schwester-Verein!

Unser Verein, der „Ungarische Landes-Geflügelzucht-Verein", Budapest, Andrássy-Strasse, hat der Hebung der rationellen Geflügel-Zucht auch dadurch Vorschub zu leisten gesucht, dass er auch die Verwerthung der Geflügel-Producte in Angriff genommen und ist zu diesem Behufe in Köbánya (Budapest, Steinbruch) eine Material-Sammelstelle, verbunden mit einer Milchmast-Anstalt organisirt worden, deren Leitung unter Aufsicht unserer commerciellen Export-Abtheilung von ausgezeichnetsten Fachkräften besorgt wird.

Wir ersuchen demnach aus diesem Anlasse den geehrten Schwester-Verein, unsere gegenwärtige Zuschrift Ihren gesch. Mitgliedern mit dem Bemerken bekannt zu geben, dass dieselben ihren Geflügel-Bedarf bei uns decken wollen, indem wir nicht nur mit Prima-Qualitäten zu mässigen Preisen dienen können, sondern auch beliebig kleine Bestellungen ausführen.

Schliesslich nehmen wir uns die Freiheit, den verehrlichen Verein zu bitten, uns die in Ihrem Rayon wirkenden Geflügelhändler namhaft zu machen.

Unsere ergebene Vorlage und Bitte nochmals wiederholend, empfehlen wir uns

mit collegialer Hochachtung

Budapest, im Juli 1892.

Baron Jul. v. Nyáry, Grossgrundbesitzer, Präsident.
Graf Kol. v. Csáky, Gen., Reichstagsabg., Präs.
Baron Adalb. v. Nyáry, Reichtagsabg. Vicepräs.
Géza v. Parthay, Director.
Baron Hermann v. Gaffron, Secretär.

Landwirthschaftliche Ausstellung in Wr. Neustadt. Der Anmeldungs-Termin für die Geflügel-Abtheilung wurde auf den 25. August l. J. verlängert. Anmeldungsbögen sind ausser beim Comité auch durch die Redaction der „Schwalbe" in Erlach, N.-Oe., erhältlich.

Verlag des Vereines. — Für die Redaction verantwortlich: Rudolf Ed. Bondi.
Druck von Johann L. Bondi & Sohn, Wien, VII., Stiftgasse 3.

XVI. JAHRGANG. Nr. 16.

Mittheilungen des ornithologischen Vereines in Wien

„DIE SCHWALBE"

Blätter für Vogelkunde, Vogelschutz, Geflügelzucht und Brieftaubenwesen.

Organ des I. österr.-ung. Geflügelzuchtvereines in Wien und des I. Wr. Vororte-Geflügelzuchtvereines in Rudolfsheim

Redigirt von C. PALLISCH unter Mitwirkung von Hofrath Professor Dr. C. CLAUS.

31. August.	„DIE SCHWALBE" erscheint **Mitte** und **Ende** eines **jeden Monates.** — Im Buchhandel beträgt das Abonnement 6 fl. resp. 12 Mark, Einzelne Nummern 30 kr. resp. 60 Pf. **Inserate** per 1 □ Centimeter 3 kr., resp. 6 Pf. **Mittheilungen** an das **Präsidium** sind an Herrn **A. Bachofen v. Echt** in Nussdorf bei Wien; die **Jahresbeiträge** der Mitglieder (5 fl., resp. 10 Mark) an Herrn **Dr. Karl Zimmermann** in Wien, I., Bauernmarkt 11; **Mittheilungen** an das **Secretariat**, ferner in Administrations-Angelegenheiten, sowie die für die **Bibliothek** und **Sammlungen** bestimmten Sendungen an Herrn **Dr. Leo Pribyl**, Wien, IV., Waggasse 4, zu adressiren. **Alle redactionellen Briefe, Sendungen etc.** an Herrn **Ingenieur C. Pallisch in Erlach** bei Wr.-Neustadt zu richten. **Vereinsmitglieder beziehen das Blatt gratis.**	1892.

Zur ornithologischen Durchforschung des mährisch-schlesischen Gesenkes.

Von **Václav Čapek.**

II. Theil.

Die Vögel des Gesenkes.*)

1. Falco peregrinus, Wanderfalke. Dr. Kolenati schreibt, dass ein Paar einmal in den 50ziger Jahren auf der höchsten Tanne im Kessel (unter der Hohen Haide) horstete und sein Revier auf die Hohe Haide und den Peterstein, wo es viele „Schneelerchen" gibt, erstreckte. Diese Angabe ist freilich mit Reserve anzunehmen, da eine Verwechslung mit einem anderen Raubvogel (Habicht etc.) stattfinden konnte, doch absolut unwahrscheinlich ist dieselbe nicht, da der Vogel nach C. Floericke in Pr. Schlesien an mehreren Orten, im Gebirge, sowie im Flachlande, horstend vorkommt. Jetzt weiss man vom Wanderfalken im Gesenke nichts; nur der Name des Berges „Falkenstein" (1209 M., nordöstlich vom Altvater) erinnert an denselben.

2. Astur palumbarius, Habicht, Accipiter nisus, Sperber, Pernis apivorus, Wespenbussard und Buteo vulgaris, Mäusebussard kommen im Gesenke, besonders in den Vorbergen horstend vor, zeigen sich hie und da bis oben, sind jedoch nicht häufig. Ein Sperber hat auf dem Leiterberge Wiesenpieper verfolgt; ein lichtes Exemplar vom Wespenbussard unter der Marchquelle herum.

3. Aquila sp.? Ein Adler wurde vor einigen Jahren im Hochgesenke erbeutet, es ist mir jedoch unbekannt, wo das Stück hingekommen ist.

*) Mehrere gewöhnliche Arten habe ich in diesem Artikel nicht aufgenommen, da ihr Vorkommen, besonders in den Vorbergen, selbstverständlich ist; bei einigen that ich es doch, um zu sehen, in welchem Verhältnisse sich ihre Standorte zum Gebirge befinden.

Hierzu als Beilage: Circulare der Papier-Niederlage und Naturalien-Handlung Alfred Haffner in Wien.

4. Otus vulgaris, Waldohreule und Syrnium aluco, Waldkauz, brüten in verschiedenen Lagen des Gesenkes.

5. Von Syrnium uralense, Uraleule und Syrnia nisoria (Sperbereule) ist, soweit es mir nach älteren Angaben bekannt ist, je ein Stück vor Jahren erlegt worden.

6. Athene passerina, die Sperlingseule, war mit der folgenden Art für mich ein Gegenstand eifriger Erkundigungen. Doch waren die Angaben der wenigen Gebirgsbewohner, die ich fragen konnte, sehr unbestimmter Natur, was bei der versteckten Lebensweise der beiden Arten, sowie bei dem Umstande, dass im Frühjahre, wo sich die Eulen recht lebhaft melden, das Gebirge fast menschenlos ist, wohl begreiflich ist. Die kleinste der Eulen ist im Iser- und Riesengebirge, sowie in den mährischen Karpathen als seltener Brutvogel nachgewiesen worden und wird ganz bestimmt stellenweise auch im Gesenke nisten; besonders verdienen die oben erwähnten „Leichen" volle Aufmerksamkeit. (Im III. ornith. Jahresberichte pro 1884 wird der Vogel von G. Weisheit als ein Standvogel in Fulnek — Niedergesenke — angeführt, welche Angabe jedoch irrthümlich sein mag, da auch der Berichterstatter Athene noctua, den gewöhnlichen Steinkauz, überhaupt nicht anführt.)

7. Nyctale Tengmalmi, Rauhfusskauz. Diese Eule wurde als ein seltener Standvogel der böhmischen Sudeten und der mährischen Bezkyden constatirt. Auch im Gesenke wurde nach Kolenati ein Stück bei dem „Wiegenstein" erlegt und ein zweites hat derselbe am Altvater „in der Dämmhau" gesehen. Ich bin der Ansicht, dass er in den alten abgestorbenen Fichten, sowie in alten Spechthöhlen der oberen Bestände nistend zu finden sein wird. Die besten Aufschlüsse über die zwei letzten Arten könnten uns die Herren Forstleute, welche zur Auerhahn- und Birkhahnbalz ausgehen, verschaffen.

8. Bubo maximus, Uhu. Dieser grosse Raubvogel ist jetzt auch im Gebirge eine grosse Seltenheit, obzwar jährlich irgend ein Paar daselbst brütet. Besonders ist sein Ruf im Frühjahre auf der Janowitzer Haide, zur Hohen Haide hin, zu hören. NB. „Uhustein" zwischen dem See- und Keiligberge.

9. Caprimulgus europaeus, Nachtschwalbe. Kommt auch bis in den obersten Lagen vor.

10. Cypselus apus, Mauersegler, hier „Spitzschwalbe." Nistet überall in geeigneten Orten des Vorgebirges, und zwar: In Römerstadt, Schönberg, Zöptau, Goldenstein, Altstadt. In Warnsdorf (letztes Dorf unter der Schiefer-Haide) nisteten 1890 auf dem Kirchthurme fünf Paare, die am 3. August abgezogen sind. Die Vögel gehen jedoch auch bis hinauf in's Gebirge, wo sie besonders die Felsenpartien umkreisen; nach der Angabe des Hegers vom „Franzens-Jagdhause" sollen sie in den Felsen am nordöstlichen Abhange der „Langen-Leiten" (Wiesenberger-Haide) nisten.

11. Hirundo urbica, Stadtschwalbe. Brütet zahlreich bis in den letzten Gebirgsdörfern (bis 780 M.) zu beiden Seiten des Hochgesenkes. Um den 20. Juli sah ich befiederte Junge in den Nestern.

12. Hirundo rustica, Rauchschwalbe. Sie ist in den Gebirgsdörfern nicht so häufig, wie die vorigen; am höchsten sah ich sie in Spornhau 706 M. Am 6. August 1890 sah ich um 10 Uhr zwei Stücke, welche den Heiligenhübel (1122 M.) in der Richtung von West nach Ost niedrig überflogen.

13. Cuculus canorus, Kukuk. Kommt nicht nur in tieferen Lagen, sondern auch bis bei der Baumgrenze recht oft vor. Nach dem 20. Juli habe ich noch einigemale hoch oben seinen Ruf vernommen. In den Fichten unter der „Schäferei" am Petersteine, etwa 1250 Meter hoch, sah ich am 22. Juli ein etwas röthliches junges Individuum, welches von der schwarzköpfigen Grasmücke gefüttert wurde. Auch soll hier der Zaunkönig öfters vom Kukuk bedacht sein; ausserdem werden gewiss Dandalus, Phyllopneuste, Anthus, Motacilla, Accentor, Ruticilla und Regulus zu Pflegeeltern gewählt.

14. Alcedo ispida, Eisvogel. Er ist an allen Gebirgswässern der beiden Abhänge, jedoch nur sporadisch zu sehen. Auch im Winter bleiben sie meist da.

15. Sturnus vulgaris, Staar. Diese Art gehört natürlich nur dem Cultur-Gebiete an; überall hängt man dort Nistkästchen für Staare aus, z. B. um Hohenstadt, Schönberg, Warnsdorf, Wiesenberg, Altstadt und Goldenstein. Der Vogel soll da zweimal brüten; um den 20. Juli sah ich dort ausgeflogene Junge. Als Sammel- und Schlafplatz der Staare aus der ganzen Umgebung dient ein kleiner, mit Rohr bewachsener Teich mit den nahen Erlen und Weiden, einige hundert Schritte östlich von der Station Schönberg. Dahin sieht man die Vögel in der zweiten Hälfte Juli und in der Ersten des August gegen 7 Uhr Abends aus allen Richtungen, besonders vom Westen zu eilen und mit Geräusch im Wirbelfluge einfallen.

16. Von krähenartigen Vögeln theile ich nur mit: Corvus cornix, die Nebelkrähe kommt zwar im Vorgebirge, jedoch nicht im Gebirge selbst vor; auch die Elster, Pica caudata fehlt dem Gebirge, indem der Eichelheher, Garrulus glandarius daselbst recht häufig ist. Vom Corvus corax, dem Kolkraben, weiss man im Gebirge nichts mehr; derselbe ist nur als grosse Seltenheit noch in den höchsten Lagen der mährischen Bezkyden anzutreffen.

17. Nucifraga caryocatactes, Tannenheher. Von diesem charakteristischen Gebirgsvogel hörte ich und sah ich im Gesenke nichts; auch war er den Forstleuten um den Altvater herum unbekannt. Als er sich im Herbste des bekannten Jahres 1885 hie und da in den Vorbergen zeigte, wurde er für einen Fremden angesehen. Und doch ist es vielleicht möglich, dass dieser merkwürdige Vogel in irgend einem ausgedehnten Forste des Gesenkes zu Hause ist; er brütet ja in allen böhmischen Grenzgebirgen (freilich die mährische Seite ausgenommen), ja selbst im sogenannten „Mittelgebirge!" Ebenso ist er in den Karpathen, vielleicht selbst auf der mährischen Seite, zu finden.

18. Auch über die Spechte, Picidae des Gesenkes weiss man noch sehr wenig. Dryocopus martius, der Schwarzspecht kommt in einzelnen Paaren in allen Gebirgsrevieren vor; ich sah einige Bruthöhlen dieses Vogels. Den Grünspecht, Gecinus viridis, erblickte ich auf der Wiesenberger Haide etwa 1000 M. hoch. Picoides tridactylus, der dreizehige Buntspecht ist ein sehr seltener Standvogel des Gebirges und wurde im Laufe der Jahre einigemale erlegt. Von den übrigen Buntspechten erfuhr ich nur, dass

„grössere und kleinere" an den Abhängen anzutreffen sind, doch welchen Arten gehören sie an? Ob denn nicht auch Picus leuconotus, der weissrückige Buntspecht, als eine „rara avis" des Gesenkes nachgewiesen werden könnte?

19. Muscicapa luctuosa, Grauer Fliegenfänger, ist bei allen Gebirgsdörfern als Brutvogel anzutreffen.

20. Muscicapa parva, Zwergfliegenfänger. Da dieses interessante Vögelchen recht oft in den mährischen Karpathen und deren Ausläufern nistet und in den letzten Jahren auch im nördlichen Böhmen als Brutvogel bekannt wurde, so wird es eine Aufgabe der mährischen Ornithologen sein, nach demselben auch im Gesenke zu forschen, und ich zweifle nicht, dass es daselbst bald als Brutvogel wird nachgewiesen werden.

21. Accentor modularis, Heckenbraunelle. Ich sah diesen Vogel nur in den obersten Fichtendickichten an der Baumgrenze weniger etwas tiefer in dichten Beständen. Man bekommt den Vogel selten zu Gesichte, da er sich schen im Dickichte versteckt.

(Fortsetzung folgt.)

Einige Notizen zur Ornithologie Böhmens.

Von Ph. C. Dalimil Vladimir Vařečka.

(Schluss.)

Fringilla cannabina, Bp. Ist bei Pisek und Příbram ein allgemein bekannter Nistvogel. Im Jahre 1891, den 25. August, bemerkte ich einen Zug von etwa 200—250 Stück, der in einem Halbkreise, dessen beide Enden dichter erschienen, gegen Südwesten seine Flugrichtung nahm. — In der Piseker Gegend auch ein bekannter Standvogel, stellenweise Strichvogel.

Fringilla rufescens, Tem. Diese angebliche Varietät von Fring. linaria kommt bei Pisek häufiger vor, als die Stammform. Kommen aus Norden im November an und dann wieder aus Süden im März oder April. — Im Příbramer Gebiete ist diese Varietät ziemlich selten. Nach Angabe des Herrn Fasanjägers Zita erscheinen immer alle 7 Jahre ihre Züge zahlreicher.

Fringilla serinus, L. Ist in den ausgedehnten Piseker Waldungen ein in neuerer Zeit ziemlich häufiger Nistvogel, dessen Verbreitung nach verlässlichen Angaben mehrerer Forstmänner und auch nach meinen siebenjährigen Beobachtungen in der hierortigen Umgegend zuzunehmen scheint. Im Příbramer Gebiete wurde er bisher nur noch selten nistend beobachtet. Im August des Jahres 1891 fand ich in Čišť bei Čejtitz auf einer jungen etwa 3 m hohen Fichte zwei leere Nester des Grünfinks. Jedes davon befand sich an den Enden zweier kleiner Gabelzweige, die von dem Stammaste so abgezweigt waren, dass das Nest schaukelnd in der Luft zu schweben schien. Angeflochten war es an die Zweige mit dünnen, dürren Grashalmen und sehr feinen Wurzelfasern irgend eines Waldkrautes in der Höhe eines Meters über den Waldboden. Die Aussenfläche war aus Büscheln von Flechten, namentlich von Usnea barbata, aus Moos und Federflocken zusammengeflochten. Innen waren die Nester mit einem fein gewebten, glatten Ueberzuge ausgepolstert.

Passer montanus, Aldrov. Einen bei Prag 1891 im Juli geschossenen Albino dieser Art mit einem blassfahlen Wangenfleck und mit zwei lichtfalben Querbinden auf jedem Flügel besitzt H. Matouš in Pisek in seiner Sammlung.

Loxia curvirostra, L. Kommt hier überall, jedoch nur vereinzelt, in Fichtenwaldungen vor, und zwar als Standvogel. In gewissen Zeitperioden sah man den Fichten-Kreuzschnabel hier in grösserer Anzahl ab- und zustreichen. Auch kam es schon vor, dass mehrere Jahre hintereinander bedeutende Mengen dieser Vögel zum Vorschein kamen, was nicht immer mit einer reichlichen Fichtensamenernte im Einklange erschien. Nach Angabe des H. Mathyásko pflegten sie in früheren Jahren mit anderen Finkenarten im Winter nach Pisek oft in bedeutender Anzahl zu Markte gebracht zu werden.

Turdus pilaris, L. Nach Angabe des H. Almesberger, fürstl. Forstmeister in Mladejovitz nisten alle Jahre einige Paare in der Mladejovitzer Fasanerie. Hier bleiben sie vom November bis April. In der Piseker Gegend nistet die Wachholderdrossel nur sporadisch, hie und da bleibt sie das ganze Jahr als Standvogel; an einigen Orten erscheint sie im Zuge periodisch nach 2—3 Jahren immer in grösseren Flügen. Ob sie im Příbramer Gebiete auch niste, ist noch nicht constatirt. Im Jahre 1891 im August bekam ich ein Ei dieses Vogels, das in Čišť bei Čejtitz im März ausgenommen wurde.

Sturnus vulgaris, L. Im Jahre 1892, 10. März, wurde aus einem kleinen Fluge von H. Kouba, Förster in Zálesí bei Wolyň im Piseker Kreise ein Albino geschossen, der sich jetzt nach Angabe des H. Lehrers Čaloun ausgestopft in der Sammlung des genannten H. Försters befindet. Der Vogel hatte blassrothe Augen und lichtgrauen Schnabel. Der ganze Körper ist sonst mit Ausnahme des weiss und grau gescheckten Kopfes ganz weis.

Tetrao urogallus, L. Ist im Piseker Gebiete ein seltener Standvogel. Im Jahre 1891 wurden bei Orlik 5 Exemplare geschossen, 4 ♂ und ein ♀. Alle hat H. Matouš in Pisek gestopft. In den städtischen Piseker Waldungen wird er alle Jahre beobachtet und geschossen. Auch nistend wurde er dort getroffen.

In den gräflich Paar'schen Revieren kommt er häufig vor und verirrt sich von da häufig in die angrenzenden Piseker Forste. Im Příbramer Gebiete wurde er auch einige Male neuester Zeit erlegt. Das letzte dort im Jahre 1890 in Konopišt bei Beneschau geschossene Exemplar wurde vom H. Matthauser in Příbram ausgestopft.

Perdix cinerea, L. Im Jahre 1891 im September wurde bei Zalužan, im Mirowitzer Bezirke eine weissgefärbte Varietät mit röthlichfalben Anfluge an den Deckfedern geschossen.

Die Kiele waren reinweiss, das Auge bläulich. Ausgestopft wurde dieses Exemplar vom H. Mathyásko in Pisek. Ein scheckiges, weiss gesprenkeltes, desselben Jahres bei Pisek erlegtes Exemplar, dessen erste drei Schwungfedern reinweiss sind, besitzt

H. Mathiásko in seiner Sammlung. Im Jahre 1892 wurde eine sehr interessante Varietät bei Pisek geschossen, die der H. Mathyásko ausgestopft besitzt.

Der Kopf, der Hals und ein Theil der Brust sind hellrostfarbig. Der Rücken ist dunkel kastanienbraun, die Kiele der einzelnen Federn sind hellbraun, stellenweise auch weisslich mit einem reinweissen pfeilähnlichen Flecken am Ende des Kieles. Der rostfarbige Hals ist im Nacken von dem braunen Rücken durch einen halbkreisförmigen, grauen, von dunkelbraunen Federchen unterbrochenen 1 Centimeter breiten Ring begrenzt, an diesen Ring schliesst sich ein $1^1/_2$ Centimeter breiter und $12^1/_2$ Centimeter langer Streifen an, der aus lichtbraunen, weissgrauen, schwärzlich gewellten Federchen zusammengesetzt ist. Die vorne hellrostfarbige Brust übergeht in kastanienbraun, die Deckfedern an dieser Farbengrenze zeigen an ihren Spitzen einen ungleichbreiten, dunkelbraunen Flecken auf hellbraunem Grunde, wodurch abwechselnd gewellte aus unterbrochenen Strichen bestehende bogige Streifen gebildet werden.

Der Unterleib ist weiss mit unregelmässigen bräunlichen Querstreifen. Die Schenkel sind weiss. Der Schwanz besteht aus 13 Federn, ist am Grunde lichtbraun, am Ende schwärzlichbraun. Die vier ersten Schwungfedern erster Ordnung, sind wie beim normalen Rebhuhne gefärbt, die Schwungfedern zweiter Ordnung sind lichtbraun, am Ende lichtgrau gesäumt. Die Füsse sind schwefelgelb mit schwärzlichen Krallen. Das Auge ist lichtbraun der Schnabel bläulichgrau.

Totallänge = 33 Centim., Flügellänge = 14·5 Centim., Schwanzlänge = 8·5 Centim., Schnabellänge = 1·5 Centim., Schnabelhöhe = 1 Centim., Länge des mittleren Finger mit Kralle = 4·5 Centim., Länge der Kralle = 0·8 Centim.

Anas glacialis. L. Nach Ausweis der Rechnungsbücher des H. Praeparators F. Mathyiásko in Pisek wurde diese Ente bei Pisek mehreremals erlegt, und zwar im Jahre 1875 bei Cižova; 1884 Jaenner bei Smrkowitz, bei Zvikov (Klingenburg) beim Flusse Otava und bei Topěletz; 1885 bei Chwaletitz. Im Jahre 1891 wurden drei Stücke in der Stromschnelle des Flusses Otava bei der Einschichte Martinek vom H. Forstschullehrer in Pisek, F. Sekyrka geschossen. Zwei Exemplare davon waren junge Männchen und eines war ein ausgewachsenes, schön ausgefärbtes Männchen (ad. ♂). Nach Angabe des Dr. Sir (in seiner böhmischen Ornithologie „České Ptactvo“, p. 123.) wurde die Eisente ein Mal auch bei Mecichow, unweit Horaždowitz (Piseker Kreis) und ein anderes Mal bei Zabori unweit Blatna geschossen.

Das im Kabinete des k. k. Gymnasiums in Pisek befindliche Exemplar stammt nicht aus der Piseker Gegend.

Anas fuligula. L. Ist im Piseker Gebiete ein nicht so gar seltener Wintergast, wie im Pribramer Gebiete. Beobachtet wurde die Reiherente hier von October bis April. Nach Angabe des H. Mathyásko wurde sie schon einige Male bei Kestřan, Tálin, Dobešchitz, Pisek (1880), Topěletz (1884) geschossen. Im Herbste des Jahres 1891 wurde auf einer Rebhuhnjagd ein ad. ♂ vom H. Sekyrka bei Protiwin geschossen, das der Frauenberger Sammlung nach Angabe desselben als ein seltener Vogel abgeliefert wurde. Im März des Jahres 1892 wurde vom Besitzer der Mühle „Tlucky“, beim Dorfe Boreschnitz unweit Vráz ein erwachsenes Männchen geschossen, das vom H. Mathyásko präparirt wurde. Im Pribramer Gebiete wurde sie nach Angabe des H. Jelinek nur ein Mal, und zwar bei Dobriš im Jahre 1880 Winters auf dem Zuge erlegt; das im Kabinete des k. k. Gymnasiums in Pisek befindliche Exemplar (ad. ♂) stammt nicht aus der Piseker Gegend.

Oedicnemus crepitans. L. Im Piseker Gebiete ein selten beobachteter Zugvogel. Bei Příbram ist nur ein im Jahre 1885 bei Jesenitz geschossenes Exemplar constatirt. Auch bei Zásmuk (im Koliner Kreis) wurde im Jahre 1889 im Juli ein erwachsenes Männchen als grosse Seltenheit geschossen, das sich jetzt in der dortigen Schulsammlung befindet.

Rallus aquaticus. L. Bei Pisek ein ziemlich häufiger Nistvogel. Ob er hier auch als Standvogel vorkomme, ist noch nicht entschieden. Im Jahre 1891 wurden drei Stücke geschossen, bei Tálin, Cehnitz und Čejtitz. Zwei ausgestopfte Exemplare besitzt H. Mathyásko in seiner Sammlung. Bei Příbram wurde er nur auf dem Zuge beobachtet In diesem Jahre wurde er bisher vom H. Mathyásko schon drei Mal ausgestopft.

Ciconia alba. Belon. Ist als Nistvogel bei Strakonitz, Kestran, Cist, Herman und im ganzen Piseker Gebiete bekannt. Nicht minder häufig nistet er auch bei Tabor, Wotitz und Beneschau. In den minder sumpfigen Gegenden bei Příbram wurde er auch schon nistend beobachtet. Ob er im mittleren Böhmen auch zuweilen überwintere, ist nicht bekannt. Beim Landvolke erfreut sich der Storch auch in Böhmen einer nicht geringen Achtung und Schonung. Er kommt hier gewöhnlich Ende März oder im April an und wird noch im September beobachtet.

Botaurus stellaris. Boje. Im Piseker und Příbramer Gebiete ein häufiger Nistvogel vom April bis September. Im Jahre 1891 nistete er bei Vráž und Chřéstówitz; im Jahre 1886 wurde er bei Holšin und Dobřisch im Příbramer Gebiete nistend beobachtet.

Podiceps cristatus. Lath. Im Piseker und Příbramer Gebiete ein bekannter Nistvogel, von 3—10; so bei Dobev, Záblati, Čišť, Tálin, Kestřan.

Podiceps nigricollis. Chr. L. Br. Im Jahre 1891 wurde auf dem Teiche bei Tálin ein ♂ juv. geschossen und von H. Mathyásko in Pisek gestopft.

Das k. k. Piseker Gymnasium besitzt ein in diesem Gebiete geschossenes Exemplar.

Colymbus septentrionalis. L. Im Jahre 1889 wurde bei Zásmuk im Koliner Gebiete ein junges Männchen erlegt, das sich gegenwärtig in der Zásmuker Schulsammlung befindet. Das k. k. Piseker Gymnasium besitzt zwei im Piseker Gebiete geschossene Exemplare.

Einige ornithologische Reise-Erinnerungen.

Von Jul. Michel.

(Fortsetzung.)

Unterdessen hatte sich der Himmel immer mehr bewölkt, und als ich abends nach Hallein fuhr, waren die Schleussen desselben schon in bedenklicher Weise geöffnet. Da begann bereits in mir das Verständnis für den galgenhumorvollen Witz „Salzburg sollte eigentlich Regensburg heissen“, aufzudämmern. Einige Tage später war ich von der Vorzüglichkeit desselben durchdrungen.

Doch „Bange machen gilt nicht!“ Sagte ich mir. Galt es doch jetzt meinen ornithologischen Taufpathen, Herrn von Tschusi, mit dem ich schon durch 2 Jahre in regem Briefwechsel gestanden, aufzusuchen. In Hallein angekommen, wurde ich schon von dem genannten Herrn und seinem Sohne erwartet. Der an und für sich gediegene „Schnürlregen“ hatte sich in einen soliden „Strichregen“ verwandelt, und so sah denn mein Einzug in der Villa Tännenhof mehr einer Flucht ähnlich. Der überaus herzliche Empfang, der mir seitens meines sehr geehrten Freundes und seiner werthen Frau Gemahlin zutheil wurde, liess mich bald auf alles Ungemach vergessen, und eine halbe Stunde später standen wir bereits vor der Sammlung. Schon der flüchtige Einblick genügte, um mich von der Schönheit und Reichhaltigkeit derselben zu überzeugen.

Der Abend verstrich unter anregenden Gesprächen sehr schnell, und als ich ziemlich spät mein Bett aufsuchte, war es mir, als sei ich schon längst in diesem traulichen Familienkreise heimisch.

Ziemlich zeitig erwachte ich am anderen Morgen. Natürlich galt mein erster Blick dem Wetter, das aber wenig Gutes vermuthen, aber dafür, destomehr Schlimmes befürchten liess. Da hörte ich auf der vor dem Fenster stehenden Lärche ein lang gezogenes „hoiii!“ und bald sah ich einen Laubsänger eifrig die Zweige absuchen. Das musste der mir bereits angekündigte Berglaubvogel (Phyllopneuste Bonelli) sein.

Rasch eilte ich hinunter auf den Vorsaal und holte das daselbst liegende Flobert, um mich von der Wahrheit meiner Vermuthung zu überzeugen. Allein alle meine Bemühungen, einen Schuss abzugeben, blieben erfolglos. In meiner Aufregung hatte ich ganz übersehen, dass das Gewehr mit Stecher versehen war. Ich schaute noch ganz desparat dem endlich abfliegenden Vogel nach, als Herr von von Tschusi erschien und mir die Geschichte aufklärte. Wir begaben uns hierauf sogleich in den Garten und wenige Minuten später hielt ich den ersten selbst erlegten Berglaubvogel in der Hand. Wir ergingen uns noch eine Zeit lang im Freien, konnten aber ausser einigen jungen Fitislaubvögeln, Gartenrothschwänzchen und Sumpfmeisen nichts besonderes bemerken. Das Wetter war einer stärkeren Zugbewegung nicht hold. Der bald sich einstellende Regen bannte uns in's Zimmer. Während des Vormittags wurde die Sammlung besichtigt, Nachmittag einige Vögel präparirt und einige Werke aus der umfangreichen ornithologischen Bibliothek besichtigt. Der Abend war gemüthlicher Plauderei gewidmet. Am Morgen des 5. August machten wir den Versuch, mittelst des „Wichtels“ (Athene noctua) einige seltenere Vögel zu erbeuten, jedoch wiederum vergeblich. Ein Nachmittagsausflug auf den Brand wurde uns leider total verregnet. Wir hörten einige Schwanzmeisen und auch Zwergfliegenfänger, sahen einen Bussard (wohl But. vulgaris), erlegten aber nichts. Doch brachte Rudolf, der ältere Sohn v. Tschusi's einige junge Muscicapa parva im Uebergangskleide, sowie einen Acroph. palustris, Sumpfrohrsänger nach Hause.

Am nächsten Morgen regnete es wieder zur Abwechslung. Nachmittags heiterte sich der Himmel etwas auf, so dass ich das berühmte Salzbergwerk bei Hallein besichtigen konnte. Unterwegs bemerkte ich ausser den gewöhnlichsten Arten nichts besonderes. Als ich gegen Abend wieder zu dem gastlichen Tännenhof zurückkehrte, schien Petrus einigermassen gut machen zu wollen, was er bisher im Salzburgischen an mir gesündigt, denn ein prächtiges Alpenglüh'n (wenn auch in bescheidenem Maasse) verklärte die Gipfel des Tännengebirges und weckte neue Hoffnungen in meinem ganz „verwässerten“ Gemüthe.

Thatsächlich war am 6. August das Wetter etwas besser, und deshalb brach ich frühzeitig nach dem Königssee auf. Unterwegs beobachtete ich eine Zaunkönig-Familie, mehrere Garten-Rothschwänzchen, Kohl-, Blau-, Hauben- und Sumpfmeisen, (die letzteren erschienen mir sehr hell und dürften vielleicht der Alpenvarietät angehört haben), einen Weidenlaubvogel (Ph. rufa), Spechtmeisen, Amseln, Gimpel und gelbe Bachstelzen (M. sulphurea).

Zum Glück hielt das Wetter ziemlich an, so dass ich mich an den wundervollen Bildern, welche der Königssee und sein kleinerer Zwillingsbruder, der obere See dem Naturfreunde bieten, so recht aus Herzensgrund ergötzen konnte. Sogar eine „Gams“ wurde gesehen und dann frohen Muthes der Rückweg angetreten.

Der philosophische Erguss eines Schusters bei Berchtesgaden — die Firmatafel desselben, zeigte nebst einem umgekehrt gemalten Stiefel, folgendes Verschen:

„Die Welt ist aufgeklärt,
So wie der Stiefel umgekehrt,
Sollt' es in der Welt noch besser werden,
Muss der Absatz auf die Erden“

— fand daher wenigstens in puncto der letzten zwei Zeilen meinen ungetheilten Beifall, und in dem eifrigen Bestreben, die Welt durch eifriges Aufsetzen der „Absätze“ zu reformiren, kam ich recht bald wieder in Hallein an.

Der nächste Tag war für die Weiterreise festgesetzt. Ehe ich über dieselbe berichte, will ich den geehrten Lesern noch einiges über den Tännenhof mit seinen ornithologischen Schätzen erzählen.

Villa Tännenhof liegt am rechten Ufer der Salzach in dem hier schon erweiterten Thale von Hallein. Ein ziemlich grosser, mit Laub- und Nadelbäumen, sowie dichtem Gesträuch bestandener Garten schliesst sich daran. Wiesen und Felder mit vereinzelten Bäumen und Gesträuchen, von einem Bächlein durchflossen, begrenzen das Gut von drei Seiten. Im Osten steigen meist waldbedeckte Hügel sanft empor. Im Süden schliessen die schön profilierten Spitzen des Tännengebirges den Horizont ab. Jenseits der Salzach, also im Westen, liegt am Fusse waldiger Berge das freundliche Hallein. Im Norden scheint das Thal durch die Berge in der Nähe von Salzburg abgeschlossen.

Das wäre, mit wenigen Worten charakterisirt, die Stätte, auf welcher Victor von Tschusi nun über 20 Jahre seine präcisen Beobachtungen über das alljährliche Kommen und Gehen unserer gefiederten Freunde macht, eifrig sammelt und rastlos zu Gunsten der Ornithologie wirkt. Was Wunder, wenn er jedes Plätzchen, jeden Baum und Strauch mit seinen regelmässig daselbst erscheinenden Gästen auf das genaueste kennt.

Mit allen hervorragenden Vertretern der Ornithologie befreundet und in regem Briefwechsel stehend hat v. Tschusi es verstanden, den Tännenhof zu einer ornithologischen Central-Station zu machen, wie es wohl wenige dergleichen geben wird. Durch die stete Verbindung mit den bedeutendsten Ornithologen in und ausser Oesterreich-Ungarn, ist derselbe immer über alle ornithologisch-interessanten Vorgänge auf's genaueste orientiert und vermag so weitere Beobachtungen zu veranlassen

Unser leider zu früh geschiedene Kronprinz Rudolf, wusste die trefflichen Eigenschaften v. Tschusi's zu würdigen und betraute ihn mit der Einrichtung und Leitung der ornithologischen Beobachtungs-Stationen Oesterreich-Ungarn's.

Nunmehr sind es bereits über 26 Jahre, dass der Genannte ornithologisch thätig ist. Tausende von prächtigen Bälgen sind während dieser Zeit unter seiner geschickten Hand entstanden und viele davon sind im Tauschverkehre in die weite Ferne gegangen. Ueber 200 grössere und kleinere ornithologische Arbeiten, sind bisher von ihm erschienen, und die Bewältigung seiner wirklich sehr ausgedehnten Correspondenz verlangt einen nimmermüden, arbeitsfrohen Mann.

Gegenwärtig sammelt Victor von Tschusi nur Bälge. Seine frühere Sammlung, bestehend in 560 Stück tadellos gestopfter Vögel (darunter viele seltene) schenkte er dem Wiener Hof-Museum.

Genannter sammelt nur Vögel der palaearktischen Region und deren nächststehende Formen. Er legt einen besonderen Werth auf möglichst vollständige Suiten, die einerseits den Entwicklungsgang des Vogels vom Nest-, beziehungsweise Dunenkleide bis zum ausgefärbten zeigen; andererseits Aufschluss über das individuelle und locale Variiren der Art geben. Durch eigenes eifriges Sammeln und durch ausgedehnte Verbindungen ist es ihm gelungen, bei verschiedenen Arten wunderbare Reihen zusammen zu bringen, die ein ausserordentlich lehrreiches Bild über die Grenzen der individuellen und localen Veränderlichkeit der Art geben. Der gegenwärtige Stand der Sammlung dürfte circa 2000 Stück betragen.

(Fortsetzung folgt.)

Ein ornithologisches Bild aus den Wildhandlungen einer Grossstadt.

Von Rich. Schlegel, Leipzig.

Vergangenen Herbst und Winter unternahm ich fast täglich einen Rundgang durch die hiesigen Markthallen und grösseren Wildhandlungen, um einestheils mit besseren Sachen meine Sammlung komplettieren zu können, anderntheils aber auch ein Bild davon zu erhalten, was man alles unter der Kategorie „geniessbares Nutzgeflügel" auf den Markt bringt. Nachstehende Liste soll keineswegs Anspruch auf Vollständigkeit haben; fortgesetzte Nachsuche wird voraussichtlich zur entsprechenden Zeit einen ziemlich ansehnlichen Nachtrag, nach den Mittheilungen von Fachfreunden, namentlich in Hinsicht auf die Sumpfvögel ermöglichen.

1. Brachyotus palustris, welche sich während des Herbstzuges gern in Kraut- und Kartoffelfeldern verbirgt, wird während der Hühnersuche ziemlich häufig erlegt, und gelangen auf diese Weise erbeutete Stücke mit Hühnern nicht selten in die Hände der Händler.

2. Sturnus vulgaris fand ich mehrere grosse Sendungen vor, die als „Krammetsvögel" nicht lange auf Abnehmer zu warten brauchten.

3. Pica caudata sah ich eines Tages in 3 Exemplaren zum Verkaufe ausgehängt.

4. Garrulus glandarius ist ein nicht seltener Begleiter der „Krammetsvögel".

5. Merula vulgaris kam als Krammetsvogel recht häufig, namentlich später aus Galizien und Italien auf den hiesigen Markt. Ich hatte Gelegenheit eine schöne Suite von Männchen und Weibchen in allen Kleidern auszuwählen.

6. Turdus pilaris war eine der gemeinsten und gesuchtesten „Krammetsvögel".

7. Turdus vicivorus kam während der Wintermonate vielfach aus Italien an. Ich durchmusterte kleinere Sendungen, die nur aus dieser Species bestanden.

8. Turdus musicus war mit

9. Turdus iliacus beim Beginne der Saison der häufigste „Krammetsvogel".

10. Anthus pratensis war immer in einigen Stücken unter Lerchen zu finden.

11. Alauda arvensis kam aus Italien recht häufig an.

12. Milaria europaea fand sich immer in mehreren Stücken unter Feldlerchen vor.

13. Tetrax urogallus wurde aus Russland ziemlich häufig nach hier versandt. Alle besichtigten und von mir ausgewählten Hähne zeichneten sich durch reichliche weisse Fleckung der Naturseite und des Schwanzes aus. Die schlesischen und sächsischen Stücke meiner Sammlung haben bedeutend weniger Weiss, sind auffallend stärker und mit entsprechend längerem Stosse versehen. Wie ich mich überzeugt zu haben glaube, liegen diese Unterschiede nicht im Alter begründet.

14. Tetrax tetrix wurde in ziemlicher Menge feilgeboten. Unter den besichtigten Stücken befanden sich viel kapitale, „prachtschwarze" Hähne. Bei einer Sendung interessirten mich cr. 20 Hennen, bei denen das Gefieder des Unterhalses und Kropfes

intensiv rostroth, ganz ähnlich der Auerhenne, gefärbt war. In bedeutenden Mengen kamen fortwährend an:

15. Lagopus subalpinus und

16. Tetrao bonasia. Fast alle Stücke, namentlich letzterer Species zeigten infolge des Fanges mit Laufschlingen gebrochene Ständer. Von Lagopus subalpinus hatte man schöne Uebergänge vom Sommer- zum Winterkleide auszuwählen reichlich Gelegenheit.

17. Perdix cinerea, welches fast nur aus der Umgebung eingeliefert wurde, bot nichts Erwähnenswerthes. Auch die schlesischen Stücke stimmten mit den hiesigen gut überein.

18. Coturnix dactylisonans fand ich zu verschiedenen Malen aus der Umgegend an einzelnen Stücken, mehrfach jedoch schon aus Italien in halbgerupftem Zustande vor. Am Seltenerwerden der Wachtel trägt der Waidmann, soweit ich es nach unseren Verhältnissen zu beurtheilen vermag, zum allerkleinsten Theile die Schuld; denn die Anzahl der erbeuteten Stücke ist auf vielfache Erkundigungen hin eine verschwindend kleine. Aber die Sense des Schnitters ist in Hinsicht auf die Verminderung von Wachtel, Wiesenralle etc., soweit überhaupt unsere Verhältnisse dabei in Betracht zu ziehen sind, ein Factor, dem man noch viel zu wenig Bedeutung beizumessen pflegt.

19. Otis tarda sah ich in einem Stück, einem alten ♂, das auf der Hasenjagd erbeutet worden war.

20. Crex pratensis kommt mit Rebhühnern einzeln an.

21. Limosa aegocephala kam in 1 Stück mit.

22. 6 Machetes pugnax am 11. Mai aus Rügen an. NB. Später eingetroffene Sendungen von Sumpfvögeln konnte ich nicht besichtigen.

23. Scolopax rusticola kam im Herbste in ziemlichen Mengen aus Galizien, im Winter noch in mehreren grossen Sendungen aus Konstantinopel an.

24. Gallinago scolopacina war gleichfalls sehr viel vertreten.

25. Anser cinereus hing zur Zeit in 2 Stücken in der Markthalle. Die Thiere waren in der Umgebung erbeutet worden.

26. Anas boschas ist eine regelmässige Erscheinung.

27. Anas crecca habe ich nur in 2 Weibchen gefunden.

28. Harelda glacialis kam in ganz bedeutenden Sendungen von der Ostsee nach hier und wurde als gemeine Marktwaare feil geboten.

29. Oidemia nigra } waren gleichfalls in gros-
30. Oidemia fusca } sen Posten vertreten.

31. Larus argentatus juv. kam in einem Stück aus Rügen an.

Aus Heinr. Gätke's „Vogelwarte Helgoland".

(Fortsetzung.)

Ein solches Versenken des Vogelkörpers in und unter das Wasser ist nicht mit dem alltäglichen Tauchen der Vögel nach Nahrung zu verwechseln. Dabei wird der fast senkrecht gestellte Körper durch kräftige aufwärts geführte Stösse der Schwimmfüsse in die Tiefe getrieben, und somit der gewollte Erfolg einfach durch mechanische Kraftäusserungen erzielt, ganz ebenso, wie dies bei dem gewöhnlichen Fliegen in der Luft durch schnelle kräftige Flügelschläge geschieht. Um aber das langsame Versenken des Körpers unter die Wasserfläche und sein Verbleiben daselbst in ruhigem Zustande zu ermöglichen, sollte füglich das specifische Gewicht desselben zu einem bedeutenderen, als das des Wassers, gesteigert werden können; wie solches aber zu ermöglichen wäre, ist durchaus unsichtlich. Die Gesammtmasse der festen Theile des Körpers eines grossen nordischen Tauchers ist auf etwa einen Kubikfuss anzuschlagen, müsste also, um sinken zu können, ein grösseres Gewicht als ein gleiches Volumen Seewasser aufweisen, wiegt in Wirklichkeit aber nicht den vierten Theil desselben, denn der schwerste derartige Taucher, den ich je unter Händen gehabt, wog 15 Pfund, ein Kubikfuss Nordseewasser ist aber 62 Pfund schwer; diese ohnehin schon so sehr grosse Verschiedenheit des Gewichtes des Vogelkörpers und des gleichen Volumen Seewasser steigert sich aber noch um ein erhebliches durch die obenerwähnte, den Körper umgebende, von warmer Luft durchdrungene Daunen- und Federumhüllung.

Wie also nach allem Angeführten der Körper des Vogels unter die Fläche des specifisch so bedeutend schwereren Wassers zu sinken und dauernd daselbst zu verweilen vermag, dürfte als eine ebenso schwer zu erklärende Erscheinung gelten, wie jene, während welcher sein Körper in die specifisch so sehr viel leichtere Luft aufzuschweben im Stande ist, in beiden Fällen nicht unterstützt durch mechanische Hilfsmittel, Luft- oder Wasserströmungen.

Die Befähigung der Vögel, sich in sehr grosse Höhen zu erheben, findet unzweifelhaft bei manchen, vielleicht bei vielen Arten, schon während ihrer alltäglichen, gewohnten Lebensthätigkeiten eine gewisse Verwendung. So steigen Geier, und nach von Middendorff die Kolkraben, Corvus corax, (Isepiptesen S. 4), um ihre Nahrung zu entdecken, zu ganz erstaunlichen Höhen auf. Im Allgemeinen aber kommt diese eigenartige Fähigkeit nur während des Wanderfluges zu voller dauernder Verwerthung und kann auch nur während desselben zur vollen Verwerthung gelangen. Es ist daher unabweislich anzunehmen, dass diese Eigenschaft den Vögeln lediglich für diesen Zweck geworden ist; damit stimmt überein, was durch Beobachtung in der Natur auf das überzeugendste bestätigt wird, dass die Vögel ohne Ausnahme sich beim Aufbruch zu ihren grossen Wanderflügen sofort über ihre alltäglichen Flugregionen erheben, und zwar die überwiegende Mehrzahl von ihnen unverzüglich zu Höhen, die sie jeder sinnlichen Wahrnehmung vollständig entziehen.

Bei Arten, wie unsere kleinen Sänger, Drosseln und dergleichen, will dies freilich nicht viel sagen. wenn aber Vögel von der Grösse eines Storches, und namentlich des dunkel gefärbten Kranichs, mit einer Flugbreite von sieben bis acht Fuss in die klare Atmosphäre aufsteigen, bis sie ein gutes Auge kaum noch wahrzunehmen vermag (Naumann), so darf man diese Höhe schon auf nicht geringer als 15.000 bis 20.000 Fuss veranschlagen. Eine dunkelfarbige Flagge von sieben bis acht Fuss Länge erkennt man an einem Schiffe im Abstande einer Meile immer noch sehr deutlich, wobei daran zu erinnern ist, dass eine vertikale Entfernung bedeutend günstigere Bedingungen für den Fernblick darbietet, als eine horizontale.

Die staunenswerthesten Ergebnisse in Betreff der Höhe, zu welcher Vögel sich aus freiem Antriebe erheben und in welcher sie beliebig lange zu verweilen vermögen, haben die Beobachtungen geliefert, welche Humboldt in den Anden am Condor gemacht hat; darnach kreiste dieser Vogel dort stundenlang in einer Höhe von 22.000 Fuss umher (Ansichten der Natur, II, S. 52). Humboldt fügt jedoch mit Bezug hierauf später noch hinzu, dass der Condor wahrscheinlich höher fliege, als durch Rechnung gefunden worden sei, und führt an, dass er am Cotepaxi, 13.578 Fuss über dem Meere, den schwebenden Vogel in einer Höhe über sich gesehen, wo derselbe nur noch wie ein schwarzes „Pünktchen“ erschienen sei. Diese Höhe kann mit Sicherheit auf mindestens 30.000 Fuss veranschlagt werden. Rechnung ergiebt eine mehr als doppelt so grosse Ziffer für den Abstand, in welchem ein elf Fuss im Durchmesser haltender Gegenstand dem Blick entschwinden würde, und elf Fuss wäre nach Humboldt's Angabe die mittlere Flugweite eines Condors. In welcher fast unglaublich erscheinenden Ferne man in jener klaren Bergluft Gegenstände noch zu erblicken vermag, beweist eine weitere Mittheilung Humboldt's, nach welcher er mit unbewaffnetem Auge Bonpland wahrzunehmen vermochte, der, mit einem weissen Mantel bekleidet, in einer horizontalen Entfernung von 84.132 Fuss längs einer dunklen Felswand dahinritt.

Praktische, hier in der Natur zu Gebote stehende Erfahrungen führen zu gleichen Ergebnissen. Die östlich von Helgoland liegende Austernbank ist 22.000 Fuss entfernt; wenn auf derselben eines der dort sehr häufig verkehrenden Fahrzeuge bei klarem Wetter eine Flagge von der Flugbreite des Condors zeigte, so würde man solche von der Insel aus nicht allein sofort erblicken, sondern es würde bei günstiger Beleuchtung ein Auge von gewöhnlicher Schärfe die Farbe derselben sogar erkennen können — blau, roth, weiss. Da man nun berechtigt ist anzunehmen, dass in jener hohen klaren Gebirgsluft, wo Humboldt beobachtete, der Vogel doch wenigstens in ebenso grosser Entfernung sichtbar sein musste, wie hier in der dunsterfüllten tiefen Athmosphäre eine Flagge von der Flügelbreite desselben, so unterschätzt man zweifellos die Flughöhe jenes Condors immer noch, wenn man für dieselbe rund 40.000 Fuss über der Meeresfläche annimmt. Es ist nach solchen Ergebnissen kaum ein Schluss zu wagen auf die Höhe, zu welcher ein grauer Geier von einer Flugbreite von zehn Fuss sich erhob, dem Dresser durch ein gutes Doppelglas nachblickte bis derselbe, gleich einem Pünktchen, seinem künstlich so sehr gesteigerten Wahrnehmungsvermögen entschwand.

Dem Vorhergehenden gegenüber sind meine hier gemachten Beobachtungen allerdings nur von sehr geringfügiger Natur. Das Gesammtergebnis kommt aber dennoch darauf hinaus, dass der Wanderflug der Vögel, mit nur sehr wenigen Ausnahmen, weit über dem Sehbereich des schärfsten Auges dahin gehe. Es weichen nun allerdings die verschiedenen Arten in der Höhe ihres Zuges ebenso von einander ab, wie sie dies in der Richtung desselben thun; immer aber erscheint und verschwindet die weit überwiegende Masse aller ankommenden, sowie abziehenden Wanderer vertikal an der fernsten Grenze des forschenden Blickes. Die Zahl solcher Arten dagegen, deren normaler Wanderflug sich nur wenige hundert Fuss über die Erdoberfläche erhebt, ist eine kaum nennenswerthe, und auch von diesen ziehen unter Umständen noch manche, wie die schon erwähnten Saatraben und Brachvögel, in einer Höhe von 10.000 bis 15.000 Fuss überhin.

Ich habe Finkenhabichte hier während des Herbstzuges ankommen sehen, die, als sie im Zenith kleinen Stäubchen gleich sichtbar wurden, nach ziemlich zuverlässiger Schätzung gleich 10.000 Fuss hoch sein mussten. Das Maas, welches ich hierbei zu Grunde lege, ist die Entfernung der äussersten Südspitze des Dünenriffes von Helgoland, welche 8000 Fuss beträgt. In den Schaaren von Krähen, welche diese Spitze während ihrer Zugzeit in grossen Massen überfliegen, unterscheidet man von hier aus mit äusserster Leichtigkeit jeden einzelnen Vogel und dürfte hienach das Mass der Höhe, in welcher die ankommenden Habichte sichtbar wurden, durchaus nicht überschätzt sein. Die Ankunft dieser Habichte fand an einem hellen Herbsnachmittage statt, der Himmel war gleichmässig von jener hohen, weissen, streifigen Wolkenbildung bedeckt, die derartige Beobachtungen ungemein begünstigt. Die Vögel wurden während des Verlaufes von etwa einer Stunde in jener Höhe, einzeln, zu dreien und vieren nach und nach sichtbar und stiegen kreisend aus derselben herab.

In anderer Weise geschieht dies Herabsteigen aus Höhen, in welchen die Vögel ebenfalls nicht sichtbar sind, bei anderen Arten. Wilde Tauben, Columba palumbus und Waldschnepfen stürzen sich oft unter raketenartigem Sausen, aber unter bedeutend grösserer Geschwindigkeit, fast senkrecht oder in einer ein- bis zweimal gebrochenen Linie herab. Man sieht keinen Vogel, richtet aber, durch fernes Sausen aufmerksam geworden, den Blick dem Geräusch zu und erblickt einen unkenntlichen kleinen Punkt, der aber auch fast im gleichen Momente schon als Vogel vorüber schiesst. Tauben brechen diese Niederfahrt schon ab, wenn sie noch weit vom Boden entfernt sind; Schnepfen aber sausen herunter bis zu drei, ja zwei Fuss Entfernung von der Erde und streichen dann ganz niedrig über dieselbe dahin. Zuweilen auch fahren sie unter ungeschwächter Velozität bis zu dem Gerölle am Fusse des Felsens hinunter, wo sie dann plötzlich so ruhig sitzen, als hätten sie sich nie gerührt. Bei jedem solcher Fälle erstaunt man aufs neue darüber, dass der Vogel sich nicht am Boden zerschmetterte. Singdrosseln sausen ebenfalls in stiller Morgenfrühe, aber in sehr schräger Richtung herunter.

In ganz anderer Weise langen die kleinen Sänger, wie Rothschwänzchen, Laubvogel, Wiesenschmätzer und ähnliche an. Sie sind oft während schöner, sonniger Morgenstunden plötzlich in zahllosen, fort und fort sich steigernden Massen da, ohne dass man das Ankommen eines einzigen derselben bemerkte oder anzugeben vermöchte, aus welcher Richtung sie gekommen. Dahingegen sieht man Buchfinken schaarenweise in grosser Höhe, feinem Staube gleich, erscheinen, sich in vielen Wendungen unter lautem „bink-bink" herniederlassen und dem wenigen Gesträuch der Insel zueilen. Jede Art fast steigt in anderer Weise herab, nahezu alle aber werden in grösster Höhe als kaum wahrnehmbare Punkte sichtbar.

Auch die Art und Weise der Abreise der Vögel lässt auf einen hohen Wanderflug schliessen. Viele ziehen einzeln in grosser Höhe davon; andere in Schaaren, indem sie wie die Kraniche, kreisend aufsteigen, bis sie dem Blicke entschwinden; Finkenhabichte und Thurmfalken sah ich ebenfalls in Schraubenlinien, bis zum gänzlichen Unsichtbarwerden sich emporwinden. Das ballonartige Aufschweben der Bussarde ist zuvor schon besprochen.

(Fortsetzung folgt.)

Der einfärbige Wiener Tümmler.

Von **A. V. Curry**, Wien-Währing.

(Schluss.)

Wer auch heute erste Budapester Taubenschläge aufsucht, der findet dort den Wiener Schlag im Abklatsch und was seinen Augen unter anderen bei Anton Horváth in Steinbruck bei Budapest begegnet, wird ihn durch die Fülle von Vollkommenheit in allem, was da liegt und lebt entzücken. Vom wichtigsten Gegenstande der Einrichtung bis hinunter zum untergeordnetsten Utensil ist da alles von modernstem Style und in seinem reichen Stande an Wiener Kurzschnäbeln, fast jedes Stück das Edelste und Prächtigste der Welt.

Was speciell die Wiener Weissen anbelangt, so liegt auch deren Ursprung in nebelhafter Vergangenheit verborgen und wurden dieselben einstens gleich wie die andersfarbigen, als Flugtauben gehalten. Mit dem Aufdämmern jener edlen Richtung, welche man der Zucht der andersfarbigen gegeben, wurden auch die Weissen zum Gegenstande regster Aufmerksamkeit seitens der hervorragendsten Züchter Wiens. Den ersten Anfang machte ein gewisser Hasselberger in dem nahegelegenen Grinzing, indem er die Weissen mit jenen hellblauen Wiener Ganseln kreuzte, deren Farbe so licht ist, dass sie schon aus einiger Entfernung wie weisse Tauben aussehen. Seine Mühe brachte die ersten Anfänge auf der Bahn der Veredlung, denn die weiss gefallenen Jungen waren in Kopf und Schnabel besser und wenn dann auch der in Wien verlangte prächtig rothe Augenring erschien, dann galt dies schon als so namhafter Fortschritt, dass an Sonntagen nicht selten eine Art Völkerwanderung entstand, um in Grinzing jene allerneuesten Wunderkinder zu besehen. Ein solch' reges Interesse aller Sportskreise musste den Ehrgeiz erwecken bei allen bedeutenden und bedeutenderen Züchtern und auf ja und nein entstand ein wahrer Wetteifer, auch die Weissen schön und immer schöner zu erzüchten. Wie bei jeder Bewegung im Wiener Sportsleben, so stand auch hier wieder Heinrich Zaoralek an der Spitze. Tausende von Gulden liess er in das Ausland fliessen, um wo nur Edelstes zu finden war, in seiner selbstlosen Art, für die Züchterkreise seiner Vaterstadt zu aquiriren. Trotz der höchsten Preise war aber das Materiale weit entfernt vom echten feinen Kurzschnabel und so griff der Wiener Züchter Halberstatt auf Zaoraleks Weisung zum englischen Bluteinschlage, indem er hochedle Almonttümmler mit den bishin erzielten besten Weissen paarte. Es lässt sich denken, welch' langwierige Arbeit diese allbekannte scrupulöse Kreuzung schuf, aber Zeit, Fleiss und zäheste Ausdauer überwanden alle Schwierigkeit und die Veredelung der Formen schritt in erfreulichster Weise vorwärts. Jetzt griff auch hier wieder Ludwig Muschweck ein und was nun dieser fähige Züchter geschaffen, bedeutete den höchsten Triumph beharrlichen, hingebungsvollen Strebens, es war die herrlichste Vollendung jenes Werkes, um welches ein nun jahrelanges Streben in begeisterter Hingebung Stein an Stein gefügt hat. So steht heute der weisse Wiener Tümmler in allen seinen Merkmalen mit den Andersfarbigen auf völlig gleicher Höhe und wird den Letzteren gegenüber insofern bevorzugt, als ihm an Wiener Ausstellungen bei sonst ganz gleicher Qualität respectvoll der Siegespreis zu Theil wird.

Zu den Einfarbigen rechnet der Wiener auch Geschwingte (Weissgespiesste) welche bei sonst ganz eintönig gefärbtem Federkleide 7 bis 9 der grössten Flügelfedern weiss haben. Man schätzt auch diese etwas höher, als die völlig einfarbigen Tauben, weil die erwähnte Zeichnung den Effeckt vermehrt und in der Zucht nicht so leicht mustergiltig ausfällt, sondern bald durch Ungleichheit der weissen Federzahl, bald durch zu spärliches Auftreten derselben die Qualität der Zeichnung reducirt. Besitzt indessen ein fehlerhaft geschwingtes Thier sonst besonders schöne Formen, so drückt der Wiener bezüglich aller anderen Scrupel gerne beide Augen zu.

Der einfarbige Wiener Tümmler ist in vollendeter Qualität eine herrlich schöne Sportstaube und bildet durch seine eminenten Formen, wie das prächtige Auge, überall wo er erscheint, den Gegenstand rückhaltloser Bewunderung. In Königsberg sowohl, als im letzten Jahre zu London und Paris, haben diese Wiener Tümmler den ungetheilten Beifall aller Sportskreise gefunden und brachten ihren Besitzern die höchsten Siegespreise der dortigen Ausstellung heim. In Paris wurden die verkäuflich angemeldeten Paare sämmtlich zu hohen Preisen abgenommen.

Wer in deutschen Werken die Beschreibung und Abbildung des Einfarbigen sowohl, als die des geganselten Wiener Tümmlers sieht und diese bei Gelegenheit mit der Wirklichkeit vergleicht, der findet einen Unterschied, so gross, als wie zwischen Dämmerung und vollständiger Tageshelle. Dazu tritt aber noch ein zweiter Umstand, der den Irrthum erst recht völlig macht, denn, wenn sich Jemand um 15 bis 20 Mark ein Paar mindere Wiener Tümmler kauft, so erwartet er dasjenige, was das Bild höchster

Vollendung zeigt, stellt sie sogar aus und viele die sie sehen, machen sich über die ganze Rasse ein völlig falsches Urtheil. Ich kann meinen Mittheilungen selbst kein naturgetreues Bild anschliessen, denn es existirt keines, welches der Wirklichkeit entspricht.

Nach der Classe gehört der Einfarbige Wiener Tümmler unter die Kurz- und Dickschnäbligen Tümmlerarten, sein Kopf entspricht dem Würfel, aber es gibt in Wien auch breit- und hochstirnige Almontköpfe von ausserordentlicher Schönheit und der Wiener Züchter respectirt auch diese von seinem heimatlichen Typus abweichende Kopfform, wenn daran ein abgesetzter, echt „weanarischer“ kurzer dicker Schnabel sitzt. Letzterer soll an der Spitze gleichmässig gedeckt, ohne allen Nasenansatz, ganz gerade abstehen und nicht „hängend“ d. h. nicht abwärts gerichtet sein. Bezüglich seiner Dimensionen will ich als Gegner vieler Messungen und verwirrender Zahlenreihen nur soviel darüber sagen, als nöthig ist, damit mich Kurzschnabelzüchter verstehen. Also der Schnabel ist so kurz, als wie der des feinsten Almonttümmlers, wobei er so dick als möglich und nicht spitzig, sondern kolbig zu sein hat. Der Farbe nach ist er rein fleischfarben, dunkles Horn ist wie überall ein Fehler.

Die Augen haben die reinste Perlfarbe und gibt es in Wien selbst unter den ordinärsten Einfarbigen selten eine Taube, welche dunkle Augen hätte. Bei Weissen kommen solche hin und wieder selbst bei feinsten Thieren vor oder sie erscheinen gebrochen, was natürlich ebenfalls ein Fehler ist. Bei allen umgibt das Auge ein Doppelreihiger, intensiv rothgefärbter Augenring, welcher dem Gesichte des Thierchens einen erhöhten Reiz verleiht und niemals wulstig, sondern glatt und flach zu sein hat.

Die Figur betreffend, will der Wiener kleine Tauben haben, weil der Begriff der Anmuth sich so ungerne mit dem des Grossen eint. Und in der Haltung wünscht er „a kecke Taum“ (eine kecke Taube) als Gegensatz zum „Zanssarl“, womit er Träger einer struppigen, krankhaften Erscheinung meint. Die Musterhaltung ist — von der englischen abweichend — aufrecht mit lothrecht hochgehobenem Kopfe.

Der Farbe nach gibt es auser den 4 Grundfarben noch die Caffébraunen, sogenannten „Lercherln“, welche aber blos zur Zucht von schönen Farben dienen. Aber das Colorit kommt in Wien erst in allerletzter Linie zur Geltung, welcher Umstand der prachtvollen Entwicklung der Formen seit jeher so unendlich viel zu statten kam. Durch die in Japan, Indien und England gebräuchliche Beimischung von Sonnenblumensamen in das Futter der alten Tauben wenigstens zur Mauserzeit, kann aber das Gefieder in Struktur und Farbe zu erhöhter Schönheit entwickelt werden.

In der Zucht sind die Einfarbigen sehr brav, brüten gut und füttern mit erhöhter Treue ihre Jungen, soferne sie sich auch ihrerseits der gehörigen Pflege erfreuen. Selbstredend gibt es — wie bei allen feinen Tauben — auch hier welche Zuchtpaare, welche in der Pflege ihrer Jungen die erste Zeit voll Eifer sind und nach 8 bis 14 Tagen darin nachlassen, um zu neuer Brut zu schreiten.

Und indem ich nun zum Schlusse gehe, wiederhole ich die Worte, welche ich vor nicht gar langer Zeit auch in dieser Fachzeitung gesprochen: „Eine von tiefem Verständnisse geleitete rationelle Taubenzucht darf nur Thiere produciren, welche noch im Stadium höchster äusserer Vollendung völlige Gesundheit und Lebensfähigkeit besitzen; erst, wer dies zu Wege bringt, hat den Gipfelpunct wahrer Züchterkunst erklommen.“ Die grosse Zahl von Züchtern, welche mit reicher Begabung ausgestattet, Wiens Tümmlerschaft auf modernen Bahnen halten, sie mögen fortwirken in begeisterter Hingebung und an das kommende Geschlecht die Schuld abtragen, die sie an das Vergangene nicht mehr entrichten können. Ein edles Verlangen soll in uns erglühen, das reiche Vermächtniss unserer Vorfahren vermehrt wieder an die Folgewelt zu übergeben, auch unseren Mitteln einen Beitrag zuzulegen und so in der Kette der Zeitabschnitte uns're eig'nen Ringe zu befestigen. Und, wenn dann der Genius der den Faden der Geschichte spinnt, im Buche der Zeiten mit dem Zeiger der Erinnerung einst auch auf uns're Folio hinweisen wird, so soll er uns nicht anklagen bei den Manen jener einstigen Schöpfer, deren beharrliches Streben aus unscheinbarem Samen die herrlichsten Blumen entwickelte. Und indem wir diese zum niewelkenden Freudenkranze flechten, soll es an uns sein, dass die Lichter nie verlöschen, welche die Alten für uns angezündet und es niemals Nacht werde im Strahlenreiche unseres Wiener Tümmlersports!

Kleine Mittheilungen.

Ornithologisches aus Italien.

Roma. Societa romana per gli studi zoologici. Bollettino 1892 V. N. 1, 2 und 3, 4, 5.

Bollettino 1, N. 1, 2.

Graf G. Carpegna gibt in seinen „Note ornitologiche“ (p. 16.) Mittheilung über einige seltene Vogelarten aus den Umgebungen von Rom, wie Anser erithropus, viel grösser als A. albifrons, aschgrau, fast bleifarbig, mit zahlreichen Flecken am Abdomen, sehr selten, erlegt Ende Februar 1891. — Emberiza rustica, ebenfalls sehr selten, erlegt Anfangs November 1887 — grosse Aehnlichkeit mit Emb. schönidus, jedoch Brust mit weissen und schwarzen Flecken etc. Zum ersten Male im Gebiete von Rom diese Art erlegt. Dieser Vogel wird auf der Insel Lesbo in festem Käfig an den Mauern der Hühnerhöfe angehängt, um mit seinem Geschrei die Hühner bei Annäherung von Raubvögeln aufmerksam zu machen. Zwei sehr wichtige Hybriden, von Fringilla coelebs und montifringilla, Männchen und Weibchen, beachtenswerth hauptsächlich das Weibchen, an welchem beide Species erkennbar sind.

Prof. A. Carruccio gibt Bemerkungen über einige im zoologischen Museum der kön. Universität in Rom vorfindlichen, seltenen Vogelarten. („Di alcune varita ornithologich“ (p. 18.) Beschreibung der Oreocincla varita (Pall.). — Vergleich zwischen einem Exemplar von Siena und einem von Rom, der Houbara undulata (Jacq.). Anser albifrons als Vergleich mit A. erythropus Otis tetrax.

Marg. J. Lepri beschreibt (p. 58.) das sehr seltene Vorkommen von Albinismus und Isabellismus an Scolopax rusticola und Pica rustica.

Prof. Meli beschreibt (p. 60.) fossile Reste von Gyps (Sui resti fossili deli' avvoltoio del genere Gyps, rinvenutti nel Peperiono Laziale).

Bollettino I, N. 3—5.

Dr. v. J. Angelini in seiner „Nota sulla Guaglia tridattyla (Turnix sylvatica) (p. 95.) dass von den drei grösseren Inseln Italiens jede ihre eigene Specialität hat, so Corsica die Sitta Whiteheade, erst vor wenigen Jahren entdeckt; Sardinien Caccabis petrosa und Sicilien Turnix sylvatica und gibt dann Erläuterungen über den Fundort der oberwähnten Turnix in Sicilien.

Graf Falconiere di Carpegna gibt Verzeichnisse und Bemerkungen über die Vogelfauna der Provinz Pesaro und Urbino (p. 101.), Picus major, ausschliesslich auf Gebirgen; Pic. medius, sehr selten, (Cuculus canorus, die Rückkehr kündigt den Frühling, ein altes Sprichwort; „Se al tre d'aprile non e venuto, ó é morto o s' é perduto.) — Hirundo rufula, sehr selten, Hir. riparia so im Febirge wie in der Ebene ebenfalls selten, bei Tichodroma muraria bemerkt Falconiere dass der Gattungsname Certhia mehr geeignet wäre; Parus ater sehr selten, nur einmal erlegt im November; Turdus torquatus in Wachholdergebüsch alle Jahre, im Herbste manche Exemplare, Bei Ruticilla suecica wird bemerkt, dass Cianecula suecica und Cian. Wolfii Varietäten einer Art seien; Euspiza melanocephala selten; Emberiza pyrrhuloida gute Species; Pastor roseus ein Mal erlegt, erscheint zufällig, Nucifraga cariocatactes auch nur einmal erlegt; Numenius arquata wohl selten alle Jahre im März ein Individuum erlegt; Ardea alba absolut selten und zufällig; Anas tadorna ebenfalls sehr selten, auch Pelecanus onocrotalus Ende September 1880 und 1881 erlegt, dann Stercorarius crepidatus, Columbus Septemtrionalis u. s. w.

Prof. A. Carruccio bestätigt (p. 168.) Pyrrhocorax alpinus und P. graculus in der Provinz Rom (Sull' existenza del Pyrrocorax alpinus u. s. w.) findet sich nirgends erwähnt, gibt Beschreibung derselben.

March. G. Lepri beschreibt Sterna cantiaca und Lusciniola melanopogon in der Provinz Rom (p. 166. Sopra la Sterna cantiaca etc.).

In der „Piccola cronaca di caccia ect. (p. 199) finden wir, dass im April 1893 ein schwarzer Gallinago major längst der Tiber auf feuchten Wiesen beobachtet; dann Nycticorax griseus zahlreich; Ardea purpurea, grosse Schwärme Hydrochelidon fissipes mit untermengt wenige St. nigra oder leucoptera etc. im Mai; Puffinus Kuhlii, P. Yelkuan, im Juni Loxia curvirostra. Sr.

Bezugnehmend auf die in Nr. 12 vorliegenden Blattes (kl. Mittheilungen) enhaltene Notiz über ein Bachstelzenpaar, welches sein Nest in den Werkzeugkasten eines Transportwagens gebaut und daselbst auch die Jungen gross gezogen hat, ungeachtet dessen, dass der Wagen täglich wiederholt seinen Standort wechselte, erlaube ich mir mitzutheilen, dass mir gleichfalls mehrere derartige Fälle von der weissen Bachstelze (Motacilla alba), sowie ein solcher vom Haussperling bekannt sind. Ein derartiges Bachstelzennest mit 8 Eiern langte am 10. Mai 1891 auf einem Waggon aus Galizien in Wien an, allerdings ohne den elterlichen Vögeln, denen dieser Weg denn doch etwas zu weit gewesen sein dürfte. Das Nest befindet sich sammt Eiern gegenwärtig in meinem Besitze und hat ganz entsprechend der Nische in die es eingebaut war, eine prismatische Form mit genau rechtwinkelig abfallenden, geraden Wänden, es ist 24 cm lang, 8.5 cm breit und 6 cm hoch, die Mulde ist oval mit einem Längendurchmesser von 7, einem Querdurchmesser von 5·6 cm. — Mangel an passenden Nistplätzen in der Gegend scheint keineswegs der Grund zu derartigen Nestbauten zu sein, der Vogel liebt wohl die Nähe des Menschen und fühlt sich unter seinen Augen sicherer als in gänzlicher Abgeschiedenheit. Anton Abraham jun., Wien.

Aythia marila und Querquedula angustirostris in Böhmen. (Briefliche Mittheilung an den Herausgeber.) Gelegentlich der Ende Juli d. J. auf der fürstlich Schwarzenberg'schen Domaine Frauenberg in Böhmen abgehaltenen Entenjagden wurden u. A. ein altes ♀ und zwei junge Exemplare von Aythia marila, der Bergente, erlegt. Diese bisher in Böhmen nur in sehr strengen Wintern vereinzelt erlegte Ente ist, ohne sicher bestimmt werden zu können, im heurigen Sommer wiederholt auf den Frauenberger Teichen beobachtet worden, gelegentlich der Jagden aber auch, wie erwähnt, erlegt, bestimmt und gleichzeitig als Brutvogel für Böhmen festgestellt worden.

Querquedula angustirostris, die schmalschnäblige Krieckente, wurde gelegentlich derselben Wasserjagden in vier alten Exemplaren (wovon ein ♂ in der Mauser) erlegt und damit das Vorkommen dieser Species in Böhmen zum ersten Male sichergestellt. C. Heyrowsky.

Zum Einstreuen in die Geflügelstallungen empfiehlt es sich Sägespäne zu gebrauchen. Erstens benehmen dieselben den üblen Geruch, verbreiten vielmehr ihres Harzgehaltes wegen, besonders wenn solche von weichem Holze genommen werden, einen angenehmen Duft, die Excremente verbinden sich vollkommen mit denselben, und geben dadurch einen ausgezeichneten Dünger.

Man sollte sich angewöhnen täglich des Morgens die Stallungen zu reinigen, es ist dies dann beinahe mühelos, wenn es so oft geschieht und nimmt kaum einige Secunden Zeit in Anspruch. Der Dünger wird abgestreift und eine neue Lage Sägespäne darauf gestreut. Auch scheinen letztere den Thieren sehr zu behagen, da die Hühner fleissig davon aufpicken und schon förmlich darauf warten. Was den Kostenpunkt anbelangt, stellen sie sich bedeutend billiger als Sand. B. N.

Ausstellungen.

Landwirthschaftliche Ausstellung in Wr.-Neustadt. Die Anmeldungen für die Geflügelabtheilung dieser Ausstellung sind — wie es die Saison mit sich bringt — nicht sehr zahlreich eingelaufen, doch werden besonders die für landwirthschaftliche Zwecke geeigneten Racen von hervorragenden Züchtern vorgeführt werden. — Verhältnissmässig gut beschickt wird die Ausstellung mit Wassergeflügel sein, wie auch in der Taubenabtheilung die Nutztauben dominiren.

Das Preisgericht haben die Herren J. B. Brusskay, E. Sinner, A. Schönpflug und L. Saxl, sämmtlich in Wien, übernommen. — Wie der „I. österr.-ungar. Geflügelzuchtverein" hat auch der „I. Wr. Vororte-Geflügelzuchtverein" mehrere silberne und bronzene Medaillen der Jury zur Disposition gestellt.

Internationale Geflügelausstellung in Budapest. Dem nun vorliegenden Programm dieser, unter dem Protektorat des kön. ung. Ackerbau-Ministeriums stehenden Ausstellung entnehmen wir folgende Punkte:

Zur Ausstellung zugelassen werden: „Alle Racen Haushühner, Perlhühner, Truthühner, Enten, Gänse, Tauben, Ziergeflügel, Wald- und Stubenvögel, Kaninchen, Producte der Geflügelzucht, Geflügelzucht-Apparate und literarische Werke.

Haushühner zahlen 10 kr., Truthühner, Enten und Gänse (Landschläge) 20 kr. Stand- und Futtergeld; dagegen wird für Race-Grossgeflügel (Ziergeflügel incl.) per Stück 30 kr., für

Tauben und Kaninchen per Stück 15 kr., für lebende Vögel per Stück 15 kr. Stand- und Futtergeld berechnet.

Die Ausstellung gliedert sich, laut Programm in folgende Gruppen:

I. Gruppe: Grossgeflügel (incl. Kaninchen), getheilt in Zucht- und Junggeflügel);
II. „ Tauben;
III. „ Ornithologie: a) freilebende Vögel, b) Stubenvögel (lebend, sowie Präparate, Nester, Eier, Käfige).
IV. „ Literatur;
V. „ Apparate (Brut- und Aufzuchts-Apparate etc.;
VI. „ Handels-Classe (Landschläge des Geflügels: Kapauner, Mastgeflügel, Eier u. dgl.

Schluss der Anmeldungen für Gruppe V 20. August, für alle anderen Gruppen 1. September.

Die Trennung der Grossgeflügel-Abtheilung in solche für Zuchtthiere (auszustellen 22—26. September) und für Jungthiere (auszustellen 27. September bis 2. October) haben wir bereits in einer früheren Besprechung erwähnt.

§ 5 des Programmes sichert jeder Geflügelrace separate Prämiirung zu! — Wir hätten eine feste Classenaufstellung vorgezogen. Auch anderen Ausstellungs-Comités zu empfehlen ist der § 4, wonach jedes auszustellende Thier zu „zeichnen" und die Bezeichnung in der Rubrik „Anmerkungen" des Anmeldebogens anzugeben ist (Stempel, farbige Bänder an den Füssen u. dgl.). Nach § 3 sind auch einzeln ausgestellte Thiere prämiirungsfähig.

Etwas unklar ist die Fassung der „Gruppe Ornithologie", die einzige richtige Unterabtheilung derselben wäre gewesen in: lebende Vögel und Präparate.

Als Preisrichter wurden vom „Ung. Landesgeflügelzucht-Verein" auch die Herren: n.-ö. Landesrechnungsrath J. B. Brusskay und Ing. C. Pallisch (ersterer für Tauben, letzterer für Grossgeflügel) eingeladen.

Indem wir diese Auszüge aus dem Programme publiciren bitten wir jene Herren, die in Budapest auszustellen gedenken, Anmeldebogen vom Directorium des „ung. Landesgeflügelzucht-Vereines", Budapest, Andrássystrasse, „Villa Bellevue" zu verlangen. Einige erliegen übrigens auch zur Benützung bei der Redaction der „Schwalbe" in Erlach, N.-Oe.

Brieftaubenwettflüge.

Brieftauben-Wettflug Mährisch-Schönberg—Wien. Der erste Wiener Vororte Geflügelzuchtverein in Rudolfsheim veranstaltete seinen diesjährigen Brieftauben-Wettflug Sonntag, den 21. August d. J. von der k. k. Brieftauben-Station Mährisch-Schönberg nach Wien, nachdem die zum Fluge bestimmten Thiere vorher durch sechzehn Tage in ersterer Station internirt waren. Das k. u. k. Reichs-Kriegsministerium, welches diesen Flügen, die im Laufe der Zeit bis in die Festungen Krakau und Przemisl ausgedehnt werden, lebhaftes Interesse entgegenbringt, bestimmte zu diesem Zwecke mehrere Staatspreise für verdienstvolle Leistungen. Der Flug ging trotz der ungünstigen Terrainverhältnisse und der immensen Hitze in äusserst exacter Weise von statten, da die 250 Kilometer lange Strecke von der ersten Taube in nur 3 Stunden 4 Minuten zurückgelegt wurde. Nachfolgende Herren erscheinen als Preisgewinner: I. Preis: J. Fleissner (Taube Nr. 15, Flugdauer 3 St. 4 M.), II. Preis: Josef Mantzel (Taube Nr. 34, 3 St. 8 M.), III. Preis: Carl Robert Rödiger (Taube Nr. 18, 3 St. 12 M.), IV. Preis: Hans Pisecker (Taube Nr. 2, 3 St. 16 M.). Die Preise Nr. V und VI erhielten die Herren August Dorn und Heinrich Schulz.

Brieftaubengesellschaft Pössnek. Am 31. Juli, Früh 5 Uhr, wurden Tauben dieser Gesellschaft nach 30tägiger Internirung in der Festung Königsberg in Freiheit gelassen. — Die erste, Herrn Wulbase gehörige Taube langte am 3. August, Abends 6 Uhr 25 Min. im heimatlichen Schlage an. Die Entfernung beträgt 775 Km.

Druckschriften-Einläufe im ersten Semester 1892.

Waidmanns-Heil. III. Zeitschrift für Jagd, Fischerei und Schützenwesen. Redacteur Friedr. Leon, Klagenfurt, den 1. u. 15. jedes Monates.

Ornithologisches Jahrbuch, Organ für das palaearktische Faunengebiet, Herausgeber Ritter von Tschusi zu Schmidhoffen. 6 Hefte pro Jahr.

Zeitschrift für Ornithologie und praktische Geflügelzucht. Organ des Verbandes der orn. Vereine Pommerns. Redacteur H. Röhl, Stettin, 12 Nummern pro Jahr.

Schriften des naturwissenschaftlichen Vereines für Schleswig-Holstein. H. Eckhardt's Commission, Kiel, in Heften.

Sitzungsberichte der Naturforscher-Gesellschaft bei der Universität Dorpat, Redacteur Prof. Dr. J. von Kennel, Dorpat, in Heften.

Mittheilungen der deutschen Gesellschaft für Natur- und Völkerkunde Ost-Asiens in Tokio, Yokohama und Berlin bei A. Asker & Cie., in Heften.

Mittheilungen des nied.-öst. Jagdschutzvereines, Herausgeber Sekretär Rudolf Markowsky, Wien, 10mal im Jahre.

Allgemeine Thierschutz-Zeitschrift, Organ verschiedener Thierschutz-Vereine, Herausgeber Director Dr. L. Vossler, Darmstadt, 12 Nummern im Jahr.

Zeitschrift des landw. Vereines in Bayern, Redacteur Generalsecretär Otto May, München, 12 Hefte im Jahr.

Jahrbuch (XIX) des ungarischen Karpathenvereines, deutsche Ausgabe, Redacteur Prof. E. Kövi, Igló.

Kurze Geschichte der Entwicklung des kaukasischen Museums 1867—1892, von Dr. G. Radde, Director, Tiflis.

Természetrajzi füzetek, Organ des ung. National-Museums, Redacteur Alexander Schmidt, Budapest, 4 Hefte im Jahr.

Tromsoe Museums-Aarshefter, Tromsoe.

Tidskrifft for Fjaerkraeavl, Redacteur Karl Krafft, Kristiania.

Norsk Jaeger- og Fisker-Forenings Tiddskrifft, Redacteur H. Torgersen, Kristiania.

Atti della reale Academia dei Lincei, Roma.

Rivista italiana di Scienze naturali e Bolletino del Naturalista, Redacteur S. Brogi, Siena.

Guida del Pollicultore, Herausgeber J. Mazzon, Padua.

Il Naturalista Siciliano, Redacteur E. Ragusa, Palermo.

Feuille des jeunes naturalistes, Herausgeber A. Dollfus, Paris.

Bulletin de la Société belge de microscopie, Redacteur Secretär Dr. René Verhoogen, Brüssel.

(Schluss folgt.)

Verlag des Vereines. — Für die Redaction verantwortlich: Rudolf Ed. Bondi.
Druck von Johann L. Bondi & Sohn, Wien, VII., Stiftgasse 3.

XVI. JAHRGANG. Nr. 17.

Mittheilungen des ornithologischen Vereines in Wien

„DIE SCHWALBE"

Blätter für Vogelkunde, Vogelschutz, Geflügelzucht und Brieftaubenwesen.

Organ des I. österr.-ung. Geflügelzuchtvereines in Wien und des I. Wr. Vororte-Geflügelzuchtvereines in Rudolfsheim

Redigirt von C. PALLISCH unter Mitwirkung von Hofrath Professor Dr. C. CLAUS.

16. September. 1892.

„DIE SCHWALBE" erscheint **Mitte und Ende eines jeden Monates.** — Im Buchhandel beträgt das Abonnement 6 fl. resp. 12 Mark. Einzelne Nummern 30 kr. resp. 50 Pf.

Inserate per 1 □ Centimeter 3 kr., resp. 6 Pf.

Mittheilungen an das **Präsidium** sind an Herrn **A. Bachofen v. Echt** in Nussdorf bei Wien; die **Jahresbeiträge** der Mitglieder (5 fl., resp. 10 Mark) an Herrn **Dr. Karl Zimmermann** in Wien, I., Bauernmarkt 11;

Mittheilungen an das **Secretariat**, ferner in Administrations-Angelegenheiten, sowie die für die **Bibliothek** und **Sammlungen** bestimmten Sendungen an Herrn **Dr. Leo Pribyl**, Wien, IV., Waaggasse 4, zu adressiren.

Alle redactionellen Briefe, Sendungen etc. an Herrn **Ingenieur C. Pallisch in Erlach** bei Wr.-Neustadt zu richten.

Vereinsmitglieder beziehen das Blatt gratis.

INHALT: Turnagra crassirostris. Neu Seeland-Drossel. Die Pio-pio der Maori. — Zur ornithologischen Durchforschung des mährisch-schlesischen Gesenkes. — Einige ornithologische Reise-Erinnerungen. — Aus Heinr. Gätke's „Vogelwarte Helgoland". — Gefräßigkeit kleiner Vögel. — Der olivengrüne Astrild (Aegintha formosa.) — Geflügel-Ausstellung in Wiener Neustadt. — Kleine Mittheilungen. — Brieftaubensport. — Abgesagte Ausstellungen. — Inserate.

Turnagra crassirostris. Neu Seeland-Drossel. Die Pio-pio der Maori.

Ein Vogel in der Grösse der Misteldrossel (Turdus viscivorus) von olivbrauner Farbe, Kehle, Flügel und Schwanz rostbraun, die Unterseite lichtgelb gestreift, das Auge ist citronengelb, die Füsse und der Schnabel lichtbraun. Zu den neuseeländischen Arten, welche einst in diesen ausgedehnten Urwäldern gemein waren und jetzt schon ausgestorben sind oder doch nur mehr sehr selten vorkommen, gehört auch diese Drossel, welche ich nie in der Nähe von Ansiedlungen fand, sondern nur in den entlegenen Urwäldern, welche noch nie oder selten ein menschlicher Fuss betreten hat.

1877 forschte ich nahe dem Teremakau; diese Gegend ist reizend; der Teremakaufluss wälzt sich schäumend durch das ausgedehnte Thal, welches mit dichtem Urwald bis zu 1000 Meter Höhe bewachsen ist; die vorherrschenden Bäume gehören der Fagusfamilie an. Hier beginnen die Alpen mit ihrer Flora von mehreren Arten Lilien, Margaritten, Butterblumen und dem vorherrschenden Schneegras (Dentonia); über denselben ragen schroffe, kahle und mit Schnee und Eis bedeckte Gebirge majestätisch empor. Unweit von hier ist der ausgedehnte Brunner See im Westen der Südinsel; hier beobachtete ich zum ersten Male diese Drosselart und im Januar 1878 sah ich ein Paar am Fusse des Mount Alexander auf dem Boden herumhüpfen, mit gesenkten Flügeln, senkrecht aufgestelltem ausgebreitetem Schweife.

Sie verfolgten mit ihren grossen milden Augen jede meiner Bewegungen und wurden so zutraulich, dass sie jeden Tag bei meinem Camp erschienen und die aufgeworfene Erde nach Insecten oder Larven durchsuchten. Täglich morgens und abends hörte ich ihren Gesang, welcher dem trillernden Schlag der Nachtigall ähnlich ist.

Als ich 1887 in Chalky Sound campirte, legte ich mir einen Gemüsegarten an, die Turnagra kamen und verzehrten mir die jungen Krautpflanzen; im Walde sah ich sie oft mit ihrem Schnabel das Laub, morsches Holz und Moos herumdrehen, unter welchem sich Insecten verborgen hielten, sie nähren sich auch von Beeren, Pflanzen und jungem Laub.

Ferner beobachtete ich einige Paare dieser seltenen Vögel in den höheren Gebirgsthälern 1884, in Dusky Sound, Caswell Sound, Milford Sound und nahe dem Ida See, in welchen sich der 630 Meter hohe Southerland Fall stürzt, 1887 in Jacksons Bay, dann an den Ufern des blauen Flusses (Blue River) fand ich sie noch am häufigsten, wo ich im November auf einem Tutu Strauch (coraria ruscifolia) in einer Astgabel ein Nest mit einem Ei darinnen fand, welches sich im k. u. k. Naturhistorischen Hof-Museum befindet mit einer Serie von Bälgen und Sceletten von mir gesammelt.

Im September beginnt die Paarungszeit, jedes Paar sucht sich sein Revier und baut gewöhnlich auf Tutu Sträuchen (Coraria ruscifolia), dann in Manuka (Leptospermum scoparium) oder anderen dichten Gesträuchen sein Nest aus kleinen Zweigen, Moos und Gras in eine Astgabel; das Weibchen legt zwei bis drei weisse Eier mit kleinen bräunlichen Puncten; gewöhnlich sitzt das Männchen nahe auf einem Ast und singt. Der Ruf des Weibchens ist ein leiser Pfiff wie „vii"; so zahm diese Vögel sind, dulden sie doch keinen anderen ihrer Art nahe dem Neste; diese werden sogleich bekämpft und verfolgt; diese Art kommt nur auf der Südinsel vor. Durch ihre Zutraulichkeit werden sie leicht eine Beute der vielen Katzen und Ratten, welche ihnen bei Tag und Nacht nachstellen.

Diese Räuber haben sich so vermehrt und verbreitet, dass man sie in den entferntesten Urwäldern, sogar auf den Alpen findet; die Wanderratten sah ich in Massen Schneefelder überschreiten; auf ihren Wanderzügen sind sie so frech, dass sie mir einige Male meinen Proviant in den entferntesten Campirplätzen aufzehrten, obwohl ich ihn gut verwahrt hatte, so dass ich dann gewöhnlich einige Tage hungern musste, bevor ich zu meinem Hauptcamp zurückkam; in der Nacht nagten sie meine Schuhe an den Füssen, zogen mir Haare aus dem Kopf, benagten geschossene oder gebälgte Vögel, sowie deren Eier, wenn ich sie nicht sorgfältig verwahrte. Eine zweite Art (Turnagra Hectori) ist die nördliche Drossel, welche nur auf der Nordinsel vorkommt und 1869 von Sir Buller beschrieben wurde, welcher sie nach Sir James Hector, einem alten Veteran der Wissenschaft, benannte.

Diese Art ist etwas stärker, als ihre südliche Nachbarin; das Gefieder ist auf dem Kopf, Genick, Oberrücken dunkelolivbraun, Kehle weiss, Unterseite aschgrau, Schweif rostbraun, Schnabel und Füsse braun, das Auge gelb. Diese Art kann als ausgestorben betrachtet werden. Wie Sir D. Buller in seinem Prachtwerke „The Birds of New Zealand" bemerkt, schoss er 1852 im Kaipara Distrikt, eine Turnagra Hectori; keiner von den Eingeborenen kannte diesen Vogel, nur ein alter Maori sagte: Das ist der Korohea, welche einst häufiger waren. Als ich auf der Hauturu Insel campirte, erzählte mir eine alte Häuptlingsfrau, dass sie hier öfters den Korohea gesehen habe, dass dieser Vogel aber, seitdem Katzen hier verwilderten, fort sei.

Ich gab mir vergebens Mühe, durchforschte diese Insel nach allen Richtungen, fand aber keinen mehr, die Katzen hatten sie schon ausgerottet.

Herr Field, Regierungs-Landvermesser, welcher in Folge seines Berufes die meiste Zeit in den Wäldern verbrachte, sagte mir, dass er 1884 drei Exemplare von Turnagra Hectori bekam und sie im Spiritus Sir D. Buller sendete, welcher mir freundlichst ein Exemplar überliess; er sagte weiters, dass die einzigen Plätze, wo sich vielleicht noch ein Pärchen befindet, die Mangamahu und Turakino Gebirge seien oder am Fusse des Mount Ruapehu. Ich durchforschte auch diese Gegenden 1886 und 1888, leider wieder ohne Erfolg. Ich tauschte daher einen schönen Balg von Turnagra Hectori von Mr. Drew, Besitzer des Wanganui Museums ein, welcher sich in der Sammlung des k. und k. Naturhistorischen Hof-Museums befindet. Andreas Reischek.

Zur ornithologischen Durchforschung des mährisch-schlesischen Gesenkes.

Von Václav Čapek.

(Schluss.)

22. Eine sonderbare Geschichte ist es mit der Alpenbraunelle, Accentor alpinus. Er sollte nach Kolenati ein Standvogel des Altvatergebirges sein: ob Spatzier diese Art im Gesenke angetroffen hatte, ist mir leider nicht bekannt. Ich suchte diesen Liebling des Gebirglers an vielen geeigneten Stellen — doch umsonst, ich sah keinen einzigen. Und doch ist mir seine Lebensweise recht gut bekannt; ich beobachtete ihn auch anno 1886 aufmerksam im Riesengebirge auf dem Gipfel der Schneekoppe, sowie auf der Steinhalde des Hohen Rades und in den anliegenden Schneegruben. Nur einige wenige Felsenpartien konnte ich aus Mangel an Zeit nicht durchsuchen, so dass mir dieselben noch als die letzte Hoffnung für den nächsten Besuch bleiben; es ist dies der Fuhrmannstein, der Wilder Stein-Graben und der Abhang der Langen Leiter. Wird der Vogel auch hier nicht zu Hause sein, so ist er leider aus der Liste der mährischen Brutvögel zu streichen. Die Felsenpartien des Gesenkes kommen mir im Vergleiche zu jenen des Riesengebirges zu unbedeutend vor oder sind sie (einige) zu tief gelegen.

23. Troglodytes parvulus, Zaunkönig. Er ist an allen Gebirgsbächen bis zur Quelle anzutreffen, im Winter zieht er nur etwas tiefer. Noch im Juli und August sang er hoch oben seine Strophe; selbst im dichten Nebel um 3 Uhr Früh.

24. Cinclus aquaticus, Bachamsel, hier „Wasseramsel" genannt. Ein Standvogel an den schäumenden Gebirgsbächen, geht öfters bis zu deren Quellen, ist jedoch nicht häufig, freilich aber häufiger als der Eisvogel. Im Winter tummelt er sich viel unter dem Eise. Ich hatte das Vergnügen ihn am Mertabache

zu beobachten, wo von den Fischen der einzige Kaulkopf (Cottus gobiae) lebt, und ausserdem Forellen ausgesetzt worden. Auch sah ich einige unter der Marchquelle (bei den „Quarklöchern"), sowie selbst in den Vorbergen am Graupabache bei Rumburg (540 M. hoch).

25. Ueber die Meisen, (Paridae) erwähne ich nur Folgendes: In den Vorbergen kommen alle gewöhnlichen Arten vor, auch die Schwanzmeise, (Acredula caudata) ist noch bei den Gebirgsdörfern anzutreffen. In die oberen Fichtenwälder geht jedoch nur die Haubenmeise (Parus cristatus) und noch höher, bis zur Baumgrenze die Tannenmeise (Parus ater); von dieser Art brütet immer ein Pärchen im Gemäuer des Franzens-Jagdhauses (1183 M. hoch). — Es wird interessant sein, die im Gebirge vorkommenden Sumpfmeisen näher zu untersuchen, da im Jahre 1889 von J. Michel im Isergebirge nur die Alpensumpfmeise (Poecile borealis var. alpestris, Baill.) nachgewiesen wurde; vielleicht hat diese Entdeckung für den ganzen Sudetenzug ihre Giltigkeit.

26. Regulus cristatus, Gelbköpfiges Goldhähnchen. Diese Art geht mit der Fichte bis in die obersten Lagen und ist recht häufig. Im Fichtendickicht unter der Schäferei (etwa 1300 M.) hatte ich am 6. August gegen Abend Gelegenheit eine ganze Familie in grösster Nähe zu beobachten; die Jungen, 7 an der Zahl, sassen dicht neben einander auf einem Aste kaum ½ M. hoch, meldeten sich mit ihrem leisen Lockrufe und verfolgten mit ihren schwarzen gescheiten Aeuglein aufmerksam die beiden Eltern, die auf derselben Fichte emsig nach Futter spähten. — Auch das feuerköpfige Goldhähnchen, Regulus ignicapillus wird im Gesenke als Brutvogel zu finden sein, da es als ein solcher im Isergebirge, auch an mehreren Stellen der preussisch-schlesischen Sudeten nachgewiesen wurde; ich glaube den starken und vollen Lockruf dieser Art in der mittleren Höhe des Merta-Thales (etwa 750 M.) einigemale vernommen zu haben.

27. Die beiden kleinen Laubvögel, Phyllopneusta trochilus, der Fitislaubvogel und Phyllop. rufa, der Weidenlaubvogel, gehen in den Fichtenwäldern hoch hinauf. Den Ersten hörte ich noch im Juli und August in den dichten jüngeren Fichtenbeständen etwa 1180 M. hoch, den Frühjahrsgesang vortragen, indem der Zweite bis zur Baumgrenze hinaufgeht und da sein „tim-tam" zum Besten gibt. — Phyllop. sibilatrix, der Waldlaubvogel, ist in tieferen Lagen zu suchen.

28. Phyllopneuste Bonellii, der Berglaubvogel, verdient die grösste Aufmerksamkeit unserer Ornithologen. Diese Art ist bekanntlich ein Brutvogel der Alpen, auch in den Siebenbürger Karpaten und neulich am Abhange des böhmischen Erzgebirges ist sie gefunden worden, so dass der Gedanke naheliegt, dass dieselbe auch in den Sudeten zu finden wäre. Ich habe am 6. August 1890 am Abhange des Merta-Thales, etwa 750m hoch, oberhalb der Kohlenmeiler drei Vögelchen gesehen, die sich in der mittleren Höhe der Bäume herumtrieben und die nichts anderes, als Mitglieder einer Berglaubvogel-Familie sein konnten. Eine Lehne ist hier mit Fichten, die andere mit Buchen bewaldet. Ich hoffe, dass es mir gelingt auf's Jahr in dieser Sache Gewissheit zu verschaffen.

29. Den Gartenspötter, Hypolais salicaria, hörte ich am 23. Juli in Rumburg (560 M.) unter dem Schneeberge singen. Der Vogel bewohnt überhaupt gerne Thäler und Ortschaften des Mittel- und Vorgebirges.

30. Von den Grasmücken begegnet man hoch im Gebirge der Dorngrasmücke (Sylvia cinerea) und noch öfters dem Schwarzplättchen (Syl. atricapilla), das ich noch im Juli bei der Oppa-Quelle singen hörte.

Die Gartengrasmücke (Syl. hortensis) sang im Mertathale bei Wermsdorf.

31. Von gewöhnlichen drosselartigen Vögeln sind folgende in den Vorbergen anzutreffen: Die Kohlamsel, Merula vulgaris, welche in den Thälern auch höher geht; die Singdrossel, Turdus musicus, welche auch hoch oben in Fichtenwäldern nistet; die Wachholderdrossel, Turdus pilaris, die im Winter die Ebereschen aufsucht und die Misteldrossel, Turdus viscivorus, welche in mittleren Lagen zu finden ist.

32. Ein charakteristischer Vogel des Hochgesenkes ist die Ringamsel, Merula torquata. In den obersten Fichtenbeständen bis zur Baumgrenze macht sie sich bemerkbar, obzwar sie nicht sehr häufig zu nennen ist. Bald im Frühjahre, wo noch viel Schnee im Gebirge liegt, erscheint die Schneeamsel, wie sie hier genannt wird, und lässt dann ihren Gesang laut von den Lehnen ertönen. Dem Auerhahn- und Birkhahnjäger wird sie durch ihr Allarmgeschrei oft recht lästig. Ihr grosses Nest baut sie auf dichte Fichten bis 2 M. hoch, öfters nahe am Wege. Ausgeflogene Junge sah ich auf dem Abhange des Altvaters und des Sp. Schneeberges.

33. Ruticilla tithys var. montana, Ch. L. Br., Bergrothschwänzchen. Wie es bekannt ist, werden die Gebirge Mitteleuropas von einer etwas kleineren Varietät des gewöhnlichen Hausrothschwänzchen bewohnt, bei der die Männchen das ganze Leben hindurch das einfache schlichte graue Kleid des einjährigen Vogels behalten, also nie schwarz werden. Diese Varietät ist früher in den Alpen und Karpaten, im Jahre 1886 von mir auch im Riesengebirge als eine solche gefunden worden. Auch die Vögel des Hochgesenkes und des Schneeberges gehören dieser Varietät an. Man trifft mit dem Vogel, der im Volksmunde „Wistling" heisst, recht oft auf allen Felsenpartien zusammen, obzwar er nicht so häufig ist, wie im Riesengebirge. Auch auf der Schäferei unter dem Petersteine haben 1890 zwei Pärchen genistet, deren Junge ich Anfangs August in den nahen Fichten sich verstecken sah. Ein schwarz gefärbtes Individuum ist mir überhaupt nicht zu Gesicht gekommen.

34. Dandalus rubecula, Rothkehlchen. Es ist überall hoch oben längst der Gewässer als Brutvogel zu beobachten.

35. Saxicola oenanthe, grauer Steinschmätzer. Wie im Riesengebirge, so auch im Hochgesenke, ist dieser Vogel im Hauptkamme in geringer Zahl anzutreffen. Ich sah ein Stück auf dem Leiterberge, ein zweites auf dem Bärenkamp; beide waren recht

scheu. Vom braunkehligen Wiesenschmätzer, Pratincola rubetra, sah ich ein Brutpaar auf einer Wiese bei Stubenseifen unter dem Schneeberge, 600 M. hoch.

36. Die Gebirgsbachstelze, Motacilla sulphurea ist an den Gebirgswässern eine gewöhnliche Erscheinung; im Winter zieht sie sich jedoch meist in die Vorberge oder noch tiefer in die Ebene.

Motacilla alba, die weisse Bachstelze, kann man bei allen Gebirgsdörfern antreffen. Im Jahre 1887 erfuhr ich, dass ein Pärchen schon etwa zehn Jahre in einem Schuppen des Franzens Jagdhauses (1183 M.) nistet; 1890 sah ich ein Paar bei der Schäferei, 1300 M. hoch.

37. Anthus pratensis, der Wiesenpieper, hier „Schneelerche" genannt, ist der häufigste Vogel des Hauptkammes. Ueberall, wo man auf den Hochwiesen und Mooren wandelt, auch zwischen den Zwergfichtengruppen, begegnet man diesem Vogel; er steht nahe vor uns auf, einzelne oder auch mehrere nach einander, da er sehr gesellschaftlich ist, lässt sein sanftes „uist-uist" einige Male vernehmen und fällt wieder nahe vor uns in die Wiese ein, auf welcher er kaum zu unterscheiden ist; öfters lässt er sich auch auf den Zwergfichten nieder. Sind die Wiesen gerade in Nebel gehüllt, so sieht man wenigstens hie und da einen dunklen Schatten und hört von allen Seiten den Lockruf des Piepers. Die Vögel sind nicht scheu, ja bei den Wohnungen, z. B. bei der Schäferei sind sie äusserst zahm; hier sieht man sie besonders in den frühen Morgenstunden; sie suchen herum nach Nahrung, laufen vor uns bis kaum 3 bis 4 Schritte ohne wegzufliegen; als wären sie gezähmt; oft sieht man sie auf dem Dache der Schäferei. Einmal, als die „Schneelerchen" von plötzlicher, strenger Kälte und neuem Schnee überrascht waren, klopfte eine von denselben einige Male auf die Fensterscheibe in der Schäferei und lief ängstlich am Fenster auf und ab; als man dieses geöffnet hatte, flog sie ohne Schcu herein. Die Wiesenpieper nisten versteckt im Grase der Gebirgswiesen, auch unter dem Heidelbeergesträuch. Nach dem 20. Juli sah ich zahlreiche Junge der zweiten Brut, auch habe ich eines von ihnen gefangen. Die Wiesenpieper sind mit Turdus torquatus und Alauda arvensis die ersten Vögel, welche im Frühjahre in das noch grösstentheils schneebedeckte Gebirge einziehen. Auch am Schneeberge ist die Art selbstverständlich häufig.

38. Anthus aquaticus, der Wasserpieper. Er bewohnt im Gebirge der Sudeten dieselben Localitäten wie der vorige, nur dass er ausserdem auch die steinigen Partien und Gebirgsbäche aufsucht, ist jedoch nicht so überaus zahlreich, als man gewöhnlich angibt, wenigstens bei Weitem nicht so zahlreich wie der Wiesenpieper. Er mag vielfach mit diesem verwechselt worden sein, was auch mir, wie ich gestehe, im Riesengebirge passiert ist. Ich sah den Wasserpieper in den Mittagsstunden gewöhnlich auf den Felsenpartien, der Vogel ist jedoch scheuer als der Vorige. Auch zum Brüten wählt er meist solche Steinflächen, die auch mit Pflanzen bedeckt sind.

Nach Kolenati sind einzelne auch im Winter an den Gebirgsbächen an offenen Stellen zu finden. Auch der Wasserpieper wird hier im Gebirge „Schneelerche" genannt. — Anthus arboreus, den Baumpieper, findet man auf den Vorbergen und Lehnen bis etwa 1000 M.

39. Alauda arvensis, Feldlerche. Wie auf den Hochwiesen des Riesengebirges, so auch auf den „Haiden" des Hochgesenkes habe ich die Lerche als Brutvogel angetroffen; es ist für die Ornithologen, sowie für die Touristen gewiss eine interessante und willkommene Erscheinung, auf diesen lüftigen Höhen unsere Feldlerchen emporsteigen zu sehen und ihren Jubelgesang zu vernehmen. Am Scheitel des Schneeberges, des Altvaters, der Hohen Haide etc., überall habe ich noch Ende Juli und Anfangs August 2 bis 3 singende ♂ angetroffen.

40. Fringilla coelebs, der Buchfink, geht bis in die höchsten Fichtenbestände im Gebirge, ja selbst auf die Kämme. Noch am 20. Juli habe ich daselbst seinen kräftigen Schlag vernommen. Vor dem Winter verschwinden sie jedoch selbst aus den Gebirgsdörfern und nur selten werden im Winter einzelne angetroffen. — Die beiden Sperlinge und der Goldammer sind dafür Standvögel der Gebirgsdörfer.

41. Serinus hortulanus, Girlitz. Bei allen Dörfern des Gebirges ist der Gierlitz ein bekannter Brutvogel.

42. Citrinella alpina, Citronenzeisig. Dr. Kolenati sagt von diesem Vögelchen, dass es im Sommer das Altvatergebirge besucht und daselbst brüten dürfte, weil es schon zu Anfang September 1858 von ihm am südlichen Abhange des Altvaters beobachtet wurde. Diese Angabe beruht jedoch ganz bestimmt auf einem Irrthume, da sie ganz isoliert dasteht und der geographischen Verbreitung der Art widerspricht und da auch Kolenati nur einen fliegenden Vogel gesehen hatte. Der Citronenzeisig wurde ausser den Alpen und dem Schwarzwalde nirgends in mitteleuropäischen Gebirgen gesehen.

43. Ein Brutvogel der Fichtenwälder im ganzen Gesenke ist der Erlenzeisig, Chrysomitris spinus Ich habe ihn selbst an mehreren Stellen angetoffen noch am 23. Juli sah ich am Abhange des Schnee berges bei einem Bache ein ♀ mit drei Jungen welche von der Mutter noch gefüttert wurden.

44. Linaria rufescens, Südlicher Leimfink Schon vor Jahren wurden mehrere Orte in den Alpen als Brutplätze dieses interessanten Vogels constatiert. Später fand ihn Lübbert auch im Riesen- und Glatzergebirge und hat von hier auch ein Gelege erhalten. Aus diesem Grunde war ich auf die Linaria im Gesenke sehr aufmerksam, und es gelang mir die Angaben Lübberts zu bestätigen, da ich am 23. Juli 1887 am Spieglitzer Schneeberge zwei Familien mit flüggen Jungen antraf. Als ich nämlich die obersten Fichtengruppen am südöstlichen Abhange des Berges (nicht weit von der March-Quelle) durchsuchte, bemerkte ich auf einer Zwergfichte ein Pärchen mit drei Jungen, die etwa vor einer Woche ausgeflogen waren und noch gefüttert wurden. Die zweite Familie sah ich etwas tiefer über einem Walde fliegen; der Lockruf machte mich auf dieselbe aufmerksam.

45. Pyrrhula europaea, Gimpel. Nistet in den oberen Fichtenbeständen; auch bei den Scheiteln ist er am Striche zu sehen. Um die Gebirgsdörfer ist er Standvogel.

46. Loxia curvirostra, Fichtenkreuzschnabel. Brutvogel des Gebirges. Bei meinen Besuchen sah ich Familien, die in den oberen Fichtenwäldern, auch über den Kamm, herumstreichen. Jetzt, wo man im Gebirge zur Sommerszeit Holz schlägt, kommt man selten auf das Nest des Vogels. Ich hörte hier auch die Fabel, dass das Nest fast ganz aus Harz besteht und dass die Jungen in feuchten (?) Wintern oft daran angeklebt bleiben, so dass es dann wenig Kreuzschnäbel gibt.

47. Die beiden Tauben, Columba palumbus et oenas (Ringeltaube und Hohltaube) sind in den tieferen und mittleren Lagen des Gebirges (bis etwa 1100 M.) zu Hause.

48. Tetrao urogallus, Auerhuhn. Glücklicher Weise gehört das Auerhuhn noch nicht zu den grossen Seltenheiten des Gesenkes. In den meisten Revieren der oberen und mittleren Lagen ist es noch in geringer Zahl ständig zu finden. Am Seeberge (auf der Wiesenberger Haide) fand der Heger im Jahre 1890 zwei Nester, aus welchen auch die stattliche Zahl von 8 und 10 Jungen glücklich erzogen wurde; in derselben Lage wurde im Jahre 1887 ein, im Jahre 1890 drei ♂ erlegt. Ein Rackelhahn, Tetrao hybr. medius, soll im October 1884 im Franzensthaler Reviere geschossen worden sein, worüber Prof. Talský seinerzeit berichtete.

49. Das Birkhuhn, Tetrao tetrix, ist im Gesenke noch häufiger und verbreiteter, als sein grösserer Verwandter. Sie nisten und leben überhaupt gerne auf Lehnen, doch trifft man sie öfters auch in den Sätteln und an den Heidelbeerplätzen an; ja zu Balzzeit kommen die meisten auf die Grasflächen des Hauptkammes, z. B. auf die Hohe Haide. Am Anstande werden jedes Jahr welche erlegt. Am Schneeberge werden alle drei Tetrao-Arten mehr geschont, wenigstens auf mährischer Seite.

50. Das Haselhuhn, Tetrao bonasia, ist im Gesenke das seltenste Waldhuhn und wird nur gelegentlich bei Jagden erlegt. Nach den Aussagen der Forstleute hat es viel vom Schädlichen (Fuchs etc.) zu leiden.

51. Starna cinerea, Rebhuhn. So hoch die Felder auf den Lehnen reichen, ist auch das Rebhuhn in geringer Zahl anzutreffen; da ist dann häufiger zu sehen, dass die Kette hoch oben in dem Thale von einer Lehne auf die andere hinüberfliegt. Aber auch auf den Grasflächen des Hauptkammes, z. B. auf der Janowitzer Haide, meldet sich im Frühjahre hie und da ein Hahn, welcher wahrscheinlich herumirrt ohne ein ♀ finden zu können.

52. Coturnix dactylisonans, die Wachtel, ist auch bei den Gebirgsdörfern ein bekannter, freilich nicht häufiger Vogel; man findet ihr Nest öfters auch im Flachs. Es ist auch vorgekommen, dass ein Männchen während des Zuges auf den Hochwiesen des Kammes geschlagen hat.

53. Scolopax rusticola, Waldschnepfe. Wie in den mährischen Karpathen, so habe ich auch im Gesenke gefunden, dass die Waldschnepfe über das Gebirge zieht. So ist z. B. auf der Wiesenberger-Haide (12—1300 M. hoch) der Vogel während des Striches öfters zu sehen und sein Balzruf zu hören. Auch brütend hat man die Waldschnepfe mehrmals auf dem Seeberge (dieselbe „Haide") gefunden.

54. Eudromias morinellus, Mornell. Nicht nur im Riesengebirge anno 1886, sondern auch bei meinen beiden Besuchen im Gesenke war der Mornell beinahe der Hauptgegenstand meiner Aufmerksamkeit. Doch im Voraus gesagt: Ich hatte (wie bei Accentor alpinus!) kein Glück mit diesem Vogel, ich sah keinen einzigen!

Vorüber sind die Zeiten, wo der interessante Mornell auf den Alpenwiesen des Riesengebirges zur ständigen Staffage gehört hatte! A. v. Homeyer bekam im Jahre 1865 noch ein Gelege von der „Weissen Wiese" (im Riesengebirge) und erlegte daselbst einen alten Vogel. Vier Jahre darauf hat Ritter v. Tschusi umsonst den Mornell daselbst gesucht, hat auch nichts von den Leuten erfahren. Prof. Talský hat mit Mühe noch ein Gelege und einen Alten im Jahre 1882 erhalten, indem ich im Jahre 1886 wieder vergebens nachfragte und nachsuchte. Das nächste Jahr hat Förster Fukarek wieder auf der Eisenkoppe ein ♀ mit 3 Jungen bemerkt. Im mährisch-schlesischen Gesenke sieht es mit dem Mornell noch trauriger aus. Kolenati schreibt, dass er auf den Mooren des Kammes brütet, und zwar besonders auf der schlesischen Seite des Leiterberges und am Gabelberge gegenüber dem sogenannten „Walachengraben", da er auf der mährischen Seite von den Hirten viel beunruhigt wird. Das Franzens-Museum in Brünn besitzt (nach Heinrich) ein junges Exemplar, welches auf dem Schneeberge gefangen worden sein soll. Sonst haben wir keine Nachricht über den Vogel. Nur zu Pfingsten 1890 hat Em. Rzehak ein Stück unterhalb der Schäferei (am östlichen Abhange des Petersteines) erblickt. Ich suchte bei meinen Besuchen alle geeigneten Plätze aufmerksam ab, war aber nicht so glücklich, den Vogel zu Gesichte zu bekommen oder von den Leuten etwas über denselben zu erfragen. Ich gebe jedoch nicht die Hoffnung auf, dass der Mornell doch im schönen Gesenke wenigstens in manchen Jahren als Brutvogel zu finden sein wird.

Einige ornithologische Reise-Erinnerungen.

Von Jul. Michel.

(Fortsetzung.)

Von dem vielen Interessanten will ich nur folgende prächtige Suiten erwähnen:

75 Stück Tannenheher (Nucifraga caryocatactes) aus aller Herren Länder;

viele grosse Buntspechte (Picus major), darunter die instructiven Exemplare, welche die Vermauserung der den Jungen beiderlei Geschlechtes eigenen rothen Kopfplatte zeigen;

15 Zwergfliegenfänger (Muscicapa parva);

31 Raubwürger, und zwar: Lanius excubitor × major, in allen denkbaren Uebergängen;

15 Alpen-Sumpfmeisen (Parus alpestris) aus den verschiedenen Theilen der Monarchie;

30 Schwanzmeisen, und zwar: Acredula caudata × rosea in allen Uebergängen;

23 Garten-Rothschwänzchen (Ruticilla phoenicura), darunter 7 hahnenfedrige ♀);

50 Wasserschmätzer in den verschiedenen Formen: C. aquaticus, meridionalis und melanogaster;

37 Wasserpieper (Anthus aquaticus) aus den Alpen und Karpathen;

12 Braunpieper (Anthus ludovicianus);

mehrere rothkehlige Pieper (Anthus cervinus) und Spornpieper (Anth. Richardi);

15 Bergfinken (Fringilla montifringilla), darunter weiss- und schwarzkehlige;

47 Fichten-Kreuzschnäbel (Loxia curvirostra) in allen Kleidern und Färbungen, sowie hahnenfedrige ♀;

25 Weissbinden - Kreuzschnäbel (Loxia bifasciata).

Viele einzelne Seltenheiten, wie z. B.:

1 Weiden-Ammer (Emberiza aureola), das einzige österreichische Exemplar, welches in Schlesien erbeutet wurde;

1 Fichten-Ammer (Emb. pithyornis) aus Nieder-Oesterreich;

1 Dickschnabel-Lumme (Uria Brünnichi) aus Hallein u. s. w.

Eine sehr reichhaltige Bibliothek, bietet dem Ornithologen Gelegenheit, einen Einblick in die vorzüglichsten Werke über die Ornis der palaearctischen Region zu thun. Von den vielen Prachtwerken will ich nur das grossartige „Birds of Europe" von Dresser erwähnen, von dem in Oesterreich-Ungarn nur drei Exemplare vertreten sind.

Nach dem Gesagten erscheint es sehr begreiflich, dass ich nur höchst ungern den gastlichen Tännenhof verliess, in dem ich einige unvergessliche Tage verbracht.

Allein die Zeit drängte und so setzte ich denn nach herzlichem Lebewohl am 7. August meinen Wanderstab weiter.

Das nächste Ziel war Golling. Von Vögeln war an diesem Tage, ausser den allergewöhnlichsten, wie: Meisen, Rothschwänzchen, Laubvögeln etc. nichts zu bemerken. Nach Besichtigung des Passes Lueg und der Salzachöfen, besuchte ich den Gollinger Wasserfall, wo ich den unverhofften Genuss hatte, zur Abwechslung auch einmal von unten und oben zugleich nass zu werden, und zwar von unten durch den Staubregen des mächtigen Wasserfalles, von oben durch den gewohnten Erguss des thränenden Himmels.

Da es unter sothanen Umständen gewagt erschien, den mehrstündigen Marsch nach Hallstadt anzutreten, so fuhr ich wieder gegen Linz. Als am Nachmittage jedoch der schönste blaue Himmel herablachte, verliess ich in Rabenschwand (vulgo: „Schwabenrand") den Zug und pilgerte zum Mondsee. Ein aufsteigendes Gewitter beflügelte meine Schritte, so dass ich nach vielleicht zweistündigem scharfem Marsche gegen Abend in Mondsee anlangte. Es war wirklich gut, dass ich mir noch die Umgebung einigermassen betrachtete, denn am nächsten Morgen weckte mich das wohlbekannte, monotone Rauschen. Im strömenden Regen fuhr ich über den Mondsee. Vom Schafberge und seinen hohen Genossen war keine blasse Spur wahrzunehmen, und nicht viel besser sah es am Attersee aus. Wiederum wurde als Endziel des Tages Linz aufgestellt. Als jedoch in den Nachmittagsstunden bei Vöklabruck abermals ein wolkenloser Himmel blaute, wich ich nochmals von dem vorgezeichneten Wege ab und fuhr nach Gmunden.

„Was du heute kannst besorgen, das verschiebe nicht auf morgen", dachte ich mir und benützte den prächtigen Abend, um mich an dem herrlichen Panorama des Gmundner Sees zu ergötzen. Richtig regnete es am andern Morgen wieder. Einigermassen durch die bisherigen Erfahrungen klug geworden, verlegte ich mich auf's Abwarten, und siehe da, schon um 9 Uhr hellte sich der Himmel auf, so dass ich eine ganz angenehme Fahrt über den See genoss. Zwei mächtige Adler — jedenfalls Haliaëtus albicilla — zogen ihre weiten Kreise über den See und blockten endlich auf einem Felsen am Fusse des Traunsteines. Auch einige Wildenten, wohl Anas boschas, waren in der Ferne bemerkbar. Einige schwarze Krähen, eine Ringeltaube nebst den gewöhnlichen kleinen Sängern waren die ornithologischen Vorkommnisse des Tages. Bei wirklich prachtvollem Wetter langte ich in Hallstadt an, besuchte den Waldbach-Strub-Fall und fuhr gegen Abend bei heftigem Gewitter nach Linz, wo ich gegen ein Uhr ankam.

Am 9. August fuhr ich per Dampfer nach Wien. Ich hatte mich so auf die Auwälder der Donau mit ihrem regen Vogelleben gefreut, wurde aber schrecklich enttäuscht, da ich keine Feder, viel weniger einen ganzen Vogel zu Gesicht bekam.

(Fortsetzung folgt.)

Aus Heinr. Gätke's „Vogelwarte Helgoland".

(Fortsetzung.)

Singdrosseln, Rothkehlchen, Brunellen, Goldhähnchen nebst vielen anderen werden bald nach Sonnenuntergang von einem ihrer Art, welcher zuerst sich aufschwingt, mit lauten Locktönen zum Aufbruche gerufen; sie fliegen, von allen Seiten herbeikommend, mit aufgerichteter Brust unter schnellen, kräftigen Flügelschlägen fast senkrecht aufwärts, hin und wieder einen halben oder ganzen Kreis beschreibend. Wenn den Locktönen keine Nachzügler mehr folgen, so verstummen alle, und verlieren sich bald darauf in des hohen Himmels tiefer Bläue.

Die den obigen, hinsichtlich der Zughöhe zunächst sich anschliessenden Wanderer bestehen der grösseren Zahl nach aus schnepfenartigen Vögeln, wie Numenien, Limosen, Charadrien und deren Verwandten. Diese sieht man, namentlich an klaren Frühlingsnachmittagen, schaarenweise und in kleineren Gruppen fast immer sehr hoch und meist an der äussersten Grenze des Sehbereiches überhin ziehen. Wie weit jenseits dieser Region dieselben noch wandern mögen, ist nicht nachzuweisen; dass sie dieselbe aber überschreiten, ist zweifellos, denn oft vernimmt das Ohr ganz schwach, aber deutlich noch ihre hellen Lockrufe aus so grosser Höhe, dass das Auge vergeblich sich müht, bis zu den Wanderern hinauf zu dringen. Auch während der Nachtstunden ziehen ungeheuere Massen dieser Gattungen, sowie aller dieser verschiedenen Strandläuferarten, zerstreut und in endlosen Schwärmen über Helgoland dahin, dann aber oft nicht höher als ein bis zweihundert Fuss hoch über dem Felsen, was man theilweise im Lichtkreise des Leuchtthurmes zu beobachten vermag, in grösserer Ausdehnung aber aus dem Klange ihrer Stimmen entnehmen kann. Dass die Vögel im allgemeinen während der Nachtstunden niedriger zögen als am Tage, ist nicht wohl anzunehmen, sondern es sind derartige Fälle nur als durch meteorologische Einwirkungen herbeigeführte Störungen der normalen Zughöhe anzusehen. Ausführlicheres hierüber im Abschnitte der meteorologischen Beeinflussungen des Wanderfluges.

Solcher Arten nun schliesslich, deren Zug gewöhnlich nur ein paar hundert Fuss hoch über dem Meeresspiegel verläuft und die in vielen Fällen in nächster Nähe über demselben dahinziehen, sind äusserst wenige; es erstreckt sich meiner langen Erfahrung nach ihre Zahl nicht über die folgenden drei: Krähen, Staare, Lerchen. Von diesen erheben die Letzteren sich an klaren, schönen Frühlingstagen des öfteren bis zu einer Höhe von sechshundert bis tausend Fuss; Krähen ziehen nur in Ausnahmefällen etwa ebenso hoch und auch die Staare nur höchst selten. Alle drei Arten ziehen im Frühjahr höher als im Herbst; während beider Zugperioden aber geht oft, namentlich bei trüber, windiger Witterung, der Flug der Krähen und besonders auch der der Lerchen in unmittelbarster Nähe über dem Meeresspiegel dahin. Von Staaren habe ich dies Letztere nie bemerkt; ihre dichtgedrängten, zahlreichen Schwärme eilen, wenn sie hier nicht rasten wollen, mit einem gewissen Ungestüm, als ob jeder Vogel den Anderen voranzueilen trachtete, in einer Höhe von zweihundert bis dreihundert Fuss über Helgoland fort.

Ausnahmsweise ziehen Lerchen während klarer Frühlingstage so hoch, dass man auch bei günstiger Atmosphäre nur ihre Lockstimmen hört, ohne die Vögel selbst wahrnehmen zu können. Auch an Dohlen und Saatraben habe ich Gleiches beobachtet, so dass man die Gegenwart der überhinziehenden Schaaren nur an ihren Stimmen zu erkennen vermochte.

Bis zu welchem Grade die Höhe des Wanderfluges durch meteorologische Verhältnisse beeinflusst wird und wie unmittelbar dies stattfindet, davon erhält man hier den schlagendsten Beweis, wenn während finsterer Nächte zahlreiche Wanderer, theilweise vom Lichte des Leuchtthurms angezogen, gefangen werden. Nothwendige Bedingung für diesen Fang ist, dass das ganze Firmament gleichmässig dunkel bedeckt sei und wo möglich ein ganz feiner feuchter Niederschlag stattfinde. Es werden dann hauptsächlich Lerchen und Drosseln, die theilweise das Leuchtfeuer umschwärmen und sich überall auf die Felsfläche niederlassen, manchmal in erstaunlicher Masse erbeutet; am Abend des 6. November 1868 wurden beispielsweise 15.000 Lerchen in etwa drei Stunden gefangen; leider ging der Mond schon gegen 10 Uhr auf und machte dem Fange ein Ende. Neben zahllosen Staaren, einigen Schnepfen und vielen Schwarzdrosseln wurden an den Scheiben des Leuchtthurms allein 3400 Lerchen gefangen. Welche Zahl die Ausbeute aber erreicht haben würde, wenn bei so gewaltigem Zuge während der ganzen Nacht sogenannter „finsterer Mond“ gewesen wäre, ist nicht entfernt zu schätzen.

Sobald nun aber die gleichmässige Schwärze der Nacht durch das Durchblicken auch nur eines einzigen Sternes oder eines Stückchens klarer Luft unterbrochen wird, oder am fernen Horizont ein kaum wahrnehmbarer Schimmer den aufgehenden Mond verkündet, wie dies am obigen 6. November der Fall war, sind sofort alle, eben noch die ganze Atmosphäre mit hundertfältigen Stimmen erfüllenden Wanderer verschwunden, d. h. sie steigen unverzüglich so weit in die Höhe, dass man sie weder im Lichte des Leuchtthurmes zu sehen, noch einen einzigen fernen Lockton von ihnen zu hören vermag. Der Zug an und für sich dauert aber ohne Unterbrechung seines Stromes fort, was sich daraus ergibt, dass, wenn nach einer halben, nach einer oder zwei Stunden den ganzen Himmel wiederum gleichmässige tiefe Finsterniss hüllt, auch sofort wieder alles von Vögeln wimmelt und der Fang aufs Neue seinen Fortgang nimmt.

Das soeben Gesagte illustrirt auf das Deutlichste, von wie anscheinend geringfügigem Wechsel in der Atmosphäre die Höhe des Vogelzuges unverzüglich beeinflusst wird und wie wenig dazu gehört, ihn uns wahrnehmbar zu machen oder unserer Sinneswahrnehmung zu entrücken. Hierbei kann ich nicht umhin, des von mir öfter erwähnten, sehr mässigen Werthes der Aufzeichnungen von Daten des Vorkommens ziehender Vögel an bestimmten Punkten zu gedenken. Es ist an und für sich schon eine Unmöglichkeit, einen Kreis von etwa einer Meile im Durchmesser zu beherrschen, der etwas Wald, Heide, Getreidefelder, Wiesen und Wasser darbietet. Wie will man täglich feststellen, was an verschiedenen Arten in diesen verschiedenen Localitäten vorgekommen ist. Anders ist es freilich auf Helgoland, von dem man ohne Scheu sagen kann, dass buchstäblich kein Vogel der Beobachtung entgehe. Aber trotzdem kann das Ergebniss derartiger Aufzeichnungen immer nur ein Verzeichniss der an dem Beobachtungspunkte stattgefundenen Störungen und Unterbrechungen des Zuges sein, den Ursachen solcher Störungen nachzuforschen, ist allerdings ein hochinteressantes Studium. Das sonstige Ergebniss derselben, wenn während einer sehr langen Reihe von

Jahren, in einem sehr günstigen Gebiete unter unaufhörlicher Aufmerksamkeit ausgeführt, geht nicht über die Kenntniss des Zeitabschnittes hinaus, während welches solche Störungen im Herbst oder Frühjahr stattgefunden, woraus aber nur annähernd auf die wirkliche Zugdauer zu schliessen ist, da man ja nie zu bestimmen vermag, ob die zuerst gesehenen Individuen einer Art auch in Wirklichkeit den jeweiligen Zug eröffnet oder ob demselben nicht schon wochenlang die Vorhut desselben in normalem Wanderfluge hoch überhin vorausgegangen sei.

Die Ankunftslinie oder Zugfront einer Art während einer bestimmten Zeit auf solche Beobachtungen zu gründen oder daraus auf die Schnelligkeit des Wanderfluges zu schliessen, wie von Middendorf dies versucht, dürfte doch sehr misslich sein. Denn zu förderst ist schon nicht zu bestimmen, ob man den Frühlingszug nordwärts verfolgende Stücke vor sich habe, oder nicht etwa solche, die in östlicher Richtung ziehen; und ferner ist keine Sicherheit geboten, ob die zuerst gesehenen Individuen einer Art, thatsächlich die dem Beobachtungskreise angehörenden Brutvögel seien. Es kann, um es zu wiederholen, vermöge solcher Daten niemals mit der für solche Zwecke nöthigen Bestimmtheit angegeben werden, wann eine Art unter irgend einem Breiten- oder Längengrade anlange oder denselben überfliege, sondern die verzeichneten Daten ergeben nur die Störungen des Zuges, welche in dem Bereiche des Beobachtungskreises stattgefunden haben, was, wie schon wiederholt erwähnt, einzig von meteorologischen Zufälligkeiten abhängend, ebensogut hundert Meilen südlicher oder nördlicher, östlicher oder westlicher geschehen, oder auch gänzlich unterbleiben konnte, in welch' letzterem Falle der Zug normal verlaufen wäre und der Beobachter von den weit ausser dem Bereiche seines Sehvermögens dahingezogenen Wanderern nichts wahrgenommen haben würde. Während wir in solchem Falle den Zug als einen sehr schlechten bezeichnen, bauen unserere befiederten Freunde schon im hohen Norden oder fernen Osten ihr Nest oder sitzen im warmen südlichen Sonnenschein, putzen ihr Gefieder und blicken fröhlich zurück auf eine angenehme, ohne jedwede Widerwärtigkeit verlaufene Reise — den Spruch hiesiger Jäger bewahrheitend: Zeit vorbei, Vögel vorbei; das heisst, wenn während der Zugperiode der mancherlei Arten, in Folge sogenannter conträrer Winde kein Vogel gesehen worden, so ist nach Ablauf dieser Zeit keiner mehr zu erwarten, möge auch Wind und Wetter so günstig wie nur immer möglich sein.

Zum Schlusse dieses Capitels sei noch ein interessanter Versuch erwähnt, durch welchen die Fähigkeit der Vögel, in äusserst hohen Luftregionen leben zu können, einer directen Prüfung unterzogen worden ist. Diesen Versuch haben Glaisher und Coxwell mit einigen Tauben angestellt, die sie auf ihrer Luftreise in England im September 1862 mitnahmen. Die erste der Tauben ward beim Aufsteigen in 16.000 Fuss Höhe ausgesetzt, sie breitete die Flügel und schien zu sinken, während der Ballon mit einer Schnelligkeit von 1000 Fuss in der Minute stieg, — sie dürfte wohl mit ruhig ausgebreiteten Flügeln geschwebt haben; die zweite setzte man in 21.000 Fuss Höhe aus, diese kreiste in kräftige Fluge, anscheinend abwärts, umher; eine dritte, in ungefähr 25.000 Fuss Höhe ausgesetzt, fiel wie ein Stein in die Tiefe. Der Ballon erreichte eine Höhe von 36.000 bis 37.000 Fuss. Während derselbe hierauf mit einer Geschwindigkeit von 2000 Fuss in der Minute sank, setzte man die vierte Taube in der Höhe von 21.000 Fuss aus, diese folgte kreisend dem so schnell sinkenden Ballon und setzte sich auf den oberen Theil desselben. Von den verbliebenen zwei Tauben fand man nach beendeter Expedition die eine todt, die andere, eine Brieftaube, flog eine Viertelstunde später ziemlich kräftig dem Orte der Abfahrt zu, wohin zwei Tage später noch eine der ausgesetzten Tauben zurückkehrte. Unzweifelhaft ist, dass, hätte man zu diesen Versuchen wild eingefangene, anstatt zahme Tauben verwenden können, die Erfolge durchaus andere gewesen sein würden. Einestheils schon ist es unmöglich, dass zahmes Geflügel, selbst die vorzüglichsten Brieftauben nicht ausgeschlossen, auch nur annähernd Flugergebnisse liefern könne, die man als Massstab für das, was wilde Vögel zu leisten vermöchten, ansehen kann; ausserdem kommen bei Versuchen wie die obigen noch mannigfaltige Umstände in Betracht, denen wohl kaum Rechnung getragen ist.

(Fortsetzung folgt.)

Gelehrigkeit kleiner Vögel.

Von **L. Buxbaum**, Raunheim a. Main.

Im vorigen Jahre hatte ich ein Pärchen Rauchschwalben, Hirundo rustica, dazu abgerichtet, dass sie bei geschlossener Stallthüre in das Zimmer kamen und um Einlass baten. Diese Schwalben kamen am 25. April wieder hier an und mit ihnen noch viele andere, die hier in Ställen nisten. Morgens um 10 Uhr, als Haus- und Stubenthüre offen standen, kamen sie in die Stube herein, flogen einigemale hin und her, wobei sie „Ziwitt, ziwitt" riefen, und dann ging es wieder zur Thüre hinaus. Am Nachmittag kamen sie wieder in das Zimmer und riefen, wie im vorigen Jahre, um Einlass, woraus ich schliesse, dass es dasselbe Pärchen ist, was im vorigen Jahre in meinem Stalle genistet hat. Auf ihr „Ziwitt, ziwitt," ging ich sogleich in den Hof und öffnete die Stallthüre, worauf sie auch ihren Einzug hielten und auf dem alten Neste Platz nahmen. Wenn ich nun die Stallthüre absichtlich schliesse, so dass die Schwalben nicht einfliegen können, so kommen sie in das Zimmer geflogen und rufen; bleibe ich im Hofe stehen, so streichen sie ganz nahe an meinen Kopfe vorbei und rufen „Ziwitt, ziwitt," bis die Thüre geöffnet wird. Ist das Zimmer geschlossen, so fliegen sie so lange an den Fenstern hin und her, ihr Nothgeschrei ausstossend, bis ihr Wunsch erfüllt ist. Kommt die Katze in den Hof und naht sich der Stallthüre, so fliegen sie unter Nothgeschrei hart über sie weg, um sie zu verscheuchen und wenn sie nicht geht, so kommen sie in's Haus und schreien „Ziwitt, ziwitt." Geht die Katze in den Stall, dann kommen die Schwalben sofort ins Haus und rufen um Hilfe und wenn nicht gleich Jemand erscheint, so sind im Augenblick noch eine Anzahl anderer Schwalben da, die das Nothgeschrei erheben. Werden abends die Stallthüren geschlossen, ehe die Schwalben zu Hause sind, so kommen sie ebenfalls und bitten um Einlass. Auf diese Weise kann man kleine Vögel leicht dazu bringen, dass sie in der Noth Hilfe bei den Menschen suchen. Man muss nur auf ihr Nothgeschrei achten, gleich zur Hilfe erscheinen, und den Feind verjagen.

Dasselbe habe ich auch bei einem Pärchen des Hausrothschwanzes erprobt, das sein Nest in einer Mauerhöhlung am Schulhause neben einem Fenster, zwei Meter hoch vom Boden, angelegt hat. Seitdem die Jungen ausgeschlüpft sind und sich hören lassen, kommen oft Katzen herbei, welche Lust zeigen, an der Wand in die Höhe zu springen, um die Jungen zu rauben. Auf das erste Angstgeschrei der Alten habe ich das Fenster aufgemacht und die Katze verjagt. Später habe ich manchmal auch einen Knaben hinausgeschickt, die Katze zu verscheuchen. Nun haben sich die Rothschwänze gemerkt, dass der Feind vom Schulzimmer aus vertrieben wird und als ich das Fenster offen stehen liess und absichtlich nicht gleich zur Hilfe am Fenster erschien, kamen die Vögel in das Schulzimmer herein geflogen und riefen um Hilfe. Manchmal kommen sie mit grosser Hast, als wollten sie sagen: „Warum kommst du nicht, der Feind ist doch so nahe!“ Dann gehe ich rasch an das Fenster und verjage die Katze, worauf sich dann die Vögel wieder beruhigen. Nach diesen zwei Beispielen kann man wohl annehmen, dass auch andere Vögel dahin gebracht werden können, dass sie Hilfe bei den Menschen suchen. Es würde sich empfehlen, in den öffentlichen Anlagen der Städte und in Gärten auf das Angstgeschrei der kleinen Singvögel zu achten und ihnen zu Hilfe zu eilen. Die Angstrufe der einzelnen Vogelarten lernt man bald kennen. Was geht nun bei diesen Vorgängen in dem kleinen Vogelgehirn vor? Diese geistige Thätigkeit bedingt doch jedenfalls verschiedene Schlüsse. Der Vogel erkennt den Feind, stösst seine Angstrufe aus und erkennt weiter, dass ihm darauf Hilfe zutheil wird. Er merkt sich auch seinen Retter und wie er diesen herbeirufen kann. Jeder Vogel kennt seine Feinde und schreit um Hilfe, wenn ihm Gefahr droht. Nun aber entsteht ein ganz besonderer Vorgang im Vogelgehirn, wobei auch das Gedächtnis in Thätigkeit kommt. Auf sein Geschrei erscheint ihm ein Helfer und er merkt sich das sehr schnell, sowohl den Ort, als auch die Art und Weise, wie er diesen rasch herbei bringt. Der Vorgang muss sich nur öfter wiederholen. Man kann dies wohl auch ein Abrichten nennen und kann dadurch die Seelenthätigkeit des Vogel immer höher entwickeln. Je näher und inniger die Beziehungen des Menschen zum Thiere sind, um so mehr entwickeln sich auch die geistigen Anlagen des Thieres. Wer darüber genaue Beobachtungen anstellt, wird finden, dass einzelne Individuen geistig viel mehr entwickelt sind, als andere, dass einige besser beanlagt und deshalb gelehriger sind, so dass sie es weiter bringen.

Manchmal kann man sich mit einem Thiere so gut verständigen, dass ihm nur noch die Sprache fehlt, um eine vollständige Unterhaltung führen zu können. So kann man auch mit den kleinen Singvögeln interessante Unterhaltungen pflegen, ihre geistigen Fähigkeiten studiren und immer weiter entwickeln.

Der olivengrüne Astrild (Aegintha formosa.)

Von Baron **Leo Stella**.

In dem olivengrünen oder wie ihn Manche auch nennen, dem gelbgrünen Astrild sendet uns Indien einen der schönsten Prachtfinken.

Merkwürdiger Weise wird dieses reizende Vögelchen nicht so regelmässig eingeführt, wie sein Landsmann, der Tigerfink, welcher ja bekanntlich zu keiner Zeit auf dem Vogelmarkte fehlt; wir erhalten es vielmehr nur periodenweise, dann allerdings in ebenso grosser Menge wie seinen getiegerten Verwandten, doch liegen zwischen diesen Perioden oft jahrelange Pausen, während welcher unser Grünrock absolut nicht erhältlich ist.

Nach seinen ersten Einführungen in den Jahren 1873 und 1874 durch Carl Hagenbeck in Hamburg, 1875 durch C. Bandisch in Triest, bemächtigte sich die Liebhaberei rasch des Vögelchens, seine Schönheit und Anmuth liessen es jedem begehrenswert erscheinen, bei der starken Nachfrage, welche nach dieser Art herrschte, hätte man glauben sollen, dass weitere Importe rasch folgen würden, denn, dass der olivengrüne Astrild in seinem Heimatslande nicht selten sein könne, ersah man ja doch aus der grossen Menge, welche gleich in den ersten Transporten gekommen waren. Doch die erwarteten Sendungen blieben aus, durch viele Jahre erschien keine mehr auf dem Markte und da die, in den Besitz der Liebhaber gelangten Exemplare allmälig eingingen, ohne Nachkommenschaft erzeugt zu haben, schien es fast, als ob unser Astrild in Europas Vogelstuben wieder aussterben solle. Glücklicherweise ist dies nicht der Fall gewesen, denn seit etwa zehn Jahren ist der olivengrüne Astrild bereits einige Male wieder eingeführt worden, meistens über Triest und zeitweise in so grosser Anzahl, dass sein Preis mit dem der gemeinsten asiatischen Prachtfinken völlig gleichstand; so kaufte ich im Spätsommer 1886 auf einem Schiffe in Triest Tiegerfinken, verschiedene Nonnen, Muskat und Reisfinken und die besprochene Art für zwanzig Kreuzer per Kopf.

Dass der olivengrüne Astrild nicht so regelmässig eingeführt wird, wie die übrigen Asiaten, hat seinen Grund nach Angaben eines Freundes, welcher jahrelang in Indien gelebt hat, darin, dass er in jenen Gegenden, wo der Vogelfang hauptsächlich betrieben wird, nicht nistet, wie dies z. B. bei Tiegerfink, Nonnen und anderen der Fall, sondern, dass er dort nur dann erscheint, wenn er durch in seinen eigentlichen Wohnorten herrschende Dürre oder andere missliche Umstände zum Wandern gezwungen wird; dann streift er in grossen Schaaren weit umher, gelangt dabei auch in jene Territorien, wo die Fänger ihre Netze aufzustellen pflegen und soll dann noch leichter zu fangen sein, als alle anderen dortigen Vögel, wahrscheinlich, weil er, in seinem Geburtslande unbehelligt gelassen, mit der Gefahr weniger bekannt ist, als jene.

Der olivengrüne Astrild erweist sich auch unmittelbar nach seiner Einführung als recht dauerhafter Vogel, doch ist er gegen starke Temperaturschwankungen sehr empfindlich und erliegt solchen oft in ganz erstaunlich kurzer Zeit. Allmählig daran gewöhnt, verträgt dieses Kind des sonnigen Hindostans indess sogar recht bedeutende Kältegrade, so sah ich im vergangenen Winter zwei Exemplare trotzdem sie sich gegenseitig, wie sie dieser Untugend mancher Prachtfinkenarten überhaupt gerne huldigen, wenn sie im kleinen Käfig gehalten werden, stellenweise kahl gerupft hatten bei 5° R. über 0 noch recht munter ein Bad nehmen. Als Nahrung genügen ihm verschiedene Hirsearten, namentlich aber liebt er die spitzkörnige Art seiner Heimat und die afrikanische Kolbenhirse und empfiehlt es sich, ihn namentlich nach seiner Einführung mit diesen Sorten zu bewirthen; sehr zuträglich scheint ihm animalische Kost zu sein und zeigt er sich auch nach frischen Ameisenpuppen und in kleine Theile zerschnittenen Mehlwürmern sehr lüstern.

Als einer meiner besonderen Lieblinge fehlt der olivengrüne Astrild selten unter meinen befiederten Heimgenossen, zwei ♂ und ein ♀ der 1886 angekauften befinden sich noch heute frisch und munter in meinem Besitz. Zur wirklich erfolgreichen Brut habe ich ihn aber bis jetzt trotz aller Mühe nicht bringen können und da die meisten anderen Pfleger auch nicht glücklicher waren als ich, so glaube ich unseren Astrild wohl als nur in Ausnahmefällen zur ergiebigen Brut in Gefangenschaft schreitend bezeichnen zu können. Dr. Russ meint in seinem Buche „Die Prachtfinken", dass die Züchtung des olivengrünen Astrilds nur in einem Heckkäfige, welchen das Paar allein bewohne, zu gute Ergebnisse bringen würde, weil sie in der Vogelstube zu ängstlich sind und sich von allen anderen Vögeln verscheuchen liessen; dieser Ansicht kann ich mich in keiner Weise anschliessen, denn gerade beim olivengrünen Astrild, selbst dem frisch importirten habe ich nie eine besondere Aengstlichkeit bemerken können, im Gegentheile, schon solche sind weit zahmer, als z. B. Tigerfinken unter den gleichen Umständen; das unsinnige Umhertoben, welches Letztere beim geringsten Schrecken zum Besten geben, zeigen sie nie, sind vielmehr immer gleichmässig ruhig und werden in kürzester Zeit ungemein zahm.

Meine Olivengrünen müssen in der Vogelstube mit weit grösseren und recht wehrhaften Vögeln zusammen leben, sie sind aber dadurch keineswegs verschüchtert, greifen zwar niemals einen anderen Vogel an, gehen aber auch keinem besonders aus dem Wege. Drei Mal glaubte ich mich schon der Hoffnung hingeben zu können, von meinem alten Pärchen Nachkommenschaft zu erhalten, das einzige Ergebniss war indess bis jetzt ein unbefruchtetes Gelege. Ende April dieses Jahres bemerkte ich, dass das einzelne Männchen meiner grünen Astrilde, welches sich sonst zu dem Paare hielt, von diesem aus seiner Nähe verjagt wurde und beobachtete, dadurch aufmerksam gemacht, das Letztere. Wie schon zwei Mal in früheren Jahren sah ich nun das Männchen seiner Gattin den Hof machen, indem es dieselbe mit gesträubten Kopffedern und fächerförmig entfaltendem Steuer umhüpfte, dabei seine Lockrufe ausstiess, worauf schliesslich die Begattung erfolgte. Die Vögel begannen nun Agavefasern herum zu schleppen, ohne indess irgend wo zu bauen und nachdem nach etwa drei Wochen immer noch kein Nistplatz gewählt war, nahm ich schon an, dass es auch diesmal so gehen würde wie früher, dass wie damals die Vögel gar nicht Nestbau schreiten, sondern ihre Nistlust im planlosen Herumschleppen der Baumaterialien erschöpfen würden. Zufälliger Weise stellte ich da eine lebende, etwa Meter hohe Thuja in die Vogelstube und während in deren oberen Regionen sofort ein Dominikanercardinalpaar sich häuslich niederzulassen begann, wählten sich die Astrilde die untersten Zweige derselben zum Nistplatze und bauten hier dicht an den Stamm ein recht hübsches eiförmiges Nest, ganz aus Agavefasern, nur das seitliche Flugloch und die Nesthöhle mit Federn und Pflanzenwolle ausgefüttert. Hier legte nun das Weibchen sieben Eier, vom dritten Ei angefangen, brüteten beide Gatten gemeinschaftlich, doch sass das Männchen weniger fest; die Vögel brüteten schon etwa acht Tage, als ich verreisen musste; als ich nach etwa drei Wochen wieder heimkehrte, sassen sie immer noch auf ihrem Gelege, welches ich nun natürlich als unbefruchtet entfernte, zu einer zweiten Brut kam es indess nicht mehr, vielmehr schlugen sich sofort nach Wegnahme der Eier das Pärchen wieder mit dem einzelnen Männchen zusammen und bilden nun im Vereine mit drei hinzu gekauften Exemplaren einen sehr treu zusammen haltenden kleinen Flug.

Geflügel-Ausstellung in Wiener Neustadt

am 5. und 6. September 1892.

Mit dem schönen, historischen Feste der genannten „allzeit getreuen" Landstadt, hatte der dortige landwirthschaftliche Bezirks-Verein unter Leitung seines rührigen Obmannes Faber eine land- und forstwirthschaftliche Regional-Ausstellung veranstaltet und in derselben auch der Geflügelzucht den ihr mit Recht gebührenden Platz gewidmet. Die Züchter dieser Richtung liessen sich auch nicht spotten und heimsten die ausgesetzen Preise in Medaillen, Diplomen und Ducaten mit vollem Rechte für ihre ausgestellten Thiere ein. Vor Allem sind die in der Nähe Neustadts etablirte Zuchtanstalt der Frau Shaniel aus Katzelsdorf und der Geflügelhof „Erlach-Linsberg" in Erlach, als hervorragende Zuchtanstalten zu nennen, welche beide gleich vorzüglich ausstellten und Erstere nur dadurch das Uebergewicht über ihre Rivalin erhielt, dass sie nebst den jungen Thieren auch die alten Zuchtstämme vorführte, deren Heimat ausser den Grenzen Oesterreichs zu suchen ist. Frau Shaniel erhielt daher die höchste Auszeichnung für ihre Thiere, nämlich die silberne Staats-Medaille für Hühner und die silberne Ausstellungs-Medaille des land- und forstwirthschaftlichen Bezirks-Vereines für

Wassergeflügel; der Geflügelhof „Erlach-Linsberg“, der ausschliesslich Junggeflügel eigener Zucht ausgestellt hatte, die silberne Ausstellungs-Medaille des land- und forstwirthschaftlichen Bezirks-Vereines für Hühner und die bronzene Ausstellungs-Medaille desselben Vereines für sein Wassergeflügel. Beiden Anstalten wurden auch Geldpreise in gleicher Höhe (3 fl) zuerkannt.

Herr Ferd. Swoboda in Wr. Neustadt erhielt auf seine schönen hellen Brahma und weissen Langshans, sowie Nachzucht dieser Racen die vom I. ö.-n. Geflügelzucht-Verein in Wien gespendete silberne Vereins-Medaille. — Weiter folgten dann die kleineren Aussteller, welchen mehr zur Aufmunterung, als für wirkliche Leistungen die weiteren Prämien zugewendet wurden. Als strebsame Züchterinnen verdienen hervorgehoben zu werden die Damen: von Teufl, Oberpiesting; Frl. Ehrenhöfer, Neunkirchen und die Züchter: Herr Alfred Faber, Fischau; Fr. Cerny, Wien; Carl Liebl, Peisching; Fr. Engelhart, Breitenau; welche bronzene Medaillen und Diplome erhielten.

In der Tauben-Abtheilung hatte die hübschesten Thiere Herr Engel aus Wr. Neustadt, dessen im Ausstellungshofe (Vieh-Hof) befindlicher Taubenschlag mit seinen zahlreichen Inwohnern mir auch weitere Gelegenheit bot, die Bemühungen desselben um die Taubenzucht kennen und schätzen zu lernen, er erhielt daher als höchste Auszeichnung dieser Abtheilung die bronzene Staats-Medaille. Ihm zunächst standen die Collectionen des Herrn Leithner und Frl. Duntsa, Wien; des Herrn Graner, Wr. Neudorf; Frau von Teufl, Oberpiesting; Herr Eder und Vollkron, Wr. Neustadt; Franz Cerny, Wien; Künast, Wöllersdorf; Trofer, Fischau, sowie die Herren Swoboda und Rollensteiner in Wr. Neustadt.

* * *

Die Houdans und Pekings des Herrn Schönpflug, sowie die Pfautauben aus meinem Schlage, waren als Preisrichter-Thiere ausser Preisbewerbung ausgestellt.

J. B. Brusskay.

Kleine Mittheilungen.

Forschungs- und Sammelreise nach den Südseeinseln. Das Mitglied des „Ornithologischen Vereines in Wien“, Herr Anton Abraham jun., tritt demnächst eine Forschungs- und Sammelreise nach den Südseeinseln: Neue Hebriden, St. Cruz- und Salomons-Inseln an und richtet hiemit an Institute, sowie Private die Bitte, sein Unternehmen durch Ertheilung von Aufträgen auf bestimmte Sammelobjecte zu unterstützen. — Nachdem die dem Reisenden zu Gebote stehenden Geldmittel nur beschränkte sind, so wären demselben bei Ertheilung von Aufträgen entsprechende Baarvorschüsse erwünscht.

Wir bitten Interessenten sich mit Herrn A. Abraham d. z. Wien, III., Messenhausergasse 9, in Verbindung setzen zu wollen.

Ph.

Ornithologisches vom Hocherzgebirge. Zu Beginn des heurigen Sommers schoss der gräflich Buquoy'sche Forstpraktikant Zwonař auf dem Stolzenhaner Hochplateau ein prachtvolles Exemplar Ardea cinerea L. aus der Mitte eines über das Gebirge ziehenden Zuges dieser Vögel. Die Flugweite desselben betrug 162 Centimeter. — Am nördlichen Abhange des Keilberges fanden vor Kurzem Holzmacher noch in einer Seehöhe von über 1000 Metern ein Nest von Perdix cinerea L. Nach den Schalenüberresten zu schliessen, müssen wenigstens 10 bis 13 Eier darin ausgebrütet worden sein. Wie Perdix cinerea, so sind auch im heurigen Jahre Cotornix communis Bonnaterre viel zahlreicher, als in früheren Jahrgängen zu hören gewesen. Wie es den Anschein hat, werden in einigen Jahren diese beiden Feldhühner mit zu den am zahlreichsten im Hocherzgebirge vertretenen Vogelarten gezählt werden können. Ein unweit Stolzenhan sich hören lassender Crex pratensis Bechstein hat zum grössten Verdrusse der Forstleute sich aus dem Staube gemacht, ehe das mörderische Blei ihn ereilte. — Wie die Forstleute allseits versichern, wimmeln im heurigen Jahre die Forste nördlich des Wirbelsteines und Keilberges von Kreuzschnäbelschaaren. Leider ist es mir bis heute nicht möglich anzugeben, welche Art am stärksten vertreten ist. — Obwohl ich mir im Nachfolgenden kein rühmliches Zeugniss als erzgebirgischer Ornithologe ausstelle, so darf ich doch nicht unerwähnt lassen, dass mir im heurigen Sommer drei Stücke über das Erzgebirge streichende Schwalben zu Gesichte gekommen sind, deren Erscheinung mir völlig neu war. Dieselben waren bedeutend grösser, als die im Erzgebirge nistende Hirundo urbica L. und, so viel ich im Fluge beobachten konnte, völlig schwarz, ohne Schiller. Die Schwingen kamen mir kürzer, überhaupt derber und der Schwanz wenig gegabelt, vor. Ich hatte zuvor und habe auch nachher niemals Gelegenheit gehabt, die gleiche Schwalbenart irgendwo zu sehen.

Peiter.

Meine kleine Volière. Seit zwei Jahren, seit dem Tode meines lieben bei mir geborenen Sperlingspapageis habe ich die ihm erbaute kleine Volière mit verschiedenen Vögelchen bevölkert, sie fühlen sich darin zu meiner Freude wohl und glücklich und erfreuen mir das Herz und Ohr mit ihrem Gesange, dabei sind sie Alle so zahm und zutraulich, dass ich sie Abend von den Zweigen wie Blüthen ablese und in ein anderes Bauer zum Schlafen bringe. Vor Allen sind es drei Hänflinge, zwei rothe und ein grauer Hänfling, die überaus zahm und liebenswürdig sind und herrlich singen, dann Meister Fink im prächtigen Kleide, den ich als ein Stückchen schmutziges Elend am Naschmarkt fand, er singt selten, aber so schön und sanft, als ob er von den Hänflingen abgelauscht hätte, was in ihrem Liede mir so sehr gefällt, dann sind Meister Finks schöne Weibchen — eben so zahm und heiter, wie der Gemal. Dann schwirren fünf Kanarien-Vögel in wunderbarer Gelbe herein, einer der Professor — schon 13 Jahre alt, ein Schopfmännchen, ein herrlicher, sanfter Sänger — dann ein Stieglitz-Pärchen, er mit rother, sie mit orangefarbener Stirne — das Männchen war vom ersten Tage zahm und sie will mir Abends nie vom Finger, da ist kein Bohren und Fortwollen, sie sind alle gerne und froh bei mir. Auch ein ganz sonderbarer schwarzer Stieglitz, ein Vögelchen wie in Trauer, da das ganze Köpfchen tiefschwarz ist und nur braun und grau sein Gewand bilden, an den Flügeln nur ist ein schwacher Schimmer von Gelb. Gesang hörte ich von ihm noch keinen, vermuthe daher, dass er ein Weibchen, obwohl der orange Stieglitz schon sehr schön bei mir sang. Dann sind ein Nonpareil der Pabstfink und ein Indigo, da mir der zweite leider vor acht Tagen starb. Ich gab mir namenlose Mühe mit Nonpareil und Indigo, ich übernahm sie von Hr. Findeis als ganz federlose Vögelchen, ich fütterte sie recht reichlich mit Mehlwürmern, Ameiseneier, gelber Rübe, Semmel in Milch, gekochten und dann wieder getrockneten Hanf-Samen, Rollhafer, Silberhirse und Glanz; und hatte die Freude, die Vögelchen allmälig sich befiedern und heiter werden zu sehen, beide bekamen ein schönes Kleid, Indigo rascher als der Pabstfink, Im Winter war Alles schön, im Frühjahre im April fieng der vermauserte Indigo an, an Athemnoth zu leiden, ich gab ihm durch 2 Monate Emser Krähnchen, statt Wasser, dann hatte die Kur Erfolg und ich konnte ihn wieder mit den anderen vereinen, doch war meine Freude nicht von langer Dauer, er bekam am Kopf eine Wasserblase — die von mir leise aufgedrückt und eingefettet wurde, mit einem Gemische von aufgelöstem Spermacett-Rosenwasser und Mandelöl, doch füllte sie sich täglich wieder und auch neben dieser Blase erschien eine Erhöhung, die sich verdichtete und ein hartes Geschwür bildete — leider magerte er dabei sehr ab und endlich fand ich ihn eines Morgens todt, umgeben von seinen Gefährten, die ihn umstanden, als wollten sie ihn betrauern. Auch der zweite Indigo, der die Volière nicht verlassen und kein Krähnchen benöthigt hatte, fieng an die Blase zu bekommen, doch diese und eine zweite, die sich gleich neben zeigte, sind leicht aufzudrücken und verringern sich, doch verliert er gänzlich die Federn am Rücken und Köpfchen, ist dabei aber munter und gut genährt, so hoffe ich ihn durchzubringen und werde mir erlauben, darüber zu berichten. Der liebe Nonpareil hat nichts von alledem; er ist ein frischer, kecker Vogel, der mich beim Einfangen jeden Tag pickt und hat jetzt einen Cobalt-blauen Kopf, dessen schöne Färbung sich bis bis zum Halse zieht, die Rückenfedern sind smaragdfarben mit Metallglanz, leider ist die Brust vom herrlichen roth, in scheckiges Gelb abgeblasst und nur einzelne, rothe Federchen leuchten roth aus dem fahlgelben Grunde. Ein letzter Bewohner in meinem kleinen Bau ist ein vierter Hänfling, der abgesperrt — schwerer Krankheit halber — war. Dieses arme Vögelchen wurde mir mit der Bitte übergeben, zu versuchen, ob ich ihn retten könne. Als ich ihn untersucht hatte, da verlor ich jedes Hoffen, behielt ihn aber doch, um mein Heil zu versuchen. Struppig und ganz glanzlos, wie wollig das Gefieder, die Brust eine scharfe Schneide, so sass er traurig vor mir. Ich sperrte ihn allein, gab eine sehr schwache Dosis Salizylsaures Natron in's Trinkwasser, fütterte reich und in Auswahl und harrte der Dinge, die täglich schlechter wurden. Ich gab ihn Nachts in einen Holzkasten, da der arme Vogel offenbar erkältet war, da eines Morgens fand ich an der linken Seite beim Auge und Ohr eine mehr als erbsengrosse, hoch entzündete Geschwulst, das Auge in Thränen wie eiternd, das arme Thierchen litt offenbar schwer. Ein verehrter Freund und grosser Vogelkenner der mich besuchte, meinte es sei krebsartig und der Vogel verloren. Doch ich liess nicht nach, ich fragte bei Dr. Banier, dem Besitzer der Salvator-Apotheke, einen gütigen Menschen und Thierfreund, der immer bedacht zu lindern und helfen, an, in meiner Noth, um ein mildes, erweichendes Salböl und machte mir nach Angabe aus Köllnisch-Wasser und St. Clair, Kaltwasserseife und Oel einen Brei, und strich leise und behutsam das enzündete, bläulich spielende Gewächs ein, nach drei Tagen hatte es Lage und Farbe verändert, das Auge war freier, wurde mit Köllnisch-Wasser mit Wasserverdünnung gewaschen und nach 8 Tagen war alles verschwunden und heute ist mein lieber kleiner Pflegling, der ein ausgezeichneter Sänger sein soll, recht fest und rund im Brüstchen und springt mit den andern um die Wette, wenn auch noch mit ganz kahlen Wangen. — Ich füge noch bei, dass die Vögelchen bewegliche Sprossen haben, auf denen sie sich schwingen können und dass ich ihnen im Fond ihres Flugraumes auf zwei gekreuzten Stäben aus Tannenzweigen ein Lager jede Woche frisch errichte, es bildet sich von aufgelegten Tannenzweigen und ist wie ein grünes Bett, das lieben sie sehr, laufen herum und haben dasselbe auch im Schlafbauer. Nachts überdecke ich dieses mit einem nassen Tuch und darüber einen gut schliessenden Ueberzug aus Turnerstoff, dies gibt in den Sommermonaten den Waldvögeln feuchte Kühle und sie befinden sich wohl dabei, auch einer lästigen Plage der Vögel steuert man wirksam dabei, da auf dem feuchten, weissen Tuche jedes derartige Lebewesen sichtbar zu erreichen und leicht zu vernichten ist. Wenn ich das Singen, Zwitschern höre, der Munterkeit meiner lieben kleinen Sänger mich freue, dann umschliesst ein Stückchen reines Lebensglück für mich, meine kleine Volière.

Baronin Sidonie Schlechta.

Aufhebung der Postbeförderung lebenden Geflügels nach Deutschland. Deutsche Blätter brachten die Mittheilung, dass in Folge der Cholera-Gefahr die Geflügelsendungen aus Oesterreich nach Deutschland eingestellt worden seien. — Da in dem „Post- und Telegrafen-Verordnungs-Blatte" hierüber keine Nachricht enthalten war, wandten wir uns brieflich an die k. k. Post- und Telegrafen-Direction in Wien und erhielten nachstehende Erledigung: „In Beantwortung der geschätzten Zuschrift vom 9. d. M. beehrt man sich Ihnen mitzutheilen, dass auf Grund einer Verfügung des hohen k. k. Handels-Ministeriums bis auf Weiteres Sendungen mit lebendem Geflügel aus Oesterreich-Ungarn nach Deutschland, Bayern und Württemberg vom Posttransporte ausgeschlossen sind. — Dieses Verbot erstreckt sich jedoch nicht auch auf lebende Sing- und kleinere Ziervögel.

Für den k. k. Hofrath und Vorstand:
Der k. k. Oberpostrath Effenberger."

Brieftaubenflug.

„I. Wr. Vororte-Geflügelzucht-Verein in Rudolfsheim". Eine für junge Brieftauben gewiss anerkennenswerthe Leistung hat der I. Wr. Vororte-Geflügelzucht-Verein in Rudolfsheim zu verzeichnen, da die erste dieser geflügelten Boten (durchwegs 3 Monate alt), welche vor einigen Tagen von Lundenburg abgelassen wurden, die 84 Kilometer betragende Strecke in 1 Stunde 45 Minuten zurücklegten und innerhalb 2 Stunden sich sämmtliche Thiere in ihren Schlägen befanden. Es erhielten: I. Preis J. Fleissner (Hietzing), II. Preis A. Dorn (Sechshaus), III. Preis K. Mülhner (Rudolfsheim), IV. Preis H. Pisecker (Rudolfsheim), V. Preis F. Sess (Rudolfsheim).

Abgesagte Ausstellungen.

Infolge der drohenden Cholera-Gefahr wurden auf polizeiliches Verbot hin mehrere für die nächsten Tage anberaumten Geflügel-Ausstellungen in Deutschland abgesagt.

So u. a. die Ausstellung in Göttingen und die Junggeflügelschau in Lübeck. Am empfindlichsten trifft aber die deutschen Züchter die Absage der Junggeflügelschau in Hannover, die als die bedeutendste Herbstausstellung Deutschlands alljährlich die hervorragendsten Züchter zu hartem Wettkampf vereinigt.

Verlag des Vereines. — Für die Redaction verantwortlich: **Rudolf Ed. Bondi.**
Druck von **Johann L. Bondi & Sohn**, Wien, VII., Stiftgasse 3.

XVI. JAHRGANG. Nr. 18.

Mittheilungen des ornithologischen Vereines „DIE SCHWALBE" in Wien

Blätter für Vogelkunde, Vogelschutz, Geflügelzucht und Brieftaubenwesen.

Organ des I. österr.-ung. Geflügelzuchtvereines in Wien und des I. Wr. Vororte-Geflügelzuchtvereines in Rudolfsheim

Redigirt von C. PALLISCH unter Mitwirkung von Hofrath Professor Dr. C. CLAUS.

30. September. 1892.

„DIE SCHWALBE" erscheint **Mitte** und **Ende** eines **jeden Monates**. — Im Buchhandel beträgt das Abonnement 6 fl. resp. 12 Mark. Einzelne Nummern 30 kr. resp. 50 Pf.

Inserate per 1 □ Centimeter 3 kr., resp. 6 Pf.

Mittheilungen an das **Präsidium** sind an Herrn **A. Bachofen v. Echt** in Nussdorf bei Wien; die **Jahresbeiträge** der Mitglieder (5 fl., resp. 10 Mark) an Herrn **Dr. Karl Zimmermann** in Wien, I., Bauernmarkt 11;

Mittheilungen an das **Secretariat**, ferner in Administrations-Angelegenheiten, sowie die für die **Bibliothek** und **Sammlungen** bestimmten Sendungen an Herrn **Dr. Leo Pribyl**, Wien, IV., Waaggasse 4, zu adressiren.

Alle redactionellen Briefe, Sendungen etc. an Herrn **Ingenieur C. Pallisch in Erlach** bei Wr.-Neustadt zu richten.

Vereinsmitglieder beziehen das Blatt gratis.

Der Zug der Vögel durch Varasdin im Jahre 1892.

Von **Anton Pichler**, Lehrer am k. Obergymnasium zu Varasdin.

Februar 1892.

Forstverwalter Joh. Walka meldet aus Mali Bukovec bei Ludbreg (Varasdiner Comitat) die ersten Tauben am 22. und die ersten Staare am 24. Februar am Zuge gesehen zu haben.

25. Der Schnee in rascher Schmelze begriffen, Felder theilweise leer. Galanthus nivalis im Entwickeln der Blüthe begriffen. Zug 0.

Corvus frugilegus noch vorhanden. Zuzug 0.

26. Motacilla alba, gesehen von Forstmeister W. Dozkowic.

27. Corvus frugilegus sammelt sich hoch in den Lüften laut meldend. Gesehen mit Professor Novotni.

29. 12 h Mitternacht. Häufige Entenzüge. Anas boschas meldet laut. Den Winter hindurch Enten selten, am Varasdiner Markte nahezu fehlend. Alauda arvensis zahlreich.

März.

1. Schnee bedeutend geschwunden, leichte Brise S. W. Corvus frugilegus fehlt. Alauda arvensis zahlreich, flöthet mittags. Turdus musicus, zwei Stücke. Motacilla alba. Emberiza citrinella singt. Alauda arvensis zahlreich. 11 h 45 Sterne sichtbar, Horizont getrübt. Zug 0. — Wildgänse meldet N. Pečornik.

2. Boden morgens gefroren; Nordbrise mit gefrorenem Schnee. 11 h vormittags mehrere Turdus musicus und T. merula*) im Stadtparke unter der Laube Insecten suchend.

*) Während des Winters im Stadtparke keine T. merula vorhanden.

2. Abends N. heftiges Schneetreiben. 8 h Wildgänse am Zuge (während des Winters wurden keine beobachtet). 11 h Schneetreiben noch heftiger, daher eventueller Zug unhörbar; Mittags zahlreiche Alauda cristada am Viehmarkte. Forstverwalter Joh. Walka sah die erste Schnepfe (Scolopax rusticola) am 2. März abends am Anstand.

3. Früh Schneetreiben bis Abends 10 h, dann trübe Nacht, tagsüber keine Corvus frugilegus. Abendzug 8 h, 10 h, 1 h nach Mitternacht 0.

4. Morgens — 10° C. Sonnenschein, Mittags + 15° C. im Schatten. Alles starr, keine Vögel sichtbar, Corvus frugilegus fehlt. Abends bewölkt (leichte Brise N.) 10 h — 6° C. Zug 8 h, 10 h, 11 h 0.

5. Morgens — 7° C. bewölkt; 7 h 30 Corvus frugilegus ziehen von N. O. heran. Mittags bewölkt + 7° C. Zahlreiche C. frugilegus auf den Schneefeldern, Abends scharfer N. Zug 0.

6. Morgens — 7° C. Mittags + 12° C. Wenige Corvus frugilegus, sonst nichts. Nacht hell. Zug 0.

7. Früh — 11° C. Mittags + 12° C. Winde wechseln tagsüber. Ein Star (Sturnus vulgaris) mit mehreren Corvus frugilegus. Nacht hell. Zug 0.

8. Morgens — 7° C. Mittags + 12° C. Zug 0. Nacht hell.

9. Morgens — 8° C. Mittags + 14° C. Zahlreiche Corvus frugilegus hoch in den Lüften, Richtung gegen NO. Mittags W. aber kalt. Abends bewölkt. 12 h Mitternacht Windstille, leichter Schneefall. Zug 0.

10. Morgens — 4° C., bewölkt, windstill, mittags + 12° C. Corvus frugilegus in geringer Anzahl auf den Feldern, auf der Neue. Abends bewölkt. 11 h beginnt es leicht bei Windstille zu schneien. Zug 8 h, 9 h, 11 h 0.

11. Morgens 0·50 m tiefer Schnee, es schneit bei + 5° C. bis 11 h Vormittags fort. 2 h Nachmittags Sonnenschein + 12° C. Corvus frugilegus sogar auf den Plätzen der Stadt zahlreich. Emberiza citrinella zirpt munter auf den Wipfeln der Bäume. Fringilla carduelis singt, Passer domesticus treibt sein Weibchen unter Parungsrufen umher. Abends locker bewölkter Himmel. 11 h. Zug 0.

8. Die Jagdzeitung meldet von diesem Datum die ersten Scolopax rusticola in 4 Exemplaren von Lasivia Sauerbrunn. Autoptisch bestätigt, wurden am Agramer Markte feilgeboten.

12. Morgens — 4° C. Mehrfach wurden Schwärme von Sturnus vulgaris beobachtet. Ein Bauernbursche aus Jalkovec brachte 1 Sturnus vulgaris und 1 Stück Turdus musicus auf Schlingen gefangen in die Stadt. Turd. musicus starb rasch am selben Tage, Sturnus lebt. Corvus frugilegus zahlreich. Abend hell und kalt. Zug 0.

13. Früh — 7° C., bewölkt, zahlreiche Corvus frugilegus. 3 h 30 Nachmittags dichter Schneefall unaufhörlich bis gegen Mitternacht. Nachmittag sah ich mehrere Sturnus vulgaris.

14. Thauwetter. Corvus frugilegus noch immer zahlreich. Vormittag 1 Stück Fringilla montefringilla gesehen. Nachmittag meldet Lehrer J. Horvat einen Schwarm derselben Art in seinem Garten gesehen zu haben. (Mir schien am 13. März wiederholt am Abendbeobachtungsplatze ein fringillidenartiger Lockruf aufgefallen zu sein, doch wollte ich das Gehörte und nicht Sichere gewissenhaft auf eine Bestätigung warten lassen, ehe ich es als Thatsache fixire.

15. Thauwetter, Himmel bewölkt. Vögel wie vorher. Abends ebenfalls bewölkt. Zug Abends 11 h 30. Turdus-Stimmen genau vernommen. Zeitungen melden die ersten geschossenen Schnepfen aus Slavonien.

16. Der Schnee noch ca. 0·30 m hoch, Ebene flaches Schneefeld, nur die Schollen von einstigem Sturme freigefegt, dunkel. Galanthus nivalis blüht in den Drauauen knapp an den Stämmen der Bäume, Leucoium vernum treibt hie und da aus niederem Schnee die ersten Knospen. Fringilla coelebs und Emberiza citrinella, sowohl als Alauda cristata singen in der Nähe der Stadt. Einige Schwärme Fringilla linota auf den schneefreien Böschungen der Strasse, Fringilla spinus umschwärmt die niederen Wipfel der Alnus incana, Corvus frugilegus nahezu verschwunden, stets nur einzelne Exemplare. Sturnus vulgaris in Schwärmen, ebenso mehrere Schwärme des Alauda arvensis. Hoch in der Luft zieht ein Zug Motacilla alba. In den Hecken spärliche Sylvia ruticila (3 Stück). Im Walde zwar keine Schnepfen gefunden, doch einige Turdus musicus. An den Pfützen Vanellus cristatus (hier Brutvoge.) sehr zahlreich. Abends wurde die erste Scolopax rusticola (geschossen in Cerje Tužno) eingebracht, war mager und die Todtenstarre hatte schon nachgelassen, somit schon zum mindesten tagsvorher geschossen worden. Dieselbe selbst gesehen. Abends leicht angezogen, Nacht hell. Zug 11 h 0.

17. Früh — 3° C., trübe und unfreundlich, darauf Südsturm. Corvus frugilegus noch da. Zahlreiche Vanellus cristatus am Plitrica Bache bei Jalcovec.

18. Morgens hell und sonnig, Südwind, Mittags Sturm mit einigen Schneeflocken. C. fr. noch da. Neues nichts. Abend hell und lau. Zug 11 0.

19. Lau, der Schnee schmilzt immer mehr, auf der Ebene bedeutend. Sonst Alles unverändert. Heger Bogoric meldet 2 Stück Scolopax rusticola.

20. Ebene geringe tiefere N. gelegene Stellen schneefrei; N. Lehnen durchwegs 0·30 m tiefer Schnee. Morgens + 1° C., Mittags hell, sonnig, NO. Corvus frugilegus noch hier zum Theile paarweise, sonst in lockeren Zügen. Tinnunculus claudarius auf der Ebene mausend. Emberiza schoeniclus hie und da, gering an Zahl. Vanellus cristatus nur einzeln oder paarweise, Sturnus vulgaris in dichten Schwärmen. Alauda arvensis in der Luft flötend. Turdus musicus singt noch nicht, mehrere beisammen auf der Schnepfensuche gesehen. Columba palumbus nur ein Exemplar. Anas crecca 6 Stück beisammen. Totanus ochropus (?) 2 Exemplare. Fringilla spinus umschwärmt in dichten Schaaren die Wipfel von Alnus incana. Scolopax rusticola nicht da.

(Fortsetzung folgt.)

Einige ornithologische Reise-Erinnerungen.

Von Jul. Michel.

(Schluss.)

Obwohl wir knapp vor Wien noch einen kleinen Schiffbruch erlebten — es war etwas an dem Steuer passirt und der Dampfer trieb nach einmaliger Drehung hübsch langsam gegen das linke Ufer — so kamen wir doch ganz ohne Schreck davon, denn dazu war die ganze Geschichte zu gemüthlich.

Wir wurden einfach etwas früher auf den kleinen Donauarmdampfer verladen und langten bald darauf in Wien an.

Eine halbe Stunde später pilgerte ich schon hinaus in den Prater zur Land- und forstwirhschaftlichen Ausstellung und verschaffte mir noch einen kleinen Ueberblick über das grossartige Unternehmen.

Als Erster passirte ich am Morgen des 10. August die Zählschranke und wanderte sofort der Jagd-Abtheilung zu. Ich muss offen gestehen, dass angesichts der reichen Schätze, welche da das Auge des Jagd- und Naturfreundes entzückten, der Präparator bei mir die Oberhand gewann und der Ornithologe im Hintergrunde trat. Diese Abtheilung enthielt eine Unmasse präparirter Säugethiere und Vögel, darunter viele zooplastische Meisterstücke und prächtige Gruppen.

Selbstverständlich dominirte das jagdbare Haar- und Federwild und nur ab und zu waren andere Stücke, als kleinere Vögel, eingestreut. Ueber 20 Stein- und Seeadler, mehrere Gänse und Kuttengeier, viele kleinere Raubvögel, als: Schlangenadler, Bussarde, Habichte und verschiedene Falkenarten, Uhu's, Uraleulen, mehrere Grosstrappen, viele Auerhähne und Birkhähne, darunter 2 graue Spielarten des Birkhahnes, 1 Rackelhahn, 1 Rackelhenne (Kral'sche Zucht) und 1 junger Rackelhahn, albinistische Rebhühner und abnorme Schnepfen, ein Bastard zwischen einem Fasanhahne und einer Haushenne, verschiedene Reiher und Comorane, Wildgänse, Wildenten, Säger etc. zierten theils in lebensvollen Stellungen, theils als effectvolle Beutestücke präparirt die einzelnen Kammern der Jagd-Abtheilung. Der präparirten Hirsche, Rehe, Wildschweine, Bären, Luchse, Wildkatzen, Wölfe, Füchse, Fischottern u. dgl., sowie der überaus zahlreichen prächtigen Geweihe sei nur nebenbei gedacht. Kurz, es war eine wahre Pracht!

Auch in den übrigen Abtheilungen der Ausstellung waren viele Präparate (darunter freilich auch manches minderwerthige Stück) verstreut.

Ganz besonders gefiel mir die von dem berühmten Durchforscher Neuseelands, A. Reischek, ausgestellte und von ihm selbst präparirte Kivigruppe.*)

Von grossem Interesse war auch für mich die Exposition der forstwirthschaftlichen Lehranstalt in Weisswasser.

*) Näheres darüber in dem Artikel: „Das ehemalige Jagdwild der Maori's", M. d. ornith. Ver. in W., „Die Schwalbe" 1890, pag. 161—163.

Ich sah daselbst den ersten böhmischen Schwalbensturmvogel (Thallasidroma pelagica), welcher in einem Walde bei Schatzlar todt aufgefunden worden war; ferner einen Schlangenadler (Circaëtus gallicus), einen Geierfalken (Falco gyrfalco), eine Uraleule (Syrnium uralense) eine Zwergtrappe (Otis tetrax), zwei Steppenhühner (Syrrhaptes paradoxus) einen Rackelhahn (Tetrao medius) und eine Eiderente (Somateria molissima), sämmtliche aus Böhmen stammend. Unser thätiges Vereinsmitglied F. Zeller, hatte eine Collection präparirter Höhlenbrüter sammt künstlichen Nistkästen ausgestellt. Kärnten führte dem Besucher eine kleine Landesfauna vor, während Schweden die wichtigsten Vertreter der nordischen jagdbaren Thiere in einem hübschen Gruppenbilde bot.

Gewiss war noch manches Erwähnenswerthe da, aber die Fülle der ausgestellten Gegenstände wirkte bei Erwägung der kurz bemessenen Besuchszeit förmlich erdrückend und lähmend auf mich so dass ich gar nicht an ein ausführliches Notieren dachte*).

Nachmittags traf mein verehrter Freund C. Pallisch ein, welcher, da ich meinen projectirten Besuch in Erlach Zeitmangels halber hatte aufgeben müssen, mit der grössten Opferwilligkeit nach Wien geeilt war. Dazu gesellten sich die Herren Zeller und Perzina, sowie später der ebenfalls gerade in Wien anwesende Präparator Herr Zollikofer aus St. Gallen.

Da gab es nun so viel zu erzählen und zu besprechen, dabei einige Weine und Biere zu prüfen, dass uns bald der Massstab für die Stunden abhanden kam und erst das den Ausstellungsschluss verkündete Nebelhorn mahnte uns zum Aufbruche.

Am Morgen des nächsten Tages zogen wir, Zollikofer, Pallisch, Perzina und ich hinaus nach Schönbrunn. Wer nur die frühere Menagerie kannte, der dürfte jetzt beim Erblicken derselben gewiss zur Ueberzeugung kommen, dass der alte Name nicht mehr recht passt. Die vorzüglich genährten und gepflegten Thiere machen einen wohlthuenden Eindruck und man bedauert nur lebhaft, dass nicht noch mehr grössere Räume und Baulichkeiten vorhanden sind.

Wir machten einen kleinen Rundgang und suchten dann jeder das ihm am meisten Anziehende auf. Zollikofer bewunderte und studirte den mächtigen Steinbock, ich wieder konnte mich von der Volière, in welcher die Sumpfvögel untergebracht waren, nicht trennen, und manche Skizze in meinem Buche erinnert mich an das rege Leben daselbst.

Die Raubvögel sind vorzüglich vertreten, schade, dass ihnen nicht ein grosser Flugkäfig zur Verfügung steht, in dem sie so recht zur Geltung kommen könnten.

Ich sah: 2 Aquila imperialis, Kaiseradler; 2 Aquila fulva, Steinadler; 4 Aquila naevia, Schreiadler; 1 Aquilla pennata, Zwergadler; 4 Haliaëtus albicilla,

*) Wir können nicht umhin, hier zu constatiren, dass der Herr Verfasser eine der Hauptzierden der Ausstellung — vom ornithologischen Standpunkte anzuführen unterlassen hat: Es sind dies seine eigenen prächtigen, dem Leben abgelauschten Thier-Gruppen, wofür ihm auch die höchste Anerkennung der Ausstellung: die goldene Medaille zuerkannt ward. Ph.

Seeadler; 2 Gypaëtus barbatus, Bartgeier*); 5 Gyps fulvus, Gänsegeier; 2 Vultur monachus, Mönchs- oder Kuttengeier; 1 Falco lanarius, Würgfalke; 1 Falco candicans, isländ. Jagdfalke; 2 Falco peregrinus, Wanderfalke; 2 Milvus aegypticus, Schmarotzermilan; 3 Milvus regalis, Gabelweihe; 2 Milvus ater, Schwarzbrauner Milan; 1 Circus aeruginosus, Sumpfweihe.

Die gewöhnlichen Tagraubvögel, wie Habicht, Bussarde etc. 1 Sarcorhamphus papa, Königsgeier; 2 Polybonus brasiliensis, Carancho und andere mehr. 2 Bubo maximus, Uhu; 3 Bubo virginiensis, Virginischer Uhu; 2 Syrnium uralense, Uraleulen sowie die gewöhnlicheren Eulen.

Die Watvögel-Volière enthielt mehrere Phoenicopterus antiquorum, Flamingo, alle Reiherarten; Platalea leucorodia, Löffelreiher; Falcinellus igneus, dunkler Dichter, kleinere Sumpfvögel und Möven. An dem Teiche waren mehrere prächtige Pelikane und Schwäne, sowie viele Enten und Gänse.

Die kleineren Volieren enthielten Rabenvögel, Spechte, Heher u. dergl. Auch ein Cuculus canorus war vorhanden. Die kleineren einheimischen Sänger waren mit den exotischen Webervögeln, Papageien u. dergl in einem Vogelhause vereint.

Auch die Laufvögel, Kraniche und Störche waren gut vertreten.

Nachdem wir die reichhaltige Sammlung nach Gebühr gewürdigt, fuhren wir Nachmittags wieder zur Stadt zurück. Zollikofer und ich machten noch dem Herrn Dr. von Lorenz im zoologischen Hofmuseum unsere Aufwartung und hatten dabei das Vergnügen, Herrn von Tschusi anzutreffen, welcher sich uns für den Rest des Tages, den wir wieder in der Ausstellung zubrachten, anschloss.

Es war dies der letzte Abend, der uns vollzählig vereinte, denn Freund Pallisch musste am nächsten Morgen wieder zurück nach Erlach und auch Zollikofer und ich wollten unsere Heimreise antreten.

Am 12. August besuchten wir Letzteren das k. k. Hofmuseum, welches uns durch die Güte des Herrn Dr. von Lorenz geöffnet worden war

Die 4 Stunden, welche wir in der zoologischen Abtheilung (Säugethiere und Vögel) zubrachten, genügten selbstverständlich nicht, die hier aufgespeicherten reichen Objecte nur einigermassen genauer durchzugehen.

Unter den Säugethieren fanden wir bereits eine grössere Anzahl von neuen Präparaten, welche der Künstlerhand des Stuttgarter Präparators Kerz entstammten.

Die meiste Zeit verwendeten wir auf die in einem Saale vereinigte Avifauna von Oesterreich-Ungarn, sowie die Kronprinz-Rudolf-Sammlung.

In der ersteren erfreuten mich die schönen Präparate, welche aus der ehemaligen Sammlung von Tschusi's herrühren. Die letztere, in einem kleinen Zimmer untergebracht, birgt eine Menge der seltensten Raub- und Wasservögel, sowie einige Wölfe, Hyänen, Wildkatzen etc., alle von Meisterhand gearbeitet. Da ist manches Stück, das den Beschauer an die farbenprächtigen Schilderungen erinnert, welche der unvergessliche Kronprinz Rudolf in seiner „Orientreise" und „Fünfzehn Tage auf der Donau" uns vorführte.

Um 2 Uhr verliessen wir endlich das Museum mit dem lebhaften Wunsche: „Auf Wiederseh'n!" Kurze Zeit darauf sagten auch Zollikofer und ich uns Lebewohl.

Zwei Stunden, welche mir noch vor meiner Abreise übrig blieben, brachte ich abermals in Schönbrunn zu, um mein Skizzenbuch noch durch einige Conterfei's der langbeinigen Gesellen in der Wasservogel-Abtheilung zu bereichern.

Am Abende des 12. August kehrte ich endlich der Kaiserstadt den Rücken. Wohl etwas müde, aber hochbefriedigt, langte ich am folgenden Tage wieder in meinem Heime an.

*) Ueber diese schönen Exemplare berichtete Zollikofer in den M. d. ornith. V. in Wien, 1890, pag. 296 (Rostfärbung bei Gypaëtus barbatus in der Gefangenschaft.) und C. Pallisch ebenda. XV., 1892, pag. 212.

Die Verbreitung und Lebensweise der Tagraubvögel in Siebenbürgen*).

Von **Johann von Csató-Nagy-Enyed.**

Der östliche Landestheil Ungarns, welcher mit einem Flächeninhalte von 59.379·9□ Kilometern zwischen dem 40. und 44. Grade der östlichen geographischen Länge von Ferro und zwischen 45° 16' und 47° 42' der nördlichen Breite liegt und unter dem Namen Siebenbürgen bekannt ist, ist wie derselbe von Franz Ritter von Hauer und Dr. Guido Stache in ihrem Werke „Geologie Siebenbürgens" (Wien 1863) geschildert wird, der am weitesten gegen Osten vorgeschobene Vorsprung der mitteleuropäischen Berglandschaften und bildet durch seine Lage an der Westseite der osteuropäischen Tiefebene und durch seinen Zusammenhang mit den Gebirgen der grossen Südost-Halbinsel einerseits den Ostsaum des Herzlandes unseres Erdtheiles, anderseits den Uebergang an den fremdartigen und bestimmt genug nach Asien hinweisenden Gebieten des Ostens. Es liegt als gewaltiger gebirgumkränzter Erdbuckel mitten zwischen den unabsehbaren und theilweise schon steppenartigen Ebenen der mittleren, und den so ausserordentlich tief gelegenen der unteren Donau und des schwarzen Meeres, und schliesst in seinen östlichen Ketten den weiten Kranz, welcher mit den westlichen und nördlichen Karpathen und den von den Alpen ausgehenden Gebirgsästen vereint, ein so merkwürdiges als reichbegabtes Land von fast 6000 Quadratmeilen umwallt und schirmt. Es ist ein Hochland von eigenthümlicher Bildung, wie es, das ihm noch am meisten ähnliche Böhmen vielleicht ausgenommen, Europa in ähnlicher Ausdehnung nicht wieder aufzuweisen hat.

Bereits diese Schilderung beweist, dass Siebenbürgen einerseits in Folge seiner geographischen Lage, anderseits aber wegen der sehr mannigfaltigen

*) Dem II. internat. ornitholog. Congresse vorgelegen und gelesen in der Sitzung vom 19. Mai 1891. — Wir entnehmen die hochinteressante Arbeit im Einverständniss mit dem Herrn Verfasser, unserem langjährigen Vereinsmitgliede, dem ebenerschienenen Hauptberichte des Congresses. Die Red.

Gestaltung seiner Oberfläche zu jenen Ländern gehört, welche nicht nur das Interesse der Touristen, sondern auch die Aufmerksamkeit der Naturforscher in vollem Maasse auf sich zu lenken geeignet sind.

Seine tiefsten Thäler liegen schon mehr als 1130 Meter über dem adriatischen Meere während die höchsten Spitzen seiner Hochgebirge, so der Negoj, eine Höhe von 2536 Metern erreichen, trozdem aber ist das Land im allgemeinen kein Gebirgsland, sondern ein Gebiet abwechselnder anmuthiger Contraste.

Höher oder niedriger gelegene, abgerundete und von bewaldeten Bergen zum Theil auch von in die Höhe starrenden Hochgebirgen umkränzte Ebenen, wie die Gyergyóer, Csiker, Háromszék-Barczaságer und Hátszeger Ebenen entsenden nach verschiedenen Richtungen lang sich dahinwindende, abwechselnd verengte oder sich wieder ausbreitende Flussthäler von den im Hochgebirge entspringenden Flüssen durchströmt, deren Läufe von Wäldern bedeckten Bergzügen oder sanften, mit den besten Wein erzeugenden Reben bepflanzten Hügelreihen begleitet werden. Stellenweise erheben sich noch hinter den waldigen Rücken aus Kalksteinen gebildete felsige Bergzügemit verschiedenartig gestalteten Kuppen und Spitzen und verleihen der Gegend eine ware romantische Gestaltung. Dringt man in diese Gebiete hinein, so gelangt man zu hohen senkrechten Felsenwänden, welche dem Abfliessen der Gebirgsbäche kaum eine enge Spalte freilassen oder den Abfluss sogar versperren, so, dass die Wässer ihren Lauf unter der Erde erzwingen, um in weiter Ferne aus domartig gewölbten Höhlen wieder ans Tageslicht treten zu können.

Dieplutonischen Kräfte haben zur Umgestaltung der Bodenoberfläche auch sehr viel beigetragen und besonders im sogenannten Erzgebirge, wo die bereits von den Römern bebauten Goldablagerungen sich befinden, treten die verschiedenartigen Trachit- und auch Basalt-Gebirge in grösserer Ausdehnung auf.

Im Centrum Siebenbürgens verbreitet sich ein hügeliges und zum Theile aus niedrigen Bergreihen gebildetes waldloses Terrain, welches unter dem Namen Mezöség bekannt ist.

Die Hochgebirge endlich umgeben von Nordost nach Südwest halbkreisförmig das Land.

Die Bewässerung Siebenbürgens ist reich und alle seine Flüsse, wie dieses die hohe Lage des Landes bedingt, entspringen in seinem Innern.

Der grösste Fluss ist die Maros, welche die meisten Zuflüsse in sich aufnimmt und ihre Wässer in die Theiss ergiesst; ihr folgt die Alt, welche hingegen ihren Weg nach Rumänien errang und dort in die Donau mündet.

Ausgedehntere Landteiche befinden sich in dem hügeligen Theile des Landes; der Alpenseen findet man viele in den Hochgebirgen.

Die Wälder bestehen in der Ebene und auf den niedrigen Bergen aus Eichen, höher aus Buchen und in noch höheren Lagen aus Nadelhölzern, über welchen dann in den Hochgebirgen die Region des Krummholzes und die der Kräuter folgt

An den Flussufern befinden sich aus gemischten Baumarten gebildete Auen.

Das Kulturland, in welchem die Feldfrüchte vorzüglich gedeihen, verbreitet sich über einen sehr grossen Theil des Landes und auch die Viehzucht wird allgemein betrieben, in Folge dessen werden im Sommer Hornvieh und Pferde, besonders aber viele tausende Schafe in's Hochgebirge auf die Weide getrieben

Aus dieser kurz skizzirten geographischen Lage und so mannigfaltiger Gestaltung der Oberfläche des Landes, kann man bereits folgern, dass auch das Pflanzen- und Thierreich, wie die Insectenwelt reich und mannigfaltig vertreten sein müssen, und rechnet man noch dazu, dass in Folge des ausgebreiteten Feldbaues und der Obstzucht die Vermehrung der saamen- und beerenfressenden Vögel und vieler Insecten stark befördert wird, ist auch der Beweis geliefert, dass alle Bedingnisse vorhanden sind, welche das vielseitige und zahlreiche Auftreten der Raubvögel ermöglichen, was auch in der Wirklichkeit der Fall ist.

Um dies zu beweisen, werde ich mir erlauben alle die Arten selbstständig zu behandeln.

1. Vultur monachus B.

Es gibt einen älteren ungarischen Volksspruch, welcher lautet:

„Nem úgy van most mint volt régen
„Nem az a nap süt az égen."

Deutsch: „Nicht so ist's jetzt wie es früher war,
„Am Himmel scheint nicht derselbe Sonnenstrahl."

Wenn die Geier Sprüche verstehen und reden könnten, würden sie bestätigen müssen, dass der erste Theil dieses Spruches auf sie in Siebenbürgen gegenwärtig vollkommen passend ist, indem die ihren Lebensunterhalt betreffenden Verhältnisse seit ein paar Jahrzehnten sich für sie sehr nachtheilig verändert haben, in Folge dessen vermindert sich auch bedeutend ihre Anzahl.

Bevor in Siebenbürgen noch ein Eisenbahnverkehr entstand, mussten alle Lasten per Achse transportirt werden, tausende von Lastwägen verkehrten auf unseren Strassen und täglich geschah es, dass hie und da ein Lastthier umgestanden ist, seinen Cadaver schaffte man etwas seitwärts und liess ihn liegen, aber auch auf den Hutweiden verunglückte manches Thier und nur seine Haut wurde nach Hause getragen, ferner wurden auch die in den Dörfern umgekommenen Thiere aufs Feld hinausgeschafft und dort liegen gelassen.

Diese Zeit war für die Geier eine goldene Zeit, sie wussten wohl, dass irgendwo für sie der Tisch gedeckt sei und durchflogen sie täglich in kleinen Flügen vielleicht das ganze Land, was ihrem Flugvermögen nur eine Kleinigkeit ist, erspähten sie dann aus schwindelnder Höhe, von wo sie einen ungemein grossen Gesichtskreis hatten, ein umgestandenes Thier, liessen sie sich auf dasselbe zu 2—10 Stücken nieder, um sich satt zu kröpfen, sie waren folglich auch in den unbewaldeten hügeligen Theilen des Landes ebenso häufig, wie auf den Hochgebirgen und man konnte sie öfters hoch mit unbeweglichen Flügeln dahin ziehen sehen; — überhaupt wollte Jemand Geier und besonders Kuttengeier sehen, so genügte es ein umgekommenes Thier aufs Feld schleppen zu lassen und sicher konnte er sein, dass die Kuttengeier, zu denen sich öfters auch die Gänsegeier in einigen Stücken gesellten, eintreffen werden.

Aber auch auf den Hochgebirgen waren sie eine tägliche Erscheinung, wo man sie einzeln dahinstreichend oder manchmal auch in Flügen herumkreisen sehen konnte. Ich beobachtete einmal auf dem Retyezát einen Flug von 20 Stücken über einem Bergrücken.

Jetzt sind für sie andere, schlechte Zeiten gekommen, das umgekommene Vieh muss begraben werden, folglich bekommen sie im bewohnten Theile des Landes keinen Frass, und sind sie jetzt auf die Hochgebirge angewiesen, wo die Hirten die verunglückten Thiere liegen lassen und wo sie nebstbei von Raubthieren getödtetes oder auf andere Weise verunglücktes Wild noch sparsam finden können; aber auch hier hat ihre Zahl sehr abgenommen, obwohl man zu geeigneter Jahreszeit noch immer kleine Flüge zu sehen bekommen kann, denn es ist für sie keine Mühe aus anderen östlichen Ländern zu uns Ausflüge zu unternehmen. Er ist mitunter auch im Winter anzutreffen und unternimmt sogar in Flügen auch zu dieser Jahreszeit Reisen, so liess sich im Jänner des Jahres 1886 eine Gesellschaft von 10 Stücken bei Drassó auf einen für Raubthiere ausgesetzten mit Strichnin vergifteten Pferde-Cadaver nieder, sie frassen von demselben und kamen alle um. Zwei Stück von diesen befinden sich in meiner Sammlung aufgestellt.

Er horstet in den Gebirgswaldungen und man fand seinen Horst im sogenannten Dobrathale auf einer hohen Buche (Guist).

2. Gyps fulvus, Gml.

Die Verbreitung und Lebensweise des Gänsegeiers ist dieselbe, wie die des Kuttengeiers und man trifft ihn auch öfters in dessen Gesellschaft, ebenso erscheint auch er in den hügeligen Theilen des Landes am Aas wie der vorige, aber mehr vereinzelt. Auf den Hochgebirgen streicht er einzeln umher und versammelt sich bei gefallenen Thieren auch in geringerer Anzahl, ich habe ihn nirgends, wie den vorigen, in grösseren Flügen gesehen.

Er soll auf unseren Hochgebirgen brüten Im Winter zieht er fort.

3. Neophron peronopterus, L

Der Aasgeier wurde in Siebenbürgen von fachkundigen Jägern einigemale beobachtet, aber als sicheres Belegstück gelangte noch kein einziges Exemplar bis jetzt aus dem behandelten Gebiete in irgend eine Sammlung.

Friedrich Wagner, gewesener Apotheker in Hátszeg, soll in den vierziger Jahren ein Nest Junges erhalten haben: Alexius v. Buda und sein Sohn Adam v. Buda haben auch je ein Exemplar fliegend gesehen, und voriges Jahr versicherte Hauptmann Berger, ein ausgezeichneter Gebirgsjäger und Kenner der heimatlichen Raubvögel, dass er diesen Geier ganz sicher auf den Fogaraser Hochgebirgen erkannt habe.

Indem der Schmutzgeier in der Umgebung von Orsova, also auf ungarischem Gebiete, und in Rumänien, von wo ich ein altes Männchen in meiner Sammlung besitze, vorkommt, kann man für sicher annehmen, dass er jährlich das Gebiet Siebenbürgens aufsucht.

(Fortsetzung folgt.)

Aus Heinr. Gätke's „Vogelwarte Helgoland".

(Fortsetzung.)

Es haben z. B. alle solche Vögel, die man unmittelbar während des Zuges erhält, nicht die geringsten Reste von Nahrung im Magen; einige kleine Quarzkörnchen sind alles, was man vorfindet. Diese Beobachtung macht man keineswegs allein an solchen Stücken, welche die etwa kurz vor der Abreise genossene Nahrung im Verlaufe eines langen Wanderfluges verdaut haben könnten, sondern es verhalten sich in dieser Hinsicht auch alle solche, die während der ersten Abendstunden des Herbstzuges, also doch wahrscheinlich nach ganz kurzem Fluge, gefangen werden, ebenso, wie solche, die man während des Frühlingszuges in der Morgenfrühe nach einer durchflogenen Nacht erhält. Es unterliegt demnach keinem Zweifel, dass die Vögel erst nach stattgefundener Verdauung ihre Reise antreten, wie es z. B. die hier im Mai eine Stunde nach Sonnenuntergang, und später, für den Zug aufbrechenden kleinen Sänger und Drosseln thun. Ein voller Magen ruft an und für sich schon bei jedem Geschöpfe Unlust zu anstrengender Bewegung hervor, für den zu einem langen, hohen Fluge aufbrechenden Vogel dürfte es aber ganz besonders geboten erscheinen, dass sein Gewicht so gering wie möglich sei. Obige Expedition brach nun aber in der Mitte des Tages auf, die mitgenommenen Tauben waren demnach zweifellos vollgekröpft und somit so wenig geeignet für das zu bestehende Experiment, dass es in der That überraschend ist, wenn dennoch die meisten derselben so günstige Resultate lieferten.

Wie wenig dagegen der Mensch und zweifellos auch jedes andere warmblütige Geschöpf befähigt ist, unter alleiniger Benützung der eigenen Körperkräfte, eben nur bis nahe der Gipfel der höchsten Erhebungen der Erdoberfläche vorzudringen, beweisen genugsam alle seit Humboldt's Chimborazzo-Expedition unternommenen Bergbesteigungen. In Höhen von 20.000 bis 22.000 Fuss sind die Athmungsbeschwerden und die allgemeine Erschöpfung derartige, dass jede weitere, auch die geringste körperliche Anstrengung fast zur Unmöglichkeit wird. Gay Lussac vermochte am Chimborazzo in einer Höhe von gegen 20.000 Fuss nur eine Viertelstunde auszuhalten. Die Gebrüder Schlagintweit arbeiteten sich am Ibi Gamin zu einer Höhe von 21.259 engl. Fuss hinauf, wo vollständige Ermattung sie zwang, weitere Versuche zum Vordringen aufzugeben. Die sie begleitenden Leute waren gleichfalls gänzlich erschöpft.

Im Zustande vollständiger körperlicher Ruhe in der Gondel eines Ballons ist man während wissenschaftlicher Luftreisen allerdings bedeutend höher gelangt, aber auch dies geschah stets nur unter Einsetzung des Lebens: Tissandier, Spinelli und Siwel brachen, als sie bis auf 26 000 Fuss gestiegen, bewusstlos zusammen, letztere beide, um nie wieder zu erwachen. Flaisher erreichte eine Höhe von 29.000 Fuss, ehe ihn das Bewusstsein verliess; sein Begleiter Coxwell hingegen, wenn auch gänzlich erstarrt, vermochte, während der Ballon noch im

Steigen begriffen war, die Schnur des Ventils mit den Zähnen zu erfassen, dasselbe zu öffnen und so den Ballon zum Sinken zu bringen, ohne das Bewusstsein verloren zu haben.

Alle Erfahrungen sind demnach mit Sicherheit dahin zusammenzufassen, dass weder der Mensch, noch irgend ein warmblütiges, vierfüssiges Geschöpf unter körperlichen Anstrengungen über eine Höhe von 22.000 Fuss erheblich hinaus zu gelangen vermag und dass für den Menschen das Vordringen zu Höhen, welche über 26.000 Fuss hinaus liegen, auch im Zustande völliger körperlicher Ruhe von äusserster Lebensgefahr begleitet ist, dass dahingegen die Vögel aus eigenem freien Willen sich zu Höhen von 35.000 bis 40.000 Fuss erheben können und daselbst unter anstrengender Muskelthätigkeit beliebig lange auszudauern vermögen, vollständig unbeeinflusst von der geringen Dichtigkeit der Luft und dem geringen Sauerstoffgehalt derselben, noch auch durch die so äusserst niedrige Temperatur, welche daselbst herrscht. Fühlten sie eben das geringste Unbehagen während solcher, anscheinend oft zum blossen Zeitvertreibe unternommenen Flüge, wie z. B. die des Condor, so würden dieselben entweder ganz unterbleiben oder aber nicht auf so geraume Zeit ausgedehnt werden, wie dies thatsächlich geschieht.

Den Menschen treibt der Wissensdurst, in Regionen vorzudringen, für welche seine, wenn auch dehnbarere, physische Ausstattung sich nicht mehr als zureichend erweist. Andere Geschöpfe, deren Thun und Treiben nur auf Erhaltung des Individuum und der Art gerichtet ist, besitzen eine ihren einfachen Daseinszwecken und damit verknüpften Lebensthätigkeiten entsprechende Ausrüstung und jedes derselben macht den ausgiebigsten Gebrauch von den ihm gewordenen Eigenschaften und Fähigkeiten. Für fast alle hört jedoch die Möglichkeit des Bestehens in dem Reiche des ewigen Schnees und darüber hinaus auf. Nur eine Ausnahme findet hiervon statt und diese bildet, wie eben gesagt, die Classe der Vögel. Sich zu nähren und fortzupflanzen würden auch sie nicht vermögen in den Räumen der unwandelbaren eisigen Erstarrung, aber für sie tritt noch eine ganz andere Daseinsbedingung hinzu, nämlich ihr Wanderflug. Im Vorhergehenden ist nachzuweisen versucht worden, dass derselbe in Höhen von statten gehe, die weit über jede Sinneswahrnehmung hinaus liegen, hieran nun knüpft sich die Frage nach dem besonderen Zwecke einer so ausnahmsweisen Erscheinung.

Trotz vereinzelter, anscheinend entgegenstehender Ausnahmen besteht dieser Zweck nun einestheiles darin: die Wanderer zu befähigen, sich zu denjenigen Luftschichten zu erheben, die ihnen momentan die günstigsten Bedingungen für den Zug darbieten und sie somit von den häufigen meteorologischen Störungen unabhängig zu machen, welche in den der Erdoberfläche näheren Luftschichten, namentlich während der Herbstmonate, vorherrschend stattfinden und die geeignet wären, den Zug einer Art auf lange Zeit hinaus, wenn nicht während seiner ganzen jeweiligen Zeitdauer zu verhindern. Anderntheils aber ist die unbegreifliche Schnelligkeit des Wanderfluges, welche viele Arten während ihrer so weiten ununterbrochenen Züge entwickeln und im Ueberfliegen weiter Oceane entwickeln müssen, wohl nur zu erreichen in Erhebungen, wo die Atmosphäre vermöge ihrer äusserst verminderten Dichtigkeit dem Vorwärtsdringen ein weit geringeres Hinderniss entgegensetzt.

Zweifelsohne sind mit dieser so wunderbaren Erscheinung noch manche physikalische Fragen verknüpft, deren Erledigung aber wohl noch langer und ernstester Forschung widerstehen dürfte.

(Fortsetzung folgt.)

Die Kalanderlerche (Alauda calandra) und die Kalandrelle (Alauda calandrella) in ihrem Gefangenleben.

Von **E. Perzina.**

„Sowie die Kalanderlerche alle übrigen Mitglieder der Familie an Grösse übertrifft, so überbietet sie dieselben an Gesang. Sie kann mit jedem anderen Vogel hierin um den Vorrang streiten. Ihre natürliche Stimme scheint mir ein Geschwätz von nicht zu grosser Annehmlichkeit zu sein; ihre Einbildungskraft aber fasst alles, was sie zu hören bekommt und ihre dichterische Kehle gibt alles verschönert wieder. Auf dem Lande ist sie ein Echo aller Vögel; man braucht um so zu sagen, anstatt all' der anderen nur sie zu hören. Sie macht ebenso sehr von dem Geschrei der Raubvögel, als von der Weise der Sänger Gebrauch und verschwendet; in der Luft schwebend, tausend in einander geflochtene Strophen, Triller und Lieder. Sie lernt so viel man ihr vorspielt; das Flageolett hat keine bessere Schülerin, als sie. Ihre erlangte Geschicklichkeit macht sie nicht eitel: sie, die Künstlerin, singt von Morgen bis an den Abend. Eine vor dem Fenster hängende Lerche dieser Art ist hinreichend, die ganze Gegend zu erheitern. Sie ist die Freude und der Stolz des Handwerkers, das Entzücken des Vorübergehenden." Mit diesen Worten gibt ein Beobachter, Cetti, sein Urtheil über die Kalanderlerche ab, wer je Kalanderlerchen gehalten, wird dasselbe wohl auch im Grossen und Ganzen als richtig befinden, so namentlich, was die leichte Auffassungsgabe, das vorzügliche Imitationstalent betrifft, immerhin dürfte es damit aber wohl den meisten so gehen, wie dem Schreiber dieser Zeilen, trotz all' der gerühmten Vorzüge wird er sich nicht dauernd für diesen Vogel begeistern können, denn Cetti hat den Vorzügen seiner Landsmännin entschieden geschmeichelt, diese zu einer Stufe emporgehoben, welche sie nicht verdient, ihrer Fehler dagegen aber gar nicht erwähnt. Graf Gourcy, dieser ausgezeichnete Vogelkenner, der das Imitationstalent der Kalanderlerche sehr schätzte, nennt eine solche Schattenseite derselben als Stubenvogel, indem er sagt: „Schade nur, dass ihr Gesang für das Zimmer zu laut ist, dass er im geschlossenen Raume auf die Dauer nicht ertragen werden kann. Ich musste meine Gefangene der lästigen Stärke dieses Gesanges halber endlich weggeben. Der Händler verkaufte sie wiederholt; doch keiner der

Liebhaber konnte die starken Töne im Zimmer vertragen."

Meine erste Kalanderlerche erhielt ich im Juli des Jahres 1886 von einem Leipziger Liebhaber, Herrn E. Hoffmann; trotz mehrjährigem Gefangenlebens war der Vogel sehr wild und stürmisch und liess sehr lange mit dem Beginne seines Gesanges warten, da er diesen erst lange nach vollendeter Mauser, Anfangs December aufnahm. Anfangs war die Stimmstärke sehr gering, etwa wie je einer „halblaut" singenden Feldlerche und auch das Lied dem dieser ähnlich, doch weit abwechslungsreicher, da darin sehr viele, zum Theile schöne, Copien anderer Vogelstimmen vorkamen, die sich recht hübsch anhörten, wenn sie auch etwas steif klangen und trotz aller Aehnlichkeit mit dem Originale nicht hätten verwechselt werden können, da die Betonung nie völlig diejenige war, welche das betreffende Vorbild seinen Weisen gab, sondern immer mehr oder weniger lerchenartiges an sich hatten; weniger entzückten mich verschiedene Bruchstücke des Dessauermarsches und anderer Musikstücke, welche sie wohl irgend einem Spielwerke abgelauscht haben mochte, doch störten diese, so lange sie nur leise erklangen wenigstens nicht besonders. Mit dem kommenden Frühjahre begann die Stimme meiner Lerche fortschrittlich gesinnt zu werden, ertönte von Tag zu Tag lauter und wurde schliesslich direct lästig, umsomehr, als nun erst bei vielen Tönen, welche im leisen Gesange ganz annehmbar geklungen hatten, eine ungemein schrille Färbung zu Tag trat, so wirkte die Imitation des Kohlmeisenpfiffes, welche ich früher sehr gerne gehört hatte, nun ungemein in die Länge gezogen, mit grösster Stimmkraft gerade zu ohrenzerreissend. Bald musste die Lerche daher vor's Fenster wandern und hier, Tag und Nacht in freier Luft befindlich, schwoll ihre Stimme noch mehr an, war schliesslich mehrere Gassen weit zu hören, aber — die Wiener scheinen eben an derartiger Stimmverschwendung weniger Gefallen zu finden, als die Italiener, — denn Cetti's Worte von dem „die ganze Gegend erheitern" und „dem Entzücken der Vorübergehenden" trafen keineswegs ein und die Kalanderlerche musste dafür, dass sie vom grauenden Morgen bis in die Nacht hinein fast ununterbrochen sang, nur Undank ernten, denn die ganze Nachbarschaft beschwerte sich binnen kurzer Zeit über ihre Stimme und das Prädikat „unausstehlicher Schreihals" war noch eines der gelindesten von jenen, welche sie bei dieser Gelegenheit erhielt. Mir blieb nichts anderes übrig, als den Vogel abzuschaffen. Einige Jahre später erhielt ein Wiener Händler frisch gefangene Kalanderlerchen und einerseits um zu sehen wie der reine Naturgesang eines solchen Vogels, der noch nichts im Käfig gelernt hatte und noch nicht mit Segnungen der Cultur à la „Dessauermarsch" bekannt geworden war, klinge, andererseits hoffend, dass während des ersten Gefangen-Jahres die Stimme nicht ihre volle Stärke erreichen, nicht überlaut werden würde, wie dies ja z. B. bei altgefangenen Feldlerchen auch der Fall ist, aquirirte ich eine derselben. Der Vogel kam Anfangs Jänner in meinen Besitz und begann gegen Ende dieses Monates seinen Gesang, sehr leise und nur dann, wenn im Zimmer alles sehr ruhig war. Zu meinem grossen Erstaunen nun fanden sich in diesem Gesange keinerlei Spuren von Copien vor, es war ein durchaus lerchenartiges Schwirren und Leiern, sehr ähnlich dem der Feldlerche, doch in den einzelnen Strophen kürzer, die Stimmlage etwas tiefer. Die Lerche mochte etwa zwei Monate in dieser mich sehr wenig befriedigenden Weise gesungen haben, als ich eines Tages von ihr durch die Nachahmung eines Finkenschlages überrascht wurde. Diese Imitation war ungemein täuschend, es hatte wohl einer meiner Finken denselben Schall, doch schlug derselbe erst seit einigen Tagen scharf und so hielt ich es für unmöglich, dass sie sich dieselbe bei mir in so kurzer Zeit angeeignet habe, glaubte vielmehr, dass sie nach der Gewohnheit mancher altgefangener Imitationssänger erst nach dem sie sich sicherer zu fühlen begann, mit den von ihrem Freileben innehabenden Copien herausrücken würde. Wenige Tage später hörte ich von ihr sehr täuschend das Orgeln der Gartengrasmücke und den Schlag der Wachtel nachahmen und wurde dadurch nur in meiner Ansicht bestärkt. Nach und nach brachte die Lerche noch weitere Copien in dem sie Rauchschwalbe, Zwergfliegenschnäpper, Amsel, Bachstelze und noch andere Vögel imitirte; es fiel mir zwar auf, dass sie nur solche Vögel nachahmte, welche ihre Stubengenossen waren, doch war jede Copie so bald ich sie zum ersten Male hörte schon immer so vollendet, so fertig, dass ich mich nicht dazu entschliessen konnte anzunehmen, dass dies so rasch und so ohne jedes vorherige stümpernde Probiren möglich sein sollte. Da brachte einmal, während ich gerade vom Hause abwesend war, ein Bekannter ein Schwarzplättchen, welches in seinem Schlage sehr viele Fehler, sogenannte „Tänze" hatte, meine Angehörigen, unbekannt mit der Gefahr, welche ein derart verdorbener Vogel für seine Artgenossen dadurch bildet, dass diese oft die Fehltouren annehmen, brachten den „Tanzmeister" in das Zimmer, in welchem meine sämmtlichen Vögel untergebracht waren; als ich am nächsten Morgen den Stümper singen hörte, erhielt er selbstverständlich sofort den Laufpass, er war kaum einen Tag bei mir gewesen und trotz dem brachte die Kalanderlerche wenige Stunden später die genaue Copien mehrerer seiner zweifelhaften Kunststücke! Nun wusste ich freilich, warum sie nur solche Vögel imitire, welche sie bei mir hören könnte, wusste, dass diese Copien in Gefangenschaft angenommen seien, konnte über dieses so immens schnelle Auffassungs- und Lernvermögen staunen! (Fortsetzung folgt.)

Volkswirthschaftliche Bedeutung der Geflügelzucht in Ungarn*.)

Von Prof. Dr. Eugen von Rodiczky, Director der kgl.-ung. landw. Lehranstalt in Kaschau.

Es ist eine ebenso interessante, wie bezeichnende Thatsache, dass sich hier zu Lande die Grossgrundbesitzer nur ausnahmsweise mit der

*) Mit freundlicher Bewilligung des Herrn Verfassers aus dem Hauptberichte des II. internationalen ornithologischen Congresses, Budapest, 1891.

Geflügelzucht befassen[1]; dass auch der mittlere Grundbesitz diesen Productionszweig nicht in seinen Betrieb aufgenommen hat, vielmehr die Geflügelhaltung nur behufs Befriedigung des häuslichen Bedürfnisses gleichsam duldet.[2]

Auch der Amateure, die da lustig auf die Feder loszüchten, die Zucht nur als Sport betreiben, gibt es bei uns noch wenige; und während Robert Oettel den Görlitzer Hühnerologischen Verein schon 1845 creirte, ist hier zu Lande die Vereinsthätigkeit auf diesem Gebiete ganz neuen Datums 1887[3]; ja der gewissenhafte Beobachter kann auch die Thatsache nicht verschweigen, dass unsere „Heroen der Schöpfung" die Geflügelzucht als eine des Mannes „unwürdige" Beschäftigung betrachten, sich wenigstens darum herzlich wenig kümmern. Trotzdem erfreut sich die Geflügelzucht einer grossen Beliebtheit! Es ist sowohl der heimische Consum von Producten der Geflügelhaltung ein ganz bedeutender, als auch der Export, der dem Lande ein ganz beachtenswerthes Erträgniss abwirft.

Seit Alterszeiten her widmet sowohl die Landedelfrau, wie die bescheidene Bauersfrau der Geflügelhaltung eine besondere Aufmerksamkeit und beide können auf diesem Gebiete Erfolge aufweisen, deren sich der rutinirteste Producent nicht zu schämen hätte[4]; den grössten Theil des Jahres hindurch liefert das Geflügel den überwiegenden Theil der Fleischnahrung ländlicher Haushaltungen, dabei dient der Erlös für Producte der Geflügelhaltung gewissermassen als „Spenadlgeld" der Frau, zur Begleichung ihrer kleineren Auslagen, nicht eben selten ist sogar der Fall, dass die Geflügelhaltung die Kosten für die Erziehung der Kinder aufbringen muss.

Es verdient demnach die heimische Geflügelhaltung die volle Beachtung auch des Ethikers, nicht blos des Land- und Volkswirthes, deren Aufmerksamkeit erst durch die vielsagenden Zahlen der Statistik auf diesen wenig beachteten Productionszweig gelenkt wurden. Bis vor kurzer Zeit besassen wir über die heimische Geflügelhaltung nur, schätzungsweise, zumeist recht differirende Daten, welchen das Publicum — nicht ganz mit Unrecht — ein gewisses Misstrauen entgegenbrachte. Baron Czörnig schätzte z. B. den Geflügelstand der Gesammt-Monarchie in den 50er Jahren auf 60 Millionen Stück, im Werthe von 10—10·5 Millionen Gulden.

G. von Grubiczy schätzte 1877 die Anzahl der Hühner auf 30 Millionen Stück, im Werthe von 12 Millionen Gulden, was nach den 1884 gepflogenen Erhebungen zu hoch gegriffen erscheint, in Wirklichkeit jedoch zu gering ist. Immerhin hat das Resultat der durch die agrar. statistische Section im königl.-ung. Ackerbauministerium durchgeführten Viehzählung v. J. 1884 allseitig überrascht; denn es ergab für Ungarn (ohne Croatien, Slavonien) einen Stand von 32·9 Millionen Stück, wovon auf älteres Zuchtgeflügel 11·6, auf Nachzucht 21·2 Millionen entfielen, darunter

Hühner	21,681.188	Stück
Gänse	5,630.879	„
Enten	2,674.770	„
Tauben	2,246.608	„
Truthühner	683.223	„

Nun darf hiebei jedoch der Umstand nicht ausser Augen gelassen werden, dass die besagten officiellen Erhebungen nicht durch amtliche Commissäre, sondern mit Hilfe der Dorfnotare geschehen, dass der kleine Mann (dessen Angaben in diesem Falle ganz besonders massgebend sind) sich statistischen Erhebungen gegenüber ablehnend verhält, da er fürchtet, dieselben dürften wieder ein neues Steuerobject zu schaffen haben; ferner oft selbst nicht die Anzahl des Geflügels kennt, das auf seinem Gehöfte umherlauft, endlich darf nicht vergessen werden, dass die Erhebungen im September gepflogen wurden, da ein grosser Theil des Jahresstandes bereits consumirt, respective exportirt war, wo doch gerade in diesem Jahre der Geflügelexport von 3 Millionen Gulden im Vorjahre auf 11,116.500 fl. gestiegen war. Jedenfalls ist das ziffermässige Resultat hinter der Wirklichkeit geblieben, obwohl es uns auch in der jetzigen Form höchst interessante Aufschlüsse gewährt. Wenn wir den Werth eines Huhnes durchschnittlich zu 40 kr., den eines Puters zu 1 fl., der Gans zu 80 kr., der Ente zu 40 kr. und schliesslich der Taube zu 30 kr. beziffern, so ergibt sich eine Summe von 15,604.301 Millionen Gulden Stammcapital, welches schon deshalb als ein höchst werthvoller Theil des Volksvermögens betrachtet werden muss, weil es sich vorwiegend in den Händen des Kleinwirthes befindet, der es reichlich zu verzinsen versteht, trotz aller Mängel, welche der Geflügelhaltung in Folge dieses Umstandes auch anhaften mögen.

(Fortsetzung folgt.)

---

[1] Von Grossgrundbesitzern, welche sich mit Geflügelzucht befassen, wären zu nennen: S. von Kovászнay (Tisza-Püspöki), Graf Julius und Josef Teleki in Solt (P. Bénbér, P. Tetetlen), G. v. Kovách (Káva).

[2] Aus diesen Kreisen verbreitete sich das Dogma der Schädlichkeit der Gans, des grossen Risicos der Putenhaltung, die Behauptung, dass die Henne durch Scharren die Saaten schädige, die Taube nebstbei auch die Hausdächer ruinire.

[3] In diesem Jahre wurde der Landesverein ungarischer Geflügelzüchter gegründet, welcher auch als Section des Landes-Agricultur-Vereines fungirt. Eine Gesellschaft zur Verwerthung des Geflügels (Magyar baromfitenyésztök és birlalók országos egyesülete) wurde mit 50,000 fl. Stammcapital 1884 gegründet, hatte jedoch nur ganz kurzen Bestand; der Budapester Thier- und Pflanzen-Acclimations-Verein arrangirte die erste Geflügel-Ausstellung 1874.

Die erste internationale Geflügel-Ausstellung in Budapest wurde 1885 abgehalten, seither wiederholen sich die Ausstellungen in rascher Folge.

[4] Elisabeth Czobor sendet ihrem Gatten Georg Thurzó als Zeichen ihres züchterischen Erfolges schon anfangs Mai 1536 junge Gänschen, wofür sich ihr Gatte in einem Schreiben ddto. 10. Mai bedankt.

Aus den Vereinen.

Allgemeine Deutsche Ornithologische Gesellschaft zu Berlin.

Bericht über die September-Sitzung 1892. Ausgegeben am 24. September 1892. Verhandelt Berlin, Montag, den 5. September 1892, Abends 8 Uhr, im Sitzungslocale, Bibliothekzimmer des Architekten-Vereinshauses, Wilhelmstrasse 92 II.

Anwesend die Herren: Cabanis, Reichenow, Hartwig, Frenzel, Thiele, Matschie, Bünger, Pascal, Kühne, Rörig, Grunack, Hucke und Nauwerck.

Als Gast: Herr Dr. Lauge (Berlin).

Vorsitsender: Herr Cabanis. Schriftführer: Herr Matschie.

Als Mitglieder sind der Gesellschaft im Laufe der Sommerferien beigetreten die Herren: Ingenieur C. Pallisch, Herausgeber der „Mittheilungen" des ornithologischen Vereineines in Wien „Die Schwalbe", in Erlach bei Wiener-Neustadt, Niederösterreich, E. Schreiner, Procurist, Berlin, Udo Lehmann in Neudamm, Professor Dr. Frenzel in Friedrichshagen bei Berlin, Capt. Shelly in London, Ladislav Kenessey von Kenessey in Stuhlweissenburg, Ungarn.

Herr Cabanis legt die seit der MaiSitzung erschienenen Nummern der deutschen ornithologischen Zeitschriften vor und hebt aus dem Inhalte derselben einige interessante Mittheilungen hervor.

Von H. Nehrling's: „Die nord-amerikanische Vogelwelt" ist das 13. Heft als Schluss-Lieferung nunmehr erschienen. Das Werk beschränkt sich auf Sing-, Schrei- und Klettervögel und führt von jeder Gattung die am meisten in die Augen fallenden und wohl am meisten studirten Arten in Wort und Bild vor. Herrn Nehrling ist es vornehmlich darum zu thun gewesen, in der Jugend den Sinn für Wald, Flur und Vogelgesang zu erwecken. Seine Schilderungen sind klar und lebhaft, und die Abbildungen, von G. Mützel, Goering und Ridgway zum grossen Theil vorzüglich.

J. A. Allen beschreibt eine neue Gallinula: Porphyriornis comeri gen. et sp. nov. von den Ghong-Inseln, 200 Meilen südwestlich vom Cap der guten Hoffnung (Am. Mus. Nat. Hist. IV, 1, p. 57, 58. 1892).

H. E. Dresser giebt eine Uebersicht über die nächsten Verwandten von Lanius lahtora im „Ibis". 1892, April.

E. Hartert bringt in der April-Nummer des „Ibis" Bemerkungen über einige schwierige Fragen, welche die Caprimulgidae betreffen und bildet den seltenen Caprimulgus eximius Temm. ab.

G. Hartlaub beschreibt (Ibis, Juli 1892) eine Hyliota nehrkorni von Accra; die beigegebene Abbildung giebt den Farbenton der Oberseite nicht richtig wieder; die Art ist oben schwarz, mit geringem stahlblauen Schimmer.

Hartlaub giebt in den Abh. d. naturw. Ver. z. Bremen XII. Bd. Heft 2 einen Beitrag zur Ornithologie Chinas. Er behandelt 45 Arten von Tientsin, 23 Arten von Shanghai, 9 Arten von Ningkuofu am Jang-tse, 28 Arten von Formosa, 92 Arten von Hainan und 11 Arten von Pakhoi am Golf von Tonkin.

E. C. F. Rzehak hat über die Avifauna Oesterreich-Schlesiens einige kleinere interessante Arbeiten theils in der „Schwalbe", theils in den Mitth. d. K.-K. mähr.-schles. Gesellschaft für Ackerbau, Natur- und Landeskunde veröffentlicht; die Raubvögel Schlesiens, System. Verz. d. bisher in Oester.-Schlesien beobachteten Vögel und Beiträge zu Kenntniss der heimischen Vogelwelt.

Herr Reichenow legt folgende neu erschienene Arbeiten vor:

A. Suchetet, Les oiseaux hybrides, rencontrés à l'état sauvage. 3. Partie. Les Passereaux; Mém. Soc. Zool. France T. V. S. 179—451. — Den mit unermüdlicher Ausdauer fortgesetzten Bemühungen des Verfassers ist es gelungen, ein ungemein reiches Material zu sammeln. Gegen 100 Bastardformen aus den Gruppen der Singvögel, Raken und Spechte sind in dem vorliegenden dritten Theile der Arbeit besprochen. Für die Mehrzahl der Formen sind nur einzelne, für manche aber eine grössere Anzahl von Fällen nachgewiesen. So führt Verfasser 7 Beispiele der Hybridation von Hirundo urbica und rustica auf. Am Schlusse wird noch zweier Cusiosa gedacht, deren thatsächliches Vorkommniss dem Verfasser von Correspondenten versichert wurde, nämlich der Hybridation von Saxicola rubicola × Carduelis elegans und Ruticilla sp? × Carduelis. Beide gehören offenbar in das Reich der Fabeln. Unter den authentischen Fällen der Hybridation einander ferner stehender Arten dürfte der von Emberiza citrinella × Cynchramus schoeniclus einer der interessantesten sein.

J. V. Barboza du Bocage, Aves do Sertao de Benguella; Jorn. Sc. Math. Phys. Nat. Lisboa (2.) VII. S. 158—172. — Bespricht eine Sammlung des bekannten Reisenden Anchieta von Quindumbo, Quibula und Cahata in Benguella, 71 Arten, darunter Buteo auguralis, Telephonus ussheri [ein auffallend südlicher Verbreitungspunct dieser Art], hingegen die südliche Thamnolaea shelleyi.

Derselbe, Aves de Dahomé; ebenda S. 185—187. — 16 Arten, gesammelt von F. Newton, werden aus dem bisher wenig erforschtem Gebiete aufgezählt.

G. Hartlaub, On a new Species of Flycatcher of the Genus Hyliota: Ibis 1892, S. 373—374. — Hyliota nehrkorni n. sp. von Accra beschrieben. Es sind nunmehr 5 Arten der Gattung bekannt.

Derselbe, ein Beitrag zur Ornithologie Chinas: Abh. naturw. Ver. Bremen, 12 S. 195—335. Behandelt drei Sammlungen, welche im Jahre 1891 an das Bremer Museum gelangten. Die erste wurde von Herrn B. Schmacker auf Formosa zusammengebracht, die zweite von Herrn A. Schomburg vorzüglich auf Hainan, die dritte stammt vom Norden Chinas, aus dem Gebiete von Tientsin, von Herrn A. Walte gesammelt. Dieselben repräsentiren 186 Arten. U. a. wird die in Sammlungen noch sehr seltene Larvivora sibilans Swinh. für Hainan nachgewiesen. In der Einleitung schildert Verfasser die Topographie der genannten Sammelgebiete und giht eine Uebersicht der wichtigsten einschlägigen Arbeiten.

J. Büttikofer, On a Collection of Birds from the Islands of Flores, Sumba and Rotti: Notes Leyden Mus. 14 S. 193—206. — Bespricht eine von Dr. H. ten Kate auf den genannten Inseln der Timor-Gruppe zusammengebrachte Sammlung. Von Flores wird Acanthiza tenkatei n. sp. beschrieben. Von der noch wenig bekannten Insel Sumba führt Verfasser 32 Arten auf, welche deren faunistische Uebereinstimmung mit Flores beweisen, darunter Dicaeum wilhelminae n. sp.; eingehender werden die Kennzeichen von Munia nisoria (Tem.) und deren verwandte Formen besprochen. Von der Insel Rotti, einem kleinen Eiland am Westende von Timor, sind 5 Arten aufgeführt, darunter Rhipidura tenkatei n. sp.

A. B. Meyer, The Birds of Sumbo; ebenda S. 265—266. — Verfasser weist darauf hin, das Dr. Riedel bereits vor mehr als einem Jahrzehnt auf der Insel Sumba ornithologisch gesammelt hat [vergl. vorgehende Arbeit], welche Collection vom Verfasser in den Verh. Zool. Bot. Ges. Wien, 1881, S. 759—767 beschrieben worden ist. Von den daselbst aufgeführten 40 Arten decken sich nur 8 mit den von ten Kate auf Sumba gefundenen Species, so dass bis jetzt 64 Arten von der Insel bekannt sind. Die subspecifische Sonderung des l. c. beschriebenen Tanygnathus megalorhynchus sumbensis hält Verfasser gegenüber der abweichenden Ansicht Salvadori's aufrecht und unterscheidet auch den früher als Geoffroyus jukesii aufgeführten Papagei als selbstständige Art: Geoffroyus tjindanae n. sp. An Stelle des in der angezogenen Arbeit S. 767 irrthümlich aufgeführten Herodias nigripes ist zu setzen: Bubulcus coromandus. Unter den 64 bekannten Sumbo-Arten befinden sich nunmehr 5 der Insel eigenthümliche: Ninox rudolfi, Graucalus sumbensis, Dicaeum wilhelminae, Tanygnathus sumbensis und Geoffroyus tjindanae.

J. Büttikofer, On the Collections of Birds sent by the late A. T. Demery from the Sulymah River (W.-Afrika): ebenda S. 19—30. — 96 Arten, von welchen 10 bisher in Liberia nicht gefunden sind. Die specifische Verschiedenheit von Malimbus rubricollis und M. bartletti bezweifelt Verfasser. Das ♀ von

M. malimbicus (Daud.) unterscheidet sich vom ♂ nur durch Fehlen der Haube. Besonders interessant ist der Nachweis von Coliopasser concolor (Cass.) im Gebiete (vergl. J. O. 1891 S. 46).

Th. Pleske, die ornithologische Ausbeute der Expedition der Gebrüder G. und M. Grum-Grzimailo nach Centralasien (1889—1890); Bull. Ac. Imp. Sc. St. Petersburg T. 13. S. 273 bis 301. — Die Expedition, welche namentlich den östlichen Tjan-schan, das Gebirgsland Bei-schan, das Njan-schan-Gebirge, sowie das Gebirgsland Amdo und Kuku-nor genauer erforschte, ergänzt in vorzüglicher Weise die Przewalski'schen Forschungen. Die Erforschung des Njan-schan hat das interessante Ergebniss geliefert, dass die Nordgrenze vieler central-chinesischer Arten, die bisher nur bis Amdo nachgewiesen waren, bedeutend nördlicher an den Nordabhang des Njan-schan versetzt werden muss. Die gesammelten 1084 Vogelbälge repräsentiren 191 Arten, darunter Accipiter virgatus, Falco babylonicus, Erythropus amurensis, Loxia curvirostra himalayana, Jugendform von Crossoptilon auritum und Dunenjunge von Ibidorhynchus, ferner Eier von Chloris sinica, Carpodacus pulcherrimus, Parus superciliosus, Herbivocula affinis, Perdix sifanica und Phas. strauchi. Der von Przewalski beschriebene Phas. satscheuensis wird im Vergleich zu Ph. torquatus eingehender beschrieben.

Derselbe, Uebersicht der Gattung Regulus Cuv.; ebenda S. 303—307. — 14 Arten werden unterschieden, darunter Regulus tristis n. sp. von Transkaspien und Turkestan. Die Kennzeichen der einzelnen Arten sind in Form eines Schlüssel übersichtlich dargestellt.

V. v. Tschusi zu Schmidhoffen, Am Velenczeer- und kleinen Balatonsee; Ber. II. intern. orn. Congress Budapest. — Schilderung der im Anschluss an den genannten Congress unternommenen Excursion. Lusciniola melanopogon wurde vielfach nistend gefunden, am Balaton wurden namentlich Colonien von Ardea alba und ralloides sowie Nycticorax griseus besucht.

Herr Dünger bespricht einen in den Jahresberichten der ornitholog. Gesellschaft in Basel veröffentlichten Aufsatz des Herrn Professor Dr. F. Zschokke über Wandertrieb und Wanderungen der Vögel.

Herr Frenzel hält einen längeren Vortrag über die Vogelwelt Argentiniens, in welchen er nach einer Beschreibung der in der Umgebung von Córdoba zusammentreffenden 3 topographischen Regionen, der Pampas, des Monte, der Sierra, eine Uebersicht der jedem dieser Gebiete angehörigen Vogelformen gibt.

Her Cabanis legt einige sehr interessante ornithologische Objecte vor, welche unser Mitglied Alessi in Monastir, Tunis, eingesendet hat. Es ist ein Exemplar der für Tunis seltenen, daselbst noch nicht nachgewiesenen Pterocles coronata, ein Exemplar der Otocorys bilopha und Eier von Alaemon margaritae.

Herr Reichenow legt die nachfolgenden neuen Arten vor:

Laniarius gladiator Schw. n. sp.

Capite et cervice, mento et gulae parte superiore cinereis, his olivaceo-lavatis; corpore toto reliquo, cauda et alis olivaceoviridibus; rectricibus intus tenuiter flavescente limbatis; remigibus nigrofuscis extra olivaceo-viridi-, intus dilute flavo-marginatis; rostro nigro; pedibus plumbeis; iride cinerea. L. t. 270, a. im. 120, c. 120, r. 30, t. 36 mm. Hab. Buea (Kamerun) 1000—1500 m (Preuss. c.).

Symplectes preussi Rchw. n. sp.

Pileo aureo-brunneo; cervice, dorso et uropygio citrinis; capitis et colli lateribus, gula, scabularibus, alis, cauda et supracaudalibus nigris, his macula apicali citrina notatis, remigibus interioribus limbo apicali flavido; gastraeo reliquo citrino; subalaribus albis. L. t. 140, a. im. 85, c. 45, r. 17, t. 20 mm. Victoria (Kamerun) (Preuss c.).

Psalidoprocne chalybea Rchw. n. sp.

P. obscurae simillima sed nitore chalybeo olivascente Nigra, nitore viridi-chalybeo, dorso olivascente viridi-splendente, gastraeo obscuriore; subalaribus cinereo-brunneis; cauda furcata. L. t. 160, a. im. 98, c. 95, r. 4—5, t. 9 mm. Hab. Victoria (Preuss c.).

Herr Hartwig theilt mit, dass er von Madeira Ei und Balg (♂) von Sylvia conspicillata Marm. in diesem Frühjahr erhalten habe, wodurch das Brutvorkommen dieser Art auf Madeira bewiesen werde. Ferner sei ihm ein ♂ im Sommerkleide von Charadrius squatarola (L.) aus Madeira im August 1892 zugegangen. Die Gesammtzahl der in Madeira beobachteten Vögel erhöht sich dadurch auf 118 Species.

Herr Hocke legt das Nest eines Grün-Hänflings (chloris) mit lauter Doppeleiern vor, in welchem ein Kukuksei gefunden wurde. Ferner weist der Redner darauf hin, dass in diesem heissen Sommer von ihm Ohreulen ♂ und ♀ mit ganz ausgebreiteten Flügeln dasitzend gefunden seien.

Schluss der Sitzung

Matschie. Cabanis, Gen.-Secr.

Wegen der vom 1.—4. October hier in Berlin abzuhaltenden Jahresversammlung der Gesellschaft fällt die Monatssitzung im October aus.

Ungar. Landesgeflügelzucht-Verein in Budapest. Wir erhalten nachstehende Zuschrift, die sich auf das s. Z. an die österr. Geflügelzucht-Vereine versandte, in deutscher Sprache abgefasste Circular bezieht, das wir in Nr. 15 der Schwalbe pag. 182 wörtlich mittheilten.

An die verehrte Redaction der „Schwalbe".

In einer vergangenen Nummer der Schwalbe" erschien ein unseren Verein betreffender Artikel, der infolge unrichtiger Uebersetzung die Sache so erscheinen lässt, als stünde unser Verein mit der ung. Export- und Transport-Actien-Gesellschaft in enger geschäftlicher Verbindung. Ich beehre mich Sie höflichst zu verständigen, dass dies ein Irrthum, da unser Verein die erwähnte Gesellschaft jedermann zwar warm empfiehlt, doch mit derselben in gar keiner engeren geschäftlichen Verbindung steht.

Budapest, den 13. September 1892.

Mit höchster Achtung

Julius Nyary, Präses. Parthay Géza, Director. Gr. Csáky Kálmán, Präses.

I. Wr. Vororte Geflügelzucht-Verein in Rudolfsheim. Wir erhalten folgende Zuschrift: P. T. Der Wiener Geflügelzucht-Verein „Rudolfsheim" erlaubt sich hiemit höflichst bekannt zu geben, dass sich dessen Club-Locale vom October d. J. ab in A. Brassati's Gasthof, Wien, XIV. Bez., Schönbrunnerstrasse Nr. 70, I. Stock, befindet. — Alle Zuschriften wolle man wie bisher gefälligst an den Schriftführer des Vereines: Herrn J. Mantzell, Wien, XIV. Bez., Wehrgasse 3, richten. Hochachtungsvoll: Die Vereinsleitung.

Ausstellungen.

Internationale Geflügelausstellung in Budapest. Die Ausstellung, über deren einzelne Abtheilungen wir eingehende Berichte unserer Herrn Berichterstatter bringen werden, ist mit ca. 350 Nummern Hühner, 100 Nummern Enten, 60 Nummern Gänsen und etwa 400 Paaren Tauben beschickt. Die Aussteller in der quantitativ kleinen ornithologischen Abtheilung (Präparate) sind meist Mitglieder des Wr. Ornithologischen Vereines; an lebenden Vögeln ist ausser Kanarien wenig vorhanden.

Die fachgewerbliche Abtheilung weist die gewöhnlichen

Erscheinungen: Käfige, Futterproben, Geräthe für Pflege und Aufzucht u. dgl.; die literarische: eine hübsche Auswahl der bekannten Werke geflügelzüchterischen, resp. ornithologischen Inhaltes, darunter mehrere in ungarischer Sprache, auf.

Das Gesammt-Arrangement lässt viel zu wünschen übrig besonders zu rügen ist die Unterbringung des grössten Theiles des Grossgeflügels in kleinen Einzäumungen im Freien, ohne Schutz vor Sonnenstrahlen oder Regen. Der Catalog, als Nummer des ungarischen Fachblattes „Szárnyasaink“ herausgegeben, erwies sich durch sein Format — namentlich bei der Prämiirung, recht unhandsam; geziert ist derselbe durch das wohlgetroffene Bild der Protectorin der Ausstellung: Frau Gräfin Bethlen, sowie durch eine grosse Zahl der bekannten Bungartz'schen Geflügelbilder.

Schon heute wollen wir der schönen Collection 1892er Junggeflügels erwähnen, das die Herren Beiwinkler & Koppély ausgestellt haben und wofür ihnen ausser zahlreichen Ehrenpreisen und Medaillen die höchste Auszeichnung der Ausstellung, die goldene Staatsmedaille zuerkannt wurde.

Schöne Collectionen sandten weiters Frau Raksány, Herr Kanonicz, Frau Döry, Frau Shaniel u. v. A.

In der Taubenabtheilung fiel dem Besucher vor Allem eine prächtige Collection edler Tauben des Herrn A. Horváth in prachtvollen, eigenen Käfigen des Ausstellers auf, die im Entrée-Raum des Ausstellungs-Gebäudes aufgestellt waren. Zahlreiche weitere bekannte Taubenzüchter aus Ungarn und Oesterreich schliessen sich mit ihren Thieren in gutgeschützten, aber leider ungenügend beleuchteten Zimmern an. Ph.

Junggeflügelausstellung des I. öst.-ung. Geflügelzucht-Vereines in Wien. In dem Augenblicke, wo wir diese Zeilen schreiben, ist die heurige Junggeflügelschau noch nicht eröffnet; die Ausstellungsräume zeigen das bekannte Bild herumstehender Emballagen, ankommender Körbe u. dgl.

Dennoch ist schon so viel ausgepackt, dass man einen Ueberblick über das eingesandte Materiale zu gewinnen vermag; und da muss constatirt werden, dass die Beschickung nicht nur quantitativ eine sehr gute ist, sondern auch die Qualität der ausgestellten Thiere zum Theil höchsten Anforderungen zu genügen vermag.

Angemeldet sind über 800 Nummern, Grossgeflügel und 500 Paar Tauben. Unter den bereits eingelangten Thieren steht die Collection des gräflich Erdödischen Geflügelhofes Novimarov (Züchter Herr F. Hausinger) im Vordergrund; sie enthält prachtvolles Wassergeflügel, sowie hervorragend gute gelbe Cochins, Plymouthrocks und Langshans.

Auch die Collection des Herrn A. F. Beyer, Linz fiel uns auf, sie enthält prachtvolle helle Brahmas, Crève coeur etc. Weiters sei genannt: Geflügelhof Wiazovnica, Geflügelhof Slaventzitz, Herr Kaute (grosse Collection rosenkämmige Langshans) Herr Feischl (Cochin, Brahma, Holländer), Frau Therese Thornton u. s. w.

Die vom Vereine subventionirten Zuchtstationen haben viel, zum Theil musterhaft ausgestellt.

Die Taubenabtheilung glauben wir nie so reichhaltig auf einer Herbstausstellung beschickt gesehen zu haben.

Hervorzuheben die Collectionen des Herrn Rath J. B. Brusskay, Oesterreicher, Alt-Erlaa, Baumeister Kernast etc. Ph.

Kleine Mittheilungen.

Ornithologisches vom Hocherzgebirge. Zu meinem letzten Berichte in Nr. 17 wäre noch nachzutragen, dass die zahlreich in den Forsten um den Keilberg sich vorfindenden Kreuzschnäbel nur gemeine Fichtenkreuzschnäbel (Loxia curvirostra L.) sind. Ihr häufiges Auftreten ist umso bemerkenswerter, als sich daselbst mannbares Holz nur in kleineren Strecken vorfinde, und auch die Fichtenzapfen infolge der anhaltenden Dürre taub abfielen. — Von den im vorigen Winter vereinzelt sich eingefundenen Bombicilla garrula L. hat sich kein einziger für ständig angesiedelt. Einzelne Pärchen von Corvus caryocatactes Veillet wurden auch im heurigen Sommer in einzelnen Waldstrecken beobachtet. — Mitten in der Stadt Joachimsthal, am dem von den Weseritzbach durchflossenen und durch kleine Strauchanlagen verschönten Marktplatze überwinterte schon viele Jahre eine Motacilla sulphurea Bechstein. Gespannt ist man darauf, ob dieselbe auch im kommenden Winter wieder zu sehen sein wird. — Ende August beobachtete Herr Forstadjunkt Kubik eine auf der Herbstwanderung begriffene Coracias garrula L. Leider gelang es ihm nicht, dieselbe auf's Korn zu nehmen. W. Peiter.

Zur Aufhebung des Geflügelversandes nach Deutschland durch die Post theilt die „Geflügel-Börse“ Leipzig folgende Erklärung des kais. deutschen Reichs-Postamtes in Berlin mit:

Berlin W., 15. September 1892. Der Redaction der „Geflügel-Börse“ wird auf die Eingabe vom 10. ergebenst erwidert, dass die Ausschliessung lebenden Geflügels aus Oesterreich-Ungarn von der Postbeförderung auf deutschem Gebiete durch die grossen Gefahren nothwendig geworden ist, welche bei dem stattfindenden Massenversandt der üble Geruch der lebenden und der zahlreich verendenden Thiere, sowie des Unraths für die Gesundheit des Postpersonales in den Bahnpostwagen und bei den Postanstalten herbeiführte. Das betreffende Verbot wieder aufzuheben, liegt nicht in der Absicht. Auf Sing- und Ziervögel bezieht sich dasselbe nicht. Sachse.

Druckschriften-Einläufe im ersten Semester 1892.

(Schluss.)

Bulletin de la Société imp. des naturalistes de Moscou Redacteur Prof. Dr. M. Menzbier, Moskau.
Gazette medicale de l'Orient, Redacteure Dr. Pardo und Dr. Ritzo, Konstantinopel.
The Feathered World, Herausgeber Alex. Comyns, London.
The Naturalist, Herausgeber Roebuck und Waid, Leeds.
Journal of the United Service Institution of India, Simla (Britisch-Indien) bei Cotton und Morris.
Journal of the Asiatic Society of Bengal, Herausgeber W. L. Sclater, Secretär, Calcutta.
North American Fauna, Herausgeber United States Departement of Agriculture, Washington.
John Hopkins University Circulairs, Baltimore.
Bulletin of the Minnesota Academy of Natural Scienes Herausgeber C. W. Hall, Minneapolis.
Records of the Australian Museum, E. P. Ramsay, Kurator, Sydney.
Annual Report of the Smithsonian Institution: Report of the National Museum, Washington.
Die gefiederte Welt von Dr. K. Russ.
Ornithologische Monatsschrift.
Allgem. deutsche Geflügel-Zeitung.
Süddeutsche Blätter für Geflügelzucht.
Schweizerische Blätter für Ornithologie
Der praktische Geflügelzüchter.
Schleswig-Holstein'sche Blätter für Geflügelzucht.
Der Weidmann.
Nordböhmische Vogel- und Geflügel-Zeitung.
Geflügelbörse.
Chasse und Peché.
Il Naturalista Siciliano.
Blätter für Geflügelzucht (Dresden).

Verlag des Vereines. — Für die Redaction verantwortlich: **Rudolf Ed. Bendl.**
Druck von **Johann L. Bondi & Sohn**, Wien, VII., Stiftgasse 3.

XVI. JAHRGANG. Nr. 19

Blätter für Vogelkunde, Vogelschutz, Geflügelzucht und Brieftaubenwesen.

Organ des I. österr.-ung. Geflügelzuchtvereines in Wien und des I. Wr. Vororte-Geflügelzuchtvereines in Rudolfsheim

Redigirt von **C. PALLISCH** unter Mitwirkung von Hofrath Professor **Dr. C. CLAUS.**

15. October. — 1892.

„DIE SCHWALBE" erscheint **Mitte** und **Ende** eines **jeden Monates.** — Im Buchhandel beträgt das Abonnement 6 fl. resp. 12 Mark. Einzelne Nummern 30 kr. resp. 50 Pf.

Inserate per 1 □ Centimeter 3 kr., resp. 6 Pf.

Mittheilungen an das **Präsidium** sind an Herrn **A. Bachofen v. Echt** in Nussdorf bei Wien; die **Jahresbeiträge** der Mitglieder (5 fl., resp. 10 Mark) an Herrn **Dr. Karl Zimmermann** in Wien, I., Bauernmarkt 11;

Mittheilungen an das **Secretariat**, ferner in Administrations-Angelegenheiten, sowie die für die **Bibliothek** und **Sammlungen** bestimmten Sendungen an Herrn **Dr. Leo Přibyl**, Wien, IV., Waaggasse 4, zu adressiren.

Alle redactionellen Briefe, Sendungen etc. an Herrn **Ingenieur C. Pallisch in Erlach** bei Wr.-Neustadt zu richten.

Vereinsmitglieder beziehen das Blatt gratis.

Ueber das Vorkommen der Zwergohreule (Scops zorca. Sav.) in Bömen, Mähren und Oesterr.-Schlesien.

Von Ph. C. Dalimil Vladimír Vařečka.

I.

Die über das Vorkommen der Zwergohreule in Böhmen von mir eingeholten Daten sind grossentheils noch nicht vollkommen zuverlässig, indem ich sie aus Nachrichten geschöpft habe, die theils unbestimmt lauten, theils auch in biologischer Hinsicht ziemlich mangelhaft und auch für diese Eulenart nicht ganz zutreffend erscheinen. Ein Theil dieser Daten mag sich wohl bestimmt mehr auf die Waldohreule (Strix otus L.) beziehen.

In dem vortrefflichen böhmischen von Dr. L. Šír erschienenen Werke[1]) kommen über diesen Vogel auch Daten vor, die sogar das Nisten dieses Vogels in Böhmen vermuthen liessen, wenn dieselben von verlässlichen Vogelkennern dem Autor zugekommen wären. Dieser Autor gibt folgende Daten an:

Kommotau, nistet zwischen Kommotau und Udlitz in Obstgärten und Baumhöhlungen.

Geiersberg, nistet hier, jedoch selten.

Veletov (Bez. Habern), nistet in hohlen Bäumen.

Dříteň (Bez. Frauenberg), nistet in hohlen Waldbäumen.

Kunžwart (Bez. Prachatitz), nistet sporadisch in Felsen und Bäumen.

Dieser und ähnlicher Daten führt Dr. Šír noch einige elf an, insbesondere auch aus den Gegenden

[1]) Dr. L. Šír: Ptactvo české (Böhmens Vögel). Svazek I. p. 96. Praha 1890. (Band I. p. 96. Prag 1890.)

von Asch, Frauenberg, Eger, Karlsbad und Tachau. — Zwar meint auch Dr. Sir selbst, dass diese Angaben vermuthlich wegen Unkenntniss der Beobachter auf die Strix otus L. Bezug hätten. Zur Stunde ist es jedenfalls noch fraglich, ob die Zwergohreule in Böhmen auch niste. — Nach Dr. Sir's Angabe soll sie in Böhmen schon einigemale geschossen worden sein und auch von den in der Sammlung zu Frauenberg früher befindlichen Exemplaren vermuthet Dr. Šir, dass sie in der dortigen Umgegend erlegt wurden.

Dieselbe Meinung sprach auch Palliardi[2]) aus; indess hat der berühmte böhmische Ornitholog Prof. Dr. Anton Frič unwiederlegbar dargethan, dass diese Exemplare in Steiermark auf dem fürstlich Schwarzenberg'schen Gute „Murau" geschossen wurden[3]). — Nach der mir schriftlich zugekommenen Mittheilung des Museums-Custos in Frauenberg, Hrn. K. Hönig, ist die Zwergohreule in dem dortigen Museum jetzt nur durch ein einziges Exemplar vertreten und dieses stammt von der Fürst Schwarzenberg'schen Herrschaft Neuwaldegg bei Wien her, wo es in dem Jahre 1880 (oder 1881) von dem Gärtner Straka geschossen wurde. Von den früheren Daten über das angebliche Vorkommen dieses Vogels in der Umgegend von Frauenberg wusste mir Herr Hönig nichts zu berichten, ja er stellte sogar das Vorkommen dieses Vogels in der Gegend von Frauenberg in Abrede.

Hiebei sei mir die Bemerkung erlaubt, dass das vom Herrn Jul. Michel in dem Verzeichnisse[4]) des Frauenberger Museums angeführte Exemplar mit dem mir von Herrn Hönig datirten identisch sein dürfte. — Dr. Sir führt in seinem böhmischen Werke „Böhmens Vögel" auch noch andere Orte an, wo diese Eule theils erlegt, theils beobachtet wurde; darnach wurde sie geschossen bei Christofhammer (Bez. Kaaden), bei Maffersdorf (Bez. Reichenberg) und bei Tis (Bez. Haber) im Jahre 1874.

Die Beobachtungsangaben über das Vorkommen dieser Eule in anderen Gegenden Böhmens, so bei Kamenitz (Bez. Böhm.-Leipa), Kratzau, Marschendorf (Bez. Trautenau), Štáhlau (Bez. Rokytzan), Blížejov (Bez. Bischofteinitz), Brodetz (Bez. Benatek), Hoch-Oujezd (Bez. Neveklov), dürften unzweifelhaft sein, indem sie mit den anderen zuverlässigen Erscheinungen dieses Vogels in den angrenzenden Ländern vollkommen übereinstimmen. So kommt er nach Angabe des Herrn A. P. Schott[5]) regelmässig in Baiern bei St. Katharina im Böhmerwalde vor, und nach desselben Ornithologen Angabe ist er in der Umgegend von Thum bei Annaberg in Sachsen eine ständige Erscheinung, obwohl er anderswo in diesem Lande sonst selten vorkommt. Alle diese hier angeführten Daten hält der gewiegte Ornitholog R. Blasius für zweifelhaft, bestreitet zwar nicht die Wahrheit derselben, wünscht jedoch, dass man bei derlei Angaben eine genaue wissenschaftliche Sicherstellung der Art nicht ausser Acht lassen möge und fügt hinzu, dass er sehr dankbar wäre, wenn ihm je ein Exemplar dieses Vogels aus jenen Gegenden zur Einsicht zugesandt käme. (Vrgl. [5]) p. 404.)

Aus den früheren Jahren konnte ich keine Belege zu Palliardi's Behauptung erbringen, dass diese Eule öfters in Böhmen beobachtet und geschossen worden wäre, denn in seinem 1852 erschienenen Werke sagt er nur, dass dieselbe bei Gross-Skal, Wartenberg beobachtet und bei Frauenberg auch öfter geschossen wurde, welch letztere Behauptung freilich als ein Irrthum erwiesen ist. (Vrgl. [3]) p. 16.) — Zwar führt auch Karl Ammerling[6]) in seiner „Fauna Böhmens" dieselbe als ein Glied der böhm. Vogelwelt an, jedoch ohne jedwede Angabe von diesbezüglichen Daten. (Vrgl. [6]) p. 46.) — Ebenso führt auch der Herr J. V. Černý diese Eule in seinem böhmischen Werke: Myslivost (das Jagdwesen) mit einer kurzen allgemeinen und biologischen Beschreibung unter den böhmischen Vögeln an und zählt sie zu den waldschädlichen Vögeln. Nähere Angaben über das Erscheinen dieses Vogels in den böhmischen Forsten gibt er nicht an und bemerkt darüber nur dieses: Nebst den kurz beschriebenen Eulen verirrt sich in die böhmischen Jagdreviere zuweilen auch die Zwergohreule. (Vrgl. [7]) p. 188.) — Dem gegenüber zählt Herr K. Bartuška in seinem böhmischen Werke „Ptáci ve službě rolníkově" diese Eule neben einer ganzen Reihe von anderen Eulenarten zu den dem Feldbaue äusserst nützlichen Thieren. (Vrgl. [8]) p. 29.) — Daraus ersieht man wohl, dass die Eulen überhaupt nur zu den dem Forstwesen nur bedingt schädlichen Vögeln gerechnet werden. Zu den Vögeln Böhmens zählt auch Herr K. Steinich in seinem böhmischen Werke „České ptactvo", von dem leider nur der I. Theil erschien, die Zwergohreule und führt sie nur namentlich im analytischen Schlüssel an. (Vrgl. [9]) p. 10—20.) — Prof. Frt. Nekut wiederholt über diese Eule sowohl in seiner Arbeit „O sovách" (Vrgl. [10]), wie in seiner böhmischen Uebersetzung von „A. E. Brehm's Thierleben", allein nur das (Vrgl. [11]) p. 99.), was Dr. Ant. Frič in seinem Werke („Obratlovci z. české") über diese Eule geschrieben hatte. (Vrgl. [3]) p. 45.) — Dass diese Eule auch schon im vorigen Jahrhunderte in Böhmen vorkam, könnte man füglich aus Balbin's Werke schliessen, worin eine kleine Ohreule unter dem böhmischen Namen „Kalusek" mit dem lateinischen Namen Cenchramus bezeichnet, vorkommt. „Kalousek" bedeutet im Böhmischen eine kleine Eule, die der Waldohreule (Strix otus L.) ähnlich wäre. Da es aber unter den einheimischen

[2]) Ant. A. Palliardi: Systematische Uebersicht der Vögel Böhmens. Leitmeritz 1852. p. 15—16.

[3]) Dr. Ant. Frič: Obratlovci země České. (Wirbelthiere Böhmens, II. Th. IV. Abth. p. 45. Prag 1872).

[4]) Jul. Michel: Einige ornithologische Reise-Erinnerungen. (Mitth. d. orn. Ver. „Schwalbe" 1892. XVI. p. 163.)

[5]) X. Jahresbericht (1885) des Ausschusses für Beobachtungsstationen der Vögel Deutschlands. — Allgem. d. ornith. Gesellschaft zu Berlin (Journal für Ornithologie. Jahrgang 1887. p. 404).

[6]) Karl Ammerling: Fauna či Zvířena česká (Fauna Böhmens. Prag 1852. p. 46).

[7]) J. V. Černý: Myslivost (Jagdwesen. Buch IV. Prag 1862. p. 188).

[8]) K. Bartuška: Ptáci ve službě rolníkově (Die Vögel im Dienste des Ackermannes. Budweis 1891. p. 29).

[9]) K. Steinich: České ptactvo (Böhmens Vögel. I. Theil. Prag 1886. p. 10—20).

[10]) Frt. Nekut: O sovách (Ueber die Eulen. Vesmír. Jahrg. II. Prag 1873).

[11]) Frt. Nekut: A. E. Brehm-Život zvířat (Brehm's Thierleben. II. Theil, Vögel. Prag).

Ohreulen ausser der Zwergohreule keine gibt, die kleiner wäre als die Strix otus L. (Kalous), so kann man immerhin der Vermuthung Raum geben, dass die andere von Balbin neben „Kalus" (Strix otus L.) angeführte kleinere und von ihm „Kalus" benannte Ohreule nur die Zwergohreule wäre. (Vergl. [12]) p. 181.) — Das älteste beglaubigte Vorkommen der Zwergohreule in Böhmen fällt in das Jahr 1838, wo ein Exemplar im Mai unweit Hohenelbe im Riesengebirge geschossen wurde. Dieses Exemplar befand sich lange in der Sammlung der böhmischen Vögel des Herrn Kablik, Apothekers in Hohenelbe. Als diese Sammlung später dem Jitschiner Gymnasium sammt deren Catalog testirt und von dem Herrn Prof. V. St. Vařečka und Dr. L. Šír übernommen wurde, befand sich wohl der Name dieser Eule mit ihrem Fundorte im Cataloge, aber das Exemplar fehlte in der Sammlung. Wohin es aus der Sammlung gerathen, konnte nicht eruirt werden. — Von demselben Exemplare schreibt Herr Dr. A. Frič in seinem böhmischen Werke „Wirbelthiere Böhmens" (1872) folgendes: Das einzige Exemplar, von dem ich weiss, dass es in Böhmen geschossen wurde, befindet sich in der Kablikischen Sammlung und wurde im Mai 1838 im Riesengebirge erlegt. In den letzten 25 Jahren habe weder ich noch mein Freund E. Lokay irgend eine Zwergohreule gesehen. (Vrgl. [3]) p. 45.)

Das zweite Exemplar wurde im Jahre 1848 im Reviere Moschtitz (Herrschaft Kammerburg bei Schwarz-Kostelетz) nach Angabe des Herrn K. Hamböck von dessen Vetter geschossen. Dieses Exemplar wurde in die reiche Sammlung des Forstmeisters Chr. Hévin de Navarre eingereiht, woher es in die fürstliche Sammlung zu Ladendorf bei Wien übermittelt wurde. (Vrgl. [13]) p. 127.)

Das dritte mit Sicherheit in Böhmen erlegte Exemplar datirt aus der Gegend von Pisek. Hier hatte sich bei dem etwa 3 km von Pisek entfernten Dorfe Dobschitz im Jahre 1887 eine Zwergohreule in einem Staarkasten angesiedelt, wo sie längere Zeit von den Dorfleuten beobachtet wurde, bis sie schliesslich durch ihr nächtliches kreischendes Geschrei lästig wurde und von einem beim Meierhofe bediensteten Bauer erschossen wurde. Dieses in Pisek ausgestopfte Exemplar besitzt gegenwärtig das Cabinet des Piseker Gymnasiums. Die über diesen Vogel eingeholten biologischen Nachrichten habe ich im Ornithologischen Jahrbuche 1891 veröffentlicht. (Vrgl. [14]) p. 165.)

Das vierte und bisher das letzte zuverlässig in Böhmen im Sommer 1890 geschossene Exemplar gelangte in die Naturalienhandlung des Herrn Al. Kreibl in Prag. Hier wurde es ausgestopft und in der ornithologischen Abtheilung ausgestellt. Im März 1891 habe ich dasselbe genau besichtigt und im Einvernehmen mit dem Herrn Prof. V. Princ für das Cabinet des k. k. böhm. Gymnasiums in der Korngasse acquirirt. (Vrgl. [15]) p. 236.)

Maasse der erlegten von mir gemessenen Zwergohreulen.

Totallänge	Breite	Flügelbreite	Brustweite	Schwanzlänge	Schnabellänge	Schnabelhöhe an der Wurzel	Ohrbüschellänge	Schnabelbreite	Lauf	Mittelzehe	Kralle über der Krümmung	Innenzehe	ihre Kralle	Aussenzehe	ihre Kralle	Hinterzehe	ihre Kralle	Erleg-Jahr	Localität	Anmerkung
21 cm	43 cm	17 cm	9 cm	7 cm	1·5 cm	1 cm	2 cm	1·5 cm	3 cm	2 cm	1 cm	1·1 cm	1 3/10 cm	1 1/4 cm	0·8 cm	0·8 cm	0·6 cm	1887	Dobeschitz bei Pisek	♂ ad.
14·5 cm	—	11·5 cm	5 cm	5 cm	1 cm	1 cm	1·2 cm	1 cm	2·2 cm	1·2 cm	0·6 cm	1·1 cm	0·8 cm	1 cm	0·3 cm	0·4 cm	0·3 cm	1890	Warnsdorf bei Reichenberg	♂ juv.

Zu diesen vier mit Sicherheit in Böhmen beobachteten und auch geschossenen Exemplaren der Scops zorca Sav. reihen sich noch die zwei im böhmischen Museum zu Prag befindlichen Exemplare an, die nach Angabe des Herrn Prof. Dr. Ant. Frič in Böhmen erlegt wurden. (Vrgl. [16]) p. 9.) — Da die angeführten Daten des Dr. Šír nicht als zweifellos sicher angenommen werden können, und da auch der von Palliardi ausgesprochenen Behauptung, dass die Zwergohreule in Böhmen öfter beobachtet und erlegt worden wäre, keine beglaubigten Angaben zu Grunde liegen, und wenn es nun erwiesen, dass die ehedem in der Frauenberger Sammlung befindlichen Exemplare dieser Eulenart aus Steiermark herstammten, so kann man sich nicht der Vermuthung erwehren, dass die Angaben dieser zwei, wenn auch sonst sehr zuverlässigen Ornithologen, sich wohl nur auf den Empfang von erhaltenen Mittheilungen stützen und nicht aus Autopsie oder

[12]) B. Balbin: Miscellanea regni Bohemiae. I. Cap. 72. p. 181.

[13]) K. Hamböck: Ornithologická pozorování zokolí Černého-Kostelce (Ornitholog. Beobachtungen aus der Umgegend von Schwarz-Kostelеtz. Vesmír. Jahrg. II. Prag 1873. p. 127).

[14]) Dalimil VI. Vařečka: Seltene Vorkommnisse in der Gegend von Pisek in Böhmen. 1887—1891. (Ornith. Jahrbuch. Hallein. Heft 1. Jah. Jahrg. II. 1891. p. 163.)

[15]) Dalimil Vl. Vařečka: Einige Notizen zur Ornithologie Böhmens. (Ornith. Jahrb. 1891. p. 235.)

[16]) Ant. Frič: Catalog der Säugethiere und Vögel des böhmischen Museums in Prag. 1854. p. 9.

genauer Prüfung der erhaltenen Daten hergeleitet wurden.

Aus den bisher nur vier seit dem Jahre 1838 unwiderlegbar constatirten Erscheinungen der Zwergohreule in Böhmen ist zu ersehen, dass es zur Stunde nicht möglich ist, über die Verbreitung oder das periodische Erscheinen der Zwergohreule in Böhmen ein massgebendes Urtheil auszusprechen und dass man diesen Vogel überhaupt zu den sehr seltenen Vorkommnissen in der böhmischen Vogelwelt zählen müsse.

(Fortsetzung folgt.)

Der Zug der Vögel durch Varasdin im Jahre 1892.

Von **Anton Pichler**, Lehrer am k. Obergymnasium zu Varasdin.

(Schluss.)

21. Heller warmer Frühlingstag. Galanthus nivalis in voller Blüthe, Leucoium vernum nähert sich derselben. Cornus vittatus entwickelt die ersten Blüthen, ebenso Ranunculus ficaria und Tussilago farfara. Fringilla spinus in Scharen. Perdix cinerea paarweise. Hie und da ein Corvus frugilegus, sonst sind die Drauauen heute unheimlich leer. Scolopax rusticola noch nicht da.

22. Hell NO. Morgens — 1° C. Mittags sonnig. Corvus frugilegus nicht beobachtet.

23. Morgen — 1° C. NO. Der Schnee in den Wäldern und Auen der Ebene verschwunden, bedeckt nur mehr den Nordhang des Vorgebirges und die Spitzen von 600 m aufwärts. In den Auen ist Crocus vittatus und Leucoium vernum in voller Blüthe, Primula acaulis ebenfalls. Vanellus cristatus 0̲, Corvus frugilegus 0̲, Anas crecca 0̲, Totanus ochropus (?) 0̲. Turdus musicus und T. merula singen auf den von der Abendsonne vergoldeten Baumgipfeln, Columba oenas 2 Stücke, Fringilla montefringilla in einem lockeren Schwarme, Sylvia rubecula singt. Einige Exemplare von Pratincola rubecula, 2 Stück Tinnunculus alaudarius rüttelnd. Ein Serinus hortulanus (waren im Winter nicht hier). Scolopax rusticola nach 5stündiger Suche 1 Stück gefunden.

24. Früh + 2° C. 0̲. Rana temporaria in den Pfützen, Bombinator igneus gibt Laut. Corvus frugilegus 0, Anas crecca 0, Totanus ochropus 0̲. Vanellus cristatus 5 Exemplare. Fringilla spinus 0̲. Pyrrhula vulgar 4 Stück. Mehrere Pratincola rubecula, Tinnunculus alaudarius 2 Stück. Sturnus vulgaris ein Schwarm. Scolopax rusticola 2 Stück nach 5stündiger Suche gefunden. Hält den Hund nicht aus.

25. Früh warm, tagsüber sonnig. Gebirge noch schneebedeckt, SW. Zug beinahe unverändert. Corvus frugilegus 0̲, Scolopax rusticola zerstreut und selten, nur an moorigen Stellen auffindbar. Ruticilla tithys ♀ ein Exemplar am Rande der Drauauen.

26. Früh + 10° C., heftiger SW., schwül und trübe. In Cerje Tužno 7 Stück Scolopax rusticola geschossen, sonst keine merklichen Veränderungen.

27. Früh + 7° C. WSW. heftig, Firmament tagsüber mehr minder bewölkt. Nach 4 h Nachmittags Wind gelinde. Scolopax rusticola 2 Stück, Scolopax galinago 4 Stück, Pyrrhula vulgar in der Stadt und in den Erlenauen je 1 ♀, Turdus musicus zahlreicher als am 25. Vanellus cristatus Abends an derselben Stelle gehört, wie am 25. Hirundo rustica 2 Stück beobachtet von Hrn. Prof. V. Novotni. Abends Entenzug (sp. ?). Nächtlicher Himmel bewölkt bei leichtem WSW.

28. Schwül und SW. Morgens ein Zug Hirundo rustica, die Häuser der Stadt umschwärmend, verschwand aber alsbald. Beobachtet von den Herren Prof. Hangi und Novotni. Scolopax rusticola 1 Stück, Scolopax gallinago 4 Stück im Moore bei Brezje. Abend hell.

29. Wetter unverändert, noch schwüler als am 28. März. Morgens ebenfalls ein Zug von Hirundo rustica, Mittags 2 Stück auf einem Baume ausruhend. Scolopax rusticola auf dem Hügellande fehlend wurde im Moore noch aufgefunden, dagegen Scolopax gallinago 0̲. Abend schwül, bewölkt, leichter SW.

30. Früh ONO., trübe, kühl und unfreundlich. Mittags leichter spärlicher Regen, der auch Abends anhält. Hirundo rustica 0̲, sonst keine Beobachtungen gemacht.

31. NO. Früh kühl und feucht, nach Mittag sonnig, Nacht hell. Hirundo rustica 0̲, Scolapax rusticola 3 Stück, Scolopax gallinago mehrere, beinahe zahlreich, ein Flug von 6 Stücken beisammen, sonst einzeln, Scolopax gallinura 1 Stück. Crocus vittatus und Galanthus rivalis vollkommen abgeblüht, Leucoium vernum verblühend, Anemone nemorosa aufblühend, Calta palustris mit geschlossenen Knospen.

April.

1. Hell und klar, SO., Abend sternenhell. Hirundo rustica 0, sonst nicht beobachtet.

2. Morgen hell und klar, Mittag heiss, beinahe schwül. Vanellus cristatus an den Brutplätzen, Scolopax rusticola 3 Stück, Scolopax gallinago zahlreich einzeln und in geringzähligen Flügen, Scolopax gallinula 2 Stück beisammen, Hirundo rustica zahlreich, hat theilweise schon die alten Brutplätze bezogen. Nacht hell.

3. Sonnig und warm, Scolopax rusticola wurden nirgends gefunden, einige Anthus sp.? im Moose beobachtet, waren scheu und hielten nicht aus, Schuss unmöglich. Sonst nichts beobachtet. Nacht hell und rein.

4. Heller, sonniger, warmer Tag. Hirundo rustica zahlreich.

5. Schwül theilweise bewölkt. Sterna hirundo 2 Stück über die Stadt ziehend, meldet Hr. Prof. V. Dolanski.

6. Sonnig, warm, Mittags drückend und schwül. Luscinia minor im Stadtparke und in den Drauauen, beobachtet von Hr. Prof. L. Zima.

7. Schwül, bewölkt, S. W. Columba turtur. 1 St. auf den Feldern, Sterna hirundo über der Drau schwebend, 6 Stücke, Sylvia cinerea und Sylvia curruca, Forstverwalter Hr. J. Walka meldet guten diesjährigen Schnepfenzug, Strecke 35 Stücke.

Ein Exemplar von Corvus frugilegus unter einem Fluge von Corvus monedula. Herr Prof. L. Zima meldet nochmals Luscinia minor aus den Auen der Drau, Salix amygdalina in voller Blüthe, ebenso Pulmonaria mollis und officinalis, ferner Viola odorata etc.

8. Bewölkt S. W. leichter ½ Stunde andauernder Spitzer, darauf hell und klar.

Von diesem Tage an war ich abwesend und darauf notirte ich noch die Ankunft einiger Vögel nach meiner am 22. April erfolgten Rückkehr in meine Beobachtungsstation wie folgt:

22. Coracias garrula.

23. Cuculus canorus.

24. Coturnix dactylisonans.

28. Upupa epops.

28. Oedicnemus crepitans.

29. Oriolus galbula, Lanius collurio.

Die Verbreitung und Lebensweise der Tagraubvögel in Siebenbürgen.

Von Johann von Csató-Nagy-Enyed.

(Fortsetzung.)

4. Gypaëtus barbatus, L.

Der Bartgeier ist unstreitig die interessanteste Erscheinung unter den Raubvögeln. Seine Grösse, der lange keilförmige Schwanz, die schöne lichte Färbung des Gefieders bei den alten Vögeln, besonders aber der schwarze, grell abstechende, an den Ohren herablaufende Streifen und der am Kinn befindliche Bart, verleihen ihm ein so aussergewöhnliches Aussehen, dass er die Aufmerksamkeit auch desjenigen, welcher sich wenig um die Vögel kümmert, zu fesseln vermag.

Wahrscheinlich mehr dieses sein Aussehen, welches bei seinem plötzlichen Erscheinen den Beobachter überraschen muss, als seine wirklich ausgeübten räuberischen Thaten, ist die Ursache, dass man ihm so vielerlei Mordversuche und sogar Kinderraub zumuthet.

Es mag sein, dass grosser Hunger oder aber Uebermuth ihn mitunter zur Dreistigkeit verleiten, in Siebenbürgen aber habe ich nie gehört, dass er gesunde Schafe oder Hunde, umso weniger ein Kind überfallen hätte. Er pflegt zwar bei Gemsenjagden zu erscheinen, bäumt sogar manchmal in der Nähe des Jägers auf, wie dieses auf dem Retyezát einige Male geschehen ist, in der Hoffnung, an der gefallenen Beute Antheil nehmen zu können; im Stande ist er aber nicht, ein gesundes Thier zu rauben, wie dies ja seine stumpfen Krallen beweisen und so ist er mit seiner Nahrung auf Aas und Knochen angewiesen, von welch' letzteren man ziemlich grosse Bruchtheile in seinem Magen finden kann. Ein wundkrank darniederliegendes Thier oder ein unbeholfenes Zicklein wird er wohl nicht unverschont lassen, dieses thun aber auch andere Raubvögel.

Der Bartgeier bewohnt den ganzen Hochgebirgskranz, welcher Siebenbürgen umsäumt.

Auf dem Retyezát, Páreng, den Fogaraser Gebirgen, Királykö, Bucsecs, in der Nähe von Kronstadt auf den Csiker und Rodnaer Gebirgen wurde er überall beobachtet und befinden sich aus allen diesen Gegegenden ausgestopfte Exemplare in den verschiedenen Sammlungen.

Seine eigentliche Heimat ist die Alpenregion mit ihren felsigen Spitzen, schroffen Mauern und steinigen Triften, hier übernachtet er und erwartet den Aufgang der Sonne in deren wärmenden Strahlen das hübsche Federkleid in Ordnung gebracht wird, nach dieser vollbrachten Arbeit, wenn die Sonne bereits höher hinaufgerückt ist, beginnt er seine Streifereien nach Nahrung einzeln oder paarweise, einmal habe ich am Retyézat mit Adam v. Buda sogar eine Gesellschaft von fünf Stücken gesehen.

Er fliegt in gerader Linie längs des Rückens des Gebirges dahin und befindet sich Jemand in dieser von ihm eingeschlagenen Richtung, genirt es ihn gar nicht, er weicht nicht aus, sondern streicht ober oder neben den Menschen ganz gemüthlich vorbei; langt er zu einer Stelle, wo er etwas Ergreifbares zu finden meint, umkreist er dieselbe ein paarmal und streicht dann wieder weiter, bis er nicht für gut findet, sich niederzusetzen, um eine Rundschau zu halten oder über das Weitere mit sich selbst zu berathschlagen.

Erspäht er irgendwo ein Aas, lässt er sich, wenn sonst die Umgebung für ihn sicher zu sein scheint, zu ihm nieder, um ein Mahl abzuhalten und es geschah bereits, dass Bartgeier von für Raubthiere ausgesetzten vergiftetem Fleische zehrten und verendet aufgefunden wurden.

Angeschossene oder kranke Gemsen pflegt er zu verfolgen, wohl wissend, dass er solche bewältigen kann und so scheut er sich auch nicht bei Gemsenjagden mitunter ganz nahe bei den Schützen vorbeizustreichen.

Er dehnt seine Ausflüge gegen Herbst und im Winter bis zum unteren Rande des Gebirges aus; in der Nähe Kronstadts wurde er einige Male gesehen und auch erlegt, aber weiter in die Ebene geht er nie.

Ein altes Männchen meiner Sammlung wurde am 10. December am Fusse des Retyezát, ein anderes in Kronstadt befindliches Exemplar am 20. Februar bei Zernyest erlegt, diese beweisen, dass der Bartgeier auch einen Theil des Winters bei uns zubringt, bei strengerer Kälte ziehen sie wahrscheinlich nach wärmeren Gegenden.

Einen Horst des Bartgeiers hat man in Siebenbürgen noch nicht gefunden, es hat auch Niemand darnach gesucht, indem er aber auch zur Brutzeit hier gesehen wurde, wird er auch wohl bei uns brüten.

5. Milvus ictinus, Sav.

Der rothe Milan gehört zu jenen Raubvögeln, welche jenen Gegenden, wo sie sich aufhalten, eine anmuthende Lebendigkeit verleihen, umsomehr, da er nicht zu den hervorragend schädlichen Arten gehört.

Seine schöne Färbung, sein langsamer schwebender Flug, wenn er niedrig dahinstreicht, oder in nicht grosser Höhe seine Kreise beschreibt und dabei seine Bewegungen mit dem ausgebreiteten Gabelschwanze steuert, fesseln unwillkürlich die Blicke des Beobachters und mit Vergnügen schaut man ihm einige Zeit nach.

Anfangs März erscheint er bei uns einzeln oder paarweise und schlägt sein Quartier in hochstämmigen Wäldern auf, welche an Felder grenzen; nicht lange nach seiner Ankunft beginnt er mit dem Nestbau oder bessert seinen vorjährigen Horst aus, welchen er auf einem dicken Seitenaste eines grossen Eichenbaumes anzulegen pflegt und welcher gewöhnlich vier Eier enthält.

(Fortsetzung folgt.)

Aus Heinr. Gätke's „Vogelwarte Helgoland".

(Fortsetzung.)

IV. Die Schnelligkeit des Wanderfluges.

Die Schnelligkeit des Wanderfluges der Vögel bildet einen weiteren höchst interessanten Abschnitt in der Betrachtung des Zuges. Wie dieser in seinem allgemeinen Wesen etwas ganz allein Dastehendes im Leben der Vögel ist, so sind auch wiederum die einzelnen Momente desselben in gar keinen Vergleich mit den alltäglich vorkommenden Lebensäusserungen derselben zu bringen. Eine grosse Anzahl Vögel z. B., die das ganze Jahr hindurch allen ihren Thätigkeiten nur im Lichte des Tages nachzugehen vermögen, und nach eingetretener Dunkelheit die unbeholfensten Geschöpfe sind, wechseln, sobald die Flugzeit angebrochen ist, ihr Naturell in solchem Grade, dass sie sich, nachdem die Sonne gesunken, zu einer grossen, ihnen bis dahin gänzlich unbekannten Höhe aufschwingen und in Nächten von schwärzester Finsterniss ihrem Wanderziel mit unfehlbarer Sicherheit zuzufliegen vermögen. In gleicher Weise stehen ihre alltäglichen Flugbewegungen auch nicht annähernd in irgend einem Verhältniss zu der wunderbaren Fluggeschwindigkeit, welche sie während ihrer Wanderflüge zu erreichen vermögen. Lange hat man diesem Gegenstande grosse Aufmerksamkeit gewidmet, ohne bisher zu einem den Thatsachen entsprechenden Ergebniss gelangt zu sein: Noch bis in die Neuzeit wird als Beispiel der wunderbaren Schnelligkeit des Vogelfluges ein Jagdfalke angeführt, der Heinrich II. von Fontainebleau entflohen, 24 Stunden später auf Malta eingefangen ward. Man ruft hierzu aus „Neun geografische Meilen in einer Stunde!" Hätte man dem Gegenstande mehr Nachdenken zugewandt, so würde man zu einem wenigstens doppelt so grossen Ergebniss der Fluggeschwindigkeit gelangt sein, denn jener Vogel flog sicherlich nicht die vollen 24 Stunden hindurch, sondern rastete während der Nacht, und ohne Zweifel hat er unterwegs auch noch irgend eine Beute erlegt, sich vollgekröpft und in Ruhe verdaut. Es blieb ihm dann immer noch, wie später nachgewiesen werden wird, Musse genug, um innerhalb der obigen Zeitdauer nach Malta zu gelangen.

Herrn von Middendorff's Beobachtungen lehrten ihn, dass „Tauben und andere Vögel in sechs Minuten, ja in halb so kurzer Zeit, eine geografische Meile zurücklegen können", er fügt aber hinzu, dass „die Vögel weit davon entfernt seien, mit einer solchen Geschwindigkeit ihre Reisen auszuführen; die Schnelligkeit ihrer Ortsbewegung sei wohl keine bedeutend geringere, aber sie rasteten, wo es ihnen zusage, und rückten im Laufe des Reisetages nicht mehr als etwa vier bis zwölf geografische Meilen vor". Dies Ergebniss, zu dem ein so gediegener und ernster Forscher gelangt, ist um so wunderbarer, da die Beobachtungen, auf welche es gestützt wird, zur Zeit des Frühlingszuges stattfanden, während dessen, so weit meine Erfahrung reicht, die Vögel in bedeutend geringerem Grade zu Unterbrechungen ihrer Reise geneigt sind.

Ein die Middendorff'sche Angabe übertreffendes Beispiel der Fluggeschwindigkeit liefert zunächst eine Brieftaube, welche während eines Preisfliegens von Gent nach Rouen das Mass von 25 geografische Meilen in einer Stunde erreichte. (Yarrell Brit. Birds. 1845, II, p. 296.) Es wird daselbst Columba livia, von welcher die Brieftaube gezüchtet ist, besprochen, und nicht zu bezweifeln ist, dass die Flugfähigkeit dieser letzteren, welche viele Generationen hindurch in gezähmten Zustande gelebt, weit hinter der ihrer wilden Stammmutter zurückgeblieben sei.

Die Aufmerksamkeit, welche ich diesem Gegenstande zugewandt, hat zu Ergebnissen geführt, die alles Obengenannte in überraschendster Weise übertreffen. Schon an einem anscheinend so schwerfälligen Flieger wie die Krähe, Corvus cornix, von der man es gewiss lächerlich finden würde, wollte sie sich mit der Brieftaube auf ein Preisfliegen einlassen, kann eine Wandergeschwindigkeit von 27 Meilen in der Stunde nachgewiesen werden, und dies nicht etwa als eine ausnahmsweise Leistung, wie es wohl die der obigen Brieftaube war, sondern als Regel, welche von Millionen und Aber-Millionen ihrer Art während ihrer jährlichen Herbstzüge innegehalten wird. Eine solche Leistung der Krähe ruft nun aber die berechtigte Annahme hervor, dass Vögel von knapperem Gefieder und nach unserer Ansicht besser geformten Flugwerkzeugen, wie Edelfalken, Schwalben, Tauben, die grösseren Regenpfeiffer und Totaniden, sicherlich ungleich Bedeutenderes zu leisten im Stande sein müssten — was sie unzweifelhaft auch sind, denn eine dahingehende, alles bisher Angeführte überflügelnde Leistung ist in der That nachweisbar; merkwürdiger Weise jedoch nicht an einem der soeben als vortreffliche Flieger aufgezählten Arten, sondern an einem Vögelchen, welches man sicherlich als nur mit höchst mittelmässiger Flugfähigkeit begabt bezeichnen würde, dem nordischen Blaukehlchen, Sylvia suecica, nämlich, dem sich eine Wandergeschwindigkeit von 45 geografischen Meilen in einer Stunde nachweisen lässt.

(Fortsetzung folgt.)

Lebendes Winterfutter für die insectenfressenden Stubenvögel.

Von Staats von Walquant Geozelles.

„Variatio delectat — Abwechslung gefällt“ . . . Dieses so oft zitirte Sprichwort, welches man wohl — fälschlich — dem alten Fabeldichter Phaedrus in die Sandalen schiebt, während er thatsächlich „varietas“ — Buch II. Prolog. V. 10 — sagt, muss ganz besonders vom Liebhaber und Besitzer insectenfressender Vögel beherzigt werden. — „Variatio — Abwechslung“ . . . wie überaus wichtig und unumgänglich nothwendig ist sie für das ungestörte, naturgemässe Gedeihen so vieler der genannten Vögel und — wie wenig, wie unzulänglich vermag sie ihnen der Vogelwirth — besonders im Winter — zu bieten! — „Lebendes Futter; was haben wir denn, ausser dem Mehlwurme, in dieser Hinsicht für unsere Lieblinge?! Ich habe nun ein anderweites „lebendes Futter“, welches dem Mehlwurme stark Concurrenz macht, welches die Ameisenpuppen aber in vielen Fällen und verschiedener Hinsicht übertrifft; und da ich seit langem damit operirt und von meinen Vögeln nur Dank geerntet habe, so werde ich dieses Futter heute empfehlen.

Aehnlich nämlich, wie man sich zu dem in Frage stehenden Zwecke einen „Mehlwurmtopf“, die „Mehlwurm Anstalt“ anlegt, so habe ich mir ausserdem ein „Muscarium“, eine „Fliegen Anstalt“ hergerichtet.

Ich verfahre dabei folgendermassen: In dem letzten sonnigen Monate des Jahres, ja selbst noch in den letzten sonnigen Wochen oder gar Tagen des Herbstes verschaffe ich mir Kadaver von Fuchs, Katze oder Rabenvögeln etc., um sie an sonnigen, abgelegenen Orten den — Schmeissfliegen preiszugeben.

Ist die Zeit günstig, so stellen sich alsbald Massen der grossen, schwarzblauen Schmeissfliege — Calliphora oder Musca vomitoria — und der grossen Goldfliege — Musca caesarea — ein und wimmeln die Kadaver alsbald von deren Maden, welch letztere unglaublich schnell wachsen, so schnell, dass sie — erst einige Tage langsam wachsend — plötzlich in 20 Stunden um das 200fache ihres Gewichtes zunehmen!

Nunmehr lege ich diese Kadaver in ein altes, weitmaschiges Drahtsieb, auf Drahtgeflecht, Blech, Holz oder in einem Kartoffelkorb und stelle letztere Gegenstände so über eine, mit lockerer Erde angefüllte Tonne oder über irgend ein anderes Gefäss, dass die zur Verpuppung aus dem Thierkörper hervorkriechenden Maden darin sicher aufgefangen werden. Auf diese Weise komme ich in den Besitz von Tausenden (wenn ich will: Hunderttausenden) von Puppen der beiden genannten, von fast allen Vögeln mit Gier befehdeten grossen Fliegenarten.

Die Maden als solche, und ebenso die etwa draussen in sogenannten „Fliegen-Gläsern“ massenweise eingefangenen Schmeissfliegen — „Brummer“ — würden unseren Stubenvögeln unter allen Umständen schädlich sein können; ist mir doch z. B. im Jahre 1888 eine ganze Voliere schnell ausgestorben, weil ich mit Schweissfliegen gefüttert hatte, welche sich draussen an dem unter dem „Fliegenglas“ gelegten faulen Fleisch, respective an irgend einem Leichengifte vollgesogen hatten.

Die Puppen oder „Tönnchen“ dieser Fliegen können hingegen ohne das geringste Bedenken an die Vögel verfüttert werden und habe ich mir ohne sonderliche Mühe schon mehrfach einen so grossen Vorrath an solchen Puppen zusammengebracht, dass ich während des ganzen Winters — Tag für Tag — mehrere hundert davon an alle möglichen, selbst grösseren Vögel verabreiche, ja sogar den Besuchern meiner „Futterplätze“ hundertweise verabreichen konnte!

Ich verfahre indess auch noch ganz anders mit dieser Nahrung. Jeden Tag hole ich mir davon, je nach Bedarf, mehr oder weniger ins warme Zimmer, lege sie in ein mit Erde angefülltes Gefäss, stelle dieses in die Voliere und bedecke es zum Schutze gegen die Vögel mit einem weitmaschigen Drahtgeflecht.

Die Puppen würden „draussen“ den Winter durchschlafen haben, hier im warmen Zimmer aber werden sie alsbald durch die Wärme gezeitigt; das fertige Insect kriecht durch das Drahtgeflecht und wird dankbarst verspeist

Was es für die Insectenfresser bedeutet, jeden Tag einige hundert lebende Puppen oder lebende — wenn auch etwas „leer leibige“ — Insecten, beziehungsweise beides gleichzeitig „ad variationem“ zu haben, das wird jeder Vogelwirth wissen!

Selbstverständlich muss der „Haupt-Vorrath“ draussen verbleiben.

Die Kalanderlerche (Alauda calandra) und die Kalandrelle (Alauda calandrella) in ihrem Gefangenleben.

Von E. Perzina.

(Schluss.)

Dieses rasche Auffassungsvermögen konnte ich auch an allen Kalanderlerchen, welche ich noch nach dieser hielt, bewundern. Vögel dieser Art, welche im Februar noch gar nichts copirten, nannten im August oft ein Repertoir von zwanzig und mehr erlernten Vogelstimmen ihr eigen. Leider birgt dieses rasche Lernvermögen auch einen grossen Nachtheil in sich, den, dass der Vogel ebenso schnell und oft unangenehme Töne aufnimmt, wie angenehme Klänge, dass ihm unter Umständen das Quitschen einer ungeschmierten Thüre weit mehr imponirt, als der lieblichste Nachtigallenschlag und er zieht es dann natürlich vor, bei seinen Studien mehr mit dem eigenen Geschmacke, als dem seines Herrn zu wählen.

Auch konnte ich an allen meinen Kalanderlerchen die Erfahrung machen, dass sie bereits im ersten Jahre ihres Gefangenlebens die Stimme in voller Stärke entfalten, allerdings werden sie während desselben erst zu einem späteren Zeitpunkt, etwa Ende Juni, völlig laut, als nach längerem Käfigleben, welches das stärkste Durchbrechen der Stimme oft schon im Jänner oder Februar mit sich bringt. Die Kalanderlerche ist ein ungemein fleissiger, geradezu unermüdlicher Sänger, der sich vom Morgengrauen bis in die Abenddämmerung hinein hören lässt, sehr gerne auch bei künstlicher Beleuchtung singt, dabei währt ihre Gesangszeit fast das ganze Jahr, denn ältere Gefangene verstummen selbst während der in die Monate August oder September fallenden Mauser nicht gänzlich. Als Singvogel für die Wohnstube eignet sich die Kalanderlerche wohl nur für solche Liebhaber, welche sehr starke Vogelstimmen schätzen, dem minder starknervigen Pfleger wird sie im geschlossenen Raume stets bald lästig, umsomehr, da sie, namentlich dann, wenn die anderen Vögel noch leise „halblaut" singen, deren Lieder mit dem ihren übertönt oder doch nicht zur Wirkung kommen lässt; in einem Garten, vielleicht auch einem grossen Gewächshaus hingegen gehalten, wo die Stimme sich in dem weiten Raume austoben kann, ist sie völlig am Platze und wird gewiss ebenso ihrer ganz ausserordentlichen Imitationskunst, als ihres unermüdlichen Fleisses im Vortrage des Gesanges halber viele Bewunderer finden.

In ihrem Betragen zeigt sich die Kalanderlerche als ein echtes Kind ihrer Sippschaft; alt gefangen anfangs geradezu unbändig wild, ihre Scheu nur sehr, sehr langsam mildernd, meist selbst nach jahrelangem Käfigleben nicht völlig aufgebend, stets misstrauisch bleibend; von früher Jugend an durch Menschenhand aufgefüttert hingegen ganz ebenso liebenswürdig, so zahm, fast zudringlich, wie aufgepäppelte Schopflerchen. Allerdings haben aber auch diese zutraulichen Kalanderlerchen meist ganz genau dieselben Unarten, wie ihre wilden, stürmischen Genossen; als solche sind vor Allem eine geradezu masslose Verschwendung des Futters, namentlich der Körner zu nennen, denn, wenn man einer dieser Lerchen das gefüllte Futtergefäss vorsetzt, dann ist ihr erstes Beginnen, sich aus demselben die zusagendesten Bissen heraus zu suchen und alles andere wird mit kräftigen Schnabelhieben auf die Seite geschleudert, dass der Samen nur so in den Käfig und das Zimmer hineinstiebt! Der gleiche freigebige Gebrauch wird auch von dem in den Käfig gestreuten Sand gemacht, allerdings kann man dies weniger als eine Unart ansehen, da die Staubbäder dem Vogel ein natürliches Bedürfniss sind, unangenehm sind sie aber doch, als mit der Reinlichkeit des Zimmers sehr wenig in Einklang zu bringen.

Weit unangenehmer aber noch wird eine Gewohnheit der meisten Kalanderlerchen: mit dem starken Schnabel längs des Käfig-Gitters hinzufahren, so dass ein rasselndes Geräusch entsteht und dieses Gebaren mit für die Nerven ihres Besitzers geradezu entsetzlicher Ausdauer auszuüben! Besonders angenehm wirkt diese sonderbare Musik, wenn es dem durch irgend etwas aufgestörten Vogel einfällt, sie während der Nacht zum Besten zu geben, umso mehr, als sie dann die übrigen im Zimmer befindlichen Weichfuttervögel weckt und hiedurch für diese förmlich zum Signale eines ihrem Herrn nicht sehr erwünschten „Polterabends" wird!

Hinsichtlich der Pflege macht die Kalanderlerche die denkbar geringsten Ansprüche, sie ist ebenso Körner- wie Weichfutterfresser, kann bei jeder dieser Fütterungen bestehen, doch erscheint es angezeigt, sie gemischter Kost beider Ernährungsarten theilhaftig werden zu lassen, in welcher während des Sommers die animalischen Bestandtheile, während des Winters die Körner überwiegen. Die Körner verschluckt die Kalanderlerche nicht wie unsere Lerchenarten unenthülst, sondern befreit sie wie etwa ein Finkenvogel von den Schalen, wobei der ungemein kräftige Schnabel sehr gute Dienste erweist, ihr sogar das Oeffnen von Sonnenblumenkernen gestattet. Besondere Vorliebe bringt die Kalanderlerche dem Hanf und anderen ölhaltigen Samen entgegen, doch empfiehlt es sich, ihr diese nur in geringem Grade zu reichen, da sie davon leicht zu fett wird, auch Glanzsamen und verschiedene Hirsearten, auch unenthülsten Reis, nimmt sie gerne an, Weizen, Gerste und Hafer hingegen finden nur dann Zuspruch, wenn keine leckereren Bissen vorhanden sind. Salat, Vogelmiere wird gerne genommen, Mehlwürmer sind ihr der höchste Leckerbissen, doch muss man mit deren Gabe sparsam sein, da dieselben rasch Gesangseifer und Stärke zu grösserem Eifer anspornen, als es bei ihr gerade wünschenswerth erscheint. Obwohl sie die Wärme liebt, vermag die Kalanderlerche in einem völlig ungeheizten Raume, ja, insoferne sie einigen Schutz vor den ärgsten Witterungsunbilden hat, in einer Volière völlig im Freien unter unserem nordischen Himmel zu überwintern. Als passendester Käfig eignet sich für die Kalanderlerche ein langes, nicht zu hohes Gebauer mit weicher Decke, und, um den Gewohnheiten des Laufvogels möglichst entsprechen zu können, einer recht tiefen Sandschublade; Springhölzer bedarf sie nicht. Zweckmässig ist es, Futter- und Wassergefässe durch weites Gitter, durch welches sie bequem den Kopf stecken kann, vom übrigen Käfigraume zu trennen, da sie sonst gerne in dieselben steigt und ihre Nahrung beschmutzt und verdirbt, auch noch mehr verstreut, als sie dies ohnehin zu thun beliebt.

Weit seltener als die Kalanderlerche sieht man bei uns ihre kleinere Verwandte, die Kalandrelle; ich erhielt im Frühlinge dieses Jahres unter einer Gesellschaft verschiedener Südeuropäer aus Dalmatien ein Exemplar dieser Lerche, welches ich durch etwa vier Monate beobachten konnte. Von dem Gesange der freilebenden Kalandrelle sagt Homeyer, dass er „lauter Stückwerk, nichts zusammenhängendes" sei, und diese Charakterisirung traf auch völlig zu, als mein Vogel nach kurzer Zeit zu singen begann; allmälig ging aber mit seinem Liede dieselbe Veränderung vor, wie mit dem der grossen Vettern, es wurde durch Copien bereichert und dadurch annehmbarer. So rasch lernt die Kalandrelle indess nicht, wie die calandra, auch glaube ich, soweit man nach einem einzigen Falle eben schliessen kann, dass ihr Gedächtniss nicht so gros ist, wie das jener. Der Gesang war in seiner vollen Stärke etwas lauter wie der einer Feldlerche unter gleichen Umständen, dabei aber schriller und durch oftmalige Wiederholung einzelner Strophen nicht sehr anziehend.

In ihrem Benehmen ist die Kalandrelle der Kalanderlerche ebenso ähnlich, wie in Gestalt und Farbe, sie ist deren verkleinertes Abbild.

Volkswirthschaftliche Bedeutung der Geflügelzucht in Ungarn.

Von **Prof. Dr. Eugen von Rodiczky**, Director der kgl.-ung. landw Lehranstalt in Kaschau.

(Fortsetzung.)

Es befand sich 1884 bei Kleingrundbesitzern vom Gesammtstande von 32·9 Millionen, über 28 Millionen Stück = 85·5%, u. zw. meistens Hühner und Gänse, während die Puten- und Taubenzucht beim mittleren und Grossgrundbesitz prävalirt.[5])

Für die ungarische Geflügelzucht ist der Umstand, dass das Land ein vorwiegend Getreide bauendes ist, von eminenter Bedeutung, denn Hinterfrucht und Ausreuter, so dieselben als Abfälle der Wirthschaft zu Gebote stehen, verwerthen sich am besten durch die Hühnerhaltung, daneben wird die reichliche Stoppelweide ausgenützt, während die animalische Nahrung Hof- und Feld unentgeltlich liefern. Für die Gänse bietet der Mais ein billiges Mästfutter, während die Aufzucht auf den ausgedehnten Gänseweiden, namentlich der Theissniederungen ausnehmend billig ist und ein beachtenswerthes Product liefert, wie denn auch die Haltung der fruchtbaren und schnellwüchsigen Ente wenig Umstände erfordert.

Billig ist auch die Putenzucht, welche mit grösserem Risico nur solange verbunden ist, bis die kleinen Puten ausgeblattert haben (in 40—50 Tagen nach dem Ausschlüpfen aus dem Ei.) Von da an sind die Truthühner gefrässige Vertilger vieler thierischer Feinde des Landwirthes und entwickeln sich mittelst selbstgesuchten Futters bis in den Spätherbst fast unentgeltlich. Die Putenzucht ist die Domaine des sandigen Theiles von Nieder-Ungarn und einiger deutschen Gemeinden des Barnnyaer- und Tolnaer-Comitates, doch auch Syrmien und die aufgelassene Militärgrenze hat besonders erfahrene Putenzüchter, deren „Curcinica" nach hunderten von Köpfen zählt. Es sind besonders zwei Landstriche, welche eine blühende Geflügelzucht aufweisen: das ungarische Tiefland[6]), zu Folge seiner hervorragenden Eignung hiezu, und der westliche Theil des Landes[7]), zu Folge seiner günstigen Absatzverhältnisse und der grösseren Strebsamkeit der dortigen Bevölkerung[8]).

Hervorragende Leistungen auf diesem Gebiete weisen durchwegs nur die Ungarn und Deutschen auf, während sich die übrigen Nationalitäten höchst passiv verhalten, namentlich die Slovaken und Ruthenen. In den Comitaten Arva und Marmaros entfallen z. B. pro Haushaltung durchschnittlich nur 4 Stück Geflügel, im Turócer 5, im Sohler 6;[9]) während im Pester 20, Csanáder 24, Hajdu 28, Torontál 29, Bars 30, Csongrád 34 Stück entfallen. Doch auch hier gebührt die Palme den ungarischen Städten[10]), welche einen Gesammtgeflüdelstand von 200—400.000 Stück aufweisen.

Doch gibt es auch einige unterungarische Gemeinden, wie das von Slowaken und Deutschen bewohnte Petrovacz und das von Ungarn und Kroato-Serben bewohnte Petrovoszello, welche eine sehr intensive Geflügelhaltung aufweisen mit 99 und 110 Stück per Haushaltung.

Das ungarische Landhuhn besitzt namentlich für extensive Verhältnisse ganz beachtenswerthe Eigenschaften, wie da sind: Widerstandsfähigkeit, Anspruchslosigkeit und der Umstand, dass es eine fleissige Eierlegerin und sorgsame Mutter ist und die Küchlein gut führt. Freilich weist es jene Nutzungseigenschaften nicht auf, welche die fortschreitende Cultur fordert und auch resultirt, wie Körpergrösse, quantitativ und qualitativ hervorragende Eierproduction. Es ist zwar feinknochig und hat ein schmackhaftes Fleisch, doch ist es namentlich in Ober-Ungarn sehr klein und legt oft nur taubengrosse Eier. Bei besserer Haltung finden wir darunter jedoch auch recht schöne Exemplare und zeichnen

---

[5]) Es befanden sich in % ausgedrückt in den Händen der

	Kleingrund-besitzer	Mittel- und Gross-grundbesitzer	Insgesammt genommen
Hühner	67·3	67·7	66·0
Gänse	17·7	16·3	17·0
Enten	7·6	10·9	18·1
Tauben	6·3	16·1	6·7
Puten	1·6	5·0	2·1

Es betrug der Gesammt-Geflügelstand der

	Kleingrund-besitzer	Mittel- und Gross-grundbesitzer
	Percent	
Jenseits der Donau	87·3	12·7
Jenseits der Theiss	90·0	10·0
Landesdurchschnitt	85·5	14·5

[6]) Mit den Comitaten: Csongrád, Csanád, Torontál Bács Bodrog, Temes, Arad u. s. w.

Es entfallen im Comitate

	per 1 Km.²	1000 Einwohner
Csongrád	575	5623
Csanád	297	4406
Bács Bodrog	278	4730
Torontál	265	4715
Hajdu	256	4956

[7]) Hier sind besonders zu nennen: Győr (per 1 Km² 197 St.), Tolna (172·8), Zala (143·8), Baranya (131·9), Fehér (129·5), Komárom (129·3).

[8]) Der Landestheil jenseits

der Donau züchtet	72·0%	Hühner	56·6%	Gänse
Diesseits der Theiss	62·6%	„	18·6%	„
Jenseits „ „	61·6%	„	18·1%	„

Es entfallen auf 1 Km² — 100 Einwohner

Jenseits der Donau	130·3	Stück	2200	Stück
Jenseits der Theiss	143·5	„	3139	„
Diesseits „ „	88·6	„	1870	„
Landesdurchschnitt	107·7	„	2325·5	„

[9]) Pro 1000 Einwohner entfallen im Sohler Comitate 752 Stück, Arva 821 Stück, Turócz 854 Stück.

Pro 1 Km² entfallen in Ungarn 4·9 Stück, Mármaros 20 Stück, Beszterczo Naszód 25·5 Stück, Zólyom 28 Stück, Arva 31·4 Stück, Turócz 34 Stück, Liptó 37·8 Stück.

[10]) Debreczin hat einen Stand von 394 Tausend, Szegedin 381, Szentes 326, Félegyháza 312, Kecskemét 273, H. M. Vásárhely und Szabadka 205, Czegléd 200 Tausend. Pro Haushalt entfallen in Szeged und Kecskemét je 40, Czegléd 43, Debreczin 64, Szentes 69, Kún. Félegyháza 69 Stück.

sich namentlich die Hahnen durch stattliche Figur und schönes Gefieder aus. Es werden diese Federn zur Schmuck- und Hutfederfabrikation für Wien und Berlin gesucht und gut bezahlt. Es scheint, dass unser Landhuhn, ebenso wie das Livorneser (Leghorn-) Huhn, ein Abkömmling der heiligen und profanen Hühner des alten Roms ist. Ob es schon mit den römischen Colonisten in das Land kam oder erst in späterer Zeit — etwa unter den Anjou's als zwischen Ungarn und Italien lebhafte Relationen bestanden, muss dahingestellt bleiben. Das ungarische Landhuhn weist zwar nicht solche typische Farbenvariationen auf, wie das italienische, kommt jedoch in allen Farben vor. Viele Hausfrauen bevorzugen das appetitliche weisse Huhn, mit gelben, glatten Füssen, nicht selten ist bei ihm auch jene Farbenschattirung, welche bei den Römern die beliebteste war: röthliches Gefieder mit schwarzen Schwanz und Flügeln.

Ausserdem findet man in Siebenbürgen das hier wahrscheinlich autochthone Nackthalshuhn, welches erst gelegentlich der Wiener internationalen Geflügelausstellung 1875 durch Frau von Szeremley einem grösseren Publicum vorgeführt, eine Zeit hindurch nach der Ausstellerin benannt wurde. Man war anfänglich geneigt, den nackten Hals als Resultat einer erblich gewordenen Federnkrankheit anzusehen, hinwieder musste der Puterhahn eine Erklärung abgeben, der sich in einem seiner „moments perdus" mit einer Haushenne in eine erfolgreiche Liaison eingelassen haben soll! Am wahrscheinlichsten erscheint die Annahme, dass es ein Kreuzungsproduct, des bereits Griechen und Römern als Huhn von Rhodos bekannten, malayischen Huhnes sei. Es ist manchmal einfärbig (weiss und schwarz), häufiger sind jedoch „Sperber", wenn auch deren Zeichnung keine „standardmässig" regelrechte ist, dann gibt es „gescheckte", „gesprenkelte" und speciell „weizenfärbige" Hennen mit grauweisser Grundfarbe, weissen Beinen und Schnabel, braunschwarzen Schwanzfedern und Flugspitzen und röthlichgelben Schein auf Brust, Rücken und Flügeldecken.

Im Ausland hat sich der Sport dieses durchaus nicht schönen Huhnes bemächtigt, hier zu Lande gilt es allgemein als ein gutes Wirthschaftshuhn und ist es wohl nur diesem Zustande zu danken, dass es nicht längst ausgerottet wurde. Wir konnen es als abgehärtet, genügsam, fleissigen Futtersucher und Eierleger, weniger als guten Brüter, doch ist es eine sorgsame Glucke, leicht mästbar und setzt reichlich Fleisch an. Von ausländischen Racen begegnen wir Cochinchina-Kreuzungen noch am häufigsten. In seiner Reinzucht ist es nicht beliebt, weil einestheils seine Aufzucht viel kostspieliger ist, wie die des Landhuhnes, andererseits, weil auch der Geschmack des Fleisches dieses grobknochigen Thieres den ungarischen Gaumen nicht befriedigt. Im Eisenburger Comitat hat das Langshan, als werthvolles Fleischhuhn, rasch eine ziemliche Verbreitung gefunden; auch die Plymouth-Rocks finden Eingang, ansonst sieht man vielfach ein Kunterbuntes von racelosen Thieren, welche auf Versuche mit verschiedenen Moderacen zurückzuführen sind. Die Hühnerzucht wird als Sport in Europa bekanntlich erst seit Einführung der Cochinchinas (1847 resp. 1852) betrieben und ist in Ungarn ganz neuen Datums, was wir gerade nicht bedauerlich finden. Wir stellen uns durchaus auf keinen principiellen Gegensatz mit der Sportzüchtung, uns wohl bewusst, dass auch hier wie auf anderen Gebieten, der sich in richtigen Bahnen bewegende Sport belebend und befruchtend auf die Landeszucht wirken kann. Der Sportzüchter hat Reinzucht zu liefern, welche dem Züchter auf Nutzung das ihm nothwendige Material liefert.

Doch darf man sich niemals verhehlen, dass der Sport ebensoviel Sachkenntniss, wie Opferwilligkeit fordert; bemächtigen sich jedoch seiner, wie wir aus abschreckenden Beispielen des Auslandes ersehen, mit Modethorheit gepaarter Unverstand, so liefert er mit seiner Musterkarte der divergirendsten Racen und seinen traurigen Resultaten von schier unmöglichsten Kreuzungen nur eine Illustration für den Satz: „Wer verderben will und weiss nicht wie, der halte nur viel Federvieh".

(Fortsetzung folgt.)

Die Junggeflügelschau des I. österreichisch-ungarischen Geflügelzuchtvereines in Wien.

A. Das Grossgeflügel.

Von vielen Seiten hörte man im zur Neige gehenden Zuchtjahre über schlechte Erfolge in der Aufzucht klagen und von zahlreichen Züchtern wurde die Befürchtung ausgesprochen, die heurige Junggeflügelschau werde weniger befriedigend ausfallen. — Diese Befürchtung erwies sich als unbegründet! ja noch mehr: Es ist noch kaum eine Junggeflügelschau in Wien abgehalten worden, die so viel gutes Material — und was weit mehr besagt, so viel gutes Material in den Händen sehr zahlreicher Züchter — aufwies. Gerade letzte Wahrnehmung ist in hohem Grade erfreulich und zeigt, dass die rationelle Aufzucht bei uns an Boden gewinnt und dass nach und nach an Stelle der sonst vorhandenen wenigen grösseren Muster-Collectionen, zahlreiche kleinere Collectionen einzelner Züchter treten, deren jede — mehr oder weniger zahlreich — musterhaft ausgebildete Exemplare aufweist — Es ist unmöglich, dass auch die bestgeleiteste Zuchtanstalt in ihrem immerhin grösseren Betrieb solche Specialleistungen aufweise, wie sie der kleine Züchter bei gutem Zuchtmateriale und der nöthigen Sachkenntniss spielend und fast kostenlos erreicht, wenn er sich auf die Aufzucht nur weniger Jungthiere beschränkt.

In dieser Hinsicht spricht die Prämiirungsliste der heurigen Junggeflügelschau eine recht deutliche Sprache und die Preisrichter hatten einen schweren Stand, wollten sie mit den wenigen disponiblen Prämien alle Aussteller befriedigen, die gutes Materiale eingesandt hatten. Ueber die 6 Staatsmedaillen und eine Vereinsmedaille war in der Grossgeflügelabtheilung nur zu bald verfügt und man musste sich entschliessen, die weiters zur Verfügung stehenden Diplome in drei Rangsclassen Sehr lobende, lobende und einfache Anerkennung abzustufen.

Es ist ein grosses unbestreitbares Verdienst, das sic der I. österreichisch-ungarische Geflügelzucht-Verein durch Einführung der jährlichen Prämiirung des von seinen Mitgliedern gezüchteten und ausgestellten Junggeflügels erworben hat — es lässt sich aber nicht verkennen, dass es nun an der Zeit ist, dass der Verein einen weiteren Schritt in dieser

Richtung unternehme. Wir meinen den Uebergang von der Collectiv-Prämmiirung zur Classen-Prämiirung auch für Junggeflügel, worüber bereits vorgearbeitet wurde und dem Directorium directe Vorschläge vorliegen.

Wir gehen nun an die Besprechung der einzelnen Collectionen und thun dies an der Hand der Prämmiirungsliste.

Die weitaus grösste Collection ist die des „Geflügelhofes Novimarov"; unter allen Rassen die dieses Etablissement einsandte, befinden sich Exemplare bester Qualität: besonders gut sind die gelben Cochins, die in Figur, Farbe und besonders Fussbefiederung sehr befriedigen. Ihnen zunächst stehen die Plymouth-rocks, worunter viele feine Hennen und der beste Hahn der ganzen Ausstellung (Nr. 21). Schwarze federfüssige Langshans sind gut und in grosser Zahl vertreten.

Noch besser als die genannten Hühnerrassen gefiel das Wassergeflügel dieses Geflügelhofes und speciell die in einer Kopfzahl von ca. 40 Stücken den einen grossen Teich bevölkernden Peking-Enten fanden allgemeine Bewunderung. — Auch die Rouen-Enten und Italiener-Gänse am zweiten Teich sind gut, erreichen aber an Qualität beiweitem nicht die Ersteren.

Die silberne Staatsmedaille, sowie das Diplom, sehr lobender Anerkennung wurde dieser schönen Collection einstimmig zuerkannt.

Herr Anton Feischl brachte die Nachzucht einer auf der Wiener Frühjahrsausstellung viel bewunderten: Cochin-Brahma-, Houdan- und Holländer-Stämme.

Die gelben Cochin sind grossartig und lassen besonders zwei Stämme davon nichts zu wünschen übrig; die dunklen Brahma sind, besonders was die Hennen betrifft, ebenso musterhaft, wenn auch noch etwas weniger entwickelt, als die Cochin.

Houdan und schwarze Holländer sind sehr schön, die Zuerkennung der silbernen Staatsmedaille folglich wohl berechtigt.

Der Fürst Hohenlohe'sche Geflügelhof Slaventitz (Züchter Herr Rentmeister Finkler) stellte Plymouthrocks, schwarze Langshans, Hamburger Silbersprenkel und Silberlack, sowie weisse Ramelsleher zur Schau. — Besonders gefielen uns die Hamburger und Langshans dieser Collection, die Plymouths waren von erstaunlicher Grösse, doch hätten die Hennen reiner gezeichnet sein dürfen.

Auch sehr schönes Wassergeflügel, wie: Toulouser, Pommer'sche und Italienische Gänse, Rouen- und Smaragd-Enten war vertreten.

Herr A. F. Beyer Linz, zeigte eine schöne Collection Junggeflügel, worunter ein Stamm heller Brahma besonders auffiel; die Crève coeur des Ausstellers sind sehr hübsch, dessgleichen schwarze Langshans und Goldwyandotte, endlich je ein Stämmchen Rothscheckenkämpfer, weisse Kaulhühner und schwarze Zwergcochin.

Herr K. Mitterer, Fahrafeld, stellte sechs Stämme weisse Cochin, hervorragender Entwicklung und zum Theil sehr guter Qualität aus. — Der Stamm Nr. 40 ist bezüglich des Hahnes etwas schwächer in der Entwicklung, sonst aber der beste der Collection und recht vielversprechend.

Herr Völkl, Linz, zeigte schöne Andalusier, Minorka, schwarze Langshans, Hamburger Silberlack, Italiener etc.

Die letztgenannten vier Aussteller erhielten je die Bronzene Staatsmedaille zuerkannt.

Der bekannte Peckingentenzüchter Lindmeyer, Kagran, hatte 10 Stämme sehr schöner Peking-Enten ausgestellt, wofür ihm die Silberne Vereinsmedaille zugesprochen wurde.

Es folgen die Collectionen die mit dem Diplome sehr lobender Anerkennung ausgezeichnet wurden.

[illegible] dies ausser dem schon oben erwähnten „Geflügelhof Novimarov", Herr J. Bambach, Gottmannsgrün, der prächtige Minorka und Hamburger Silbersprenkel, recht hübsche schwarze Italiener und gelbe Cochin, sowie eine hochinteressante Kreuzung: Schwarze Crève ceur und Houdan brachte, die ganz den Houdantypus (fünfzehig) zeigt und — reinweiss ist.

Frau Raschka, Pyrawath, stellt auch heuer, wie im Vorjahre sehr schöne weisse Langshans von vorzüglicher Entwicklung aus. Diese Thiere entsprechen den höchsten Anforderungen, nur möchten wir die Züchterin anregen, der blaugrauen Beinfarbe Beachtung zu schenken und nur diese bei ihren Zuchtthieren zu dulden. — Es ist dies die Beinfarbe, die dieser Rasse entschieden zukommt und sie besser präsentirt als der zur Fleischfarbe neigende Ton der Füsse mancher ihrer Thiere.

Herr Tomaset, Linz, stellt drei Stämme Hamburger Goldsprenkel bester Qualität aus — besonders ein Stamm der Collection ist von wunderbarer Schönheit.

Herr A. Kaute, Wien, hat ausserordentlich starke rosenkämmige Langshan und sehr gute Houdans gesandt, während Herr Puskás in Klausenburg, weisse und gesperberte Nackthälse und schöne helle Brahma zur Ausstellung brachte.

Die Goldwyandotte des Herrn Klein, Wien, sind sehr gut entwickelt und zeigen gute egale Zeichnung, wie sie von keinem ausgestellten Stamme der silberfarbenen Varietäten erwerden.

Herr Pisker, Wien zeigt hervorragend schöne schwarze Italiener, auch die rebhuhnfarbenen Italiener und schwarzen Minorka — von letzteren besonders die Hennen — sind gut.

Das Diplom lobender Anerkennung wurde zutheil den folgenden Collectionen:

Zuchtstation „Eggenburg", für hervorragende Plymouthrocks; unter der Nachzucht dieser Anstalt befinden sich neben manchen minderwerthigen Thieren, einzelne Exemplare erster Qualität: so ein Hahn, der einer der besten Vertreter seiner Art auf der Ausstellung, desgleichen mehrere sehr gute Hennen. — Es wäre zu wünschen, dass für die Weiterzucht geeignete Auswahl unter den erzüchteten Thieren getroffen würde.

Der fürstliche Geflügelhof Wiazownica brachte Chamois-Paduaner, rebhuhnfarbene Italiener und Plymouthrocks in guter Entwicklung, besonders aber wurde die lobende Anerkennung durch eine schöne Collection Wassergeflügels verdient, worunter wir besonders Schwedische Enten, mehrere Wildenten-Arten und Entenkreuzungen erwähnen.

Frau Therese Thornton, Hietzing, hatte schöne Holländer und Chamois-Paduaner, ferner in einer Volière weisse Langshans und Plymouthrocks ausgestellt.

Die von einer neuen Züchterin: Frau von Hadary ausgestellten Chamois-Paduaner und weisse Langshans machen derselben alle Ehre und erregten die gerechte Bewunderung aller Kenner umsomehr, nachdem man erfahren hatte, dass die schönen Thiere in Wien selbst, in einem kleinen Gärtchen des VIII. Bezirkes erzogen wurden.

Frau Ingenieursgattin Albine Nagl, hatte die von der Frühjahrs-Ausstellung des Vereines zurückgebliebenen Eier in einem Sartorius'schen Brutapparat erbrüten lassen und im Vereinshause im Prater erzogen. Die Thiere, weisse Minorka, Plymouthrocks, Langshan, Phönix u. m. a. gediehen unter der umsichtigen Pflege so vorzüglich, dass sich die Jury veranlasst fand, sie — trotzdem sie nicht zur Ausstellung angemeldet, sondern in einer seitlich abseits gelegenen Volière untergebracht waren — mit dem Diplom lobender Anerkennung auszuzeichnen.

Herr Klima brachte gute Gold- und Silber-Wyandottes, Herr von Faas nebst diversem alten Geflügel auch 1892er Houdans, les Mantes und Peking-Enten. Herr Alb. Teschner, Rossbach i. B., stellte eine grosse Collection Junggeflügel aus, wovon wir die weissen und schwarzen Italiener, sowie Silberbantams erwähnen.

Herr Czerny in Wien hatte hübsche Hamburger Silberlack und Herr Thaussig eine grössere Collection weisser federfüssiger Zwerg-Hühner (sogenannte Gartenhühnchen) ausgestellt.

Den Schluss der Prämiirungsliste bilden eine Reihe von Anerkennungs-Diplomen die folgenden Aussteller zuerkannt wurden.

Frl. Betty Nagl, Purkersdorf, für weisse Minorka.

Herrn Anton Fuchs für blaue Kämpfer, Herrn Jackel Gottmannsgrün für Silbersprenkel, Herrn Paral für Goldwyandotte, Herrn M. Brutscher, Krems, für Peking-Enten Geflügelhof Janovitz für Trut- und Perlhühner, Frau Tintara, Mödling, für Houdan, Herr Dr. Hermann, Inzersdorf für Houdan und Langshan.

Sehr bemerkenswerth, wenn auch in Folge gar zu geringer Zahl ausgestellter Exemplare nicht prämiirt, sind ein Paar weisse österreichische Landhühner von Herrn Carl Wagner, Purkersdorf und 1·1 gelbe Cochin von H. Klaudy Wien. Endlich sei bemerkt die Collectiv-Ausstellung jener landwirthschaftlichen Casinos, die im vorigen Jahre vom I. österreichisch-ungarischen Geflügelzucht-Verein mit Zuchtstämmen subventionirt wurden. — Wir hoffen über die Zuchterfolge dieser Stationen demnächst eingehend berichten zu können.

Die Thiere des Herrn A. Schönpflug, Wien, entzogen sich, da genannter Herr Mitglied der Jury war, der Beurtheilung.

Ph.

B) Die Tauben

In der Tauben-Abtheilung, zu welcher Anfangs die Anmeldungen sehr spärlich einliefen, wurden schliesslich doch über 500 Paare zur Ansicht gebracht, also verhältnissmässig mehr als in anderen Jahren. Hierunter nahm die Collection des Herrn Stadtbaumeister Kernast (Wien) sowohl in Qualität, als Quantität den ersten Platz ein und da derselbe auch die meisten grossen Tauben-Racen (sog. Nutztauben) ausgestellt hatte, wurde demselben die höchste Auszeichnung durch Verleihung der silbernen Staats-Medaille zu Theil. Ihm zunächst kamen die Collectionen der Herren Oesterreicher (Erlaa) und Brosskay (Wien). Da aber diese nur Zier-Tauben (Tümmler und Pfautauben) enthielten, so konnte in Erwägung, dass das hohe Ackerbau-Ministerium nur die Zucht von Nutzgeflügel fördert, keine Staats-Medaille zuerkannt werden, sondern es erhielt ersterer für seine wirklich ausgezeichneten Thiere die silberne Vereins-Medaille, letzterer verzichtete als Preisrichter auf jede Prämiirung, doch dürfte seine Collection ein Schmuck der Ausstellung gewesen sein. — Die beiden bronzenen Staats-Medaillen holten sich die Aussteller Völkl (Linz) mit massigen Maltesern und Wagner (Purkersdorf) mit fleissig züchtenden Strasser-Tauben. Diesen genannten Collectionen schliessen sich die der Herren Spale mit schönen Schwalben, Fuchs mit Pfautauben, Braun mit französischen Kröpfern, Hahn (Deutschland) mit Schildpfautauben, v. Puskas (Siebenbürgen) mit Perücken und Mövchen würdig an, welchen 5 Collectionen die „sehr lobende Anerkennung“ zu Theil wurde. „Lobende Anerkennung“ fanden die feinen Brünner Kröpfer des Herrn Schmid, die zierlichen Mövchen des Frl. v. Huschek (Ungarn), die gelb-, roth-, und schwarzköpfigen Nonnen des Herrn Sess, die Mövchen und Kröpfer des Herrn Kurz, die gestorchten Tümmler des Herrn Dumtsa, die schönen englischen Kröpfer des Herrn Czerny und die riesigen ungarischen Kropftauben des Herrn Szokolits (Ungarn). Endlich erhielten noch Anerkennung die Thiere der Aussteller: Frl. Nagl, Herr Grauer, Groch, Kovács, Podivin, Gerhart, Dimmel, Karl, Friedl, Walter, Höllwart, Ehrmann, Schmidt, Michl und Stadlmann. Herr Mantzell hatte seine hübsche Collection Amsterdamer und Brünner Kröpfer als Preisrichter ausser Preisbewerbung ausgestellt.

J. B. B.

Kleine Mittheilung.

Brieftauben-Distanzflug zwischen Wien und Berlin. Als kleinen Nachzügler des grossen Distanzrittes Wien-Berlin wird die Brieftauben-Section des Ersten österreichisch-ungarischen Geflügelzucht-Vereines einen ähnlichen Wettbewerb mit Brieftauben veranstalten. An dem Distanzfluge Berlin-Wien, respective Wien-Berlin, werden sich sowohl die Wiener, als auch die Berliner Brieftaubenzüchter in grosser Anzahl mit ihren besttrainirten Tauben betheiligen. Dieser Distanzflug soll im kommenden Frühjahre abgehalten werden. Mit den nöthigen Vorarbeiten für den Distanzflug wurde ein dreigliederiges Comité, bestehend aus den Herren Rudolf Gerhart, Jacques Helfer und Otto Reuther, betraut.

Druckschriften-Einlauf.

Zweiter internationaler ornithologischer Congress, Budapest 1891. Hauptbericht. II. Wissenschaftlicher Theil. Mit 2 Tafeln. Budapest, 1892. — 238 Seiten, gross 4°.

Der Vogel-Massenfang in Südtirol. Herausgegeben vom tirolisch-vorarlbergischen Thierschutz-Verein. Innsbruck, 1892. Im Commissions-Verlage der Wagner'schen Universitäts-Buchhandlung. — 23 Seiten 8°.

Transactions and proceedings of the New Zealand Institut 1891. Vol. XXIV., by Sir James Hector, Director. Issued May 1892. Wellington George Didsbury, government printing office. Mit 51 Tafeln. — 746 Seiten 8°.

Eder Robert. „Der Kukuk in Dichtung und Glauben der Völker“. Separatabdruck aus der Nordböhmischen Vogel- und Geflügel-Zeitung.

Universal-Bibliothek für Naturfreunde, herausgegeben von der Expedition der allgemeinen deutschen Geflügel-Zeitung (C. Wohl) Leipzig.

Nr. 15. Die einheimischen Drosseln von M. J. Schuster, Preis 50 Pf.
„ 16. Unser Haushuhn von Jacob Esselhorn, Preis 1 M.
„ 17. Die Webervögel von M. J. Schuster, „ 60 Pf.
„ 18. Die Brieftaube von Josef von Pleyel, „ 1 M.
„ 22. Spanier von Paul Rindt, „ 50 Pf.

Dr. Karl Russ. „Die einheimischen Stubenvögel“, III. völlig umgearbeitete Auflage, Creutz'sche Verlagsanstalt, Magdeburg, 1892.

Curt Floericke. Zur Charakteristik der schlesischen Vogelwelt Sep. aus Cabanis „Journal für Ornithologie“.

K. Th. Liebe. „Vogelschutz im Walde“ Sep. aus der „deutschen Forst-Zeitung“.

E. Perzina. Europas befiederte Imitatoren, Sep. aus „Ornith. Monatsschrift des deutschen Vereines zum Schutze der Vogelwelt“.

Dr. Paul Leverkühn. Ornithologisches aus Lichtenberg's Werken, Sep. aus „Zoolog. Garten“, XXXII. Jahrg.

Verlag des Vereines. — Für die Redaction verantwortlich: Rudolf Ed. Bondi.
Druck von Johann L. Bondi & Sohn, Wien, VII., Stiftgasse 3.

XVI. JAHRGANG. Nr. 20.

Blätter für Vogelkunde, Vogelschutz, Geflügelzucht und Brieftaubenwesen.

Organ des I. österr.-ung. Geflügelzuchtvereines in Wien und des I. Wr. Vororte-Geflügelzuchtvereines in Rudolfsheim

Redigirt von C. **PALLISCH** unter Mitwirkung von Hofrath Professor **Dr. C. CLAUS.**

31. October. — 1892.

„DIE SCHWALBE“ erscheint **Mitte** und **Ende** eines **jeden Monates.** — Im Buchhandel beträgt das Abonnement 6 fl. resp. 12 Mark, Einzelne Nummern 30 kr. resp. 50 Pf.

Inserate per 1 □ Centimeter 3 kr., resp. 6 Pf.

Mittheilungen an das **Präsidium** sind an Herrn **A. Bachofen v. Echt** in Nussdorf bei Wien; die **Jahresbeiträge** der Mitglieder (5 fl., resp. 10 Mark) an Herrn **Dr. Karl Zimmermann** in Wien, I., Bauernmarkt 11;

Mittheilungen an das **Secretariat**, ferner in Administrations-Angelegenheiten, sowie die für die **Bibliothek** und **Sammlungen** bestimmten Sendungen an Herrn **Dr. Leo Pribyl**, Wien, IV., Wanggasse 4, zu adressiren.

Alle redactionellen Briefe, Sendungen etc. an Herrn **Ingenieur C. Pallisch in Erlach** bei Wr.-Neustadt zu richten.

Vereinsmitglieder beziehen das Blatt gratis.

INHALT:

Ueber das Vorkommen der Zwergohreule (Scops zorca. Sav.) in Böhmen, Mähren und Oesterr.-Schlesien.

Von Ph. C. Dalimil Vladimir Vařečka.

(Schluss.)

II.

Ueber das Vorkommen der Zwergohreule in Mähren liegen bis jetzt auch nur spärliche Daten vor. Nach der beglaubigten Angabe des Herrn P. R. Kašpar und des Herrn A. Heinrich kommt sie wohl in den Beskyden und auf den höheren Kämmen der Karpathen, immer aber nur als eine seltene Erscheinung vor. Herr P. R. Kašpar berichtet über ihr Vorkommen folgendes: „Als ich im Jahre 1840, 30. September, nach den grossen Schulferien von Bludau nach Olmütz zu meinen Studien auf der Reise war, erblickte ich auf der Fahrstrasse unweit Littau zwischen Klein-Lhota und Mladetsch die Zwergohreule. Sie sass auf einem säulenartigen Haufen von Kalkstein. Es war bei hellem Sonnenlichte, was um so auffälliger erscheint, als nach allen bisher bekannt gewordenen Berichten diese Eulenart ihr Versteck am Tage nicht verlassen soll. — Der Vogel war so wenig scheu, dass er nicht eher aufflog, als bis der Fuhrmann zweimal nach ihm mit der Peitsche geschnalzt hatte. Der Fuhrmann machte nachher die Bemerkung, die Eule hätte wie ein Teufelchen ausgesehen.“ (Uebers. aus der Monographie: Ptactvo Moravské. Vrgl. [17]) p. 61). — (Vrgl. auch [18]) p. 12–13.) —

[17]) P. R. Kašpar: „Ptactvo Moravské“ (Časopis vlast. musejn. spolku v Olomouci roč. VI. 1889. p. 59. „Vögel Mährens“ in der Zeitschrift des vaterl. Museumsvereines in Olmütz, VI. Jahrg. 1889. p. 59).

[…]) P. R. Kašpar: Oněkterých druzích ptáků jižto na Moravě pořidku se vyskytují (Časopis dto. roč. III. 1886. p. 12.

Seit dem Jahre 1840 bis 1890 wurde diese Eule nicht mehr beobachtet, obwohl während dieser Zeit die Werke der berühmtesten mährischen Ornithologen: von Anton Müller (Vrgl. [26]), A. Schwab (Vrgl. [19]), A. Heinrich (Vrgl. [20]) und [21]), J. Talský (Vrgl. [22]) erschienen waren, bis sie wieder im Jahre 1890 von Prof. Zahradník in der Gegend von Kremsier gesehen wurde. Nach der Behauptung desselben Herrn soll dieser Vogel in den Hřiber Bergen, einem Ausläufer der Karpathen nisten. (Vrgl. [23]). — Nach der mir jüngst zugekommenen Mittheilung des Herrn V. Čapek, Lehrers in Oslavan, soll diese Eule laut einer neueren Angabe des Prof. Zahradník auch in den Marchauer Bergen am rechten Marchufer nisten. Freilich bedarf diese Angabe noch der Constatirung, obwohl man sie in Hinsicht auf das Vorkommen dieses Vogels in O.- und N.-Oesterreich, wie auch im nachbarlichen Ungarn, wo er häufig nistend getroffen wird, nicht in Abrede stellen kann.

III.

In Oesterr.-Schlesien ist nach Alb. Heinrich's Beobachtungen dieser Vogel eine ungewöhnlich seltene Erscheinung und wurde nach der zuverlässigen Angabe dieses Beobachters im Jahre 1844 bei Krautenwald geschossen (Vrgl. [21]). — Derselbe schreibt im besagten Werke darüber Folgendes: „Vor 12 Jahren erhielt ich vom Förster Richter aus k. k. Schlesien ein Exemplar, das er in seinem Reviere bei Krautenwald geschossen hat. Es kann meines Wissens bis nun für ein Unicum gelten.“ (Vrgl. [21]) p. 75.) — Dieselben Worte citirt in seinem neuesten Werke über die Vögel Schlesiens Emil Rzehak S. 87 und fügt hinzu: „Und ein Unicum ist sie bis heute geblieben, denn seit jener Zeit, also seit 50 Jahren, hat man hier noch keine einzige weder beobachtet, noch erlegt.“ — (Vrgl. [24]) p. 87.) — (Vrgl. auch [25]) p. 292.)

Wenn wir nun auf die über die Zwergohreule in Böhmen, Mähren und Schlesien seit einer Reihe von Jahren von vielen Beobachtern angeführten Daten zurückblicken, werden wir gewahr, wie diese lückenhaft, unvollständig, ja sogar auch so oberflächlich lauten, dass sie unzweifelhaft auch mitunter einer unrichtigen Kenntniss dieser Eulenart entsprangen. Als der Hauptgrund, dass diese Eulenart bisher den Blicken auch der fleissigsten Beobachter entging, mag sowohl ihre unbedeutende Grösse sein, die Büffon sogar der einer Drossel gleich setzte, wie auch die auffällige Aehnlichkeit ihres Gefieders mit anderen Vögeln, wie denn ihr Federkleid uns an das des Wendehalses und Ziegenmelkers unwillkürlich erinnert. (Vrgl. [27]) p. 58.) — Gar häufig mag sie auch mit einer jungen Waldohreule identificirt worden sein. Ebenso sehr werden die verborgenen Verstecke, die sie liebt, ihre Erbeutung nicht minder, wie ihre biologische Beobachtung immerhin erschweren. Ihre Verstecke sind nämlich Höhlungen jeder Art in jeder Gegend, hohle Bäume, Felsenklüfte oder auch dicht verwobenes Baumgezweig in Gebirgen und auch Ebenen der wärmeren und gemässigten Länder, obwohl sie auch schon in Schottland einige Male beobachtet wurde. (Vrgl. [28]). — Sehr selten sind die Berichte, dass sie auch bei Tage fliegend beobachtet wurde, wobei sie sich sehr stille verhält und an Baumstämme angedrückt oder im Weinlaube versteckt den Blicken des Beobachters sich leicht entzieht. Auch der Umstand, dass diese Eule nie ein Nest baut und ihre 2—6 Eier in Ritzen und Spalten der Felsen, Mauern oder in Baumhöhlungen ohne jedwede Unterlage legt, mag auch die Auffindung und Beobachtung dieses Vogels beschwerlich machen.

Ob die Zwergohreule auch hie und da in Mitteleuropa überwintere, ist trotz der darüber von vielen Ornithologen ausgesprochenen Behauptung noch nicht genugsam erwiesen.

Hingegen sprechen sich die gewiegtesten Ornithologen, insbesondere die im Süden Europas diesen Vogel häufig beobachteten, entschieden dahin aus, dass er im Süden Europas zu den Zuvögeln gehöre, im September oder Anfangs October bis ins Innere von Afrika wegfliege und Ende März oder Anfangs April zurückkomme.

Písek, 23. September 1892.

Ph. C. Dalimil Vl. Vařečka.

Der graue Fliegenfänger (Muscicapa grisola).

Monographische Skizze von **Anton Abraham jun.**

Fliegenfänger, grosser, gefleckter, graubrauner, graugestreifter, gestreifter europäischer Fliegenfänger, Graufliegenfänger, Fliegenschnäpper, grosser gefleckter oder graugestreifter Fliegenschnäpper, Muckenschnapper, Mückenfänger, Fliegenschnäpfer, Hütik, grauer Hütik, graag Hüting, Spiess-, Koth- und Nesselfink, Pips-, Todten- und Pestilenzvogel, Regenpieper, Schurek.

Muscicapa grisola, Linn., (1766); Gm.; Bechst.; Temm. 1815; Naum. 1822; Br. 1831; Glog.; K. u. Blas.; A. Br. 1882; Rchw.; v. Hom. 1885; Meves; — Butalis grisola, Linn.; Boie; Isis 1826; — Butalis montana, Chr. L. Brehm 1831; Butalis africana, Bp. 1854; Butalis alpestris, Chr. L. Brehm 1855; — Butalis pinetorum.

Ueber einige Arten Vögel, welche in Mähren vorkommen. Zeitschrift. dto. Jahrg. III. 1886. p. 12).

[19]) A. Schwab: Fauna der Vögel eines Theiles von Mähren und Schlesien. (Spt.-Abdr. aus d. Verhandlungen des zool.-bot. Vereines in Wien. 1854).

[20]) A. Heinrich: Verzeichniss der Vögel Mährens und Schlesiens. Brünn. 1866.

[21]) A. Heinrich: Mährens und Schlesiens Fische, Reptilien und Vögel. 1856).

[22]) J. Talsky: Die Raubvögel Mährens. (Spt.-Abdr. aus der Zeitschrift f. d. gesammte Ornithologie, Jahrg. 1885, Budapest 1886).

[23]) J. Zahradnik: Ornithologisches aus Mähren. (Vesmír. Jahrg. XIX, Nr. 13).

[24]) E. C. F. Rzehak: Die Raubvögel Oesterr.-Schlesiens. (Mittheil. d. ornithol. Ver. in Wien „Schwalbe“ 1892. Nr 7. p. 76). —

[25]) E. C. F. Rzehak: Systematisches Verzeichniss d. bisher in Oesterr.-Schlesien beobacht. Vögel u. s. w. (Zeitschrift dto. Jahrg. XV. 1891. p. 292).

[26]) Ant. Müller: Verzeichniss der Vögel Mährens. Brünn 1830.

[27]) Fr. H. W. Martini: Büffon's Naturgeschichte d. Vögel. III. Band. Berlin 1775. p. 58).

[28]) O. v. Riesenthal: Das Waidwerk. Berlin 1880.

Engl.: Spotted flycatcher; franz.: Gobemouche gris; span.: Papamoscas; portug.: Yarathao, Papanoscas; ital.: Pigliamosche; malt.: Zanzarel; dän.: Graa Fluesnapper; norweg.: Graa Fluesnapper; schwed.: Gra Flugsnappare; russ.: Pieuka; poln.: Mucholówka szara; böhm.: Lejsek šedohnědý; ung.: Szürke Legyész; croat.: Siva muharka.

Der Rücken ist bräunlichgrau, der Schaft der Federn schwarz. Der Kopf ist etwas dunkler grau; dadurch, dass die Federn am Scheitel etwas lichter gekantet sind, erscheint derselbe regelmässig parallel zur Medianebene gefleckt. Die Unterseite ist schmutzigweiss, mit hellen, braungrauen, deutlichen Flecken an der Kehle und grauen verwaschenen Längsflecken an der Brust. Die Schwingen sind unmerklich dunkler als der Rücken. Die Schwingendeckfedern sind an den Spitzen etwas lichter gesäumt und bilden zwei undeutliche Flügelbinden.

Die Färbung des Weibchens stimmt im Wesentlichen mit der des Männchens überein, nur sind in der Regel die Flügelbinden nicht mehr erkennbar und auch die Flecken an der Brust undeutlicher.

Bei den Jungen ist die Oberseite schmutzigbraun mit grauen Flecken und rostgelben Tüpfeln, die Unterseite röthlichweiss mit sichelförmigen, graubraunen Querflecken. Das Jugendkleid währt bis zur zweiten Mauser.

Die Mauser findet im August statt.

Der Schnabel ist an der Basis breit und flach niedergedrückt, an der Oberseite fast dreikantig, mit hackig eingekerbter Spitze, an der Unterseite rundlichflach, er ist schwarz, an der Wurzel des Unterkiefers etwas gelblich. Der Rachen ist gelb. Das Auge ist dunkelbraun, Durchmesser desselben 3·5 mm. Die Füsse sind schwarz, bei jungen Thieren schwarzbraun. Der Schwanz ist seicht ausgeschnitten.

Die Länge des Vogels beträgt 13·8—14 cm, die Breite 24·7—25 cm, Fittiglänge 7·8—8 cm, Schwanzlänge 5·5—6 cm. Der Flügel besteht aus 19 Federn. Die erste Schwungfeder ist sehr klein, die zweite kürzer als die dritte, welche die längste ist. Der Schnabel ist vom Mundwinkel bis zur Spitze 1·7 cm lang, vom Beginn der Nasenlöcher bis zur Spitze misst derselbe 1 cm. Der gestiefelte Lauf ist 1·5 cm lang und schwach. Das Scelet ist sehr zart, nur das Quadratum etwas kräftiger entwickelt.

Die Heimat des Fliegenfängers ist ganz Europa bis zum 70. Grad nördlicher Breite, jedoch ist er, den Süden abgerechnet, wo er zahlreicher auftritt, nirgends gerade häufig. In Asien verbreitet er sich nach den Berichten der Reisenden bis zum Altai. Auf dem Zuge dringt er bis ins Innere Afrikas vor.

Seinen liebsten Aufenthalt bilden Waldesränder in der Nähe von Flüssen, Teichen oder Seen, oder sogenannte Anwälder mit viel Gestrüpp. Obwohl er auch im Nadelwald vorkommt, zieht er doch entschieden den Laubwald vor, jedoch begnügt er sich oft auch mit einer Allee oder einer kleinen Parkanlage. Im Gebirge fand ich ein Paar in der Nähe von Sexten in Tirol in einer Höhe von beiläufig 1600 m. Dr. A. Brehm traf ihn in den Hochgebirgen Scandinaviens.

Er ist ein echter Zugvogel, bei uns trifft er gewöhnlich zwischen 15. und 25. April ein. Die Frühzeitigsten beobachtete ich im Jahre 1889 am 13. April. Nach Norddeutschland kommt er gewöhnlich erst Ende April oder Anfangs Mai. Der Abzug beginnt Ende August und dauert oft bis 10. October. Sie reisen paarweise in der Nacht.

Der Fliegenfänger ist ein munterer, aufgeweckter Vogel; mit dem Schwanze zeitweilig wippend, etwas herabhängenden Flügeln, den Kopf nach allen Seiten wendend, sitzt er da und lugt mit seinen hellen, klugen Aeuglein beständig nach Insecten aus, um, wenn er eine Beute entdeckt hat, pfeilschnell auf dieselbe loszuschiessen. Hat er selbe erreicht, so kehrt er meistens auf seinen Sitzplatz zurück. Ist ein Insect in seiner unmittelbaren Nähe, so sitzt er vollkommen unbeweglich, nur mit den Augen seine Beute verfolgend, um im geeigneten Momente mit nie fehlgehender Sicherheit zuzuschnappen. Im Gezweige hüpft er nicht umher. Auf den Boden kommt er höchst selten und nur auf kurze Zeit, er hüpft dabei ziemlich langsam und ungeschickt umher, nur bei trüben Wetter vor einem Regen beobachtete ich ihn daselbst auf der Suche nach sich verkriechenden Kerfen oder Larven. Sein Flug ist schnell und schön, manchmal flatternd, oft auch rüttelt er eine Weile.

Seine Nahrung besteht aus Insecten; Mücken und Fliegen zieht er vor, doch verzehrt er auch Schmetterlinge und Libellen, in der Noth wohl auch kleine Käfer, Raupen oder Heuschrecken, er ist deshalb einer unserer nützlichsten Vögel und darf man ihm das nicht als Verbrechen anrechnen, wie dies öfters geschieht, wenn er einmal eine Drohne wegfängt. Manchmal nimmt er auch einige Beeren zu sich. Hat er ein grösseres Insect gefangen, das er nicht ohne Weiteres verschlucken kann, so sucht er sich dieses durch wiederholtes Anstossen an einen Ast mundgerechter zu machen. Besonders bei Schmetterlingen sucht er die Flügel abzubrechen.

Sein Gesang ist ohne Bedeutung und leise, der Lockton lautet beiläufig wie tschri tschri, in der Angst folgt auf dieses ein mehrmaliges teck, teck.

Gegen kleinere Vögel zeigt sich der Fliegenfänger friedfertig und verträglich, doch duldet er keinen seiner Art innerhalb des gewählten Revieres und wird jeder Eindringling auf das Lebhafteste verfolgt, wobei das Männchen durch sein Weibchen kräftigst unterstützt wird. Geradezu kühn ist unser Vogel kleinen Raubvögeln, Würgern und dem Kukuk gegenüber. Muthig stösst das Paar auf seinen Gegner und ist die Vertheidigung nicht immer erfolglos. Ich beobachtete, wie ein Würger dreimal nacheinander von dem Junge enthaltenden Neste verjagt und mit grosser Erbitterung verfolgt wurde. Der Fliegenschnäpper baut sein Nest an den verschiedensten Stellen, am liebsten in der Nähe eines Gewässers auf Bäumen. Man findet es auf abgestutzten Bäumen, Weidenköpfen, Pappeln, Hollunderstauden, zwischen Baumstützen, Gartengeländern, auf Gesimsen, nach Anderen auch in Baumhöhlen. Mir ist jedoch kein solcher Fall bekannt. Nach Liebe soll er auch in Schwalbennestern brüten. E. F. v. Homeyer sah ihn in Ibenhorst oberhalb der Thüre des Forsthauses in einem Elchgeweih brütend. Graf Casimir Wodzicki traf ihn in den Karpathen an Felsen nistend. Das Nest steht gewöhnlich in einer Höhe von 2—6 m. Doch fand Sachse einmal ein solches 2 Fuss hoch in einem Rosenstrauche. Ich selbst habe das niederste kaum $^1/_2$ m vom Boden in einer Hollunderstaude, das zweitniederste 1 m vom Boden an dem keine Höhlung zeigenden Stamm einer Pappel in der Form eines Schwalbennestes angebaut gefunden. Das höchstgelegene fand ich auf einer Pyramidenpappel in einer Höhe von circa 7 m zwischen dem Stamm und kleinen Sprösslingen. Der Fliegenfänger sucht gerne seine alten Nistplätze wieder auf, ich finde seit Jahren auf denselben Stellen seine Nester. Das ziemlich grosse Nest, welches beide Gatten gemeinsam bauen, ist dem des Buchfinken am ähnlichsten, doch ist es nie so schön und nett gearbeitet. Das Nest der ersten Brut ist wohl sorgfältiger gebaut, das der zweiten Brut in der Regel aber sehr unordentlich. Es besteht aus Moos, feinen Wurzeln, Halmen und ist mit etwas Wolle, einigen Pferdehaaren oder Federn ausgefüttert, es ist dickwandig und meistens gut versteckt hart am Stamme. Die Mulde ist 2 cm tief und hat 5 cm im Durchmesser.

In Niederösterreich findet man das 4—5 Eier enthaltende Gelege der ersten Brut Mitte Mai, in Norddeutschland Ende Mai oder Anfangs Juni. Die meistens nur vier Eier umfassende zweite Brut findet man in Niederösterreich Ende Juni, in Norddeutschland Anfangs Juli, doch findet oft nur eine Brut statt. Folgend die Daten von mir in Niederösterreich gefundener Gelege:

1888 am 20. Mai 5 Eier
1889 „ 14. „ 5 „
1889 „ 15. „ 5 „
1889 „ 16. „ 5 „
1889 „ 26. Juni 4 „
1890 „ 22. Mai 4 „ ziemlich stark bebrütet
1891 „ 18. „ 5 „
1891 „ 28. Juni 4 „
1892 „ 16. Mai 5 „

Die glattschaligen, mattglänzenden, an beiden Polen abgerundeten Eier sind auf grünlichweissem, blaugrünlichem, seltener röthlichweissem Grunde, mit rostfarbigen und verwaschen violettgrauen Flecken, welche gegen den einen Pol zahlreicher sind, jedoch selten einen Fleckenkranz bilden, gezeichnet. Ich sah folgende Variationen: Auf röthlichweissem Grunde verwaschen lichtrostrothe Flecken; auf blaugrünlichem Grunde dunkelrostrothe und deutliche grauviolette Flecken, ebensolche mit Fleckenkranz; auf grünlichweissem Grunde nur sehr schwach gefleckte; endlich solche, mattrostroth die Flecken so in einander verlaufend, dass die Grundfarbe kaum mehr erkennbar war.

Durchschnittsmasse der von mir gemessenen niederösterreichischen Eier: 19·4 + 14 mm.

Mass des kleinsten Eies 18·5 + 13·4 mm, des grössten 20 + 14·8 mm, eines sehr runden 19 + 15·5 mm.

Die Eier werden in 14 Tagen ausgebrütet, wobei das Weibchen in den Mittagsstunden vom Männchen abgelöst wird. Der Fliegenfänger hängt mit grosser Liebe an seiner Brut, er bleibt auf Eiern oder Jungen sitzen bis man ihn mit der Hand fast berührt und fliegt erst dann mit lauten Angstrufen auf den nächsten Ast. Man ist kaum zwei bis drei Schritte vom Neste entfernt, so sitzt er auch schon wieder auf demselben.

Manchmal müssen sie auch Kukukseier ausbrüten, es gelingt diesem jedoch nur dann, sein Ei in das Nest des Fliegenfängers zu bringen, wenn es derselbe nicht bemerkt, andernfalls wird der Kukuk beim Herannahen an das Nest sofort heftig angegriffen. Die rasch wachsenden Jungen werden sehr lange gefüttert, bis sie selbst ihre Nahrung suchen.

Feinde des Fliegenfängers sind Katzen, Marder und Sperber; Eichhörnchen, Würger und die Dorfjugend werden der Brut oft gefährlich.

In der Gefangenschaft geht dieser Vogel, besonders in kleinen Käfigen, bald zugrunde. In einem Flugkäfige oder frei im Zimmer gehalten, wird er sehr zahm, hält jedoch auch hier nicht lange aus und stirbt meistens an Auszehrung.

Aus dem Thierleben der Heimat.

Von **Staats von Wacquant-Geozelles.**

In allen mir bekannten Werken wird nur wenig oder eigentlich nichts, über die Feinde des Feuersalamanders angegeben und ist dies auch durchaus erklärlich, da der genannte Lurch nach dem Stande unseres heutigen Wissens „eigentliche" Feinde, d. h. solche, welche ihn geradezu aufsuchen und verspeisen, nicht besitzt. Dennoch aber gibt es eine Anzahl von Thieren, welche — zufällig mit ihm zusammengetroffen — ihn nicht unangefochten seines Weges ziehen lassen, sondern ihn dann häufig befehden und auch wohl gar umbringen, ohne ihn indessen jemals zu verspeisen.

Besondes sind es einige Vögel, welche ihn voll Abscheu tödten; doch auch einige Arten der anderen Classen der Wirbelthiere sind geneigt gelegentlich ihr Müthchen an ihm auszulassen oder zu kühlen, wenn dies ihnen auch oft mehr, oft weniger schlecht bekommen; ja zuweilen sogar den Tod bringen mag.

Ueber die Giftigkeit des Feuersalamanders ist seit den ältesten Zeiten viel geschrieben und gefaselt worden. So berichtet Plinius, dass der Milchsaft, welcher aus dem Munde dieses Thieres laufe, so scharf sei, dass er die Haare am ganzen menschlichen Körper wegzufressen und die mit dem Schleime benetzte Stelle farblos und zum „Male" zu machen vermöge.

Nicht, wie andere Giftthiere, tödtet er nur einzelne Menschen, sondern er könne ganze Völkerschaften vernichten. Der Brunnen, in dessen Wasser er gelegen, sei vergiftet; ebenso die Früchte des Baumes, auf den er gestiegen, und wer ersteres trinke und letztere esse, der müsse sterben vor Frost; ja die Magier versicherten, dieser Lurch sei so kalt, dass er durch blosse Berührung Feuer auslösche. Letzteres — d. h. die ihm innewohnende Kraft, Feuer auszulöschen — sei aber wohl nicht begründet, denn sonst würde Rom längst einen

Versuch gemacht haben Auch Sextius leugnet dieses. Brod aber, welches auf, vom Salamander berührtem Holze gebacken sei, wäre vergiftet.

In Rom wurde der Salamander von Giftmischern benützt und die Gesetze hatten Todesstrafe auf diese Handlung gesetzt.

Auch den Alchemisten musste unser Feuersalamander herhalten, indem sie ihn in einem Tiegel verbrannten und nach einiger Zeit mit Quecksilber beträufelten. Auf diese Weise sollte man durch den Giftwurm zu Gelde gelangen; doch wurde diese Procedur für ausserordentlich gefährlich gehalten! In letzterer Hinsicht hatten die Goldmacher nun nicht ganz unrecht, denn die dem Tiegel entsteigenden Quecksilberdämpfe mögen manchem recht schlecht bekommen sein, ohne dass er den seit 2000 Jahren, seit des ägyptischen Königs Hermes Trismegistos Zeiten, von den Alchemisten gesuchten „Stein der Weisen" gefunden haben dürfte! Franz I. 1708—1765, führte einen flammenumwallten Feuersalamander in seinem Wappen, unterschrieben: „Nutrio et extinguo", „ich nähre und lösche aus" u. s. w.

So, wie dem Feuersalamander, so erging es eben vielen Geschöpfen, sowie sie in Lebensweise oder Zeichnung etwas auffallendes boten, so bemächtigte sich ihrer auch die Sage und was diese ihnen nach und nach andichtet, das ist — nach der Erfahrung, „semper aliquid haeret!", „immer bleibt etwas anhängen!" — so leicht nicht wieder auszurotten.

So auch bei Salamander maculosa; er gilt als giftigstes Thier hiesiger Gegend, und wenn ihn hier bei uns der „gemeine Mann" auch nicht befehdet, so betrachtet er ihn doch immer noch mit jener, dem Menschen vom Urzustande her verbliebenen Abscheu.

Vom Volke wird hier bei uns der Feuersalamander „die Mulle" genannt, welchen Namen wir ja auch bei vielen anderen, versteckt (unterirdisch) lebenden Thieren finden. So z. B. I. Säugethiere (Nagethiere): Strandmoll, Bathyergus maritimus; Blindmoll, Spalax Typhlus. II. (Maulwürfe oder Mullen): Maulwurf oder Mullwurf, hier bei uns „Multwurm" genannt. (Talpa europaea). Sternmull, londylura cristata; Goldmull, Chrysochloris inanvata; Wassermull, Scalops aquaticus. III. (Schwanzlurche): Mullsalamander, Salamandra talpoidea.

In anderen Gegenden wird dieses Thier indessen schlechter behandelt und von „beherzten Burschen" erschlagen, wo er sich zeigt.

Auch der gesittete Städter, welcher sich doch so viel auf seine höhere Bildung zu Gute hält, welcher doch eigentlich vom Urzustande schon wieder um einige Grade mehr entfernt ist, hat nicht gern mit diesem schönen, nützlichen und in unangegriffenem Zustande gänzlich ungefährlichen Thiere zu schaffen, sondern geht ihm oft weit aus dem Wege. Und wenn der Eine oder der Andere einmal wirklich ein solches Thier einfängt, so geschieht das meistens nur zu dem Zwecke, ihn, einer leider nur allzu sehr eingerissenen Unsitte entsprechend, „in Spiritus zu setzen." Letzteres ist indessen immer noch besser, als wenn er in gänzlich ungeeigneten Terrarien langsam auf elende Weise dem Tode entgegen siechen muss, wozu er vom „gesitteten" Städter leider nur allzu oft grausam verdammt wird!

So viel über die, dem genannten Lurch von Seite des Homo sapiens am Ende des 19. Jahrhundert zu Theil werdenden Befehdung. Aber auch andere Säugethiere bethätigen zuweilen ihren Hass am Feuersalamander. Einer meiner Teckel, welcher Eidechsen und Schlangen tödtet und apportirt, lässt — wie ich im „Zoologischen Garten" 1891, Nr. 3, S. 89, berichtete — auch den Feuersalamander nicht unbehelligt. Er fasst ihn in der bei Raubthieren bekannten, bei solchen Gelegenheiten „gleichzeitig Mordlust, Ekel und Furcht verrathenden Weise" (nach häufigem schnarrenden in die Luft schnappen und Pfotenhieben) mit den von den Lippen entblössten Schneidezähnen — wie der Hund z. B. auch mit der Wespe verfährt — kneift dann schliesslich zu und wirft ihn sofort in die Luft.

Ebenso scheint es der Fuchs zu machen; denn ich fand einst auf einem Fuchsbau einen todten Salamander, neben welchem die jungen Füchse „im Spiel und Abscheu" eine Menge Löcher in die Erde gekratzt hatten. Sie hatten ihm einige Bisse beigebracht, ihn aber dann — jedenfalls durch Schaden klug geworden — beim Kratzen ängstlich unberührt gelassen.

Einst sah ich mich in die Nothwendigkeit versetzt, auf einem Blumenbeete einen Maulwurf fangen zu müssen. Statt eines solchen Schwarzrockes war aber ein grosser Feuersalamander in das Eisen gerathen. Derselbe war von den eisernen Armen an der Brust gepackt und der Maulwurf, welcher bekanntlich in seinem Palaste keinen Hausfriedensbruch leidet, hatte ihm mehrere Bisswunden am Schwanze beigebracht, sich dann aber neben dem ihm wiederwärtigen Thiere vorbeigewühlt.

Plinius nennt das Schwein als den Feind des Salamanders; meine Schweine rührten ihn nie an.

Anders verhält es sich mit meinen Putern. Es ist bekannt, dass manche wildlebende Hühnerarten den Reptilien nachstellen; die kräftigen Pfauen z. B. gehen selbst grösseren Giftschlangen energisch zu Leibe, um sie theilweise zu fressen, jedenfalls aber zu tödten. Aehnlich verfährt der Puter, welcher durch den Anblick von Schlangen, Lurchen und Fröschen in eine grosse Erregung versetzt wird. Ich habe aus Nützlichkeitsgründen seit frühester Jugend fortwährend Igel und Feuersalamander in unserem grossen Park eingesetzt. Spuren von beider Thiere nutzbringender Thätigkeit finde ich fortwährend, nie aber habe ich beobachtet, dass ersterer dem letzteren nachstellt. Seit hier aber eine grosse Puterherde umherspaziert, sind beide obengenannten Thiere sehr übel daran, denn sowohl ganz junge Igel, wie auch der Feuersalamander werden einfach todt gehackt. Sicher an dreissig Salamander-Morde kann ich den Putern nachweisen!

Sowie ein solcher Lurch irgendwo losgescharrt worden ist, wird er umzingelt und in der bei Putern beliebten, höchst albernen Weise umschrieen und betrachtet. Manchmal vermag er — oder eine Blindschleiche — sich noch zu retten, denn um zu wirklichen Thätlichkeiten überzugehen, dazu muss das Putergehirn erst in eine gewisse Aufregung gerathen, welch' letztere erst nach und nach eintritt. Hackt aber erst einer der Puter zu, so ist es auch um das Opfer geschehen, denn dann bemächtigt sich eben sofort aller ein gewaltiger Kampfesmuth. Junge Puter sehen dem Morde nur albern zu; die Alten sind zu solcher Zeit aber um so erregter, eifriger und boshafter. Das getödtete Opfer wird niemals verspeist.

Ich muss hier einflechten, dass einzelne Puter eine ganz ausgesprochene Mordlust, ja, geradezu Blutdurst an den Tag legen und gelegentlich höchst grausam gegen schwächere Geschöpfe verfahren. Dass ein alter, vielfach geärgeter Puterhahn selbst Kindern zu Leibe geht und ihnen gefährlich wird, ist bekannt; im Flecken Aerzen dahier ist ein Kind von einem solchen Veteran fast getödtet worden! Auch in unserer eigenen Herde zeichnen sich immer einzelne der Alten als mordsüchtig aus und besitzen wir augenblicklich einen Hahn, welcher schon manches Huhn und manchen jungen Puter getödtet und dann halb aufgefressen hat! Sein Blutdurst ist zeitweise unglaublich und ebenso die beim Tödten und Verzehren des Opfers eintretende Erregung! Seine Uhr ist abgelaufen.

Auf dem an der Emmer belegenem Hofe der „Rischmühle" lebt ein alter Puterhahn, welcher es ganz besonders auf einem alten, schweren Enterich abgesehen hatte. Er ging ihm zu Leibe, wo er ihn sah und verfolgte ihn stets bis an den Fluss.

Eines Tages ging nun auch einmal dem Enterich die Galle über und er stellte sich zur Wehre. Der Puter besiegte ihn indessen bald und zerhackte sein Opfer so jämmerlich, dass der hinzugekommene Besitzer, Herr Müller, der Ente den Kopf abhauen musste. Sowie das enthauptete Thier auf die Erde fiel, stürzte der Puter wieder auf dasselbe und bearbeitete den blutenden Hals mit Schnabelhieben; und als man dann die Ente fortgetragen hatte, da hackte er auf dem zurückgelassenen Kopfe herum. Letzteren trug er noch tagelang in höchster Erregung herum.

Hier auf unserem Hofe stolzieren zwei stattliche Italiener-Hähne; mit dem Einen lebt die ganze Puterherde in grösster Eintracht zusammen, der Andere wird gemeinsam malträtirt, wo er sich nur in der Nähe der Puter sehen lässt. Stellt er sich endlich einmal gegen eine einzelne Henne zur Wehr, so rücken sogleich andere herbei und wenn er bei solcher Gelegenheit am Kamme oder am Kehllappen ergriffen wird, so wird er viele Minuten lang daran umhergeführt und noch obendrein von Anderen hinten mit Fusstritten bedacht.

Gelegentlich solcher Massen-Erregung hat die Puterfamilie für nichts anderes Sinn und Verständniss; der Habicht, dem bei normalem Stande der Dinge ohne Weiteres muthig zu Leibe gerückt wird, hat leichtes Spiel und wird überhaupt nicht bemerkt und wenn mein Hund von mir zum Friedensstifter ernannt und abgesandt wird, so hat die ganze Gesellschaft völlig den Kopf verloren und ist schon manchmal ein halbes Dutzend von ihnen in den Teich gesprungen. Einst wurde von der friedlich auf Grashüpferjagd befindlichen Puterherde ein im Gras sitzender Hase entdeckt. Sofort wurde er enge und enger umzingelt und albern begafft. Plötzlich springt der halb todt geängstigte Hase mit riesigem Satze in die Höhe und sämmtliche Puter liegen vor Schreck am Boden oder brachten sich, sinnlos gegen einander rennend, gegenseitig zu Falle. Es ist eben bezeichnend für ein beschränktes Hirn, dass in unvorhergesehenen Momenten auch der letzte Rest von Verstand verschwindet. Die Dummheit des wilden Puters hat sich natürlich auch der Mensch wohl zu Nutze zu machen gewusst. Der amerikanische Jäger schichtete früher Stämme so übereinander, dass sie einen langen, röhrenförmigen Gang bildeten, welcher oben dicht mit Reisig bedeckt wurde und dessen beide Enden so grosse Oeffnungen aufwiesen, dass das Trutwild bequem hineingehen konnte. Nun streute man lange Streifen von Maiskörnern im Walde aus und führte diese Lockstreifen bis an, beziehungsweise in die primitive Falle. Fanden die Puter die ausgestreute Lockspeise, so folgten sie ihr, gingen in die Balkenvorrichtung hinein, frassen die Körner auf und wussten dann die Ausgänge nicht wieder zu finden, sondern schoben den Hals überall zwischen den Balkenöffnungen durch, so sich abmühend, bis der Jäger kam, um sich oft reiche Beute zu holen. — Audubon erzählt, 1834, dass die Jäger zuweilen die Fallen nicht revidirt hätten und dass in solchen Fällen manchmal die gefangenen, dummen Truthühner darin verhungert seien, ohne den Ausweg zu finden!

Nach dieser Abschweifung ist es nun Zeit, wieder zu dem Feinde des Feuersalamanders zurück zu kehren und muss ich nächst dem Puter, den Eichelheher als Feind des genannten Lurchen nennen. Wenn dieser Vogel einen solchen Salamander erspäht hat, so erhebt er ein grosses Geschrei und ich habe es einmal deutlich beobachtet, dass ein Heherpaar auf ein an einer Quelle liegendes grosses Weibchen des Feuersalamander wüthend einhackte, ohne sich dann weiter um dasselbe zu bekümmern.

Als ich nach einiger Zeit hinging, fand ich den getödteten Lurch dort vor; tiefe Hiebwunden befanden sich am Halse desselben. Salamander, welche durch ganz ähnliche Hieb- oder auch durch Bisswunden getödtet waren, habe ich mehrfach gefunden, ohne indessen angeben zu können, wo der Thäter gewesen sei. (Fortsetzung folgt.)

Die Verbreitung und Lebensweise der Tagraubvögel in Siebenbürgen.

Von **Johann von Csató-Nagy-Enyed.**

(Fortsetzung.)

Im Horste werden auch Tuchlappen und verschiedene Fetzen eingewebt.

Das Weibchen sitzt sehr fest auf den Eiern und man kann sich dem Horstbaume ganz nähern, ohne dass es abfliegt.

Bis die Jungen ausgeflogen sind, sieht man die Alten nur einzeln und selten; sobald aber die Jungen flügge geworden, beginnt ein regeres Leben, es werden vom Walde auf die umliegenden Felder

Excursionen unternommen und dieselben nach Nahrung abgesucht.

Anfangs August vereinigen sich mehrere Familien und die Brutplätze verlassend, übersiedeln sie gesellschaftlich nach solchen Gegenden, welche ihren Nahrungsbedürfnissen am meisten zusagen, solche sind wiesenreiche Ebenen, an welche sich ausgedehntes hügeliges Culturland anschliesst, in deren Nähe kleinere Complexe hochstämmiger Wälder sich befinden.

Hier kann man sie dann täglich auf ihren Streifereien beobachten.

Nachdem die Sonne bereits aufgegangen ist, verlassen sie ihre Schlafstätte, die erwähnten Wälder und in einem Schwarm von bis 40 Stücken vereint beginnen sie die Felder und Wiesen abzusuchen. In zerstreuter Schaar niedrig oder etwas höher fliegend, streifen sie in ihrem Gebiete umher, wo etwas Ergreifbares erspäht wird, wie Mäuse, Amphibien oder grössere Käfer, stürzen sie auf dieselben, während die Zurückgebliebenen ihren Flug fortsetzen, um etwas weiter desgleichen zu thun und auf diese Art wird die Jagd weiter und weiter fortgesetzt, bis sie sich dann endlich höher erheben, eine Zeit lang kreisen, um dann wieder ihre Jagd auf gleiche Art weiter fortzusetzen.

Bis die wärmere Jahreszeit anhält, ziehen sie sich zu Mittag in den einen oder anderen beliebten Wald zurück, um auszuruhen oder einen Mittagsschlummer zu halten, Nachmittag wird das Herumstreichen wieder begonnen, gegen Abend aber ziehen sie sich zu ihren Schlafstellen zurück,

Im Herbste, wenn die Sonne die Luft nicht mehr besonders erwärmt, ruhen sie auf den Wiesen öder Stoppelfeldern aus, wo man sie zerstreut am Boden hocken sieht.

Sie verweilen im erwähnten Gebirge so lange die Witterung ihnen dieses ermöglicht und erst, wenn der erste kalte Regen oder gar Schnee fällt, versammeln sie sich durchnässt irgendwo auf dem Felde, ziehen Abends auch von da fort und am nächsten kalten Tage ist keiner mehr zu sehen.

In der angegebenen Anzahl sind sie nur in den von ihnen besonders bevorzugten Gebieten anzutreffen; in anderen Gegenden findet man den Milan nur vereinzelt oder in geringer Zahl.

Ich habe sie Vögel oder gar Hausgeflügel nie angreifen gesehen, obwohl ich Gelegenheit hatte ihr Treiben viele Jahre hindurch zu beobachten. Aas aber verschmähen sie nicht.

In jener Zeit, wo man sie in grösseren Flügen antrifft, haben alle Vögel ihr Brutgeschäft beendet, folglich ist ihnen nicht Gelegenheit geboten Nester zu plündern.

In besonders gelinden Wintern habe ich bereits Anfang Februar einzelne Individuen beobachtet.

6. Milvus korschun, Gm.

Der schwarze Milan ist in bedeutend geringerer Anzahl, als der rothe in Siebenbürgen anzutreffen, auch er erscheint zu gleicher Zeit mit dem Vorigen und siedelt sich zum Brüten an denselben Plätzen an.

Man findet seinen Horst auf grossen Eichen, manchmal in der Nachbarschaft des rothen Milans.

Er führt ein viel verborgeneres Leben und liebt solche Plätze in deren Nähe Flüsse sich befinden.

Nach dem Ausfluge der Jungen beginnt auch er seine Streifereien im Lande und gesellt sich mitunter in ein bis zwei Exemplaren zu den rothen Milanen, doch liebt er die ausgedehnten Wiesen und Ackerfelder nicht besonders, sondern hält sich mehr in der Umgebung von Auen oder an Waldrändern, welche in der Nähe von Gewässern sich befinden.

Im Herbste zieht er fort, doch habe ich auch im Monate December ein einzelnes Stück in der Nähe des Strell-Flusses beobachtet.

7. Cerchneis tinnuncula, L.

Der verbreitetste kleine Raubvogel im Lande ist der Thurmfalke.

In Auen, an Waldrändern und Ruinen, in felsigen Gegenden, hinauf bis fast zur Alpenregion, ferner in Dörfern und sogar in Städten trifft man ihn an und verkündet er seine Gegenwart mit seiner allgemein bekannten Stimme.

Zwar überall verbreitet, gehört er doch nicht zu jenen Vögeln, welche schaarenweise herumziehen, sondern es begnügen sich die Paare mit ihren Jungen an von ihnen bevorzugten Plätzen in Gemeinschaft zu leben oder mit noch einer zweiten Familie die hohen Bäume der Auen oder andere ihnen zusagende Plätze zu besetzen.

Wie verschieden ihre Aufenthaltsorte, ebenso verschiedenartig ist auch ihre Nistweise. Sie brüten auf hohen Bäumen, auf Ruinen, in Felsenwänden, auf Thürmen und sogar auf Böden unbewohnter, grösserer Häuser.

Ihre Nahrung sind Mäuse, Käfer, Amphibien, welche sie in der Luft rüttelnd erspähen und dann ergreifen.

Im Winter ziehen sie fort, doch, wenn die Kälte nicht gross ist, überwintern einzelne Individuen.

8. Cerchneis Naumanni, Flesch.

Der Röthelfalke erscheint um Mitte April an seinen Lieblingsplätzen, nämlich in solchen Wäldern mit grossen Bäumen, welche von Saatfeldern umgeben sind.

Aber auch in solchen ihnen zusagenden Plätzen sind sie wählerisch und man trifft sie nicht überall an, wo sie ihrer Lebensweise gemäss sich aufhalten könnten.

Wo sie aber vorkommen, kann man ihrer gleich ansichtig werden, sie kreisen über dem Walde und lassen einen der Stimme des Lanius minor etwas ähnlichen Ruf hören, bäumen dann auf den Spitzen der höheren Bäume auf oder fliegen auf den nahen Feldern um Nahrung; — weit von ihren besetzten Plätzen entfernen sie sich nicht.

Sie brüten in hohen Bäumen und ziehen auch bis in die Vorgebirge hinauf, wo ich einmal ein junges Exemplar erlegte.

Ihre Nahrung sind Kerfe.

Im Herbste ziehen sie ganz unbemerkt ab und erst im vergangenen Jahre, am 6. und 7. September hielt sich bei Paklisa im hátszeger Thale gemischt mit Rothfussfalken eine Schaar von bis 150 Stücken auf, von welchen G. Danfort und Adam v. Buda mehrere Stücke erlegten und somit der Beweis geliefert wurde, dass sie ihren Herbstzug in Flügen durchführen.

9. Erythropus vespertinus, L.

Erscheint jedes Jahr nach Mitte April in kleineren und grösseren Flügen bis zu 100 Stück und darüber.

Ausgedehnte Wiesen und Getreidefelder in den Ebenen und hügeligen Gegenden sind ihre bevorzugten Aufenthaltsorte.

Hier zerstreut sich ihre Schaar in loser Verbindung nach Nahrung suchend, welche aus Kerfen besteht.

Sie fliegen nicht hoch über den Boden, beschreiben Kreise und fallen auf ein erspähtes Insect nieder, setzen sich mitunter auf die Erde, auf Maulwurfshügel oder auf niedere Gesträuche, wenn solche im Gebiete vorhanden sind.

Nach 10 Uhr erhebt sich die ganze Gesellschaft, um an einem gesicherten Orte auszuruhen. Nachmittag beginnt die Jagd von Neuem bis gegen Abend, wo sie sich dann in eine Au oder in ein kleines Wäldchen zurückziehen, um dort zu übernachten.

Ihr Aufenthalt in den bezeichneten Gegenden dauert zwei Wochen oder kaum etwas mehr, dann reisen sie weiter und man bekommt sie nicht mehr zu sehen.

Mir ist nicht bekannt, dass sie in Siebenbürgen brüten sollten, jedoch führt E. A. Bielz in seiner Fauna der Wirbelthiere Siebenbürgens 1888 an, dass Hausmann diesen kleinen Falken im Jahre 1875 in den Bienengärten am Tömös brütend angetroffen hätte*).

Auf dem Herbstzuge bekommt man ihn seltener zu sehen, doch wurde er in neuerer Zeit einige Male auch zu dieser Zeit beobachtet und wurden auch mehrere Stücke erlegt.

Sie pflegen bei ihrem Durchzuge sich auch auf Telegraphenleitungen niederzulassen.

10. Falco regulus, Pall.

Der Zwergfalke ist in Siebenbürgen ein Wintervogel.

Er erscheint gegen Ende November und schlägt sein Quartier in den Flussebenen und angrenzenden hügeligen Theilen des Landes auf.

Er gehört zu den selteneren Erscheinungen und ist in einer Gegend nur einzeln oder höchstens in einigen Stücken anzutreffen, unter welchen die Mehrzahl die jungen Vögel ausmachen.

Er hockt auf Bäumen, Telegraphenstangen, oder auf Maisstängeln und kleinen Sträuchern auf den Stoppelfeldern, um Rundschau zu halten und stürmt dann von diesen Plätzen den kleinen Vögeln nach.

Er ist wild und bei Verfolgung seiner Beute so unvorsichtig, dass er einmal mitten in der Stadt Nagy-Enyed eine Haubenlerche verfolgend, die Doppelfenster einer Wohnung einstiess und im Wohnzimmer betäubt zu Boden fiel.

Ende Februar zieht er fort.

(Fortsetzung folgt.)

*) Brütet in der Mezőség nächst Mező-Záh in Elsternnestern. O. Hermann.

Aus Heinr. Gätke's „Vogelwarte Helgoland".

(Fortsetzung.)

IV. Die Schnelligkeit des Wanderfluges.

Eine derartige Schnelligkeit des Wanderfluges kommt ganz besonders während des Frühlingszuges zur Entfaltung. Der Verlauf desselben ist nothwendiger Weise ein möglichst kurzer: vielen Vögeln, namentlich hochnordischen, ist die Zeit für den Nestbau, das Brüten und Aufziehen der Jungen knapp bemessen und so wird auch ihr Zug während eines normalen, nicht durch Witterungseinflüsse gestörten Verlaufes von den meisten ganz, oder doch nahezu in einem ununterbrochenen nächtlichen Fluge zurückgelegt. Hierbei hat es sich denn herausgestellt, dass Arten, wie z. B. das obengenannte nordische Blaukehlchen, welches in den Nilländern und dem mittleren Afrika, etwa vom 10. bis 27. Grade N. B. überwintert, während der Dauer einer solchen Frühlingsnacht in einem Fluge bis unter den 54° N. B. und zweifellos noch bedeutend weiter gelangen — also wenigstens vierhundert geographische Meilen in neun Stunden durchfliegen.

Wenn dies Blaukehlchen Ende April oder Anfangs Mai sein Winterquartier verlässt, um zu seiner nordischen Heimat zu gelangen, so ist der erste Punkt, an dem es alljährlich mit Sicherheit als gewöhnlicher Vogel angetroffen wird und unter günstigen Witterungsverhältnissen in sehr grosser Zahl vorkommt, die Insel Helgoland. In allen zwischenliegenden Breiten, in Griechenland, Italien, Süddeutschland, selbst noch in dem nahen Norddeutschland ist es während seines Frühlingszuges eine so grosse Seltenheit, dass man sein Vorkommen nur als höchst zufällige Ausnahme betrachten darf, „einzeln und selten genug" wie Naumann Band XIII sagt. Hier auf Helgoland aber ist es gar nichts Ungewöhnliches, zwanzig bis fünfzig dieser Vögel an einem Tage zu erhalten, ja ich erinnere mich, dass mir einmal einige sechzig, nur ausgesucht schöne Männchen, an einem Maivormittage gebracht wurden und die Gebrüder Aeckens eine nahezu ebenso grosse Zahl erhielten. Alle solche Stücke werden in den Gärten des Oberlandes gefangen, während zu gleicher Zeit in dem Geröll und den Grotten am Fusse des Felsens, sowie in dem Gestrüpp der Düne sich ebenso grosse Mengen aufhalten.

Gleich den meisten Vögeln, namentlich den Insectenfressern, wandert auch dies Blaukehlchen während der Nacht, seinen Zug mit Eintritt der Abenddämmerung beginnend und mit Tagesanbruch oder gleich nach Sonnenaufgang beschliessend; es legt somit den mehr als vierhundert geographische Meilen weiten Flug von Aegypten bis Helgoland im Laufe einer Frühlingsnacht von kaum neun Stunden zurück, woraus sich die an das Wunderbare grenzende Fluggeschwindigkeit von fünfundvierzig geographischen Meilen in der Stunde ergibt. Es überwintert diese Art nicht westlicher als im mittleren Afrika, und brütet nicht westlicher als Norwegen; es kann demnach über die Identität der Helgoländer mit den mittelafrikanischen Stücken kein Zweifel obwalten.

Eine weitere Bestättigung dafür, dass dies Vögelchen während seines Frühlingszuges nicht rastet und etwa von näheren Stationen hierher gelangt, ergibt sich aus dem Umstande, dass es nie während des nächtlichen Vogelfanges beim Leuchtfeuer gesehen wird, sondern ohne Ausnahme zur Zeit der Morgendämmerung hier anlangt.

Es ist dies Blaukehlchen seinem ganzen Habitus nach durchaus nicht als ein nur einigermassen guter Flieger anzusehen; die Lebensweise, welche es das ganze Jahr hindurch, mit Ausnahme der einzigen Frühlings-Zugnacht führt, müsste dasselbe nach den Grundsätzen der Hypothese von Zuchtwahl und Vererbung consequenter Weise längst schon so vom Fluge entwöhnt und zurückgebildet haben, dass es solchen Flugleistungen wie die oben nachgewiesenen, keineswegs mehr gewachsen sein könnte — nichts zu sagen von der Entwicklung, welche nach der anderen Seite hin stattgefunden haben müsste, da es als Erdsänger sich nur am Boden aufhält, wo es den ganzen Tag in grossen Sätzen umherhüpft und fast nur gezwungen von seinen Flugwerkzeugen Gebrauch macht. Wenn also ein solches Vögelchen, bei dem während all' seiner Lebensthätigkeiten das Fliegen nahezu eine Ausnahme ist, dennoch bei einer einzigen Gelegenheit im Laufe eines Jahres so Wunderbares zu leisten vermag, wie erstaunlich müssen da die ausnahmsweisen Leistungen so guter und eifriger Flieger, wie der Baumfalke, die Rauchschwalbe und dergleichen, erst sein. Sicherlich ist es der Forschung noch vorbehalten, auf diesem Gebiete höchst Ueberraschendes an das Licht zu fördern.

(Fortsetzung folgt.)

Gestalt- und Farbencanarien.

Von **Oscar Stein.**

Von den Thierarten, welche der Mensch an sich herangezogen, des Nutzens oder des Vergnügens, welchen sie ihm durch schönen Anblick oder sonstige angenehme Eigenschaften bieten, halber zu Hausthieren gemacht hat, haben die meisten unter der Hand ihres Herrn, durch die veränderten Aufenthalts-, Nahrungs- und Lebensbedingungen die Sitten ihres Freilebens theilweise, oder gänzlich geändert, manchmal fast in das gerade Gegentheil des früher Gewohnten und auch ihre Körperbildung, ihre Grösse und Farbe hat sich durch vorgenommene Zuchtwahl unterstützt oder veranlasst, diesem Wechsel angeschlossen, hat Umänderungen erfahren, welche so weit gehen, dass manche unserer Hausthiere keiner wild vorkommenden Art ähneln, man in Bezug auf ihre freilebende Stammform lediglich auf Vermuthungen angewiesen ist.

So gross die Zahl, so verschieden die Rassen unserer Hausthiere aus den Reihen der Vierfüssler und jener Vogelarten, welche gemeiniglich als Geflügel bezeichnet werden, als verschiedene Hühner-Tauben und Wassergeflügelarten, auch ist, so wenig zahlreich repräsentiren sich unter ihnen die domesticirten Kleinvögel. Man kann wohl nur vier solcher Vogelarten als völlig domesticirt bezeichnen, den weissen Reisvogel, das japanische Mövchen, den Canarienvogel und seit neuesten Da um den Wellensittich, doch nur zwei von diesen ändern von ihrer freilebenden Stammform wesentlich ab, denn die durch Menschenhand erzeugte Varietätenbildung des Reisfinks und des Wellensittichs, welche übrigens bei letzterem sich überhaupt nur selten durch gelbes oder blaues Gefieder bemerklich macht, erstreckt sich lediglich auf die Farbe des Thieres; die Körperformen des schneeweissen oder gefleckten japanischen Reisdiebes, des gelben Wellenpapageis stimmen mit jenen ihrer freilebenden, in die Ursprungsfarben gekleideten Brüder völlig überein, ihre Stimmäusserungen sind ganz dieselben, die Sitten, Gewohnheiten so weit es die Gefangenschaft nur irgend zulässt, die gleichen geblieben, sie verrathen trotz des abweichenden Kleides doch sofort ihren Ursprung. Weniger ist dies bei den Züchtungsvarietäten der spitzschwänzigen Bronceamandine (Spermestes acuticauda), den sogenannten japanischen Mövchen der Fall, denn diese ändern in Farbe und Stimmäusserungen ganz beträchtlich, in Gestalt wenigstens soweit von der Stammform ab, dass man nach ihren ersten Einführungen in Europa zweifelhaft war, ob als diese die erwähnte Sp. acuticauda oder aber das gestreifte Broncemännchen (Sp. striata) zu betrachten sei. Eine Bildung verschiedener Racen, wie bei anderen Hausthieren, findet indess ebenso wenig bei den Mövchen, wie bei den hellfärbigen Reisfinken und domesticirten Wellenpapageien statt; trotz der, wie man wohl annehmen kann, viel hundertjährigen Gefangenschaftszucht der beiden ersteren Arten durch die Japaner, diese Meister auf dem Gebiete künstlicher Thierzucht, variiren diese Culturvögel untereinander nur, und zwar in sehr geringem Grade durch verschiedene Färbung, in Gestalt gleicht jeder Farbenschlag dem anderen vollständig, die Zeichnung ist bei keinem regelmässig. Wie anders bei dem Canarienvogel! Ebenso wenig Aehnlichkeit, wie sich zwischen einem der hochläufigen schlanken und langhaarigen russischen Windhunde und dem gedrungen gebauten, krummbeinigen, glattfelligen Dächsel findet — trotzdem diese beiden Extreme in Gestalt und Sitten Angehörige derselben Art sind — ebenso wenig Gemeinsames scheinen auf den ersten Blick ein hochgelber Holländer-Canarienvogel mit seinen langen Beinen, der sonderbaren Gestalt, den üppig wuchernden Federbüscheln und ein vielleicht in schlichtes Grau gekleideter Angehöriger der Harzerrace mit einander zu haben. Der Canarienvogel ist die einzige Kleinvogelart, welche soweit domesticirt ist, dass in ihr deutlich durch Farbe, Gestalt und Eigenschaften verschiedene Racen vorkommen, welche ihre Attribute bei geeigneter Reinzucht constant zu erwerben im Stande sind, bei Kreuzungen untereinander hingegen Nachzucht ergeben, welche in der Regel eine Mittelform ihrer Erzeuger ist, sowohl in Farbe, als Gestalt, hinsichtlich der Farbe aber auch eine neue, von der der Eltern völlig abweichende zu schaffen vermag. Einerseits Constanz der Race, andererseits aber doch auch wieder Empfänglichkeit derselben bei Kreuzung mit anderen Racen oder Farbenvarietäten, das sind die Factoren, welchen es zu danken ist, dass es beim Canarienvogel möglich war, im Laufe einer verhältnissmässig kurzen Zeit in jeder Beziehung von einander verschiedene Racen, deren extremste Formen kaum einige Aehnlichkeiten aufweisen, zu ziehen. Bei den anderen Culturvögeln, den Mövchen und Reisfinken ist es einerseits zu viel, andererseits zu wenig Constanz, welche der Bildung neuer Varietäten im Wege steht, die Farben bleiben bei den gefleckten stets dieselben, paart man gelbbunte mit braunbunten Mövchen, so wird man immer nur gelb oder braunbunte, oder beide zugleich, wohl auch solche, welchen die färbigen Flecken fehlen, erhalten, niemals aber solche, deren färbige Zeichnung gelb und braun zugleich oder eine Mittelfarbe zwischen den beiden Nuancen aufweist; so constant sich diese Farben, sich stets in dem kleinen Kreise von weiss, braun und semmelgelb, jedes in unvermischter Form, bewegend, zeigen, so wenig Vererbungsfähigkeit weist die Zeichnung auf, zwei in völlig gleicher Weise gefleckte Individuen zusammen gepaart, überliefern diese Zeichnung niemals ihrer Nachkommenschaft, bei derselben zeigt sie sich vielmehr stets in mehr oder weniger abweichender Form. Wir haben uns jahrelang bemüht, regelmässig gezeichnete und diese Zeichnung auch vererbende Mövchen zu erzüchten, aber wir müssen leider gestehen, keinerlei günstige Resultate erzielt zu haben. Doch nach dieser Abschweifung zurück zum Canarienvogel!

„Dreihundert Jahre sind verflossen“, schreibt Bolle, „seit der Carnarienvogel durch Zähmung über die Grenzen seiner wahren Heimat hinausgeführt und Weltbürger geworden ist. Wie, wenn von zwei Brüdern einer eine Laufbahn wählt, die ihm durch Gunst des Schicksals, seinen Begabungen eine ungeahnte Entfaltung gestattend, auf einen jener glänzenden Gipfel des Ruhmes hebt, an denen das Auge der Menschheit haftet, der andere aber im nächsten Umkreise seiner Geburtsstätte, den stillen Sitten und der schlichten Tracht seiner ländlichen Vorfahren getreu, nur von wenigen nahen Freunden gekannt und geschätzt, unberühmt und doch glücklicher vielleicht fortlebt; ganz so ist es den beiden Arten eines Vogels ergangen, den die Natur ursprünglich zum Schmucke einsamer Inseln des Weltmeeres bestimmt hatte. Der gesittete Mensch hat die Hand nach ihm ausgestreckt, ihn verpflanzt, vermehrt, an sein eigenes Schicksal gefesselt und durch Wartung und Pflege zahlreich auf einander folgender Geschlechter so durchgreifende Veränderungen an ihm bewirkt, dass wir jetzt fast geneigt sind, mit Linné und Brisson zu irren, indem wir in dem goldgelben Vögelchen das Urbild der Art erkennen möchten und darüber die wilde, grünliche Stammart, die unverändert geblieben ist, was sie von Anbeginn an war, beinahe vergessen haben.“ (Fortsetzung folgt.)

Volkswirthschaftliche Bedeutung der Geflügelzucht in Ungarn.

Von **Prof. Dr. Eugen von Rodiczky**, Director der kgl.-ung. landw. Lehranstalt in Kaschau.

(Fortsetzung.)

Vor den Thorheiten der Modezüchtung hat Armuth und conservativer Sinn den kleinen Züchter Ungarns bisher bewahrt und man wird wohl thun, die neuestens geplante Verbesserung der Landeszucht bei ihm nur mählig anzubahnen. Zu bemerken ist, dass die ungarische Regierung der Geflügelzucht eine erhöhte Aufmerksamkeit zuzuwenden beginnt.[1])

An einigen staatlichen Lehranstalten wurde die Zucht von Plymouth-Rocks, Langshan und Brahmas eingeführt[2]) und es steht zu hoffen, dass dieser erfreuliche Beginn kein Stückwerk bleiben wird, wenn gleichzeitig die Absatz- resp. Transportverhältnisse die wünschenswerthe Regelung erfahren.

Auch sollte man bei dieser Reform das Hauptaugenmerk auf den Mittelstand richten, der genug Sinn und Verständniss besitzt, einer sich in richtigen Bahnen bewegenden Reform anzuschliessen.

Doch sind auch wieder diese Kreise am geneigtesten, dem Syrenengesang horrenden Nutzens der Geflügelhaltung Ohr zu schenken, oder solchen unsinnigen Behauptungen, dass eine gute Legehenne im Jahre 200—250 Eier legt[3]) und dass es ein leichtes

---

[1]) Der Umstand, dass der Transport von lebenden Geflügel per Post nach Bayern, Württemberg, Baden, Schweiz etc. eingestellt wurde, hat dem Export aus Ungarn einen grossen Abbruch gethan. Hemmend wirkt auch die Verfügung, dass nach dem übrigen Deutschland täglich nur eine bestimmte Anzahl von Körben abgehen dürfen. Schliesslich können per Post 5 kg.-Sendungen verschickt werden, per Eisenbahn nur das Minimalgewicht von 20 kg. Die Fracht ist viel billiger, wie jene der Eisenbahn und während Postnachnahmen binnen 8 Tagen beglichen werden, dauert dies bei Bahn mindestens 2—4 Wochen, nicht selten Monate lang und nützen alle Reclamationen dagegen nichts.

[2]) In sorgsam geleiteten Zuchten wäre auch auf das Houdan, dieses vortreffliche Eierhuhn ein Augenmerk zu richten, da es sich gut acclimatisirt und sich in Reinzucht und Kreuzungen mit dem Landhuhn nach Dr. Isaszeghy's und meinen Erfahrungen äusserst gut bewährt. Auch wäre es zu wünschen, dass man dem Livorneser Huhn eine gewisse Aufmerksamkeit schenkte, denn es ist jenes Huhn, welches „par excellence“ für den kleinen Mann zur Hebung seiner Hühnerzucht passt, trotzdem man ihm nachsagt, dass es sehr dünnschalige, für den Transport ungeeignete Eier legt, was gewiss nicht als Raceeigenthümlichkeit hingestellt werden darf.

[3]) Amerikanische Händler treiben die Reclame so weit, dass sie z. B. Hühner annonciren, welche täglich 2 Eier legen. Nun kommt es wohl vor, dass ein Huhn, welches am frühen Morgen ein Ei gelegt, noch spät Abends ein zweites legen wird, ja es sind Fälle constatirt, wo das Huhn auf einmal zwei Eier legte, doch sind das anormale, krankhafte Erscheinungen. In der Regel braucht das Dotter 27 Stunden, bis es seinen Weg aus dem Eierstock durch den Eierleiter zurückgelegt, um abge-

sei, einen Stamm Hühner mit 50—100 fl. zu verkaufen, und das Hühnerei mit 30—50, Gänseei mit 60—80 kr. zu verwerthen sei! Wenn dann die durch Affectionspreise der Ausstellungen genährte Voraussage nicht zutrifft, dann sind es eben jene nicht rechnenden Amateure, welche jedes Streben nach Verbesserung discreditiren!

Längs der beiden Theissufer, im Vág-Bodrog und Sajó-Thale, auf der grossen und kleinen Schütt, am linken Ufer der Donau, an der Sio, Sárviz, Drau etc. werden meistens nur von einem kleinen, mit einer Birkenruthe bewaffneten Mädchen: dem „Libapásztor“, grosse Schaaren von Gänsen geweidet. Die ungarische Gans erreicht zwar kein solch' grosses Gewicht[1]) und ist auch nicht so mastfähig, wie die Toulouser oder Pommer'sche Gans, dafür ist sie anspruchslos und kann mittelst Mais, welchen sie schnell verdaut, zu einer gesuchten Mastwaare gemästet werden, gibt viel Fett und liefert sehr schöne weisse Federn.

Man hat neuerdings mit gutem Erfolge versucht, die heimische Gans durch Kreuzung mit der aus den Niederlanden stammenden Emdener Gans zu verbessern[2]), wozu sich dieses Thier schon ob seiner Farbe eignet, denn man bevorzugt hier durchaus nur weisse Gänse, eine schon uralte Vorliebe, da bereits in einer Urkunde vom Jahre 1299 vorgeschrieben erscheint, dass die abzuliefernden Gänse weiss zu sein haben!

Auch die Lockengans (Anser dom. crispus), deren Flügeldecken gekräuselt sind, ist bei manchen ungarischen Hausfrauen beliebt, was um so gerechtfertigter erscheint, als diese Varietät auch wirthschaftlich werthvoll ist.

Die Entenzucht ist am ausgebreitetsten im Districte jenseits der Theiss, mit 8·9% des Gesammtgeflügelstandes. Zur Verbesserung der heimischen schnellwüchsigen, doch kleinen Ente beginnt man die Aylesbury-Enten zu verwenden, und manche Züchter haben auch die Peking-Ente zu diesem Behufe aufgegriffen.

Das Truthuhn wurde im XVI. Jahrhundert eingeführt und erfreut sich der Puterbraten seit langem einer grossen Beliebtheit, so, dass nach einem Statut der Csismenmacher-Innung in Ó-Tura vom Jahre 1716 bei dem Meisterschmaus der Truthahn als Ersatz des Fisches figuriren durfte!

Sind die heimischen Truthühner auch gemeinhin nicht so schön gefiedert, wie jene der Sportzüchter im westlichen Europa, so sind sie dafür um so widerstandsfähiger und bedarf es nur einer sorgsameren Zuchtwahl und zeitweiliger Blutauffrischung, um mit ihnen die schönsten Resultate zu erzielen. Am beliebtesten sind die weissen, lichtgrauen und ziegelrothen, welche geschlachtet viel appetitlicher aussehen, als jene mit dunklen Kielen.

geben werden zu können, daher werden 2—3 Tage nach einander legende Hühner jedes folgende Ei später legen und dann wieder mehrere Tage pausiren.

[1]) Eine ungarische Gans hatte abgeschlachtet ein Gewicht von 5·6 kg., gestopft und ausgeweidet 4·48 kg., die Leber wog 54 dgr.

[2]) U. A. hat Baron Laffert in B. Csaba durch Kreuzung mit Emdener Gänserichen 1884 sehr schöne Resultate erzielt. Eines seiner kaum jährigen Kreuzungsproducte hatte nach zweimaligem Rupfen 8·2 Kg. Lebendgewicht.

Wie über die Geflügelproduction, besitzen wir auch über den Export seit neuester Zeit verlässlichere Daten.

Als zwischen Ungarn und Oesterreich eine Zollschranke bestand, wurde officiell ziffermässig nachgewiesen, wie viel Geflügel nach Oesterreich seinen Weg nahm. Es waren während des Zeitraumes 1841—1850 im jährlichen Durchschnitte 2·1 Millionen Stück, im Werthe von 960.000 fl. Seither hat der Export riesige Dimensionen angenommen und repräsentirt einen Werth von 14—18 Millionen Gulden.[1])

Auch auf diesem Gebiete begegnen wir zuvörderst der Thätigkeit des kleinen Händlers (tyukász) und als quasi Ergänzung, der ersten Repräsentantin der Frauenemancipation — der Kofa[2]), welche den Handel noch vielfach mit Umgehung der Eisenbahn betreiben. Ferner machen sich einzelne Agenten an bestimmten Productionsorten für kürzere und längere Zeit sesshaft, um auf Rechnung ausländischer Firmen, Geflügel, Eier und Leber aufzukaufen. Es sind nur wenige Fälle zu verzeichnen, dass bei Vermeidung des Zwischenhandels der Handel auf kaufmännischer Basis geregelt erscheint. So kauft Herr Graf Sigismund Battyány in Csendlak das Landgeflügel seiner Umgebung zu 30 kr. Lebendgewicht auf, um es in ausgemästetem Zustande in der Metropole der steirischen Kapaunen zu verwerthen, während anderseits die Steiermark wieder den Budapester Markt mit Kapaunen und sogenannten Poularden versieht. Weiters gelang es der Thatkraft Victor Haydeckers (Püspök-Ladány) einen schwungvollen Handel mit gemästetem Geflügel, zumeist nach Oesterreich und Deutschland zu begründen, welcher 1891 sich auf 27.685 Pakete erstreckte, in welchen 110.740 Stück Geflügel zum Versandt kamen, wofür an Nachnahmen 104.348 fl. 93 kr. behoben, an Porto 15.873 fl. bezahlt wurden.

Der Export erstreckt sich derzeit zumeist auf Hannover, Mecklenburg, Braunschweig und Sachsen.

Andor Scholler in Uj-Szent-Anna versendet jährlich durchschnittlich 100.000 Stück Geflügel, wovon Hühner und Enten bis nach Rio de Janeiro, dann Frankreich und England gehen.

Auch Leopold Szielert (P. Szomolány) befasst sich mit Geflügelmast und finden seine Producte in Frankfurt a. M. Absatz, mit einem Umsatz von jährlich 4000 Mark.

(Fortsetzung folgt.)

---

[1]) Werth des aus den Ländern der ungarischen Krone exportirten Geflügels und resp. Producte:

		1885	1886	1887	1888	1889
Geflügel .	fl.	3,736,836	4,225,490	4,100,515	4,511,284	5,858,417
Eier . .	„	4,027,763	3,898,266	4,561,170	5,494,815	5,775,424
Bettfedern	„	6,634,155	5,190,841	4,890,760	5,674,140	5,978,130
Gänsefett .	„	24,827	22,956	22,370	119,530	20,880
Gänseleber	„	120,115	158,685	164,260	161,460	179,640
Total . .	fl.	14,523,726	13,496,238	13,739,075	15,749,729	17,812,491

[2]) Im Ofner Gesetzbuch (redigirt unter König Sigismund) begegnen wir schon der Bestimmung, dass die mit Käse handelnde Fragnerin auch Eier zu verkaufen habe und die Geflügelhändlerin (von welchen 3 Ungarinen und 6 Deutsche waren) Hühner, Gänse, Enten, Tauben und Spanferkel zu verkaufen.

†

Das langjährige Mitglied des „Ornithologischen Vereines in Wien", Herr

Ludwig Freiherr Fischer von Nagy-Szalatnya,

k. k. Oberlieutenant im Huszaren-Regiment „Carl I. König von Württemberg", Nr. 6,

starb plötzlich auf einer Forschungsreise am Victoria-Nyanza.

Kleine Mittheilungen.

Seltener Zuchterfolg. Sittace coerulea der Ararauna wurde von Herrn H. J. Sharland in La fontaine bei Tours mit Erfolg in der Gefangenschaft gezüchtet. Ueber diese hochinteressante Fortpflanzung eines der grössten Papageien in der Gefangenschaft berichtet Herr Director Dr. L. Wunderlich im „Zoolog. Garten"; in einem eingehenden Bericht, den wir mit freundlicher Bewilligung des Herrn Verfassers in einer der nächsten Nummern der „Schwalbe" reproducieren werden.

Vogelschutz in Italien. Es ist eine alte Klage, dass alle Vogelschutzgesetze in Deutschland und Oesterreich in Bezug auf Wandervögel wenig nützen, weil die armen Thierchen bei ihrem herbstlichen Durchzug in Italien schonungslos und massenhaft gefangen, gebraten und verspeist werden — ohne Rücksicht darauf, ob es Singvögel sind oder nicht. Bisher hat die italienische Gesetzgebung in dieser Hinsicht so gut wie nichts gethan. Um so dankenswerther und bei der leidenschaftlichen Vorliebe der Italiener für Vogelfang und Vogeljagd geradezu merkwürdig ist es, dass sich neuestens in Italien selbst Widerspruch gegen den barbarischen Mord der gefiederten Sänger erhebt. Eine energische Kundgebung dieser Art liegt uns vor. Der kürzlich abgehaltene Congress der landwirthschaftlichen Gesellschaften der Emilia und der Marken hat einstimmig den Antrag des Dr. Karl Ohlsen angenommen, die Regierung möge aufgefordert werden, dem Parlamente ein Jagdgesetz vorzulegen, durch welches die nützlichen Vögel geschützt würden. Der Congress drückte ferner den Wunsch aus, man möge für drei oder vier Jahre jede Jagd, ausgenommen die mit der Schiesswaffe, verbieten. Dr. Ohlsen, der in Rom lebt, ward von dem Congresse beauftragt, bei der Regierung und dem Parlamente dahin zu wirken, dass die Begehren des Congresses erfüllt werden.

Ausstellungen.

Nationale Geflügel-Ausstellung in Leipzig 1893. Die vier deutschen Vereine: Club deutscher und österreichisch-ungarischer Geflügelzüchter, Cypria-Berlin, Geflügelzucht-Verein Leipzig und Hannover'scher Verein für Geflügelzucht und Singvögelzucht, denen das Zustandekommen des Geflügelzüchtertages in Berlin 1891 zu danken war, haben sich abermals vereint, um im Februar 1893 im vergrösserten und renovirten Cristallpalast zu Leipzig eine grosse Deutsch-nationale Geflügel-Ausstellung zu ermöglichen.

Der Leipziger Geflügelzucht-Verein erklärte sich in seiner am 5. October abgehaltenen ausserordentlichen General-Versammlung bereit, die Ausstellung zu arrangiren, wenn es gelingen sollte einen Garantiefond von ca. 3000 Mark (zu dem er auch beitragen will) zur Deckung des voraussichtlichen Deficites aufzubringen.

Nachdem nun der Club, sowie die Cypria bereits je 500 Mark gezeichnet haben und nur vom Hannover'schen Vereine noch die Entschliessung betreffs der Höhe seiner Zeichnung aussteht, so ist anzunehmen, dass die genannten vier Vereine jedenfalls mehr als die Hälfte der erforderlichen Summe aufbringen und nur noch ca. 1000 Mark zu decken sein werden, die die übrigen deutschen Geflügelzucht-Vereine gewiss auf sich nehmen werden.

Es ist natürlich, dass — schon dem Namen des Unternehmens gemäss an der Ausstellung sich nur Deutsche oder höchstens solche ausländische Vereine oder Privatpersonen werden betheiligen können, die einem der arrangirenden Vereine als Mitglieder angehören; also — in erster Linie dem Leipziger Vereine, oder, was wohl am ehesten für Oesterreich-Ungarn zutreffen wird, dem Club deutscher und österreichisch-ungarischer Geflügelzüchter.

Wir setzen voraus, dass die Idee einer grossen Ausstellung in Leipzig auch für unsere österreichischen Züchter nicht ohne Interesse sein werde, und dass sich manche derselben vielleicht entschliessen dürften, auch einmal ausserhalb unserer Landesgrenzen ihre Zuchterfolge zu zeigen.

Sobald die Arbeiten des Leipziger Vereines weiter vorgeschritten — und besonders bezüglich der Betheiligung von ausländischen Ausstellern Bestimmtes verlautbart sein wird, kommen wir auf die Nationale Ausstellung noch des öfteren zurück. Ph.

Die Junggeflügelschau in Hannover, veranstaltet vom Verein für Geflügel- und Singvögel-Zucht, unter Mitwirkung des Central-Vereines für die Provinz Hannover die erst polizeilich verboten, dann jedoch für die Tage vom 1.—3. October freigegeben wurde, soll, laut Bericht des „Praktischen Geflügelzüchter" sehr befriedigend ausgefallen sein. Der Catalog weist ausser 52 Prämiirungsclassen für Grossgeflügel (beschickt mit 468 Stämmen) und 29 Prämiirungsclassen für Tauben (beschickt mit 283 Paaren) noch eine Marktabtheilung, eine Abtheilung für Zier- und Kanarien-Vögel und eine solche für Literatur und Geräthe aus.

Die goldene Medaille für Gesammtleistung in der Geflügelabtheilung erhielt Herr M. Scheithauer, Gaumnitz — in der Taubenabtheilung Herr Ludwig-Soest.

Ausserdem kamen zur Vertheilung 28 Ehrenpreise: an M. Scheithauer, Gaumnitz, (weisse Cochin und Pekingenten), O. Janke-Hannover (D. Brahma), H. Schapper-Hammeln (schw. Langshan), Dr. Lax, Hildesheim (Dominikaner), Cordes, Wülfel (Crève coeur), Hofmann, Burgstädt (Kämpfer), C. G. Caunitz, Grimma (Spanier), Fräulein Grävemeyer, Bemerode (Minorca), Rasch-Hildesheim (rebh. Italiener), Corell, Perleberg (weisse Italiener) Henke, Rethem (herg. Kräher), Krache, Machtsum (Ramelsloher), Finkenburg, Aurich (Lakenfelder), Pott, Heinholz (Breda), Lüpke, Steuerndieb (Aylesbury Enten), Kufal-Neetze (Buch Trommler gelbgem. Perrücken), Seyfart, Gronau (Schwalbentauben), Frömmling, Hannover (hann. Tümmler), Fuchs, Cöln (Almond), Horváth, Steinbruch (Wiener Gelbgansel), Stodt, Langendreer (weisse Pfautauben, braune Carrier), Rabe-Celle (weisse Malteser) Ludwig-Soest (weisse Nürnberger Bagdetten), Siede, Magdeburg (Schild-Mövchen), Huntemüller, Hannover (schwarz geschw. Mövchen).

Vier silberne Becher: Hofmann, Burgstädt (Plymouthrock) Bertram, Solingen (Hamb. Schwarzlack), Geitel, Bodenwerder (schw. Italiener) Harke, Bahrenwald (Pom. Gänse). — Endlich vierzig erste, zahlreiche II. und III. Geldpreise und Anerkennungs-Diplome.

Oesterreich-Ungarn war blos durch einen Aussteller Herrn A. Horváth, Steinbruch, vertreten, der ausser dem obenerwähnten Ehrenpreis auf Gelbgansel noch einen I. Preis auf vielfärbige Almonds und eine Anerkennung auf gelbe Indianer erzielte.

Junggeflügel-Ausstellung in Wien. Berichtigung. In Folge Mangels einer officiellen Prämiirungsliste war ich bei Verfassung des Berichtes über die Grossgeflügel-Abtheilung auf meine eigenen Prämmiirungsnotizen angewiesen und habe übersehen, dass das im Berichte als sehr bemerkenswerth angeführte Paar weisse österreichische Landhühner des Herrn C. Wagner in Purkersdorf von der Jury mit lobender Anerkennung ausgezeichnet worden ist, was hiermit richtiggestellt wird. Ph.

Verlag des Vereines. — Für die Redaction verantwortlich: **Rudolf Ed. Bondi.**
Druck von **Johann L. Bondi & Sohn,** Wien, VII., Stiftgasse 3.

XVI. JAHRGANG. Nr. 21.

Blätter für Vogelkunde, Vogelschutz, Geflügelzucht und Brieftaubenwesen.

Organ des I. österr.-ung. Geflügelzuchtvereines in Wien und des I. Wr. Vororte-Geflügelzuchtvereines in Rudolfsheim

Redigirt von **C. PALLISCH** unter Mitwirkung von Hofrath Professor **Dr. C. CLAUS.**

15. November. — 1892.

„DIE SCHWALBE“ erscheint **Mitte** und **Ende** eines **jeden Monates.** — Im Buchhandel beträgt das Abonnement 6 fl. resp. 12 Mark, Einzelne Nummern 30 kr. resp. 50 Pf.

Inserate per 1 □ Centimeter 3 kr., resp. 6 Pf.

Mittheilungen an das **Präsidium** sind an Herrn **A. Bachofen v. Echt** in Nussdorf bei Wien; die **Jahresbeiträge** der Mitglieder (5 fl., resp. 10 Mark) an Herrn **Dr. Karl Zimmermann** in Wien, I., Bauernmarkt 11;

Mittheilungen an das **Secretariat**, ferner in Administrations-Angelegenheiten, sowie die für die **Bibliothek** und **Sammlungen** bestimmten Sendungen an Herrn **Dr. Leo Pribyl**, Wien, IV., Waaggasse 4, zu adressiren.

Alle redactionellen Briefe, Sendungen etc. an Herrn **Ingenieur C. Pallisch in Erlach** bei Wr.-Neustadt zu richten.

Vereinsmitglieder beziehen das Blatt gratis.

INHALT:

Circaëtus gallicus in Südtirol.

In Riva stationirend, wurde ich am 15. August d. J. von Cameraden verständigt, dass ein junger Stein- oder vielleicht Kaiseradler lebend gefangen worden und in der N.-gasse zu sehen sei — nebst näherer Beschreibung des Hauses — wobei mir die Dimensionen veranschaulicht wurden, ferners noch mitgetheilt, dass der glückliche Besitzer vermuthe, dass der Adler 3 Monate alt sei, dass er noch einmal so gross werden würde. *)

Aus Erfahrung kennend, wie wenig man den Adlergeschichten Glauben beimessen könne, sprach ich die Ansicht aus, dass es ein junger Milvus regalis sein würde, von welcher Species, während der beiden Jahre meines Aufenthaltes in Riva je ein Pärchen — höchst wahrscheinlich dasselbe — in den Felsschroffen der nahen Rochetta horstete und mit seinen Flugspielen eine anziehende Staffage des Gardasees bildete.

Das ornithologische Interesse bestimmte mich am anderen Morgen meine ersten Schritte in die bezeichnete Gasse zu lenken und sah da vor der Thüre des angegebenen Hauses auf der Lehne eines primitiven Stuhles zu meinem Erstaunen einen jungen Circaëtus gallicus sitzen, mit seinen Klotzaugen die Umgebung musternd, regelrechte Fessel an den Fängen und hinderte eine dünne Messingkette jede Freiheitsbestrebung.

Mit grosser Freude betrachtete ich den seltenen Vogel, dessen Gefieder leider sehr derangirt war, weil er, wie ich erfuhr, Nachts, auch häufig am Tage in einem engen Hühnerkäfig eingesperrt

*) Dass über das Wachsthum der Raubvögel sehr irrige Begriffe existiren, erfuhr ich auch gelegentlich des Kaufes eines jungen, lebenden Cerchneis tinnunculus, wobei mir versichert wurde, dass er noch zweimal so gross werden würde und war doch schon vollkommen ausgefiedert und flugbar.

wurde und bedauerte sehr, dass er deshalb zu einem Balgpräparat nicht zu verwenden war.

Schon Mittags wurde mir der Vogel zum Kaufe angetragen, aber lebende Vögel zu halten war nie mein Vergnügen. Selbst, wenn ich für ein so seltenes Exemplar auch grosses Interesse gehabt hätte, ihn in der Gefangenschaft zu beobachten, so ist es in meinem Stande kaum thunlich, umsomehr als ich wusste, dass ich in kurzer Zeit nach hier übersiedeln müsse.

Deshalb sagte ich den Kauf weder zu, noch ab und richtete sofort an meinen hochverehrten, leider nur durch brieflichen Verkehr Bekannten, Herrn C. Pallisch, Redacteur dieses Blattes, die Anfrage, ob er den jungen Schlangenadler erwerben wolle.

In kurzer Zeit erhielt ich eine bejahende Antwort, realisirte den Kauf und nahm den Adler in meinen Garten, um ihn durch einige Tage kräftiger Kost gegen die weite Bahnfahrt wiederstandsfähig zu machen.

Blos 6, 8—10 Eidechsen und circa $^1/_2$ Kilogr. Muskelfleisch, in kleine Würfel und Streifen geschnitten und in Hasenwolle emballirt, vermochte mein junger Gast zu vertilgen. Wahrscheinlich war er auch recht ausgehungert, denn Polenta wird für jeden grösseren Vogel als Universalfutter zuerst in dortiger Gegend versucht.**)

Trotzdem er nur 4 Tage in meiner Obhut war, gewann er eine grosse Zuneigung zu meiner Frau, welche ihm das Futter reichte. Sie konnte ihn auf den Arm nehmen und liebkosen, während er jeden anderen den Schnabel geöffnet mit seinen Klotzaugen musterte und sich in's Gras drückte, bereit zur Abwehr. Trotzdem er einen furchtsamen Eindruck auf mich machte, hat er meinem Vorstehhunde und Dackel schon am ersten Tage einen grossen Respect eingeflösst.

In der kurzen Zeit vollkommen gekräftigt, trat er in einer grossen Kiste, reichlich mit Nahrung versehen die Reise an und traf auch wohlbehalten am Bestimmungsorte ein.

Der Vogel wurde am 10. oder 11. August d. J. zwischen Riva und Pranzo, etwa 3000 Schritte Luftlinie vom ersteren Orte entfernt, neben der Strasse von einem Bauern sehr ermattet aufgefunden und gefangen. So viel konnte ich über seine Gefangennahme erfahren.

Es kann leicht das Datum um einige Tage variiren, aber der Ort dürfte mit Sicherheit angenommen werden können (mit dem Bauern konnte ich selbst nicht sprechen, diese Daten stammen vom Verkäufer).

Ich bin der bestimmten Ansicht, dass der Horst in den zerklüfteten Wänden und Felsklippen des Tofino oder Corno d'Impichea gestanden haben dürfte, welche etwa 7000—8000 Schritte Luftlinie westlich von Riva und 3000—4000 Schritte Luftlinie vom Fangplatze des Vogels entfernt liegen.***)

Derselbe vollkommen befiedert kann diese Strecke leicht in abfallender Linie, mit einer Höhendifferenz von 1000—1200 Meter bei seinen ersten weiterreichenden Flugversuchen, vielleicht auch in Pausen zurückgelegt haben, liess sich ermattet neben der Strasse nieder und wurde aufgegriffen.

Meine Ansicht, dass der Horst dort und nicht in den Felsschroffen um Riva gestanden, folgerte ich daraus, weil so markante Vogelgestalten wie die beiden alten Schlangenadler mir hätten auffallen und oft beobachtet werden müssen. Dabei muss ich annehmen, dass das Jagdgebiet derselben in entgegengesetzter Richtung, also etwa das Bleggio-, Ledrothal oder Judicarien bevorzugt sein müsste, was ich noch, abgesehen von meinen Beobachtungen daraus schliessen kann, als die Umgebung von Riva und das Sarcathal arm an Reptilien und Amphibien ist.

Auch durch die Constatirung des Schlangenadlers blätterte ich in meinem ornithologischen Tagebuche nach und finde unter dem 18./6. v. J., wo ich mit einem Cameraden eine ornithologische Excursion auf den Monte Brione unternahm, folgende Notiz: „Aquila? wurde vom N. N. gefehlt und zog gegen das Ballinothal ab. (Vielleicht Schlangenadler).

In diesem Jahre finde ich unter dem 18./3. notirt:

„Mittags von meinem Garten aus beobachtet: Circaët. gallic.? sehr hoch in Richtung Monte Brione-Campithal."

Beide Male war ich stark im Zweifel und „vermuthete" nur, denn den Schlangenadler im Freien zu beobachten hat nicht jeder Ornithologe Gelegenheit, mir wäre dies des erste Mal passirt,

Nach dem Flug und Flugbilde — Gestalt und Farbe zu unterscheiden war beide Male die Entfernung zu gross — wusste ich, dass ich dieselbe Species gesehen hatte.

Der Bussardartige Flug mit doch anders sich darstellendem Bilde, anders geformten Flügeln, sowie der Grösse das Vogels liess mich den Schlangenadler vermuthen.

Diese seien die einzigen Fälle, wo ich vielleicht, nach dem Funde des jungen Vogels kann ich sagen, wahrscheinlich, den Schlangenadler um Riva beobachtet habe.

Gewiss kann ich ihn auch öfters übersehen haben, aber das ist auch gewiss, dass seine Excursionen sich seltener nach Riva's Umgebung erstreckten.

Unser Belegstück liefert den Beweis vom Vorkommen des Schlangenadlers in Südtirol, speciell Umgebung von Riva.

Herr Gymnasial-Professor Agostino Bonomi erwähnt in seinem „Materiali per L'avifauna Tri-

**) Der unter * erwähnte, von mir käuflich erworbene Cerchneis tinnunculus war thatsächlich durch einige Tage mit Polenta gestopft worden und für eine Reissuppe bestimmt gewesen (besten Appetit). Mein Zwischenkommen rettete ihn von solchem Verhängniss und durch entsprechende Nahrung gekräftigt erhielt er später die Freiheit.

***) Alte Bäume dürften sich als Horstplätze in der baumarmen und gestrüppreichen Umgebung Rivas kaum als Horstplätze bieten.

tentina" vom Jahre 1891 nichts von unserem Vogel und so dürfte dies das erste constatirte Exemplar mit der sicheren Voraussetzung, dass er auch dort horstet, sein.

Innsbruck, im October 1892. Panzer.

Ornithologische Excursionen im Isergebirge.

Von **Jul. Michel Bodenbach** a./E.

IV. Herbst 1889.*)

Wieder war der September erschienen. Schon gegen Mitte des Monates wurde es regnerisch und kühl und am 15. mischten sich die ersten Schneeflocken in den Regen. Zerrannen dieselben auch ebenso schnell, als sie erschienen, so bildeten sie doch schon eine ernstliche Mahnung an den kommenden Herbst. Schon raffte sich die Natur zu ihrer letzten Anstrengung vor dem Winterschlafe, dem farbenprächtigen Abschiedsgewande, auf. Durch die schon gelblich gefärbten Hecken schlüpften Rothkehlchen und liessen ihr helles Trickern erschallen. Manch' jugendlicher Geselle mit ruppigem Kleid, aber dem leuchtenden Stern, dem ersten Roth auf der Brust geziert, befand sich noch darunter. So jung und schon auf der Wanderschaft! Da kommt einem ordentlich selbst der Wanderdrang und man möchte mit ziehen, weit, weit in die schöne Welt!

In den Gärten zeigten sich die Streifscharen der munteren Meisen, unter Führung meist junger Buntspechte. An der rissigen Rinde der alten Obstbäume rutscht unter eifrigen „Tiit-tiit-Rufen" der Baumläufer und niedliche Sommergoldhähnchen (Reg. ignicapillus) halten Tagesrast.

Die niederen Gebüsche auf der Heinersdorfer Höhe (einem Hügelrücken im Norden von Neustadtl) waren von ziehenden Grasmücken und Rothschwänzchen belebt und am Abende des 7. November störte ich daselbst einen Schwarzstorch (Cic. nigra), welcher sich bereits zum Nachtquartier eingerichtet, aus einem Fichtendickichte auf.

Auch einzelne Trupps weisser Störche sah ich am 7. und 8. September (die ersten am 27. August). Am 11. und 12. verliess uns die Hauptmasse der Schwalben und nur wenige derselben, welche in der Brut zurückgeblieben waren, belebten noch die Strassen der Stadt.

Das schlechte Wetter hielt an und machte den September zu einem recht ungemütlichen Monate.

Gegen Ende desselben langten aus dem Gebirge die ersten Nachrichten von dem Eintreffen seltener Gäste, der Weissbindenkreuzschnäbel und Tannenheher ein. Am 2. October sah ich noch eine kleine Gesellschaft Dorfschwalben, bestehend aus 5 Stück, auf dem Telegraphendrahte und am 4. d. M. präparirte ich das beim Ausfluge verunglückte Nesthäkchen des letzten Hausschwalbenpaares.

Jetzt endlich schien des Regens genug zu sein, und freundlichere Tage folgten auf die trüben Wochen. Daher schnürte ich am 5. October mein Ränzchen und pilgerte den bereits (im Artikel II) geschilderten Weg über Wittighaus nach Klein-Iser. Unterwegs war ausser einer Schar sehr hell gefärbter Sumpfmeisen (wohl die Alpen-Varietät (Poec. borealis, var. alp.) und einigen anderen vulgären Arten nichts zu vernehmen.

In Iser suchte ich meinen Freund, den Förster Fuchs auf und wanderte nach kurzer Rast dann weiter gegen Polaun. Unterhalb des Buchberges, sowie auf der Strecke zwischen Iser und Ober-Polaun, existirten noch bis vor kurzem Vogelherde und ich hatte früher Gelegenheit, die Einrichtung und den Fang mit denselben zu beobachten.

In unübertrefflicher Weise hat Brehm den Vogelfang am Herde in dem Capitel „Vogelfang" seines so anziehenden Werkes „Leben der Vögel" geschildert. In der ihm eigenen hochpoetischen und dabei doch so naturwahren Sprache führt er uns den Wert, welchen der Vogelherd für die Wissenschaft besass, vor Augen und ich kann es mir nicht versagen, einige seiner Worte hier anzuführen: „Es darf uns nicht Wunder nehmen, dass die alten Vogler oft die gelehrten Forscher in ihrem Wissen beschämen, der Herd ist die Hochschule, welche sie gebildet hat. Hier haben sie so lange geschaut und gelauscht, bis ihnen auch das innere Auge und das innere Ohr aufgegangen und sie fähig wurden, die Sprache der Natur mit ihren Geheimnissen und Wundern zu deuten. Woher sollte es sonst auch kommen, dass sie insgesammt liebe traute Leute sind, welche, ohne dass sie es wollen, sich Jedermann zum Freunde machen und für Jedermann das rechte Wort finden, so schlicht es auch sein mag? Am Vogelherde ist ihnen dieses Wort gekommen, am Vogelherde ihnen das eigene Wesen geworden: das Stückchen Wald um das Häuschen herum hat sie gelehrt und zu dem gemacht, was sie sind."

Warum ich gerade diese Zeilen anführe? Ich bin kein Gegner der im Interesse der ohnehin genug gefährdeten Vögel erfolgten Abschaffung des Vogelherdes, aber nach so vielen, oft übertriebenen Verurtheilungen des Vogelstellens schien es mir billig, auch den anerkennenden Worten eines Mannes, dem gewiss Niemand Mangel an Liebe zur Vogelwelt vorwerfen kann, hier einen kleinen Raum zu gewähren.

Auf den erwähnten Vogelherden wurden besonders „Quäker" (Fringilla montifringilla), Drosseln (meist Zimmer) und Quäcker (Linaria alnorum) gefangen. Die kleineren, mit Grünhänflichen (Ligurinus chloris) und „Lasken" (Coccothraustes vulgaris) ab und zu untermischt, schockweise als „Bittervögel" verkauft, „Zeischgel" (Chrysomitris spinus), „Stieglitzen" (Card. elegans) und Buchfinken" (Pyrrhula europaea) wurden als Käfigvögel am Leben gelassen.

Der Fang der „Krimpe" (Lox. curvirostra) geschieht mit dem „Bärschl"*), einem mit Leimspillen besteckte Reisigbusche, welcher am Gipfel einer Stange befestigt ist. Am Fusse desselben befinden sich die Käfige mit den Lockern.

Nach dieser kleinen Abschweifung zum Thema zurückkehrend, muss ich bemerken, dass der eigent-

*) I. II und III in Nr. 2, 3, 4, 12 und 15 dieser Zeitschrift, Jahrg. XIV (1890).

*) Vulgäre Bezeichnung für Kopf.

liche, d. h. massenhafte Zug, dieses Jahr erst seit einigen Tagen begonnen hatte. Scharen von Quäkern, gemischt mit Grünlingen, Zeisigen und einzelnen Stieglitzen kamen von Preussen her über die Höhe und zogen in west- und südwestlicher Richtung stetig lockend weiter. Auch Gimpel, Kernbeisser und einige Schneeamseln (Mer. torquata) waren bereits vertreten. Auffallend war mir ein Exemplar von Linaria alnorum, das bereits am 29. August gefangen worden war.

Nach kurzem Aufenthalte legte ich den Rest meines Tagmarsches, die ca. $1^1/_2$ Stunden lange Strecke nach Ober-Polaun zurück. Eine gute Strasse führt nach geringer Steigung stetig abwärts durch schöne Waldungen. Nur die Kobelhütte, ein einzeln stehendes Waldhüterhaus, in dem der alte Friedrich den Einkehrenden flüssige und feste Magenstärkung verabreicht, weiter abwärts das auf einer Lichtung postirte, aus wenig Häusern bestehende Watzelsbrunn, das sind die belebten Oasen in der heiligen Waldesstille.

Tritt man aus dem Walde, so sieht man Ober-Polaun vor sich. Der Ort liegt auf einem, gegen Südwest steil abfallenden Hügelrücken, welcher als Ausläufer des Isergebirges gegen Süden vorspringt.

Von hier geniesst man einen prächtigen Ausblick auf das Thal der Dosse und das dem Isergebirge im Süden vorgelagerte reichbewegte Berg- und Hügelland mit seinen vielen, meist industriereichen Ortschaften, wie: Unter-Polaun, Tiefenbach, Tannwald, Morchenstern u. a. m.

In geringer Entfernung erhebt sich der jetzt mit einem Aussichtsthurme gekrönte Spitzberg (809 m), weiter hinten der langgestreckte Schwarzbrunnberg, und dann reihen sich Berg an Berg, Hügel an Hügel bis in die blaue, verschwindende Ferne.

Mein Nachtlager schlug ich wieder beim ornithologischen Wirthe Matzig auf. In der originellen Wirthsstube, — die Wände sind mit recht flott gemalten Bäumen und Sträuchen bedeckt, auf denen wieder Vögel, Affen u. dgl. Gethiere sich tummelt — habe ich mit dem Besitzer, einem lieben gemüthlichen Herrn, manch' liebe Stunde verplaudert und mir manches erzählen lassen. Matzig ist mit den gewöhnlichen Vögeln gut bekannt und — was eine Hauptsache ist — verlässlich in seinen Mittheilungen.

Damals hatte er noch eine kleine Sammlung selbst präparirter einheimischer Vögel. Ueber zwei seltene Exemplare, welche ich daselbst vorfand und von dem Besitzer in der liebenswürdigsten Weise für meine Sammlung erhielt, nämlich den ersten böhmischen Wüstenrennvogel, Cursorius europaeus, und die schwarzbäuchige, nordische Varietät des Wasserschmälzers (Cincl. aquaticus, var. melanogaster) habe ich bereits in Nr. 30 des XIII. Jahrganges dieser Zeitschrift berichtet.

Auch ein interessanter partieller Albin. von Bergfinken befand sich in derselben.

Herr Matzig hatte mich von dem Fange der seltenen Binden- und Kreuzschnäbel benachrichtigt und mir zwei Männchen von denselben aufgehoben. Obgleich diese erst wenige Tage im Gebauer waren, so mauserten sie doch schon, besonders der eine sehr stark.

Ein am 21. Juli in Darre (ein kleines Wald-Dörfchen, $^1/_3$ Stunde in nordwestlicher Richtung von Polaun liegend) geschossener junger Reiher (Ardea cinerea), dessen Geburtsstätte jedenfalls in preus. Schlesien zu suchen ist, befand sich hier. Erwähnenswerth sind auch noch zwei lebende Rothhänflinge, von denen der eine bereits 16, der andere 14 Jahre im Besitze Matzig's sich befindet, beide Vogelveteranen befanden sich noch sehr wohl.

Wie gewöhnlich verging der Abend in der gemüthlichsten Weise mit Scheibenschiessen und heiteren Gesprächen.

Im Laufe des nächsten Vormittags verliess ich wieder Polaun, da ich mich in Klein-Iser nach weiteren Loxia bifasciata umsehen wollte.

Schon in Watzelsbrunn konnte ich ein prächtig johannisbeerrothes Männchen von dem genannten Vogel erwerben, das unter gewöhnlichen Krimsen gefangen worden war. Ebenso requirierte ich ein von hier stammendes ausgestopftes ♀ vom Rauhfusskauze (Nictale Tengmalmi), das vor mehreren Jahren in einer halbverfallenen „Starmesse" genistet hatte. Hier um Watzelsbrunn kommt auch der kleine Buntspecht (Picus minor) vereinzelt vor.

In Klein-Iser wieder angelangt, ging ich nun auf die Suche und nicht ohne Erfolg.

Als ich in einem kleinen Häuschen nach Krimsen fragte, führte mich die Frau zum Ofen, wo das sogenannte Ofenloch, durch ein Gitter abgeschlossen, den Käfig für eine Anzahl solcher bildete. Nach Aussage der Frau war auch ein „neumod'scher" darunter, der sich natürlich als Loxia bifasciata entpuppte. Auch dieses rothe ♂ wurde gekauft und mit Schachteln und Käfigen beladen, aber so recht innerlich vergnügt, wie nur ein Sammler bei Erwerbung seltener Exemplare sein kann, kehrte ich am späten Abende nach Neustadtl zurück.

Die folgende Zeit wurde wieder fleissig gearbeitet, wobei noch einige Loxia bifasciata durch meine Hände gingen. Dabei waren auch 2 ♀ mit Brutfleck und noch ziemlich stark entwickeltem Eierstocke, welche jedenfalls knapp nach der Brut die Heimat verlassen hatten. Ein junges Exemplar vom Zwergfalk (Hypotriorchis aesalon), erlegt am 7. 10., sowie ein Tannenheher (Nuc. caryocatactes), geschossen am 17./10., beide aus der Umgebung, bereicherten meine Sammlung. Ende October trafen die ersten Scharen von Leinfinken ein.

Um dieselbe Zeit erhielt ich eine neuerliche Nachricht aus dem Gebirge, derzufolge in Ober-Polaun ein seltsamer Vogel gefangen worden war. Nach der „Bestimmung" der Vogelfänger sollte es ein Bastard zwischen einem Hänfling und wer weiss was noch für einem anderen Vogel sein.

Derselbe war in den Besitz des Försters Kirchner in Gross-Iser übergegangen. Eine Anfrage wurde von dem genannten Herrn in der bereitwilligsten Weise beantwortet und der kuriose Vogel als ♂ vom Fichtenammer (Emberiza pythiornis) erklärt. Auch sollte der Vogel in meinen Besitz übergehen.

(Fortsetzung folgt.)

Die Verbreitung und Lebensweise der Tagraubvögel in Siebenbürgen.

Von Johann von Csató Nagy-Enyed.

(Fortsetzung.)

11. Falco subbuteo, L.

Erscheint um Mitte April.

Bewohnt die Ebenen und den hügeligen Theil des Landes, wo kleine hochstämmige Wälder, Auen, Feldgehölze und Weinberge sich befinden.

Ueber Wiesen und Getreidefeldern niedrig, mitunter auch höher fliegend, betreibt er seine Jagd auf kleinere Vögel, folgt auch dem Jäger, wenn er auf Wachteln oder Moorschnepfen jagt und fliegt auf kaum Schussweite an ihm vorbei.

Seinen Horst baut er in Wäldern, welche an Felder grenzen, auf hohen Bäumen.

Nachdem seine Jungen ausgeflogen sind, verbleibt er ungestört auf seinem Brutplatze auch ferner, wird er aber verfolgt, dann sucht er sich einen anderen ruhigen Platz, wo hochstämmige und etwas zerstreut stehende Bäume sich befinden, und unternimmt seine Jagdausflüge von dort aus, abends kehrt er aber wieder zurück.

Er ist, wie auch der Zwergfalke, ein ausdauernder Verfolger der kleinen Vogelwelt, indem diese seine Nahrung ausmacht.*)

Gegen Mitte September zieht er wieder fort.

Ausser mit seiner Familie lebt er in keiner andern Gesellschaft.

12. Falco peregrinus, Gmel.

Wenn der Schnee in der Bergregion bereits geschmolzen ist und die Kolamsel und Singdrossel ihre ersten Frühlingslieder anstimmen, kehrt auch der Wanderfalke zu seinen Horstplätzen, welche sich an Felsenabhängen befinden, zurück.

Er macht hier seine Flugübungen und beginnt auch bald seinen Horst herzustellen.

Alle Arten Vögel welche in der Umgebung seines Horstplatzes sich aufhalten, werden von ihm gejagt.

Nachdem seine Jungen im Fliegen gut eingeübt sind, verlässt er seinen Nistplatz und streicht in den gebirgigen Gegenden umher, erst gegen Herbst kommt er in die Niederungen herunter, wo er Tauben, Wildenten, Rebhühner und andere grössere Vögel verfolgt. Auch im Winter ist er einzeln anzutreffen, wo er die Rebhühner im Felde und die Tauben in den Dörfern mitunter auch in den Städten verfolgt.

Er gehört in Siebenbürgen zu den seltener vorkommenden Raubvögeln, und besucht man nicht seine Brutplätze, kann ein ganzes Jahr vergehen, ohne dass man einen einzigen zu sehen bekommt; die im Lande ausgebrüteten Vögel und auch die Alten wandern folglich wahrscheinlich zeitweise nach anderen Ländern, denn sonst müssten sie öfters zu sehen sein.

*) Ich habe diesen Falken im V. Bande der Jahrbücher des „Erdélyi Muzeum Egylet" zu Kolozsvár auch als Insectenvertilger bekannt gemacht. O. Herman.

13. Astur palumbarius, L.

Der ärgste Räuber unter allen Raubvögeln in Siebenbürgen.

Haushühner und Tauben, dann Rebhühner dienen ihm als bevorzugte Lieblingsnahrung, aber auch Krähen und Dohlen greift er an.

Jahraus-Jahrein geht er ihnen nach und nie sind dieselben vor seinen Angriffen sicher.

Seinen Horst baut er in Wäldern auf hohen Bäumen und legt vier Eier; während der Zeit seines Brutgeschäftes und bis die Jungen noch nicht fliegen können, lebt er mehr in den waldigen Gegenden, gegen den Herbst aber, besonders wenn die regnerischen windigen Tage beginnen, übersiedelt er in die Dörfer und Städte, auch in die in ihrer Umgebung befindlichen Auen und Feldgehölze und beginnt seine täglichen Räubereien.

Einmal fliegt er niedrig entlang der Gartenzäune und neben den Höfen, wo sich die Hühner aufzuhalten pflegen, und stürzt sich vor der Nase des Menschen auf sie, um das nächste Beste zu ergreifen; ein anderesmal fliegt er hoch um die Tauben unter sich zu bekommen und stösst auf die erschreckte Schaar um ein Stück von ihnen abzulenken, welches er dann grimmig verfolgt, bis er es ergreifen kann. Oefters zieht er über den Dächern der Häuser und stürzt sich im Hofe auf die nichts schlechtes ahnenden Hühner und Tauben, wobei es ihm meistens auch gelingt, ein Stück fort zu schleppen.

Scheint ihm der Platz, wo er seine Beute ergriffen hat sicher, so kröpft er sie auf Ort und Stelle, im entgegengesetzten Falle schleppt er sie etwas weiter.

Einmal rupfte er eine Taube dicht unter meinem Fenster und in den Gärten der Dörfer und Städte findet man jährlich, besonders im Herbste und Winter die Federn der von ihm verzehrten Hühner und Tauben.

Ein jedes Dorf und eine jede Stadt hat seine Habichte, welche besonders unter den Tauben grosse Verwüstungen anrichten; sie verfolgen auch die Rebhühner auf dem Felde und wenn diese sich unter den Schnee vergraben, bäumen sie irgendwo auf um ihr Abfliegen zu erwarten und es geschieht öfters, dass der Habicht das vom Jäger niedergeschossene Stück vor dessen Nase davonträgt.

Die Krähen verfolgen ihn mit der grössten Ausdauer und stimmen, sobald sie ihn erblicken, ein Gekrächze an, infolge dessen alle in der Umgebung befindlichen Genossen herbeieilen, um den verhassten Feind mit vereinter Kraft aus dem Felde zu schlagen.

Den Warnungsruf der Raben verstehen sowohl die Hühner, als auch die Tauben, erstere flüchten sich an eine gedeckte Stelle, die Tauben aber erheben sich hoch in die Luft, indem der Habicht, wenn er sich nicht in höherer Region befindet, als seine auserlesene Beute, dieselbe nicht ergreifen kann.

14. Accipiter nisus, L.

Der Sperber ist der Habicht der kleinen Vogelwelt.

Waldränder, Auen, Feldgehölze, Wein- und Obstgärten dienen ihm als Ruhe- und Beobachtungsplätze, von hier aus unternimmt er seine Streifereien und stürzt sich auf die kleinen Vögel oder in ihre Schaaren.

Wenn er zeitig bemerkt wird, warnen sie sich gegenseitig und verbergen sich unter den Zweigen der Bäume und Gesträuche oder drücken sich auf die Erde, manchmal ergreifen sie auch die Flucht, um zu einem sicheren Orte zu gelangen, verfolgt von ihrem ärgsten Feinde; es gelingt aber demselben oft unbemerkt sein Opfer zu überraschen und vom Zweige abzufangen oder vom Boden abzuheben. Der Sperber fliegt dann mit demselben, um es zu verzehren, an einen sicheren Ort

Er ist nicht scheu, fliegt nahe neben oder über den Menschen, beschreibt mitunter noch einen Bogen, wahrscheinlich in der Hoffnung, dass ein Vogel aufgejagt wird und verschafft auf diese Art dem Jäger Gelegenheit, mit einem gut gezielten Schusse seinem Räuberleben ein Ende zu machen.

Er nistet in den Gebirgswäldern.

15. Pandion haliaëtus, L.

Der Fischadler gehört zu den seltenen Raubvögel in Siebenbürgen. Man bekommt ihn selten über unseren grösseren Flüssen zu sehen, auch die grösseren Teiche und zwar auch die im Gebirge wenn sie Fische enthalten, pflegt er zu besuchen.

Er fliegt über dem Wasser; hat er einen Fisch erspäht, stürzt er sich nach ihm und taucht unter.

Sein Nest fand man hier nicht, einzelne Vögel aber wurden auch zur Brutzeit beobachtet.

16 Nissaetus pennatus, Gml.

Brütend wurde der Zwergadler bei Szászváros und Csombord nächst Nagy-Enyed angetroffen.

Graf Lázár und ich erhielten Nestjunge. Die aus einem Horste gehobenen Jungen befiederten sich verschieden, nämlich, das eine bekam ein dunkelbraunes, das andere auf der Unterseite ein lichtlehmgelbes Gefieder.

Er kommt wahrscheinlich im April an und sucht gleich seinen Nistplatz auf, nämlich hochstämmige Wälder, welche an Felder grenzen und baut seinen Horst auf hohen Bäumen.

Er streift von seinen Brutplätzen nicht weit weg, denn man bekommt ihn nur selten zu sehen, wie er überhaupt in Siebenbürgen zu den selteneren Raubvögeln gehört.

17. Aquila naevia Gml.

Erscheint Ende März oder anfangs April und zieht sogleich zu seinen Brutplätzen, welche in hochstämmigen und in der Nähe von Culturland befindlichen Wäldern sich befinden.

Seinen Horst baut er auf hohe Bäume.

Nachdem seine Jungen ausgeflogen sind, übersiedelt er mit denselben in die Ebenen der Flüsse, wo er sich vorzüglich auf den Wiesen aufhält, hier betreibt er seine Jagd auf Mäuse, Eidechsen, grössere Insecten und lauft ihnen auf dem Boden nach, erhebt sich dann in die Höhe und über dem Gebiete kreisend lässt er seine weithörbare Stimme fleissig ertönen.

Er wird wohl auch Vögel ergreifen, wenn dieses ihm ohne grosse Mühe gelingen kann, ich beobachtete aber nie, dass er einen grösseren Vogel verfolgt hätte, ausser in einem Falle, als er sich dicht unter meinem Fenster auf dem Lande auf ein Perlhuhn stürzte.

Der Schreiadler gehört in Siebenbürgen zu den gewöhnlicheren Raubvögeln, welchen man an besagten Plätzen öfters beobachten kann.

Im September zieht er fort.

18. Aquila clanga, Pall

Der Schelladler liebt mehr die bewaldeten Gegenden des Landes und ist in bedeutend geringerer Anzahl anzutreffen, als der Schreiadler.

Er brütet in den Wäldern auf hohen Bäumen und habe ich zweimal je einen noch nicht ganz befiederten jungen Vogel erhalten; jene Exemplare, welche ich geschossen erhielt, wurden in Wäldern erlegt.

Im September zieht auch er fort.

19. Aquila imperialis, Bechst

Er gehört zu den seltenen Adlern, welchen ich aus Siebenbürgen noch nicht erhalten konnte, doch wurde er einigemale erlegt, u. zw. einmal am 23. December 1882 durch Herrn Hausmann bei Kronstadt und auch in der Sammlung des Herrn Eidely, in derselben Stadt befinden sich noch 2 Exemplare. Ob er bei uns auch horstet, ist noch nicht sichergestellt.

20. Aquila chrysaëtus L. und var. fulva, L.

Indem es noch nicht ganz sichergestellt ist, ob der Stein- und Goldadler zu einer oder zu zwei verschiedenen Arten gehört, behandele ich dieselben hier vereint; umsomehr, da ich der Meinung bin, dass ebenso wie der Zwergadler bereits im Neste verschieden gefärbte Befiederung erhält, in Folge dessen wegen dem braunen Kleid um die als Art aufgestellte Aquila minuta gestritten werden musste, ebenso wenig ist es zulässig, wegen der viel geringeren Abweichung des Gefieders, auch den Steinadler in zwei Arten zu trennen.

Der Steinadler bewohnt alle Theile Siebenbürgens

In den Hochgebirgen und im Berglande ist er ebenso wie in den Thälern anzutreffen.

So lange sich die vielen Schafherden im Gebirge auf der Weide befinden, ist er dort eine tägliche Erscheinung, es verunglückt ja hie und da ein Schaf und gelangt der Adler folglich ohne Mühe zu einer Mahlzeit, aus diesem Grunde nähert er sich auch im hügeligen Theile des Landes und in den Ebenen den Schafherden und hockt in ihrer Nähe, hoffend, zu einem Mahle zu gelangen, aber auch die Jagd betreibt er eifrig; junge Rehe, Gemskitzen, Hasen, Auerhühner und Gänse werden von ihm verfolgt und ergriffen; zu grösserem unverscharrt gebliebenen Aase lässt er sich auch nieder.

Nachdem seine Jungen das Nest verlassen haben, beginnt er seine Streifereien, ich hatte ihn vom August angefangen, besonders aber in den Herbstmonaten paarweise oder auch je zu 4—6 Stücken in hügeligen oder bergigen Gegenden nicht hoch dahinziehend gesehen.

Er brütet in felsigen Gegenden sowohl im höheren Gebirge, als auch auf niedrigeren Bergen, wenn dieselben hohe Felsen-Mauern besitzen, und fand ich in seinem Horste zwei Eier.

Im Winter ist er auch anzutreffen; einmal verfolgte er eine Hausgans bei hohem Schnee bis in meine Nähe.

In meiner Sammlung befinden sich mehrfach sowohl solche Exemplare, welche eine weissliche, wie auch solche, welche eine aschfarbige Schwanzwurzel besitzen.

21. Haliaëtus albicillus, L.

Der Seeadler besucht sowohl den gebirgigen Theil des Landes, als auch die Ebenen, ist aber überall ein seltener Raubvogel.

Ich habe ihn meistens im Spätherbste oder in den Wintermonaten beobachtet, als er einige Tage in der Nähe der Flüsse sich aufhielt, aber auch zu anderer Zeit des Jahres wurde er erlegt.

Nach Czynk soll er bei Arpás horsten.

22. Circaëtus gallicus, Gml.

Kommt im April an, zu welcher Zeit man ihn über Bergwäldern kreisend oder über den in ihrer Nähe befindlichen Feldern dahinfliegen sehen kann. Die lichte Färbung seiner Unterseite machen ihn auch in grösserer Höhe kenntlich.

Er ist nicht häufig, brütet in den Wäldern und man kann ihn zur Brutzeit manchmal mit einer Otter in den Fängen seinem Horste zufliegen beobachten.

Mit seinen ausgewachsenen Jungen unternimmt er Ausflüge und habe ich ihn auch die Stadt Nagy-Enyed überfliegen beobachtet.

Im Herbste reist er ab.

23. Pernis apivorus, L.

Gehört zu den seltenen Raubvögeln in Siebenbürgen.

Erscheint im Frühjahre, ist aber nur in einigen von ihm besonders bevorzugten Gegenden anzutreffen.

Beim Dorfe Remete wurde er brütend angetroffen, sowie auch bei Leschkirch.

In der Umgebung von Nagy-Enyed wurden einige Stücke erlegt.

Im September zieht er ab und wurde er bei seinem Abzuge einmal bei Alsó-Orbó in einem kleinen Fluge von fünf Stücken beobachtet, wovon ein Stück erlegt wurde. (Fortsetzung folgt.)

Nothwehr gegen Katzen.

Im Juli l. J. hatte ein Fünfrichter-Collegium unter Vorsitz eines der gewiegtesten österreichischen Richter, des Landesgerichtsrathes Strnad eine Entscheidung gefällt, welche in den Kreisen der Züchter und Liebhaber allen Geflügels mit lebhafter Befriedigung begrüsst zu werden verdient. Ein Wiener Bürgerschullehrer, welcher von seinem Fenster aus 3 seine Gartengewächse devastirende Katzen zusammenschoss, wurde in jener Apellinstanz freigesprochen und der Kläger in die Kosten des Verfahrens verurtheilt. In den österreichischen Gesetzen fehlt bis heute eine auf den vorerwähnten Rechtsfall Bezug habende ausdrückliche Bestimmung, die Urtheile der Einzelrichter waren daher stets verschieden von einander, so dass Beschuldigte in nicht überweisbaren Fällen oft genöthigt waren, von jener Rechtswohlthat Gebrauch zu machen, welche den Geklagten der Pflicht enthebt, vor Gericht die Wahrheit sagen zu müssen. Angesichts der allgemein empfundenen Katzenplage war aber die Selbsthilfe, als einziges Auskunftsmittel, seit jeher an der Tagesordnung, nicht minder die Processe, die darum geführt wurden. In überwiesenen Fällen wurde gegen Geklagte bald strafend, bald freisprechend vorgegangen, je nachdem es der individuellen Auffassung des betreffenden Richters entsprach. In den meisten Fällen stellte sich aber dieser auf den allgemein gehaltenen Text des Strafgesetzes, hinsichtlich der Verletzung fremden Personen gehörigen Eigenthumes und zog, unbekümmert um jegliche Nebenumstände einzig und allein aus der nackten Wirkung der Abwehr die richterlichen Consequenzen. Auch im vorliegenden Falle wurde der Geklagte zuerst vom Einzelrichter im Sinne der Anklage, wegen boshafter Beschädigung fremden Eigenthumes zu 10 Gulden Geldstrafe verurtheilt, wehrte sich aber gegen dieses Erkenntniss durch Berufung an die nächst höhere Gerichtsinstanz und rief dadurch jenen Rechtsspruch hervor, welcher fortan die Gesetzeslücke ausfüllen und als principielle Entscheidung gelten wird, für alle nachfolgenden Fälle. Die Einzelheiten aus dem Verlaufe der bezüglichen Verhandlung sind folgende:

Der Bürgerschullehrer Carl Schellner hatte zu seiner in der Grünenthorgasse Nr. 4 gelegenen Wohnung einen kleinen Garten gemiethet, in welchem er verschiedene, zum Theile pädagogischen Zwecken dienende Blumen züchtete. Diese Gewächse erfreuten sich jedoch keines ungestörten Daseins, nachdem die Katzen der Nachbarschaft für sie eine ausnehmend grosse Vorliebe zeigten und die zarten Culturen grimmig verwüsteten. Da fasste der so Beschädigte den Entschluss, mit den ungebetenen Gästen tabula rasa zu machen, kaufte sich einen Flaubertstutzen und schoss damit von seinem Fenster aus drei der Hochzeit haltenden Katzen zusammen. Ueber Anzeige des benachbarten Hausmeisters, dem die getödteten Katzen gehörten, erhob der Vertreter der Staatsbehörde gegen Schellner die Anklage wegen Gefährdung der körperlichen Sicherheit, ferner wegen boshafter Beschädigung fremden Eigenthums und endlich wegen Uebertretung des Waffenpatentes. Das Bezirksgericht Alsergrund verurtheilte Schellner blos wegen boshafter Sachbeschädigung zu einer Geldstrafe von 10 Gulden und sprach ihn von den übrigen Anklagepunkten mit der Begründung frei, dass die Vorsicht, mit welcher er erwiesenermassen das Gewehr handhabte, die Möglichkeit der Gefährdung fremder Personen ausschloss und von der Uebertretung des Waffenpatentes deshalb, weil ein 6 mm Flaubertstutzen, trotzdem er mit einem Projectil geladen wird, nicht als Waffe, sondern blos als Spielzeug anzusehen sei.

Gegen den verurtheilenden Theil dieses Erkenntnisses erhob der Vertheidiger des Angeklagten, Dr. Ellbogen, die Berufung und führte bei der Verhandlung aus, dass der Angeklagte durch die Tödtung der Katzen nur einen rechtswidrigen Angriff „dieses Raubgeziefers“ gegen sein Vermögen abwehrte und sich demnach im Zustande vollauf berechtigter „Nothwehr“ befunden habe. Der vorerwähnte Apellsenat schloss sich diesen Ausführungen in vollem Umfange an, sprach den Angeklagten auch in diesem Punkte frei und verurtheilte den Kläger in die Kosten des Verfahrens.

Nur wenige Glückliche dürfte es unter unseren Geflügelzüchtern geben, welche nicht über schweren Schaden klagen könnten, den sie durch dieses oder jenes Raubgeziefer schon erlitten, denn alle Vorsicht ist oft nicht im Stande, solche tückische Räuber vom Einzel- oder Massenmorde abzuwehren. Von Marder, Iltis oder Ratten leiden unter Umständen vereinzelte Geflügelhöfe furchtbar, aber diese Räuber sind seit jeher vogelfrei, sie haben keinen Herrn und es fehlt ihnen zum Schilde ihrer Existenz das Attribut des Hausthieres, dessen sich die der Art nach mit dem Könige aller Thiere engverwandte Katze rühmen darf. Diese, in menschlichen Wohnstätten am meisten verbreitet, ist es, welche jedem Hühner- oder Taubenzüchter unaufhörlich Sorge macht. Auf sammetgepolsterten Sohlen beschleicht sie das abseits scharrende Kücklein, wie die im Glanze des Himmelslichtes sich ahnungslos sonnenden Täubchen und bereitet denselben ein entsetzliches Ende. Von instinktiver Raubgier erfüllt, verlässt sie zu verschiedenen Zeiten des Tages die Stätte ihres engeren Heimes und flandert durch Gärten und Höfe, über Zäune und Dächer, mit ihren scharfen Sinnen Gefahr und Beute gleichmässig witternd. Ganze Kückenschwärme fallen ihr oft nach und nach zum Opfer, die Nester der Singvögel zerzausen ihre Pranken und gelangt sie in einen Taubenschlag, dann mordet sie in Masse, denn insbesondere der Kater zerbeisst dann alles was ihm unterkommt, beleckt das ausfliessende Blut und schleppt erst nach völliger Sättigung eine todte Taube fort. Dass angesichts solcher Gefährlichkeit die Selbsthilfe, als einziges Auskunftmittel seit jeher an der Tagesordnung stand, das begreift ein jeder rechtlich denkende Mensch, seltener schon der Eigenthümer und am seltensten die Eigenthümerinnen von Katzen; sie schreien vielmehr Zeter und Mordio, wenn Mitz-Mitz nach längerem Ausbleiben endlich hinkend und abgemagert nach Hause kömmt oder aber gar am Ende ganz ausbleibt. Hoch betheuern sie bei Klagen die Unschuld ihres Lieblings, der alles eher fresse, als wie Hühner- oder Taubenfleisch. Um allen Plackereien vorzubeugen, war darum seit jeher das „Verschwindenlassen“ obligat; denn Abschreckungsmittel, wie Leimruthen, Bogenschüsse oder Peitschenhiebe wirken niemals für die Dauer, weil der instinctive Drang nach Raub, Erinnerungen, welche nicht mehr schmerzen, viel zu leicht vergessen macht. Dabei kommen in gartenreichen Stadtvierteln auch Katzen zusammen, welche völlig herrenlos, ein wahres Pülcher- oder Vagabundenleben führen, im Dickicht der Zäune ihre Jungen säugen und diese dann, halbverwildert, wie die Raupen, auseinanderkriechen lassen. In solchen Gegenden verschwinden rasch die edlen Singvögel und an Stelle ihres lieblichen Gesanges tritt des Nachts jenes allbekannte Knaufconcert, bei welchem nach Grossmütterchens Versicherung, Hexen und Teufeln Hochzeit halten sollen. Auf einmal flüchtet alles auseinander, der Nachbar hatte ein Eisen aufgerichtet und der Kater trat hinein, mit gewaltigem Schlage erfasst es seine Pfote und au weh! tönt es jetzt unaufhörlich durch die Nacht, wenn nicht ein spitzfindiger Kautz die Ursache errathend, im Dunkel der Nacht den Kater befreit — oder sonst was — und das Eisen einsteckt. Beim nächsten zwingenden Anlasse will nunmehr der Nachbar alles unnöthige Aufsehen vermeiden; baut eine alte Kiste zur Falle um, gibt als Köder ein Büschel Katzenamander hinein und der Geflügeldieb ist nächsten Morgen unfehlbar gefangen. Nicht jeder Gemüthslage entspricht aber der Art nach eine solche Selbsthilfe und wird man darum, wo es thunlich, zum Flaubertstutzen greifen, der seine radikale Wirkung nie verfehlt.

Wenn aber Oesterreichs Geflügel- oder Vogelfreunde künftighin in die Lage kommen müssten, zu solch' aufgedrungen nothwendiger Selbsthilfe zu greifen, so sind sie durch das vorne angeführte Erkenntniss der peinlichen Sorge entbunden, sich in der Ausübung berechtigter Nothwehr einer strafbaren Handlung schuldig zu machen und einsichtslosen, streitsüchtigen Nachbarn die Handhabe zu schadenfroher Anklage zu bieten, sie mögen sich in Fällen solch' unausweichlichen Conflictes getrost auf den obcitirten Rechtsspruch der Staatsbehörde stützen, durch welchen die bisher schwankende Auffassung dieses Rechtsfalles, an der Hand einer von höherer juridischer Stelle erfolgten principiellen Entscheidung, in die der wahren Sachlage entsprechende Bahn der Beurtheilung geleitet ward.

A. V. Curry, Wien-Währing.

Volkswirthschaftliche Bedeutung der Geflügelzucht in Ungarn.

Von Prof. Dr. Eugen von Rodiczky, Director der kgl.-ung. landw. Lehranstalt in Kaschau.

(Schluss.)

Diesen Erwerbszweig schädigte jedoch der Umstand ungemein, dass der Postversand von lebendem Geflügel nach Bayern, Württemberg, Baden, die Schweiz etc. eingestellt werde, die Bahnfracht theuerer und umständlicher ist.*)

Wenn auch der Geflügel- und Eierhandel noch immer in den Händen bescheidener Händler ruht, so erzielen dieselben doch einen ganz respectablen Umsatz, wie dies schon aus folgender Berechnung erhellen dürfte.

Im Soproner Comitate beschäftigen sich nach Erhebungen des dortigen Oberstuhlrichteramtes mit dem gewerbsmässigen Verkaufe, resp. Export von Geflügel nach Wien, Wiener-Neustadt, Baden 146

*) Nachdem durch Bayern und nach Bayern kein Geflügel mehr gesendet werden kann, hat sich der Export einzelner Firmen 1890 auf $^1/_3$ des vorjährigen Exportes verringert; Posttransport ist eben nicht nur billiger, sondern auch schneller, wie gewöhnlicher Bahntransport, was bei Geflügel sehr in die Wagschale fällt. Es wäre zu wünschen, dass die Bahn kleine Sendungen von 5 kg an annehme und für 5 kg. berechne und für einige grössere Territorien des Auslandes (namentlich Rheinland und Westphalen) Ausnahmetarife bewilligt würden. Jetzt entschliesst sich das Publicum schwer zu einem schleppenden und unzuverlässlichen Bezug mittelst Bahn.

Personen. Dieselben kaufen Geflügel und Eier von dem ländlichen Züchter auf und verfrachten das Kaufgut wöchentlich 1, 2mal per Achse nach besagten Orten. Der Werth eines Transportes repräsentirt 200—400 fl und nachdem ein „Tyukász" seine Tournée jährlich mindestens 30mal vollführt, so ergibt sich — den Frachtwerth durchschnittlich zu 300 fl. angenommen — pro Händler ein Umsatz von 9000 fl, für die gesammten gewerbsmässigen Händler von 1 Millionen Gulden. Aehnlichen Verhältnissen begegnen wir auch in anderen Grenzcomitaten, wie: Zala und Vas., die dortigen Händler verfrachten das Geflügel und auch Eier gleichfalls per Achse und zumeist über Sopron nach Nieder-Oesterreich, so dass im Vorjahre auf der Eisenbahnstation Szombathely kein lebendes Geflügel und nur 4·680 kg Eier zum Versand kamen, wo doch der Secretär des Vaser landwirthschaftlichen Vereines, Herr Karl Rössler, die wöchentlich aus dem Comitate abgesandten Geflügel- und Eierfrachten auf 20 bis 25 Waggonladungen schätzt, welche stets 250 bis 300 Stück Geflügel und nebstbei für den Rudolfsheimer Eiermarkt in Fässer verpackte Eier fassen. Die Händler halten dabei das durchaus praktische Vorgehen ein, dass sie mit den Ankauf an einem entlegenen Punkte beginnend, der Grenze zustreben, trachtend ihre Fracht bis zu der Ueberschreitung zu completiren. Wenn es nun auch keine rechte Controlstelle für den ungarischen Eierhandel gibt und die Assortirung noch sehr viel zu wünschen übrig lässt, so hebt sich continuirlich nicht nur unser Handel mit lebendem Geflügel, sondern auch jener mit Eiern.*)

Das Ausland kennt bisher nur zwei Sorten von ungarischen Eiern Jene, welche aus dem „Alföld" stammen und ihres grösseren Dotters halber „Fette", nach dem Sammelplatze „Szegediner" Eier genannt werden, dann die sogenannten „mageren" Eier, für welche Kolozsvár in Siebenbürgen, Héthárs und Kassa in Ober-Ungarn ein Sammelort sind**). Weitere Exportplätze sind: H. Mező-Vásárhely, Püspök-Ladány, Zsombolya, Csákány, Székesfehérvár, Szent-Iván etc.

Die Qualität der ungarischen fetten Eier ist unstreitig besser, als die der südfranzösischen, doch sind sie weniger haltbar, als die mageren, mit welchen Tarnow einen schwungvollen Handel nach Deutschland betreibt. Der Eierexport geschieht in Waggonladungen zu 10.000 Stück und werden nach Wunsch „fette" und „magere" kistenweise separat verpackt. Man betrachtet es als Mangel des ungarischen Eierhandels, dass die Eier nicht nach Gewicht, sondern per Stück gekauft werden, daher für den kleinen Mann der Impuls fehle, auf grössere Eier zu züchten und auch das consumirende Publicum angeblich Schaden erleidet. Ich gebe zu, dass frische und gut conservirte Eier ein grösseres Durchschnittsgewicht aufweisen, doch darf nicht vergessen werden, dass nicht immer dasjenige Huhn das werthvollste ist, welches die grössten Eier legt.*)

Noch bedeutender als der Handel mit lebendem Geflügel und Eiern ist jener von Bettfedern, wozu die ungarischen Gänse, mit deren Zucht sich einige Grossgrundbesitzer befassen, ein bedeutendes Contingent liefern.**) Der überwiegende Theil der exportirten Federn geht nach Deutschland***), namentlich als rohe Federn, deren Einfuhr zollfrei ist, wo hingegen für die gereinigten pro 100 kg Brutto 6 Mark Zoll zu entrichten ist. Ungarns Concurrenten sind auf diesem Gebiete, Amerika für feine Sorten, Russland für gewöhnliche Waare, China und Japan für ebenso wohlfeile, wie untergeordnete Waare. Trotzdem der grosse Kenner mosaischer Gesetzgebung Michaelis geneigt war, die Gänse unter die verbotenen oder unreinen Thiere zu zählen, halten die Israeliten es doch mit dem ägyptischen Traumbuche,

*) Wenn in der österreichisch-ungarischen Monarchie die Eierausfuhr in dem Zeitraume 1877—1890 um 133% angenommen, die Einfuhr um 80% abgenommen hat, so ist dies Resultat hauptsächlich Ungarn zu verdanken.

**) Nach oben citirten statistischen Daten kann angenommen werden, dass sich 1884 im Lande 7,447.818 Stück Legehühner befanden, einen durchschnittlichen Ertrag von nur 50 Stück angenommen, ergibt dies 372·4 Millionen Stück, was das Ei zu 2 kr. gerechnet, 7·5 Millionen Werth repräsentirt.

Der Werth der aus Ungarn exportirten Eier betrug im Jahre

1882	1,526.087 fl.	61.123 q
1883	1,737.518 fl.	69,501 q
1884	2,378.684 fl.	77.270 q
im 3jähr. Durchschnitte	1,880,646 fl.	65 298 q

der nur eine Einfuhr im Werthe von 8—15,000 fl., 308—506 q gegenüberstehend. Im Durchschnitte der Jahre 1887—1889 betrug der Werth des Exportes bereits 5.240.303 fl.

Aus der österr.-ung. Monarchie war die Geflügel-

	Ausfuhr	Einfuhr
1882	22.328 q	13.037 q
1885	31 942 q	20,216 q
1890	76 404 q	28,556 q

Aus der öst.-ung. Monarchie war die Eier-

	Ausfuhr	Einfuhr
1880	272.628 q	24.801 q
1881	298.369 q	29,654 q
1882	245.407 q	32,870 q
1885	380,262 q	10.431 q
1890	560.237 q	6,144 q

*) Ueberhaupt ist das Legen grosser und schwerer Eier mehr individuell, als Rasseneigenschaft, abnorm grosse Eier haben für die Hennen Gefahren im Gefolge, sind zumeist doppeldotterig, daher anormal. Durch Kreuzung und Zuchtwahl lässt sich die Grösse und das Gewicht der Eier fördern, doch darf nicht vergessen werden, dass Hühner, welche grosse Eier legen, der Zahl nach gemeinhin weniger produciren und dass die kleinsten Eier relativ das grösste Dotter haben, daher werthvoller sind, als die grossen, welche mehr und ein wässeriges Eiweiss enthalten. Freilich bevorzugt man trotzdem zumeist die grossen Eier. Es kamen Fälle vor, dass ungarische Prima Eier in Paris zu 132 Franc reissenden Absatz finden, zu einer Zeit wo für 50 kg. guter Waare nur 90—92 Fr. gezahlt wurden, doch geht dort gewöhnliche Waare nur zu 65—70 Fr. per 1000 Stück ab, welche 52·53 kg. wiegen.

**) Ungarns Federnproduction beträgt 1880: 16.000—20,000 q der Werth des Federnexportes 1892 war 3,817.830 fl. 1883 war 143,558 fl., 1884 war 5,065.913 fl., 1889 war 5,9 8.130 fl.; dem nur eine Einfuhr von 46—107,000 fl. Werth gegenüberstand. Der überwiegende Theil geht nach Deutschland, z. B. 1891 sandten wir dahin 1,158.318 kg. = 61·08%, nach Oesterreich 691,100 kg. = 36·13%.

***) Werth der Geflügel- und Geflügelproducten Ausfuhr nach Deutschland:

		1885	1886	1887	1888	1889
Geflügel .	„	275,188	428,981	486,804	474.914	762,861
Eier . .	„	184,534	165,289	298,670	198,525	524.493
Bettfedern	„	4,747,989	3,449,063	3,402.090	4,101,130	4,104.128
Gänsefette	„	5,096	4.245	3.745	3,690	4,950
Gansleber	„	3,941	7.503	7,095	3,240	15,660
Zusammen	fl.	5,216.747	4,075,101	4,192,514	4.781.499	5,412.088

welches besagt „Gänsebraten essen ist gut.“ Die Gans ist gewissermassen das Schwein der Israeliten. Während das Huhn gemeinhin lebend verkauft wird, kommt die Gans nur abgeschlachtet zum Verkaufe. Besonders lebhaften Handel betreiben damit vom Spätherbst bis Frühjahr die specifisch ungarischen Städte: Kecskemét, K. Félegyháza, Makó, Orosháza, Keszthely. Kecskemét ist auch eine Etappe für Händler mit Gänselebern. Es setzen sich dort z. B. Wiener Agenten im Herbste fest und weilen so lange dort, bis man ihnen noch eine Leber zum Kaufe anbietet.

In der Heranzüchtung grosser Gänseleber erreichen zumeist die jüdischen Hausfrauen — wenn auch auf thierquälerischem Wege — die schönsten Resultate. Doch leisten auf diesem Gebiete auch die berühmten Barser Händlerinnen von gebratenen Gänsevierteln ganz Ausserordentliches, mit Hilfe einer ebenso einfachen, wie wenig aesthetischen Procedur. Sammelplatz für Gänseleber des Barser Comitates ist Leva, wo jährlich 120–150 q direct nach Strassburg geschickt werden, während davon nach Wien nur ein verschwindend kleiner Theil gelangt. Der Preis stellt sich per kg Loco auf 1 fl. 20 bis 1 fl. 50 kr., für den Wiener Platz liefern hauptsächlich Pozsony, Érsekujvár, Galgócz und Nagyszombat Gänselebern.

Das Gänsefett hat seinen Absatzmarkt hauptsächlich in Wien, doch nur von Gänsen, welche rituell geschlachtet werden; kann daher selbstverständlich nur eine bescheidene Rolle spielen.

Auch getrocknetes Eiweiss kommt für Zwecke der Leder- und Tuchfabrikation hauptsächlich von Kolozsvár aus in den Handel.

Mit einem Worte, die ungarische Geflügelzucht erfreut sich bereits heute einer blühenden Gegenwart und könnte bei harmonischem Zusammenwirken der massgebenden Kreise einer grossen Zukunft entgegen gehen!

Die internationale Geflügelausstellung in Budapest.

So bedeutend die Geflügelhaltung in Ungarn ist, so wenig entwickelt und geregelt ist noch das Ausstellungswesen auf diesem Gebiete. Die erste ungarische Geflügelschau wurde durch den Budapester Acclimatisations-Verein im Jahre 1874 inscenirt und muss als höchst bescheidener Anfang bezeichnet werden. Von Nutzgeflügel waren insgesammt 188 Stück vorhanden und trotzdem von 28 Ausstellern 27 prämiirt wurden, dauerte es eine gute Weile, bis man wieder eine Geflügelausstellung veranstaltete.

Es war dies im Jahre 1885, gelegentlich der Budapester Landesausstellung, womit der erste Versuch gemacht wurde eine „internationale“ Schau zu veranstalten. Damals waren 278 Stämme Nutzgeflügel exponirt, während der Katalog der jüngsten „internationalen“ 515 Nummern diverser Nutzgeflügelstämme aufwies. Wenn auch ab und zu eine Nummer ausblieb, so zeugt dieser Umstand immerhin für das wachsende Interesse, welches man den Geflügelausstellungen nunmehr auch hier zu Lande entgegenbringt, wo man in den letzten Jahren selbst in mehreren Provinzstädten (Debrezin, Miskolcz, Klausenburg etc.) ziemlich gelungene Geflügelschauen veranstaltete.

Nun freilich wird das Interesse auch durch pekuniäre Mittel thatkräftig gefördert. Sowohl das Ackerbau-, wie das Handelsministerium unterstützten die jüngste Veranstaltung durch Subventionen und stellte ersteres den Ankauf von Zucht- und Jungviehstämmen in Aussicht. Thatsächlich wurde zur Vertheilung an strebsame Schullehrer und landwirtschaftliche Vereine aufgekauft, was nur halbwegs zweckentsprechend erschien. Auch an Prämien war kein Mangel. Das Ackerbauministerium bewilligte eine grössere Anzahl von Staatsmedaillen, von welchen auf die Gruppe Geflügel 1 goldene, 10 silberne und 10 bronzene Medaillen fielen; ausserdem stellte der Landes-Geflügelzuchtverein der Jury Medaillen und Diplome „à discretion“ zur Disposition. An Geldpreisen standen derselben Gruppe 4 Preise je zu 8 fl. und 4 Preise zu 4 fl. zur Verfügung.

Ausserdem gaben der Präsident Graf Coloman Csáky und Herr Anton von Horváth der Jury eine ziemlich harte Nuss zu knacken, indem ersterer für einen absolut guten Stamm Plymouth-Rocks 25 fl., Langshanstamm 20 fl. und einen eben solchen Stamm Emdener Gänse drei Stück ungarische Ducaten, letzterer für dieselben Kategorien Preise zu je 20 Francs aussetzten. Mit einem Worte, in allen Gruppen war kein Mangel an Preisen, umso grösser war er an arbeitenden Juroren.

In Gruppe I. (Geflügel, Präsident Baron Julius Nyáry) waren von auswärtigen Juroren nur Herr Carl Pallisch zugegen, der auch in Gruppe II. (Literarische Erzeugnisse, Präses Director Dr. von Rodiczky) gewählt war.

Nachdem es in Ungarn, wo man die Zucht systematisch zu fördern gesonnen ist, sehr viel auf ein massgebendes Urtheil ankommt, sollte jedenfalls ein Modus gefunden werden um der Jury eine grössere Anzahl fachmännischer Stimmen zu sichern.

Was das Arrangement der Ausstellung selbst anbelangt, so war dasselbe augenscheinlich etwas überhastet, nachdem die Aussteller ihre Thiere zumeist verspätet einsandten und man die Nachzügler, wie es scheint, nicht zurückweisen wollte, vielmehr selbst solche Aussteller acceptirte, die sich in der 13ten Stunde, d. h. nach Eröffnung der Ausstellung anfragen: Ob sie noch exponiren können? Das ist nun zu weit getriebene Zuvorkommenheit, worunter Jury und Publikum litt.

So zweckmässig gelegen und hübsch auch sonst das Ausstellungslocal — die sog. Bellevue am Ende der Andrássystrasse — war, uns berührte es geradezu peinlich, dass nicht nur das Wassergeflügel, sondern ein grosser Theil der werthvolleren Hühnerrassen, ja selbst Karnikel — pardon französische Lapins Bélier, englische Buterflys und apanische dreifärbige Kaninchen — im Freien, ohne jeglichen Schutz wider Sonnenbrand und Regen, exponirt waren. Es ist ja bekannt, dass die Magyaren ihren eigenen Gott haben, dass jedoch die Ausstellungscommission einen geheimen Pact mit Jupiter pluvius geschlossen, war mir unbekannt geblieben; und doch muss etwas an der Sache sein, denn ausser einem „Spritzer“, welcher den Herren Arrangeuren doch einen „kleinen Schreckensberger“ eingejagt haben mochte, begünstigte die langandauernde Ausstellung fortwährend gutes Wetter. Doch „mit des Geschickes Mächten ist kein ew'ger Bund zu flechten“, besseres Arrangement mit kürzerer Ausstellungsdauer soll in Zukunft die Devise lauten, will man nicht, dass das kaum erwachte Interesse, sowohl das Gros der Züchter, wie auch die Bereitwilligkeit der bisherigen Aussteller auf den Gefrierpunkt sinke!

Nachdem es publik war, dass das ungarische Ackerbauministerium bei seinem projectirten Ankauf von geeigneten Stämmen nur die Plymouth Rocks und Langshans, ferner Emdener Gänse und Pekingenten berücksichtigen wird, so waren diese Rassen auf der Ausstellung thatsächlich am besten vertreten. Wir zählten 95 Plymouth-Rocks und 69 Langshanstämme, von welchen ein grosser Theil der Geflügelzuchtanstalt der Herren Beiwinkler und Koppély in Hatvan angehörten. Die auf gesunder Basis angelegte Zuchtanstalt erhielt für ihre reichhaltige Collection nicht allein die goldene Staatsmedaille, sondern auch die Spezialpreise für den tadellosesten Stamm von Plymouth-Rock, Langshan und Emdener Gänse.

Das Cochinchinahuhn, trotzdem es auch in Ungarn die erste Fremdeinführung war und seine Kreuzungsproducte eine ziemlich häufige Marktwaare bilden, erwies sich stark vernachlässigt. Zwei hervorragende Stämme weisse Cochins 1892er Eigenzucht stellte Frau Isabella Pallisch, Erlach, aus. Gutes Material exponirte die Geflügelzuchtanstalt Leytha-Hof; weiters beachtenswerthes Zoltán von Kanovics, C. Taucher und Anna Raksányi.

Von Plymouth-Rocks waren fast durchgängig gesperberte vertreten. Ausser den bereits erwähnten, brachten besseres Material blos L. v. Draskóczy, Frau Stephan Pisny, Frau Anna Raksányi, Ritter v. Bogyay und V. Zsuffa. Anerkennung fanden auch die weissen Plymouth-Rocks des F. Pahn.

Trotzdem die Stimmen über den Werth des aus Nordchina stammenden und als Sport- und Nutzhuhn sehr belobten Langshan in Ungarn ziemlich divergiren, war auch diese Rasse — doch kaum in tadellosen Stämmen — stark vertreten.

Unter den Zuchtstämmen machte sich jener des Herrn Theodor Deutsch aus Marburg und V. Zsuffa am bemerkbarsten, während die fleissigen Züchterinnen Frau D. Németh und P. v. Juhász diesmal nicht reussirten. In der Kategorie diesjährige Brut fanden wir vorwiegend nur gute Hühner. Frau Anna Raksányi, welche nach Beiwinkler und Koppély das meiste Material exponirte, scheint mit der Zucht von Hähnen wenig Glück zu haben. Johann Rohonczy half sich über das Dilemma damit hinweg, dass er neben acht zumeist prima Hühnern, nur einen Hahn exponirte! Mit weissen Langshans concurrirten nur drei Aussteller: F. Palm, Frau Németh und Frau Fery Shaniel, welch' letzterer auf diesem Gebiete unstreitig die Palme gebührte.

Von Italienern und Spaniern war nichts beachtenswerthes vorhanden; von Minorkas ein einziger, jedoch tadelloser weisser Stamm des Fräulein Betti Nagl in Purkersdorf.

Die bekannte Houdan-Züchterin Frau Irma Nagel führte sich in Ungarn recht vortheilhaft ein. Sie bewerthete freilich einen ihrer Stämme, dessen Hahn nicht ganz tadellos war, zu 500 fl. Doch war ihre heurige Zucht zu civilen Preisen notirt.

Brahma waren stark vertreten. Unter den Dunklen fand sich unstreitig viel besseres Material, als unter den lichten Brahmas. Prima Stämme exponirten jedoch nur Beiwinkler und Koppély und Z. v. Kanovics.

Das Wyandotte, dieses höchst beachtenswerthe Product amerikanischen Züchtergenies war sehr schwach vertreten; bloss Frau Raksányi brachte einen beachtenswerthen Stamm.

Mit Hamburgern concurrirten blos ausländische Züchter, und erwiesen sich dabei G. J. Bambach und Bernard Schöne als ziemlich ebenbürtige Concurrenten. Letzterer brachte auch Yokohama, deren Condition jedoch viel zu wünschen liess. Mit Paduanern reussirte blos Th. Deutsch; nicht zu erwähnen des Budapester Thiergartens, der einige Stämme — noblesse oblige — exponirte.

Beiläufig erwähnt, war in Gruppe „Verschiedenes" nebst Yokohama ein Stamm Seidenhühner und als Neuheit ein Mizry benanntes Kaulhuhn zu sehen, welches die Referenten diverser Zeitungen consequent als Mizzi ansprachen. Nun ja derzeit entbehrt ja auch manche Mizzi des „Hansl", id est cul de Paris! Honny soit, qui mal y pense! . . .

Mit schwarzen Holländern traten Oscar Frank und S. Susztek in die Schranken, wobei ersterer als Sieger hervorgieng.

Was Zwerghühner und Bantams anbelangt, so zeigten sie fast insgesammt, dass ihre Besitzer noch weit davon sind, was der Engländer Sportzucht nennen würde.

Perlhühner waren, wie man allgemein bemerken kann, fast gänzlich vernachlässigt. Nur die Zuchtanstalt Janowitz brachte erwähnungswerthe weisse Perlhühner. Von Truthühnern sah man zumeist nur gewöhnliche Marktware. Höchstens, dass die Bronze-Truthühner der Frau Németh und die Norfolker der Zuchtanstalt „Janovitz" eine Anerkennung verdienten. Hingegen war unter den Emdener Gänsen und Pekingenten manch vorzüglicher Stamm exponirt. Von Emdener Gänsen bemerkten wir besonders den Stamm der Frau Raksányi und die 5monatlichen der Herren Beiwinkler & Koppély. Gutes Material brachten u. A. auch Györffy und Berger; Würdigung fanden mit vollem Rechte auch die krausen Gänse des G. Kraus aus Prjedor in Bosnien, ein den Donauländern eigenthümlicher Schlag, auf welchen Referent vor vielen Jahren die Aufmerksamkeit der Züchter gelenkt hat.

Viel bewundert wurden die Toulouser Gänse der Frau Fery Shaniel. Wir gestehen unumwunden, dass dieser Stamm auch uns, die wir im Leben so mancher Gans staunend gegenüber standen — imponirt hat.

Budapest, im October 1892.

Dr. Eugen von Rodiczky.

Die „Handelsklasse", beschickt mit 25 Nummern Hühnerkreuzungen, 9 Nummern Landhühnern, 8 Nummern Truthühnern, 5 Paar Enten und 7 Paar Gänsen, theils Landschläge, theils Kreuzungen, zeigte in ihrer Prämiirung, wie sehr man in Ungarn bemüht ist, die Nutzgeflügelzucht zu heben.

Wie die Prämiirungsliste zeigt, wurden in dieser Klasse 3 silberne Staatsmedaillen, ein Ehrenpreis von 20 Frcs., 2 goldene, 8 silberne und 1 bronzene Vereinsmedaille vergeben.

Ausser einer silbernen Staatsmedaille, die der „Ung. Export- und Transport-Gesellschaft" für Mastgeflügel etc. verliehen wurde, erhielten alle anderen Preise ländliche Züchter und landw. Vereine für Thiere, die rein wirthschaftlichen — absolut keinen sportlichen — Werth repräsentirten. Ph.

Ausstellungen.

Società Colombofila Fiorentina. Der Florentiner Taubenzüchter-Verein veranstaltet am 11. December 1892 in Florenz eine Taubenausstellung. Die Betheiligung ist nur Mitgliedern des genannten Vereines gestattet.

Allgemeine Kanarien-Ausstellung, veranstaltet vom Ornithologischen Verein für das nördl. Böhmen in Reichenberg. In den Tagen des 6., 7. und 8. Jänner 1892 findet in Reichenberg, veranstaltet vom Ornithologischen Vereine für das nördliche Böhmen, eine allgemeine Kanarienausstellung statt, die sich den bedeutendsten Unternehmen dieser Art, welche bisher in Böhmen stattgefunden, würdig anschliessen dürfte. Da diese Ausstellung die erste in unserer Gegend veranstaltete sein wird, so ist zu hoffen, dass viele von den ausgestellten Vögeln verkauft werden, so dass den geehrten Ausstellern nicht nur die Aussicht winkt, ihre Vögel vortheilhaft zu verkaufen, sondern auch durch die vielen ausgesetzten Preise bedeutender Gewinn und hohe Ehre erworben werden können. Indem wir nun alle Kanarienzüchter einladen, sich an dieser unserer Ausstellung durch Beschickung derselben zu betheiligen, geben wir bekannt, dass Programme und Anmeldebogen vom Ornithologischen Vereine Reichenberg, „Gasthaus zum Pelikan" bezogen werden können, wo auch alle Auskünfte bereitwilligst ertheilt werden.

†

Eduard Ritter von Uhl. Am 1. November 1892 starb im hohen Alter von 79 Jahren, der ehemalige Bürgermeister von Wien Ed. Ritter von Uhl, ein langjähriges, treues Mitglied unseres Vereines. Ritter von Uhl war ein Freund unserer Bestrebungen, sowie aller auf Fortschritt und Aufklärung gerichteten Bemühungen. Er genoss die herzlichsten Sympathien der ganzen Bevölkerung, die in ihm den echten Wiener Bürger, den leutseligen und schlichten Volksfreund ehrte und liebte. Wir werden ihm in unserem Vereine ein treues Gedenken bewahren. Möge ihm die Erde leicht sein!

Kleine Mittheilungen.

Subventionsgeflügel. Gelegentlich der Budapester intern. Ausstellung wurden vom „Ungar. Landes-Geflügelzucht-Verein" sechzehn landw. Vereine, resp. 29 Zuchtstationen derselben mit 31 Stämmen Geflügel betheilt u. zw. mit 20 Stämmen Plymouthrocks, 7 Stämmen schwarzer Langshan und je zwei Stämmen Pekingenten und Emdener Gänsen. Ausserdem wurden an 79 Lehrer ebensoviele Stämme Geflügel nachstehender Racen unentgeltlich herausgegeben: 31 Stämme schwarzer Langshans, 6 Stämme Plymouthrocks, 18 Stämme Pekingenten und 24 Stämme Emdener-Gänse. Diese 110 Stämme wurden auf der Ausstellung selbst zum Preise von 1641 fl. ö. W. aufgekauft, während sich der Verkauf von Geflügel an Private mit 1513 fl. beziffert. Ph.

Wichtigkeit der Geflügelzucht in Ungarn. Nach den neuesten Erhebungen des kgl. ung. statistischen Amtes über den Waarenverkehr des Jahres 1891 erhellt, dass der Werth des in diesem Zeitraume aus den Ländern der ungarischen Krone exportirten Geflügels, respective der betreffenden Producte, bereits folgende bedeutende Summen erreicht hat: Verschiedenes Geflügel 6·9, Bettfedern 4·5, Eier 8·1 Millionen Gulden, wozu noch mindestens 200,000 Gulden für Gänsefett und Gänseleber zu rechnen kommen, also ein Gesammt-Ergebniss von nahezu zwanzig Millionen Gulden! Der Aufschwung der Zucht und damit des Exportes ist ein unverkennbarer, nachdem innerhalb sieben Jahren eine Wertzunahme von 5 Millionen Gulden stattgefunden hat.

Prämiirungsliste der intern. Geflügelausstellung zu Budapest 22. September bis 2. October 1892.

Geld-Ehrenpreise.

1. Beiwinkler & Koppély Hatvan: Die Graf Csáky'schen Preise für den absolut besten Stamm Plymouthrock (25 fl.) und den absolut besten Stamm Langshan (20 fl.) sowie den Horváth'schen Preis für einen absolut guten Stamm Emdener Gänse (20 Francs).
2. Anna Raksányi, Pilis: Den Graf Csáky'schen Preis für Emdener Gänse (3 Stück Ducaten): den Bischof J. Bende'schen Preis für Hühner Collection (60 Fr.)
3. Z. Kanovics, Budapest, den Bischof K. Hornig'schen Preis für Hühner Collection. (40 Fr.)
4. J. Rohonczy, Budapest, den Bischof Gg. Császka'schen Preis für Hühner Collection. (20 Fr.)
5. V. Zsufa, Zombor, den A. Horváth'schen Preis für einen Stamm absolut gute Langshan. (20 Fr.)
6. J. Székely, Mályi, den Bischof Mihályi'schen Preis für Hühner Collection. (20 Fr.)
7. R. Goboczy, B. Ujfalu Geldpreis von 4 fl. für Hühner.
8. T. Magda, Iske, Geldpreis von 20 Fr. für Truthühnerkreuzung.
9. J. Skaupil, Budapest, den A. Horváth'schen Preis für Budapester „Gestorchte". (20 Fr.)
10. J. Császár, Budapest, den A. Horváth'schen Preis für Budapester „Gestorchte". (40 Fr.)
11. G. Parthay, Budapest, den Geldpreis von 30 Fr. für weisse Pfautauben.
12. K. Beke, Budapest, den Győrfy'schen Preis für Blondinetten. (10 Fr.)
13. J. Burger, Budapest, den III. Preis (3 Silbergulden) für Brieftauben.

Goldene kgl. ung. Staatsmedaille.

Beiwinkler & Koppély, Hatvan, für Hühner und Wassergeflügel-Collection.

Silberne kgl. ung. Staatsmedaille.

Budapester Thiergarten: für grosse Geflügel Collection.
Csáky Grf. K., Sz. Ujvár. für Langshan und Plymouthrocks
Döry V., P. Leperd, für d. und h. Brahma und Emdener Gänse.
Kanovics Z., Budapest, für grosse Hühner Collection.
Kovách G., Lengyel, für Plymouthrockskreuzung.
Nagel Irma, Graz, für Houdan.
Németh L., Istvánd, für Plymouth und Langshan Kreuzungen.
Pallisch Isabella, Erlach, für weisse Cochin.
Raksányi A., Pilis, für grosse Collection Geflügel.
Shaniel F., Katzelsdorf, für grosse Geflügel Collection.
Ung. Exp.- & Transp.-Gesellschaft, Budapest, für Mastgeflügel.
Eder Ferd., Wien, für Maltheser.
Seper J., Miskolcz, für Trommeltauben.
Skaupil, Budapest, für Budapester „Gestorchte".
G. Parthay, für Geflügelzeitung „Szárnyasaink".

Bronzene kgl. ung. Staatsmedaille.

Bogyay S., Sárospatak, für Plymouthrock und Peking Enten.
Draskóczy L., Feled, für Plymouthrock.
Kraus G., Prjedor, Bosnien, für h. Brahma und Lockengänse.
Palm N., Rimaszombat, für Plymoutrock und Langshan.
Pisny St., Battonya, für Plymouthrock.
Rohonczy J., Budapest, für Plymouthrock und Pekingenten.
Székely J., Mályi. für Pekingenten und Emdener Gänse.
Süsztek J., Rimaszombat, für Hühner Collection.
Zsuffa V., Zombor, für Langshan.
Jordán B., Budapest, für Budapester "Gestorchte".
Losconczi A., Klausenburg, für Carrier.
Seydl J., Laa a. d. Thaya, für Strasser.
Domayer K., Budapest, für Canarien.
Mikolik G., Budapest, für Canarien.
Böheim Th., Budapest, für Käfige.
Mauthner E., Budapest, für Geflügelfutter.

Ausser diesen Preisen kamen noch: 29 goldene, 44 silberne und 25 bronzene Vereinsmedaillen, sowie 20 Anerkennungs-Diplome zur Vertheilung.

Hievon entfallen auf Aussteller der diesseitigen Reichshälfte: **Goldene Medaille:** Fürstin Czartoryska, Wyacownica (Enten und Kaninchen), Karl Taucher, Waltersdorf (w. Cochin), Fräulein Betti Nagl, Purkersdorf (w. Minorca), O. Frank, Wien (Hühner und Kaninchen), J. B. Brusskay, Wien (Pfautauben), F. Czerny, (Kröpfer), Ferd. Eder, Wien (Florentiner) K. Grauer, Wien (Hühnerschecken), Kremer, Olmütz (Käfige). J. Weiss, Wien (Constatir-App.).

Silberne Vereinsmedaille: Th. Deutsch, Marburg (Langshan) Geflügelhof „Janowitz" (Trut- und Perl-Hühner). A. Friedl, Wien (Maltheser), Grauer, Wien (Römer) Fürstin Czartoryska (Rouen und Aylesbury Enten).

Bronzene Vereinsmedaille: J. G. Bambach, Gottmannsgrün (Hamburger), F. Czerny, Wien (Hühner und Tauben), K. Grauer, Wien (Malteser).

Verlag des Vereines. — Für die Redaction verantwortlich: **Rudolf Ed. Bondi.**
Druck von **Johann L. Bondi & Sohn**, Wien, VII., Stiftgasse 3.

XVI. JAHRGANG. Nr. 22.

Mittheilungen des ornithologischen Vereines in Wien

„DIE SCHWALBE"

Blätter für Vogelkunde, Vogelschutz, Geflügelzucht und Brieftaubenwesen.

Organ des I. österr.-ung. Geflügelzuchtvereines in Wien und des I. Wr. Vororte-Geflügelzuchtvereines in Rudolfsheim

Redigirt von **C. PALLISCH** unter Mitwirkung von Hofrath Professor **Dr. C. CLAUS.**

30. November. 1892.

„DIE SCHWALBE" erscheint **Mitte** und **Ende** eines **jeden Monates**. — Im Buchhandel beträgt das Abonnement 6 fl. resp. 12 Mark. Einzelne Nummern 30 kr. resp. 60 Pf.

Inserate per 1 □ Centimeter 3 kr., resp. 6 Pf.

Mittheilungen an das **Präsidium** sind an Herrn **A. Bachofen v. Echt** in Nussdorf bei Wien; die **Jahresbeiträge** der Mitglieder (5 fl., resp. 10 Mark) an Herrn **Dr. Karl Zimmermann** in Wien, I., Bauernmarkt 11;

Mittheilungen an das **Secretariat** ferner in Administrations-Angelegenheiten, sowie die für die **Bibliothek** und **Sammlungen** bestimmten Sendungen an Herrn **Dr. Leo Pribyl**, Wien, IV., Waaggasse 4, zu adressiren.

Alle redactionellen Briefe, Sendungen etc. an Herrn **Ingenieur C. Pallisch in Erlach** bei Wr.-Neustadt zu richten.

Vereinsmitglieder beziehen das Blatt gratis.

Beobachtung Neu-Seeländischer Vögel.

Von Naturforscher **A. Reischek.**

Miro Australis. Wood Robin. Das Waldkehlchen. Der Tautauwai der Maori ist ein Vogel von Sperlings Grösse und bläulichgrauer Farbe, die Unterseite ist schmutzigweiss, Augen dunkelbraun, Schnabel schwarzbraun, Füsse braun, Sohle gelb.

Dieses Kehlchen ist auf die Nordinsel beschränkt, jedoch auf dem Festlande bereits ausgestorben. Als mich Sir Buller in Auckland besuchte, war er sehr erstaunt, in meiner Sammlung Miro australis zu finden. Er sagte mir, dass er sich längere Zeit bemüht und hohe Preise ausgesetzt habe, um ein Paar Miro australis zu bekommen, dass es ihm jedoch nicht gelungen sei, bis er von mir ein Paar erhielt.

1880, als ich das erste Mal die Hauturuinsel besuchte, beobachtete ich an dem östlichen Abhange dieser Insel zwei Wald-Kehlchen, und im October 1882, als ich das Innere dieser Insel durchforschte, sah ich mehrere Paare in den tiefen dunklen Thälern, wo die Sonne durch die Riesen-Baumkronen nie durchdringen kann; der Boden, welcher mit zahllosen Farrengräsern überwuchert ist, ist immer nass, und es herrscht eine feuchte Moder-Luft. Das sind die Lieblingsplätze dieser Kehlchen, wo sie auf dem Boden und niederem Gesträuche herum hüpfen, nach Nahrung suchend, welche aus Würmern, Larven und Insecten besteht. Schon bei Tagesgrauen lassen die Männchen ihren hellklingenden melodischen Gesang ertönen und Abends ist es das letzte, welches verstummt. Miro australis ist der beste Sänger der neuseeländischen Wälder. Sie sind sehr zahme Vögel, wenn sie ein Geräusch hören, kommen sie sogleich herbei und gräbt man in die Erde, so nehmen sie die Insecten vor dem Spaten auf. Als ich an einem schönen

Morgen auf einem Baumstrunk sass und einen langschwänzigen Kukuk (Endynamis taitensis) beobachtete, wie er einen Baumheuschreken (Deinacrida heteracantha) verfolgte, hatte ich das Gewehr über die Knie liegen; ein Miro australis hüpfte herum und setzte sich auf den Lauf meines Gewehres, durch ihre Dreistigkeit werden auch diese Vögel, welche nur mehr zwei kleine Inseln, Hauturu- und die Kapiti-Inseln bewohnen, bald verschwinden; nicht nur, dass ihnen die verwilderten Katzen bei Tag und Nacht nachstellen, so verfolgt sie auch die kleine Eule (Athene novae zealandiae), welche in trüben Tagen auch bei Tag in diesen düstern Thälern jagt. Im October fängt die Paarungszeit an; sie bauen ihr Nest aus Moos mit weichem Gras gefüttert in eine dichte Baumgabel oder Höhlung, oft nur ein bis zwei Meter über der Erde; das Weibchen legt im November 3 bis 4 gelblichweisse Eier, braun punktirt, besonders an dem stärkeren Ende. Wenn das Weibchen die Eier bebrütet, sitzt das Männchen hoch oben auf einem Baumast und singt. Nähert sich dem Neste ein Raubvogel, so gibt das Männchen sogleich den Warnungsruf und versucht den Räuber dadurch wegzulocken, dass es vor ihm hüpft und ruft; wenn der Raubvogel auf das Kehlchen stosst, so schlüpft es in ein Dickicht und so weiter, bis es seinen Feind weit genug vom Neste hat, dann hüpft es durch dichtes Gestrüpp vorsichtig dem Neste näher und wenn es sich überzeugt hat, dass kein Feind mehr nahe ist, so gibt es den Lockruf und die Jungen, welche sich seit dem Warnungsruf ganz ruhig verhielten, fangen wiederum zu zirpen an.

Anfangs December 1883 fanden die Maori im Innern der Hauturu-Insel, in einer Höhlung eines Pukatea Baumes (Saurelia novae zealandiae) ein Nest von Miro australis, zwei ein halb Meter über dem Boden mit 4 ausgewachsenen Jungen, als ich näher kam, hatten sie sich entfernt.

Auf dem Festlande der Nordinsel beobachtete ich nur ein Paar Miro australis 1882 in den Tohua gebirgen, im Lande des Maori-Königs.

Eine zweite Art, Miro albifrons, welche nur auf der Südinsel vorkommt, ist etwas grösser, das Gefieder ist aschgrau, die Unterseite gelblichweiss, an der Stirn befindet sich ein weisser Punkt. Augen dunkelbraun, Füsse braun, Sohlen gelb, Schnabel dunkelbraun.

In ihrer Lebensweise sind sie ihren nördlichen Verwandten ähnlich, jedes Paar hat sein Revier, auf welches es sehr eifersüchtig ist und keinen ihrer Art darinnen duldet.

Nahe meinen Campir-Plätzen wurden weder von mir die Thiere gestört, noch liess ich von jemanden anderem oder von meinem Hunde die Thiere belästigen.

Ich fütterte sie, was bald welche von den befiederten Bewohnern des Urwaldes zu meinen Freunden machte; unter diesen befanden sich auch die Miro albifrons. Als ich 1887 in Chalky Sound campirte, kamen ein Paar Waldkehlchen zu meiner Hütte; nach einigen Tagen füttern, kamen sie schon herein in die Hütte und nahmen das Futter aus meiner Hand; sie wurden so zahm, dass sie mich bei kleineren Ausflügen begleiteten und Insecten Larven oder Würmer von mir aufnahmen, wenn ich Apteryx oder Stringops aus ihren Höhlen grub; sie erlaubten keinem ihrer Art sich mir oder meinem Camp zu nähern, alle welche sich näherten wurden sogleich bekämpft, sie brachten auch ihre drei Jungen zur Hütte und fütterten sie mit dem ihnen gereichten Futter.

Schon bei Tagesgrauen kamen die Alten in die Hütte, setzten sich auf den Balken ober meiner Lagerstätte und das Männchen fing zu singen an, stand ich nicht sogleich auf, hüpften sie herunter und fingen an meinen Haaren oder Bart zu zupfen an. Sobald ich mein Frühstück, welches aus Poritih Hafergrütze bestand, fertig hatte und ich nicht sogleich diese Kehlchen fütterte, so kamen sie sofort zu meinen Teller und assen heraus; ich konnte sie in die Hand nehmen, ohne dass sie davonflogen. Als ich diesen Camp verlies, schon alles abgepackt und aus der Hütte geschafft hatte, bis auf den roh gezimmerten Tisch, auf welchem die zwei alten Kehlchen sassen und sehr überrascht sich umsahen, that es mir sehr leid meine befiederten Freunde zu verlassen.

Auch bei diesen Kehlchen sind ihre Lieblingsplätze düstere Thäler, wo sie noch ziemlich häufig vorkommen, besonders an der Westküste, wo ich mehrere Nester fand; im November 1887 fand ich 7 Meter über der Erde, in einer Astgabel auf einen Fagus Baum ein Nest von Miro albifrons, welches aus Moos, Gras und kleinen Zweigen gebaut war und 3 weisse braungetupfte Eier enthielt, welche frisch gelegt waren, das Weibchen sass darauf.

Sie füttern ihre Jungen gemeinschaftlich und wenn sie ausgeflogen sind, bewachen sie sie so sorgfältig, dass sie manchmal eine Beute der Raubthiere werden durch den Uebereifer ihrer Pflicht.

Nester, Eier, Skelette, dann eine schöne Serie von Bälgen beider Arten dieser Vögel befinden sich im k. k Naturhistorischen Hof-Museum von mir gesammelt.

Soeben als ich diese Zeilen schreibe, erhalte ich aus Wellington, Neu-Seeland, einen Brief, welchem ein Abdruck eines von der Regierung 1892 herausgegebenen Gesetzes-Memorandum zum Schutze der Neu-Seeländischen Fauna und Flora beilag. In diesem Briefe wurde ich um meine Ansicht über die Hege Neu-Seeländischer Vögel und darüber befragt, ob die Hauturu-Insel, welche ich einst vorgeschlagen habe, dazu am besten geeignet wäre.

Ich war umsomehr über diese zwei Schriftstücke freudig überrascht, als ich mir in dieser Angelegenheit viele Mühe gegeben hatte, bevor ich Neu-Seeland verliess, wobei mich Professor Thomas an der Auckland Universität, Mr. Chesemen, Director des Museums und mehrere andere hervorragende Persönlichkeiten unterstützten.

Im November 1886 hielt ich im Auckland-Institute einen Vortrag, wie es möglich wäre, diese Thiere zu hegen und welche Inseln dazu geeignet wären Bevor ich in die entlegenen Urwälder im Südwesten der Süd-Insel ging, lies ich Käfige anfertigen und nahm sie mit.

In Chalky Sound fieng ich zwei Arten Kiwi, Apterix Oweni und Apterix australis, ♂, ♀, sowie mehrere Stringops, Höhlenpapageien ♂ und ♀

schiffte sie lebend ein, damit sie auf der Hauturu-Insel freigelassen und geschont werden; aber sie erreichten nie ihr Ziel.

Es wurde der damaligen Regierung zur Kenntniss gebracht, dass manche einheimische Vögel und Pflanzen dem Aussterben nahe sind; die Regierung würdigte unseren Plan, aber das Haus votirte keinen Betrag für diesen Zweck.

Obwohl hervorragende englische wissenschaftliche Schriftsteller, wie: Professor Newton in Cambridge, Professor Flower im Britischen Museum, Dr. Sclater, Secretär des Zoologischen Gartens in London, dann Sir James Hector und Sir W. Buller in Neu-Seeland vorschlugen, dass man die seltenen Arten von Vögel, welche in keinem anderen Lande vorkommen schonen und hegen solle, so blieb diese Angelegenheit ruhen bis Sr. Excellenz Lord Anslow, ein Freund der Wissenschaft und Natur, als Gouverneur nach Neu-Seeland kam und einen ausführlichen Antrag beiden Häusern vorlegte, welcher auch genehmigt wurde, so dass jetzt alle seltenen einheimischen Vogelarten weder gefangen, noch geschossen werden dürfen.

Im Norden wurde die Hauturu-Insel und im Süden die Resolution-Insel als Hege proclamirt, welche die geeignetesten für diesen humanen Zweck sind.

Auf dem Festlande und anderen Neu-Seeländischen Inseln werden lebende Vögel gefangen und auf diesen zwei Inseln ausgesetzt und gehegt.

Aber nicht nur die vorher genannten Persönlichkeiten, sondern sogar die Maori-Häuptlinge selbst regten den Vogelschutz an.

Bei den Maori gilt von alten Zeiten so der Huia als der Lieblingsvogel, sie verehren ihn in ihrer Poesie und Gesang, dann die Schweiffedern dieses Vogels bilden den Kopfschmuck der Häuptlinge, welche auch als Rangzeichen gelten, der Huia (Heteralocha acutirostris) ist bei den Eingeborenen so geehrt, dass sie nach ihm einen Hapu (Stamm) Ugati Huia nannten.

Der Gouverneur liess seinem in Neu-Seeland geborenen Sohn zur Erinnerung den Namen Huia beilegen.

Als nun der Gouverneur zu einer Maoriversammlung nach Otaki kam, bei welcher auch Häuptlinge des Ugati Huia Stammes erschienen waren, so stellten diese folgendes Ersuchen an ihn: „O Gouverneur! verhindere die Weissen, unseren Lieblingsvogel zu schiessen, damit dein Sohn, wenn er gross geworden sein wird, diesen schönen Vogel noch sehen kann, von welchem er den Beinamen führt.“

Wildgänse in Schlesien.

Von **Dr. Curt Floericke.**

In seinen „Ornithologischen Mittheilungen aus Ostfriesland“ („Schwalbe“, Bd. XVI., Nr. 12, pag. 135—137) spricht Herr Edm. Pfannenschmid in etwas ironisch klingender Weise über die „besondere Fürsorge, deren sich die Wildgans in Schlesien erfreuen müsse“ und versieht die Angabe, dass dort an einem Tage 400 junge Wildgänse erlegt worden seien, mit einem zweifelnden Fragezeichen. Da ich der Verfasser der angefochtenen „Zeitungsnotiz“ (Ornithol Monatsschrift, XVI Bd., pag. 293) bin, so seien mir einige kurze Worte sachlicher Entgegnung gestattet.

Die Wildgans brütet in für deutsche Verhältnisse enorm grosser Anzahl auf den Teichen und Brüchen der Bartschniederung, einige Meilen nordöstlich von Breslau. Im Sommer, wenn die Vögel in der Mauser und nicht flugfähig ein leichtes Ziel für den Schützen sind, wird dann einer dieser Teiche gründlich abgejagt, wobei sich auf den Jagden des Fürsten von Hatzfeld-Trachenberg (westliche Hälfte der Bartschniederung) die an einem Tage von 9—12 Schützen erzielte Strecke gewöhnlich auf 3—400, auf den Jagden des Grafen von der Recke-Volmerstein (östlicher Theil der Bartschniederung) auf 30—80 Wildgänse beläuft. Im Jahre 1889 wurden auf der Trachenberger Jagd 376 Gänse von 10 Schützen erbeutet. Für das Jahr 1890 hatte Se. Majestät der Kaiser von Deutschland seine Betheiligung zugesagt und wurde infolge dessen die Schonung der Teiche noch strenger durchgeführt als sonst. Unerwartete Hindernisse stellten sich aber der Reise des Kaisers entgegen, und die Jagd wurde infolge dessen von Woche zu Woche hinausgeschoben und fiel schliesslich ganz aus, da die Gänse inzwischen flugbar geworden waren. Dadurch erklärt sich die enorm hohe Zahl, die im folgenden Jahre (1891) von ebenfalls 10 Schützen erreicht wurde, welche 942 Wildgänse erlegten. Das Jagdergebniss von 1892 ist mir noch nicht bekannt geworden. Die Sache ist allerdings zur Zeit bereits in eine Art von Sport ausgeartet. Jedenfalls sieht man aber, wie sehr eine streng durchgeführte, planmässige Schonung den Bestand unseres Wassergeflügels zu heben vermag. Während der Brutzeit wird jede Störung sorgfältig von den Vögeln abgehalten und werden ausser auf den grossen Jagden überhaupt nur wenige erlegt. Bereits im August verlassen die Gänse ihre Brutplätze, um Ende September durch die alsdann einrückenden, aber für die schlesischen Jagden viel weniger in Betracht kommenden Saatgänse ersetzt zu werden. Im Uebrigen verweise ich Interessenten auf die ausführliche Schilderung, welche ich von den schlesischen Jagdverhältnissen im Allgemeinen und von den Gänsejagden in der Bartschniederung im Besonderen bereits anderweitig (Journal f. Ornithologie, 1892, pag. 151—167) gegeben habe.

Ornithologische Excursionen im Isergebirge.

Von **Jul. Michel Bodenbach a/E.**

(Fortsetzung.)

Natürlich machte ich mich sobald als möglich frei, um den seltenen Gast zu holen. Schon am 2. November lenkte ich meine Schritte dem Gebirge zu. Diesmal wählte ich einen anderen Weg, nämlich über Flinsberg und den preussischen Theil des Gebirges.

Die zweite Hälfte des Octobers war in Bezug auf das Wetter sehr abwechslungsreich gewesen. Trübe und kühle windige, regnerische und schöne Tage wechselten ununterbrochen ab. Jetzt schien es etwas beständiger werden zu wollen. Als ich an dem genannten Tage von Neustadtl auszog, war es kühl, aber schön. Die Ebereschen auf der Strasse nach Preussen waren bereits stark geplündert, doch waren immer noch einige Ziemer und Weindrosseln darauf zu bemerken. Auf einem jungen Bäumlein sass ein „Mejswolf" (Lanius excubitor) und lauerte auf ein Mäuslein. Wahrscheinlich mochte ihm bereits die Zeit lang werden, denn in dem bekannten tiefgehenden Bogen flog er endlich zu einem anderen Sitze. Auch eine gewaltige Schar von Fring. montifringilla liess sich bemerken. Der Wald war wie ausgestorben und nur mehrere Baumläufer, Goldhähnchen und Meisen liessen schüchtern ihr feines Stimmchen ertönen.

Nach Ueberschreitung der Landesgrenze führt der Weg durch das Dorf Strassberg und das idyllische Badeörtchen Schwarzberg quer über einen nach Norden gerichteten Bergausläufer hinab in das von waldigen Bergen umgebene Thal des Queiss. Hier liegt langgestreckt das als Badeort weit bekannte und stark besuchte Flinsberg.

Daselbst stattete ich wieder den vielen Ornithologen persönlich bekannten Präparator W. Heydrich einen kurzen Besuch ab. Ueber seine an vielen Seltenheiten reiche Localsammlung einheimischer Vögel habe ich bereits in Nr. 2 des ornithologischen Jahrbuches 1890 ausführlicher berichtet. Die Besichtigung derselben sei allen Ornithologen, welche einmal in die Nähe von Flinsberg kommen, wärmstens an's Herz gelegt. Der liebe alte Herr gibt jedem gerne die nöthigen Aufklärungen.

In seinem Garten traf ich einige Sumpfmeisen und eine Certhia familiaris. Ein erlegtes Exemplar der ersten Art gehörte ebenfalls zu der helleren Alpenvarietät.

In einem Seitentheile des Queiss ging es dann ziemlich steil empor zur Höhe des „hohen Kammes", auf dem einige Häuser, die sogenannten Kammhäuser, zerstreut liegen (über 900 m Seehöhe). Die überall befindlichen Nistkästen zeigten mir, dass Freund Staar selbst in dieser Höhe sein Sommerquartier aufgeschlagen hat. Auch hier findet man einige Moormeisen, welche denselben Charakter, wie die in den früheren Artikeln beschriebenen an sich tragen.

Das Vogelleben verstummte ganz. Einige Goldammer auf dem Wege, bei den Moormeisen zwei Baumläufer, weiter abwärts gegen die Iser zu einige Nebelkrähen, das war alles, was ich bemerkte.

Der Abend war bereits nahe, als ich im Forsthause Iser anlangte und von Herrn und Frau Kirchner aufs freundlichste bewillkommt wurde.

Eine grosse Anzahl vorzüglich aussehender lebender Vögel bedeckten in geräumigen Käfigen die Wände und lohnten durch fleissigen Gesang die liebevolle Pflege. Meist waren es einheimische Sänger der besten Art und nur wenig Ausländer, darunter der Liebling der Hausfrau, ein sprechender Amazonenpapagei, befanden sich dabei.

Ein Rundblick in dem freundlichen Zimmer sagte dem Gaste, welchen Geistes die Bewohner sind.

Es dauerte nicht lange, so waren wir mitten in unserer Liebhaberei darin und manche interessante Daten in meinen Notizen erinnern mich auf den Inhalt der lebhaften Gespräche.

Meine erste Frage galt natürlich dem Fichtenammer. Zu meinem Leidwesen hörte ich, dass der Vogel einige Tage zuvor verendet und dann spurlos vom Fenster verschwunden sei. Endlich stellte es sich heraus, dass der Forstgehilfe denselben nach Warmbrunn zum Ausstopfen geschickt hatte. Dort wurde er als erstes Exemplar in seiner Art in die dem Reichsgrafen Schaffgott gehörende Sammlung eingereiht. Als ich nach meiner Rückkehr bei dem Präparator derselben, Herrn Matini anfrug, erhielt ich die Bestätigung, dass besagter Vogel ein altes ♂ vom Fichtenammer sei. Anfangs hatte ich noch Hoffnung, das für mich wichtige Exemplar gegen ein gleichartiges einzutauschen, später ging auch diese verloren.

Die Vogelwelt um Gross-Iser ist etwas ärmer als die der anderen Gebirgstheile. So kommen nach Aussagen Kirchner's folgende Arten nicht vor:

Spatz, Amsel, Würger, grauer Fliegenschnäpper, Eisvogel, Elster, Gartenspötter, Garten- und Dorngrasmücke, Hohltaube. Andere sonst gewöhnliche Arten, wie z. B. die Braunnelle, der Grünspecht, die Turteltaube u. a. m. kommen hier nur spärlich vor.

Bei einigen bemerkte er, dass sie im Laufe der 15 Jahre, welche Kirchner auf diesem Posten weilt, erheblich an Individuenzahl zugenommen. So kam anfangs der Plattmönch (wie das Schwarzplättchen, Sylv. atricapilla hier heisst) nur vereinzelt vor, während er jetzt ziemlich häufig ist. Die Vermehrung der Holzschläge scheint ihm die Ursache dieser Zunahme zu sein. Auch die Nebelkrähe hat sich im Laufe der Jahre ziemlich stark vermehrt. Der Goldammer trat erst mit der Verwendung der Pferde zum Holztransporte — früher waren Ochsen im Gebrauche — auf und ist jetzt einer der zahlreichen Brutvögel. Und so kam noch manches Bemerkenswerthe zur Sprache. Kirchner besass auch zwei weissbindige Kreuzschnäbel aus Klein-Iser, von denen er mir 1 ♀ freundlichst überliess.

Am 3. November brach ich ziemlich zeitig auf, denn ein weiter Weg lag vor mir. Das Iserthal wogte noch in dichtem Nebel, als ich die Grenze den Iserfluss überschritt und eine wahre Grabesstille herrschte hier, wie auch im Walde.

Nach scharfem Marsche langte ich in Klein-Iser an und besuchte sogleich einige Vogelmixe, bei welcher Gelegenheit ich noch ein zweites ♀ vom weissbindigen Kreuzschnabel erwarb.

Den eingezogenen Erkundigungen nach war der stärkste Vogelzug in der zweiten und dritten Octoberwoche. Jetzt war er bereits im Abnehmen und nur die Tschätscher und Bergfinken zogen noch in bedeuterenden Mengen. Auch Ziemer waren gut vertreten. Ausserdem sah ich 6 Stieglitze, 2 Finkenweibchen, mehrere Gimpel und einen Girlitz. Den letzteren kannten die jüngeren Vogelfänger nicht, ein Beweis, dass er sich da eben jedenfalls nicht oft aufhält.

Ein bereits im Mehlwürmertopfe befindliches ♀ vom Rohrammer (Schoenicola schoeniclus) — den Leuten ebenfalls unbekannt — sowie ein Lanius excubitor, welcher beim Stossen auf Käfigvögel gefangen worden waren, wurden meine weitere Beute.

Dann rüstete ich mich zum Weitermarsche. Auf der Höhe bei dem Hause meines Freundes Fuchs machte ich kehrt, um mir das wohlbekannte Dörflein zum letzten Male auf vielleicht lange Zeit zu betrachten.

Wie ein schwacher Silberfaden glitzerte die kleine Iser aus den rothbraunen Wiesen und traulich lagen die zerstreuten grauen Holzhäuschen vor mir. Im Osten winkte der mächtig emporstrebende Basaltkegel des Hutberges und zur Rechten und Linken schlossen die rauschenden dunklen Wälder das reizende Bild. Noch ein wehmüthiger Abschiedsgruss und dann rüstig weiter gegen Wittighaus und den ebenbürtigen Genossen der Tafelfichte, dem Sieghübel. In ³/₄ Stunden waren die 280 m, um welche der Gipfel des Berges höher als die Thalsohle liegt, überwunden und einsam stand ich auf dem Felsen, der die Spitze des Sieghübels krönt.

Wohin das Auge sich wendet, überall waldbedeckte Bergrücken. Nur im Nordost treten die Berge zurück und lassen einen kleinen Ausblick auf die menschlichen Ansiedlungen frei.*)

Eine feierliche, hehre Stille umfängt den Wanderer und nur das leise Rauschen der Baumwipfel schlägt an's Ohr. Hier herrscht wahrer Gottesfriede und unwillkürlich tauchen die unvergleichlichen Schilderungen des gottbegnadeten „Hochwald-Dichters“ Stifter vor uns auf. Ein dünner aufsteigender Rauchfaden in einem entfernten Thale unter mir das gedämpfte „gib! gib!“ mehrerer Kreuzschnäbel und endlich in der Ferne ein ruhig kreisender Raubvogel, das waren die einzigen Lebenszeichen um mich her. Mir wurde förmlich verlassen zu Muthe und so kletterte ich denn nach kurzer Rundschau, an moorigen, mit Knieholz bedeckten Stellen vorüber, hinab zur sogenannten Cihanlwiese, einem 980 m hochgelegenen Moore.

Aus dem weissen, mit Sumpfheidelbeeren und anderen Moorpflanzen durchwebten Torfmose, in dem alte Baumleichen modern, heben sich im grellen Gegensatze mehrere grössere und kleinere, tiefschwarze Wasserlacken von scheinbar beträchtlicher Tiefe ab.

Ein breiter Knüppelweg führt über das Moor, welches mit zu den charakteristischen Stellen des Isergebirges zu zählen ist.

Zur Zugzeit lassen sich auch Enten hier nieder; ich sah einige präparirte Stock- und Krickenten, welche daselbst erbeutet wurden.

(Schluss folgt.)

---

*) Am Horizonte blauen die Höhen des Riesengebirges, der Feschkenkette und der Berge der Niederlausitz.

Die Verbreitung und Lebensweise der Tagraubvögel in Siebenbürgen.

Von Johann von Csató Nagy-Enyed.

(Schluss.)

24. Archibuteo lagopus, Gmel.

Ein Wintergast; kommt Ende November oder im December an, aber nicht jedes Jahr gleich häufig.

In manchen Wintern bekommt man kaum einige zu sehen, während er ein andersmal häufiger ist.

In den Auen, Wein- und Obstgärten erwählt er sich hohe Bäume, auf welchen er aufzubäumen pflegt und dort ruht er längere Zeit oder hält Umschau; wird er nicht verscheucht, dann ist er auf diesem Platze jeden Tag zeitweise anzutreffen.

Wenn er seiner Nahrung nachgeht, kreist er über den Feldern, bis er etwas Geniessbares erspäht.

Seine Hauptnahrung sind Mäuse, folglich hält er sich in der Nähe solcher Felder auf, wo dieselben zahlreicher auftreten.

Er sitzt auch auf Maulwurfshügeln und anderen Erdhaufen, um den Mäusen aufzulauern.

Tritt plötzlich grosse Kälte ein, dann geht es ihm, obwohl er die Kälte gewöhnt ist, schlecht.

Er flüchtet ermattet in die Gärten, zu den Scheuern und wird zur Beute eines jeden Bauernschützen.

Im Februar reist er ab.

25. Buteo vulgaris, Bechst.

Ueberall verbreitet in den bergigen Gegenden des Landes.

Brütet in Wäldern auf hohen Bäumen und legt vier Eier.

Mit seinen Jungen zieht er ins Feld und auf die Wiesen um den Mäusen, Amphibien und Käfern nachzugehen, er mag auch kleine Vögel, wenn er sie leicht erwischen kann, abfangen; aber verfolgend sah ich ihn nie.

Wenn er Kreise beschreibend dahinfliegt, lässt er auch seine Stimme öfters hören.

Im Herbste und Winter bäumt auch er in Auen, Wein- und Obstgärten auf hohen Bäumen auf, um auszuruhen, sitzt aber oft auch lange auf Erdhügeln um den Mäusen nachzuspähen.

Ich halte ihn nicht für jenen schädlichen Raubvogel, zu welchen man ihn jetzt von vielen Seiten stempeln will.

Im October, bei schönem warmen Wetter habe ich ihn öfters vermischt mit Milanen, zwar zerstreut, aber doch in grösserer Anzahl, auf Wiesen gesehen; diese Vögel waren wahrscheinlich auf ihrem Wanderzuge, um so wahrscheinlicher, indem der Bussard im Winter immer viel seltener anzutreffen ist, als im Sommer und Herbst, wo man ihn täglich zu beobachten Gelegenheit hat.

26. Circus aeruginosus L.

Der ärgste Feind des Rohr- und Wassergeflügels.

Kommt Ende März und Anfang April an und besetzt sogleich seine Brutplätze in Sümpfen und

Teichen, an welchen er überall, wenn dieselben auch nur eine geringere Ausdehnung besetzen, anzutreffen ist.

Sobald wärmere, sonnige Tage eintreten, beginnt die Paarung, bei welcher Gelegenheit die Paare sich hoch in die Luft erheben und dort im Kreise herumfliegend, ihren Lockruf hören lassen, dieses Spiel dauert aber nicht lange, sie senken sich immer tiefer und lassen sich endlich auf einen von zerknitterten Rohrstängeln gebildeten Haufen nieder, bald erheben sie sich wieder und beginnt die Jagd, wobei sie über dem Rohr und auch über den Feldern niedrig dahinfliegend oder kreisend, allen jenen Vögeln, welche sie bemeistern können, nachstellen.

Sie ergreifen nicht nur die brütenden Vögel im Neste, sondern verzehren nachher auch die Jungen oder leeren die Eier.

Es schlagen sich, besonders wenn bereits die Jungen flugfähig sind, mehrere zusammen um einen Teich zu durchsuchen, u. z. gründlich, wobei weder der freie Wasserspiegel noch das Röhricht ausser Acht gelassen werden. Sie verfolgen ihre Beute ebenso im Rohrdickicht, wie auf dem freien Wasser, wo die Enten mit Schreien und Untertauchen ihre Verfolgungen zu vereiteln versuchen. Das Nest steht im Rohr.

Ende September oder Anfang October zieht der Vogel fort.

27. Circus cyaneus, L.

Die Kornweihe erscheint Ende März oder Anfang April, zu welcher Zeit man sie einzeln über sumpfige Wiesen oder Getreidefelder fliegend beobachten kann, nur einmal habe ich Ende März — in den sechziger Jahren — einen Flug von zwanzig Stücken, welche über Wiesen nach Nahrung herumflogen, beobachtet.

Ob diese Weihe in Siebenbürgen brütet, ist noch nicht ganz sicher festgestellt.

Gegen den Herbst erscheint sie wieder und jagt, niedrigfliegend, über die Felder, besonders wo viel Unkraut aufgeschossen ist und über sumpfige Plätze; auch zur Winterszeit kann man einzelne Männchen antreffen und zu dieser Jahreszeit kommt sie auch zu den Scheunen, um die in ihrer Umgebung überwinternden kleinen Vögel zu verfolgen.

28. Circus macrourus, Sykes.

Erscheint mit der Vorigen zu gleicher Zeit und an den gleichen Orten, ist aber seltener. Gegen Ende des Sommers trifft man die Jungen auch in Gesellschaft von Circus pygargus.

Die Beobachtungen über diese Weihe in Siebenbürgen sind noch lückenhaft.

29. Circus pygargus, L.

Diese Weihe kommt Anfang April an.

Die ausgedehnten Getreidefelder in den Ebenen und hügeligen Theilen des Landes sind ihr Aufenthaltsgebiet.

Hier jagt sie auf den Saatfeldern nach Nahrung, und brütet auch daselbst oder in hohem Grase.

Nachdem die Jungen ausgeflogen sind, ist dieser Vogel häufiger anzutreffen, dann übersiedelt er mit seiner Familie auf Wiesen, welche an Getreidefelder grenzen, besucht aber auch die Weingärten und sogar die Höfe in den Dörfern.

Dieser Vogel ruht gerne an Ufern der kleinen Flüsse aus, besonders, wenn dieselben steil sind und folglich ihm als Deckung dienen.

Ende September und Anfang October zieht er fort.

*

Ich bin zu Ende.

Mein Zweck war die Verbreitung und Lebensweise der Tagraubvögel in Siebenbürgen in möglichster Kürze zu schildern aus dem Grunde, weil

1. darüber bis jetzt noch nicht viel geschrieben wurde.

2. weil die Raubvögel in Siebenbürgen sehr wenig von Menschen verfolgt werden und somit eine ungestörte Lebensweise führen können, was aber, sobald die rationelle Jagd allgemeine Verbreitung findet, ihnen nicht mehr möglich sein wird, sie folglich gezwungen sein werden, ihre Lebensweise den neuen Verhältnissen entsprechend abzuändern oder zum Theile nach andern, für sie glücklicheren Ländern zu ziehen, wie dieses zu thun die Geier bereits jetzt genöthigt sind.

Aus dem Thierleben der Heimat.

Von Staats von Wacquant-Geozelles.

(Schluss.)

Nur in einem Falle, wo ich einen Salamander in der Nähe eines Horstes der Waldohreule — Otus vulg. Flemm. — fand, glaube ich, ihn dieser Eule anrechnen zu können, da der Lurch ganz offenbar „erdolcht" war. Er lag auf einem grasbewachsenen Waldwege und ist es ja auch sehr leicht möglich, dass der eine oder andere, im Laube etc raschelnde Feuersalamander von dieser oder jener Eule mit dem feinen Gehör — den „Hauptsinn" bekanntlich — erspäht und somit ergriffen wird, um dann fortgeworfen zu werden; wie ja auch Maulwurf und Spitzmaus von unseren Eulenarten in sehr häufigen Fällen ergriffen und dann — so lange sie nicht Noth leiden — wieder voll Abscheu fortgeworfen oder in die Vorratskammer getragen werden.

Ich betone es, dass man alle diese Fälle, wo der Feuersalamander von irgendwelchen Thieren getödtet wurde, immer nur als Angriffe — „geschehen aus Jugendübermuth, Abscheu, Dummheit oder Zufall" anzusehen hat und keines der in Frage stehenden Geschöpfe wohl als „eigentlicher" Feind dieses Lurches infolgedessen anzusehen ist. — Mein Tackel und ebenso auch andere Hunde, greifen ihn „voll Abscheu" und „aufgestachelt von ihren Herren"; der erwähnte Maulwurf biss ihn „im Zorn und in Unerfahrenheit"; die Füchse beschäftigten sich „voll Abscheu und im Uebermuth" mit ihm; meine Puter befehden ihn „aus Dummheit", der Heher „gelegentlich aus Verwunderung über die bunte, ihm seltene Erscheinung" und der Mensch — — „um zu beweisen, wie weit er noch am Ende des 19. Jahrhunderts an Einsicht, Mitgefühl und Vernunft zurück ist!"

Ausser den dummen (in Erregung „unglaublich dummen") Putern und scharfen, vom Willen ihres Herrn abhängigen Hunden, dürfte wohl keines der genannten öfter oder mehrmals hintereinander den oftgenannten Salamander fest mit Maul oder Schnabel absichtlich angreifen, denn die einzige, bei Empfindung von Schmerz dem Salamander zur Verfügung stehende Waffe, nämlich sein in Todesangst zur Abwehr bis Fussweit an den Hautdrüsen hervorspritzender Saft, — eine organische Verbindung von immerhin grosser Giftigkeit - kann, auf Schleimhäute geraten, unangenehme Folgen, ja sogar den Tod herbeiführen. — Bei unseren Putern wurde hier mehrfach eine mir lange unerklärliche Krankheit, welche gleichzeitig die Schleimhaut des Rachens und das Auge befiel, beobachtet und da ich mit dem Salamandergift Experimente an Hehern und anderen Vögeln angestellt habe, welche eine ganz ähnliche Erscheinung, ja auch den Tod herbeiführten, so schiebe ich die Schuld zu obigem auf die Salamandermord-Passion der Puter. Mein Tackel, „Mucki", von dessen Bravour: Schlangen und Lurche anzugreifen und zu apportiren, ich oben — (und auch im „Zoolog. Garten", 1891, S. 89) — berichtet habe, darf nie im Leben wieder einen Feuersalamander belästigen; denn ein solcher, welcher ihm, schmerzgepeinigt, sein Sekret in den Rachen spritzte, hätte ihm unlängst fast den Tod gebracht. — Ich würde kaum gewagt haben, diesen letzteren Fall so ohne weiters als einen Beweis für die Giftigkeit des Salamanders fest anzunehmen und der Oeffentlichkeit preiszugeben, wenn mir nicht in den vortrefflichen, unlängst erschienenen III. Bande von „Westfalens Thierleben" des Herrn Professor Dr. Landois zwei Analoga aufgefallen wären.

Den einen Fall (wo also ein Hund, welcher einen Feuersalamander gequält hatte, vom Gifte des Letzteren starb), berichtet im citirten Werke ein Herr Sickmann, in Inburg, den zweiten Fall erzählt Herr Lehrer Knab in Ulmersbach bei Kaisersesch, Kreis Cochem. — Die Hunde starben unter denselben Symptomen, welche mir auch bei meinem treuen Hunde auffielen: unter Zittern, Krämpfen und Erbrechen. — Eine geringe Dosis mehr von dem Gifte — — und auch mein braver „Mucki" wäre verloren gewesen! Das ist meine feste Ueberzeugung!

So gestaltet sich der „Kampf um's Dasein" für diesen überaus nützlichen Lurch — obgleich von Natur mit Schutz- und Schreckmitteln (ätzender Saft und Farbenzeichnung) — versehen, wird er dennoch von verschiedenen Thieren befehdet und aus reinem Uebermuth, Dummheit und Abscheu getödtet! Wie aber jener „Kampf Aller gegen Alle" überall mit ganz besonderer Heftigkeit unter den „Individuen derselben Art" geführt wird, so auch hier: — mancher Salamander mag auf obige Weise umkommen, — — am ärgsten befehden sie sich „unter sich"; und zwar nicht nur, weil etwa „Farbenpracht" eine Rolle bei der „Werbung" spielen mag oder „Stärke des Männchens", nicht nur, „weil auch hier der Lahme und Krüppel, der Ungeeignete oder der weniger Geeignete unterliegt oder vom mehr Geeigneten übervortheilt wird, sondern deshalb, „weil der Grössere den Kleineren einfach mit der ihm angeborenen Kaltblütigkeit verspeist!" — — — — —

Der Homo sapiens aber, auf seiner stolzen Höhe des aufgeklärten 19 Jahrhunderts, er soll diesen nützlichen, harmlosen Lurch nicht auch noch unterdrücken und befehden; er soll ihn nicht verfolgen, weil es ein Thier ist, welches für den Fall einer ungerechten Quälerei ein Mittel der Abwehr (unschädlich für den Menschen) besitzt, sondern er soll sich an der Schönheit dieses Thieres erfreuen und ihm Freunde und Beschützer schaffen durch Wort und That!!

Sophienhof bei Grupenhagen, Kreis Hameln.

August 1892.

Erfahrungen über meine „Selecta-Hühner".

(× Crèvecoeur-Brahma.)

Von Dr. O. Finsch, M. I. O. C. (Delmenhorst b. Bremen).

Stammeltern.

Vater: Crèvecoeur reiner Race, von normaler Färbung: tiefschwarz, mit schmalfedriger, hängender Haube; zweihörnigem Kamm und grossen Kinnlappen, wie auf der Abbildung in Baldamus („Federviehzucht" S. 97) aber nicht so kurzbeinig als das (S. 98) abgebildete Exemplar.

Mutter: Helle Brahmaputra, rebhuhnfarbene, reine Race (= Baldamus S. 32 — Martin Fries: „Geflügelzucht" Abbild. S. 24).

Eier: Blassrostfarben (cream-coloured), fast ganz wie bei Brahma, welche Färbung sich auch bei den Nachkommen in der dritten Generation als Regel erhalten hat; nur ausnahmsweise fallen fast weisse Eier. — Das Durchschnittsgewicht, 63 gr. stimmt ebenfalls mit Brahma-Eiern überein. Wenn Baldamus für die Eier der Kreuzung 80 gr notirt, so handelt es sich nicht um die Regel, sondern Ausnahmen. Ich erhielt ebenfalls unverhältnissmässig viel Eier mit Doppeldotter, eins sogar mit drei Dottern (122 gr. schwer).

Befruchtung und Keimfähigkeit erwiesen sich so gut als bei Eiern von gewöhnlichen Landhühnern. Eier die älter als 30 Tage waren, erwiesen sich sogar als keimfähig.

Küchlein gleich nach dem Ausschlüpfen haben folgendes Dunnenkleid: rauchschwarz, Kehle und Mitte der Unterseite graulichweiss, nicht selten ist auch ein schmaler Rand um die Schnabelbasis hell graulichweisss gefärbt.

Die Küchlein schlagen also in der Färbung ganz nach dem Vater und besitzen von der Mutter nur mehr oder minder starke Befiederung der Läufe. Neben dieser normalen Färbung, welche die Regel bildet, fallen aber auch einzelne bunte Dunnenjunge: unregelmässig braun gefleckt und getüpfelt, die nichts von den Eltern haben und die Niemand als Geschwister der schwarzen ansprechen würde. In der That war eine erfahrene Geflügelzüchterin von diesen geschecktcn Küchlein so überrascht, dass sie eine Verwechslung der Eier als Grund vermuthete.

Aber auch diese bunten Küchelchen werden im ersten Federkleide einfärbig schwarz, und zwar in beiden Geschlechtern, so dass als Erbtheil der Mutter nur theilweise befiederte Läufe, seltener zugleich auch etwas befiederte Zehen übrig geblieben sind. Die jungen Hähnchen gleichen wie die Hühnchen dem Vater (Crèvecoeur) aber nur in der Färbung des Gefieders, nicht aber in Bezug auf die Bildung der Nacktheile des Kopfes, denn Kamm- und Kinnlappen schlagen auffallender Weise nach dem Grossvater mütterlicherseits und stimmen am meisten oder fast ganz mit Brahma überein.

Die Befiederung entwickelt sich übrigens rasch: am 21. bis 25 Tage spriesst das Kleingefieder hervor, zuerst an den Brustseiten und Schultern, bei einzelnen Individuen auch eine aufrechtstehende Haube auf dem Vorderkopfe, welche bei dem dann meist noch vorherrschenden Dunnenkleide sehr drollig aussieht. Ueberhaupt zeigt sich schon in diesem Alter eine starke Tendenz zur Haubenbildung, die fast stärker hervortritt, als bei erwachsenen Thieren. Kücken im Alter von 33 bis 35 Tagen sind vollständig befiedert und einfärbig schwarz; einzelne zeigen aber noch einen weissen Kinn- bis Kehlstreif, der aber ebenfalls verschwindet und schwarz wird.

Drei Monate alte Kücken, die ansehnlich grösser als solche gewöhnlicher Standschläge sind, machen in ihrem einfärbig schwarzen Gefieder, dass bei Hähnchen bereits Anfänge von hellen Federenden auf Hals, Flügeldecken und Sattelbehang zeigt, ganz den Eindruck einer eigenen Race, die aber mit keiner der übrigen schwarzen übereinstimmt. Vom Crèvecoeur-Stammvater unterscheiden sich die Nachkommen schon durch die Kammbildung. In der Regel haben sie einen niedrigen Rosenkamm und ziemlich grosse Kinnlappen, stimmen also am meisten mit Brahma überein. Die Hennen haben meist einen sehr kleinen Kamm und ebensolche Kinnlappen. Im Alter von drei Monaten ist die Iris bei Hähnen braun, bei Hennen schwarz, bei alten Hühnern lebhaft ziegelroth. Aus diesem in beiden Geschlechtern einfärbig schwarzen Kleide entwickelt sich bei den Hähnen nach und nach, wie es scheint, sowohl durch Mauser als z. Th. auch durch Verfärben das Kleid des ausgefärbten Hahnes, und zwar das folgende: Hals nebst Behang, Oberrücken und Flügeldecken blassstrohgelb mit schwarzen Schaftstrichen, die auf den Behangfedern des Halses fast ganz verdeckt sind; Sattel (Bürzel und obere Schwanzdecken) schwarz, mit braunem Glanze, die langen, schmalen, lanzettlichen Federn des Sattelbehanges (längsten Federn der Bürzelseiten), welche die Schwingenenden decken, mit rostgelblichen Spitzen; Unterseite, nebst unteren Flügel- und Schwanzdecken, sowie Schwingen, deren Decken, nebst Schwanzfedern tiefschwarz, mit stahlgrünem Scheine, der besonders auf den letzteren hervortritt. Kamm, Kinnlappen (Glocken) und Nacktheit der Wangen stimmen am meisten mit Brahma überein, neigen aber, bei manchen Individuen mit hohen graden Kamme und grossen, langen Kinnlappen, mehr zu Dorking hin. Die Färbung stimmt also fast ganz mit Brahma, und zwar dunklen überein (Baldamus: S. 33; Martin Fries: Abbild. S. 24). Die gegebene Beschreibung darf als die normale Färbung des ausgewachsenen Hahnes gelten und fast als constant bezeichnet werden, denn Hähne mit lebhaft rostbraun gefärbten Hals und Rücken kommen nur höchst selten vor. Obwohl minder plump, massig oder vierschrötig als Brahma, sind alte Hähne doch sehr gedrungen und kommen in Gestalt und Form vielmehr mit Brahma, als ihrem Stammvater (Crèvecoeur) überein. Dies gilt auch hinsichtlich der Stimme, welche in den tieferen Tönen am meisten Brahma ähnelt. Junge Kreuzungshühner im Alter von $3^1/_2$ bis 4 Monaten haben eine Schulterhöhe von 37 bis 40 ctm (Hennen von 27—32), sind also fast so hoch als ausgewachsene, zweijährige, aber viel schlanker und anscheinend hochbeiniger. Sie entsprechen daher mehr dem Crèvecoeur-Typus und lassen auch hinsichtlich der Färbung, noch nicht entfernt den späteren Brahma-Typus des ausgewachsenen Hahnes erkennen. Die Schwanzfedern der Hähne neigen übrigens zur Sichelform hin und unterscheiden sich schon durch ihre bedeutendere Länge durchaus von Brahma. Die stets ziemlich spärliche Befiederung der Beine, noch seltener auf den Zehen, welche sich niemals zu Stulpen oder Latschen entwickelt, hat nichts mit typischen Brahma gemein.

Ausgefärbte Hennen sind durchaus constant in der Färbung: Tiefschwarz, mit stahlgrünem, unter gewissem Lichte violetten Metallschimmer; Kamm ein verkümmerter Rosenkamm; Kinnlappen fast fehlend; bei einzelnen Kamm- und Kinnlappen fast so stark als bei Brahma entwickelt. Die Mehrzahl der Hühner erhielt eine kleine, rückwärts liegende Holle auf dem Vorderkopfe, einzelne noch längere Kehlfedern, die eine Art Bart bilden, als Erbtheil der Grossmutter väterlicherseits (Crèvecoeur). Fast alle Hühner haben spärlich befiederte Beine, zuweilen befiederte Zehen; von 17 Stück waren nur drei glattbeinig. Die Gestalt der alten Hennen ist gedrungen und schwer, hat aber nichts von dem massigen Brahma-Typus.

Die erste Generation der von den obigen Stammeltern erzeugten Nachkommen stimmte in allen Färbungsstufen mit den beschriebenen überein.

In der zweiten Generation zeigte sich aber bei einzelnen Individuen ein Rückschlag, und zwar zu der Grossmutter mütterlicherseits. Manche Hennen erhielten auf Flügeln und Deckfedern bräunliche Sprenkelung, die an Brahmahennen erinnert. Ich gab deshalb den Hennen dieser zweiten Generation einen schwarzen La Flèche-Hahn, einmal, weil ich frisches Blut einer zartknochigen, edlen französischen Race zuführen und gerade mit dieser glattköpfigen Race die Haubenbildung abschwächen oder vollends abschaffen wollte. Das Letztere ist nicht ganz gelungen; von 21 Hähnen bekamen allerdings nur sechs Hauben, aus schmalen zerschliessenen Federn, ganz ähnlich wie bei Crèvecoeur, dagegen waren von 16 Hennen nur 5 glattköpfig, die übrigen 11 gehäubt, darunter 3 mit auffallend hoher, aufrechter Haube, wie sie bei Crèvecoeur nicht vorkommt.

In dieser dritten, zum zweitenmale mit einem französischen Vater gekreuzten Generation, zeigte sich der bisher bei den Hähnen vorherrschende Brahma-Typus bereits stark beeinträchtigt, sowohl in Färbung als Kammbildung. Von 21 Hähnen hatten nur noch drei strohgelbe oder blassrostfarbene Federflaume oder Enden auf Hals, Schulter- und Flügeldecken und dem Sattelbehange, wie der oben beschriebene, ausgefärbte, typische Hahn, drei Exemplare spärliche helle Fleckung nur auf den Flügeldecken z. Th. an den Enden des Sattelbehanges, die übrigen waren einfärbig tiefschwarz, mit grünem Schein, der namentlich auf den schön gebogenen Schwanzfedern lebhaft hervortritt.

War bei den bisherigen Generationen keine Spur von der zweihörnigen Kammbildung der französischen Racen zu bemerken, so trat diese charakteristische Eigenthümlichkeit bei dieser dritten Generation, wenn auch im Ganzen schwach hervor. Von 21 Hähnen bekamen drei einen zweihörnigen Kamm, wie bei Crèvecoeur oder La Flèche, drei nur Rudimente der Hörner, zwei einen Zackkamm (ähnlich Dorking), acht einen flachen Rosenkamm, fünf gar keinen Kamm. Die Kehllappen waren bei den meisten Hähnen mässig bis ziemlich stark entwickelt, bei der Minderzahl (9 von 21) klein. Schwarz-Hähne mit zweihörnigem Kamm und etwas Haube entsprechen in der That ganz Crèvecoeur.

Die Färbung der Hennen der dritten Generation war wie bisher einfärbig schwarz; nur ein Exemplar, das als Küchlein den linken Oberflügel braun gehabt hatte, bekam ausgewachsen an den hinteren Schwingen des linken Flügels braune Sprenkelung, wie dies bei Hennen der zweiten Generation häufiger vorgekommen war. Sehr abweichend davon zeigte ein Huhn auffallender Weise an den hinteren Armschwinden und den Schwanzfedern einen aschgrauen Endrand. Wie schon bei den Hähnen der dritten Generation eine schwache Entwicklung, ja sogar das Fehlen von Kinn- und Kehllappen sich bemerkbar machte, so trat diese Erscheinung noch stärker bei den Hennen hervor: sieben Exemplare bekamen einen sehr kleinen, niedrigen, fast rudimentären Kamm und ebenso kleine Lappen, bei den übrigen fehlten Kamm und Lappen ganz, sie besitzen nur Nacktheit auf den Zügeln und sehen dadurch sehr originell, aber keineswegs unschön aus. Ueberdies darf aus praktischen Gründen das Fehlen der Nacktheit als ein Vorzug betrachtet werden, da diese Partien bei strenger Kälte häufig dem Erfrieren ausgesetzt sind.

Von Beinbefiederung, noch von den Stamm-Brahma-Müttern her, hatte sich nur bei zwei Hähnen und zwei Hennen Spuren erhalten (davon bei einer sogar auch auf den Zehen), alle übrigen waren glattbeinig.

Dunnenjunge (Kücken) der dritten Generation sind ganz so wie die der Stammeltern gefärbt, die schwarze Färbung aber constanter geworden, denn von etlichen fünfzig Küchelchen waren nur 2—3 braun gefleckt. Dagegen bekamen eine ziemliche Anzahl einzelne zum Theil oder ganz weisse Schwingen, wie dies auch bereits einzeln in der ersten Generation vorgekommen war. Diese weissen Schwingen verloren sich aber meist und verfärben in Schwarz. Drei Monate alte Hähne sind meist schwarz; einzelne mit wenigen rostgelbbraunen Spitzenflecken auf den Flügeldecken; die Federn des Schweifes und der Bürzelseiten sind bereits merklich verlängert und gekrümmt, mit grünem oder violetten Stahlglanz. Hennen im Alter von drei Monaten zeigen einzelne Anfänge eines Bartes in verlängerten Kehlfedern, als Erbtheil der Stammmutter.

Die Ergebnisse dieser Kreuzungen sind in vieler Hinsicht auch für den Naturhistoriker interessant und überraschend, namentlich soweit es die Farbenveränderungen betrifft. Denn sie zeigen auch bei domesticirten Racen das Uebergewicht des Vaters auf die Nachkommenschaft, die aber ganz anders hervortritt als dies bei Bastarden von Wildhühnern (z. B. Rakelhühnern) der Fall ist. Hier prädominirt zwar stets der Vater, aber auch von der Mutter sind gewisse Charaktere erkennbar auf die Nachkommenschaft übertragen worden, so dass sich an dem Kreuzungsproducte die Species der Erzeuger (wie bei so vielen Entenbastarden) für den Kenner leicht bestimmen lassen. Abweichend und ganz anders als zu erwarten, gestalten sich aber die Kreuzungsproducte dieser domesticirten Racen. Hier schlagen die Jungen, wenigstens im ersten Federkleide, zwar ganz nach dem Vater (Crèvecoeur), aber die ausgefärbten Hähne ähneln diesem nicht im geringsten, sondern ihrem Grossvater mütterlicherseits, sowohl in Färbung als Kammbildung. Hieraus könnte man schliessen, dass Brahma eine beständigere und constantere Race ist, wenn von derselben zugleich auch von den Müttern constantere Uebertragungen bemerkbar wären. Dies ist aber nicht der Fall, denn nur als seltene Ausnahmen zeigten einzelne Hennen in schwacher Sprenkelung auf Flügeln und Rücken einen Rückschlag auf die Grossmutter (Brahma), im übrigen stimmen sie ganz mit dem Vater und der Grossmutter väterlicherseits (Crèvecoeur) überein. Interessant ist auch, dass sich der Einfluss der letzteren Race auf die männliche Nachkommenschaft erst in Folge frischer Blutzuführung durch einen Vater der französischen Racen bemerkbar machte, und zwar hinsichtlich der Form der Nacktheile (zweihörniger Kamm), wie diese Vorgänge bereits im Vorhergehenden geschildert wurden. Liebhaber, welche Crève coeur und Brahma kreuzen, werden diese Verhältnisse kennen, im Uebrigen dürfte es aber selbst Geflügelzüchtern nicht leicht sein, die Stammeltern der Kreuzung herauszufinden, und ich bin oft gefragt worden, welcher Race meine Hühner eigentlich angehören. Freilich herrschen in Bezug auf Racenfrage selbst unter Züchtern noch so viel verschiedene Meinungen, als unter den Ornithologen hinsichtlich des Begriffes Species und Subspecies. Aber wie man auch über die Berechtigung und den Werth von Racekennzeichen (Standart) urtheilen mag, jedenfalls verdienen die Nachkommen von Crève coeur-Brahma, bisher unter die „unclassed varieties" gerechnet, mit weit mehr Recht eine Sonderbenennung, als manche viel mehr zweifelhafte, sogenannte Race. Dabei ist nicht zu vergessen, dass alle unsere domesticirten Hühnerracen mehr oder minder Producte von Zuchtwahl oder Kreuzungen sind.

Wie in der äusseren Erscheinung, so vereinigt das Selectahuhn auch andere Vorzüge seiner Stammeltern, welche bereits in dem trefflichen Buche von Baldamus rühmend hervorgehoben werden. Bei Weitem nicht so phlegmatisch und faul als Brahmahennen, haben die Selectahennen doch das sanfte Naturell geerbt und den Drang zum Brüten. Gutmüthig und zahm sind auch Hähne minder kampf und streitsüchtig als dies sonst meist der Fall ist und junge, fortpflanzungslustige Hähne verkehren mit einem alten durchaus friedlich in demselben Austausch. Im Futter so genügsam, als gewöhnliche Junihühner eignen sich Selectahühner auch wegen gleicher Widerstandstandsfähigkeit gegen climatische Einflüsse, trefflich für unser Klima und überwintern in ungeheizten Ställen ohne Nachtheil. Mit einem Wort: sie sind so leicht zu halten als gewöhnliche Landhühner und dasselbe gilt auch in Bezug auf die Aufzucht, welche nicht mehr Mühe und Pflege erfordert als sonst. Im Gegentheile, ich habe gefunden, dass Selecta-Kücklein härter als solche von (allerdings importirten) Italienern und Polverara sind, welche namentlich in der Periode der ersten Federentwicklung häufig kränkeln und eingehen, was bei Selecta bisher nicht vorkam. Vor Junibrut ist übrigens bei den climatischen Verhältnissen, wie sie in den letzten Jahren bei uns herrschten, entschieden abzurathen.

Gleich nach dem Ausschliefen, sobald sie überhaupt fressen wollen und in den ersten Tagen erhalten die Selecta Küchlein Buchweizengrütze oder Hafergrütze, zuweilen etwas zerkrümmeltes Schwarzbrot und aufgeweichte Semmel, später zuweilen etwas Kartoffeln und (im Alter von etwa 3 Wochen) minderwerthigen sogenannten Küchenreis, zum Trinken stets nur Wasser. Im Alter von 4 Wochen pflegen sich Selecta-Kücken wenig mehr um die Glucke zu kümmern und nehmen dasselbe Futter als die Alten, und zwar Früh Weichfutter (aufgebrühtes Gerstenmehl mit zerquetschten Kartoffeln), Nachmittags (gegen 4—5 Uhr) Körnerfutter (den billigeren Pferdezahn-Mais) Kücken im Alter von 7—8 Wochen fressen den letzteren bereits, eigentlich aber schon mit 34 Tagen alles was die Alten erhalten. In diesem Alter pflegen die Hühnchen schon gegeneinander anzuspringen; mit drei Monaten fangen sie an zu krähen und versuchen bereits zu treten.

Von den früher von mir verwendeten künstlichen Futtermitteln (Spratt's Patent, Fleischmehl, Grieben u. s. w.) bin ich bei der Aufzucht ganz abgekommen. (Fortsetzung folgt.)

Der Brünnerkröpfer.

Von **Josef Mantzell.**

Der Brünner Kröpfer, dieser kleine, muntere Geselle, verdiente wohl, dass er immer mehr Anhänger fände, denn prächtige Figur, vielseitige Zeichnungen und munteres Wesen findet man alles bei ihm vereinigt.

Die Abstammung dieser Kröpfer-Species konnte bis heute nicht festgestellt werden. — Baldamus und Prütz erwähnen darüber nichts. — Lewis Wright spricht von einem Zwergkröpfer; dieser wurde vom englischen Kröpfer und vom deutschen Kröpfer schon im Jahre 1735 gezüchtet, er nennt den deutschen Kröpfer, aus welchem dieser Zwergkröpfer gezüchtet wurde: Isabellen. Diese Isabellen dürften nun wieder keine andere Species, wie die „Holländer Isabellen mit und ohne weissen Binden" oder der holländische Kröpfer sein.

Moore, der die englische Kropftaube im Jahre 1730 beschrieben hat, sagt ausdrücklich, dass selbe durch Kreuzung des „Holländischen Kröpfer's" mit einem sogenannten Horsemann, einem langleibigen und langfedrigen Vogel gezüchtet worden sei. Dieser letztere Kröpfer scheint mit Bestimmtheit der Urvater eines Stammes verschiedener Kröpfer-Varietäten zu sein, und ist bemerkenswerth durch seinen aufgeblasenen Kropf und seine langen Beine.

Da nun der holländische Kröpfer aus so langer Zeit zurückdatirt, die Brünner Kropftaube in früherer Zeit in Böhmen und Niederösterreich auch „holländischer Kröpfer" stets genannt wurde, scheint dieser bestimmt der Stammvater des Brünner Kröpfers zu sein.

Der Ausgangspunkt — die Geburtsstätte des Brünner Kröpfers — ist Böhmen, Mähren, daher der Name „Brünnerkröpfer"; später verbreitete er sich nach Sachsen, Niederösterreich und sämmtliche deutsche Provinzen. Heute in Niederösterreich und dem gesammten Deutschland eine sehr beliebte und viel gezüchtete Taube, verdient er gleich seinem grossen, imposanten, prachtvollen Verwandten, dem englischen Kröpfer, Beachtung — und erlaube ich mir daher an dieser Stelle eine Beschreibung dieser Kröpfer-Varietät, sowie meine Erfahrungen in der Zucht dieser Taube bekannt zu geben.

Kopf: Schmal, flach, Stirne leicht gewölbt, nieder.

Schnabel von der Schnabelwurzel bis zur Spitze kaum 3 Cm lang, gegen die Spitze sanft gebogen.

Auge: Iris-orangegelb, bei weiss (ochsenäugig), Augeneinfassung kaum merklich, blassroth.

Rücken: Schmal, hohl.

Hals: Lang, Schlankheit des Gürtels (Taille).

Es wird verlangt, dass die Beine lang, richtig gestellt und gestaltet seien (Höhe der Beine 15 Cm.). Ein Vogel, der dies misst, ist ein Vogel I. Classe zu nennen.

Die Schenkel müssen stark vortretend nach auswärts gebogen, schön geschlossen sein. Ferner dürfen sie nicht niederhocken, sondern müssen stets aufrecht stehen.

Beine und Füsse müssen ganz glatt sein, d. h. sie dürfen nicht den Flaum eines Federchens zeigen, die Flügelspitzen sollen stets gekreuzt getragen werden.

Die Haltung des Brünnerkröpfers muss vertical sein; die Körperlänge beträgt zu 150 Mm. Beinlänge gemessen 31 Cm. Zu diesem Verhältnisse stimme die Länge des Schwanzes. Derselbe soll stets $1\frac{1}{2}$ Cm. über den Flügelspitzen hinausreichen; der Schwanz soll nicht ausstehend oder schlappig getragen werden. Ein kurzer Schwanz beeinträchtigt die Schönheit der Figur.

Der Kropf muss so viel wie möglich kugelrund sein und ganz genau gerade getragen werden, nie einseitig, wie man das hie und da sieht.

Der Kropf muss befähigt sein, ganz aufgeblasen zu werden, doch nie so, dass er oval sich über die Brust verbreitet, oder dass er sich nach rückwärts ausbaucht; dabei muss er gut aufgerichtet getragen werden, so dass er einerseits den Schnabel oben verbirgt, andererseits ganz sanft in die Umrisse des Unterleibes verläuft.

Eine Messung des Kropfes halte ich für überflüssig; er soll der Stellung und Körperlänge stets angepasst und zu diesen im Verhältnisse sein.

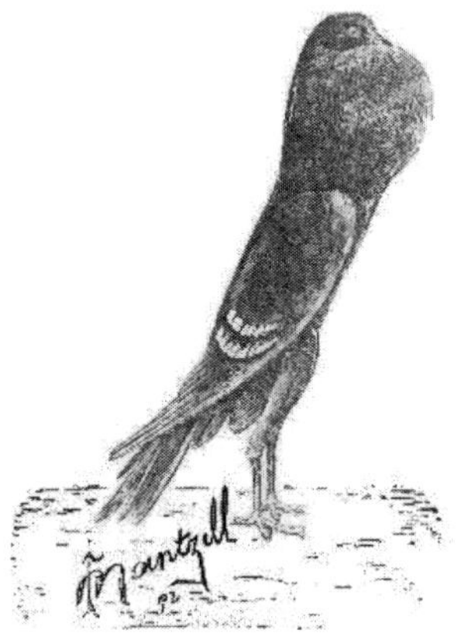

Es liegt in der Natur, dass die aufrechtstehende Taube häufig auf den Zehen geht, so dass man den Gang für springend hält. Diese Thatsachen charakterisiren den Brünnerkröpfer.

Farbe und Zeichnung kommt zuletzt, ist aber sehr nothwendig, um einen Vogel auszuzeichnen, obgleich die beste Farbe noch keinen Brünner-Kröpfer machen kann.

Es gibt fünf bis sechs anerkannte Stammfarben, u. zw.: Roth, schwarz, gelb, weiss und blau (mit schwarzen Binden). Sub-Varietäten sind einfärbige mit weissen Binden, Schecken und Gestorchte.

Bei der Züchtung bietet jede Farbe ihre besonderen Schwierigkeiten, insbesondere ist dies bei den Schecken und Gestorchten der Fall, da bei denselben sehr schwer eine correcte Zeichnung, sowie gute, gesättigte Farbe zu erreichen ist.

Die Zeichnung des scheckigen Brünnerkröpfers soll gleich der Tümmler-Schecken sein, einfärbig, nur auf dem Rücken oder auf den Achseln die Zeichnung eines Schecken, kleine weisse Flecken zeigend.

Bei tadellos gezeichneten gestorchten Brünnerkröpfen ist die Kopfplatte voll gefärbt, Schwingen gefärbt, Schwanz und Brust in gleicher Weise färbig gezeichnet.

Diese Varietäten waren einst in Figur die vorzüglichsten und dem Typus eines Original-Brünners genau entsprechend.

Bei den Gestorchten ist häufig die Färbung der Schwingen nicht von gesättigter Farbe, die Kopfplatte mangelhaft, wie auch Brustpartie und Schwanz sehr oft fehlerhaft sind.

Das Gleiche darf bei den Schecken gelten; die Formenschönheit hat bei diesen Species in Folge der Züchtung auf Zeichnung und Farbe auch viel verloren.

Mit der Zucht der weissbindigen Brünnerkröpfer wurde erst später begonnen. Die Zucht dieser Varietäten ist sehr dankbar und lohnend, und wird gegenwärtig sehr stark cultivirt, so dass die Schecken und Gestorchten heute in den Hintergrund gedrängt sind.

Wir sind seit Jahren bestrebt, in erster Linie die Körperformen zu verbessern, da hauptsächlich in schwarz und roth die Figur durch die Anzüchtung der weissen Binden stark gelitten.

Die schwarzen bieten in Farbe heute keine so grossen Schwierigkeiten, wie roth, isabell und blau; ungleich schwieriger aber ist bei dieser Farbe eine gut rein weisse und durchgehende Binde zu erzielen.

Eine ausgesprochene tiefrothe Farbe ist bei den Brünnerkröpfern eine grosse Seltenheit und sehr schwer hervorzubringen; auch die Binde bietet grosse Schwierigkeiten und häufig erzielt man verschwommene oder sogenannte Scheinbinden.

In der Zucht der Isabellfärbigen spielt die hervorragende Rolle die Feinheit der Farbe. — Die Binde ist bei dieser Farbe immer gut.

Mehr Spielraum haben wir in Züchtung der blauen, und früher wurden stets sehr lichte (silberfärbige) mit rein weisser Binde, sowie dunklere mit röthlicher oder gelblicher Brust, lichten Schwingen und Schwanz gezogen.

In neuerer Zeit züchtet man Thiere von schöner, gesättigter, blauer Farbe (Brust dunkel ohne andersfärbigem Stich), Schwingen ebenfalls sehr dunkel oder schwarz; der Schwanz soll gleichfalls ziemlich tiefblaue Farbe besitzen.

Der Brünnerkröpfer ist sehr empfindlich gegen Kälte, jedoch höchst selten — wie dies bei englischen Kröpfern der Fall — der Kropfkrankheit unterwerfen. Selbe brüten sehr gut, sollen ihre Jungen aber nicht selbst aufziehen, da sie durch die Aufzucht ihre feinen Körperformen einbüssen.

Die grösste Schwierigkeit bei der Zucht dieser Taube besteht darin, sie klein zu erhalten, da sie eine stetige Neigung zum Grösserwerden bekundet.

Inzucht bei dieser Rasse zu treiben, ist nicht rathsam, da langjährige, durch Generationen betriebene Inzucht degenerirt und durch die übertriebene Zucht auf Kleinheit der Körperformen zu sehr schadet.

Man wähle zur Zucht nur das beste Material, und hat hauptsächlich immer nur darauf zu sehen, die kleinsten, schlankesten, blutsfremden Thiere, Vögel, welche hervorragende Rassenmerkmale zeigen, zur Paarung zu verwenden; auch ist Abstammung besonders zu berücksichtigen. Die Hauptaufgabe des Brünnerkröpferzüchters ist, die Körperform des Thieres durch stetige Veredlung und Verbesserung so zu gestalten, dass das Individuum, das seiner Züchtung seine Entstehung verdankt, bei allen besonderen Eigenschaften nicht den Eindruck eines unnatürlichen, sondern den eines vor allen Dingen natürlichen und natürlich schönen Wesens macht.

Da wir keinen eigenen Massstab in der Taubenzucht besitzen, und es uns nicht darum zu thun sein soll, einzelne Eigenthümlichkeiten des Thieres, das unserem Züchterfleiss anheimgegeben, auszunützen, müssen wir unser Hauptaugenmerk dahin richten, eine Type zu schaffen, in welcher wir unsere Züchterkraft erproben, eine Figur so umzuzüchten, dass der Gesammteindruck auch für die Allgemeinheit einen objectiven, wirklichen Werth hat. Dass das nicht unmöglich, sehen wir an dem durchaus eleganten französischen Kröpfer, an dem zierlichen Brünner, sowie an dem imposanten, englischen Kröpfer.

Diesen ersten und besten aller Grundsätze halte sich der rechte Züchter stets vor Augen und unsere Gesichtspunkte sollen nicht dahin gerichtet sein, bestimmte Masse in Körper- und Beinlänge, sowie Umfang des Kröpfes zu erreichen, und sollen wir auch nicht wider die Natur, sondern in Anlehnung an dieselbe, nach richtigem Vorbilde schaffen.

Zur Hebung der Züchtung sind Ausstellungen unerlässlich. Der Züchter, welcher nur immer seine eigenen Thiere sieht und kennt, hat kein richtiges Urtheil, er sieht sie nur von der besten Seite an, doch wenn er sie auf Aufstellungen neben anderen, besseren Zuchtproducten sieht, werden ihm die Fehler und Mängel klar. Nichts schärft mehr den Blick für ein richtiges Aeussere, wie der Besuch gut beschickter Ausstellungen.

Ohne Ausstellung in irgend welcher Form ist es unmöglich, sich reelle Merkmale in der Taubenzucht, resp. Taubenliebhaberei, zu bilden. Tauben von hoher und edler Rasse mögen ohnedies, wie sich das von selbst versteht, auch gedeihen, aber von Vögeln, die in vorderster Reihe stehen, kann der Liebhaber ohne thatsächliche Vergleichung nie wissen, wie er sogar mit seinen Thieren in der That steht.

Von grösstem Vortheile, bestimmte Typen für einzelne Rassen festzustellen, wäre das Inslebenrufen von Special - Ausstellungen mit daran anschliessendem Züchter-Congress, wo man sich nicht mit kurzer Aburtheilung und Prämiirung begnügt, sondern, wo man eingehend die einzelnen Thiere vergleicht, und nach ihren Vorzügen und Mängeln bespricht, seine Wünsche und Anschauungen über die künftige Weiterzucht, über Wegzüchtung der Mängel und Auszüchtung der Vorzüge kundthut und unter einander austauscht.

Aus unserem Vereine.

Protokoll der am 3. November stattgefundenen Ausschuss-Sitzung.

Anwesend: Bachofen von Echt, F. Zeller, Zecha, Pallisch, Reischek, Dr. Přibyl. — Entschuldigt: Dr. Claus, Dr. Reisser, Dr. Zimmermann.

Der Präsident Herr Bachofen von Echt eröffnet um 6 Uhr die Sitzung und bringt die Entschuldigungbriefe zur Kenntniss.

Punct 1. Dr. Přibyl verliest das Protocoll der Sitzung vom 5. Mai 1892; dasselbe wird genehmigt. Derselbe berichtet über die Vereinsthätigkeit seit obigem Zeitpuncte. Gestorben sind die Herren Mitglieder: Frh. Ludwig Fischer von Nagy-Szalatnya und Eduard Ritter von Uhl.

Neuaufgenommen werden als Mitglieder die Herren: Eman. Heinisch, Grussberg, Mähren (vorgeschlagen von Dr. Zimmermann), J. G. Bambach, Gottmannsgrün, Böhmen und Moritz Riehle, Gr.-Kikinda, Ungarn (vorgeschlagen von Ing. Pallisch)

Es gelangen zur Verlesung: das Uebergabsprotocoll von Herrn Nusser an Herrn Gamauf, welcher seit Juni die Geschäftsleitung führt; dessen Thätigkeit wird vom Herrn Vorsitzenden anerkennend hervorgehoben;

der Antrag des Kieler naturw. Vereines wegen Tausch der älteren Jahrgänge der Vereinsschriften (abgelehnt);

der Antrag Dr. Wilhelm's wegen Uebernahme dessen Blattes. Dr. Přibyl berichtet, dass die bezüglichen Schreiben des Vereines ohne Antwort blieben (ad acta);

die Zuschrift des Wiener Thierschutzvereines peto. Eingabe an das Finanzministerium wegen Besteuerung der Vogelhaltung. Es wird beschlossen, Herrn Zeller zu ersuchen, diesfalls ein Gutachten abzugeben und dasselbe dann der Sitzung des Ausschusses vorzulegen.

Das Ansuchen der Deutschen Gesellschaft für Natur- und Völkerkunde in Tokio um Sendung der Vereinspublicationen vom 47. Hefte an, wird vorläufig dahin beschieden, erheben zu wollen, ob die Gesellschaft oder deren Bibliothekar Lehmann Mitglieder unseres Vereines wären.

Herr Zecha berichtet, dass das Ehrendiplom für Herrn Gätke in der Ausführung sich befindet.

Punct 2. In der Discussion über das Programm für die Wintersaison 1892—93 wird beschlossen, öffentliche, allgemein zugängliche Vorträge, wie heuer in Hietzing, in den neuen Bezirken zu veranstalten und hiebei die Mitwirkung der Fachvereine in Anspruch zu nehmen, um rege Betheiligung zu erzielen. Es wird in Aussicht genommen u. a.:

Her Fritz Zeller: Ueber Vogelschutz und Pflege, im Cottageverein.
„ Andr. Reischek: Ueber Pinguine etc.

Als Vortragende im engeren Kreise des Vereines werden von Herrn Reischek vorgeschlagen: die Herren Führer (Bukowinaer Vogelwelt), Glück (Kärntner Vogelwelt), und Herr Custos Reisser aus Serajevo.

Punct 3. Herr Kassaverwalter Dr. Zimmermann legt einen kurzen Kassenbericht vor, derselbe wird zur Kenntniss genommen.

Punct 4. Der Herr Vorsitzende verliest das vom Administrator, Herrn Gamauf verfasste, eingehende Memorandum.

Es enspinnt sich auf Grund desselben eine eingehende Discussion. Die Anträge werden jedoch nicht zur Abstimmung gebracht, die Arbeit selbst lobend gewürdigt.

Punct 5. Herr Reischek beantragt Herrn Glück als seinen Stellvertreter als Custos und Hilfsarbeiter provisorisch zu ernennen, nachdem die Sammlungen catalogisirt werden sollen und er selbst mit der Uebersiedlung der Linzer Sammlungen beschäftigt ist.

Der Antrag wird angenommen.

Der Herr Vorsitzende schliesst um $^3/_4$8 Uhr die Sitzung.

Adolf von Bachofen m. p.
Obmann.

Dr. Leo Přibyl m. p.
Schriftführer.

Ausstellungen.

Paris. Die „Société nationale d'aviculture de France" hält vom 1. bis 4. December 1892 im Pavillon de la Ville de Paris ihre zweite internationale Ausstellung ab. Das Publicum wird am 1. December um 1 Uhr Mittags zugelassen. Das Programm, woraus das Nähere zu ersehen, ist bereits erschienen.

Verlag des Vereines. — Für die Redaction verantwortlich: **Rudolf Ed. Bondi.**
Druck von **Johann L. Bondi & Sohn**, Wien, VII., Stiftgasse 3.

XVI. JAHRGANG. Nr. 23.

Mittheilungen des ornithologischen Vereines in Wien

„DIE SCHWALBE"

Blätter für Vogelkunde, Vogelschutz, Geflügelzucht und Brieftaubenwesen.

Organ des I. österr.-ung. Geflügelzuchtvereines in Wien und des I. Wr. Vororte-Geflügelzuchtvereines in Rudolfsheim.
Redigirt von C. PALLISCH unter Mitwirkung von Hofrath Professor Dr. C. CLAUS.

16. December. 1892.

„DIE SCHWALBE" erscheint **Mitte** und **Ende** eines **jeden Monates**. — Im Buchhandel beträgt das Abonnement 6 fl. resp. 12 Mark. Einzelne Nummern 30 kr. resp. 50 Pf.

Inserate per 1 □ Centimeter 3 kr., resp. 6 Pf.

Mittheilungen an das **Präsidium** sind an Herrn **A. Bachofen v. Echt** in Nussdorf bei Wien; die **Jahresbeiträge** der Mitglieder (5 fl., resp. 10 Mark) an Herrn **Dr. Karl Zimmermann** in Wien, I., Bauernmarkt 11;

Mittheilungen an das **Secretariat**, ferner in Administrations-Angelegenheiten, sowie die für die **Bibliothek** und **Sammlungen** bestimmten Sendungen an Herrn **Dr. Leo Pribyl**, Wien, IV., Waaggasse 4, zu adressiren.

Alle redactionellen Briefe, Sendungen etc. an Herrn **Ingenieur C. Pallisch in Erlach** bei Wr.-Neustadt zu richten.

Vereinsmitglieder beziehen das Blatt gratis.

Aus einem mährischen Forsthause.

Von **V. Čapek.**

Auf meinen ornithologischen Streifzügen versäume ich nicht nach Möglichkeit alle diejenigen aufzusuchen, die mir einen Aufschluss über die Vogelwelt ihrer Umgebung geben könnten. In erster Reihe sind es die Mitglieder der „grünen Gilde", welchen ich manche werthvolle Angabe verdanke.

Am 25. September l. J. besuchte ich, einer liebenswürdigen Einladung des Herrn Revierförsters Jos. Stenzl, der in den Jägerkreisen durch seine vielfach prämiirten Jagdhunde wohl bekannt ist, folgend, das gastfreundliche Forsthaus zu Jamolitz bei Mähr. Kromau.

Der Herr Förster ist selbst ein scharfer Beobachter und ausgezeichneter Präparator. Man kann sagen, dass alle in der weiten Umgebung erlegten selteneren Vögel meist durch seine kundigen Hände gegangen sind. Er besitzt auch eine kleine Localsammlung, die mehrere beachtenswerthen Stücke enthält.

Ausserdem machte mir der Herr Förster bei seiner Einladung eine Mittheilung, die schon an und für sich genügend war, mich zu diesem Ausfluge zu bewegen. — „Der Dickfuss (Oedicnemus crepitans) brütet bei mir und ist noch jetzt am Brutplatze zu sehen", sagte er, und diese Worte klangen mir sehr verlockend, da es für Mähren eine Neuigkeit wäre. Ich griff zum Wanderstabe und ein eifriger Jünger der Ornithologie, Herr Zuckersteuer-Assistent R. Naske begleitete mich auf dieser kleinen Expedition.

Zuerst besichtigten wir die schöne Sammlung des Hausherrn, der uns dann mit grösster Bereitwilligkeit zum Brutplatze des Oedicnemus führte.

Da es klar ist, dass neben eifrigen und gewissenhaften Beobachtungen in der Natur — in erster Reihe ein sorgfältiges Studium aller bestehenden Sammlungen uns die möglichst vollständige und richtige Kenntniss der ornithologischen Verhältnisse eines Landes verschaffen kann, so halte ich es nicht für überflüssig, wenn ich hier einen kurzen Bericht über die Sammlung des Herrn Stenzl erstatte.

Die (einige wenigstens local) selteneren Exemplare derselben sind:

1. Zwei Wespenbussarde (Pernis apivorus), welche Art hie und da in der Umgebung als seltener Brutvogel vorkommt.

2. Eine Wiesenweihe (Circus cineraceus), ein jüngeres Stück, das zweite, welches ich aus meinem Beobachtungsgebiete kenne.

3. Eine Kornweihe (Circus cyaneus), ein jüngeres starkes Weibchen.

4. Ein Uhu, (Bubo maximus). Ein Paar horstete heuer nach einer Pause wieder in den hohen Felsen am linken Ufer des Iglawaflusses, unweit von der Ruine Tempelstein. Dem Horste wurden zwei Junge und zwei faule Eier entnommen.

5. Interessant ist eine Nebelkrähe (Corvus cornix), deren linke Körperhälfte albinistisch ist, die rechte jedoch normal. Das sonst graue Gefieder der linken Seite ist weisslich, mehrere Schwingen und Deckfedern des linken Flügels sind fast weiss, auch der linke Fuss ist viel lichter als der rechte.

Ausserdem hat Herr Stenzl im Jänner 1889 eine schöne Cornix aus Tuleschitz präparirt, bei welcher die schwarzen Partien lichtbraun, die grauen aber weiss waren.

6. Tannenheher, Nucifraga caryocatactes, vom Herbste 1885, 1887 und 1888.

7. Ein schwarzer Storch, Ciconia nigra juv., der bei Dobřinsko erlegt wurde.

8. Eine Spiessente, Anas acuta ♀, welche mit dem ♂ bei Kromau am Zuge erbeutet wurde.

9. Ueber einen jungen Triel, Oedicnemus crepitans, weiter unten.

10. Das werthvollste Stück der Sammlung habe ich zuletzt gelassen. Es ist dies ein prachtvoller **Schlangenadler**, Circaëtus gallicus, der Mitte Juni 1892 bei Taikowitz (Bezirk Hrottowitz) geschossen wurde. Es ist ein starker, älterer Vogel, wahrscheinlich ein Weibchen. Die Länge beträgt 77 cm, die Flugbreite 175 cm. Der Vorderkopf und Hals sind weiss, mit ganz schmalen dunklen Schaftstrichen. Die Unterseite ist schneeweiss mit nur wenigen braunen Flecken von Kreuzerform. Am Kopfe sind noch einige braune Federn geblieben. Es ist mir leider nicht bekannt, unter welchen Umständen der Vogel erbeutet wurde.

Aus mährischen Sammlungen sind nur fünf Schlangenadler bekannt, zu denen jetzt also ein sechster notirt werden kann.

NB. Von den zahlreichen Vögeln, die in letzten Jahren vom Herrn Stenzl für andere Herren ausgestopft worden, nenne ich blos: Zwei Wanderfalken, einen Habicht (hier selten), zwei weisse Störche, Fisch- und Purpurreiher, einen Polarseetaucher und einen Schreiadler vom Winter 1886.

Nun aber zum **Triel**!

Am Brutzplatze angelangt, schauten wir uns vorsichtig um. Nach kurzem Suchen sah der Herr Förster von weiten einen Oedicnemus aufstehen, worauf wir sogleich noch zwei Stücke erblickten, die sich schon in grosser Entfernung durch eilige Flucht zu retten suchten und wirklich hinter einer kleinen Erhöhung spurlos verschwanden.

Da hier zum erstenmale diese Art als mährischer Brutvogel konstatirt wurde, halte ich es für nöthig, die Verhältnisse näher zu erklären.

Der Triel wurde in Mähren bis jetzt blos am Zuge beobachtet; es sind mir aus den Sammlungen etwa 20 Individuen aus verschiedenen Gegenden Mährens bekannt. Nur einmal wurde der Vogel zur Brutzeit im Bečwathale bei dem Hofe „Kamenec" gesehen und darauf im Sommer in fünf Stücken daselbst angetroffen. Da ich diese passende Localität aus eigener Anschauung vom Jahre 1883 kenne, halte ich es für möglich, dass der Vogel dort brütet.

Die Gewissheit wurde jedoch erst bei Jamolitz erlangt.

Die Fläche, welche hier der Triel jährlich (leider nur) in 1 oder 2 Paaren bewohnt, erstreckt sich nördlich von Jamolitz in der Richtung zum Iglawaflusse.

Es ist eine ausgedehnte flache Erhöhung von bedeutender relativer Höhe, die sich nur gegen Norden etwas stärker neigt. Die Unterlage bildet hier Serpentin, der den Boden sehr dunkel färbt und überall groben Sand und Schotter zurücklässt. Aus diesem Grunde ist das ganze Plateau mit seinen Lehnen meist eine dürre Viehweide, zum Theile sind es Felder, die streifenweise in die Weidefläche eindringen und öfters brach liegen. Ausser dem Triel sind hier nur Lerchen, einige Brachpieper (Agrodroma campestris) und etwa 2 Paare Kiebitze anzutreffen.

Im Jahre 1890 hat hier ein Bürger von Jamolitz einen jungen Triel im Felde gefangen, der zwar schon fast die volle Grösse hatte, bei dem jedoch die Schwungfedern noch unvollkommen waren; dieses Stück befindet sich in der Sammlung des Herrn Försters. Das Jahr darauf fand Herr Stenzl selbst mit Hilfe des Hundes zwei noch nicht flugfähige Junge. Ob die Brut heuer glücklich grossgezogen wurde, konnte der Herr Förster nicht beobachten. Die Vögel werden leider durch das Weiden beunruhigt.

Das künftige Jahr werde ich nicht unterlassen, dem Triel bei Jamolitz meinen Besuch während der Brutzeit abzustatten.

Ornithologen-Freud' und -Leid.

Ein Vortrag von **Dr. Curt Floericke**.

Hochverehrte Anwesende!

„Der Naturforscher von Geist und Gemüth ist es, welcher den zwischen Mensch und Vogel bestehenden Freundschaftsbund am besten erkennt und am innersten hält. Er ist es, welcher die Deutsamkeit der Vogelgestalt würdigt; er ist es, dem der Flug zwar nicht als ungelöstes Räthsel, wohl aber noch immer als ein herrliches Gedicht erscheint; er ist es, welcher zum Jäger und Fänger des Vogels wird, um ihn und sein Leben zu erforschen und dann ihm Gastfreund und Beschützer zu sein; er ist es, welcher ihn einen „Jubelruf der Natur" nennen darf, weil dieser Jubelruf in seinem Innern freudig widerklingt. Die Forschung ist das End- und Schlussglied jener Freundschaftskette zwischen Mensch und Vogel; sie vereinigt alle übrigen Glieder in sich. Wie jede andere wissenschaftliche Bestrebung bringt sie ihre Freuden und Leiden, ihre Mühen und der Mühen Lohn mit sich; aber die Freuden sind grösser als die Leiden und der Lohn ist so köstlich, dass er alle Beschwerden leicht vergessen macht."

Diese Worte Alfred Edmund Brehm's, der in seinem bewegten, an ornithologischen Freuden und Leiden gleich reichen Leben mehr als Andere Gelegenheit hatte, ihre Wahrheit an sich selbst zu erproben, Ihnen, meine Herren, näher zu bringen, Ihnen vorzuplaudern von all' den unzähligen kleinen Freuden und Leiden des Naturforschers im Allgemeinen und des Ornithologen im Besonderen, Ihnen unsere stille Thätigkeit vertraut, lieb und werth zu machen, das soll der Zweck meines heutigen Vortrages sein.

Die Jünger weniger Wissenschaften sind in ihrem Thun und Treiben so sehr von dem Einflusse der Jahreszeiten abhängig, als gerade wir Ornithologen. „Ja was hat denn so ein Ornitholog eigentlich den ganzen Winter über zu thun?" hört man oft diesen oder jenen Laien fragen und seine, ein gewisses Staunen ausdrückende Frage erscheint um so begreiflicher, als man bisweilen selbst aus dem Munde von wissenschaftlich gebildeten Leuten die Ansicht vernimmt, dass die Ornithologie eine bereits erschöpfend behandelte, abgebaute und eine ernste Thätigkeit nicht mehr recht verlohnende Wissenschaft sei. Dass dem nicht so ist, werden alle die bezeugen, die selbst mit Messer und Mikroskop tiefer eingedrungen sind in den wunderbaren Bau des Vogelkörpers oder die die schleierhaften Räthsel des Vogelzuges oder etwa die mannigfachen Abweichungen im Nestbau und in der Verfärbung zu erforschen trachteten. Ja es gibt auch auf dem begrenzten Gebiete unserer Lieblingswissenschaft noch Aufgaben genug, die wohl werth sind, ihnen ein Menschenleben zu weihen, ein Menschenleben mit all' seinem Dichten und Trachten, seinem Denken und Sinnen, seinem Sehnen und Schaffen. Aber was will die kurze Spanne eines Menschenlebens sagen und bedeuten auf dem weiten, unbegrenzten Gebiete einer ewigen Wissenschaft? Wie sehr müssen die Leistungen und das Wirken auch des Begabtesten, Eifrigsten und Fleissigsten hinter dem Gewollten und Erstrebten zurückbleiben, und wie beglückt werden wir uns schliesslich erachten, wenn es uns vergönnt ist, die Wissenschaft eine kleine Strecke vorwärts begleiten zu dürfen auf dem rauhen Wege nach ihrem hohen Ziele; der ewigen, lichtumflossenen Wahrheit. Das wird immer unser süssester Lohn sein und bleiben, dessen Annehmlichkeiten uns zu rauben nichts auf der Welt im Stande ist.

Es gehören aber ganz besondere Augen dazu, alle auf ornithologischem Gebiete sich abspielenden Vorgänge zu sehen, und zwar richtig zu sehen. Unser Blick darf nicht getrübt sein durch von vornherein feststehende Vorurtheile und Theorien, er muss klar und frei jede Erscheinung als Ganzes zu überschauen und doch sofort das Wesentliche und Charakteristische herauszufinden verstehen, unser Auge muss geschärft sein von der Liebe zur Natur und dem Verständnisse für ihre Geschöpfe, mit einem Worte: Der Ornitholog muss angeborenes Beobachtungstalent besitzen, das aber erst durch fortgesetzte Uebung zu möglichster Vollkommenheit entwickelt wird. Und dennoch passiren auch dem Erfahrensten unter uns in dieser Hinsicht bisweilen noch recht arge Schnitzer! Und wenn er dann zu der Einsicht kommt, dass alles bisher Beobachtete falsch, alle bisher aufgewandte Mühe vergeblich war, dann merkt er, dass auch die Ornithologie ihre Leiden hat.

Wie einförmig und trocken erscheint dem Uneingeweihten die Systematik, welche während der Wintermonate die Hauptbeschäftigung vieler Ornithologen bildet, und doch, welche Fülle von hochinteressanten Fragen, welcher Reiz und welche Mannigfaltigkeit liegt in ihrem Schosse verborgen. Gerade auf dem in der ersten Hälfte unseres Jahrhunderts, zur Zeit des älteren Brehm, besonders heiss umkämpftem Gebiete der Systematik scheint jetzt wieder eine neue Periode lebhafter Forschungen zu beginnen, jetzt, wo uns die Ornis auch der entlegendsten und beschwerlichsten Länder immer zugänglicher geworden, und wo bei dem heutigen fortgeschrittenen Stande unserer Wissenschaft die Einführung von Subspecies sich zur gebieterischen Nothwendigkeit gestaltet hat. Diese Subspecies können z. B. bei der Erforschung der Zugstrassen von grosser Wichtigkeit werden, indem der Forscher von Fach häufig bei einem auf dem Zuge erlegten Vogel aus den minimalen, die Subspecies bezeichnenden Merkmalen ziemlich genau auf das Vaterland des Vogels schliessen kann, da der Verbreitungsbezirk der Subspecies meist ein beschränkter zu sein pflegt. Jetzt weiss er, welchen Weg der Wandervogel eingeschlagen, in welcher Richtung er dem warmen Süden zugeeilt war. Mit Hilfe der Subspecies konnte es festgestellt werden, dass unsere meisten deutschen Vögel nicht, wie man früher annahm, in Egypten, sondern vielmehr in Spanien und Nordwestafrika überwintern, dass also die Zugrichtung im mittleren Europa nicht eine direct südliche, sondern vielmehr eine südwestliche ist. Freilich, wenn die Systematik greifbare und wirklich nutzbringende Resultate erzielen will, darf sie nicht zu einseitig verfahren. Nicht auf den Balg auf das blosse Federkleid allein darf sie ihre prüfende Aufmerksamkeit richten, sondern sie muss sich vor Allem auch die vergleichende Anatomie zur thätigen Mitarbeiterin nehmen, wenn sie die Stellung der Vögel im Reiche der Thiere und das Verhältniss der einzelnen Gattungen unter sich verstehen will. Dem Secirmesser steht auch in der Ornithologie noch ein weites Feld offen, und gerade neuerdings ist man, nachdem schon vor 50 Jahren Nitzsch und Naumann auf die Wichtigkeit anatomischer Untersuchungen hingewiesen, wieder vielfach auf dieselben zurückgekommen. Fragen, wie die letzthin aufgetauchten über den Kehlsack der Grosstrappe und das Brüllen der Rohrdommel können nur durch die Anatomie in Verbindung mit sorgfältigen Beobachtungen im Freien, wie an gefangen gehaltenen Exemplaren entschieden werden.

Unter solchen Arbeiten vergeht der zuerst so langweilig erscheinende Winter schneller und angenehmer, als wir dachten. Vergleichungen unseres Materials mit dem anderer, Studien in den Museen, Ordnen und Bearbeiten der und das bekannte süsse Schwelgen in den etwa angelegten Sammlungen, Lectüre der einschlägigen Literatur und eifriger und anregender Briefwechsel mit ornithologischen Freunden nehmen unsere Zeit völlig in Anspruch. Zur Erfrischung von Körper und Geist wird auch wohl dann und wann einmal ein Ausflug in den schneebedeckten Tannenwald gemacht, um nach dick- und dünnschnäbligen Tannenhehern, Kreuzschnäbeln mit und ohne Binden und anderen seltenen Wintergästen zu suchen und deren anziehendes Thun und Treiben zu beobachten. Aber todt, öde und einsam liegt der Wald da, wie ausgestorben erscheint die sonst so regsame Vogelwelt. Nur einzelne Krähen zeigen sich unter misstönigem Kreischen in der Luft, und hier und da können wir das leise „Sitt, sitt" der Meisen und Goldhähnchen vernehmen. Ein ungeheures weisses Leichentuch deckt all' das erstarrte Leben in der schlummernden Natur. Ein eisiger Nordost bläst uns schneidend scharf in das Gesicht und die Hand am Gewehr erstarrt in der grimmigen Kälte. Aber das darf den Ornithologen wenig kümmern. Ja, wenn wir nur fein säuberlich auf dem Wege bleiben dürften! So aber heisst es das Gebüsch durchkriechen, wobei uns der Schnee von den Zweigen in den Nacken fällt und eiskalt den Körper hinunter rieselt, und die Waldblössen durchstöbern, wobei wir bis über die Kniee im Schnee versinken und auf diese Weise bald die Stiefelschäfte mit demselben angefüllt haben. Das sind die Annehmlichkeiten einer Winterexcursion! Einsamkeit, Einförmigkeit und regungslose Stille überall. Da ein wohlklingender voller Lockton hoch oben auf den Kiefern. Mit Entzücken geniessen wir den prächtigen Anblick, der sich uns darbietet: Ein Schwarm Kreuzschnäbel im verschneiten Tannenwald! Mir wurde dieser Genuss zum ersten Male vor 5 Jahren während der Weihnachtstage im Zeitzer Forst zutheil. Die Abendsonne übergoss die ganze Schaar mit gedämpftem, halb verblassenden Lichte; das schöne Roth der alten Männchen hob sich in wahrhaft wunderbarer Pracht ab von dem tiefen Blau des Himmels, dem glitzernden Silber der Kiefernadeln und dem glänzenden Weiss der Erde; ein märchenhaft schönes Winterbild, das ich nie vergessen werde. Wenn nun aber gar der vor uns befindliche Kreuzschnabel die bifasciata, die seltene weissbindige Art ist! Dann erwacht der Ornitholog mit aller Macht in uns, dann ist es uns gleichgiltig, ob uns der Schneesturm umtobt, dann haben wir bei allem ornithologischen Leid auch ornithologische Freuden in schönster Gestalt vor uns, und das Beobachten der munteren Schaar gewährt uns einen reinen und ungetrübten Genuss. Auf dem Rückwege von unserem Ausfluge finden wir einen munteren Zaunkönig, der trotz Schnee und Eis gar fröhlich sein heiteres Liedchen in die Winterlandschaft hinaussingt, als ein lebendiges Bild der Hoffnung, ein verkörpertes „es muss doch Frühling werden!"

Und der heiss ersehnte Frühling kommt, und mit ihm kehren sie zurück, alle unsere gefiederten Freunde mit Sang und Klang, wie ein siegreiches Heer nach Vertreibung der Feinde mit Jubel- und Minneliedern und ihr Zwitschern und Trilliren macht uns das Herz so weit, so weit. Tagtäglich fast eilen wir hinaus in den mit frischem Grün geschmückten Wald, in die maienprangende Flur, tagtäglich fast finden wir neue, liebe Bekannte, und in ihren süssen Liedern entsteht dem Ornithologen eine neue Welt, voll von ungeahntem Lenzesglück. Welchen Zauber übt nicht ein Vogellied zur rechten Zeit und am rechten Orte auf das Menschenherz aus! Ich lernte das so recht gelegentlich einer Schwarzwaldreise von fünf Tagen kennen. Ich stand vor den herrlichen Ruinen des Heidelberger Schlosses. Vor mir erhob sich ein halb zerfallener, mit wucherndem Epheu übersponnener Thurm. Rings umher tiefe, heilige Stille. Nur das Rauschen der ehrwürdigen Baumkrone scheint dem aufmerksam lauschenden Wanderer flüsternd von alter, längst entschwundener Pracht und Herrlichkeit zu erzählen. Da klingen leise, klagende Töne aus einer Fensternische des alten Gemäuers hervor, schwellen an zu lauten, langsamen, glockenreinen Rufen und rühren wunderbar das empfindsame Herz des Hörers. Eine Amsel ist die Sängerin, und nur ihre schwermüthigen Flötentöne konnten zu diesem Bilde passen und erschienen wie geschaffen für ihre melancholische Umgebung. — Zwei Wochen später befand ich mich am Wildsee. Der Eindruck, den der 130 M. unter dem Beschauer in schauerlicher Waldeseinsamkeit gelegene tiefdunkle See macht, ist ein ganz unbeschreiblicher und geradezu überwältigender, zumal da er erst bei der letzten Biegung des Weges ganz unvermuthet sichtbar wird. Die herrschende Stille ist in dieser Wildniss fast unheimlich. Da fliegt von einer aus dem Heidekraut aufragenden Legföhre eine Heidelerche auf. Singend schwebt sie zum blauen Aether empor, unregelmässige Zickzacklinien beschreibend, ein lebender Spielball der Winde. Ihr süsser, lullender, weichlich und lieblicher Gesang verleiht dem ganzen Bilde erst seine rechte Farbe und ruft namentlich während der Abenddämmerung, wenn die Sonne glühend roth hinter den waldbedeckten Bergesgipfeln verschwindet, eine wunderbare Mischung der seltsamsten Gefühle im Menschenherzen hervor. Die Heidelerche ist ein echter Charaktervogel des deutschen Mittelgebirges, und kaum macht hier der Gesang eines anderen Vogels einen so tief gehenden Eindruck, als gerade der ihrige. Es ist eine allgemein giltige Erscheinung, dass der Gesang der Gebirgsvögel besser, feuriger, lauter, wohlklingender und mannigfaltiger zu sein pflegt, als der der Vögel aus der Ebene. Besonders bei Singdrosseln, Amseln, Rothkehlchen, Schwarzplättchen und Finken tritt dies recht deutlich hervor. So bezeichnet z. B. Hofrath Liebe die Schlussstrophe der auf den Alpen lebenden Edelfinken mit „Würzgebier", der in der italienischen Ebene nistenden dagegen mit „Wilzgebühl". Weniger bekannt dürfte es sein, dass auch bei den Pingern sich dieser Unterschied recht sehr bemerklich macht. Jeder, der bei seinen Gebirgstouren darauf achtet, kann in dieser Hinsicht ungemein interessante Wahrnehmungen machen.

(Fortsetzung folgt.)

Ornithologische Excursionen im Isergebirge.

Von Jul. Michel Bodenbach a/E.

(Schluss.)

Auf einem schmalen, für den Fremden kaum erkennbaren Fusssteige ging es dann durch die hohen, nun schon meist welken Farrenkräuter hinauf zum Gipfel des „schwarzen Berges". Auf der Höhe desselben befinden sich einige malerische Felspartien. Mittelst einer kleinen Leiter steigt man auf einen grossen, oben flachen Felsblock, in dem eine Anzahl handtellergrosser, kreisförmiger Vertiefungen mit kleinen Abflussrinnen sich befinden. Jedenfalls sind sie ein Product menschlicher Thätigkeit. Von wem sie stammen und wozu sie gedient, wer weiss es? Im Volksmunde heisst der Fels der Opferstein. Der Abstieg erfolgte längs einer Schneisse, auf der die grünblütige Niesswurz (Veratrum Lobelianum) ihre hohen Stauden in bedeutender Zahl erhob. In kurzer Zeit war ich in Christianthal. Auf einer kleinen Waldlichtung liegt eine Glashütte, das Herrnhaus (mit Kapelle und Schule) und vielleicht 8—10 Holzhütten. Gegenwärtig ist die ganze Ansiedlung verlassen. Vor einigen Jahren brannte nämlich die Glashütte nieder. Da dieselbe nicht wieder aufgebaut wurde, so verzog sich die ganze Arbeitsbevölkerung nach Reinowitz und anderen Orten mit Glasindustrie. Nur während der Ferienzeit herrscht wieder Leben, da gewöhnlich eine Feriencolonie im Herrenhause untergebracht ist.

Auf einer guten Fahrstrasse gelangt man in ca. 20 Minuten nach Neuwiese, wobei man einen kleinen Teich, den Blattneiteich passirt. Hier schlägt manchmal unser „fliegender Edelstein", der Eisvogel sein Standquartier auf. Im Herbste tummeln sich auch zeitweilig Enten und nordische Taucher (darunter auch vor mehreren Jahren ein Polartaucher, Colymbus arcticus) auf demselben. Ich fand ihn still und leer.

Neuwiese, ein beliebter Ausflugsort der Reichenberger, besteht aus einem kleinen Jagdschlösschen und einer Försterei.

Auch hier zeigen sich im Spätherbste und Winter Züge von Quäkern, Ziemern und verschiedenen Drosselarten und plündern die daselbst stehenden Ebereschen. Mitunter stellen sich auch recht seltene Gäste ein. So wurden bereits 2 Exemplare der Steindrossel (Monticola saxatilis) in Neuwiese erlegt, das erste im Herbste 1877 von dem jetzigen Gemeindevorsteher Thomas in Voitsbach, das zweite im Frühjahre 1887 von dem damaligen Forstadjuncten Hermann. Der letztere Herr besitzt dasselbe noch jetzt präparirt. Bei dem Ersteren sah ich auch ein ausgestopftes ♀ vom Hakengimpel (Corythus enucleator), welches von hier stammt.

Müde von dem anstrengenden Tagesmarsche verzichtete ich auf eine weitere Fortsetzung und übernachtete in dem freundlichen Forsthause.

Am Morgen des 4. November zog ich wieder dem Norden zu, quer über den südlichen oder wohlschen Kamm, auf dem ich von Wittighaus her der Länge nach gewandert war. Noch eine Steigung von 100 m und dann ging es thalwärts in der äusserst romantischen Stolpichschlucht. Ist der Abstieg auch nicht immer gerade bequem, so lohnt er doch einigemale durch eine prächtige Fernsicht auf die nördlichen Theile des Gebirges. Der Weg führt längs des bald über gewaltige Felstrümmer stürzenden, bald durch mächtige Blöcke sich drängenden Stolpichbaches hinab nach dem reizend am Fusse des wohlschen Kammes liegenden Wallfahrtsorte Haindorf.

Da ich noch einen freien Tag vor mir hatte, so bog ich, anstatt den kürzesten Heimweg weiter zu verfolgen, in dem knapp vor Haindorf liegenden Oertchen Ferdinandsthal nach Westen ab und schritt in dem bereits erweiterten Wittigthale durch Wiesen und Waldparcellen dem Dammjägerhause (am Eingange des über den südlichen Kamm führenden Hemmrichpasses) bei Raspenau zu. Ich wollte dem Bewohner desselben, den mir wohlbekannten Revierjäger Krause noch einen Besuch abstatten und seine ausgestopften Vögel einer Durchsicht unterziehen.

Es sei mir da gestattet, über eine im Iser- und Riesengebirge eingebürgerte und speciell für uns Ornithologen so wichtige Sitte einige Worte zu verlieren.

In den angeführten Gegenden trifft man gewöhnlich bei den Förstern und Jagdliebhabern, sowie vielfach auch bei gewöhnlichen Leuten eine Anzahl ausgestopfter Thiere, insbesondere Vögel. Dieselben sind in kleinen Glaskästen mit gemaltem Hintergrunde untergebracht und dienen als Zimmerschmuck. Vor schädlichen Einflüssen geschützt, überdauern die meist annehmbaren Präparate mehrere Generationen und erfreuen den Besitzer stetig. Wenn man in diesen kleinen Sammlungen auch meist gewöhnliche Stücke, wie: Balzende Birkhähne, Nussheher, Seidenschwänze u. dgl. m. antrifft, so sind sie doch wieder auch mitunter wahre Fundgruben für den streifenden Ornithologen, da sie auch seltenere Stücke enthalten, über welche der Besitzer — meist gleichzeitig Erleger — gerne genaue Auskunft ertheilt.

Ich bin an diese Wandzierden so gewöhnt, dass es mich förmlich befremdete, als ich in der hiesigen Gegend keine Spur davon antraf.

Auch der genannte Herr hatte eine Anzahl so präparirter Stücke, von denen ich nur einige für das Gebirge wichtige Arten erwähnen will.

So fand ich vor:

1 Milvus regalis — Gabelweihe, im Herbste 1872 hier erlegt.

1 Carbo cormoranus — Komoranscharbe. Im März 1873 trieben sich einige Exemplare auf der theils mit Wasser bedeckten Wiese umher. Von 5—6 Stücken, welche auf einer hohen Fichte sassen, erlegte Krause zunächst ein Exemplar und später ein zweites im Fluge, das aber erst nach einigen Tagen gefunden wurde.

1 Bernicla torquata — Ringelgans. Im Herbste 1880 beim Wiesenhause (zwischen Ferdinandsthal und dem Jägerhause) erlegt worden.

2 Anas crecca — Krikenten, auf der Waldwiese nächst dem Försterhause geschossen.

Als mir der liebenswürdige Herr alles gezeigt und erzählt, trat ich endlich den Rückmarsch über Raspenau und Lusdorf nach Neustadtl an.

Auf dem Heimwege sah ich einen Schwarm-

Tschätscher, einen rüttelnden Thurmfalk, der schliesslich von einer Nebelkrähe geneckt wurde, sowie Goldammern und Buchfinken.

Nachmittag kam ich von dieser meiner Abschiedstour glücklich wieder bei meiner Familie an.

Die Erinnerung an diesen letzten Streifzug durch das mir so lieb gewordene Gebirge bleibt mir aber immer wert.

Aus Heinr. Gätke's „Vogelwarte Helgoland".

(Fortsetzung.)

Aus dem Obigen geht nun nicht allein hervor, dass die Vögel eine, ich darf wohl sagen, nie geahnte Flugfähigkeit besitzen, sondern es beweist weiter, dass auch die Wanderflüge derselben mit einer gleich grossen Schnelligkeit zurückgelegt werden. Wenn die Ergebnisse, zu welchen meine Beobachtungen geführt, in so hohem Grade von denen abweichen, zu welchen Herr von Middendorff gelangt ist, so findet dies vielleicht seine Erklärung in dem bedeutenden Breitenunterschiede der Gebiete, in welchen unsere Beobachtungen angestellt sind: hier auf Helgoland sieht man die Wanderscharen während beider Zugperioden des Jahres in gleich unverringerten Massen und in ursprüglichem Drange vorüber eilen; während in jenen hohen Breiten, welche zu durchforschen Herrn von Middendorff vergönnt gewesen, der Frühlingszug vieler Arten entweder vollständig oder doch nahezu seinen Abschluss findet — dort mag dann wohl, wenn die Vögel, so hoch nördlich gelangt, noch auf den Durchbruch des Sommers in ihrer nicht mehr fernen Brutzone zu warten haben, ein zeitweilig so langsames Vorrücken sich oft genug herausstellen; als allgemeine Regel kann aber ein mittleres Reisetempo von täglich acht Meilen nicht angenommen werden, dem stehen zu viele Thatsachen entgegen. Solche Arten unter anderm, die im mittleren Aegyten überwintern und innerhalb des Polarkreises brüten, würden dann nahezu drei Monate zu ihrer Reise nöthig haben, was an und für sich schon ausser aller Frage steht und auch durch das oftgenannte Blaukehlchen widerlegt wird: reiste dasselbe so langsam, so müsste man es während seines Frühlingszuges in Italien und ganz Deutschland ebenso zahlreich antreffen, wie auf Helgoland, wohingegen dasselbe wie schon weiter zurück gesagt, in allen zwischen seinem Winterquartier und dieser Insel liegenden Länder nur als höchst seltene und ausnahmsweise Erscheinung beobachtet worden ist.

Fast alle bisher angeführten Beispiele der Fluggeschwindigkeit der Vögel sind dem allerdings unter bedeutender Hast verlaufenden Frühlingszuge entnommen, es ist aber keineswegs allein der Zug zum heimatlichen Neste, welcher die Vögel zu so überraschenden Leistungen ansporut, sondern auch die weniger Eile verrathende Reise in das Winterquartier bietet genügende Beweise für die Schnelligkeit des Fluges überhaupt, sowie für die thatsächliche tägliche Wandergeschwindigkeit dar. Der schon erwähnten Krähe, Corvus cornix, möge hier nochmals eingehender gedacht werden; dieser sicherlich zu den weniger gewandten Fliegern gehörende Vogel zieht im Herbste in zahllosen Schaaren über Helgoland, und meilenweit zu beiden Seiten desselben dahin. Die ersten Züge treffen in der Früh etwa um 8 Uhr hier ein; in unverminderten Massen folgt Schaar auf Schaar bis zum Nachmittag um zwei, ohne ihren Flug zu unterbrechen, ziehen sie in westlicher Richtung dahin. Nach meines verehrten Freundes John Cordeaux Mittheilungen — mit dessen, Helgoland gegenüber an der Englischen Ostküste gemachten Beobachtungen ich meine Aufzeichnungen fortwährend vergleiche — treffen die ersten Flüge daselbst um 11 Uhr Vormittags ein, und die letzten etwa um fünf am Nachmittag, manchmal gefolgt von vereinzelten Nachzüglern.

Dass die hier fern östlich erscheinenden und am westlichen Horizont verschwindenden Flüge dieselben sind, welche über das Meer von Osten her an die englische Küste gelangen, unterliegt, wie wiederholt nachgewiesen, nicht dem geringsten Zweifel. Somit überfliegen diese schwerfälligen Flieger die achtzig geographische Meilen breite Nordsee in drei Stunden und legen demnach nahezu siebenundzwanzig Meilen in einer Stunde zurück. Es ist dies Beispiel der Zugsgeschwindigkeit um so überraschender, weil es eben von einem fast unbeholfen zu nennenden, jedenfalls keineswegs körperliche Gewandtheit zeigenden Vogel geliefert wird.

Einige weitere Beispiele für eine Wandergeschwindigkeit, die bedeutend grösser als das Mittel von acht Meilen in einem Tage ist, mögen hier noch Platz finden. Von dem Daurischen Stelzenpieper, Anthus Richardi, kommen bei günstiger Witterung die jungen Herbstvögel schon im Anfange des September auf Helgoland an, also nachdem sie etwa zwei Monate vorher das Ei verlassen und wenigstens die Hälfte dieser Zeit bis zur vollendeten Flugbarwerdung gebraucht hatten. Die Entfernung von Daurien bis Helgoland beträgt etwa tausend geographische Meilen; legte dieser Pieper nun nicht mehr als acht Meilen an einem Tage zurück, so würde er anstatt während der ersten Septembertage erst gegen Ende December hier eintreffen können, dabei wäre immer noch nothwendig, dass während der ganzen Dauer der Reise das Wetter für dieselbe günstig bliebe, was für diee Zeit des Jahres als absolut unmöglich bezeichnet werden muss. Entfielen den Wanderern aber durch schlechte Witterung nur ein Drittheil der Tage, oder vielmehr Nächte, was keineswegs zu hoch gegriffen, so würde die nach obigem Maasse nöthige Reisezeit sich so sehr hinausdehnen, dass alle diese Wanderer den Unbilden des Wetters erliegen müssten! Geschähe dies nun aber auch nicht, und setzten sie im selben Tempo die Reise zu einem Winterquartiere in Südfrankreich oder Spanien fort, so würden sie, daselbst angekommen, sofort wieder zur Heimat aufbrechen müssen, um rechtzeitig zum Nisten an ihren Brutstätten anzulangen. Dies bezieht sich nur auf die jungen Sommervögel, alte Brutvögel erscheinen hier erst von Mitte October bis Mitte November.

Das schlagendste und unanfechtbarste Beispiel für eine andauernd mit grösster Schnelligkeit ausgeführte Wanderung bietet jedoch ein amerikanischer Vogel, der virginische Regenpfeifer, Charadrius virginicus, welcher während seines Herbstzuges die oben nachgewiesene Schnelligkeit des Frühlingszuges vom Blaukehlchen wahrscheinlich noch übertreffen dürfte. Schaaren von Tausenden dieser Vögel hat man hundert und mehr Meilen östlich von Bermuda südwärts fliegend angetroffen, nämlich auf dem Wege von ihren Brutplätzen in Labrador nach dem nördlichen Brasilien; die Entfernung zwischen den Küsten beider Länder beträgt achthundert geographische Meilen und auf dieser langen Linie befindet sich nicht ein einziger Ruhepunkt, die Wanderer sind somit gezwungen, diese ganze ungeheuere Wegstrecke in einem Fluge zurückzulegen. Fünfzehn Stunden dürfte nun wohl die äusserste annehmbare Frist sein, während welcher ein Vogel in ununterbrochenem Fluge und ohne Nahrung auszudauern vermöchte — dies würde eine Fluggeschwindigkeit von dreiundfünfzig geographischen Meilen in der Stunde ergeben.

Eine derartige Leistung ist nun allerdings im höchsten Grade staunenerregend, dennoch aber liegt nichts vor, was anzunehmen zwänge, dass es eine ausnahmsweise, vereinzelt dastehende sei; im Gegentheile dürfte man berechtigt sein, zu schliessen, dass gute Flieger, wie eben dieser Regenpfeifer, während des Frühlingszuges noch Bedeutenderes zu leisten im Stande sind, da es das kleine schwache Blaukehlchen, wie nachgewiesen, während der letzteren Zugsperiode bis auf fünfundvierzig Meilen in der Stunde bringt. Es unterliegt aber auch im Falle dieses Blaukehlchens geringem Zweifel, dass die Fluggeschwindigkeit selbst auch dieses Vögelchens eine noch bedeutend grössere sein könne, denn bei Besprechung des Frühlingszuges desselben ist nur die geringere Entfernung vom nördlichen Afrika bis Helgoland in Rechnung gezogen; es erstreckt sich nun aber einestheils sein Winterquartier südlich bis zu 12 und 10° N. B. und anderntheils können die auf Helgoland momentan Rastenden doch nur einen geringen Bruchtheil des von Afrika nach Skandinavien gerichteten Zuges bilden, die überwiegend grosse Individuenzahl derselben setzt ihren Zug bis wenigstens in das mittlere Norwegen fort und legt somit in derselben Mainacht eine Wegstrecke von fünf- bis sechshundert Meilen zurück. — Letzteres ergäbe allerdings ein Resultat von einer Meile in der Minute, für einen aufmerksamen Helgoländer Beobachter macht dies aber keineswegs den Eindruck von etwas durchaus Unmöglichem, denn die während klarer sonniger Spätnachmittage des Vorsommers die Insel in reissend schnellem Zuge überfliegenden Caradrien, Numenien, Limosen und dergleichen gelangen zweifellos in einer Minute bis zur 22,000 Fuss östlich von hier liegenden Austernbank.

Wie wenig rastbedürftig ausserdem die Vögel während der längsten Wanderflüge sind, beweisen gleichfalls die soeben besprochenen amerikanischen Regenpfeifer, von denen grosse Abtheilungen des nach Südamerika gerichteten Zuges Bermuda in immensen Massen überfliegen; so lange gutes Wetter die Reise begleitet, unterbricht kein einziger dieser Vögel den Zug, und nur Sturm kann sie bewegen, sich nieder zu lassen. (J. M. Jones, Naturalist in Bermuda.) Dennoch aber sind dieselben von Labrador bis Bermuda schon dreihundert geographische Meilen geflogen, und haben bis zu den nördlichsten der kleinen Antillen noch über zweihundert Meilen zurückzulegen — aber auch hier unterbrechen sie nur sturmgezwungen ihren Zug in grösseren Massen. (A. Newton. Brieflich.)

(Schluss folgt.)

Erfahrungen über meine „Selecta-Hühner".

(× Crèvecoeur-Brahma)

Von Dr. O. Finsch, M. I. O. C. (De'menhorst b. Bremen).

(Schluss.)

Einmal fand ich, dass die Kücken nie besonders begierig darnach waren, viel liegen liessen und verstreuten und dann habe ich in keiner Richtung besondere Erfolge in Bezug auf Wachsthum und Gedeihen wahrgenommen, mit einem Worte auch ohne diese, jedenfalls theuereren Stoffe genau so gute Resultate erreicht. Dazu hat aber jedenfalls wesentlich das Grünfutter beigetragen, welches zur Kückenaufzucht eigentlich unbedingt erforderlich ist. In den ersten 4—6 Wochen wird täglich zwei- oder mehrmals Salat, und zwar ganze Köpfe gereicht, später Kohl- oder Runkelrübenblätter, von denen auch die Stiele verzehrt werden. Ausserdem haben die Kücken einen zwar nicht sehr grossen (ca. 13 Schritt langen und halb so breiten) aber, was die Hauptsache ist, mit Gras bewachsenen Auslauf, der ihnen deshalb sehr behagt. Freilich Würmer und Schnecken finden sich hier nur wenig, aber die Kücken sind immer geschäftig nach solchen zu suchen. Fleisch, als Ersatz für Gewürm u. dgl. wird übrigens so gut als kaum gereicht und kommt nicht in Betracht.

Je nach den Futterpreisen stellt sich die Ernährung wie folgt:

Fütterungskosten von Alt- und Junggeflügel im Durchschnitt pro Stück per Tag $1\frac{3}{7}$ — $2\frac{1}{3}$ Pfg.
〃 〃 〃 Monat 43 — 70 Pfg.
〃 〃 〃 Jahr Mk. 5.15 — 8.40.

Dabei ist das Grünfutter nicht inbegriffen, sondern nur Mais (Pferdezahn), Kartoffeln und Gerstenmehl, statt letzteren wurde im Winter auch das billigere Reismehl verwendet, welches die Hühner allerdings weniger lieben, bei dem sie aber ebenfalls ganz gut gedeihen.

Wenn somit das Selectahuhn wegen Genügsamkeit, Widerstandsfähigkeit gegen klimatische Einflüsse und leichte Aufzucht sich wirthschaftlich als ein hervorragend werthvolles Nutzhuhn erweist, so ganz besonders auch hinsichtlich seiner Eier- und Fleischproduction. Bezüglich der Legefähigkeit wird folgende vergleichende Tabelle die beste Uebersicht geben.

	6 Brahma		10 Selecta						10 bunte Italiener		10 Polverara	
		pr. Stück		pr. Stück		pr. Stück		pr. Stück		pr. Stück		pr. Stück
Januar	—	—	46	$4\frac{3}{5}$	10	1	70	7	120	10	80	8
Februar	—	—	120	12	73	$7\frac{1}{4}$	80	8	45	$4\frac{1}{2}$	55	$5\frac{1}{2}$
März	35	6	34	$3\frac{2}{5}$	140	14	110	11	43	$4\frac{3}{10}$	42	$4\frac{1}{5}$
April	127	21	193	19	160	16	140	14	60	6	58	$5\frac{4}{5}$
Mai	45	$7\frac{1}{2}$	256	25	160	16	160	16	90	9	130	13
Juni	10	$1\frac{1}{2}$	147	14	120	12	70	7	140	14	100	10
Juli	59	$9\frac{1}{2}$	172	17	130	13	90	9	115	$11\frac{1}{2}$	80	8
August	14	$2\frac{1}{3}$	86	$8\frac{3}{5}$	125	$12\frac{1}{2}$	—	—	65	$6\frac{1}{2}$	70	7
September	18	3	30	3	90	9	—	—	70	7	45	$4\frac{1}{2}$
October	—	—	80	8	45	$4\frac{1}{2}$	—	—	20	2	34	$3\frac{2}{5}$
November	—	—	110	11	12	1	—	—	37	$3\frac{3}{4}$	—	—
December	—	—	60	6	—	—	—	—	30	3	—	—

Es legten also:				Eier		per Monat	per Jahr
6	Brahma	in 7	Monat.	300	od. per St.	7 St.	84 St.
10	Selecta	„ 12	„	1334	„ „ „	11 „	132 „
10	„	„ 12	„	1063	„ „ „	9 „	108 „
10	„	„ 6	„	710	„ „ „	$11\frac{1}{2}$ „	138 „
10	Italiener	„ 12	„	835	„ „ „	7 „	84 „
10	Polverara	„ 10	„	694	„ „ „	7 „	84 „
10	Hies. Landh.	„ 12	„	1320	„ „ „	11 „	132 „

Nach der Classification von v. Bibra würden die Selecta also in Bezug auf ihre Eierproduction die Censur „Nr. 4“ mit „gut“ erhalten und verdienen dieselbe jedenfalls. Denn „ausgezeichnete“ Legehühner, die im Jahre „mehr als 182 Eier legen“ gehören wohl nur zu den seltensten Ausnahmen und solche Leistungen dürfen bei gewöhnlichen Verhältnissen nicht als normale gelten. Klima, Witterung und namentlich die Mauser haben ja auf die Legefähigkeit und Legelust den grössten Einfluss, selbst bei guter Ernährung. Dass die letztere durch künstliche Futterstoffe irgendwie den Eiertrag wesentlich erhöht, haben meine Beobachtungen nicht gezeigt, denn die Erfahrung lehrte, dass selbst ziemlich kärglich gehaltene Landhühner oft die besten Legerinnen sind und darin renommirten Rassen kaum nachstehen.

So sehr auch gewisse Rassen und nicht ohne Grund, als treffliche Leger gelten, so ist auch bei solchen die Eierproduction nur von relativem Werthe, denn eigentlich gibt es keine Rasse, welche als absolut unübertrefflich zu bezeichnen wäre. Der Ertrag richtet sich auch bei den besten Legehühnern immer nach Witterung und Mauser und schwankt ausserdem bei Hühnern ein und derselben Rasse sehr individuell. Die obige Tabelle beweist dies an Italienern und Polverara. Die Ersteren von Hans Meier in Ulm als sogenannte „bunte Italiener“ bezogen, mögen in ihrer Heimat vortrefflich sein, erwiesen sich aber in unserem Klima als recht mittelmässige oder vielmehr schlechte Leger, die unseren gewöhnlichen Landhühnern entschieden nachstehen.

Das einzige was sie auszeichnete war der Preis, denn ein solches „buntes Italienerhuhn“ stellte sich mit Spesen auf 3 Mark, während man hier mit 2 Mark recht gute Landhühner haben kann. Ganz ebenso verhielten sich die berühmten „schwarzen Polverara“, welche ich nach vieler Mühe und Schreiberei durch Güte der Freiherrlich von Moll'schen Güterverwaltung in Villa Lagarina direct von Polverara bei Padua erhielt. Diese Polverara sind hübsche, schwarze Haubenhühner, die so gut wie La Flèche oder Crevecoeur Rassenberechtigung verdienen. In der That stehen sie der letzteren viel näher, als Paduanern und repräsentiren gleichsam eine kleinere Rasse von Crevecoeur, denn sie sind nicht grösser als unsere Rammelsloher.

Ihren Ruf als beste Legehühner von allen Italienern bewährten diese Polverara, wenigstens hier, nicht entfernt; sie erwiesen sich nicht besser als ihre Landsleute, die „bunten“, und unsere weissen Rammelsloher sind ihnen jedenfalls bei Weitem vorzuziehen. Dabei hatten die Polverara recht viel Geld gekostet (Hennen 6, der Hahn sogar 14 Mark) und als ich sie wieder los sein wollte, konnte ich kaum 2 Mark pro Stück wieder erhalten.

Wenn die Eierproduction der Selecta hinsichtlich der Stückzahl, der von gewöhnlichen Landhühnern gleichkommt, so gestaltet sich das Verhältniss doch anders und bei Weitem günstiger bei Vergleichung des Gewichtes, welches eigentlich einzig und allein massgebend ist und allein als Grundlage der Beurtheilung des Werthes von Eiern und Eierproduction dienen sollte. Die folgende Tabelle wird dies beweisen:

	Gewicht der Eier (in Gramm)		Im Durchschnitt
Selecta	56—68	selten 70—80	63
Bunte Italiener	55—63	„ 65—70	58
(Italiener: nach Baldamus)	—	—	70
Polverara	55—58	„ 62—70	56
Landhühner	50—55	„ 60—63	53
(Landhühner: nach Baldamus)	—	—	52

Die Jahresproduction zu 132 Eiern angenommen würde also:
für Landhühner 6,996 oder á Stück 53 gr = 11 Dtzd.
„ Selecta „ 8,316 „ á „ 53 „ = 13 „
ergeben. Selectahühner würden darnach also das Futter, welches in der Landwirthschaft gewöhnlich nicht oder kaum gerechnet wird, ungefähr durch den Eierertrag decken. Diese Leistungen der Selecta haben daher auch auf der diesjährigen internationalen XVII. Ausstellung des „Ersten österreichisch-ungarischen Geflügelzucht-Vereines“*) in Wien volle Anerkennung gefunden, indem sie in der Bruteier-Concurrenz „als die Grössten und Schwersten“ durch den ersten Preis ausgezeichnet wurden (Vergl. diese Zeitschrift Nr. 9, vom 16. Mai 1892, S. 103).

Selectahühner fangen gewöhnlich im Alter von

*) Auf derselben Ausstellung erhielt ein Stamm die silberne Vereinsmedaille, als einzige Auszeichnung in der Classe Kreuzungen.

6½ — 7 Monat zu legen an, wie stets bei Kücken, Anfangs mit kleineren Eiern (50—55 gr), die aber immerhin bereits so schwer sind als solche von gewöhnlichen Landhühnern. Stellt sich im Vergleich zu letzteren die Eierproduction der Selecta somit auch günstiger, so sind sie deswegen doch nicht als Eierleger von hervorragender Qualität zu bezeichnen und deswegen zu halten und zu züchten. Denn daran hindert sie schon die ausgesprochene Brütelust, welche sie von ihren Stammmüttern (Brahma) ererbt haben. Wie Brahma sind auch Selecta vom Brüten gar nicht abzubringen, sie müssen brüten und wäre es nur ein Porzellan-Ei, wenn ihre Zeit gekommen ist. Ein Uebelstand ist dabei, dass diese Zeit in der Regel später fällt, als zu wünschen wäre, denn häufig werden sie erst im Juli und August brutig, vergäuden also viel schöne Zeit. Auf dem Neste sind sie wie sonst sehr gutmüthig und zahm und lassen sich ohne besonderes Wiederstreben herabheben, wogegen Landhühner zuweilen recht empfindlich beissen. Zum Führen der Küchlein entwickeln Selectahühner alle trefflichen Eigenschaften, welche man von einer guten Glucke verlangen kann und schädigen nicht durch Plumpheit, wie dies bei Brahma häufig passirt.

Der Schwerpunkt der Selecta als Nutzhuhn liegt übrigens in erster Linie in seiner Fleischproduction und hierin zugleich der hohe wirthschaftliche Werth. Wie zu erwarten und oft ausgesprochen, vereinigt es in dieser Hinsicht die hervorragenden Eigenschaften seiner Stammeltern und wenn auch minder gewichtig als Brahma, hat es vor Allen doch väterlicherseits den zarten Knochenbau geerbt, welcher die feinen französischen Rassen so sehr auszeichnet. In der That wiegt das Scelett eines ausgewachsenen Selectahuhnes nicht mehr als das eines gewöhnlichen Landhuhns, obwohl letzteres ansehnlich kleiner und schwächer ist, wie aus der folgenden Tabelle vergleichender Wägungen erhellt.

		Alter	Rohgewicht	Fleischgewicht
Selecta Kücken		2 Monate	0·600 bis 0·700 Gr.	0·500 bis 0·600 Gr.
" "	Hähne	3—3½ Monate	1·400 " 2·000 "	1·250 " 1·500 "
" "	Henne	3 Monate	1·300 "	
(Landhühner)	Hähne	3 "	0·700 " 0·850 "	
(Rammelsloher)	"	3 "	0·800 " 1·100 "	0·600 " 0·800 "
Selecta	"	5 "	1·750 " 1·875 "	
"	"	6 "	2·800 " 3·000 "	
"	Hennen	6 "	2·000 " 2·400 "	
"	"	8—9 Monate	— —	1·750 " 2·000 "
"	Hähne	8—9 "	2·750 " 3·450 "	2·250 " 3·000 "
"	"	2 Jahre	3·750 " 4·000 "	
"	Hennen	2 "	2·500 " 3·500 "	
Crèvecoeur	Hähne	2 "	2·750 " 3·000 "	
La Fleche	"	2 "	2·650 "	
Brahma	Hennen	2 "	3·750 " 4·000 "	3·250 "
Polverara	"	" "	1·625 " 1·800 "	
Bunte Italiener	"	" "	1·750 "	
Landhühner	"	" "	1·625 "	1·500 "
"	Hahn	" "	1·875 "	1·700 "

Bei aller Unvollständigkeit und mit Rücksichtnahme auf individuelle Abweichungen, wie sie jede Brut, welcher Rasze auch immer, aufzuweisen hat, zeigt diese Tabelle doch immerhin, dass, wie vorauszusehen, die Nachkommen von Crevecoeur-Brahma das Gewicht der letzteren Rasse zwar nicht erreichen, aber jedenfalls zu den schwersten Schlägen der assiatischen Rassen (Brahma, Cochinchina, Langshan) gehören. Hähne im Alter von 6—9 Monaten oder ausgewachsene Hennen von Selecta sind so schwer oder schwerer als alte Crevecoeur-Hähne, während ausgewachsene Selecte-Hähne das Gewicht von alten Brahma-Hennen erreichen. Im Vergleiche mit gesind) entsprechen die letzteren im Alter von drei Monaten, bezüglich der Schwere ungefähr zwei Monate alten Selecta-Kücken. Im Alter von 3—3½ Monat erreichen letztere, und zwar Hennen nahezu das volle Gewicht von ausgewachsenen gewöhnlichen Landhühnern, während Hähne in diesem Alter ansehnlich schwerer, 6—9 Monate alte Selecta-Hähne aber durchschnittlich nahezu doppelt so schwer werden. Beiläufig mag bemerkt sein, dass sie für den Markt am vortheilhaftesten im Alter von 3—4 Monaten geschlachtet werden oder erst wieder in 8—9 Monate wöhnlichen Landhühnern (wozu auch die sogenannten bunten Italiener und Polverara zu rechnen.

Einsichtsvolle Geflügelzüchter, welche in hiesiger Gegend als Hausgewerbe sogenannte „Stubenkücken" ziehen, haben die vorzüglichen Eigenschaften rascherer Gewichtsentwicklung der Selecta-Kücken bereits erkannt, wenn sich auch das Vorurtheil gegen das schwarze Gefieder nicht so leicht ausrotten lässt. So lange diese Leute denken können, werden nämlich weisse Rammelsloher als „Stubenkücken" gezüchtet, welche die Bremer Händler deshalb verlangen, weil sie sich leichter putzen lassen, da weisse Federkiele und Flaum, welcher immer noch sitzen bleiben weniger auffallen als bei schwarzfedrigem Geflügel. Wie schon der Name sagt werden „Stubenkücken", wenn auch nicht gerade in der Wohnstube, was übrigens auch geschieht, so doch in geheizten meist sehr beschränkten Räumen aufgezogen und zwar lediglich in den Wintermonaten (November bis zum April). Sie bringen dann im Alter von ca. 3 Monaten bei einem Gewichte von 450, selten bis 500 Gramm im Durchschnitte 1 M. bis M. 1.20 pro Stück, wofür sie lohend von Händlern abgeholt und von diesen mit M. 1.30 bis sogar M 1.70 verkauft werden. Diese raschere Schlacht — respective Marktfähigkeit der grösseren Selectaküken gegenüber gewöhnlichen ist wirthschaftlich von hervorragender Bedeutung und empfiehlt diese Rasse sowohl als Nutzhuhn für den Haushalt mit beschränkten Räumen, als besonders für rationellen Grossbetrieb,

Für beides namentlich aber für den letzteren fällt dabei die vorzügliche Qualität, als feines Tafelgeflügel mit in's Gewicht. Die nachfolgende Tabelle kann als Anhalt zur Vergleichung der Preise einiger renommirten Züchtereien (Fuess & Co, Treptow bei Berlin; Krusche, Radebeul bei Dresden; St. Ilgen bei Heidelberg; Dérozier, Metz) dienen, wie sie wenigstens vor zwei Jahren massgebend waren. Seitdem dürften allerdings Schwankungen stattgefunden haben, wenn auch im Allgemeinen die Geflügelpreise weit weniger gestiegen sind als die Fleischpreise.

	Fleischgewicht				Mark
Küken sog. „Brathendel" Werschetz Ungarn . .	0·500	bis		Gr.	1·—
Küken sog. Brathehndel Werschetz	1·000			„	1·95
Küken sog. Poulet Treptow	0·140	„	0·500	„	1·10
Küken sog. Poulet Treptow	0·650			„	1·40
Küken sog. Poulet Treptow	0·700	„	0,750	„	1·60
Küken sog. Halbkapaun Treptow	1·600			„	2·75
Küken sog. Poulet Radebeul	0,650			„	1·60
Küken sog. Poulet Radebeul	0·800			„	1·80
Küken sog. Poularde Radebeul	1·200	„	1.500	„	3·50
Küken sog. Kapaune Radebeul	2·000			„	5·20
Küken sog. Kapaune Radebeul	2.500			„	6·50
Küken sog. Kapaune Radebeul	3·000			„	7·75
Poularde von Metz, Metz (3 Monate alt)	1·000			„	3·—
Poularde von Bress, Metz	1·000			„	3·—
Poularde von Metz teüfirt, (ca. 6 Monate alt) .	3·000			„	10·—
Poularde von Metz St. Igen (imp. pr.	0·500			„	1·50
Poularde von Bress St. Igen pr.	0·500			„	1·75
Poularde von Metz, Bremen, ca. 1·000 Gr. . .					10·—

Es ergibt sich hieraus u. A., dass ein ca. drei Monate altes Selectaküken ca. M. 3.50, ein solches (Hahn) im Alter von 8—9 Monaten ca. M. 6.50, werth sein würde, welche Preise sich allerdings auf mässig gemästete Waare beziehen. Aber gerade zur Mästung eignen sich Selectahühner ganz besonders und sind schon väterlicherseits dafür veranlagt, da Crevecoeur (wie La Flèche) zu den Rassen gehören, welche am leichtesten und schnellsten fett werden, selbstredend ohne das empörende, thierquälerische „Capauniren" und „Poulardiren". Wenn Baldamus schon in seinem Werke sagt „Crevecoeur-Huhn und Brahma liefern zwar nicht so grosse Nachzucht als Dorkingkreuzung, aber ihr Fleisch ist weisser und sehr saftig", so ist das vollkommen richtig. In der That stehen Selectahühner in der Qualität des Fleisches, wobei für den Kenner die dünne Haut nicht wenig bedeutet, sowie im Fleischgewicht, in Folge des zarten Knochengerüstes feinem französischen Tafelgeflügel keinesfalls nach, sondern mindestens gleich. Wie dieses zeichnen sie sich besonders durch eine fleischige Brust aus, in welcher Richtung gewöhnliche Landrassen gerade so viel zu wünschen lassen. Selectahühner haben deshalb auch nur für die öconomische Geflügelzucht werth, denn Rassezüchter kümmern sich selbstverständlich um Kreuzungen nicht oder mögen sie überhaupt nicht leiden. Um so wichtiger sollte aber gerade diese Kreuzungsrasse denjenigen Vereinen sein, welche die Hebung und Veredelung der Geflügelzucht im praktischen Sinne anstreben, um durch Vertheilung von Eiern und Zuchtgeflügel zur Verbreitung derselben beizutragen. Sehr wichtig würde es dabei auch sein, die Nachzucht gewöhnlicher Landhühner durch Selectahähne zu veredlen, da bei allen Kreuzungen der Einfluss des Vaters von grösster Bedeutung ist. Dem Einflusse solcher Vereine oder Privaten, welchen diese Ziele wirklich am Herzen liegen, dürfte es dann vielleicht auch gelingen regierungsseitig diejenige Aufmunterung und Unterstützung zu erwerben, welche die praktische Geflügelzucht aus national-ökonomischen Gründen so sehr bedarf. Es wird zwar immer viel von Bestrebungen zur Hebung der Geflügelzucht gesprochen und geschrieben und die Nothwendigkeit derselben betont, aber Rassezüchtung nach dem „Standart" so berechtigt und dankenswerth dieselbe auch ist, wird allein diese Ziele nicht erreichen helfen.

Oesterreich-Ungarns Aus- und Einfuhr von Geflügel und Producten der Geflügelzucht im Jahre 1891.

Aus den österreichisch-ungarischen Zollgebieten wurden 1891 ausgeführt:

	M.-Z.	Handelswerth.
Geflügel aller Art (ohne Federwild)	65.204	3,912.240 fl.
Geflügel-Eier	558.801	15,925.830 „
Eiweiss und Eigelb . . .	808	30.728 „
Bettfedern	37.743	11,700.330 „
	Gesammt-Export	31,569.128 fl.

Dagegen beträgt die Einfuhr:

	M.-Z.	Handelswerth.
Geflügel aller Art lebend . .	14 038	704.900 fl.
„ „ „ todt . . .	31	1.608 „
„ „ „ vertragsmässig	708	35.425 „
Geflügel-Eier	4.520	113.000 „
„ „ vertragsmässig .	3.500	87.501 „
Eiweiss und Eigelb	13	432 „
Bettfedern	9.969	3,289.770 „
		4.232.636 fl.

Ausfuhr beträgt	31,569.128 fl.
Einfuhr „	4,232.638 „
Hievon bleibt die Ausfuhr activ mit	27,336.490 fl.

Der Hauptabsatz für die Producte seiner Geflügelzucht findet Oesterreich-Ungarn nach Deutschland, welches ihm von dem Gesammt-Exporte im Betrage von 31,569.128 fl. um 26,383.231 fl. im Jahre 1891 abgenommen hat! Das Jahr 1892 dürfte sich für den Export noch günstiger stellen, besonders in der Eier-Ausfuhr, indem in der Zeit vom 1. Jänner bis inclusive September 532.847 M.-Z. Eier ausgeführt worden sind, gegen 443.347 M.-Z. im gleichen Jahresabschnitte 1891, während allerdings an Bettfedern-Export von 28.047 M.-Z. auf 25.254 M.-Z. in gleichem Zeitabschnitte zurück gegangen ist. Der Export an Geflügel ist auch fast gleich geblieben. Wer diesen Ziffern gegenüber an der Wichtigkeit der Geflügelzucht noch zweifeln wollte, dem müsste man rein Blindheit oder Böswilligkeit zumuthen! Besonders, wenn man den Export dieses Artikels mit einem Anderen vergleicht; hat ja der Export der gesammten Rindviehzucht Oesterreich-Ungarns im Jahre 1891 nur 30,213.540 fl. betragen, also um 1,355.588 fl. weniger als jener der Geflügelzucht. An Weizen, eine Hauptfrucht Oesterreich-Ungarns, wurde 1891 um 18,556.428 fl. exportirt und könnten wir noch eine reichliche Anzahl hochwichtiger Lebensbedürfnisse aufzählen, deren Export weit hinter jenem der Geflügelzucht zurück geblieben. V. S.

Zum Brieftauben-Distanzfluge Wien—Berlin und Berlin—Wien

Die von dem Wiener Comité entworfene Proposition, welche sich jenen des seinerzeitigen Distanzrittes anlehnen, sind mit einigen Abänderungen aus Berlin zurückgelangt.

Von Berlin werden sich die Clubs: Phönix, Berolina und Graf Moltke betheiligen. Von Wien die sämmtlichen Brieftaubenbesitzer des ersten österreichisch-ungarischen und des Wiener Geflügelzucht-Vereines in Rudolfsheim und sucht man auch ausserhalb dieser Vereine stehende Brieftaubenbesitzer hiefür zu gewinnen.

Die Propositionen des Distanzfluges sind bereits zum Drucke befördert worden und werden in den genannten Vereinskanzleien und in der Redaction dieses Blattes erhältlich sein.

Das Wiener Ortscomité hat sich constituirt und besteht aus den Herren: Ernst Fröhlich, k. k. Hauptmann des Ruhestandes und Leiter der k. k. Militär-Brieftaubenstation in Wien, als Obmann; Jaques Helfer, Spediteur in Wien, als Obmann-Stellvertreter und Säckelwart. Ferner aus den Herren: Otto Reuther, J. Mantzell, Hans Pisecker, J. Zeinlinger Rudolf Gerhart.

In das Central-Comité wurden delegirt die Herren Rudolf Gerhart (gleichzeitig Schriftleiter), Hanns Pisecker und Otto Reuther.

Man hofft beiderseits mit circa 500—600 Stück Brieftauben die Trainirungen beginnen zu können.

Bei der Unmöglichkeit einer Vorausberechnung der gegenseitigen Chancen, welche durch Wind und Wetter auf die sich kreuzenden Tauben sehr verschieben können, wird das Unternehmen sich zu einem hochinteressanten gestalten.

Das Wiener Comité ist bestrebt, möglichst zahlreiche Ehrenpreise und Widmungen aufzubringen, um selbst bei einer eventuellen Niederlage dieselben neidlos den Gegnern reichen zu können.

Die Vortrainirungen werden unter Controle und Begleitung vorgenommen und auch über diese genaues Protokoll geführt.

Der Einsatz wird nicht bedeutend sein und ist vom Central-Comité erst zu bestimmen. Man beabsichtigt damit die Brieftaubeneigenthümer nicht allzusehr zu belasten und eine möglichst rege Theilnahme zu erwirken.

Zuschriften sind an Rudolf Gerhart, Wien, I., Bauernmarkt 7, erbeten.

Kleine Mittheilungen.

Dr. C. Floericke bespricht in der Monatsschrift der „D. V. z. Sch. d. V.", eine Arbeit von Sakharoff in den Annales de l'institut Pasteur:

„Spirochaeta anserina et la septicémie des oies" aus der wir folgendes entnehmen:

Auf einigen Stationen der transkaukasischen Bahn tritt fast alljährlich eine verheerende Epidemie unter den dort massenhaft gehaltenen oder transportirten Gänsen auf, welche unter typhösen Erscheinungen zum Tode führt. Sakharoff vermochte nunmehr als Erreger dieser Krankheit im Blute noch lebender Gänse bewegliche Spirillen aufzufinden, welche sich von den bisher bekannten mehrfach unterscheiden und desshalb vom Verfasser unter dem Namen Spirochaeta anserina als neue Art aufgestellt werden. — Dieser Parasit lässt sich mit sicherem Erfolge auf Gänse, dagegen nicht auf Tauben und nur unsicher auf Hühner übertragen.

Circaëtus gallicus in Südtirol. In der Nummer 21, Seite 248 der „Mittheilungen des ornithologischen Vereines" hat Hr. Panzner über das Vorkommen des „Circaëtus gallicus in Südtirol, bezw. im unteren Sarcathale, Bericht erstattet und am Schlusse die Vermuthung ausgesprochen, „dass dies das erste constatirte Exemplar sein dürfte, mit der sicheren Voraussetzung, dass er (der Schlangenadler) dort horstet". Er schliesst es daraus, dass Professor Bonomi in seinen „Materiali per l' Avifauna tridentina" 1891, „nichts von diesem Vogel erwähnt". In der 2. Zeile der Prefazione zu diesen Materiali hätte aber Herr Panzner sehen können, dass Bonomi umfassendere Studien 1884 und 1889 veröffentlichte, worin dieser Vogel als „abbastanza frequentemente" (sowie vom Gef. in seinem Gymnasium-Programme von 1872, Seite 37) aufgeführt wird. In Innsbruck hätte auch das Ferdinandeum den Berichterstatter eines andern belehren können. Aber Herr Panzner ist vielleicht Ausländer und Ausländer beobachten in Tirol wohl auch Dinge die einheimischen Augen keineswegs neu oder auch verborgen bleiben.

Gelegenheitlich sei noch erwähnt, dass im Juli d. J. unweit Welschnoven ein vollkommener Albino von einem Eichelheher (Garrulus glandarius) hoch an der oberen Holzgrenze erlegt wurde. Ob es den tagblinden nach „Licht, mehr Licht" verlangte? Er liess — gegen seine Art — den Jäger ganz nahe herankommen. Das Exemplar befindet sich im Gymnasium-Cabinet zu Bozen. — Desgleichen kam mir ein Kreuzschnabel zur Kenntniss, dessen Oberschnabel nach Art eines Horns gerade emporgerichtet war. Kreuzschnäbel zogen am 15. October, — auch Motacilla flava noch am 10. desselben Monates — bei Bozen vorüber.

Bozen, 23. November 1892. Gredler.

Trivialnamen deutscher Vögel. Am 4. October 1892 wurde auf der General-Versammlung der „Allgemeinen deutschen ornithologischen Gesellschaft" zu Berlin eine Kommission zur Zusammenstellung der Trivialnamen deutscher Vögel gewählt, bestehend aus Dr. Curt Floericke (Marburg i. H.); Dr. Paul Leverkühn (München postlagernd); Dr. Ernst Schäff (Berlin Landw.) Hochschule; Lehrer W. Hartwig (Berlin N, Cottumstrasse 14) und Maler Herm. Hocke (Berlin NO. Linienstrasse 1). Des Näheren verweisen wir auf das Programm und die demselben beiliegenden Tabellen, welche von den genannten Kommissions-Mitgliedern erhältlich sind.

Ein Polartaucher, Colymbus arcticus juv. wurde am 20. October d. J. am Iglawaflusse bei Branitz erlegt. Capek.

Gefährlichkeit der Eibe für Fasanerien. Wiederholt hat man in Englischen Fasanerien eingegangene Fasanen gefunden, ohne sich die Ursache solcher Verluste erklären zu können. Erst ein kürzlich wieder eingetretener derartiger Fall gab dem Betreffenden Veranlassung, sich an eine thierärztliche Kapazität in London zu wenden. Die eingesandten Fasanen wurden daselbst secirt und bei sämmtlichen eine starke Entzündung des Kropfes, sowie der diesem zunächst liegenden inneren Organe festgestellt. Aus mikroskopisch untersuchten Resten ergab sich ferner, dass die Nadeln des Eibenbaumes, Taxus baccata, in reichlicherem Maasse geäst worden waren und diese eine Vergiftung herbeigeführt hatten. Noch war dem Fasaneriebesitzer das Resultat noch nicht mitgetheilt, als wieder eine Sendung von mehreren Stück Fasanen eintraf, bei denen sich die gleiche Thatsache constatiren liess. Merkwürdigerweise wurden die zuletzt eingegangenen unter demselben Baume oder in dessen nächster Umgebung aufgenommen, wie die ersteren. Dieselben, vorzüglich bei Wildbret, fand man auf der Brust liegend, mit ausgebreiteten Flügeln und nach rückwärts gestreckten Füssen.

Eingehendere Nachforschungen sollen dargethan haben, dass nur die Nadeln der weiblichen Blüthenkätzchen tragenden Eiben diese tödtliche Wirkung besitzen, was umsomehr glaubwürdig erscheint, als auch in anderen Fasanerien die eingegangenen Fasanen jederzeit speciell unter einem bestimmten Baum, aufgefunden wurden.

„Der Waidmann".

Ausstellungen.

I. deutsch-nationale Geflügel-Ausstellung.

Nachdem nun in Lehrte am 9. d. M. die General-Versammlung des „Club deutscher und österreichisch-ungarischer Geflügelzüchter" stattgefunden hat, ist die Angelegenheit der nationalen Ausstellung auf das eingehendste besprochen und geklärt worden.

Die Preisrichter sind bestimmt und werden wir, sobald sämmtliche Herren angenommen haben, die Namen, welche schon gutes Gelingen verbürgen, veröffentlichen.

Die Preise sind folgendermassen normirt: Für Hühner und Wassergeflügel I. Preis 20 Mk., II. Preis 12 Mk., III. Preis 8 Mk., Standgeld wird pro Nr. 4 Mk., Gänse und Truten 5 Mk. erhoben. Die feinen Taubenrassen, bei denen pro Nr. 3 Mk. Standgeld zu erlegen ist, erhalten 15, 10 und 5 Mk., während die übrigen Taubenclassen bei 2 Mk. Standgeld 10, 6 und 4 Mk. als Preise erhalten.

Die provisorische Classenaufstellung ist fertig und wird nunmehr an die Specialzüchter, sowie Vereine versendet und hoffen wir, dass nicht allein noch mehr Classen garantirt, sondern dass auch von privater Seite, sowie von Vereinen durch Stiftung von Ehrenpreisen an dem Gelingen der I. deutschen nationalen Geflügel-Ausstellung beigetragen wird.

Rud. Kramer.

Aus unserem Vereine.

Protocoll der am 21. November stattgefundenen Ausschuss-Sitzung.

Anwesend: Bachofen von Echt sen. und jun., Hodek, Pallisch, Reischek, Zecha, Zeller, Dr. Přibyl. — Entschuldigt: Haffner, Kermenic, Mayerhofer, Dr. Reisser sen., Dr. Zimmermann.

Präsident Herr Bachofen von Echt eröffnet um 6 Uhr die Sitzung; das Protokoll der Sitzung vom 3. d. M. wird verlesen und genehmigt; die Entschuldigungen der Nichterschienenen bekannt gegeben.

1. Einläufe: Das Programm des Reichenberger ornithologischen Vereines betr. der Ausstellung am 6. und 7. Januar 1893 wird zur Kenntniss genommen; desgleichen die Mittheilung Dr. Reichenow's bez. seiner neuen Monatsschrift. Ueber das Ansuchen des Vereines zur Erbauung eines Sängerheimes wird zur Tagesordnung übergegangen.

2. Dr. Přibyl bringt die Schreiben des Vereins-Präsidenten vom 6. und 15. d. M. zur Verlesung und entwickelt das finanzielle Programm für die folgenden Jahre, um eine Consolidirung der Vereines zu ermöglichen.

Es entspinnt sich eine allgemeine Debatte, an welcher alle Anwesenden theilnahmen.

Es wird als Ergebniss derselben zum Beschlusse einstimmig erhoben:

Das Vereinsorgan „Die Schwalbe" vom nächsten Vereinsjahre nur mehr einmal im Monate erscheinen zu lassen, die Inseratenbeilage als selbstständigen Theil aufzulassen und nur gezahlte Inserate überhaupt, auf den letzten Seiten des Blattes aufzunehmen. Von diesem Beschlusse ist der „I. öst.-ung. Geflügelzucht-Verein", sowie des I. Wr. Vororte Geflügel-Zucht Verein in Rudolfsheim zu verständigen und anzufragen, ob derselbe unter diesen Umständen noch auf den Bezug des Vereinsorganes für die Mitglieder reflectirt, damit die Höhe der Auflage fixirt werden kann.

Es wird beschlossen, Herrn Wilhelm Gamauf als Schriftführer zu allen Sitzungen des Vereins-Ausschusses heranzuziehen und ihm eine berathende Stimme einzuräumen.

Es wird beschlossen, an dem aufgestellten Präliminare strenge festzuhalten und jede Mehrauslage von der Genehmigung des Ausschusses abhängig zu machen, insbesonders bezüglich Honorare und Separatabzüge.

Der Herr Vorsitzende schliesst um 8 Uhr Abends die Sitzung.

Adolf Bachofen von Echt m. p. Vereins-Obmann. Dr. Leo Přibyl m. p. Schriftführer.

Corrigenda.

In Herrn J. Michel's „Ornithologische Excursion im Isergebirge" sind einige sinnstörende Druckfehler stehen geblieben und zwar:

Pag. 258, Sp. 1, Zeile 13 u. 17 v. u. soll es heissen: Moorwiesen
Pag. 258, Sp. 1, Zeile 17 v. o. soll es heissen: Buchberg.
Pag. 259, Sp. 1, Zeile 24 v. o. soll es heissen: als die Thalsole bei Wittinghaus.
Pag. 259, Sp. 1, Fussnotitz, soll es heissen: Joschkenkette.

Verlag des Vereines. — Für die Redaction verantwortlich: Rudolf Ed. Bondi.
Druck von Johann L. Bondi & Sohn, Wien, VII., Stiftgasse 3.

XVI. JAHRGANG. Nr. 24

Blätter für Vogelkunde, Vogelschutz, Geflügelzucht und Brieftaubenwesen.

Organ des I. österr.-ung. Geflügelzuchtvereines in Wien und des I. Wr. Vororte-Geflügelzuchtvereines in Rudolfsheim

Redigirt von C. PALLISCH unter Mitwirkung von Hofrath Professor Dr. C. CLAUS.

31. December. 1892.

„DIE SCHWALBE" erscheint **Mitte** und **Ende** eines **jeden Monates**. — Im Buchhandel beträgt das Abonnement 6 fl. resp. 12 Mark, Einzelne Nummern 30 kr. resp. 50 Pf.

Inserate per 1 □ Centimeter 3 kr., resp. 6 Pf.

Mittheilungen an das **Präsidium** sind an Herrn **A. Bachofen v. Echt** in Nussdorf bei Wien; die **Jahresbeiträge** der Mitglieder (5 fl., resp. 10 Mark) an Herrn **Dr. Karl Zimmermann** in Wien, I., Bauernmarkt 11;

Mittheilungen an das **Secretariat**, ferner in Administrations-Angelegenheiten, sowie die für die **Bibliothek** und **Sammlungen** bestimmten Sendungen an Herrn **Dr. Leo Pribyl**, Wien, IV., Waaggasse 4, zu adressiren.

Alle redactionellen Briefe, Sendungen etc. an Herrn **Ingenieur C. Pallisch in Erlach** bei Wr.-Neustadt zu richten.

Vereinsmitglieder beziehen das Blatt gratis.

Ornithologen-Freud' und -Leid.

Ein Vortrag von **Dr. Curt Floericke.**

(Fortsetzung.)

Ich bitte Sie jetzt, hochverehrte Anwesenden mich im Geiste auf einer ornithologischen Excursion an einem schönen Junitage zu begleiten. Der Zweck derselben ist, uns über das Vorkommen des Zwergsumpfhuhns, der Gallinula pusilla, zu vergewissern, welche nach einer noch unverbürgten Mittheilung in einem einige Stunden entfernten Bruche nisten soll. Beim Eintritte in den heiligen Buchendom des nahen Waldes begrüsste uns schmetternder Finkenschlag. Aus jedem Strauche, an jedem Zweige schallt uns in melodierreichen Liedern der allgemeine Lenzesjubel entgegen. Hoch vom dürren Wipfel einer alten Eiche herab ertönen die lauten, weit über den Wald hin hörbaren Strophen einer Singdrossel, auf den Zweigen der Buchen lassen sich der Fitis und die Bastardnachtigall vernehmen, im Gebüsch ringen Schwarzplättchen und Gartengrasmücken in heissem Wettstreite um die Sängerkrone und aus dem Gestrüppe zu unseren Füssen klingt das lustige Lied des Zaunkönigs herauf. Die Spechte sitzen an den dürren Aesten und trommeln voll Eifer ihr sonderbares Ständchen, der Kleiber rutscht mit lautem Zwitschern am Stamme auf und ab, der Baumläufer neben ihm geht geräuschlos der Insectenjagd nach und der verliebte Tauber oben im Gezweige girrt und gurrt unter allerlei selbstgefälligen Wendungen und Drehungen seines geschmeidigen Körpers. Da, was ist das? Ein fremder, sonderbarer, kurzer Gesang! Endlich haben wir den neuen Musikanten hoch oben in der Krone einer alten Buche ausfindig gemacht, wo er flink und hurtig herumläuft und sich immer wieder unseren suchenden Blicken zu entziehen versteht. Vergeblich suchen wir mit dem Krimmstecher uns Klarheit zu verschaffen. Da plötzlich durchblitzt uns ein Gedanke. Rasch fliegt das Gewehr an die Backe und richtig — im nächsten Augenblicke halten wir die vermuthete rara avis in der Hand, den thatsächlichen Beweis, dass die Muscicapa parva, der Zwergfliegenfänger, in unserer Provinz vorkommt. Todtenstille herrscht nach dem Schusse auf einige Augenblicke, aber dann fängt ein harmloser Laubvogel wieder sein Liedchen an, und bald ist das ganze Concert von Neuem im Gange, als ob nichts vorgefallen wäre. „Wie, wie, wie hab' ich Dich lieb" singt treuherzig der Goldammer seine einfache Weise dem gläubig zuhörenden Weibchen vor, und wir möchten dasselbe sagen zu dem kleinen Vögelchen, das da blutend in unserer Hand liegt; der Ornitholog fühlt wieder mit tiefem Weh' eine neue Serie des ornithologischen Leids, die er mit dem Jäger theilt, dass er nämlich gerade diejenigen liebreizenden Geschöpfe, denen er vor Allem sein Herz zugewendet, bisweilen verfolgen und sie oder ihre Brut der Wissenschaft zum Opfer bringen muss. Dem Ornithologen von echtem Schrot und Korn wird es stets eine gewisse Ueberwindung kosten, ein unschuldiges Singvögelchen zu schiessen und er muss und wird sich immer von Neuem die Frage vorstellen, ob der Zweck auch wirklich eine solche That verlohne, ob das voraussichtliche Ergebniss unserer Studien mit den ihnen gebrachten Opfern in Einklang zu bringen sei. Wenn es sich aber um die genaue Feststellung der Avifauna einer Gegend handelt, so darf sich der Forscher bei so ausserordentlich seltener und schwierig zu beobachtenden Arten, wie es z. B. der Zwerfliegenfänger ist, nicht mit der blossen Beobachtung begnügen, denn diese kann auch den Kenntnissreichsten und Gewissenhaftesten oft nur zu leicht täuschen, sondern die Wissenschaft ist in solchen Fällen mit vollem Rechte sehr misstrauisch und verlangt gebieterisch thatsächliche Beweise, also das Erlegen oder Einfangen mindestens eines Exemplares.

Allmälig verändert sich die Landschaft. Die Buchen und Eichen machen den Erlen und Weiden Platz, Riedgras und einzelnes Schilf tritt hier und da auf, der Boden wird feuchter und schlüpfriger, die Vogelwelt eine andere. Aus dem Dickicht erschallt das laute Geschrei des Fasans, zierliche Bachstelzen tummeln sich schwanzwiegend am Rande des Weges und beim Stehenbleiben sehen wir niedliche Blaukehlchen mit unnachahmlicher Gewandtheit das dicht verwachsene Gebüsch durchschlüpfen. An manchen Stellen blickt uns schon der freie Wasserspiegel entgegen; der Weg führt streckenweise an dichten Rohrwäldern vorbei, aus denen das knarrende Lied der Rohrdrossel hervortönt und bringt uns endlich an das Ufer des Teiches selbst. Hier gehen einige Wasserläufer ihrer Nahrung nach, indem sie mit dem langen, sehr feinfühligen Schnabel den Schlamm durchstochern. Die scheuen Vögel entfliehen gleich bei unserer Ankunft mit lautem, wohltönendem Pfeifen und das leuchtende Weiss des Unterrückens gibt ihnen in ihrem pfeilschnellen Fluge ein recht anmuthiges Aussehen. Das Zwergsumpfhühnchen ist nirgends zu bemerken. Kurz entschlossen beginnen wir das Schilf und Geröhricht zu durchstöbern. Bis an die Knie im Wasser watend und so dem misstrauisch zusehenden Klapperstorch Concurrenz machend, das Gewehr schussfertig, gehen wir langsam und vorsichtig vorwärts; lange vergeblich. Endlich, als unsere Geduld schon auf eine harte Probe gestellt ist und die Sonne sich bereits bedenklich dem Horizonte zuneigt, hören wir den halb unterdrückten und uns von einem früher gefangen gehaltenen Exemplare her schon wohlbekannten Lockton des gesuchten Vogels. Regungslos, mit verhaltenem Athem bleiben wir stehen und warten. Und unsere Ausdauer wird wahrhaft glänzend belohnt; wir haben das seltene Glück, eine spielende Familie Sumpfhühner vor uns zu sehen, eines der reizendsten Bilder, das sich dem Beobachter der einheimischen Vogelwelt bieten kann. Ich stand damals — es war im Sommer 1889 am Drachenbrunner Teiche, 2 Stunden von Breslau — bis an die Hüften im Wasser, fühlte, wie ich von Minute zu Minute tiefer sank, wie mir die Patronen und Notizbücher in den Taschen und das Futteral des Krimmstechers an der Seite zerweichten, sah, wie das stark eisenhaltige Sumpfwasser Haut und Kleider mit schwarzen Ringen überzog und konnte mich doch nicht losreissen von dem liebreizenden Treiben und dem trauten Familienleben der so seltenen und so schwer zu beobachtenden Vögel da vor mir. Mehrmals brachte ich langsam und zögernd das Gewehr an die Backe, aber immer wieder liess ich es unschlüssig sinken und vermochte nicht, das niedliche Familienbild mit rücksichtsloser Hand zu zerstören. Mag man immerhin lächeln über eine solche Anwandlung von Schwäche! Lächerlich ist sie vielleicht, wahrscheinlich unpraktisch, aber sicher nicht schlecht.

Die Fortpflanzung des Araraunа (Sittace coerulea) in der Gefangenschaft. *)

Von H. H. Sharland in La Fontaine b. Tours.

Mitgetheilt von Dr. L. Wunderlich.

In unseren zoologischen Gärten ist man stets gewohnt, die grossen Ara auf Bügeln zu halten, wo dieselben wohl den Besuchern ihre Form und Farben bestens zeigen können, in der Ausübung ihrer Lebensgewohnheiten aber vollständig gehemmt sind. Nur höchst selten findet man einmal einige dieser grossen Papageien in einer Voliere und wenn ich das, was mir Herr Sharland über seine Ara mittheilte, hier mit seiner Zustimmung der Oeffentlichkeit übergebe, so bezwecke ich damit in erster Linie, gegen eine alte Gewohnheit anzugehen und zu einer Nacheiferung des von Herrn Sharland gegebenen Beispiels anzuregen.

Dieser Herr, ein ausserordentlicher Thierliebhaber, der wie der verstorbene Mitarbeiter an diesem Blatt, Cornely St. Gerlach, einen eigenen zoologischen Garten besitzt, der sich mit manchem öffentlichen Institute dieser Art messen kann, hatte 1889 in einer Voliere zwei Grünflügelara (Sittace chloroptera), zwei Soldatenara (Sittace militaris) und zwei Ararauna (Sittace coerulea) und zufälligerweise von jeder Art Männchen und Weibchen. Die-

*) Aus Dr. C. F. Noll: „Der zoologische Garten". Verlag v. Mahlau u. Waldschmidt in Frankfurt a. M.

selben vertrugen sich vorzüglich, bis die Grünflügelara sich paarten. Da war Herr Sharland genöthigt, diese allein zu setzen; das Weibchen legte, brütete aber nicht und im Laufe des Jahres starb das Männchen. Im folgenden Jahre paarten sich die Soldatenara und die Ararauna und mussten jetzt auch wegen Zwistigkeiten getrennt werden. Der weibliche Soldatenara legte alsbald auf die blosse Erde, brütete aber schlecht und verliess nach vierzehn Tagen die Eier. Eins derselben erwies sich als unbefruchtet, während das andere ein halb ausgebildetes Junge enthielt. Die Ararauna benützten einen Holzzuber zur Nestanlage und höhlten in dem Boden desselben ein Loch aus. In dasselbe legten sie zwei Eier, die sie mit Ausdauer bebrüteten. Nach einem Monate waren die Eier jedoch daraus verschwunden; man fand sie im Sande verscharrt und unbefruchtet. Im Jahre 1891 wurden Holzscheite in die Volieren gestellt, in der Hoffnung, dass die Ara dadurch zum Nisten angeregt würden. Beide Arten brüteten auch, die Ararauna sogar zweimal, doch waren die Eier wiederum klar.

In diesem Jahre endlich wurden die Bemühungen des Herrn Sharland von Erfolg gekrönt und er konnte mir die Geburt und glückliche Aufzucht eines Ararauna melden. Er sah denselben zum erstenmal am 23. August, als er mindestens zwei Monate alt sein musste. Als Nest diente ein Weinfass. Dasselbe war durchgesägt, die beiden Theile auf Holzscheite in die Voliere gesetzt und zur Hälfte mit Sägespähnen gefüllt. Im März paarten sich die Ararauna, zerstörten die eine Fasshälfte und streuten den Inhalt beider heraus. Gegen den 20. Mai hielt sich das Weibchen viel in der anderen Fasshälfte auf und seit diesem Tage duldeten die Ararauna es nicht mehr, dass Jemand sich derselben näherte. Nach Verlauf von drei bis vier Wochen sah man weder Junge, noch Eierschalen und man nahm an, dass die Eier wie im Vorjahre unbefruchtet waren. Da das Weibchen sich jedoch viel in dem Fasse aufhielt und auch früher oft länger als einen Monat auf dem Neste gesessen hatte, so stand man von jedem Eingriff ab. Sehen konnte man nichts, so sehr man sich auch der Tonne näherte, höchstens, dass der Boden derselben zerstört war, weiter nichts.

Mitte August, als Herr Sharland von einer Reise nach Deutschland zurückkehrte, die auch mir die Gelegenheit verschafft hatte, diesen auf dem Gebiete der Thierhaltung und Thierzucht so erfahrenen Mann persönlich kennen zu lernen, sah derselbe, dass die Ararauna noch immer in die Tonne gingen und er glaubte, dass sie zum zweitenmal legen wollten. Am 23. August nun machte man in der von denselben bewohnten Voliere Jagd auf Mäuse und hatte, um dies ohne Beunruhigung der Ara thun zu können, diese in einem benachbarten Raume untergebracht. Als man das Fass wegnahm, fand man unter demselben zu aller Ueberraschung einen jungen, vollständig befiederten Ararauna Das Erstaunen war um so grösser, als man nie vorher einen Schrei gehört oder sonst etwas von dem Vorhandensein eines Jungen bemerkt hatte. Auch die alten waren, wenn sie in der Tonne waren, völlig unsichtbar und weder Herrn Sharland, noch seinem Wärter war etwas Aussergewöhnliches aufgefallen. Da die Eier gegen den 20. Mai gelegt sein müssen und die Brutdauer bei den Ara 21—25 Tage beträgt, so musste das Junge, als es gefunden wurde, älter denn zwei Monate sein. Es schien allein zu fressen, doch wurde das Nest sofort wieder in den früheren Zustand versetzt und die alten Ararauna wieder zu dem Jungen gelassen, das nach den letzten Nachrichten vom 1. September weitergedeiht als der erste in Europa gezüchtete Ara.

Die Geschlechter der alten Ara sind durch die Färbung nicht zu unterscheiden, doch konnte Herr Sharland bei den Ararauna feststellen, dass nur das Weibchen brütet, während z. B. bei den Kakadu auch das Männchen sich am Brutgeschäft betheiligt.

Eine andere eigenthümliche Erscheinung, die Herr Sharland beobachten konnte, ist die vollkommene Schweigsamkeit der alten Vögel während der Brutperiode. Jedermann, der Ara gepflegt hat, kennt die unangenehme Schreierei, welche einem das Halten der prächtigen Thiere oft gänzlich verleidet. Aber sowohl die Ararauna, wie Soldatenara entsagten dieser Unart gänzlich, sobald das Brüten begann; weder Männchen, noch Weibchen liessen alsdann den geringsten Schrei hören.

Als Futter gibt Herr Sharland den Ara nur Hanfsamen, Mais und Schiffszwieback und er warnt vor der Fütterung mit eingeweichtem Brot oder gekochtem Mais, einem Rathe, dem ich mich voll anschliessen kann.

Aus Heinr. Gätke's „Vogelwarte Helgoland“.

(Schluss.)

Der Herbstzug unterscheidet sich, wie wiederholt erwähnt, in mehrfacher Hinsicht vom Frühlingszuge, besonders aber in seinem Reisetempo, da derselbe nicht von dem Zwecke beherrscht wird, ein bestimmtes Ziel in einer fest vorgeschriebenen Zeit zu erreichen, sondern es sich nur darum handelt, früher oder später in ein genugsam mildes Winterquartier zu gelangen. Es weist derselbe denn auch nur in seinem anfänglichen Verlaufe eine dem Frühlingszüge ähnliche Fluggeschwindigkeit auf; sobald aber die verschiedenen Arten in für sie so südliche Breiten gelangt sind, dass sie sich, ohne Gefahr, plötzlich vom Winter überrascht zu werden, eine kürzere oder längere Rast gestatten können, hört die Eile des wirklichen Zuges auf, und es tritt, bis Frost zur Weiterreise treibt, ein langsames, niedriges, in kurze Tagesreisen getheiltes Weiterrücken, oder zeitweiliges, gänzliches Stilleliegen ein, für eine grössere Zahl von Arten schon im mittleren, oder sogar nördlichen Deutschland. Ein sehr zutreffendes Beispiel für das Gesagte führt Naumann bei Besprechung des Herbstzuges der Kraniche an, Band IX, Seite 354.

Dass Vögel aber, ehe sie während der Herbstreise in für sie so südlichen Breiten gelangen, oder bevor im Frühling die Brutstätte erreicht ist, ihren

Zug ohne sehr triftige störende Veranlassung mehrere Tage und Nächte unterbrechen, wie wohl angenommen worden, widerspricht ebenfalls meinen langjährigen hier gesammelten Erfahrungen. Helgoland liegt in so glücklicher Mitte zwischen dem hohen Norden und dem mittleren Europa, zwischen dem Osten und Westen desselben, dass die überwiegend grössere Zahl der Myriaden hier zur Wahrnehmung kommender Wanderer noch in voller Hast des Zuges begriffen ist, aber keiner von diesen während der regelmässigen Zugszeit Vorkommenden verweilt länger als höchstens den Rest desjenigen Tages, vor, während oder nach dessen Morgendämmerung sie hier eingetroffen sind. Nach einer durchflogenen Nacht ist der längere oder kürzere Theil des darauffolgenden Tages auch vollkommen genügend für die etwa nöthige Erholung und Nahrungsaufnahme; eine wirkliche Ermüdung oder gar Erschöpfung, wie man wohl von den Schnepfen Helgolands gefabelt, habe ich von Vögeln, die auf ihrem Zuge hier während des Tages oder der Nacht eingetroffen, niemals bemerkt, man wollte denn drei vereinzelt dastehende interessante Fälle hieherziehen, in welchen ich kleine Landvögel, ungefähr eine halbe Meile von Helgoland entfernt, auf dem Meere ausruhend, angetroffen habe.

Für manche Drosseln, Lerchen, Ammern, Finken, Strandläufer und andere aus dem Norden kommende Vögel tritt die oben erwähnte Unterbrechung des Herbstzuges, theilweise auch sein Abschluss, schon im mittleren und oberen Deutschland ein; auf dem rauhen Helgoland verbleiben von solchen aber nur sehr wenige. Kaum sind dies jemals andere als Felsenpieper, Schneeammern, Sanderlinge, Meer- und Alpenstrandläufer, seltener noch einige Lerchen, Kohlmeisen oder Buchfinken. Wachholder- und namentlich Schwarzdrosseln treiben sich auch öfter im Laufe des Winters wochenlang hier umher, diese sind aber keine ihre Wanderung hier zum Abschlusse bringende Vögel, sondern durch Frost und Schnee aus Skandinavien vertriebene Individuen, von denen die alten männlichen Schwarzdrosseln beim Eintritte milderen Wetters sofort wieder nördlich gehen.

Von allen diesen Arten kann man aber kaum sagen, dass sie beabsichtigten, hier zu überwintern; die Felsenpieper und Meerstrandläufer wären die einzigen, von denen sich dies annehmen liesse, denn sie sind ohne Unterbrechung den ganzen Winter hier vertreten, ob jedoch von Letzteren immer dieselben Individuen hier verbleiben, oder ob einige von ihnen weiter gehen und durch andere ersetzt werden, ist nicht zu bestimmen. Der Felsenpieper dürfte aber wohl sicherlich ausharren. Ein einziges Vögelchen bleibt jedoch in einem oder ein paar Exemplaren getreulich den ganzen Winter hier, selbst wenn dieser zeitweilig sehr strenge wird; der winzige muntere Zaunkönig. Die Höhlen und Grotten am Fusse des Felsens bieten ihm Schutz und wahrscheinlich auch Nahrung in Fülle, denn er erscheint bei dichtem Schneegestöber wie bei heiterem Sonnenschein in stets gleich guter Laune.

Während des Frühlingszuges verweilt ohne besondere ausnahmsweise Veranlassung keiner der zahllosen Wanderer hier länger als die wenigen, weiter zurück angegebenen Stunden; alle streben in rastloser Eile der heimatlichen Brutstätte zu. Manche, wie z. B. die verschiedenen gelben Schafstelzen, verbleiben nicht einmal bis zum Schlusse des Tages, während dessen Morgenfrühe sie angekommen, sondern ziehen um die Mitte des Vormittags schon wieder weiter.

Wie lange oder wie hoch nordwärts dieser rastlose Zug andauert, ist aus den Erscheinungen, wie sie hier zur Anschauung kommen, nicht zu ermessen; alle diese Wanderer drängen aber sicherlich so lange vorwärts, als meteorologische Einflüsse ihnen dies nicht wehren, und keiner von ihnen wurde, ungezwungen, vor Erreichung der Niststätte seinen Zug auf längere Zeit unterbrechen. Dass jedoch alle sehr hoch nördlich brütenden Arten oft kurz vor Beendigung des Frühlingszuges noch einige Zeit aufgehalten werden können, beweisen die interessanten Beobachtungen Seebohm's an der Mündung der Petschora und des Jenisei, nach welchen mit dem Schwinden des Winters und dem Aufbruch der gewaltigen Eisfelder jener Ströme, zugleich auch unzählbare Schwärme von Land- und Wasservögel in buntem Chaos die Lüfte erfüllen. Wie nach dem ersten grossen Abschnitte des Herbstzuges die Eile vieler der Wanderer sich ermässigt, bis Winterkälte zur Weiterreise treibt, so ist es hier entgegengesetzt der Einfluss des noch nicht gewichenen Winters, welcher ein langsameres Vorrücken oder kurzes Stillliegen noch kurz vor Erreichung der Heimat veranlasst. Bis zum Eintritte des einen oder anderen derartigen Momentes nimmt aber der Zug in der bei der Krähe, dem Blaukehlchen und dem virginischen Regenpfeifer nachgewiesenen Schnelligkeit seinen Verlauf — allerdings ist diese bei Letzterem eine so bedeutende, dass man nicht umhin kann anzunehmen, dass zur Ermöglichung derselben noch andere Factoren mitwirken müssen, als die mechanischen Bewegungswerkzeuge, mit denen die Vögel ausgestattet sind.

Bei Behandlung der Höhe des Wanderfluges ist ausführlicher darauf eingegangen, dass die Vögel, abweichend von allen anderen warmblütigen Geschöpfen, mit einem Respirationsmechanismus begabt sind, welcher sie befähigt, in den so dünnen und sauerstoffarmen Luftschichten von Höhen bis zu 40.000 Fuss andauernd verweilen zu können, und dass sie ferner ausgestattet seien mit einem sehr umfangreichen System von Luftsäcken, die sie beliebig zu füllen und zu entleeren vermögen. Diese Eigenschaften haben weder vereinzelt, noch in ihrer Zusammenwirkung für den Vogel während seiner alltäglichen Lebensthätigkeiten einen irgendwie ersichtlichen Nutzen, gleichwohl können ihnen dieselben nicht zwecklos beigegeben sein; solcher Zweck ist aber einzig und allein der Ermöglichung der wahrhaft wunderbaren Wanderflüge zu finden, wunderbar sowohl hinsichtlich der Höhe, in welcher sie stattfinden, als auch der Schnelligkeit, unter welcher sie sich vollziehen. — Wären die Vögel während der Herbst- und Frühjahrszüge an dieselben niederen Luftschichten gebunden, in welchen sie sich das ganze Jahr hindurch bewegen, so würde für solche von ihnen, die ihre Reise früh im Jahre oder im Spätherbste zu machen haben, in vielen Fällen die Zugsperiode verstreichen, ohne dass sie in Folge stürmischer Witterung auch nur zum Aufbruche gekommen wären; um sich solchen störenden Einwirkungen der wechselvollen niederen Luftschichten zu entziehen, steigen die Vögel in die höheren auf, welche sich im allgemeinen in einem gleichmässigen, weniger gewaltsamen Störungen unterworfenen Zustande befinden, gelangen aber dadurch auch zu Höhen, in denen die Geringfügigkeit des Widerstandes der so wenig dichten Luft nicht nur die erstaunliche Schnelligkeit des Fluges möglich macht, sondern es wird durch diese Letztere auch der Neigung zum Sinken entgegengewirkt, indem eine geringe Hebung des vorderen Randes der horizontalen Flügelfläche für diesen Zweck vollkommen hinreicht.

Die nachgewiesene Schnelligkeit des Wanderfluges wird durch diese Ueberlegungen nicht nur dem Verständnisse näher gerückt, sondern es darf auch wohl als erwiesen gelten: dass die Wanderflüge einzig und allein unter den Bedingungen möglich sind, welche nur jene der Erdoberfläche so weit entrückten Pfade darbieten.

Unsichtbare Feinde.

Von A. V. Curry, Wien-Währing.

Im Jahre 1840 hatte Thiers im französischen Parlamente den Ausspruch gethan: „Glauben Sie wirklich, dass die Eisenbahn jemals die Diligenen ersetzen werde?" Und heute frägt man sich schon, wann das Luftschiff Handel und Wandel belebend, mit raschem Fluge den Raum durcheilen werde; nur die Zeit setzt man in Frage, die Lösung des Problems gilt für ausgemacht. Unsere Alten waren nicht eben gewöhnt, den Fortschritt der Cultur mit Meilenstiefeln eilen zu sehen, ja sie sahen's vielleicht gar nicht gerne, wie vor den Strahlen eines neuen Lichtes der Nachglanz alt- und liebgewordener Einrichtungen immermehr verblassen musst'. Aber der Fortschritt, wenn einmal der Fesseln entrathen, bekümmert sich um keine solche Skrupel, dem geschwollenen Strome gleich, durch kein Bollwerk gehemmt, bricht er sich Bahn und drängt zum Hebelansatz alles, was bis nun zu müssig zuzusehen. Bacteriologie, Thelephon, Phonograf und Bogenlicht, sie waren bis vor gar nicht lange, nicht einmal ein Gegenstand der Ahnung und was bedeuten diese grossen Schöpfungen des Geistes einst in ferner Zukunft, wenn die experimentiele Naturwissenschaft mit der Chemie und dem Mikroskop im Vordertreffen das Wissen unserer Nachkommen ungemessen tiefeingreifend umgestaltet haben wird. Schon stellen uns die grossen Geister ein gewaltig Horoscop, denn sie sind es, die wie aufragende Bergesgipfel die Strahlen der aufgehenden Himmelssonne zuerst empfangen, noch bevor sich diese über unseren Horizont erhoben; kein Gebiet sehen sie unberührt vom raschen Gange kommender Entwicklung und ihren Blicken erschliesst sich jetzt schon eine für unsere Fassungskräfte grossartige Ferne. Was Jahrhunderte hindurch in heiliger Ruhe zu oberst lag, wird nun mit raschem Fluge überholt; zu den Sternen strebt, was in den Wolken schwamm, zum Lichte, was das Dunkel barg. Mit dem feinen Hörsinn des alten, deutschen Sagengottes, der die Wolle des Schafes wachsen gehört, wird die Tonkunst ihre jetzt so enge Tonleiter erweitern; neue Harmonien werden entstehen und die herrlichste Symphonie der Gegenwart einst als nicht viel mehr betrachtet sein, als wie Altgriechenlands Lyra — oder König David's Harfenklänge. Die Malerei in neue Perspectiven, mathematisch genauere Verhältnisse gebracht, wird zu einer noch erhabeneren stummen Poesie; die letztere, von neuen Genien getragen zu einer noch herrlicher sprechenden Malerei werden und wie morsches Gebälk wird alles fallen, was von Vorurtheil gestützt, durch altes Ueberkommen eingewachsen. Schranken zieht der geistigen Entwicklung und dem materiellen Wohlstande der Menschheit, doch hier muss ich mir Halt gebieten und bitte um Vergebung, wenn ich den Leser in ein anderes Land geführt, schnell will ich mit ihm rückkehren in's Reich unseres Zaubers.

Und hier, wo unsere Seele durch Gefilde wandelt, in welchen die Blütenpracht unwelkbarer Freuden mit ewiggrünen Matten steter Hoffnung abwechseln, hier gibt es auch Leiden, weil es Freuden gibt und findet manches Hoffen eine Täuschung, denn wo so viel Licht ist, dort muss nach ewigen Gesetzen auch ein Schatten sein. Wir haben in der Taubenzucht bis vor Kurzem, blos gegen sichtbare Feinde angekämpft, die Unsichtbaren, Unbekannten blieben von uns ungestört und so herrschte nach Aussen Friede, nach Innen aber ein beständiger Kampf. Wer hätte sich auch früher um Bacterien bekümmert, auch wo man sie entdeckte, schien ihre Bedeutung in demselben Masse ausgeschlossen, als wie die Möglichkeit eines Flammenherdes am Grunde des grossen Oceans. Aber jetzt, nachdem wir's wissen, welch' gefährliche Feinde wir unter Umständen an den Mikroorganismen haben, hielt ich es für nützlich, mich mit diesem Thema näher zu befassen und das Treiben wie das Wirken seiner dunklen Welt zu schildern, soll somit dem Raume angemessen, in der Hauptsache, der Zweck meiner nachfolgenden Zeilen sein.

Das scharf bewaffnete Auge sah auch früher schon im Tropfen Wasser jene lebende Welt bestehen, in der sich wahre Wunder der Schöpfung offenbarten, es sah darin ein Stürmen und ein Drängen, ein Auf und Ab, ein Hin und Her, es sah wie jene Dingerchen mit Geisselfäden ausgerüstet sich windmühlartig fortbewegten, wie andere getragen von der Strömung jener Flüssigkeit dahinglitten und wie Gestrandete am trockenen Rande sich dem Stillleben hingaben. An diesen konnte es beobachten, wie sie sich bemühten und bestrebten, in die belebte Flut zu tauchen, man sah hier ihre Formen, schaute ihrer Vermehrung zu und jeglicher Geduld enthoben, bestaunte man die wunderbare Raschheit ihrer organischen Entwicklung. Aber das einzige Interesse, welche diese Mikroorganismen nachriefen, beschränkte sich blos auf die Frage der Entstehung elternloser Organismen aus unorganischen todten Stoffen, unmittelbar also aus Erde, Wasser oder Stein. Sowie die Altgriechen sich das zahlreiche Hervorkriechen von Schnecken und Regenwürmern an regnerischen Sommertagen, nicht anders zu erklären wussten, als dass dieselben aus dem

Regen selbst entstünden, ebenso war man bis vor gar nicht langer Zeit auch über das Herkommen der Bacterien im Dunkeln. Man zählte sie bald zu den Pflanzen, bald zu den Thieren, nachdem sie thatsächlich an jener Scheidegrenze stehen, wo thierisches und pflanzliches Wirken unmerklich in einanderfliesst. Früher wie auch später noch, dachte Niemand an die Zwecke, welche die erhabene Natur in ihrem Haushalte selbst dem kleinsten Wesen zumisst. Man wusste nicht von ihrer Allgegenwart, dass sie in der geathmeten Luft, in Nahrung und Wasser, in Wein und Essig, ja überall vorhanden sind, wohin wir auch nur greifen oder tasten, dass manche Arten noch bei grosser Kälte oder Hitze Stand halten und selbst bei ärgsten Widerwärtigkeiten nicht die Waffen strecken, sondern höchstens zum Scheintode erstarrt, ihr Leben auf geeignetere Zeiten aufsparen; dass, wenn sie schon erliegen müssen, zuerst für eine Nachkommenschaft sorgen, Sporen bilden, welche mit dicker Haut gepanzert, den ärgsten Fährlichkeiten widerstehen und in welchen sich ihr dunkles Wirken früher oder später unverändert weiterspinnt. Der Lichtstrahl des forschenden Geistes aber, der immer neue Gebiete dieser dunklen Welt erhellt, er führt zu der Erkenntniss, dass die Tausendstel Millimeter grossen Wesen denselben ewigen Gesetzen unterliegen, wie die Riesen dieser Erde und in der Uebergewalt bewundernder Empfindungen, entwindet sich unserer in Staunen bewegten Seele der Ausruf: „Erhabener Lenker des Weltenalls, wo schliessen denn die Wunder Deiner grossartigen Schöpfungen?!"

Und fragen wir uns nach dem Zwecke dieser winzig kleinsten Wesen im Triebwerke der belebten Natur, so finden wir den Aufschluss in den täglich sichtbaren Erscheinungen, welche sich als Fäulniss, Gährung und Zersetzung kundgeben. Eine Art von Kreislauf in der Thier- und Pflanzenwelt wird durch sie vermittelt, denn indem sie den thierischen Leib zersetzen, schaffen sie die zum Wachsthum nothwendige Nahrung für die Pflanzenwelt, was dann wieder dem Thierreiche zu Statten kommt, als unabweissliche Bedingung allen Lebens, wie der nothwendigen Fortpflanzung. Und dieser Kreislauf eben begründet auch die Existenz des Menschen selbst. Ist da aber ihr Wirken unerlässlich, so wird man es zumindest nützlich nennen müssen, wenn wir es erfahren, dass selbst der funkelnde Wein, der als Göttertrank gepriesen, Jung wie Alt begeistert und bemeistert, erst durch Hilfe eines solchen Mikrocosmos aus herbem, trübem Rebensaft entstanden ist. Wenn aber auch diese kleinen Dinge so vieles Leben knicken, indem sie unter gewissen Umständen in thierische Organe eingeführt, sehr leicht tödtliche Erscheinungen herbeiführen, so schaffen sie damit nur wieder Stoff zum Aufbau anderer Wesen und schliessen einfach wieder jene Kette, welche schon unzähligemal geschlossen, in jedem Gliede und im Ganzen eine ewige Bestimmung hat. Der Mensch beugt sich vor solch' göttlichen Gesetzen, aber er wehrt sich, vom Selbsterhaltungstriebe geleitet, wo es an sein Leben geht und an sein Eigenthum. Und hier liegt der Conflictpunkt, wo der Bazillus sich im Menschen selbst den stärksten Feind geschaffen, denn dieser, dessen grübelnder Verstand sich die Riesen dieser Erde unterwarf, ist nunmehr rastlos an der Arbeit, auch den durch Unsichtbarkeit, Zahl und Zähigkeit geschützten Zwergen an den Leib zu rücken. Wissen wir doch, dass sie Verbreiter jener schrecklichen Krankheiten sind, welche bei Mensch und Thier in Gestalt verheerender Seuchen einherzuschreiten pflegen. Auf unserem Felde sind insbesondere die Diphterie, Tuberkulose und der bei edlen Tauben so sehr gefürchtete Fetzenreisser oder Schnörchel, in Hinsicht deren epidemischen Charakters, ihr ureigenstes Werk. Aber nebenbei bemerkt, verdankt ja auch die Cholera ihre Verbreitung über entlegene Gebiete, einem solchen Mikroorganismus, der wenn einmal in den Magen gelangt, raschen Erguss der Galle und in dessen Consequenz, Ruhr und Erbrechen zur unabweislichen Folge hat.

Die ewige Regel, dass alles Leben an bestimmte Bedingungen geknüpft sei, ausserhalb deren Grenzen nur dasjenige bestehen könne, welches seine Existenzberechtigung durch Erlangung eines Vortheiles erworben und im Sinne des Gesetzes der Anpassung erweitert hat; diese ewige Regel liess uns daran denken, durch Schmälerung oder Aufhebung jener Voraussetzungen, das Leben unserer unsichtbaren Feinde zu verkümmern. Wir setzen sie also der Luft aus, wo sie eine solche nicht vertragen, lassen Licht einströmen, um ihre Verbreitung zu behindern und greifen mit chemischen Mitteln ein, um massenweise das Leben jener Zwergewelt zu tilgen. Der forschende Geist hat aber auch hier schon gewichtige Thatsachen entdeckt, seinen Beobachtungen gelang es zu ermitteln, dass die Mikroorganismen ihr Dasein auf ganz andere Voraussetzungen stützen, als die höher organisirten Wesen, denn während es bei diesen ohne Licht und Luft kein Leben gibt, gedeihen jene Zwerge unter ganz anderen Verhältnissen. Es gibt unter ihnen Arten, welchen die Luft eine unumgänglich nothwendige Bedingung ihres Lebens ist, während andere erst beim Fehlen derselben gedeihen; eine dritte Art wieder haltet gar die Mitte zwischen beiden, sie kann mit oder ohne jenem Lebenselemente bestehen. Bei dieser letzteren tritt bereits die Wirkung des Gesetzes der Anpassung an veränderte Verhältnisse in Kraft, welche Erweiterung der Existenzfähigkeit, das Leben der betreffenden Individuen ungemein begünstigt und ihnen gegenüber anderen, im Kampfe um's Dasein eine ungleich grössere Ausdauer verleiht. Ein Thier z. B., welches die verschiedenste Nahrung verträgt oder von Geburt aus eine günstigere, anderen überlegene Modification seines Baues, Instinktes oder Intellekts erfuhr, wird im Drange der Noth stets mehr Aussicht haben, am Leben zu bleiben, als wie andere, nur an beschränkte Nahrungsarten gewöhnte oder mit minderen Anlagen ausgestattete Individuen. Einen Feind haben alle Mikroorganismen gemeinschaftlich und dieser ist das Sonnenlicht, gerade dieser Lebensquell, zu dem sonst alles strebt, er ist für sie eine Quelle der Verkümmerung und des Verderbens. Dazu gesellen sich die Elemente der Chemie, deren mancherlei Verbindungen gegen sie jene Vernichtungsmittel liefern, welche ihrer Wirkung nach, die furchtbarsten Mordwerkzeuge des modernen Militarismus in den Schatten stellen. Der Tropfen einer scharfen Säure tilgt schon das Leben von Milliarden jener Zwergchen. Aber trotz solch' wirksamer Wehrmittel hat der Mensch gegen sie dennoch einen schweren Stand, denn Unsichtbarkeit, Zähigkeit und eine ungeheuerliche Anzahl gewähren ihnen gegen ihre Gegner einen starken Schutz. Einige Sporen, die von Milliarden noch am Leben bleiben, sind genügend, um den ganzen Raum von neuem zu bevölkern. Man wird sich da mit vollem Rechte fragen müssen, wie in solcher Gesellschaft Mensch und Thier noch überhaupt bestehen können und hierauf empfangen wir die Antwort zum Theile aus der Lehre vom thierischen Organismus, der Physiologie. Und darnach sind die Säfte gesunder Menschen und Thiere derartig beschaffen, dass darin nur die wenigsten Bazillenarten eine Nahrung finden können. Ausserdem birgt jeder thierische Körper bei 1000 sogenannter Phagociten oder Fresszellen, welche in Gestalt winziger weisser Blutkörperchen in dem Organismus eine Art von Wächterdienst versehen, den eingedrungenen Bazillen an den Leib rücken und sie buchstäblich auffressen. Wird aber der thierische Körper durch Schreck in seinem Nervensysteme erschüttert, dann werden nebst den Muskeln auch jene Soldaten mitgelähmt und versagen ihren Dienst. Dies macht es erklärlich, dass die Dispositionsanlage für Ansteckungen, bei bewegten Seelen- und Nervenaffectionen eine ungleich grössere ist, als im Zustande der Ruhe. Es ist ein Trost für uns, dass von den Milliarden kleinen Wesen, die uns in Permanenz umgeben, bei Weitem nicht alle auch gefährlich sind, denn indem auch sie ihre Existenz an bestimmte Voraussetzungen knüpfen, fehlt ihnen der zum Gedeihen nothwendige Boden, wo jene Bedingungen nicht zutreffen. Dieses Gesetz der Anpassung herrscht in der ganzen lebenden Welt, das Princip völliger Gleichheit aller vor dem Gesetze, steht obenan, so weit die Herrscherin Natur das Scepter führt. Ich will zur Illustrirung dieser Thatsache ein ausserhalb der Bazillenwelt gelegenes drastisches Beispiel anführen. So sind die am Menschen lebenden Parasiten schon nach den verschiedenen Rassen desselben, verschieden von einander geartet und ihrem Nährboden derart angepasst, dass z. B. ein Weisser ganz ruhig neben einem Mohren schlafen könne, der seinerseits von Läusen oder Flöhen buchstäblich belagert ist. Ganz dasselbe tritt im umgekehrten Falle ein, wo der weisse Mensch den Schwarzen um jene Immunität beneiden müsste. Die Wissenschaft säumt nicht, den naturgesetzlichen Grundlagen solcher Erscheinungen die nützlichen praktischen Seiten abzugewinnen. Eine solche Nutzanwendung finden wir in neuester Zeit u. a. beim sogenannten Mäusebazillus, welcher angeblich nur an Mäusen und nicht einmal an deren Stammverwandten, den Ratten zu gedeihen vermag. Herr Professor Löffler in Greifswalde benützte diesen Umstand zur Schaffung eines radicalen Mäusevertilgungsmittels und züchtet die aus dem Blute kranken Mäuse entnommenen Bazillen künstlich. Im vergangenen Jahre lud ihn die griechische Regierung ein, die Landwirthe Thessaliens von der ungeheueren Mäuseplage zu befreien und der genannte Herr soll sich nach Dr. Carl Russ' Mittheilung, der übernommenen Aufgabe aufs glänzendste entledigt haben. Er liess dabei kleine, mit Bazillenculturen besprengte Brodstückchen durch Kinder und Frauen auf den Feldern verstreuen und hier wie in Scheuen in die Mäuselöcher legen. Die Wirkung soll eine verheerende gewesen sein, wobei jegliche Gefahr für andere Thiere oder Menschen völlig ausgeschlossen blieb. Wie ich später zeigen werde, bin ich hinsichtlich der Wirkung von künstlich gezüchteten Bazillen, den sogenannten Reinculturen, im Widerspruche mit Herrn Professor Löffler und sehe, dass wir auf diesem dunklen Felde noch keine allgemein giltigen Thaten aufzustellen in der Lage sind. Auch kenne ich die Beschaffenheit jener Gelatine nicht, in welcher Professor Löffler die Reinculturen züchtet, ich vermuthe nur, dass er sie mit dem Contagium kranker Mäuse tüchtig inficirt.

Die moderne Hygiene (Gesundheitspflege) wendet zur Vernichtung von Bacterien die allgemein bekannte Desinfection, der Naturarzt wie P. Kneipp, die Räucherung mit Wacholderbeeren u. dgl. an. Ausser diesen directen Wehrmittel, sind Reinlichkeit, Licht und Luft, sowie eine verständige Ernährung die wirksamsten Geräthe, jenen Parasiten den Boden üppigen Gedeihens zu entziehen.

Und jetzt will ich auf Grundlage vorstehender Erläuterungen, flüchtig eine unserer gangbarsten Taubenkrankheiten besprechen und wähle dazu den allbekannten Fetzenreisser oder Schnörchel. Ich habe ihm den ersteren Namen racheshalber beigelegt, aber auch dieser ist zu glimpflich für den Kerl und so heisst er bei mir öfters auch noch anders. Wer schon gegen dieses Uebel anzukämpfen hatte — und wie wenige gibt es, die davon bewahrt blieben — der weiss ein Lied zu singen, dass aus tiefster Seele quellend, zum Himmel und zur Hölle dringt. Mit „Faust“ kann er es klagend zu den Engeln rufen: „Vor mir liegt stumm das Weltenall und keine Stimme flüstert in mein Ohr des Trostes sanften Schall“. Ist es denn nicht gräulich, wenn in einem unter tausend Mühen, Opfern und Beschwerden zu erhöhter sportlicher Bedeutung emporgebrachtem Taubenschlag, die Früchte eines ganzen Jahres und mit ihnen alles Träumen, jeglich Hoffen als Knospen schon zu Grabe sinken und wenn der Züchter in Mitten der Verheerung wie ohnmächtig dastehen, alle seine Sorgfalt scheitern, Frucht um Frucht vom Baume fallen sieht. Ich habe mir Mühe gegeben, durch Anfragen bei hervorragenden Züchtern der verschiedensten Gegenden und Länder unseres Continentes, auf jene contagiöse Krankheit Bezug habende Daten zu erfahren und es liegt zuvörderst kein tröstliches Moment in der Uebereinstimmung jener Berichte, dass der Fetzenreisser längst schon ein „unveräusserliches Gemeingut“ aller Taubenzüchter ist. Fälle, wo einem französischen Züchter von 300 Jungen 250 — einem englischen von ebensoviel fast alle — einem böhmischen, bosnischen und ungarischen sämmtliche erkrankten und davon mit weniger Ausnahme auch alle starben, solche Fälle sind darin nichts Neues. Und ich habe hier nur gewiegte Züchter in das Auge gefasst, bei welchen erhöhte Sorgfalt, Erfahrung und Verständniss, zu rationellster Bethätigkeit eines gediegenen Fachwissens zusammenwirken. Die solchen Schlägen erfüllt auch die Zeit der schwersten Noth noch jene Umsicht und Geduld, welche auch im ärgsten Drangsal nicht den Kopf verlieren, sondern demselben nützliche Schlüsse für die Zukunft abgewinnen lässt. Es macht sich hier der Meister willig selbst zum Schüler, der seine Sinne voll Interesse an die Lehren der Begebenheiten knüpft; nichts hält er für unwerth der gespanntesten Beachtung, mit den Mitteln der Empyrik und der Wissenschaft im Bunde, geht er prüfend, sehend und versuchend durch den Kampf und ist er endlich d'rüber, dann zieht er all' die Schlüsse für die Zukunft, die ein Mensch von Einsicht und Verständniss eben ziehen kann. Diejenigen, welche eine glückliche Conjunctur verschont gelassen, mögen ja nicht jenem eitlen Wahn verfallen, der Stein der Weisen habe sich in ihren menschlich' Anstalten spontan entdeckt und der gordische Knoten ehrfurchtsvoll vor ihrer Weisheit selbst entwirrt. Das blinde Glück nur ist es, dass der Einfalt und der Weisheit, der Armuth wie dem Reichthum gleicherweise spendet; wir wissen noch zuwenig und wer schon alles zu wissen glaubt, der weiss am Ende nichts.

Ich brauche ja den Fetzenreisser nicht erst an die Wand zu malen, es kennt ihn auch der Blinde an der Stimme. In einem Schlage, wo aus Dutzenden von Kehlen sein kreischend augestimmtes Lied erklingt, dort müsste selbst der Satan Reissaus nehmen und dem benervten Menschen wird es angst und bange um das Ohr. Man weiss nicht, von wannen er gekommen, aber man weiss es, dass er da ist, dieser höllisch ungebet'ne Gast. Und mit ihm entwickelt sich ein Heer von Milliarden seiner Mikroorganismen, welche dem Staube ähnlich, durch den Flügelschlag der Tauben in die Luft gejagt, mit dieser dorthin ziehen, wohin sie dieselbe führt, also auch durch Mund und Nase in die Luftwege und Länge unserer Tauben. Es ist ganz selbstverständlich, dass der Athem nicht der einzige Träger jener Mikroorganismen ist, aber nach der Logik der Dinge, scheint er mir es hauptsächlich zu sein. Hier muss ich bemerken, dass nach der Natur der mikroskopischen Welt, diese auch in ganz gesunden Schlägen heimisch ist, der Bacillus ist ja überall, wie das Insect auf unseren Blumen, wie die Fliege in unserem Hause; er treibt sein Wesen harmlos und wird uns erst gefährlich, wenn er zwischen Kranken und Gesunden verkehrend, das Gift der Ersteren unbewusst auf letztere überführt und wenn er in einem durch äussere Einflüsse schon erkrankten Organismus festen Fuss zu fassen und hier erst jene zersetzende Wirkung zu ü'en vermag, welcher ein gesunder Körper energis h widersteht. Es gibt auch ohne Bacillen eine Diphteritis oder Cholera, nur der epidemische Charakter solcher Uebel ist ihr Werk, doch werde ich hierauf im späteren Verlaufe noch zurückkommen. Einmal auf die inneren Schleimhäute gelangt, ist der Pilz in seiner Welt, hier findet er Feuchte, Luft und Dunkelheit, die Elemente seines Daseins. Sowie die ihm nächststehenden Algen im Hingleiten am Meeresgrunde sich dann und wann mit zarten Wurzelfäden festhalten, um saugend ihre Nahrung aufzunehmen, so leben auch jene mikroskopischen Wesen, aus unergründet mannigfachen organischen Stoffen die einfachsten Elemente der Nahrung schöpfend, dahin. Gelangen sie ohne früher auf Kranken gewesen zu sein, in gesunde thierische Organismen, den ähneln sie in ihrem harmlosen Wirken jenen Ameisen, welche den Honigsaft der Blattläuse durch Röhren ihres Hinterleibes aussaugen, ohne sie zu verletzen. Erst vom Augenblicke an, wo die Bacillen von contragiös Erkrankten kommend, mit dem Gifte derselben beladen, auf die correspondirenden Stellen gesunder Organismen gelangen und hier den Keim ablegen, welcher zur Ursache der gleichen Wirkung wird, erst von da ab haben sie uns unbewusst den Krieg erklärt und sind nun unsere Feinde. Rasch vermehrt, zum Heere angewachsen, treten die ehedem noch harmlosen Bacterien von jetzt ab, mit vergifteten Waffen gerüstet in die Action ein und von da ab dotirt die verheerende Wirkung einer an sich schon ansteckenden Krankheit. Beim Schnörchel wird die anfänglich durch äussere Einflüsse entzündete Schleimhaut der Luftwege in ihren zarten Geweben zerstört und verwandelt sich durch parcielles Absterben in jenen gelblich bleichen Ansatz, der bereits als diphteritische Erscheinung allgemein bekannt ist. Die hochgradige catarchalische Affection der Luft- und Lungenwege hat jene Athem verlegende Verschleimung zur Folge, in welcher die unmittelbare Ursache jener heiseren, kreischenden und markdurchdringenden Töne liegt. Wenden wir ein solches Täubchen bei leerem Kropfe kopfabwärts und drücken sanft, von oben nach unten an der Luftröhre, so wird sich sofort eine Menge seines Schleimes durch den Mund entleeren, das arme Thier kann wieder leichter athmen, das Gekreische wird vermindert oder ganz systirt, bis sich durch erneuerte Schleim-Absonderung die Luftwege abermals verengen.

Je mehr ein Thier in der Entwicklung fortgeschritten, desto länger vermag es selbstredend dem Verfalle zu widerstehen. Bei schon zur Zucht tauglichen älteren Tauben wehrt der Schnörchel selten lange und bleibt fast immer auf Entzündung der Luftwege beschränkt, ohne hiebei das Schleimhautgewebe zu zersetzen. Die geringste Hilfe schon beschläunigt die Genesung, ohne dass die Tauben inzwischen physisch arg verfallen wären. Anders verhält es sich mit Jungen, bei welchen dieses Uebel mit dem Charakter einer verheerenden Säuche wirkt. Der zarte Organismus vermag hier nicht zu widerstehen, weil die Macht zerstörender Elemente die Kraft des Widerstandes überwiegt. Und wie bei jeder Krankheit, so fallen auch hier stets die Minderstarken oder durch Inzucht geschwächten Individuen der Krankheit zu allererst zum Opfer, währenddem mit starker Blutauffrischung gezüchtete Tauben unversehrt bleiben oder bedeutend länger aushalten. Wer in seiner Zucht zu enge Inzucht treibt, der hat den Schnörchel rasch am Halse und bringt ihn nicht leicht weg. Die Dispositionsfähigkeit zeigt sich in solch' verseuchten Schlägen selbstverständlich eclatant. Fühnzehn aus einem verseuchten Schlage entnommene inficirte Flügge-

Junge mit ebensovielen Gesunden desselben Schlages in einen engeren Raum zusammengethan, übertrugen die Krankheit innerhalb 4 Wochen nur auf 4 und auch diese starben nicht. Es lässt sich diess daraus erklären, dass die hier in Frage kommenden gesunden Tauben schon vom Beginne ihres Lebens an mit einer solch' glücklichen Constitution ausgerüstet waren, dass sie den Einwirkungen einer Ansteckung kräftigst widerstanden. In einem anderen Falle wurden die Gesunden einigen Fremden unverseuchten Schlägen entnommen und mit Kranken zusammengesperrt. Die Uebertragung war hier viel bedeutender, denn von 13 gesunden Thieren sind schon innerhalb 18 Tagen 9 erkrankt und es starben davon 6, ein Zeichen, dass jene 13 früher keinem solchen Kampfe ums Dasein ausgesetzt gewesen. Die Nachwirkung der überstandenen Krankheit erweist sich für die in der Jugend inficirten und ausnahmsweise wiederhergestellten Tauben als eine Art von Impfschutz und wird man es bei solchen selten finden, dass sie in ihrem späteren Leben den Verheerungen einer solchen Seuche unterliegen. Dagegen treten merkwürdiger Weise bei deren Jungen die Erscheinungen des Schnörchels so häufig zu Tage, dass hier von bedeutenderer Vererbungs-Disposition gesprochen werden kann. Was aber den Umstand anbetrifft, dass die Krankheit gewöhnlich in der heissesten Jahreszeit entsteht, während sie sich in der Kühleren in abgeschwächterem Masse, mehr als Augenleiden offenbart, darüber stimmen die Erfahrungen allseits überein und empfangen noch eine Bekräftigung durch den Bericht eines in Afrika ansässigen Züchters, dass dort Dyphteritis und Schnörchel, besonders bei nicht einheimischen Rassen buchstäblich an der Tagesordnung stehen. Wir haben es also hinsichtlich des Zusammenhanges mit keinem Spiele des Zufalles zu thuen, sondern mit einer wahrscheinlich mittelbaren Ursache jenes beklagenswerthen Uebels. Und da drängt sich uns die Frage auf, welche Wirkung wohl die Hitze auf den Körper üben mag. Die Antwort finden wir zunächst in den uns täglich umgebenden Erscheinungen und die gleiche Wirkung derselben Naturgesetze lässt uns von Einem auf das Andere schliessen. Wir sehen die Blumen welk werden und verspüren selbst ausser der Schlaffheit der Glieder ein Kratzen in unserem Halse, wenn anhaltende Hitze mit Trockenheit einhergeht. Der Grund liegt in dem Bestreben aller Körper, ihren Gehalt an Wärme und Feuchtigkeit untereinander auszugleichen. Es wird also thierischen und pflanzlichen Organismen Wasser entzogen, wenn letztere mehr davon besitzen, als wie die umgebende Luft. Nun kann aber hier die Herstellung des Gleichgewichtes nicht erfolgen, weil neben verhältnissmässig wenig Wasserträgern ein viel zu grosser Luftkreis in Betracht kommt. Die erhöhte Transpiration der Haut muss also fortdauern, Mensch und Thier trinken viel und es wirken Schlaffheit und Frische, Dürre und Feuchte mit jähem Wechsel auf den Körper ein. Hiezu kommt die zwischen 20—40° C. am lichtesten vor sich gehende Fäulniss von organischen Stoffen, wobei unter anderen Gasen, auch Kohlensäure entwickelt wird, wovon schon ein tausendstel des Luftquantums genügt, um beschwerlicheres Athmen, Eingenommenheit und Schwere des Kopfes zu erzeugen. Ich enthebe mich der Schilderung des weiteren Verlaufes, dieser führt uns auch ohne jeglichem gelehrten Krims-Krams zu ein und demselben Ende, zu catarrhalischen Affectionen, zu Schnupfen und Schnörchel. Und hier beginnt die Wirkung jener Mikroorganismen, welche durch ihre Allgegenwart und unendliche Anzahl allenthalben vorherrschen, wo ihrem Dasein kein nennenswerthes Hinderniss im Wege steht. Wie das Insect von Blume zu Blume kriecht, den Kelch durchläuft und den Inhalt der Staubfäden mit sich führend, damit unbewusst, befruchtend wirkt, so ähnlich, nur in der Bewegungsart verschieden, treiben es die nur mit stärksten Linsen wahrnehmbaren Wesen und führen aus einem Körper in den anderen den Stoff der Ansteckung hinüber.

Es ist durchaus meine individuelle Ansicht, dass der Bazillus nicht für die ersten ursächlichen, sondern für die verbreitenden Momente einer ansteckende Krankheit in Betracht zu ziehen sei, dass also Reinculturen, welche künstlich gezüchtet, mit contagiösen Kranken nicht in Berührung gestanden, directe unschädlich seien und an dieser Ansicht werde ich stets festhalten, soferne mich die fortschreitende Wissenschaft nicht eines Besseren belehren wird. Eine organische Störung muss zuerst durch ganz andere Einflüsse entstanden sein, um den Bacterien zu Verbreitung und Zersetzung Gelegenheit zu bieten. Dort, wo also strengste Massregeln, das Leben der Bacterien vernichten, dort wird sich auch die ansteckendste Krankheit nur vereinzelt zeigen können, nachdem die hauptsächlichsten Momente der Uebertragung in ihrer schädlichen Aeusserung gelähmt werden. Ganz im obigen Sinne, kann auch die gewöhnlichste Hausfliege, welche sonst ganz harmlos ist, erst durch Berührung mit Leichengift oder ansteckenden Krankheitsstoffen, für menschliche oder thierische Organe unter gewissen Umständen gefährlich werden.

Und wenn sich uns im Hinblicke auf all' jene Erscheinungen und Thatsachen die Nothwendigkeit aufdrängt, zur Verhinderung der epidemischen Ausartung einer ursprünglich vereinzelt auftretenden Krankheit, wirksame hygienische Massregeln zu treffen, welche an Stelle gleichgiltigerer Arbeiten, rationelle Vorbeugungsmittel zu setzen berufen sind, so finden wir solche an der Hand der gegebenen Erläuterungen, in welchen uns der Stand der heutigen Wissenschaft das Treiben einer lange ungeklärten, dunklen Welt erhellte. Denken wir uns nur in jene, keinem von uns unbekannten Lage, wo in unserem Taubenschlage unter bisher ganz gesunden Vögeln auf einmal die erste Erscheinung des Schnörchels sich gezeigt hat, welche Gedanken sollen uns jetzt leiten, wie sich uns das Bild darstellen, welches diese neue Situation geschaffen? Es ist ein glimmender Funke, der auf Stroh gefallen und rasch bemerkt, durch Austreten oder mit wenigen Wassertropfen verhindert werden kann, einen alles verzehrenden Feuerherd zu zünden. Die erste Taube ist durch äussere Einflüsse und Disposition an acutem Katarrh der Luftwege erkrankt, sie wird widerstandsloser gegen die ruhenden und schwebenden, durch Athmen und auf andere Art in sie gelangten Mikroorganismen, diese fassen in ihr festen Fuss, vermehren sich ins zahllose und bedecken nunmehr in- und aussen Schnabel, Mund und Rachen, das Gift der Krankheit in und auf sich tragend. Die Taube trinkt, berührt Gesunde, erbricht sich durch den Kehlkopfreiz, frist aus der allen gemeinschaftlichen Raufe und setzt so allenthalben die ehedem noch harmlosen, jetzt aber schon gifttragenden Mikroorganismen ab. Nehmen wir aber an, ein vorsichtiger Züchter verstünde — was nur schwer gehen dürfte, — sich die ganze Zwerggesellschaft von dem Leib zu halten, er desinficirt neben strenger Reinlichkeit das ganze Jahr hindurch den Boden und nun erkrankt ihm wie Oben eine Taube unter schnörchligen Symptomen, was käme in Betracht? Das sogenannte Contagium (der Krankheitsstoff) wird ohne den Bacillen wahrscheinlich langsamer, aber durch die Schleimabsonderung, bei den vorne angeführten Anlässen dennoch in gesunde Körper übergehen und nach und nach den Krankheitsherd erweitern, wenn wir nicht rasch genug durch Entfernung des erkrankten Vogels und Aufschütten von Desinfectionsmitteln etc. entgegenwirken. Das zuweilen gleichzeitige, oder rasch aufeinderfolgende Auftreten des Uebels kann auch auf das Vorhandensein eines anderweitigen, allen gemeinschaftlichen Uebelstandes hindeuten. Es kann z. B. durch verdorbenes Wasser bei sämmtlichen Tauben die gleiche Folgeerscheinung zu Tage treten. Im Jahre 1889 wurden bei mir durch Benützung eines 6 Monate lang unverwendet gewesenen Hausbrunnens, rasch nach dessen Gebrauche, innerhalb 3 Wochen 58 alte Tauben von hochgradigem Catarrhe befallen und es waren dies alle, welche davon tranken. Nach Verabreichung reinen Quellenwassers verschwand die Erscheinung und kehrte nicht mehr wieder, währenddem 12 Stück versuchsweise neuerdings dem Genusse jenes Wassers ausgesetzte Tauben alle wieder rasch in derselben Art erkrankten. Ich muss hier nebenbei bemerken, dass dasselbe Wasser den Hühnern nicht den mindesten Schaden zufügte.

Weiters tritt im Schlage bei grosser Hitze durch Wasserzufuhr beim Aufspritzen etc. eine raschere Fäulniss organischer Stoffe ein, wobei sich unter anderen schädlichen Gasen auch Kohlensäure zu entwickeln pflegt. Und es genügt — wie ich schon vorne zeigte — davon allein schon $^1/_{1000}$ des ganzen Luftquantums, ein allgemeineres Unbehagen, schweren Kopf und Störung des Athmens zu erzeugen. Da aber die Fäulniss in einer Temperatur zwischen 20—40° C. am besten vor sich geht, so erklärt sich die schlechte Beschaffenheit der Bodenluft im Sommer und das Zunehmen der Verluste unter jungen Tauben, welche ohnehin widerstandsloser, den ganzen Tag über den schädlichen Wirkungen einer solchen Atmosphäre ausgesetzt sind. Wir dürfen nicht erschrecken vor dem Bilde, das dem Kampf um's Dasein in der Welt unserer Lieblinge zum Ausdrucke bringt. Es sind darin die Haupteventualitäten, die gangbarsten Verhältnisse geschildert, unter welchen eine und dieselbe Ursache allenthalben die gleiche Wirkung zeitigt; systematisch angeführt, zum leichteren Ueberblick gesammelt, rücken sie uns erst die wahre Sachlage vor's Auge und zeigen wie die Karte jene holperigen Wege an, die wir wandeln müssen bis zum vorgesteckten Ziele.

Hat sich das Uebel einmal stärker eingenistet, so vermag man seiner nur mehr sehr schwer Herr zu werden und ich glaube, blos die Zeit sei dann noch der einzige sichere Arzt. Aber auch noch diese wird uns sagen: „Helfe dir und auch ich werde dir helfen.“ In die Jährchen pflegt es stets zu gehen, bis wieder alles rein ist und der Züchter der es überstanden, denkt seufzend d'ran sein Leben lang. Als mir einmal ein Taubenzüchter in weinerlichem Tone über seine schnörchligen Jungen erzählte und um Auskunft bat, was er zur Heilung derselben unternehmen solle, da antwortete ich ihm: „Möglichst wenig, lieber Freund!“ Diese Worte überraschten ihn, denn vergebens hatte er schon alles ihm Bekannte in das Feld geführt und dachte vielleicht, es sei noch viel zu wenig, die Schnellfeuerkanone fehle noch, um damit Schnörchel und Bacillenarmeen todt zu machen. Als er daher auch das „möglichst wenig“ wissen wollte, da griff ich in die Westentasche und zeigte ihm mein Messer. Und auf dieses werde ich auch künftighin stets weisen müssen, wenn Jemand für schnörchlige junge Tauben, das einzig beste Mittel sucht. Ich muss es aber laut betonen, nur für junge Tauben, die noch ihre Stimme nicht mutirten, denn solche lässt der Fetzenreisser nicht mehr los, vergebens ist da alle Mühe und ich glaube fest, dass, wenn auch alle Vereine der Welt zur Beisteuer zusammentreten, um den imposantesten und verlockendsten Preis für ein radical wirkendes Heilungsmittel auszuschreiben, sich niemand fände, der es fand. Bei alten Tauben ist's fast spielend leicht zu helfen, nicht mit den umständlichsten Theerinhalationen oder den theuer angepriesenen „Gewässern“ die insgesammt nichts nützen, nein, sondern man braucht nur einigemal im Ganzen, den Schnabel mit Creolin oder Oel zu reinigen und den Tauben zur Linderung mit einer in Oel getauchten Feder in den Hals zu fahren, das ist alles und in Bälde sind sie flott. Diejenigen aber, welche das Kreischen oder Röcheln, bei sonst sichtbarem Wohlbefinden noch behalten, kehre man bei leerem Kropfe kopfabwärts und drücke sanft den Schleim gegen die Kehle, man wird sie so des Stöpsels ihrer Luftröhre befreien und das Röcheln oder Kreischen hört dann sehr bald auf. Es ist aber ganz selbstverständlich, dass dabei die Absonderung und das Aufschütten von Carbolsäure einhergehen muss. Wer in der glücklichen Lage ist, alle 2—3 Jahre seinen Taubenschlag zu wechseln, also den einen daweil leerstehen zu lassen, der würde die Wohlthat solcher Umquartirung ganz auffallend empfinden, es müssten nur alle Tauben auch gesund und frei von Ungeziefer sein.

Neben den an Schnörchel erkrankten Tauben kommen stets auch solche mit Augenleiden vor, diese lasse man, wenn sie viel versprechen, leben und nehme sie in Cur, der Erfolg ist hier ganz annehmbar, bei nachfolgend ganz einfacher Behandlung: Die Tauben alle 2—3 Tage einmal mit kaltem

Wasser so lange bespülen, bis sie triefend nass ist, blos den Kopf lasse man trocken, dann wickle man sie in trockene Linnen und stecke sie sammt diesen derart unter irgend eine warme Decke, dass nur der Kopf halb und halb heraussteht. So lasse man sie circa zwei Stunden lang dunsten, damit sich die im Blute angesammelten ungesunden Stoffe durch die Hautporen ausscheiden. Das kranke Auge braucht man dabei nur mit lauem Wasser auszuspritzen, um die Unreinlichkeit zu entfernen. Dieses Verfahren gründet sich auf den Umstand, dass die im Blute entstandene Unreinlichkeit ihren Weg nach aussen gerne durch die Augen nimmt und hiebei die zarten Gewebe entzündet. Geben wir durch das vorerwähnte Verfahren jenen Stoffen eine andere und radicale Ableitung, so hat das Auge Ruhe und wird schon mit geringer Nachhilfe gesund. Selbstverständlich sind auch alte Tauben auf dieselbe Art zu heilen, ganz besonders, wenn das Auge eitert, denn dies ist dann ein Zeichen, dass die nicht ins Blut gehörigen Stoffe sich einen Ausweg durch das Auge suchen. Leichte Entzündungen sind ja wie allbekann, sehr leicht mit Alaunwasser zu heilen.

Und fassen wir das Ganze kurz zusammen, so ergibt sich uns das nachfolgende Résumé: Die Bacillen oder Bacterien sind pilzartige, nur mit stärksten Linsen wahrnehmbare Mikroorganismen, welche sich durch Sporen fortpflanzen, ungeheuer rasch ins Ungeheure vermehren, mit grosser Widerstandskraft ausgerüstet, noch in hohen und niederen Temperaturen aushalten und sich nicht freiwillig, sondern durch Strömung der Flüssigkeit und der Luft fortbewegen. Sie sind überall anwesend, wenn sie nicht durch fortgesetzte Desinfection vernichtet werden; an organischen Substanzen und in Flüssigkeiten lebend, sind sie directe unschädlich und werden erst gefährlich, wenn sie contagiöse Krankheitsstoffe in und auf sich führend, durch Athmen und mit der Nahrung in den Körper gelangen. Der Hefepilz erzeugt Gährung, der Fäulnisspilz Zersetzung, die Einen lieben Säuren, die anderen nur Basen. Zu letzteren gehört, nebenbei bemerkt, der Cholerabacillus, welcher in den Magen gelangt, raschen Erguss der Galle, sammt den acuten Begleit-Erscheinungen herbeiführt. Diphterie und Schnörchel, zuerst durch äussere Einflüsse entstanden, erfahren durch die allgegenwärtigen Bacillen ihre Verschärfung und raschere Verbreitung. Alte Tauben wiederstehen fast stets dem Schnörchel, junge hingegen fallen ihm fast durchweges zum Opfer. Die beste Hygiene ist die allergrösste Reinlichkeit, Luft und Licht, klares Wasser, zeitweises Aufschütten von wässeriger Carbolsäure und keine Ueberbevölkerung des Schlages. Es gilt hier der Satz: Wer zu viel gethan, hat gerade genug gethan. Die Zuchttauben sollen kernig und von gesunder Abstammung sein, enge Inzucht ist auf's Entschiedenste zu vermeiden. Heilmittel für junge Tauben gibt es gegen Schnörchel nicht, bei alten bringen lindernde Mittel, Reinigung der Schnabelpartien mit Oel und Creolin rasch Hilfe; strengste Absonderung aller Kranken und vermehrte Desinfection bei Krankheitsfällen ist stets zu beachten. Nistplätze, wo Junge zu schnörcheln begannen, sind zu vernageln, zu mindest mit Carbolkalk gründlich auszuweissigen. Da für organische Stoffe in der Sommerhitze vermehrte Neigung zu Fäulniss oder Vermoderung besteht und die luftverderbenden Gase durch Hinzutritt von Feuchtigkeit in ihrer Entwicklung gefördert werden, so unterlasse man das Aufspritzen im Schlage umsomehr, als dadurch auch den Bakterien ein beliebtes Eelment des Gedeihens entzogen wird. Wer schon des Staubes wegen, bei zeitweise gründlichen Säuberungen aufspritzen lassen will, der mische ein Desinfectionsmittel in's Wasser, wodurch die Fäulnisskeime getödtet werden.

In Vorstehendem habe ich mich rücksichtlich mancher Stellen auf einem schwanken Felde der Meinungen bewegt, der Hoheitstitel Wahrheit, auf welchen erst Anspruch erheben könne, was durch eine nach Innen und Aussen erbrachte Erfahrung als feststehend betrachtet werden kann, ist in der dunklen Welt der Mikroorganismen noch lange nicht erworben und eine harte Arbeit winkt hier noch dem Geiste, der dem eisigen Stoffe des Räthsels, die lodernde Flamme der Auflösung entwinden soll. Was wir wissen, gleicht dem Grundbaue, auf welchem noch die kommenden Geschlechter Stein an Stein zu fügen, Säule an Säule zu reihen haben werden, bis der gewaltige Tempel des Wahrheit mit den leuchtenden Zinnen des triumphirenden Geistes hochauf zu dem Himmel ragt. Aber ein solches Werk geht nicht wie eine fertige Pallas Athene aus dem Haupte Jupiters hervor, sondern ist das Resultat mühsamer und langgewährender Arbeit. Was ich hier den spärlich vorhandenen Anhaltspunkten abgewann, ist darum blos die natürliche Consequenz schon bekannter Thatsachen und das individuelle Urtheil, welches ich Kraft der Logik der Erscheinungen gefällt und nicht anders fällen konnte. Ich habe mich auf dieses ungeklärte, dunkle Feld gewagt, in welchem berufenere Geister als wie ich, auf den Stab tiefen Wissens gestützt, nur gehemmten Schrittes, tastend, suchend zum weiten Ziele streben, aber nur bekanntes Land wollt' ich durchwandern, soweit der Dämmerschein des herannahenden Tages reicht, soweit der Geist der Forschung die leuchtenden Zeichen seiner bisherigen Siege aufgepflanzt. Sollte ich's nicht wagen, wenn berufenere sich nicht fanden den Strom dieser befruchtenden Wissenschaft auch auf unser Feld zu überleiten? Ist es nicht ein peinliches Befinden, in Mitten gewaltiger Erscheinungen, wie mit verbundenen Augen dazustehen, nicht hemmend die Richtung und die Quelle der Gefahren, nicht wissend seiner Feinde Macht und Treiben? Und wenn wir damit gleich nicht hart am Ziele sind, sollen wir uns ihm deshalb auch nicht nähern? Der Dienst des Kundschafters nur ist es, dem ich in Dienste unserer Sache, meinen schwachen Kräften angemessen, aber hingebend erfüllte, des Feindes Kraft und Stellung, seines Landes Art zu schildern und dies nun übergebe ich den Führern, sie mögen daraus ihrer Einsicht gemäss Nutzen ziehen.

Kleine Mittheilung.

Ich gieng am 8. September 1892, Vormittags 10 Uhr, auf der sogenannten neuen Strasse, welche sich an bewaldeten Gehängen hinzieht, spazieren. Als ich in die Nähe des Sternberger Schlosses kam, welchem sich diese Strasse nähert, bemerkte ich zwei sich verfolgende grössere Vögel. Gewohnt, auf die Natur fortwährend zu achten und namentlich auch fortwährend mit grossem Interesse das Leben und Treiben der Raubvögel beobachtend, erkannte ich bald den Thurmfalken im Kampfe mit dem Sperber. Den Beginn des Kampfes zu beobachten, war mir leider nicht vergönnt, ohne Zweifel war jedoch der Thurmfalke der angreifende Theil; die Stösse desselben wurden von dem Sperber mit Energie abgewiesen. Der Kampf wurde eine kurze Zeit ganz niedrig über Häusern und Baumgruppen ausgefochten. Plötzlich erhob sich der Sperber sehr schnell zu einer bedeutenden Höhe und schwebte im Kreise umher; sehr bald war jedoch der Thurmfalke auch hoch aufgestiegen, worauf der Sperber aber mit grosser Heftigkeit auf den Falken stiess, von demselben jedoch mit vorgehaltenen Krallen empfangen wurde. Der Sperber stieg sofort noch weiter jäh in die Höhe und das Manöver wiederholte sich noch einmal, der Thurmfalke liess vom Kampfe ab und flog dem Felde, der Sperber kreisend dem Walde zu.

Sternberg. Jos. Marent.

Druckschriften-Einläufe im zweiten Semester 1892.

Waidmanns-Heil. Illustrirte Zeitschrift für Jagd-, Fischerei- und Schützenwesen. Red. Fried. Leon, Klagenfurt.

Zeitschrift für Ornithologie und praktische Geflügelzucht. Organ des Verbandes der orn. Vereine Pommerns. Red. H. Röhl, Stettin.

Schriften des naturw. Vereines für Schleswig Holstein. H. Eckhardts Commission, Kiel.

Mittheilungen der deutschen Gesellschaft für Natur- und Völkerkunde Ost-Asiens in Tokio. Yokohama und Berlin bei A. Asker & Co.

Mittheilungen des niederösterr. Jagdschutzvereines. Herausgeber Rud. Markowsky, Wien.

Allgemeine Thierschutz-Zeitschrift. Organ versch. Thierschutz-Vereine. Herausgeber Dir. Dr. L. Vossler, Darmstadt.

Zeitschrift des landw. Vereines in Bayern. Red. General-Secretär Otto May, München.

Correspondenzblatt des Naturforscher-Vereines u Riga. Red. G. Schweder, Riga.

Prof. Dr. G. Jägers Monatsblatt. Red. Dr. Gustav Jäger, Stuttgart.

Cooks Weltreise-Zeitung. Red. G. Winternitz, Wien.

Hauptbericht des II. int. Ornithologen-Congresses: II. wissenschaftlicher Theil, mit 2 Tafeln. Budapest 1892.

Termésretroyzi furetek. Organ des ung. National-Museums. Red. Alex. Schmidt, Budapest.

Tromsoe Museums-Aarshefter. Tromsoe.

Atti della reale Academia dei Lincei, Roma.

Guida della Pollicultore. Herausgeber J. Mazzon, Padua.

Il Naturalista Siciliano. Red E. Ragusa, Palermo.

Feuille des jeures naturalistes. Herausgeber A. Dollfus. Paris.

Bulletin de la Société belge de micwsapie. Red. Secretär Dr. René, Verhoogen, Brüssel.

Bulletin de la Société imp. des naturalistes de Moscou. Red. Prof. Dr. M. Menzbier, Moskau.

Gazette médicale de l'Orient. Redacteure Dr. Pardo und Dr. Ritzo, Konstantinopel.

The Naturalist. Herausgeber Roebuck und Waid, Leeds.

Journal of the United Sénice of India. Simla bei Cotton und Morris.

Records of the Australian Museum. E. P. Ramsay, Kurator, Sydney.

Procedings of the Nova Scotian Institute of Science. Session of 1890—1891. Halifax by Wm. Macnar.

Procedings and Transactions of the Natural History Society of Glasgow. Glasgow, 1892.

Actes de la Société scientifique du Chili, fondée par un groupe de français, Tome II (1892) 1ère livraison. Santiago. Impreata „Cervantes."

Die gefiederte Welt. Red. Dr. K. Russ, Berlin.

Ornithologische Monatsschrift. Red. Hofrath Pro. Dr. Liebe. Gera.

Allgem. deutsche Geflügel-Zeitung. Red. C. Wahl, Leipzig.

Süddeutsche Blätter für Geflügelzucht. Red. Joh. Greif, München.

Schweizerische Blätter für Ornithologie. Red. Ferd. Wirth, Zug.

Der praktische Geflügelzüchter. Red. L. Ehlers. Hannover.

Schleswig-Holsteinsche Blätter für Geflügelzucht. Red. Heinr. Köhler, Kiel.

Der Waidmann. Blätter für Jäger und Jagdfreunde Red. Paul Wolff und v. Hohenberg.

Nordböhmische Vogel- und Geflügel-Zeitung. Herausgegeben vom Ornithologischen-Vereine in Reichenberg.

Geflügelbörse. Red. Rich. Freese; Leipzig.

Chasse et Pêche, Acclimatation, Élevage. Red Louis van der Snickt Brüssel.

Blätter für Geflügelzucht. Red. Richard Becker, Dresden.

Der Geflügelfreund. Red. Conrector Dr. Blanke, Herford in Westfalen.

Zeitschrift für Oologie. Red. H. Hocke, Berlin.

Zeitschrift für Brieftaubenkunde. Red. J. Hoerter Hannover.

Illustrirte nützliche Blätter. Mittheilungen aus dem Gebiete der angewandten Naturwissenschaften etc. Red. Otto Pfeiffer, Wien.

Monatsblätter des „Wissenschaftlichen Club in Wien". Red. Felix Karrer.

Zur freundlichen Kenntniss!

Laut Beschluss des Vereins-Ausschusses vom 21. November 1892, werden die Mittheilungen des ornithologischen Vereines in Wien, „Die Schwalbe", ab Neujahr 1893, Mitte jedes Monates erscheinen und nur an Vereinsmitglieder abgegeben werden.

Anmeldungen zum Beitritt in den Verein nimmt der Secretär Herr Dr. Leo Příbyl, Wien, IV., Waaggasse 4, entgegen.

Wien, den 30. December 1892.

Der Vereins-Ausschuss.

Verlag des Vereines. — Für die Redaction verantwortlich: Rudolf Ed. Bondi.
Druck von Johann L. Bondi & Sohn. Wien, VII., Stiftgasse 3.

Mittheilungen des ornithologischen Vereines in Wien

„DIE SCHWALBE"

Blätter für Vogelkunde, Vogelschutz, Geflügelzucht und Brieftaubenwesen.

Organ des ersten österreichisch-ungarischen Geflügelzucht-Vereines in Wien und des Wr. Vororte-Geflügelzucht-Vereines „Rudolfsheim".

Redigirt von C. PALLISCH unter Mitwirkung von Hofrath Professor Dr. C. CLAUS.

SIEBZEHNTER JAHRGANG.

1893.

Herausgeber: Der Ornithologische Verein in Wien.

Buchdruckerei Helios, Wien, I. Schreyvogelgasse 3.

JUL 30 1900

INHALT.

Artikel.

Ausstellungsberichte.

Brieftaubenwettflüge.

Kleinere Arbeiten und Notizen.

Todesanzeigen.

Literatur.

Ornithologischer Verein in Wien.

I. österr.-ungar. Geflügelzucht-Verein.

Wiener Geflügelzucht-Verein Rudolfsheim.

Aus anderen Vereinen.

Ausstellungen.

Diverse.

XVII. JAHRGANG. Nr. 1.

Blätter für Vogelkunde, Vogelschutz, Geflügelzucht und Brieftaubenwesen.

Organ des I. österr.-ung. Geflügelzuchtvereines in Wien und des I. Wiener Geflügelzuchtvereines „Rudolfsheim."

Redigirt von C. PALLISCH unter Mitwirkung von Hofrath Professor Dr. C. CLAUS.

15. Jänner.

„DIE SCHWALBE" erscheint **Mitte eines jeden Monates** und wird **nur an Mitglieder abgegeben.**
Einzelne Nummern 50 kr. resp. 1 Mark
Inserate per 1 □ Centimeter 4 kr., resp. 8 Pf.

Mittheilungen an den **Verein** sind an Herrn Secretär **Dr. Leo Přibyl**, Wien, IV, Waaggasse 4, zu adressiren, **Jahresbeiträge** der Mitglieder (5 fl., resp. 10 Mark) an Herrn **Dr. Karl Zimmermann**, Wien, I., Bauernmarkt 11; einzusenden.

Alle redactionellen Briefe, Sendungen etc. sind an Herrn **Ingenieur C. Pallisch in Erlach** bei Wr.-Neustadt zu richten.

Vereinsmitglieder beziehen das Blatt gratis.

1893.

Durch Gätke's „Vogelwarte Helgoland" anzuregende Forschungsthemata.

Vom Geh. Reg.-Rath Professor Dr. **Altum.**

1. Veränderung der Vogelkleider ohne Mauser.

Die Leser unserer Zeitschrift „Schwalbe" werden dem hochverdienten Verfasser der „Vogelwarte Helgoland" für seine Erlaubniss, Theile dieses phänomenalen Werkes hier wörtlich wiedergegeben zu finden, ohne Zweifel gar sehr zum Danke sich verbunden erachten. Es wäre jedoch zu beklagen, wenn auch nur Einer lediglich durch diese stückweise gebotenen Gaben von der Anschaffung, beziehungsweise der Lectüre des Werkes Abstand nähme. Jeder Abschnitt im allgemeinen Theile des Originals ist ein Prachtbild für sich, in welchem allerdings wiederholt auf anderweitige Angaben des Buches hingewiesen wird. Die Lectüre solcher abgerundeten Bilder wirkt weit lebhafter, als die von einzelnen kleinen, nach dem verfügbaren Raume einer Zeitschrift bemessenen Stücken. Ich möchte dringlichst wünschen, dass der Eindruck dieser farbenprächtigen Bilder Veranlassung zu ferneren Forschungen auf gleichen Gebieten veranlasste. Gätke selbst hat ausgesprochener, wie stillschweigender Weise eine Menge solcher Themata vor der ornithologischen Mit- und Nachwelt ausgebreitet. Freilich wird die Nachprüfung, Ergänzung, Erweiterung, eventuell Correctur der in beispiellos günstiger Lage in einem Zeitraume von 50 Jahren von einem so hoch befähigten und geschulten Beobachter gewonnenen Resultate ernste Arbeit, langjährige Mühe erfordern; doch bietet auch oft ungesucht eine Aquisition, eine zufällige Beobachtung u. dgl. dazu Gelegenheit. Wir können und dürfen nach Gätke's für manche Punkte bahnbrechender Arbeit diese seine Forschungsergebnisse unmöglich unbeachtet lassen, müssen dieselben vielmehr in der Regel als Basis betrachten, von welcher aus der weitere Ausbau des betreffenden Theiles der einheimischen Vogelkunde zu geschehen hat. Ich habe zahlreiche und ausschliesslich äusserst günstige Besprechungen der „Vogelwarte" gelesen, aber nirgends eine eingehende Aufforderung, auf den vom Verfasser gezeigten, beziehungsweise erweiterten oder gar neu eröffneten Wegen weiter fortzuschreiten, gefunden. Seit den staunenswerthen Arbeiten unserer Altmeister, namentlich J. Fr. Naumann's, überragt nach meiner Ueberzeugung Gätke's Leistung zur Kenntniss des einheimischen Vogellebens die Summe von Allem, was von zahllosen Seiten zusammengetragen ist, so hoch, dass unsere Wissenschaft nur durch weiteren Ausbau der in diesem Werke vorliegenden Themata wesentlich gefördert werden kann. Wer sich in Zukunft zu biologischen Studien auf ornithologischem Gebiete angeregt und berufen fühlt, der möge sich vorher mit den betreffenden Angaben in der „Vogelwarte" gründlich bekannt machen.

Meine, seit dem Erscheinen dieses Werkes gehegte Absicht, zu einer solchen nachprüfenden, beziehungsweise weiterführenden Forschung anzuregen, wurde durch die Erwähnung des „Ehrendiploms" für den Schöpfer desselben in der Sitzung am 3. November 1892 („Schwalbe", Jahrgang XVI, Nr. 22) wiederum besonders lebhaft und so möchte ich mir erlauben, in der „Schwalbe" einzelne der einschlägigen Theile, welche mir der fortgesetzten Bearbeitung werth erscheinen, hier namhaft zu machen und dadurch dankbare Aufgaben zur Bearbeitung zu proponiren. Ich beginne mit dem höchst interessanten, jedoch durchaus noch nicht erledigten 2. Capitel des allgemeinen Theiles der „Vogelwarte" „2.: Farbenwechsel der Vögel durch Umfärbung ohne Mauser" (Seite 156 ff) und plastische Veränderung bereits älterer Federn.

Als 1852 Schlegel (Leyden) durch scharfe Untersuchungen an zahlreichen Vogelleichen und Vogelbälgen, sowie durch Experimente an lebendem Material seine Resultate betreffs Farbenwechsel ohne Mauser und Ergänzung von Theilen bereits lange gebrauchter Federn in einer Zuschrift an den deutschen Ornithologen-Verein zur allgemeineren Kenntniss brachte, wirbelte diese theils scharf bekämpfte, theils mehr oder weniger sofort bestätigte Entdeckung vielen Staub auf. Allein innerhalb weniger Jahre verlor sich die Aufregung allmälig; die „Autoritäten" hatten ihr Votum abgegeben und nur ganz vereinzelt wurden noch Stimmen laut, ohne aber, dass eine allgemeine Ueberzeugung, ein annähernder Abschluss der Angelegenheit erzielt wäre. Gätke stellte sich betreffs der Farbenveränderung ohne Mauser sofort auf Schlegel's Seite, was ihm von dem Herrn Eugen v. Homeyer bitter übel genommen wurde. Als ich schon längst belehrt durch den Farbenwechsel meines im Käfig gehaltenen Blankehlchens nach einigen Jahren Gelegenheit hatte eine in der Umfärbung vom Winter- zum Hochzeitskleide begriffene alte männliche Schellente (A. clangula) genau zu untersuchen und diese, ebenfalls den Schlegel'schen Behauptungen durchaus entsprechenden Resultate im Journal für Ornithologie veröffentlichte, erntete ich sofort eine recht gehässige Kritik desselben reizbaren Herrn. Seitdem konnte ich z. B. an zwei Sägetauchern (M. merganser und albellus), sowie an anderen Schwimmvögeln, ebenfalls an mehreren Tringen denselben Vorgang constatiren, habe jedoch, und zwar zur Anregung zu ähnlichen Untersuchungen nur ganz einzelne Fälle veröffentlicht, die dann als kurze Notizen in Vergessenheit gerathen zu sein scheinen. Dass ich in meinen betreffenden Vorlesungen den Gegenstand nicht unerörtert liess, ist selbstverständlich. Aber weiter gefördert wurde m. W. derselbe nicht. Zu meiner ebenso grossen Freude als Ueberraschung finde ich nun in der „Vogelwarte" diese äusserst genaue, in einer langen Reihe von Jahren entstandene, vielseitige Arbeitsleistung von Gätke, welche jedem ferneren Forscher die Arbeit auf diesem Gebiete ungemein erleichtern wird. Ich wage es deshalb, den ornithologischen Lesern der „Schwalbe" ein recht complicirtes, einschlägiges Thema zur gefälligen Kenntnissnahme zu unterbreiten. Vielleicht wird sich der Eine oder Andere dafür thatsächlich interessiren. Es betrifft die Kleider der Schneehühner.

Es wird jedem bekannt sein, dass abgesehen von dem reinen Winterkleide, sich nur sehr selten ein Schneehuhn in reinem Sommerkleide auffinden lässt. In der Regel sind drei, sogar wohl vier, verschiedenen Kleidern angehörende Federn gemischt. Bald herrscht diese, bald jene Kategorie vor.

Für das Alpenschneehuhn (Lagopus alpinus Nils.) sind mir diese Kleider durch den Besitzer des Museums der Alpenthiere, Herrn Stauffer in Luzern, welcher mir die reinen Sommerkleider desselben zu zeigen die Güte hatte, bekannt geworden; bei dem Moorschneehuhn (L. albus Gm), bei dessen Exemplaren sich analog dieselbe Federnmischung findet, wird sich die Sache ähnlich verhalten. Bei dem ersteren, alpinus, entstehen nach dem Winterkleide folgende „Sommerkleider":

1. Das Maikleid, welches durch seine eigenthümlich scharfe helle und in's Gelbliche ziehende Fleckung an die Rückenzeichnung des Goldregenpfeifers erinnert;

2. das Sommerkleid der Henne, von welchem

3. das des Hahnes nicht unerheblich abweicht, und zwar stärker, wenn er dauernd in grosser Höhe lebt; dagegen schwächer, wenn er mit der Henne und den Jungen in warme Thäler herabsteigt. Beim Hahn, selbstredend nicht demselben Individuum, treten folglich zwei zu unterscheidende Sommerkleider (s. str.) auf, beziehungsweise können auftreten;

4. (bez. 5), Das Herbstkleid, welches auf sehr hellgrauem, weisslichem Grunde sehr feine mehr oder weniger dicht bestellte tief dunkle Punkte trägt. Doch lassen sich jene Sommerkleider im engeren Sinne (Nr. 2, 3 bez. 4), sowie dieses Herbstkleid (Nr. 4 bez. 5) durch einen kurzen prägnanten Ausdruck kaum charakterisiren.

Nehmen wir nun noch das rein weisse (seitliche Steuerfedern, Zügel des Hahnes und Schäfte der Primärschwingen schwarz) Winterkleid hinzu, so trägt jedes Individuum vier verschiedene Jahreskleider. Das kann unmöglich Folge von ebenso vielen Federwechseln sein, obschon äusserst häufig einzelne Federn in ihrer sehr abweichenden Umgebung als neue Mauserfedern erscheinen. Dass aber dieser Schein auf Täuschung berührt, dass eine und dieselbe Feder allmälig recht verschiedene Farbe und Zeichnung annimmt, dass solches bei verschiedenen Arten und an verschiedenen Körperpartien sehr verschieden stattfindet, das beweisen unzweifelhaft Gätke's gewissenhafte Untersuchungen, niedergelegt in dem erwähnten Abschnitte zumal bei Behandlung der kleineren Sumpfläufer.

Für die Schneehühner ist m. W. Alles noch gänzlich tabula rasa. Eine mit Erfolg gekrönte Arbeit auf diesem Felde wird sicher auch im Stande sein, auf die Realität der zahlreichen „Species" (rupestris Gm., alpinus Nilss., islandorum Fab., Reinhardti Brm., subalpinus etc. etc.) ein aufklärendes Licht zu werfen. Wenn an der Hand von Gätke's Resultaten sich vorläufig auch nur geringe und vereinzelte Klarstellungen ermöglichen lassen, so ist doch schon der Anfang gemacht und dadurch viel gewonnen.

Zum Brutgeschäft des Kukuk's.

(Recensionen.)

Von Paul Leverkühn.

Mit der Besprechung des bedeutsamen Werkes Baldamus[1]) in diesen Blättern wollte ich so lange warten, bis die in mancher Hinsicht eine Ergänzung dazu bildende Rey'sche[2]) Schrift auch die Presse verlassen hätte. Dies ist jetzt geschehen! Wohl selten haben zwei Forscher sich mit einer Thierspecies beschäftigt und sogar mit nur einer physiologischen Thätigkeit derselben, — der Fortpflanzung, — welche in so heterogener Weise den Gang und Plan ihrer Untersuchungen angestellt hätten, als die hier in Frage kommenden Ornitho- und Oologen, Baldamus und Rey. Für die Wissenschaft ist das entschieden um so förderlicher!

Ferguson[3]) bemerkt in seiner Einleitung zu H. A. Macpherson's jüngst erschienene Fauna of Lakeland[4]) man könne kaum angeben, was der Autor für dieselbe nicht gelernt, studirt oder durchlesen hätte, so mannigfaltig seien die Beziehungen, welche unter der Einheit einer „Fauna" heutzutage vereint würden: Studien alter Karten, Klosterberichte, mittelalterlicher Handschriften, Kirchenbücher u. s. f. deren Ergebnisse auch für die Journale antiquarischer Gesellschaften sich eignen würden. Derartiges Heranholen fernliegender Gebiete, in welchen aber die Gestalt der „Vögel" berührt wird, ist lebhaft zu bewillkommen, und ist hie und da auch schon in deutschen und österreichischen Localfaunen aufgetaucht. Aber noch mehr ist es zu begrüssen, wenn innerhalb der Ornithologie, einer exacten Wissenschaft, neue Untersuchungsmethoden gefunden und angewendet werden. Solche Ereignisse treffen nur selten ein und bürgern sich leider auch allgemein langsam ein, d. h. finden Nachahmer! Wann werden wir eine Naturgeschichte deutscher Vögel haben, in der die Horststand's-Bestimmungen (— ähnlich manchen Feststellungen in der Botanik —) wie sie Ludw. Holtz[5]) zuerst einführte, in der die Eiermasse und besonders Gewichte, deren Bedeutung namentlich Reichenow[6]) bewies, in der die Dopphöhe R. Blasius'[7]) consequent bei jeder Art bemerkt wird? Kaum im 20. Jahrhundert! — Als ein solches neues Ereigniss haben wir die Rey'sche Schrift zu kennzeichnen, ein Grund allein, weshalb ihr Erscheinen von grosser dauernder Bedeutung für die Oologie sein wird.

Ohne die Einzelheiten genau wiederzugeben, wollen wir die neuen Methoden nur kurz skizziren: Feststellung der Schalenhärte durch den „Rey'schen Eierbelastungs-Apparat" (so schlagen wir vor, ihn zu benennen), mittelst dessen durch eine spitze das Ei berührende Nadel das Ei zu dem Zeitpunkte durchstochen wird, wo eine auf einem Schlitten darüber langsam näher gebrachte und dadurch vermehrte Last den Widerstand der Eischale überwindet. Von geringen Schwankungen abgesehen erzielt die Methode für jede der bislang in Untersuchung genommenen Arten constante Zahlen! Ferner Feststellung des „Quotienten" des Eies, d. h. der Zahl, welche aus der Division des Productes der Grössen beider Axen des Eies durch sein Gewicht resultirt, ebenfalls, so irrationell der Werth ist, eine für die Art nahezu constante Zahl. Ausser diesen der Physik und Mathematik entlehnten Methoden hat Dr. Eugen Rey aus der Physiologie und inneren Medicin die z. B. bei Fiebercurven verwendete graphische Darstellung in den Dienst der Ornithologie gestellt!

Hier werden die in Perioden auftretenden Legezeiten verschiedener Arten demonstrirt, bei welcher Gelegenheit die epochemachende Entdeckung gemacht wurde, dass der Kukuk, wie viele andere Vögel jährlich zwei Bruten (zwei Gelege) producirt! Ausserdem werden noch eine Menge zweckmässiger Tabellen gegeben, die hier nicht eingehend betrachtet werden können. Aus dem Gesagten geht schon hervor, dass der Verfasser die ihm im Materiale der Eiersammlungen gebotenen Naturthatsachen verarbeitete; mit mathemathischer Sicherheit und scharfer Logik zieht er daraus seine z. Th. ganz neuen, überraschenden Schlüsse, welche ein gut

[1]) Das / Leben der europäischen Kukuke, / Nebst / Beiträgen zur Lebenskunde / der / übrigen parasitischen Kukuke und Stärlinge. Von / A. C. Eduard Baldamus. / 2 Zeilen Titel / Vignette. / Mit 8 Farbendrucktafeln. / Berlin, P. Parey. 1892. Gr. 8°. VIII+225 S. VIII pl.

[2]) Altes und Neues / aus dem / Haushalte des Kukuks / von / Dr. Eugène Rey. / — / Leipzig, R. Freese / 1892. — 8°. VIII+108 S. — 11. Heft von Zoologische Vorträge. / Herausgegeben von / William Marshall. / Professor an der Universität Leipzig. / — / Preis 4 Mark.

[3]) Preface p. VI.

[4]) A Vertebrate Fauna of Lakeland including Cumberland and Westmoreland, with Lancashire north of the Sands. — — Edinburgh, Douglas, 30 sh.

[5]) Die Raubvögel Neu-Vorpommerns und der Inseln Rügen, Usedom und Wollin. Mitth. d. naturw. Ver. v. Neu Vorpommern u. Rügen, III, 1891, 12—39 und: Aus der Vogelwelt Südrusslands, insbesondere des im Gouvernement Kiew belegenen Kreises Uman. Lb. 1873/74. VI. VII 99—144.

[6]) Cabanis. Journ. f. Ornith. 1870, 385—392.

[7]) Ornis, III, 1887. 376.

Theil des alten Kukuks Naturgeschichte über den Haufen werfen. So: es findet meist keine Anpassung an die Nesteier statt; die meisten Weibchen benützen ein und dasselbe oft engbegrenzte Revier, weder der Eierstock noch die Entwicklung der Eier zeigen irgend welche Anomalie im Vergleich zu anderen Vögeln; der Kukuk legt im Jahre bis 20 Eier; und zwar einen Tag um den anderen. Diese Hauptsätze und Resultate seiner Untersuchungen zieht Verf. in 17 Thesen am Schluss zusammen. — Das Material aber, über welches verfügt wurde, ist ein so enormes, wie es noch keinem Coccygographen zur Verfügung stand: 526 Kukukseier der eigenen Sammlung, mehrere hundert selbst und durch den Sohn des Verf. gefundene darunter und im Ganzen 1246 Kukuksgelege.

Als ich im Frühjar 1892 den Autor nach 9jähriger Pause einmal wieder in Leipzig besuchte, den „Belastungsapparat" und die herrlichen Eier-Serien bewunderte, meinte er hinsichtlich seines damals erst im Manuskript vorliegenden Buches: „es enthalte nur Register und blosse Tabellen." Mit obigem glaube ich dargethan zu haben, dass dieser in allzu grosser Bescheidenheit gesprochene Satz absolut nicht zutrifft. Die Fülle der in nüchterner, streng objectiver, wissenschaftlicher Weise gebotenen Mittheilungen über die Fortpflanzungsgeschichte des Kukuks ist erstaunlich und legt den Grund zu einer auf Thatsachen beruhenden Kenntniss dieses stets als geheimnissvoll verschrienen Vogels. Auf die Bedeutsamkeit der Schrift haben bereits verschiedene Recensenten hingewiesen, so Dr. Reichenow (Ber. Dec. Sitzung Deutsche Ornith. Ges. 1—3) und Pietsch (Ornith. Monatsschrift 1892. 392—394.)

Das Rey'sche Buch behandelt nur den gewöhnlichen europäischen Kukuk Cuculus canorus auf Grund seiner eigenen Erfahrungen ohne ein fremden Büchern entlehntes Citat; das Baldamus'sche Werk zieht seine Grenzen weiter. In seinem zweiten und dritten Theile (123—203) werden die nichteuropäischen Schmarotzer Kukuke, die Heherkukuke, die Spähvögel und Schmarotzer-Stärlinge, also alle übrigen nach Kukuksart parasitären Vogelarten behandelt. In ausgibiger Weise ist die einschlägige Literatur, vornehmlich soweit sie die Biologie berücksichtigt, herangezogen und kritisch benützt. Die Quellen sind mit peinlicher Akribie angegeben. Wenn man diese hundert Seiten gelesen hat, muss man dem Ausspruche Baldamus' beipflichten (125), dass mit der Sammlung dieses zum grossen Theile recht dürftigen Materiales nur erst eine Grundlage für weitere Entwicklung biologischer Studien der Cuculiden geschaffen wurde. Als solche ist sie aber umso dankenswerther und werthvoller! Aus den kritischen Bemerkungen zu den Productionen anderer Forscher mag herausgegriffen werden, wie oft der selbst fein musikalisch gebildete und virtuos spielende Autor die uncorrecten, unverständlichen und oft ganz ungenügenden Angaben vieler Ornithologen über Vogellaute rügt. Es ist zu bedauern, ruft er aus, dass so wenige practische Ornithologen und namentlich Reisende mindestens soviel musikalische Kenntniss besitzen, um die verschiedenen Vogelstimmen einigermassen verständlich zu beschreiben, wenn auch nicht in Noten zu setzen — von feineren Angaben über Klangfarbe, Rhythmus und Syllabierung zu geschweigen. — Die andere Hälfte des Werkes behandelt unseren Kukuk (12—123) und beleuchtet in einem eigenen Abschnitt die hundertfältig aufgeworfene und fast ebenso oft verschieden beantwortete Frage: Warum brütet er nicht selbst? Nach eingehender Beleuchtung der Ansichten der Coccycologen seit Aristoteles' Zeit her, gelangt Baldamus zu keinem anderen Resultat als dem, dass die langsame Entwicklung der Eier den Kukuk am Brüten verhindere, eine Ansicht, welche, wie wir oben gesehen haben, nach Rey's Legezeit-Kurven nicht haltbar ist, so dass heute 1892 die Frage eine noch eben so offene lis sub iudice ist wie im grauen Alterthume! In dem speciellen Theile behandelt der Autor mit grosser Accuratesse Verbreitung, Aufenthaltsort, Zug, Naturell, Eigenschaften, Benehmen, Stimme, genau nach Klangfarbe, Tonhöhe, Accentuirung dargestellt und in Noten gesetzt, Gesang und die Fortpflanzung, letztere, natürlich am ausführlichsten, unter folgenden Hauptgewichtspunkten: Pfleger, Pflegerwahl. Kukukseier, Eierstock, Eihalter, Aehnlichkeit der Eier des Kukuks mit denen der Pfleger, ihre Beschreibung und Kennzeichen, gleiche (ähnliche) Eier des einzelnen Weibchen, Ablage nur eines Eies in ein Nest, Sorge des Weibchens für seine Nachkommenschaft. — Es ist unmöglich, hier auf Einzelnheiten des so inhaltsreichen Werkes, dessen Studium wir auf das wärmste anempfehlen, einzugehen. Nur eines bedauern wir lebhaft: dass die Verlagsbuchhandlung, welche durch die acht hübsch colorierten Tafeln das Werk würdig ausstattete, am Text grosse Kürzungen verlangte und nicht über eine bestimmte Bogenzahl hinausgehen wollte, wie der aufmerksame Leser selbst hie und da noch merken wird.

Vielleicht werden die auf diese Weise in Wegfall gekommenen Stellen uns an anderem Orte, oder in einer Zeitschrift noch mitgetheilt. — Wir beglückwünschen den Autor im Silberhaar, den Ehrendoctor, den Gründer und so glücklichen Redacteur der „Naumannia", welcher zusammen mit den ersten Koryphäen der klassischen Zeit der Ornithologie, Naumann, Bonaparte, den Brehms u. a. seine Studien machte, zur Vollendung dieses Werkes, welches zusammen mit dem Rey'schen Buche einen Markstein in der Coccycologie und der Oologie überhaupt bedeutet!

München, Neujahr 1892.

Ornithologen-Freud' und -Leid.

Ein Vortrag von **Dr. Curt Floericke.**

(Schluss.)

Die Wissenschaft muss oft hart und der Forscher grausam sein, aber bisweilen geht doch das Herz mit ihm durch. Eine unvorsichtige Bewegung unsererseits, wenn wir die immer unbequemer werdende Stellung nicht mehr auszuhalten vermögen, jagt die scheuen Vögel nach allen Seiten ins Röhricht und trotz alles Suchens ist keines aufzufinden. Inzwischen ist aber die Dunkelheit völlig hereingebrochen, mühsam streben wir dem Ufer zu. Da gerathen wir unvermuthet auf eine tückische Stelle im Morast und stehen auf einige Augenblicke bis an die Schultern im Wasser, das sich in die hohen Fischerstiefel, Kleider und Gewehrlauf ergiesst. Der erste Schreck ist nicht gering und es gehört auch keineswegs zu den ornithologischen Annehmlichkeiten, in nassen Kleidern bei kühlem Nachtwind noch einige Stunden marschiren zu müssen. In der Hoffnung auf ein wärmendes Glas Grog sprechen wir deshalb noch bei einem befreundeten Förster, vor, um zugleich durch ihn einige Auskunft über die Vogelwelt der Gegend zu erhalten. Da kommen wir aber schlecht an, denn Förster, welche einige ornithologische Kenntnisse besitzen, gehören leider zu den seltenen Ausnahmen und wir empfinden es auch als eine Art ornithologischen Leids, wenn wir selbst von denjenigen keine Unterstützung erhalten, von denen wir eine solche noch am ehestens erwarten dürften.

Am anderen Tage hat die im ganzen doch recht glücklich verlaufene Excursion noch einige üble Nachklänge im Gefolge. Einige aus einem Lerchenfalkenhorste mitgenommene Eier erweisen sich als stark bebrütet und wenn ein solches faules Ei beim Ausblasen plötzlich zerspringt und seinen ganzen ungemein lieblich duftenden Inhalt den Präparator in's Gesicht schleudert, dann sind denselben alle Vögel der Welt auf einige Augenblicke sehr gleichgiltig geworden. Auch das wenig appetitliche Abbalgen schon längere Zeit liegender und bereits von ekelhaften Maden befallener Vögel hat seine eigenen Schwierigkeiten und man möchte in Verzweiflung gerathen, wenn man sich stundenlang mit einem seltenen Exemplar herumgequält hat und dann doch alle Mühe als vergeblich aufgeben muss, da die Federn massenhaft ausfallen.

Ausser ihren wissenschaftlichen Zwecken bietet eine solche Sammlung, zumal, wenn sie zum grössten Theile aus selbst erbeuteten Stücken besteht, noch einem anderen eigenartigen Genuss. Sie ist dem Ornithologen ein reichhaltiges, liebes und werthes Tagebuch, das auf seinen eng beschriebenen Seiten fast nur von den Annehmlichkeiten des Lebens zu erzählen weiss. Jedes einzelne Stück erinnert auf das lebhafteste an eine mehr oder minder schöne und erfolgreiche Excursion, jedes einzelne ruft die näheren Umstände von etwaigen besonderen Erlebnissen und Abenteuern bei seiner Erlegung in's Gedächtnis zurück. Der in freier Natur arbeitende Ornithologe muss es sich schon gefallen lassen, in der drolligsten Weise verkannt zu werden. So hielten mich bei meinem häufigen Ausflügen in die 2 Stunden von Breslau entfernte Strachate die Bewohner der umliegenden Dörfer für einen — man höre und staune! — für einen „Kalendermacher" und schrieben meinem unschuldigen Krimstecher die geheimnissvolle Kraft zu, die Gestirne auch bei Tage sichtbar zu machen und mich dadurch zu untrüglichen Wetterprophezeiungen zu befähigen. Da taucht in meiner Erinnerung jene sturmgepeitsche Herbstnacht auf, wo ich, um Sumpfhühner zu beobachten, auf einem grossen sumpfigen Teiche in der Bartschniederung im Kahne herumfuhr, bis mir plötzlich das Stossruder im Morast stecken blieb und ich mich hilflos inmitten des ausgedehnten Rohrdickichtes befand, da mich der Wind immer weiter von der Stelle abtrieb, wo mein Ruder stak. Ein Versuch, zu Fuss das Land zu erreichen, musste bei den gefährlichen Stellen im Sumpfe der herrschenden Dunkelheit und meiner Unkenntniss des Terrains bald wieder aufgegeben werden und so blieb mir denn nichts anders übrig, als mich auf dem Kahne an dem Schilfe entlang zu ziehen in mühsamen und langwierigem Kampfe gegen den Wind, der stark nach der anderen Seite drückte. Das scharfe Schilf schnitt mir bald die Hände blutig, der Kahn füllte sich mehr und mehr mit Wasser, das Rohrdickich wurde immer undurchdringlicher und ich war deshalb herzlich froh, als ich endlich nach mühsamer zweistündiger Arbeit das Ufer erreichte. Aber genug davon! Solche Erlebnisse bringt fast jeder Ausflug mit sich und die meisten sind nicht gerade geeignet, sich in einem Vortrage zu repräsentiren.

Das allerschlimmste Gefühl für den Ornithologen aber ist das, wenn er einen sehr seltenen oder räthselhaften Vogel sieht und nicht in der Lage ist, sich über denselben Gewissheit zu verschaffen und alle Zweifel betreffs der Art zu beseitigen. Ich habe während meines Aufenthaltes in Schlesien zwei mir recht unliebsame Beispiele hierfür erlebt. Erstlich sah ich im Spätsommer 1889 in einem Stangenholze der Strachate einen vermuthlichen *Phylloscopus superciliosus* (Goldhähnchenlaubvogel), so dicht vor mir, dass ein Irrthum meinerseits fast ausgeschlossen erscheint, zumal auch bald darauf ein sehr glaubwürdiger Fänger ein Stück erbeutet haben will, welches starb und fortgeworfen wurde, ehe ich den Vorgang in Erfahrung brachte. Die strenge Wissenschaft verlangt nun aber mit vollem Rechte in einem so ausserordentlichen Falle — der Goldhähnchenlaubvogel wurde meines Wissens bisher in Deutschland erst an zwei Punkten, bei Berlin und auf Helgoland, nachgewiesen — handgreifliche Beweise und ich musste dieselben für diesmal schuldig bleiben, da ich damals noch keine Jagderlaubniss in der Strachat besass. Niemals aber war mir, das wird jeder Ornithologe gerne glauben, die Versuchung, mit den Jagdgesetzen in Conflict zu gerathen, näher als in diesem Augenblicke. Aehnlich erging es mir im Februar 1890 in Schleibitz, 3 Stunden östlich von Breslau, wo ich unter einem Kohlmeisenschwarm plötzlich die prächtige und bei uns so seltene Lasurmeise in geringer Entfernung von mir erblickte ohne aber schiessen zu können, da der Weg in diesem Augenblicke gerade sehr von Menschen belebt war. Gleich darauf hatte sich der herrliche Vogel auf Nimmerwiedersehen empfohlen. Das sind fatale Erfahrungen, die aber keinem erspart bleiben.

Ein solches ornithologisches Jäger- und Beobachterleben stählt die Nerven, härtet bei genügender Vorsicht und allmäliger Gewöhnung auch den scheinbar schwächlichste Körper, macht auch den Grossstädter schliesslich wieder zum Naturkinde und schärft ihm die auf der Schulbank verkümmerten Sinne. In dem Beobachten der still und versteckt lebenden Sumpfvögel, namentlich liegt ein ganz eigener Reiz und es gewährt einen unbeschreiblichen Genuss, der Natur gerade ihre innersten Geheimnisse abzulauschen, aber es gehört dazu vor allem zweierlei, grosse Begeisterung für die Sache und eine eiserne Gesundheit. Namentlich das Herausholen der erlegten Vögel hat, falls man nicht über Hund und Kahn verfügt, oft seine eigenen Schwierigkeiten, aber der Ornithologe hält es für Ehrenpflicht, den einmal geopferten Vogel nun auch unter allen Umständen für die Wissenschaft zu retten und zu erhalten und ich kenne Männer, die ihr Leben rücksichtslos auf's Spiel setzten, wenn es galt, eine erlegte Seltenheit aus dem Sumpfe herauszuholen. So ist unser Leben reich an mannigfachen Abwechslungen, an Freuden und Leiden, es lässt in buntem Wechsel auf farbenprächtigen Bildern eine Fülle der interessantesten Naturerscheinungen an uns vorüberziehen, es gibt uns unserer ursprünglichsten und liebevollsten Mutter, der Natur, zurück, es schafft uns ein stilles und ungetrübtes Glück, das uns gleichgiltig über alle Anfeindungen und Verkennungen, über alle äusseren Widerwärtigkeiten und Beschwerden hinwegsehen lässt, erweckt uns Sinn und Liebe für alles wahrhaft Schöne und Gute, gewährt mit einem Worte die grösste innere Befriedigung. Die Freuden des reisenden Naturforschers mit Worten zu schildern, möchte ich für unmöglich halten. Deshalb ist auch die Sehnsucht nach dem Vogelreichthum der tropischen Zone in uns eine unnennbare, deshalb schrecken wir vor keinen Gefahren, Beschwerden und Opfern zurück, wenn sich Gelegenheit bietet, dieses Sehnen zu verwirklichen, deshalb ist Reisen des Ornithologen glühendster Wunsch.

Aus der Jugend eines Vogelfreundes.

Von August Koch-Williamsport.

Liegt das Vergnügen an der Ornithologie im Blut oder kann solches in jedem Menschen entwickelt werden? Ich glaube nur das Erstere — Uns Allen ist wohl das alte Sprichwort bekannt:

„Fische fangen und Vögel stellen, verderben manchen Junggesellen" — wie das auch sein mag, behaupte ich, dass mehr Gutes als Böses dabei herauskommt, freilich sind die Conditionen im alten Lande ganz anders gestaltet als solche bei uns in Nordamerika noch vor Kurzem waren.

Dem europäischen Wald- und Gutsbesitzer und noch mehr dem richtigen Ornithologen, würde es heutzutage kaum recht sein, wenn Jeder, sei es Alter oder Junge, eine unbezähmbare Leidenschaft für die Bewohner der Wälder und Felder an den Tag legte.

Schon mein Grossvater, der in Würtemberg an der baierischen Grenze wohnte, hatte grosse Freude an einer grösseren Anzahl Stubenvögel, die er sich alle selbst fing.

Nur einmal als achtjähriger Knabe war es mir vergönnt, meinen mehrere Tagreisen entfernt wohnenden Grossvater in seiner Heimath zu besuchen. Wohl erinnere ich mich seiner Vogelstube. Auf der einen Seite des Zimmers in der Nähe der Eingangsthüre war der grosse, bis nahe zur Decke reichende, gemauerte, aussen heitzbare Ofen, dessen Oberfläche mehrere grosse Mehlwurmtöpfe und Eingewöhnungs-Käfige beherbergte. Ueber den Rand des Ofens herab bog sich der Hals und das listige Gesicht einer zahmen Dohle die uns unverwandt anblinzelte. Die anderen drei Seiten der Stube waren ganz von, auf dem Fussboden den Wänden entlang laufenden drei Fuss hohen Käfigen eingenommen, jedoch in längeren und kürzeren Zwischenräumen waren Schieber angebracht, wahrscheinlich um die stärkeren Vögel von dem feinen Futter abzuhalten.

Da waren Drosseln, Kreuzschnäbel, Lerchen, Finken, Meisen, Bachstelzen, Rothbrüstchen oder (Rothkröpfe) Grasmücken und Andere.

An den Wänden hingen noch kleinere Käfige mit Buchfinken und ein Schwarzkopf des besseren Singens wegen, wie mir berichtet wurde.

Was meinen Vater betrifft, hatte er zu wenig Zeit um die Vögel zu pflegen, hatte aber grosse Freude an der Jagd und schoss auch schon damals die schönsten in unserer Nähe zu habenden europäischen Vögel, wie Goldamsel, Eisvogel, Grünspecht, Wiedehopf etc. für mich, indem er mir zugleich die Erlaubniss ertheilte, solche Vögel bei Herrn Plouquet in Stuttgart ausstopfen zu lassen. Gewöhnlichere Vogelarten wurden beim nächsten Präperator, einem Schweizer, in Arbeit gegeben, letzterem Herrn sah ich meine ersten Ideen für späteres Präparieren ab.

Besagter Präperator war nicht immer in bester Laune, daher schien ihn seine Arbeit manchmal sehr zu ärgern, dann warf er den Vogelbalg oder theilweise abgebalgten Vogel, in die entfernteste Stubenecke, mit der kräftigen Bemerkung: Doss diach der Strohlhogel verschlog — — — Du Chaib.

Sofort aber holte er den Balg mit langen Schritten zurück und arbeitete wieder ruhig daran weiter. Die meiste Nahrung erhielt mein Interesse am Thierreich durch einen nahe wohnenden Onkel, der mir die ersten Lectionen im Schiessen ertheilte und der den Fisch- und Vogelfang sowohl, wie alle Fallen für Vögel und kleine Thiere durch und durch zu construiren verstand.

Das eine Mal brachte er durch sein Pfeifen das Männchen der Goldamsel aus den hohen Kronen der Erlen zum Schuss, ein anderes Mal goss er Blut in den Schnee, um durch's Fenster des Stalles der Elstern und Raben habhaft zu werden oder er baute an passenden Stellen Ruthengerüste vom Ufer über das Wasser um den Eisvogel zu überlisten. Bei anderer Gelegenheit brachte er seine Rocktaschen voll von ausgehobenen Elstern oder Hähern nach Hause, bei welcher Gelegenheit er sich wenig Lob bei seiner besseren Hälfte einerntete, wenn die schreckliche Verfassung der Taschen seines Sonntagsrockes zu Tage kam.

Zur weiteren Illustration erlaube ich mir nun einige ornithologische Streiche folgen zu lassen, die mir während meiner Knabenjahre von 6. bis 12 Jahre vorkamen.

An einem Christagmorgen stand ich geblendet vor dem hell erleuchteten und schwer beladenen Christbaume, meine Eltern hatten mich mit manchem hübschen und zugleich nützlichem Objecte zu erfreuen gesucht. Halb versteckt unter den niedersten Aesten des Baumes aber, nahm ich einen hübsch aus hartem Holz gearbeiteten Vogelschlag wahr, in welchem etwas Lebendes wie eine Maus hin und her sprang. In einem Satze war ich dort. Eine Meise! und Alles Andere war vergessen. Hinter dem Christbaume aber hörte man unterdrücktes Gelächter — mein Onkel, der sich über meine Eltern lustig machte, indem er behauptete, dass er besser verstanden habe mich zu erfreuen, als es letztere gekonnt hatten.

Eines Tages meldete sich ein neuer Ankömmling in der Familie, nachdem der Onkel mich aufgesucht hatte, schickte er mich mit folgenden Worten nach Hause: „Geh gleich heim, Du wirst einen neuen Vogel dort vorfinden.

O gewiss eine junge Elster rief ich entzückt aus, er aber lachte mir verschmitzt nach, als er mich in vollem Eifer nach Hause rennen sah.

Ueber eine etwa zwölf Fuss tiefe Stelle eines Mühldammes huschte ein Zaunkönig zwischen den Wurzeln eines Baumes, der am entgegengesetzten Ufer stand, im nächsten Augenblicke hieng ich bei den Armen im dünnen Eise, von wo mich zwei andere Knaben durch hinüberreichen einer Hopfenstange herausfischten.

Nach einem sehr nasskalten Regen, im Herbst fing mir mein Onkel einen halberfrorenen Staar, den ich eben in einen grossen Käfig zu stecken im Begriffe war, als der Musiklehrer ankam. Der Käfig wurde einstweilen mit dem Vogel unter das Instrument geschoben. Während der Lection liess der Staar einen Laut hören, wie sich später herausstellte, seinen letzten. Der Staar pfeift, rief ich erfreut aus, fühlte aber denselben Augenblick den dumpfen Stoss meines ärgerlichen Professors in meiner Seite, mit der begleitenden Bemerkung, besser auf die Noten zu sehen.

Im Herbst kam es öfters vor, dass einzelne Paare oder auch kleine Flüge wilde Enten, (A. boschas) aus den königl. Anlagen bei Stuttgart entflohen. Eines Tages sass ein Paar, leider wie ich später zeigte, zahme Enten, am Rande unseres dicht am Nekarfluss liegenden Gartens. Zwischen dem hohen Grase und Weidengebüsch reckte sich der grüne Kopf des Erpels hervor und der Schuss meiner leichten Vogelflinte mähete Gras und Weiden hinweg. Von der anderen Seite des Flusses aber liess sich eine rauhe Stimme hören:

Wart' du Lausbua, i will diar meine Enta schiasa. — Natürlich war es mir gar nicht weiter darum zu thun, den Effect meines Schusses näher zu prüfen.

An dem Ufer eines ebenfalls den grossen Garten begrenzenden Canals, hatte ein Paar Eisvögel ihren Nistplatz gebaut und mehrere aufeinander folgenden Jahre ihre Jungen darin grossgezogen. Von meinem Vater wurden die Vögel beschützt und dabei mir streng befohlen, mich nicht zu unterstehen, den schönen Besuchern etwa ein Leid zuzufügen.

Schon oft hatte ich an verschiedenen entfernteren Stellen versucht, einmal einen Eisvogel zu schiessen, immer aber ohne Erfolg. Eines Tages aber, im Herbst, nachdem die Jungen des Nestes schon längst selbstständig waren, sah ich einen der Schützlinge meines gestrengen Vaters auf einer das Ufer überragenden Gerte, über dem Wasser sitzen.

Die ornithologische Versuchung war zu stark, komme was will, der Schuss krachte — weit vom Ziel. — Die Ohrfeige aus der schweren Hand meines Vaters, hatte das Leben seines Schützlings gerettet.

Eines Tages hatte ich das Glück, ein Wasserhuhn (Fulica atra) zu schiessen, zu Hause angekommen, traf ich den Vater in schrecklichem Humor über mein längeres Ausbleiben. Er nahm mir den Vogel, nur um mir denselben am nächsten Geburtstage, schön von Plouquet gestopft, wieder zuzustellen. Heute noch, nach mehr als vierzig Jahren, ziert der Vogel in Amerika meine Sammlung.

Nach Amerika.

Nur wenige meiner gestopften Vögel durften mir in die neue Welt folgen, eine ansehnliche Kiste, angefüllt mit zum Theile sehr werthvollen Versteinerungen aus Egypten wurde vom Vater einfach als Steine titulirt, welche man nicht in Amerika brauchen könne. Sogar die reiche Schmetterling- und Käfersammlung musste, schlecht verpackt, zu Grunde gehen, wobei ich namentlich den schönen Todtenkopf lange Zeit betrauerte.

Von den ersten im neuen Lande vorgefundenen Vögeln machte der schöne Trauervogel oder Goldamsel (Icterus Galbula) besonderen Eindruck auf mich, wie er laut flötend, mit weit gespreiztem Schwanze, langsam mit wenigen Flügelschlägen unter den blühenden Apfelbäumen, in unserem kurz zuvor erkauften Baumgarten durch die Luft zu schwirren schien, war ihm nicht zu widerstehen, einer musste geopfert werden.

Meiner zu zierlichen deutschen Vogelflinte hatte aber Reise und Rost gar übel mitgespielt. Eine donnergleiche Explosion und ich hielt den Lauf in der Linken, die rechte Hand war leer, kein Tropfen Blut war geflossen und doch war der von der Rechten kurz zuvor umschlossene Bügel, tief in den Grasboden eingetrieben, sonst lagen nur wenige Splitter des Schaftes umher.

Meine erschrockenen Eltern riefen mir zu, ob ich verwundet sei, ich aber war mehrere Minuten lang gänzlich taub.

Etwa eine halbe Stunde später schickte sich mein Vater an, fort zu gehen. Eine gute Gelegenheit sein gutes Gewehr zu prüfen. Die schon oft von mir geschätzte Doppelflinte meines Vaters wurde sofort geladen und der gewünschte Vogel ohne Unfall geschossen. „Warte nur bis der Vater nach Hause kommt", drohte die besorgte Mutter. Der Vater blieb auch nicht sehr lange aus und wurde mit strengen Blicken empfangen. Dein braves Söhnchen hat dein Doppelgewehr aus dem Kasten geholt und sich unterstanden, schon wieder zu schiessen, nachdem er ebenso unglücklich hätte sein können.

Schmunzelnd und wohlgefällig vom Vater von der Seite angesehen, ertheilte er mir die Erlaubniss von nun an sein Gewehr als das meine zu betrachten. Tagweise zog ich nun allein durch die Berge, sehr oft zum Jammer der Eltern, die mir oft vorhielten, dass es schlimmsten Falles kaum möglich wäre, mich in den Bergen aufzufinden, da man weder die Richtung, noch die Entfernung, welche ich durch den Tag gegangen war, wissen könne.

Fast ebenso gut, wie der Baltimorvogel, gefiel mir in der Freiheit unser gelber Distelfink oder Salatvogel der Pennsylvanier (Spinus tristes), der sich Ende August auf den Sonnenblumen, im Garten gütlich that. Hier musste der uns ebenfalls gefolgte Onkel wieder helfen, man kaufte etwas rohes Leinöhl und kochte Vogelleim, auf dem eisernen Herd. Durch irgend welche Ungeschicklichkeit oder unpassendes Geschirr, wurde letzteres umgestürzt, das heisse Oehl fing Feuer und lief über den Ofen herab. Zu guter Zeit fieng mein Onkel und guter Genius den Eimer voll Wasser auf, ehe letzterer von mir in's brennende Oel geschleudert wurde.

Indem sich aber, wie uns Allen wohlbekannt, der Vogelfänger, Jäger und Ornithologe nicht so leicht besiegen lässt, wurde frisches Oel übergesetzt und erst recht Vogelleim fabriciert.

Bald hatten wir eine Anzahl der hübschen Finken gefangen, liessen uns aber verführen, die Sonnenblumenkerne als Hauptfutter zu geben, worauf die Vögel nur einige Tage am Leben blieben, Von nun an wurden alle in's Auge fallenden Vogelarten, entweder jung aus dem Neste aufgezogen oder auf irgend welche Art lebendig gefangen. Unseren Zimmet oder Purpurfink (Carpodacus purpureus) und Kreuzschnabel (Loxia minor) konnte ich lange nicht in meine Gewalt bringen, da mir natürlich die Lockvögel dazu fehlten.

Weiter hatte mich jedoch der Onkel gelehrt, Junge, schon umher fliegende Vögel, durch anstossen mit auf langen Stock gesteckte Leimruthen zu fangen. Bald brachte ich es so weit in dieser Kunst, dass ich viele alte Vögel so fing, worunter auch Purpurfinken und Kreuzschnäbel zählten.

Zum Fang gab mir der Vater Anleitung um für Kreuzschnäbel eine 18 Fuss hohe Stange mit aufgesteckten Leimruthen und Lockvogel anzurichten. Der erste Versuch brachte acht Gefangene, worunter mehrere sehr rothe Exemplare waren.

Dem Purpurfinken konnte man nur in der Nistzeit und in den Strassen der Stadt ankommen, dort nistete derselbe in den Ziertannen vor den Häusern, wo dieselben für mich unzugänglich waren. Mit langer, gegen sechzehn Fuss messenden Ruthe, in deren Spitze eine Leimruthe leicht eingeklemmt war, zog ich nun in den abgelegeneren Strassen umher, um den gewünschten Lockvogel zu erhalten. Von neugierigen Menschen gefolgt und wegen meinem, denselben räthselhaftem Thun befragt, antwortete ich zwar freundlich, aber doch mit inneren Aerger, dass am Ende des Stockes Salz angeklebt sei, welches ich dem Vogel auf den Schwanz zu bringen trachte, natürlich wurde ich dann gleich von meiner aufdringlichen Begleitung verlassen. Nachdem der Lockvogel erhascht war, war es ein leichtes eine Menge Junge dieser Vögel, aber nie alte im Fangkäfig zu fangen. Purpurfinken erhalten nie das im Frühjahre wie Morgenroth glänzende Gefieder, sondern nur einen gelben Anflug der beinahe ockerartig aussieht, auch alte Vögel legen bald in der Gefangenschaft ein solches Kleid an, um künftig für immer dasselbe zu behalten.

Bald waren die Wände des unteren Stockes mit Vogelkäfigen bedeckt, was mir manchen Strauss mit der sonst sehr sanften Mutter und den Dienstboten eintrug. Zum Glück war nun der Vater hier wieder der Beschützer und wie bekannt ist der Wunsch des deutschen Vaters — Befehl.

In späteren Jahren als ich selbstständig wurde, ging ich weiter und baute ein Vogelhaus so an das Wohnhaus, dass man vom Wohnzimmer eintreten kann, um die Vögeln abzuwarten, dabei erhält das Vogelhaus die Wärme von der Dampfheizung des Wohnhauses und ist mit laufendem Wasser versehen.

Ebenso eifrig wie der Vogelfang wurde auch das Sammeln der Vögel zum stopfen betrieben, an dem Aufstellen derselben arbeitete ich in früheren Jahren gewöhnlich bis Mitternacht, indem es mir tagsüber an Zeit gebrach, viele der in jüngeren Jahren gestopften Vögel wurden später verschenkt oder sonst weggegeben, sobald bessere Exemplare der gleichen Art präpariert waren. Am heutigen Tage sind keine mangelhaften Stücke in meiner gegen dreitausend Exemplare zählenden Sammlung zu sehen. Die Vögel sind in einem eigens als Privat-Museum gebauten, feuerfesten Gebäude, in mit den neuesten Verbesserungen versehenen, aus poliertem Hartholz und französischem Glas gearbeiteten Kästen untergebracht.

Das kleine Museum ist frei für jeden ordentlichen Besucher, der sich entweder das Vergnügen machen will, solches durchzusehen oder den Inhalt zu studieren.

Steppenhuhn-Zucht.

Von **A. Christensen**.

Nachdem mein Paar Steppenhühner im Sommer 1890 Eier gelegt hatte, welche wohl alle befruchtet waren, aber doch nicht lebende Kücken lieferten, gab ich mir im Frühjahre 1891 besondere Mühe ein besseres Resultat zu erzielen, was mir auch theilweise glückte.

Das erste Ei wurde am 15. Juni gelegt und wie untenstehende Aufzeichnung aufweist, erhielt ich zusammen 3 Eier, da die Steppenhühner selbst dann, nachdem sie seit August 1888 in Gefangenschaft gewesen, sehr scheu sind, war keine Aussicht dafür, dass sie selbst brüten wollten, durch Gefälligkeit der Direction des zoologischen Gartens wurde mir eine Bruthenne (Bantam) überlassen, welche sich als sehr zuverlässig zeigte, indem sie von Mitte Mai bis Ende August treu die verschiedenen Eier von Steppenhühner chinesischen — und Francolin-Wachteln — brütete, welche ich im Laufe des Sommers unter sie legte, mitunter, wenn Wachtelkücken oder Steppenhühnerkücken im Begriff waren die Schalen zu zerbrechen, wurde sie doch etwas ungeduldig und pickte in das Ei um ein Kücken auszuhelfen, auf diese Weise gingen zwei voll entwickelte Steppenkücken in den Eiern zu Grunde.

Das erste Kücken, am 9. Mai ausgebrütet, sass zu fest in der Schale, die bei der Lösung des Nabelstrangs bewirkte Blutung machte es sehr schwach und es starb an demselben Tage. — Die anderen Kücken, welche zu verschiedenen Zeiten voll entwickelt und munter aus den Eiern gekommen waren, wurden unter der Henne erstickt wenige Stunden nach dem sie ausgebrütet waren, wiewohl ich, belehrt durch frühere Erfahrung genau aufpasste und sie von der Henne entfernen wollte, sobald sie trocken geworden waren. Zwei von den drei erwähnten, am 24. Juli ausgebrüteten Kücken waren besonders munter, und ich freute mich schon darüber, dass nun das Ziel erreicht war. Ich wollte sie, doch noch etwas ausruhen lassen, nach den grossen Anstrengungen, welche wie es scheint, besonders für das Steppenhuhn damit verbunden sind, die Schale zu zerbrechen, (da die Brechung schon am 20.—21. Tag beginnt, während das Kücken erst am 23.—24. Tage herauskommt,) aber knapp eine Viertelstunde später als ich zuletzt nach ihnen gesehen hatte, lagen die Beiden erstickt unter der Henne.

Den 6. August kamen endlich zwei Kücken wohlbehalten hervor, ich entfernte sie zeitig von der Henne und unterbrachte sie in einer ziemlich einfachen „künstlichen Mutter“, bestehend aus einem länglichen Blechkasten (der untere Theil von einem Vogelbauer), unter welchem eine kleine Oellampe gesetzt wurde, um die nöthige Wärme zu geben. Es galt jetzt, das passende Futter zu finden um sie damit aufzufüttern, ich versuchte aufgeweichte Ameiseneier mit Eierbrot und Eidotter gemischt, sowie gestossene Hirse, aber obgleich die weit kleineren Francolinwachteln, welche ungefähr gleichzeitig hervorkamen, gut dabei gediehen und leicht ein Ameisenei herunter schluckten, schienen die Steppenhühner, welche äusserst plump und unbeholfen waren, nicht viele Nahrung aufzunehmen, das Eine wuchs durchaus nicht und starb schon am 11. August. Leider zu spät war ich auf den Gedanken gekommen, es mit Gras- und Kleesamen zu versuchen, das übrig gebliebene gedieh ausgezeichnet, befindet sich noch heute im besten Wohlergehen und ist sehr zahm. Seine Farbe ist zur Zeit wie bei der alten Henne, es ist etwas kleiner, aber vielleicht noch nicht ganz ausgewachsen. Ein Junges am 18. August ausgebrütet wurde unter der Henne erstickt.

Nachstehend gebe ich die Zusammenstellung des Lege-Datums, sowie der Erbrütung der im Sommer 1891 bei mir gelegten neun Eier.

Juni 15. } 1 Ei von der Henne entzwei geschlagen.
„ 17. } 1 Ei, 9. Juli ein Junges, welches gleich starb.

Juni 27. } 3 Eier unter der Henne 1. Juli gelegt,
„ 29. } 24. Juli 2 Junge, wovon eines aufgezo-
„ 31. } gen wurde.

Juli 8. } 2 Eier unter der Henne 13. Juli gelegt.
„ 10. } 6 August 2 Junge.

Juli 20. } 1 Ei von der Henne entzwei geschlagen.
„ 22. } 1 Ei am 18. August ausgebrütet.

Copenhagen, December 1892.

Die Geflügelzucht und deren Bedeutung für Oesterreich-Ungarn.

Unter allen Zweigen der landwirthschaftlichen Thierproductionen wurde bisher die Geflügelzucht am wenigsten beachtet, ja sogar missachtet, man hielt sie stets für einen Passiv-Posten im landwirthschaftlichen Haushalte, der höchstens geeignet erscheint den weiblichen Mitgliedern desselben einen kleinen Nebenverdienst zu bieten, während der Landwirth selbst mit Missgunst auf dieselben blickte, weil hierdurch nach seiner Ansicht Manches der Wirthschaft entzogen wurde, was nützlicher hätte verwendet werden können, während in Wirklichkeit der Geflügelzucht ein hoher volkswirthschaftlicher Werth innewohnt und sie für Oesterreich-Ungarn von höchster Bedeutung ist.

Die Producte der Geflügelzucht bilden nämlich in Oesterreich-Ungarn einen Exportartikel, dessen Tragweite erst Wenigen bekannt sein dürfte.

Aus dem österreichisch-ungarischen Zollgebiete wurden 1891 für 15,925.830 fl. Eier, für 11,700.330 fl. Bettfedern und für 3,912.290 fl. lebendes und todtes Geflügel, also zusammen für 30,538.400 fl. Producte der Geflügelzucht exportirt.

Mehr bedarf es wohl nicht um die Wichtigkeit der Geflügelzucht für Oesterreich-Ungarn zu beweisen. Ziffern sprechen! Wie überraschend gross die Zunahme unserer Ausfuhr in diesen Producten in den letzten Jahren gewesen, erhellt wohl am besten aus einer diesbezüglichen Zusammenstellung des kaiserlichen statistischen Amtes in Berlin, wonach die Einfuhr von Eiern und Eigelb aus Oesterreich-Ungarn in's deutsche Zollgebiet von 10,897.000 Metercentner im Jahre 1880 auf 25,918.000 Metercentner im Jahre 1889 gestiegen ist, sich also um mehr als das zweieinhalbfache vermehrt hat!

Deutschland hat überhaupt 1889 circa 70 Millionen Mark für Producte der Geflügelzucht an das Ausland gezahlt, dagegen nur für circa 4 Millionen exportirt ist, daher mit circa 66 Millionen Mark passiv geblieben!

Wir können daher Oesterreich-Ungarn nur Glück wünschen, dass es in seiner Geflügelzucht einen so hochwichtigen Exportartikel besitzt, wenn auch derselbe bisher so wenig gewürdigt wurde, dass die meisten Landwirthe bei Nennung der Geflügelzucht nur verächtlich die Achseln zucken! Allerdings ist die Geflügelzucht nicht in allen Verhältnissen, in jeder Lage von gleicher Bedeutung, voran stehet hierin Ungarn und Galizien, das sind die beiden Hauptproductions-Gebiete unserer Geflügelzucht und werden es voraussichtlich auch auf lange bleiben. Die Hauptbedingungen für die Rentabilität der Geflügelzucht sind billige Ernährung und freier Auslauf der Thiere, diesen beiden Factoren kann man nur am Lande gerecht werden und auch da nur unter günstigen Verhältnissen. Eine Geflügelzucht in einer Stadt und dort, wo das Futter angekauft werden muss oder sonst besser verwerthet werden kann, darf wohl nie auf Rentabilität rechnen. Es werden wohl einzelne Fälle vorkommen, wo eine gut angelegte Sportgeflügelzucht durch Verkauf von Zuchtgeflügel und Brut-Eiern rentabel sein mag, doch das sind einzelne Fälle, die auf Vorraussetzungen beruhen, die auch viel zu selten eintreffen, um als Regel aufgestellt zu werden. Die Geflügelzucht passt am besten für den bäuerlichen Kleinbesitzer, wo die Aufzucht fast kostenlos geschieht, wo das Geflügel, nebst freiem Auslaufe, Düngerstätten, Stallwärme und dergleichen zur Verfügung hat, wo Abfälle des Haushaltes und der Wirthschaft zur Verwendung gelangen, welche sonst keine Verwendung finden. Wir möchten bei dieser Gelegenheit besonders vor dem Versuche warnen, durch Anlage grosser Zuchtanstalten, welche entweder auf massenhafte Eier-Production oder auf Erziehung von Schlachtgeflügel basirt werden sollen, eine gewinnbringende Unternehmung zu gründen. So lohnend die Geflügelzucht im Kleinbetriebe ist, so gefährlich gestaltet sie sich bei dem Streben auf Massen-Production, namentlich wenn nicht reiche Erfahrung hierbei zu Gebote steht. Es ist eine Eigenthümlichkeit des Geflügels, dass bei Anhäufung grosser Massen in geschlossenen Räumen sich gar so leicht erstickenden Krankheiten, namentlich solche dyphteritischer Natur entwickeln, wodurch oft in kurzer Zeit ganze Zuchten zu Grunde gehen.

Solche Fälle sind leider zu häufig vorgekommen, um nicht abschreckend für ähnliche Fälle zu dienen.

Derlei grosse Unternehmungen können nur dann gedeihen, wenn der Besitzer, nebst reicher Erfahrung, mit besonderer Lust und Liebe ans Werk geht, wenn er ein verlässliches Dienstpersonale zur Verfügung hat, welches ebenfalls Verständniss für die Sache hat, wenn die Stallungen so geräumig und lüftig, doch ohne jede Zugluft sind, dass keine Anhäufung des Geflügels stattfindet, wenn den Thieren möglichst freier Auslauf gestattet ist und vor Allem wenn ihnen billiges Futter zur Verfügung steht. Hierbei muss auch die peinlichste Reinlichkeit herrschen, stets frisches Trinkwasser zur Verfügung stehen und auch wirklich verabreicht werden, ein Umstand, der eben vom Dienstpersonale selten gebührend beachtet wird. Im Sommer soll wenigstens 3mal im Tage frisches Wasser gegeben, dabei jedes Mal die Trinkgefässe gereinigt werden. In jedem Falle müssen zugleich separirte Krankenställe vorhanden sein, um marode Thiere sofort von den gesunden trennen zu können, auch dürfen die Wärter, welche die kranken Thiere pflegen, in keine Berührung mit den gesunden kommen oder müssen doch wenigstens hierbei die äusserste Vorsicht beobachten, denn die Uebertragung des Krankheitsstoffes bei dypheritisartigen Erscheinungen ist eine unglaublich leichte. In der Umgebung Wiens wurde vor einigen Jahren eine grössere Geflügelzucht-Anstalt unter denkbar günstigen Verhältnissen errichtet. Die Stallungen waren zweckmässig, allerdings etwas beschränkt, die Ausläufe geräumig, Wiese und Gesträuche, alles hier, einen günstigen Erfolg in sichere Aussicht zu stellen. Die Besetzung der Anstalt erfolgte mit 400 Ialiener-Hühnern, welche anscheinend gesund eintrafen und sich recht wohl zu befinden schienen.

Bald zeigten sich jedoch Symptome von Dyphteritis und in kurzer Zeit stand die Anstalt verödet da, alle Thiere waren dem bösen Uebel zum Opfer gefallen, wobei wir allerdings nicht entscheiden wollen, ob demselben bei grösserer Fachkenntniss nicht Einhalt zu thun gewesen wäre. Auch in Deutschland gibt es der Beispiele genug, wo dergleichen grosse, anscheinend höchst zweckentsprechend angelegte Anstalten bald wieder verschwanden. Wenn wir durch diese Bemerkungen vor allzu sanguinischen Hoffnungen warnen und besonders unerfahrene Anfänger von derlei Versuchen abhalten wollten, so liegt doch gewiss in der Bedeutung unserer Geflügelzucht ein wichtiger Sporn der Verbesserung und Veredlung derselben alle Sorgfalt zuzuwenden.

Wenn auch unsere Landschläge sich durch besondere Widerstandsfähigkeit gegen climatische Einflüsse, durch Genügsamkeit und verhältnissmässig fleissiges Eierlegen auszeichnen, so sind sie doch durch langjährige Inzucht und Vernachlässigung körperlich sehr zurück gegangen, so dass eine Zuführung fremden Blutes zur besseren Körperentwicklung, Erzielung grösserer Eier und überhaupt Erhöhung der Productivität im hohen Grade geboten erscheint. Die Nutzgeflügelzucht sollte daher das Hauptaugenmerk aller Geflügelzucht-Vereine bilden, da wir ja Rassen besitzen, welche wie geschaffen erscheinen, die Mängel und Gebrechen unserer ländlichen Geflügelzucht aufzubessern. Es handelt sich nur darum, eine möglichst zweckmässige Wahl jener Rassen zu treffen, welche uns am besten und sichersten zum gewünschten Ziele führen.

Der Anstoss durch Einführung besserer Rassen unsere Geflügelzucht zu heben, geschah vor nunmehr 40 Jahren durch die der Königin von England als Geschenk zugesendeten ersten, gelben Cochins. Die riesige Gestalt dieser Thiere im Vergleiche zu unserem heimischen Haushuhn erweckte allgemeine Bewunderung und erregte einen ordentlichen Trubel in den betreffenden Kreisen, man glaubte das Cochinhuhn sei berufen, einen ganzen Umsturz in der Geflügelzucht herbeizuführen, man überschätzte den Werth desselben, der durch dessen übergrosse Brutlust verhältnissmässig geringe Eierproductivität, groben Knochengerüste, daher für die Grösse der Thiere schwachen Fleischansatz, sehr herabgemindert wird; doch immerhin gebührt dem Cochinhuhn das Verdienst, den Grund gelegt, eine verbesserte Geflügelzucht angebahnt zu haben. Nach und nach entstanden andere noch weit bessere Rassen, theils durch directe Einführung, theils durch zweckmässige Kreutzungen, in letzteren sind uns wieder die Engländer und Amerikaner vorangegangen, und haben mehrere, treffliche, nunmehr constant gewordene Rassen heraus gezüchtet, wir nennen hier nur die Plymouth-Rock und Wyandotte, beide vorzügliche Nutzrassen. Unter den direct importirten Original-Rassen stehen die aus Nord-China zu uns gekommenen Langshans obenan, es ist dies eine Rasse, die sich überall Bahn gebrochen, wohin sie eingeführt und rationell behandelt wurde. Das Langshan-Huhn ist widerstandsfähig, erträgt selbst ungünstige climatische Verhältnisse leicht und gut, legt ungemein fleissig, besonders im Winter, wo eben die Eier am theuersten sind, es ist gleichzeitig ein gutes Fleisch- und Legehuhn. In Prjedor in Bosnien wurde eine grosse Zuchtanstalt von weissen Langshans durch den dortigen landwirthschaftlichen Verein angelegt und auch sonst überall, hat die Zucht der Langshans-Hühner vollauf befriedigt.

Das Italiener-Huhn hat, besonders in Deutschland, ebenfalls starke Verbreitung gefunden, doch ist, bei allerdings vorzüglichem Eierertrage der Fleischwerth ein so äusserst geringer, dass es kaum den Ruf verdient, welchen es sich erworben, zumal auch dasselbe für Krankheiten sehr empfänglich ist und bei weniger günstigen Verhältnissen denselben sehr leicht erliegt.

Wir möchten bei dieser Gelegenheit Anfänger besonders warnen, lobpreisenden Ankündigungen über neu auftauchende Rassen nicht zu viel Vertrauen zu schenken. Gewissenlose Händler und Züchter treiben oft ein böses Spiel, ganz dazu geeignet, Anfänger oder selbst ältere Züchter zu entmuthigen und der Geflügelzucht abwendig zu machen.

Auch unter dem Wassergeflügel gibt es mehrere neuere Rassen, welche bestens zur Verbesserung unserer Landrassen empfohlen werden können, dies sind die riesig grossen Thiere, weissen Peking und die wohl kleiner, aber ebenfalls sehr gute Alysbury-Enten, sowie auch die wildentenfarbigen Rouen-Enten, unter den Gänsen müssen als zur Veredlung besonders berufen die Emdener- und Toulouser-Gänse hervorgehoben werden, sowie auch zur Erzielung grösserer und stärkerer Truthühner das broncefarbige amerikanische Truthuhn allgemeinere Verbreitung verdient. V. S.

Einer der Nestoren der Taubenzucht.*)

In unserem Vaterlande wird die Taubenzucht von Vielen, als Kinderspiel und unnütze Beschäftigung für nicht gescheite Menschen angesehen! Aeusserlich, ohne alle, auch der kleinsten, näheren Kenntnisse, mit oberflächlicher Beurtheilungsgabe wird die Sache betrachtet; besonders aber fällt diese wunderbare Meisterschaft auf — welche noch wunderbarer wird — wenn wir die grenzenlose Leidenschaft eines echten Taubenzüchters zu ihr sehen.

Nun, wir bitten sehr, wenn diese Sache gar so eine Abnormität ist, so erscheint es uns Taubenzüchtern viel toller, dass z. B. ein normal angelegter Mensch einen Genuss darin finden kann, die ganze Nacht beim Kartenspiel oder Schachbrett zu sitzen und unnütz seinen Verstand anzustrengen — oder etwa wegen einer 40 kr. werthigen Wildente bis an die Hüften in den Sumpf zu steigen. — Lassen wir das, wir wollen es nicht fortsetzen, zu untersuchen, was gescheit — und was närrisch ist!

Ich liebe die Tauben, liebe sie grenzenlos — es gibt für mich auf der Welt kein Vergnügen, keinen Zeitvertreib, die mir das ersetzen könnte, was mir meine Tauben bereiten.

Die Taubenzucht ist auf der ganzen Welt verbreitet — und mit gleicher Passion betreibt sie der kleine asiatische Muselmann, wie der gebildetste, englische Gentleman.

Von allen Arten der „Geflügel"-Zucht hat die Tauben-Zucht die meisten Liebhaber, diese stellen das grösste Contingent.

Die Taubenzucht hat ihre grösste Ausbreitung in England und Deutschland, dann in Frankreich — am schwächsten in Ungarn — und in den, von diesem südlich liegenden Ländern.

Wir kennen manche intelligente, gescheidte Menschen, die ihr ganzes Leben dem Studium der Taubenzucht (dem Leben und der Entwickelung der Tauben) gewidmet haben.

Einer dieser, zweifellos der hervorragendste derselben, war der berühmte Gelehrte Darwin. Ausser Darwin gibt es aber noch manche andere bekannte Taubenzüchter von grossem Rufe, unter welchen es wohl verdient der Name des Herrn Rathes Bruszkay, Vice-Präsident des 1. öst.-ung. Geflügelzucht-Vereines, als Nestor genannt zu werden, welcher sich nun seit 52 Jahren unausgesetzt mit der Tauben- und zwar ausschliesslich mit der Pfautauben-Zucht beschäftigt. In diesen 52 Jahren hat sich im Weltall vieles zugetragen. — Welterschütternde Gebilde entstanden und erlangten Einfluss auf ihre Zeit. — Bruszkay aber geht heute noch, wie vor einem halben Jahrhundert, mit derselben, jungen Seele und Begeisterung zu seinen Tauben, zwischen denen er noch immer lernt und neue Zurichtungsprobleme mit Verstand ergründet.

Ja, jene Wissenschaften, welche in die wunderbaren Gesetze der Natur eingreifen, bleiben doch immer die interessantesten und können nie erschöpft werden, weil der Einblick in die Naturgeheimnisse von Tag zu Tag mehr die Einsicht bringt — wie wenig man davon noch weiss!

Und hat Bruszkay's ein Halbjahrhundert lange Arbeit, ausser der Befriedigung seiner Passion, einen bleibenden, praktischen Erfolg? — O ja! denn er war stets ein Folgerungen ziehender und wirklich rationeller Züchter. Er verlegte sich rein nur auf die Züchtung einer Taubenart*) — vom Anfange an befasste er sich nur mit der Zucht der Pfautauben und leistete auf diesem Gebiete der Sache der Tauben-Zucht grosse Dienste. Mit ausdauernder Geduld und durch Jahrzehnte fortgesetzte Versuche züchtete er in dieser Art, zahlreiche früher nicht bekannte Farbenschläge, producirte jede erreichbare Farbe, bald dunkel, bald hell mit weissen Flügelbinden durchstrichen, dann ging er auf das Ideal der „Schild"-Pfautaube über und züchtete auch darin alle heute existirenden Farben-Schilder, bald mit dunkler, bald mit weissen Flügelbändern.

Beiläufig 150 Pfau-Tauben sind gegenwärtig in seinen beiden Tauben-Schlägen eingetheilt, auf

*) Dem December-Hefte 1892 der in Budapest erscheinenden: „Szárnyasaink" entnehmen wir obiges, von dem Redacteur dieses Blattes, Herrn Géza Parthay stammenden Artikel „A galambtenyésztők egyik nesztora" den wir hier in's Deutsche übersetzt bringen.

*) Anm. der Red.: ist nur für die letzteren Dezenien richtig, da derselbe früher alle bekannten Tauben-Arten züchtete, bis er zu der von ihm am höchsten geschätzten „Pfautaubenzucht" überging.

dem einen die lichten, auf dem andern die dunkleren Farben, unter welchen ersteren wieder auf eigenthümliche Weise die „weissen Seidenfedrigen hervorstechen.

Auf seinen Taubenböden habe ich einen angenehmen Nachmittag verbracht, nicht nur seine Tauben — sondern auch ihn selbststudierend. Er ist noch immer der elastische und wirklich passionirte Taubenzüchter, als wenn er erst vor Kurzem mit der Bevölkerung seines Taubenschlages begonnen hätte. Wenn ich bedenke, dass ich trotz meiner dreissig Jahre, auch schon 22 Jahre Tauben züchte, so sehe ich mit Beruhigung der Zukunft entgegen, dass unser hochverdienter Pfautauben-Nester Herr Bruszkay, nach Aussehen und Beweglichkeit zu schliessen, noch lange auf dem Gebiete der Taubenzucht unser Leitstern bleiben wird — was wir ihm aufrichtig wünschen.

Aus anderen Vereinen.

Sitzungsberichte*) der Allgemeinen Deutschen Ornithologischen Gesellschaft zu Berlin. Bericht über die XVII. Jahresversammlung.

Abgehalten in Berlin, vom 1.—4. October 1892.

Erster Tag. Sonnabend, den 1. October 1892, Abends 8 Uhr, im kleinen Saale des Architekten-Vereinshauses, Wilhelmstrasse 92 II.

Anwesend die Herren: Nehrkorn (Braunschweig), Floericke (Marburg), König (Bonn), Hartert (Tring), Freiherr von Berlepsch (Münden), Zimmermann (Königsberg) und Frick (Burg).

Von Berliner Mitgliedern die Herren: Reichenow, Hocke, Grunack, Thiele, Deditius, von Treskow, Frenzel, Krüger-Velthusen, Rörig, Cabanis, Ehmke, Hartwig, Heck, Schreiner, Matschie, Schotte, Schäff, Nauwerck, Bünger, Schalow, Freese und Dreyer.

Der Ehrenpräsident: Herr A. Möbius.

Als Gäste betheiligten sich die Herren: B. Henneberg cand. med (Magdeburg) und Staudinger (Berlin).

Nachdem Herr Möbius die erschienenen Mitglieder und Gäste willkommen geheissen hatte, wurden die Herren Möbius, Cabanis und Nehrkorn einstimmig zu Vorsitzenden der Jahresversammlung gewählt und zu Schriftführern die Herren Matschie und Floericke bestellt.

Herr Möbius übernimmt den Vorsitz.

Das Programm für die Jahresversammlung wird in folgender Form angenommen:

Sonnabend. den 1. October 1892, Abends 8 Uhr: Vorversammlung im kleinen Saale des Architekten-Vereinshauses, Wilhelmstrasse 92, II.

1. Berichte des Generalsecretärs und des Cassenführers.
2. Berathung eines Antrages auf Statuten-Aenderung: In § 9 Absatz 1 der Statuten statt 18 Mark zu setzen 20 Mark.
3. Wahl der Decharge-Commission.
4. Vorträge.

Sonntag, den 2. October 1892, Vormittags 9 Uhr: Versammlung in der zoologischen Sammlung des Königlichen Museums für Naturkunde, Invalidenstrasse 43.

1. Wahl des Vorstandes und Ergänzung des Ausschusses.
2. Berathung von Anträgen.

Wissenschaftliche Vorträge und Berichte.

Angemeldet sind Vorträge:

a) 1. H. v. Berlepsch: Ueber die wahrscheinlichen Ursachen des Nichtbrütens unseres Kukuks (*Cuculus canorus* L.)
   2. Südamerikanische Nova.
b) H. Schalow: Ueber die Eier der Brevipenes.
c) König (Bonn): Ueber Ergebnisse einer Reise nach Algier.
d) Dr. Floericke: Vogelleben auf der Kurischen Nehrung.
e) Dr. Reichenow: Ueber System und Entwicklungsgeschichte.
f) Krüger-Velthusen: Beobachtungen über das Fortpflanzungsgeschäft des Kukuks.
g) Bericht der Commission zur Prüfung der Nomenclatur der deutschen Vögel.

Mittags 1 Uhr: Gemeinsames Mittagessen nach der Karte im Restaurant Vogel (früher Menk), Invalidenstrasse 38. Nachmittags 2 Uhr: Fortsetzung der wissenschaftlichen Sitzung. Abends 8 Uhr: Gesellige Zusammenkunft im Restaurant Gambrinus, Jägerstrasse 14.

Montag. den 3. October 1892, Vormittags 9 Uhr: Versammlung im zoologischen Garten. Rundgang durch den Garten unter Führung des Directors Dr. Heck, Mittags 1 Uhr: Festessen im Restaurant daselbst. Nachmittags 5 Uhr: Besichtigung des Kiwi. Abends 7 Uhr: Gesellige Zusammenkunft im Burggrafen

Dienstag, den 4. October 1892, Vormittags 9 Uhr: Versammlung in der zoologischen Sammlung des Königlichen Museums für Naturkunde. Invalidenstrasse 43.

Fortsetzung der wissenschaftlichen Sitzung. Besichtigung der Sammlung. Schluss der Jahresversammlung.

Hierauf berichtet Herr Bünger über die Geschäftsführung der letztverflossenen beiden Jahre.

Zur Prüfung des vom Kassenführer Hrn. Bünger eingereichten Kassen-Berichtes wird eine Revisions-Commission gewählt, bestehend aus den Herren Grunack, Hocke und Rörig.

Alsdann wird der Antrag des Herrn Cabanis in § 9 Absatz 1 der Statuten statt 18 Mark zu setzen 20 Mark von mehr als 25 anwesenden Mitgliedern einstimmig angenommen,*) nachdem einige Mitglieder den Wunsch ausgesprochen hatten, dass die Druckerei zu grösserer Pünktlichkeit anzuhalten sei.

Ausserdem werden die Grüsse mehrerer auswärtiger Mitglieder den Anwesenden zur Kenntniss gebracht, so der Herren Parrot (München), von Tschusi (Hallein), Jablonski (Bunzlau) und Hollandt (Braunschweig), welche an dem Erscheinen auf der Jahresversammlung zu ihrem Bedauern verhindert sind.

---

*) Mit Bezug auf mehrfache Anfragen: Ob die Behufs schleuniger Publication herausgegebenen monatlichen Sitzungsberichte der ornithologischen Gesellschaft forterscheinen werden? diene zur vorläufigen Klärung, dass die von Hrn. Dr. Reichenow geplanten „Ornithologischen Monatsberichte" in keiner Beziehung zur Ornithologischen Gesellschaft stehen und nach den Statuten der Gesellschaft auch nicht stehen können, sondern lediglich ein persönliches Concurrenz-Unternehmen darstellen. Die officiellen Sitzungsberichte der ornithologischen Gesellschaft werden in der Folge durch Beigabe eines monatlichen „Ornithologischen Anzeigers" im Interesse der Gesellschaft erweitert und gewahrt werden. Der General-Secretär.

*) Auch die erforderliche Bestätigung des Gesammtvorstandes ist nachträglich durch Umfrage einstimmig erfolgt. Der General-Secretär.

Hierauf hält Herr Floericke seinen mit Beifall aufgenommenen Vortrag: „Vogelleben auf der Kurischen Nehrung."

Ein gemüthliches geselliges Zusammensein im Architekten-Keller beschliesst den ersten Sitzungstag.

Zweiter Tag, Sonntag, den 2. October 1892. Vormittags 9 Uhr, im Bibliothekzimmer der zoologischen Sammlung des königlichen Museums für Naturkunde, Invalidenstrasse 43.

Vorsitzender: Herr Möbius, Schriftführer die Herren: Floericke und Matschie.

Den ersten Punkt der Tagesordnung bildet die statutenmässige Neuwahl des Vorstandes und die Ergänzungswahl für die in diesem Jahre ausscheidenden Ausschussmitglieder. Zum Präsidenten wird einstimmig Herr Heine sen. in Halberstadt gewählt, zum Vicepräsidenten Herr Reichenow, als Generalsecretär wurde mit Stimmeneinheit Herr Cabanis wiedergewählt, sowie als Cassenführer Herr Bünger; zum stellvertretenden Secretär wurde Herr Schalow gewählt. In den Ausschuss wurden die Herren: Nehrkorn, Freiherr von Berlepsch, Wiepken und Landois wiedergewählt, für den in den Vorstand eintretenden Herrn Schalow wird Herr König, für den zum Präsidenten ernannten Herrn Heine*) Herr Frenzel durch die Wahl in den Ausschuss berufen. Herr Grunack ertheilt im Namen der Revisions-Commission die Decharge für die Richtigkeit des Cassenberichtes. Hierauf theilt Herr Cabanis mit, dass auf Beschluss des Vorstandes Herr Bolle zum Ehrenmitglied der Gesellschaft ernannt ist. Zum Versammlungsorte für das folgende Jahr schlägt Herr Freiherr von Berlepsch Cassel vor, welche Einladung nach eingehender Besprechung angenommen wurde. Als Zeit der Versammlung wurde die zweite Hälfte des September mit der Maassgabe bestimmt, dass Herrn Freiherr von Berlepsch, welcher die locale Geschäftsleitung freundlichst zugesagt hat, die genaue Bestimmung der Tage sowie die Heranziehung eines in Cassel wohnenden Mitgliedes für die Bestimmung der Tagesordnung überlassen bleibt.

Die Reihe der Vorträge eröffnet Herr Freiherr von Berlepsch, welcher über die wahrscheinlichen Ursachen des Nichtbrütens unseres Kukuks spricht. In der Discussion über die von dem Redner entwickelten Streitfragen, an welcher sich die Herren Reichenow, Krüger-Velthusen, Nehrkorn, König, Hartert, Hocke, Cabanis und Möbius betheiligen, wird eine Einigkeit in den Ansichten nicht erzielt.

Herr König spricht über die ornithologischen Ergebnisse einer Reise nach Algier, welche in diesem Journale veröffentlicht werden.

Nach Schluss dieses Vortrages wird das Mittagmahl gemeinschaftlich im Vogel'schen Restaurant eingenommen.

Unter Vorsitz des Herrn Nehrkorn beginnen die weiteren Verhandlungen um $2^1/_2$ Uhr.

Herr Reichenow entwickelt zunächst seine Ansichten über die Beziehungen der Systematik zur Entwickelungsgeschichte und die gegenwärtige Richtung in der Systematik und verspricht ein ausführliches Referat über diese Frage.

Hierauf spricht Herr Schalow über die Eier der *Brevipennes*. Er betont in seinem Vortrage die Bedeutung der Oologie für die Systematik, wies kurz auf die Bedeutung der Arbeiten von Kutter und von Nathusius hin und schildert die makroskopischen Unterschiede der Eier der in der Familie *Brevipennes* vereinigten Formen. Die Ergebnisse der makroskopischen Untersuchung stimmen mit den durch mikroskopischen Studium gewonnenen Forschungen dahin überein, dass *Apteryx* von den Straussen getrennt und in grosse Nähe der *Grallatores* gesetzt werden muss.

Herr Krüger, Velthusen, spricht über einige Beobachtungen hinsichtlich des Fortpflanzungsgeschäftes unseres Kukuks. Der Vortragende, welcher über 200 Kukukeier selbst gefunden hat, bemerkt zunächst, dass der Kukuk jahrelang dieselbe Gegend wieder aufsucht; die Weibchen wechseln aber oft mit den Revieren, so dass es schwer ist, alle Eier eines Weibchens zu finden. Bei der Wahl der Pflegeeltern bevorzugt ein Weibchen eine Vogelart, wiewohl ein Verlegen der Eier (statt bei *S. nisoria* b. *L. collurio*, statt bei *M. alba* bei *Fr. cannabina* und *E. citrinella*) nicht ausgeschlossen ist. Die Eier werden nach Beobachtungen in der Neumark und in Posen meistens in das Nest gelegt, während der Kukuk auf demselben sitzt, so dass der Nestrand heruntergedrückt wird; in den mittleren und westlichen Theilen der Mark scheinen die Eier meistens auf der Erde gelegt und mit dem Schnabel in das Nest getragen zu werden; wenigstens war niemals ein heruntergedrückter Nestrand zu beobachten. Vielfach findet man ein Kukuks-Ei im Nest allein; es werden dann die Nesteier bisweilen bis zur vollen Zahl hinzugelegt oder aber das Nest wird verlassen. Nur einmal wurde *L. collurio* auf 1 *Cuculus*-Ei allein und *Mot. alba* auf 2 Kukuks-Eiern allein brütend gefunden. Es sind fast stets Eier aus dem Nest verschwunden, sobald ein Kukuks-Ei hineingelegt ist. Entweder war die Zahl der Nesteier geringer geworden als vorher oder aber nicht im richtigen Verhältnisse gestiegen. Niemals entfernt der Kukuk alle Eier aus dem Neste, es liegen häufig zwei Kukuks-Eier in einem Neste, welche von zwei verschiedenen Weibchen gelegt sind. *S. nisoria* und *hortensis* scheinen nur selten das Nest zu verlassen, sobald ein Kukuks-Ei hineingelegt wird. In der Mark erstreckt sich die Legezeit des Kukuks ungefähr auf acht Wochen zwischen dem 20. Mai und 20. Juli; die Zahl der von einem Weibchen gelegten Eier ist ungefähr 20; die Eier werden mit zwei Tagen Zwischenraum gelegt, oft in der Mitte der Legezeit in einer meilenweit vom ursprünglichen Revier entfernten Gegend. Im Jahre 1890 fand der Redner von einem ♀ 13, von einem zweiten 15 und von einem dritten seit den letzten Tagen des Juni 8 Eier. So ähnlich die Eier eines Weibchens unter einander sind, so verschieden können die Eier zwei Inviduen derselben Gegend sein.

Herr Hartert bemerkt in der sich an den Vortrag anschliessenden Besprechung, dass bei Marburg Kukuks-Eier schon in den ersten Tagen des Mai gefunden werden.

Nach Schluss der Sitzung wurde im Linder'schen Restaurant in Pankow der Kaffee eingenommen und der Abend beim geselligen Zusammensein im Gambrinus verbracht.

Dritter Tag. Im zoologischen Garten versammelten sich die Theilnehmer an der Jahresversammlung am Montag, um unter Führung des Herrn Heck einen Rundgang durch den Garten zu machen und die Fülle der interessanten Formen der Vogelwelt, welche in demselben leben, eingehend zu besichtigen. Von den neueren Erwerbungen des Zoologischen Gartens, welche die Aufmerksamkeit der Ornithologen in besonderem Maasse erregten, seien hier nur erwähnt; *Haliaetus brookii* und das durch sein urkomisches Gesichterschneiden allgemeine Heiterkeit erregende Paar Brilleneulen.

Nach beendetem Rundgang wurde ein Festmahl im Restaurationsgebäude eingenommen, welches bei heiterem Geplauder die Theilnehmer vereinigte. Als die Dämmerung hereinbrach, wurde dem Kiwi noch ein Besuch abgestattet, worauf die Mitglieder theils im Burggrafen, theils im Ronacher Theater den Abend zubrachten, um zu später Stunde noch einmal im Gambrinus bei gutem Bier und heiterer Unterhaltung der Geselligkeit zu pflegen.

---

*) Herr Heine sen. hat inzwischen die Wahl aus Gesundheitsrücksichten dankend abgelehnt, worauf in Ergänzung des Vorstandes Herr Geh.-Rath Prof. Dr. Altum zum Präsidenten und Herr Heine sen. wieder zum Ausschussmitgliede gewählt wurden. Der General-Secretär.

Vierter Tag. Vorsitzender: Herr Möbius. Schriftführer: die Herren Floericke und Matschie.

Herr Freiherr von Berlepsch berichtet über die Thätigkeit der auf der 1891er Jahresversammlung in Frankfurt a. Main gewählten Commission zur Aufstellung eines sorgsam durchgearbeiteten Verzeichnisses der deutschen Vögel und gibt den Anwesenden ein Bild von der in Aussicht genommenen Gestaltung des neuen Verzeichnisses. Auf Anregung des Herrn Schäff wird nach einem Antrage des Herrn Reichenow beschlossen, die Commission entsprechend zu verstärken, um neben dem wissenschaftlichen Verzeichnisse noch ein ausführliches Verzeichniss der Trivialnamen anhangsweise auszuarbeiten. Für diesen Theil der Aufgabe wird eine fünfgliedrige Commission gewählt, bestehend aus den Herren Schäff, Hartwig, Floericke Hocke und Leverkühn. Da über mehr oder minder grosse Ausführlichkeit in der Begründung der in der systematischen Nomenclatur nothwendig werdenden Aenderung bei der Abfassung des Verzeichnisses widersprechenden Ansichten laut werden, wird auf Antrag des Herrn Freiherrn von Berlepsch beschlossen, demnächst Schemata für einige Vogelarten zu veröffentlichen, damit alle Mitglieder ihre Wünsche äussern können.

Herr Hartert berichtet hierauf über die ornithologischen Ergebnisse seiner letzten Reisen nach den an der Küste von Venezuela gelegenen Inseln Curacao, Bonaires und Aruba, über welche an anderem Orte ein grösserer Aufsatz erscheinen wird. Herr Freiherr von Berlepsch gibt hierzu einige die geologische Beschaffenheit der betreffenden Inseln behandelnden Erklärungen.

Herr Freiherr von Berlepsch legt neue südamerikanische Vogelarten vor und erläutert deren Verschiedenheiten von bekannten Formen. Diese neuen Arten sind:

1. *Upucerthia harterti* Berl. n. sp.

Dem Director des Tring-Museums, Herrn Ernst Hartert zu Ehren benannt. Ist als die bolivianische Vertreterin der nordargentinischen *U. luscinia* (Burm.) zu betrachten.

1. *Cyanolesbia emmae* Berl. n. sp.

Zu Ehren der Freifrau von Berlepsch benannt.

3. *Cyanolesbia caudata* Berl.

4. *Crypturus garleppi* Berl. sp. nov.

Diese neue Species ist dem vorzüglichen Sammler Herrn Gustav Garlepp aus Cöthen, welcher das einzige bis jetzt bekannte Exemplar in der Umgebung von Santa Cruz am östlichen Abhange der bolivianischen Anden erlegte, gewidmet.

5. *Nothoprocta moebiusi* Berl. sp. n.

Diese augenscheinlich neue Species, dem Ehrenpräsidenten der deutschen ornithologischen Gesellschaft, Herrn Geheimrath Prof. Dr. Moebius, gewidmet, unterscheidet sich von allen bekannten *Nothoprocta*-Arten, soweit man nach den Beschreibungen urtheilen kann, durch die in der Diagnose angegebenen Färbungscharaktere.

Herr Zimmermann legt zum Schlusse der Jahresversammlung einen auf der kurischen Nehrung erlegten *Numenius tenuirostris* vor.

Moebius, Vors. — Nehrkorn, Vors. — Cabanis, Gen.-Secr.
Matschie, Schriftf. — Floericke, Schriftf.

Kleine Mittheilungen.

Circaëtus gallicus in Süd-Tirol. Nach dem Erscheinen meiner Mittheilung unter obigem Titel in der Nr. 21. der „Schwalbe" erhielt ich von Herrn Victor von Tschusi zu Schmidhoffen — Hallein Nachricht vom Vorkommen des Schlangenadlers, speciell am Monte Baldo und hatte auch Gelegenheit den Schlangenadler im Ferdinandeum kennen zu lernen. — Im Begriffe hierüber an diesem Orte zu berichten, erhalte ich von Herrn Ingenieur Pallisch die Mittheilung, dass von Bozen eine Berichtigung eingetroffen sei, was mich veranlasste dieselbe abzuwarten, welche in Nr. 23 unter den kleinen Mittheilungen vom Herrn Gredler auch erschienen ist und zur Kenntniss genommen habe. Eine Erwiderung auf Herrn Gredler's Schluss, weil ausserhalb des Rahmens dieses Blattes liegend, lasse ich unbeantwortet.

Panzner.

Picus tridactilus Den Dreizehenspecht erlegten in je einem Exemplar (♂ & ♀) die Herrn R. von Tchusi sen. und jun. am 27. Dec. 1892. in Hallein wo diese Species von den genannten Herren zum ersten Male beobachtet wurden.

(Briefl. Mitth. a. d. Herausgeber).

Sammelreise. Herr Dr. Curt Floericke in Marburg i. H. beabsichtig Ende März l. J. eine Studien- und Sammelreise nach Süd-Ungarn, Bosnien, Siebenbürgen, Serbien und Bulgarien anzutreten, deren Dauer auf sieben Monate berechnet ist. Behufs vorläufiger Deckung eines Theiles der Kosten sollen Actien zu 25 Mark (zahlbar am 1. März 1893) ausgegeben werden. — Actien-Inhaber sollen das Recht haben, von der Ausbeute an Bälgen und Eiern in der Höhe der gezalten Summe nach Belieben auszuwählen, u. z. wird für dieselben die Hälfte der Schlüter'schen Catalogpreise in Ansatz gebracht werden. — Interessenten wollen sich behufs Zeichnung von Actien und Uebermittlung besonderer Aufträge an Herrn Dr. Floericke direct wenden.

Bestimmungen für den Distanzflug Wien—Berlin, resp. Berlin—Wien im Juli 1893.

1. Die Brieftaubenzüchter von Berlin und Wien veranstalten einen gemeinsamen Brieftauben-Distanzflug von und nach beiden Städten im Juli 1893.

2. Dieselben erwählen aus ihrer Mitte die Orts-Comités für Wien und Berlin, deren Mitgliederzahl unbeschränkt bleibt.

Die Orts-Comités wählen wieder aus ihrer Mitte je 3 Mitglieder in das General-Comité, welch' letzteres allein endgiltige Entscheidungen zu treffen hat.

Das General-Comité wählt aus seiner Mitte den Obmann, bei eventueller Stimmengleichheit aber eine Persönlichkeit ausserhalb dieses Kreises mit einfacher Majorität.

Der Obmann des General-Comités bestimmt den Versammlungsort.

3. Zum Distanzfluge können nur Brieftauben zugelassen werden, deren Schläge sich in der Bannmeile von Berlin oder Wien befinden.

4. Die Vortrainirungen können einzeln oder gemeinsam jedoch auf eigene Kosten vorgenommen werden.

5. Der Distanzflugtag wird vom General-Comité bestimmt und sind die gesammten Tauben beider Orte womöglich gleichzeitig, u. zw. nur in der Zeit von 4 bis 8 Uhr Morgens aufzulassen.

Im Falle ungünstiger Witterung an einem der beiden Orte wird mit dem Auflassen der Tauben bis zum nächsten günstigen Tage, jedoch innerhalb 8 Tagen von dem ursprünglich bestimmten Distanzflugtage an, zugewartet.

6. Die beiden Orts-Comités sorgen für die rechtzeitige Absendung der eigenen und für entsprechende Empfangnahme, Unterbringung (mit Rücksicht auf das Geschlecht) und Wartung der fremden Tauben, und haften gegenseitig ersatzpflichtig

jedoch nur für durch Fahrlässigkeit und überhaupt eigenes Verschulden abhanden gekommene Tauben bis zum Momente des Hochlassens.

Unmittelbar vor dem Auflassen haben 1 Mitglied des General-Comités, 2 Mitglieder des Orts-Comités, sowie ein gegentheiligerseits abgeordneter Vertrauensmann die Abstempelung jeder Taube vorzunehmen, hiebei die an jeder Taube ersichtlichen Stempel, Zeichen etc. zu controliren, zu verzeichnen und die richtige Anzahl zu constatiren.

Das Auflassen der concurrirenden Tauben geschieht an einem in der südlichen Peripherie Berlins (vielleicht beim Tempelhofer Berge) und in Wien an einem in der nördlichen Peripherie (vielleicht Rudolfsbrücke) liegenden Punkte, in Gegenwart der vorgenannten 4 Delegirten.

7. Der Einsatz per Taube wird vom General-Comité festgesetzt und besteht keine Einschränkung der Anzahl.

8. Die zur Vertheilung gelangenden Preise bestehen aus Ehrengaben, Widmungen und der Summe der Einsätze aus beiden Städten in Geldpreisen.

In Bezug der Geldpreise werden die Concurrenten beider Städte nicht getrennt behandelt, sondern die Leistung der absolut besten Taube aus beiden Städten erhält den ersten Preis; auch für die übrigen Geldpreise ist die erzielte absolute Flugzeit, ohne Rücksicht auf den Besitzer aus einer oder der anderen Stadt, massgebend.

Die Auftheilung der Preise bestimmt das General-Comité, doch werden mindestens 20% der innerhalb der im Punkte 12 bestimmten Zeit als angekommen constatirten Tauben mit Preisen bedacht.

9. Die Constatirung der Ankunftszeit geschieht in einem im Centrum der genannten Städte liegenden Locale, welches vor Beginn der Trainirungen vom General-Comité bestimmt wird.

Der Nachweis über das Eigenthumsrecht einer oder mehrerer Siegertauben hat jeder Besitzer unter der Controle eines Mitgliedes des Orts-Comités zu leisten.

10. Zu jedem Schlage wird die Luftlinie genau ermittelt und für die Entfernung vom Constatirungslocale mit 6 Minuten per Kilometer Luftlinie vergütet oder zugeschlagen.

11. Die Berechnung der Flugleistung geschieht nach der Leistung per Meter in der Minute, wobei jedoch die Zeit von 9 Uhr Abends bis 3 Uhr Morgens ungerechnet bleibt.

12. Der Schluss der Constatirung ist am dritten Tage — bis spätestens 8 Uhr Abends — vom nächstfolgenden Tage des Eintreffens der ersten Taube an gerechnet, festgesetzt.

Ausstellungen.

1. Deutsch-Nationale Ausstellung. Infolge der noch fortwährend eingehenden Anmeldungen von Garantieclassen, war die definitive Aufstellung des Programmes bis jetzt noch nicht möglich, es wird jedoch die Ausgabe in aller Kürze erfolgen können. Die Anzahl der ursprünglich seitens des Leipziger Vereins aufgestellten Klassen musste erfreulicher Weise nahezu verdoppelt werden. Es erscheint dringend geboten, dass, falls Vereine oder Züchter noch weitere Classen zu garantiren wünschen, hiervon möglichst umgehend dem Vorsitzenden des Leipziger Vereines, Herrn Rud. Kramer Mittheilung gemacht wird. Dies gilt auch von der Stiftung von Ehrenpreisen, welche neuerdings wiederum eine nennenswerthe Bereicherung erfahren, wie denn überhaupt sich für das grossartige Unternehmen eine allseitige Theilnahme der Züchterwelt des In- und Auslandes kund gibt. So haben kürzlich einige Münchener Züchter die Summe von 50 Mark dem Comité zur Verfügung gestellt, der Würzburger-Verein hat einen werthvollen Ehrenpokal gestiftet u. s. w. während einzelne Vereine, wie beispielsweise der Kröpferzüchter-Verein ihre willkommene Unterstützung durch Stellung von Preisrichtern und gänzlich kostenfreier Lieferung von Käfigen in dankenswerther Weise zugesagt. Wir werden in einer der nächsten Nummern in der Lage sein, das definitive Programm mitzutheilen.

Geflügel-Ausstellung in Linz 1893. Im Gegensatze zu den früheren Geflügel-Ausstellungen gelegentlich der Volksfeste, welche alle zwei Jahre stattfinden, wird die im September 1893 stattfindende Geflügel-Ausstellung keine internationale, sondern eine oberösterreichische sein, worauf die Mitglieder des I. öst.-ung. Geflügelzucht-Vereines besonders aufmerksam gemacht werden. Es ist nicht zu zweifeln, dass auch diese Ausstellung sich würdig den früheren derartigen Ausstellungen anschliessen wird, umsomehr, da ja die Züchter von Jahr zu Jahr auch in Oberösterreich mehr werden. Um verdienstvolle Züchter besonders auszeichnen zu können, werden eigene werthvolle Züchterpreise verliehen. Hoffentlich werden es sich die oberösterreichischen Züchter angelegen sein lassen, recht viel schönes Geflügel zur Schau zu bringen, um den Beweis zu geben, dass auch in Oberösterreich der Rassegeflügelzucht berechtigtes Interesse entgegengebracht wird, und dass auch die Oberösterreicher im Stande sind, eine grossartige Ausstellung mit im Lande gezüchtetem Geflügel zu inscenieren. Die Leitung der Ausstellung geschieht auch wieder durch die Vorstehung des ersten oberösterreichischen Geflügel-zucht-Vereines.

Wanderversammlung und Brieftauben-Ausstellung des Verbandes „Deutscher Brieftauben-Liebhaber-Vereine“ in Barmen. Diese Ausstellung findet in den Tagen vom 25. bis 27. Februar l. J. unter der Leitung des Vereines Courir in Barmen statt. — Bemerkenswerth ist die grundsätzliche Bestimmung bei dieser Schau, dass die Tauben nicht nach ihren erzielten Leistungen, sondern nach Schönheit prämirt werden. Die angemeldeten Brieftauben werden ganz abgesehen von Farbe oder sonstigen Merkmalen, jedoch nach Geschlechtern getrennt eingesetzt werden. Die Ausstellung für die äusserst zahlreichen Geld- und Ehrenpreisen auch ein werthvoller Kaiserpreis in Aussicht gestellt ist, wird eine Abtheilung für alle auf die Brieftaubenhaltung bezughabenden Utensilien ect. enthalten und mit einer Verlosung von Brieftauben verbunden sein.

Rossbach. In der letzten Hauptversammlung des hiesigen Kleinthierzuchtvereines wurde die Abhaltung der 13. allgemeinen Geflügel- und Kaninchen-Ausstellung, wie alljährlich, am 1 Sonntag und Montag im Februar, diesmal auf die Tage vom 5. bis 7. Februar 1893 festgesetzt. Vom Präsidium des Landesculturrathes für Böhmen, deutsche Section, wurden dem Vereine 2 silberne und 4 bronzene Medaillen zugewiesen, welche, nebst den vom Vereine zur Verfügung gestellten Preisen zur Prämiirung benützt werden, und zwar: a) für Hühner und Grossgeflügel: 3 Medaillen und diverse gestifteten Ehrenpreise, ferner I. Preis à 5 Gulden II. Preis à 3 Gulden, III. Preis à 2 Gulden, PV. Preis Diplome; b) für Tauben: 2 Medaillen, ferner I. Pre à 3 Gulden, II. Preis à 2 Gulden, III. Preis à 1 Gulden, IV Preis Diplome; c) für Kaninchen: I. Preis à 1 Gulden 50 kr., II. Preis à 1 Gulden, III. Preis à 50 Kreuzer.

Correspondenz der Redaction.

Herrn **E. C. F. R.....**, **Troppau**. Dankend erhalten; 50 Exempl. vorgemerkt. Die neulich gewünschten Nummern haben Sie wohl erhalten?

Herrn **V. C...**, **Oszlavan**. Die gewünschten Separata sandte Ihnen die Administration. Für Einsendung besten Dank!

Herrn **J. M.....**, **Wolfsberg**. Prof. Löfflers Mäusebacillus ist bei A. Lukesch, Apotheker z. weissen Adler, Prag-Kleinseite, Radetzkyplatz, erhältlich.

Hern **K. v. G.....**, und **Geflügelhof N.**, **Ungarn**. Nein! Unseres Wissens ist kein österreichischer Preisrichter aufgefordert worden; Sie sollten sich dadurch nicht abhalten lassen.

Herren **Dr. O. F.....**, **Dr. E. v. R......**, **J. M.....** und **Ph. C. D. V. V......** Die wiederholt urgirten Separata wurden endlich expedirt, wie uns die Adm. eben mittheilt.

Herrn **Dr. P. L.........**, **M.** Die betreffenden Nummern sind leider nicht mehr vorhanden!

Herrn **A. R.**, **Linz**. Besten Dank für Einsendung!

Herrn **A. F.**, **Aussig**. Besten Dank! Rechnung sendet die Administration.

Herrn **A. N.**, **Kilb**. Gewünschtes abgeschickt, wird Ihre Sendung erwünscht sein.

Herrn **A. A.**, **Wien III**. Die gewünschten Nummern sind Ihnen zugegangen. Brief folgt.

Die Redaction der „Schwalbe" sucht einige Nummern älterer Jahrgänge dieser Zeitschrift, eventuell auch die betreffenden Jahrgänge **complett zu kaufen**, u. zw.:

Jahrgang II., 1878, Nr. 3.
„ III., 1879, Nr. 5.
„ IV., 1880, Nr. 5.
„ VI., 1882, Nr. 2, 4, 6, 7.

Verlag des Vereines. — Für die Redaction verantwortlich: **Rudolf Ed. Bendl.**
Druck von **Johann L. Bendl & Sohn**, Wien, VII., Stiftgasse 3.

XVII. JAHRGANG. Nr. 2.

Blätter für Vogelkunde, Vogelschutz, Geflügelzucht und Brieftaubenwesen.

Organ des I. österr.-ung. Geflügelzuchtvereines in Wien und des I. Wiener Geflügelzuchtvereines „Rudolfsheim.“

Redigirt von C. PALLISCH unter Mitwirkung von Hofrath Professor Dr. C. CLAUS.

15. Februar.

„DIE SCHWALBE“ erscheint **Mitte eines jeden Monates** und wird **nur an Mitglieder abgegeben.**
Einzelne Nummern 50 kr. resp. 1 Mark.
Inserate per 1 □ Centimeter 4 kr., resp. 8 Pf.

Mittheilungen an den **Verein** sind an Herrn Secretär **Dr. Leo Přibyl**, Wien, IV. Wanggasse 4, zu adressiren, **Jahresbeiträge** der Mitglieder (5 fl., resp. 10 Mark) an Herrn **Dr. Karl Zimmermann**, Wien, I., Bauernmarkt 11; einzusenden.

Alle redactionellen Briefe, Sendungen etc. sind an Herrn **Ingenieur C. Pallisch in Erlach** bei Wr.-Neustadt zu richten.

Vereinsmitglieder beziehen das Blatt gratis.

1893.

Die Verbreitung und Lebensweise der Nachtraubvögel in Siebenbürgen.

Von **Johann v. Csató.**

1. Athene passerina L. Sperlingseule.

Diese kleine Eule erlegte bereits Fr. Wilhelm Stetter vor dem Jahre 1845 in den Weingärten bei Maros Németi, wo sie von den Jagdhunden aus den Gebüschen aufgestöbert wurde, ein zweites Exemplar erhielt er im bezeichneten Jahre im Jänner aus den Waldungen der Gemeinde Vulcsesd, auch Alexius v. Buda besass in seiner Sammlung ein männliches Exemplar, welches in den vierziger Jahren gleichfalls im Jänner bei Nagy-Ag geschossen wurde, ferner in der Sammlung des Dr. Wilhelm Knöpfler befanden sich zwei Stücke, seine Sammlung wurde aber im Jahre 1848 in Zalatna von den Walachen zerstört. Ein Männchen wurde im Jahre 1862 am 24. April in den Tannenwaldungen bei Borbátégy erlegt, welches in meiner Sammlung aufgestellt ist, 1880 wurde ein weiteres Männchen in der Umgebung von Nagy Enyed geschossen und befindet sich in der Sammlung des reformirten Collegiums daselbst, ausserdem wurde sie laut Bielz (Fauna der Wirbelthiere Siebenbürgens, Hermannstadt 1888) bei Nagy Szeben (Hermannstadt) Segesvár, Brassó und Beszterceze beobachtet.

Diese Daten sind mir über das Vorkommen der Sperlingseule in Siebenbürgen bekannt.

Sie bewohnt vorzüglich die Tannenwälder unserer Gebirge, in den mondhellen Nächten des 6. und 7. Mai im Jahre 1889 hörte ich sie in den Tannenwäldern des Gebirges Prigona im Zudlengebiete des Sebes- (Mühlbach-) Flusses eifrig rufen, ihre Stimme ähnelt dem Lockrufe des Wiedehopfes.

Der Umstand, dass sie sowohl im Mai als auch im Jänner erlegt wurde, beweist, dass sie in Siebenbürgen ein Standvogel sei und im Herbste und Winter die niedriger gelegenen Gegenden aufsucht, brütet folglich ganz sicher in unseren Tannenwaldungen, ihr Nest aber wurde noch von keinem Ornithologen gefunden und überhaupt hat über ihre Lebensweise bei uns noch Niemand Beobachtungen gesammelt.

2. Athene noctua Retz. Steinkauz.

Bewohnt die Städte, Dörfer und die in ihrer Nähe befindlichen tiefen, mit Spalten und Löchern versehenen Gräben und ausgedehntere Erdrutschungen.

Ich sah ihn aus dem Fenster des Kirchthurmes inmitten der Stadt Nagy Enyed heruntergucken und liess er auch seine Stimme von dorten ertönen, fand ihn oft an den steilen Ufern des Székásflusses bei Koncza und an den Erdrutschungen daselbst, sowie in Gräben an verschiedenen Oertern, auch auf den Feldern, wo alte Weidenbäume sich befinden ist er immer zu sehen. Lieblings-Aufenthaltsörter sind für ihn ferner die Dachböden grösserer Gebäude und besonders Kornmagazine, wo er die Mäuse eifrig verfolgt und sie auch in grosser Menge vertilgt.

In meinem Kornmagazine in Koncza fand ich täglich die von ihm ausgestossene Gewölle, welche nur Haare und Knochen von Mäusen enthielten. Einmal fand ich ein verendetes Stück in einer Frucht enthaltenden mit Deckel versehenen Kiste, er schlüpfte nach den Mäusen durch eine Spalte in dieselbe und konnte den Ausweg nicht mehr finden.

Er lässt im Frühjahre auf Hausdächern, Bäumen oder anderen erhabenen Stellen sitzend einen oft wiederholten gedehnten traurigen, wie „kuuuh" lautenden Ton hören, welcher bei und nach der Paarungszeit mit einem viel lauteren und etwas schrillen, wie „Kockowe" klingenden Ruf gewechselt wird.

Wegen dieser seiner Stimme haben ihn die walachischen Bauern den Namen „Kotkomeu" gegeben.

Er horstet in hohlen Weidenbäumen, in Löchern und auch auf Dachböden.

Oft habe ich ihn noch beim hohen Stande der Sonne von den Weidenbäumen auf die nahen Wiesen nach Käfern und Mäusen fliegen gesehen, um seine Jungen genügend füttern zu können.

Die bereits etwas erwachsenen Jungen lassen eine zischende Stimme hören.

Er überwintert zum Theile bei uns, aber viele werden auch wegwandern, denn im Winter ist er in bedeutend geringerer Zahl anzutreffen, als in anderen Jahreszeiten.

Dieser Kauz ist wegen eifriger Vertilgung der Mäuse ein sehr nützlicher Vogel und verdient die grösste Schonung.

3. Nyctale Tengmalmi Gm. Rauchfusskauz.

Das Vorkommen dieses Kauzes in Siebenbürgen soll nach F. W. Stetter, Salomon Petényi, gewesener Custos am National-Museum in Budapest constatiert haben. Alxius v. Buda besass in seiner Sammlung ein Männchen, welches er in den vierziger Jahren im Monate November bei Russ erlegt hat, auch Dr. Knöpfler besass, laut seinem in meinem Besitze befindlichen Verzeichnisse seiner Vogelsammlung, ein Stück, er soll ferner nach Bielz's Angabe bei Nagy Szeben, Nagy Disznód, Brassó und Türkös gefunden worden sein. In den fünfziger Jahren hörte ich bei Borszék in den Tannenwäldern von einem Tannenbaume eine dem Bellen eines kleinen Hundes ganz ähnlich klingende Stimme, den Vogel konnte ich nicht erspähen, aber diese Stimme musste von einem Rauchfusskauz stammen, denn kein anderer Vogel besitzt eine ähnliche Stimme, endlich am 8. October 1892 wurde in den Buchenwäldern nächst Várhely bei Gelegenheit einer Bärenjagd ein Stück erlegt, welches in der Sammlung des Adam v. Buda aufgestellt ist.

Dieser Kauz bewohnt nach obigem die Tannen und Buchenwälder unserer Gebirge, von wo er sich auch in die Thäler verfliegt, ob er bei uns brütet und ob er das Land in allen Jahreszeiten bewohnt, ist bis jetzt nicht ausgemittelt, jedenfalls wird er häufiger sein, als man nach den spärlichen Daten anzunehmen geneigt wäre, aber eben die kleinen Eulen sind in Folge ihrer verborgenen Lebensweise bei uns noch viel zu wenig beobachtet worden.

4. Syrnium uralense Gall. Ural Habichtseule.

Besonders die Erlenauen am Sztrigyflusse besucht diese Eule in den Herbstmonaten.

Bereits in den vierziger Jahren erlegte Alexius v. Buda mehrere beiderlei Geschlechtes, auch Dr. Knöpfler besass ein Exemplar und Stetter erbeutete zu jener Zeit fünf Stücke bei Déva.

Seit den fünfziger Jahren erlegten Adam v. Buda und ich in den angegebenen Auen mehrere; sie ist aber, wenn auch nicht so häufig, auch in anderen Gegenden des Landes anzutreffen, im Jahre 1854 am 17. December schoss ich in meinem Hofe in Koncza von einem geflochtenen Zaune ein Stück herunter und aus der hiesigen Umgebung bekam ich im Jahre 1890 Ende Jänner zwei Exemplare ausserdem wurde sie nach Bielz bei Nagy Szeben Fogaras, Brassó, Tartlau, Türkös, Felső Tömös und nach Otto Hermann bei Kolozsvár gefunden.

Nach mir zur Verfügung stehenden Daten wurde diese Eule im Herbste am frühesten den 14. September bei M. Vincz, im Winter am spätesten im Monate Februar im Sztrigythale erlegt, innerhalb dieses Zeitraumes wurde sie in jedem Monate ganz sicher beobachtet.

Sie ist also ein Wintervogel bei uns; ob sie in den Sommermonaten sich in die Hochgebirge zurückzieht oder ob sie unser Land ganz verlässt, weiss ich nicht anzugeben, aber weder Adam v. Buda, noch ich bekamen bei unseren vielen Hochgebirgsexcursionen in den warmen Monaten ein Stück zu sehen.

Sie baumt am liebsten auf einem dicken Aste nahe dem Stamme und ist nicht besonders scheu, folglich nicht schwer zu erlegen, unaufgescheucht habe ich ihn bei Tage nur einmal fliegend gesehen

5. Syrnium aluco L. Waldkauz.

Bewohnt im Sommer die Wälder, wo er in hohlen Bäumen brütet, mit Beginn des Herbstes besucht er die Auen und im Winter bei grösserer Kälte kommt er auch in die Gärten.

Er ist im ganzen Lande verbreitet und eine der häufigsten Eulenarten; jagt in der Dämmerung niedrig über die Erde streichend nach Mäusen, ergreift aber auch kleine Hasen und Vögel, habe ihn einmal Abends auch hier in der Stadt Nagy Enyed schreien gehört.

Er wird oft gefangen, weil er gerne in Baumhöhlen sich zurückzieht; wenn es ihm aber bei strengem Winter schlecht ergeht, schlummert er auch auf einem Baumaste, wo ihn die Sonne bescheinen kann.

Es kommen sowohl graubraun, als auch fuchsroth gefärbte Exemplare in gleicher Anzahl vor.

6. Strix flammea L. Schleiereule.

Im ganzen Lande verbreitet, bewohnt sie die Kirchthürme, die Dachböden der Kirchen und grösserer Häuser, wo sie auch brütet.

Am Tage ist sie nur in diesen Schlafstätten zu sehen und erst Abends fliegt sie nach Nahrung, welche vorzugsweise aus Nagethieren besteht, bei welcher Gelegenheit sie ihre schnarrende Stimme hören lässt und man kann diese Stimme bei hellen Nächten zu jeder Stunde vernehmen, umsomehr, weil diese Eule wegen der Mäuse gerne die Scheuern und solche Plätze aufsucht, wo Fruchtschober und Strohhaufen sich befinden.

Indem von ihr meistens bei Tage geschlossene Räume zum Aufenthaltsorte benützt werden, wird sie oft gefangen, obwohl sie der Schonung werth ist.

7. Bubo maximus Sibb. Uhu.

Dieser befiederte starke Räuber der Nacht ist in Siebenbürgen überall verbreitet und ziemlich häufig.

Er bewohnt vorzüglich die Laubwälder und zerklüftete felsige Gebirge, horstet auf Bäumen oder in Felsenspalten und Höhlen.

Man kann im Frühjahre seine starke Stimme „huhuhu“ öfters hören und ich besass einen zahmen Uhu, welcher auf seinen nachgeahmten Schrei meistens Antwort gab.

Mit Beginn des Herbstes oder auch noch früher besucht er die Auen und immer weiter und weiter dehnt er, je nach den Umständen, seine Ausflüge aus.

Ich fand ihn bereits vor Erntezeit in Fruchtfeldern, später im October auf Hutweiden neben einem einzelnen Strauche hockend und im Winter bei Schnee draussen am freien Felde, er speculirte auf Hasenbraten oder Rebhühner, muss aber auch andere kleine Thiere und Vögel fangen, indem der Wildstand bei uns nicht gar reich ist.

Wie überall wird er auch hier, wenn er irgendwo von den Raben bemerkt wird, mit dem grössten Geschrei verfolgt und kommt nicht zur Ruhe, bis er sich nicht irgendwo verbirgt.

Ich bekam jedes Jahr einige geschossene Exemplare und im vergangenem Herbst erhielt ich fünf Stücke.

8. Scops Aldrovandi Willughby. Zwergohreule.

Das Vorkommen dieser niedlichen kleinen Eule in Siebenbürgen wurde von dem verstorbenen Professor Nicolaus v. Zeyk ermittelt; ein Schüler hatte nämlich im Jahre 1843 eine in den Weingärten bei Nagy Enyed lebendig gefangen und befand sich dieselbe in der von den Walachen im Jänner des Jahres 1849 zerstörten Sammlung des hiesigen Collegiums; später aber, ebenfalls in den vierziger Jahren erlegte Alexius v. Buda ein Stück im Mai bei Szent György Válya, welches in seiner Sammlung aufgestellt war. Im Jahre 1878 Mitte Mai lenkte diese kleine Eule durch ihren Ruf meine Aufmerksamkeit auf sich und wurde ein Stück erlegt, noch zwei andere hörte ich rufen und berichtete darüber in Nr. 2, 3, 1882 dieses Blattes.

Nach dieser Zeit wurden noch ein paar Stücke erbeutet, welche in der neuen Sammlung des hiesigen Collegiums sich befinden, ausserdem soll sie nach Bielz auch bei Freck und Beszterczе gefunden worden sein.

Hier bei Nagy Enyed brütet sie sicher, aber ihr Nest wurde noch nicht aufgefunden.

Im Herbste zieht sie wahrscheinlich fort, denn sonst würde sie auch in späterer Jahreszeit beobachtet worden sein, besonders aber, weil ihr im Winter die Nahrung fast gänzlich mangelt.

9. Otus vulgaris Flemm. Waldohreule.

Sie ist im ganzen Lande verbreitet und bewohnt die Wälder, wo sie auch horstet, und zwar auch in hohlen Bäumen. Ich erlegte sie ausserdem auch in den Weingärten bei Koncza, wo sie auf dichtbelaubten Bäume ruhte, im allgemeinen aber ist sie trotz ihrer Verbreitung nicht besonders häufig anzutreffen, weil sie sich beim Tage zu verbergen pflegt, am meisten kann man ihrer Abends ansichtig werden wenn sie nach Beute herumfliegt, oder im Herbste, zu welcher Zeit sie sich auch in buschigen Wäldern aufhält.

Sie lässt ihre starke, weit hörbare Stimme Abends und in der Nacht ertönen.

Einige überwintern bei uns, ich besitze Exemplare, welche im Monate Jänner erlegt wurden und auch v. Czynk erlegte sie in Fogaras bei Schnee, der grössere Theil aber zieht fort.

Ich sah sie immer vereinzelt; in so grosser Gesellschaft, wie sie von Anderen beobachtet wurde, traf ich sie nie an.

10. Brachyotus palustris Forster. Sumpfohreule.

Diese Eule ist nach meinen Beobachtungen ein Durchzugsvogel in Siebenbürgen, welcher in manchen Jahren in grösserer, in anderen in geringerer Anzahl uns besucht und sich in den ebenen und hügeligen Gegenden verbreitet.

Die Zeit ihrer Ankunft ist manchmal September, für gewöhnlich aber der Monat October.

Zu dieser Zeit kann man sie in den mit Unkraut, hohen Gras oder Gebüsch bewachsenen Feldrändern oder auf unkrautreichen Aeckern einzeln oder in einigen Stücken antreffen, sie fliegen vor dem nahenden Menschen auf, beschreiben fliegend einige Kreise und setzen sich in nicht grosser Entfernung wieder nieder, lieben ferner auch solche sumpfige Stellen und Wiesen, auf welchen Riedgräser und Schilf nicht sehr hoch in die Höhe gewachsen sind und der Boden bereits ziemlich trocken geworden ist, auch hier lassen sie den Menschen in ihre Nähe kommen und auffliegend, wenn sie nicht verfolgt werden, lassen sie sich in einiger Entfernung wieder zu Boden. Oefters kann man sie auf ausgedehnteren, mit Unkraut oder Schilf bewachsenen Feldern und Wiesen in grösserer Gesellschaft bis zu sechzig Stück und darüber antreffen, wo sie aufgescheucht nach allen Seiten herumfliegen und kommen dann nicht wieder so schnell zur Ruhe.

Nach meiner Meinung sind solche Gesellschaften auf dem Zuge, denn am anderen Tage oder nach einigen Tagen findet man sie nicht mehr in solcher Anzahl, es sind nur mehr wenige Zurückgebliebene zu sehen und auch die Zahl dieser, wie überhaupt der Angekommenen vermindert sich mit dem Näherrücken des Winters und wenn die wirklich kalte Jahreszeit eintrifft, verschwinden gewöhnlich Alle, mitunter verbleiben aber einzelne bis im Jänner und habe auch ich noch in diesem Monate bei Schnee ein paar Stücke gesehen und erlegt.

Im Frühjahre fand ich keine, aber Alexius v. Buda besass ein im Monate März erlegtes Exemplar.

Ueber ihr Brüten bei uns habe ich selbst keine Beobachtungen sammeln können, aber von Czynk berichtet in den Jahresberichten des Comités für ornithologische Beobachtungsstationen Jahrgang 1883 und 1884, dass er diese Eule bei Brassó und in den Mundraer Sümpfen brütend angetroffen hätte.

Indem diese Eule von Mäusen sich ernährt verdient sie die grösste Schonung.

Nagy Enyed, im Jänner 1893.

Ankunft der Zugvögel in den Jahren 1891–92,

verglichen mit dem Normaltage.

Von V. Capek.

Als Fortsetzung zu meinen früheren Arbeiten dieser Art (siehe 1. „Normal-Tag der Ankunft unserer Zugvögel", berechnet nach den Beobachtungen in den Jahren 1884–88, dieses Blatt, 1888 p. 111, und 2. „Ankunft der Zugvögel in den Jahren 1889–90", daselbst, 1890 p. 190) theile ich hier die Beobachtungen aus den Jahren 91 und 92 mit, damit man sehe, wie sich dieselben zum Normaltage verhalten.

Mit dem Jahre 1893 wird für mein Beobachtungsgebiet das Decennium geschlossen werden, und es wird nothwendig sein, den Normaltag von Neuem zu berechnen.

Auch gebe ich mich der Hoffnung hin, dass diese Notizen manchem Beobachter zur kommenden Zugperiode wenigstens als Vergleichsmaterial nicht unwillkommen sein werden.

Art	Normaltag	1891	1892
Alauda arvensis	20·2	18·2	25·2
Motacilla alba	1·3	7·3	3·3
Anser segetum † [1])	2·3	14·3	21·2
Sturnus vulgaris	4·3	27·2	28·2
Lullula arborea	4·3	4·3	17·3!
Columba oenas	6·3	10·3	4·3
Columba palumbus	7·3	1·3	8·3
Vanellus cristatus	9·3	27·2	16·3
Anthus pratensis †	10·3	5·3	14·3
Schoenicola schoeniclus †	13·3	5·3	17·3
Turdus musicus	14·3	10·3	20·3
Pratincola rubicola	14·3	15·3	17·3
Dandalus rubecula	14·3	12·3	20·3
Ruticilla tithys	16·3	16·3	16·3
Xema ridibundum	21·3	2·4 a)	18·3
Phyllopneuste rufa	22·3	15·3	24·3
Scolopax rusticula	23·3	24·3	24·3
Ardea cinerea †	24·3	26·3 b)	21·3
Saxicola oenanthe	25·3	20·3	24·3
Aegialites minor	25·3	19·3	25·3
Cerchneis tinnunculus	26·3	16·3	21·3
Cyanecula leucocyanea †	27·3	8·4	27·3
Serinus hortulanus	27·3	30·3	26·3
Accentor modularis †	29·3	25·3	—
Anas querquedula	31·3	2·4	24·3
Phylopneuste trochilus	1·4	1·4	3·4
Turdus iliacus †	2·4 c)	12·3!	27·3
Ciconia alba †	4·4	6·4	29·3
Upupa epops	4·4	22·3	31·3
Hirundo rustica	4·4	4·4	29·3
Totanus ochropus †	4·4	22·3	31·3
Junx torquilla	4·4	9·4	27·3
Ruticilla phoenicura	5·4	9·4	1·4
Budytes flavus	6·4	15·4	21·4 d)
Anthus arboreus	6·4	9·4	4·4
Actitis hypoleucos	7·4	7·4	6·4
Muscicapa albicollis	12·4	22·4!	15·4
Cuculus canorus	13·4	13·4	6·4
Phyllopneuste sibilatrix	16·4	25·4	7·4
Muscicapa luctuosa †	17·4	26·4	19·4
Luscinia minor	18·4	16·4	14·4
Hirundo urbica	19·4	14·4	4·4
Emberiza hortulana	19·4	20·4	19·4
Pratincola rubetra	20·4	25·4	14·4
Sylvia curruca	20·4	19·4	7·4
Hirundo riparia	22·4	20·4	22·4
Caprimulgus europaeus	22·4	26·4	18·4
Sylvia atricapilla	22·4	9·4!	16·4
Sylvia cinerea	23·4	22·4	14·4
Agrodroma campestris	23·4	25·4	20·4
Lanius rufus	25·4	25·4	20·4
Acrocephalus turtoides	26·4	30·4	1·5
Turtur auritus	26·4	25·4	15·4!
Oriolus galbula	27·4	28·4	27·4
Falco subbuteo	28·4	16·4	6·5
Sylvia nisoria	28·4	5·5	6·5
Lanius minor	29·4	25·4	28·4
Cypselus apus	1·5	28·4	1·5

[1]) Die mit einem † bezeichneten Arten sind blos Durchzügler, alle anderen sind Brutvögel.

a) Schon am Brutplatze bei Namiest.

b) Auch Anfangs März wurde ein Stück gesehen.

c) Der Normaltag hat ein zu spätes Datum.

d) Das erste Erscheinen wurde wahrscheinlich übersehen

Art	Normaltag	1891	1892
Coturnix dactylisonans	2·5	29·4	29·4
Crex pratensis	2·5	9·5	9·5
Muscicapa grisola	3·5	1·5	1.5
Lanius collurio	4·5	26·4	28·4
Hypolais salicaria	4·5	3·5	3·5

Nachtrag. Ausserdem notirte ich: Acrocephalus arundinacea 18·5—91 und 6·5—92. Calamoherpe aquatica 26·4—91. Calamoherpe phragmitis 28·4—91 und 14·4—92. Sylvia hortensis 2·5—91 und 8·5—92. Spatula clypeata 2·4—91. Anas acuta, Fuligula ferina und cristata 2·4—92. Anas crecca 1·3—91 und 16·3—92. Pandion haliaëtus 17·4—92. Ardetta minuta 2·5—92. Gallinago scolopacina 20·3—92.

Oslawau in Mähren, Januar 1893.

Beitrag zur Ornis von Niederösterreich.

Von Robert Ritter von Dombrowski.

I. Ordnung.

Rapaces, Raubvögel.

1. Fam. Vulturidae, Geier.

1. Gyps fulvus, Gm. Er zählt zu den zufälligen und unregelmässigen, seltenen Erscheinungen. Nachweisbar sind in diesem Jahrhundert 5 Stücke geschossen worden, und zwar:

a) Ein ♂ im September 1821 bei Zwölfaxing, gegenwärtig im k. k. Museum in Wien.

b) Am 18. Juni 1875 wurde aus einer Gesellschaft von 7 Stücken eines von dem Jagdpächter Herrn Franz Pügelbauer in Thomasberg bei Neunkirchen erbeutet und später der genannten Anstalt einverleibt.

c) Ebenda erlegte man einige Tage nachher ein weiteres Stück, welches sich in Sammlung des Herrn v. Tschusi befindet.

d) Am 7. Juli 1876 schoss Förster Bittner bei Hohenberg einen jungen Vogel.

e) Herr Sollicitator Franz Blaha streckte 1 Stück am 8. September 1880 bei Krems, das in die Collection des Herrn Deschauer daselbst gelangte.

2. Fam. Falconidae, Falken.

2. Milvus regalis, Linn. Rother Milan. In früheren Jahren bis 1883 hat er regelmässig in 2—3 Paaren in den Donauauen unterhalb Wiens gehorstet, gegenwärtig zählt er hier zu den sparsamen Durchzugsvögeln und ich vermochte auch nicht mit Bestimmtheit in Erfahrung zu bringen, ob er anderwärts im Lande noch brütet, was ich indess für wahrscheinlich halte. Im Jahre 1885 sah ich den ersten über der Kronprinz Rudolf-Brücke in Wien, am 25. April 1886 im Rohrwörth (Donauinsel), bei Mannswörth am 3. April. Ein einziges Exemplar traf ich im Winter, am 26. December 1886, im Lausgrund (Donauinsel). Im Jahre 1880 fand ein Bauer in den Landauen von Fischamend ein durch einen Schrottschuss verletztes Stück mit drei Flügeln, welches er lebend einfieng und drei Tage in einem Schweinestall hielt, worauf es vom Präparator Anton Schiestl erworben und später der herrlichen Sammlung weiland Sr. kaiserl. Hoheit des Kronprinzen Rudolf als Unicum übergeben wurde.

3. Milvus ater, Gm. Schwarzer Milan. Im ganzen Lande, mit Ausnahme des Hochgebirges, als spärlicher Durchzügler, als Horstvogel blos in den Donauauen. Auch da hat sich indess mit dem allmäligen Verschwinden der alten, hohen Bestände seine Zahl wesentlich verringert, denn heuer dürften kaum mehr als 6—7 Horste besetzt gewesen sein, während bis vor wenigen Jahren regelmässig 20 bis 30 Paare horsteten. Im Durchschnitte fällt für die Donauauen die Ankunft auf Ende März, der Abzug auf Anfang September, doch verweilen einzelne Exemplare mitunter bis Ende letzteren Monats. Das vollzählige Gelege findet man Anfangs Mai. Nachstehend gebe ich die frühesten und spätesten Beobachtungsdaten aus den letzten Jahren. 1884 29. März — 9. September. — 1885 1. April — 1. September. — 1886. Am 27. März sah ich ein Stück über dem Kreuzgrund (Donauinsel) in so enormer Höhe kreisen, dass ich es nur an dem charakterischen Schrei zu erkennen vermochte; am 1. April zählte ich 8—10 Stück und am 5. eine grosse Menge, welche sich am 10. wieder auf 10 bis 12 vermindert hatte. Am 14. August war er sehr zahlreich vertreten, ich gewahrte z. B. von einem Punkte aus 8 Stück über der Donau kreisend, während weitere 4 in meinem Gesichtsfelde aufgebaumt waren. Am 21. August traf ich blos noch wenige, am 28. zwei, am 1. September 5—6, am 4. vier Stück. — 1887. Am 24. März zwei über dem Donaukanal im Prater bei Wien, am 1. April vollzählig; am 21. August in namhafter Anzahl, einmal 9, an einem anderen Punkte 5 beisammen. Am 24. wenige, dann einzelne bis 15. September. — 1888. Der erste im Lausgrund am 27. März, am 3. April vollzählig; der letzte am 27. September im Prater. 1889. Der erste am 21. März bei Fischamend; am 6. April vollzählig. — Der schwarzbraune Milan ist keineswegs ausschliesslicher Fischfresser, liebt vielmehr, namentlich im Frühjahr, eine Abwechslung seiner Speisekarte und schlägt da mit Vorliebe junges Wild- und Hausgeflügel. Ich weiss den Fall, wo ein Milan täglich ein in mitten der Donauauen einsam gelegenes Wirthshaus besuchte und von dort angesichts der Bewohner eine junge Gans oder ein Huhn wegtrug, bis der freche Räuber dem Blei eines kaiserlichen Jägers verfiel. Aber nicht nur von isolirten Höfen, auch aus Ortschaften holt er sich zuweilen seine Beute, besonders zur Zeit, wo die Jungen bereits stark geworden sind und die Eltern mit der Atzung ihre liebe Noth haben. Durch die beständige Verfolgung seitens der Krähen, Elstern, Dohlen und Lachmöven hat der Milan viel zu leiden und nur selten gelingt es ihm, seinen Raub ungestört und in Ruhe zu kröpfen. Eigenthümlich ist die Art und Weise, wie er, im Gegensatze zu dem völlig tauchenden Fischadler, den Fischfang betreibt; er zieht dicht über dem Wasserspiegel hin, bis er nahe der Oberfläche einen Fisch gewahrt, worauf er blos die Fänge blitzschnell senkt und sie dann höchst selten ohne Beute wieder anzieht.

4. Cerchneis tinnunculus, Linn. Thurmfalke. (Localnamen: „Heikel“, „Windwachl“, „Rüttelgeier“). In ganz Niederösterreich wohl der verbreitetste, beinahe allenthalben horstende Raubvogel. In den Auenwäldern der Donau zieht er bei Wahl seines Horstplatzes die harten Auen den weichen*) vor, brütet aber auch in letzteren noch in namhafter Zahl, so z. B. in der grossen Reiher und Scharbencolonie. In Wien selbst brüten sie nicht blos auf fast sämmtlichen Kirchthürmen, sondern auch auf vielen anderen hohen Gebäuden, wie der kaiserlichen Burg, dem Hofmuseum, dem Palais des Erzherzogs Ludwig Victor u. a. m., je 1—2 Paare. Eines hatte im Frühjahr 1886 seinen Horst auf dem Stadttheater gebaut und verlor seine Brut durch den Brand; während der ganzen Dauer der Feuersbrunst bis in die tiefe Dämmerung hinein, kreisten die Eltern schreiend über den Flammen. — Die Ankunft geschieht durchschnittlich in der zweiten Hälfte des März, doch überwintern auch einzelne, das erste Ei wird zwischen dem 15. und 20. April gelegt, die Bebrütung währt 20—22 Tage und in der zweiten Hälfte des Juni sind die Jungen flügge. Im September erfolgt der Zuzug der nordischen Falken, welcher gleichmässig bis zum Abzug der Hauptmasse, Mitte October, andauert. Von speciellen Zug- und Brutbeobachtungen hebe ich aus meinem Tagebuch hervor: 1885, 1. März, zwei Stücke im Prater; 4. October, einige in den Auen von Wien bis Schönau. — 1886, 30. Januar, 1 Stück auf der Ringstrasse in Wien; 31. Januar, 1 Stück bei Korneuburg erlegt; 1. Februar, 1 Stück an der Stubenthorbrücke, 15. eines auf dem Rathhaus in Wien, Anfangs März vollzählig. 22. April, 4 frische Eier. Vom 19. September bis 5. October, grosse Mengen im ganzen Donaugebiet, am 6. bereits viel spärlicher. 6. November, 1 Stück in der Wassergasse; 13. December, eines auf dem k. k. Burgtheater in Wien. — 1887, 28. Februar, 1 Stück auf dem Kärnthner Ring in Wien, am 4. März vollzählig; 1. Mai, 5 frische Eier. Vom 21. bis 29. September in den Donauauen in solcher Menge, wie ich sie weder früher, noch später je gesehen. 4. October, 1 Stück im Prater; 23. eines auf den Feldern bei Mannswörth. — 1888, 1. März, 1 Stück im Prater, Mitte März vollzählig; 31. Mai, Horst mit 3 etwa 4—6 Tage alten Jungen und zwei lauteren Eiern. 4. October, 1 Stück im Prater. — 1889, 17. Februar, 2 Stück auf der Ringstrasse; 3. März eines in der Lothringerstrasse, zwischen dem 8. und 10. vollzählig. 1. Mai, Gelege mit 4, 4. ein solches mit 6, 12. zwei mit 5 bezw. 3 und 19. eines mit 5 Eiern; am 2. Juni lagen in dem Horst, welchem ich am 19. Mai das Gelege entnommen, 2 frische Eier. — Der Thurmfalke ist im Allgemeinen wenig oder gar nicht schädlich, da er sich fast ausschliesslich an Maulwürfe, Mäuse, Reptilien und Insecten hält und sich nur höchst selten der Vogelwelt gegenüber, Uebergriffe gestattet. Eine merkwürdige diesfällige Beobachtung machte mein Bruder Karl, mitten im Weichenbilde der Stadt Wien; er schreibt darüber in unserem Beobachtungsjournal: „Als ich am 1. Februar d. J., aus der inneren Stadt kommend, über die Stubenbrücke ging, gewahrte ich 2 Falken, deren einer sich bald als altes ♂ vom Thurmfalken entpuppte, wogegen ich in dem anderen einen Zwergfalken erkannte. Beide strichen, ersterer etwas voraus, einer an der Wien stehenden starken Silberpappel zu, auf der etwa 30 Goldammern sassen. Plötzlich stiess der Thurmfalke nach den Vögeln, schlug einen und erhob sich mit seinem Fange in die Luft. Da schoss mit eigenthümlichem Käckern, wie ein Blitz, der Zwergfalke heran, fasste den Thurmfalken mit den Fängen an der Brust und nach heftigem Kampfe stürzten die Räuber zu Boden. Kaum hatten sie denselben berührt, so liessen sie von einander ab, der Zwergfalke strich eine Strecke weit fort, während sein Gegner, anscheinend nicht unerheblich verletzt, mit der Beute auf einem niedrigen Baume aufhockte. Aber nicht lange währte der Friede. Der Zwergfalke erschien von neuem auf dem Schauplatze, worauf der andere sofort abstrich, von seinem Verfolger indess bald eingeholt wurde. Nun begann in der Luft ein heftiger Strauss, bis sich beide Falken, in den Zweigen eines Baumes verhingen und dadurch an der Fortsetzung, ihrer Angriffe gehindert wurden. Mit hängenden Schwingen, lebhaft kackernd, sassen sie sich gegenüber; endlich ergriff der Zwergfalke abermals die Offensive, und zwar mit solchem Nachdruck, dass der Thurmfalke, sein Opfer im Stiche lassend, sich schliesslich aus dem Staube machte. Der Sieger baumte mit seiner schwer erkämpften Beute, auf der Spitze einer Silberpappel auf und begann sofort zu kröpfen. All' das, spielte sich im Flussbett der Wien, unmittelbar an der Brücke, also angesichts vieler Hunderter von Menschen ab.“

5. Cerchneis cenchris, Naum. Röthelfalke. Eine höchst seltene Erscheinung, für die ich nur 3 Belegeexemplare kenne. Das eine wurde im Jahre 1806 von Herrn Pfarrer Kratky zu Meisburg geschossen und steht gegenwärtig im k. k. Museum; das zweite, ein altes ♂, erlegte Herr Anton Schiestl, anfangs September bei Fischamend, das Dritte schoss mein Bruder Ernst am 1. Mai 1881, im k. k. Parke zu Laxenburg.

6. Erythropus vespertinus, Linn. Rothfussfalke. Dieser prächtige, graciöse Raubvogel ist in Niederösterreich überhaupt und namentlich in den Donauauen auf dem Zuge eine alljährliche Erscheinung, obwohl er nicht immer in gleicher Anzahl, mitunter sogar nur sehr vereinzelt auftritt. Im Frühjahr begegnet man ihn ab und zu von Ende April bis Ende Mai und schon im Juli kehrt er wieder, um dann bis Mitte September zu verbleiben. Da er in der Regel für viel seltener gehalten wird, als er thatsächlich ist, gebe ich hier einen vollständigen Auszug aus meinen Tagebüchern: 1885. Im Herbst 1 ♂ von Herrn Peter Hübschmann in Esslingen erlegt. — 1886. Ende April hielten sich in der Schüttelau bei Fischamend 3 Stücke, 2 ♂ und 1 ♂, auf, von welchen der k. u. k. Weidjung Bauer am 30. April 1 ♂ schoss. Am 7. August sah ich 1 ♂ in der Prigenau bei Mannswörth. — 1887. In diesem Jahre besonders zahlreich; ich beobachtete: am

---

*) „Weiche Auen“ oder „Chaussen“ nennt man die fast durchweg mit Weichhölzern, (Pappeln und Weiden) bestandenen Donauinseln, „harte Auen“ oder „Landauen“ dagegen, die an den eigentlichen Stromufern gelegenen, theilweise weit landwärts reichenden Auenwälder, die meist von harten Laubhölzern, wie Eichen, Ulmen, Eschen u. s. w. gebildet werden. Der Verfasser.

13. Juli 2—3; 12. August 5 ♂; 13. 3 ♂; 14. 1—2; 18. 1; 30. 1—2; September einige in den Auen von Wien bis Orth; 3. in der Lobau 6; 4. 1; am 15. die letzten 4; seit Mitte August ausschliesslich junge Vögel. — 1888. Am 19. Mai schoss Herr Anton Schiestl 1 ♂ unweit Fischamend; am 20. Mai sah ich 1 ♂ bei Engelhartsstetten und am gleichen Tage schoss Herr Steyskal ein solches bei Breitensee. Ende Mai beobachtete k. u. k. Weidjung Joh. Lesk 1 Stück bei Schönau. Am 30. Juli und 25. August notirte ich je 1 Stück im Prater. — 1889. — Am 10. August 3 Stücke im Prater, am 11. ebenda eines. — Kaum neigt sich die Sonne zum Untergange, so wird dieser kleine Falke munter, schwebt gleich schnell über die Weidenbüsche hin, treibt sich über der Donau mit den Lachmöven und Seeschwalben herum, rüttelt, steigt blitzschnell senkrecht in die Höhe, um sich im nächsten Augenblicke wieder im stumpfen Winkel zu senken und bietet so beständig die herrlichsten Flugbilder. Am häufigsten trifft man ihn im Ueberschwemmungsgebiete der Donau, wo er nach den zahlreich umherschwärmenden Käfern und Nachtfaltern jagt, die neben Mäusen seine einzige Nahrung bilden.

(Fortsetzung folgt.)

Ein Schongebiet für Neuseelands Vögel.

Mitgetheilt von **A. Reischek.***)

Hochgeehrter Herr Redacteur!

Auf Ihren Wunsch übersetze ich mit Freude das Memorandum von Lord Onslaw für Ihr geschätztes Blatt, welches mir Henry Wright Esqu. aus Wellington, Neu-Seeland, gütigst sandte.

Dieses Memorandum regt die Hegung der einheimischen Neu-Seeländischen Vögel an und ist von der Regierung angenommen worden. Es wäre auch höchste Zeit, dass man in Europa ein internationales Uebereinkommen treffe, damit auch unseren befiederten Waldesbewohnern mehr Schutz gewährt wird. Zwar ist in dieser Beziehung schon manches gethan worden, jedoch noch beiweitem nicht genug, so lange man nicht durch gute Gesetze verhütet, dass in den Ländern, wo die Vögel durchziehen und Rast halten und von der Reise ermüdet einfallen, die armen Thiere zu Tausenden hingeschlachtet werden. Das Rauben der Eier als Delicatesse und das Schiessen für Schmuckfedern, besonders der Reiher in der Brutzeit ist nicht waidmännisch. Ein weiterer Nachtheil liegt im Abholzen der Wälder, wobei die Schläge oft Jahre lang liegen, bevor sie vom Eigenthümer aufgeforstet werden.

Dem Naturfreunde muss es auffallen, dass sich von Jahr zu Jahr unsere beliebtesten Sänger in unseren Wäldern vermindern, so auch andere nützliche Vogel-Arten.

Ich war erstaunt, als ich nach 12 Jahren nach Europa zurück kam und unsere Wälder so stille fand; es war nicht mehr das bunte Treiben, welches ich als Knabe in früheren Jahren beobachtet hatte. Möge dieses Memorandum auch für Europa als Anregung dienen, dass einflussreiche Persönlichkeiten dahin wirken, dass diesem unmenschlichen Hinschlachten Einhalt gethan wird. —

Hier folgt die Uebersetzung des Memorandums:

Memorandum für die hochgebornen Herren Ministerpräsidenten und Ackerbau-Minister betreffs der Verminderung der einheimischen Vögel Neu-Seelands, mit einem Vorschlag über ihre Erhaltung.

Naturforscher stimmen überein, dass Neu-Seeland gewissermassen die interessanteste Fauna der Welt besitzt. Es ist eine traurige Thatsache, dass unter der veränderten Lage die Existenz dieser merkwürdigen Fauna verschwindet. Einzelne Arten sind überhaupt schon ausgestorben und andere sind dem Aussterben nahe; nimmt man zum Beispiel die flügellosen Vögel Neu-Seelands, die Zwerg-Repräsentanten der Riesenvögel, welche einst über Neu-Seeland verbreitet waren und das grösste Interesse bei den Naturhistorikern hervorriefen. Die Kiwi (Apteryx) waren einst gemein, wie ihre Riesenvorgänger; als die ersten Europäer nach Neu-Seeland kamen, vor 50 Jahren, fanden sie die Kiwi in allen, für sie geeigneten Localitäten noch häufig. Heute sind die Localitäten, wo die Kiwi noch hausen, auf der Karte leicht zu finden und sehr beschränkt; die nördliche Art Apterix bulleri findet man nur noch auf den bewaldeten Höhen des Pironzia und in den Ober-Wanganui Gebirgen, von den anderen Localitäten, wo sie einst häufig waren, sind sie schon verschwunden. Die südliche Art, Apteryx australis, ist nur mehr an wenigen Plätzen der Westküste zu finden, die kleinen grauen Kiwi, Apteryx oweni, welche vor mehreren Jahren, noch zu Tausenden existirten, erlagen der Blutgier der Hermeline, Wiesel, wilder Katzen und Hunde; auch die Mineraliensucher lebten oft ausschliesslich vom Kiwi, so dass sie nur mehr auf den niederen bewaldeten Gebirgen der südlichen Alpen zu finden sind.

Apteryx Haosti und Apteryx maxima sind nur äusserst selten auf den bewaldeten Höhen der Steward-Insel zu finden. Die Kakopo und Stringops, welche einst sehr häufig in den bewaldeten Gebirgen an den westlichen Sunden und auf den westlichen Abhängen der südlichen Alpen vorkamen, sind jetzt schon sehr seltene Vögel, nach Angabe des Herrn Richardson, welcher vor Kurzem eine Vorlesung über das Verschwinden der Neu-Seeländischen Vögel im Otago-Institut hielt. Die Kiwi und Kakapo sind jetzt nur mehr auf kleine Districte beschränkt und hier werden sie von wilden Hunden, Katzen, Hermelinen, Wieseln und Frettchen so verfolgt, dass sie schnell verschwinden. Die blaue Lappenkrähe Glaucopis cinerea und die südliche Drossel, Turnagra crasirostris, welche tägliche Camp-Besucher waren,

*) Unser Ehrenmitglied, Herr A. Reischek, erhielt von Herrn Henry Wright, Esqu., in Wellington, Neuseeland, ein Memorandum in Angelegenheit des Vogelschutzes daselbst, mit dem Ersuchen um nochmalige ausführliche Aeusserung über die Eignung der Hauturu-Insel als Schutzdistrict für besonders interessante neuseeländischg Vogelspecies.

Herr Reischek hat in seinen zahlreichen in Neuseeland abgehaltenen Vorträgen das Thema des Schutzes der dortigen Vogelwelt vielfach behandelt und zuerst auf die Hauturu-Insel als entsprechenden Hegeplatz hingewiesen. D. R.

als Sir James Hector 1863 an der Westküste forschte, sind jetzt nur selten zu sehen. Die nördliche Drossel, Turnagra Hectori und mehrere kleine Vögel sind schon ganz verschwunden.

Hervorragende zoologische und ornithologische Schriftsteller, wie Professor Newton in Cambridge, Professor Flower im Britischen Museum und Dr. Sclater, der hervorragende Secretär der zoologischen Gesellschaft in London, haben immer wiederum angeregt, dass etwas gethan werden sollte, um die Neu-Seeländischen Vögel zu schonen; sie erklärten, dass es ein immerwährender Vorwurf für die jetzige Generation der Colonisten wäre, wenn sie keinen Versuch machen würden, doch wenigstens einige der aussterbenden Formen für die Studenten der Zukunft zu retten. Professor Newton, als er die biologische Section der britischen Gesellschaft 1887 in Manchester begrüsste, sagte, er möchte, dass sie im Gedächtniss behalten, dass die einheimischen Species von Neu-Seeland bereits ohne Ausnahme eigenthümlich zu diesem Lande gehören und vom wissenschaftlichen Standpunct aus von instructivem Charakter seien; sie geben ein Glied der Vergangenheit und wenn einmal verschwunden, können sie nie mehr erlangt werden; darum müsste man versuchen, alles über sie zu wissen, bevor sie verschwinden. Die Formen, welche wir erlauben, dass sie vernichtet werden, sind ohne Ausnahme alte Formen und sind gerade solche, welche uns mehr den Weg zeigen und lernen, wie sich das Leben über die Welt verbreitet hat, als was immer für neue Formen und damit wir uns von der Nachwelt den Vorwurf ersparen, sollen wir über sie alles, was wir können, lernen, bevor sie für immer verschwinden.

Der Hauptgrund des Aussterbens der Neu-Seeländischen Vögel ist zweifellos die Importation europäischer Thiere, gegen welche die einheimischen Arten im Kampf ums Dasein unterliegen, besonders unter dem durch die Colonisation veränderten Zustande. Wahrscheinlich ist ein Hauptfactor der Vernichtung die norwegische Ratte, welche unabsichtlich mit Schiffen eingeschleppt wurde. Ob die Importation fremder Vögel weise war oder nicht, ist jetzt nicht nöthig zu besprechen; unsere Acclimatisations-Gesellschaften haben viele fremde Vögel zum Schutze der einheimischen vertrieben; die Letzteren erlagen in Folge des Naturgesetzes, welchem Thiere und Pflanzen folgen müssen, den fremden Eindringlingen, sie verschwinden dann schnell; auch die Ureinwohner machen hievon keine Ausnahme, auch sie müssen verschwinden. Beobachtung hat gelehrt, dass sich Racen, welche dem Aussterben nahe sind, auf Insel-Gebieten am längsten erhalten; dies ist eine Erfahrung der Zoologen auf der ganzen Welt. Die Inseln Mauritius und Rodreguez zeigen ein Beispiel davon; hier in Neu-Seeland haben wir einen ähnlichen Fall; die Tuatara Eidechse, Sphenodon punctatum ist vermuthlich ein Urrest von einer sehr primitiven Fauna, welche schon vor vielen Jahren auf dem Festlande ausgestorben ist, hauptsächlich vernichtet von den importirten wilden Schweinen; diese Eidechsen kommen aber auch auf einigen kleinen unbewohnten Inseln vor.

Der Macomaco, Glockenvogel, Anthornis melanura, welcher einst einer der häufigsten Vögel und überall zu finden war, kommt zwar auf der Süd-Insel noch vor, ist aber von der Nord-Insel schon gänzlich verschwunden, bis auf einige kleine bewaldete Inseln, wo er sich noch vorfindet. Dasselbe Schicksal hatten auch das Waldkehlchen, Miro australis und der Weisskopf, Clitonyx albicapilla, zwei Arten, welche auf der Süd-Insel nie vorkamen. Der Tiora Pogonornis cincta, welcher ein Bindeglied zu der australischen Fauna ist, war vor 30 Jahren häufig in der Wellington-Provinz, jetzt sind sie auf dem Festlande schon ausgestorben; die Hauturu, eine kleine Insel im Hauraki-Golf, ist die einzige, wo noch welche vorkommen. Wenn man alle diese Thatsachen überlegt, so kommt man zum Schlusse, dass, wenn ein Anfang zur Schonung der einheimischen Arten gemacht wird, dazu geeignete Inseln für diesen Zweck bestimmt werden müssen, welche unter strenger Aufsicht stehen, damit diese Vögel gehegt werden; sollte es bewilligt werden, so ist es Pflicht der Regierung, die nothwendigen Massnahmen zu ergreifen. Die nächste Frage ist, welche Insel ist die geeignetste für diesen Zweck? Nach sorgfältigen Erkundigungen über diese Sache und Studium der bezüglichen Literatur localer Autoritäten komme ich zum Schluss, dass die zwei besten und leicht zu erwerbenden Inseln im Norden die Hauturu und im Süden die Resolutions-Insel sind. Die Hauturu-Insel gehört noch den Maori, aber die Regierung ist mit ihnen schon in Unterhandlung wegen Ankaufes und wie ich weiss, ist nur mehr eine kleine Differenz zwischen dem Abschlusse; ich würde auf den Abschluss drängen. Von der Hauturu-Insel ist bekannt, dass sie das alleinige Heim der Tiora, Popocatea, Tautauwai und anderer, auf dem Festlande schon ausgestorbener Arten ist.

Sie ist bewaldet und geeignet für eine Hege, nicht weit entfernt von Auckland; dann würde es schwer sein, auf dieser Insel zu landen, ohne die Aufmerksamkeit der vielen Schiffe zu erwecken, welche im Hauraki-Golf kreuzen. Die Resolution-Insel ist jetzt für eine Hege für die einheimische Fauna und Flora proclamirt worden; diese Insel ist eine Stunde vom Festlande entfernt, von ziemlicher Ausdehnung, besitzt gute Häfen mit tiefem Wasser und Ankerplätze; mehrere Arten, welche gehegt werden sollen, wie Kacapo, Kiwi etc. etc., kommen auf dieser Insel vor.

Man vermuthet auch, dass dies das letzte Heim des grossen flügellosen Sumpfhuhnes, Notornis mantelli ist, wovon nur 3 Exemplare in Neu-Seeland gefunden wurden; zwei sind im National-Museum, eines im königlichen Museum in Dresden. Ein Exemplar, welches das Britische Museum von Herrn Walter Mantel 1849 erhielt, wurde von Seehund-Jägern in Duck Cove, auf der Resolution-Insel gefangen, das zweite Exemplar fanden Maori an der Secretär-Insel, vis-a-vis Deas-Cove, Thomsons Sound; das dritte wurde vor Kurzem 1881, von Kaninchen-Jägern nahe dem See Te Anau gefangen. Es ist Grund vorhanden zu glauben, dass diese seltene und interessante Art noch auf der Insel existirt, welche von der Regierung als permanente Hege proclamirt wurde. Beachtet man das Interesse und den grossen

Verlust, welche die Wissenschaft durch die Vernichtung von Naturformen, welche sonst nirgends existiren, erleiden würde und die Bedeutung, diese Formen zu retten, so kann nicht widersprochen werden, dass eine grosse Verantwortung diejenigen trifft, welche Zeit und Gelegenheit vorübergehen lassen, ohne die nöthigen Schritte zu thun, um es zu verhindern.

Was man will, ist, dass man das Publicum darauf aufmerksam macht, und dafür interessirt. Es ist eine allbekannte Sache, dass das Gefühl des Publicums sich gegen die Vernichtung lebender Arten sträubt. Als ein Beispiel darf man nur lesen, wie das Volk in San Franzisco bedauerte, dass die Seelöwen, welche den bekannten Seehundfelsen unweit des Ufers bewohnten, verschwinden und das Verschwinden der Bisonherden, welche nur mehr in einigen Gebieten vorkommen, wo sie von der americanischen Regierung gehegt werden. Man hört auch Klagen von den echten Jägern und Naturforschern über das Verschwinden durch die Metzgerei des grossen Wildes in Süd-Afrika, man nehme beispielsweise das Quagga, welches bereits vernichtet ist; vor vierzig Jahren waren diese Thiere zu tausenden in den Thälern und Ebenen der Cap-Colonie su sehen, heute existiren einige ausgestopfte Exemplare in den Museen und zwei lebende im zoologischen Garten; nimmt man diese weg, so sind sie vollständig verschwunden. Ich dränge die Minister, dass sie diesen Gegenstand ernstlich in Erwägung ziehen und ich erinnere sie, dass am 16. December 1886 der Secretär des Auckland-Institutes hierüber schrieb und den Kauf der Hauturu-Insel der Regierung für eine Hege vorschlug; der Ministerpräsident Sir Robert Stout, nahm diese Sache mit Beifall auf, der Kauf wurde auch sehr empfohlen von Professor Thomas und Herrn A. Reischek, dem österreichichen Naturforscher, welche diese Insel genau inspicirten. Bei der letzten Versammlung des Otago-Instituts wurde ein Beschluss gefasst, wobei der Ausschuss ermächtigt wurde, diesen Beschluss der Regierung vorzulegen, damit sie die Resolutions-Insel als eine Hege proclamirt. Ich möchte den Vorschlag machen, dass man sich sogleich Gewissheit verschaffen soll, ob viele Kiwi und Kakapo vorkommen, damit man sogleich diese und andere Vögel vom Festlande herüber schafft, bevor es zu spät ist, und sie auf der Hauturu-Insel frei lässt. Capitän Fairchild, welcher an dieser Sache grosses Interesse nimmt, soll die Weisung erhalten, von Zeit zu Zeit auf seinen Kreuzungen diese Insel zu besuchen und sich zu imformiren ob sich die Vögel wohl befinden und vermehren etc.; und darüber practischen Bericht wegen Förderung dieser Sache erstatten. Ich möchte zur selben Zeit den Ministern den Vorschlag machen, dass sie auch andere einheimische Vögel unter den Schutz stellen; wie ich schon früher bemerkte, war der Glockenvogel früher so häufig und jetzt ist er von der Nord-Insel verschwunden, jedoch noch ziemlich häufig im Süden. Es ist der Vogel, welcher Capitän Coock so sehr mit seinem Gesange bezauberte, als sein Schiff in Queen Charlotte Sound vor Anker lag, vor mehr als hundert Jahren; er ist historisch, es wäre jammerschade, wenn man diesen Vogel aussterben liesse. Es ist allgemein anerkannt, dass der Schutz, welchen der Tui geniesst, gute Früchte trug; diese Art ist jetzt häufiger, als vor 15 Jahren: würde es nicht gut sein, auch seinem kleinen Collegen, den Macomaco, welcher in seiner Lebensweise dem Tui ähnlich ist, denselben Schutz zu gewähren? Dann ist noch ein Vogel historisch und in der Maori Poesie bekannt wegen seiner Schönheit, sowie für den Naturforscher interessant durch die Abweichung der geschlechtlichen Verschiedenheit, eine Art, welche nur auf einem kleinen Gebiete, auf der Nord-Insel vorkommt. Durch die Sammelwuth und das Vordringen der Ansiedlungen in sein Heim verschwindet diese Art schnell; ich meine natürlich den Huia, Heteralocha acutirostris, einen Vogel, welcher ein so kleines geographisches Gebiet, nur die Ruahine-, Tararua- und Rimutaca-Gebirge, ihre Ausläufer und Thäler bewohnt. Die weissgebänderten Schwanzfedern dieses schönen Vogels sind von uralten Zeiten her, der hervorragende Kopfschmuck der Maori-Häuptlinge; ein Ereigniss damit verbunden, von alter Zeit her, ist der Name des berühmten Ngatihuia-Stammes, woher die Nachkommen noch heute diesen Namen führen.

Wie die Minister wissen werden, wählte ich für meinen neugebornen Sohn zur Erinnerung an seine Geburt in Neu-Seeland den Namen Huia; ich würde es als eine Ehrung meiner Familie gegenüber betrachten, wenn die Minister ihre Gewalt anwenden würden und die Regierung den Schild des Schutzes auch über diesen Vogel halten würde.

Ich mache den Vorschlag um so lieber, als von hervorragenden Häuptlingen des Ngatihuia-Stammes bei ihrer Versammlung in Otaki am 18. September, wo ich das Vergnügen hatte, meinen Sohn den versammelten Stämmen vorzustellen, mehrere schmeichelhafte Reden gesprochen wurden und einer von diesen Häuptlingen bemerkte: „Dort unten ist das mit Schnee bedeckte Ruahine-Gebirge, das Heim unseres Lieblingsvogels; wir bitten dich, o Gouverneur, hindere die Weissen am Schiessen dieses Vogels, dass wenn dein Knabe aufwächst, er diesen schönen Vogel sieht, nach welchem er den Namen trägt.“ Der Huia liebt den dichten Wald und da die Ansiedler schon eingedrungen sind, so würde er sich vor totaler Vernichtung in die bewaldeten Gebirge, in die Reserve zurückziehen, wo er dann unter strengem Schutz Gelegenheit sich zu erhalten und zu vermehren hätte.

Christchurch, Weihnachtsabend 1891. Onslaw. Publicirt in der „Neu-Seeland Gazette“, 25. Februar 1892, Seite 402.

Sir James Hector! Bitte lesen sie dieses und machen sie einen Vorschlag, welchen sie für gut finden. J. Ballance, Ministerpräsident.

Antwort von Sir James Hector, Colonial-Museum in Wellington, Neu-Seeland, 17. Januar 1892.

An den Ministerpräsidenten J. Ballance.

Sr. Excellenz Memorandum sprach klar die Ansichten aus, welche von verschiedenen wissenschaftlichen Autoritäten besprochen wurden und da die Regierung überhaupt schon angefangen hat, die Sache für eine Hege durchzuführen, so kann vorderhand nichts mehr gethan werden, als dass man auf diese zwei Inseln die einheimischen Vögel schafft;

das könnte am besten durch die Acclimatisations-Gesellschaften geschehen, da diese die nöthigen Erfahrungen haben und für solche Zwecke organisirt sind. Wenn die Resolution-Insel unter die Controlle der Otago-Gesellschaft käme und die Hauturu-Insel unter jene der Auckland-Gesellschaft und die Regierung würde beiden Gesellschaften eine Subvention geben, das wäre das einfachste und erfolgreichste. Die Regierung könnte auch, wie Sr. Excellenz bemerkte, materiell beitragen, wenn sie den Leuchtturm-Dampfer zur Inspection, sowie Transportirung der Vögel beauftragen würde.

Ich empfehle, dass sich über diese Sache, wie sie am praktischesten organisirt werden könnte und über den Betrag der Subvention, diese Gesellschaften äussern sollen; die Regierung möge sich mit ihnen ins Einvernehmen setzen, wie weit sie gesonnen wären mitzuwirken.

Ich möchte weiters noch vorschlagen, dass Sr. Excellenz Memorandum publicirt werde.

James Hector.

Interessante Kreuzungen.

von W. Dackweiler.

Nachdruck verboten.

Wenn man Thiere derselben constanten Rasse miteinander paart, so erhält man wieder reinrassige Thiere als Nachzucht, die den Zuchtthieren in jeder Beziehung gleich sind, das heisst dieselben Rassemerkmale haben. Ganz anders verhält sich die Sache, wenn man Thiere verschiedener Farbenschläge oder verschiedener Rassen oder gar verschiedener Arten miteinander paart. Da gibt der Züchter die Karte aus der Hand und er muss es mehr dem Zufalle überlassen, was die Natur ihm Gutes oder Schlechtes bringt. Zwar wird in der Nachzucht in der Regel die Zuchtthiere wieder er erkennen; ja in bestimmten Fällen weiss er mit Sicherheit, was die Nachzucht bringt, wie sich das bei Maulthier und Maulesel zeigt. Aber so feste Regeln befolgt die Natur nur in Einzelfällen. Unstreitig häufiger findet man die Nachzucht von den Zuchtthieren so verschieden, dass man solche Fälle geradezu Naturräthsel nennen darf. Je mehr die Zuchtthiere in Form und Farbe verschieden sind, je weniger constant sie sind, desto auffallender fällt oft die Nachzucht. Ganz auffallende Fälle haben wir seit unserer Praxis als Geflügelzüchter beobachtet. Wir haben Kreuzungen gesehen, die einem Zuchtthiere so ähnlich waren, dass sie als reinrassige Thiere ausgestellt und mit höchsten Preisen prämiiert wurden. Dagegen haben wir auch Kreuzungen beobachtet, an denen man die Abstammung gar nicht bestimmen konnte, weil sie gar zu verschieden von den Zuchtthieren waren. Wären die Geflügelzüchter auf dem Continent nicht so conservativ, würden sie alle gelungenen auffälligen oder planmässig erzielten Kreuzungen weiter züchten, wir hätten ein Rasseverzeichnis, das wohl um die doppelte Zahl unsere jetzt schon so grosse Reihe überholte. Wir finden es nur löblich, dass man sich nach dieser Richtung hin einschränkt, können andererseits aber auch nicht verkennen, dass der Zucht durch solche besondere Fälle mitunter ein grosser Dienst geleistet werden kann, indem werthvolle Farbenschläge oder auch neue Rassen von grossem Werthe erzielt werden. In der Hand des Nichteingeweihten geht manch schönes Geflügelstück verloren wird unbarmherzig dem Messer überliefert, welches in der Hand des interessierenden Züchters von ganz bedeutendem Werthe wäre. Im Jahrgange XIV. der „Schwalbe" berichteten wir über eine ebenso auffallende als interessante Kreuzung zwischen türkischen (Bisamenten) und Pekingenten und versprachen, darauf zurückzukommen. Wir wollen unser Versprechen umso lieber einlösen, als wir voraussetzen, dass diese Kreuzung für die Ornithologie von grossem Interesse sein dürfte. Wir müssen aber von vornherein bekennen, dass unsere damaligen Angaben durch die falsche Aussage des betreffenden Züchters einer Correctur bedürfen und sind genöthigt, des besseren Verständnisses wegen den ganzen Sachverhalt auf Grund genauer Beobachtung mitzutheilen.

Der betreffende Züchter hatte auf den ausgedehnten, meist getrennt liegenden Weihern Pekingenten und weisse Bisamenten (türkische Enten), Erstere stammten aus unserer Zucht und waren durchaus constant, letztere waren schöne rassige Thiere; über ihre Abstammung konnten wir nur erfahren, dass sie aus Bruteiern gezüchtet, von einem Züchter bezogen, der nur weisse Bisamenten hielt. Es wurde zu Frühjahr 1888 eine ganze Menge Enteneier Glucken untergelegt, denn der betreffende Züchter wollte zu Schlachtzwecken viel junge Enten züchten. Als die ersten Jungen ausschlüpften, schickte der Züchter uns Bescheid, wir sollten möglichst bald herüberkommen, er habe bei den jungen Enten ganz braune Thierchen. Wir erstaunten, die Angabe vollständig bestätigt zu finden und glaubten, die braunen Enten müssten aus Eiern der Bisamenten gefallen sein, weil diese vielleicht von bunten Zuchtthieren abstammten oder doch mit solchen nahe verwandt seien.

Es wurde uns aber auf's bestimmteste versichert, dass nur Pekingeier untergelegt worden. Dass dann eine Begattung durch den Bisamerzel hatte stattfinden müssen, stand unumstösslich fest, denn das Bisamblut war ganz deutlich an den jungen Thieren ersichtlich. So ist es gekommen, dass wir damals die Kreuzung eine Bisam und Pekingkreuzung nannten. Dass durch Kreuzung verschiedener Rassen miteinander oft die auffallendsten Erscheinungen zu Tage treten, ist dem Ornithologen bekannt. In diesem Falle schien uns aber die Erscheinung gar zu auffallend, ja ganz unnatürlich. Dass durch Paarung constanter weisser Thiere ganz braune Nachzucht fallen sollte, schien uns ein Räthsel und wir suchten der Sache auf den Grund zu gehen. Von dem betreffenden Geflügelwärter, der nebenbei bemerkt, noch nicht über die ersten Anfänge der Zucht hinausgekommen, liessen wir uns die mit Enteneiern belegten Brutnester und die noch nicht untergelegten Enteneier zeigen. Die Bisam- und Pekingeier waren in Grösse und Farbe so verschieden, dass eine Verwechslung ausgeschlossen war. Aber wir fanden bei den Pekingeiern sowohl in den Brutnestern, als auch in dem Eierkorbe verschiedene, von ganz anderer

Form und Farbe, so dass wir sofort erklärten, das könnten keine Pekingeier sein. Nun gingen wir zur Besichtigung der Zuchtstämme über. Beide waren getrennt und der Wärter versicherte aufs bestimmteste, dass die Zuchtstämme in vollständiger Feindschaft lebten und eine Paarung ausgeschlossen sei. Bei dem Pekingstamm fanden wir eine einzelne, ziemlich grosse weisse Landente und so war schon sofort klar, dass die grünlichen Eier von dieser Ente herrühren mussten, was nachher auch durch Absperrung festgestellt wurde. Ferner wurde nun auch bald constatiert, dass die braunen Enten, deren im Laufe der Zeit noch mehr erschienen, aus diesen Eiern fielen; ja es wurde sogar festgestellt, dass aus jeden dieser untergelegten Eier eine braune Ente entschlüpfte. Die jungen Thiere waren so egal gefärbt, wie man es bei constant gezüchteten Rouenenten nicht findet. Bevor wir über die Kreuzungsthiere selbst berichten, müssen wir unsere weitere Untersuchung bekannt geben. Trotzdem der Wärter aufs bestimmteste versicherte, dass der Bisamerpel nicht mit den Thieren des anderen Stammes zusammen kam, stand die Begattung durch diesen Erpel unumstösslich fest und schon die nächsten Tage bestätigten dies. So bald die Enten morgens aus dem Stalle gelassen wurden, war der Bisamerpel hinter der Landente her, fast wüthend stürzte er sich auf dieselbe, dann aber war diese mit den Pekingenten über Tag stets auf einem entfernten Weiher. Sonach waren also ganz dunkelbraune Thiere von zwei rein weissen Zuchtthieren gefallen. Es muss noch bemerkt werden, dass eine sonstige Begattung dieser Ente nicht denkbar war, indem die Anlagen mit hoher Mauer umgeben waren, auch in der Nähe nirgends wo Enten gehalten wurden. Es handelte sich nun darum, über die Abstammung der Landente Näheres zu erfahren. Wir erfuhren, dass sie von einem Bauernhofe vor einiger Zeit als Schlachtente gekauft war, dann aber durch die Flucht sich dem Messer entzogen hatte. Da wir auf dem Bauernhofe bekannt waren, begaben wir uns auch dorthin, eine kleine Fussreise nicht scheuend. Wir fanden dort eine Anzahl weisser Enten, die aber, wie auch die vorhin angeführte, sich durch ihre Grösse als Kreuzungen erwiesen. Auf unser Fragen erklärte die Bäuerin, dass sie vor drei Jahren Italienerenten gekauft habe, dabei wäre ein bunter Erpel gewesen. Sie hätte nachher die bunten Enten alle abgeschafft und nur weisse gehalten, weil ihr diese besser gefielen. Nun hatten wir die Lösung. Wir haben selbst vor Jahren Italienerenten gehalten. Diese sind gar nicht constant in der Farbe. Wir haben reinweisse gehabt und soche ganz in der Farbe der Rouenenten. Es zeigte sich also hier die Farbenübertragung nach mehreren Generationen in auffallendster Weise, doch über diesen Punkt berichten wir weiter unten. Nachdem mit Sicherheit festgestellt war, dass die braunen Enten von der weissen Kreuzungsente, die von dem weissen Bisamerpel jeden Morgen begattet wurde, abstammte, galt es, die Versuche weiter auszudehnen. Einige 20 Eier dieser Versuchsenten waren untergelegt worden, alle waren befruchtet. In einigen waren die Thiere nach vollständiger Ausbildung abgestorben, was auf Unregelmässigkeit des Brütens zurückzuführen war. Diese Eier wurden geöffnet. In jedem war ein dunkelbraunes Thierchen, ganz von der Farbe der ausgeschlüpften. Wir ersuchten den Züchter, die betreffende Kreuzungsente, sowie auch den alten Bisamerpel doch unter allen Umständen fürs nächste Jahr zu reservieren, was auch bereitwilligst zugesagt wurde. Im folgenden Jahre wurden nun die Versuche fortgesetzt und sie ergaben dasselbe Resultat. Alle Eier der Versuchsente, die wieder jeden Morgen von dem Bisamerpel begattet wurde, ergaben braune Enten, nicht ein einziges wich in der Farbe ab. Bei unseren vielfachen Besuchen konnten wir als einzigen Unterschied nur constatieren, dass der leicht gefärbte Längsstrich an dem Kopf der Enten bei einzelnen um einen Punkt heller oder nicht so scharf abgeschnitten war. Im darauf folgenden Winter starb der Obergärtner, welcher auch die Geflügelzucht zu besorgen hatte, sein Nachfolger hatte nicht nur gar kein Verständniss von der Zucht, sondern anfangs auch nicht das mindeste Interesse, und unser Versuchsfeld erlitt dadurch eine sehr unangenehme Störung. Wie wir bereits früher, als wir über die Kreuzung berichteten, anführten, wuchsen die jungen Enten sehr schnell und übertrafen an Grösse nachher noch die Bisamenten. Sämmtliche Thiere hatten ganz genau die Farbe recht dunkler Rouenenten, was uns anfangs befürchten liess, es würden nur weibliche sein. Einige zeichneten sich aber in Grösse vor den anderen besonders aus, die waren Erpel. Sehr auffallend für den Ornithologen muss es sein, dass die Farbe der Erpel ganz genau mit der Farbe der Enten übereinstimmte. Nur hatte das Gefieder der Erpel einen besondern Glanz ins grünliche, dann contrastierte die Grösse der Erpel gegen die der Enten bei diesen Kreuzungen gerade so, wie bei den Bisamenten, bei welchen bekanntlich auch die Erpel das doppelte Gewicht der Enten erreichen. Nachträglich muss noch bemerkt werden, dass eine Begattung durch den Pekingerpel, bei welchen sie sich Tag für Tag aufhielt, niemals beobachtet worden. Vermuthlich hat eine solche nicht stattgefunden, sonst hätte irgend ein Unterschied bei den jungen Thieren sich zeigen müssen. Allem Anscheine nach war die Kreuzungsente von dem Pekingerpel nicht zu seinem Harem zugelassen; sie hielt sich auch stets in einiger Entfernung von ihm, da bei jeder Annäherung Schnabelhiebe ausgetheilt wurden. Auf unseren Wunsch wurde von den Kreuzungsthieren der von uns ausgesuchte schönste Erpel mit zwei Enten fürs folgende Zuchtjahr zurückbehalten; die anderen gingen ins Messer. Mit kommen dem Frühjahr wurden diese drei Thiere auf einen besonderen Weiher gebracht, der rundum mit einem Gitter versehen war, um nun Versuche machen zu können. Wir müssen gestehen, nie einen Stamm so schöner Enten in dieser Grösse gesehen zu haben; die Thiere hätten auf Ausstellungen Aufsehen erregt, aber der Wärter war zum Ausstellen nicht zu bewegen. Der Erpel zeigte seine Bisamnatur auch durch sein Flugvermögen. Mehrmals hat er sich über die Umzäunung gemacht und flog auf einen ziemlich entfernt liegenden Weiher, wo er sich früher aufgehalten hatte. Trotz vieler Versuche seitens des Geflügelwärters, sowie auch unsererseits von diesem Stamme Nachzucht zu erhalten, ist dies nicht gelungen. Die Enten legten jede etwa 50 Eier aber so klein, wie Kochineier. Auch das muss auffallend erscheinen. Während die Italienerenten, auch diese Kreuzungsente, Eier von 75 bis 80 Gramm legten und die Bisamenten von 65 bis über 70 Gramm, so hatten die Eier dieser braunen Versuchsthiere ein Gewicht von höchstens 50 Gramm. Im zweiten Jahre konnten die Versuche nicht weiter geführt werden, da der neue Gärtner alle braunen Thiere dem Messer überlieferte. Nur der schöne Erpel wurde durch die Aufmerksamkeit eines Lehrjungen vor dem Messer bewahrt, weil der Lehrbursche gerade dazu kam, als der Gärtner den Erpel gefangen, um ihn zu schlachten und auf den Werth des Thieres aufmerksam machte. Zu ordentlichen Versuchen konnten wir den Gärtner nicht bewegen, heute hat er schon mehr Interesse an der Zucht. Der schöne braune Erpel schwamm nun mit den Pekingenten umher, wird auch wohl mehrere derselben begattet haben, denn als wir vor Kurzem den Gärtner besuchten und das Geflügel besichtigten, fanden wir eine ganze Menge herangewachsener Enten in der Farbe der Rouenerpel. Diesmal waren aber kaum zwei von den bunten Thieren zu finden, die in der Farbe genau übereinstimmten; nicht ein einziges hatte die correcte Zeichnung des Rouenerpels; die meisten waren sehr hell, auch echte Schecken waren dabei. Sämmtliche Thiere hatten colossale Grösse und die Figur der Bisamenten. Wenn auch die Erscheinung für uns von Interesse war, so wollen wir doch nicht näher darauf eingehen, weil wir nicht mit Bestimmtheit feststellen konnten, wie die Kreuzung entstanden.

Bei dieser Gelegenheit, wollen wir auf eine Erinnerung aus unserer Jugendzeit hinweisen. Die elterliche Wohnung lag an einem sehr grossen Weiher, der etwa zwei Hektar umfasste. Ein Grossgrundbesitzer hielt viele Enten, die auf dem Weiher ihren Aufenthalt hatten. Trotzdem wir damals von Geflügelzucht, besonders von den verschiedenen Rassen keine Ahnung hatten, so hatten wir doch Interesse an den Thieren und beurtheilten sie auch nach unserem Geschmack. Die Enten dieses Grossgrundbesitzers waren bedeutend grösser als die Enten, die wir auf den benachbarten Dörfern verschiedentlich antrafen. Dass eine Kreuzung durch Thiere der schweren Rassen stattgefunden, halten wir für ausgeschlossen; denn vor vierzig Jahren waren diese fremden Rassen noch unbekannt; sie sind es in den entlegenen Bauerdörfern hierorts auch noch heute. Dass die Thiere sich durch ihre Grösse vortheilhaft auszeichneten, führen wir auf die reiche Ernährung der Thiere zurück. An Wasserlinsen und vielem Gethier gab es eine solche Menge, dass eine besondere Fütterung der Enten in der bessern Jahreszeit gar nicht stattfand. Unter der grossen Schar der Enten fielen uns zwei Thiere auf; es war ein bunter Erpel mit schöner Vollhaube und eine weisse Ente mit noch grösserer Haube. In den letzten Jahren hat man vielfach von behaubten Enten als einer Seltenheit gesprochen. Wir sehen aber, dass solche Thiere schon vor mehr als 40 Jahren existirten. Wären wir damals Geflügelliebhaber gewesen, wie heute, wir hätten mit solchem Zuchtmaterial etwas erreichen können. Bei unserer letzten Anwesenheit in dem Orte unserer Jugend, haben wir von den Haubenenten keine Spur mehr gefunden. Wenn man es nur verstände, das Gute zu nehmen, wo es sich bietet. Aber man schweift in der Ferne und bleibt dem Auslande tributpflichtig. So gehts mit vielen Rassen des Grossfederviehes und nicht minder mit den Tauben. Eine recht interessante Kreuzung sahen wir bei einer Reise im vorigen Herbste bei einem Jugendfreunde. Derselbe hatte von uns blaue Andalusier und schwarze Langshan erhalten. Wir sahen auf dessen Hof einen Kreuzungshahn dieser beiden Rassen von riesiger Grösse in dunkelblauer Farbe mit schön gesäumten Federn an der Brust, schwarzem Halse und Sattelbehang und schwarzem vollen Schweif mit grossen Sicheln, grossem Kamm und Lappen, rothem Gesicht und rein weissen Ohrscheiben. Ein schöneres Kreuzungsthier hatten wir noch nicht gesehen. Gerne hätten wir den Hahn gekauft, aber er war nicht zu haben. Ein Pferd hat ihn bald nachher todtgetreten. Wir könnten noch eine ganze Menge interessanter Kreuzungen anführen, die theils auf eigenem Geflügelhofe, theils bei Bekannten beobachtet wurden. Eine Kreuzung zwischen weissem Italienerhahn und gelber Cochinhennen ergab Thiere von vollständiger Cochinfigur, die auch als gelbe Cochin ausgestellt und mit I. Preis prämiirt wurden. Eine Kreuzung zwischen weissem Cochinhahn und gelber Cochinhenne ergab nur gelbe Nachzucht, aber alle Thiere ohne Ausnahme hatten schwarzgesäumte Federn. Eine Kreuzung zwischen weissem Italienerhahn und schwarzer glattbeiniger Langshanhenne ergab mehrere gelbe rauhfüssige Hennen, die als gelbe Cochin sich keineswegs zu schämen brauchten. Aus alledem geht hervor, welchen Werth gute Zuchtthiere haben, und dass es keineswegs eine Spielerei genannt zu werden verdient, wenn man auch bei edlem Rassegeflügel einen Stammbaum fordert. Andererseits erkennen wir auch, wie äusserst verschieden die Vererbungsfähigkeit der Thiere ist und dass oft durch Zufall noch mehr als bei praktischer Ueberlegung sehr auffallende Erscheinungen zu Tage treten.

Aus anderen Vereinen.

Sitzungsbericht der Allgemeinen Deutschen Ornithologischen Gesellschaft zu Berlin. Bericht über die Novembersitzung 1892.

Ausgegeben am 25. December 1892.

Verhandelt Berlin, Montag, den 7. November 1892 Abends 8 Uhr, im Sitzungslocale, Bibliothekzimmer des Architecten-Vereinshauses, Wilhelmstr. 92. II.

Anwesend die Herren: Reichenow, Schalow, Grunack Nauwerck, Hocke, Freese, Thiele, Rörig, Schreiner, Pasca, Ehmcke, von Oertzen, Schotte, Bünger, Deditius, Hartwig Krüger-Velthusen, Matschie, Schäff, Heck und Frenzel.

Als Gäste die Herren: Spatz (Monastir), Kuhnert, Baumann, Mangelsdorf, Gottschlag, Schotte jun. und Cabanis jun.

Vorsitzender: Herr Reichenow, Schriftführer: Herr Matschie.

Als Mitglied ist der Gesellschaft beigetreten: Herr Apotheker Th. Zimmermann (Königsberg i. P.)

Herr Bolle hat ein Schreiben eingesendet, in welchem er erklärt, dass er die ihm durch Beschluss des Vorstandes verliehene Würde eines Ehrenmitgliedes mit freudigem Danke annehme.

Herr Reichenow legt die folgenden neu erschienenen Arbeiten vor: A. B. Meyer und F. Helm, Verzeichniss der bis jetzt im Königreich Sachsen beobachteten Vögel nebst Angabe über ihre sonstige geographische Verbreitung. Mit einer Vegetationskarte der Erde. (Abdr. aus dem VI. Jahresbericht der Orn. Beobachtungsstationen im Kgr. Sachsen S. 65—135.) — Führt 274 Arten auf, unter welchen 157 Brutvögel. Auf die von den Verfassern herausgegebenen 6 Berichte, auf die einschlägige Literatur und die im Dresdener Museum befindlichen Exemplare sich stützend, bildet dieses Verzeichniss eine Grundlage für fernere Beobachtungen. Besonders wünschenswerth wird noch die Feststellung der für das Gebiet zutreffenden Brutzeiten sein, wie dies hinsichtlich der Zugzeiten bereits geschehen; für die als „seltene" oder „sehr seltene Gäste" aufgeführten Arten, wie Otis macqueeni, Oedemia nigra u. a., würden nachträgliche speciellere Angaben der darüber vorhandenen Beobachtungsnotizen oder der Belegstücke sehr willkommen sein.

P. Leverkühn, Bericht über eine Reise nach Ungarn im Frühjahr 1891 (Abdr. aus d. Bericht über d. II. intern. ornith. Congress in Budapest.) — Schildert insbesondere Excursionen nach dem Drauek, nach der Frusca Gora, zum Velenczeer-See, nach Sily-Sáp und dem Fertö-See und skizzirt in anschaulicher Weise das interessante Vogelleben dieser Gebiete. Am Schlusse Angaben von Maass und Gewicht der gesammelten Eier und Uebersicht der beobachteten Arten.

Th. Pleske, Ornithographia rossica. Die Vogelfauna des russischen Reichs. Band II. Lief. 5: Diese Schlusslieferung des 2. Bandes und zugleich des ganzen Werkes (da es leider vom Verf. nicht fortgesetzt wird) behandelt in der bereits mehrfach besprochenen ausführlichen Weise die Gattungen Locustella mit 7 Arten, Cettia mit 3 Arten und Urosphena mit einer Art, nebst Gesammtindex der lateinischen Namen. Auf der beigegebenen Tafel sind abgebildet: Locustella ochotensis ♂ und juv., Cettia canturians und minuta und Urosphena squamiceps.

Herr Spatz hält einen längeren Vortrag über das Vogelleben der südtunesischen Sahara, in welchem er die ornithologischen Ergebnisse seiner diesjährigen Reise von Gabes über El Hamma durch die Landschaft Nefzaona zum Chott el Djerid und nach Ueberschreitung des Chott bis Toszeur und Nefta und von dort zurück nach Gabes über Gafza schildert. Es wurden von 34 Arten Bälge und von 25 Arten Eier gesammelt welche von dem Reisebegleiter des Herrn Spatz, Herrn St Alessi in diesem Journal 1892 p. 316, 317 aufgezählt worden sind. In diese Liste haben sich einige Irrthümer eingeschlichen; es müssen fortfallen Aquila brachydactyla und Buteo desertorum und hinzugesetzt werden Milvus ater. Auffallend ist, dass Alcedo ispida von Tunesien bedeutend kleiner ist, als die europäische Form und auch unmittelbar am Meer, dort von Meeresfischen lebend, gefunden wird. Das Männchen von Certhilauda desertorum führt ein merkwürdiges Liebesspiel aus, es steigt von der höchsten Spitze eines Strauches, eine ganz eigenthümliche Melodie pfeifend senkrecht in die Höhe und lässt sich dann, die letzten Töne sehr lang ziehend, mit halbausgebreiteten Flügeln, wobei die weissen Schilder sehr schön hervortreten, den Kopf nach unten, herunterfallen zu dem sein Werbespiel beobachtenden Weibchen.

Herr Kuhnert legt hierauf eine Anzahl hervorragend schön gemalter Aquarelle deutsch-ostafrikanischer Vögel vor, von seiner Reise nach dem Kilimandjaro. Dieselben zeigen zum Theil sehr seltene, erst durch G. A. Fischer entdeckten Arten.

Reichenow,	Matschie,	Cabanis,
Vorsitzender.	Schriftführer.	Gen.-Secr.

I. österreichisch-ungarischer Geflügelzuchtverein in Wien. In der Directoriumssitzung vom 27. Jänner wurde beschlossen, die diesjährige General-Versammlung am 4. Februar Abends, im Saale der k. k. landw. Gesellschaft, I., Herrengasse 13, abzuhalten.

Auf der Tagesordnung steht u. a. die Wahl eines Directoriumsmitgliedes und dreier Ersatzmänner.

Weiterer Gegenstand der Verhandlung war die Entscheidung der Frage, ob heuer eine Frühjahrs-Ausstellung abgehalten werden solle oder nicht. An der Erörterung dieser Frage nehmen alle anwesenden Directionsmitglieder theil und zeigte es sich, dass die überwiegende Mehrheit derselben gegen eine Frühjahrs-Ausstellung sei.

Das Directorium beabsichtigt nämlich im Frühjahr 1894 zur Feier des zwanzigjährigen Bestehens des Vereines eine grossartige Ausstellung in Wien zu veranstalten und wurde von den Anwesenden die Ansicht ausgesprochen, dass das Interesse unserer Züchter für dieses Unternehmen jedenfalls wesentlich gefördert werde, wenn man von einer Frühjahrs-Ausstellung heuer absieht.

Die heurige Herbst-Geflügelausstellung wird in grösserem Style als bisher projectirt und soll ihr u. a. auch dadurch erhöhtes Interesse gesichert werden, dass die Prämiirung auch des Junggeflügels nach Classensystem erfolgen wird.

Dieses Unternehmen dürfte indirect beitragen, die nächstjährige grosse Ausstellung zu fördern und vorzubereiten. Es wird die Züchter anspornen, sich durch Erzielung zeitlicher Frühbruten für die Herbst-Ausstellung zu rüsten, und die so erhaltenen Preisthiere werden umsomehr zur Geltung kommen, als für die 1894er Ausstellung neben den Altersclassen auch specielle (Garantie-)Classen für 1893 Thiere vorgesehen werden sollen.

Nachdem die Anträge: 1. Im Frühjahr 1893 keine Ausstellung abzuhalten und 2. die Herbst-Ausstellung 1893 im grösseren Rahmen als bisher zu arrangiren, mit grosser Stimmenmehrheit angenommen worden, kommen noch andere minder wichtige Anträge zur Erledigung, worauf die Sitzung geschlossen wird.

Section für Geflügelzucht des „ungar. Landes-Agricultur-Vereines" in Budapest, Köztelek. In Folge Demission des bisherigen Präsidenten Herrn Tolnay wurde in der am 13. December v. J. abgehaltenen Ausschussitzung zur Neuwahl geschritten und zum Präsidenten Dr. Eugen v. Rodiczky, zu Vicepräsidenten die Herren: Oberingenieur Wilhelm Beiwinkler und Dr. Dirner gewählt. Gelegentlich des vom „ung. Landes-Agricultur-Verein" in der Zeit vom 14. bis 16. April 1893 abzuhaltenden X. Zuchtviehmarktes in Budapest und im Anschluss an denselben beschliesst die Section eine grosse allgemeine Geflügelausstellung zu veranstalten und wird das Ausstellungs-Comité sofort gewählt.

I. Ober-Oesterreichischer Geflügelzucht-Verein in Linz. Am 21. Jänner fand im Hotel Erzherzog Carl die Generalversammlung des ersten oberösterr. Geflügelzuchtvereines statt. Nachdem Vorstand Beyer die Versammlung für eröffnet erklärt und die Anwesenden freundlichst begrüsst hatte, wurde der Rechenschaftsbericht eingehend zum Vortrage gebracht aus welchem zu entnehmen ist, dass die Vereinsthätigkeit eine, recht rege war, und dass die Vereins-Zuchtanstalt, welche jetzt über einen Stand von 75 Stück verfügt, sich recht gut bewährt. Dieser eingehende Bericht sowie der Bericht der Rechnungs-Revisoren, welche die richtige Führung der Bücher und der Casse behandelt, wurde von der Versammlung zustimmend zur Kenntniss genommen. Sodann kamen die vorliegenden Anträge zur Verhandlung und wurde beschlossen: 1. Falls sich ein

Käufer für das Vereinshaus wieder melden sollte (es war dies wiederholt der Fall), so wird der Ausschuss ermächtigt, selbes ohne Einrichtung gegen einen annehmbaren Preis zu verkaufen und gleichzeitig ersucht, das Programm für einen Neubau auszuarbeiten. (Skizzen für einen praktischen Neubau wurden vom Vorstande gezeigt.) — 2. Eine Frühjahrs-Ausstellung wird heuer nicht abgehalten, da ohnehin im Herbste gelegentlich des Volksestes eine grosse oberösterr. Geflügel-Ausstellung stattfindet. Am 5. Februar fand ein grosser Taubenmarkt in den Räumen des Gasthofes „zur goldenen Birne" statt, um den Taubenzüchtern Gelegenheit zu geben, Ueberflüssiges leichter abzusetzen. — 3. Als Vereinslocal wird das bisherige, im Gasthof „zur goldenen Birne", wo die Wochen-Versammlungen jeden Mittwoch stattfinden, beibehalten. — Es wurde nun zur Wahl der Vereinsausschüsse und der Rechnungsrevisoren geschritten. Namens des austretenden Ausschusses dankt Vorstand Beyer für das volle Vertrauen, welches seitens der Mitglieder entgegengebracht wurde und giebt der Versicherung Ausdruck, dass der Ausschuss jederzeit mit Liebe zur Sache und unermüdlich die Interessen der Vereine vertreten hat. Es wurden nun die Herren A. F. Beyer als Vorstand, J. Hofer als Schriftführer, J. Oberherber als Cassier, C. Steininger als Materialverwalter, F. Aumeyer, J. Böck, A. Eckart, F. Hofbauer, F. Marschner, S. Meirheurl, F. Neumüller wiedergewählt und als Ersatzmänner die Herren F. Scheck und J. Karecker neugewählt.

Die Generalversammlung des 1. öst.-ung. Geflügelzucht-Vereines in Wien findet am 24. Februar 1893, Abends 6 Uhr, im Saale der k. k. landw. Gesellschaft, Wien, I., Herrengasse 13, III. Stock, statt. — Tagesordnung: 1. Jahresbericht, erstattet durch den Präsidenten; 2. Rechnungsabschluss pro 1892; 3. Neuwahl von vier Directoriums-Mitgliedern; 4. Wahl der Revisoren; 5. Anträge und Interpellationen seitens der Mitglieder; 6. Anträge des Directoriums. — Die Mitgliedskarte ist vorzuweisen. Candidaturen gefälligst schriftlich oder am Abend der Generalversammlung selbst mündlich anzumelden.

Kleine Mittheilungen.

Ornithologisches aus Ungarn. Am 31. August erlegte ich ein Strepsilas interpres L., Steinwälzer. — Herr v. Chernel im September mehrere Phalaropus hyperboreus; Wassertreter, sowie einen Ufersanderling, Calidris arenaria. — Prof. Szikla erhielt im Juni einen Zwergadler Aquila pennata ♂, aus Csala. — St. v. Chernel erlegte weiters in Sct. Agota einen Circaëtus gallicus, Schlangenadler und im November am See mehrere Fuliga marila, Bergenten.

v. Kenessey (briefl. Mittheil. a. d. Herausgeber.)

Tychodroma muraria. Der Alpenmauerläufer wurde in den heurigen strengen Wintertagen hier mehrfach beobachtet; so an den Mauern des Schlosses und der Kirche zu Pitten, im Steinbruche nächst Brunn und endlich an der Ulrichskapelle nächst dem Bahnhofe Erlach. Auch Bombycilla garrula kommt häufig vor.

Erlach, N.-Ö. Ph.

Cygnus musicus bei Wien. Am alten Donaubett nächst den städt. Eiswerken wurde Ende Jänner ein schönes Exemplar des Singschwanes gefangen. Derselbe wurde der k. k. Menagerie Schönbrunn übergeben und befindet sich einstweilen in einer Abtheilung des neuen Sumpfvogelhauses. Ph.

Literarisches.

Ornithologische Monatsberichte herausgegeben von Dr. Ant. Reichenow (Berlin, Nr. 4, Invalidenstrasse 43).

Die erste Nummer dieser neuen ornithologischen Zeitschrift liegt nun vor; sie enthält: W. Hartwig, der Girlitz, (Ser. hortolanus Koch), seine gegenwärtige Verbreitung in Mittel und Norddeutschland und sein allmäliges Vordringen polwärts. Major Alex. v. Homeyer, Neu-Vorpommern und Rügen vor 50 Jahren und jetzt. Ad. Walter, Sonderbarer Nistplatz einer Amsel. Hans v. Berlepsch, Diagnosen neuer südamerikanischer Vogelarten. A. B. Meyer und L. W. Wiglesworth. Leucosteron fischeri meridianalis n. subsp. Notizen, Literatur. Nachrichten, Verkehr.

Dr. Curt Floericke, **Versuch einer Avifauna der Provinz Schlesien.** Marburg i. h. Universitäts-Buchdruckerei (C. L. Pfeil).

Wir kommen auf diese Arbeit, deren 1. Lieferung nun erschienen ist, wiederholt zurück.

Ausstellungen.

Internationale Geflügel- und Canarien-Ausstellung in Aussig. In der Zeit vom 25. bis 27. März 1893 findet in Aussig eine Geflügel- und Canarien-Ausstellung im grossen Style statt. Die Ausstellung umfasst: Hühner. Truten, Pfauen, Gänse, Enten, Tauben, Canarien und exotische Ziervögel; ferner Eier und Utensilien der Geflügelzüchterei. Die ausgefüllten Anmeldebogen müssen bis spätestens 1. März l. J. an den Vorstand des Geflügel- und Canarienzucht-Vereines, Herrn Wenzel Weiser in Aussig, eingesendet werden. Das Standgeld beträgt pro Stamm Hühner und Enten 60 kr., für Gänse und Truten 80 kr., für Pfauen 1 fl., für ein Paar Tauben 40 kr. und für einen Canarienvogel 20 kr. Mit der Ausstellung ist eine Verlosung verbunden und sind Lose bei Herrn Fr. Plappe in Aussig zum Preise von 20 kr. zu haben.

I. Steiermärkischer Geflügelzucht-Verein in Graz. Die IX. internationale Geflügel- und Vogel-Ausstellung dieses Vereines findet in den Tagen vom 8. bis 10. April 1893 in der Industriehalle zu Graz statt. Anmeldebögen sendet auf Verlangen der Schriftführer des Vereines, Herr H. Högelsberger, Graz, Naglergasse 12a.

Der X. Zuchtviehmarkt in Budapest, veranstaltet vom ung. Landes-Agriculturverein, findet in den Tagen vom 14. bis 16. April d. J. statt. Die Programme sind bereits erschienen und vom Vereine (Budapest, Köztelek) zu erhalten. — Die Geflügelabtheilung wird, wie schon berichtet, von der Section für Geflügelzucht arrangirt; das Standgeld beträgt per Stamm (1·2) Grossgeflügel 2 Kronen, per Paar Tauben 1 Krone. Auskünfte, die Geflügelausstellung betreffend, ertheilt die Section für Geflügelzucht des ung. Landes-Agriculturvereines in Budapest, Köztelek.

Aus unserem Vereine.

I. Vortragsabend.

Ueber Vogelpflege und -Schutz.

Der Ornithologische Verein in Wien veranstaltete am Abend des 25. Jänner, im Clublocale des 1. Wiener Geflügelzucht-Vereines „Rudolfsheim" (A. Rustler's Restauration, XIV., Schönbrunnerstrasse 68) einen allgemeinen, populären Vortragsabend, zu welchem jeder Vogelfreund freien Zutritt hatte und der trotz des abscheulichen Wetters recht zahlreich besucht war. Nachdem unser Präsident, Herr Bachofen v. Echt wegen Unwohlsein fern bleiben musste, eröffnete Vicepräsident Herr Zecha mit einigen einleitenden Worten die Versammlung, indem er den Vortragenden Herrn Vicepräsidenten Fritz Zeller vorstellte. Der sympathische Redner verbreitete sich zunächst in eingehender Weise über das Capitel der Vogelpflege, welche im Allgemeinen noch so sehr wenig verstanden ist und wies auf den Reichthum der öst.-ung. Fauna hin, welche 394 Gattungen von Vögeln aufweist. Den oft gehörten Vorwurf, als ob die Gefangenhaltung der Vögel an und für sich schon Quälerei sei, bekämpfte der Vortragende eifrig und führte drastische Fälle bezüglich der Verwendung unserer Hausnutzthiere an, wo dieser Tadel viel mehr, ja meistens sogar uneingeschränkt am Platze ist. Hat der Vogel gute Nahrung, rationelle Pflege und nicht zum letzten einen entsprechenden Käfig, so fühlt er sich im „Kerker" ganz wohlgemuth, was aus der langen Lebensdauer vernünftig gehaltener Thiere am sichersten erhellt. Ferner wird behauptet, dass die Vogelhaltung die Zahl der Vögel im Freien vermindere, dies ist aber nicht so wesentlich, als man gewöhnlich glaubt. Bekanntermassen singen nur die Männchen, deren es viel mehr als Weibchen gibt; durch die Entnahme eines geringen Percentsatzes der Ersteren, wird also Geschlechtsleben und Fortpflanzung gewiss nicht nennenswerth geschädigt. Es gibt da ganz andere Ursachen, welche bei der unleugbaren Abnahme die Hauptrolle spielen: so die Waldculturen, die Wasserregulirungen u. s. w., welche z. B. den Höhlenbrütern die Bedingungen ihrer Existenz ganz entziehen, endlich der Massenfang. Eine wichtige Frage ist, welche Vögel überhaupt gehalten werden sollen? In fesselnder Weise erörtert hier der Vortragende den „Bildungsgang" des Interessenten, der vom Laien zum Beobachter und, bei weiterem Streben, sogar zum Kenner avancirt; allerdings bleiben die Meisten Zeit ihres Lebens Amateure! Als empfehlenswerthe Zimmervögel werden bezeichnet: Nachtigall, Sprosser, grauer Vogel (Tolner Vogel) und kann es Redner nicht genug rügen, dass man bei uns, — wo wir gegen Deutschland und Frankreich leider noch recht zurück sind — die rothe Nachtigall nicht nach ihrem vollen Werthe schätzt. In zweiter Linie kommen: das Schwarzblättchen, die graue Grasmücke (grauer Spötter), der gelbe Spötter, der aber sehr empfindlich ist, Sperber-Grasmücke, diese mit geradezu wunderbarem Gesang. Auch Roth- und Blaukehlchen sind beliebt und werden bald zutraulich. Die Amsel befriedigt nur, wenn sie aus Hochgebirgen stammt, Steinröthel soll nur aus Alpen kommen, die in Wäldern gefangene alte Singdrossel schlägt fast wie die Nachtigall. Merkwürdig ist es, die Baumlerche so selten vorzufinden; sie hat eine sehr melodiöse Altstimme, lebt 8—10 Jahre im Käfig und singt alljährlich 8—10 Monate lang. Meisen, Schwalben und ähnliche sollte man nie einsperren, die schaffen mehr Nutzen und auch uns selbst mehr Vergnügen, wenn sie in der freien Natur schalten und walten. Was nun die Samenfresser betrifft, so sind diese im Gegensatze zu den Insectenfressern sehr verträglich, so dass sie auch in grösserer Zahl in Gesellschaftsbauern gehalten werden können. Als bekannteste zählt der Redner den Hänfling, Zeisig, Stieglitz, Finken, Gimpel und vor Allem die Canarienvögel auf, deren Aufzucht und Export besonders Deutschland und da namentlich Andreasberg schwunghaft betreibt, was wohl auch in Wien eines Versuches werth wäre. Eine Hauptregel ist: nie gute Sänger mit schlechten in einen Raum zu vereinen, denn nur die Ersteren lernen von den Letzteren, nie aber umgekehrt. Ueber die exotischen Vögel, die noch mehr gesellig sind, ging Redner rascher hinweg, da sie ja im Gesang wenig leisten, nur den Sonnenvogel hob er rühmend hervor. Am schwierigsten sei die Eingewöhnung der gefangenen Thiere und hier gab der erfahrene Praktiker aus dem reichen Schatze seines Wissens eine Fülle von beherzigenswerthen Rathschlägen, deren detailirte Aufzählung wir uns leider versagen müssen. Im Allgemeinen gilt aber, dass wenn der Vogel einmal Nahrung aufnimmt, die Sache gewonnen sei; doch muss man nicht selten auch zum „Stopfen" greifen, um dem Häftling das Leben zu fristen und ihn zum Fressen zu bewegen. Hochwichtig ist der Käfig und ist es sehr bedauerlich, dass man fast nie und nirgends wirklich vernünftig hergestellte Vogelbauer findet; freilich ist hiezu nur ein genauer Kenner der betreffenden Vogelgattung berufen. Niemand will sich seinen Salon mit einem grüngestrichenen, ordinären Vogelhaus „verschandeln"; diesem Begehren entspringen dann die Schlösser, Kapellen, Kirchen und andere „Kunstwerke" aus Blech und Glas, wo doch als Material einzig und allein Holz und Draht zu empfehlen ist, dessen Verwendung eine stylgerechte Construction durchaus nicht ausschliesst. Ein rationeller Käfig soll nie zu klein, sondern immer geräumig, leicht zu reinigen, mit Badenäpfen und bei den Insectenfressern mit weicher Decke versehen sein; die richtige Anbringung der Springhölzer (oder Holzsprossen) ist sehr wesentlich, gut gehaltene Thiere leiden übrigens nie an Ungeziefer, das Wasser ist häufig, das Futter täglich zu erneuern. Jeder Vogel ist empfindlich gegen Zugluft und Temperaturwechsel, gerade dies wird am wenigsten beachtet. Im Allgemeinen ist es leichter unsere Pfleglinge gesund zu erhalten, als sie zu kuriren, da wir sehr arm an geeigneten Mitteln sind und auch die Diagose meist schwer festzustellen ist. Was nun den Vogelschutz im Freien betrifft, so ist gewiss schon damit viel gethan, wenn den notleidenden Vögeln Futter gestreut wird, nur hat dies systematisch und continuirlich zu geschehen, sonst schadet es mehr, als es nützt. Wichtiger ist, das Brutgeschäft und die Aufzucht der Jungen zu ermöglichen und zu erleichtern, dies geschieht durch die zuerst von Gloger empfohlene Anbringung der sogenannten Nistkästchen an geeigneten Stellen, für deren Verbreitung und Popularisirung eben der Vortragende am eifrigsten thätig ist. Mit dem vollen Nachdrucke des gewiegten Fachmannes behandelte er dieses bedeutsame Thema, wirksam unterstützt durch die Vorführung der verschiedenen Kästchenformen, wie sie die einzelnen Vogelgattungen erheischen. Als bestes Material wurde Filz erprobt, denn selbst das trockenste Holz wird bald rissig und meiden die Vögel den zugigen Aufenthalt. Die Erfolge sind unzweifelhaft. So ist es z. B. Redner gelungen, durch Anwendung von Nistkästchen, die im Prater bereits sehr verminderten, höchst nützlichen Staare, wieder auf einen respectablen Stand zu bringen, und schloss er mit dem Wunsche, die wenigen Anregungen, die er geben konnte, mögen den Anwesenden nicht als ganz zwecklos erscheinen. Lauter Beifall lohnte die gediegenen Ausführungen, denen das Publicum bis zum Schlusse mit fast andächtiger Aufmerksamkeit gefolgt war und der Obmann des I. Wiener Geflügelzucht-Vereines „Rudolfsheim" Herr Schick fühlte sich veranlasst, auch im Namen des Vereines dieser Anerkennung Ausdruck zu geben, was zu erneuerten Acclamationen Anlass bot. Die animirte Gesellschaft blieb noch eine gute Weile in regem Meinungsaustausch beisammen.

Correspondenz der Redaction.

Herrn *W. C . . . ., Odaran.* Wir veranlassen, dass 3 Exemplare der vorliegenden Nummer Ihnen gesandt werden. Freundlichen Gruss!

Löbl. Verein deutscher Brieftauben-Liebhaber, Hannover. Tausch-Exemplare dankend erhalten. Die Betheiligung an der Wander-Versammlung ist uns leider nicht möglich.

Herr *J. C. B . . . . . ., G.* Danken bestens für Mittheilung und sind wir weiteren Nachrichten gewärtig.

Herren *Prof. Dr. F. B . . . ., P.* und *J. v. Cs . . ., N.-E.* Mit besten Dank empfangen und sofort verwendet.

Herr *v. K . . . ., B.-F.* Verbindlichsten Dank! Brief folgt.

Herr *F. Sch . . ., L.* Es bleibt also beim Alten! Dank für Sendung.

Herr *H. G . . . ., W.* M. S. für nächste Nummer bereit gelegt. Brief folgt.

Herr *E. v. C . . ., F.* Brief und Ph. folgt demnächst; auch ich bin momentan geschäftlich sehr beschäftigt. Freundl. Gruss.

Herr *Dr. P. L . . . ., M.* Auch das zweite M. S. erhalten; wird in nächster Nummer verwendet.

Herr *Prof. Dr. v. D . . . ., J.* Gewünschtes sofort gesandt. —

Herr *S. G . . . ., G.?* — Wie steht's? — Warum so schweigsam?

Inserate

per Quadrat-Centimeter 4 kr. oder 8 Pf.

Um den Annoncenpreis auch dem Laien geläufig zu machen, gilt Folgendes: Der Raum in der Grösse einer österr. 5 kr.- oder deutschen 10 Pfennig-Briefmarke kostet den 4fachen Betrag derselben; und sind diese Marken, oder der Werthbetrag gleich jedem Auftrage beizuschliessen. Bei öfters als 6maliger Insertion wird ¼ Rabatt gewährt, d. h. mit 3 Marken, anstatt 4 Marken die Markengrösse des Inserates gerechnet. Die Bestätigung des Empfanges der Inseratengebühr wird durch die Einsendung der betreffenden Belegnummer seitens der Administration dieses Blattes geliefert, wohin auch alle Inserate zu richten sind. Es werden nur Fachannoncen aufgenommen.

Spratts' Patent (Germany) Ltd.

Abtheilung I. BERLIN N. Usedomstr. 28.

Alleinige Lieferanten für die Meute Sr. Majestät des Kaisers Wilhelm II. zu Jägerhof-Potsdam. — Königl. engl. Hoflieferanten.

Man beachte die Preisermässigung.

Hundekuchen. Fleischfaser.

Geflügelfutter. Fleischfaser.

ab Fabrik unter Nachnahme.

(1) **Preis-Liste:** (2—12)

Fleischfaser-Hundekuchen für Hunde aller Racen per 50 kg. M. 18·50.

Puppy-Biscuits für junge Hunde per 50 kg. M. 20·—.

Leberthran-Biscuits für Reconvalescenten, per 50 kg. M. 24·—.

Hafermehl-Biscuits ohne Fleisch, per 50 kg. M. 16·—.

Fleischfaser-Geflügelfutter für Hühner, Enten, Gänse, per 50 kg. M. 19·—.

Fleischfaser-Kückenfutter unübertroffen zur Aufzucht, per 50 kg. M. 19·—.

Fleischfaser-Taubenfutter siehe uns. Broschüre, per 50 kg. M. 22·—.

Fleischfaser-Fasanenfutter vorzügl. zur Aufzucht, per 50 kg. M. 19·—.

Prairie-Fleischknorpel-Grissel ersetzt Insecten etc., per 50 kg. M. 25·—.

Fleischfaser-Fischfutter in 5 Körnungen, per 50 kg. M. 25·—.

Hunde- u. Geflügel-Medicamente siehe unsere Prospecte und Brochuren.

Proben und Prospecte gratis und postfrei.

Niederlagen:

Brünn (Mähren): Jos. Lehmann & Co., Ferdinandstrasse.

Prag (Böhmen): Carl Lüftner, Graben u. Bergmannsgasse.

Budapest: Math. Huselka & Szenes Ede.

Pressburg: Berghofer János, Marktplatz 22.

Reichenberg (Böhmen): Emil Fischer, Droguenhandlung.

Wien: Wieschnitzky & Klauser's Nachf., Wallfischgasse. Anton Ig. Krebs' Nachf., Wollzeile 3. Carl Wiskode & Sohn, Asperngasse 3.

---

(2) **Bruteier.** (2—10)

Crève-Coeurs schwarz, 12 St.	6,20
La Flèche „ 12 „	5,20
Houdan dunkel, 12 St.	4.—
Andalusier blau 12 St.	4.—
Minorka schwarz, 12 St.	4.—
Hamburger schwarz, 12 St.	5.20
„ silberlack, 12 St.	4.—
„ goldlack, 12 St.	5.20
Sebrightbantam gold, 12 St.	4.—
„ silber, 12 St.	4.—
Zwergkämpfer goldhalsig, 12 St.	4.—
„ silberhalsig, 12 St.	4.—
„ rothscheckig, 12 St.	5.20

incl. Emballage in Kistchen zu 6 und 12 Stück gegen Nachnahme und nehme Vormerkungen jetzt schon entgegen.

Robert Echinger, Wien, XV., Neubaugürtel 7-9.

---

(4) **Verkäuflich:** (2—3)

1.2 Pommerische weisse Gänse, orig. mit . . fl. 20.—

1.1 Lockengänse, weiss, 1892er Nachzucht . fl. 12.—

1.2 Kreuzung v. Toulouser und böhm. Hausgans fl. 12.—

Amalie Doležal

Poděbrad in Böhmen.

Mehlwürmer,

rein gemessen, per 1 Liter . fl. 3·— ö. W.
„ ½ „ . . „ 1·75 ö. W.
„ ¼ „ . . „ 1·— ö. W.

(Packung extra 30 kr.) per Nachnahme franco liefert (2—2)

(3) **Michael Hruza,** Marburg a. Drau.

Geflügelwärter gesucht.

Für unsere Rasse- und Nutzgeflügel-Zuchtanstalt wird ein älterer verheirateter Mann gesucht, der mit Pflege, Brut, Aufzucht und Mast vollkommen vertraut ist. Offerte sind zu richten an die

die Verwaltung der Geflügel-Zuchtanstalt in

(5) **Novimarof,** Croatien. (1—1)

Ausreutergerste und Bruchgerste

für Geflügelzüchter und Mäster, stets vorräthig, bei billigsten Preisen, in der St. Marxer Bierbrauerei in Wien, III., Hauptstrasse Nr. 163.

(7) (1—5)

---

(6) **Geflügel-Zuchtanstalt** (1—12)

NOVIMAROF

Croatien.

Offerirt Zuchtstämme, sowie einzelne Exemplare ihrer vielfach prämiirten Rassegeflügelstämme.

Besonders seien empfohlen:

Gelbe Cochin, schwarze Langshans, Plymouthrocks, Peking- und Rouen-Enten.

Bruteier:

Von Cochin à 45 kr., von den übrigen Rassen à 30 kr. mit Emballage werden abgegeben.

Baronin Christine Haber'scher

Geflügelhof Erlach-Linsberg

bei Erlach, N.-Oe.

Offerirt Bruteier seiner überall mit höchsten Preisen ausgezeichnete **Rassegeflügelstämme.** Ill. Preislisten zu Diensten.

Verlag des Vereines. — Für die Redaction verantwortlich: Rudolf Ed. Bendl.
Druck von Johann L. Bendl & Sohn, Wien, VII., Stiftgasse 3.

XVII. JAHRGANG. Nr. 3.

Blätter für Vogelkunde, Vogelschutz, Geflügelzucht und Brieftaubenwesen.

Organ des I. österr.-ung. Geflügelzuchtvereines in Wien und des I. Wiener Geflügelzuchtvereines „Rudolfsheim."

Redigirt von **C. PALLISCH** unter Mitwirkung von Hofrath Professor Dr. C. CLAUS.

15. März. | 1893.

„DIE SCHWALBE" erscheint **Mitte** eines **jeden Monates** und wird **nur an Mitglieder abgegeben.**
Einzelne Nummern **60** kr. resp. **1** Mark.
Inserate per 1 □ Centimeter 4 kr., resp. 8 Pf.

Mittheilungen an den Verein sind an Herrn Secretär **Dr. Leo Pribyl**, Wien, IV, Waaggasse 4, zu adressiren, **Jahresbeiträge** der Mitglieder (5 fl., resp. 10 Mark) an Herrn **Dr. Karl Zimmermann**, Wien, I., Bauernmarkt 11; einzusenden.
Alle redactionellen Briefe, Sendungen etc. sind an Herrn **Ingenieur C. Pallisch in Erlach** bei Wr.-Neustadt zu richten.
Vereinsmitglieder beziehen das Blatt gratis.

Die

XVII. Generalversammlung

des

Ornithologischen Vereines in Wien

findet

Montag den 27. März 1893

präcise um 7 Uhr Abends im

grünen Saale der k. k. Akademie der Wissenschaften

I., Universitätsplatz 3

statt.

TAGESORDNUNG:

1. Begrüssung der Versammlung durch den Präsidenten.
2. Vortrag des Ehrenmitgliedes und Custos Herrn Andreas Reischek, „Ueber Pinguine".
3. Rechenschaftsbericht über das abgelaufene Vereinsjahr.
4. Cassabericht über die Gebarung im Jahre 1892.
5. Wahl zweier Rechnungsrevisoren.

Unmittelbar vor der Generalversammlung, um 6 Uhr, wird eine Ausschuss-Sitzung abgehalten.

WIEN, den 6. März 1893. **Der Vereins-Ausschuss.**

Ueber einen zweifelhaften Fall von totaler Hahnfedrigkeit bei Tetrao urogallus im ersten Lebensjahre.

Von Präparator **Zollikofer** St.-Gallen.

Nachdem ich schon vorletztes Jahr den Versuch gewagt, Auerhühner aus Eiern gross zu ziehen, wobei ich jedoch das räthselhafte Missgeschick der meisten anderen Liebhaber theilen musste, dass die Jungen zwar etwa 2 Monate hindurch prächtig gediehen, dann aber wie die Fliegen wegstarben; sollte mein Herzenswunsch, dies stolze Wildgeflügel unter meine gefiederten Pflegebefohlenen zählen zu können, letzten Herbst insofern erfüllt werden, als mir von einem ausgezeichneten Wildhuhnkenner und -Züchter (Herrn Dr. B. in W., der u. a. einen Auerhahn schon 8 Jahre besitzt, ein Alpenschneehuhn auf 3½ Jahre brachte und schon wiederholt Bastarde von Caccabis saxatilis und C. rubra gezüchtet hat) ein von ihm aufgezogenes, bei Entgegennahme am 26. Sept. v. J. genau 4 Monate altes Paar zum Geschenke gemacht wurde. Aber grausam schnell, wie leider schon oft bei derartig aussergewöhnlichen Sachen, sollte mein Glück zerstört werden, denn trotz vermeintlich bester Pflege ergriff den Hahn schon nach 4 Wochen jene meines Wissens ebenfalls noch unaufgeklärte Krankheit, die sich hauptsächlich darin äussert, dass solche Todes-Canditaten sozusagen plötzlich dünnbreiig weiss zu excrementiren anfangen und von da an alle Nahrung verschmähen, bis sie nach 7—10 Tagen der Tod erlöst. In meiner tiefen Betrübniss konnte ich es nicht über mich bringen, den übrigens ganz gut erhaltenen Kadaver geschäftlich zu benützen, sondern sandte denselben, nur um ihn nicht mehr sehen zu müssen, ohne Weiteres an die Thierarzneischule Zürich, begleitet von dem dringenden Gesuche um eine ganz besonders genaue und sorgfältige Section, behufs wenn möglicher Feststellung der Todes,- beziehungsweise Krankheitsursache. Nach kurzer Zeit traf ein brieflicher Bericht von Herrn Prof. E ein; aber was stand gleich am Anfang desselben kurz und kaltblütig geschrieben? „Mitfolgend theile Ihnen mit, dass Herr Prof. Z." (Vorstand dieses Instituts) „die Freundlichkeit hatte, den eingesandten Kadaver im Sectionsunterricht zu benützen. In erster Linie betone ich, dass es nicht ein Hahn, sondern ein Huhn war". — Meine masslose Verblüffung über diese Notiz lässt sich begreifen, wenn ich mit voller Sicherheit constatiren muss, dass der Vogel sich nicht nur in seiner äusseren Erscheinung, gemäss Form und Färbung, in keiner irgendwie auffälligen Weise von einem normalen Hahn gleichen Alters unterschied (vielleicht abgesehen von etwas geringer Grösse, die sich aber leicht durch die Gefangenhaltung erklären liesse), sondern auch in seinem Benehmen einen bemerkbaren Unterschied gegenüber der ihm beigesellten wirklichen Henne zur Schau trug. Natürlich bereute ich nun lebhaft, das corpus delicti nicht selbst näher untersucht zu haben und bat Herrn Prof. E. sofort, er möge mir wenigstens den Balg wieder einhändigen, falls sich die Sache wirklich so wie geschrieben verhalte, woran ich übrigens (unter Hinweis auf die soeben erwähnten Umstände) mit dem besten Willen kaum glauben könne. Darauf erhielt ich am 12. November u. a. zur Antwort, dass es leider nicht mehr möglich gewesen, den für mich jedenfalls werthvollen Balg zu retten, aber dass in Bezug auf Geschlechtsbestimmung kein Irrthum vorliege, dafür sei auch College Z. Zeuge. Diese kurze Erklärung liess mir umsoweniger Ruhe, als auch alle meine Bekannten, welche die zwei Auerhühner gesehen, sich nicht mit der Möglichkeit eines solchen Vorkommnisses vertraut machen konnten. Am massgebendsten erscheint mir hiebei die Meinung des oben citirten Züchters der beiden Thiere selbst, welcher darüber nebst anderem, was nicht in die Oeffentlichkeit gehört, wörtlich bemerkt: „Für die Mittheilung des beiliegenden Schreibens der Thierarzneischule danke Ihnen bestens. Es hat mich höchlich amüsirt; .... Ich kann es mir nur allenfalls so erklären, dass — wie dies an solchen Anstalten oft geschieht — die Untersuchung einem angehenden Schüler überwiesen und daraufhin Bericht abgegeben wurde". Diese Lösung der Frage erschien auch mir, offen gestanden, weitaus am glaubhaftesten, und ich wagte es deshalb, unter Anführung der Resultate soeben berührter Nachfragen zum dritten Male nach Zürich zu schreiben und Herrn Prof. E. nebst Hervorhebung der eventuellen Neuheit und Wichtigkeit eines derartigen Falles auch darauf aufmerksam zu machen, dass er bei irgendwelcher Unsicherheit über die Richtigkeit seiner Behauptung weitaus besser daran thue, mich davon rückhaltlos in Kenntniss zu setzen, indem ich ihm mein Wort darauf gebe, allfällig keinen missbeliebigen Gebrauch von einem solchen Geständniss zu machen, sondern die Angelegenheit einfach „ad acta" zu legen, dass ich sie aber, wenn er auf seiner früheren Angabe beharre, im allgemeinen ornithologischen Interresse der Oeffentlichkeit übergeben werde. Ich erlaube mir, im Folgenden die Entgegnung darauf ihrem ganzen Inhalte nach zu citiren: „In Erwiederung Ihrer w. Zeilen von 15. d. theile Ihnen mit, dass ich nochmals mit Herrn Collegen Z. Rücksprache genommen. Er versichert mich, dass kein Irrthum vorliege; es sei ihm selbst die Sache sogar sehr aufgefallen und hätte er denn auch nicht unterlassen, die Schüler auf dieses Phänomen aufmerksam zu machen. Der Eierstock sei in prächtiger Weise entwickelt gewesen. Sie dürfen also wohl ruhig Ihre Zweifel bei Seite legen. Ich habe Ihnen bereits früher schon mitgetheilt, dass es mir anderweitiger Geschäfte halber nicht vergönnt war, der Section beizuwohnen; aber für das Gesagte wird Ihnen Herr Z. jederzeit Rede stehen. Im Weiteren thut es mir ungemein leid, dass ich Ihnen den Balg nicht mehr zurücksenden konnte, da derselbe bereits verscharrt war."

Zu Gunsten dieser wiederholten Bestätigung, mit welcher ich „ungläubiger Thomas" die Angelegenheit leider als von Zürich aus erledigt betrachten musste, darf ich schliesslich nicht unterlassen, auf folgende Thatsache aufmerksam zu machen: Die in Frage stehenden 2 Auerhühner waren nicht die einzigen, welche Herr Dr. B. damals gleichzeitig aufzog, vielmehr zählte die Schaar seiner diesbezüglichen Pflegebefohlenen 9 Stück. Während nun hievon (gemäss Zuschrift des Genannten) schon in den ersten Tagen nach dem Ausschlüpfen sich mit vollster Gewissheit 2 als Männchen, 6 als Weibchen erwiesen, konnte das übrige neunte Küchlein sogar nach mehreren Wochen geschlechtlich nicht sicher angesprochen werden, wovon ich mich gelegentlich eines Besuches in W. zum Ueberfluss noch persönlich überzeugte. Erst später bei der directen Verfärbung zum ersten Alterskleide, entpuppte sich dasselbe als ein „Hahn", und es würde daher die Annahme nahe liegen, dass dieses in der Jugend zweifelhafte und von den übrigen abweichende Individuum mit unserem betreffenden Vogel identisch gewesen sein dürfte.

Aus dem Prachtwerk von Dr. A. B. Meyer: „Unser Auer-, Birk- und Rackelwild etc." (welches mir durch Güte des Herrn Dr. A. Girtanner in Hier zur Verfügung stand), ist ersichtlich, dass angeborene Hahnfedrigkeit nicht nur zu den grössten Seltenheiten gehört, sondern überhaupt bis jetzt noch nicht mit Sicherheit constatirt worden ist. Zu dem erscheint die Frage unerörtert, welche Stufen von Hahnfedrigkeit — sei dieselbe nun eine Folge angeborener Anomalien der Geschlechtsorgane (deren Möglichkeit eventuell der vorliegende Fall bestärken würde) oder von erst später erworbener Eierstockerkrankung oder -verletzung — bisher bei Individuen im ersten Lebensjahre zur Beobachtung gelangt sind; vielmehr scheint aus dem Passus auf pag. 13 obigen Werkes, demzufolge „selbstverständlich in der Natur ein allmäliger Uebergang der einen Stufe in die andere vorhanden ist", hervorzugehen, dass Hahnfedrigkeit höchster Stufe, d. h. eine quasi vollkommene Erreichung des männlichen Aussehens beim weiblichen Geschlecht (wie sie also hier vorliegen würde, für welche dagegen der genannte Verfasser für sein grossartig angelegtes Werk weder bei Auer- noch Birkwild ein sicheres Belegstück aufzufinden vermochte) a priori erst successive im späteren Alter aufzutreten für möglich erachtet wird. Dürfte nun meiner unmassgeblichen Meinung nach die Altersbestimmung von abnormalen Exemplaren solcher Art aus der Freiheit überhaupt ein misslich Ding sein (ausgenommen höchstens dann, wenn sich noch Reste des Jugendkleides vorfinden oder allfällig auf culinarischem Wege, beim Genuss des Fleisches solcher Thiere, Schlüsse auf deren ungefähres Alter gezogen werden können, wie es mir kürzlich bei einer hahnfedrigen Birkhenne vergönnt war*), so würde der in Frage stehende Fall, bei dem es sich also infolge Gefangenhaltung unbedingt um einen vergangenes Jahr erbrüteten T. urogallus handelt, insofern doppelt neu und interessant erscheinen, als einerseits die Möglichkeit totaler Hahnfedrigkeit überhaupt und anderentheils speciell schon im ersten Lebens-, respective im Geburtsjahre nachgewiesen wäre — wenn, ja wenn — die Zürcher Geschlechts-Diagnose wirklich richtig ist!

Ohne weiteren Commentar hiezu möchte ich es nun befugterer Seite überlassen, sich darüber ein Urtheil zu bilden, und indem ich der Hoffnung Raum gebe, dass meine Auseinandersetzung nicht von vornherein unter diejenigen gezählt werde, die „mehr verwirren, als dass sie irgend etwas zur Erklärung beitragen", sollte es mich freuen, wenn die gute und ehrliche Absicht, in erster Linie zu ferneren und genaueren Untersuchungen auf diesem interessanten Gebiete anzuregen, nicht verkannt würde.

Bei dieser Gelegenheit kann ich nicht umhin, auf einen weiteren zweifelhaften, aber im einen, wie anderen Fall erwähnenswerthen Tetrao urogallus aufmerksam zu machen, der letzte Jagdzeit zur Präparation eingesandt wurde, wobei ich jedoch in der damaligen hochgradigen Arbeitsüberhäufung zum grössten nachherigen Aerger die Unterlassungssünde beging, aus Vergesslichkeit das Geschlecht ununtersucht zu lassen. Dieses, am 23. November v. J. erlegte Individuum gleicht bei nur oberflächlicher Betrachtung allerdings sehr einem Hahn vom selben Jahre, dem Sachverständigen kann aber seine aussergewöhnlich geringe Grösse und unscheinbare Färbung unmöglich entgehen. Zur Bestätigung des ersteren Punktes erlaube mir, einige der in früher genanntem Specialwerk notirten Maasse von 5 Auerhähnen (unter denen sich doch wahrscheinlich auch jüngere Exemplare befunden haben mögen) zur Vergleichung mit den Grössenverhältnissen unseres in Frage kommenden Vogels zusammenzustellen wie folgt:

Flügellänge (nach Dr. A. B. Meyer	40 —42,5	cm.)		38	cm.
Aeussere Stossfedern	„	26,5—30,5	„	20,3	„
Mittlere „	„	31,5—26,5	„	24,2	„
Breite d. äuss. Stossfedern	„	6 — 9	„	3,6	„
„ „ mittl. „				4.7	„
Vom Oberstoss unbedeckten Stosstheile	„	9 —10	„	8	„
Vom Unterstoss unbedeckte Stosstheile	„	13,5—16,5	„	9,5	„
Schnabellänge v. culmen an	„	6 — 6,7	„	5,6	„

Hieraus geht hervor, dass alle Dimensionen mehr oder weniger bedeutend, insbesondere aber diejenigen des Stosses ganz frappant reducirt erscheinen; zudem besitzen die Federn des letzteren keine Spur von der typischen, am Endsaum scharf ausgeschnittenen Form derjenigen des Hahnenstosses, sondern gleichen durchaus den betreffenden einer Henne. Die Färbung hat zwar, wie schon aus Obigem hervorgeht, nichts Hennenartiges an sich und liessen sich namentlich auch keine verdeckten Spuren am Grunde des Gefieders constatiren. Auffällig erscheint dagegen die intensiv braune Rieselung der Aussen- und an der Spitze z. Th. auch Innenfahnen sowohl der Hand- und Armschwingen, wie der Stossfedern, bei letzteren besonders gegen die mittleren hin, welche ausserdem weisse Endsäume besitzen. Auch der Oberstoss zeigt ein analoges Braun an Stelle des sonst normalen Grau und sieht zudem insofern verkümmert aus, als bei aufrechter Stosshaltung (in Balzstellung) nur die 4 mittleren Federn vorragen, die übrigen von den Bürzelfedern verdeckt werden. Wenn ich schliesslich hinzufüge, dass stellenweise auch das Kleingefieder, vorab in der Schultergegend, ausser der schon erwähnten trüben und schwachen Allgemein-Färbung eine gewisse Tendenz zum Ersatz der graulichen Wässerung durch eine braune aufweist, dürfte es sich bei diesem Individuum, soweit ich es zu beurtheilen vermag, hauptsächlich um die Frage handeln, ob wir es entweder mit einem aus irgend welchen Ursachen zurückgebliebenen und verkümmerten, theilweise auch etwas abweichend gefärbten jungen (d. h. also 5—6 Monate alten) Hahn, oder aber mit einer in so ziemlich letzter Stufe hahnfedrigen Henne zu thun haben.

Vielleicht wäre der Besitzer (Monsieur de Weck, président de la „Diana" à Fribourg, Suisse) so freundlich, dem Wunsche eines sich näher dafür interessirenden Fachmann's um Uebersendung des Vogels zur Ansicht zu entsprechen, indem ich mir wohlbewusst bin, dass vorstehende Notizen kaum im Stande sind, genügende Anhaltspunkte zur Entscheidung darüber zu bieten.

---

*) S. nächste Nr. des „Ornithologischen Jahrbuch, Organ für das palaearctische Faunengebiet."

Ornithologische Beobachtungen aus dem Aussiger Jagd- und Vogelschutzvereine 1891.

Von ARTUR HAUPTVOGEL.

8. Theil.

Allgemeines. Der Jänner war anfangs trocken und kalt. Bei Tage bis 5° R., in der Nacht dagegen bis 16° R. Am 12. Jänner fing es an zu schneien, die Kälte nahm ab. Im Gebirge herrschte grosser Schneesturm, so dass man nicht von einem Dorfe zum andern gehen konnte. In Pömmerle hatten sich wieder an 50 Stück Grauammern eingefunden und auf der Elbe sah man viele Stockenten und einige Gänsesäger, welche sich auf dem eisfreien Theile der Elbe zwischen Nougstock und Waunov aufhielten. Bis 30 Stück verschiedener Arten Wildenten, die durch 14 Tage von der Elbebrücke bis Waunov hinauf auf der Elbe herumschwammen, lockten viele Bewohner der Stadt auf die Elbebrücke und in die Elbeanlagen um ihrem Treiben zu zusehen. Es überwinterte in Pömmerle ein Rothkelchen W., im Berthagrund 4 Quäker und 8 Grünhänflinge. Auf den Bacherlen im Luschwitzer Thale waren an 80 Stück Zeisige. In Meischlowitz wurden einige Seidenschwänze gesehen. Auf dem Futterplatze am Marktplatze erschienen das erstemal einige Grauammern, auch kamen stets 3 bis 4 Grünhänflinge M. und W. dazu. Den 18. Jänner Früh herrschte die grösste Kälte 18—20° R. Man fand erfrorene Haubenlerchen, Goldammern und Finken.

Auf den Feldern gegen Kleischa, woselbst von der Stadtgemeinde die Asche und die Entleerungen der Senkgruben abgelagert werden, hatten sich an 300—400 Nebel-Saat- und Rabenkrähen eingefunden, um sich von den verschiedenartigen Abfällen ihr Futter zu holen. Gegen Abend zogen sie nach den nahen Wäldern des Erzgebirges und näher liegender, woselbst sie ihr Nachtlager aufgeschlagen hatten, um am Morgen wieder zu ihrem Komposthaufen zurückzukehren. Den 21. Jänner, Nachmittag 1/23 Uhr, fing es auf den höheren Dächern an zu thauen und am 23. trat vollständiges Thauwetter ein. Den 24. wurde es wieder kälter, bei Tage thaute es.

Am 1. Feber Vormittags Schneegestöber, Kälte anhaltend. Der ganze Monat war kühl und trocken, bei Tage gewöhnlich 0° R., in der Nacht 5—8° R., heiteres und helles Wetter. Der Schnee wurde durch die Luft und die Sonne fast verzehrt. Vom 7. bis 12. Feber war ein solches Glatteis, dass die Leute auf den Dörfern das Vieh nicht aus den Ställen nehmen konnten und selbst es zu Gehen fast unmöglich war. Den 12. Feber fing es wieder an zu schneien und schneite fort bis zum 13., woselbst in der Nacht ein schreckliches Schneewetter mit Sturm und Kälte folgte. Die auf der Elbe geschossenen Wildenten schwammen meist fort, da man des Eises halber nicht zu ihnen gelangen konnte, um sie zu holen.

Den 24. 25. und 26. Feber Frost mit starkem Anraum, bei Tage 0° R., vom 28. Früh durch einige Tage bis + 5° R. Im Gebirge sehr starkes Glatteis, so dass die Leute die Thiere nicht herausnehmen konnten.

März. Den 1. etwas Nebel, die Sonne kam nicht zum Vorscheine. Früh sehr kalt, dann wurde es etwas linder. Den 2. desgleichen Nebel, über Tag fing es an etwas zu spritzen, den 3. sehr stark Nebel mit etwas Regen. Am 4. Früh 9 Uhr Eisgang, den ganzen Tag Schneewetter. Den 7. war der erste schöne Tag des Jahres, Staare, Finken und Meisen liessen ihre herrlichen Gesänge ertönen.

April. Den 5. April ein sehr schöner Nachmittag. Am Marienberg 3 Paar Thurmfalken, (ein Paar begattete sich) und an 20 Paare Dohlen. Am 11., 12. und 13. bei Tag + 5° R., am Morgen 4° R. Den 12. schneite es den ganzen Tag, der Schnee blieb bis ins Elbethal liegen. Viele Schwalben gingen zu Grunde. Den 18. wieder starker Schneefall, derselbe blieb bis Kulm herein liegen, in Rollendorf konnte man mit Schlitten fahren. In Dresden lag am 19. Früh der Schnee 2" hoch, bei uns hatten wir vormittag + 4° R. Am 24. April fieng sich an, das Wetter zu ändern; es wurde wärmer.

Der 1. Mai war der schönste Tag des Jahrestheiles, warm, + 26° R. Am 4. Mai Früh blühten die Kirschbäume allgemein. Von Mitte Juni bis Ende August war das Wetter regnerisch und kalt, für die Vögel äusserst ungünstig. Am 13. Juni Früh + 7° R., den 19. Juni + 10° R. Besonders litten bei dieser Witterung die Schwalben. Am 14. Juni hielten sich die meisten Schwalben an der Elbe auf. Sie flogen ganz nahe am Wasser und an den Kähnen herum, um sich ihre spärliche Nahrung zu suchen. Vom 1. September an bis zum 24. October wurde es angenehm und schön. Fast jeder Tag war rein, klar und warm. Der heisseste Tag des Jahres war der 3. September + 36° R. Am 25. October war es trüb, den 26. schön, den 27. Regen, den 28. sehr schön, den 29. Früh — 1° R. gefroren, Reif, um 9 Uhr fing es an zu schneien und schneite fast den ganzen Tag. Auf den Anhöhen war es ganz weiss. Am 1. November wurde es wieder schön bis zum 12. An diesem Tage fing es an zu schneien und blieb der Schnee den ganzen Monat liegen.

In diesem Jahre gab es sehr viele Feldrothschwänzchen. Im August waren sehr viele grosse Flügelameisen. Diese bedeckten oft alle Gegenstände und man konnte sich ihrer kaum erwehren, da sie auch auf die Kleider flogen und Stock, Hosen und Hut oft von denselben besetzt waren. Im Frühjahre hörte man im ganzen Aussig-Karbitzer Bezirke die Klage von den Landwirthen, dass die Jungen Ganseln plötzlich „drehend" werden und dann umfallen. Bei Tage, wenn dies gesehen wurde, gab man sie in kaltes Wasser und goss ihnen Oel ein, worauf sie besser wurden. In der Nacht aber, wenn es nicht gesehen wurde, starben sie. Im August waren auf den Feldern sehr viele Schnecken, die alles abfrassen.

Aussig, am 9. Jänner 1893.

Phänologische Beobachtungen aus dem Thale der schwarzen Oppa.

Von Emil C. F. Rzehak.

Durch einen mehrjährigen Aufenthalt in Wiese nächst Jägerndorf, einem in dem reizenden Thale der schwarzen Oppa, in den östlichen Ausläufern des Sudetengebirges gelegenen Gebirgsdorfe, ist es mir möglich geworden, mich mit der Vogelwelt dieses Gebietes vertraut zu machen.

Hier war es, wo ich die beste Gelegenheit hatte, in dem grossen Buche der Natur, auf dessen jeder Seite sich mir eine neue, belebte Welt aufschloss, so Manches zu lesen; hier in dieser ländlichen Abgeschiedenheit war es, wo ich so viel Anregung zu ornithologischen Excursionen in die prächtigen umliegenden Berge und Thäler, Wälder und Auen fand, und wo ich, dem inneren Drange folgend, der lieben Vogelwelt so Manches abgelauscht habe, was mir selbst nach dem Studium dicker Folianten verschlossen blieb.

Hier war es auch, wo ich durch fleissiges und aufmerksames Beobachten so weit kam, fast genau angeben zu können: heute oder morgen werde ich diesen oder jenen befiederten Wanderer von der weiten Reise aus seinem Winteraufenthaltsorte heimkehrend oder dorthin sich begebend, begrüssen können!

Und wie im Frühling und Sommer, so unternahm ich auch im Herbst und Winter, bei Sturm und Regen, bei Frost und Schneegestöber ganz vergnügt so manche Wanderung nach dem nur 6 Minuten von meiner damaligen Behausung entfernten Walde und fand hier auch in der winterlichen Einsamkeit in dem geheimen Weben der Natur Genuss und Befriedigung.

Seitdem ich das Gebirgsdörflein mit der Stadt vertauschte, habe ich auch Wald und Flur, Berg und Thal und so manchen lieben befiederten Freund im Oppathale lassen müssen; doch sind mir noch so manche Reminiscenzen geblieben, die mir jeden Augenblick die reizvollen Bilder des Bergwaldes und seiner Bewohner in unverblassten Farben vor das geistige Auge zaubern.

Jede freie Minute, jeder freie Augenblick wurde von mir dazu benützt, die gemachten Beobachtungen so ausführlich als möglich ad notam zu nehmen und habe ich auf diese Weise ein reichliches Material gesammelt, das nach und nach bearbeitet und verwerthet werden soll.

Heute erlaube ich mir das seit 5 Jahren im Oppathale beobachtete erste Eintreffen der Zugvögel vorzulegen.

Species	1888	1889	1890	1391	1892
Erithacus luscinia, L. Nachtigall	13/4	16/4	—	12/4	—
Erithacus cyanecula, Wolf[1]) Blaukehlchen	17/4	6/4	10/4	13/4	4/4
Erithacus rubecula, L Rothkelchen	3/4	7/4	3/4	22/3	31/4
Ruticilla tithis, L. Hausrothschwanz	12/3	21/3	7/4	12/4	1/4
Ruticilla phoenicura, L. Gartenrothwanz	13/4	27/3	19/4	3/4	16/4

[1]) Cianecula leucocyanea, Wolf.

Species	1888	1889	1890	1891	1892
Pratincola rubetra, L. braunk. Wiesenschmätzer	14/4	20/4	—	16/4	—
Turdus viscivorus L. Misteldrossel	5/4	6/4	3/4	9/4	—
Turdus musicus, L. Singdrossel	9/4	25/3	17/3	17/3	22/3
Hypolais philomela, L. Gartensänger	3/5	12/5	1/5	8/5	—
Phylloscopus sibilator, Bech. Waldlaubsänger	18/4	20/4	18/4	18/4	—
Phylloscopus rufus, Bechst. Weidenlaubsänger	15/4	8/4	12/4	6/4	9/4
Sylvia attricapilla, L. Mönchsgrasmücke	17/4	30/4	18/4	12/4	—
Sylvia hortensis, Gm. Gartengrasmücke	22/4	30/4	28/4	13/4	23/4
Sylvia curruca, L. Zaungrasmücke	14/4	30/4	28/4	14/4	19/4
Sylvia sylvia,[1]) L. Dorngrasmücke	18/4	26/4	2/5	16/4	23/4
Alauda arvensis, L. Feldlerche	24/2	17/2	12/2	13/2	21/2
Lullula arborea, L. Haidelerche	4/4	2/4	3/3	28/3	14/3
Anthus trivialis, L. Baumpieper	12/4	29/4	6/4	13/4	—
Anthus pratensis, L. Wiesenpieper	8/4	28/3	26/3	1/4	—
Budytes flavus, L. gelbe Bachstelze	13/3	17/3	19/3	21/3	16/3
Motacilla alba, L. Weisse Bachstelze	4/3	9/3	8/3	17/3	17/3
Serinus serinus, L. Girlitz	8/4	15/3	18/4	11/3	2/3
Fringilla coelebs, L. Edelfink	22/2	10/3	25/3	11/3	7/3
Sturnus vulgaris, L. Staar	23/2	27/2	24/2	7/3	11/3
Oriolus galbula, L. Goldamsel	30/4	4/5	8/5	23/4	2/5
Lanius minor, L. Grauwürger	6/4	—	—	18/4	—
Lanius collurio, L. rothrück. Würger	7/5	26/4	2/5	3/5	8/5
Muscicapa grisola, L. Grauer Fliegenfänger	—	2/5	—	1/5	—
Chelidonaria urbica, L. Stadtschwalbe	26/4	30/4	27/4	19/4	18/4
Hirundo rustica, L. Rauchschwalbe	18/4	18/4	8/4	14/4	3/4
Micropus apus, L. Mauersegler	1/5	4/5	11/5	8/5	2/5
Jynx torquilla, L. Wendehals	20/4	21/4	24/4	19/4	19/4
Cuculus canorus, L. Kukuk	30/4	20/4	26/4	9/5	22/4
Cerchneis tinunculus, L. Thurmfalke	21/3	10/4	3/4	—	—
Coturnix coturnix, L. Wachtel	12/5	1/5	21/4	—	—
Crex crex, L. Wachtelkönig	6/5	4/5	8/5	30/4	—

Troppau, Weihnachten 1892.

[1]) Sylvia cinerea, L.

Beitrag zur Ornis von Niederösterreich.

Von Robert Ritter von Dombrowski.

I. Ordnung.

Rapaces, Raubvögel.

(Fortsetzung.)

7. Hypotriorchis aesalon Tunstall Zwergfalke. Regelmässiger Wintervogel, der Ende September erscheint und Ende März abzieht; je nachdem der Winter strenge oder milde ist, tritt er zahlreicher oder spärlicher auf. Er ist einer der verwegensten Räuber, der namentlich unter der kleinen Vogelwelt schlimme Verheerungen anrichtet, aber auch grösseren Arten, ja selbst dem Fasan, gefährlich wird. Rebhühner schlägt er oft. Häufig war ich Augenzeuge seiner Schandthaten und eine der zum Theil höchst interessanten Episoden will ich hier mittheilen. An einem bitterkalten Tage im Januar 1887 besuchte ich wieder einmal nach längerer Zeit einen von mir für Finken, Ammern u. s. w. eingerichteten Futterplatz, denen sich noch ein ungebetener Gast beigesellte. Plötzlich hörte ich nämlich ein leichtes Sausen über mir und gleich darauf stiess ein Zwergfalke, ein herrlich ausgefärbtes ♂, in den dichten Vogelknäuel, um sich sofort mit einem Bergfinken in den Fängen zu erheben. Er strich nach einer unfernen hohen Weide, wo er seine Beute zu kröpfen begann. Nach kurzer Zeit liess er sie jedoch fallen, kam längs der Auwand, an welche sich der Futterplatz lehnte, wie ein Pfeil herangeschossen und stiess neuerdings unter die inzwischen ruhig gewordenen Vögel. Ein zweiter Bergfink war das Opfer, mit dem er der erwähnten Weide zuzog. Als ich mich am nächsten Tage wieder an den Platz begab, sah ich den Räuber mit Hilfe meines Glases schon von weitem auf seinem Observationsposten sitzen und kaum hatte ich meine kleine Hütte bezogen, so stellte sich auch mein guter Falke ein, der an meinen Bestrebungen besonderen Gefallen zu finden schien, doch umkreiste er die Stelle bloss ein- oder zweimal, da ich noch kein Futter gestreut und die Vögel daher auf den umliegenden Bäumen sassen. Mit Absicht liess ich meine Schützlinge warten, die Stunde, in der ich zu füttern pflegte, war längst vorüber und der Falke strich beständig unruhig umher, wobei er, wie um mich an meine Versäumniss zu mahnen, öfters ein zorniges Kockern hören liess. Dann kehrte er nach seiner Weide zurück, die, durch einen Arm der Schwechat von mir getrennt, etwa 150 Schritte entfernt stand. Zwei Krieckenten zogen längs des Flusses herauf, kaum gewahrte sie der zweifellos hungrige, durch meine Laune um sein Mittagsmahl gebrachte Falke, so warf er sich ihnen entgegen, und nun begann die tollste Jagd, die ich je gesehen. Mit einer fabelhaften Gewandtheit und Schnelligkeit wichen die Enten jedem der heftigen Stösse aus, trennten sich auf Augenblicke, flogen dann abermals dicht nebeneinander hin und entschwanden so leider meinen Blicken bei einer von Hochholz gedeckten Biegung des Flussarmes, so dass ich nicht weiss, zu wessen Gunsten diese Hetze verlief. An den kommenden Tagen blieb der Falke fern, er mochte wohl dem rächenden Blei eines der kaiserlichen Jäger verfallen sein. Interessant waren die verschiedenen Ueberreste am Fusse besagter Weide. Da lagen Köpfe und Flügel von Ammern, Finken, Hänflingen, Spatzen, Tauben, Rebhühnern u. s. w. und, was mich am meisten wunderte, auch Theile einer Elster; allerdings hat Herr Anton Schiestl sogar beobachtet, dass ein Zwergfalke aus einer Schaar von Saatkrähen eine abtrennte und schlug.

8. Falco subbuteo, Linn. Lerchenfalke. Sowohl in der Ebene als im Gebirge sparsamer Horstvogel, der anfangs April eintrifft und in den ersten Tagen des October verschwindet, obgleich man in manchem Jahre noch zu Ende dieses Monats vereinzelten Exemplaren begegnet. Das erste Ei findet man in der Zeit vom 1.—10. Juni, die Brutzeit nimmt 20—22 Tage in Anspruch und anfangs August sind die Jungen flügge. Auch dieser Falke ist unglaublich verwegen, gewandt und raublustig, was schon aus der von meinem Bruder Carl und mir je einmal beobachteten Thatsache erhellt, dass er im Fluge eine der ihn verfolgenden Schwalben schlug; wiewohl ihm unter hundert derartigen Angriffen kaum einer gelingen dürfte. Dass er seinen Jungen, auch nachdem sie ihre Flugbarkeit erreicht, noch eine Zeitlang Raub zu trägt, habe ich wiederholt gesehen.

9. Falco peregrinus, Tunstall. Wanderfalke. Spärlicher, zerstreut auftretender Brutvogel in mehreren Theilen des Landes; im Wienerwald, Ernstbrunnerwald und im Viertel ober dem Mannhartsberge stehen alljährlich einige Horste, wogegen er aus dem Göttlesbrunnerwald, wo er bis vor wenigen Jahren ebenfalls gehorstet, verschwunden ist. In den Donauauen horstet er nicht, berührt sie jedoch im Frühjahre und Herbste regelmässig, und zwar von Ende März bis Mitte April, dann von Mitte August bis Ende September. Einzelne Exemplare bemerkt man noch später, ja ab und zu hält sich eines den ganzen Winter über auf.

10. Falco laniarius, Pallas. Würgfalke. Er war einst in den Donauauen, sowie in dem unterhalb Fischamend beginnenden und sich bis gegen das Leithagebirge hinziehenden Göttlesbrunnerwald und an der dürren Wand im Wiesenbachthal regelmässiger Brutvogel, hat sich jedoch als solcher in den letzten Jahren ständig vermindert, so dass gegenwärtig jährlich wohl nur noch ein einziges Paar in den Auen brütet. Als Durchzügler ist er ziemlich häufig geblieben. Da wir es hier also einerseits mit einer fast verdrängten Art, anderseits in Niederösterreich mit dem westlichsten Punkte der Verbreitungsgrenze dieses Edelfalken zu thun haben, so nimmt sein ehemaliges und heutiges Vorkommen doppeltes Interesse in Anspruch, weshalb ich nebst einem vollständigen Auszug aus meinen Tagebüchern auch die diesbezüglichen Stellen aus der Literatur folgen lasse. In den „Zwölf Frühlingstagen“ von Kronprinz Rudolf und Alfred Brehm (Cabanis-Journal für Ornithologie, 1879. n. 41 und 112) heisst es über ihn: „Die Stelle des Wanderfalken vertritt schon in der Umgebung von Wien der Würg- oder Blaufussfalke, welcher vom Kronprinz am Horst erlegt wurde und gegenwärtig unter Schutz gestellt worden ist, um weitere Beobachtungen über ihn zu sammeln. Auf einem am 14. April in der Nähe von Wien unternommenen Jagdausfluge fanden wir in den Donauauen (Gänsehaufen) ein Paar Würgfalken,

offenbar am Brutplatze, von dem das ♂ beim Verfolgen einer Taube durch ziemlich dichten Hochwald aus grosser Entfernung vom Kronprinzen Rudolf erlegt wurde. Schon vier Tage später war dasselbe ersetzt. Es ist sehr wahrscheinlich, dass der Würgfalke von Wien Donauabwärts überall in den Auen und an anderen passenden Localitäten vorkommt." Ueber denselben Fall schreibt Brehm in seinem „Thierleben", II. Auflage, IV. Band., p. 540—41: „In einem Auenwalde der Donauinseln bei Wien erlegte Kronpriz Rudolf von Oesterreich in unserer, Eugen von Homeyer's und meiner Gegenwart im April 1878 ein Männchen am Horste, welches bereits vier Tage später durch ein anderes ersetzt war. Hierdurch dürfte der Beweis erbracht sein, dass der Vogel in Niederösterreich keineswegs selten auftritt. Von seiner Jagdlust lieferte uns das erwähnte Männchen einen Beleg. Der uns begleitende, auch als Schriftsteller wohlbekannte Forstmeister Raul Ritter von Dombrowski (mein Vater, der Verf.) lockte durch täuschende Nachahmung der Stimme einige Ringtauben auf die Donauinsel, welche wir durchstreiften. Kaum hatten die Vögel sich erhoben, als der Würgfalke unter sie stiess. Erschreckt suchten die Tauben, alle Scheu vor uns vergessend, Zuflucht in den Wipfeln der um uns stehenden Bäume und einen Augenblick später jagte der Falke zwischen ihnen hindurch. Pfeilschnell im buchstäblichen Sinne des Wortes war jetzt sein Flug und deutlich hörbar das Brausen, welches er hervorbrachte, aber so schnell er auch die Luft durchschnitt, das fast unfehlbar sichere Blei des fürstlichen Schützen ereilte ihn doch: er büsste seine Kühnheit mit dem Leben". Newald berichtet in den „Mittheilungen des Ornithologischen Vereinses in Wien" 1878 p. 3. „Im November 1845 erhielt Herr Newald von Aspern und Orth vom damaligen Hofjäger Mauthner unter einer grossen Zahl anderer geschossener und gefangener Arten auch drei Würgfalken. Ein starkes Exemplar derselben hatte noch die Lederhülsen von Fesseln, aus denen das Mittelstück herausgefault war, an den Fängen Dasselbe wurde von ihm ausgestopft und an das königl. Museum in Berlin übersendet. Ein zweites Stück gelangte an die ornithologische Sammlung der königl. Forstakademie zu Neustadt-Eberswalde. Der dritte Würgfalke blieb in der Mariabrunner Sammlung. Seit einer Reihe von Jahren horstet Falco laniarius auf der dürren Wand im Wiesenbachthale. Von der Südbahnstation Felixdorf sieht man den Felsenkegel der Dürren Wand recht gut. Ich hatte Vorsorge getroffen, dass der Vogel nicht weggeschossen werde, um den Würgfalken mit Sicherheit als einen Standvogel der Ornis von Wien nachweisen zu können. Es dürfte wenig bekannt sein, dass Fürst Ferdinand Trauttmannsdorff gegen das Ende der 30. Jahre zweimal eine Anzahl zur Beizjagd abgetragener Würgfalken nach seinem Schlosse Ober-Waltersdorf kommen liess. Mehrere Exemplare, deren Dressur nicht ferm genug war, verflogen sich, als man sie zur Feldhühner- und Fasanen-Beize verwenden wollte. Das von mir erwähnte Exemplar, welches noch die Reste einer Lederfessel an den Fängen hatte, dürfte ein solcher ungerathener Bursche gewesen sein". August von Pelzeln führt in seiner „Ornis Vindobonensis" neun Belegexemplar, aut. u. zw.: „1.) ♀ juv., Aspern 1. Mai 1812. 2. ♂ ad. Senftenberg, 8. Juni 1813. 3. ♂ Aspern 1842 (?) 4. ♀ Ebersdorf, November 1839. 5. ♂ Euzersdorf, 1840 (?); im kaiserl. Museum. 6. ♀ Mannswörth, 10. December 1850; Sammlung des Herrn Julius Finger. 7. ♀ Auf der Krähenhütte in Hennersdorf bei Laxenburg, 3. November 1854, im Magen war ein Fasan; ebenda. 9 ♂ Wagram, 14. April 1863." Herr Forstwart Lobek besitzt ein vor einigen Jahren in der Lobau geschossenes Paar. Herr Präparator Anton Schiestl hat in einem Zeitraum von 30 Jahren etwa 30 Stück erlegt, alle in den Auen von Mannswörth bis Fischamend einerund Mühlleiten bis Orth anderseits; einmal beobachtete er, wie ein Würgfalke einen hellen Wasserläufer (Totanus glottis) verfolgte, der sich durch Tauchen rettete; von den erlegten Exemplaren befinden sich fünf in seiner Collection, der herrlichsten Localsammlung Niederösterreichs. Präparator Adam in Wien besitzt drei im Lande erlegte Würgfalken. Mein Journal weist folgende Daten auf: 1884. Am 5. und 6. April sah ich genau zur selben Zeit, zwischen 3 und 4 Uhr Nachmittags, einen Würgfalken von der Donau her längs des Winterhafens gegen das Lusthaus im Prater streichen. Am 1. September 1 Stück in der Lobau und am 28. September eines bei Aspern. 1885. Am 12. August und 21. September je 1 Stück im Rohrwörth. 1886. Am 13. Juli ein auffallend geringes Exemplar im Rohrwörth, wahrscheinlich ein altes ♂. — 1887 Anfangs April und Ende Mai je ein ♂ und ♀ vom k. und k. Forstadjunkt Norbert Stummer bei Orth erlegt. 1888. In der Scharbencolonie horstete nach Mittheilung des Herrn k. und k. Revierjägers Schutz ein Paar, von dem Kronprinz Rudolf das ♂ abschoss; die drei Jungen wurden lebend ausgehoben. Am kleinen Gänsehaufen soll noch ein zweites Paar gehorstet haben. Im December wurden in der Gegend von Schwechat 3 Stücke erbeutet, die Herr Präparator Ferdinand Tonnenbaum in Wien zum Ausstopfen erhielt. Das im April 1887 geschossene ♂ zeigte eine ausserordentlich interessante Färbung. Der Kopf war licht graubraun, leicht rostroth überflogen, der Nacken stark ins Graue ziehend, der Rücken graubraun, hell gekantet. Die Schwung- und Steuerfedern trugen auf graubrauner Grundfarbe nur kleine gelbe Tropfenflecke, die beiden mittleren Steuerfedern gar keine Zeichnung. Brust und Bauch erschienen fast einfärbig gelblichweiss, nur auf dem Schenkelgefieder bemerkte man vereinzelte, lanzettförmige graubraune Flecken. Die Fänge waren lichtgelb, die Wachshaut des Schnabels hochgelb, die Iris hellbraun. Das im gleichen Jahre erlegte ♀ ähnelte hinsichtlich seines Kleides dem vorigen Exemplar, nur war die Färbung im allgemeinen etwas dunkler und frischer und auf der Unterseite besass jede Federn einen grossen, braungrauen Schaftfleck. Die Fänge waren graublau, die Wachshaut lichtblau, die Iris hell graubraun. Es ist wahrhaft merkwürdig, dass bei diesen Falken, wie auch in geringerem Maasse bei Falco peregrinus, die Farbe der Wachshaut und der Fänge derart variirt, und zwar ohne Rücksicht auf Alter und Geschlecht. Ebenso wechselt die Färbung der Unterseite, man findet alte Exemplare mit sehr starken, junge mit kaum angedeuteten Schaftflecken und umgekehrt.

11. Falco gyrfalco, Schl. Gierfalke. Mir selbst stehen gar keine Beobachtungen über diesen Bewohner des hohen Norden zu Gebote, doch schreibt Herr Julius Finger in seiner „Fauna Austriaca ornithologica", III. „Ich bin überzeugt, dass dieser nordische Falke in Oesterreich bei weitem häufiger vorkommt als man bis jetzt glaubte, denn ich habe innerhalb vier Jahren drei Exemplare erhalten, die alle in der Nähe Wien's geschossen waren und meine ornithologischen Bezugquellen sind eben nicht gar zu zahlreich."

12. Astur palumbarius, L. Habicht. Als Brutvogel nur im Wienerwalde und im Viertel ober dem Mannhartsberg, im übrigen Lande tritt er lediglich als ziemlich häufiger Durchzügler und Wintergast auf. Nach Angabe des Herrn k. und k. Forstwart Lobek hat er bis 1880 in der Loban und nach Mittheilung des Herrn Anton Schiestl bis vor ca. 10 Jahren auch im Göttlesbrunerwald gehorstet. Bereits Ende Juli zeigen sich dann und wann einzelne alte Vögel, doch beginnt der eigentliche Zug bezw. Strich erst mit Ende August. Im Herbst und Winter treibt er sich unstet umher, ohne irgendwo festen Stand zu halten; erst Ende März oder Anfangs April zieht er den Brutplätzen zu.

13. Accipiter nisus, L. Sperber. Regelmässiger Brutvogel im ganzen Lande; im Herbst findet ein starker Durchzug von Norden her statt. Das erste Ei wird in der zweiten Hälfte des Mai gelegt, die Jungen sind Ende Juli flügge. Ich sah den Sperber bisher folgende Vögel schlagen: 1 Rebhuhn, 1 Ringtaube, 1 Dohle, 1 Kriekente, 1 Grünspecht, 1 kleine Bekassine, 1 Ringdrossel, 1 Goldammer, 1 Kohlmeise und 4 Spatzen, ausserdem mehrere Fledermäuse.

14. Pandion haliaetus, L. Fischadler. Ein seltener Brutvogel in den nahe am Strome gelegenen Gebirgsgegenden, während er aus den Donauauen als solcher bereits verschwunden ist. Nach Angabe des Herrn k. und k. Förster Heinrich Janicek stand der letzte Horst im Jahre 1882 bei Eckartsau. Gegenwärtig zählt der Fischadler für die Auen zu den regelmässigen Durchzüglern; im Frühjahre nimmt der eigentliche Zug die Zeit von den letzten Märztagen bis Ende April ein, doch begegnet man einzelnen Exemplaren, die von den nahen Gebirgen nach Raub herüberstreichen, den ganzen Sommer über; in die Zeit von Mitte August bis Anfang October fällt der Ab- und Durchzug.

15. Aquila pennata, Gm. Zwergadler. Ein heute bereits seltener Horstvogel des Wienerwaldes; in anderen Landestheilen erscheint er, da er sehr fest an seinem Brutgebiet hält, nur als unregelmässiger Strichvogel. Im Jahre 1878 schrieb Kronprinz Rudolf: „In der nächsten Umgebung Wien's ist Aquila pennata nicht so selten, als man es eigentlich meinen sollte, in einzelnen Theilen des Wienerwaldes brütet er sogar alljährlich; auf dem Zuge sieht man ihn selbst in Gärten und ganz unbedeutenden Gehölzen. In den Fasanremisen von Laxenburg und in der nächsten Umgebung von Hietzing wurde er schon einigemale erlegt. Im Frühjahre erblickte ich öfters mehrere Zwergadler von einem Standplatze aus, wie sie über den Wiesen in den stillen Waldthälern des Wienerwaldes ihre Flugkünste ausführten. Der Charakter dieses waldigen Landes scheint für unseren Adler besonders anziehende Eigenschaften zu besitzen, denn zur Zugzeit bilden seine Gegenden stets eine vielbesuchte Raststation und in der Brutzeit horsten regelmässig 1—2 Paare im k. und k. Thiergarten bei Hütteldorf. An schönen Junitagen wird man in den ersten Vormittagsstunden am leichtesten den Zwergadler im Wienerwalde beobachten können. Niedrig über dem Boden hinziehend, kommt er da aus dem Inneren der Wälder herausgestrichen und setzt sich inmitten kleiner Waldwiesen, um Mäuse und besonders Heuschrecken zu fangen. Ich habe ihn in jenen Gegenden fast alljährlich täglich gesehen und beobachtet. Von Frauenfeld besass mehrere Jahre hindurch ein einem Horste im Wienerwalde entnommenes Paar; August von Pelzeln führt in seiner „Ornis vindobonensis" 14 Belegstücke auf. Mein eigenes Tagebuch enthält folgende Daten: 1887. Anfangs September wurde gelegentlich einer Hühnerjagd in Eckartsau ein Zwergadler ♀ erlegt, am 15. September sah ich einen zweiten auf den „Gstetten"[1]) bei Mannswörth nach den dort häufigen Erdzieseln, Spermophilus citillus jagen. 1888. Am 27. April beobachtete ich ein Stück unweit Klausenleopoldsdorf. 1889. Am 1. Juni wurde ein ♂ bei Groissenbrunn geschossen. Die beiden in den Jahren 1887 und 1889 erbeuteten Stücke habe ich genau untersucht und gebe nachstehend ihre Maasse:

	♀ 1887.	♂ 1889
	mm.	
Ganze Länge	485	440
Flugweite	1170	1143
Flügellänge	540	520
Stosslänge	220	205
Tarsenhöhe	58	58
Mittelzehe mit Klaue .	46	45
„ ohne „ .	27	26
Innenzehe mit „ .	44	63
„ ohne „ .	20	20
Aussenzehe mit „ .	40	38
„ ohne „ .	33	29
Hinterzehe mit „ .	45	42
Schnabellänge	24	24

16. Aquila naevia, Wolf. Schreiadler. Bis zu den 50er Jahren Horstvogel in den Donauauen; gegenwärtig im ganzen Lande vorzugsweise in den Donauauen, dem March und Steinfeld, regelmässiger Zug- und Strichvogel.

(Fortsetzung folgt.)

Nutzung des Geflügels.[2])

Von Dr. Přibyl.

Vielfach findet sich jetzt noch die Meinung verbreitet, dass die Haltung des Geflügels nicht nur keinen Nutzen einbringe, sondern, dass dessen Zucht und Pflege der Wirtschaft zum positiven Schaden und Nachtheile gereiche, weshalb auch auf vielen Besitzungen des Grossgrundbesitzes ein Verbot der Geflügelhaltung besteht. Wenn doch noch Geflügel

[1]) Hohe, unterwaschene, meist mit dichtem Gestrüpp bestandenen Ufer, wie sich solche besonders an den abgebauten Armen der Donau finden. Der Verf.

[2]) Aus der soeben erschienenen 3. Auflage von Dr. L. Přibyl „Geflügelzucht".

gehalten wird, so ist es nur, um selbst mit einigen Kosten die für den Hausgebrauch nöthigen Eier und Braten sich zu verschaffen. In den bäuerlichen Wirthschaften, wo die weitaus grösste Menge des Geflügels gehalten wird, das auf den Markt gelangt, rechnen sich die Besitzer die kärgliche Ernährung, die sie dem Geflügel geben, für nichts und häufig bildet eben der geringe Erlös für das Geflügel und dessen Producte das einzige Bargeld, welches der Bäuerin im Jahre zukommt. Und doch sprechen gegen diese Anschauungen tausendfältige Erfahrungen, die gerade die verachtete Geflügelzucht, rationell betrieben, zu einer unversiegbaren Quelle reichlichen Einkommens ganzer Länder erheben können. Der Norden Frankreichs dürfte am besten beweisen, wie durch die Geflügelhaltung Wohlstand, ja Reichthum in einer Gegend verbreitet werden kann. Millionen bringt der schwunghaft betriebene Eierexport alljährlich in's Land, der grosse Magen von Paris verzehrt unzählige Mengen des Geflügels, welches daselbst oft Preise erzielt, die für die hiesigen Verhältnisse unglaublich erscheinen und ebenfalls Millionen dem Lande einbringen. Aehnliche Verhältnisse gelten in einzelnen Theilen Englands (Surrey, Sussex), und die Preise, welche in London für gemästetes Geflügel gezahlt werden, klingen fabelhaft. So wird unter anderen Fällen erzählt, dass für Mastgänse Preise von 30 Schillingen (15 Gulden Gold), selbst von Arbeitern bezahlt werden; freilich wiegt ein solches Maststück oft 15—18 kg. Wenn man auch von diesen seltenen Fällen absieht, so liegt der Grund der Missachtung des Ertrages, den das Geflügel bieten kann, zumeist darin, dass bis jetzt nur in den seltensten Fällen der Geflügelzüchter mit dem Rechenstifte versuchte, eine richtige Bilanz der Geflügelhaltung zu ziehen und wahrheitsgemäss zu berechnen, wieviel das Geflügel bei rationeller Zucht wirklich einbringt oder wenigstens einbringen kann. Die grossartige Rentabilität, Ertragsnachweise von 1000 %, gehören in das Gebiet des Schwindels, wie die glänzende Berechnung eines Walter, der in seinem Werke die fabelhaften Erträge einer nicht bestehenden Hühnerzuchtanstalt im Grossen beschrieb. Allein jeder rationell rechnende Geflügelzüchter, dem es um Nutzung des Geflügels zu thun ist, wird sicherlich beistimmen, dass bei nur halbwegs günstigen Absatzverhältnissen, die Haltung des Geflügels reichlich die darauf verwendeten Kosten und Mühen lohnt. Die günstigen Absatzverhältnisse bedingen die grössere oder geringere Rentabilität, und selbst diese sind durch die gesteigerte Leichtigkeit und Billigkeit der Verkehrsverhältnisse nicht mehr von jener Wichtigkeit, wie noch vor wenigen Jahrzehnten. Eier, Fleisch, Federn und Dünger des Geflügels finden überall willige Käufer und mit Rücksicht auf die höhere Verwerthung einer der vier Hauptnutzungen muss eben die Geflügelhaltung eingerichtet werden.

a) Eierproduction.

Vielleicht die wichtigste Nutzung des Geflügels, besonders der Hühnervögel, bilden die Eier. In ungezählten Millionen werden alljährlich ungeahnte Quantitäten dieses Nahrungsstoffes consumiert, dem mit Recht die Wissenschaft einen der ersten Plätze in der wichtigen Frage der Ernährung eingeräumt hat. Wie die chemische Analyse lehrt, enthält das Vogelei alle jene Nährstoffe in möglichst günstiger Verbindung, die zum Aufbau des thierischen Körpers dringend erforderlich erscheinen. Seit dem frühesten Altertume wandte sich die Aufmerksamkeit aller Forscher und Praktiker diesem unscheinbaren Producte zu, dem erst in neuester Zeit vorbehalten blieb, eine wichtige Rolle im Weltverkehre zu spielen. Es schwinden die Begriffe und Vorstellungen bei Nennung jener unermesslichen Summen, die an Eiern alljährlich zur Consumtion und in Handelsverkehr gelangen, Millionen Gulden werden durch die Eier in Bewegung gesetzt und bringen in ihren weitverzweigten Beziehungen, selbst in die kleinste Hütte der bäuerlichen Bevölkerung einen Theil jener ungeheueren Summen zurück, die doch nur belebend auf die Entwicklung der Volkswirthschaft wirken können.

Zur Eierproduction für den Consum dient vornehmlich das Geschlecht der Hühnervögel, während die Eier der übrigen Geflügelrassen, ob ihres höheren Werthes, bei uns am besten zur Ausbrütung verwendet werden. Bei Behandlung der Frage des Nutzens der Eierproduction ist daher hauptsächlich nur von den Hühnereiern die Rede; in sehr geringem Masse nehmen in einigen Gegenden die Perlhühner an dieser mächtigen Bewegung Antheil, da diese Thiere, trotz ihrer ziemlich bedeutenden Productionsfähigkeit, meist doch nur als Luxusthiere gelten.

Eine genaue Schätzung der jährlich producierten Menge von Eiern entzieht sich bei dem Abgange aller Anhaltspunkte jeglicher Möglichkeit. Wie ungeheuer gross die Summe sein mag, kann ein Blick auf jene Mengen beweisen, die alljährlich blos nach Grossbritannien eingeführt werden.

	Eier	Zusammen	Werth in Liv.-Sterl.
1888 a) aus fremden Staaten	1124.961,360		
b) Kanalins.In, Irland	1.831.320	1126,792.680	3,053.107
1889 a)	1129,810 680		
b)	2,[illegible]80 680	1131,900,360	3,127.590
1890 a)	1131.8[illegible]2,520		
b)	3,147.000	1234,949.520	3,428.806
1891 a)	1240.720,560		
b)	34.677.120	1275,397.680	3,205,523

Im Jahre 1891 betheiligten sich an dieser Einfuhr

Frankreich	mit 375 Mil. Eiern	im Werthe v.	1,25 M. Liv.-Sterl.
Deutschland	„ 326 „ „	„ „ „	0,78 „
Russland	„ 173 „ „	„ „ „	0,39 „
Dänemark	„ 150 „ „	„ „ „	0,30 „

Berlin benöthigte im Jahre 1888 nach den amtlichen Ausweisen 181,236 Metr. Eier (circa 290 Millionen Stück) demnach mehr als 200 Eier pro Kopf der Bevölkerung. Im Jahre 1850 lief der Bedarf auf 275 Millionen Eier.

Es erreichte demnach im Jahre 1891 der Import Englands die ungeheuere Summe von 25 Millionen Eiern in jeder Woche. England, trotz der grossen eigenen Production, die auf 2200 Millionen Stück Eier veranschlagt ist, bedarf der ungeheueren Einfuhr aus Frankreich, Holland, Irland, Belgien, Russland, Italien und Oesterreich-Ungarn. In Frankreich, Russland, Dänemark, Oesterreich und Italien etc. werden genügende Mengen Eier produciert, um nicht nur den Consum zu decken, sondern auch auf dem Weltmarkte guten Absatz zu finden.

Italien erscheint erst seit Anfang der 70er Jahre mit Eiern auf dem Weltmarkte. Der Export betrug:

1885 . .	288,744 Metercentner	im Werthe von 37,2	Mil. Lire
1886 . .	234,026 „	„ „ „ 29,3	„ „
1887 . .	193,769 „	„ „ „ 24,2	„ „
1888 . .	180,895 „	„ „ „ 22,6	„ „
1889 . .	141 554 „	„ „ „ 18,4	„ „
1890 . .	152.852 „	„ „ „ 19.9	s „

Frankreichs Eierexport betrug:

1875	344.200 M.-Ctr.	im Werthe v. 46.25	M. Fcs.
1877	271,200 „	„ „ „ 38.—	„ „
1879	238,000 „	„ „ „ 32,60	„ „
1881	210.000 „	„ „ „ 29,50	„ „
1888	262,234 „ (dav. nach Engl.) 218.691 M.-Ct.	im Werthe von 31.48	„ „
1889	235,690 „ (dav. nach Engl.) 240,656 M.-Ct.	im Werthe von 34,28	„ „
1890	287,308 „ (dav. nach Engl.) 247.993 M.-Ct.	im Werthe von 34.48	„ „

Die Concurrenz Italiens, Russlands, und Oesterreich-Ungarns beeinflusste demnach sehr erheblich Frankreichs Export.

Oesterreich-Ungarn exportirte:

1871 . .	97.114 Metercentner		
1881 . .	296.618 „		
1888 . .	483.229 „	im Werthe v. 12	Mill. Guld.
1889 . .	556.964 „	„ „ „ 14,5	„ „
1890 . .	603,290*) „	„ „ „ 16,1	„ „

Nach Deutschland wurden aus Oesterreich-Ungarn importirt:

	Eier	Federvieh
1887 . .	209.452 M.-Ct.	26.042 M.-Ct.
1888 . .	240.088 „	28,021 „
1889 . .	304.916 „	39,360 „
1890 . .	328,878 „	55,199 „

Der Eierbedarf Deutschlands, der durch Einfuhr gedeckt werden muss, kann mit circa 150,000 Metercentner im Werthe von 12 Millionen Mark veranschlagt werden.

In den letzten Jahren hat der Eierexport aus Russland eine sehr bedeutende Höhe erreicht. Im Jahre 1881 wurden 6,679.700, im Jahre 1890 dagegen 750,549.000 Eier exportiert, und erreichte die Ziffer im Jahre 1891 für den Zeitraum vom 1. Januar bis 1. December bereits die enorme Menge von 808 Millionen Eier. Der Export geht nach Hamburg und Königsberg, anderntheils direct nach Grossbritannien (über Libau).

Die angegebenen Zahlen mögen nur den Beweis liefern, welch ungeheuere Werthsummen ein Theil der Geflügelnutzung jährlich in Umsatz zu bringen vermag. Gewöhnlich handelt es sich hier nur um jene Werthe, die für die Eier als Nahrungsmittel gezahlt werden. In neuester Zeit bemächtigt sich aber auch die Industrie der wichtigen Eiweissstoffe und Millionen Eier wandern jährlich in die Kattundruckereien, wo das Albumin eine wichtige Rolle in der Appretur spielt und trotz seines hohen Preises, — man braucht 14,400 Stück Eier zu 50 kg. Albumin — gelang es nicht dem bedeutend billigeren Blutalbumin, dasselbe zu verdrängen. Die ungeahnte Verbreitung der Photographie beschäftigt grosse Fabriken, die sich blos mit der Herstellung von Albuminpapier beschäftigen, von denen manche bis zu 2000 kg. Eiweiss in der Woche benötigen, z. B. die Actiengesellschaft „Vereinigte Fabriken photographischer Papiere in Dresden". Dass auch hier der Bedarf alljährlich viele Millionen Stück Eier betragen muss, lässt sich aus dem früher erwähnten schliessen.

Diese ungeheueren Summen, die im Weltverkehre jährlich für die Eier gezahlt werden, bringen mit vollstem Rechte die Frage in Anregung, lohnt es sich, Eier zu producieren? und wenn dies der Fall ist, wie muss die Wirthschaft eingerichtet sein, um den möglichst höchsten Ertrag zu erzielen? Dass eine Basierung der Geflügelhaltung auf blossen Eierertrag möglich und gewinnbringend sei, wurde schon oft mit Erfolg bewiesen, nur muss dann die ganze Aufmerksamkeit des Züchters eben auf diesen Nutzungszweig gerichtet sein. Absatz- und Futterverhältnisse als günstig vorausgesetzt, handelt es sich vor allem darum, einen tüchtigen Stamm fleissiger Legehennen sich zu erziehen, die durch fortgesetzte, sorgfältige Zucht dahin gebracht werden, die grösstmögliche Anzahl von Eiern zu legen und selbst in der kalten Jahreszeit mit der Eierproduction nicht aufzuhören. Die gewöhnlichen Landhühner legen im Durchschnitt 70 bis 120, seltener 150 oder mehr Eier; werden nun Eier der besten Legerinnen zur Aufzucht der Legehühner verwendet, werden bei der Paarung und Befruchtung nur Abkömmlinge dieser hervorragenden, Eier producierenden Hennen verwendet, so wird und muss es gelingen, — in einzelnen Fällen beweisen es glänzend gelungene Versuche, — die Productionsfähigkeit der Thiere bedeutend zu steigern, so dass dann Leistungen von jährlich 230 Stücken Eier nicht zu den angestaunten Seltenheiten gehören dürften. Auf solche Grundlagen basiert, wird wohl niemand die Rentabilität der blossen Eierproduktion in Abrede stellen.

In viel höherem Masse rentiert sich der Eierverkauf von Zuchtgeflügel, besonders von edlen oder seltenen Rassen. Hier handelt es sich nicht um Massenproduction; jedes der wenigen Eier, die erzielt werden, findet für hohen Preis willige Abnehmer, nur muss darauf gesehen werden, dass die möglichst grösste Sorgfalt angewendet wird, nur brutfähige Eier in Verkehr zu setzen. Die Preise, welche für gewöhnliche Eier erzielt werden, verlieren ihre Bedeutung und es tritt der Affectionspreis an deren Stelle, so dass selbst mehrere Gulden für ein Ei besonders werthvoller oder sehr seltener Individuen bezahlt werden. Jedenfalls macht der Züchter, der sich auf diesen Zweig der Production geworfen, ein entschieden vorteilhaftes Geschäft, so lange die exorbitanten Preise für fremdländisches Zucht- und Ziergeflügel noch herrschen.

Die ungeheueren Massen von Eiern des übrigen Geflügels kommen nur zum geringen Theile im Verkehr zum Verkaufe. Weitaus der grösste Theil wird zur Erneuerung der Nachzucht verwendet, die bekanntlich besser lohnt als die blosse Eierproduction. Selbst die glänzenden Resultate, die bei Enten erzielt wurden, wo es gelang, mehrere derselben zu einer Jahresproduction von 208 Eiern per Stück heranzuziehen, sowie die bestechenden Schriften von Mariot-Didieux, worin derselbe energisch zu Gunsten der Eierproduction der Perl- und Truthühner eintritt,

*) Circa 1000 Millionen Eier.

werden bei uns im Grossen und Ganzen nicht viel zur Vermehrung der Eierproduction für den Consum beitragen. Wenn auch in einzelnen Fällen überfeinerter Geschmack in den Eiern des übrigen Geflügels Befriedigung sucht, für den allgemeinen Consum ist man doch auf die Hühnereier allein angewiesen; deshalb soll deren Production auf alle mögliche Weise erhöht und gesteigert werden. — In China tritt die Ente an Stelle der Hühner als Eier producentin.

Die Abfälle der Eier, die Eierschalen, werden nicht genug gewürdigt; in den Städten wird die Eihülle zumeist als nutzlos weggeworfen, da nur wenige den verhältnissmässig hohen Werth derselben kennen. Wo Geflügelhaltung betrieben wird, ist es am naturgemässesten, die Eierschalen dem Eier produzierenden Geflügel wieder zurück zu geben, um so den für die Eihülle nöthigen Stoff auf die leichteste Art sich zu beschaffen; in zerkleinertem Zustande, unter das Futter gemengt, sind sie von bester Wirkung. Hier und da benützt man dieselben, ebenfalls in zerkleinertem Zustande, zum Reinigen der Flaschen und Gläser und man rühmt denselben die Eigenschaft nach, den so gereinigten Gefässen hellen Glanz zu verleihen.

Wichtiger ist die Verwendung in den grossen Gewächs- und Glashäusern, wo alljährlich grosse Mengen als langsam wirkender Düngstoff kalkbedürftigen Pflanzen in die Erde gegeben werden; namentlich bei Orangen- und Citronenbäumen wird dies mit Vortheil angewendet.

Der bedeutende Gehalt an fast reinem, kohlensaueren Kalke verdient eine bessere Beachtung jener ungeheueren Mengen, die jetzt unbenützt verloren gehen. Wie in so vielen unscheinbaren Dingen könnte auch hier durch Vereinigung der einzelnen kleinen Posten ein recht lucrativer Nebenerwerb durch Sammeln der Eierschalen erzielt werden. Der feinste und haltbarste Kalk ist aus denselben zu gewinnen. Bis jetzt ist diese Verwerthungsart nicht gewürdigt und doch gehen jahrein jahraus grosse Werthsummen verloren, die leicht zu beheben wären.

(Fortsetzung folgt.)

Aus den Vereinen.

Sitzungsberichte der Allgemeinen Deutschen Ornithologischen Gesellschaft zu Berlin. Bericht über die December-Sitzung.

Verhandelt Berlin, Montag, den 5. December 1892, Abends 8 Uhr im Sitzungslocale, Bibliothekzimmer des Architekten-Vereinshauses, Wilhelmstrasse 92, II.

Anwesend die Herren: Reichenow, Cabanis, Grunack, Pascal, von Treskow, Freese, Schreiner, Kühne, Thiele, Krüger-Velthusen, Matschie, Schalow, Heck, Rörig, Nauwerk.

Von Ehrenmitgliedern: Herr Bolle.

Als Gäste die Herren: Cabanis jun. und Staudinger.

Herr Reichenow bespricht: E. Rey, Altes und Neues aus dem Haushalte des Kukuks (W. Marschall's Zoologische Vorträge 11. Heft). Leipzig 1892 (4 Mark). — Während das Baldamus'sche Werk über das Leben des Kukuks, über welches Anfangs dieses Jahres in diesen Berichten referirt wurde, eine zusammenfassende Darstellung aller bis dahin bekannten Lebensgewohnheiten des interessantesten aller europäischen Vögel lieferte, überrascht uns in der vorliegenden Arbeit der auf oologischem Gebiete als Autorität bekannte Verfasser mit neuen Ergebnissen langjähriger eindringender Studien, mit Thatsachen, welche zum Theile die bisherigen Anschauungen über die Fortpflanzung des Kukuks und seine Gewohnheiten vollständig über den Haufen werfen und ferneren Forschungen eine gänzlich veränderte Richtung geben. Aus der Fülle der Thatsachen, welche der Verfasser in knapper Darstellung und stets mit Begründung durch ein umfangreiches, klar überzeugendes Beweismaterial vorführt, möge gestattet sein, hier nur diejenigen Stellen der wichtigen Arbeit hervorzuheben, welche bis jetzt in der Literatur nicht berücksichtigte Momente betreffen oder die seitherigen Annahmen berichtigen. In dem ersten Kapitel, „imitative Anpassung der Kukukseier an Eier der Nestvögel“ wird nachgewiesen, dass mit Ausnahme des in den Nestern von *Ruticilla phoenicurus* und *Fringilla montifringilla* gelegten Kukukseier, welche auffallender Weise eine viel grössere Anpassung aufweisen, nur 3.6 % der Kukukseier denen der Nesteigenthümer ähnlich gefärbt sind, so dass die engere Anpassung nicht die Regel, sondern eine Ausnahme bedeutet. In dem zweiten Kapitel „die Kennzeichen der Kukukseier“ hat Verfasser neben Färbung, Zeichnung, Form, Grösse und Gewicht noch ein neues charakteristisches Kennzeichen besprochen, welches Grösse und Gewicht zu einem Ausdrucke bringt, nämlich einen „Quotienten“, welcher das Product der Grössen beider Achsen dividirt durch das Gewicht wiedergibt und der „als praktisches Hilfsmittel vielleicht einer allgemeineren Verwendung in der Oologie empfohlen werden könnte, weil es bei den Eiern jeder Vogelart (welche Verf. untersucht) recht constante Resultate liefert.“ Auch über die Festigkeit der Schale der Kukukseier hat Verfasser vermittelst eines von ihm eigens für den Zweck erfundenen Apparates eingehendere Untersuchungen angestellt und fand die Festigkeit bei *Cuculus* zwischen 13,7 und 17,6 gegenüber 9,1 (mittlere Festigkeit) bei *Sylvia cinerea*, 9,6 (m. F.) bei *Sylvia nisoria* und 10,2 (m. F.) bei *Lanius collurio*. Das „Entfernen von Nesteiern“ betreffend, gelangt Verf. zu dem Ergebnisse, dass der Kukuk bei Ablage seiner Eier ein oder mehrere Nesteier entfernt, manchmal bereits einen Tag vor dem Legen, dagegen später nicht mehr um die Brut sich kümmert. Den wichtigsten Theil des Buches bildet Kapitel 6, welches die Fruchtbarkeit, Entwicklung der Eier und Legezeit behandelt und worin Verf. insonderheit der bisher herrschenden Anschauung entgegentritt, dass die Kukukseier längere Zeit zu ihrer Entwicklung bedürfen, als diejenigen anderer Vögel. In letzterer Annahme wurde bekanntlich bisher auch die Ursache des Nichtbrütens vermuthet. Nachdem Verf. dargelegt, dass weder der Eierstock, noch die Entwicklung der Eier des Kukuks irgend welche Anomalie im Vergleiche zu anderen Vögeln aufweise, führt er durch schlagende Belege den Nachweis, dass die Ablage der Eier beim Kukuk einen Tag um den anderen erfolgt und dass das einzelne Weibchen im Jahre einige zwanzig Eier legt. Neu und der oologischen Forschung im Allgemeinen zur Nachahmung angelegentlichst zu empfehlen ist die Darstellung der Legezeit des Kukuks und einiger anderer Vögel in Diagrammen. Es ergibt sich aus diesen Untersuchungen, dass die Fortpflanzungszeit des Kukuks nach der Brutzeit der betreffenden Nestvögel sich richtet und örtlich sowohl in Bezug auf die Dauer, als auch in Bezug auf frühes oder spätes Eintreten derselben oft wesentlich verschieden ist. Am Schlusse der Arbeit findet sich ein ausführlicher Nachweis des zu den Untersuchungen benützten Materiales, welches über 1200 (!) Kukukseier umfasst, von denen 526 der Sammlung des Verfassers angehören. Bei jedem angeführten Ei sind Fundort, Datum, Nestvogel, Zahl der Nesteier, Gewicht, Masse, Quotient, Sammler, typischer Charakter angegeben. Vielfach konnten auch die von demselben Weibchen gelegten Eier bezeichnet werden. Die Veröffentlichung dieses colossalen Materiale nebst den sorgsam registrirten erläuternden Notizen ist an sich von unschätzbarem Werthe und bildet eine Grundlage für alle ferneren Untersuchungen auf dem Gebiete der Kukuks-Forschung. — Die Bedeutung des Rey'schen Werkes reicht weit über den Rahmen hinaus, welchen der Titel bezeichnet. Die Arbeit ist eine der hervorragendsten Publikationen, welche die Oologie seit jeher aufgezuweisen hat.

Herr Cabanis legt vor und bespricht: L. Stejneger. Two additions to the Japanese Avifauna including descriptions of a new species (Proc. Un. St. Mat. Mus. XV. 1892. p. 371—373) *Acanthopneuste ijimae* wird beschrieben von den Sieben Inseln von Idzu, verwandt *A. coronatus*, Temm & Schleg. aber ohne den blassen Streifen auf der Kopfmitte, mit gelben Unterschwanzdecken und gleicher Kopf- und Rückenfarbe; die zweite Schwungfeder ist kürzer als die sechste und länger als die siebente.

Mittheilungen der Section für Naturkunde des Oesterreichischen Touristen-Club. IV. Jahrg. Nr. 11. Diese Nummer enthält eine kleine Arbeit von E. F. Rzehak: Ornitho-faunistische Studien aus dem mährisch-schlesischen Gesenke.

G. Hartlaub, 4 seltene Rallen. (Abh. naturw. Ver. Bremen. 1892. XII. 3. Heft.) Beschreibung einer neuen Gattung *Kittlizia* und wichtige Bemerkungen über *Rallus monasa* Kittl., *R. ecaudatus* King, *R. sandwichensis* Gm., *Pennula palermi* (Froh.).

Ch. Bendire. Life Histories of North American Birds, mit 12 Tafeln. Washington 1892. 446 Seiten. Eine erschöpfende Darstellung des Brutgeschäftes der amerikanischen Hühner, Tauben und Raubvögel mit vielen Bemerkungen über die geographische Verbreitung. 12 vorzüglich ausgeführte Tafeln mit Abbildungen von Eiern zieren das Werk.

Herr Schalow legt vor und bespricht: L. Stejneger, Notes on a collection of Birds made by Harry O. Henson in the island of Yezo, Japan; Proc. U. St. Nat. Mus. vol. 15. p. 289 bis 359, pl. 65. — 66 sp. werden in der Arbeit, in der bekannten eingehenden Darstellung des Verfassers abgehandelt. Die Sammlung kam an das U. S. Nat. Museum in Washington. Neu beschrieben werden: *Parus hensoni* n. sp. (nahe *Parus palustris* (L.) und *Hypsipetes amaurotis hensoni* n. subsp. (nahe *H. amaurotis* (Temm.). Zum ersten Male werden für die Fauna Japans nachgewiesen: *Urinator pacificus* (Law.) (Jakodata), *Terekia cinerea* (Güld) (Jakodata), *Falco rusticolus* Linn. (Jakodata), *Otocorys alpestris* (L.) und *Hemichelidon griseisticta* Swinh. Auf einer Tafel bildet der Verfasser die Flügelfedern von *Motacilla lugens* Kittl. ab.

Herr Schalow, Ueber das Vorkommen von *Pratincola rubicola* (L.) im östlichen Norddeutschland; Sitz.-Ber. der Ges. naturf. Freunde zu Berlin. 1892. Nr. 8. p. 141—145. — Ueber die Verbreitung von *P. rubetra* (L.) und *P. rubicola* (L.) in Norddeutschland, wie über das Brüten letzterer Art bei Ober-Horka, Kr. Rothenburg in der Ober-Lausitz.

Herr Reichenow spricht über die von Dr. Emin Pascha und Dr. Stuhlmann am Albert Edward-See gesammelten Vögel.

Herr Matschie macht einige Mittheilungen über die Ausdehnung der Mittelmeer-Fauna nach Süden und betont, dass die Nordgrenze des aethiopischen Gebietes nach den in der Literatur vorhandenen Angaben ungefähr mit dem 17. Längengrad zusammenfällt.

Herr Schalow berichtet über einige Excursionen, die er im Gebiete der Wanna, zwischen der Hohen Rhön in den westlichen Abhängen des Thüringerwaldes im Frühjahre unternommen. Seine Mittheilungen ergänzen und berichtigen eine früher über dasselbe Gebiet erschienene Arbeit von Röhmer J. f. O. 1880 p. 141—148). Der Vortragende gibt eine Schilderung des Gebietes und charakterisirt kurz die Vogelfauna desselben. Nach einer Reihe von biologischen Mittheilungen behandelt Herr Schalow speciell eine Anzahl von Arten, die ein weiteres Interesse beanspruchen dürfen. So *Cinclus cinclus* (L.), *Motacilla melanope* Pall., *Acredula caudata* (L.) und *rosea* (Blyth), *Pratincola rubicola* (L.) und *P. rubetra* (L.) und *Erithacus titis* (L.) und dessen Beziehungen zu *E. cairii* (Gerbe).

Herr Reichenow referirt über eine Zuschrift des Freiherrn Hans v. Berlepsch (Seebach): Derselbe fand im vergangenen Sommer den Steinsperling auf der Burg Heineck bei Nazza in Thüringen brütend. Zwei Nester standen in tiefen Mauerspalten in der Höhe von acht Metern und enthielten Mitte Juli je vier und fünf Junge.

Herr Matschie weist auf eine Arbeit des Herrn Dr. Collin in dem Berichte über die November-Sitzung der Gesellschaft naturforschender Freunde hin, in welcher das Vorkommen eines Blutegels (*Clepsine tessellata* (Müll.)) im Rachen von Vögeln besprochen wird. Angaben über derartige Fälle sind sehr willkommen. —

Die nächste Sitzung findet Montag den 9. Januar 1893 statt.

Bolle,	Matschie,	Cabanis,
Vorsitzender.	Schriftführer.	Gen.-Secr.

General-Versammlung des I. österr.-ung. Geflügelzuchtvereines in Wien, 24. Februar 1893.

Präsident Baron Villa Secca eröffnet um 6 Uhr die zahlreich besuchte General-Versammlung und geht zum ersten Punkt der Tagesordnung: zur Erstattung des Jahresberichtes pro 1892 über.

Diesem Berichte ist zu entnehmen, dass das verflossene Vereinsjahr als ein im Allgemeinen recht günstiges zu bezeichnen ist. Eine grosse Frühjahrs-Ausstellung, die der Verein in Gemeinschaft mit dem „Ornithologischen Verein in Wien" im März 1892 in den Sälen der k. k. Gartenbaugesellschaft abhielt, erzielte einen glänzenden Erfolg; der Besuch war grossartig (9000 Erwachsene, 16.000 Kinder) und dementsprechend warf diese Ausstellung dem Vereine einen hübschen Reinertrag (1600 fl.) ab. Nicht zum geringen Theile ist der schöne Erfolg dem Ornithologischen Vereine zu danken, dessen zwei Säle des genannten Etablissements füllende Ausstellung von lebenden Vögeln und wissenschaftlichen Präparaten einen Hauptanziehungspunkt für das Publicum bildete.

Die peccuniären Verhältnisse des Vereines sind zufriedenstellende, doch wird immer darauf hingewiesen, dass die Kosten des Vereinshauses im Prater zu hohe seien und dass besonders die Abgaben (Platzmiethe etc.) den Verein unverhältnissmässig belasten; das Directorium hat dementsprechend Schritte gethan, u. zw. erstrebt es die Reduction dieser Platzmiethe durch ein Gesuch an Se. Majestät den Kaiser, worüber die a. h. Entscheidung noch ausstehe.

Der Mitgliederstand ist im Grossen und Ganzen gegen die Vorjahre der gleiche geblieben. Das Secretariat hat 1500 Geschäftsstücke excl. der Ausstellungs-Correspondenz erledigt.

Hierauf legt Vice-Präsident n.-ö. Landesrechnungs-Rath Brusskay den Rechnungsabschluss pro 1892 vor, der nach eingehender Besprechung zur Kenntniss genommen und dem Directorium das Absolutorium ertheilt wird. Bei Darlegung dieses Rechenschaftsberichtes wird die von der Brieftauben-Section veranlasste Post damit gerechtfertigt, dass diese Section bedeutend zur Hebung der Vereinsinteressen beitrage und motivirt der Obmann Herr Gerhardt die grösseren Auslagen insbesondere damit, dass nebst den normalen Wettflügen über Auftrag des Kriegsministeriums ein solcher von Mähr. Schönberg aus veranstaltet werden musste, so dass im Jahre 1892 die Auslagen für drei Flüge zu bestreiten waren. Nachdem im heurigen Jahre die Berliner und Wiener Brieftaubenzüchter-Vereine einen Concurrenz-Flug von Berlin und Wien aus abhalten werden, wird eine Reduction der übrigen Wettflüge und somit eine bedeutende Ersparniss der Auslagen eintreten.

Zu Punkt 3 folgt die Wahl eines Directionsmitgliedes und dreier Ersatzmänner; die Gewählten sind: Herr v. Hadary und die Herren Architect und Stadtbaumeister Nothaft, Ingenieur Carl Ritter Schlag von Scharhelm und F. Biberhofer.

Zu Punkt 5: Anträge des Directoriums theilt Baron Villa Secca den Beschluss des Directoriums mit, heuer keine Frühjahrs-Ausstellung abhalten zu wollen. Der Redner begründet eingehend diesen Vorschlag und empfiehlt seine Annahme. Wie sich in der Discussion sofort zeigte, ist die Majorität der Versammlung auch gegen eine Frühjahrs-Ausstellung und ergibt auch die später vorgenommene Abstimmung eine grosse Majorität für den Directoriums-Vorschlag, während die Gegenprobe nur zwei Stimmen aufweist.

Zu Punkt 6 der Tagesordnung spricht Herr Rath J. B. Brusskay, indem er einen Antrag auf Verkauf des Vereinshauses an die neugegründete „Thiergarten-Gesellschaft" einbringt und damit motivirt, dass, wenn dasselbe nicht zur Veranstaltung von Ausstellungen benützt wird, wie das 1892 geschah und heuer, wie auch 1894 geschehen soll, es besser wäre, diese den grössten Theil des Vereinseinkommens verschlingende Realität aufzulassen.

Dieser Antrag stösst auf heftigsten Widerstand; die Herren J. Helfer und Kührer sprachen gegen den Antrag unter andauernder Zustimmung der Versammlung. Herr Ingenieur Nagl legt in einem ausführlichen Motivenbericht die Vor- und Nachtheile des Hausbesitzes für den Verein klar und kommt zu dem Schlusse, dass der Verkauf des Vereinshauses nicht bloss in moralischer, sondern auch in pecuniärer Hinsicht einen Nachtheil für den Verein bedeuten würde.

Die Versammlung folgt mit gespannter Aufmerksamkeit den lichtvollen Ausführungen des Redners, die umso werthvoller sind, als sie von einem Fachmanne im Baufache gegeben werden und dankt dem Redner durch lauten anhaltenden Beifall. Es spricht noch Herr Fritz Zeller gegen den Antrag worauf die Abstimmung vorgenommen wird, — die die einstimmige Ablehnung des Verkaufs-Antrages ergibt.

Nachdem noch die Wahl der Cassa-Revisoren pro 1893 vorgenommen und Herr Zeller dem Präsidenten den Dank der Versammlung für seine Mühewaltung im Interesse des Vereines unter lebhaftem Beifalle, derselbe ausdrückt, wird die General-Versammlung um 9 Uhr Abends geschlossen.

Wiener Geflügelzucht-Verein „Rudolfsheim". Die am 24. Februar 1893 abgehaltene Generalversammlung war von 30 Mitgliedern besucht. Nach Eröffnung der Versammlung durch den Vorsitzenden Herrn Obmann C. Schick folgte der Rechenschaftsbericht des Schriftführers J. Mantzell, aus welchem zu entnehmen ist, dass der Verein ein Passivum von 293 fl. zu Schluss des Jahres 1892 in Folge der ungünstigen Witterung bei seiner letzten Ausstellung in Rechnung stellt. Der Vermögensstand beträgt 1780 fl., somit bleibt ein Activum von 1487 fl. ö. W. — Nach eingehender Besprechung des Rechenschaftsberichtes durch Herrn Rechnungs-Revisor C. Brunner wird demselben das Absolutorium ertheilt. — Zu Punkt 2 der Tagesordnung übergehend, wird die Wahl der Functionäre und Neuwahl zweier Ausschussmitglieder vorgenommen. Der auf 3 Jahre gewählte Ausschuss setzt sich folgendermassen zusammen: C. Schick, Vorstand, J. Leuthner, Vorstand-Stellvertreter, J. Mantzell, Schriftführer, H. Tisseker, Schriftführer Stellvertreter, C. R. Rödiger, Cassier, C. Müllner, Material-Verwalter, J. Fleissner, L. Saxl, F. Schlögl, J. Henschel, J. Merker und A. Zeinlinger, Ausschüsse. Die Functionäre erscheinen einstimmig gewählt, die Herren Merker und Zeinlinger treten als neugewählt in den Ausschuss. — Zu Punkt 3 der Tagesordnung: Anträge der Mitglieder, kommt ein Schreiben des „Club der Taubenfreunde in Währing" zur Verlesung, worin bekannt gegeben wird, dass der Club, bestehend aus Tümmler-, Hochflug- und Rassetaubenzüchter und Interessenten, für Wettflug sich constituirt habe und dem Wiener Geflügelzucht-Vereine „Rudolfsheim" als Mitglied beitrete, gleichzeitig um dessen Unterstützung ersuchend. Der Vorstand versichert in wärmster Weise, diesem Ansuchen nach Kräften entsprechen zu wollen. — Einem Antrage des Herrn Müllner zufolge wird beschlossen, regelmässige Monats-Versammlungen, mit Vorträgen verbunden, zu veranstalten. — Nachdem noch die Wahl der Revisoren für 1893 vorgenommen war (Herr C. Brunner, Hausbesitzer und Herr J. Schlinkert, Guts- und Hausbesitzer,), schloss der Vorsitzende die Generalversammlung.

†

Professor Dr. F. C. Noll, der langjährige verdienstvolle Herausgeber des „Zoologischen Garten" starb am 14. Jänner 1893 in Frankfurt a/M.

Kleine Mittheilungen.

Bombycilla garrula, der Seidenschwanz, gehört in Krain zu den sehr seltenen Erscheinungen. Der strenge Winter hat diese Vögel heuer auch in unsere Gegend getrieben und gelang es einem Jäger am 29. Jänner fünf Stücke zu beobachten und davon ein ♀ zu erlegen. Zuletzt wurden im Jahre 1873 mehrere solche Vögel und zwar bei Littai beobachtet.

Laibach, Jänner 1893. Ferd. Schulz.

Haliaetus albicilla, ein Seeadler, wurde mir am 23. December v. J. von der k. k. Forst- und Domainen-Direction in Görz zum Präpariren eingeschickt. Der Adler, ein licht gefärbtes ♂ wurde im Ternovaner Walde erbeutet, indem es sich mit Strichnin, das für Füchse ausgelegt war, vergiftete. In meiner 20jähr. Dienstzeit in Krain ist dies der erste Seeadler, den ich präparirte.

Laibach, Jänner 1893. Ferd. Schulz.

Die Thurmfalken resp. deren Bruten werden hier von den Bauernjungen besonders verfolgt. Diese Vögel konnte ich auf unseren Besitzungen in Pettend und Felsö Pettend nur dadurch beschützen, dass ich alle erreichbaren Bruten ausheben, in einer Volière unterbringen und daselbst auffüttern liess. Auf diese Weise habe ich 41 Thurmfalken erzogen, von welchen sieben ganz zahm wurden und freigelassen, um unser Haus blieben. Selbes ist ein hohes, mehr als 200 Jahre altes Gebäude, mit gedeckten Schornsteinen, die seitliche Oeffnungen haben. Hier haben sich die Falken einquartirt und waren stets da zu finden. Wenn ich sie selbst fütterte, flogen sie mir immer zu, ein anderer musste aber das Futter den Vögeln bemerkbar hinlegen und sich entfernen, erst dann wurde es angenommen.

v. Kenessey (briefl. Mittheil. a. d. Herausgeber.)

Notizen aus Krain. Am 13. Jänner wurde ein Schneespornammer (Plectrophanes nivalis, Linn.), welcher gar nicht scheu war, mit einer Peitsche von einem Fuhrmanne in der Stadt Laibach, erschlagen. — Auch am 30. December 1891 wurden 3 solche Vögel an der Strasse gegen Brunndorf nächst Laibach beobachtet, am 10. und 14. Jänner 1892 je ein ♂ bei Laibach erlegt, an der Laibach wurden am 15. Februar 1893 zwei Singschwäne (Cygnus musicus, Bechst.) durch 2 Tage beobachtet. — Am 17. Februar wurde eine Waldschnepfe (Scolopax rusticola, Linn.) bei Wippach erlegt. — Den heurigen Winter wurden nicht selten Kornweihen (Circus cyaneus, Linn.) um Laibach beobachtet, es wurde am 4. November 1892 ein altes ♂, am 13. Jänner 1893 ein junges ♂ und am 26. Jänner ein altes ♀ erlegt. Schulz.

Cygnus musicus in Nieder-Oesterreich. Wie Graf Herbert Schaffgotsch im „Waidmann" mittheilt, gelang es ihm am 24. Jänner l. J. bei Purgstall a/d. Erlaf drei Stück Singschwäne aus einer Gesellschaft von fünf Stücken zu erlegen. Die Vögel hatten eine Flugweite bis 2½ Meter und wog das stärkste Stück 12 Kilo. Ph.

Ausstellungen.

Der Wiener Geflügelzuchtverein „Rudolfsheim" hält seine VI. allgemeine Geflügel-, Vogel- und Kaninchenausstellung in den Tagen vom 25. bis 28. März 1893 ab, und zwar in J. Weigl's Saallocalitäten „Dreher-Park", Obermeidling, nächst dem K. k. Lustschlosse „Schönbrunn". Die Ausstellung umfasst 105 Klassen und ist mit einer Verlosung verbunden. Zur Vertheilung gelangt ein Betrag von 400 fl. für Geldpreise, Ehrenpreise des hohen k. k. Ackerbau-Ministeriums, bestehend in silbernen und bronzenen Staatsmedaillen, ferner Privat-Ehrenpreise, silberne und bronzene Vereinsmedaillen und Diplome. Die Programme können vom 18. Februar ab bei dem Schriftführer Herrn Josef Mantzell-Wien XIV/2 bezogen werden. Am 25. und 26. März, Vormittags, findet Singvogelkonkurrenz, am 26. März, Vormittags, ein Brieftaubenwettflug mit den in der Brieftaubenstation „Dreher-Park" internirten Brieftauben des Vereines statt. Als Preisrichter werden fungiren für I. Grossgeflügel Herr Baron Villa-Secca, Wien, Herr A. F. Bayer, Linz, Herr E. Sinner, Wien, Herr Carl Schick, Wien, Herr J. Helfert, Wien; für II. Tauben a. Wiener Tümler Herr A. Dietrich, Wien, Herr J. Fuchs, Wien, Herr J. Oesterreicher, Wien; III. Tauben, andere Rassen Herr A. Eckert, Herr J. Neumüller, Linz a. d. D., Herr J. Mantzell, Herr Georg Zambauer, Wien; IV. Brieftauben Herr A. Schönpflug, Wien, Herr J. Fleissner, Wien, Herr Hans Pisecker, Wien, Herr A. Zeinlinger, Wien; V. Ziergeflügel Herr E. Häusler und Herr Carl Schick, Wien; VI. Vögel, a) Singvögel, Herr W. Merker, Herr F. Srda, Herr J. Peckary, sämmtliche Wien; b) Kanarien Herr W. Till, Wien; Kaninchen Herr A. Altmann, Wien, Herr Leop. Sess, Wien; Präparate Herr Franz Schlögl; leblose Gegenstände Herr C. R. Rüdiger, Herr J. Leibner, Wien.

Aussig. Zu der am 25., 26. und 27. März l. J. in Aussig stattfindenden Geflügel- und Canarien-Ausstellung sind die Anmeldungen recht zahlreich eingelaufen, so dass sich die diesjährige Ausstellung ihrer ersten Vorgängerin, der Verbands-Ausstellung zu Aussig im Jahre 1891, ganz würdig zur Seite stellen wird. Als Preisrichter fungiren die Herren: Oberlehrer Josef Vorbach, Tannwald, Johann Jiling, Realitätenbesitzer, Weipert, Ernst Schütze, Oeconom, Seifhennersdorf (Sachsen) und F. Scherbach, Hausbesitzer, Haida.

I. nationale Geflügelausstellung in Leipzig. Der Catalog der I. deutschen nationalen Ausstellung führt circa 500 Aussteller von lebendem Geflügel mit zusammen circa 3000 Nummern, ferner 7 Aussteller von literarischen Erzeugnissen und 21 Aussteller von Käfigen, Futtermitteln und Zuchtbedarfsartikeln auf. Hühner waren in 108 Classen und 976 Nummern, Enten in 7 Classen und 57 Nummern, Gänse in 6 Classen und 20 Nummern, Truten in 8 Classen und 13 Nummern, Ziergeflügel in 1 Classe und 6 Nummern, Tauben in 175 Classen und 1234 Nummern vertreten, ausserdem waren Verkaufs-Classen für Grossgeflügel (211 Nummern) und für Tauben (385 Nummern) errichtet, denen sich noch 64 Nummern Canarien und 14 Nummern exotische Vögel anschlossen. — Aus Oesterreich-Ungarn hatte sich kein Aussteller betheiligt. — Der Grund wird vielfach darin gesucht, dass man es unterlassen habe, einen österreichischen Preisrichter in die Jury zu berufen.

Aus unserem Vereine.

Bericht des Ausschusses über das 16. Vereinsjahr des Ornithologischen Vereines.

Nach einer längeren Pause von Jahren, welche der Entwicklung und Consolidirung unseres Vereines gewidmet war, vermögen wir heuer den verehrlichen Vereinsmitgliedern von einer regen Vereinsthätigkeit zu berichten.

In erster Linie scheint das Bestreben der Vereinsleitung unseren Verein zu popularisiren, von Erfolg gekrönt zu sein Der Vereins-Ausschuss beschloss Anfangs des Jahres 1892 durch populär gehaltene, allgemein zugängliche Vorträge das Interesse an der Vogelzucht, Vogelhaltung und wissenschaftlicher Forschung auf dem Gebiete der Ornithologie, weitere Kreise für unsere Bestrebungen zu gewinnen. In dankenswerther Weise stellte sich das Ehrenmitglied unseres Vereines, Vereins-Ausschuss und Custos Andreas Reischek in den Dienst dieser Sache und hielt am 19. März 1892 in Hietzing vor einer grossen Versammlung einen interessanten, äusserst beifällig aufgenommenen Vortrag über die Vogelwelt Neuseelands. Durch die freundliche Mitwirkung des „Vereines der Gartenfreunde in Hietzing", insbesondere durch das thatkräftige Eingreifen des verdienstvollen Vicepräsidenten dieses Vereines, W. Richter, war diese sehr zahlreich besuchte Versammlung in jeder Richtung als gelungen zu bezeichnen und wir erfüllen nur eine Pflicht der Dankbarkeit, wenn wir nochmals an dieser Stelle Herrn W. Richter den Dank des Ornithologischen Vereines aussprechen.

Durch diesen Erfolg ermuntert wollen wir im Jahre 1893 diese Popularisirung unserer Bestrebungen fortsetzen. Es haben sich in dankenswerther Weise zu Vorträgen dieser Art bereiterklärt: Vereins-Vicepräsident Fritz Zeller (über Vogelschutz und Pflege) Andreas Reischek (die Pinguine). Daneben soll keineswegs die fachliche Richtung unseres Vereines unberücksichtigt bleiben, indem für die Monatsversammlungen in den Wintermonaten 1893 eine Reihe interessanter Vorträge in Aussicht gestellt wurde, über welche seinerzeit eingehend berichtet werden soll.

Als sehr erfreulich muss die Action bezeichnet werden, dass der Verein seit längerer Pause wieder mit einer Ausstellung das öffentliche Interesse auf sich zog. In Verbindung mit dem I. österr.-ung. Geflügelzucht-Vereine fand im Frühjahre (19. bis 25. März 1892) in den Blumensälen eine internationale Geflügel- und Vogelausstellung statt.

Wir verweisen auf die ausführlichen Berichte über die Betheiligung unseres Vereines in unserem Vereinsorgane „Die Schwalbe" und können hierorts mit Befriedigung constatiren, dass die Betheiligung unserer Vereinsgenossen wesentlich zum Gelingen der ganzen Schaustellung beitrug und mit Recht der Glanzpunkt dieser Ausstellung genannt wurde.

Wir erfüllen eine Pflicht der Dankbarkeit, wenn wir jene Männer hervorheben, durch deren Bemühungen besonders das Zustandekommen dieser Ausstellung unseres Vereines ermöglicht wurde. Dieser mühevollen Aufgabe widmeten sich in hervorragender Weise die Herren: Vice-Präsident Fritz Zeller, Ehrenmitglied und Custos Andreas Reischek, Redacteur Ingenieur C. Pallisch.

Der Vereins-Präsident Herr Adolf Bachofen von Echt widmete als Preise prächtig geschnittene Vereinsmedaillen, die den Siegern in diesem Wettkampfe gewiss sehr angenehme Erinnerungszeichen bleiben werden.

Dankenswerth ist das loyale und collegiale Entgegenkommen des I. österr. Geflügelzucht-Vereines, insbesondere dessen verdienstvollen Obmannes Ludwig Freiherr von Villasecca, sowie des Vorstandes des Bureau's (Secretär Nagl), denen wir hiermit geziemenden Dank sagen.

Das finanzielle Ergebniss dieser Ausstellung war ein günstiges, wie aus dem Berichte des Cassaverwalters zu entnehmen ist.

Nichtsdestoweniger müssen wir der finanziellen Frage in unserem Vereine diesmal eine etwas grössere Besprechung angedeihen lassen. Es ist ein offenes Geheimniss für alle Vereinsmitglieder, dass nur durch die ausserordentliche Munificenz unseres verehrten Obmannes es ermöglicht wird, das Vereinsorgan „Die Schwalbe" zweimal im Monate erscheinen zu lassen. Unser Vereinsorgan erfreut sich unter der fachkundigen Leitung unseres Ausschussmitgliedes C. Pallisch mit Recht eines grossen Ansehens, und wer die illustren Corporationen und Vereine durchblickt, mit welchen der Ornithologische Verein in Wien im Schriftentausche steht (in allen Welttheilen), wird gewiss mit Befriedigung auf die hohe Werthschätzung blicken, deren sich der Ornithologische Verein und dessen Organ allüberall zu erfreuen hat. Die eigentlichen Vereinsmittel und eigenen Einnahmen des Vereines reichen jedoch nicht aus, um die Kosten des Druckes und der Versendung zu bestreiten. Um in dieser Sache Ordnung anzubahnen und nicht jedes Jahr die hilfsbereite Munificenz des verdienstvollen Vereinsobmannes in Anspruch nehmen zu müssen, kam der Ausschuss nach eingehender Berathung zu dem Entschlusse, das zweimalige Erscheinen des Vereinsorganes für die nächste Zeit einzustellen, und nunmehr blos eine Monatsnummer — erheblich vermehrt und reichhaltiger — erscheinen zu lassen. Vom 1. Jänner 1893 wird die „Schwalbe" ausschliesslich nur an Vereinsmitglieder verabfolgt und der Verkaufspreis für ein einzelnes Exemplar einer Nummer mit 50 kr. festgesetzt. Bei der grossen Beliebtheit unseres Blattes erhofft der Vereins-Ausschuss hiedurch eine Stärkung der Mitgliederzahl.

Wir müssen an dieser Stelle an jedes unserer verehrlichten Mitglieder die dringende Bitte richten, alle Bemühungen anzuwenden, um dem Vereine neue Mitglieder zuzuführen, damit die Vereinsleitung in die angenehme Lage kommt, das Vereinsorgan zahlreicher — wenn möglich wöchentlich — erscheinen zu lassen. Bis dies erreicht ist, müssen wir uns vorläufig mit dem einmaligen Erscheinen der „Schwalbe" begnügen.

Unsere Sammlungen fanden durch unseren Custos Andreas Reischek liebevollste Ordnung und Aufstellung in dem Vereinshause des I. österr.-ungar. Geflügelzucht-Vereines im Prater.

Eine Neuanschaffung und Catalogisirung unserer reichen Bibliothek ist im Zuge, nachdem die Vereinsleitung in Herrn Wilhelm Gamauf, jene schätzbare Hülfskraft gewonnen, welche mit vollster Hingebung sich den Vereinsangelegenheiten zu widmen bestrebt. Die Winterszeit hinderte die vollständige Durchführung. Unser Bemühen wird es bleiben, ein centraler gelegenes Vereinslocale im Laufe des Jahres 1893 zu gewinnen, um einen leicht zugänglichen Mittelpunkt für die gesammten Ornithologen zu schaffen.

Wenden wir uns zu den internen Vorgängen des Vereines, so müssen wir in erster Linie jener treuen Vereinsgenossen gedenken, welche der Tod aus unserer Mitte rief. Wir alle bewahren ein ehrendes Gedenken an die Herren: Pater Blasius Hanf; Ludwig Freiherr Fischer von Nagy-Szalatnya; Eduard Ritter v. Uhl.

Der Stand der Zahl der Vereinsmitglieder betrug am 31. December 1892 zusammen 231 u. z. 21 Ehrenmitglieder u. Gönner, 47 correspondirende Mitglieder, 7 Stifter, 156 ordentliche Mitglieder. Derselbe weist gegen das Vorjahr eine Vermehrung auf.

Ueber die finanzielle Gebarung werden die Herren Revisoren den Bericht erstatten. Constatiren müssen wir jedoch auch diesmal, dass die befriedigende Ordnung der finanziellen Seite nur durch die Munificenz des Vereinsobmannes möglich wurde.

Danken müssen wir der Tages- und Fachpresse welche in entgegenkommendster Weise unseren Verlautbarungen die weiteste Verbreitung gab und kräftigst unsere Bestrebungen förderte.

Zu Dank sind wir endlich der k. k. Akademie der Wissenschaften verpflichtet, welche als Hausherrin unserem Vereine in uneigennützigster Weise für seine Versammlungen die Räumlichkeiten zu Gebote stellte.

Der Ausschuss hat sich bemüht, ein übersichtliches Bild seiner Thätigkeit zu bieten und erlaubt sich zum Schlusse die dringende Bitte an die verehrlichen Vereinsmitglieder, sowie an alle Freunde der Ornithologie kräftigst an den Arbeiten sich betheiligen zu wollen, denn nur in reger gemeinsamer Arbeit kann und wird unser Verein bestehen können. Dass sich dieser Wunsch in dem neuen Vereinsjahr verwirklichen, dass unser Verein rasch einen gedeihlichen Aufschwung nehme, dies hofft die Vereinsleitung und knüpft daran die Bitte, dem Vereinsausschusse für das abgelaufene Jahr die Zustimmung ertheilen und die Rechnungen genehmigen zu wollen.

Der Vereins-Ausschuss.

Correspondenz der Redaction.

In letzter Zeit gehen wiederholt Mittheilungen über unregelmässige Zustellung der „Schwalbe" ein. Das Blatt wird am 15. jeden Monats expedirt und wird gebeten, alle eventuell vorkommenden Unregelmässigkeiten der Redaction gefälligst zur Kenntniss bringen zu wollen.

Herrn *S. S. Sarajevo.* Die gewünschten Mittheilungen haben Sie wohl erhalten?

Herrn *R. v. T. z. Sch. Hallein.* Verbindlichsten Dank, Brief folgt.

Herrn *F. P. Mostar.* Die Nummern der „Schwalbe" gesandt, freundl. Gruss.

Herrn *A. V. C. W.* Besten Dank für freundl. Erlaubniss! aber warum soll denn die „Schwalbe" zurückstehen?

Herrn *A. A. W.* Adresse richtig gestellt.

Herrn *S. L. sen. Wien.* Danke für freundl. Einsendung

Herrn *Ph. C. J. Pr. P. Prag.* Besten Dank! Gewünschte Auskünfte habe ertheilt.

Herrn *Obl. H. P. J.* Brieflich beantwortet, freundl. Gruss.

Herrn *R. R. v. D. Wien.* Correctur wird. s. Z. gesandt werden.

Herrn *F. Sch. L.* Besten Dank für Gesandtes.

Herrn *St.-W.-G. G.* Der interessante Bericht wird ehestens verwendet, besten Dank.

Herrn *A. R. Sz. L.* Die gewünschten Nummern wurden geschickt.

Herrn *R. Schl. L.* Dankend erhalten, die urgirten Nummern sandte ich ab.

Herrn *Dr. O. F. D.* Verbindlichsten Dank! In nächster Nummer.

Herrn *L. v. F. Wien.* Dankend erhalten, doch für diese Nummer unmöglich.

Inserate
per Quadrat-Centimeter
4 kr. oder 8 Pf.

Um den Annoncenpreis auch dem Laien geläufig zu machen, gilt Folgendes: Der Raum in der Grösse einer österr. 5 kr.- oder deutschen 10 Pfennig-Briefmarke kostet den 4fachen Betrag derselben; und sind diese Marken, oder der Werthbetrag gleich jedem Auftrage beizuschliessen. Bei öfters als 6maliger Insertion wird ¼ Rabatt gewährt, d. h. mit 3 Marken, anstatt 4 Marken die Markengrösse des Inserates gerechnet. Die Bestätigung des Empfanges der Inseratengebühr wird durch die Einsendung der betreffenden Belegnummer seitens der Administration dieses Blattes geliefert, wohin auch alle Inserate zu richten sind. Es werden nur Fachannoncen aufgenommen.

Spratts' Patent (Germany) Ltd.

Abtheilung I. BERLIN N. Usedomstr. 28.

Alleinige Lieferanten für die Meute Sr. Majestät des **Kaisers Wilhelm** II. zu Jägerhof-Potsdam. — Königl. engl. Hoflieferanten.

Man beachte die Preisermässigung.

Fleischfaser. **Hundekuchen.** — KEINE SIND ECHT WENN NICHT SO GESTEMPELT. SCHUTZ SPRATTS PATENT MARKE — Fleischfaser. **Geflügelfutter.**

ab Fabrik unter Nachnahme.

(1) Preis-Liste: (3—12)

Fleischfaser-Hundekuchen für Hunde aller Racen per 50 kg. M. 18·50.
Puppy-Biscuits für junge Hunde per 50 kg. M. 20·—.
Leberthran-Biscuits für Reconvalescenten, per 50 kg. M. 24·—.
Hafermehl-Biscuits ohne Fleisch, per 50 kg. M. 16·—.

Fleischfaser-Geflügelfutter für Hühner, Enten, Gänse, per 50 kg. M. 19·—.
Fleischfaser-Kückenfutter unübertroffen zur Aufzucht, per 50 kg. M. 19·—.
Fleischfaser-Taubenfutter siehe uns. Broschüre, per 50 kg. M. 22·—.
Fleischfaser-Fasanenfutter vorzügl. zur Aufzucht, per 50 kg. M. 19·—.

Prairie-Fleischknorpel-Criesel ersetzt Insecten etc., per 50 kg. M. 25·—.
Fleischfaser-Fischfutter in 5 Körnungen, per 50 kg. M. 25·—.
Hunde- u. Geflügel-Medicamente siehe unsere Prospecte und Brochuren.
Proben und Prospecte gratis und postfrei.

Niederlagen:

Brünn (Mähren): Jos. Lehmann & Co., Ferdinandstrasse.
Prag (Böhmen): Carl Lüftner, Graben u. Bergmannsgasse.

Budapest: Math. Huszka & Szenes Ede.
Pressburg: Berghofer János, Marktplatz 21.
Reichenberg (Böhmen): Emil Fischer, Drogenhandlung.

Wien: Wieschnitzky & Klauser's Nachf., Wallfischgasse.
Anton Ig. Krebs' Nachf., Wollzeile 3.
Carl Wickede & Sohn, Aspergasse 3.

---

(2) **Bruteier.** (3—10)

Crève-Coeurs schwarz, 12 St.	5.20
La Flèche „ 12 „	5.20
Houdan dunkel, 12 St.	4.—
Andalusier blau 12 St.	4.—
Minorka schwarz, 12 St.	4.—
Hamburger schwarz, 12 St.	5.20
„ silberlack, 12 St.	4.—
„ goldlack, 12 St.	5.20
Sebrightbantam gold, 12 St.	4.—
„ silber, 12 St.	4.—
Zwergkämpfer goldhalsig, 12 St.	4.—
„ silberhalsig, 12 St.	4.—
„ rothsaerkig, 12 St.	5.20

incl. Emballage in Kistchen zu 6 und 12 Stück gegen Nachnahme und nehme Vormerkungen jetzt schon entgegen.

Robert Echinger,
Wien, XV., Neubaugürtel 7-9.

---

(4) **Verkäuflich:** (3—3)

1.2 Pommerische weisse Gänse, orig. mit . . fl. 20.—
1.1 Lockengänse, weiss, 1892er Nachzucht . fl. 12.—
1.2 Kreuzung v. Toulouser und böhm. Hausgans fl. 12.—

Amalie Dolezal
Poděbrad in Böhmen.

Abzugeben

eventuell gegen schwarze Langshanhennen zu vertauschen:
1.0 **Houdan** 91er
1.0 „ 92er
0.1 **Bantam** 92er

IG. KÖHLER, Fabriksdirector
(3) **Wigstadl**, Oh.-Schlesien. (1—1)

Weisse Minorka.

Bruteier hievon das Dtz. . . . . . 4 fl.
Von gelben Cochins à Dtz. . . . . 3 fl.
Belgische Riesenkaninchen in allen Grössen abzugeben.

Purkersdorf bei Wien.

(11) **Betti Nagl.** (1—2)

Ausreutergerste und Bruchgerste

für Geflügelzüchter und Mäster, stets vorräthig, bei billigsten Preisen, in der St. Marxer Bierbrauerei in Wien, III., Hauptstrasse Nr. 163.
(7) (2—5)

---

(6) **Geflügel-Zuchtanstalt** (2—12)

NOVIMAROF

Croatien.

Offerirt Zuchtstämme, sowie einzelne Exemplare ihrer vielfach prämiirten Rassegeflügelstämme.

Besonders seien empfohlen:

Gelbe Cochin, schwarze Langshans, Plymouthrocks, Peking- und Rouen-Enten.

Bruteier:

Von Cochin à 45 kr., von den übrigen Rassen à 30 kr. mit Emballage werden abgegeben.

Steinadler

lebend; vollkommen fehlerloses Exemplar zu verkaufen. Preis 20 fl.

H. Klaudy
Wien-Penzing, Rauchfangkehrergasse 15.

Verlag des Vereines. — Für die Redaction verantwortlich: **Rudolf Ed. Bondi.**
Druck von **Johann L. Bondi & Sohn**, Wien, VII., Stiftgasse 3.

Blätter für Vogelkunde, Vogelschutz, Geflügelzucht und Brieftaubenwesen.

Organ des I. österr.-ung. Geflügelzuchtvereines in Wien und des I. Wiener Geflügelzuchtvereines „Rudolfsheim“.

Redigirt von C. PALLISCH unter Mitwirkung von Hofrath Professor Dr. C. CLAUS.

15. April. | 1893.

„DIE SCHWALBE“ erscheint **Mitte** eines **jeden Monates** und wird **nur an Mitglieder abgegeben.**
Einzelne Nummern 50 kr. resp. 1 Mark,
Inserate per 1 □ Centimeter 4 kr., resp. 8 Pf.

Mittheilungen an den **Verein** sind an Herrn Secretär **Dr. Leo Přibyl**, Wien, IV, Waaggasse 4, zu adressiren. **Jahresbeiträge** der Mitglieder (5 fl., resp. 10 Mark) an Herrn **Dr. Karl Zimmermann**, Wien, I., Bauernmarkt 11; einzusenden.

Alle redactionellen Briefe, Sendungen etc. sind an Herrn **Ingenieur C. Pallisch in Erlach** bei Wr.-Neustadt zu richten.

Vereinsmitglieder beziehen das Blatt gratis.

Der Gesang des Alpenmauerläufer.
Tichodroma nuraria.

Dem sehr häufig gebrauchten Sprichworte: „Den Vogel erkennt man an den Federn“ könnte man den gewiss wahren Satz: „Den Vogel erkennt man am Gesange“ an die Seite stellen.

Sehr oft hat der Beobachter nicht die günstige Gelegenheit, den Vogel lang oder deutlich zu beschauen, wohl aber dringen die Locktöne, der Warnungsruf, der Gesang des oft im Gesträuche, im Schilfe, im Getreide, in den Baumkronen versteckten oder hoch in der Luft ziehenden Vogels an sein Ohr. Wie oft führen gerade diese Laute auf die Spur leicht zu übersehender Arten. Mich zum Beispiele führte der Gesang auf die Suche und Constatirung des Brütens des Zwergfliegenfängers in Steiermark. Der vom Locktone des Fichtenkreuzschnabels verschiedene Lockton des weissbindigen Kreuzschnabels machte mich auf das Hiersein des seltenen Gastes aufmerksam. Geht man im Frühjahre längs eines Gestrüppes oder im hohen Laubwald, so erregen die Laute vieler Vögel unsere Aufmerksamkeit, die wir ohne diese Laute übersehen hätten. Manche Vögel unterscheiden sich im Gesange auffallender, als in der Färbung, so dass der tonkundige Ornithologe den neuangekommenen Wanderer viel sicherer aus den gehörten Tönen, als mit dem Fernglase in der Hand bestimmt. Mit dem Fernglase kann sich beispielsweise ein erprobter Beobachter lange abmühen, wenn er nicht aus dem ganzen Benehmen des zu beobachtenden Vögelchen in's Reine kommt, bis er mit Sicherheit bestimmen kann, ob er einen Wald-, Weiden- oder Fitis-Laubvogel vor sich hat, während eine einzige Strophe dieses im Gezweige mit beständiger Unruhe hin und herschlüpfenden Vögelchen genügt, um im Augenblicke über die Individualität dieser sich äusserlich sehr ähnlichen Arten klar zu sein.

Freilich muss der Gesang zuvor durch einen erfahrenen Lehrmeister bekannt gemacht sein oder man muss sich selbst von der Sangesweise eines jeden Vogels überzeugt haben. Das Letztere ist wohl die sicherste Methode, um nicht irre geführt zu werden.

Die Gepflogenheit in den ornithologischen Werken die Lock-, Warnungs- und Angstrufe, ja selbst den Gesang durch Laute, Silben und Strofen dem Neulinge anschaulich zu machen oder dem Beobachter in Erinnerung zu bringen, ist jedenfalls praktisch, aber sie ist unvollständig, weil sie des Rythmus der Tonhöhe entbehrt.

Die Tonhöhe kann aber allein unserem Vorstellen die richtigen Anhaltspunkte gewähren, zumal die Vögel derselben Art mit äusserst geringen Schwankungen in derselben Tonhöhe ihre Laute hören lassen. Zum Beweise dieses Satzes steht mir ein genügendes Materiale zu Gebote, da ich durch eine Reihe von Jahren mit dem Stimmpfeifchen in der Hand Beobachtungen gemacht und in Notenschrift dargestellt habe. Die Darstellung des Gesanges und der übrigen Laute durch Notenschrift hat auch noch den Vortheil, dass der Rythmus, die Unterbrechungen, Absätze, schnelle Aufeinanderfolge angedeutet werden können.

Will Jemand dazu noch etwas Erklärendes thun, so kann er durch entsprechende Unterlage von Vocalen oder Silben die Klangwirkung charakterisiren. Mich nimmt es Wunder, warum sich noch kein bedeutender Fachmann über die Lösung dieser dankenswerthen Aufgabe gemacht hat. Herr Professor Zandois hat vor vielen Jahren ein diesbezügliches Werk in Aussicht gestellt, aber so viel mir bekannt ist, noch nicht veröffentlicht.

Wenn ich im Folgenden den Gesang des Alpenmauerläufers in Notenschrift behandle, so geschieht dies hauptsächlich darum, weil einerseits sich selten Gelegenheit bietet, diesen Vogel in seinem überaus schönen Gesange zu belauschen und anderseits um anzuregen, dass auch andere Ornithologen auf diese Art der Darstellung des Vogelgesanges aufmerksam gemacht und veranlasst werden diesbezügliche Aufzeichnungen zu machen und zu veröffentlichen.

Wie in jedem Herbste, so kam auch im Herbste des Jahres 1887, und zwar diesmal am 7. November ein Alpenmauerläufer nach Rein um hier zu überwintern. Das Stift Rein liegt 434 Meter über Meer. Das grosse Stiftsgebäude mit seinen vielen Fenstern und die Ruine mit ihren Klüften bieten ihm Gelegenheit nach verborgenen Insecten zu suchen und seinen Hunger zu stillen. Falls in manchem Herbst auch zwei oder drei Mauerläufer kommen, so bleibt für den ganzen Winter doch immer nur ein Einziger hier. Die Tages-Ordnung dieses Vogels ist eine genau geordnete. Nicht sehr früh, sondern erst dann, wenn der Tag ziemlich fortgeschritten ist, kommt er aus seiner Schlafhöhle, um zeitlich Nachmittags sich wieder in den gewohnten Winkel zu verkriechen. Je länger der Tag wird, desto zeitlicher kommt er zum Vorscheine. Am 9. März kam er gegen $^{3}/_{4}$7 Uhr auf ein Fenstergesimse des 2. Stockes an der dem Sonnenaufgange zugewendeten Ostseite des Stiftsgebäudes und übte sich leise im Gesange. Dieses Gelispel wurde von Tag zu Tag mit immer lauter werdenden Strophen durchflochten. Am 17. März kam der schon fast schwarzkehlige Vogel um 6 Uhr 40 Minuten Früh, setzte sich auf's gewohnte Plätzchen, lüftete einigemale die Flügel, lockerte das Gefieder und fieng dann staarähnlich zu dichten an. Allmälig wurde der Gesang lauter, hielt in der Klangfarbe die Mitte zwischen dem Staar und dem Kleiber, während die Melodie dem Rufe der Haubenlerche ähnelte. Bei zunehmender Stärke des Tones begann er eine neue Strophe 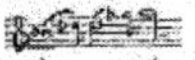 laut flötend, sehr rein, langsam, gebunden und mit Postaments. Als er diese Melodie mit kurzen Zwischenpausen einigemale gesungen hatte, fügte er nach Art des Goldammers einen hohen Ton hiezu, der abweichend von den übrigen klangvollen Tönen mehr einem Zischen glich, das sich nach einer kurzen Pause an die vorhergehende Strophe anreihte;  Dieser letzte Ton hatte am Schlusse einen kleinen Fall. — Am 21. März kam mein Sänger schon 15 Minuten nach 6 Uhr, war bedeutend lebhafter und fing gleich zu singen an. Er dichtete viel und machte ein staarähnliches Geplauder mit sehr vielen r Lauten. Aus diesem Geplauder hoben sich folgende laute, schöne und vollklingende Töne ab  nach einiger Zeit fleissigen Singen, wurde er um einen ganzen Ton tiefer und sang gewöhnlich  manchmal  seltener  und nur einigemal  Ich war sehr überrascht von diesem spechtartigen Vogel einen so schönen lauten Gesang mit überaus wohlklingendem Klange zu hören. Am 22. Mär war der Gesang in der ersten Viertelstunde ebenso wie am Vortage. Meine Verwunderung stieg aber noch mehr, als ich eine herrliche Strofe in den drei folgenden Varianten vernahm:  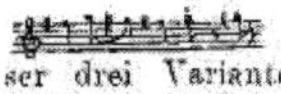  Die Erstere dieser drei Varianten wurde am häufigsten in das stille Geplauder eingeflochten, die zweite seltener, die dritte nur hie und da. Der vorletzte Ton in der dritten Variante wurde um einige Schwingungen höher als notiert gesungen; sonst war der ganze Gesang so rein und klar, dass ich keinen Augenblick im Zweifel sein konnte, welchen Ton ich aufzuschreiben hätte. Am 23. März war der Gesang ebenso, als am Vortage; das Betragen des Vogels war ein noch lebhafteres. Am 24. März sang er zum letztenmale im Thale, denn am 25. war er fort. Ob der Mauerläufer an seinem Brutplatze einen noch ausgebildeteren Gesang vernehmen lässt, weiss ich nicht, zweifle aber daran; dies mögen Andere, die mehr und bessere Gelegenheit haben, erforschen. Für diese gegenwärtigen Aufzeichnungen bemerke ich nochmals, dass ich für jeden einzelnen Ton gutstehe, zumal ich ausser einiger gut abgerichteten Vögel in meinem Leben nach musikalischen Begriffen noch keinen Vogel in solcher Reinheit singen hörte, als gerade diesen Hochgebirgsbewohner.

Stift Rein, am 6. Februar 1893.

Franz Sales Bauer, Stiftshofmeister.

Zwei Rackelhähne in Böhmen.

Von C. Heyrowsky.

Im Reviere Borkovic, nächst Sobeslau (Böhmen), wo bereits weiland Se. kaiserliche Hoheit Kronprinz Rudolf am 3. April 1877 einen Rackelhahn erlegte, wurde abermals ein solcher im Vorjahre beobachtet, der jedoch nach kurzem Aufenthalte spurlos verschwunden ist.

Am 6. d. M. traf die Meldung ein, dass unter den zahlreich dort balzenden Birkhähnen zwei Rackelhähne wahrgenommen wurden.

Gestern den 16. d. M. besuchte Se. Durchlaucht Erbprinz Johann zu Schwarzenberg den Balzplatz und hatte das Waidmannsheil, beide Rackelhähne zu erlegen.

Folgend erlaube ich mir die nähere Beschreibung der Hähne zu liefern.

Hahn Nr. 1.

Ganze Länge von der Schnabelspitze bis zum Stossende	68	cm
Spannweite der Flügel	105	„
Schwingenlänge	45·5	„
Stosslänge in der Mitte	20	„
„ an der Aussenseite	22	„
Bürzel vom After bis zur äussersten Spitze	163	mm
Länge der Ständer	28	cm
Fusslänge	13·5	„
Länge der Mittelzehe	7	„
Länge der beiden anderen Vorderzehen	4·5	„
Länge der rückwärtigen Zehen	2	„
Länge des Schnabels vom Zügel bis zur Spitze	40	mm

Schnabel schwarz, Kopf stärker, als jener des Birkhahnes, oberseits ebenfalls schwarz. Die Rosen wie beim Auerhahn, d. i. flacher als jene des Birkhahnes und länglicher. Stirne nicht so gewölbt wie beim Birkhahn, ganz in der Form des Auerhahnkopfes. Augen dunkelbraun, Kehle und Kragen bis zum Brustbeine schwarz, mit starkem Violettglanze. Wangen und Oberseite des Kragens: Grund schwarz mit etwas violettem Metallschimmer und fein weiss bereift. Rücken: auf dunkelbraunem Grunde lichter gesprenkelt mit weissem Anfluge (ähnlich dem Auerhahne).

Schwungfedern: Graubraun, die dritte die längste. Spiegelfedern: vom Grunde bis zur Hälfte weiss, der obere Theil braungrau, die Aussenfahne lichter braun gesprenkelt, die Innenfahne einfärbig braungrau, die Spitzen schmal weiss gerändert. Unterseite der Schwingen weiss.

Brust schwarz, weiss gesprenkelt. Bürzel vorherrschend weiss, jedoch ähnlich jenem des Auerhahnes schwarz und schwarzgrau gefleckt, theilweise gesprenkelt.

Ständer bis zu den Zehen innen weiss, auswärts graubraun mit Flaum befiedert.

Stossfedern: Anzahl 18, jederseits drei äussere von 5 bis 20 mm länger als der Mittelstoss, die äusserste Feder die längste. Diese je drei Federn haben eine sanfte Krümmung nach auswärts.

Die zwei äussersten Federn ganz schwarz, die übrigen am Grunde und der Aussenseite der Fahnen, nach der Mitte des Stosses zunehmend mit weissen Längsstreifen von 30 bis 60 mm, die 2 mittleren Stossfedern an der Spitze schmal weiss gerändert. Gewicht 2·36 kg.

Hahn Nr. 2.

Ganze Länge	68	cm
Spannweite	107	„
Schwingenlänge	46·5	„
Stosslänge in der Mitte	20	„
Auswärts	22	„
Ständerlänge	28	„
Fusslänge	13·5	„
Mittelzehe	7	„
Die beiden anderen Zehen	4·5	„
Die rückwärtige Zehe	2	„
Schnabellänge	40	mm
Länge des Bürzels	163	„

Die Verfärbung und Befiederung ganz gleich jener des Hahnes Nr. 1. Der einzige Unterschied liegt im Stosse. Dieser hat 20 Federn, wovon jederseits 4 Stück länger als der Mittelstoss, sonst gerade, nur sanft nach auswärts gekrümmt. Die 4 äussersten Federn, und zwar jederseits des Stosses je 2 Stück ganz schwarz, die übrigen wie bei Hahn Nr. 1 gefärbt, jedoch 7 der mittleren Stossfedern an den Spitzen schmal weiss gerändert. Gewicht 2·52 kg.

Wie aus der Beschreibung hervorgeht, machen die beiden Hähne im ersten Momente ganz den Eindruck sehr schwacher Auerhähne, nur der ganz schwarze Schnabel, der violette Schimmer des Kragens und der in der Mitte kürzere, wie ausgeschnitten aussehende Stoss, lassen keinen Zweifel darüber, dass es ein ganz anderer Vogel sei.

Die beiden Rackelhähne werden ausgestopft und dem Museum in Frauenberg (Obrad) einverleibt.

Wittingau, 17. März 1893.

Skizzen aus Montenegro und Albanien mit besonderer Berücksichtigung der Ornis daselbst.

Von Ludwig von Führer.

Im Folgenden will ich es versuchen, dem werthen Leserkreise der „Schwalbe“ eine Skizze zu entwerfen über meine, durch das munificente Entgegenkommen der hochgeehrten Herren A. Bachofen von Echt und A. Reischek unternommene Excursion auf montenegrinisch- und albanesischem Territorium, sowie über die ornithologischen Verhältnisse daselbst, überhaupt.

Vorausschicken muss ich, dass ich diese Länder bereits zu wiederholten Male besuchte und mich der Jagd und der Ornithologie wegen monatelang daselbst aufhielt. Im Ganzen waren es 26 Monate.

Es dürfte wohl wenig bekannt sein, auf welche Hindernisse speciell der Jäger und Beobachter in diesen Gegenden stösst und mit welchen Schwierigkeiten er zu kämpfen hat; denn abgesehen von dem in mehreren Theilen des Landes absolut nicht freundlich zu nennendem Entgegenkommen der Bevölkerung, die in jedem Jäger nicht nur einen Störer, sondern, wie in Albanien einen Spion erblickt — und darnach behandelt — so bergen diese romantisch wilden Landstriche noch andere Gefahren, welche hauptsächlich in den klimatischen Verhältnissen gelegen sind.

Montenegro und besonders Albanien sind, was die Ornis betrifft, noch wenig erforscht.

Es waren wohl viele Touristen aus allen Ländern in den schwarzen Bergen, die wenigsten sind aber weiter als bis Cettinje, Rjicka, oder Podgorica gekommen. Viele pilgerten blos zu dem Zwecke hin, um zu Hause am Stammtische mit Abenteuern, die sie gar nicht erlebt, sondern nur erzählen gehört, renommieren zu können.

Von Albanien will ich nicht reden, denn hier ist nur die Küste bewandert worden. Ein idealeres Land wie Montenegro für die Ornis wird auf unserem Continente nicht zu finden sein und zur Erforschung desselben benöthigt man Jahre.

Der Sprachen mächtig hielt ich mich Wochen lang als Albanese verkleidet in der Prokletia*) jagend und beobachtend auf; einem inneren Triebe folgend, trotzte ich allen Gefahren, ja ich war mehrere Male sehr nahe daran für immer dort zu verbleiben, denn die Klimenti, Honti, Grudi und Kastrati**) erschiessen jeden Fremden, ihn als Eindringling betrachtend, oft aber auch blos aus Uebermuth, wofern ihnen nicht um die Patrone leid ist. Ein schönes Gewehr zu erbeuten riskirt der Albanese aber auch mehrere Patronen.

Der fast tropischen Hitze wegen trocknet der Skutarisee in den Sommermonaten theilweise aus, die Sumpfluft ist mit Miasmen gesättigt und man findet sehr wenige Personen, die nicht von der schrecklichen Malaria zu Schatten umgewandelt sind.

Die Symptome dieser speciell hier vorkommenden Fieberform sind denen des gelben Fiebers der Tropen sehr ähnlich; ebenso herrscht jährlich im Seegebiete der Typhus

Bekanntlich dehnt sich Montenegro zwischen dem 42 und 43° östlicher Länge aus, liegt somit in einer mehr als gemässigten Zone, thatsächlich kann man aber in wenigen Wegstunden von Gegenden, deren klimatische Verhältnisse Skandinavien zur Seite zu stellen wären, in Gegenden gelangen, die ein Clima aufweisen wie Sicilien; und dementsprechend sind auch die topografischen Verhältnisse

Es wechseln Laub- und Nadelwälder mit Karst ab, meilenweite Strecken sind mit niedrigem Gestrüppe auch der subtropischen Flora angehörend bewachsen, ohne dass die Landschaft den Charakter des Karstes verliert.

Das Flachland besteht grösstentheils aus Haiden, Wiesen und Tristen, zum geringeren Theile sind es Felder, die meistens mit Tabak, Mais, Kolbenhirse und Wein bestellt sind, ferner aus Sümpfen, von denen der grösste Theil N. Oest. vom Skutarisee sich ausdehnt und mit Rohr, sowie anderen Wasserpflanzen dicht bewachsen ist.

Trotz des karstigen Charakters der Gebirge ist das Land ziemlich reich an Quellen und Bächen; bedeutendere Flussläufe bildet die Moraca mit der Zeta, die im grössten Theile ihres Laufes so recht das Charakteristicum aller Gebirgsströme aufweist, nämlich Stromschnellen, Wirbel, ausgehöhlte Ufer, unterwaschene Felswände und bald darauf wieder stille und ruhige Bassins; ähnlich ist auch der Lauf der Tara, welche die Wasserscheide bildet.

Das Bett ihres Unterlaufes ist mit Sand und Gerölle über und über erfüllt.

Was die Seen anbelangt, so ist der grösste der Skutarisee, der approximativ nach meinem Calcul ungefähr 50 bis 60 □ Klm. besitzen dürfte, wovon beinahe die Hälfte auf Montenegro entfällt. Herbst und Frühjahr nimmt die Wasserfläche bedeutend grössere Dimensionen an, verursacht nicht nur allein durch Regengüsse, sondern meistentheils durch ausgedehnte Wehrvorrichtungen auf albanesischem Gebiete, welche sich am Ausflusse des Sees in die „Bojanna" vorfinden und des Fischfanges wegen errichtet sind.

Die Ufer des Sees sind gegen S. und SW. felsig theilweise bewaldet, gegen N. und O. dagegen mehr oder weniger versumpft, mit uralten Weidendickichten bewachsen, die wieder mit Wiesen, Triften und Feldern abwechseln. Das Wasser ist theils salzig, theils süss und an Fischen und Kerbthieren reich.

Die anderen Seen, die Montenegro besitzt, sind Alpenseen; so finden sich einige am Durmitor, sowie einer bei Sabnick in der Nähe der Grenze des Sandschak Novibazar. In Albanien der Plavsko jezer, ferner mehrere kleine Alpenseen in der Prokletia.

Die Scenerie dieser Seen ist von einer Romantik, hinter der die meisten unserer Alpenseen weit zurückstehen, einige liegen terassenartig übereinander und stehen in Communication, während der Regenzeit speisen sie zahlreiche Wildbäche, die sich mit rasender Schnelligkeit durch Schluchten zwängen, welche Aehnlichkeit mit den amerikanischen Canons besitzen.

Die Felswände dieser Canons bestehen grösstentheils aus Dolomit, Gneis und Glimmer; sie weisen tiefgehend Risse und Spalten auf.

Der gebirgige Theil Montenegros, weitaus mehr aber Albaniens ist vielfach zerklüftet, sehr reich an Höhlen, Schluchten und unzugänglichen Felswänden, dabei ist die Bevölkerung so dünn gesät, dass man oft auf Meilen im Umkreise keinen Menschen zu Gesichte bekommt.

Die Manigfaltigkeit der topografischen und klimatischen Verhältnisse machen ihren Einfluss auch auf die Ornis geltend.

Besonders interessant ist der Skutarisee, der ein Eldorado für Sumpf und Wassergeflügel vorstellt, im Herbste und Frühjahre aber auch als ein gelegener Rastort betrachtet werden kann.

Zu diesen Zeiten erinnerte mich das Bild, welches der See dem Auge bot an die Mündung des La Plata, welche ich im Jahre 1887 auf meiner Reise nach Argentinien Gelegenheit hatte zu sehen. Hier lasse ich nun das Resultat meiner vorjährigen

*) Gebirgszug in Albanien mit ewigem Schnee.

**) Katholische Gebirgsvölker die, obzwar unter türkischer Herrschaft stehen, den Kannibalen an Wildheit, Rohheit und Zügellosigkeit sehr nahe zu stellen wären.

Excursion folgen und werde meine Aufgabe mit einem Verzeichnisse aller von mir im genannten Landstriche beobachteten Arten beenden. Meine Fahrt von Wien nach Cattaro bot nicht viel des Interessanten, da ich mit einem Privat-Dampfer fuhr, der seine Route direct von Triest nach Cattaro nimmt und dabei den Cours weit entfernt von der Küste einhält.

Von Cattaro aus benützte ich am 6. September 4 Uhr Früh den alten Weg, zu Fuss bis Krstac, das ich nach sehr steilem Aufstieg in $1^1/_2$ Stunden erreichte, hier befindet sich am S.-Oest. Abhange des gleichbenannten Berges die Grenze der Monarchie Oesterreich-Ungarns. Südlich erhebt sich der Lovcek bei 1600 Meter hoch, der mit seinen theilweise bewaldeten und zerklüfteten Abhängen eine grosse Zahl Raubthiere beherbergt.

Ich notirte blos: Kolkraben (Corvus corax), einen weissköpfigen Geier (Gyps fulvus), Steinröthel (Monticola saxatilis), Alpensegler (Cypselus melba), Felsenschwalbe (Hirundo rupestris), Thurmschwalbe (Cypselus apus), Zippammer (Emberiza cia), Buchfink (Fringilla coelebs).

Mein Weg führte nun über die neue Chaussee bis Njegus, von wo aus ich wieder die alte Strasse benützte; dieselbe führt zwischen Hügeln, theils bewaldet theils Karst, bis Cettinje.

Sperber (Accipiter nisus), Baumfalke (Falco subbuteo), Kukuk (Cuculus canorus), Eichelhäher (Garrulus glandarius), Felsentaube (Columba livia), Graue Steinschmätzer (Saxicola oenanthe), sowie Felsenspechtmeisen (Sitta syriaca) waren zu sehen. Um 10 Uhr Vormittags in Cettinje angelangt, rastete ich circa zwei Stunden und ging dann gegen Rjieka.

Vier Kilometer von Cettinje auf der neuen Strasse gelangt man zu dem sogenannten „Belveder", von wo sich dem Beschauer ein entzückender Anblick bietet. So weit das Auge reicht pittoreske Felsen, bewaldete Hügelketten, reizende Thäler und im Hintergrunde der Skutarisee mit den noch entnehmbaren Umrissen der gleichnamigen Stadt selbst, hinter der sich die Prokletia erhebt. Das Terrain senkt sich nun mit starkem Gefälle gegen Rjicka zu, dementsprechend ändern sich auch Flora und Fauna.

An Stelle der Steineiche und Buche treten nun Esche und Zirgelbaum (Celtis australis) Gewächse der subtropischen Zone wie Lorbeer, australische Steinbuche und Myrthe werden allgemein. An den Berghängen findet man sporadische Rebengelände, ebenso den Feigen- und Granatapfelbaum.

Ausser Schaaren von Alpendohlen (Pyrrhocorax alpinus), einigen Lappenammern (Euspica melanocephala), Ortolans (Emberica hortulana), Trauermeise (Poecile lugubris), Felsenspechtmeise (Sitta syriaca) verzeichnete ich nichts.

Gegen ein Uhr Nachmittags erreichte ich den Ort Rjicka, welcher zum grössten Theile die Bauart der albanesischen Städte aufweist Die Bevölkerung besteht meistens aus Albanesen, die dem Kaufmannsstande angehören.

(Fortsetzung folgt.)

Beitrag zur Ornis von Niederösterreich.

Von **Robert Ritter von Dombrowski.**

I. Ordnung.

Rapaces, Raubvögel.

(Fortsetzung.)

17. Aquila imperialis, Lechst. Kaiseradler. Zu Anfang unseres Jahrhunderts noch regelmässiger Horstvogel, jetzt äusserst selten auf dem Zug und Strich. Mir sind in den letzten Jahren nur zwei sichere Fälle seines Vorkommens bekannt: am 6. October und 6. December 1886 beobachteten ich und Herr Anton Schiestl je ein Stück bei Schönau und Fischamend. Aus früherer Zeit stehen mir folgende bestimmte Daten zu Gebot: 1. Im Jahre 1811 entdeckte Herr Natterer in der Lobau einen Horst des Kaiseradlers, von dem die beiden Alten abgeschossen, die Jungen ausgehoben und einige Jahre lebend in der k. und k. Menagerie zu Schönbrunn gehalten wurden.*) Die Alten sowohl als eines der in Schönbrunn aufgezogenen Jungen befinden sich im k. und k. Museum in Wien. 2. Im April 1858 wurde ein junger Vogel im Marchfelde geschossen, der in den Besitz des Herrn Julius Finger überging. 3. Am 15. November 1862 wurde in der Lobau Abends beim Aufbaumen ein Junges ♂ erlegt, in dessen Magen sich ein Fasan fand; es gelangte gleichfalls in die erwähnte Sammlung.

18. Aquila chrysaëtus, L. Goldadler, und Aquila chrysaëtus var. fulva, L. Steinadler. Ersterer gehört zu den seltensten Erscheinungen, letzterer dagegen ist noch jetzt als Wintergast ziemlich häufig zu nennen. Ehemals zählte er im gebirgigen Süden des Landes sogar zu den regelmässigen Brutvögeln. Noch von Frauenfeld kannte einen Horst bei Lilienfeld, dem fast alljährlich die Jungen entnommen wurden und von einem zweiten berichtet für das Jahr 1846 J. Newald; er stand in den sogenannten Falkenwänden, den gegen das Klosterthal abfallenden Hängen des Schneeberges. Bezüglich seines gegenwärtigen Vorkommens in der Umgebung von Wien weist mein Tagebuch reiche Notizen auf, doch ziehe ich es vor, an deren Stelle die ausgezeichnete Schilderung des Kronprinz Rudolf einzuschalten, dessen umfassende Beobachtungen mit den meinen vollständig zusammentreffen. Der Steinadler erscheint (in den Donauauen unterhalb Wien) zu Ende November und verweilt bis zum Anfang des Februar, jagt während dieser Zeit regelmässig auf dem Marchfelde auf Hasen, in den lichteren Waldungen auf Kaninchen, schlägt ausserdem Enten und Gänse und leidet dementsprechend niemals Noth.

In der ganzen Umgebung Wien's gehört unser Vogel zu den regelmässig wiederkehrenden Erscheinungen. In allen Revieren, sowohl in den Donauauen, als auf den Feldern und im Wienerwalde, wissen die meisten Jäger Erlebnisse zu erzählen, die ihnen bei Begegnungen mit Steinadlern passirt waren In den kleinen Fasanremisen bei Laxenburg wurden schon mehrere erlegt, im kaiser-

*) Näheres hierüber in Leisler's „Annalen der Wetterauer Gesellschaft II. (1811), p. 335 ff. und bei Naumann. „Die Vögel Deutschlands" I. p. 207. Der Verf.

lichen Thiergarten war, solange neben der Mauer bei Ober-St. Veit eine grosse „Schindergrube" bestand, im Winter der Steinadler eine recht häufige Erscheinung und einige Jäger erlegten noch in den 40er und 50er Jahren daselbst mehrere dieser edlen Thiere. Jetzt sieht man noch im Sommer junge Adler, die durch den Wildreichthum angelockt, über den Wiesen kreisen.

Es gibt gewisse Plätze, welche durch Lage, Wildreichthum und Ruhe den Steinadlern besonders behagen; dorthin kommen sie denn Jahr für Jahr und verweilen daselbst oft längere Zeit. So ist z. B. ein Föhrenwald unweit Gänserndorf wegen des Reichthums an Hasen und Kaninchen ein gewöhnlicher Tummelplatz der Steinadler. Wenn im Herbst die Feldarbeit zu Ende geht und daselbst auch die grossen Züge von Wildgänsen sich allabendlich niederlassen, erscheinen die Adler und bleiben einige Tage, auch Wochen, werden wieder von anderen abgelöst, oft sind auch mehrere zugleich da und so geht es fort bis Mitte März. Die Gegend ist bevölkert, mehrere Dörfer liegen in unmittelbarer Nähe, Wege und Eisenbahnen führen vorbei, der Wald ist nicht gross, nur einzelne freistehende Bäume und Grenzhaufen inmitten der Felder dienen als Auslugplätze; und doch sieht man manches Mal zwei auch drei Adler von einer Stelle aus, wie sie über die Schneedecke dahinziehen oder, auf den Bäumen stehend, vorbeilaufenden Hasen auflauern. Als Kuriosität erwähne ich schliesslich, dass am Abend des 4. Jänner 1863 im „Oberen Stockmais" bei Orth vier Steinadler auf einer hohen Eiche aufbaumten und alle vier durch fünf Schützen mit Temposchüssen im Feuer erlegt wurden.

19. Haliaëtus albicilla, L. Seeadler. Der Seeadler war ehemals ein regelmässiger Horstvogel der Donauauen, ist jedoch gegenwärtig hier, wie im ganzen übrigen Lande blos noch Wintergast Der letzte Horst stand im Jahre 1859 in der Lobau; das alte ♀ wurde eines Morgens von Herrn k. u. k. Revierjäger, Anton Geyer, im Prater geschossen, als es sich, wie tagtäglich, aus der damals dort bestandenen Scharben und Reihercolonie seinen Raub holen wollte. Um so auffallender war es, dass nach einer Pause von mehr als zwei Jahrzehnten im Frühjahr 1882 ein Paar auf den Gänsehaufen mit dem Horstbau begann, der allerdings unvollendet blieb; wahrscheinlich verunglückte das ♀ in der Umgebung. Ueber die allgemeine Verbreitung im Lande gibt Kronprinz Rudolf trefflichen Aufschluss: „Der Seeadler gehört nicht zu den Brutvögeln der Auenwaldungen bei Wien, ist aber ein regelmässiger Gast derselben, welcher sich schon in den letzten Tagen des September einstellt und je nach den Umständen längere oder kürzere Zeit, günstigen Falles bis zum März, hier verweilt . . . . Im Jänner sieht man sie fast in allen Theilen Niederösterreichs nördlich der Donau. Eine Hauptstation und eine Lieblings-Schlafstätte dieses Adlers bilden die kleinen Föhrenwälder unweit Gänserndorf. Alljährlich kommen sie dahin, besonders, wenn auf Flüssen der Eisstoss ihnen den Fischfang unmöglich macht. Da suchen sie dann im Inneren des Marchfeldes an der Hasen- und Kaninchenjagd Entschädigung. Um diese Zeit werden auch sehr viele auf den Uhuhütten von Gänserndorf und Wagram, selbst bis Aspern herab, erlegt . . . . . Vor allem üben die Wildenten einen grossen Einfluss auf die Lebensweise der Adler aus. Ununterbrochen vom frühen Morgen bis zum Abend währt die Fehde. Ist eine Gegend abgejagt und ziehen sich die gehetzten Enten stromabwärts, dann verschwinden auch die Adler; sammelt sich jedoch nach einigen Tagen wieder Wild an den gewohnten Plätzen, so folgt ihm der Adler sofort auf dem Fusse; so geht es beständig strom ab, strom auf . . . . . An der Donau baumen die Adler niemals in den grossen Uferauen, sondern immer nur auf den sogenannten Haufen auf . . . . . Inmitten eines Hochholzes zu übernachten, vermeidet der Seeadler, fast stets sucht er den Rand eines hohen Bestandes gegen eine Wiese, ein niederes Jungholz oder einen todten Wasserarm dazu auf, um selbst in der Nacht leicht abstreichen zu können. Die Stelle muss windstill, der Baum hoch und mit starken Seitenästen versehen sein . . . . . In den Donauauen zwischen Wien und Fischamend gibt es eigentlich nur zwei Plätze, welche des Abends regelmässig von allen Adlern aufgesucht werden. Der eine liegt an einem schmalen Wasserarm, der andere am Rande eines Jungholzes und selbst in diesem engbegrenzten Raume gibt es wieder ganz bestimmte bevorzugte Bäume. Im Jänner und Anfangs Februar (1884) erschienen die Adler schon um 4 Uhr auf ihren Schlafplätzen und waren sie einmal da, so blieben sie auch; seit einer Woche (Ende Februar) sind sie schon unruhig, was ich der nahen Paarungszeit zuschreibe, denn untertags sah ich ein Pärchen jene schönen Flugkünste ausführen, die ich so oft in der Nähe ihrer Horste beobachten konnte. Ich erbeutete im Laufe der letzten Woche drei Seeadler alle bei Nacht." — Im Jahre 1885 beobachtete Kronprinz Rudolf den ersten am 24. September, am 25. sah ich schon drei Stücke, lauter junge, dunkle Vögel, zu denen sich im Laufe des October noch ein junges und ein altes Stück gesellten. Diese fünf Adler waren ab und zu immer anwesend, bis Kronprinz Rudolf am 30. December drei davon erlegte. Schon in den ersten Tagen des Jänner 1886 erschienen vier andere Adler, die ich einzeln, manchmal auch alle fast auf jedem Ausflug vom Jänner bis Mai beobachten konnte. Namentlich hielt ein besonders starker, dunkler Vogel, kenntlich am Fehlen einer grossen Schwungfeder im linken Flügel, merkwürdig seinen Stand; er baumte jeden Abend auf einer schwachen, etwas über das Wasser geneigten Silberpappel auf, die an der das Laushäufel vom Gansselgrund (Insel) trennender Seeschlacht (todter Arm) steht, und zwar immer auf den gleichen Ast. Im Herbst 1886 erschien der erste Seeadler anfangs September, zu welchem später weitere 2 oder 3 kamen. Im Februar 1887 stieg die Zahl auf 5 bis 6; die letzten, einen alten und einen jungen sah ich am 12. April. Mitte August 1887 war der erste hier, ihm folgten im nächsten Monate noch 2 oder 3; vom Jänner bis Mitte März 1888 bemerkte man 4 bis 5 Adler, darunter einen alten, noch am 18. Mai sah Herr k. u. k. Förster Janicek in Eckartsau ein altes Stück.

(Fortsetzung folgt.)

Das „Muscarium".

(Massenzucht von Schmeissfliegen.)

Von Staats von Wacquant Geozelles.

Meine in der Nr. 19 der „Schwalbe 1892" erschienenen Ratschläge und Erfahrungen über die Massenzucht von Schmeissfliegen-Puppen haben mir aus Oesterreich, Deutschland und der Schweiz viele Briefe eingebracht; und da dieselben fast stets ganz gleiche Fragen enthalten, so schrieb ich allen Einsendern, dass ich noch einmal specieller und instructiver auf die Sache in unserer „Schwalbe" eingehen werde und bitte heute also die hochverehrte Redaction um Erlaubniss, dies thun zu dürfen.

Ich will meiner heutigen, öffentlichen Antwort einige Briefe des Herrn Präparator Zollikofer in St. Gallen zu Grunde legen, welche alles enthalten, was auch in den anderen mir zugegangenen Schreiben steht.

Die Art und Weise, wie man sich ein gehöriges Quantum von Fliegenpuppen verschafft, habe ich wohl ausführlich genug in der Nr. vom 15. October 1892 beschrieben.

Die Wichtigkeit dieses neuen Vogelfutters scheint von keiner Seite unterschätzt zu werden; es ist ja auch ohne Frage ein gewaltiger Unterschied, ob man an zarte Insectenfresser trockene (gequellte) Ameisenpuppen oder saftige, lebende Fliegenpuppen verfüttert und noch ausserdem die Möglichkeit frei in der Hand hat, den Pflegebefohlenen in der geschilderten Weise täglich lebende, frisch der Puppe entschlüpfte Schmeissfliegen zu gewähren. Meine Pfleglinge beobachteten das Gefäss, in welchem ich ihnen Fliegenpuppen in's Bauer stellte, stets auf das schärfste und wenn sie sahen, dass die fertigen Insecten in dem Napfe umherkrabbelten, so wurde dasselbe doppelt-lüstern umlagert; sowie die ihnen bis dahin unerreichbare Fliege durch das Drahtgitter des Napfes kroch, wurden sie weggeschnappt. — Auch meine vielen Fische waren stets zufrieden, wenn ich ihnen ab und zu solche Fliegen oder deren Puppen reichte und haben sie sich auch im gegenwärtigen Winter über diese Neuerung — höchst beifällig ausgesprochen, so dass ich dem „künstlichen Fischzüchter" die „künstliche Fliegenzucht" nur warm — mit Erlaubniss zu sagen — an's Herz lege!

Ein Fuchs, eine Katze, ein eingegangenes Schmalreh, — welch' gewaltige Fleischmasse verwest in ihnen! — verwest in ihnen, d. h. wird aufgefressen, wenn die Kadaver nicht sofort und sehr tief eingegraben werden. Und doch können wir jenes ganze, grosse Fleischquantum für unsere Lieblinge verwerthen; — eben, wenn wir es — auffressen lassen und das Aufgefressene in Form von zierlichen, reinlichen Puppen sorgsam einsammeln und zweckmässig aufbewahren. (Ich habe Hunderttausende von Puppen besessen.)

Nun sagt mir ein Bekannter: Ja das ist aber ein Riesen-Gestank! — Darauf muss ich erwidern: „Es ist nicht so schlimm und wer den Gestank nicht aushalten kann, der muss eben die Fliegenzüchterei unterlassen." Ich für meine Person gehöre zu den Präparatoren und Zergliederern und solche Leute — ich bitte um Verzeihung, dass ich die Herren Präparatoren und mich mit „solche Leute" bezeichne! — sind ja an mancherlei Düfte gewöhnt, aber auch kein Vogelliebhaber, dem möglichst naturgemässe Pflege seiner Lieblinge erwünscht und ernst ist, wird der künstlichen Fliegenzucht Nase und Herz verschliessen!

Nun hat aber Herr Zollikofer in St. Gallen sehr recht, wenn er in seinem langen Schreiben sich und mir die Frage vorlegt: „Einzig eine Frage gibt mir noch zu denken, seit ich in Besitz Ihrer Mittheilung bin, nämlich die: wo ich die gute Sache hier in der Stadt vornehmen kann; denn im Freien weiss ich keinen vor Störungen sicheren Platz und hier im Hause wird sich ein solcher, der abgelegen genug ist für die „Stinkerei" — wie sich einer Ihrer Bekannten auszudrücken beliebte — auch nicht leicht finden lassen."

Zunächst weise ich alle gar zu empfindlichen Nasen darauf hin, dass Herr Zollikofer diese Stinkerei eine „gute Sache" nennt und das ist sie auch, — und da sehr Viele kein eigenes Haus besitzen, sehr Viele, die sich mit der „guten Sache" gern und ausgiebig befassen wollen, in einer Stadt wohnen, so muss man eben auf Mittel sinnen, auch in solcher Lage im Besitz des brauchbaren Insectenfutters gelangen zu können. Der Vogelliebhaber wird — als Naturfreund — doch in sehr häufigen Fällen in freier Natur auch Bekannte haben, Forstleute z. B., welche ihm gern behilflich sind. Auch wird man Fliegengruppen sicher kaufen können, wenn man Instruction zu ihrer Gewinnung erhielt und — klingenden Lohn in Aussicht stellt. Mancher Andere wird im abgelegenen Garten eines Freundes leicht ein Plätzchen zur Verfügung erhalten und endlich ist auch ein Dachboden schon sehr brauchbar. Man lege die nöthigen Kadaver nur vorher an verschiedenen Stellen aus und trage sie erst in die Fliegenfabrik, wenn selbe gut mit Eierhäutchen belegt worden sind. Gut und natürlich ist es, die Körper mit einem spitzen Eisen vielfach anzuboren; an jeder Wunde wird ein Häuflein Eier gelegt werden. Mit dem Felle versehene Körper sind unter allen Umständen besser, als abgebalgte und Vögel soll man niemals vorher etwa rupfen.

Auch ist zu bedenken, dass man im Kadaver eines einzigen Sperlings nicht ein ganzes Ankerfass voll Maden, respective Puppen züchten kann — bei Nahrungsmangel verkümmern die Maden und wenn sie überhaupt zur Verpuppung schreiten, so erzielt man Schwächlinge. Ich hatte einst für einen schönen, sonnigen Herbst, einen Fuchs, mehrere Katzen, einen Otter und mehrere hundert Eichelheher an verschiedenen Stellen ausgelegt und habe alles in prächtigen Fliegenpuppen sich verwandeln sehen, so dass ich den ganzen Winter über meine Gefangenen, sowohl wie die auf den Winterfutterplätzen versammelten Vögel reichlich mit dieser Nahrung versehen konnte. Hieraus ersieht jeder Vogelwirth, dass er unter Umständen genügend Vorrath sammeln kann, um Nachtschwalben-Caprim. europ. und andere Schwalben, Kukuk, Wiedehopf und all' die anderen selteneren „Stubenvögel" erquicken zu können. — Sicher wird Herr Zollikofer nicht enttäuscht sein, in betreff seiner Worte: „Ich hoffe, mir bis zum nächsten Winter jenes Quantum zusammen zu bringen, welches ich für meine Pfleglinge nöthig habe; etwa ein Liter pro Monat — für die ganze Zeit, wo es keine frischen Ameisenpuppen giebt." Im Herbste muss man zeitig anfangen, Kadaver auszulegen; bleibt das Wetter anhaltend heiss, so werden zwar viele Zuchten ausfliegen, wird die Witterung aber schlecht, so entwickeln sich keine Insecten und man ist geborgen. Uebrigens legen die Brummer selbst noch an sonnigen Decembertagen ihre Eier ab, wenn sie durch einen Kadaver dazu angereizt werden und wenn die sich daraus entwickelnden Maden von der Kälte überrascht werden, so durchwintern sie, ohne Schaden zu nehmen, ebenso die Maden, welche im Spätherbst Nahrungsmangel haben.

Die Kadaver legt man am besten auf ein altes Stück Blech, welches schräg gestellt und am Rande so gebogen wird, dass sämmtliche Maden in das dicht darunter befindliche Gefäss gelangen müssen, wenn sie zur Verpuppung schreiten wollen. Sehr gut ist es, wenn man verhindert, dass der aus grösseren Kadavern bei heisser Zeit stets ausfliessende, fürchterliche Saft in das untergestellte Gefäss gelangt; ein geringes Quantum von Erde oder porösem Waldhumus genügt zu diesem Zwecke und ist unterhalb des Thierkörpers — nicht unter ihn! — auf das schräge Blech, Brett oder dergl. zu legen. Somit ist Blech oder Holz zur Unterlage für den Thierkörper unter allen Umständen mehr zu empfehlen, als Drahtgeflecht oder Körbe, welche ja stets direct über den Fang-Gefässen angebracht werden müssen, während erstere Unterlagen nur mit einem ganz kleinen Theile, nämlich der Ausgangsstelle, in das untergestellte Gefäss zu reichen brauchen. Zu Fanggefässen eignen sich Tonnen, Kisten, Schachteln, Blumentöpfe und überhaupt jedes Gefäss, welches keine Spalten und Löcher hat, oder deren Löcher man fest verstopfen kann. Ich habe eine grosse, sehr breite Tonne dicht am Stamme einer uralten Fichte stehen; dort ist sie — was sehr von Wichtigkeit — gut gegen Regen geschützt und habe ich die Fliegenpuppen stets von Zeit zu Zeit in Kisten gethan und an einen stets kühlen Ort gestellt. Die Erde, welche ich in die Fanggeräthe einbringe, — nach diesem Punkte bin ich bislang fünfmal befragt — schütte ich vorher durch ein Sieb, so dass sie grobkörnig und locker ist; hat man Gelegenheit, so vermische man sie mit $^1/_5$ Sand. Am kühlen Orte verhindere ich zu zeitige Entwicklung und aufbewahrt müssen die Puppen sammt der Erde werden, man darf selbe also nicht etwa als „reine Waare" überwintern.

Jedem Züchter wünsche ich gute Herbsttage, denn gerade die spätere Zeit schafft am sichersten Vorrath in's Haus. Mir haben mehrfach Mäuse und Spitzmäuse die Kisten geplündert und ist hierauf inbetreff der Dichtigkeit derselben ebenso Rücksicht zu nehmen, wie auf die Temperatur des Aufbewahrungsraumes. Die Puppen überwintern in freier Natur, also stelle man sie in Frost und Kälte.

Uebrigens verpuppen sich die Maden auch dann, wenn sie im Gefässe gar keine Erde vorfinden; es ist dies aber immerhin unnatürlich und ich folge in allen derartigen Angelegenheiten stets so viel wie irgend möglich dem Willen der Natur. Hat man indessen einen Züchter von Puppen der gegen Bezahlung diese Waare liefert, so lasse man sich dieselbe nur ruhig in einigermassen reinem Zustande liefern und bringe sie dann in Erde hinein.

Ich komme jetzt zu einem mich direct betreffenden Punkte. Von verschiedenen Seiten wurde ich dringend ersucht, ein Quantum Puppen abgeben zu wollen. Herr Zollikofer z. B. wollte junge Tannenheher — Nucifr. caryocat. — und junge Alpenkrähe — Fregil. gracul. — aufziehen und verspricht sich die besten Erfolge, wenn ich ihm mit meiner Erfindung zu Hilfe komme, während er andernfalls vor der Unmöglichkeit steht, diesen Thieren zuträgliche Insectennahrung in so früher Jahreszeit bieten zu können. Auch würde er der Aufforderung des Vereines „Ornis" gern nachkommen und die nächste Ausstellung in Berlin mit ausserordentlichen „Käfig-Seltenheiten" zieren,*) wenn ich ihm mit Fliegenpuppen aushelfen wolle. — Ich sehe, wie viel man sich mit meinen Vorschlägen schon beschäftigt hat und wenn wir auch erst noch ein Jahr warten müssen, ehe wir wissen, ob mein „neues Futter für Insectenfresser" eine — wie Herr Zollikofer sagt — „ausschlaggebende Rolle" spielt, so stimme ich doch darin überein, dass es beim Versenden von zarten Insectenfressern von Wichtigkeit ist; da diese Nahrung einen guten Percentsatz Wasser enthält. Dieses ist in Anbetracht der während der Reise so heiklen Trinkwasserfrage nicht zu unterschätzen und sollten Händler, die — wie z. B. Herr Hofhändler Voss in Köln — alles daransetzen, den Vögeln die Reise zu erleichtern, versuchen, die Fliegenpuppen von geeigneten Persönlichkeiten „draussen" in Masse züchten zu lassen.

Um auf Angefangenes zurückzukommen: ich wollte recht gern helfen, aber ich konnte es nicht, aus dem einfachen Grunde, weil ich vor $1^1/_2$ Jahren meine sämmtlichen Kleinvögel fortgegeben habe und nur noch Raubvögel besitze, für welche ich keine Fliegenpuppen züchtete. Freilich, hätte ich geahnt, dass mir von meinem hochverehrten Freunde, Herrn Hofrath Professor Dr. Liebe, ein Paar reizender Thurmfälkchen gesandt werden würden und ferner, dass sich demnächst auch noch ein Baumfälkchen einstellen wird, so hätte ich im Herbste ein grosses Quantum Puppen gezogen. Die wenigen, die ich züchtete, sind längst auf meinem Fensterbrette von Meisen und in meinen vielen Aquarien von Fischen verspeist worden.

Allen freundlichen Briefschreibern sage ich meinen besten Dank!

So viel über mein „Muscarium!"

Nutzung des Geflügels.**)

Von Dr. Přibyl.

b) Fleisch und Mästung.

Die gebräuchlichste Verwerthung des Geflügels ist die Fleischproduction, an welcher alle Arten in hervorragendster Weise theilnehmen, welche für manche sogar die einzige Möglichkeit der gewinnbringenden Verwertung bildet: Hühner, Enten,

*) Herr Zollikofer hat inzwischen die „Ornis-Ausstellung" in Berlin wirklich mit seinen Alpenmauerläufern beschickt. Ph.

**) Aus der soeben erschienenen 3. Auflage von Dr. Leo Přibyl „Geflügelzucht".

Gänse und Tauben bilden auf jedem Tische ein gern gesehenes Gericht, oft für lange Zeit das einzige Fleischgericht, welches vorzüglich bei der Landbevölkerung an Festtagen die Tafel schmückt. Die ungeheure Bedeutung, welche dem Geflügel als Nahrungsmittel im allgemeinen zufällt, ist von der Wissenschaft noch nicht genügend gewürdigt und doch sollten die Millionen Kilogramm Fleisch, die alljährlich aus diesem Zweige der Kleinviehzucht gewonnen werden, nicht so unbeachtet bleiben. Es ist aus Mangel an statistischen Daten unmöglich, ein allgemeines Bild jener ungeheuren Massen zu geben; nur hier und da findet sich zerstreutes Material, durch welches ein Blick auf die riesigen Massen ermöglicht wird. Werden die allgemeinen Ziffern, die für einzelne Länder bekannt sind, der Berechnung zu Grunde gelegt, so ergibt dies z. B. für die Hühner eine Summe, die mit 320 Millionen Stück für Europa nicht zu hoch angeschlagen sein dürfte. Nach dem bisher befolgten Vorgange für einzelne Länder, z. B. Frankreich und Deutschland, kann man annehmen, dass jedes Stück im Durchschnitte etwa eine Mark werth sein dürfte, so dass allein die Hühnerhaltung einen Werth von 300—320 Millionen Mark repräsentirt. Diese Menge producirt nach geringstem Massstabe alljährlich 1000 Millionen Küchel, welche zu einem Werthe von 60—80 Pfennigen angenommen, die schöne Zahl von 6—800 Millionen Mark darstellen würden; freilich geht etwa ein Fünftel der Küchel vor der Verwerthung zu Grunde, allein der ungleich höhere Wert, den die Ueberlebenden repräsentiren, welcher durch Fütterung und Mästung in manchen Fällen um das 5- bis 10fache gesteigert werden kann, lassen diese Summe eher als zu gering erscheinen. Etwa ein Fünftel des ursprünglichen Standes wird alljährlich erneuert, so dass also 60—70 Millionen alte Hühner zu dem Preise von mindestens einer Mark auf den Markt kommen dürften, was den Werth von 60—80 Millionen Mark ausmachen dürfte. Wird noch die Eierproduction hinzugerechnet, per Jahr und Stück nur mit 70 Stück Eiern gerechnet, also etwa 25 000 Millionen und das Ei nur mit 4—6 Pfennigen in Anschlag gebracht, so ergibt dies die ansehnliche Summe von 1000—1400 Millionen Mark, die mit den übrigen Summen zusammengehalten, fast zwei Milliarden Ertrag für Europa allein, von einem einzigen Zweige der Geflügelzucht aufweisen dürfte. Es fehlt an Vorstellungen, um diese ungeheuere Summe eines der wenigst angesehenen Theile der Viehzucht zu veranschaulichen. Jedenfalls sprechen aber die angeführten Zahlen dafür, auch in der Statistik diesem bisher wenig beachteten Zweige einige Aufmerksamkeit zu Theil werden zu lassen, da ja zudem das Geflügel berufen ist, die Rolle des billigst producirenden Fleisches, zugleich auch des gesündesten, weil leicht verdaulichen, im Weltverkehre zu vertreten. Die Productionskosten dieser unermesslichen Menge Nahrungsstoffe sind in den meisten Fällen äusserst gering. Wie schon bei der Ernährung des Geflügels hervorgehoben wurde, liegt die Geflügelzucht zumeist in den Händen des Kleinwirthes, der darin die beste Verwerthung für alle Abfälle der Haushaltung, des Getreidebaues etc. mit Recht zu finden vermeint und im übrigen die hungrige Schaar auf den offenen Tisch der Mutter Natur anweist, welche auch im ausgiebigsten Masse das in sie gesetzte Vertrauen rechtfertigt. Millionen Kilogramm an Larven und Insecten verzehren jährlich die Hühner- und Entenschaaren und unermesslich sind die Mengen grüner Pflanzen, die binnen Jahresfrist von den Gänsen und dem übrigen Geflügel willig aufgenommen werden: keine Samenhandlung der Welt könnte jene Quantitäten beischaffen, welche die Tauben auf den Feldern sich zur Nahrung suchen.

Mit Recht wird in allen Werken über Geflügelzucht diese Seite des hohen Ertrages und zugleich der möglichsten Billigkeit des producirten Fleisches hervorgehoben. Manigfache glänzende Beispiele der lucrativen Verwerthung der auf Geflügelhaltung verwendeten Mühen und Kosten finden sich in den diesbezüglichen Schriften und wenn auch die lockenden Verheissungen eines Walter in das Bereich der Fabel gehören (1000% Ertrag!), so genügt doch die bescheidenste, wahrheitsgetreue Anführung, um die hohe Rentabilität der Geflügelhaltung auch vom speculativen Standpunkte nachzuweisen. Deshalb möge aus all' dem reichlichen Materiale die unscheinbare Aufführung hier Platz finden, die im September 1876 in der Zeitschrift „der Landwirth" (Breslau) veröffentlicht wurde.

„Von einer Dame, die bei mässigem Einkommen ein Landhaus mit Hof, aber ohne Garten bewohnt, daher sämmtliches Futter kaufen musste, geht uns folgende Berechnung über einen in der Geflügelzucht gemachten Versuch zu.

Die Berechnung umfasst den Zeitraum von Ende April bis 1. December 1875.

Einnahmen für 20 Schock Hühnereier	60	Mark
„ „ Puteneier	10	„
„ „ 33 Puten	115	„
„ „ 45 junge Hühner	67·5	„
Bestand 41 junge Hühner	61·5	„
Summe	314	Mark
Ausgabe: Ankauf von 14 Hühnern	28	Mark
„ „ 5 Puten	20	„
Futterkosten durch 30 Wochen	119·30	„
Summe	167·30	M.

so dass also eine reine Einnahme von 146 Mark 70 Pfennige bleibt, was jedenfalls eine ganz ansehnliche Summe für die darauf verwendete Mühe und das geringe Anlagecapital ist."

Gestützt auf diesen hohen Ertrag, erklärt es sich auch, dass es allein so möglich ist, die unverhältnismässig niedrigen Preise beim Verkaufe des Geflügels zu verstehen, die fast allenthalben dafür gelöst werden, da sich der Kleinwirth mit bescheidenem Gewinne begnügt, um nur Bargeld zu erhalten; seine Mühe schlägt er für nichts an. Dass auch Unternehmungen der Geflügelzucht im Grossen sicherlich auf ungeahnt hohe Weise die darauf verwendeten Capitalien lohnen würden, wenn die nöthige Sorgfalt und das richtige Verständniss hierfür gefunden würden, braucht wohl nicht des näheren bewiesen zu werden. Würden die in den lügenhaften Werken angeführten Grundsätze wirklich zur Anwendung gelangen, wie die verlockenden Schilderungen der Geflügelzucht im Grossen angeben, so würden die unzweifelhaft hohen Erträge unbedingt zur rationelleren Pflege der Geflügelzucht aneifern.

Die grosse Frage des nöthigen Absatzes fällt nur in geringerer Weise in's Gewicht, da die verbesserten Communications-Mittel selbst auf weitere Entfernung immerhin noch lohnende Erträge in Aussicht stellen. Wenn in Paris 1881 in der Centralhalle über 15 Millionen Stücke Geflügel zum Verkaufe kamen, so beweist dies zur Genüge, auf welch' weite Entfernungen da gegriffen werden musste, um diese ungeheuere Zahl herbeizuschaffen. Während aber am Lande, in der Mitte der Production meist nur jene Stücke zur Verwerthung kommen, die, behufs schnelleren Umsatzes in Geld, so bald als möglich von dem Fresstroge hinweggenommen werden, so strömt in den Consumtionscentren fast nur jenes Geflügel zusammen, welches durch vorhergegangene Mästung befähigt wird, durch den erzielbaren höheren Preis auch einen weiteren Transport zu vertragen. Durch Mästung werden in steigender Progression höhere Preise erzielt. Die mannigfachen Mästungsarten laufen doch in das eine Ziel hinaus, auf die möglichst billigste und kürzeste Art den höchsten Erlös zu erhalten.

Es wäre wünschenswerth, dass die treffliche Mästungsart Odile Martin's immer weitere Verbreitung auch unter den Kleinwirthen fände, um so, vielleicht im Wege der Association, auf die rationellste Art zu hoher Verwerthung des Mastgeflügels zu gelangen. Die Markt- und Absatzverhältnisse für gemästetes Geflügel sprechen wohl ein gewichtiges Wort in dieser Frage; denn nicht überall sind jene Preise zu erlangen, die z. B. in Paris und London für Tafelstücke, ja die selbst von Minderbemittelten für gutes Geflügel bezahlt werden. Für die hiesigen Verhältnisse ist es wohl jetzt noch unbegreiflich, für eine gut gemästete Gans, von freilich 15—18 kg., 30 bis 35 Mark zu zahlen, was in England gar nicht auffält. Hierzulande wendet der Minderbemittelte sich lieber dem Genusse des weniger nahrhaften, daher teueren Rindfleisches zu, statt solche Preise für gutes, leichtverdauliches Geflügelfleisch auszugeben. Speciell in Wien erreichte die Forderung eines Delicatessenhändlers für einen schön gemästeten französischen Kapaun oder Puten von 20 oder 30 Franks gerechte (!) Entrüstung und lieber isst man die schrecklich mageren, aber billigen Hühnchen, als die prächtigen Exemplare, welche die Penzinger Mastanstalt liefert. Oft nöthigt der schlechte Absatz bei billigen Productionskosten zu weiteren Versendungen. So waren im römischen Alterthume die Gänseherden, die alljährlich den weiten Weg von dem Norden Galliens und Deutschlands in die gesegneten Gefilde Italiens machten und dort lohnendsten Absatz fanden, eine gewöhnliche Erscheinung. Auch heutzutage trifft das Los, weit von ihrer Geburtsstätte den Tod zu finden, unermessliche Herden der Vögel der Proserpina, die besonders im südlichen Deutschland als Martinsgänse gerne gekauft werden; die halbgemästeten Thiere müssen den meilenweiten Weg meistens zu Fuss zurücklegen. Für viele Gegenden Norddeutschland, Böhmen, Mähren, Ungarn etc. bildet die Gans einen schwunghaften und lohnenden Exportartikel.

Frankreich exportierte:

1888	37.477	M.-Ct. Geflügel (u. Wild) im Werthe von	8.4	Mill. Frcs.
1889	39.067	„ „ „ „ „ „	9.2	„ „
1890	42.344	„ „ „ „ „ „	10·2	„ „

Aus Oesterreich-Ungarn wurden exportiert:

1887	44,588	M.-Ct. Geflügel im Werthe von	2,2	Mill. Gulden
1888	44,478	„ „ „ „ „ „	2,3	„ „
1889	60,822	„ „ „ „ „ „	3,04	„ „
1890	76,401	„ „ „ „ „ „	4.—	„ „

Der Energie Einzelner ist es oft gelungen, in einer Gegend die Geflügelzucht so erheblich zu steigern, dass nun der Geflügelexport hohen Gewinn bringt, z. B. Haidecker in Püspök-Ladany (Ungarn). Die ungarische Regierung gewährte ihm Begünstigungen, wenn sein Umsatz mindestens 50.000 fl. Transportkosten ausmacht und er für wenigstens 30.000 fl. geflochtene Versandtkörbe alljährlich in Ungarn ankauft. Gegenwärtig übersteigt der Jahresumsatz weitaus mehrfach diese Summen.

In manchen Gegenden begnügt man sich, auf bestimmte Theile der Körperproduction sein Augenmerk zu richten. So ist z. B. die Umgegend von Strassburg berühmt ob ihrer Gänsezucht, wo hauptsächlich nur auf die Vergrösserung der Leber hingewirkt wird, die dann zu Hunderttausenden in den Strassburger Fabriken verarbeitet, einen Exportartikel — Gansleberpastete — von mehreren Millionen Mark Werth ausmacht und mit Recht ob ihres Wohlgeschmackes einen Weltruf geniesst. Das übrige Fleisch bildet einen erwünschten Consumartikel für die nächsten Städte und Umgebung.

(Schluss folgt.)

Aus anderen Vereinen.

Neuer Verein für Vogelkunde. In Innsbruck hat sich ein Verein für Vogelkunde gebildet, dessen Statuten am 19. Jänner l. J. von der politischen Landesbehörde genehmigt wurden. Dieser Verein hat sich folgende beachtenswerthe Aufgabe gestellt:

1. Alle Wahrnehmungen und Beobachtungen über die in Tirol vorkommenden Vogelarten zu sammeln und sich zum Studium dienstbar zu machen.

2. Ueber die Haltung, Pflege und Zucht von Nutz, Zier- und Singvögeln wissenwerthe Aufklärungen zu geben und dem wirklichen Vogelfreunde überhaupt mit Rath und That entgegen zu kommen.

3. Für die Hegung und Pflege der in Innsbruck und Umgebung im Freien vorkommenden nützlichen Vogelarten Sorge zu tragen und den Vogelschutz thatkräftigst zu unterstützen.

Zur Erreichung des letzteren Zweckes ist die Errichtung mehrerer zweckentsprechender Futterplätze, Anbringung von Nistgelegenheiten für gewisse nützliche Vogelarten und versuchsweise Einbürgerung hier nicht mehr vorhandener Vögel in Aussicht genommen.

Der Verein, welcher dermalen aus 45 Mitgliedern besteht wählte zum Vorstande folgende Herren:

Ludwig Freiherr von Lazarini als Obmann,
Johann Andreis als Obmann-Stellvertreter,
Eduard Kogler „ Cassier,
Franz Anzinger „ Schriftführer,
Ludwig Mayer „ Beirath,
Paul Schmidt „ Beirath.

Ausstellungsberichte.

VI. Geflügel-Ausstellung des I. Wiener Geflügelzucht-Vereines „Rudolfsheim“. I. Grossgeflügel. Die am 25. März eröffnete 6. Ausstellung des I. Wiener Geflügelzucht-Vereines „Rudolfsheim“

war in den im ersten Stockwerke des Etablissements „Dreherpark“ gelegenen Saallocalitäten untergebracht und sehr hübsch angeordnet. Die natürliche Beleuchtung des grossen Saales liess, besonders am recht trüben Eröffnungstage viel zu wünschen übrig und musste theilweise zur künstlichen Beleuchtung Zuflucht genommen werden, die indess in den folgenden Tagen entbehrlich wurde.

Die Beschickung der Grossgeflügelabtheilung mit 230 Stämmen Hühnern, 29 Paar Enten etc. war recht befriedigend und zeigte einen wesentlichen Fortschritt des Vereines. Eigenzucht stand mit wenigen rühmenswerthen Ausnahmen sichtlich hinter den Importen zurück, was der Sachverständige bald zu constatiren Gelegenheit hatte, wenn es auch leider in letzterer Zeit unterlassen wird, die Herkunft der Thiere im Cataloge anzuführen. Dieser Uebelstand macht oft böses Blut und entmuthigt manchen Anfänger.

Unserer Ansicht nach muss Import und Eigenzucht auf gleicher Basis prämiirt werden; aber die Provenienz der Thiere soll wahrheitsgetreu angegeben werden, denn mancher zweite oder dritte Classenpreis auf Eigenzucht ist rühmenswerther und das betreffende Thier werthvoller, als das mit Staats-, Ehren- und Ersten-Preisen prämiirte und ihm vorgezogene — aus England gekaufte Exemplar.

In der Classe glattbeinige Langshans wurde der I. Preis auf zwei Stämme der „Racezucht Leithahof“ in Katzelsdorf vergeben. Sehr bemerkenswerth waren wieder, wie schon in früheren Jahren die Thiere des Herrn Ad. Schönpflug, Hetzendorf, dessen Hennen die besten Classen genannt werden müssen (2. Preis).

Dritte Preise erhielten noch die Herren Völkl, Linz, und Stolz, Temesvár, Anerkennung R. Fassl, Wien.

Unter den federfüssigen Langshan konnten es die schwarzen zu keiner Anerkennung bringen. Ersten Preis gaben die Preisrichter auf den blauen Stamm von C. Pammeisel in Scharten, O.-Oe., dessen Hahn auch uns sehr gefiel, doch waren die Hennen weniger entsprechend und hätten wir den weissen Stamm von Ferd. Swoboda, Wiener-Neustadt (2. Cl.-Pr.) entschieden vorgezogen. III. Preis erhielt ein sehr guter Stamm weisser der Frau Therese Thornton, Hietzing-Wien; auch diese hätten einen Grad höher taxirt werden dürfen. Ein junger Stamm weisser, dem Herrn Swoboda gehörig, ist vielversprechend.

Helle Brahma waren reichlich vertreten, der qualitativ beste Stamm der „Racezucht Leithahof“ erhielt I. Preis; weitere Preise wurden an Herrn Theod. Wichmann, Oed, N.-Oe. (2. Cl.-Pr.), „Ob.-Oestr. Geflügelzucht-Verein“ in Linz (3. Cl.-Pr.) und Ferd. Swoboda, Wiener-Neustadt (Anerkennung), vergeben. Constatirt sei hier, dass der letztgenannte Stamm durch Verwechslung in die Prämiirungs-Classe kam, während der zur Prämiirung angemeldete sehr gute Stamm desselben Ausstellers in der Verkaufsclasse stand. Ohne diese Verwechslung würde sich die Prämiirungsliste dieser Classe wesentlich anders gestaltet haben.

Dunkle Brahma waren zahlreich, aber wie heute überall, qualitativ gering ausgestellt. Uns gefiel am besten der auf Nr. 39 stehende Stamm des Herrn Feischl, Wien, er erhielt auch zusammen mit Nr. 40 desselben Ausstellers ersten Classenpreis. Th. Wichmann, Oed, N.-Oe. und L. Mayer, Wien, erhielten 2. resp. 3. Preis.

Cochin gelb. Siebzehn Stämme waren in dieser Classe ausgestellt und es kostete Mühe, besonders bei der hier mangelhaften Beleuchtung, den besten Stamm herauszufinden. Die Preisrichter entschieden folgendermassen: bronzene Staatsmedaille „Racezucht Leithahof“ (auf Collection von 3 Stämmen), I. Classen-Preis: A. Feischl, Wien, II. Classen-Preis A. Spitzner, Wien, III. Classen-Preis L. Mayer, Wien und L. Prantel, Ob.-Oest., Anerkennung Geflügelhof Janowitz und Premer, Wien.

Die Classe ist qualitativ als gut zu bezeichnen, im Allgemeinen waren die Hennen wesentlich besser als die Hähne.

In der Classe für weisse Cochin concurirten 6 Stämme. Herr Swoboda, Wiener-Neustadt, erhielt auf ein sehr schönes Paar II. Classen-Preis, den wir, trotzdem der Hahn in Mauser war, für zu niedrig bemessen bezeichnen müssen: wir haben selten einen so schönen jungen (92er) Hahn dieser Race gesehen, die Henne ist musterhaft.

Herr J. Mitterer, Weissenbach a. d. Tr. konnte es hier nur zu einer Anerkennung bringen.

An rebhuhnfarbigen Cochin brachte M. Leidenmüllner in Linz einen bemerkenswerthen, mit II. Classen-Preise prämiirten Stamm zur Schau.

Die Plymouthrocks mit 11 Nummern besetzt, enthielt blos einen hervorragenden jungen Stamm von der „Racezucht Leithahof“ exponirt, der mit I. Preis geehrt wurde, die übrigen Stämme verdienten zum Theile kaum den Namen der Rasse.

Wyandotte 3 Stämme, der goldfarbige des „Ob.-Oestr. Geflügelzucht-Vereines“ in Linz erhielt I. Preis.

Houdan waren in 26 Stämmen ausgestellt und waren darunter Pracht-Stämme vertreten. Frau Irma Nagl brachte allein eilf Stämme zur Schau, worauf ihr die silberne Staatsmedaille und ein Ehrenpreis von 2 Ducaten zuerkannt wurde. Ersten Classenpreis erhielt Frau Johanna Tintana, Mödling, auf ein mit 250 fl. ö. W. bewerthetes junges Paar; zweiten Preis Herr A. Feischl, Wien, III. Preis Herr A. Schönpflug, Wien.

Crève coeur hatte Herr R. Echinger den besten Stamm ausgestellt, der I. Preis erhielt, II. Preis wurde dem Stamme des „Ob.-Oestr. Geflügelzucht-Vereines“ in Linz zuerkannt.

In Lafléche waren drei Stämme erschienen und erhielt I. Preis Herr Rob. Echinger, Wien II. Herr Feischl, Wien und III. Herr. R. Swoboda, Peček.

Italiener schwarz, blos 2 Stämme von Jos. Kirchmayer, Wien, Hietzing erhielten II. Classen-Preis. Rebhuhnfarbige waren 7 Stämme erschienen, worunter 2 Nummern von F. Schlinkert Wien XIII., zweiten Classen-Preis erhielten; weiters wurden prämiirt ein Stamm von Jos. Kirchmayer mit III. Classen-Preis und ein Stamm von Hans Pieker mit Anerkennungs-Diplom.

Minorka und Andalusier waren minder schön, als wir sie in früheren Jahren von demselben Aussteller zu sehen Gelegenheit hatten. Die Thiere waren sämmtlich nicht in guter Condition wozu in erster Linie der strenge Winter beigetragen haben mag.

Für schwarze Minorka und Andalusier erhielt Herr Rob. Echinger je II. Classen-Preise, für weisse Minorka Fräulein Betty Nagl, Purkersdorf, III. Preis und für Andalusier Herr F. Bieberhofer III. Preis. (Fortsetzung folgt.)

II. Tauben.

Die Tauben-Abtheilung der VI. allg. Geflügel-Ausstellung des Wiener Geflügelzucht-Vereines „Rudolfsheim“ war, obwohl die Beschickung in Folge der Brutperiode eine viel geringere wie in den früheren Jahren gewesen, qualitativ höchst beachtenswerth. Vor Allem verdient der Aufschwung der Kröpferzucht erwähnt zu werden; denn es waren von den exponirten 400 Paar Tauben 70 Paare Brünnerkröpfer — einige Paare französische Kröpfer — Amsterdamer Ballons und circa 40 Paare Englische Kröpfer zur Schau gestellt.

Weniger beschickt waren die Abtheilungen: Wiener Tümmler — Perrücken — Pfautauben — Indianer — Carrier.

Die Linzer Huhntauben, wie Maltheser und Hühnerschecken waren nur in einigen Paaren vorzüglich gezeigt.

Es erhielten für die Collection J. Obermüller und Michael Völkl je die silberne Staats-Medaille für obige Rassen. Für schwarze Maltheser: J. Hinterleithner, Thanstetten, Oberösterreich, Ehrenpreis.

Für blaue Maltheser: Romuald Swoboda, Pečok, Böhmen, einen III. Preis.

Hinterleithner erhielt noch ausserdem für Maltheser II. und III Preis.

Pisecker, Wien, hatte sehr hübsche blaugesäumte und weisse Maltheser zur Schau gestellt und erhielt dafür einen II. Preis. Von allen Hühnerschecken waren dieses Mal die von J. Landerl, St Florian, Ober Oesterreich, ausgestellten rothen die besten und erhielten auch den wohlverdienten I. Preis. Hierauf folgten die von Obermüller, Steinhaus, Ob.-Oest., Hinterleithner, Sirning, Ob.-Oest. und Michael Völkl, Linz.

Für Florentiner Tauben erhielt Herr J. Leithner, Wien, die broncene Staatsmedaille, eigentlich hätte ihm von Rechtswegen die silberne gebührt. — Die Collection bestand wohl diesmal nur in 4 Paaren, allein Herrn Leithner gebührt das alleinige Verdienst, dieser Nutztaubenrasse in Wien zu einem grossen Aufschwunge verholfen zu haben.

Die mit broncener Staats-Medaille prämiirten Strasser-Tauben des Herrn J. Seydl in Laa a. d Th. verdienen diese höchste Anerkennung vollkommen.

Modeneser waren schwach vertreten und verdienen nur jene des Herrn Baron Villa-Secca, welche mit II. Preis prämiirt wurden, Erwähnung.

Die Collection Römer, 8 Paare in allen Farben, von Herrn Robert Echinger erhielt die silberne Vereins-Medaille.

Auf Indianer entfiel gar kein Preis — Carrier, 1 Paar junge, schwarze, recht hübsch, vom Aussteller C Saxl, Wien, erhielten einen III. Preis.

Für sehr schnittige, weisse Brünner Kröpfer erhielt Herr Max Schmidt den I. Preis, für blaue mit schwarzen Binden den II. Preis.

Herr Clement Dwelly erhielt den speciell für isabell. Brünner gestifteten Ehrenpreis; auf seine grosse Collection, aus 28 Paaren bestehend, die silberne Vereins-Medaille.

Ausserdem erhielt noch Herr Gärtner, Bautzen, Sachsen, einen II. Preis auf geganselte Brünner.

Die Concurrenz der englischen Kröpfer war diesmal eine sehr starke, in Wien eigentlich noch nie dagewesene.

Es wurden ausgezeichnet Herr J Mandt mit I. Preis für ein Paar gelbe, Herr Seidl, Laa, für blaue mit III. Preis.

Silberne Vereins-Medaillen für Collectionen erhielten: Herr C. Heine, Halle a. S. für rothe und weisse, Herr Michael Reichl, Wien, für in 4 Farben ausgestellte englische Kröpfer und Herr Franz Karl, Perchtoldsdorf.

Die broncene Vereins-Medaille erhielt Herr Franz Czerny, Wien, ebenso Herr Fried. Mayssen auf schwarz geherzte und weisse. Französische Kröpfer wurden nur in einem Paare gezeigt von Herrn Romuald Swoboda Pečok, daher keine Concurrenz; es entfiel auf dieses Paar der III. Preis; ebenso wurde ihm auf 1 Paar gelbe Pommerische ein I. Preis auf isabell. Holländer ein III. Preis zuerkannt.

Eine hervorragende Sehenswürdigkeit waren die Thiere des Herrn G. v. Sokolovitz, Baja, Ungarn, welcher ungarische Kröpfer in mehreren Farben vorführte. Die sehr grossen, niedrig gestellten, massigen Tauben erhielten die silberne Vereins-Medaille.

Von Amsterdamer Ballons erhielten die weissen von Joh. Mandl, Wien, den I. Preis. Herr Mantzell, Wien, ein bewährter Kämpe in Kröpfer Zucht, hatte wohl sehr hübsche Thiere ausgestellt, dieselben entzogen sich aber dem Preisgerichte, da sie hors concours waren.

Ein nettes Paar französische blaue Bagdetten von Herrn Berner, Wien, erhielt einen II. Preis.

Pfautauben waren nur in wenigen Paaren vertreten, doch hatten sich die viele renommirte Züchter Wiens betheiligt.

Herr Sinner, Hetzendorf, erhielt für schwarze mit weissen Schwänzen den I. Preis, für rothe mit weissen Schwänzen II. Preis, für gelbe mit weissen Schwänzen III. Preis.

Herr Baron Villa Secca erhielt für weisse einen I., für weisse mit blauen Schwänzen einen I., für schwarze und satinettenfärbige je einen II. Preis.

Herr J. Göszendorfer, Wien, erhielt auf weisse englische einen III. Preis.

Die Classe der Perrücken war sehr schwach besetzt; es erhielt auf weisse englische (Tauber vorzüglich, Täubin nicht ebenbürtig) Th. Goldstein, Wien, II. Preis, Ferner derselbe auf schwarzgemönchte einen I. Preis, auf gelbe noch III. Preis. Auf rothgemönchte Herr Baron Villa-Secca einen II. Preis.

Gimpeltauben waren zahlreich und fast durchgehends in sehr guten Exemplaren ausgestellt.

Für eine recht hübsche Collection Kupfergimpel, schwarzflügelig und schwarz flügelig mit weissen Spitzen, erhielt Herr J. Reichherzer, Wien, die silberne Vereins-Medaille; ebenbürtig waren blaue mit weissen Binden desselben Ausstellers. Blauflügel mit weissen Binden von Herrn E. Sinner, Hetzendorf erhielten II. Preis.

Granat-Gimpel von Herrn Thomas Goldstein, sowie die Kupfer Gimpel desselben wurden mit bronzener Vereins-Medaille gewürdigt.

Den I. und II. Preis bei Nürnberger errang Herr Carl Heine aus Halle a. S für Schwalben schwarz mit Schnippen und ohne Schnippen mit weissen Binden. Herr J. Reichherzer für Schwalben, Nürnberger und Feentauben den Privat-Ehrenpreis. Trommler des Herrn S. Reichherzer, und zwar Rothschilder mit weissen Binden erhielten den I. Preis. Für Schilder in roth, blau, schwarz und gelb mit weissen Binden wurde an Herrn Harrand, Wien, die silberne Vereins Medaille vergeben.

Ferner wurden Diplome vergeben an: Herrn Egyd Kober, Wien, für gemönchte in den 4 Hauptfarben, Herr L. Kandler & Steinko für Schwarzschecken, desgleichen Herr Franz Koberger, Wien, für Schecken.

Deutsche Tümmler waren in geringer Anzahl vertreten; es erhielt Herr L. Süss für Nonnen in den 4 Hauptfarben die silberne Vereins-Medaille, Herr Hans Pisecker, Wien, für Bärtchen ein Diplom ebenso Herr Baron Villa-Secna für Calotten.

Herr G. Busse, Hannover zeigte excellente deutsche Mövchen die einen wohlverdienten I. Preis davontrugen; Herr J. Kirchmayer, Hietzing für zwei Paare ein Diplom. Für chinesische und ägyptische Mövchen wurde an Herrn Th. Goldstein ein II. Preis und zwar für blaue chinesische, Herr E. Partsch für fahle ägyptische Mövchen ein III. Preis verliehen.

In der Abtheilung orientalische Mövchen errang Frl. Hermine Bürgermayer, Wien, die silberne Vereins Medaille für Blondinetten, Satinetten und Anatolier. Die broncene Vereins-Medaille erhielt Herr J. G. Gasparetz, Budapest, für Sattinetten, Blondinetten und Bluetten.

Von den Wiener-Tümmlern waren 8 Classen von 7 Ausstellern mit 70 Paaren beschickt, davon 30 Paare allein von Herrn Oesterreicher, welcher aber ausser Preisbewerbung ausgestellt hat.

Der bewährte, langjährige Züchter Herr Heinrich Zoralek, Wien, errang den I. Preis für dunkelgestorchte Wiener, für Budapester ebenfalls den I. Preis.

Herr Rudolf Paradeiser, Wien, exponirte 21 Paare, von diesen erhielten: I. und III. Preis und Diplom, weisse einfärbige. I. Preise: gelbe, gelbgestorchte, Gelbschecken, Gelbgansel und Blaugansel. II. Preise: schwarze, Budapester, rothe Spiegelschecken, Rothgansel, Schwarzgansel und dunkelgestorchte. Carl Groch, Wien, erhielt für Blaugansel einen III. Preis

In der diversen Classe wurden Herr Völkl, Linz für seine

Rothschimmellockentauben der I. Preis zuerkannt, Blauschimmel II. Preis, die Lahore des Herrn Franz Koberger II. Preis, Herr J. Gőszendorfer für Laxenburger III. Preis und für rothe Libanon Herr J. G. Gasparetz III. Preis.

Die Classe Brieftauben musste in Folge von Ueberfüllung anderer Classen sehr eingeschränkt werden, daher diese Classe auch wenig Nummern aufwies.

Natürlich wurden die Brieftauben nur nach dem Exterieur beurtheilt und erhielt Herr J. G. Gasparaetz, Budapest den I. Preis, Herr L. Sess einen III. Preis.

Herr C. Rödiger, Wien und Herr Sigmund Siebenschein, Wien je ein Diplom. Ein II. Preis konnte wegen Mangel an zu wenig schönen und egalen Exemplaren nicht vertheilt werden.

Sg.—

Collectiv-Ausstellung des Vereines „Vogelfreunde edler Sänger." Der 25. und 26. März war für diesen Verein wieder ein Ehrentag, er brachte vielen der ausstellenden Mitglieder Freude über ihre Pfleglinge und auch die vom Glück nicht so Begünstigten waren stolz auf den Gesammterfolg des Vereines, dem sie angehören.

Auf eine sehr schmeichelhafte Einladung des Geflügelzuchtvereines „Rudolfsheim" betheiligte sich der Verein „Vogelfreunde edler Sänger" collectiv an der VI. Geflügel- Vogel- und Kaninchen-Ausstellung dieses Vereines in den Saallocalitäten des Herrn Weigel (Dreher Park) in Ober-Meidling. Das Resultat dieser Collectiv-Ausstellung war ein glänzendes, es waren über 160 Stück Vögel exponirt. Nachtigallen, Spotter, Schwarzplättchen, graue Spotter oder Gartengrasmücken, Sperbergrasmücken und Finken liessen ein Concert hören, das nicht seines Gleichen hat. Und auch Vögel, welche wegen ihrer schwierigen Eingewöhnung Interesse erwecken, trugen dazu bei, den Reiz dieser Ausstellung zu erhöhen. Man darf dreist sagen, dass die Vogelzimmer bei dieser Geflügelausstellung nicht der schwächste Anziehungspunkt für die Besucher war. Den zweiten Feiertag gab es ein wahres Gedränge in diesen zwei Zimmern und das Bedauern der Besuchenden war allgemein, dass all' die schönen Sänger gegen 6 Uhr abends des zweiten Tages von den Eigenthümern aus dem Ausstellungslocale entfernt wurden. Doch es war genügend, denn jeder verständige Vogelliebhaber wird wissen, was es für einen so feinen Singvogel wie: Nachtigall, Spotter etc. heisst, zwei Tage in Ueberanstrengung ihrer gesanglichen Leistung zu verharren, denn die Aufregung und Ungewohnheit der Umgebung, die vielen Menschen ringsum und die vielen Gerangsconcurrenten wirken auf den Vogel sehr erregend ein. Trotzdem haben unsere Vögel sich tapfer gehalten, besonders der Gelbspotter des Herrn Ekel, das Schwarzplättchen des Herrn Langer jr. und die brave Nachtigall des Herrn Lederer haben allgemeine Bewunderung gefunden, wurden auch alle mit ersten Preisen bedacht. Auch die seltenen Bartmeisen des Herrn Pelzel aus Bruck, so wie die niedlichen zarten Goldhähnchen des Herrn Ehrenpräsidenten des Vereines Engelbert Langer sen. fanden verdiente Beachtung. Die Bartmeisen, (ein Pärchen) wurden von Herrn Ingenieur Pallisch angekauft.

A. Schuhmann.

Geflügel-Ausstellung in Asch. Der im Juli 1892 begründete Geflügelzuchtverein in Asch veranstaltete vom 19. bis 21. März 1893 im geräumigen Schiesshaussaale zu Asch die erste Geflügel-Ausstellung. Die sinnreiche und geschmackvolle Ausschmückung des Saales, sowie die zweckmässige Gruppirung der zahlreichen Ausstellungs-Gegenstände machten auf jeden Besucher sofort den Eindruck, dass er sich in einer ganz hervorragenden Geflügel-Ausstellung befinde. 133 Aussteller von Nah und Fern hatten prachtvolle Thiere ihrer Geflügelhöfe hier zur Schau gestellt. Das Hühnervolk war in 136 Stämmen vertreten, die sich auf die verschiedenen Rassen folgenderart vertheilten: 21 Stämme Italiener, 16 Stämme Spanier, 15 Stämme Hamburger, 15 Stämme Cochinchina, 8 Stämme Minorka, 8 Stämme Zwerghühner, 7 Stämme Plymouth-Roks, 5 Stämme Bantam, 4 Stämme Langshans mit glatten und 2 Stämme Langshans mit befiederten Beinen, 3 Stämme Paduaner, 3 Stämme Brahma, 3 Stämme Landhühner, 2 Stämme Houdan, 2 Stämme Holl. Weisshauben, 2 Stämme Bergische Krähen, je 1 Stamm Wyandottes, Malayen, Zwergkämpfer, La Flèche, Andalusier, Sumatra, Dominikaner, Orpington, Siebenbürger Nackthälse, Kreuzung von Cochin und Landhuhn, 1 Zwergkämpfer, 1 Zwergcochin; ausserdem war je 1 Stamm Italiener — Afrikaner und gewöhnlicher Perlhühner, 4 Stämme Truten und 1 Stamm Pfauen, — Pekingenten, Böhmisch-türkische Enten, Wilde Stockenten, Hausenten, Hausgänse, Aegyptische Gänse, Schwangänse, Toulouser Gänse und Schwäne waren zusammen in 19 Stämmen vertreten. Sehr reichhaltig war auch die Taubenabtheilung; dieselbe umfasste 117 Paare. Exoten, zahlreiche, mitunter prachtvolle Exemplare von Kaninchen, Futterproben, Geräthschaften aller Art und eine ausgewählte Fachliteratur trugen wesentlich zur Vervollständigung der Ausstellung bei. Bei der grossen Anzahl vorzüglicher Exemplare hatten die Preisrichter keine leichte Aufgabe, deren sie sich jedoch mit hingebungsvollster Unpartheilichkeit auf's Beste entledigten. Trotz der ungünstigen Witterung war der Besuch der Ausstellung seitens der Bevölkerung von Asch und Umgegend ein vorzüglicher zu nennen. Dieselbe war innerhalb der 3 Ausstellungstage von etwa 6000 Personen besucht worden. Dem rührigen Comité soll dieser herrliche Erfolg der Lohn für seine bewährte Umsicht und Thatkraft sein, dem jungen Vereine aber ein Sporn zur weiteren Thätigkeit auf der betretenen Bahn. —

B.—

Ausstellungen.

IX. allgemeine Geflügel-Ausstellung des „Kleinthierzucht-Vereines f. d. Königreich Böhmen" in Prag (im Bubenč-Baumgarten) am 14.—16. Mai 1893.

Gelegentlich des int. landw. Ausstellungsmarktes der „landw. Central-Gesellschaft für das Königreich Böhmen" findet obige Ausstellung in den gedeckten Räumen des Bubenc-Baumgartener Ausstellungsplatzes statt und umfasst alle Gattungen Grossgeflügel, Tauben, sowie Sing- und Ziergeflügel, Kaninchen, ferner Mastgeflügel, Eier aller Gattungen Geflügels und literarische, artistische und gewerbliche Gegenstände, welche auf Geflügel- Vogel- und Kaninchenzucht Bezug haben.

Anmeldungen haben bis 1. Mai 1893 an den „Kleinthierzucht-Verein für das Königreich Böhmen" Nr. C 799 II in Prag zu erfolgen.

Das Standgeld per Stück Huhn, Ente, Perlhuhn und Ziergeflügel beträgt 60 kr. Für Gänse und Truthühner 80 kr, für ein Paar Tauben 30 kr., für leblose Gegenstände per □Meter 6 fl., Wandfläche 3 fl.

Sing- und Ziervögel zahlen kein Standgeld, doch haben deren Aussteller für Käfige und Verpflegung selbst zu sorgen.

Die angemeldeten Sendungen müssen bis längstens 13. Mai Mittags unter der Adresse „Kleinthierzucht-Verein in Bubenč" zu Handen des Spediteurs Jos. Srnec im Carolinenthal-Prag eintreffen.

Auskünfte ertheilt der Kleinthierzucht-Verein für das Königreich Böhmen in Prag Nr. C 799 II.

III. **Jahresausstellung** des Vereines „Vogelfreunde Edler Sänger". Dieselbe findet am 30. April in Wiesböcks „Neue Hühnersteige", Wien, Fünfhaus, Schönbrunnerstrasse statt.

Trainirungs-Programm

für den Distanz-Wettflug Berlin-Wien am 30. Juli 1893.

Einsatztag	von	Kilometer nach Wien	Abflugtag
28. April	Jedlesee	6	29. April
1. Mai	Lang-Enzersdorf	12	2. Mai
5. „	Stockerau	26	6. „
8. „	Göllersdorf	42	9. „
12. „	Zellerndorf	74	13. „
19. „	Znaim	101	20. „
26. „	Mähr. Budwitz	139	28. „
2. Juni	Iglau	199	4. Juni
9. „	Caslau	279	11. „
16. „	Jung-Bunzlau	353	18. „
23. „	Georgswalde-Ebersbach	461	25. „
30. „	Senftenberg	571	2. Juli
14. „	Lübben	623	17. „
25. „	Berlin	708	30. „

Die Tauben sind an den Einsatztagen bis 3 Uhr Nachmittag, zum Einsatze nach Berlin spätestens Mittag 12 Uhr in das Vereinshaus des „I. österr.-ung. Geflügelzuchtvereines im k. k. Prater zu überbringen.

Aus unserem Vereine.

Protokoll

der am 27. März 1893 abgehaltenen Ausschuss-Sitzung.

Anwesend die Herren: Adolf Bachofen von Echt sen., Präsident, F. Zeller, I. Vicepräsident, J. Zecha, II. Vicepräsident, Dr. C. Zimmermann, Hon. Cassier, Andreas Reischek, Custos, Adolf Bachofen von Echt jun., A. Haffner, Frh. Kotz von Dobř, C. Mayerhofer, Dr. Leo Přibyl, I. Secretär, W. Gamauf als Schriftführer.

Entschuldigt die Herren: Hofrath Prof. Dr. Claus, C. Pallisch, Redacteur.

I. Präsident eröffnet um 6¼ Uhr die Sitzung und legt die Entschuldigungsbriefe vor, — dienen zur Kenntniss.

II. Schriftführer verliest das Protokoll der Sitzung vom 6. März, — wird einstimmig genehmigt.

III. Secretär legt folgende Einläufe vor:

1. Eine Zuschrift des jüngst gegründeten „Verein für Vogelkunde in Innsbruck", laut welcher derselbe als Mitglied beizutreten wünscht, — dient zur freudigen Kenntniss und wird der P. T. Verein als Mitglied aufgenommen.

2. Eine Zuschrift des mährisch-schlesischen Forstvereines in Brünn, laut welcher der Beitritt zum Orn. Vereine im dortigen Vereinsorgane warm befürwortet und die Werbung von Mitgliedern bei der im Juli stattfindenden Generalversammlung fortgesetzt werden soll, — dient als erster Erfolg der kürzlich eingeleiteten Action zur freudigen Kenntniss.

3. Der „Nieder-Oesterreichische Jagdschutzverein in Wien" erklärt in Folge der an ihn ergangenen Aufforderung seinen Beitritt, — wird als weiteres erfreuliches Resultat der erwähnten Action wärmstens begrüsst und als Mitglied aufgenommen.

4. Unternehmung „Keroplastikon" in Wien sendet ermässigte Karten zum Besuche des Etablissements, — wurden unter die Anwesenden vertheilt.

5. Die Namensliste von 16 ab 1. Jänner aus dem Mitgliederverzeichnisse gestrichenen Personen wird vorgelegt, — dient zur Kenntniss.

6. Der heutige Stand der Mitglieder, welcher sich zusammen mit 241 beziffert, u. z. 5 Gönner, 16 Ehrenmitglieder, 47 correspondirende Mitglieder, 7 stiftende Mitglieder und 171 ordentliche Mitglieder, — dient zur Kenntniss.

7. Eine Zuschrift des „Verein Luxemburger Naturfreunde Fauna", welcher um Schriftentausch bittet, — wird einstimmig genehmigt.

8. Secretär legt den neu hergestellten, systematischen Zettelkatalog der Mitglieder vor, welcher eine gründliche Evidenzhaltung sichert, — dient zur befriedigenden Kenntniss.

IV. Secretär meldet folgende neue Mitglieder an:

K. u. k. Genie-Direction Sarajevo.

Schöningh'sche Buchhandlung (J. Esser) Paderborn

werden freudig begrüsst und einstimmig aufgenommen.

V. Vicepräsident Zeller theilt einen Brief des Herrn C. Pallisch mit, laut welchem die Polizei bei mehreren Vogelhändlern bereits überwinterte Vögel confiscirt habe und beantragt diesbezüglich geeignete Schritte zu thun, — nach reger Debatte wird beschlossen, vorerst zu constatiren, bei wem, was und auf wessen Veranlassung? die Beschlagnahme vorgenommen wurde und erklärt sich Herr Zeller zu den nöthigen Vorerhebungen bereit, was mit lebhaftem Danke acceptirt wurde.

VI. Hon. Cassier Dr. Carl Zimmermann legt den ordnungsmässig geprüften und richtig befundenen Rechnungsabschluss pro 1892 vor, — das verhältnissmässig günstige finanzielle Resultat dient zur angenehmen Kenntniss und wird der Generalversammlung die Ertheilung des Absolutoriums beantragt.

Der Präsident schliesst um 6¾ Uhr Abends die Sitzung.

Wilhelm Gamauf m. p. als Schriftführer. Adolf Bachofen von Echt m. p. Vorsitzender.

Protokoll

der am 27. März 1893, Abends 7 Uhr, im grünen Saale der Akademie der Wissenschaften, abgehaltenen XVII. Generalversammlung:

I. Der Präsident, Adolf Bachofen von Echt sen. eröffnet die Sitzung, constatirt deren Beschlussfähigkeit und begrüsst die zahlreich erschienenen Mitglieder und Gäste.

II. Der I. Secretär Dr. Leo Přibyl trägt den Bericht über das abgelaufene Vereinsjahr vor, während dessen die Versammlung über Aufforderung des Präsidenten, zur Ehrung der verstorbenen Mitglieder, sich von den Sitzen erhebt. — Der Bericht wird mit Anerkennung zur Kenntniss genommen. (Siehe den Bericht in Nr. 3 der „Schwalbe".)

III. Der Hon. Cassier Dr. Carl Zimmermann legt den ordnungsgemäss geprüften und richtig befundenen Rechnungsabschluss pro 1892 vor (Siehe denselben in der heutigen Nummer). — Die pünktliche Gebarung wird lobend anerkannt und einstimmig das Absolutorium ertheilt.

IV. Präsident schlägt vor die Herren Anton Rieder und Eduard Hodek jun. für 1893 neuerdings als Rechnungsrevisoren zu wählen, — wird einstimmig angenommen.

V. Custos und Ehrenmitglied Andreas Reischek hält einen Vortrag über „Die Insel- und Vogelwelt Neu-Seelands". — Dem mit lebhaftem Beifalle gewürdigten Redner drückt auch der Präsident namens der Generalversammlung den wärmsten Dank aus.

Nachdem die Tagesordnung erschöpft ist, schliesst der Präsident die Versammlung.

Dr. Leo Přibyl m. p. I. Secretär. Adolf Bachofen von Echt m. p. Vorsitzender.

Correspondenz der Redaction.

Herrn *J. Pr. Pr., Prag*. Separata werden wir besorgen. Danke für widerholte Sendungen.

Herrn *Dr. C. Fl., Marburg*. Besten Dank Ihnen und Herrn

Pastor F. L. Die Separata werden besorgt, ebenso wird die „Schwalbe" geschickt. Die betreffende Notiz wurde mir eingeschickt und glaubte daher, dass sie von Ihnen kommt; übrigens wird ihr gewiss niemand diesen Sinn unterlegen. Bezüglich des Vortrages einstweilen besten Dank.

Herrn *Brn. L. Wien.* „Wem Gott ein Amt gegeben etc." das trifft auch da zu; mit dem Besitze guter Ausstellungsthiere kommt das Bedürfniss, sich als Kenner aufzuspielen, von selbst. Der wirkliche Kenner weiss schon, woran er ist. Sie hätten die Thiere ausstellen und den Namen des „Züchters" nennen müssen. Die betreffenden „Erzeugnisse" giengen retour; besten Dank.

Herrn *M. B. Bukarest.* Diese Rasse war in Wien, Rudolfsheim nicht vertreten, ist überhaupt bei uns nicht beliebt. Durch Herrn Marten Lehrte, Hannover. Wegen Dorking wenden Sie sich an den I. steirischen Geflügelzuht-Verein in Graz.

Herrn *U. L. Neudamm.* Dem Secretariat zur Erledigung übergehen.

Herrn *A. P. Mostor.* Danken für Einsendung. Das betreffende Buch steht zu Diensten, den Betrag bitten an das Secretariat oder die Redaction zu senden.

Herrn *A. Sch. Wien.* Danken für Bericht.

Verein für Vogelkunde. Besten Dank für Einsendung.

Herrn *Rt. U. Pisino.* Zusendung des Preisblattes wurde veranlasst

---

Erklärung. Da die Form der Ankündigung meiner geplanten Balkanreise zu meinem Bedauern zu der Auffassung Veranlassung gegeben hat, als ob ich dieselbe geschäftsmässig ausführen wollte, so erkläre ich hiermit, dass es sich nicht um ein merkantiles Unternehmen handelt, sondern um eine rein wissenschaftliche Forschungsreise in jene ornithologisch noch so wenig bekannten Gegenden. Um weiteren Missverständnissen vorzubeugen, werde ich keine Actien annehmen.

Marburg i. H. — Dr. Curt Flöricke.

Corrigenda.

Pag. 35, Sp. 2, Zeile 10 v. o. 31·5—36·5 statt 31·5—26·5
„ 36, „ 1, „ 4 v. o. Anton „ Arthur.
„ 36, „ 1, „ 15 v. o. Rongstok „ Stougstock.
„ 36, „ 1, „ 15 u. 17 v. o. Wannov „ Waunov.
„ 36, „ 2, „ 19 v. o. Stolldorf „ Rollendorf.
„ 36, „ 2, „ 49 v. o. Rocken „ Stock.

RECHNUNGS-ABSCHLUSS

des

Ornithologischen Vereines in Wien

für das Jahr 1892.

Post-Nr.	Einnahmen	fl.	kr.	fl.	kr.
1	Kassarest von 1891			3	02
2	Mitgliederbeiträge			705	14
3	Einnahmen aus den Mittheilungen „Die Schwalbe"				
	a) Abonnement und Blattverkauf	356	23		
	b) Inserate	44	45	400	68
4	Antheil an dem Ausstelungs-Erträgnisse			414	02
5	Diverse			1,535	—
	Summa der Einnahmen			3,057	86

Post-Nr.	Ausgaben	fl.	kr.	fl.	kr.
1	Saalbeleuchtung, Sitzungslocale, Miethe			112	45
2	Kanzlei-Secretariats- und Porto-Auslagen			98	28
3	Inventar-Anschaffung und Erhaltung			37	20
4	Kosten der Mittheilungen „Die Schwalbe"				
	a) Druckkosten	1,360	—		
	b) Expeditions- und Administrationskosten	1,028	64	2,388	64
5	Steuern und Gebühren			13	19
6	Schliesslicher Kassarest			468	10
	Summa der Ausgaben			3,057	86

Wien den 27. März 1893.

Der Schriftführer: **Dr. Leo Přybil m. p.** — Der Präsident: **Adolf Bachofen von Echt m. p.** — Der Kassier: **Dr. Carl Zimmermann m. p.**

Geprüft und richtig befunden und wird die Ertheilung des Absolutoriums beantragt.

Wien, den 27. März 1893.

Der Revisor:
Anton Rieder m. p.

Inserate

per Quadrat-Centimeter 4 kr. oder 8 Pf.

Um den Annoncenpreis auch dem Laien geläufig zu machen, gilt Folgendes: Der Raum in der Grösse einer österr. 5 kr.- oder deutschen 10 Pfennig-Briefmarke kostet den 4fachen Betrag derselben; und sind diese Marken, oder der Werthbetrag gleich jedem Auftrage beizuschliessen. Bei öfters als 6maliger Insertion wird ¼ Rabatt gewährt, d. h. mit 3 Marken, anstatt 4 Marken die Markengrösse des Inserates gerechnet. Die Bestätigung des Empfanges der Inseratengebühr wird durch die Einsendung der betreffenden Belegnummer seitens der Administration dieses Blattes geliefert, wohin auch alle Inserate zu richten sind. Es werden nur Fachannoncen aufgenommen.

Verlag des Vereines. — Für die Redaction verantwortlich: **Rudolf Ed. Bondi.**
Druck von **Johann L. Bondi & Sohn**, Wien, VII., Stiftgasse 3.

Mitglieder-Verzeichniss

des

ornithologischen Vereines in Wien.

Stand vom 27. März 1893.

Gönner.

(Nach dem Datum des Beitrittes geordnet.

Seine Hoheit
ERNST II.
Herzog von Sachsen-Coburg und Gotha, Jülich, Cleve und Berg, auch Engern und Westfalen, Landgraf in Thüringen, Markgraf zu Meissen, gefürsteter Graf zu Henneberg, Graf zu der Mark und Ravensberg, Herr zu Ravenstein und Tonna.

Seine Majestät
LEOPOLD II.
König der Belgier, Herzog zu Sachsen, Prinz von Sachsen-Coburg und Gotha, Souverain des unabhängigen Congostaates.

Seine königliche Hoheit
CARL ALEXANDER
Grossherzog von Sachsen-Weimar-Eisenach, Landgraf in Thüringen, Markgraf zu Meissen, gefürsteter Graf zu Henneberg, Herr zu Blankenhayn, Neustadt und Tautenburg.

Seine Hoheit
FERDINAND
Fürst von Bulgarien, Prinz von Sachsen-Coburg und Gotha, Herzog zu Sachsen.

Seine Majestät
CHRISTIAN IX.
König von Dänemark, der Wenden und Gothen, Herzog von Schleswig-Holstein, Stormarn, Ditmarschen, Lauenburg und Oldenburg.

Ehrenmitglieder.

Adolf **Bachofen** von **Echt** sen., Gemeinderath und Brauereibesitzer, Ritter des Franz Josef-Ordens, XIX., Färbergasse 18.
Walter Lawry **Buller**, Wellington, Neuseeland.
Dr. Johann L. **Cabanis**, I. Custos am kgl. Museum der Friedrich Wilhelms-Universität, Friedrichshagen bei Berlin.
Emin Pascha (Mehmed), Forschungs-Reisender.
Dr. Otto **Finsch**, Delmenhorst, Villa Tanne, G. H. Oldenburg.
Heinrich **Gaetke**, Reg.-Secretär, Helgoland.
Dr. Gustav **Hartlaub**, Präsident der deutschen ornith. Gesellschaft, Bremen.
Dr. A. v. **Middendorf**, kais. russ. geh. Rath, Hellenorm, Livland.
Alfred **Newton**, Prof. der Zoologie an der Universität in Cambridge.
Sir Richard **Owen**, Prof. u. Director am British-Museum, London.
Dr. Gustav v. **Radde**, kais. russ. Staatsrath, Director des kaukasischen Museums in Tiflis.
Andreas **Reischek**, Naturhistoriker in Klosterneuburg.
Prof. Thomas Graf **Salvadori**, Vicedirector am kön. zoologischen Museum, Turin.
Dr. Leopold von **Schrenck**, kais. russ. Staatsrath, St. Petersburg.
Philipp Lutley **Sclater**, Ph. Dr., Secretär der zool. Gesellschaft in London, W. 11. Hannover Square.
Victor Ritter v. **Tschusi** zu Schmidhoffen, Präsident des Comités für ornith. Beobachtungs-Stationen in Oesterreich-Ungarn, Herausgeber des „Ornith. Jahrbuches“, Villa Tännenhof, Hallein.
Dr. Franz, Edler von **Vivenot**, kais. deutscher Vice-Consul, I., Wipplingerstrasse 4.

Correspondirende Mitglieder.

Josef **Abrahams**, Thierhändler in London, East. 191 and 192 St. George's Street.
Dr. Bernhard **Altum**, Prof. a. d. kgl. Forst-Akademie Neustadt-Eberswalde bei Berlin.
Frl. F. W. **Barber**, Grahamstown, Cap der guten Hoffnung.
Hans Freiherr v. **Berlepsch**, kgl. preuss. Lieutenant der Landwehr-Cavallerie, Münden, Hannover.
Dr. Wilhelm **Blasius**, Prof. a. d. herz. techn. Hochschule, Braunschweig, Gausstr. 17.
Paul Graf **Borchgrave d'Altena**, Gesandter und bev. Minister, Secretär S. M. des Königs der Belgier, Brüssel.
Dr. Ludwig **Bureau**, Director des naturg. Museums u. Prof. an der med. Schule in Nantes, 15, rue Gresset.
Eagle **Clarke**, Herausgeber des „the Naturalist“, Leeds, Park Row.
Johann von **Csató**, kgl. Rath u. Vicegespan d. Unter-Albenser Comitates, Nagyenyed.
Victor Graf **Dubsky**, Freiherr v. Trebomislyč, geh. Rath, k. u. k. Gesandter, Madrid.
Hugo **Duroy**, Commerzienrath, Braunschweig.
Dr. Anton **Fritsch**, o. ö. Prof. der Zoologie an der k. k. böhm. Carl Ferdinand-Universität in Prag, Brentegasse 25.
Walter M. **Gibson**, kgl. hawaiischer Minister des Aeusseren, Honolulu.
Dr. A. **Girtanner**, St. Gallen, Sterneckerstr.
Hochw. P. Vincenz **Gredler**, Gymn.-Dir. i. P., Bozen.
Josef **Haas**, k. u. k. Consul und Gerent des Gen.-Consulates in Sanghai.
Anton **Hauptvogel**, Lehrer, Aussig i. B.
Dr. Camill **Heller**, o. ö. Prof. der Zoologie und vergl. Anatomie der k. k. Leopold Franzens-Universität in Innsbruck, Universitätsstrasse 4.
Dr. Otto **Herman**, Reichstagsabgeordneter, Budapest.
Dr. Emil Ritter v. **Herzmanowsky**, k. k. Sectionsrath im Ackerbauministerium, I., Liebigg. 5.
Dr. Emil **Holub**, Prag-Bubna.
Friedrich Wollaston **Hutton**, Prof. d. Biologie a. Canterbury College, Christchurch, Neu-Seeland.
Richard Freiherr König von **Warthausen**, Schloss Warthausen b. Biberach, Württemb.
Georg **Kolombatovic**, Prof. an der k. k. Oberrealschule, Spalato.
Gustav Freiherr v. **Kosjek**, k. u. k. Gesandter u. bev. Minister, Teheran.
August Graf zu **Leiningen-Westerburg**, Schöneck i. V. Sachsen.
Dr. C. Hart **Meriam**, Washington, Agricultur-Departement.
Dr. Alfred **Nehring**, Prof. a. d. kgl. landw. Hochschule, Berlin N., Invalidenstr. 42.
Dr. Johann **Palacky**, Prof. an der k. k. böhm. Carl Ferdinand-Universität in Prag, Krakauergasse 11.
Edm. **Pfannenschmid**, Emden, Ostfriesland.
Th. H. **Potts**, Ohinitahi, Canterbury, Neuseeland.
Dr. Anton **Reichenow**, Berlin N., Invalidenstrasse 43.
Busso Frh. v. **Roepert**, Oberstallmeister Se. H. des Herzogs von Sachsen-Coburg Gotha, Coburg.
Franz R. v. **Schaek**, Paris, 4. Place de l'Odéon.
Hermann **Schalow**, Berlin NW., Rathenowerstrasse 105.
Dr. Bernhard **Schiavuzzi**, k. k. Bezirksarzt, Parenzo.
Victor **Schoenberger**, kgl. hawaiischer Consul, XIX., Hirschengasse 26.
Ferdinand **Schulz**, Laibach.
Friedrich Wilhelm **Schulze**, Capitän langer Fahrt, kgl. koreanischer Hafenmeister u. Küsten-Inspector, Jenchuan, Korea.
Alois Freiherr v. **Seiller**, Ritter hoher Orden, Rio de Janeiro.
Edmund Freiherr von **Selig-Longchamps**, Senator, Lüttich, 34 Boulevard Sauvenière.
Rudolf **Tancré**, Fabrikant, Anclam, Pommern.
Angela Gräfin Matuschka von **Toppelzan**, Freiin von Spättgen in Sigmaringen.

Roland **Trimen**, Präsident der South African Phil. Society, Captown.
Helene Freifrau von **Ulm-Erbach**, geb. von Siebold, Schloss Erbach bei Ulm.
C. **Weller**, Kopenhagen, Bredgasse 23.
Prof. J. **Werschratzky**, Stanislau.
Ernst **Zollikofer**, Präparator, St. Gallen.

Stifter.

K. k. **Ackerbau-Ministerium** in Wien, I., Liebiggasse 5.
Adolf **Bachofen von Echt**, sen. (Siehe Ehren-Mitglieder).
Caroline **Bosch**, III., Metternichgasse 11.
Anton **Dreher**, Brauereibesitzer, Klein-Schwechat.
Moriz Edler v. **Kuffner**, Brauereibesitzer, XVI., Hauptstrasse 78.
Friedrich Frh. v. **Leitenberger**, Fabriksbesitzer in Josefsthal, Kosmanos, Böhmen.
Franz Frh. v. **Ringhoffer**, Prag, Smichow.

Lebenslängliche Mitglieder.

Wladimir Graf **Dzieduszycki**, geh. Rath, lebensl. Mitglied des Herrenhauses, Lemberg, Theaterplatz 18.
Dr. Sigmund Frh. Conrad v. **Eibesfeld**, geh. Rath, lebensl. Mitglied des Herrenhauses, Lebring.
Johann **Kroha**, Bürgermeister, Marienbad.
Therese von **Orlando**, geb. v. Stark, Prag.

Ordentliche Mitglieder.

Otto Graf von **Abensberg** und **Traun**, Herrschaftsbesitzer, k. k. Kämmerer, Petronell, Niederösterreich.
Anton **Abraham**, Naturhistoriker, III., Schüttelstrasse 37.
Adolf **Bachofen von Echt**, jun., k. u. k. Res.-Lieutenant, XIX., Färbergasse 18.
August **Bachofen von Echt**, k. u. k. Drag.-Lieutenant, Gr.-Enzersdorf.
Bernhard **Bachofen von Echt** in Massenhof bei Jülich, Rheinpreussen.
Dr. Karl **Bachofen von Echt**, Swinars, Post Litten, Böhmen.
J. G. **Bambach**, Kaufmann, Gottmannsgrün bei Rossbach i. B.
Hochw. P. Franz Sales **Bauer**, Gratwein.
Adolf **Bayer**, Gutsbesitzer, Mürzzuschlag.
Ferdinand **Bayer**, Gutsbesitzer, Kojetitz, Post Grossdorf.
Julius **Bednar**, Bürgerschul-Dir., Misleki, M.
Guido v. **Bikkessy**, Ungarisch-Altenburg.
Dr. Rudolf **Blasius**, Präsident des perm. int. orn. Comité's, Doc. der Hygiene an der techn. Hochschule, Braunschweig, Petrithor-Promenade 25.
Karl v. **Blumencron**, k. u. k. Oberlieutenant, Pottschach, N.-Oe.
Marko Graf **Bombelles**, jun., k. k. Kämmerer, Gutsbesitzer, Schloss Opeka, Friedau.
Augustin **Bonomi**, Professor am k. k. Ober-Gymnasium in Roveredo.
August Graf **Breunner-Enkevoirth**, Graf v. Aspern, Fideicommissbesitzer, Oberst-Erblandkämmerer des Erzh. Oesterreich u. d. E., k. k. Kämmerer, Schloss Grafenegg bei Krems.
Spiridion **Brusina**, o. ö. Prof. der Zoologie an der kgl. Franz Josefs-Universität, Agram.
Wenzel **Čapek**, Lehrer, Oslavan, Mähren.
Stefan **Chernel** v. Chernelháza, k. u. k. Res.-Lieutenant, Budapest, Museumring.
Leopoldine Gräfin **Chrapowicka** in Warschau, Smolna 9.
Dr. Carl **Claus**, k. k. Hofrath, o. ö. Prof. der Zoologie u. vergl. Anatomie an der k. k. Universität in Wien, I., Franzensring.
Franz de Paula, Graf **Colloredo Mannsfeld**, k. u. k. Res.-Oberlieutenant, Präsident des n.-ö. Jagdschutz-Vereines in Wien, I., Zedlitzgasse 8.
S. D. Josef Fürst **Colloredo Mannsfeld**, geh. Rath u. Kämmerer, erbliches Mitglied des Herrenhauses, I., Stubenring 6.
Johann v. **Csató**, kgl. Rath u. Vicegespan d. Unter-Albenser-Comitates, Nagyenyed.
Hugo **Czoppelt**, Apotheker, Szász-Régen.
Dr. Carl Wilhelm v. **Dalla-Torre**, k. k. Gymn.-Prof., Priv.-Doc. für Entomologie a. d. k. k. Leopold Franzens-Universität in Innsbruck, Mainhardstrasse 12/II.
Anton **Dengler**, Brauereibesitzer, Jedlesee bei Wien.
Dominik Graf **Descuffans d'Avernas**, Gutsbesitzer, k. k. Kämmerer, Schloss Freybüchl bei Lebring.
Ernst Ritter v. **Dombrowski**, zu Paprosz u. Kruszwica in Ida Waldhaus bei Greitz.
Oskar **Ebersberg**, n.-ö. Landesbeamter, I., Herrengasse 13.
Robert **Eder**, Neustadtl, Friedland i. B.
Dr. Anton **Ehlers**, k. k. Notar, II., Obere Donaustrasse 30.
Matthäus **Eisinger**, Ehren-Präsident des Wiener Thierschutz-Ver., VII., Zollerg. 2.
Michael **Endl**, Recanungsrath des k. k. Finanzministeriums, I., Schillerplatz 4.
Graf Adalbert zu **Erbach-Fürstenau**, Michelstadt im Odenwalde, via Darmstadt.
Hugo **Ernst**, Architekt u. Steinmetzmeister, IV., Gusshausgasse 61.
Rudolf Graf **Erdödy**, geh. Rath, Novimarof, Kroatien.
J. **Esser** (Schöningh'sche Buchh.), Paderborn.
Moriz **Faber**, Brauereibes., IV., Schwindg. 5.
Hochw. Stefan **Faszl**, Prof. am Ober-Gymn. der Benedictiner in Oedenburg.
Hermann **Fournes**, IV., Klagbaumgasse 3.
W. **Frick**, k. u. k. Hofbuchh., I., Graben 27.
Ludwig v. **Führer**, stud. vet., III., Am Kanal 11.
S. D. Prinz Emil Egon Fürst zu **Fürstenberg**, geh. Rath, Major a. D., lebensl. Mitglied d. Herrenhauses, Schloss Lana i. B.
Dr. Anton **Gassauer**, Hof- u. Gerichtsadvokat, I., Hoher Markt 1.
K. u. k. **Genie-Direction**, Serajevo.
C. **Gerold's Sohn**, Verlagsbuchhandlung, I., Barbaragasse.
Carl **Geyer**, Oberförster, Linz, Elisabethstr. 15.
Anna **Gironcoli**, Grossgrundbesitzersgattin, Görz.
Anton **Gironcoli**, Edler von Steinbrunn, k. k. Bezirksrichter im Canale, Küstenland.
Siegfried **Gironcoli**, Grossgrundbesitzer in Görz.
Heinrich **Glück**, stud. vet., IX., Porzellang. 2.
Philipp **Grünhut**, Generalsecr., I., Peterspl. 7.
Herman **Gülcher** in Nebojsza (Galanta).
Baronin Christine **Haber**, Linsberg, Erlach.
Alfred **Haffner**, Präparator, XV., Marktg. 57.
Häusler & Co., I., Mehlmarkt.
J. C. **Hanstrupp**, Kopenhagen, Holbergegade 4.
Franz de Paula Graf zu **Hardegg**, Gutsbesitzer, Stetteldorf.
Franz **Hausmann**, Sparcasse-Beamter in Budapest, IV., Wienergasse 4.
Josef **Hawlick**, Fachlehrer, Zwittau i. M.
Emanuel **Heinisch**, Grumberg i. M.
Jacob **Helfer**, Spediteur, Wien, II., Grosse Mohrengasse 5.
Gustav **Henschel**, k. k. Forstrath u. Professor in Wien, VIII., Florianigasse 18.
Eduard **Hodek**, jun., VI., Mariahilferstr. 51.
Eduard **Hodek** sen., Linz, Bethlehemg. 31.
Siegfried **Höpfner**, Edler v. Brendt, Gutsverwalter in Kulmhof bei Traisen.
Alexander von **Homayer**, königl. preuss. Major a. D., Greifswald.
Eduard **Horowitz**, k. k. Legations-Secr. zugetheilt im Reichs-Finanz-Ministerium, Wien.
Ludwig **Hradetzky**, Frohsdorf.
Josef Freiherr von **Hruby** und **Golenj**, Roth-Peckau bei Kolin.
Michael **Hruza**, Handelsagent, Marburg a. d. Drau.
Eugen **Hülsmann**, Altenbach bei Wurzen, Sachsen.
Friedrich Ritter **Jaksch** v. **Wartenhorst**, Hof- u. Gerichtsadvokat u. Reichsrathsabgeordneter, I., Habsburgergasse 9.
Jagd- u. Vogelschutz-Verein, Aussig a. E.
Jagdschutz-Verein für Niederösterreich, I., Herrengasse.
Friedrich **Kaemmerer von Worms**, Freiherr von und zu **Dalberg**, Domänen-Besitzer, k. k. Kämmerer u. lebensl. Mitglied des Herrenhauses, I., Wollzeile 40.
Franz **Kalkus**, Präparator, XVIII., Herreng. 8.
Dominik **Kammel**, Edler von **Hardegger**, Gutsbesitzer, Grussbach.
Hochw. P. Alex. **Karl**, kais. Rath, inf. Abt d. Benedictiner-Ordensstiftes Melk, lebensl. Mitglied des Herrenhauses, Landtagsabgeordneter in Niederösterreich, Melk.
Ladislaus **Kenessey**, Pettend, Kis Nyék.
Aurel **Kermenič**, k. k. Rechnungsr., Radautz.
Christian Graf **Kinsky** sen., Kämmerer, geh. Rath, VIII., Lenaugasse
Franz **Kletetschka**, fürstl. Kinsky'scher Forstmeister, Chotzen i. B.
Johann **Kletetschka**, fürstl. Schwarzenberg'scher Domänendir., Lobositz i. B.
Dr. Blasius **Knauer**, Schulrath, VIII., Bennogasse 31.
Dr. Friedrich **Knauer**, Director des Vivariums, II., k. k. Prater, Hauptallee.
Johann **Knotek**, Forstingenieur, Sarajevo.
August **Koch**, Williamport, Pa, Vereinigte Staaten.
Dr. Theodor **Kohn**, Fürsterzbischof, Olmütz.
Alexander Freiherr **Kotz** v. **Dobř**, k. u. k. Art.-Hauptmann, IV., Belvederegasse 7.
Max **Krämer**, Opernsänger, Düsseldorf.
Alois **Kraus**, Inspector der k. k. Menagerie, XII., Schönbrunn.
Oswald **Krause**, Gutsverwalter, Maidelberg, Oest. Schlesien.
Julius **Kremer**, Kaufmann, Olmütz.
Gustav **Künstler**, Markt-Commissär I. Cl., IX., Sobieskygasse 25.
Carl **Kunszt**, st. Lehrer, Schütt-Sommerein.
Paul **Kuschel**, Lehrer, I., Hegelgasse 12.
Dr. med. Ferdinand **Kumpf**, Villach, Apotheke Kumpf.
Hugo Baron **Laminet** in Gattendorf bei Zurndorf.
August Graf **Leiningen Westerburg**, Schöneck im Voigtland, Sachsen.
Dr. Paul **Leverkühn**, München, p. r.
Dr. Julius von **Madarász**, Adjunct der naturw. Abtheilung des ung. Nat.-Mus. in Budapest, Museumring 88.
Josef **Maly**, Präparator, IV., Starhemberggasse 4.
Albert **Mandelbaum** in Wien, I., Franz Josefs-Quai 27.
Wolfgang Reichsritter von **Manner**, k. k. Min.-Secr. a. D., Schlatten, Wagstadt, Oest.-Schl.
Carl Ferdinand, Ritter **Mautner** von **Markhof**, k. k. Commercialrath, Brauereibesitzer, III., Hauptstrasse 163.
Theodor Ritter **Mautner** von **Markhof**, XIII., Floridsdorf bei Wien.
Carl **Mayerhofer**, k. k. Hof-Opernsänger, XIII., Hauptstrasse 18.

Franz **Meerkatz**, k. k. Hofsiebmacher, VII., Burggasse 33.

Carl **Mehrle**, k. u. k. Oberlieutenant in Jaroslau.

Georg **Meichl**, Brauereibesitzer, XI., Dorfg. 40.

Julius **Michel**, Lehrer, Bodenbach i. B.

Erich **Mihalic**, k. u. k. Hauptmann und Post-Official in Wels.

K. u. k. techn. u. adm. Militär-Comité, VI., Getreidemarkt 9.

Heinrich Ritter v. **Miller zu Aichholz**, Fabriksbesitzer, Hruschan, Oest.-Schlesien.

Graf Wladimir **Mittrowsky** jun., Schloss Roainka i. M.

Dr. August **Mojsisovics** Edler v. Mojsvar, a. o. Prof. der Zoologie an der k. k. techn. Hochschule, Custos der zoologischen Abtheilung des steierm. Landes-Museums „Joanneum", Graz, Mayfredgasse 2.

Dr. Carl **Moser**, Prof. am k. k. Staatsgymnasium, Triest.

Ornithologische Gesellschaft **„Freunde der gefiederten Welt"**, St. Gallen.

Carl **Pallisch**, Ingenieur, Erlach bei Wr.-Neustadt.

M. **Pallisch** in O. Béba, Torontaler-Com.

Hubert **Panzner**, k. u. k. Oberlieutenant, Wilden bei Innsbruck, Stifgasse 2.

Max **Pasch**, Commissionshändler in Wien, VI., Windmühlgasse 29.

Se. kgl. Hoheit Robert, Herzog von **Parma**.

Moritz **Perles**, Sortiments-Buchhandlung, I., Seilergasse 4.

Franz **Petritsch**, Director der Niederlage der Mahlmühle zu Strazig in Triest.

Friedrich Graf **Pocci**, Gutsbesitzer, kgl. bayr. Kämmerer, kais. deutscher Oberförster, Strassburg, Münstergasse 5.

Dr. Leo **Přibyl**, Wien, IV., Waaggasse 4.

Dr. Christof **Reinl**, Stabsarzt i. R.-St., Bistritz.

Ernst **Reiser**, Juris cand. in Marburg a. D., Viktrinhofg. 18.

Dr. Othmar **Reiser** sen., Hof- u. Gerichtsadvokat in Wien, I., Tuchlauben 4.

Othmar **Reiser** jun., Sarajevo, Landes-Mus.

Anton **Rieder**, k. k. Hausofficier, k. k. Hofb.

Moritz **Riehle**, Ob.-Ing., Gross-Kikinda.

Emil C. F. **Rzehak**, Troppau, Franz Josefspl.

Franz **Schmidt**, Schloss Loos bei Loosdorf a. d. Westbahn.

Herman **Schmidtmann**, Schloss Grubhof bei Lofer.

Karl **Scholz**, Gutsbesitzer, Poisdorf.

Dr. Erasmus **Schwab**, Director des Communal-Real- und Obergymnasiums, VI., Mariahilferstrasse 73.

Johann **Sennik**, Gymn.-Prof. in Sarajevo.

Engelbert **Siersch**, städt. Thierarzt, Sarajevo.

Georg **Spitschan**, n. ö. Landes-Rechnungsrath, I., Herrengasse 13.

Dr. Franz **Steindachner**, k. k. Regierungsrath u. Director der zool. Abtheilung des k. k. naturhist. Hof-Museums, I., Kohlmarkt 20.

Paul Graf **Széchényi**, von Sárvár u. Felsövidék, geh. Rath u. Kämmerer, Lábod, Com. Somogy.

Gabriel **Szikla**, Prof. an der st. Ober-Realschule, Stuhlweissenburg.

Stefan Graf **Sztáray** von **Sztára** u. Nagy Mihály, Hanajna, Ubrezs.

Josef **Talsky**, technischer Fachlehrer in Neutitschein.

Friedrich **Thener**, III., Hauptstrasse 67.

Verein: **„Vogelfreunde Edler Sänger"**, VII., Kaiserstrasse 88.

Verein für Vogelkunde, Innsbruck, Innstrasse 109.

Verein für Vogelkunde und -Schutz, Salzburg.

A. G. **Vordermann**, Batavia auf Java.

Michael **Wachter**, Lebensversicherungs-Chef der „Donau", I., Schottenring 13.

Dr. Stefan Freiherr von **Washington** auf Schloss Pöls bei Wildon.

Alois **Watzka**, jub. k. k. Hofrath, IV., Heumühlgasse 6.

C. **Weller**, Kopenhagen, Bredgasse 28.

Dr. Hermann **Widerhofer**, k. k. wirkl. Hofrath und Leibarzt, ord. Professor an der Wiener Universität, Dir. des St. Annen-Kinderspitales, I., Piankengasse 1.

Johann Nepomuk Graf von **Wilczek**, Frei- und Pannerherr von Hultschin u. Gutenland, Fideicommissbesitzer, geh. Rath, I., Herrengasse 5.

Baron Aladár von **Wildburg**, Bihar Illye.

Julius **Zecha**, Depôt-Cassier der Effecten- und Vorschusscasse der I. öst. Sparcasse, XIX., Herrengasse 23.

Friedrich **Zeller**, Fabriksbesitzer, II., Untere Donaustrasse 13.

Dr. Carl **Zimmermann**, Hof- u. Gerichtsadvokat, I., Bauernmarkt 11.

Zoologischer Garten in Budapest.

Vereinsleitung:

(Nähere Daten siehe oben).

Präsident:
Adolf Bachofen von Echt sen.

I. Vicepräsident:
Fritz Zeller.

II. Vicepräsident:
Julius Zecha.

I. Secretär:
Dr. Leo Přibyl.

Vereins-Ausschüsse:
Dr. Carl Claus
Siegfried Girtoncoli
Eduard Hodek sen.
Alfred Haffner
Alex. Baron Kotz von Dobř
Carl Mayerhofer
Dr. Othmar Reiser sen.
Othmar Reiser jun.
Ernst Reiser

Rechnungs-Revisoren:
Anton Rieder
Eduard Hodek jun.

Cassier:
Dr. Carl Zimmermann

Redacteur:
Carl Pallisch.

Custos:
Andreas Reischek.

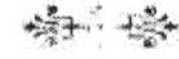

Druck von Johann L. Bondi & Sohn, Wien, VII., Stiftgasse 3.

XVII. JAHRGANG. Nr. 5.

Mittheilungen des ornithologischen Vereines in Wien

„DIE SCHWALBE“

Blätter für Vogelkunde, Vogelschutz, Geflügelzucht und Brieftaubenwesen.

Organ des I. österr.-ung. Geflügelzuchtvereines in Wien und des I. Wiener Geflügelzuchtvereines „Rudolfsheim“.

Redigirt von C. PALLISCH unter Mitwirkung von Hofrath Professor Dr. C. CLAUS.

15. Mai. 1893.

„DIE SCHWALBE“ erscheint **Mitte eines jeden Monates** und wird **nur an Mitglieder abgegeben.**

Einzelne Nummern 50 kr. resp. 1 Mark

Inserate per 1 □ Centimeter 4 kr., resp. 8 Pf.

Mittheilungen an den **Verein** sind an Herrn Präsidenten **Adolf Bachofen von Echt** sen., Wien, XIX., Fächergasse 18, zu adressiren, **Jahresbeiträge** der Mitglieder (5 fl., resp. 10 Mark) an Herrn **Dr. Karl Zimmermann**, Wien, I., Bauernmarkt 11; einzusenden.

Alle redactionellen Briefe, Sendungen etc. sind an Herrn **Ingenieur C. Pallisch in Erlach** bei Wr.-Neustadt zu richten.

Vereinsmitglieder beziehen das Blatt gratis.

Ueber die Monasaralle von Kuschai (Kittlitzia Monasa, (Kittl.) und die bisher mit ihr verwechselten Arten).

Von Dr. O. Finsch (Delmenhorst bei Bremen).

Zu den mit „Rallus tabuensis, Gml.“ irrthümlich identificirten Arten gehört auch jene merkwürdige kleine Ralle von der östlichsten Carolinen-Insel Kuschai (Ualan, Strong's-Insel), die wir bisher nur durch von Kittlitz kennen. Derselbe sagt in seiner anziehenden Schilderung der Weltreise mit der russischen Corvette „Senjavin“:*) „Ich habe schon früher des Unterschiedes erwähnt, der zwischen den Schatten der Wälder besteht, wenn wir die der kälteren Klimate mit denen der heissen Zone vergleichen. Hier pflegen die Schatten nie so schwer und massenhaft, wie dort zu sein, weil es bei der viel grösseren Mannigfaltigkeit der einzelnen Körper, deren Gesammtmasse den Boden beschattet, nur an Zwischenräumen fehlt. So bildet sich allmälig eine Dämmerung, die noch immer weit von wirklicher Dunkelheit entfernt ist, aber auch diese Dämmerung wird allmälig dunkler und dunkler, je zahlreicher die an sich immer schön durchbrechenden Laubdächer sind, welche sich übereinander wölben und deren Masse zuletzt dem Tageslichte die Herrschaft doch wenigstens beschränken muss. An solchen verdunkelten Stellen der Wälder pflegen besondere Vögel zu leben. So im heissen Amerika die Gattung Monasa; das trübe Schwarz, welches durchwegs die Hauptfarbe dieser Vögel ausmacht, deutet vorzugsweise auf ihre schattigen Wohnplätze.*) Hier auf

*) „Denkwürdigkeiten“ einer Reise nach dem russischen Amerika, nach Mikronesien und durch Kamschatka.“ (2. B. Gotha 1858). 2. S. 30.

*) Solche Localitäten sind übrigens auch der beliebte und vorherrschende Aufenthalt sehr lebhaft gefärbter Vögel, wobei ich nur an Arten der Gattung Tanysiptera, Pitta, Chalcophaps und Phlegoena in Neu-Britannien und Neu-Guinea erinnern will.

Ualan findet sich ein ähnlich gefärbter Vogel, aber aus der Familie der Rallen. Er lebt einzeln am Boden auf diesen immer feuchten, tief beschatteten Stellen der Wälder. Man hört hier von Zeit zu Zeit seine durchdringende Lockstimme; sein Körper, der ungefähr dem einer Wachtel an Grösse gleichkommt, ist viel weniger als bei den übrigen Rallen zusammengedrückt, auch trägt er den Schwanz, „dem die wirklichen Ruderfedern fehlen" (!) nicht aufrecht, wie jene. Der Vogel ist auf Ualan nicht häufig und überdem auch seiner wenig zugänglichen Aufenthaltsorte wegen schwer zu jagen. Vielleicht ist es Rallus tabuensis, wovon sich in Latham's Index ornithologicus eine kurze Beschreibung findet. In Petersburg habe ich eine fertig gestochene Kupferplatte mit der Abbildung dieses Vogels zurückgelassen; ich weiss nicht, ob von derselben noch seit 1855 Gebrauch gemacht worden ist. Ich selbst hatte mich damals noch nicht entschliessen mögen, die Art für neu zu erklären, wäre sie es dennoch, so möchte ich ihr den Namen Rallus Monasa geben."

Unseres Wissens ist die beabsichtigte Publikation von Seite der Petersburger Akademie unterblieben und Kittlitz's interessante Entdeckung somit vergessen worden, bis sie ganz neuerdings Dr. Hartlaub wieder ans Licht zog. In seiner interessanten Abhandlung „Vier seltene Rallen" (in: „Abhandlung des naturwissenschaftlichen Vereins zu Bremen" XII. Band, 3. Heft, 1892, pag. 389—402) findet auch diese Ralle eine gründliche kritische Darstellung auf Grund der Untersuchungen eines der typischen Exemplare aus dem Museum der kaiserlichen Akademie in St. Petersburg. Die Zusendung desselben ist der gütigen Vermittlung des Herrn Staatsrath, Akademiker, Dr. L. von Schrenk und besonders der Güte des Herrn Custos-Adjunct, T. Pleske zu verdanken und ging durch meine Hände. Dabei hatte ich die Freude den seltenen Vogel gründlich zu untersuchen und abzubilden [1]) und will die Resultate dieser Studien hier mittheilen, um frühere Irrthümer zu berichtigen. Ich sah die betreffenden Typen nämlich schon 1876 im Museum von St. Petersburg, erklärte sie damals aber für identisch mit „Rallus tabuensis", Gml., einer Art, die allerdings, wenigstens in der Färbung, sehr nahe steht. Der flüchtige Anblick kann diesen Irrthum entschuldigen, denn zu einer gründlichen Lösung der Frage bedurfte es eben einer genauen Untersuchung, wie sie mir erst jetzt möglich war. Daraufhin zeigte sich die Monasaralle als eine höchst interessante neue Form, die Dr. Hartlaub mit vollem Rechte generisch absonderte und zu Ehren ihres verdienstvollen Entdeckers benannte.

Kittlitzia, Hartl. (nec Hartert). Abhandlung des naturwissenschaftlichen Vereins zu Bremen. (1892) p. 391.

Aphanolimnas, Sharpe, [1]) Bulletin of the British Ornithologist' Club. Nr. IV. (21. December 1892). pag. XX.

Rallus, Kittl.

Generischer Charakter: wie Ortygometra, aber Schwingen und Schwungfedern weich, daher zum Fliegen unfähig.

Flügel abgerundet; dritte Schwinge die längste, 4. kaum kürzer, 2. gleich 5. wenig kürzer als 4., erste merklich kürzer als 5, noch kürzer als 7., ca. 20 mm kürzer als die dritte; die Flügelspitze ragt wenig (ca. 10 mm) vor.

Soweit sich nach dem ausgestopften Exemplare urtheilen lässt, reicht die Flügelspitze bis zur Mitte der Schwanzfedern und circa 20 mm bis vor das Ende der letzteren. Die Schwingen selbst sind ziemlich breit, am Ende gerundet und hier weich. — Die Zahl der Schwingen lässt sich nicht mehr genau feststellen, da dieselben zum Theile lädirt sind; so ist vom linken Flügel überhaupt nur eine Handschwinge vorhanden. Der rechte Flügel zählt 7 Handschwingen, dürfte aber 8, wenn nicht noch mehr enthalten haben; Armschwingen sind nur 4 vorhanden, doch fehlen anscheinend 2 bis 3.

Schwanz etwas abgerundet, die Federn ziemlich breit und mit steifen Schäften, aber am Ende weich und hier etwas abwärts gebogen; es sind 9 Schwanzfedern vorhanden, die nicht ganz von den ziemlich weichen Deckfedern bedeckt werden, aber jedenfalls fehlt eine Schwanzfeder. Unbegreiflich und durchaus falsch ist Kittlitz's Angabe, dass wirkliche „Ruderfedern fehlen."

Schnabel kürzer als Kopf, im wesentlichen ganz wie bei Ortygometra, die Basis des Oberschnabels tritt kaum merklich in die Stirnbasis hinein.

Beine und Zehen wie bei Ortygometra. Lauf etwas länger als Mittelzehe, Nägel schwach.

Gefieder weich, aber dicht und nicht haarähnlich zerschliessen. Die von v. Kittlitz erwähnte „eigenthümliche Glanzlosigkeit" kann ich nicht finden, ebensowenig mit den Worten übereinstimmen: „Das Aussehen ist das eines jungen, noch ganz ungeschwänzten Haushuhnes," womit der Vogel absolut keine Aehnlichkeit besitzt; er stimmt vielmehr im Habitus durchaus mit Rallen überein. Bezüglich der generischen Affinitäten schliesst sich Kittlitzia jedenfalls auf das innigste Ortygometra an und verhält sich zu dieser Gattung, wie unser Pareudiastes von Savaii (Schiffer-Inseln) zu Gallinula (vergl. H. u. F. Proceed. Z. S. London, 1871, p. 25, Pl. II.)

Typus und die einzige bis jetzt bekannte Art der Gattung ist:

Kittlitzia Monasa, (Kittl.) mit folgenden Synonymen: Rallus tabuensis, Kittl. (nec Gml.)

[1]) Auf Tafel VI der „Vegetationsansichten von Küstenländern und Inseln des Stillen Ocean" von v. Kittlitz, eine „Sumpflandschaft auf Ualan" darstellend, ist ganz unten links ein Vogel abgebildet, der zwar äusserst klein, aber unverkennbar unsere Monasaralle darstellt, eine Abbildung, die indess naturhistorisch ohne Werth ist.

[1]) Dr. Sharpe machte diese Neubenennung, weil der Name Kittlitzia bereits durch Hartert („Kat. Vögelsammlung des Senkenberg Museum S. 76) für den seltenen Glanzstaar Kuschais benutzt war, den Kittlitz als „Lamprotornis corvina" beschrieb. Aber dieser Glanzstaar, der überhaupt congenerisch mit Sturnoides, Hombr. et Jacqu. ist, war bereits von Hartlaub (Journ. f. Ornith. 1854, S. 168) zur Gattung „Lamprocorax" erhoben. Nach den „Rules of Nomenclatur" der „Br. O. U." hat übrigens „Aphanolimnas" allein Giltigkeit.

„Denkwürdigkeiten einer Reise nach dem russischen Amerika, nach Mikronesien und durch Kamschatka“; zweiter Band (1858), S. 32. (Beschreibung). Rallus Monasa, Kittl. ib. S. 31. — Hartl. Journ. f. Ornith. 1859, S. 50. (= tabuensis, Gml.) — Ortygometra tabuensis, Finsch, Journ. f. Ornith. (1880), S. 307 (= R. Monasa, Kittl.) — Rallus monasa, Finsch, Ibis (1881), S. 106. (= R. tabuensis, Gml.) — Aphanolimnas monasa, Sharpe l. c. p. XX. — Porzana tabuensis (Gml.) in Mus. Petrop. Eingeborener Name: „Setamanot“ (Kittlitz).

Färbung. Die Beschreibung von v. Kittlitz (l. c. S. 31): „das ganze Gefieder ist mattschwarz, am Kinn in's Weissliche ziehend“ ist nicht ganz zutreffend. Die Gesammtfärbung vielmehr ein tiefes Braunschwarz, das auf den Schwingen etwas mehr in's Braune zieht; auf der Oberkehle ein schmaler graulichfahler Längstreif, der sich indess wenig deutlich markirt; die erste Schwinge ist an der Aussenfahne sehr schmal fahlbräunlich gesäumt; die unteren Flügeldecken längs dem Handrande tragen ebenfalls undeutliche fahle, schmale Endsäume, die auch theilweise auf den übrigen unteren Flügeldecken vorhanden gewesen zu sein scheinen, was sich aber nicht mehr ganz sicher ausmachen lässt, da an dem Exemplare diese Federn nur sehr unvollständig erhalten sind. Dasselbe gilt in Bezug auf die unteren Schwanzdecken, von denen die vorderen fehlen und nur die hinteren, längsten vorhanden sind. Dieselben zeichnen sich durch weisse Querbinden aus, und zwar tragen die seitlichen Federn je eine über die Mitte, die längsten mittelsten zwei; es markiren sich auf den unteren Schwanzdecken aber im Ganzen nur 2 undeutliche, circa 2 mm breite weisse Querbinden. Schnabel schwarz, schmaler Augenring und Beine horngelblich, Nägel hornbraun. Im Leben: Der Schnabel schwarz, die nackten Augenlieder sind wie die Füsse schön mennigroth, die Augen etwas dunkler, siegellackroth. Die Zunge ist von der Länge des Schnabels, an der Spitze flach und hornartig.“ (Kittlitz.)

Die Maasse sind folgende:

Ganze Länge	160	mm	185	mm[1])
Flügel	80	„	75	„
Mittelste Schwanzfeder	40	„	31	„
Aeusserste „	30	„	—	„
Schnabel längs Firste	20	„	22	„
Mundspalte	25	„	—	„
Lauf	35	„	32	„
Nackter Theil der Tibia	10	„	—	„
Mittelzehe	30	„	} 37	„
Nagel derselben	7	„		„
Hinterzehe	10	„	—	„
Nagel derselben	7	„	—	„

Wie ich durch gütige Mittheilung von Dr. v. Schrenck erfahre, stimmen beide Exemplare des Petersburger Museum (die ohne Geschlechtsangabe sind), sowohl in Färbung als Grösse durchaus überein.

Heimath. Kuschai (Ualan, Strongs-Island), die östlichste der Carolinen, eine vulkanische, hohe, sehr kleine Insel,[1]) von nur circa 24 englischen Meilen im Umkreise.

Hier erlangte v. Kittlitz, während seines Aufenthaltes vom 8. December 1827 bis 2. Januar 1828, die erwähnten zwei Exemplare in der Umgegend von Coquillehafen (Mataniel), an der Nordwestküste, über deren Lebensweise er nur die im Eingang bereits wiedergegebenen kurzen Notizen mittheilt. Wahrscheinlich waren es die einzigen, welche er überhaupt zu sehen bekam.

Ich konnte im Februar 1880 den Spuren Kittlitz's auf Kuschai leider nur auf wenige Tage folgen und besuchte auch jene Localitäten, wo Kittlitz die beiden Exemplare der Monasaralle erbeutete und wo damals das kleine Eingeborenendorf Uägat stand. Aber vergebens horchte ich nach dem lauten Lockrufe, vergebens durchstreifte ich Wald und Sumpf, vergebens frug ich die Eingeborenen nach dem „Sematanot“, sie kannten den Namen nicht. Ich sah und hörte also nichts von dem seltenen Vogel, den eben nur ein glücklicher Zufall verschaffen kann. Denn nur Derjenige, welcher Kuschai aus eigener Anschauung kennt, vermag sich eine Vorstellung von der undurchdringlichen Pflanzenwelt zu machen, welche sozusagen die ganze Insel bedeckt. Kittlitz schildert dieselbe in bekannter trefflicher Weise (II S. 29 und 35) und erwähnt u. A., dass er sich mit seinem Reisegefährten Dr. Mertens in diesen Dickichten nur mühsam durch Zurufen in Verbindung erhalten konnte. (S. 31). Noch schlimmer ist es in den mit langblättrigen, stachligen Schilfgras und stammlosen Sumpfpalmen (Nipa fratescens) bestandenen Morästen zu jagen, deren ausgedehnte Complexe unnahbare Schlupfwinkel für derartige versteckt lebende Vögel bilden. Dickichte, in denen auch die Hilfe eines guten Jagdhundes häufig nutzlos bleibt, wie ich aus eigener Erfahung weiss. Glückte es mir auch nicht die Monasaralle zu erlangen, so ist an ihrer Fortexistenz nicht im mindesten zu zweifeln; sie ist jedenfalls noch ebenso selten oder häufig als zu Kittlitz' Zeiten, und wer hinreichend Musse hat, ihr nachzuspüren, wird sie sicherlich erlangen. Ratten, deren Häufigkeit in den Häusern bereits Kittlitz als eine Plage schildert, der sich die Eingeborenen kaum zu erwehren vermögen und die ich u. A. in überflutheten Mangrovedickichten beobachtete, wo sie sich von Eiern und Jungen von Anous stolidus nähren, meiden die Sümpfe. Katzen werden auf Kuschai nicht gehalten und Raubvögel gibt es nicht. Es liegt also nicht entfernt Berechtigung zur Annahme des muthmasslichen Aussterbens dieses versteckt lebenden kleinen Sumpfvogels vor. Nachstellungen seitens der Eingeborenen, die keine Jäger sind und höchstens ein paar Fruchttauben (Carpophaga oceanica) schiessen, haben nie stattgefunden und werden bald ganz aufhören. Denn zu meiner Zeit gab es schon kein Uägat mehr, sondern im Ganzen kaum mehr als 250 Eingeborene, die

[1]) Ich reproducire hier die von Dr. Hartlaub gegebenen Messungen, um zu zeigen, wie erheblich verschieden dieselben individuell an ein und demselben Exemplare ausfallen können. Der unnatürlich lang ausgereckte Hals des schlecht ausgestopften Exemplares, von Hartlaub jedenfalls genau nach der Biegung gemessen, ergibt die erheblichen Differenzen in der Totallänge.

[1]) Ueber meinen Besuch auf derselben vergl. Finsch: „Hamburger Nachrichten“ Nr. 207 und 208 vom 31. August und 1. September 1880. Über die Ornithologie: „Journ. f. Ornithol.“ 1880. S. 296—310 und „Ibis“ 1881, S. 102—190.

meist auf der kleinen Insel Lälla in Chabrol-Hafen (Ninmolschon) siedelten. Nicht allzufern und auch dieser letzte Rest wird verschwunden sein und nur die unvergänglichen Cyclopenbauten in gewaltigen Basaltblöcken stummes Zeugniss dafür ablegen, dass auch hier einst Menschen, glückliche Menschen, ein zufriedenes Dasein führten, bis sie die Civilisation vernichtete.

(Schluss folgt.)

Beiträge zur Ornithologie Böhmens.

Von J. Prok. Pražák (Prag.)

I.

Trotzdem, dass in der Ornithologie Böhmens seit langen Jahren systematisch nicht beobachtet und geforscht wurde, ist die Anzahl der böhmischen Vögel ziemlich stark aufgewachsen. Gegen den von Prof. Fritsch angeführten 297 Arten können wir heute nicht weniger als 317 Species als sichergestellte anszählen, darunter befinden sich zwar einige, die vom erwähnten Begründer und Nestor der wissenschaftlichen Zoologie in Böhmen nur für Varietäten gehalten wurden, aber auch die Reihe von für Böhmen ganz neuen Formen ist ziemlich gross Ich will in folgenden Zeilen einigen neuen, festgestellten oder interessanten Vögeln die Aufmerksamkeit widmen

1. Erithacus philomela (Bchst.) wurde als Brutvogel sichergestellt, und zwar bei Opatovic und Bohdanec. Prof. Belohoubek in seiner interessanten Studie über die ornithologischen Verhältnisse der Umgebung von Pardubic[1]) erzählt (p. 25.), dass der Sprosser in diesem Gebiete nicht seltener Sommervogel ist und sich dort auf mehreren Orten aufhält.

2. Erithacus cyaneculus (Wolf.) ist die gewöhnliche Form vom Blaukehlchen und wird auch nicht selten in der Gefangenschaft gehalten. Als Brutvogel ist das weisssternige Blaukehlchen sehr selten, in meisten Gegenden nur als Durchzugsvogel bekannt. Aeltere Exemplare ohne Brustfleck, welche früher als var. Wolfii bezeichnet wurden, werden nur selten gelangen.

3. Erithacus suecicus (L.) ist im Allgemeinen sehr selten Merkwürdigerweise fand ich das rothsternige Blaukehlchen, welches nur im Norden nistet, brütend bei Racič (Bezirk Jaroměř). Beide Arten vom Blaukehlchem werden bei uns oft verwechselt oder nicht unterschieden.

4. Cinclus aquaticus albicollis (Vieill.) ist im Riesengebirge die gewöhnlichere Form vom Wasserschmätzer; im Jahre 1890 habe ich 2 Exemplare aus Neuwalt bekommen.

5. Cinclus aquaticus septentrionalis (Brehm.) ist für Böhmen von verdienstvollen nordböhmischen Ornithologen entdeckt worden, im Isergebirge.[2])

6. Turdus pilaris (L.) verbreitet sich immer mehr und mehr als Brutvogel, man kann sagen, dass die Wachholderdrossel im ganzen Lande, wenn auch nur sporadisch, als Nistvogel bekannt ist. Heyrowskys[1]) fand sie brütend bei Wittingau, Fritsch[2]) bei Neuhaus (am Gatterschlager Teiche), Varecka[3]) bei Mladejovic im Piseker Kreise, Styskal[4]) bei Bohntin und Smolotel im Pribramer Gebiete, Vandas[5]) in der Umgebung von Smecno, Bělohlávek[6]) bei Pardubiz Knezourek[7]) bei Csaslau, ich bei Miletin und Hořic u. s. w.

7. Turdus obscurus Gm. blasse Drossel. Dieser sehr seltene Irrgast wurde im Herbste 1892 bei Přim unweit Königgrätz erlegt.

8. Turdus torquatus L. die Ringdrossel ist seltener als var.

9. Turdus torquatus alpestris (Brehm), welcher im Riesengebirge brütet. Beide Formen werden grösstentheils verwechselt; die letztere ist unbedingt häufiger.

10. Phylloscopus Bonellii (Vieill.) Dieser erst seit dem Jahre 1887 für Böhmen bekannter Vogel lebt in geringer Anzahl im Erzgebirge[8]); nach Angabe des Herrn Dl. Vařečka wurde der Berglaubsänger vom Herrn Rádl bei Modletin (in litt.) getroffen und voriges Jahr habe auch ich ein Exemplar von Smiřic bekommen.

12. Sylvia nisoria (Bchst.) die Sperbergrasmücke ist sehr ungleichmässig verbreitet. Am häufigsten kommt sie vor in der Umgebung von Prag; F. de Schaeck[9]) und voriges Jahr im Juni auch ich beobachtete sie brütend in unmittelbarer Nähe der Stadt, in „Baumgarten". Gegen Norden scheint sich die Anzahl zu vermindern; ich fand sie wenigstens dort nicht häufig. Gegen Westen aber nimmt ihre Anzahl sichtlich zu; im Süd-Westen ist sie sehr sparsam und nur im Otava-Thale, wovon auch die 2 Exemplare der Piseker Gymnasialsammlung stammen, etwas häufiger (Vařečka in litt.); im Süden ist sie sehr selten und im Nord-Osten nur vereinzelt.

13. Aegithalus pendulinus (L.) war auch immer einer der für Böhmen unsicheren Vögel. Die Angaben Schiers[10]) über Brüten der Beutelmeise haben sich als Irrthum erwiesen; ich habe einigemale Gelegenheit gehabt die Localitäten, wo sie nach Schier nisten soll, durchzusuchen, nie aber habe ich etwas gefunden. Auch viele Nachfragen bei meinen zahlreichen ornithologischen Freunden haben kein positives Resultat gehabt. Das Exemplar des Fürstenbergischen Museums in Nischburg ist das einzige böhmische Stück.

14. Panurus biarmicus (L.) die Bartmeise wurde in den Jahren 1890 und 1891 bei Josefstadt und Nechanic erlegt.

15. Acredula caudata rosea (Blyth.) scheint ziemlich selten zu sein; es kann aber auch sein, dass

[1]) Im Progr. der böhm. Realschule in Pardubitz 1885.
[2]) Mitth. d. orn. Vereines XIII. 397.

[1]) Ornis V. 610.
[2]) Ornith. Jahrbuch III. 173.
[3]) Mitth. d. orn. Vereines XVI. 185.
[4]) „Ornis" III. 190
[5]) Vesmír XVI. 151.
[6]) Z. c. p. 23.
[7]) O. V. 600.; cfr. auch Tschusi in Mitth. d. orn. Ver. XI. 149.—150 und Kafka in „Vesmír" XI. 263.
[8]) Mitth d. orn. Ver. XIII.; Mém. de la Soc. zool de France 1890, p. 451; Vesmír XIX. 23.
[9]) Mém. Soc. zool. de France 1890. p. 413.
[10]) „Vögel Böhmens" II. 159.

sie von unseren Beobachtern, die den Varietäten sehr geringe Aufmerksamkeit widmen, übersehen wird. Herr Heyda von Lovcic hat sie beobachtet bei Klattau [1]) und Michel bei Bodenbach [2]); mir sind 3 Exemplare von Dobrovic bei Jungbunzlau in die Hände gekommen und endlich habe ich in den letzten Decembertagen 1892 einige Exemplare im Schaare der weissköpfigen Schwanzmeisen bei Hořenowes (Bezirk Smiřic) beobachtet und erlegt.

16. Parus cyanus (Pall.) die Lasurmeise wurde zum letztenmale im December 1892 bei Hořineves (Bezirk Jaroměř) in der Fasanerie erbeutet.

17. Parus palustris alpestris (Baill.) ist Jahresvogel im Riesengebirge, wo ich sie auch beobachtet habe und wo sie wohl nicht selten, aber auch nicht häufig ist. Michel, ein eifriger Beobachter und Kenner der böhmischen Vogelwelt, fand sie im Isergebirge.[3]) Heuer habe ich 3 Exemplare auch auf dem Prager Vogelmarkte gekauft. Unlängst habe ich aus verlässlicher Quelle Nachrichten bekommen, welche über Sumpfmeisen Erwähnung machen, die viel Weiss an den Wangen und Halsseiten, sowie eine viel grössere schwarze Kopfplatte und die Schwung- und Steuerfedern weiss gesäumt haben; sicher sind damit die Alpensumpfmeisen gemeint. Sie sollten bei Adler-Kostelec und Reichenau gesehen werden.

18. Otocorys alpestris (L.) Alpenlerche. Dieser in Böhmen sehr seltene Gast wurde im Jahre 1890 bei Chlumec erlegt.

19. Budytes flavus borealis (Sund.) Schafstelze wurde im Jahre 1889 bei Neu-Paka und 1891 bei Neustadt a. Meth erlegt.

20. Motacilla melanope Pall. ist im Allgemeinen keineswegs so selten, wie man gewöhnlich glaubt. Bei Jaroměř fand ich sie nur vereinzelt, zahlreich habe ich sie aber nördlicher, besonders im Riesengebirge, wo sie auch von Talský [4]) oft getroffen wurde, gesehen; Herr Sikula fand die Gebirgsbachstelze bei Hohenelbe brütend[5]); V. von Tschusi hat sie im Böhmerwalde beobachtet[6]) und bei Klattau soll sie ebenso häufig brüten, wie M. alba (nach Heyda von Lovčic) [7]); bei Smečno sah sie Dr. Vandas[8]) nur auf dem Zuge, ebenso Knežourek (in litt.) bei Litošic (im Csaslauer Kreise). Bei Pardubitz aber ist sie auch als Brutvogel bekannt[9]). Im Süd-Westen beobachtete sie D. Vařečka nur sparsam (in litt.), im Erzgebirge kommt sie aber nach W. Peiter[10]) nicht selten vor.

21. Emberizia cia L. Die Vermuthung des Herrn Prof. Fritsch[11]), dass der Zippammer in Böhmen eine regelmässige Erscheinung sein mag, wurde durch die bisjetzigen Beobachtungen nicht bestätigt und dieser Vogel ist unbedingt nur für einen seltenen Gast zu betrachten. Im September 1871 hat ihn K.

[1]) „Ornis" V. 579, resp. 576.
[2]) „Mitth. d. orn. Ver." XV. 100.
[3]) „Mitth. d. orn. Ver." XIV. 22.
[4]) „Ornis" I. 437.
[5]) „Journ. f. Orn." 1870, p. 67.
[6]) „Ornis" VI. 61.
[7]) „Vesmír" XVI 151.
[8]) Bělohlávek l. c. p. 23.
[9]) „Mitth. d. orn. Ver." XIV. 169.
[10]) „Wirb. Böhmens" böhm. Ausg. p. 64.
[11]) „Vesmír" II. 128; „Journ. f. Orn." 1876, p. 79.

Hamböck bei Struharov unweit Schwarz-Kostelec mit gewöhnlichen Goldammern herumfliegend gefunden[1]); nach Stopka[2]) wurden am 12. December (!) 1885 2 Exemplare bei Nepomuk beobachtet, wovon ein ♀ erlegt. Diese Angabe kommt mir aber sehr verdächtig vor, denn es bleibt mir sehr unerklärlich das späte Erscheinen — im Wintermonate — des in den südeuropäischen Ländern heimischen Vogels. Im April 1890 wurden 3 Exemplare bei Hořic gefangen. Auch meine Ansicht ist es, dass der Zippammer in Böhmen nicht so selten ist, wie man nach vorstehenden Daten denken möchte; vielleicht kommt er doch häufiger nach Böhmen, wird aber nicht beobachtet, wie überhaupt die Ammern sich sehr kleiner Aufmerksamkeit erfreuen.

22. Emberiza aureola Pall. gelbbäuchiger Ammer. Dieser in Mittel-Europa sehr seltene Gast wurde im Jahre 1889 am 7. Februar bei Hořiček unweit Böhm. Skalic in 3 Exemplaren, darunter ein altes ♂ mit sehr breiter brauner Brustbinde und vielem Schwarz am Kopfe, erlegt. Es ist der erste und bis jetzt einzige Fall in Böhmen und meines Wissens der zweite in österreichischen Ländern.

23. Emberiza leucocephala Gm. Bisher wurde nur ein Exemplar des Fichtenammers aus Böhmen bekannt; im Jahre 1886 wurde Anfang September ein ♂ bei Čibuz unweit Smiřic erlegt.

21. Emberiza hortulana L. ist jetzt viel mehr verbreitet, als zur Zeit des Erscheinens der „Wirbelthiere Böhmens" von Prof. Fritsch (1872)[3]); in manchen Gegenden ist der Ortolan heute ganz gewöhnlicher, wenn auch nicht zahlreicher Vogel, in anderen Theilen Böhmens kommt er wenigstens vereinzelt vor und verbreitet sich immer weiter. In der Umgebung von Prag trifft man ihn jetzt ziemlich oft, im Jahre 1891 hörte ich ihn im Juni bei Rostok und Neratovic, am 29. Mai 1892 bei Vysočan, 15. Juni bei Key, 19. Juni bei Hlubočep, 24. Juli bei Hlaupětin, weiter bei Malešic, Aufinowes etc. In einer Baumallee bei Lieben habe ich ihn auch nistend gefunden. In Nordost-Böhmen, besonders bei Jičin und Jaroměř fand ich ihn sehr häufig, auch bei Deutsch-Brod, Leitomischl, Münchengrätz und Neustadt an der Methau. Im Csaslauer Kreise beobachtete ihn Knežourek[4]) und nach brieflicher Mittheilung dieses strebsamen Ornithologen soll er auch dort nisten, bei Zwittau ist der Ortolan nach Plischke[5]) häufiger Brutvogel, bei Laun nistet er zwar nicht, kommt aber im Sommer vor (Feygl)[6]). Dennoch verbreitet sich der Ortolan immer mehr gegen Norden und Osten, was auch durch Nachrichten des Herrn Michel, welcher am 4. Juni 1889 das erste Exemplar bei Neustadt gesehen[7]), später aber ihn dort und bei Hochstadt nistend gefunden hat[8]), bestätigt wird. In West-Böhmen ist er ganz gewöhnlich; bei Smečno aber kommt er nach Vandas[9]) nur vereinzelt vor. Bei Příbram ist er selten,

[1]) „Ornis" V. 218.
[2]) Vergl. auch „Journ. f. Orn." 1870, p. 31.
[3]) „Orn. Jahrb. III. 65 und „Vesmír" XXI. 239.
[4]) „Ornis" I. 457.
[5]) „Ornis" I. 467.
[6]) „Orn. Jahrb." I. 27. Anm.**)
[7]) „Orn. Jahrb." II. 98.
[8]) „Vesmír" XV. 174.
[9]) „Ornis" III. 242.

aber nistet dort [1]), bei Pisek hat ihn Vařečka (in litt.) nicht selten beobachtet [2]), bei Budweis erschien er im Jahre 1883 im grossen Haufen und wird seit der Zeit auch beobachtet. (Bartuška in litt.)

25. Emberiza calandra L. Auch der Grauammer verbreitet sich allmälig über das ganze Land und erscheint häufig auch in solchen Gegenden, wo er vor einigen Jahren selten war oder gänzlich fehlte. Bei Neu-Bydschow und Nechanic, wo ich ihn unlängst wiederholt gesehen habe, kommt er sehr häufig, besonders im späten Herbste und Winter, manchmal in grossen Schaaren vor. Auch bei Přelouč (Knežourek in litt.), im Piseker Gebiete, wo er namentlich im Jahre 1885 in grosser Menge erschien (Varečka in litt.), und Budweis (Bartuška in litt.) kommt er zahlreich vor. Bei Friedland ist der Grauammer auch ziemlich häufig und Michel macht auf sein Vordringen bis knapp an den Fuss des Gebirges aufmerksam.[3])

26. Calcarius lapponicus L. Der Spornammer ist ein sehr seltener Gast. Anfang Jänner 1880 lebte er mit den Haubenlerchen bei Branik unweit Prag, wo er auf Leimruthen gefangen und von T. Veselý im Käfig gehalten wurde.

27. Calcarius nivalis L. ist unregelmässiger Wintergast, grösstentheils im December oder Jänner. Im Jahre 1870 erschien er in grösserer Menge bei Putim (Varečka in litt.), wo er auch im Jahre 1885 in einigen Exemplaren erlegt wurde,[4]) dortselbst wurde das im böhmischen Landes-Museum befindliche ♂ Anfang Februar 1891 erbeutet[5]). Im Jahre 1874 wurde ein kleiner Haufen von Schneeammern von Hamböck bei Schwarz-Kostelec[6]) gesehen. Häufig war der Schneeammer im Winter 1889—90 zu sehen und wurde auch einigemal geschossen, wie z. B. am 21. November 1889 bei Krems (in Süd-Böhmen),[7]) am 23. Februar bei Jenšovic (Bez. Hohenmauth[8]). Im Jahre 1890 am 16. November wurde ein ♂ im Winterkleide bei Jezbořic (Domaine Choltic bei Prelauč) erlegt.[9]) Ende December 1892 bekam ich 2 Schneeammern, welche bei Hořinoves (bei Smiřic) in der Gesellschaft anderer kleiner Vögel bei grossen Schobern lebten und sehr wenig scheu waren; sie wurden zufällig auf Leimruthen gefangen.

28. Pyrrhula rubicilla Pall. Der grosse Gimpel kommt neben P. europaea Vieill., aber seltener, im Winter vor und wird meist mit dem gewöhnlichen Gimpel verwechselt. Im Winter 1888/89 habe ich einige Exemplare von Hustiřan (Bezirk Jaroměř) bekommen und Anfang Jänner 1893 auch aus Rožnov (bei Smiřic) P. Stopka hat ihn bei Nepomuk beobachtet [10])

29. Pinicola erythrinus Pall. wurde zum erstenmale bei Tosna (bei Königsaal) gefangen und dem Herrn T. Vesely gebracht.[1]) Bei dieser Gelegenheit will ich kurz eines interessanten Fundes erwähnen. Im Jahre 1889 fand ich in einem Dorfgasthause in Zelkovic (südlich von Hořic) unter mehreren, in unnatürlichsten Positionen ausgestopften Vögeln, auch ein armes ♂ des Karmingimpels, welches leider im elendigen Zustande war, durch Staub fast ganz vernichtet. Unbekannt, musste der arme Irrling mit anderen Genossen als Zierde der verrauchten Wände dienen. Auf meine Anfrage, wo er diesen seltenen Vogel gekauft hat, antwortete mir der Wirth: „Glauben Sie, dass ich für ein unnützes Zeug das Geld auswerfen werde?“ und erzählte mir, dass der Vogel etwa vor 2 Jahren im Walde „Lisice“ bei Cerekovic im Mai gefangen worden ist.

[1]) Vgl. auch „Orn. Jahrb.“ II. 210.
[2]) „Orn. Jahrb.“ II. 96.
[3]) „Orn. Jahrb.“ II. 98.
[4]) „Vesmír“ XVIII. 239.
[5]) „Orn. Jahrb.“ II. 237, „Vesmír“ XX. 132.
[6]) „Vesmír“ III. 115—116.
[7]) „Vesmír“ XIX. 142.
[8]) „ibid.“
[9]) „Vesmír“ XXI. 32.
[10]) „Ornis“ II. 266.

[1]) Floerike: „Ornith. Monatsb.“ XVII. 117; Tschusi „Orn. Jahrb.“ III. 205; Knezourek: „Vesmír“ XXII. 34.

Vogelleben im Winter in den Karpathen.

Von Edward von Czynk.

Im ewigen Wechsel der Zeit sind dahin geschwunden, Frühling, Sommer und Herbst. Dort, wo noch vor wenigen Monden der Aehren Meer wogte, deckt nur stechendes Stoppelgewirre die Mutter Erde, wo die Sense klang, zeigen nur noch kümmerliche, kurze, verdorrte Grasreste vom einstigen Schmuck der Wiesen. Des Waldes Grün ist buntem Gelb und Roth gewichen und es braucht nur die rauhe, kalte Hand des Nordwindes über ihn zu streichen und blätterlos stehen die himmelwärts strebenden Wipfel da, nackt ist das dichteste Gebüsch geworden und die Natur hat ihr Wintergewand mit dem ersten Schnee angezogen.

Früher oder später haben uns die lieblichen Sänger verlassen. Unaufhaltsam zogen sie wärmeren Ländern entgegen, nicht Wind und Wetter, nicht das Meer konnte sie von ihrem Ziele abbringen. Doch nicht blos die zarten Sänger, auch der Sumpf und Wasservögel Legionen, Reiher und Störche, die Wachtel, ja sogar der grösste Theil der Raubvögel ist verschwunden, um im Süden, wenn auch nicht ein neues Heim sich einzurichten, so doch in erster Linie einen stets gedeckten Tisch zu finden und den Unbilden unseres Winters zu entfliehen. Leer und todt erscheinen Flur und Au, düster und freudlos die kahlen Wälder. Die theils in dunkle Wolken gehüllten, theils von der winterlichen Sonne vergoldeten, weissen Gebirge sehen einer ungeheuren, langen Kette von Schneehaufen und Eisspitzen ähnlich, in welche nur das Schwarzgrün der Nadelwälder Abwechslung, wenn auch nicht Leben bringt. Und doch ist selbst das Hochgebirge im Winter nicht ganz Vogelarm, wie es den Anschein hat. Wohl sind es meist Stand und Strichvögel, doch auch mancher Wanderer vom hohen Norden erscheint und vermehrt ihre geringe Zahl.

Nicht jedes Mannes oder besser gesagt Ornithologen Sache ist es, im Winter auf Gefahr seiner Gesundheit, ja, mit Lebensgefahr sich durch Schnee und Eis bis zu jenen unwirthlichen Höhen hinauf zu arbeiten, wo selbst der Juli-Sonne Gluth in den

Schluchten und auf den Schutthaufen den Schnee nicht zu schmelzen vermochte und wo ein einziger Fehltritt oder Schwindel gleichbedeutend mit sicherem Tod ist. Nur der wind- und wetterharte Sohn der Berge, der Gemsjäger, wagt es den Elementen zu trotzen und bauend auf seine Muskeln und Sehnen rechnend auf Auge und Körperkraft, steigt er von unbezwinglicher Leidenschaft getrieben die schroffen Hänge hinauf, schreitet über den vereisten Baumstamm, welcher die Brücke über den schneeverwehten Wildbach bildet, um hoch oben an der Grenze der Tannenregion, im Latschengewirr und nicht selten im nackten Gestein, sich das schmucke Gratthier, die leichtläufige Alpengazelle zu holen. Ist er nun nebstbei Ornithologe, so sieht er manches, was dem gewöhnlichen Sterblichen verschlossen, was er in wohlgeheizter Stube höchstens aus naturwissenschaftlichen Werken oder aus Schilderungen ähnlicher Waghälse erfahren würde. Trotzdem die beste Schilderung nie das Selbsterlebte, Selbstgesehene erreicht, so will ich es doch versuchen das Vogelleben im Winter im Gebirge zu beschreiben und zwar auf Grund meiner eigenen, gelegentlich meiner Wintergemsjagden gemachten Beobachtungen.

Es ist Mitte November. Dichter Schnee deckt die Erde und ein kalter Wind streicht über die kahle weisse Fläche. Wohlverwahrt und dicht gedrängt sitzen wir im Stroh eines Bauernschlittens und jagen dem Gebirge zu. Beinahe lautlos gleitet das einfache Fahrzeug über die glitzende Fläche und immer näher rücken wir, ein rumänisches Dorf um das andere hinter uns lassend, unserem Ziele entgegen. Kein Vogel ist unterwegs sichtbar, nur in den Dorfstrassen treiben sich Nebelkrähen, Dohlen, Haus- und Feldsperlinge, Gersten- und Goldammer, Buch- und Bergfinken, sowie Haubenlerchen herum. Scheucht sie unser Gefährte auf, so fliegt die ganze Gesellschaft oder einzelne Gruppen je in einen Bauernhof, um hier auf einem dampfenden Düngerhaufen nach entsprechender, wenn auch karger Nahrung zu suchen. Auf den Dorfweiden sitzt mit geblähtem Gefieder ein Elsternpaar und von hoher Erlenspitze hören wir den grossen Würger, Kohl und Blaumeisen; Kleiber und vereinzelte Spechte machen sich in den an die Strasse stossenden Gärten zu schaffen. Immer höher gelangen wir, bis der Schlitten das letzte Dorf hinter sich zurücklässt und wir in einer Stunde am Fusse des Gebirges angelangt sind. Einzelne Gehötte, Sägemühlen und aus drei bis vier Familien bestehende Zigeuner-Colonien sind die äusserste Grenze menschlicher Ansiedlungen. Elstern und Nebelkrähen, sowie die obengenannten Standvögel sind auch hier, wenn auch in geringerer Anzahl die „Stammgäste", zu welchen sich im harten Winter — wie es z. B. der heurige ist — noch die Schneeammer, Plectrophanes nivalis Linn gesellt. Nicht alle Jahre zeigt sich diese schöne, hellgefärbte Ammer, welche gleich dem Seidenschwanz nur in besonders strengen und schneereichen Wintern erscheint. Letzteren finden wir in auf den Beeren tragengen Sträuchern der Vorberge in kleineren oder grösseren Gesellschaften.

Die nordischen Gäste zeigen nicht die geringste Scheu und lenken — besonders der Seidenschwanz — auch die Aufmerksamkeit des Laien auf sich. Hie und da sehen wir auch einen Alpenflühvogel, Accentor alpinus, Bechst. in der Nähe der Heutristen. Der markerstarrende kalte Nordwind und noch mehr die Schneewehen haben ihn bis hieher herabgejagt und werden ihn nach Nahrung suchend noch tiefer hinabführen. Die Alpenkrähe und Alpendohle, Pyrrhocorax graculus et Pyrrhocorax alpinus kommen bei uns, erstere gar nicht, letztere zu vereinzelt vor, um sich, wenn auch nur nothgedrungen bemerkbar zu machen. Auf den jetzt nur durch den Holztransport gekennzeichneten Waldstrassen vorwärts schreitend, gelangen wir allmälig in den Buchenwald. Lautlose Stille herrscht rings umher. Es ist bereits Mittag und das Glitzern der Schneekristalle blendet die Augen in der Weise, dass man gezwungen ist, zeitweilig entweder zum hellblauen Himmel empor oder hinunter in's Thal zu blicken, um das beinahe den Dienst versagende Auge auszuruhen zu lassen. Langsam arbeiten wir uns den glatten Weg empor. Neben uns murmelt der selbst in der grössten Kälte nicht gefrierende Gebirgsbach. An ihm sehen wir die Bachamsel, Cinclus aquaticus, Linn. während im Wurzelwerk des Ufers der gnomenhafte Zaunkönig, Troglodites parvulus Linn, trotz der grimmigen Kälte sein Liedchen hören lässt. Noch sind wir in den Buchen. Hie und da rutscht mit leisem Zirpen ein Baumläufer, Certhia familiaris, Linn oder mit scharfem Tütt, Tütt eine Spechtmeise, Sitta caesia an den Stämmen herum. Nur selten hören wir den Buntspecht, Picus major, Linn. doch öfter begegnen wir dem Grauspecht, Picus canus Linn. An eine Schlucht gelangend, hören wir plötzlich verschiedene Vogelstimmen das ziemlich langweilige Einerlei und die Eintönigkeit des Buchenwaldes unterbrechen.

Alle übertönt das Geschrei des Eichelhähers, Garulus glandarius, Linn., daneben hören wir das Schelten der Schwarzamsel, Merula vulgaris, Leach und an den Ort des Lärmens eilend, gewahren wir, dicht an den Stamm einer riesigen Buche gedrückt, mit geblähtem Gefieder, hie und da mit dem Schnabel knappend einen grossen Kauz. Ein Schuss und er fällt in den Schnee herab, während all das kleine und grosse Vogelzeug, welches ihn neckte, verschwindet. Beim Aufheben des Vogels bemerken wir sofort, dass wir es nicht mit dem vermeintlichen Waldkauz, sondern mit der ziemlich seltenen Uraleule, Syrnium uralense, Pall. zu thun haben. Bald wird auch sie die strengere Kälte und grösserer Schneefall bis in die in der Ebene stehenden Eichenwälder hinabgedrückt haben. Nun hat es den Anschein, als wenn wirklich kein Vogel mehr zu sehen wäre, so ruhig und öde ist der Wald. Allmälig nähern wir uns der Tannenregion. Es neigt sich der kurze, winterliche Tag seinem Ende zu. Schon lagern tiefe Schatten auf den ostseitigen Geländen, da bemerken wir, wie ein Raubvogel auf einer vom Sturm entwipfelten Buche sitzend, im Gold der Abendsonne einigemale mit dem Schnabel über die Schwungfedern fährt. Vergebens ist das Anschleichen. Mistrauisch äugt er auf den durch den Schnee seiner hohen Warte zuwatenden Jäger. Rasch das Glas zur Hand, mit dem Schiessen ist's so nichts. Richtig, wir haben uns nicht getäuscht es ist ein Wanderfalke, Falco peregrinus, Tunstall, welcher wahrscheinlich zur Nachtruhe in den unweiten Tann sich rüstet. Auch wir trachten ihn zu erreichen, um wo möglich noch in der Schutzhütte des Karpathenvereines oder einer Stinna (Sennhütte) das Nachtlager aufschlagen zu können.

Eine kurze Dämmerung folgt dem scheidenden Tagesgestirn und bald deckt die Nacht Berg und Thal. Während wir am prasselnden Feuer sitzen, hören wir das hohle „bu, bu, buhu“ des Königs der Nacht. Der Uhu, Bubo maximus, Sibb, ist auf der Jagd und streicht lautlosen Fluges durch Wald und Schlucht, über das Grat und längs den Lehnen. Wehe dem armen herumhoppelnden Lampe, der herumhuschenden Maus, wehe dem schlafenden Vogel, wenn er ihn auf seinen Streifzügen erspäht. Die nadelspitzen, langen Krallen seiner mächtigen, befiederten Fänge machen ein Entweichen zur Unmöglichkeit. Doch nicht nur der Eulen grösste, auch andere Mitglieder der Sippe wirthschaften in der Nacht in dieser Region. Bald hören wir den Waldkauz, Syrnium aluco Linn., bald wieder die Waldohreule, Otus vulgaris, Flemm., bald die niedliche Sperlingseule, Glaucidium passerina, welch' letztere wir mitunter auch am Tage schon antrafen. Tannenmeisen, Goldhähnchen und Haubenmeisen erlaubten sich dann den putzigen, auf den untersten Aesten einer Tanne sitzenden Kauz, zu verhöhnen. Kommt noch mehr Schnee und grössere Kälte, so ziehen alle Eulen tiefer hinab, manche bis in's Thal.

(Schluss folgt.)

Der Halsbandfliegenfänger (Muscicapa albicollis) als Brutvogel im Elbthale.

Von **Julius Michel** — Bodenbach a/E.

Zu meinem grossen Vergnügen ist es mir im vorigen Frühjahre gelungen, auch diesen seltenen Fliegenfänger als Brutvogel für unsere Gegend zu constatieren. So viel ich weiss, ist dies für Nordböhmen der erste Fall.

Am 29. Mai v. J. unternahm ich einen kleinen Ausflug nach Mühlörzen. Das genannte Oertchen liegt in einem kleinen Querthale, welches bei Tychlowitz in das Elbthal mündet. Als ich vorigen Herbst das erstemal da war und die ziemlich grossen Buchenbestände sah, gewann ich die Ueberzeugung, dass Muscicapa parva, der Zwergfliegenfänger, auch hier vorkommen müsse. Diesen aufzusuchen, war der Zweck der diesjährigen Excursion. Bei dem Dorfe selbst traf ich den Trauerfliegenfänger (Muscicapa luctuosa) und bald darauf weiter thalaufwärts auch den vermutheten Zwergfliegenfänger, wohl nicht so zahlreich wie in Ober-, Mittel- und Niedergrund, aber doch einige Pärchen. Ich war schon ein Weilchen umhergestrichen, als ich auf einmal einen Fliegenfängergesang hörte, welcher dem der beiden genannten Muscicapa-Arten ähnelte. „Entweder“, so dachte ich mir, „ist es ein schlechter Sänger von Muscicapa luctuosa, oder ein noch grösserer Stümper von Muscicapa parva. Auf alle Fälle siehst du dir den eigenthümlichen Kauz an!“ — Und so wurde dann darauf losgestiegen. Beim Näherkommen vernahm ich ganz deutlich „ist“ und einige Töne, welche dem Gesange des Zwergfliegenfängers entnommen schienen. Ich musste aber noch ziemlich lange herumklettern, ehe ich den Urheber derselben zu Gesichte bekam. Endlich bemerkte ich ihn am Wipfel einer hohen Buche. Ein Blick genügte, um den prächtig schwarzen Kerl mit dem weissen Halsbande und dem ebenso gefärbten Spiegel auf den Flügeln als den lang gesuchten, aber gerade hier nicht erwarteten Muscicapa albicollis zu erkennen. Ehe ich aber noch das Gewehr schussfertig hatte, war der Vogel bereits wieder in den Gipfeln der nächsten Bäume verschwunden. Nun gieng das Herumklettern erst tüchtig los und mein Begleiter, welcher der Ornithologie nur ein allgemeines Interesse entgegenbrachte und den Gesang nicht von dem der anderen Vögel unterschied, wurde es bald müde und liess mich allein weiter suchen. Dafür wurde ich aber auch belohnt, denn endlich gelang es mir doch, den Sänger zu erblicken und herabzuholen. Es war ein schönes, altes Männchen. Schon während des Suchens hatte ich an einigen Orten einen eigenartigen kurzen Gesang vernommen, welcher gewissermassen an den des Waldrothschwänzchen's*) erinnerte, aber verschieden von dem früher vernommenen war. Ich lenkte nun meine Aufmerksamkeit diesem zu und hatte bald die Freude, den Sänger in Person eines zweiten Halsbandfliegenfängers zu erblicken.

Dieses zweite Exemplar war bis auf die Handschwingen, welche noch graubraune Farbe zeigten, ebenfalls schön schwarz.

Nun war es leicht, noch einige der interessanten Vögel aufzufinden. Auch ein Weibchen beobachtete ich, das in dem Stammloche einer alten Buche verschwand. Die Höhe dürfte 6—7 M. betragen haben.

Am 6. Juli besuchte ich wieder denselben Ort, um wo möglich einige Junge im Nestkleide zu erbeuten. Leider war dieser Ausflug verfehlt, da sich an diesem Nachmittage einige starke Gewitter mit heftigen Regengüssen über die Gegend entluden. Das Vogelleben war dem entsprechend sehr gering. Ich traf ein fütterndes Pärchen von Muscicapa parva und sah auch einige albicollis hoch in den Wipfeln, musste aber, da die letzteren sich immer sehr „hochfahrend“ benahmen, unverrichteter Dinge heimkehren.

Der Halsbandfliegenfänger ähnelt in seinem Benehmen dem Zwergfliegenfänger, ist aber nicht so hastig und rastlos, wie dieser. Beim Sitzen trägt er den Körper meistens mehr aufrecht. Auch trippelt er nach Art der Finken auf den Zweigen umher.**) Ueber den Gesang habe ich bereits oben berichtet.

Die von mir beobachteten Vögel, vielleicht 8—10 Stück, waren durchgehends scheuer als Muscicapa parva, obwohl sie doch bisher keinerlei Störung erfahren.

---

*) Wie leicht man sich in der Beurtheilung täuschen kann, sah ich noch am demselben Tage. Auf dem Rückwege glaubte ich auf einer höheren Stelle des Bergabhanges wiederum albicollis zu vernehmen, schlich mich mühsam an und stand schliesslich — vor einem schlichten Waldrothschwänzchen. Jedenfalls eine Folge der Aufregung, die mich ergriffen.

**) Es fiel mir einmal schwer, 1 Weibchen, welches auf diese Art in den Zweigen nach Insecten suchte, von einem Finkenweibchen zu unterscheiden, da ich bei der grösseren Höhe des Vogels den Schnabel nicht erkennen konnte. Erst als es flatternd die Unterseiten der Blätter absuchte, konnte ich es mit Sicherheit als Muscicapa albicollis ansprechen.

Skizzen aus Montenegro und Albanien mit besonderer Berücksichtigung der Ornis daselbst.

Von Ludwig von Führer.

(Fortsetzung.)

Der Fluss Rjicka, dessen Ursprung in einer von Felsentauben (Columba livia) bewohnten Tropfsteinhöhle einige hundert Schritte von der Stadt ist, hat einen vielfach gewundenen Lauf und fast kein Gefälle. Die Ufer sind theils felsig, theils versumpft. Im Herbste und Frühjahre nimmt der Fluss ein seeartiges Aussehen an, bei seiner Einmündung in den Skutarisee bilden die Ufer ausgedehnte Sumpfcomplexe.

Um 3 Uhr Nachmittags verliess ich Rjicka um meinen Marsch nach Podgorica fortzusetzen. Die erst kürzlich erbaute Strasse führt durch hügeliges Terrain das mit Gestrüppe und Unterholz bewachsen ist, Eiche und Buche dominiren hier wieder. Ich wich öfters von der Chaussee ab, um den Weg abzukürzen und vielleicht Einiges erlegen zu können.

Einige Kilometer hinter Rjicka schoss ich eine Turteltaube (Turtur auritus), weiters einen Thurmfalken (Cerchneis tinnunculus), Felsenspechtmeise (Sitta syriaca), ausserdem verzeichnete ich: Habicht (Astur palumbarius), Sperber (Accipiter nisus), Steinkauz (Athene noctua), Waldlaubvogel (Phyllopneuste sibilatrix), Zaungrasmücke (Sylvia curruca), Dorngrasmücke (Sylvia cinera), Zaunammer (Emberiza cirlus). Gegen Abend in der Nähe von Kokote stöberte mein Hund einige Steinhühner (Perdix saxatilis) auf, wovon ich auch zwei junge Vögel erlegte.

Von Kokote aus fällt die Strasse sehr steil gegen eine weitausgedehnte Ebene ab, in deren äussersten, gegen Osten gelegenen Winkel der gewöhnliche Ausgangspunkt meiner Excursionen, die Stadt Podgorica liegt.

Nach mehr als einstündiger Rast auf Kokote, von wo man einen wunderbaren Fernblick hat, wanderte ich in der endlosen Ebene meinem Endziele zu und erreichte Podgorica um Mitternacht.

Podgorica liegt zu beiden Seiten des Flüsschens Ribnica an dessen Einmündung in die Moraca, so dass noch ein grosser Stadttheil am linken Ufer der Letzteren zu liegen kommt: der am linken Ufer der Ribnica gelegene Theil heisst Stari varos (Altstadt) der am rechten Novi varos (Neue Stadt) auch Mirkov varos, ersterer besteht blos aus alten türkischen Kulas, letzterer aus durchwegs neuen Gebäuden, die beinahe ausnahmsweise nur für Kaufläden eingerichtet sind. Die Einwohner, bei 4000 an der Zahl, bestehen aus Türken, Albanesen und Montenegrinern, von denen mehr als die Hälfte in die Gilde der Brandweinverschleisser (Mehandjia) rangirt.

Da ich, wie vorhin erwähnt, erst um Mitternacht in Podgorica ankam und ziemlich müde war, gönnte ich mir den folgenden Tag die nöthige Ruhe.

Und nun werde ich meine Erlebnisse weiter schildern, wie dieselben im Tagebuche verzeichnet sind.

Donnerstag den 8. September, 2 Uhr Morgens, brachen wir, d. h. ich und mein treuer Hund „Ballo“ auf, um uns nach dem Skutarisee zu begeben. Längs des Flusses Korača bis Sabljak fortwandernd, dann über Goračani, Bistrice und Kurilo gelangten wir an Ort und Stelle, nämlich in das Sumpfgebiet des Sees. Bei Tagesanbruch notirte ich an den Ufern der Moraca: Graue Reiher (Ardea cinerea), Edelreiher (Ardea egretta), Seidenreiher (Ardea garzetta) und einen Flug Rallenreiher (Ardea ralloides), ferner Triels (Oedicnemus crepitans) in grösseren Flügen im Gerölle, Flussregenpfeifer (Aegialites minor), Punktirte Wasserläufer (Totanus ochropus), Flussuferläufer Actitis hypoleucus), Bogenschäckige Strandläufer (Tringa subarquata), ausserdem waren noch in der Nähe der Einmündung des Flusses in den See folgende Arten zu sehen: Stockente (Anas boschas), Krickente (Anas crecca), Knäckente (Anas querquedula), Löffelente (Spatula clypeata), Löffelreiher (Platalea leucorodia), Schwarzes Wasserhuhn (Fulica atra); ein Seeadler (Haliaetus albicilla), mehrere Aasgeier (Neophron percnopterus) und braune Geier (Gyps fulvus), kreisten nach Sonnenaufgang.

Um 7 Uhr Früh langte ich gegenüber dem Berge „Vranina“ in einen Weidenurwald an, der im Herbste und Frühjahre bis zu den Baumkronen überfluthet wird.

Hier befinden sich auch die Edelreiher-Zwergscharben und Seidenreihercolonien.

An einem schönen Plätzchen, von wo aus ich den Skutarisee bis an's albanesische Ufer überblicken konnte, machte ich halt um meine Beute, die aus einigen Edel- und Seidenreihern, Bogenschnäbligen Strandläufern, Punktirtem Wasserläufern, sowie Triels bestand, abzubalgen. Der Tag versprach sehr heiss zu werden, denn um 8 Uhr zeigte mein Termometer bereits 19° C. im Schatten, daher beeilte ich mich auch mit dem Bälgemachen, um der nur allzurasch eintretenden Verwesung zuvorzukommen.

Einen herrlichen Anblick bot der See, tausende von Enten trieben sich mit lärmendem Geschnatter herum, dürre Weiden, die aus dem See herausragen, waren ganz schwarz von Zwergscharben (Carbo pygmaeus), unzählige Reiher, darunter auch Purpurreiher (Ardea purpurea), betrieben emsig ihr Fischertagwerk, einzelne Pelikane (Pelecanus crispus), in selbstbewusster Haltung schwammen herum, während auf einer Sandbank mehrere Hundert dieser schönen Vögel versammelt waren, um in allen denkbaren Stellungen sich den Sonnenstrahlen anzusetzen.

Da ich im Weidendickicht sehr gut gedeckt war, konnte ich mich an diesem Treiben ergötzen, ja Vieles kam bis auf einige Meter zu mir.

Ich verzeichnete: Goldregenpfeifer (Charadrius pluvialis), Becassine (Gallinago scolopacina), Mornell (Endromias morinellus), Heller Wasserläufer (Totanus glottis), Dunkler Wasserläufer (Totanus fuscus), Haubentaucher (Podiceps cristatus), Silbermöve (Larus argentatus), Lachmöve (Xema ridibundum), Rothhalsiger Steissfuss (Podiceps rubricolis), Flussseeschwalbe (Sterna fluviatilis), Zwergseeschwalbe (Sterna minuta), Zwergsteissfuss (Podiceps minor), Sumpfweih (Circus aeruginosus), Eisvogel (Alcedo ispidia), Schilfrohrsänger (Calamoherpe phragmitis), Drosselrohrsänger (Acrocephalus turdoides), Sumpfrohrsänger (Acrocephalus palustris), Zwergreiher (Ardea minuta), ebenso constatirte ich aus unmittelbarster Nähe eine Schaar von vielen Hundert, noch nicht ausgefärbter Nachtreihern (Nycticorax griseus), welche sich zu meinen Haupten auf den Weiden niederliessen.

Jetzt hielt ich es aber nicht mehr aus und obwohl ich nicht zu jenen gehöre, welche mit zarter Nervenconstitution bedacht sind, fühlte ich doch etwas, was man Jagdfieber nennen könnte; ich war wie betäubt von so viel Gesehenen und noch Sichtbaren, es fiel mir die Wahl schwer was zuerst zu erlegen wäre. Aehnlich, wie mir erging es meinem treuen Begleiter, der, ungeachtet ein edler Albanese und Bracke von Geburt, auch die gefiederte Welt mit wahrer Hingebung liebt und dabei ein sehr guter Wasserapporteur ist. Das Schauspiel, welches sich ihm bot verwandelte reflectorisch seinen Körper in „Espenlaub" zumal ich, doch endlich entschlossen, zum Kugelstutzen griff und einen der nächsten Pelikane als Zielobject wählte. Der Schuss krachte mit einem vielfachen Echo in den albanesischen Bergen, Ballo sprang in's Wasser, im selben Momente wurde es aber plötzlich dunkel, eine Wolke von Tausenden von Vögeln erhob sich, um viele hundert Schritte weiter auf der albanesischen Seite des Sees sich wieder niederzulassen, nur die Pelikane schwammen gravitätisch weiter in etwas rascherem Tempo; es waren bereits alle ausser Schussweite, nur einer steuerte mit gebrochenem Flügel — öfters nach demselben beissend — langsam nach.

Mein Hund, der an Kühnheit seinen Landsleuten nicht nachsteht, hätte sich schon des Krauskopfes bemächtigt, leider wurde ihm das Glück nicht zu Theil, da der See streckenweise mit Wasserpflanzen so dicht bewachsen ist, dass das Schwimmen zur Unmöglichkeit wird, daher rief ich das brave Thier ab und begab mich den Verwundeten im Auge behaltend, zu einem etwa 200 Schritte entfernt am Ufer stehenden Cun (Kahn), um den Flüchtling einzuholen.

(Fortsetzung folgt.)

Die Mängel des niederösterreichischen Vogelschutzgesetzes.

Anlässlich der vor einiger Zeit erfolgten Confiscation von Singvögeln bei Händlern des VI. Bezirkes, beschäftigte sich auch der Ausschuss des „Ornithologischen Vereines in Wien" mit dieser Angelegenheit und erbot sich Herr Vicepräsident Zeller zu den weiteren Erhebungen. Das Resultat seiner dankenswerthen Bemühungen fasste er in einem wohlmotivirten Gutachten zusammen, dem wir Folgendes entnehmen:

Der amtirende Markt-Commissär verlangte die Ausfolgung der im Verkaufslocale befindlichen Vögel als: Stieglitze, Zeisige, Kreuzschnäbel, Meisen u. s. w., was ihm seitens des Vogelhändlers verweigert wurde und als ihm der Markt-Commissär bedeutete, dass er ihm beweisen werde, dass er zur Confiscation berechtigt sei, liess sich der Vogelhändler dennoch nicht herbei, dieselben auszufolgen, worauf unter Beiziehung eines Wachmannes dieselben ihm weggenommen wurden und der Vogelhändler eine Vorladung zum Markt-Commissariate erhielt. Nun lässt sich der Grund des behördlichen Vorganges ganz wohl erklären: der Thierschutz-Verein ist vorstellig geworden behufs strengerer Handhabung des Vogelschutzgesetzes und da lautet der § 3 dieses Gesetzes wie folgt: „Das Fangen, sowie das Feilhalten, der An- und Verkauf nachbenannter Vögel ist während der Brutzeit, das ist vom 1. Jänner bis 31. Juli, das Tödten derselben (mit Ausnahme der Krammetsvögel) zu jeder Zeit verboten."

Diese Stylisirung ist unbedingt schlecht, denn der Sinn kann doch nicht der sein, dass Vögel, die Ende der erlaubten Fangzeit noch nicht verkauft sind, vom 1. Jänner ab der Confiscation unterliegen; wo soll der Händler mit seinen unverkauften Vögeln hin? Auslassen, — das wäre denn doch noch grausamer, denn unsere einheimischen Insectenfresser kommen doch erst bei milder Witterung, also in der zweiten Hälfte des Frühjahres wieder aus den südlichen Gegenden zurück. Es ist daher unbedingt nothwendig, dass seitens des Landtages dieser § 3 eine andere, d. h. richtigere Stylisirung erhält und zwar etwa derart: „Das Fangen nachbenannter Vögel ist während der Zeit vom 1. Jänner bis 31. Juli verboten." Der Passus „während der Brutzeit" wäre gänzlich wegzulassen, denn es sieht lächerlich aus, wenn es heisst: das Fangen während der Brutzeit, das ist vom 1. Jänner bis 31. Juli, da ja vor April unsere edlen Sänger in Niederösterreich noch gar nicht da sind und selbst unsere früher angekommenen härteren Vögel und auch unsere Standvögel vor März nicht an die Paarung schreiten.

Es kann und darf sich also nur darum handeln, dass vom 1. Jänner bis 31. Juli weder Vögel gefangen, noch diese frisch gefangenen verkauft werden dürfen. Aber dem Händler, der das ganze Jahr seine Steuer zahlt, darf doch der Verkauf für den 1. Jänner bis 31. Juli nicht beschränkt werden, wenn es sich um Vögel handelt, die aus der erlaubten Fangzeit, das ist vom 1. August bis 31. Decembrr stammen; wenn es auch schwer ist, zu controliren, ob nicht auch zwischen April und Juli mitunter auch frischgefangene Vögel, d. i. solche in Niederöesterreich gefangene Vögel dabei sind. Nun aber ist es thatsächlich, dass viele Händler in Wien im Frühjahre mit frisch gefangenen Vögeln handeln und einen schwunghaften Export nach dem Auslande betreiben, das sind aber zumeist Vögel, welche aus Ungarn und Russland stammen und die nach den dort bestehenden, oder auch noch nicht bestehenden Vogelschutzgesetzen, gefangen werden dürfen. Soll da also der niederösterreichische Händler dafür geschädigt werden? Da wäre noch Manches zu bedenken und — was schon öfter angeregt wurde — müssten unsere Vogelschutzgesetze Staats- und nicht Landesgesetze werden und in gewissen Puncten sogar eine internationale Verständigung, resp. eine internationale Gesetzesbestimmung creirt werden, denn sonst kommt man in dieser wichtigen Frage des Vogelschutzes nicht aus Halbheiten heraus. Es finden sich in unserem niederösterreichischem Vogelschutzgesetze vom Jahre 1889 auch noch andere Unrichtigkeiten, auf die gelegentlich der Abänderung des § 3 beim Landtage hinzuweisen wäre, doch müsste vorerst noch eine Durchberathung seitens des „Ornithologischen Vereines" stattfinden, um die Aenderungen entsprechend zu begründen. —

Der Vereins-Ausschuss sprach in seiner Sitzung vom 4. Mai dem Herrn Referenten protocollarisch seinen Dank aus, verfügte die Publikation des Gutachtens und dessen Mittheilung an die hiesige Marktbehörde und beschloss schliesslich dieses wichtige Thema zur gründlichen Erörterung auf die Tagesordnung der ersten Herbstsitzung zu stellen.

Die Gartengrasmücke als Stubenvogel und ihre Behandlung.

Von F. Anzinger in Innsbruck.

Einer der vorzüglichsten Sänger unter unseren einheimischen Singvögeln ist unbestritten die Gartengrasmücke (Sylvia hortensis), bekannt noch unter dem Namen: Dornreich, Hagspatz, Heckenschmätzer, grauer Spottvogel, grosse Weisskehle, graue, italienische, welsche, oder welschende Grasmücke, Baumnachtigall, graue Nachtigall; in Tirol und Vorarlberg aber durchwegs bekannt unter dem bezeichnenden Synonym: „Staudenfahrl".*)

Man darf diese Grasmücke ohne Frage als rangsdritten Sänger neben die Nachtigall stellen und von vielen Vogelliebhabern wird sie als Stubenvogel sogar höher geschätzt, als die Nachtigall.

Ihr fröhlicher Gesang wirkt ungemein erheiternd auf das menschliche Gemüth, ist laut, zusammenhängend und flötend und hat die längsten Strophen unter allen Grasmücken-Arten. In der Reichhaltigkeit der Melodien übertrifft sie unser Schwarzblattl um ein Bedeutendes. Der Thon ihrer Stimme hat in Folge der schönen Rundung nichts Verletzendes für den Zuhörer und gerade diese Eigenschaft erhöht den Werth dieses Sängers als Stubenvogel.

Dass ein solcher Gesangskünstler ein gern gesehener Gast in jeder Vogelstube wäre, ist leicht begreiflich; leider aber ist die Gartengrasmücke einer der heikelsten Stubenvögel und deren Ueberwinterung eine sehr schwierige. So leicht sich frisch gefangene Staudenfahrl bei verhülltem Käfig und genügend lebendem Futter eingewöhnen und sehr bald an die gemischte Kost bringen lassen, so weichlich und zart erweisen sie sich während der Wintermonate.

Kalte, feuchte Wohnungen, herrschende Zugluft, kleine, nicht reinlich gehaltene Käfige, schlechtes, oder altes bereits in Gährung übergegangenes Weichfutter sind Vorkommnisse, welche wohl allen Insectenfressern schädlich sind, keinem aber so schnelles Verderben bringen als dem Staudenfahrl. Solch schädliche Einflüsse zu verhüten, ist aber noch lange nicht Alles, um diesen Vogel über Winter am Leben zu erhalten.

*) Die dieser Grasmücke beigelegten Namen: „Dornreich, Hagspatz und Heckenschmätzer" sind unrichtig und beziehen sich auf die Dorngrasmücke.

Bekanntlich ist der Staudenfahrl ein starker Fresser und das Quantum Futter, welches er täglich verzehrt, steht zur Grösse des Vogels in keinem Verhältnis. Während der Singzeit, sowie in der Periode des Federwechsels halten Futterzufuhr und Säfteverbrauch gleichen Schritt. Ist aber die Zeit des Gesanges vorüber und die Mauser überstanden, so fängt der sonst immer lebhafte und rührige Staudenfahrl eine ganz andere Lebensweise an. Still und behaglich sitzt er nun im Käfig, rührt sich oft stundenlang nicht vom Fleck, schliesst bei Tage wohl gar die Augen und schläft. Seine ganzen Lebens-Aeusserungen sind jetzt nur Träumen, Fressen und Schmutzen, die Körperfülle nimmt in Folge dessen schnell zu und man hat nach kurzer Zeit einen unansehnlichen Fettklumpen im Käfig.

Der unkundige Vogelliebhaber beachtet diesen Vorgang nicht und um die Weihnachtszeit, vielleicht schon im October beklagt er den Tod seines Lieblings, welcher an der Fettsucht zugrunde gegangen.

Die Fettsucht ist eine Krankheit, welche sich von vorneherein verhüten und, wenn sie wirklich schon vorhanden, bei einigem guten Willen wieder vertreiben oder doch eindämmen lässt.

Eine viel gefährlichere Krankheit ist die Schwind- oder Dürrsucht, von welcher dieser Vogel ebenfalls sehr leicht befallen wird.

Dieselbe entsteht hauptsächlich durch schlechtes, verdorbenes oder dem Vogel nicht zusagendes Futter, schnell wechselnde Zimmer-Temperatur, Aufenthalt in feuchten, dumpfen oder mit Tabaksqualm geschwängerten Wohnräumen und nicht vollkommen durchgemachte Mauser.

Dieser fast immer mit tödtlichen Ausgang verlaufenden Krankheit steht der erfahrenste Vogelliebhaber oft rathlos gegenüber.

Im Interesse aller Vogelhalter will ich nun im Nachstehenden die von gewiegten Vogelliebhabern erhaltenen Fingerzeige, sowie meine eigenen Erfahrungen über die Haltung und Pflege dieses werthvollen Sängers mittheilen. Hier sei bemerkt, dass ich nur die oberwähnten zwei Krankheiten in Betracht ziehe, da alle übrigen Uebel, wie Läusesucht, anbrüchige Füsse etc., in ihrer Art nicht so gefährlich sind und deren Behandlung ohnehin bekannt sein dürfte.

Um auch von Anfängern in der Stubenvogelpflege genau verstanden zu werden, muss ich mit der Eingewöhnung des Wildfanges beginnen.

Die Nahrung der Gartengrasmücke besteht im Freien von ihrer Ankunft im Mai bis zur Obst- und Beerenreife in kriechenden und fliegenden Kerbthieren nebst deren Bruten, insbesondere in Hafteu, Kleinschmetterlingen und allerlei weichem Gewürm.

Im Spätsommer, wenn Kirschen, Weintrauben, sowie verschiedene süsse Beeren zur Reife gelangen, zehrt sie vornehmlich von diesen und lässt die Insecten nahezu ganz bei seite.

Im ganzen Benehmen des Wildfanges zeigt sich eine grosse Lebhaftigkeit und eine besondere Vorliebe für lichten, sonnigen Aufenthalt.

(Fortsetzung folgt.)

Ausstellungsberichte.

I. Steiermärkischer Geflügelzucht-Verein in Graz.

Man nennt Graz, die Metropole der grünen Steiermark, einen Garten; wie wohlverdient dieses Epiteton, zeigte wieder der Eintritt in die jüngst veranstaltete Geflügel-Ausstellung (April), man befand sich da wieder in einem auf's reizendste zusammengestellten Gewächshause und beneidete ordentlich die unterschiedlichen Tauben, Hühner, Enten und Gänse nur ihre Befugniss, hier girren, krähen und schnattern zu dürfen. Jedenfalls müssen sie sich sehr wohl hier befunden haben, denn die Thiere waren alle prächtig aussehend und gesund. Da ich als Preisrichter für Tauben geladen war, so werden es mir die P. T. Geflügelzüchter nicht übel nehmen, dass ich auch zuerst und ausführlicher von diesem Zweige der Geflügelzucht spreche. Den Beigen der Tauben eröffneten diesmal die Farbentauben, von welchen die weissspiessigen Gimpel des Hrn. Goldstein-Wien, die Mohrenköpfe des Hrn. Burger-Budapest, die rothen Libanon des Hrn. Ehrmann-Wien und die blauen Schwalben des Hrn. Cohner-Graz die besten waren. Die beiden nächsten Classen waren von Florentinern, der in Steiermark seit jeher am schönsten vertretene Rasse, besetzt. Hier feierte Hr. Schuch-Graz mit einer grösseren Anzahl von Paaren aller Farben einen wahren Triumph, besonders einige Stücke hatten noch den nunmehr schon selten gewordenen alten Typus, welcher durch Export der edelsten Thiere in's Ausland in seiner Heimat fast auszusterben drohte. Fr. Meyer-Graz, die Brüder Arbeiter-Mooskirchen und Hr. Paulenriz-Graz brachten auch noch recht gute Thiere zur Ansicht. Unter den Maltesern waren die gelben des Hrn. Schuch-Graz, wegen ihrer in dieser Farbe seltenen Grösse und Figur hervorragend: ausser diesen waren noch die weissen von Hrn. v. Paulenriz, die blauen und schwarzen von dem bekannten Linzerzüchter Völkl, die schwarztiger von Fr. Mayer-Graz und Götzendorfer-Wien zu nennen. Von Letzteren war auch ein ziemlich gutes Paar blauer Hühnerschecken und ein Paar schwarzer von Völkl-Linz ausgestellt, im Ganzen war aber diese Classe schwach in Qualität vertreten. Von Pfautauben waren ausser meinen „hors concurs" ausgestellten weissen Seiden- und verschiedenfärbigen Pfauen, noch zwei gute weisse Paare von Götzendorfer-Wien und Peco-Graz vorhanden, welchen in Folge dessen der 1. und 2. Preis dieser Classe zuerkannt wurde. Perücken-Tauben waren sehr schön in schwarz- und rothgemönchten Paaren von Hrn. Čarinovicz-Valpo (Slavonien), ein weisses englisches Paar von Frl. Dumtsa-Wien und ein ebensolches und schwarzgemönchtes Paar von Hrn. Goldstein-Wien vertreten. Von Mövchen zeigten eine Form die Anatolier und Blondinetten des Frl. Dumtsa-Wien, die Chinesen der Hrn. Goldstein-Wien und Högelsberger-Graz und ein Paar leidlich gute deutsche von Götzendorfer-Wien. Gute Indianer hatte Hr. Horvath-Budapest, schöne Carrier Hr. Burger-Budapest, prächtige französische Bagdetten Hr. Cohner-Graz, Römer nur ein einziges Paar passable weisse, Fr. Mayer-Graz. Besser vertreten waren die Kröpfer, von denen Hrn. Czerny-Wien sehr gute englische in schwarz, chamois und weiss, Hr. v. Szokolovits-Baja gute ungarische Riesenkröpfer und Hr. Kovacs-Debreczin, recht hübsche silberblaue Brünner zeigten. Am reichhaltigsten waren die Classen diverser Tümmler erschienen, in 38 Paaren, von denen die besten, die von Hrn. Horvath-Budapest eingesendeten geganselten und einfärbigen von Kopf und Schnabel, ebenso dessen Almond's, Mottles und Budapester gestorchten zur Prämiirung gelangten. Ihm zunächst rangirten die rothen einfärbigen Wiener, die Königsberger, Reinaugen und Spiegelschecken des Hrn. Groch-Wien. Nennenswerth sind noch die gelbgestorchten des Hrn. Oesterreicher-Elau und weissen Altstämer von Wildbacher-Graz, endlich die Nönchen-Collection des Hrn. Sess-Wien in allen 4 Farben. — Unter den diversen Rassen waren schöne Samabia von Götzendorfer-Wien, blaue Trommler von B. v. Hrn. Czerny-Wien, Lahore von Frl. Dumtsa-Wien und Rothschimmel Lockentauben von Völkl-Linz, welche die ausgesetzten Preise erhielten. Endlich kommen wir zur letzten Classe, den Brieftauben, welche natürlich nur dem Exterieur nach prämiirt werden konnten und da war ein blaues Paar belgische des Hrn. Högelsberger-Graz, welches als Typus einer Brieftaube gelten konnte, dann ein Paar isabellfarbige mit gelben Binden desselben Züchters, welche jedoch ebenso, wie ein fahles Paar von Fleissner-Wien nur der schönen Farbe wegen prämiirt wurden und noch ein gutes blaugehämmertes Paar von Burger-Budapest. Von den zwei angemeldeten Brieftauben-Flügen der beiden Geflügelzucht-Vereine aus Wien, waren nur die Tauben der Brieftaubenzüchter des „I. öst.-ung. Geflügelzucht-Vereines" in Graz eingetroffen, die des Wiener Geflügelzucht-Vereines Rudolfsheim waren daheim geblieben. Ich habe unsere Wiener Tauben selbst um $^1/_4$1 Uhr im Garten der Industriehalle in Graz bei Anwesenheit von einigen Hundert Ausstellungsbesuchern hochgelassen und haben selbe, obwohl untrainirt, ihren Flug zur Zufriedenheit ausgeführt. Die erste in Wien um 4 Uhr eingetroffene Taube des Hrn. Zimmermann erhielt den Grazer Vereinspreis von 50 Kronen in Gold und den Privat-Ehrenpreis von 30 Kronen in Gold zuerkannt. Die zweite Taube gehörte Hrn. Mittermayer, die dritte angekommene Hrn. Pinter. Viele Tauben kamen des heftigen Nordwestwindes wegen, der sie von Graz bis Wien flankirte, erst am andern Tage in Wien an und hatten von der Ungunst der Witterung sehr zu leiden; denn bei gutem Wetter und nach gehöriger Vortrainirung hatten wir in früheren Jahren schon weit bessere Record's zu verzeichnen.

Die Hühner und Wassergeflügel-Abtheilung dürfte vielleicht die Feder eines erfahrenen Geflügelzüchters ausführlicher beschreiben, doch kann ich schon jetzt nicht unterlassen, zu erwähnen, dass die Thiere der Zuchtanstalt Novimarof-Croatien den Löwenantheil von Preisen in den verschiedenen Classen davontrugen, dass ferner die wundervollen Dorking des Grafen Maldeghem-Graz, die prächtigen Houdans der bekannten Frau Nagl-Graz, wie immer auch diesmal Glanzpunkte der Ausstellung waren. Schöne Thiere brachten Hr. Blumauer-Tobelbad, Beyer-Linz, die gräfl. Batthyani'sche Gutsverwaltung, Frl. Nagl-Purkersdorf, Hr. Beck-Graz, Deutsch-Marburg, Witt, Peer, Kotzbeck und Lucheschitz-Graz u. s. w. zur Ansicht, welche ich zu beschreiben einer versirteren Feder überlasse. — Was mich wunderte, war, dass die Gutsverwaltung Pöls gar nichts ausgestellt hatte, welche in früheren Jahren immer so schöne Thiere eingeschickt, auch Fürstin Teck bei Graz war diesmal nicht vertreten, die sonst wahre Musterthiere in Cochin etc. zur Ansicht brachte. Dafür aber beehrte S. Excellenz Baron Max von Washington, der Nestor der steirischen Geflügelzüchter, am Arme seines würdigen Sohnes und Nachfolgers auf diesem Sportfelde, die Ausstellung mit seinem Besuche und erfreute sich des Blühens und Gedeihens des von ihm vor etlichen dreissig Jahren ausgestreuten Samens, zur Besserung der Geflügelzucht. Unter den vielen hervorragenden Persönlichkeiten, welche die Ausstellung besuchten, sei noch das gräfliche Ehepaar Hartenau (Prz. Battenberg) erwähnt, welches sich sehr für die verschiedenen Rassen-Tauben u. s. w. interessirte. Der Verkauf war für die Kürze der Dauer der Ausstellung ein ziemlich guter, der Gesundheitszustand der Thiere eine vorzügliche.

J. B. Brusskay.

VI. Geflügel-Ausstellung des I. Wiener Geflügelzucht-Vereines „Rudolfsheim". Grossgeflügel. (Schluss.)

In den Paduaner-Classen sind vor Allem die prächtigen Chamois-Paduaner der eifrigen und langjährigen Züchterin Frau Therese Thornton, Wien, Hietzing zu erwähnen, die den verdienten I. Classen-Preis erhielten, einen III. Preis für Chamois-Paduaner erhielt noch Herr M. Völkl, Linz.

Silberpaduaner waren weniger schön und musste sich hier Frau Th. Thornton mit II. Preis begnügen, während ein III. Preis Herrn Goldstein, Wien XV., zufiel.

Schwarze Holländer waren prachtvoll vertreten, grossartig schön präsentirte sich der Stamm des Herrn A. Feischl und ganz besonders dessen importirter Hahn. Wir glauben noch kaum einen gleich schönen Stamm in Wien gesehen zu haben! Sehr schön sind die mit II. Preise prämiirten Holländer eigener Zucht der Frau Th. Thornton, Wien, Hietzing und der mit gleichem Preise ausgezeichnete Stamm des Herrn L. Mayer Wien. Neben diesen Musterstämmen musste sich jener von M. Leidenmüller, Linz, mit Anerkennungs-Diplom begnügen, während der bekannte und oft prämiirte Holländerzüchter Herr A. Bock mit einem sehr bemerkenswerthen Stamm leer ausgieng.

Die Hamburger Classen waren wieder hervorragend beschickt. Für schwarze erhielt Herr Echinger, Wien, I. Preis, während Herrn Weise, Dippoldiswalde in Sachsen II. Preis zuerkannt wurde.

Sehr hübsche Silbersprenkel des Herrn M. Rein, Liegnitz in Sachsen erzielten, da sie eben mit den schwarzen in einer Classe concurirren mussten, II., Herr A. Tomanetz, Linz, auf Goldsprenkel III. Preis.

Für Silberlack wurde der I. Preis auf einen Prachtstamm der Frau M. Leidenmüller, Linz, ein Ehrenpreis (silberne Medaille) Frau C. Zeinlinger, Wien XIV., II. Classen-Preis Herrn Joh. Merkel, Wien XV. und auf Goldlack III. Preis Herrn Rob. Echinger zuerkannt.

Malayen waren vier Nummern angemeldet, worunter ein weisser und ein brauner Stamm von Herrn C. Heine, Halle a. d. S. cumulativ der I. Preis zuerkannt wurde, uns schien dieser Preis für die jungen, schwachen Thiere wesentlich zu hoch angesetzt zu sein.

In der Classe Sumatra, Yokohama concurrirten blos zwei Aussteller. Herr A. Schier, Grossröhrsdorf i. S., erhielt auf einen Stamm weisse und einen Stamm rothgesattelte III. Preis.

Kämpfer waren zwei Stämme erschienen. Frau C. Zeinlinger zeigte einen jungen Hahn mit älteren Hennen, goldhalsige englische Kämpfer alter Zuchtrichtung, wofür ihr ein II. Preis zuerkannt wurde. Herr C. Schelz, Poisdorf, führte einen jungen Stamm fasanfärbige, indische Kämpfer eigener Zucht vor, die auffallender Weise von den Preisrichtern nicht beachtet wurden. Die Thiere waren allerdings noch nicht völlig ausgebildet und hatte der Hahn einen, unserer Ansicht nach, zu hohen Kamm; indess waren die Vögel so schnittig, so schön von Farbe und sind so selten auf unseren Ausstellungen, dass sie unbedingt nicht leer ausgehen durften.

Zwergkämpfer waren stark vertreten. Herr R. Echinger brachte eine Collection Goldhalsiger, Silberhalsiger und Rothschecken, wofür ihm die silberne Vereins-Medaille zuerkannt wurde. Herr Jul. Fuchs, Wien XII., zeigte schöne Silberhalsige und Herr H. Enzinger ein Paar Goldhalsige, woran der Hahn das Beste ist, was wir seit Langem in dieser Rasse gesehen haben; beide Nummern erhielten II. Preis.

An Bantam war wenig Hervorragendes ausgestellt. Die Silberbantam des Herrn R. Echinger waren hübsch und erhielten II. Preis. Die Goldbantam von Herrn Feischel, Wien gefielen uns, trotzdem sie etwas stark waren, sehr gut und scheinen bei der Prämiirung übersehen worden zu sein. Schliesslich seien noch je ein Stamm schwarze und gelbe Cochin-Bantam (silberne Vereins-Medaille) der Frau M. Baier, Linz, erwähnt.

Landhühner fehlten wie gewönlich. Nackthälse erschienen in mehreren Nummern, doch konnte nur ein Paar weisse von Herrn Schlinkert, Wien XIV., und zwar mit III. Preise prämiirt worden.

Unter Diverse erregte ein Stamm weisse Brahma, die Herr Theodor Wichman in Oed, N.-Oe., aus einem Stamm heller Brahma erzüchtet hatte, die Aufmerksamkeit der Besucher und wurde mit I. Preis und 1 Ducaten als Ehrenpreis für hervorragende Zuchtleistung ausgezeichnet.

Was die Herrn Preisrichter bewog, einen Stamm als „Sultan" bezeichnete weisse Hühner mit kleinen Häubchen zu prämiiren, war uns unklar und scheint eine Verwechslung unterlaufen zu sein.

Das Wassergeflügel war in den Classen Peking und Rouen-Enten stark vertreten.

Die silberne Vereins-Medaille wurde der „Race- und Nutzgeflügel-Zuchtanstalt Novimarof" (Züchter Herr Ferd. Hausinger) auf eine Collection von 3 Stämmen Rouenenten zuerkannt. Diese Enten zeichneten sich durch besonders schweren Körperbau aus, standen aber in Zeichnung und Figur wesentlich hinter dem mit I. Preis prämiirten Stamme der „Racezucht Leithahof" zurück. Einen II. Preis erhielt der Stamm des „Ob.-Oestr. Geflügelzucht-Vereines in Linz."

Pekingenten waren in 15 Paaren vertreten, die Geflügelzucht-Anstalt Novimarof allein brachte 10 Paare zur Schau, wofür ihr die k. k. silberne Staatsmedaille zuerkannt wurde. Diese Enten waren sehr gross, doch war es unmöglich, sie auf Figur zu beurtheilen, denn die niedrigen Käfige gestatteten ein Aufstellen des Körpers nicht.

II. Classen-Preise erhielten die Thiere des Herrn J. Kirchmayer, Wien XIII., der „Racezucht Leithahof" und des Herrn Th. Wichmann in Oed, N.-Oe. Herr A. Schönpflug, Wien, musste sich mit III. Preis begnügen, obwohl sie unserer Meinung nach den meisten der mit II. Preis prämiirten vorzuziehen waren.

Ausser dem bekannten schönen Stamm Toulouser Gänse der „Racezucht Leithahof," war absolut nichts weiters Bemerkenswerthes unter dem Wassergeflügel zu sehen.

Auch die Trut- und Perlhühner, sowie das Ziergeflügel kann füglich übergangen werden.

Der Jury standen diverse Dukaten als Ehrenpreise der Stadt Wien etc. zur Verfügung, die theils einzeln, theils zu zweien statt der zugesprochenen Classenpreise zur Vertheilung gelangten.

Solche Ehrenpreise der Stadt Wien wurden vergeben an Frau Th. Thornton (4 #) Frau J. Nagl, Tintara, die Herren Echinger, Feischl, Meyer, Wichmann, „Rassezucht Leithahof" (je 2 #). Ph.

Aus unserem Vereine.

Protokoll

der am 4. Mai 1893 abgehaltenen Ausschuss-Sitzung.

Anwesend die Herren: Adolf Bachofen von Echt sen. Präsident; Frhr. Kotz von Dobř, Carl Mayerhofer, Andreas Reischek, Dr. Leo Přibyl, I. Secretär; W. Gamauf, als Schriftführer.

Entschuldigt die Herren: Hofrath Prof. Dr. Claus, Dr. Othmar Reiser, Fritz Zeller.

1. Präsident eröffnet um $6^1/_4$ Uhr die Sitzung und constatirte die entschuldigte Abwesenheit obiger Herren; dient zur Kenntniss.

II. Schriftführer verliest das Protokoll der Sitzung vom 27. März; wird einstimmig genehmigt.

III. Zur Vorlage gelangen folgende Einläufe:

1. Dankschreiben der Kabinetskanzlei S. H. des Fürsten von Bulgarien, für die Gratulation zu dessen Verlobung; dien zur Kenntniss.

2. Zuschrift des Wiener Thierschutz-Vereines, Z. 242 worin er für das erstattete Gutachten über den Vogelfang den Dank ausspricht; dient zur Kenntniss.

3. Verein „Küstenländischer Forstverein“ erklärt sub Z. 29 seine Mitglieder auf die Zwecke unseres Vereines aufmerksam machen zu wollen; wird zur Kenntniss genommen.

4. Galizischer Forstverein theilt Z. 87, mit, dass er in seinem Vereinsorgane „Sylwan“ zum Beitritte anregen wird und ersucht zugleich um Schriftentausch; dient zur erfreulichen Kenntniss und wird das Tauschexemplar der „Schwalbe“ an den P. T. Verein abgehen.

5. Forstschulverein für Böhmen erklärt, dass ihm nur die Erhaltung der Forstlehranstalt in Weisswasser zusteht, er also nicht in der Lage sei, für unseren Verein wirken zu können; zur Kenntniss.

6. Ung. Landes-Forstverein gibt sub Z. 655 mit collegialem Gruss bekannt, dass er unsere Zuschrift dem Protokolle seiner Ausschusssitzung vom 23. April l. J. einverleibt hat und auf diese Weise den Mitgliedern im Vereinsorgane kundgibt; dient zur erfreulichen Kenntniss.

7. Secretär theilt mit, dass er im Auftrage der hohen Ministerien, bei welchen um moralische Unterstützung des Vereines nachgesucht wurde, beim Polizeicommissariate vernommen wurde und die nöthigen Aufschlüsse gegeben habe; ferner, dass er auf kurzem Wege die Mittheilung erhielt, je 100 Exemplare der Statuten und der Schwalbe an das hohe k. k. Ackerbauministerium zur weiteren Vertheilung gelangen zu lassen; dient zur Kenntniss und wird von Nr. 5 der „Schwalbe“ eine Mehrauflage von 100 Stück zu gennantem Zwecke zu veranstalten sein.

8. Redaction des Blattes „Industrie und Erfindungen“ bietet Tauschannonce an, wird acceptirt und mit dem Weiteren das Secretariat betraut.

IV. Graf Traun'sche Directionskanzlei meldet den Austritt des Herrn Otto Grafen von Abensberg-Traun an; dient zur Kenntniss.

V. Das neu aufgelegte Mitgliederverzeichniss, wird einstimmig gutgeheissen.

VI. Herr Anton Abraham jun. theilt mit, dass er demnächst eine Studienreise nach Serbien antrete und erklärt, seinerzeit über diese Reise Beiträge für das Blatt zu liefern und Vorträge zu halten; ist dem betreffenden Herrn für seine liebenswürdige Bereitwilligkeit der Dank des Ausschusses auszusprechen.

VII. Als neue Mitglieder kommen zur Anmeldung: durch Herrn Anton Abraham jun: Herr Clemens Hartwich, Präparator; durch Herrn Joh. Künstner, Buchhändler: Frau Dr. Gröschel-Leipa, Postgasse; durch Herrn Prof. Gabriel Szikla: Herr Gustav von Gaal, Gutsbesitzer, Lelle, durch das Secretariat: Mährischer Jagdschutzverein, Brünn, Ob.-österr. Schutzverein für Jagd und Fischerei, Linz. K. u. k. Brieftauben-Station, Sarajewo. Kgl. ung. landw. Akademie Ung.-Altenburg. Kgl. ung. höh. landw. Lehranstalt, Kaschau, Kgl. ung. höh. landw. Lehranstalt, Keszthely.

Alle Benannten wurden freudig begrüsst und einstimmig aufgenommen, besonders aber dem hohen kgl. ung. Ackerbauministerium für seine aus dem Obigen bereits ersichtliche thatkräftige Unterstützung der lebhafteste Dank ausgesprochen.

VIII. Vicepräsident Zeller übersendet sein Gutachten über den behördlichen Vorgang bei der jüngst erfolgten Confiscation von Singvögeln und stellt Anträge zur Abhilfe. Dem Herrn Referenten wird für seine eingehende Arbeit protokollarisch der Dank des Ausschusses votirt, dieselbe im Vereinsorgane vollinhaltlich zum Abdruck und dem löbl. Marktcommissariate zur Kenntniss gebracht, endlich wird die gründliche Durchberathung dieses Themas auf die Tagesordnung der ersten Herbstsitzung gestellt.

IX. Frh. Kotz von Dobř und Secretär Dr. Přibyl beantragen Herrn Adolf Bachofen von Echt jun. in den Ausschuss zu cooptiren; wird einstimmig angenommen.

Der Präsident schliesst um 7½ Uhr Abends die Sitzung.

Wilhelm Gamauf m. p. als Schriftführer. Adolf Bachofen v. Echt m. p. Vorsitzender.

Literarisches.

Zweite Wandtafel mit Abbildungen der wichtigsten kleinen deutschen Vögel. Herausgegeben und der Schule und dem Haus gewidmet vom „Deutschen Verein zum Schutz der Vogelwelt“, gemalt von Prof. A. Goering in Leipzig, Farbendruck von G. Leutsch in Gera, Bildgrösse 140:100 cm. Erläuternder Text von Dr. C. Rey in Leipzig, gr. 8° 24 pp. — Gera (Kunst-Verlag von G. Leutzsch) 1892. Preis unaufgezogen M. 7, auf Leinwand aufgezogen mit lackierten Rollstäben nebst Oesen zum Aufhängen M. 10.

Die Zwergpapageien von Dr. A. Frenzel. Verlag und Expedition der Allg. Deutschen Geflügelzeitung (C. Wacht) Leipzig. Als Heft 20 der hier öfter schon erwähnten „Universal-Bibliothek für Thierfreunde“, gibt der auch als Vogelpfleger weit bekannte Verfasser eine auf eifrigen Studium des Gefangenlebens, wie der einschlägigen Literatur fussende Arbeit über die Kleinsten der Papageien, die sowohl Züchter, Liebhaber, wie Fachornithologen interessiren wird. Ph.

Deutschlands nützliche und schädliche Vögel, 32 Farbendrucktafeln nebst erläuterndem Text von Dr. Hermann Fürst, königl. Oberforstrath und Director der Forstlehranstalt in Aschaffenburg. Berlin W. Parey. 8 Lieferungen à 4 Tafeln nebst Text. Preis der Lief. 3 M. Soweit nach den vorliegenden Lieferungen ein Urtheil gefällt werden kann, dürfte das neue Werk den Zwecken des Unterrichtes ganz entsprechen. Die artistische Ausführung ist zu loben, die Stellung, sowie die Farben sind grösstentheils naturwahr getroffen. — In den uns vorliegenden Tafeln sind aber die Grössenverhältnisse übertrieben, was auch den Laien auffällt und störend wirkt. Das Format ist sowohl für den Handgebrauch, als auch als Wandtafeln gut verwendbar. Wir kommen auf die folgenden Tafeln wieder zurück. Der Text ist knapp aber klar, correct und dem neuesten Stand der Wissenschaft entsprechend. Ph.

Die „Illustrirte Zeitung“ von J. J. Weber, Leipzig. Die Nr. 2596 vom 1. April l. J. bringt ein hübsches Bild von Mangelsdorf: „Die herrlichsten Sänger, schönsten und seltensten Vögel der VII. Ornis-Ausstellung zu Berlin“ nebst einem Bericht über diese Ausstellung aus der Feder des Obmannes des Vereines „Ornis“, Dr. Karl Russ. Wir machen auf dieses reich illustrirte Heft des Jubiläums-Jahrganges (100. Band) hiemit unsere Leser gerne aufmerksam. Ph.

In unserer Besprechung der ersten Wandtafel (Mitth. orn. Ver. Wien, X, 1886 p. 178) hatten wir bemerkt: „Der Deutsche Verein zum Schutze der Vogelwelt“ hat es vor allen anderen Vereinen ähnlicher Tendenz, seit Jahren verstanden, in seiner „Ornithologischen Monatsschrift“ durch Wort und Bild das Interesse für die Vogelwelt anzuregen und zu fördern, von der Ueberzeugung ausgehend, dass die Verbreitung dieser Kenntnisse auch für den Vogelschutz von grösstem Nutzen sei.“

Nichts vermag aber in dieser Beziehung auf weitere

Kreise fördernder zu wirken, als wirklich gute Tafeln, welche ein in möglichster Kürze abgefasster, die dargestellten Arten erläuternder Text begleitet, der das ausser der bildlichen Darstellung Liegende ergänzt.

Es fehlt zwar nicht an verschiedenen Bilderwerken, welche diesen Zweck anstreben; aber fast ausnahmslos erscheint uns das Gebotene lange nicht den Anforderungen zu entsprechen, die man gegenwärtig an Abbildungen zu stellen berechtigt ist: Naturwahrheit in Stellung, Zeichnung und Färbung. Um eine befriedigende, zweckentsprechende Leistung zu erzielen und dem Laien auch einen richtigen Begriff der einzelnen Arten zu verschaffen, sowie das Erkennen derselben in der Freiheit zu ermöglichen, dazu bedarf es eines Künstlers, der auch ein guter Beobachter ist und das für jede Species Charakteristische erfasst und festhält. Ist diese erste Bedingung erfüllt, so schliesst sich daran die zweite; die correcte Vervielfältigung des Originals. Diesen beiden Bedingungen muss eine Tafel entsprechen, wenn sie gut sein und den beabsichtigten Zweck erfüllen soll.

Von diesem Standpunkte hatten wir die I. Tafel beurtheilt und selbe als die beste derartige Leistung bezeichnet, welche daher wärmstens als Lehrmittel für Schule und Haus zu empfehlen sei.

Nun liegt uns die II. Tafel vor, welche in gleichem Formate ihrer Vorgängerin, 50 Vogelarten, ebenfalls in Naturgrösse, zur Darstellung bringt. Die Herstellung des Originals lag abermals in den bewährten Händen von Professor A. Göring, die Reproduction wurde dagegen dem Kunstverlage von G. Lentzsch in Gera übertragen. Mit Benützung der Fortschritte in der Technik des Buntdruckes konnte diesmal der Druck der Tafel auf blos zwei Blättern — gegen vier der ersten — ausgeführt werden, so dass jene nur eine Klebenaht aufweist.

Ueber die zur Abbildung gelangten Arten finden wir in der Einleitung des „Erläuternden Textes" folgende Bemerkung: „Während die erste Tafel im Wesentlichen nur Kleinvögel enthielt, erschien es angemessen, die sämmtlichen 3 deutschen Wildtaubenarten, die Spechte einschliesslich des stattlichen Schwarzspechtes, sämmtliche noch fehlenden Drossel- und Würgerarten, ebenso von Sumpfvögeln, neben den kleineren zwei Schnepfenarten, die Waldschnepfe zur Abbildung gelangen zu lassen. Ferner mussten aufgenommen werden: die Weibchen derjenigen Vogelarten, welche sich sehr wesentlich von den auf der Tafel I dargestellten Männchen unterscheiden: Neuntödter, Piroe und Gimpel; endlich wurden aufgenommen noch verschiedene, weniger leicht bemerkbare, beziehungsweise im Allgemeinen weniger bekannte Kleinvögel, wie z. B. Rohrsänger."

Ein zur Tafel gehöriger Conturbogen in 4 mit Nummern und Namen der abgebildeten Arten dient zu deren rascheren Auffinden auf der Tafel und im Texte, welcher letztere von Dr. E. Rey in Leipzig stammend, kurz und in gemeinfasslicher Form abgefasst ist.

Vergleichen wir die beiden jetzt vorliegenden Tafeln mit einander, so müssen wir einen entschiedenen Fortschritt der zweiten constatiren, der sich bei der gleichen trefflichen Herstellung des Originals von Seite des Künstlers auf die Reproduction bezieht. Mit alleiniger Ausnahme von Sprosser und Baumpieper ist die Darstellung als eine gelungene, allen billigen Anforderungen an den Farbendruck entsprechende zu bezeichnen, wie sie uns bisher kein anderes Unternehmen geboten hat.

Wir können daher die beiden Tafeln, deren Herausgabe dem „Deutschen Vereine zum Schutze der Vogelwelt" zur Ehre gereicht, als ihrem Zwecke am besten entsprechend, als vollkommen geeignetes Lehrmittel für Schule und Haus nur wärmstens empfehlen.

Villa Tännenhof b. Hallein, im April 1898.

v. Tschusi zu Schmidhoffen.

Correspondenz der Redaction.

Löbl. Secretariat d. ung. Landes Agricultur-Vereines, Budapest. — Ihre gefällige Zuschrift wurde durch unsere Administration erledigt.

Herrn *A. Sch., Wien*. Meinen besten Dank!

Herrn *J. M., Wien XIV.* Der betreffende Bericht ging Ihnen zu, ich bitte um seinerzeitige Retournirung. Frndl. Gruss.

Herrn *E. Bz., Troppau.* Die Adresse: Wien, III., Sophienbrückengasse 33, wurde Ihnen mitgetheilt, wir sehen der in Aussicht stehenden Arbeit mit Vergnügen entgegen, müssen aber um ein wenig Geduld bitten.

Herrn *F. W., Zug.* Ihr Wunsch wird demnächst erfüllt werden.

Löbl. Verband bayerischer Geflügelzucht-Vereine. Gewünschtes ging ab.

Herrn *H. G., Helgoland.* Der Brief kam mir erst nach circa 14 Tagen zu, habe sofort Gewünschtes abgeschickt.

Herrn *W. K. B.* Wir können diesen offenbar nicht unpartheiischen Bericht nicht aufnehmen, glauben auch nicht, dass damit der Sache irgend gedient wäre.

Herrn *Rath J. R. B.* Ihren Bericht dankend erhalten.

Herrn *Bar. V., Laibach und mehrere andere Einsender.* Solche Schwindeleien sind uns mehrfach aus Kärnthen mitgetheilt worden; speciell der L. scheint ein gewiegter Gauner zu sein. Da lässt sich aber nichts thun, als gerichtlich belangen; die beiden Adressen werden wir den Geflügelzucht-Vereinen mittheilen, damit sich ihre Mitglieder vor solchen Betrügern schützen können. Das Urtheil sind wir bereit zu publiciren.

Mehreren Herrn Geflügelzüchtern. Die Thatsache selbst ist richtig, doch wird dadurch der Bestand des Etablissements in keiner Weise tangirt und dasselbe in der herkömmlichen Weise weitergeführt werden.

Löbl *V. G.-Z.-V.* in *Dornbirn.* Auch uns ist die Prämiirungs-Liste trotz unseres Ansuchens nicht zugegangen, können damit also nicht dienen. — Einen Bericht den wir übrigens nicht dem Verein, sondern persönlicher Liebenswürdigkeit verdanken, finden Sie in vorliegender Nummer.

Mehreren Herren Correspondenten: War geschäftlich verreist, wodurch sowohl die Beantwortung vieler Briefe, wie auch die Fertigstellung der vorliegenden Nummer verzögert wird.

Inserate

per Quadrat-Centimeter 4 kr. oder 8 Pf.

Um den Annoncenpreis auch dem Laien geläufig zu machen, gilt Folgendes: Der Raum in der Grösse einer österr. 5 kr.- oder deutschen 10 Pfennig-Briefmarke kostet den 4fachen Betrag derselben; und sind diese Marken, oder der Werthbetrag gleich jedem Auftrage beizuschliessen. Bei öfters als 6maliger Insertion wird ¼ Rabatt gewährt, d. h. mit 3 Marken, anstatt 4 Marken die Markengrösse des Inserates gerechnet. Die Bestätigung des Empfanges der Inseratengebühr wird durch die Einsendung der betreffenden Belegnummer seitens der Administration dieses Blattes geliefert, wohin auch alle Inserate zu richten sind. Es werden nur Fachannoncen aufgenommen.

Verlag des Vereines. — Für die Redaction verantwortlich: Rudolf Ed. Bondi.
Druck von Johann L. Bondi & Sohn, Wien, VII., Stiftgasse 5.

XVII. JAHRGANG. Nr. 6.

Blätter für Vogelkunde, Vogelschutz, Geflügelzucht und Brieftaubenwesen.

Organ des I. österr.-ung. Geflügelzuchtvereines in Wien und des I. Wiener Geflügelzuchtvereines „Rudolfsheim".

Redigirt von C. PALLISCH unter Mitwirkung von Hofrath Professor Dr. C. CLAUS.

16. Juni.	„DIE SCHWALBE" erscheint **Mitte** eines **jeden Monates** und wird **nur an Mitglieder abgegeben.** Einzelne Nummern 50 kr. resp. 1 Mark **Inserate** per 1 □ Centimeter 4 kr., resp. 8 Pf. **Mittheilungen** an den **Verein** sind an Herrn Präsidenten **Adolf Bachofen von Echt** sen., Wien, XIX., Färbergasse 18, zu adressiren, **Jahresbeiträge** der Mitglieder (5 fl., resp. 10 Mark) an Herrn **Dr. Karl Zimmermann**, Wien, I., Bauernmarkt 11; einzusenden. **Alle redactionellen Briefe, Sendungen etc.** sind an Herrn **Ingenieur C. Pallisch in Erlach** bei Wr.-Neustadt zu richten. **Vereinsmitglieder beziehen das Blatt gratis.**	1893.

Ueber die Monasaralle von Kuschai (Kittlitzia Monasa, (Kittl.) und die bisher mit ihr verwechselten Arten).

Von **Dr. O. Finsch** (Delmenhorst bei Bremen).

(Schluss.)

Im Hinblicke auf das merkwürdige Vorkommen einer eigenthümlichen Rallenart, auf einer so kleinen Insel als Kuschai, die zugleich die einzige eigenthümliche des ganzen Carolinen-Archipels ist, erübrigt es noch der geographischen Verbreitung der Rallen innerhalb dieses Archipels zu gedenken, weil dieselbe ganz besonders interessante Verhältnisse bietet. Zunächst ist es auffallend, dass das nur 300 Seemeilen nordwestlich gelegene, viel grössere Ponapé (Puinipet), in Formation, wie Flora gleichsam die Schwesterinsel von Kuschai, überhaupt keine Ralle aufzuweisen hat, wie nach den fast erschöpfenden Sammlungen Kubary's mit ziemlicher Bestimmtheit angenommen werden darf. (Vergl. Finsch „Vögel von Ponapé" in: „Journ. des Mus.-God." Heft XII. (1876). S. 15—40. Taf. 2. — „Journ. f. Ornith. 1880. S. 283—296 und „Ibis" 1881. S. 109—115.) Dasselbe gilt in Bezug auf die östliche centrale Inselgruppe Mortlock (mit Lukunor), wo Kubary's Sammeleifer ebenfalls keine Ralle erlangte, während er dagegen auf dem benachbarten Ruk Ortygometra cinerea, Vieill, und zwar als Brutvogel nachweisen konnte (Finsch: Proceed, Z. S. London 1880. S. 577.) Die übrigen niedrigen Inseln der Carolinen sind freilich noch sehr ungenügend durchforscht und beherbergen möglicher Weise ebenfalls Rallenarten. Bis jetzt kennen wir aber solche erst wieder ca. 800 Seemeilen westlich von Ruk, und zwar auf den hohen Inseln Pelau*) und Yap. Auf ersterer Gruppe konnte Kubary 4 Arten

*) Vergl. Finsch: „Die Vögel der Palau-Gruppe" in: „Journ. d. Mus.-God." Heft VIII. 1875. S. 1—51. Taf. 1—V.

nachweisen (Rallus phillippensis L., Rallina Fasciata Raffl., Ortygometra cinerea Vieill und Porphyrio pelewensis H. und F.) Noch auffallender als die Vertheilung der Rallen ist übrigens die einer anderen Ordnung der Vögel, und zwar der Papageien, von denen in den ganzen Carolinen nur Ponapé einen Vertreter, die merkwürdige Chalcopsitta rubiginosa, Bp., besitzt, zuerst durch die Novara-Expedition von dieser Localität nachgewiesen.

Die Art, mit welcher die Monasaralle bisher verwechselt und irrthümlich identificirt wurde, ist **Rallus tabuensis**, Gml. (nec auct.) Syst. Nat. (1788), S. 717. — Tabuan Rail, Lath. Gen. Syn of B. III. S. 235. — R. tabuensis, Lath. Ind. Ornith. II. p. 758 — Rallus minutus, Forster in Licht. Descr. anim. (1844) S. 178. — Ortygometra tabuensis, Gräffe, „Journ. f. Ornith." 1870. S. 415 angeblich von „Tongatabu, Otaheite et in insulis vicinis", die wir nur nach den obigen kurzen und ungenügenden Beschreibungen kennen. Darnach scheint die Art in Färbung und Grösse allerdings sehr mit Kittlitzia Monasa übereinzustimmen, aber kein des Fliegens unfähiger Vogel zu sein. Eine Lösung der Frage ist zur Zeit nicht möglich, weil kein Museum ein Exemplar besitzt und weil die Art seit den Zeiten der Forster, während ihrer Theilnahme an der zweiten Weltumseglung Cooks, überhaupt nicht mehr zur Untersuchung gelangte. Aus diesem Grunde bleibt auch die wahrscheinliche Indentität der „Otaheite Rail" Latham's (Ortygometra tahitienis, Gml. Gray, B. of the Trop. Isl. S. 52) von Tahiti unausgemacht, denn auch von dieser Insel fehlt es uns an neuerem sicheren Nachweis irgend einer Rallenart.

Unter verschiedenen Vogelsendungen von den Freundschafts-Inseln, die seiner Zeit durch das Museum Godeffroy an mich zur Bestimmung kamen, fand sich nur die weitverbreitete Rallus philippensis L. — pectoralis, Less. (F. und H. Central-Polynesien S. 157 — et R. hypoleucus ib. S. 163). Dr. E. Gräffe, der ein ganzes Jahr auf Tongatuba sammelte, erlangte nur diese Art*) (vergl. seine interessanten Mittheilungen in Cabanis „Journ. f. Ornith." 1870. S. 415 und Finsch und Hartl. ib. S. 136. — F. und H. „Proceed. Z. S." 1869. S. 548.) Sie ist den Eingeborenen unter dem Namen „Veka" wohlbekannt. Aber „der Moho (Ortygometra tabuensis, Gml.) ist mir nie zu Gesicht gekommen. Es soll diese Ralle in den Brackwassersümpfen um die Mangrovebüsche sich aufhalten". (Gräffe l. c. S. 415). Hübner der auf Eua, die Freundschaftsgruppe sammelte, erhielt hier keine Ralle und sagt vom „Moho"*) (Ortygometra tabuensis): „obgleich früher häufig, darf dieser Vogel jetzt als ausgestorben betrachtet werden" (Finsch, Proceed. Z. S. London 1877, S. 775). Leider scheint dies der Fall zu sein, wenn auch eine genaue Wiederuntersuchung der Inseln der Freundschafts-Gruppe darüber erst sicheren Nachweis geben kann, wie über so manche Fragen, die gerade für die Ornithologie der pacifischen Inselwelt von hohem Interesse sind. Dabei verdient die zum Theile höchst merkwürdige Verbreitung der Arten und ihre Beziehungen zueinander das lebhafteste Interesse. So muss z. B. schon aus geographischen Gründen die Annahme einer Identität zwischen der fluglosen Monasaralle und Rallus tabuensis als sehr zweifelhaft erscheinen, denn Tongatabu und Kuschai liegen in gerader Linie 34 Grade, oder über 2000 Seemeilen von einander entfernt.

Sehr entschuldbar ist es, wenn, im Hinblick auf die Uebereinstimmung in der Färbung, die Monasaralle als identisch mit Rallus tabuensis erklärt wurde, weniger begreiflich dagegen die gleichzeitige Identificirung mit einer anderen, zwar verwandten, aber specifisch sehr wohl zu unterscheidenden Ralle, nämlich: **Rallus plumbeus** Gray, in: Griffith's Animal Kingdom III (1829) p. 410. — G. Hinula immaculata, Swains. Class. of B. II (1837) p. 358. (Australien) — P rzana immaculata, Gould B. of Austr. VI. pl. 28. — Ortygometra tabuensis, Gray (nec Gml.) voy. Ereb. and Terr. (1846) p. 14 (Neu-Seeland) id. Sharpe. Append. (1875) p. 29. — Zapornia spilonota, Peale (nec Gould) Un. St. Expl Exp. (1848) p. 224 (Fidschi) — Porzana vitiensis, Hartl. Journ. f. Ornith. 1854 p. 169. — Zapornia umbrina, Cass. Proc. Acad. Philad. (1856) p. 254. — id. Un St. Expl. Exp. (1858) p. 305. Pl. 35 Fig. 2 (Fidschi) — Z. umbrata, Hartl Wiegm. Arch. 1858. — Porzana immaculata, Schleg. Mus. P. B. Ralli p 26. — Ortygometra tabuensis, F. und H (nec Gml.) Beitrag zur Fauna Centralpolynesiens (1867) S. 167. — Buller (nec Gml.) B. of N. Z. S. 181. Pl. 21, Fig. 2. — Finsch, Journ. f. Ornith. (1870). S. 355 (Neu-Seeland) — ib. 1872. S. 183. — ib. 1874. S. 201. (Chathams).

Diese Art, nach dem Vorgange Gray's auch von uns durchaus irrthümlich auf die Tongaralle bezogen, (s. o.) unterscheidet sich leicht durch die dunkel schiefergraue Unterseite und ist eine sehr wohl unterschiedene ausgezeichnete Art. Die Grössenverhältnisse sind fast dieselben (Flügel: 75—83 mm), aber Lauf (26—28 mm) und Zehen (Mittelzehe: 25—28 mm) merklich kürzer. Ich verglich Exemplare von Neu-Caledonien, Fidschi und Neu-Seeland, die durchaus miteinander übereinstimmen. Die Art ist Brutvogel in Australien, Tasmanien und Neu-

---

*) Die Exemplare von hier zeichnen sich zum Theil durch das schwachentwickelte rostbraune Brustquerband aus, eine individuelle oder saisonale Abweichung, die keineswegs specifischen Werth hat, wie Hartlaub noch neuerdings annehmen zu müssen glaubt (Rallus Forsteri, H. l. c. p. 393). Ich erhielt ganz übereinstimmende Exemplare von Pelau (vergl. Finsch: „Vögel der Palau-Gruppe" l. c. S. 37) von der Insel Niuafu (Finsch, Proc. Z. S. 1877 p. 785) und verglich ausserdem solche von: Neu-Seeland, Australien, Samoa, Viti, Uëa u. Neu Britanien; sie kommt ausserdem auf den Philippinen in den Molukken (Celebes Buru etc.), auf Neu-Caledonien und auf den Keelings- oder Cocos Inseln im indischen Ocean vor, gehört also mit zu den weitverbreitetsten Arten. — Dasselbe gilt für Ortygometra cinerea, Vieill. (quadristrigata, Horf. — F. und H. Central-Polyn. S. 164) die westlich noch auf Java und Malacka, östlich bis Samoa nachgewiesen wurde, woher ich Exemplare, durch Dr. Gräffe eingesandt, verglich. Zu dieser Art gehörte vielleicht die Ralle von Niuafu (Finsch, Proc. Z. L. 1877. S. 785.)

*) Layard bezieht diesen Eingeborenennamen auf Pomarea nigra. (Sparm.) — Monarcha nigra, F. und M., Central-Polyn. S. 90 — und sagt, dass dieselbe „unzweifelhaft ausgestorben sei" (Proc. Z. S. London 1876. S. 501). Dies mag für Tonga richtig sein, aber ich erhielt noch eine grössere Reihe von Exemplaren dieser seltenen, in der Färbung merkwürdig varirenden Fliegenfänger von den Markesas (Proc. Z. S. London 1877, S. 409.)

Seeland und wurde ausserdem auf den Chatham-Inseln, Norfolk-Insel und Aneitum der Neu-Hebriden nachgewiesen. Im Handelscataloge des Museum Godeffroy wird die Art („Rallus minutus, Tem.“, II 1865. S. 3 und „Ortygometra tabuensis“ Gml“, IV. 1869. S. 58) auch von Samoa verzeichnet, doch habe ich kein Exemplar von dieser Localität zur Untersuchung erhalten („Journ. f. Ornith.“ 1872. S. 50), obwohl seiner Zeit alle Vogelsammlungen, welche das Museum Godeffroy aus der Südsee erhielt, durch meine Hände gingen.

Zum Schlusse will ich noch anfügen, dass **Ortygometra palustris**, Gould (nec Schleg) von Australien und Neu-Seeland (O. affinis, Gray, voy. Ereb. and Terr. p. 14. — Buller, B. of N. Z. p. 183. Pl. 21, Fig. 1) sich kaum subspecifisch von unserer Ortygometra Bailloni, Vieill. (pygmae, Naum.) unterscheiden lässt. Ich verglich Exemplare von Europa, Südafrika, Java, Japan, Australien und Neu-Seeland (vergl. Finsch, „Journ. f. Ornith.“ 1867. S. 336 — ib 1870. S. 355 — ib. 1872 S. 182 und 1874. S. 201.) Die von Gray und Buller angegebenen Unterschiede für die australische Art: „keine weissen Flecke auf den Handschwingen“ sind nicht stichhaltig und individuell sehr variirend, ebenso die Massverhältnisse, wie die der folgenden Exemplare beweisen.

Flügel	Schwanz	Firste	Lauf	Mittelzehe		
76 mm	41 mm	15 mm	27 mm	28 mm	S. Australien	(palustris)
80 „	45 „	18 „	25 „	29 „	Neu-Seeland	(affinis)
86 „	45 „	20 „	27 „	31 „	Deutschland	(Bailloni)
84 „	— „	16 „	25 „	28 „	Java	„
80 „	— „	15 „	27 „	30 „	Süd-Afrika	„
82 „	— „	16 „	28 „	32 „	Japan	„

Vogelleben im Winter in den Karpathen.

Von **Edward von Czynk.**

(Schluss.)

Der Morgen ist angebrochen. Dunkle schwere Wolken verkünden Schnee und so eilen wir aufwärts den Ständen des Gemswildes zu. Unterwegs hören wir den scharfen Schrei eines Schwarzspechtes, Dryocopus martius, Linn. Bald sehen wir auch den Vogel, wie er mit starkem Schnabel, mächtige, weithin schallende Hiebe einer wipfeldürren Fichte ertheilt. Mag der Winter noch so streng sein, er bleibt in den Tannen und höchst selten überschreitet er diese Grenze. Einen Augenblick ausschnaufend, sehen wir unter uns ein Rabenpaar krächzend die Schlucht entlang der Ebene zufliegen, während über uns ein Steinadler, beutesuchend seine Kreise zieht. —

Endlich sind wir im Gestein. Vereinzelte Fichten, Alpenerlen und Krummholz (Legföhre) fristen zwischen dem Gestein ihr Dasein.

Mächtige Felswände erheben sich stellenweise vor und über uns. Weiter hinauf an der Lehne ziehen sich breite Streifen von Alpenerlen und Krummholz bis zum nackten Gestein hinauf. Hier heisst es vorsichtig umherspähen, ob nicht ein Rudel Gemsen unter einem überhängenden, halbwegs Schutz gegen Wind und Wetter bietenden Felsen sich niedergethan, doch doppelt vorsichtig muss jeder Schritt und Tritt geprüft werden, denn ein einziger Fehltritt, ein Ausgleiten kann böse Folgen, ja den Tod nach sich ziehen. An einem mächtigen Felsblocke geschmiegt, suchen wir allmälig mit und ohne Glas das Felsen- und Latschenchaos ab, da bleibt unser Auge an dem graurothen Gestein einer mächtigen, überhängenden Felswand haften. Nicht Gemsen sind es, welche unseren Blick fesseln, nein, ein Vogel ist es, welcher gleich einem grossen Falter der Tropen, an der nackten, steilen Steinwand herumkletternd, bei jedem Ruck die karminrothen Schwingen öffnend gleichsam am Gestein herumflattert. Es ist der Alpenmauerläufer, Tichodroma muraria, Linn., welcher als echtes Kind des Hochgebirges auch im Winter nur selten dasselbe verlässt. Wohl zieht er im Sommer noch höher hinauf, trotzdem ist er immerhin in hohen Lagen genug und ist es zum Verwundern wie der zartgebaute, mit lockerem Gefieder bekleidete Vogel den Unbilden des Wetters trotzen und dem nackten, eisigen Gestein seine Nahrung abzwingen kann. Auch ihn treibt in vereinzelten Exemplaren, überstrenger Winter bis in die am Fusse der Gebirge liegenden Städte, wo er an Ruinen, an Kirchen und hohem Mauerwerk so lange sich aufhält, bis die Kälte etwas nachgelassen, um dann sofort wieder seinen ständigen Aufenthaltsort, Sturm umtosten, schneeumwirbelten, unwirthlichen Höhen zuzufliegen.

Es ist ein schönes, belebendes Bild, den prächtigen Vogel an jenen Stellen zu finden, wo man mitunter glaubt nur mit Gott allein zu sein. Noch im Anschauen des lieblichen Alpenkindes versunken, macht uns plötzlich ein wohlbekannter, scharfer Pfiff emporfahren. Sollte uns das Rudel, welches wir noch nicht einmal gesehen, eräugt oder gewindet haben. Das ist doch unmöglich, sind wir doch gut gedeckt und der Wind günstig. Wieder ein Pfiff und nun sehen wir auch die Ursache desselben. Langsam, mit scheinbar unbeweglichen Schwingen, schwebt einem grossen Schatten gleich, ein mächtiger Raubvogel die Felsen entlang. Es ist nicht der kühne Aar, nicht der plumpe Kutten- oder Gänsegeier, es ist unser seltenster Raubvogel, der in den Alpen bereits verschwundene Lämmer- oder Bartgeier, Gypaëtus barbatus Linn. Lehne für Lehne, Grat für Grat sucht er ab. Unbeweglich sind die Schwingen und der lange keilförmige Stoss, nur der Ziegen ähnlich, mit schwarzem Bart geschmückte Kopf wendet sich bald hierher, bald dahin. Je nachdem er über oder unter uns dahinstreicht, bemerken wir die rostrothe Unter- oder die schwarzgraue Oberseite, dem jede Feder mit einem weissen Schaftfleck und das ganze Gefieder wie mit einem grauen Hauch überzogen ist. Wie oft habe ich bedauert nicht schiessen zu dürfen, wenn der herrliche Vogel mitunter so nahe an mir vorüberstrich, dass ich das Orangeroth der stechenden Augen unterscheiden konnte. Ihn und den Alpenmauerläufer fand ich im Winter in unseren höchsten Regionen, d. h. über und auf jenen Felsen, welche die Wasserscheide des Gebirges und die Grenze Ungarns und Rumäniens bilden. Auch er kommt in strengen Wintern bis an den Fuss des Gebirges herab, doch zwingt ihn nicht die Kälte, noch der heulende Sturm dazu, denn ich sah ihn auch schon im August über die Buchenwälder den Felsen zustreichen

Nahrungssorgen müssen ihn zwingen mitunter seine in die Wolken ragenden Höhen zu verlassen und glaube ich zuversichtlich, dass sein Erscheinen in so tiefen Regionen, bei seiner enormen Flugfähigkeit nur kurze „Abstecher" sind, welche er in ebenso kurzer Frist vollführt. Die Annahme, dass er sich ausschliesslich von Aas nähre, ist nicht richtig. Wo würde er auch Tag für Tag solches finden. Wohl kröpft er selbes ohne Anstand, wann und wo er es findet, doch geht vom wetterharten Gemswild, welches übrigens wenn es „oben" zu arg zugeht in die Tannen flüchtet, wenig ein, umsomehr als es bei uns wenig oder keine Lawinen gibt, welche ganze Rudel verschütten könnten. So ist er denn auf „warme" Kost angewiesen und die Noth macht auch ihn kühn und erfinderisch. Immerhin mögen es nur Kitze und schwaches unvorsichtiges Gemswild sein, welche ihm zur Beute werden. Gewitzigte und ältere Gemsen flüchten auf den warnenden Pfiff sofort hart an die Felswand, oder unter einen überhängenden Felsen oder in das schützende Latschendickicht. Trotzdem überrascht er manches Stück auf hoher Warte, wenn er in sausendem Flug hinter dem Felsen erscheint. Den wuchtigen Flügelschlägen mag dann wohl kaum ein Thier Stand halten, umsomehr, wenn dieselben auf den Kopf geführt, dasselbe blenden und ganz wirr machen. In solch' einem Falle hilft dann weder Kletterfähigkeit, noch Muskeln und Sehnen von Stahl. Der sichere Halt wird verloren, der Flügelschlag hilft den ausgleitenden oder neben den Felsen tretendem Lauf nach und das Wild stürzt um meistens auf naktes, schroffes Gestein aufschlagend zu verenden und eine Strecke hinabkollernd die Beute des Bartgeiers zu werden. Fuchs und Hase mag er wohl mit einem oder zwei Flügelschlägen hinabfegen, doch ziehen diese im Winter tiefer hinab, wo ihnen eher der Steinadler, als der Bartgeier an den Leib kann.

Haben wir — nach oft unsäglichen Mühen — mit sicherem Schuss uns einen Bartgams geholt und denselben aufgebrochen, so ist gewiss der Bartgeier der Erste, welcher sich am Eingeweide und dem riesigen Pansen gütlich thut. Doch nun kehren wir heim, denn die Flocken wirbeln immer dichter herab und es ist kein Spass im Hochgebirge, im dichtesten Schneegestöber herumzusteigen oder gar eingeschneit zu werden. So geht es denn nun den Grat entlang wieder hinab in die Tannen, wo wir noch einen Flug Fichtenkreuzschnäbel, Loxia curvirostra, Linn. geschäftigt an den Zapfen herumarbeiten sehen Diese Zigeuner der Vogelwelt kehren sich nicht an die Kälte und an Schnee. Für sie ist ein immer gedeckter Tisch vorhanden und da es ihnen gut geht, so gründen sie auch im Winter ihr Heim und — brüten der übrigen gefiederten Welt zum Hohn in der strengsten Kälte.

Auch den Tannenheher, Nucifraga caryocatactes, Linn. sehen wir, wie er entweder schreiend eine Schlucht überfliegt oder von hoher Tannenspitze die Gegend betrachtet. Weiter unten hören wir das „Zarr, zarr" der Wachholderdrossel und noch tiefer unten treffen wir die Misteldrossel. Hühnerhabicht, Sperber, Zwergfalke und Rauhfussbussard halten sich mehr in den Vorbergen und am Fusse des Gebirges, meist aber in der Nähe der menschlichen Wohnungen auf, wofür sie mehr zu erhalten ist als im Gebirge.

Doch nicht immer sehen wir alle, die ich erwähnt, oft gibt es Tage, wo wir kaum die Hälfte, oft beinahe gar keinen Vogel im Hochgebirge bemerken.

Witterung und ein grösseres oder kleineres Begehen des Beobachtungsgebietes sind massgebend. Auch ist die Reihenfolge, in welcher wir die eine oder die andere Species der beschriebenen Vögel finden, nicht immer dieselbe. Oft kommt sie in höherer, oft in niederer Lage vor.

Wohl weiss ich, dass diese Skizze noch Lücken genug aufweist, doch mangelt es mir gerade gegenwärtig an Zeit, um dieselben auszufüllen und will ich seinerzeit das Versäumte getreulich nachholen, wenn es mir bis dann nicht so ergeht — wie den durch den Bartgeier hinabgeschlagenen Gemsen — Das behüte Gott! —

Fogaras, 1893 im Januar.

Ueber Astur palumbarius und Astur nisus.

Von Heinr Glück.

Trotz der vorzüglichen Werke, wie sie die Altmeister deutscher Ornithologie, Naumann und Brehm geschaffen, herrschte noch vor wenigen Decennien bei den nicht streng wissenschaftlich Gebildeten und namentlich in Jägerkreisen bezüglich unserer heimischen Raubvögel eine derartige Unkenntniss und Verwirrung, dass O. v. Riesenthal, dessen bestbekanntem Werke: „Die Raubvögel Deutschlands und des angrenzenden Mittel-Europas," unstreitig das grösste Verdienst gebührt, auf diesem Gebiete in weiteren Kreisen aufklärend gewirkt zu haben, mit vollster Berechtigung schreiben konnte.

„Forscht man den Gründen solcher Unkenntniss nach, so liegen sie weniger in dem mangelnden Bestreben, sich zu unterrichten, als in dem Fehlen geeigneter Lehrmittel Es giebt Naturgeschichten genug, specielle Ornithologien, Faunen etc, aber, so gern wir ihren Werth anerkennen, sind sie gleichwohl nicht hinlänglich zur Erfüllung vorliegenden Zweckes geeignet. Der Wissbegierige lernt aus ihnen wohl, welche Arten von Raubvögeln bei uns vorkommen, wie sie heissen, nach welchen Principien sie eingetheilt werden, er lernt aus diesen Büchern manches von ihrer Lebensweise kennen, sie selbst aber richtig erkennen und in ihren, nach Alter und Geschlecht verschiedenen Kleidern von ihren Anverwandten näheren und ferneren Grades unterscheiden, nur schwer oder gar nicht. Denn viele dieser Lehrbücher setzen entweder einen gewissen Grad positiven Wissens voraus und ihre Beschreibungen sind alsdann von mehr als laconischer Kürze oder sie verfallen in das entgegengesetzte Extrem und geben so umfangreiche, schwulstige Beschreibungen, dass, weil sie eben Alles erklären wollen, die Hauptunterscheidungsmerkmale verschwinden und Verwirrung eintritt, zumal, wenn sie gar keine Illustrationen zum besseren Verständnisse unterbreiten oder nur kleine, grösstentheils anderen Werken entlehnte, schwarze Darstellungen, an welchen nur die Unterschrift die betreffenden Vögel kennzeichnet, im Uebrigen dieselben sich untereinander so ähnlich sehen wie die Eier".

Nichtsdestoweniger bestehen heute noch immer arge Irrthümer auf diesem Gebiete fort und werden von ihren Anhängern trotz der schlagendsten Gegenbeweise aufs Eifrigste verfochten und festgehalten; namentlich in Jägerkreisen sind sie häufig die Ursache zu hitzigen Erörterungen und Wortgefechten, zumal, wenn ältere und jüngere Elemente meinungsverschieden sind. Ein beliebtes strittiges Thema bildet die Naturgeschichte unserer beiden Habichtsarten, des Astur palumbarius, Hühnerhabicht, und des Astur nisus, Sperber.

Der allerdings auffällige Kleidwechsel des ersteren wird noch immer von älteren Jägern bezweifelt, von Bornierten eifrig bestritten: von ihnen wird der Hühnerhabicht im Jugendkleide als „Hühnerfalk", das ausgefärbte Exemplar hingegen als „Habicht" schlechtweg angesprochen, dass beide Vögel getrennte Arten seien, gilt als ausgemachte Thatsache!

Einen Grund für den genannten Irrthum bezüglich des Astur palumbarius mag der Umstand bilden, dass der Sperber Astur nisus, der ja in seinen anatomischen Verhältnissen, in Charakter und Lebensweise durchaus ein Miniaturbild des Astur palumbarius repräsentirt, eine derartige grelle Verschiedenheit des Jugend- und Alterskleides nicht aufweist.

Anzuführen wäre, dass Verwechslungen des Astur palumbarius im Jugendkleide mit anderen ähnlich gefärbten Arten beigetragen haben mögen, noch mehr Verwirrung in die Begriffe zu bringen, wiewohl man kaum annehmen darf, dass solch, in die Augen springende Unterschiede in Gestalt und Grösse, wie sie die eventuell in Frage kommenden Arten zeigen, einem sich für die Sache nur halbwegs interessierenden Jäger entgangen sein können!

Das einfachste Verfahren, sich von der Richtigkeit des heute selbstverständlich allgemein acceptierten Kleidwechsels des fraglichen Vogels zu überzeugen, indem man ein junges Exemplar durch längere Zeit in Gefangenschaft hält, wurde zumeist durch den wilden, trotzigen Charakter des Hühnerhabichtes vereitelt, da es eben dem Zweifler bequemer ist, bei dem einmal gefassten Vorurtheile zu verbleiben, als sich mit der Haltung eines unliebenswürdigen, noch dazu gefrässigen Gesellen abzumühen.

Allerdings wurden schon viele aus Saulus zum Paulus, wenn es ihnen geglückt war, den Habicht in einem auffälligen Uebergangskleide zu erlegen, wenn sie auf der Brust die Färbung des „Hühnerfalken" und des „Habichtes" vereint vorfanden.

Die relative Seltenheit der Erlegung eines solchen Exemplares einerseits, wie andrerseits das jedem graubärtigen Jünger St. Huberti eigene Misstrauen gegen alles Neue, konnte es bedingen, dass alte Jäger hartnäckig bei ihrer Ansicht verharren, „Hühnerfalk" und Habicht" seien nicht ein und dieselbe Art.

Eine, wenn gleich bedeutend weniger verbreitete falsche Ansicht mancher Jäger ist es, dass ausser Hühnerhabicht und Sperber noch eine dritte, in der Grösse zwischen beiden stehende Art, der „Doppelsperber", existiere. Da für den Astur palumbarius unter der stattlichen Anzahl von Trivialnamen auch der Ausdruck „Doppelsperber" vorkommt, so wäre die Ursache für die genannte irrige Annahme in der Volksentymologie zu suchen.

Ferner wird der vulgäre Ausdruck „grosser Sperber" sowohl für den Astur palumbarius schlechtweg, als auch speciell für das stets grössere Weibchen des Astur nisus gebraucht — neben anderen folgenschweren Irrungen sind es ja die in deutscher Sprache für fast jede Vogelart bestehenden Synonyme gewesen, welche die ornithologische Forschung erschwert hatten. Nicht wundernehmen darf es, dass Bastarde zwischen Hühnerhabicht und Sperber als etwas selbstverständliches betrachtet und demgemäss besprochen werden! Viel eher glaublich als der Gefiederwechsel des Habichtes erscheint es noch immer — incredibile est dictu — so manchem im grünen Rocke, dass der Kukuk sich im Herbste den Spass erlaube, plötzlich als Sperber die Gegend unsicher zu machen!

Dass Letzteres von jedem Gebildeten als Fabel aus Olims Zeiten belächelt wird, bedarf keiner Erwähnung mehr; dass es aber gar nicht so schwierig ist, Kukuk und Sperber im Freien und namentlich im Herbste miteinander zu verwechseln — dies der Grund zu der Entstehung der abgeschmackten Fabel — möge Nachstehendes darthun.

Ende August 1890 bemerkte ich in den, zum Zwecke der Laubheugewinnung thatsächlich zu Krüppeln geschlagenen Eschen und Eichen, wie sie in Oberkärnten allenthalben die Wiesenraine einsäumen, an zwei Tagen einen Kukuk, der offenbar auf Insectenjagd begriffen, von einem Baum zum anderen überflog, um dann und wann zur Erde niederzuflattern und so in meine unmittelbare Nähe gelangte. Ein paar Tage später kam ich in dieselbe Gegend und bemerkte — nach meiner Ansicht — wieder einen Kukuk, der täppisch von einem Baume zum nächststehenden flatterte.

Den Vogel im Auge behaltend, gelangte ich, meinen Weg weiterverfolgend, auf etwa 40 Schritte an denselben heran, als ich im Momente des Abstreichens in ihm den Sperber erkannte und ihm einen Schrottschuss nachsandte, der ihn mir zufälliger Weise in die Hände lieferte.

Nicht lange darnach, eben beschäftigt, einen kleinen Ast von einer am Waldrande stehenden Eiche abzusägen (für den tagsvorher erlegten und präparierten Sperber bestimmt), und gleichzeitig an den Sperber denkend, sauste etwa dreissig Schritte vor mir — lupus in fabula — ein Astur nisus in ein Kartoffelfeld nieder, um eine Emberica citrinella in den Fängen, ebenso rasch zu verschwinden, ohne dass ich Zeit gefunden, nach meinem Gewehre zu langen. Aergerlich darüber, keinen Schuss auf ihn angebracht zu haben, gieng ich, den Ast, statt der gefiederten Beute, an die Tasche hängend, verstimmt meiner unweit gelegenen Wohnung zu, von wo aus ich alsbald einen — vielleicht denselben — Sperber streichen sah — Segenswünsche waren es eben nicht, die ich ihm widmete.

Am 6. September Nachmittag — ich wähnte alle Kukuke längst — beim Kukuk — wollte ich es versuchen, die am Waldraine herumlästernden Elstern zu beschleichen; mich denselben immer mehr nähernd, spähe ich, durch eine kleine Böschung gedeckt, auf den in das Stangenholz einschneidenden Buchweizenacker hinaus, da stösst abermals, gar nicht weit von mir der „Sperber" nieder. Diesmal wollen wir unsere Rechnung ins Reine bringen, Freund! die bereit gehaltene Büchsflinte anreissend, komme ich auf den zu Holze streichenden Vogel gerade noch ab. Frisch ladend, gewahrte ich mit etwas gehobenem Selbstgefühle das Gefieder des erlegten „Sperbers" durch den schütteren Haiden schimmern.

Mich nach ihm bückend, bemerkte ich zu meinem grössten Erstaunen, wie sich ein gelber Rachen sperrangelweit aufthat; statt der erwarteten Sperberfänge sind es die zierlichen Füsschen des Kukuks gewesen, nach denen ich greifen musste, um das Opfer eines verhängnisvollen „Quid pro quo" aufzunehmen.

Wenn etwas im Stande war, noch mehr Verwirrung in die Kenntnis unserer beiden heimischen Habichtsarten zu bringen oder solche Irrthümer, wie die angeführten, zu zeitigen, so sind es nicht zum kleinsten Theile die immerhin bedeutenden Grössen-Differenzen gewesen, wie sie unter den Individuen sowohl der Art Astur palumbarius, als auch der Art Astur nisus thatsächlich vorkommen.

Von dem Hühnerhabichte gibt C. Ph. Funke in seiner „Naturgeschichte und Technologie" (Braunschweig 1798) folgende ergötzliche Beschreibung: „Der Habicht (Taubengeier. Falco palumbarius) hat auf dem Kopfe nur wenig Federn, sieht am obern Theile des Leibes braun, unten weiss oder gelb gefleckt aus und ist mit kürzeren Flügeln, als andere dieser Gattung versehen. Man kennt in Ansehung der Grösse drei Abarten: den grossen, den mittleren und den kleinsten. Der erste wird völlig so gross und wohl noch etwas grösser als eine Henne, doch nur das Weibchen; denn das Männchen ist um ein Drittel kleiner. Er lebt gerne u. s. w."

Ueber die anderen zwei Abarten hüllt sich der Gute, sehr zu meinem Leidwesen, in tiefes Schweigen.

Bei der Art Astur nisus hat der Grössenunterschied zwischen Männchen und Weibchen (?) tüchtige Ornithologen zu Anfang unseres Jahrhunderts veranlasst, zwei Arten: A. nisus major et minor, aufzustellen.

Vergleichen wir die in den verschiedenen Werken, zumeist in Mittelwerten angegebenen, Zahlen für die Grössenverhältnisse der beiden Arten, Astur nisus und A. palumbarius, die ich der Kürze halber nur mehr „Sperber" und „Habicht" schlechtweg nennen will, so finden wir keine geringere Mannigfaltigkeit in den Messungsergebnissen daselbst, wie in natura bei den nicht immer verschieden geschlechtigen Individuen der beiden Arten selber.

Ueber die Grössenverhältnisse des Habichtes gibt Brehm in seinem „Thierleben" Folgendes an:

„Der Habicht ist ein grosser, kräftiger Raubvogel von 55 cm. Länge und 1,1 m. Breite, bei 31 cm. Fittig- und 22 cm. Schwanzlänge. Das bedeutend grössere und stärkere Weibchen ist 12 bis 15 cm. länger und 15—18 cm. breiter als das Männchen."

O. v. Riesenthal setzt für die Länge des Männchens 50 cm., für die Breite desselben 100 cm. und für das Weibchen 60 cm Länge und 114 cm. Breite fest. Somit findet sich in den beiden Angaben für das Männchen ein Unterschied von 5 und 10 cm., für das Weibchen gar eine Differenz von 10 cm. und 14 cm.

Am 6/I. 1892 gelangte ich in den Besitz eines (am 3./1. 1892 zu Girelfau erlegten) Habichtes im Uebergangskleide (ausgestellt in der vorjährigen Jahresausstellung des ornithologischen Vereines in Wien), dessen Messung für die Länge 60 cm., für die Breite 115 cm ergab. Bei der Section fand ich zu meiner Ueberraschung die deutlich ausgebildeten Testikeln!

Es handelt sich hier also um die bedeutende Abweichung von 5 cm. (nach von Riesenthal gar um 10 cm.) von der Norm!

Am 7./IV. 1891 nahm ich an einem eben erlegten Habichtspaare Messungen vor; die beiden Vögel waren in der Länge um 2 cm., in der Breite um 3 cm. von einander verschieden, und zwar hatte das Männchen eine Länge von 51 cm. und eine Breite von 1·07 m., das Weibchen eine Länge von 53 cm. und eine Breite von 1·10 cm. Somit erreichte das doch stets grössere Weibchen kaum die für das Männchen (nach Brehm) normierte Grösse, während dieses um 4 cm. unter der Norm zurück blieb!

In gleicher Weise, oder besser gesagt: ungleichhäufiger finden sich in den Grössenverhältnissen des Sperbers bedeutende Variationen, welche fürwahr einer eingehenden Untersuchung von berufener Seite würdig wären, um die vielfachen, vielleicht sogar nicht ungerechtfertigten Zweifel zu beheben, wie sie gegenwärtig noch hinsichtlich der Naturgeschichte des Sperbers bestehen.

Auch bezüglich dieses Vogels finden wir in zoologischen Werken eine Disharmonie in den Massangaben. Die vorhin angeführten Autoren Brehm und von Riesenthal stimmen in den Massangaben für den Sperber ziemlich überein: Männchen: 32 cm. lang, 64 cm. breit, Weibchen: 40 cm. lang, 70 cm. breit. Schinz in seiner „Naturgeschichte der Vögel" gibt für die Länge des Sperber-Männchen: 13 Zoll (34 cm.) für seine Breite: 26 Zoll (68·5 cm.), für die Länge des Sperber-Weibchens: 15—16 Zoll (40—42 cm) für seine Breite: 30—31 Zoll (69—82 cm.) an.

Die sich hieraus ergebenden Differenzen sind mit Rücksicht auf die Kleinheit des Vogels immerhin erwähnenswerte.

Von drei Sperbermännchen, die ich gemessen, besass eines die von Riesenthal angegebene Grösse, während die beiden anderen um je 2 cm. in Länge und Breite weniger aufwiesen

Zwei abnorm grosse junge Sperber erhielt ich im Juli 1890, doch habe ich es leider versäumt, an denselben Messungen vorzunehmen. Forstwart Oberlercher, der die Vögel erlegt hatte, erklärte, er habe schon grössere Exemplare vom Sperber erlegt.

Ein auffallend kleines und zugleich sehr interessant gefärbtes Sperbermännchen, welches am 12./2. 1891 von der mächtigen Linde im Millstätter

Stiftshofe herabgeschossen wurde, erhielt Herr Julius Finger, der vielerfahrene Ornithologe Oesterreichs. Das von ihm präparierte und der Millstätter Volksschule gespendete Exemplar dürfte meiner Ansicht nach, um ein Bedeutendes unter der Norm zurückbleiben.

Mit Recht sagt daher von Riesenthal: überhaupt variiert der Sperber in Alter, Geschlecht und Grösse so auffallend, dass man, um ihn sicher zu erkennen, das Gattungskennzeichen festhalten muss, nämlich, dass die Flügel in der Ruhe die Hälfte des Schwanzes kaum überragen."

— —

Skizzen aus Montenegro und Albanien mit besonderer Berücksichtigung der Ornis daselbst.

Von Ludwig von Führer.

(Fortsetzung.)

Der See mit seiner wildromantischen Umgebung gewährte bei der magischen Beleuchtung Secunden hindurch einen schauerlich schönen Anblick, welcher durch das bizarre Farbenspiel noch gehoben wurde. Bis gegen 2 Uhr Morgens waren wir diesem grossartigen Eindruck der Naturgewalt ausgesetzt.

Endlich schwand die entsetzliche Nacht — und da wir ähnliche „Robinsonaden" zu wiederholten Malen erlebt hatten, erlitt auch unser Humor keine Einbusse, obwohl wir bis auf's „Mark" — wie der Franzose sagen würde — durchnässt waren. Nur die Gewehre, Munition und Beute waren trocken, Dank meinem 2 □-m grossem Stück „Water proofs", welches sonst im Vereine mit einem Plaidriemen als Transportmittel für die Beute diente.

Nach einem herzhaften Schluck aus der Feldflasche begann ich mein neues Tagewerk mit dem notiren der Rohrdommel (Botaurus stellaris), deren geisterhaften Ruf ich in donnerfreien Momenten des Nachts hörte. Die Nacht begann dem Tage bereits zu weichen; ich nahm beide Gewehre und Patronengürtel, um mich nach einem gestern errichteten Anstande zu begeben. Ballo musste bei den zurückgelassenen Sachen Wache halten und konnte mit „Musse" sein Frühstück einnehmen.

In nächster Nähe meines Versteckes angekommen, bemerkte ich einige Schritte hinter demselben einen dunkeln Streifen im Wasser, der sich zu bewegen schien; ich dachte unwillkürlich an den im Albanesen-Munde viel besprochen „Ser".*)

Beim Näherkommen entpuppte sich das vermuthete „Wassergespenst" als eine Fischotter; bevor ich jedoch das Gewehr in Anschlag brachte, war sie verschwunden, um nicht mehr zum Vorschein zu kommen.

Nach diesem kleinen Intermezzo verhielt ich mich ruhig, da schon Vogelstimmen hörbar wurden. Einzelne Reiher und Mantelmöven strichen vorbei, einige Zwergscharben liessen sich auf ihren gewöhnlichen Platz nieder, Pelikane zeigten sich ausser Schussweite, schienen aber der Sandbank näher zu kommen, kurz vor Sonnenaufgang erreichten auch zwei derselben festen Boden. Dreimal überschoss ich das grössere Exemplar mit der Kugel, da die Distanz am Wasser bekanntlich schwer zu bestimmen ist; erst nach dem 4. Schusse machte der eine Crispus den Eindruck, als hätte er plötzlich epileptische Krämpfe bekommen, der andere flog schwerfällig auf. Ballo sprang mit grossen Sätzen und eigenem Appelle in der Richtung der Sandbank heran, fasste den „Schwerverwundeten" beim Flügel und zog ihn mühevoll bis zu mir. Aehnlich erging es bald darauf einigen Scharben und einigen Silberreiher, die ich beim Vorüberstreifen zwang, das „Trockene" mit dem „Nassen" zu vertauschen.

Nach Sonnenaufgang erhob sich eine starke Brise von „Nord" (Bora) und es fröstelte mich ganz gehörig, deshalb begab ich mich an's Ufer — um auch meine Beute in Bälge verwandeln zu können.

Der Pelikan, ein altes ♂ machte mir viel Arbeit, ebenso die Scharben, welche äusserst fett waren.

Im Laufe des Vormittags constatirte ich folgende Species: Kibitz (Vanellus cristatus), Kleine Silbermöve (Larus argentatus Michahellesi), Bienenfresser (Merops apiaster), Schreiadler (Aquila naevia), Kampfschnepfe (Machetes pugnax), Sprosser (Luscina philomela), Sandregenpfeifer (Aegialites hiaticula), Mittelmeerkrähenscharbe (Carbo graculus), Teichwasserläufer (Totanus stagnatilis), Weidenlaubvogel (Phyllopneuste rufa), Fitislaubvogel (Phyllopneuste trochilus).

Meine Beute vermehrte sich noch um einige Seeschwalben, darunter auch eine Weissflüglige (Hydrochelidon leucoptera). Nachdem ich aus einer Schaar, eine herunterschoss, stiessen die anderen mit lautem Geschrei auf die am Wasserspiegel liegende, so dass ich in einer ½ Stunde 7 Stück erlegte; auch meinen Hund, der mit rothem Haarkleide bedacht ist, umgankelten sie — ähnlich der Kibitze. Bald darauf gelang es mir auch, zweier Bienenfresser habhaft zu werden, die sich zu weit nach abwärts, von ihren hoch in den Lüften, nach Art der Schwalben schwimmenden, Gefährten wagten. Mittlerweile war es Mittag geworden und ich verspürte Hunger.

Das Benehmen meines Begleiters deutete darauf hin, dass unsere Gefühle und Gedanken sympathisirten, desshalb packte ich auch die Reste meines Proviantes aus. Das nichts weniger als „lucullische" Mahl war bald beendet und wir ergaben uns dem „dolce far niente". Ballo wachte, während wir bald in „Morpheus" Armen ruhten —.

Die Sonne neigte sich schon dem Horizonte, als ich durch ein sausendes Geräusch aus meinem bleiernen Schlafe emporfuhr; ein Schatten glitt über die Oberfläche des Sees, im selben Momente gab ich auch Feuer auf einen Seeadler, der ungenirt mit einer Ente in den Fängen gegen Albanien abstrich. Nun war es Zeit, dass wir uns auf den Heimweg machten, abgesehen, dass der Ranzen überfüllt war, ging mir auch Proviant und Tabak aus. Ich musste noch vor gänzlicher Dunkelheit die Chaussé erreichen, da man sich sehr leicht im Inundationsgebiete verirren kann. Mein treuester

*) Ein sagenhaftes Wesen, in Form eines Wassermannes, das den See beherrschen und denselben Nachts äusserst unsicher machen soll.

Freund lief immer voraus, um zu recognosciren und kehrte beständig mit fröhlichen Gewinsel und Schweifwedeln zurück; so langten wir beide wohlbehalten, nur etwas müde und sehr durstig eine Stunde nach Mitternacht in Podgorca an. Von mehreren Leuten, die mir begegneten, wichen mir einige Schritte scheu aus, nachdem sie sich bekreuzten; sie hielten mich jedenfalls für einen exotischen „Räuber" oder für den „Gottseibeiuns" in Person. (Fortsetzung folgt.)

Die Gartengrasmücke als Stubenvogel und ihre Behandlung.

Von F. Anzinger in Innsbruck.

(Schluss.)

Auf diesen Existenzbedingungen fussen im Wesentlichen auch die Verhaltungsmassregeln für die in den Käfig gebrachte Gartengrasmücke.

Ein in Grösse und Bauart dem Nachtigallenkäfig nahezu gleichkommender Vogelbauer wird mit einem leichten Stoffe, am besten von lichtgrüner Farbe verhüllt und der Stoff festgebunden, damit er sich beim Herumflattern des Vogels nicht bewegt. Derart adjustirt wird der Käfig an einen ruhigen, lichten, wenn möglich sonnigen Platz gehängt oder gestellt. Erst, nachdem dies geschehen, wird der frischgefangene Staudenfahrl in den Käfig gegeben.

Sofort wird lebendes Futter (40 bis 50 Stück Mehlwürmer auf einmal) und frisches Trinkwasser gereicht. Das Futtergeschirr muss eine reine glatte Glasur haben, damit die lebenden Würmer nicht herauskriechen und entwischen können. Mit dieser Tagesportion füttert man so lange, bis frische Ameiseneier zu bekommen sind. Diese werden einige Tage in ziemlich grosser Quantität allein gereicht, dann aber unter das nachstehende Mischfutter gemengt.

Man reibt saftige, süsse Gelbrübe und altbackene Semmel, am besten Eierbrod, auf einem reinen Reibeisen und mische das Geriebene mit frischem Käsequark stark durch einander. Diese Mischkost wird mit den darunter gemengten Ameiseneiern sehr bald und gerne gefressen.

Obwohl es keine Schwierigkeiten bietet, den Staudenfahrl schon in den ersten Tagen seiner Gefangenschaft mit fein zerschnittenen Mehlwürmern an das erwähnte Mischfutter zu bringen, so umgeht man diese eckelhafte Fütterungs-Methode schon aus dem Grunde, um den Vogel bei vollem Gesang zu erhalten.

Schon am dritten oder vierten Tage seiner Gefangenschaft beginnt der Staudenfahrl mit seinem Gesange, zuerst etwas schüchtern und leise, in kurzer Folge aber voll und laut wie im Freien und vom frühen Morgen bis gegen Abend.

Der Gesang dauert bis Ende Juni, bei sehr fleissigen Sängern bis Mitte Juli und in seltenen Fällen bis zur Mauser im August. Nach dem Verstummen des Gesanges um diese Zeit, wird der Käfig abgedeckt. Manche Vogelliebhaber placiren jetzt den Käfig sehr tief (unter Gesichtshöhe), um den Vogel zutraulich zu machen. Beim Staudenfahrl finde ich dies absolut nicht nöthig, da er ohnehin bald zahm wird.

Mit dem Eintritte der Mauser, kommt jetzt eine Periode, in welcher manchmal schon der Keim zu später folgender Schwäche oder Krankheit des Vogels sein Entstehen findet.

Bei dem vielleicht schon von Natur aus schwächlichen oder durch schlechte, knappe Kost schwach gemachten Vogel tritt eine Stockung im Federwechsel ein oder derselbe beginnt gar nicht. Erfolgt der Tod nicht unmittelbar darauf, so darf man doch gefasst sein, dass der verkümmerte Vogel nach einigen Monaten an der Schwindsucht zu Grunde geht.

Es ist daher nicht genug zu empfehlen, vor, während und eine Zeit lang nach überstandener Mauser kräftige Kost zu füttern.

Bekanntlich mausert der Staudenfahrl zweimal im Jahre, und zwar im März und im August. Die erste Mauser, welche sich nur über das kleine Gefieder erstreckt, beginnt in der Gefangenschaft in der Regel schon Ende Februar, jedoch so wenig wahrnehmbar, dass sie der Unkundige kaum beobachtet. Ist der Vogel gesund und hat sein Gesang bereits begonnen, so wird diese Periode ohne Schwierigkeiten überwunden, im entgegen gesetzten Falle kann aber auch der Tod eintreten. Bei manchen Gartengrasmücken, welche sich schon mehrere Jahre im Käfig befinden, bleibt die Frühjahrs-Mauser aus, ohne dass hiedurch der Vogel an seiner Gesundheit Schaden leidet.

Hat der gesunde Staudenfahrl die Hauptmauser im August vollkommen überstanden und sitzt er rein und glatt, wie frischgefangen im Käfig, so wird mit der animalischen Kost allmälig abgebrochen und dafür mehr vegetabilische gereicht. Um das Fettwerden zu verhüten, rathe ich zur folgenden Fütterungsmethode.

So lange frische Hollunderbeeren zu haben sind, werden solche unter das Mischfutter gemengt, in welchem jetzt die Gelbrübe in grösserer, der Käsequark in geringerer Quantität vorhanden sein muss. Später werden kleine Würfelchen von süssen, weichen Birnen oder Aepfeln beigemengt. Viele Vogelliebhaber empfehlen Kranz- oder Tafelfeigen als ein vorzügliches Grasmückenfutter. Nachdem dieselben jedoch sehr zuckerstoffhaltig und in Folge dessen zur Fettbildung geeignet sind, halte ich feine, süsse Aepfel als zuträglicher. Hie und da ein Stückchen frische, süsse Butter oder guten kernigen Speck gereicht, befördert die Verdauung und verhindert die Verstopfung. Wer seinen Liebling einen Leckerbissen zukommen lassen will, der füttere hie und da süsse Kirschen, Erd-, Him- oder Weinbeeren. Alle Tage drei oder vier Mehlwürmer als Zugabe schaden nichts. Trockene Ameiseneier werden von dieser Grasmückenart nicht sonderlich beachtet. Die Tages-Portionen sind derart zu schmälern, dass dieselben zeitlich frühmorgens gereicht um 2 Uhr Nachmittags vollkommen aufgezehrt sind.

Wenn trotzdem eine Fettzunahme wahrnehmbar wird, so wird sie doch nicht in dem Umfange fortschreiten, um den Tod des Vogels befürchten zu lassen. Der Ornithologe Herr C. G. Friedrich gibt den Rath, eine fettgewordene Gartengrasmücke in einen geräumigen Käfig zu verträglichen munteren

Vögeln zu bringen, durch welche dieselbe gezwungen wird, Bewegung zu machen. Besonders aber empfiehlt er den Zimmerling.

Ich kann diesem Rathe nur theilweise beipflichten. Denn, einen auf strenge Diät angewiesenen Vogel unter solche Collegen zu stecken, welche mit einer anderen, kräftigeren Kost gefüttert werden, ist unthunlich. Ebenso wird der gemächliche Fettwanst des Herumhüpfens bald überdrüssig, hockt sich in eine rückenfreie Ecke des Käfigs und träumt hier ebenso behaglich, als in der eigenen Behausung.

Der freie Flug im Zimmer ist mehr zu empfehlen, vorausgesetzt, dass der Vogel seine volle Flugtüchtigkeit besitzt, da er sonst meistens auf den Fussboden herumbastet und leicht todtgetreten werden kann. Der freie Flug kann also nur in einer eigenen Vogelstube oder in einer Voliere angerathen werden. In diesem Sinne ist auch der wohlmeinende Rath des Herrn Friedrich aufzufassen.

Zur Zeit der Winter-Sonnenwende (21. December), wo bereits der Gesang des Standenfahrls wieder beginnt, muss die Kost wieder allmälig aufgebessert werden. Man mengt dem Futter wieder mehr Käsequark bei und reicht mehr Mehlwürmer. Süsses Obst wird so lange beibehalten, als es vom Vogel genommen wird.

Gartengrasmücken welche bereits einen Winter überstanden haben, sind für die Fettsucht nicht mehr so empfänglich, bezw diese Krankheit ist für solche weniger gefährlich und sie dürfen daher während der Uebergangszeit (September bis December) nicht so karg gehalten werden. Vorsicht ist aber immerhin nöthig.

Wenn mich meine bisher gemachten Wahrnehmungen nicht trügen, sind jnuggefangene Gartengrasmücken mehr für die Fettsucht, altgefangene aber für die Dürrsucht disponirt.*)

Die hauptsächlichsten Entstehungs-Ursachen der letzteren Krankheit sind bereits oben angegeben, Es gibt aber noch verschiedene andere Krankheits-Erreger, die bis jetzt noch nicht genügend bekannt sind. Es kann daher auch einem Meister in der Stubenvogelpflege die Unannehmlichkeit widerfahren, einen Vogel durch diese Krankheit zu verlieren, ohne dass er sich eines Verschuldens bewusst ist.

Die Kennzeichen dieser Krankheit sind folgende: Der Vogel verschmäht das Trinkwasser, zeigt entweder eine besondere Gier zum Fressen, oder berührt das Futter tagelang gar nicht. Die Absonderung des Mistes erfolgt spärlich und mit Zwang. Das Gefieder wird glanzlos und struppig und erhält eine schmutzige Färbung. Die meistens halbgeschlossenen Augen sind trübe und der Athem geht schwer und stockend. Der Körper magert rasch ab und nach 12 bis 14 Tagen tritt in der Regel der Tod ein.

Werden diese Erscheinungen bald genug beobachtet, so kann es noch gelingen, den Vogel zu retten.

An die Stelle des bisher gereichten üblichen Futters tritt kräftige Kost: Rohes oder gekochtes Kalbsherz, hartgesottenes Hühnerei, Käsequark, gute, saftige Feigen und viel Mehlwürmer. Zeigt der Vogel nur Lust für Letztere, so sind sie in ausgiebiger Menge zu reichen. Ist keine Fresslust mehr vorhanden, so muss der Vogel gestopft werden, und zwar in Intervallen von einer Stunde mit in feinem Tafelöhl ertränkten Mehlwürmern oder mit kleinen Würfelchen von gutem Speck. Das beste Mittel aber ist die Spinne. Wer sich die Mühe nicht verdriessen lässt, in Dachboden- und Kellerräumen nach diesen Insecte Jagd zu machen, um damit den kranken Vogel zu füttern, bezw. zu stopfen, darf am ehesten hoffen, den Vogel durchzubringen. Ich erwähne hier, dass das Stopfen so lange fortgesetzt werden muss, bis der Vogel wieder jene Selbständigkeit zeigt, welche ihn befähigt, das Futter selbst zu sich zu nehmen.

*) Dies zu unterscheiden gelingt nur dem geübten Aug. und Ohr eines erfahrenen Vogelliebhabers, welcher schon mehrere Gartengrasmücken eingewöhnt hat.

Ich habe im Vorstehenden alle mir bisher bekannten und von mir selbst erfolgreich angewendeten Hilfsmittel bekannt gegeben, welche im gegebenen Falle einen Erfolg sichern können. Alle sonst noch angerathenen Mittel: wie Einspritzungen, Einflössen von Oel und Medicin, Würzen des Trinkwassers etc., sind unnütze Spielereien, welche nur dazu geschaffen sind, um den Vogel zu quälen und zu belästigen.

Wie aus der hier geschilderten Behandlungsweise der Gartengrasmücke als Stubenvogel zu entnehmen ist, gehört genügende Zeit, vor Allem, aber ein bischen Verständnis und Geduld dazu, um den Vogel für längere Zeit zu erhalten.

Wem dies nicht zu Gebote steht, soll sich keine Gartengrasmücke einstellen. Der Anfänger in der Stubenvogelpflege wird gut thun, früher mit minderwerthigen und nicht heiklen Insectenfressern die Eingewöhnungs- und Fütterungsmethoden durchzumachen und erst dann, wenn er darin au fait ist, sich mit weichlichen Vögeln zu befassen.

Nutzung des Geflügels.

Von Dr. Příbyl.

b) Fleisch und Mästung.)

(Fortsetzung.)

Die ungeheueren Gänseherden Pommerns liefern die delikaten geräucherten Gänsebrüste, welche alljährlich Hunderttausende von Mark in jene Gegenden aus den entferntesten Ländern strömen lassen. Die Räucherung dient zur längeren Haltbarmachung des Fleisches und verleiht demselben, verbunden mit der vorhergehenden Zurichtung, jenen besonderen Beigeschmack, der diese Speise so beliebt macht.

Eine Zeit ass man in Dresden und Umgebung die frisch ausgeschlüpften Küchel, die von der grossartigen Anstalt für künstliche Ausbrütung des H. Baumeyer massenhaft geliefert wurden. Man nahm mit Recht an, dass in dem eben ausgeschlüpften Küchel noch die ganzen nahrhaften Bestandtheile des Eies enthalten sein müssten und so fielen Hunderttausende von jungen Leben dieser Ansicht zum Opfer und brachten dem Unternehmer reichlichen Gewinn. Auch in China gelten frisch ausgeschlüpfte Küchel als grosser Leckerbissen.

Das Marktgeflügel kommt entweder lebend oder schon geschlachtet zum Verkaufe. Im ersteren Falle handelt es sich meist um jene Thiere, die einen weiteren Transport zu bestehen haben oder an Orten, wo die Absatzverhältnisse nicht so günstig sind, dass auf sofortigen Verkauf gerechnet werden kann, so dass einige Tage Verzug in's Auge zu fassen sind, wo dann eine entsprechende, reichliche Fütterung Platz greifen soll. Hühner, Tauben und Enten kommen bei uns meist lebend auf den Markt, während Gänse und das gesammte Mastgeflügel nur geschlachtet verkauft werden. Letztere Verkaufsart ist für den Züchter von entschiedenem Vortheile. Da die Maststücke zumeist ihrer Federn beraubt, ebenso auch ihres Inhaltes entledigt werden müssen, bleiben grosse Mengen Blut, Federn und Gedärme zur Verfügung des Eigenthümers, die leicht lohnende Verwerthung finden.

Die Art des Schlachtens ist so ziemlich gleich. Ein Schnitt durch die Kehle bei den Hühnern und Truthühnern, — letzteren wird in manchen Gegenden der Kopf abgeschnitten, da der Unverstand demselben giftige Eigenschaften (!) zuschreibt — beim Wassergeflügel ein Schnitt zwischen Kopf und und erstem Halswirbel bringt die gewünschte Wirkung am schnellsten hervor. Die Tauben werden häufiger erwürgt, durch Umdrehen des Halses oder auch gefedert. Bei allem Geflügel unnöthig ist das Köpfen. Das Blut wird meistens ablaufen gelassen, um eine grössere Weisse des Fleisches zu erzielen und der noch warme Körper seines Federkleides beraubt; späterhin, sobald der Körper erkaltet, ist dies Geschäft sehr erschwert und besonders beim Mastgeflügel leidet die feine Haut durch das Ausreissen der Federn, welche häufig nur zum Theile entfernt werden können, so dass oft durch Absengen oder Brühen die überflüssigen Härchen und Federspulen entfernt werden müssen. Das gereinigte und geöffnete Geflügel wird häufig mit Kleie abgerieben oder in mit Salzwasser befeuchtete Tücher, welche sobald sie abgetrocknet sind, erneuert werden, eingeschlagen und aufgehängt, dass alles Blut abtropfen kann; dadurch erhält das Geflügel ein schönes, weisses Aussehen. Hie und da wendet man, um denselben Effect zu erzielen, längeres Liegen in häufig gewechseltem kalten Wasser an; dies geschieht aber auf Kosten des Wohlgeschmakes. Das geschlachtete Geflügel muss in der heissen Jahreszeit raschen Absatz finden, um dem Verderben zu entgehen; nur, wo Eis reichlich zu Gebote steht, gelingt es, dasselbe einige Zeit aufzubewahren. — Die früher erwähnten Vortheile, besonders aber die wesentlich erleichterte Versendung des geschlachteten Geflügels sprechen für letztere Art der Vorbereitung für den Markt.

Die Preise, welche für gewöhnliches Geflügel erzielt werden, wechseln nach der Jahreszeit. Im Spätfrühlinge und Sommer sind die Preise bedeutend geringer, als im Winter und wo Absatzorte in der Nähe sind, empfiehlt es sich jedem Züchter, sein junges Verkaufsgeflügel im Fasching oder zu Ostern auf den Markt zu bringen, weil um diese Zeit die höchsten Preise dafür zu erhalten sind. Mastgeflügel kommt meistens Anfang des Winters zur Verwerthung und nur grössere Unternehmungen sind im Stande, zu jeder Zeit die bewunderungswürdigen Tafelstücke zu liefern, welche in den Auslagen der Verkäufer das Staunen des Beschauers erregen. Die heisse Jahreszeit ist der Mästung nicht zuträglich, besser die kühleren Monate, so dass sich der Hauptverkehr des Mastgeflügels in die kältere Jahreszeit concentrirt.

Es fehlen leider genaue Angaben über den riesigen Umsatz, der alljährlich in den Städten durch den Geflügelverkauf erzielt wird. In den grossen Bevölkerungscentren beträgt derselbe Millionen Stücke, die einen Werth von vielen Millionen Mark repräsentiren und einen sehr wichtigen Antheil in der Approvisionierungsfrage einnehmen.

Leider wird noch immer dieser wichtigen Rolle, die dem Geflügel zugewiesen ist, nicht die nöthige Aufmerksamkeit geschenkt; denn bei richtiger Würdigung müsste mehr zur Hebung dieses wichtigen Zweiges der Kleinviehzucht gethan werden, als bisher geschah und selbst die rühmenswerthe Thätigkeit der Geflügelzuchtvereine ist bei diesem weiten Umfange und bei der dringenden Wichtigkeit der Frage unzureichend und kann vielleicht erst späterhin die Ziele: Verallgemeinerung und Verbesserung der Geflügelzucht erreichen.

Erwähnt sei an diesem Orte, dass die Hühnervögel in den letzten Jahren auch als Jagdwild Verwendung finden. Einzelne Jagdbesitzer bevölkerten die Reviere durch verwilderte Haushühner, gleichsam wie mit Fasanen. Die Hühner nehmen die Gewohnheit der Wildhühner an, werden scheu und schwer erlegbar. Das Fleisch gewinnt einen feinen Wildbretgeschmack. Bekannt ist die Einbürgerung des Bronzetruthahnes als Jagdgeflügel in einigen Revieren Deutschlands und Oesterreich-Ungarns, sowie auch der Perlhühner.

c) Federn.

Mannigfach ist der Gebrauch, den das hornartige Federkleid des Geflügels zulässt und bilden die Federn eine wichtige Nutzung des Geflügels. In der Jetztzeit ist die hohe Bedeutung der Kielfedern geschwunden, die billigeren und besseren Stahlfedern haben ihre Stelle eingenommen, allein durch Jahrtausende dienten die Kielfedern als Mittel, um alle die Grundsätze, auf denen die Bildung des Menschengeschlechtes ruht, aufzuzeichnen; selbst heutzutage findet sich noch hie und da ein Vertreter der alten Zeit, der mit Missachtung der Fortschritte der Neuzeit die mühsame Kunst des Federschneidens übt. Vorzüglich waren die Kielfedern der Gänse, Schwäne etc., welche den riesigen Consum in diesem Artikel decken mussten und Millionen kamen jährlich in „Bunden" von 25 Stück in Verkehr. Manch Geheimmittel gab es, um den Kielen die nöthige Festigkeit und Elasticität zu verleihen. Am geschätztesten waren jene, welche die Thiere bei der Mauser selbst verloren, sie galten als „reif". Heutzutage, wo das Rauchbedürfnis den grösseren Theil des Menschengeschlechtes erfasst hat, dienen die Spulen zur Herstellung der zahllosen Papierspitzen, die von den Rauchern sehr gerne benützt werden. Auch bei den ehrwürdigen Tabakspfeifen wurden alljährlich grosse Quantitäten verbraucht. Es ist infolge des grossen Absatzes der Preis der harten Federkiele immerhin noch ein ziemlich beträchtlicher, obgleich nicht mit jenem zu vergleichen, der frühere Jahre für dieselbe Waare bezahlt wurde.

Die Hauptverwendung der Federn ist die Füllung der Betten. Hier giebt man mit Recht dem weichen Gefieder des Wassergeflügels den Vorzug vor allen anderen. Die feinen Daunen der Gänse, Enten, Schwäne, besonders aber der Eiderenten, die wild auf den Felsklippen der nordischen Meere leben, sind die geschätztesten, selbst schon im Alterthume. Die Benützung der Federn zur Füllung der Betten scheint eine ursprünglich keltisch-germanische Gepflogenheit gewesen zu sein, die von den Römern bald angenommen wurde. Plinius führt als ein Beispiel der Verweichlichung an, dass selbst Männer ihr Haupt auf ein Federkissen zu betten glauben müssen. Ein schwunghafter Handel mit Federn von Gallien und Germanien wurde nach Rom betrieben und sehr ansehnliche Preise erzielt, für ein Kilogramm etwa 14 Mark.

Um den jährlichen grossen Bedarf zu decken, werden in den meisten Gegenden die Gänse in den warmen Sommermonaten theilweise ihres Federkleides beraubt; oft dreimal im Jahre wird das Rupfen vorgenommen, manchmal mit solcher Roheit und Unverstand, dass die Thiere fast nackt und häufig mit gebrochenen Flügeln herumgehen. Auch die Truthühner, besonders die rein weissen, werden in Frankreich gerupft, meist zweimal und Wegener führt als Beispiel des hohen Werthes an, dass ein Bauer, je nach der wechselnden Mode, 12 bis 25 Mark für die Federn eines weissen Truthahnes von einem Pariser Schmuckfederhändler bezahlt erhielt.

Bei Zucht- und Mastgeflügel ist das Rupfen entschieden nicht am Platze. Die nachwachsenden Federn absorbieren so viele wichtige Stoffe des Thierkörpers, dass der grösste Theil der Nahrungsstoffe zum Ersatze des Federkleides dienen muss, die Thiere trotz reichlicher Ernährung bedeutend zurückgehen und längere Zeit zur Erholung brauchen. Ein alter Erfahrungssatz lässt jenen Federn den Vorzug geben, die vom Geflügel stammen, das am Wasser gehalten wird, da wahrscheinlich der grössere Fettgehalt günstig auf die Elasticität einwirkt. Federn von kranken oder umgestandenen Geflügel ballen und verfilzen sich leicht und halten sich nicht gut.

Eine ausgewachsene Gans liefert bei dreimaligem Rupfen im Durchschnitte etwa $^1/_8$ kg. Daunen und $^1/_4$ kg. Schleissfedern; junge Gänse liefern etwa 35 g. Flaumfedern, von denen das halbe Kilogramm 3 bis 5 Mark Werth hat.

Während die Daunen im ganzen verwendet werden, müssen die übrigen sogenannten Schleissfedern durch das Schleissen zum Gebrauche hergerichtet werden; die zarten Fahnen werden von den starken Rippen abgezogen und kommen so in den Handel. Die Rippen finden meist keine Verwerthung, obwohl ihr reicher Stickstoffgehalt sie als Düngemittel, nachdem sie aufgeschlossen wurden, empfehlen würde; gewöhnlich werden sie verbrannt. Manche Länder treiben schwunghaften Exporthandel mit Federn; so führte Oesterreich-Ungarn im Jahre 1890 über 42.000 Meter-Centner Bettfedern aus, wovon der grösste Theil auf Gänsefedern entfiel.

Grossbritanniens Bettfedern-Import erreichte

1888	31.610 Centner im Werthe von	105.526	L.-Sterl.
1891	35.601 „ „ „ „	132.587	„

Frankreich exportierte

1888	9.329 Met.-Cent. im Werthe von	3,2	Mill. Franks,
1889	10.470 „ „ „ „	3,5	„ „
1890	9.917 „ „ „ „	3,3	„ „

Wichtig bei Beurtheilung der Federn ist deren Farbe; im Preise am höchsten stehen die weissen, während für farbige der gleichen Qualität bedeutend geringere Preise erzielt werden.

Die weichen Taubenfedern sind nicht sehr geschätzt, da sich dieselben sehr leicht zusammenballen und nur geringe Elasticität besitzen. Den geringsten Werth haben im Allgemeinen die Hühnerfedern, welche zumeist gar keine Verwerthung im Handel finden und nur ausnahmsweise zur Füllung der Betten benützt werden. Erst in der jüngsten Zeit gelang es der fortschreitenden Technik, auch hierfür eine lohnende Verwerthung zu finden. Mit Beigabe von Gespinnststoffen erzeugt man aus den zerschlissenen Hühner- und anderen Federn sehr elastische, dichte Gewebe, die ob ihrer grossen Elasticität und Haltbarkeit recht geschätzte Stoffe liefern. Aus den stärkeren Hühnerfederspulen verfertigt man die beliebten Zahnstocher, welche in Millionen auf den Markt kommend, der Holzindustrie erfolgreiche Concurrenz machen und den entschiedensten Vorzug verdienen. Die prächtigen Schwanzfedern mancher Hühnerrassen, besonders der Hähne, finden lohnende Verwerthung in den verschiedenen Armeen, wo die stattlichen Federbüsche vielfach zum Schmucke der Soldaten dienen. Die dafür erzielten Preise lassen dies jedenfalls als eine sehr erhebliche Nutzung des Geflügels erscheinen, wenn auch ein ziemlicher Theil der Kosten auf das Herrichten, Färben etc. aufgewendet werden muss.

Das buntschillernde Gefieder der Hühnerarten, namentlich aber einiger Arten des Ziergeflügels, wie das der Pfauen, Fasanen, Enten etc. reizte von jeher dazu, dasselbe als Schmuck zu verwenden, und seit den ältesten Zeiten, bei den rohesten und gebildetsten Völkern wurde im reichsten Masse von diesem Schmuckmittel Gebrauch gemacht. Bald sind es einzelne Federn, bald eine Zusammenstellung mehrerer, bald selbst halbe oder ganze Flügel oder Schöpfe, welche die wechselnde Mode mit hohen Preisen zahlte. Die bunten Farben, besonders der Pfauenfedern finden noch immer enthusiastische Verehrer; in manchen Gegenden schmückt die bäuerliche Bevölkerung mit Vorliebe die Hüte mit solchem Schmucke, gerade so wie der Schildhahn- oder Birkhahnstoss selten einem Hute des Bergjägers fehlt. Zu bedauern ist in einem solchen Falle der unglückliche Besitzer eines Pfaues, da keine Vorsicht und Wachsamkeit ihn vor der räuberischen List der schmucksüchtigen Jugend schützt; nur zu oft büsst der arme Pfau bei solchen Angriffen sein Leben ein.

Mit grossem Erfolge bemächtigte sich die Industrie der bunten Federn und jährlich werden in den Schmuckfederfabriken Hunderttausende von Mark umgesetzt, wobei die kunstvollen Producte aus den einfachen Geflügelfedern zu hohen Preisen Absatz finden. Jeder Züchter möge sich daher nicht die Mühe verdriessen lassen, besonders in der Mauserzeit, wo das Geflügel ohnedies meist enger gehalten wird, die reichlich ausfallenden Federn zu sammeln und aufzuheben, es findet sich immer lohnende Verwerthung. Ebenso soll auch das Gefieder des geschlachteten Geflügels nicht, wie bisher am Düngerhaufen seinen Platz finden, da eine anderweitige Verwendung besser lohnt.

Eine eigenthümliche Verwerthung fanden die ihres Federschmuckes beraubten langen Pfauenfederschäfte in Tirol und einigen anderen Gebirgsländern. Die breiten Ledergürte „Ranzen" werden kunstvoll mit der glänzenden Deckschichte der Stiele ausgenäht; je reichlicher diese Arbeit, desto höher der Werth, so dass selbst Preise von 100 bis 200 fl. für einen breiten Ledergurt früher nicht zu den Seltenheiten gehörten. Jetzt schwindet mehr diese alte Tracht, und die Stickerei blüht nicht mehr in so hohem Masse, wie früher, allein trotzdem werden doch alljährlich für viele Tausende solcher Pfauenfedern gekauft und verwertet. Auch andere Federgattungen suchte man hierzu zu verwenden, allein nicht mit dem Erfolge, wie die langen, elastischen Pfauenfedern.

Wer kennt endlich nicht die reizenden Schwanenpelze, die aus den Dunen der Schwäne hergestellt werden und die besonders im Ballsaale zum Schmucke und Schutze der Damen dienen und eine sehr kostbare Verwerthung des Gefieders beweisen. Die Schwanenhaut sammt den weichen Dunen wird abgezogen und durch eine Art Gerbeprocess hergerichtet und daraus die Schwanenpelze hergestellt. In Australien dienen die Dunen der schwarzen Schwäne zum Futter der Winterkleider und man rühmt die ausgezeichnete Wärme dieses Pelzwerkes.

(Fortsetzung folgt.)

Zum Verbot des Posttransportes von lebendem Geflügel aus Oesterreich-Ungarn nach Deutschland incl. Bayern und Württemberg.

In einer soeben an die Postämter hinausgegebenen Verordnung wird Folgendes mitgetheilt, das für unsere Rasse- als Ziergeflügel-Züchter von hoher Wichtigkeit ist:

Laut Handelsministerial-Erlass vom 22. August 1892, Z. 40.969, ist der Transport von Nutzgeflügel aller Art (lebende Hühner, Enten, Gänse, Tauben) verboten. Die Post befördert nach den genannten Ländern nur mehr Ziergeflügel und muss auf der Adresse und Begleitadresse derlei Sendung der Inhalt als Ziergeflügel bezeichnet sein, in welchem Falle die Versendung per Post zulässig ist. Kleinere Sing- und Ziervögel sind keinesfalls vom Posttransporte nach Deutschland etc. ausgeschlossen.

Aus unserem Vereine.

Protokoll der am 6. März 1893 stattgefundenen Ausschuss-Sitzung.

Anwesend die Herren: Bachofen von Echt, Präsident; F. Zeller, I. Vicepräsident; J. Zecha, II. Vicepräsident; C. Pallisch, Redacteur, Dr. O. Reisser, A. Haffner, Dr. Leo Přibyl I. Secretär und W. Gamauf als Schriftführer.

Entschuldigt die Herren: Dr. Zimmermann, Cassier, C. Mayerhofer und A. Reischek.

I. Präsident eröffnet um 6 Uhr die Sitzung und bringt die Entschuldigungsbriefe, sowie ein Dankschreiben Herrn H. Gätke's betreff seiner Ernennung zum Ehrenmitgliede zur Verlesung — dient zur Kenntniss.

II. Cassier Dr. Zimmermann urgirt die Verrechnung der Administration pro II. Semester 1892; — Secretär Dr. Přibyl erklärt, diese Abrechnung mit Administrator Gamauf gepflogen zu haben, weist den Betrag aus und wird denselben persönlich an die Cassa abführen, was zur Kenntniss dient.

III. Secretär verliest das Protocoll der Ausschuss-Sitzung vom 23. November 1892; wird einstimmig genehmigt.

IV. Secretär legt folgende Einläufe vor:

1. Das Gutachten des Herrn Fritz Zeller über Einschränkung des Vogelfanges in Wien und Umgebung; — wird einstimmig genehmigt und dem p. t. Thierschutzvereine, welcher um Abgabe desselben ersucht hat, übermittelt, sowie vollinhaltlich in der „Schwalbe" zum Abdruck gebracht.
2. Die Zuschriften des I. öster.-ung. Geflügelzucht-Vereines und des I. Wiener Geflügelzucht-Vereines „Rudolfsheim", in welchen dieselben erklären, die „Schwalbe" auch fernerhin als ihr Vereinsorgan beibehalten zu wollen; — dienen zur erfreulichen Kenntniss.
3. Die Zuschrift des fürsterzbischöflichen Secretariates in Olmütz, wonach Se. fürstbischöfliche Gnaden Herr Dr. Theodor Kohn dem Vereine mit dem Beitrage von fl. 10 als Mitglied beitritt, — dient zur freudigen Kenntniss.
4. Die Zuschrift des Herrn Redacteurs Pallisch, in welcher er Se. kgl. Hoheit den Fürsten Ferdinand von Bulgarien als hohen Gönner unseres Vereines zu seiner Verlobung zu beglückwünschen beantragt, — wird mit lebhafter Acclamation angenommen und ist schleunigst zu veranlassen.
5. Ansuchen des Hptm. Fröhlich vom k. k. techn. adm. Militär-Comité wegen Angabe grösserer belgischer Zuchttauben-Lieferanten, sowie entsprechender Fachzeitungen, — werden als Auskunfts-Quellen die Redaction des L'épervier, das Secretariat des Brieftaubenflug-Vereines und der Vorstand der deutschen militärischen Brieftauben-Stationen namhaft gemacht.
6. Der I. steirische Geflügelzucht-Verein in Graz übersendet Programme und Anmeldebogen seiner vom 8.—10. April abzuhaltenden Ausstellung, — kamen unter den Anwesenden zur Vertheilung und wurde die Veranstaltung dieser Geflügelschau auch bereits in der „Schwalbe" gewürdigt.
7. Paul Parey's Buchhandlung in Berlin ersucht um Besprechung seines neuen grossen Farbendruckwerkes über die nützlichen und schädlichen Vögel Deutschlands, — wird Herrn Redacteur Pallisch zur freundlichen Erledigung übermittelt.
8. Photograph Franz Escher ersucht um Besichtigung seiner banner- und wappenartig arrangirten Käfersammlungen — dient zur Kenntniss.
9. Der Aufruf betreffs Beiträgen für das Brehm-Schlegel-Denkmal, — wird damit als erledigt betrachtet, dass der Präsident bereits einen Betrag für diesen Zweck gespendet hat.
10. Colporteur J. Schmidt in Tannwald wünscht die „Schwalbe" zu colportiren, — ist zu erwidern, dass unser Blatt nur an Mitglieder verabfolgt wird.
11. Dr. R. Lewandowski meldet wegen ämtlicher Ueberbürdung seinen Austritt aus dem Vereine an, — wird mit Bedauern zur Kenntniss genommen.

12. Administrator W. Gamauf theilt mit, dass mittelst retournirter Zeitungsexemplare ihren Austritt bekundeten die Herren: Franz Schlögl, Präparator, Wien, R. v. Storkert, Ingenieur, Wien, C. Preschern, Schulinspector, Klagenfurt, L. v. Liebig, Grossindustrieller, Reichenberg. — Laut postalischem Vermerke ist gestorben: Herr J. Frankowski, k. k. Notar in Přzemysl. — Diese Mittheilungen dienen mit Vorbehalt weiterer Erhebungen zur Kenntniss.

13. Derselbe legt zur Einsicht des p. t. Ausschusses vor: die neue Versandt- und Inseratenliste der „Schwalbe", das Exhibiten-Protocoll und die über Porti und kleine Spesen geführten Bücher. — Das ordnungsmässige Gebaren der Administration dient zur befriedigenden Kenntniss.

V. Dr. Leo Přibyl beantragt, dem Herrn Vicepräsidenten F. Zeller für seinen in Rudolfsheim gehaltenen ausgezeichneten Vortrag „Ueber Vogelpflege und Schutz" Namens des Vereines Dank zu sagen. — wird einstimmig angenommen und ausgesprochen.

VI. Vicepräsident Zeller erwähnt einer in Nr. 10243 der „Neue freie Presse" vom 26. Februar erschienenen Notiz: „Gegen den Vogelfang" und beantragt, mit dem Verfasser derselben in Fühlung zu treten. — wird angenommen und das Secretariat ersucht, das Weitere veranlassen zu wollen.

VII. Secretär legt den Bericht über das XVI. Vereinsjahr vor, wird einstimmig angenommen und ist in der nächsten Nummer der „Schwalbe" vollinhaltlich zum Abdruck zu bringen.

VIII. An neuen Mitgliedern werden angemeldet: durch Redacteur Pallisch: Exc. Graf Rudolf Erdödy, Novimarof; durch Dr. Julius Madarász: Baron Aladár Wildburg, Bihar Illge; durch das Secretariat: Carl Scholz, Poisdorf, N.-Oe., Philipp Grünhut, General-Secretär, Wien, Hofbuchhandlung M. Frick, Verlagsbuchhandlung C. Gerold & Sohn, Wien, Sortimentsbuchhandlung M. Perles, Wien, Verein Vogelfreunde Edler Sänger, Wien. — Alle Genannten werden als Mitglieder aufgenommen und dient der namhafte Zuwachs zur erfreulichen Kenntniss.

IX. Die Festsetzung der Generalversammlung. — wird für den 27. März, Abends 7 Uhr, im grünen Saale der k. k. Akademie der Wissenschaften beschlossen, unmittelbar vorher, um 6 Uhr, findet eine Ausschuss-Sitzung statt. Das Ehrenmitglied Herr A. Reischek ist zu ersuchen, gelegentlich der Generalversammlung einen Vortrag halten zu wollen.

X. Secretär bittet um Ermächtigung, den Text des Mitgliederverzeichnisses kürzen und vereinfachen zu dürfen, — wird einstimmig ertheilt.

XI. Secretär beantragt betreffs einer regeren Action zur Gewinnung neuer Mitglieder sich an die Cultus- und Ackerbauministerien beider Reichshälften und an sämmtliche Forst- und Jagdschutzvereine zu wenden. — wird einstimmig angenommen und das vom Schriftführer Gamauf vorgelegte Concept gutgeheissen.

Der Präsident schliesst um 7½ Uhr die Sitzung.

Adolf Bachofen von Echt m. p., Präsident.
Wilhelm Gamauf m. p., als Schriftführer.

Ausstellungsberichte.

Collectiv-Ausstellung des Kleinthierzuchtvereines für das Königreich Böhmen. In dieser Abtheilung, welche 209 Objecte enthält, sehen wir prächtige Hühner, Gänse und Enten, Tauben, Kaninchen, Canarienvögel und mehrere Brutapparate. — Von Hühnern finden wir 20 Stück grosse und schwere Cochinchinas, darunter ein besonders grosses Paar von gelber Farbe, von Frau Amalia von Nadherny ausgestellt, 19 Stück grobknochige, bis 13 Pfund schwere Brahmas, darunter 3 besonders kräftige Stücke der Fürstin Ida Schwarzenberg, 19 Stück gesperberte Plymouth-Rocks, 9 Stück Langshans in den Farben weiss, blau und schwarz, 12 Stück zierliche Hamburger in den seltenen Farben goldlack und silberlack, 13 Stück Italiener, 8 Stück Houdans, 11 Stück Holländer von schwarzer Farbe, 11 Stück Paduaner in den Farben chamois und goldgesprenkelt, 6 Stück Spanier, 7 Stück Andalusier, 7 Stück Minorcas, 20 Stück Wyandottes, 4 Stück Siebenbürger Nackthälse, 18 Stück Bantams, darunter ein Paar goldhalsiger Zwergkämpfer im Werthe von 60 fl., vom Herrn Enzinger aus Neulengbach ausgestellt, 8 Stück Hühner diverser Racen, 10 Stück Perlhühner, 16 Stück Truthühner in den Farben schwarz, weiss und bronze und schliesslich 2 Stück Pfauen. — Das Wasser- und Ziergeflügel erscheint durch 10 Stück Gänse (Locken, Emdener, Höcker- und pommersche Gänse), darunter ein Paar prächtiger weisser Emdener Gänse im Werthe von 25 fl., ausgestellt von Herrn Franz Borovec aus Chrudim und durch 26 Stück Enten, zumeist der Rouener Art, vertreten. — Von Tauben finden wir 21 Paare Flugtauben und zwar schwarze Tümmler, blaue Nönnchen, geganselte und gestorchte Wiener, gestorchte Budapester, Wiener Purzeltauben, Krakauer Elstern und Engländer, 30 Paar Ziertauben in allen Farben und Abarten, darunter ein Paar reizender, schwarzschilderner Anatolen-Mövchen, ausgestellt von Frl. Eugenie Dumtsa aus Wien, und ein Paar rothgemönchter Perrückentauben, ausgestellt von Herrn Romuald Svoboda aus Pečck, 34 Paar Nutztauben in den verschiedensten Farben, darunter ein Paar belgischer Brieftauben, ausgestellt von Herrn Ferdinand Svoboda aus Wr. Neustadt, und schliesslich 9 Paar diverser Arten. — In dieser Abtheilung bemerken wir noch 9 Stück Kaninchen, belgische, Angora und englische, darunter ein Paar im Werthe von 100 fl., (Aussteller Herr Franz Borovec aus Chrudim), 9 Stück Harzer Canarienvögel, einige Brutapparate und zwei Collectionen von conservirten Eiern und von Bruteiern. Das Hauptverdienst an dem Gelingen dieser Geflügel-Ausstellung gebührt dem Kleinthierzucht-Vereine, insbesondere der Protectorin Fürstin Ida Schwarzenberg, dem Präsidenten Grafen Johann Lažanský, dem Geschäftsleiter Herrn Joseph Jeřábek und den übrigen Ausschussmitgliedern. Unter den 44 Ausstellern dieser Abtheilung finden wir die Fürstin Ida Schwarzenberg (Libějitz), den Erbprinzen Philipp Hohenlohe-Schillingsfürst (Poděbrad), den Grafen Johann Lažanský (Manetin), Amalia von Nadherny (Janowitz), Wilhelmine v. Nadherny (Jistebnitz), Joseph und Albine Nolč (Počernitz), Consistorialrath J. Brychta (Manetin), Frl. Eugenie Dumtsa (Wien), Joseph Hartmann (Gablonz), Anton Horváth (Steinbruch-Ungarn), M. Walner (Wien-Döbling) u. A.

* * *

Prämiirung. In der Geflügel-Abtheilung hat die Jury zuerkannt: 1. Der Fürstin Ida Schwarzenberg ein Ehrendiplom der landwirthschaftlichen Centralgesellschaft mit dem Rechte der Prägung einer goldenen Medaille; 2. dem Fürsten F. A. Hohenlohe-Schillingsfürst in Poděbrad eine silberne Staatsmedaille; 3. der Frau Wilhelmine Baronin Nádherný in Janovitz eine silberne Staatsmedaille; 4. der Frau Amalie v. Nádherný in Jistebnitz eine silberne Medaille der landwirthschaftlichen Centralgesellschaft; 5. der Frau Amalie Doležal in Poděbrad fünf Preise erster Classe zu 10 Kronen, einen Preis zweiter Classe von 5 Kronen und ein Diplom; 6. der Frau L. Svoboda in Pečck drei Preise per 10 Kronen und ein Diplom; 7. Herrn Alfred Safich in Pečck eine silberne Medaille des Landesculturrathes; 8. Herrn Svoboda in Wr. Neustadt eine silberne Vereinsmedaille; 9. Herrn Joseph Nolč und Frau Albine Nolč in Počernitz eine silberne Medaille des Landesculturrathes; 10. Herrn J. Hartmann in Gabel eine bronzene Medaille der landwirthschaftlichen Centralgesellschaft; 11. der Frau Pauline Kašpar in Prač eine silberne Medaille des Landesculturrathes und ein Diplom; 12. Herrn Anton Pohl in Weipert eine bronzene Medaille der landwirthschaftlichen Centralgesellschaft; 13. Herrn J. Mannsfeld in Halaukowitz in Mähren einen zweiten Preis per 4 Kronen; 14. Herrn Anton Král in Smichow eine silberne Medaille des Landesculturrathes; 15. Herrn Fr. Borovec in Chrudim einen ersten Preis per 20 Kronen und einen zweiten Preis per 5 Kronen; 16. Herrn J. Suk in Čičowitz eine bronzene Vereinsmedaille; 17. Frau Anna Franz in Kukus einen zweiten Preis per 6 Kronen; 18. Herrn Johann Enzinger in Neulengbach bei Wien eine Medaille der landwirthschaftlichen Centralgesellschaft; 19. Herrn W. Jirka in Smichow einen ersten Preis per 10 Kronen und einen zweiten Preis per 5 Kronen; 20. Herrn K. Hřebíček in Sluk eine bronzene Medaille der landwirthschaftlichen Centralgesellschaft; 21. Herrn Edmund Pilc in Grünwald ein Diplom; 22. Herrn August Hoyermann in Guben eine silberne Medaille der landwirthschaftlichen Centralgesellschaft; 23. der Frau Marie Harsi in Chrástan eine bronzene Medaille der landwirthschaftlichen Centralgesellschaft; 24. Herrn H. Svoboda in Prag ein Diplom; 25. Herrn K. Dvořáček in Prag ein Diplom; 26. Herrn A. Roan in Pominitz ein Diplom; 27. Herrn Fr. Suchánek in Pardubitz ein Diplom; 28. Herrn Ant. Horvát in Steinbruch 5 erste Preise zu 8 Kronen und einen zweiten Preis zu 4 Kronen, ein Diplom und eine silberne Medaille der landwirthschaftlichen Centralgesellschaft; 29. Herrn A. Peroutka in Tejnka bei Prag einen zweiten Preis zu 4 Kronen; 30. Herrn Eug. Durst in Wien eine silberne Medaille des Landesculturrathes; 31. Herrn W. Wallner in Döbling bei Wien einen ersten Preis zu 8 Kronen und einen zweiten Preis zu 4 Kronen; 32. Herrn Zd. Kašpar in Prač eine bronzene Medaille der landwirthschaftlichen Centralgesellschaft; 33. Herrn Alfred Sallich in Peček ein Diplom; 34. Herrn W. Komerda in Kolin einen zweiten Preis zu 4 Kronen; 35. der Frau Wilhelmine Baronin Nádherný eine silberne Vereinsmedaille; 36. Herrn Anton Král in Smichow eine Medaille der landwirthschaftlichen Centralgesellschaft; 37. Herrn F. Svoboda in Wr. Neustadt ein Diplom; 38. Herrn V. Kohout in Kladno zwei erste Preise zu 8 Kronen, zwei zweite Preise zu 4 Kronen. — Hors concours ausgestellt haben: Johann Graf Lažanský und Rom. Svoboda, Zuckerfabriks-Director in Peček.

III. Jahres-Ausstellung des Vereines Vogelfreunde „Edler Sänger.“ Dieser Verein, welcher durch seine Betheiligung an der Ausstellung des „Ornithologischen Vereines“ und des „I. Oesterr.-ungar. Geflügelzuchtvereines“ in den Vorjahren schnell populär geworden ist, hielt am 30. April seine III. Jahres-Ausstellung in den Saallocalitäten des Herrn F. Wiesböck, XV. Schönbrunnerstrasse 13, ab.

Die Ausstellung, welche um 8 Uhr Früh eröffnet und um 3 Uhr Nachmittags geschlossen wurde, war sehr reich von den Mitgliedern des Vereines beschickt. Ueber 150 Vögel füllten den mit Tannenreisig geschmackvoll decorirten sehr geräumigen Saal. Das Concert, welches diese 150 Singvögel aufführten, ist nicht mit Worten zu beschreiben, das muss man mit angehört haben. Selbst der Alters- und Ehrenpräsident des Vereines Herr E. Langer sen. gab zu, so viele Spotter auf einmal noch nicht singen gehört zu haben. Nun erst die kräftigen Kehlen der Nachtigallen, die laut flötenden und schlagenden Schwarzblättchen, es war selbst für die Preisrichter, die doch verstehen einen Vogel abzuhören, anfangs schwer den Schlag eines einzelnen Vogels herauszuhören. Und doch mussten die Herren F. Serda, A. Rancak, K. Ausobsky, P. Sachse und A. Schumann ihrer Aufgabe gerecht werden, was jedoch sehr schwer war, da z. B. bei den Spottern mehrere den ersten Preis, (der doch nur an Einem vergeben werden kann) verdienten.

Erste Preise erhielten die Herren E. Nisser (Nachtigall), J. Pold (gelber Spotter), F. Serda (Schwarzplättchen), V. Lederer (grauer Spotter), M. Eckel (Sperbergrasmücke) und E. Langer sen. auf ein allerliebstes Pärchen Goldhähnchen. Letztere Vögel waren unter den Specialitäten rangiert. Die angemeldeten Bartmeisen wurden leider nicht ausgestellt, doch waren dafür ein Blaukropf, Steinröthel, Seidenschwanz, Fitislaubvogel, Zwergfliegenfänger, Schopfmeisen und Baumpieper zu sehen.

Es kann dreist gesagt werden, dass eine Singvögel-Ausstellung mit einer solchen Zahl von exponirten Vögeln und in solcher Qualität noch nicht da war. Es gelangten im Ganzen 76 Preise zur Vertheilung, und zwar dieses Jahr das erste Mal auch von den Mitgliedern gezeichnete und lithografirte Anerkennungsdiplome.

Nicht vergessen darf eine Gruppe ausgestopften selten, im Käfig gepflegter Vögel werden, welche der Ehrenpräsident Herr Langer sen. zur Ausstellung brachte. Auch Herr Köck brachte schöne Exemplare, besonders von Exoten und die Vogelschädelsammlung des Schriftführers Herrn Schumann fand allgemeine Beachtung.

Die Ausstellung war sehr gut besucht, und war das dem Vereine zu gute kommende Erträgniss ein zufriedenstellendes. Um das schöne Gelingen der Ausstellung machte sich insbesondere Obmann A. Schillbrich und sämmtliche Functionäre des Vereines sehr verdient. A. S.

Ausstellungen.

Wanderausstellung des I. österr.-ung. Geflügelzucht-Vereines in Krems. Der erste österr.-ung. Geflügelzucht-Verein in Wien, hat beschlossen, gemeinschaftlich mit dem k. k. Landes-Bez.-Verein in Krems-Langenlois in den Tagen vom 12.—14. August d. J. eine Wander-Geflügelausstellung in Krems zu veranstalten.

Zu dieser Ausstellung, welche mit Staats- und Vereins-Medaillen, Geld- sowie Privat-Ehrenpreisen reich dotirt ist, werden alle Gattungen Grossgeflügel, wie Tauben, sowohl ältere Zuchtthiere, als heuriges Jungeflügel, weiters Sing- und Ziervögel, ornithologische Präparate, alle aus den Producten der Geflügel-Zucht stammenden, endlich alle jene gewerblichen Erzeugnisse zugelassen, welche den Zwecken der Geflügelzucht, dem Vogelschutz und der Vogelpflege zu dienen bestimmt sind.

Anmeldungen beliebe man an das Secretariat des k. k. landw. Bezirksvereines Krems-Langenlois zu leiten, wo auch Programme erhältlich sind.

Herbstausstellung des I. österr.-ung. Geflügelzucht-Vereines in Wien. Die diesjährige Herbstausstellung, verbunden mit einer Junggeflügelschau, findet Anfangs October in den geschlossenen Räumen des Vereinshauses im k. k. Prater statt und werden nähere Bestimmungen darüber demnächst verlautbart.

Brieftaubenwettflug Graz—Wien. Das aus den Directionsmitgliedern, den Herren Heinrich Högelsberger, Dr. Stefan Br. v. Washington und August Witt bestehende Localcomité hat auf Grund des ihm vorliegenden Protokolls des Wiener Control-Bureaus nachstehenden Concurrenten am Brieftauben-Wettflug Graz—Wien, welcher am 9. April d. J., um 12 Uhr 13 Minuten vom Parke der Industriehalle aus stattfand, zuerkannt: Einen I. Preis von 50 Kronen und den von einem Directionsmitgliede gespendeten Ehrenpreis von 30 Kronen dem Herrn A. Zimmermann in Wien, für Taube 9[1], roth (Ankunftszeit 4 Uhr 47 Min. Nachmittags den 9. April). Einen II. Preis von 30 Kronen dem Herrn Theodor Mittermayer in Wien für Taube Nr. 5[95], schwarz (Ankunftszeit 5 Uhr 45 Min. Nachmittags, den 9. April). Einen III. Preis von 20 Kronen dem Herrn J. Pinter in Wien für Taube 5[11], blau gehämmert (Ankunftszeit 5 Uhr 39 Min. Morgens, den 10. April).

I. Kärnthner Geflügelzucht-Verein in Klagenfurt hält eine Geflügelausstellung in der Zeit vom 8.—10. August in Klagenfurt ab.

Internationale Ausstellung für die Gebiete: billige Volksernährung, Armeeverpflegung, Rettungswesen und Verkehrsmittel, nebst einer Sportausstellung, Wien 1894. Der unter dem hohen Protectorate Sr. kais. und kön. Hoheit des durchlauchtigsten Herrn Erzherzogs Franz Ferdinand von Oesterreich Este stehende Verein zur Verbreitung landwirthschaftlicher Kenntnisse veranstaltet von Mitte April bis Mitte Juni 1894 in Wien (Rotunde, k. k. Prater) eine internationale Ausstellung. Dieselbe umfasst 1. das Gebiet der billigen Volksernährung, rationelle Bereitung und Herstellung der Nähr- und Genussmittel, der hiezu erforderlichen Geräthe und Maschinen, technischen Einrichtungen und Neuheiten. Dem Besucher soll reichlich Gelegenheit geboten werden, die Zubereitung zu studiren und die Producte zu verkosten. Daran reihen sich Specialconcurrenzen, besonders eine Bierconcurrenz. Die 2. Abtheilung ist der Armeeverpflegung gewidmet. Sämmtliche Verpflegsartikel der Heeresverwaltungen, die in den verschiedenen Staaten für Menschen und Thiere gefordert werden, sollen in Mustercollectionen ausgestellt werden, um den Producenten Gelegenheit zu bieten, sich mit diesen Erfordernissen bekannt zu machen, damit auch der Kleingrundbesitzer befähigt werde, sich an den Lieferungen zu betheiligen. Ferner sollen die neuesten Einrichtungen der Kochapparate für Militärzwecke in Kasernen und für's Feld im praktischen Betriebe vorgeführt, besondere Concurrenzen für conservirte Nahrungsmittel für den Heeresgebrauch, für Trinkwasserbeschaffung etc. ausgeschrieben werden. In der 3. Gruppe soll das Rettungswesen und hygienische Einrichtungen vereinigt werden, um bei Unglücksfällen durch private und öffentliche Hilfe, im Krieg und Frieden, helfend einzugreifen. Verbandkästen für erste Hilfe, Rettungsanstalten, Ausrüstungen der Rettungsgesellschaften, das Rettungswesen bei Feuers- und Wassergefahr mit den mannigfachen Geräthen und Apparaten, die Einrichtungen des Rettungsdienstes bei der See- und Binnenschifffahrt, dann Wohlfahrtseinrichtungen etc. sollen zur Schau gelangen. Als 4. Abtheilung reiht sich daran eine Ausstellung der Verkehrsmittel, sowie die 5. Gruppe, die eine Schaustellung des Sportwesens bieten wird (Touristik, Angel-, Ruder-, Schiess- und Rennsport, Amateurphotographie, Philatelie, Fecht-, Schritt- und Schneeschuhsport etc.). Mit der Ausstellung werden populäre Vorträge und Demonstrationen der ausgestellten Apparate und Geräthe verbunden. — Anfragen sind zu richten an das Bureau des Vereines, Wien, I., Minoritenplatz Nr. 4.

Kleine Mittheilungen.

Im zoologischen Garten zu St. Petersburg hat Anfang März das Condor-Weibchen im Winter-Vogelhause drei junge Condor-Küchlein ausgebrütet, die jetzt Gegenstand der sorgfältigsten Pflege sind.

Deutscher Brieftaubensport. Dem unter dem Protectorate des Deutschen Kaisers stehenden „Verbande deutscher Brieftauben-Liebhaber-Vereine" gehören gegenwärtig 229 Vereine und der 56 Vereine umfassende Verband bayerischer Vereine für Geflügel- und Brieftaubenzucht mit zusammen 2978 Mitgliedern und ungefähr 82,260 Brieftauben an. Im Vorjahre umfasste der Verband 209 Vereine und der Verband bayerischer Vereine mit 2741 Mitgliedern und ungefähr 73,823 Tauben. Die Flugergebnisse sind mit Ausnahme einzelner Fälle im letzten Jahre recht gut gewesen. Die geringsten Ergebnisse wurden, des vorherrschenden Westwindes wegen, bei der Dressur der Tauben in der Richtung von Osten nach Westen erzielt. Im Laufe dieses Jahres haben 52 Vereine gegen 42 im vorigen Jahre ihre Tauben internirt. Auch hier waren die Flugergebnisse zufriedenstellend. Für die Brieftaubenleistungen in diesem Sommer verlieh das Kriegsministerium den Vereinen 111 silberne und 173 bronzene Staatsmedaillen. Nach amtlicher Mittheilung sind im Jahre 1891 in den königlichen Forsten 6517 Stück den Tauben besonders gefährliche Raubvögel, und zwar 662 Wanderfalken, 2407 Habichte, 936 Baumfalken und 2512 Sperber erlegt worden. Die vom Verbande im verflossenen Jahre ausgesetzten 500 Mk. Schussprämien hatten das Ergebniss, dass 142 Paar Fänge zur Ablieferung kamen, so dass für jedes Paar 3·50 Mk. gezahlt werden konnte. Auf der Wanderversammlung wurde unter anderem beschlossen, dass an die Stelle des geschäftsführenden Vereines ein Präsident tritt. Die Zahl der dem Präsidium angehörigen Vereine wurde von 6 auf 9 erhöht. Zum Präsidenten wurde Baron von Alten-Linden gewählt. Ueber die Verwendung der für das Jahr 1892/93 vom Kriegsministerium bewilligten 1500 Mk. wurde beschlossen, 500 Mk. für Raubvögel Schussprämien, 500 Mk. zu Ausstellungszwecken und 500 Mk. zur Unterstützung einzelner Vereine zu verwenden.

Falken als Depeschenträger. Dem russischen Officiere Smolloff verdankt man die ersten Versuche zur Verwendung dieser Thiere zum Depeschendienst und übertreffen sie die Brieftauben sowohl an Schnelligkeit, als an ausdauernder Flugkraft. Auch können die Tauben nur wenig belastet werden, sonst versagen sie im Fliegen, oder werden vorzeitig müde; dies führte zur photographischen Verkleinerung der Depeschen, wodurch die Zahl vermehrt und die Last vermindert wurde. Beim Falken ist dies nicht in dem Maasse nothwendig, weil Smolloff durch Probebelastungen fand, dass Falken mit über 1600 Gr. beschwert, weder an Flugkraft, noch an Schnelligkeit Einbusse erlitten. Gewiss ist, dass der Falke, als stärker, weniger gefährdet ist, als die Taube, die ihren gefiederten Feinden so oft und leicht zum Opfer fällt. Dass der Falke auch den Witterungsverhältnissen besser widersteht, ist ebenfalls bekannt.

Ein Taubenzüchter aus Saros erzählt dem „Pester Lloyd": „In der verflossenen Woche fand ich auf dem Boden des Hauses ein Taubenmännchen verendet. In der Nähe trauerte das Weibchen. Als ich das leblose Thier durch die Dachluke hinauswarf, flog das Weibchen nach, und wohin ich immer die Vogelleiche trug, überallhin folgte mir die Taube. Schliesslich war ich, um den kleinen Kadaver vergraben zu können, genöthigt, die Taube einzusperren. Eine halbe Stunde später liess ich sie frei, sie flatterte suchend im Hofe umher, flog auf den Dachboden zurück und kam vier Tage lang nicht zum Vorschein. Vergebens lockte ich sie mit Weizen, sie liess alles Futter unberührt und am fünften Tage war auch sie, ein rührendes Beispiel von Gattenliebe unter Thieren, dem Männchen in den Tod gefolgt.

Aus der Lüneburger Haide schreibt man der „Berl. Tägl. Rundschau vom 26. Jänner: Ein interessanter Kampf wurde gestern auf dem Hofe des Halbhüfners Niess zu Lessin bei Brome beobachtet. Niess war ein Huhn eingegangen und dieses war auf den Hof geworfen worden. Eine Krähe erspähte das Aas, schoss darauf nieder, schlug ihre Krallen ein und versuchte das todte Huhn fortzutragen. Da stürzten mit grossem Geschrei die anderen Hühner herbei, umringten den Räuber, stürzten auf ihn ein und trotz aller Gegenwehr wurde er von den wüthenden Hühnern getödtet.

Inserate

per Quadrat-Centimeter
4 kr. oder 8 Pf.

Um den Annoncenpreis auch dem Laien geläufig zu machen, gilt Folgendes: Der Raum in der Grösse einer österr. 5 kr.- oder deutschen 10 Pfennig Briefmarke kostet den 4fachen Betrag derselben; und sind diese Marken, oder der Werthbetrag gleich jedem Auftrage beizuschliessen. Bei öfters als 6maliger Insertion wird ¼ Rabatt gewährt, d. h. mit 3 Marken, anstatt 4 Marken die Markengrösse des Inserates gerechnet. Die Bestätigung des Empfanges der Inseratengebühr wird durch die Einsendung der betreffenden Belegnummer seitens der Administration dieses Blattes geliefert, wohin auch alle Inserate zu richten sind. Es werden nur Fachannoncen aufgenommen.

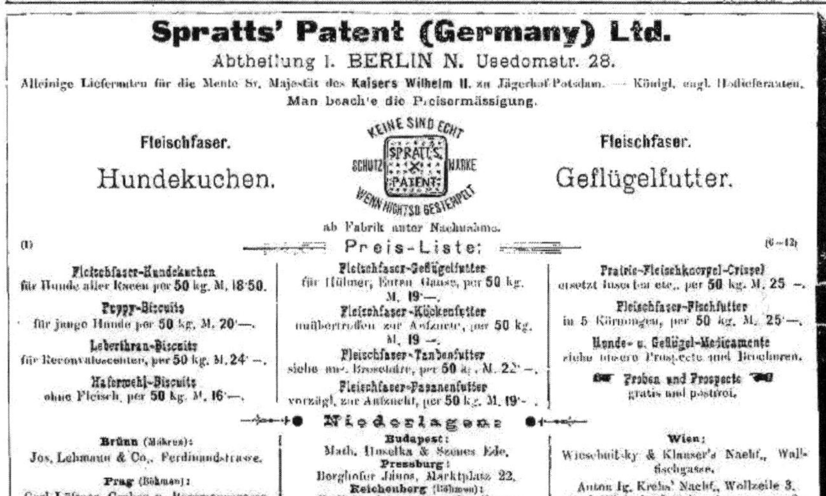

(3) **Bruteier.** (6—10)

Crève-Coeurs schwarz, 12 St.	5.20
La Flèche „ 12 „	5.20
Houdan dunkel, 12 St.	4.—
Andalusier blau 12 St.	4.—
Minorka schwarz, 12 St.	4.—
Hamburger schwarz, 12 St.	5.20
„ silberlack, 12 St.	4.—
„ goldlack, 12 St.	5.20
Sebrightbantam gold, 12 St.	4.—
„ silber, 12 St.	4.—
Zwergkämpfer goldhalsig, 12 St.	4.—
„ silberhalsig, 12 St.	4.—
„ rothsenkig, 12 St.	5.20

incl. Emballage in Kistchen zu 6 und 12 Stück gegen Nachnahme und nehme Vormerkungen jetzt schon entgegen.

Robert Echinger,
Wien, XV., Neubaugürtel 7-9.

1·1 Toulouser Gänse, 3jährig
1·3 Peking-Enten, 2jährig
billig abzugeben. **Hugo Baron Laminet**
Gattendorf bei Zurndorf, Ungarn.

Seltene Eier. Ich habe folgende Eier abzugeben: **Catamocherpe melanopogon, Locustella lucsinoides, Parus biarmicus, Gallinula minuta, Gallinula pygmaea, Ardea alba, Platalea leucorodia** und von anderen Wasservögeln. Auch besorge ich Bälge und Junge im Dunenkleide. Bei Abnahme voller Gelege lege ich das Nest bei.

Prof. Gabriel Szikla
Stuhlweissenburg, Ungarn.
(17) (2—2)

Ausreutergerste und Bruchgerste

für Geflügelzüchter und Mäster, stets vorräthig, bei billigsten Preisen, in der St. Marxer Bierbrauerei in Wien, III., Hauptstrasse Nr. 163.
(7) (4—5)

(6) **Geflügel-Zuchtanstalt** (5—12)

NOVIMAROF

Croatien.

Offerirt Zuchtstämme, sowie einzelne Exemplare ihrer vielfach prämiirten Rassegeflügelstämme.

Besonders seien empfohlen:

Gelbe Cochin, schwarze Langshans, Plymouthrocks, Peking- und Rouen-Enten.

Bruteier:

Von Cochin à 45 kr., von den übrigen Rassen à 30 kr. mit Emballage werden abgegeben.

1893er Junggeflügel.

Aus höchstprämiirten Zuchten sind März- und April-Kücken abzugeben, u. zw. von weissen Cochin, dunklen Brahma, Plymouth-Rock und Peking-Enten.

Preis: fl. 4 bis 6 per Stück.

Auskunft ertheilt die Redaction der „Schwalbe".

Bruteier

von schwarzen Minorka offerire 20 kr. per Stück
„ rebhuhnfarbigen Italiener . 15 „ „ „
„ goldsebright Bantam . . 25 „ „ „

Bei Abnahme von mindestens 1 Dutzend Verpackung frei. Die Eier sind nur von rasseechten Thieren.

(16) (3—8)

Achtungsvoll
J. G. Bambach
Gottmansgrün bei Rossbach, Böhmen.

Verlag des Vereines. — Für die Redaction verantwortlich: **Gustav Röttig.**
Druck von **Johann L. Bondi & Sohn,** Wien, VII., Stiftgasse 3.

Blätter für Vogelkunde, Vogelschutz, Geflügelzucht und Brieftaubenwesen.

Organ des I. österr.-ung. Geflügelzuchtvereines in Wien und des I. Wiener Geflügelzuchtvereines „Rudolfsheim“

Redigirt von **C. PALLISCH** unter Mitwirkung von Hofrath Professor **Dr. C. CLAUS.**

16. Juli. — **1893.**

„DIE SCHWALBE“ erscheint **Mitte eines jeden Monates** und wird **nur an Mitglieder abgegeben.**
Einzelne Nummern 50 kr., resp. 1 Mark.
Inserate per 1 □Centimeter 4 kr., resp. 8 Pf.

Mittheilungen an den Verein sind an Herrn Präsidenten **Adolf Bachofen von Echt** sen., Wien, XIX. Färbergasse 18, zu adressiren. **Jahresbeiträge** der Mitglieder (5 fl., respective 10 Mark) an Herrn **Dr. Carl Zimmermann**, Wien, I. Bauernmarkt 11, einzusenden.
Alle redactionellen Briefe, Sendungen etc. sind an Herrn **Ingenieur C. Pallisch** in **Erlach** bei Wr.-Neustadt zu richten.

Vereinsmitglieder beziehen das Blatt gratis

Bemerkungen über die Zeichnungs- und Plättchenverhältnisse bei Ampelis garrula.

Von **Rich. Schlegel** (Leipzig).

Bei der Betrachtung meiner Seidenschwanzreihen finde ich in Bezug auf die Zeichnungs- und Plättchenverhältnisse so viel Auffälliges und mit den Beschreibungen in ornithologischen Werken nicht Uebereinstimmendes, dass ich die Resultate meiner diesbezüglichen Untersuchungen zu veröffentlichen nicht für unwerth gehalten habe. Bei Angaben über Alters- und Geschlechtsunterschiede müssen in erster Linie in Betracht gezogen werden:

1. Anzahl und Grösse der auf den Enden der Secundärschwingen und eventuell auf den Enden der Steuerfedern befindlichen Plättchen.

2. Grösse und Färbung der hellen Säume an den Enden der Primärschwingen.

3. Grösse und Färbung der hellen Endbinde am Steuer.

4. Ausdehnung und Färbung des dunklen Kehlfleckes.

5. Länge der Holle.

In zweiter Linie könnte man berücksichtigen: Grösse der weissen Enden an den Deckfedern der Primärschwingen und an den Enden der Secundärschwingen, welche indess nur geringen Schwankungen unterworfen sind.

Die Färbung der übrigen Theile, z. B. der Tarsen und Zehen, des Schnabels, der Stirn, des Rücken- und übrigen Gefieders finde ich bei einigen vierzig Exemplaren verschiedenen Alters und Geschlechtes (Nestkleid ausgenommen) sehr constant. Was zunächst die Plättchenbildung anbelangt, die bei Gallus Sonneratii noch bedeutend interessanter ist, so gehört dieselbe zu den auffälligsten Modificationen der Contourfedern[1]). Die Anzahl der Plättchen kann auf einem Flügel mehr betragen als auf dem entsprechenden andern, wie denn auch die Grössenverhältnisse der Plättchen des einen Flügels und die des entsprechenden andern sehr auffälligen Schwankungen unterworfen sein können. Dasselbe gilt auch, nach drei Exemplaren zu schliessen, von den Plättchen des Steuers. Allgemein ist man der Meinung, dass diejenigen Männchen, welche ausgeprägte Plättchenbildung am Schwanze zeigen, sehr alte Individuen sind. Ganz berechtigt müsste dann auch die Folgerung sein, dass die übrigen Charakteristika, die als Merkmale höheren Alters gelten, damit in directem Zusammenhange stehen müssten. Dies ist wohl im Allgemeinen die Regel, doch kommen so viele, nicht selten recht auffällige Abweichungen vor, dass nur wenige diesbezügliche Untersuchungsresultate genügen mögen, um diese Auffälligkeit zu illustriren. Bei dem einzigen mir vorliegenden Stücke, welches s t a r k e Plättchenbildung am Steuer zeigt, lassen sich damit gar nicht in Einklang bringen: Grösse und Anzahl der Schwingenplättchen, sowie Grösse und Färbung an den Endsäumen der Primärschwingen. Das grösste der sechs, respective sieben Schwingenplättchen ist $5^1/_2$ mm lang, während ich, abgesehen von andern Männchen, schon bei verschiedenen Weibchen jederseits 7 und 8 Plättchen mit einer grössten Länge von $7^1/_2$ mm finde. Auch sind die Enden an den Aussenfahnen der Primärschwingen sehr klein und mattgelb, fast weiss zu nennen. Von einer weissen Säumung des letzten Endes der Innenfahne, die neben vielen Männchen auch mehrere Weibchen zeigen, ist keine Spur vorhanden. Die Länge der Holle jedoch, welche 57 mm beträgt, wird von keinem andern mir vorliegenden Männchen übertroffen. Ein Männchen mit auffällig langer Holle, welches ich im zoologischen Universitätsmuseum daraufhin untersuchte, besitzt bei nur 6 Schwingenplättchen jederseits und fehlenden Schwanzplättchen eine Hollenlänge von 60 mm. Ferner wird der Kehlfleck des zuerst erwähnten »sehr alten« Männchens durch den Kehlfleck eines Männchens mit wenigen Plättchen am Schwanze ziemlich bedeutend in der Grösse übertroffen und von andern Männchen erreicht. Obwohl sich Aehnliches, wenn auch weniger auffällig, von den übrigen Männchen mit mehr oder weniger angedeuteten Steuerplättchen constatiren lässt, konnte ich doch so überraschende Resultate nicht wieder gewinnen. Dass das Alter einzig und allein die Ursache der Plättchenbildung am Steuer sein soll, erscheint mir nicht recht plausibel, da ausgezeichnet schön gefärbte Männchen mit grosser Holle und grossem, intensiv schwarzen Kehlflecke keine Andeutung von Plättchen zeigen, während entgegengesetzt wieder minder schön gezeichnete Individuen dieselben schwach angedeutet besitzen. Eine ähnliche Auffälligkeit finde ich bei einem Stücke von Ampelis cedrorum, welches ein Steuer- und jederseits acht Schwingenplättchen zeigt. Bei diesem Exemplare ist die gelbe Endbinde des Schwanzes auffällig schmäler als bei zwei wahrscheinlich weiblichen Individuen ohne jedwede Plättchenbildung. Der für die feinsten Unterschiede so scharfsichtige Chr. L. Brehm gibt in seinem »Lehrbuch der Naturgeschichte aller europäischen Vögel« an, dass das sehr alte Weibchen die Plättchenbildung, wenn auch weniger stark, am Steuer ebenfalls zeigt. Obwohl ich für diese Angabe kein Beweismaterial erlangen konnte, war ich doch vollständig von Brehm's Ausspruche überzeugt, da sich das sehr alte Weibchen in allen Stücken sonst kaum vom Männchen unterscheiden lässt. Ein glücklicher Zufall wollte es, dass ich noch ein Weibchen des zoologischen Museums daraufhin untersuchte. Dieses zeigte an einzelnen Schwanzfederenden roth punktirte Schaftenden, also die ersten Andeutungen zu späteren Plättchen. Wie selten Männchen mit vollständiger Plättchenbildung am Schwanze sind, geht schon daraus hervor, dass eine Handlung, die mir zweimal mehrere Hundert Seidenschwänze in Fleisch anbot, bei in Aussicht gestellter Preiserhöhung nicht im Stande war, Thiere mit Schwanzplättchen zu senden. Bemerkt wurde, dass dieselben sehr selten und heuer noch nicht vorgekommen seien. Nach dem Mützel'schen Bilde in Brehm's illustrirtem Thierleben müsste man eigentlich annehmen, dass die seltene Ausnahme die Regel ist. Naumann hebt in Bezug auf die Anzahl der Schwungfederplättchen hervor, dass deren Zahl nie mehr als neun betragen könne (ich habe diese Anzahl nicht gefunden), da nicht mehr Federn zu Plättchenbildung geeignet seien. Auf dem erwähnten Bilde jedoch kann man deren elf zählen, da ich sonst nicht wüsste, was die weniger scharf markirten ersten vier Fortsätze an den Secundärschwingen bedeuten sollten.

Da Manchem der geneigten Leser das erwähnte Brehm'sche Werkchen nicht zur Hand sein wird, lasse ich dessen Angaben über die Zeichnungs- und Plättchenunterschiede der verschiedenen Altersstufen des Seidenschwanzes folgen und füge diese meine gefundenen Resultate hinzu.

»Das sehr alte Weibchen hat einen etwas kürzeren Federbusch, kaum mattere Farben, weniger schwarz an der Kehle (besser müsste es heissen: in der Regel) und kleinere rothe Fortsätze am Schwanze.

Bei den nicht ganz alten Vögeln (die eben alle Charakteristika der Vögel mit mehr oder weniger ausgebildeten Schwanzplättchen zeigen können) fehlen die rothen Fortsätze an den Schwanzfedern.

Die einmal Vermauserten haben wenigere und kleinere rothe Fortsätze an den Schwungfedern, keine und minder schönes Gelb am Schwanze als die alten und an den vordern Schwungfedern einen blassgelben oder gelblichweissen, die weiblichen oft weissen Fleck, aber keine weissen Spitzenränder.«

Wie sich aus dem vorher von mir schon Gesagten vermuthen lässt, ist auch hier eine Grenze schwer zu ziehen, da es einerseits, wenigstens so weit es die Männchen anbetrifft, Individuen mit sehr blassen Schwungfedersäumen gibt, die sogar 8 kleinere Flügelplättchen zeigen, während lebhafter gesäumte Stücke wieder weniger haben. Das vom Endsaume der Steuerfedern von Brehm Gesagte finde ich nur bei einem Männchen mit weissen Schwungfedersäumen und 6, respective 7 Plättchen bestätigt. In Bezug auf Grösse und Färbung des Kehlfleckes sind die männlichen Stücke mit den angegebenen Merkmalen, den alten Individuen sehr ähnlich. Die Worte Brehm's aber passen sehr gut auf fünf hieher gehörige Weibchen, welche schmale, blasser gefärbte Endbinden am Schwanze und auch einen auffällig kleinen und matt gefärbten Kehlfleck besitzen. Leid thut es mir, die Angaben unseres grossen Altmeisters Naumann über das

[1]) Die dafür sich näher Interessirenden finden eine auf den makro- und mikroskopischen Bau, sowie über die Entstehung etc. der merkwürdigen Plättchen tief eingehende Arbeit des Herrn Prof. Dr. Marshall im zoologischen Garten, pag. 124, auf welche genannter Herr auch mich hinzuweisen die Güte hatte.

alte Weibchen, dem auch seine Abbildung entsprechen soll, als nicht richtig bezeichnen zu müssen. Abgesehen von den übrigen der Wirklichkeit nicht entsprechenden Angaben bemerkt er, dass das alte Weibchen nie über fünf kleine Plättchen an den Schwungfedern zweiter Ordnung zeigen soll. Man vergleiche gefälligst damit die Bemerkung über die Weibchen, welche ich der Beschreibung des sehr alten Männchen gegenüberstellte. Mit meinen jungen weiblichen Exemplaren, deren eines keine Spur von Plättchenbildung zeigt, ferner nicht übereinstimmend finde ich die Bemerkung Naumann's, dass dieselben am ganzen Körper grauer und unansehnlicher aussehen sollen. Ich erwähnte schon von vornherein, dass die übrigen, hier nicht in Betracht gezogenen Färbungsverhältnisse des Gefieders sehr constant sind. Aus dem Gesagten aber ergibt sich, dass es schwierig ist, bei den oft recht durcheinandergehenden Zeichnungs- und Plättchenverhältnissen einen sicheren Schluss auf Alter und Geschlecht zu ziehen.

Beiträge zur Ornithologie Böhmens.*)

Von J. Prok. Pražák (Prag).

II.

Viel mehr als über die in der ersten Abtheilung dieses Artikels behandelten Vögel der Ordnungen Oscines, Strisores, Insessores und Scansores ist über die übrigen Ordnungen der Vogelwelt bekannt geworden: erfreuen sich gewiss folgende Vögel, weil sie grösstentheils zum »Flugwilde« gehören, grösserer Aufmerksamkeit der Beobachter, welche überwiegend den grünen Rock tragen. Sehr wenig werden aber in der Regel die Gattungen Ortygometra, Totanus und Charadrius beachtet.

54. *Carine posserina* (*L.*) ist eine der seltensten Eulen. In Nordostböhmen habe ich den Sperlingskauz nur einmal gefunden, und Michel[1]) hat keine verbürgte Nachricht über sein Vorkommen im Isergebirge. Ein Exemplar (♀) habe ich im Jahre 1888 aus Böhmisch-Trübau erhalten. Auch im Erzgebirge ist der Sperlingskauz — nach Peiter[2]) — selten, nur in Südböhmen scheint er etwas häufiger zu sein. Nach Vařečka brütet er bei Neu-Knin[3]) und Heřmau[4]), nach anderen verlässlichen Angaben auch im südlichen Böhmerwalde.[5]) Das Frauenberger Museum hat 5 Exemplare.

55. *Nyctea ulula* (*L.*) ist seltener Durchzug-, resp. Wintervogel. Die Angaben Dr. Schier's[6]) über Brüten der Sperbereule sind unbegründet. Fierlinger erhielt sie von Kumburg und in 2 Exemplaren von Soijan in den Jahren 1862—64[7]); nach Vařečka[8]) wurde sie im Jahre 1888 bei Klingenberg (Zoikov) und nach Kněžourek[9]) im Jahre 1889, auch bei Klenovka (Bezirk Přelouč) erlegt.

*) Infolge Wechsels der Druckerei konnte in dieser Nummer der Schluss des I. Artikels der »Beiträge zur Ornithologie Böhmens« nicht gebracht werden, er erscheint in Nummer 8. D. Red.

1) »Orn. Jahrb.«, II. 94.

2) »Mitth. d. orn. Ver.«, XV. 21.

3) Ibid. XVI. 169.

4) »Orn. Jahrb.«, II. 164.

5) Vgl. u. A. »Orn. Jahrb.«, II. 71.

6) »Vögel Böhmens«, I. 78.

7) Fritsch in »Journ. für Orn.«. XXIV. p. 77.

8) »Orn. Jahrb.«, II. 164.

9) Ibid. II. 111.

56. *Nyctea scandiaca* (*L.*) wurde im Jahre 1877 bei Toušeň (unweit Brandeis a. d. E.) erlegt; nach Vařečka wurde sie im Piseker Gebiete mehrmals geschossen, und zwar 1874 in den Dubnover Bergen, 1884 auf dem Skočicer Berge, 1888 bei Mladějovic[10]) 1890 auf dem Berge Mehelnik.[11]) In der Sammlung des Herrn Wolf befindet sich ein Exemplar von Reichenberg aus dem Jahre 1882 und die Gymnasial-Sammlung in Hohenmauth hat ein prächtiges Stück der Schneeeule aus der Umgebung (Dorf Řěpinky). Auch bei Schwarz-Kostelec wurde nach Hamböck[12]) im Jahre 1874, Anfangs Jänner, eine Schneeeule geschossen.

57. *Pisorhina scops* (*L.*). Die ausführliche Studie meines verehrten Freundes D. Vl. Vařečka über das Vorkommen der Zwergohreule in Böhmen[13]) erlaube ich mir mit zwei ganz sicheren, mit ausgestopften Exemplaren belegten Daten zu vervollständigen. Ein Paar wurde im October 1892 bei Gross-Petrovic (Bezirk Nechanic) in einem Obstgarten erlegt; ein ♂ wurde auch in Babic (bei Chlumec a. Cidl.) im August 1889 erlegt.

	l. t. c.	a. im.	c.	
♂ adult.	20·9	16·9	7	Babic
♂ adult.	21·2	17·1	7·2	Gross-Petrovic
♀ adult.	19·7	16·8	6·8	»

58. *Falco vespertinus* (*L.*), der Rothfussfalk, ist regelmässiger Gast in der östlichen Hälfte des Landes; im Westen kommt er nur selten vor.

59. *Falco cenchris Naum.*, der Röthelfalk, ist sehr seltener Gast und wurde in neuerer Zeit meines Wissens nur zweimal erlegt, und zwar Ende September 1889 bei Heřmaň[14]) und 26. August 1890 in Tuř bei Jičin.

60. *Aquila fasciata Vieill.* (A. Bonellii Bp.), Habichtsadler. Ein ♂ adult. wurde am 2. Juni 1889 bei Čistoves unweit Sadova erlegt und ist Eigenthum des Herrn Dr. med. Kirsch in Maslojed (Bezirk Jaroměř); ein anderes Exemplar, welches im Jahre 1891 am Belvedere bei Prag geschossen wurde, befindet sich in der Sammlung der böhmischen höheren Mädchenschule in Prag (II.)

61. *Aquila melanaëtus* (*L.*) (A. imperialis Bchst.). Ich kenne nur zwei vollkommen verbürgte Fälle, dass der Kaiseradler in Böhmen geschossen wurde: am 23. December 1879 in der Aulibicer Fasanerie bei Jičin[15]) und vor mehreren Jahren (1864—66?) im Swiber-Walde bei Sadova unweit Königgrätz; das letztere Exemplar hat Herr Wolf.

62. *Buteo ferox* (*Gm.*), Adlerbussard. Das bis jetzt einzige böhmische Exemplar (♀) befindet sich im Fürstenberg'schen Museum in Nischburg.[16])

63. *Circaetus gallicus* (*Gm.*), der Schlangenadler, erschien im Jahre 1890 in grösserer Anzahl in Böhmen; so berichtet Herr Ferd. Ritter v. Fiskali über fünf ihm zur Kenntniss gelangende Exemplare;[17]) nebstdem wurde ein ♂ bei Jesenic (Bezirk Jaroměř), ein ♀

10) »Vesmír«, XVII. 216.

11) »Orn. Jahrb.«, II. 164; »Mitth. d. orn. Ver.«, XVI. 169.

12) »Vesmír«, III. 115—116.

13) »Mitth. d. orn. Ver.«, XVI. 219—222; vgl. auch »Vesmír«, XVIII. 154; »Orn. Jahrb.«, II. 165—166 und 236; »Mitth. d. orn. Ver.«, XV. 195—196; »Bezirkshauptmannschaft Pisek«, p. 43.

14) Vařečka in »Orn. Jahrb.«, II. 164.

15) Vgl. »Háj« (böhm. Forstztg.) 1880, p. 114.

16) »Orn. Jahrb.«, I. 200, 213.

17) »Orn. Jahrb.«, III. 173—174.

ad. bei Böhmisch-Leipa [18]) und bei Trnova unweit Königsaal erlegt. [19])

64. *Coturnix communis Bonn.* Es wird im ganzen Lande beobachtet, dass die Wachteln ungemein rasch an der Zahl abnehmen. Starke Verminderung habe ich im ganzen Nordosten beobachtet; dasselbe hat auch Kněžourek (in litt.) bei Časlau, Vařečka (in litt.) bei Pisek, Bělohlávek [20]) bei Pardubic, und Hauptvogel [21]) bei Aussig. Bei Braunau [22]) sowie bei Deutschbrod und Tabor gehört die Wachtel fast zu den Seltenheiten.

65. *Columba livia L.* lebt verwildert auf den Thürmen und Felsen, wie z. B. in Prag, am Klingenberg, Kunětic bei Pardubic u. s. w. Die Exemplare, welche ich aus Skála bei Hořic bekommen habe, sind aber sicher keine verwilderten Felstauben; sie stimmen, wie ich mich neuerdings überzeugt habe, mit den südeuropäischen vollkommen überein und ziehen auch — wie mir aus ganz verlässlicher Quelle mitgetheilt wird — im September fort.

66. *Ardea cinerea (L.)*, der Fischreiher, ist noch jetzt verhältnissmässig häufig, besonders in Südböhmen.

67. *Ciconia nigra (L.)* wird meist nur auf dem Zuge beobachtet; sonst kommt der schwarze Storch nur sehr vereinzelt vor. Die lange Reihe von Orten, wo er nach Schier [23]) beobachtet oder erlegt werden sollte, kommt mir doch sehr verdächtig vor, obzwar der schwarze Storch keine besonders seltene Erscheinung ist. Sichere Daten wären etwa folgende: im Jahre 1882 erlegt bei Vlkov (unweit Heřman-Městec); [24]) 1861 bei Pardubic, im August 1881 bei Uřetic, 1861 im Juni bei Nasevrk; [25]) am 20. Mai 1886 bei Deutschbrod, [26]) 1890 bei Březno (Gymnasial-Sammlung in Jungbunzlau), 1879 in der Umgebung von Pisek (dortige Realschul-Sammlung). Die Vögelsammlung des Nischburger Museums hat 3 Exemplare aus dem Reviere Benkova. [27]) Zum letzten Male wurde der schwarze Storch — welcher nach Hamböck im Jahre 1871 in der Nähe eines kleinen Teiches auf hoher Tanne bei Schwarz-Kostelec brütete [28]) — im Frühjahre 1891 bei Netolic erbeutet. [29])

68. *Platalea leucerodia (L.)* ist sehr seltener Gast. Im Jahre 1865 wurde ein Löffler am Mehelnicer Bache bei Pisek, 1881 bei Kestřan geschossen. [30])

69. *Porphyrio veterum Gm.*, das Purpurhuhn, wurde als höchste Seltenheit einmal im Jahre 1884 bei Grätzen (Nové Hrady) in Südböhmen auf den Domänen des Grafen Buquoy erlegt. [31])

70. *Ortygometra pusilla (Pall.)* ist seltener Sommer- und Brutvogel. Zug Mai, September. Brutzeit Juni. Im Jahre 1889 kaufte ich im Mai ein Paar bei Chlumec a. Cidl., wo ich das Zwergsumpfhuhn 1889 und 1891 brütend gefunden habe; einmal waren 8, ein anderes Mal 6 Eier im Neste. Sein Nest fand ich am 16. Juni 1890 auch in dem Sumpfe bei Račic (Bezirk Jaroměř), habe aber die 8 schon stark bebrüteten Eier für die der Ortygometra parva (Scop.), von welchen sie sich durch geringere Grösse, dunklere Farbe und einen Schattenkranz am stumpfen Ende leicht unterscheiden lassen, gehalten; erst nähere Untersuchung und Vergleichung mit den Eiern des kleinen Sumpfhuhnes, die ich ein Jahr später von Střebeš bei Königgrätz bekommen habe, zeigten, dass sie dem zierlichen, aber seltenen Zwergsumpfhuhn gehören. Ein lebendiges habe ich aber in genannter Gegend bisher nie getroffen. Auch bei Hlušic (Bezirk Neu-Bydschow) hat mein Vorstehhund ein ♂ gefangen. Das Frauenberger Museum hat jetzt ein Paar, [32]) von welchem 1 Stück am 3. August 1886 im Schilfgrase bei Lomnic gefangen wurde. [33]) Bei Wittingau soll es nach Heyrovský [34]) ziemlich häufig vorkommen. Bei Budweis hat K. Bartuška ein todtes Exemplar unter dem Telegraphendrahte aufgefunden (in litt.). [35])

71. *Ortygometra parva (Scop.)* ist keineswegs so selten, wie gewöhnlich angegeben wird. Prof. Bělohlávek [36]) hat das kleine Sumpfhuhn in Pardubicer Umgebung oft getroffen und klagt sogar über seine Zudringlichkeit; Schier [37]) hat es bei Jičín, ich bei Nechanic, Sadova, Chlumec und Holic beobachtet. Im Jahre 1891 wurden mir seine 7 Eier von Střebeš bei Königgrätz geschickt mit der Nachricht, dass es jedes Jahr nicht selten dort vorkommt und brütet. Vařečka (in litt.) hat das kleine Sumpfhuhn ziemlich häufig im Piseker Gebiete, Fierlinger [38]) im Frühjahre öfters bei Hohenelbe beobachtet. Bei Lomnic [39]) (in Südböhmen) ist es häufiger Sommer- und Brutvogel. Bartuška (in litt.) hat es aus dem Picina-Reviere bei Frauenberg (12. Juni 1881). Zug Mai, manchmal schon Ende April, Anfang September.

72. *Ortygometra porzana (L.)*, das Tüpfelsumpfhuhn, ist in wasserreichen Gegenden ganz häufige Erscheinung, wie z. B. bei Wittingau, Lomnic [40]) und Chlumec a. Cidl.

73. *Rallus aquaticus (L.)*, die Wasserralle, überwintert in nicht wenigen Exemplaren und ich habe ihn schon dreimal im December (am 17., 9., 21.) erhalten.

74. *Otis macqueenii Gray*, die Kragentrappe, wurde bei Zbenic unweit Příbram im Winter 1889 erbeutet und befindet sich im böhmischen Museum. [41])

75. *Otis tetrax (L.)*. Im Jahre 1853 wurde ein junges Paar beim Dorfe Časy unweit Pardubic getroffen; [42]) im Jahre 1874 hat Prof. Fritsch 1 Exemplar auf dem

---

18) ›Orn. Jahrb.‹, III. 205.

19) ›Vesmír‹, XIX. 48; vgl. auch ›Vesmír‹, XXI. 264, ›Oest. Forstztg.‹, VII. 227.

20) Op. cit. p. 20.

21) ›Ornis‹, VI. 140.

22) Ratoliska ›Ornis‹, IV. 252.

23) Op. cit. IV. 32.

24) Kněžourek in ›Vesmír‹, XI. 167—168.

25) Bělohlávek op. cit. p. 20.

26) ›Vesmír‹, XV. 215.

27) ›Orn. Jahrb.‹, I. 214.

28) Fritsch' ›Journ. f. Orn.‹, 1876, p. 79.

29) Vařečka, ›Orn. Jahrb.‹, II. 237.

30) ›Vesmír‹, XVIII. 216.

31) ›Oest. Forstztg.‹, 1884, p. 399; Hugo's ›Jagdztg.‹, XXVII. 613; ›Vesmír‹, XX. 242; vgl. auch A. Reichenow ›Syst. Uebers. d. Vögel Deutschlands‹, p. 43. Anm.

32) ›Vesmír‹, XVI. 226.

33) Špatný in ›Ornis‹, VI. 226.

34) Ibid.

35) Vgl. auch Schier op. cit. IV. 81.

36) Op. cit. p. 16.

37) Op. cit. IV. 64.

38) Fritsch' in ›Journ. f. Orn.‹, 1876, p. 79.

39) Špatný in ›Ornis‹, VI. 217.

40) Ibid.

41) ›Vesmír‹, XX. 105; ›Orn. Jahrb.‹, II. 166—67.

42) Bělohlávek op. cit. p. 15.

Vogelmarkte in Prag gekauft[43]) und 1890 wurde eine Zwergtrappe bei Elbe-Teinic erlegt.[44]) Das Frauenberger Museum hat ein Stück von Wittingau.[45])

76. *Otis tarda* (*L.*) wurde im Mai 1861 bei Lukowna (♀), im März 1873 bei Hrobic (♀) geschossen; im Mai 1878 wurde bei Čivic (Bezirk Pardubic) ein ♂ todt im Felde aufgefunden.[46]) Im August 1884 wurde ein ♂ in Bosilec bei Lann von einem Heger erlegt[47]) und befindet sich im Frauenberger Museum, welches im Ganzen drei böhmische Exemplare der Grosstrappe (2 ♂ und 1 ♀) besitzt.[48])

77. *Numenius phaeopus* (*L.*). Am 4. Mai 1886 wurden bei Lomnic in Südböhmen 3 Stück gesehen, von welchen ein ♀ für das Frauenberger Museum erlegt wurde.[49]) Nach Vařečka (in litt.) wurde der Regenbrachvogel bei Kestřan (1878), Talin (1881) und Nepodřic (1884) geschossen.

78. *Numenius arcuatus* (*L.*). Sommervogel. Zug April, September. Der grosse Brachvogel wird meistens nur als Durchzugsvogel zu beiden Zugzeiten beobachtet. Bei Pardubic[50]) ist er auch jetzt nicht selten, auch bei Chlumec und Roth-Kostelec kommt er ziemlich oft zum Vorschein. Ueber sein Brüten in Böhmen (im Mai) ist sehr wenig bekannt; nach Vařečka[51]) nistete er 1890 bei Poděřišt (unweit Netolic), nach Hamböck[52]) bei Lounovic (unweit Schwarz-Kostelec).

79. *Limosa aegocephala* (*L.*) ist seltener Gast. Ein ♀ wurde am 20. April 1886 von einem Paare bei Lomnic für das Frauenberger Museum geschossen; das ♂ blieb dann noch einige Wochen in der Umgebung.[53]) Nicht uninteressant ist, dass die Uferschnepfe auch nördlich von Königgrätz im Laufe der letzten vier Jahre zweimal erlegt wurde, und zwar am 5. April 1888 bei Sobětuš (Bezirk Nechanic) und 29. März 1892 bei Pšanek (Bezirk Hořic).

80. *Limosa lapponica* (*L.*), die Pfuhlschnepfe, ist noch seltener Gast als die Uferschnepfe. Das Frauenberger Museum hat 2 Exemplare aus Südböhmen;[54]) Bartuška hat ein bei Rozov im Budweiser Kreise am 12. August 1880 erlegtes Exemplar.

81. *Totanus hypoleucus* (*L.*). Sommervogel. Zug April, September. Brutzeit Mai oder Juni. Ziemlich häufig. Bei Chlumec fand ich den Flussuferläufer, alljährlich brütend.

82. *Totanus calidris* (*L.*), der Rothschenkel. Sommervogel. Zug März, September oder October. Brutzeit Mai. Ziemlich häufig, besonders bei Wittingau; bloss bei Lomnic hat Špatný im Jahre 1886 5 Nester gefunden;[55]) Hamböck[56]) hat ihn alljährlich auf den Teichen bei Schwarz-Kostelec, ich bei Chlumec brütend gefunden.

[43]) »Vesmír«, III. 94.
[44]) »Vesmír«, XX. 10.
[45]) Vgl. »Orn. Jahrb.«, II. 73.
[46]) Bělohlávek op. cit. p. 16.
[47]) Špatný »Ornis«, VI. 140.
[48]) Vgl. »Orn. Jahrb.«, II. 73.
[49]) »Ornis«, VI. 223—224; »Vesmír«, XVI. 226.
[50]) Bělohlávek op. cit. p. 19.
[51]) »Orn. Jahrb.«, II. 237.
[52]) »Vesmír«, II. 128.
[53]) Špatný in »Ornis«, VI. 224; vgl. auch »Vesmír«, XVI. 226.
[54]) Vgl. »Orn. Jahrb.«, II. 74.
[55]) »Ornis«, VI. 235.
[56]) »Vesmír«, II. 128.

83. *Totanus glareola* (*L.*), der Bruchwasserläufer, ist ziemlich seltener, auf dem Zuge (Mai-September) aber der häufigste Wasserläufer. Auf verschiedenen Orten Südböhmens fand ihn Vařečka (in litt.) vereinzelt brütend; dasselbe beobachtete ich schon zweimal auf dem grossen Teiche bei Žehuň.

84. *Totanus stagnatilis* (*Bchst.*), ist sehr seltener Gast, welcher nur hie und da nach Böhmen kommt. Ein Teichwasserläufer sollte einmal bei Pardubic gefunden worden sein,[57]) die schöne Sammlung des Herrn Hromádko hat aber kein Exemplar.[58]) Böhmische Exemplare befinden sich in Grätzen (aus den südböhmischen Domänen des Grafen v. Buquoy) und in Ohrad. Ich habe ein Stück im Jahre 1892 von Roth-Kostelec bekommen.

85. *Limicola platyrhyncha* (*Tem.*) ist sehr seltener Gast. Hamböck[59]) hat den Sumpfläufer am 16. September 1892 auf einem kleinen Teiche »Skřivánek« bei Haber unweit Schwarz-Kostelec erlegt und dem böhmischen Museum geschenkt. Dr. Schier[60]) gibt an, dass der Sumpfläufer auch bei Němčic im Budweiser Kreise geschossen und bei Březnic im Piseker Kreise und Suchdol (Bezirk Wittingau) beobachtet wurde; diese Nachrichten sind aber sehr zweifelhaft, wie das Schier'sche Werk, was das Vorkommen seltener Vögel in Böhmen betrifft, überhaupt eine höchst unverlässliche Quelle ist.

86. *Calidris arenaria* (*L.*). Im September 1892 wurde das dritte aus Böhmen bekannte Exemplar, der Sanderling, bei Plácek unweit Königgrätz erlegt.

87. *Himantopus candidus* (*Bonn.*) brütete bis zum Jahre 1870 auf dem Teiche »Knížecí« bei Frauenberg;[61]) nach Schier[62]) nistete dort ein Paar noch im Jahre 1873. Vielleicht brütet der Stelzenläufer noch jetzt in Südböhmen; J. Janda beobachtete wenigstens im Jahre 1885 auf dem Teiche »Blatec« bei Netolic 2 alte und 5 junge Exemplare in einer Gesellschaft.[63]) Nach Bartuška (in litt.) wurde das Exemplar einer Sammlung am 16. Juni 1884 bei Čejkovic unweit Budweis erlegt. Bei Pisek wurde er auch schon einige Male geschossen (Vařečka in litt.) und die dortige Gymnasialsammlung hat ein Stück aus dem Jahre 1886.

88. *Recurvirostra avosetta* (*L.*), der Säbelschnabel. Seltener Gast. Im Jahre 1885 erlegt auf dem Teiche »Řežabinec« bei Rožic im Piseker Kreise.[64])

89. *Oedicnemus scolopax* (*Gm.*), der Triel. Durchzugs-, vereinzelt auch Sommervogel. Zug April, October. Ueber sein Brüten habe ich mehrere, wenn auch unbelegte Nachrichten. Schier[65]) bezweifelt sein Nisten in Böhmen, obzwar schon Fritsch[66]) darüber überzeugt war. Ich erhielt wenigstens ganz junge Exemplar und voriges Jahr 4 seiner Eier mit dem getödteten Weibchen von Žiželic (Bezirk Chlumec). Sonst wird der Triel jedes Jahr,

[57]) Bělohlávek op. cit. p. 18.
[58]) Katalog der gen. Sammlung macht eine Erwähnung von ihm.
[59]) »Vesmír«, II. 91 und 128; Fritsch in »Journ. f. Orn.«, 1876, p. 79.
[60]) Op. cit. IV. 83.
[61]) »Orn. Jahrb.«, II. 74.
[62]) Op. cit. IV. 88.
[63]) »Vesmír«, XV. 131.
[64]) »Vesmír«, XVIII. 215.
[65]) Op. cit. IV. 7.
[66]) »Wirbelthiere Böhmens«, Nr. 190.

besonders auf dem Herbstzuge in Böhmen nicht eben selten erlegt.

90. *Charadrius curonicus* (*Gm.*), der Flussregenpfeifer. Ziemlich häufig und nicht selten in verschiedenen Landestheilen brütend. Ich habe ihn bei Rostok (unweit Prag), Smiřic, Königgrätz, Adler-Kostelec und Nechanic, Bělohlávek[67]) in unmittelbarer Nähe der Stadt Pardubic als Brutvogel beobachtet.

91. *Charadrius alexandrinus* (*L.*) (Ch. cantianus Lath.), der Seeregenpfeifer, ist sehr seltener Gast. Nebst dem Exemplar des böhmischen Museums, welches aus Böhmen stammen soll, dessen Herkunft aber unsicher bleibt, kenne ich ein ♂, welches ich in Hohenbruck (westlich von Königgrätz) im Fleische im April 1890 von einem Arbeiter gekauft habe.

92. *Charadrius hiaticula* (*L.*). Durchzugsvogel (März-October), welcher in Südböhmen nur selten, in anderen Gebieten noch sparsamer am Zuge beobachtet wird. Im Jahre 1880 wurden 2 Exemplare bei Putim (Vařečka in litt.), den 14. Juli 1887 bei Čakov unweit Budweis (Bartuška in litt.), 10. September bei Plotišť (in der Nähe von Königgrätz), 6. April 1891 bei Jezbin unweit Jaroměř erlegt. Die Angabe des Herrn K. Bartuška [68]), dass der Sandregenpfeifer auf dem Teiche »Dechtář« bei Gr.-Čakov unweit Budweis häufig (!) nistet, (?) ist sehr zweifelhaft und verlässliche Bestätigung derselben wäre sehr wünschenswerth; vielleicht soll sich diese Mittheilung auf den Flussregenpfeifer beziehen?

93. *Charadrius morinellus* (*L.*). Seltener Sommervogel im Riesengebirge. Zug April, Ende September oder Anfang October. Brutzeit Ende Mai oder Anfang Juni. Jetzt selten und derzeit in geringer Anzahl bloss auf der »Weissen Wiese« am Brunnberge, wo er alljährlich vorkommt;[69]) ich habe ihn dort noch im Jahre 1890 gesehen. Ausgerottet aber — wie Prof. Vejdovský[70]) denkt — ist Mornellregenpfeifer noch nicht; es wäre aber auch kein Wunder, wenn er schon lange verschwunden wäre; ungeachtet der heftigen Verfolgung, welcher er ausgesetzt wurde, haben auch viele Beobachter diesen interessanten Vogel sehr wenig geschont; nur der bekannte böhmische Ornithologe Fierlinger ist nach Fritsch[71]) in seinem Eifer so weit gegangen, dass er in einem Jahre (1858) nicht weniger als 17 Stück erlegt und 30 Eier ausgenommen hatte.

94. *Charadrius squatarola* (*L.*), der Kibitzregenpfeifer, ist einer der seltensten Gäste. Herr Baumeister Douša in Neu-Bydschow hat ein schönes Stück, welches etwa vor 9 Jahren bei Chlumec a. Cidl. erbeutet wurde. Das Frauenberger Museum hat ein am 24. September 1886 am Steinröhren-Teiche geschossenes Exemplar.[72])

95. *Cursorius gallicus* (*Gm.*), der Rennvogel. Sehr seltener Irrling, bis jetzt nur zweimal in Böhmen getroffen, und zwar im Jahre 1881 bei Liebenau im Isergebirge unter dem Telegraphendrahte todt aufgefunden[73]) und 1878 bei Plácek unweit Königgrätz auf einer Sandinsel in der Elbe in 2 Exemplaren erlegt (Sammlung des Herrn Wolf).

96. *Arenaria interpres* (*L.*), der Steinwälzer. Das Frauenberger Museum hat ein am 30. September 1886 bei Lomnic erlegtes ♂.[74])

97. *Haematopus ostrilegus* (*L.*). Die Gymnasialsammlung in Písek hat 2 Exemplare, welche in der Umgebung erlegt wurden (1862 und 1883);[75]) auch bei Mirovic wurde im Jahre 1886 ein Austernfischer geschossen (Vařečka in litt.).

98. *Cygnus musicus* (*Bchst.*). Schönes Exemplar, wurde 1884 bei Křešťovic[76]) geschossen und befindet sich in der Gymnasialsammlung in Písek; auch bei Vadín (auf der Sázava) im November 1885[77]) und Ende Jänner 1893 bei Schüttenhofen[78]) die Singschwäne erbeutet.

99. *Branta leucopsis* (*Bchst.*) ist sehr seltener Gast. Das Frauenberger Museum hat ein ♂ der Nonnengans aus neuerer Zeit.[79]) Die in Libau im Jahre 1842 befindet sich nach Bělohlávek im Brünner Museum.[80])

100. *Branta bernicla* (*L.*), die Ringelgans, kommt jedes Jahr nach Böhmen[81]) und wurde schon mehrmals geschossen, wie z. B. den 6. März 1887 auf dem Teiche »Dechtář« bei Budweis (in der Sammlung des Herrn Bartuška)[82]) etc. Schier[83]) hat sie am Prager Vogelmarkte im December 1877 in 2 Exemplaren (♂ ♀) gefunden.

101. *Tadorna damiatica* (*Hasselq.*), Brandgans, wurde im Jahre 1872 bei Putim, 1879 bei Heřman, 1885 bei Semic (Gymnasium in Písek), 1870 bei Purkratic, 1862 bei Nepomuk,[84]) 1879 bei Střebeš (Bezirk Königgrätz) geschossen.

102. *Tadorna casarca* (*L.*) ist sehr seltener Gast. Einige Rostgänse wurden bei Frauenberg und Kotwitz (Bezirk Haida),[85]) 1 Exemplar im Jahre 1889 bei Roth-Kostelec geschossen.

103. *Anas angustirostris* (*Ménétr.*). Dieser in Europa überhaupt sehr seltene Vogel wurde am 25. Juli 1892 in 3 Exemplaren (♂, einer im Mauser), am 26. Juli 1 Exemplar (♀) am Zlichover Teiche, Revier Picina bei Frauenberg, erlegt; 3 Stück befinden sich im dortigen, 1 Stück wurde von Sr. Durchl. Fürsten v. Schwarzenberg dem böhmischen Landesmuseum in Prag geschenkt.[86])

104. *Anas falcata* (*Georgi*). Die bei Nezdášov (Bezirk Moldautein) und Mies geschossenen Exemplare der Sichelente[87]) sind Eigenthum des Herrn Stohl. Die anderen Angaben aus neuerer Zeit beruhen — wie ich mich einige Male überzeugt habe — auf der Verwechs-

---

[67]) Op. cit. p. 16.

[68]) »Vesmír«, XVIII. 267.

[69]) Fukarek in »Ornis«, VI. 148.

[70]) »Ueber den gegenwärtigen Stand der böhm. Zoographie« (böhmisch), S.-A. aus »Živa«, 1891, p. 9.

[71]) »Journ. f. Orn.«, 1876, p. 79.

[72]) Vgl. »Ornis«, VI. 147.

[73]) »Mitth. d. orn. Ver.«, XIII. 397—398; »Vesmír«, XIX. 23.

[74]) »Ornis«, VI. 201; »Vesmír«, XVI. 226.

[75]) »Vesmír«, XVIII. 239.

[76]) »Vesmír«, XVIII. 239.

[77]) Ibid. XV. 215.

[78]) »Národní Listy«, 1893, Nr. 30.

[79]) »Vesmír«, XVI. 226.

[80]) Op. cit. p. 9.

[81]) »Vesmír«, XVI. 226.

[82]) K. Bartuška in »Vesmír«, XVIII. 217—218; Mitth. d. orn. Ver.«, XI. 73; »Jagdztg. für Böhmen und Mähren«, V. 37.

[83]) Op. cit. IV. 104.

[84]) »Vesmír«, XVIII. 216.

[85]) Bayer: »Unsere Wasservögel« (böhm.) Progr. d. k. u. k. Gymn. in Písek 1891, p. 10.

[86]) »Mitth. d. orn. Ver.«, XVI. 193; »Orn. Jahrb.«, III. 260, »Vesmír«, XXII. 33; »Lověna«, XV. 10.

[87]) Vgl. Bayer op. cit. p. 12; Schier IV. 116.

lung mit der Schnatterente (Anas strepera L.), vielleicht hat dazu die Aehnlichkeit des lateinischen Namens dieser Ente mit dem böhmischen der Sichelente (»čirka *srpoperá*«) nicht wenig beigetragen.

105. *Fuligula hiemalis* (*L.*) ist ziemlich regelmässiger Wintergast. Das böhmische Gymnasium in Pisek hat 3 Exemplare aus dem Jahre 1884. Die Eisente wird nicht selten erbeutet, so z. B. 1874 bei Čížova, 1884 bei Smrkovic, 1891 3 Stück bei dem Otavaflusse unweit von Klingenberg,[88]) 1885 bei Chvaletic auf einem Teiche,[89]) 10. Jänner 1893 2 Exemplare (♂) bei Sadova.

106. *Fuligula clangula* (*L.*), die Schellente, kommt alljährlich ziemlich häufig vor, die Nachrichten über ihr Brüten sind aber nicht verbürgt.

107. *Fuligula marila* (*L.*). Winter-, vereinzelt auch Sommer- und Brutvogel. Am 26. Juli 1892 wurde am Zlichover Teiche, Revier Picina bei Frauenberg, eine Bergente im Dunenkleid und ein ♀ adult. sowie ein Junges erlegt.[90]) Die Bergente, welche bisher nur in strengen Wintern vereinzelt erlegt, wurde dort im Jahre 1892 wiederholt beobachtet und als Brutvogel sichergestellt.[91])

108. *Oidemia nigra* (*L.*) ist sehr seltener Wintergast. Die Vogelsammlung in Grätzen hat eine in Südböhmen erlegte Trauerente.

109. *Somateria mollissima* (*L.*), die Eiderente. Im Jahre 1875 wurden bei Nischburg 8 ♀ gesehen und 2 erlegt[92]) und sind im dortigen Fürstenberg'schen Museum; die reiche Sammlung der Forstlehranstalt Weisswasser hat 2 Exemplare, welche nach brieflicher Mittheilung des Herrn Prof. Dr. Sallač im Herbste 1882 bei Mimou (♀) und 1890 bei Mukařov (♂) erlegt wurden.

110. *Sterna minuta* (*L.*), die Zwergseeschwalbe, ist seltener Gast. Böhmische Exemplare befinden sich in Nischburg und Grätzen; im Jahre 1881 wurden bei Königstadtl und Čáslau je 1 Stück erbeutet[93]) und befinden sich in dortigen Schulsammlungen.

111. *Sterna cantiaca* (*Gm.*), die Brandseeschwalbe, ist sehr seltener Gast in Böhmen und wurde bisher nur zweimal erbeutet: am 16. November 1886 bei Pömmerle (1 Exemplar) und einige Tage darauf in 2 Exemplaren bei Gross-Priesen unweit Bodenbach.[94])

112 *Rissa tridactyla* (*L.*). Sehr seltener Wintergast. Im Pardubicer Gebiete wurde die dreizehige Möve mehrmals geschossen auf den Teichen »Oplatil« und »Čeperka«;[95]) im Jahre 1876 wurde sie bei Arnau erlegt und von Bartuška[96]) bei Budweis beobachtet.

113. *Larus minutus* (*Pall.*) ist noch seltener als die vorige Art. Im Jahre 1886 wurde eine Zwergmöve bei Pisek (Gymn.), am 3. Jänner 1893 in 2 Exemplaren bei Neu-Pless unweit Josefstadt geschossen.

[88]) »Mitth. d. orn. Ver.«, XVI. 188.

[89]) »Vesmír«, XVIII. 239.

[90]) »Orn. Jahrb.«, III. 260.

[91]) »Mitth. d. orn. Ver.«, XVI. 193; »Vesmír«, XXII. 33.

[92]) »Vesmír«, XIV. 171.

[93]) Kněžourek in »Ornis«, I. 564.

[94]) J. Michel in »Mitth. des Jagd- und Vogelschutz-Vereines Aussig«, 1888, p. 8; »Ornis«, VI. 271—272; »Mitth. d. orn. Ver.«, XII. 110; »Orn. Jahrb.«, I. 110.

[95]) Bělohlávek op. cit. p. 13.

[96]) »Vesmír«, XVIII. 267.

114. *Larus fuscus* (*L.*), die Heringsmöve, soll nach Fritsch[97]) öfters zu uns kommen, aus neuerer Zeit aber ist mir nicht ein einziger Fall bekannt.

115. *Larus marinus* (*L.*). Sehr seltener Gast. Das städtische Museum in Budweis hat 1 Exemplar der Mantelmöve, welches im nahen Dorfe Vrat geschossen wurde.[98])

116. *Larus argentatus* (*Brünn.*) wurde am 17. September 1873 bei Pardubic[99]) erlegt; auch bei Pisek auf der Otava wurde die Silbermöve in den Jahren 1886 und 1888 mehrmals geschossen.[100])

117. *Larus glaucus* (*Brünn.*). Das Piseker Gymnasium, welches eine der reichsten und schönsten Schulsammlungen besitzt, hat ein im August 1884 bei der Stadt[101]) — zum dritten Male im ganzen Lande — geschossenes Exemplar der Eismöve.

118. *Thalassidroma pelagica* (*L.*) wurde bei Schatzlar im Riesengebirge vor etwa 14 Jahren in einem Altbestand vom Herrn Forstmeister Fürst todt auf der Erde gefunden und der Forstlehranstalt Weisswasser geschenkt (Prof. Dr. Sallač in litt.)[102]) Vielleicht stammt auch die kleine Sturmschwalbe der Piseker Gymnasialsammlung, welche grösstentheils böhmische Vögel enthält, aus unserem Lande; nähere Daten sind aber nicht vorhanden.

119. *Colymbus auritus* (*L.*), der Ohrensteissfuss, wurde im Jahre 1888 bei Semic (Gymnasium in Pisek), 1890 bei Doběšic erlegt.

Prag, am 5. Februar 1893.

Zur Ornis der Kurischen Nehrung.

Von Pastor **Friedr. Lindner** und **Dr. Curt Floericke**

Im äussersten Nordosten unseres Vaterlandes zieht sich eine lange und schmale Landzunge mit eigenartigem Wüstencharakter am Meere entlang, welche die Ostsee von dem Kurischen Haff abtrennt: die Kurische Nehrung. Obschon sich von vornherein aus ihrer geographischen Lage wie aus ihrer landschaftlichen Gestaltung schliessen lässt, dass wir es hier mit einer Vogelzugstrasse ersten Ranges zu thun haben, so ist derselben dennoch bisher von den früher in Ostpreussen beobachtenden Ornithologen keinerlei Beachtung geschenkt worden. Erst Lindner hat eigentlich dieses ornithologische Dorado entdeckt. Derselbe kam Mitte Februar 1888 von Zeitz nach Königsberg, um nach Absolvirung seines theologischen Examens unter Leitung von Prof. Chun noch einige Semester Naturwissenschaften zu studiren. Da er die ornithologische Bedeutung der Nehrung sofort erkannte, so brach er schon am 4. April nach Grenz auf, um dort den Frühjahrszug zu beobachten; doch machte der starke Nachwinter mit seinem riesigen Schneefall (am 9. April brachen viele Fichten unter der Schneelast zusammen) diese Hoffnung fast ganz zu nichte, und am 15. kehrte

[97]) »Wirbelth. Böhmens«, Nr. 284.

[98]) »Blätter des böhm. Vogelschutz-Vereines«, II. 32; vgl. auch Schier op. cit. IV. 156.

[99]) Bělohlávek op. cit. p. 13.

[100]) »Vesmír«, XVIII. 239.

[101]) Ibid.

[102]) Vgl. auch Michel in »Mitth. d. orn. Ver.«, XVI. 209.

L. wieder nach Königsberg zurück, ohne besondere Resultate erreicht zu haben. Dadurch aber keineswegs entmuthigt, unternahm L. nach mehrmaligem Aufenthalte in Grenz am 23. August desselben Jahres in Gesellschaft des Herrn Thiermaler Krüger eine ebenso anstrengende wie interessante und lohnende Fusstour über Sarkau nach Rossitten, dessen unerwarteter Vogelreichthum die beiden Forscher, entgegen ihren ursprünglichen Absichten volle 7, beziehungsweise 11 Wochen festhielt. Das folgende Frühjahr (1889) brachte zunächst wieder mehrmals kurze Ausflüge nach Grenz und dann im Mai und Juni zweimal einen längeren Aufenthalt in Rossitten behufs Studiums der dortigen Brutvögel; auch zur Zugzeit weilte L. wieder einige Tage in dem ihm inzwischen zur zweiten Heimat gewordenen Dorfe. 1890 konnte er einen Theil des August und September, 1891 und 1892 je mehrere Tage des Juni daselbst zubringen. Herr Krüger, der sich inzwischen in Rossitten ansässig gemacht hatte, blieb auch einen Winter (1890/91) hindurch auf der Nehrung. Aber weder der Letztgenannte noch Herr Apotheker Zimmermann, welcher die Nehrung während des Zuges mehrmals auf längere Zeit zu ornithologischen Studien besuchte, haben uns durch ihre Publicationen erfreut, und auch L. war durch allerlei Umstände an der Ausarbeitung seiner Beobachtungen verhindert, so dass ausser den wenigen Mittheilungen [1]) L.'s heutzutage fast noch gar nichts über die Vogelwelt dieses in mehr denn einer Hinsicht hochinteressanten und eigenartigen Fleckchens Erde in der ornithologischen Litteratur bekannt ist. Von dem Wunsche beseelt, das Leben unserer Strandvögel aus eigener Anschauung kennen zu lernen und an einem besonders günstig gelegenen Punkte Beobachtungen über den unserem Verständniss durch Gaetke's classische Untersuchungen schon so viel näher gerückten, aber doch immer noch in vielfacher Hinsicht räthselhaften Vogelzug anzustellen, richtete auch ich (Floericke) zu Anfang August 1892 meine Blicke nach der mir durch Lindner's mündliche Schilderungen schon bekannt gewordenen Kurischen Nehrung, da mir dieselbe noch am ehesten meinen Zwecken zu entsprechen schien. Von L. in liebenswürdigster und zuvorkommendster Weise mit praktischen Rathschlägen und werthvollen Empfehlungsschreiben ausgestattet, traf ich nach mehrfachen Umwegen und Abstechern am 20. August in Rossitten ein, wo ich zu meiner Freude auch die Herren Krüger und Zimmermann antraf und gemeinsam mit denselben bis zum 30. September in neuen ornithologischen Eindrücken und herrlichen Beobachtungen schwelgte. Unter dem frischen Eindruck der genossenen Forscherfreuden hielt ich am 1. October auf der Generalversammlung der »Allgem. deutschen ornithologischen Gesellschaft« einen Vortrag über den allgemeinen ornithologischen und landschaftlichen Charakter der auch mir unvergesslich gewordenen Nehrung. Auf meine Bitte stellte mir auch L., dem inzwischen übernommene amtliche Pflichten vorläufig keine Zeit für ornithologische Arbeiten lassen, seine gesammten Notizen zur Verfügung, und ich habe dieselben nunmehr mit meinen eigenen Beobachtungen zu dem vorliegenden Aufsatze verarbeitet. Alle Mittheilungen aus den Jahren 1888—91, sowie aus dem Frühjahr 1892 stammen also von L., diejenigen vom Spätsommer und Herbst 1892 dagegen von mir; ausserdem habe ich diejenigen Beobachtungen, die nur einer von uns gemacht hat, stets durch ein (L.) oder (F.) gekennzeichnet. Begreiflicherweise kann das folgende Verzeichniss durchaus keinen Anspruch auf Vollständigkeit machen, sondern es muss eben künftig dort beobachtenden Ornithologen überlassen bleiben, eine erschöpfende Liste der Nehrungsvögel aufzustellen, und darf ich deshalb in dieser Hinsicht wohl um gütige Nachsicht der Leser bitten. Hier führe ich mit sehr wenigen Ausnahmen nur solche Arten an, von denen wir beide selbst Beleg-Exemplare gesammelt haben. Möchten nun eifrige Nachfolger auf dem neu entdeckten Bauplatz rüstig weiter arbeiten, damit in nicht allzu ferner Zeit der Bau einer Ornis der Kurischen Nehrung als vollendet angesehen werden darf.

Und wenn nun diese Zeilen veröffentlicht werden und der Ornithologenwelt die Augen darüber öffnen, welch köstliches Kleinod in ornithologischer Beziehung die »preussische Sahara« ist, und wenn dann Rossitten mit Helgoland zu concurriren anfängt, dann soll es uns mit Befriedigung und Genugthuung erfüllen, durch die Publication dieser Arbeit in etwas wenigstens der Dankespflicht gegen unsere Rossittener Freunde genügt zu haben. Zu ganz besonderem Danke sind wir Herrn Dünneninspector Epha und Gastwirth Krause für freundlichst gewährte Jagderlaubniss und anderweitiges liebenswürdiges Entgegenkommen verpflichtet. Ferner waren uns in jeder Beziehung behilflich die Herren Forst- und Dünenbeamten Lork, Nöske, Marquardt, Seddig, Seeger, Palmowski, Hochfeld und Dassow, sowie Herr Apotheker Zimmermann und hauptsächlich unser lieber treuer Reise-, Arbeits- und Beobachtungsgefährte Herr Thiermaler Krüger.

Bei Grenz zeigt die Nehrung noch nicht den ihr eigenthümlichen und in so hohem Grade charakteristischen Landschaftscharakter. Derselbe beginnt erst weiter nördlich bei Sarkau. Auf beiden Seiten wird hier die Nehrung von Dünen eingefasst; diejenigen auf der Haffseite sind aber in der Regel bedeutend grösser, lockerer und entbehren jedes Pflanzenwuchses. (Wanderdüne, Triebsand.) Dazwischen dehnt sich die langgestreckte, einsame »Pallwe«, eine durchaus wüstenartige, mit spärlichem Graswuchs bewachsene, oft auch auf weite Strecken ganz kahle Fläche, auf welcher nur die Telegraphenleitung den Vögeln erhöhte Sitz- und Ruheplätze bietet. Nur selten finden sich dazwischen Stücke verkrüppelten Kieferwaldes, so bei den Ortschaften Sarkau, Rossitten und Nidden. Schwarzort hat schönen Hochwald aufzuweisen. Rossitten besitzt mehrere grössere Gärten, unter denen der des Düneninspectors Epha als locus classicus für Kleinvögel hervorzuheben ist. Dicht am Dorfe liegen zwei kleine Teiche, die »Pelk« und »Lunk« und hinter denselben ein ziemlich ausgedehntes Bruch, dem sich als reiche ornithologische Fundgruben wieder eine Anzahl kleinerer Tümpel anschliessen. Zwischen Rossitten und Sarkau liegen die »Weissen Berge« mit ihren namentlich von Tringen gerne frequentirten Dünenlachen. Etwas nördlich von Rossitten bildet das Haff am »Schwarzen Berge« eine halbmondförmige Bucht, deren Schlamm- und Sandbänke ebenso wie die angrenzende sumpfige »Vogelwiese« an günstigen Zugtagen von allerlei Schnepfengeflügel zu wimmeln pflegen. Südwestlich von Rossitten befinden sich Bohnen-, Kraut-, Kartoffel- und Haferfelder sowie frisch grünende Wiesen. Endlich möchte ich noch

[1]) Ornithologisches und Anderes von der Preussischen Wüste. In: Ornithol. Monatsschrift, Bd. XVI, p. 255—259, Bd. XVII, p. 40—42 u. 382—388, Bd. XVIII, 105—110.

auf das Interesse hinweisen, welches für jeden Ornithologen der nahe liegende Vergleich unserer Beobachtungen mit denen Gätkes auf Helgoland bieten dürfte. In Bezug auf die Nomenclatur und Reihenfolge der Arten folgen wir Dr. Reichenow's »Systematischem Verzeichnisse der Vögel Deutschlands«.

1. *Erithacus philomela* (*Bchst.*). Der Sprosser nistet alljährlich zwischen Cranz und Grenz. (L.)

2. *Erithacus suecius* (*L.*). Blaukehlchen. Regelmässig und zahlreich auf dem Durchzuge, wobei es sich namentlich in den Schilfanpflanzungen im Haff dicht bei Rossitten herumzutreiben pflegt. Der Hauptzug scheint Anfangs September vor sich zu gehen; im Frühjahr hat L. es bei Grenz bemerkt.

3. *Erithacus rubecula* (*L.*). Mitte September zogen viele Rothkehlchen durch. Herr Palmowski erlegte für Herrn Zimmermann ein sehr schönes Exemplar zum Ausstopfen. Das Roth desselben erschien mir (F.) besonders lebhaft und reichte auffallend weit.

4. *Erithacus phoenicurus* (*Bchw.*). Der Gartenrothschwanz gehört während des September zu den häufigsten Erscheinungen und bevölkert namentlich die Gärten und Hutungen des Dorfes an manchen Tagen in wahren Unmassen. Anfang October verschwinden sie.

5. *Erithacus titis* (*Bchw.*). L. beobachtete den in Ostpreussen sonst sehr seltenen Hausrothschwanz (Cfr. Hartert, Vorläufiger Versuch einer Ornis Preussens, Sep.-Abzug aus dem 1887er Jahrgang d. »Schwalbe«, p. 30) im April 1888 bei Grenz.

6. *Pratincola rubetra* (*L.*). Der Wiesenschmätzer war nebst der folgenden Art oft der häufigste Vogel auf den kahlen Pallwen und in den Bohnen- und Kartoffeläckern, wo er in Gesellschaft von Piepern und gelben Bachstelzen sein Wesen trieb. Nach dunklen Nächten mit nordöstlichem Winde trafen stets neue Ankömmlinge ein, welche dann die unverkennbaren Spuren grosser Ueberanstrengung und Ermüdung an sich trugen. Die sonst so scheuen und flüchtigen Vögel liessen sich beinahe todt treten, ehe sie sich zum Auffliegen entschlossen. Dies spricht freilich nicht sehr für ihr Flugvermögen. (F.) Wurde auch zur Brutzeit bei Grenz gesehen. (L.) Mir kamen die auf der Nehrung erlegten Wiesenschmätzer bedeutend stärker und im Colorit viel dunkler und röthlicher vor als west- und mitteldeutsche Exemplare. (F.)

7. *Saxicola oenanthe* (*L.*). In unglaublicher Massenhaftigkeit bevölkert der Steinschmätzer von Mitte August bis Anfang October die Pallwen und Seedünen; doch treten dazwischen oft wochenlange Zugpausen ein, während welcher man nur wenige sieht. Dann aber sitzen sie wieder in unnachahmlicher Eleganz auf allen Erdhügelchen und Steinen oder schauen sich vom Telegraphendrahte nach Beute um. Die weitaus grösste Mehrzahl trägt das Jugendkleid. Bei Grenz beobachtete sie L. auch zur Paarungszeit (24. April 1889) am Seestrande.

8. *Turdus musicus* (*L.*). Die Singdrossel pflegt während des letzten Drittel des September das Hauptcontingent der »Krammetsvögel« für den Dohnenstieg zu stellen, da *iliacus* und *pilaris* erst Mitte October häufiger werden. Während meiner Anwesenheit wurden überhaupt nur Singdrosseln gefangen. (F.) L. zählte am 3. October 1888 unter 100 »Krammetsvögeln« 97 und noch am 8. October unter 50 48 musicus. In Nidden sollen vor einigen Jahren an einem einzigen Tage gegen 800 Stück gefangen worden sein!

9. *Turdus iliacus* (*L.*). Der Durchzug der Weindrosseln beginnt Anfang October. 1888 wurden die ersten am 3. dieses Monats gefangen. (L.)

10. *Turdus pilaris* (*L.*). Die Wachholderdrosseln erscheinen ungefähr gleichzeitig mit der vorhergehenden Art; so 1890 am 4. October. (L.) 1892 beobachtete ich sie schon im letzten Drittel des September mehrfach, wie sie in den Kunzener Büschen schackernd von Baum zu Baum flogen. (F.)

11. *Turdus torquatus* (*L.*). Ringdrossel. Ein ♀ in schlechtem Gefieder wurde im Krause'schen Garten zu Rossitten 1888 erbeutet. (L.)

12. *Turdus merula* (*L.*). Die Amsel wird mündlicher Mittheilung zufolge nur sehr selten einmal im Dohnenstiege gefangen und ist in Ostpreussen noch recht scheu.

13. *Regulus cristatus*. (*Vieill.*) Am 28. Sept. 1888 streichend bei Rossitten (L.) Ich beobachtete am 27. September einen Flug im Kiefernwalde und schoss ein Belegexemplar (F.)

14. *Phylloscopus superciliosus* (*Gm.*). Am 29. September 1892 fand ein sehr starker Zug von Laubvögeln statt. Ich war bereits mit Packen beschäftigt und ging dazwischen ab und zu in den Garten, wo ich noch einige Stare, Laubsänger und Spechte schoss. Unter den Laubsängern befand sich auch ein Exemplar des seltenen *superciliosus*, welches ich jetzt als Beleg in meiner Sammlung aufbewahre. Es erscheint dieser Fall doppelt interessant, wenn man das wiederholte Vorkommen dieses Vögelchens in Helgoland in Betracht zieht. Wenn Gätke darin Recht hat, dass der Hauptzug der osteuropäischen und westasiatischen Vögel in gerader ost-westlicher Richtung bis zur Ostküste Grossbritanniens vor sich gehe und dann erst mehr oder minder rechtwinklig nach Süden oder Südwesten umbiege, so müssen sich die seltenen Gäste, an denen Helgoland verhältnissmässig so reich ist, nach und nach auch auf günstig gelegenen Punkten des zwischenliegenden Landes nachweisen lassen, und hier ist es meiner Meinung nach neben der dänischen Insel Bornholm in erster Linie wieder die Kurische Nehrung, welche für uns in Betracht kommt. Der Anfang zum Beweise hiefür ist — so hoffe ich — durch unsere Arbeit gegeben. Mein Exemplar des *superciliosus* dürfte das erste ostpreussische sein, aber ich glaube, dass dieser Vogel ebenso wie manche andere Seltenheit häufiger bei uns durchzieht, als man annimmt, und nur meistens übersehen wird. Denn: wie viel Leute gibt es denn in Deutschland, die derartige unansehnliche Vögelchen näher beobachten oder gar schiessen? Und wie viele, die den geschossenen oder gefangenen Vogel richtig zu erkennen im Stande sind? Gerade die bei uns vorkommenden Laubsänger sind selbst von den Fachornithologen seither viel zu wenig beachtet worden. (F.)

15. *Phylloscopus rufus Pleskei.* Floer. nov. subsp. Die von mir bereits in meinem Buche »Versuch einer Avifauna der Provinz Schlesien«[1]) ausgesprochene Vermuthung, dass es eine gut unterscheidbare nordöstliche Subspecies unseres Weidenlaubvogels gibt, welche auch in Deutschland regelmässig durchzieht, ist inzwischen für mich zur Gewissheit geworden. Auch die während des September in Rossitten durchziehenden Weidenlaubsänger, von denen wir einige zwecks näherer Untersuchungen

[1]) Die zweite Lieferung desselben wird ein Buntbild dieser Form bringen.

erlegten, gehörten dieser durch bedeutendere Grösse und hellere Färbung gekennzeichneten Unterart an, waren also jedenfalls nordische Exemplare. (F.) Zur Brutzeit häufig. (L.)

16. *Phylloscopus trochilus* (*L.*). Der Fitis zieht in der ersten Hälfte des September in grosser Anzahl über die Nehrung, auf welcher er auch brütet. Am 21. Juni 1892 wurde ein Nest mit vier Eiern an einem Waldwege bei Rossitten gefunden (L.).

17. *Phylloscopus sibilator.* (*Bchst.*) Bei Grenz und Rossitten Brutvogel. (L.)

18. *Hypolais philomela* (*L.*). Zur Brutzeit ist dieser geschätzte Spötter nach Krüger ein zahlreich auf der Nehrung vorkommender Singvogel. Ein am 24. August 1888 aufgefundenes Nest stand unweit Sarkau an der Grenze von Wald und Sandwüste, also in einer Einöde, wo man diesen lieblichen Bewohner unserer Gärten und Anlagen nicht erwarten sollte. (L.)

19. *Locustella naevia* (*Bodd.*). Anscheinend regelmässiger Durchzugsvogel. Ein bevorzugter Lieblingsplatz von ihm ist der Epha'sche Garten. 1889 kam er am 22. Mai hier an. Schon am nächsten Tage fing ich ein ♂, das ich aber wegen zu schwerer erlittener Verletzungen tödten musste. Am 24. schwirrten 6 ♂♂ in dem nur 40 Ar grossen Garten. Beim Schwirren sassen die Heuschreckensänger 3—4 Fuss hoch im Busch und sangen mit weit aufgesperrtem Schnabel, den Kopf nach allen Seiten hin drehend und wendend. Ich habe sie so in einer Entfernung von nur zwei Schritt belauscht. Erschreckt wippt *naevia* mit dem Schwanze wie ein Zaunkönig. Vertrieben kehrt er mit grosser Zähigkeit an dieselbe Stelle zurück und ist deshalb leicht zu fangen, aber schwierig einzugewöhnen. Von vier in Gefangenschaft gerathenen Exemplaren gingen drei sehr bald zugrunde, darunter eine noch in meinem Besitz befindliche Varietät mit gelber Unterseite. Einmal hörte ich *naevia* und *fluviatilis* in ganz kurzer Entfernung gleichzeitig schwirren, stand lange zwischen ihnen und fing schliesslich beide. Diese Vögel gingen später in den Besitz des Herrn Hülsmann in Altenbach bei Wurzen über. 1892 erfolgte die Ankunft nach Frl. Epha am 27. Mai. Später verschwanden die Vögel wieder. (L.)

20. *Locustella fluviatilis* (*Wolf*). Zuerst hörte ich am 22. Mai 1889 an den Bruchbergen einen Vogel, den ich für den Flussrohrsänger halten musste. Am 24. schwirrte er gleichzeitig mit *naevia* im Brennesselgebüsch des Epha'schen Gartens, wobei ich beide fing und so die Art mit Sicherheit constatirte. Am 3. Juni waren keine Flussrohrsänger mehr da, also jedenfalls ebenso wie *naevia* weiter nordwärts gezogen. (L.) (Ausser bei Rossitten habe ich diesen sehr seltenen Vogel zur Brutzeit noch bei Metgethen im Samlande und in mehreren Exemplaren bei Pillau gefunden.)

21. *Acrocephalus aquaticus* (*Gm.*). Am 2. und 3. October 1888 beobachtete ich den Binsenrohrsänger am Bruch und habe ihn ziemlich bestimmt aus grosser Nähe erkannt. (L.)

22. *Acrocephalus schoenobaenus* (*Rchw.*). Mitte September traf ich den Schilfrohrsänger einigemal im Binsengewirr der Kunzener Tümpel und Löcher. (F.)

23. *Acrocephalus palustris* (*Bchst.*) Bei Cranz und Grenz an geeigneten Stellen Brutvogel.

24. *Acrocephalus streperus* (*Vieill.*). Der Teichrohrsänger wurde am 1. September 1888 bei Rossitten beobachtet. (L.)

25. *Acrocephalus arundinaceus* (*L.*). Die Rohrdrossel gehört zu den Brutvögeln der Nehrung. Am 22. Mai 1889 fand ich ein noch im Bau begriffenes Nest, am 26. das volle Gelege zu vier Stück. Am 2. September fütterten die Vögel die ausgeflogenen Jungen. 1892 entdeckte ich am 20. Juni ein Doppelnest (eines auf das andere darauf gebaut) mit zwei Eiern; dasselbe hat eine Höhe von 29 cm, während die eigentliche Nesthöhlung nur 6·5 cm tief war. Am 13. September 1888 sah ich noch Junge, die erst mangelhaft fliegen konnten und von den Alten geätzt werden mussten. Am 2. October war noch die Mehrzahl der Rohrdrosseln da und selbst am 11. dieses Monats erblickte ich noch ein einzelnes Exemplar. (L.)

26. *Sylvia atricapilla* (*L.*). Auch die Mönchsgrasmücke gehört in der zweiten Hälfte des September und in der ersten des October zu den regelmässigen Passanten. Sie hält sich mit Vorliebe in den Hollunderbüschen auf und fängt sich bisweilen im Dohnensteg. L. fand am 12. Juni 1889 ein Nest mit fünf Eiern bei Grenz.

27. *Sylvia curruca* (*L.*). Am 5. September wimmelten bei windstillem Wetter und vorausgegangenem starken Nordost- und Nordwestwinden plötzlich alle Gärten des Dorfes von Zaungrasmücken, die aber in den nächsten Tagen sämmtlich wieder verschwanden. (F.) Zur Brutzeit am häufigsten in den Wäldern, namentlich Fichtendichtungen zwischen Cranz und Grenz. (L.)

28. *Sylvia rufa* (*Bodd.*). Dorngrasmücke. Zur Brutzeit (22. Mai 1889) in Rossitten beobachtet. (L.) Im September mehrmals gesehen. (F.) Bei Grenz als Brutvogel ziemlich häufig. (L.)

29. *Sylvia hortensis* (*Bchst.*). Die Gartengrasmücke zieht während der zweiten Hälfte des September in ziemlicher Anzahl durch, brütet auch auf der Nehrung.

30. *Sylvia nisoria* (*Bchst.*). Die hübsche Sperbergrasmücke ist Brutvogel auf der Nehrung. Ein am 27. Mai 1889 aufgefundenes Nest enthielt erst ein Ei, zu dem am folgenden Tage das zweite hiezugelegt wurde. Wiederholt gefangen. (L.)

31. *Troglodytes parvulus* (*Koch.*). Zaunkönig. In kurzer Zeit fand ich in der »Plantage« zwischen Cranz und Grenz mehrere Nester mit Eiern in kleinen Fichten. (L.)

32. *Acredula caudata* (*Koch.*). Die Schwanzmeise nistet bei Rossitten. Auch zur Zugzeit daselbst im Walde. (L.)

33. *Parus ater* (*L.*).

34. *Parus cristatus* (*L.*).

35. *Parus maior* (*L.*).

36. *Parus caeruleus* (*L.*).

Alle diese Meisen kommen nur auf dem Striche bei Rossitten vor, und auch dann nicht eben zahlreich, während ihr Brüten zweifelhaft ist. Im Hochwalde von Schwarzort scheinen sie häufiger zu sein, die beiden Letztgenannten zur Brutzeit b. Grenz. (L.)

37. *Parus fruticeti* (*Wallgr.*). Bei Grenz und Cranz nicht selten. (L.)

38. *Sitta caesia* (*Wolf*). Kleiber. Bei Grenz, jedoch nicht häufig. (L.)

39. *Certhia familiaris* (*L.*). Baumläufer. Am 25. September 1888 bei Schwarzort gesehen. (L.) Auch sonst nicht selten.

40. *Alauda arvensis* (*L.*). Die Feldlerche gehört zu den regelmässigsten und an gewissen Tagen in Un-

mengen auftretenden Durchzüglern. Manchmal liegen alle Stoppeläcker und Wiesen buchstäblich mit ihnen voll. Die zuerst von mir erlegten Exemplare gehörten der viel besprochenen var. bugiensis Chr. L. Br. an und waren jedenfalls dortige Brutvögel. (F.)

41. *Galerita arborea* (*Boie*.). Am 1. October waren drei Haidelerchen auf dem Stoppelfelde am Rossittener Leuchtthurm, von denen eine als Belegexemplar geschossen wurde. Auch am 9. d. M. zogen wieder etliche durch. (L.)

42. *Galerita cristata* (*Boie*.). Bei Cranz, aber nicht häufig. (L.)

43. *Budytes flavus* (*L.*). Mitte September wimmelten alle Kraut-, Bohnen- und Kartoffeläcker von Schafstelzen, deren Zahl sich in einigen Tagen bis ins Unglaubliche steigerte. Die erlegten Exemplare zeigten keinerlei Merkwürdigkeiten. (F.) Bei Grenz Brutvogel. (L.)

44. *Motacilla alba* (*L.*). Auch die weisse Bachstelze war auf dem Zuge in alten wie jungen Individuen sehr zahlreich vertreten und trieb sich mit Vorliebe im Dorfe und auf den Viehweiden herum. Ende September erreichte der Zug seinen Höhepunkt, setzte sich aber auch in den October hinein fort.

(Fortsetzung folgt.)

Auf ornithologischen Streifzügen.

Zweite Folge.

IV.

Von **Paul Leverkühn**.

In dieser Nummer theile ich nicht eigene Erlebnisse mit, sondern veröffentliche in deutscher Uebersetzung einen höchst interessanten Brief eines australischen Sammlers, S. Percy Seymour aus Neu-Seeland, gerichtet an den verstorbenen Oberstabsarzt I. Classe, Doctor Kutter[1]) in Cassel, welcher mir durch dessen Witwe bei Gelegenheit des Ankaufes seiner hinterlassenen Bibliothek anvertraut wurde. Die von mir herrührenden Noten sind durch ein beigefügtes »Lev.« gekennzeichnet. Lev.

19. Juli 1891. Preservation Island, Australien.

Werther Herr!

Ich muss mich wirklich schämen, so lange Ihr freundliches Schreiben vom 4. Februar d. J. unbeantwortet gelassen zu haben und weiss nicht, was Sie von mir denken werden, doch hoffe ich, dass Sie mich entschuldigen werden, wenn Sie den Grund meines Stillschweigens hören. Wenn ich Ihnen aber erzähle, dass eine Kiste mit seltenen Eiern, einschliesslich deren von *Diomedea cauta* Gould[2]) im Jänner bei mir eintraf, und dass die Eier bis heute noch nicht präparirt sind,[3]) so werden Sie zugeben, dass ich sehr stark in Anspruch genommen gewesen sein muss. Ich glaube, in meinem letzten Briefe erwähnt zu haben, dass in der Nachbarschaft von hier Gold in geringer Quantität entdeckt wurde. Um die Mitte Jänner fand eine Gesellschaft Goldsucher, denen ich Gastfreundschaft und Unterstützung zu Theil werden lassen musste, in einem Creek eine Quarzbank, in welcher Gold in Verbindung mit winkeligen Quarzfragmenten vorkam. Die natürliche Schlussfolgerung war, dass dies Gold wahrscheinlich von der Bank stammte, in welchem Falle die letztere sehr werthvoll sein musste. Die Goldsucher zeigten mir sofort ihren guten Willen, indem sie mir gleichen Antheil mit ihnen anboten. Natürlich war diese Offerte zu verlockend, um von mir abgeschlagen zu werden; so verliess ich mein Heim und wanderte mit aus zu ihrem Goldfelde, um ihnen bei der Erbeutung und Entdeckung der Bank behilflich zu sein. Unglücklicherweise trafen unsere Hoffnungen nicht ein. Indessen versicherten sich die Goldsucher eines guten Anspruches auf die Bank selbst und sie riethen mir, das Gleiche mit zwei Gesellen zu thun, an einem anderen Platze, wo sie gute Aussichten auf Erfolg gewonnen hatten. Da ich ahnte, dass sofort ein grosser Zudrang zu dem betreffenden Platze sein würde, glaubte ich, nichts Gescheidteres thun zu können, zumal es nicht sehr aussichtsvoll schien, Vögel zu sammeln an einer Stelle, wohin Schaaren von Goldsuchern eilten, deren Hunde die Apteryx (Kiwis) und Stringops (Eulenpapageien) tödteten, und die selbst mich und meine Zeit beständig in Anspruch nahmen. Sohin verwendete ich die letzten 6 Monate auf das Goldsuchen, anstatt aufs Sammeln. Die Arbeit war ziemlich anstrengend und dauerte von Tagesanbruch bis Sonnenuntergang. Die Abende wurden benützt zum Abendessen, Kochen für mich und die Hunde, Trocknen der Kleider, die jeden Tag nass wurden, Schneidern etc. Der Sonntag war oft der strengste aller Arbeitstage für alle Theilnehmer der Gesellschaft, da sie sich alsdann für die folgende Woche mit Proviant zu versehen, Holz zur Feuerung zu fällen, die Wäsche zu waschen etc. hatten. Alles, dessen wir bedurften, mussten wir persönlich auf unseren Rücken herbeischleppen über jähe Abhänge und gelegentlich auf dem Kamm der Höhen, auf Wegen, die knietief mit Mudde und Wasser und Wurzeln und Baumstrünken geziert waren, welche die grösste Aufmerksamkeit erheischen, um ernstliche Verletzungen durch Fall oder aufschnellende scharfe Wurzeln und Zweige zu vermeiden. Meine Last betrug sehr selten weniger als 60 Pfund und überstieg oft 70. Dieser Marsch beanspruchte circa $2^1/_2$ Stunden mit gelegentlicher Rast. Währenddem blieb mein Haus das allgemeine Rendezvous für die Goldsucher und verschiedene Gesellschaften benützten es, um ihre Vorräthe von Mehl etc. auf meinen Gesimsen in ihm aufzubewahren, welche rattensicher waren. Natürlich war ich nicht im Stande, der Vogelwelt irgend welche Aufmerksamkeit zu schenken, wodurch ich auch meine zwei Gehilfen sehr erzürnt haben würde.

Meine Minenarbeit ergab sich als sehr unprofitabel, da ich nicht mehr Gold als für 100 Mark in ungefähr 6 Monaten erzielte. Sie können sich meine Gefühle ausmalen, als ich endlich die Minen verliess, zu meinen Sammlungen zurückkehrte, auf den Bestand meiner Vogelbälge blickte und gewahrte, dass die Ratten fast Alles zerstört hatten! Unglücklicherweise war ich gerade damals, als ich zu der Flussbank mitgehen musste, auf dem Punkte, Bälge und Eier einer Art Sturmvogel (Petrel) zu erbeuten, welche gewiss noch neu für Neu-Seeland ist, und auf welche ich wenigstens seit drei Monaten gefahndet hatte, dadurch, dass ich ihren Brutplatz in

[1]) Vergleiche Nachruf in der Schwalbe, Jahrgang XV, 1891, pag. 76.

[2]) Die Autorennamen sind von mir beigefügt. Lev.

[3]) Die Eier des »scheuen Albatross« gehören zu den grossen Seltenheiten. Vgl. Sir Walter Lawry Buller, A. History of the Birds of New-Zealand. Second Edition. Vol. II. 1888, S. 204, 1873, zur Zeit des Erscheinens der ersten Auflage des Buller'schen Werkes war die Art noch nicht für Neu-Seeland nachgewiesen. Lev.

Zwischenräumen von 10 oder 14 Tagen besucht hatte; jeder Besuch erforderte ungefähr 8 bis 10 Stunden. Nun, ich hoffe, sie nächsten Februar zu bekommen! — Seit meiner Rückkehr habe ich viel Arbeit daran gehabt, meine 6 Monate lang vernachlässigte Correspondenz wieder aufzuforsten und meine Sammlungen in Ordnung zu bringen. Dazu gehören zwei Kisten mit Albatrossen, von denen einige in jammervollem Zustande waren. Bei der allgemeinen Durchsicht verbrannte ich ein gut Theil, wählte einige für England und Deutschland, muss sie aber noch etikettiren und zum nächsten Steamer verpacken. Die meisten Goldsucher sind inzwischen zu anderen Theilen des Districts aufgebrochen, so dass ich hoffe, in Zukunft meine Ruhe zu haben und noch während dieser Saison Einiges sammeln zu können. Ich bekam einige gute Eier, seit ich das letzte Mal schrieb. Ich hoffe, an Herrn Schlüter die folgenden schicken zu können: Diomedea exulans L. (in schönen Varietäten hinsichtlich der Grösse etc.), Aptenodytes pennanti Gray (longirostris Scop.), Eudyptes filholi Hutton[4]), Eud. pachyrhyncha Gray, Fulmarus (rectius Procellaria oder Majaqueus) Gouldi (Hutton), Certhiparus novae zealandiae (Gm.) und verschiedene andere Arten. Ich erwarte aber, kaum viel Species zu bekommen, die Ihnen noch fehlen.[5]) Unsere Museen haben durchschnittlich sehr kärgliche Sammlungen und selten geben sie sich die Mühe, zu tauschen. Ausser den genannten Arten habe ich noch Eier einer Diomedea, über deren Specieszugehörigkeit ich noch nicht ganz sicher bin, ebenso von einem Eudyptes, welcher allerhöchst wahrscheinlich E. antipoda (Hombr. et Jacq.) sein dürfte, doch habe ich die Daten verlegt.[6]) Ich bin in der Lage, beide Arten absolut sicher bestimmen zu können, bei meinem nächsten Besuche des Museums im October. Bis dahin will ich sie aufbewahren. Ich habe ein Ei von Apteryx oweni Gould und ebenso von einer Diomedea, die innerhalb der letzten Monate von Buller entdeckt und beschrieben ist, leider muss ich diese Stücke nach England senden.

Ich war sehr glücklich, zu hören, dass Sie dieselbe Praxis beim Sammeln befolgen, wie ich es that, bevor ich meine eigene Sammlung aufgab, nämlich: möglichst viel Varietäten in Gestalt und Farbe zusammenzubringen. Ich bin ganz Ihrer Meinung, dass das Studium der Eier von grosser Wichtigkeit für die Wissenschaft sei und viel Licht auf die congenitalen Beziehungen der verschiedenen Arten werfen wird. Wie ich vermuthe, lassen Sie sich bei der Anzahl von Exemplaren von zwei Principien leiten: 1. von dem Wunsche, die typische Form festzustellen, um dadurch den Zusammenhang der gegenwärtigen Form zu erkennen, und 2. von dem Bestreben, abnorme Exemplare zu bekommen, um einen Hinweis auf die Entwicklung der gegenwärtigen Formen durch möglicherweise vorkommenden Rückschlag auf Stammformen zu finden.

[4]) Buller vereinigte Eud. filholi Hutton mit Eud. chrysocome Forst. (Bd. New-Zeeland II. 291.) Lev.

[5]) Ein glänzendes Zeugniss von jenseits des Oceans über die Reichhaltigkeit der berühmten Kutter'schen Eiersammlung, welche unserem Vaterlande hoffentlich durch den Ankauf seitens des Museums für Naturkunde in Berlin erhalten bleiben wird. Lev.

[6]) Percy Seymour's Originalnotizen über das Brutgeschäft dieser Art gingen in Buller's Prachtwerk über. (2. Ed., S. 295.) Lev.

In diesem Sinne kann ich in Zukunft stets aus grösseren Suiten für Sie aussuchen: typische und extremste, grösste, kleinste Exemplare. Einst bekam ich einige Hundert Eier von Sterna frontalis Gray und wählte daraus 26 für meine eigene Sammlung aus. Eines davon war höchst auffallend, da es ganz entschieden blassroth und ausserdem röthlich gefleckt war.[7]) Dieses schien mir eine Andeutung einer Annäherung an Anous stolidus[8]) zu sein. Jetzt habe ich jene 26 Stück fast alle vergeben.

Weiterhin habe ich eine seltsame Thatsache über Thalassidroma fregata Buller — Pelagodroma marina (Lath) zu berichten. Diese Species legt in Australien ein weisses Ei, ohne rothe Flecken, während jedes Exemplar aus Neu-Seeland mit rothen Flecken versehen ist, die gewöhnlich einen Ring um das breitere Ende (Nordpol) bilden. Apteryx oweni Gould legt ein für seine Grösse ganz enormes Ei. Grosse Betrügereien finden bei den Händlern in Bezug auf die Eier der Apteryx-Arten statt, oft werden Diomedea-Eier dafür ausgegeben. So sah ich in der Auslage eines Händlers Eier von Diom. exulans Linn., als von Apteryx maxima Bp. ex Verr. gekennzeichnet, eine Art, welche niemals ganz aufgefunden wurde, sondern nur auf dem Funde eines Fusses und Tarsus basirt!

Ihre Exemplare von Graculus cirrhatus (Scl. und Salv.) sind ganz gewiss durch mich gesammelt, auf einer Terrasse gegenüber einer Klippe bei Cap Saunders Leuchtthurm, Atago-Insel. Ich versorgte alle neuseeländischen Sammler mit der Art, und ich glaube, der verstorbene Mr. Potts[9]) schickte einige davon an Mr. Campbell[10]) (durch den Dr. Kutter sie bekam, Lev.)

[7]) Bekanntlich kommen Erythrismen bei unseren Seeschwalben auch oft vor. Vgl. Leverkühn, Ornith. Excursionen im Frühjahr 1886. (Ornith. Monatsschrift 1886. XII.) Meine Sammlung enthält eine ganze Serie vornehmlich aus dem hohen Norden (coll. Benzon). In Thienemann's Fortpflanz.-Gesch. d. ges. Vögel (1845 bis 1856) sind mehrere derartige abgebildet. Lev.

[8]) Ueber die Eier von Anous stolidus und andere Seeschwalben vgl. Blasius und Finsch, Diego Garcia und seine Seeschwalben. — (Ornis. 1887. III., S. 361—398, Taf. I, II.) anous stolidus ist nochnicht für Neu-Seeland nachgewiesen. Lev.

[9]) Bekannter australischer Oologe, schrieb u. A. Notes on the breeding habits of New Zealand Birds. (Trans. N. Z. Institute. Vol. II. 17. VII. 1869. pl. IV.—VI. pl. 39.) Lev.

[10]) Bekannter australischer Oologe; hier die Titel einiger seiner Artikel: Notes on West-Australian Oology, with descriptions of new eggs. (Proc. Roy. soc. Victoria. 13. III. 1890. J. S. S. pl. I. II.) Notes on the zoology of Houtmann's Abrahos. (Proc. Sect. D. Frans. Australas. Ass. Adv. Scienc. Melbourne Meet. 1890. 492—496.) — List of eggs of Australian birds, in the possession of A. J. Campbell. 10 S. S. 450 Arten! — A western forest. (Field Nat. Club Victoria. 16. XI. 1891. 7 S. S. 2 pl.)

Campbell hat die Kunst, Vogelnester mittelst Photographie in freier Natur aufzunehmen, zu einer grossen Vollkommenheit gebracht. Ich besitze durch seine Güte Porträts folgender Species: Eupsaltria capito Gould (Nest), Gerygone fusca Gould (Nest), Acluraedus crassirostris (Nest), Psophodes crepitans Vig. a Horsh (Nest mit Eiern), Geochichla lunulata Lath (Nest mit Eiern), Menura victoriae Gould (Nest mit Ei), Dromaeus novae hollandiae Lath (Nest mit 8 Eiern), Strepera plumbea Gould (Nest mit Eiern); sämmtlich in der Natur photographirt! — Auch der zuletzt oben angeführte Artikel ist durch mehrere nach photographirten Aufnahmen ausgeführte Abbildungen geziert. Lev.

Besitzen Sie Puffinus brevicaudus Bp. (Puff. brevirostris Tem)? Es ist eine gewöhnliche Art Australiens, welche in grossen Mengen auf gewissen Inseln im Norden von Neu-Seeland, aber niemals auf der Südinsel vorkommt. Ich besitze zwei Eier von Graculus brevirostris (Gould), die aber so schlecht an beiden Polen angebohrt sind, dass ich sie nicht fortsenden mag. Neu-Seeland hat kürzlich Besitz ergriffen von den Kermadee-Inseln und dadurch einige Species mehr zu seiner Avifauna erhalten. Ich habe von dort Sterna fuliginosa und Anous tenuirostris bekommen, aber ich glaube, dass das keine Neuigkeiten für Ihre Sammlung sind! Ebenso kann ich Eudiptila undina (Gould), die hier brüten, bekommen. Stringops habroptilus Gray brütet hier seit zwei Jahren meines Wissens nicht mehr. Die Maoris sagen, dass er nur einmal alle fünf Jahre brütet. Ich sah einen jungen Vogel vor circa drei Jahren mit Daunen in Doubtful Sound, ungefähr 40 Meilen nördlich von hier, und im selben Jahre, circa im Juli und August, schwärmte dieser District förmlich von der Species, von denen entschieden manche Exemplare Junge waren, aber seither sind sie fast ganz verschwunden! Alle Exemplare, die man zu sehen bekommt, sind Alte, und trotzdem ich viele secirt habe, habe ich niemals eine Vergrösserung der Testes oder der Follikel beobachtet. Dies scheint höchst sonderbar!

Nun zum Schlusse! Es ist sehr spät, und ich muss morgen sehr früh zur Ankunft des Steamers.

Mit vielem Danke für Ihre Freundlichkeit verbleibe ich Ihr getreuer S. Percy Seymour.

Skizzen aus Montenegro und Albanien mit besonderer Berücksichtigung der Ornis daselbst.

Von Ludwig von Führer.

(Fortsetzung.)[1]

Nach dem Freimachen dieses nicht mehr im Gebrauche stehenden »Canoe« ging die Fahrt anfangs ganz gut mittelst eines primitiven Ruders von statten; anstatt aber mich dem Pelikane zu nähern, sah ich zu meinem Bedauern, dass wir uns immer weiter von einander entfernten, denn das Ungethüm schwamm trotz seines durchschossenen Flügels bedeutend schneller als ich mit meiner »Yacht«. Nichts als den geflügelten Crispus sehend, wich ich vom Fahrwasser ab und blieb im Schlamme stecken; alle Bemühungen, das Boot frei zu machen, blieben erfolglos, schliesslich brach auch noch das Ruder. Es blieb mir nichts übrig, als in das wirklich mehr als lauwarme Wasser zu steigen und bis über die Hüften im Schlamme watend den Kahn frei zu machen und ins tiefere »Nass« zu ziehen. Dieses lustige Manöver wiederholte sich während des Vormittags mehrere Male, wobei ich mit Aerger den Pelikan glücklich das albanesische Ufer erreichen sehen musste.

Nun fuhr ich, so gut es ging, wieder zurück, durchwatete an der schmälsten Stelle den See, um nach mehr als einer Stunde auf die andere Seite zu gelangen.

Das Terrain hierselbst besteht aus dschungelartigen Rohrdickichten; der See sieht einem grünen Teppiche gleich, der von Wasserrosen, gelben Ranken und anderen Wasserpflanzen gebildet wird, hinter welchem sich das Inundationsgebiet — mit weiten Wiesenplänen, stellenweise dicht mit Kopfweidenbeständen — erstreckt.

Ich arbeitete mich durchs Röhricht bis an die Stelle, wo der vielgenannte Pelikan verschwand, umsonst durch, denn weder mir noch meinem Ballo gelang es, desselben ansichtig zu werden.

Nun machte ich auf umgebrochenem Rohre Rast, um in der Sonne abzutrocknen, was bei der Hitze sehr schnell von statten ging, mein Begleiter zog es jedoch vor, sich nach Art des Schwarzwildes im Schlamme wohl zu fühlen.

Ausser vielen schon früher erwähnten Arten sah ich noch: Rohrammer (Schoenicola schoeniculus), Wasserralle (Rallus aquaticus), Reiherente (Fuligula cristata) und einen rothen Milan (Milvus regalis).

Meine Beute vermehrte sich um einen Seidenreiher, zwei Zwergseeschwalben und einem Zwergtaucher, um sofort ausgebälgt zu werden.

Bald darauf erhob sich ein heftiger Jug, das heisst Scirocco, schwarze schwere Gewitterwolken zogen von Albanien herüber; dies hinderte mich aber nicht, ein Nachtlager im Rohre kunstgerecht herzustellen. Nach Vollendung desselben brach ich einige grosse Weidenäste, entledigte mich meiner »salonfähigen« Hülle und trug die Aeste in den Sumpf, um gedeckt von denselben am nächsten Morgen vor Tagesanbruch Pelikane und Zwergscharben überraschen zu können.

Nach dem Souper, das aus Brot, Schinken und Cognac bestand, rauchte ich bis gegen 10 Uhr Nachts, um die lästigen geflügelten Blutsauger theilweise fernzuhalten, als mir der plötzlich in Strömen niedergehende Regen die Möglichkeit benahm, dies fortsetzen zu können; Donnern, Blitzen und Wetterleuchten amüsirten mich den Rest der Nacht, der See war öfters so hell beleuchtet als am Tage.

[1] In der letzten Nummer blieb durch ein unliebsames Versehen der betreffenden Druckerei der vorstehende Theil der »Skizzen« zurück, er ist vor der Fortsetzung in Nummer 6 einzuschalten. D. Red.

Distanz-Brieftauben-Wettflug „Wien—Berlin und Berlin—Wien".

Eine Reihe der sportlichen Ereignisse, die im Vorjahre mit den Distanzreiten Wien—Berlin und Berlin—Wien ihren Anfang nahm und seither das regste Interesse der verschiedenen sportlichen Zweige in den beiden Hauptstädten gefunden, geht ihrem Ende entgegen. Reiten und Gehen auf Distanz haben mehr oder minder das Interesse des grossen Publicums wachgerufen. Auch das Radfahren Wien—Berlin, welches kürzlich zu Stande kam, wird nicht verfehlen, bei den Anhängern dieses Sports die gebührende Aufmerksamkeit auf sich zu lenken. Nun kommt die Brieftaube an die Reihe, deren Leistungsfähigkeit auf obiger Strecke auf die Probe gestellt wird. In kurzer Zeit werden wir diesen gewiss nicht uninteressanten Flug vieler Hunderte von Brieftauben, die zu gleicher Zeit in Berlin sowie in Wien aufgelassen werden, ihrem Ziel, dem heimatlichen Schlag, zusteuern sehen. Im Kreise der Brieftaubenfreunde und Züchter wird diesem sportlichen Wettbewerb, der im Juli dieses Jahres stattfindet, mit Spannung entgegengesehen. Namhafte Geldpreise und Ehrenpreise sind bereits dotirt. Sämmtliche Wiener und Berliner Brieftaubenzüchter treten mit ihrer Schaar geflügelter Boten in die Concurrenz, dass dabei ein Jeder sein bestes Material an Brieftauben zum »Start« sendet, lässt sich leicht denken. — Die Wettbestimmungen dieses Distanzfluges haben in mancher Beziehung eine gewisse Aehnlichkeit mit allen auf dieser Strecke bereits absolvirten Distanzleistungen. In beiden Städten besteht ein General-Comité, dessen Aufgabe es sein wird, die ankommenden Tauben zu constatiren. Das Auflassen der Wiener Brieftauben geschieht in Berlin beim Tempelhofer Berg; während die Berliner Flieger beim Floridsdorfer »Start« ihre Reise in die Heimat antreten werden. Wer diesem interessanten Schauspiele, dem Hochfliegen der Brieftauben, beiwohnen will — der bestimmte Tag wird rechtzeitig bekanntgegeben — muss sich hübsch zeitlich auf die Beine machen, da der Auflug in der Morgenstunde zwischen 5 und 6 Uhr Früh stattfindet. Unmittelbar vor dem Auflassen wird vom General-Comité in Gegenwart der gegentheiligerseits abgeordneten Vertrauensmänner die Abstemplung der Brieftauben vorgenommen, hiebei die an jeder Taube ersichtliche Controlnummer, Stempel und Zeichen genau protokollirt und die richtige Anzahl der abgehenden Tauben constatirt. — Die Constatirung der Ankunftszeit geschieht in einem im Centrum der beiden genannten Städte liegenden Locale, welches von dem General-Comité bestimmt wird. Den Nachweis über das Eigenthumsrecht einer oder mehrerer Siegertauben hat jeder Besitzer unter der Controle eines Mitgliedes des Comités zu leisten. Zu jedem Brieftaubenbesitzer wird die Luftlinie genau ermittelt und für die Entfernung vom Constatirungslocale mit 6 Minuten per Kilometer Luftlinie vergütet oder zugeschlagen. Die Berechnung der Flugleistung geschieht nach der Leistung per Meter in der Minute, wobei jedoch die Zeit von 9 Uhr Abends bis 3 Uhr Morgens ungerechnet bleibt; da die Taube bei Einbruch der Dunkelheit nicht fliegt und erst bei Morgengrauen ihren Flug fortsetzt. Der Schluss der Constatirung ist am dritten Tage — bis spätestens 8 Uhr Abends — vom nächstfolgenden Tage des Eintreffens der ersten Taube an gerechnet, festgesetzt. Wie lange werden wohl die Brieftauben von Berlin nach Wien brauchen? In Fachkreisen hat man die Berechnung aufgestellt, dass die 708 Kilometer betragende Strecke ganz gut bei anhaltend schönem Wetter in 9—10 Stunden von einer guten Brieftaube zurückgelegt werden kann; somit könnten die besseren »Flieger«, welche um 5 Uhr Früh in Berlin in Freiheit gesetzt werden, um 3 Uhr Nachmittags am selben Tage in Wien anlangen. Es liegt für die Zukunft ein nicht zu unterschätzender Werth darin, genau zu ermitteln, inwieweit die Fähigkeit und die Verwendbarkeit der Brieftauben auf einer so langen Strecke mit abwechslungsreichen Terrainverhältnissen sich bewährt. Welcher Ernst in dieser Sache liegt, beweist der Umstand, dass selbst das hohe k. k. Kriegsministerium grosses Interesse an diesem Brieftaubenflug gewonnen hat und eines der Ersten war, welche den beiden Wiener Geflügelzuchtvereinen einen Ehrenpreis zu diesem Wettflug dotirte; denn die Brieftaube ist berufen, im Zukunftskriege eine nicht untergeordnete Rolle zu spielen. Es ist daher von grosser Wichtigkeit, zu erproben, inwieweit sich eine geregelte Brieftauben-Post auf weite Strecken herstellen lässt. — Allerdings ist die Taubenpost heute nicht mehr neu, reicht sogar bis in das graue Alterthum zurück. 1146 n. Chr. hatte schon der Sultan Nuredin, Khalif von Bagdad, eine wohl eingerichtete Taubenpost. Dieser Fürst wollte jederzeit schnell Nachricht aus den vielen Provinzen seines weiten Reiches haben und befahl, dass in allen Schlössern und festen Plätzen desselben Tauben zum Brieftragen gehalten werden sollten. — Sowohl Deutschland wie Oesterreich haben in ihren Festungen ein Heer von Brieftauben und die Brieftaubenzüchter von Wien und Berlin stellen ein ganz anständiges Contingent ihren Staaten im Bedarfsfalle zur Verfügung. — Der Berliner Brieftaubenverein trainirt sein gesammtes Brieftaubenmaterial gegen Wien, während die beiden Brieftaubensectionen, die des »Ersten Oesterr.-ung. Geflügelzucht-Vereines« und jene des »Rudolfsheimer Geflügelzucht-Vereines« bereits am 28. April d. J. mit dem gemeinschaftlichen Trainiren ihrer Brieftauben in Jedlersee (6 km von Wien) begonnen haben. Immer weitere Distanzen haben die Brieftauben je einmal wöchentlich zurückzulegen. Gegenwärtig ist das Training so weit vorgeschritten, dass die Brieftauben mit gutem Erfolg und mit nur geringem Verluste von der deutsch-böhmischen Grenze ihrem heimatlichen Schlage zufliegen. Was die Verluste betrifft, so sind dieselben bei einer solchen weiten Strecke unvermeidlich. Von grossen und kleinen Raubvögeln wird oft ein Schwarm Brieftauben stundenlang verfolgt. Schreiber dieses kehrte kürzlich eine Brieftaube heim, die ganz deutlich an ihrem zerzausten Gefieder und ihrem wunden Rücken Spuren von Krallen hatte und erkennen liess, dass sie das Opfer eines missglückten Ueberfalls wurde. — Unzählige Fälle kommen auch vor, wo ein Theil der Brieftauben verschlagen wird und selbst erst nach tage- und wochenlangem Herumirren ihre Heimat auffinden, ja es sind Fälle bekannt, wo Brieftauben nach jahrelanger Abwesenheit wieder ihren heimatlichen Schlag aufsuchen. — Nach dem stattgefundenen Brieftauben-Wettflug werden wir ein übersichtliches Resultat zusammenstellen können, und zwar: Wie lange zur Zurücklegung der Strecke Berlin—Wien der flinkeste Reiter, der schnellste Radfahrer, ein guter Fussgeher und die beste Brieftaube braucht. Dass von Allen die Brieftaube Siegerin bleiben wird, ist ausser allem Zweifel. Dem letzten Viertel unseres Jahrhunderts lässt sich ganz gut der Spruch anpassen:

Das Erdenrund im Flug umkreist:
Die Taube und der Menschengeist.

Emil Goldstein.

Aus den Vereinen.

I. österr. ung. Geflügelzuchtverein in Wien. Die Junggeflügelschau findet in den Tagen vom 24. September bis 1. October d. J. im Vereinshause im Prater statt. Prämiirt wird, wie bisher noch Junggeflügel-Collectionen und stehen 7 silberne und 7 bronzene Staatsmedaillen, sowie Vereinsmedaillen und Diplome zur Disposition der Preisrichter.

Erster steiermärkischer Geflügelzuchtverein in Graz. Die Generalversammlung des Ersten steiermärkischen Geflügelzuchtvereines in Graz hat den Herrn J. B. Brusskay, Landes-Rechnungsrath in Wien, in dankbarer Anerkennung seiner Bemühungen in Angelegenheiten des Ersten steiermärkischen Geflügelzuchtvereines und in Würdigung seiner hervorragenden Verdienste auf dem Gebiete der Geflügelzucht im Allgemeinen zum Ehrenmitgliede, sowie die Herrn Egydius Sinner in Hetzendorf bei Wien und Ferdinand Hausinger in Novimariof bei Warasdin in Croatien zu correspondirenden Mitgliedern des Ersten steiermärkischen Geflügelzuchtvereines ernannt.

Erste Wanderausstellung des „Ersten österreichisch-ungarischen Geflügelzuchtvereines in Wien" zu Krems, Niederösterreich, 12. bis 15. August 1893.

Das Programm dieser Ausstellung ist bereits ausgegeben und durch den »Ausstellungsausschuss« in Krems, Niederösterreich, Obere Landstrasse 3, erhältlich.

Das Stand- und Futtergeld beträgt:
per Stamm Grossgeflügel 50 kr.,
Junggeflügel bis zu 5 Stück 50 kr.,
per Paar Tauben 20 kr.

Literarische Producte, Präparate und Vogelschutzvorrichtungen per Quadratmeter Tisch- oder Wandfläche 1 fl.

Preise stehen der Jury reichlich zu Gebote.

3 silberne, 5 bronzene k. k. Staatsmedaillen,

3 silberne, 6 bronzene Medaillen des »Ersten österreichisch-ungarischen Geflügelzuchtvereines in Wien«.

1 silberne, 2 bronzene Medaillen der k. k. Landwirthschafts-Gesellschaft in Wien.

3 silberne, 3 bronzene Medaillen des Wiener Geflügelzuchtvereines in Rudolfsheim.

Ausserdem Ehrenpreise der Stadt Krems, des k. k. landwirthschaftlichen Bezirksvereines Krems, des Volksfestausschusses, des Geflügelhofes Slavenlitz, des Herrn Fricke-Magdeburg etc. etc.

Der Ausstellungsausschuss hat eine grosse Anzahl Geldpreise zu 20, 10 und 5 Kronen sowie silberne und bronzene Ausstellungsmedaillen anfertigen lassen.

Der Anmeldetermin endet am 29. Juli Abends.

I. kärntnerische Geflügel-Ausstellung in Klagenfurt vom 8. bis 10. September 1893. Zur Ausstellung werden zugelassen: Hühner, Tauben, Trut- und Perlhühner, Enten, Gänse, Ziergeflügel, Sing- und Ziervögel: ferner literarische, artistische und gewerbliche Gegenstände, welche auf Geflügel und Vogelzucht Bezug haben. Die Anmeldungen sind bis längstens 20. August l. J. an den I. kärntnerischen Geflügelzucht-Verein Klagenfurt zu richten und ist das Standgeld unbedingt beizufügen, da Anmeldungen ohne Standgeld zurückgewiesen werden müssten. Für angemeldete, nicht eingelangte Thiere wird das Standgeld nicht zurückerstattet. Das Comité behält sich das Recht bevor, Reductionen der Anmeldungen vorzunehmen. Stand- und Futtergeld für Hühner, Wasser- und Ziergeflügel per Stamm 1.1 beträgt fl. 1.—, jedes weitere Stück 50 kr. mehr; für Tauben per Paar 50 kr., für kleinere Vögel in Käfigen per $\frac{1}{4}$ Quadratmeter Grundfläche 25 kr., für leblose Gegenstände per Quadratmeter Raum fl. 1.—. Die Prämiirung findet durch bewährte Preisrichter am Eröffnungstage statt. Eine grosse Anzahl namhafter Preise (Ehrendiplome, Medaillen, Diplome, Geldpreise in der Höhe bis zu 20 Kronen Gold) stehen dem Geflügelzucht-Vereine zur Verfügung.

Kleine Mittheilungen.

Die schwarzschwänzige Uferschnepfe, *Limosa aegocephala,* **Brutvogel in Böhmen.** Am 1. l. M. wurde während einer Entenjagd am Teiche »Rosenberg« ein Exemplar der schwarzschwänzigen Uferschnepfe erlegt.

Dieser Vogel kommt zwar in hiesiger Gegend öfters vor, wurde jedoch bisher nur am Frühjahrszuge und nie während der Brutzeit beobachtet.

Diesmal umkreisten zwei Exemplare die suchenden Hunde und stiessen lebhaft auf dieselben — sie liessen nicht das mir wohlbekannte »todio« vernehmen, sondern ihr Geschrei ähnelte dem Angstruf des Kibitz, jedoch etwas höher im Ton und schriller. Aus dem ganzen Benehmen der Vögel konnte geschlossen werden, dass sie ihre Brut vertheidigen wollten.

Nachdem diese Schnepfe während der Brutzeit in Böhmen noch nicht beobachtet worden sein dürfte, theile ich meine Wahrnehmungen hiedurch den Lesern der »Schwalbe« mit.

Wittingau, 6. Juli 1893.

C. Heyrowsky.

Im Käfig brütende Rauchschwalben. Vor vier Jahren bei plötzlichem Eintreten von Kälte blieben zwei junge Schwalben zurück, die mir ein Freund, der meine Vorliebe für die Thiere kennt, in halb erstarrtem Zustande überbrachte.

Es gelang mir in kürzester Zeit, die Vögel an das künstliche Futter zu gewöhnen, und verbrachten dieselben diesen Zeitraum in einem circa 1 Meter langen Käfig. Vor ungefähr drei Wochen begannen die Schwalben sich mit dem im Käfig befindlichen Neste zu befassen und am 16. v. M. legten sie in Zwischenräumen von je einem Tag 5 Eier, welche sie eifrig bebrüteten und aus welchen heute zwei Junge austielen. Die Alten füttern dieselben mit frischen Ameisenpuppen und scheinen sich die Kleinen sehr wohl zu befinden.

Ich bin auch im Besitze eines lebenden Kukuks, welcher fleissig seinen Ruf erschallen lässt. Er rief bis zu 103mal, ohne zu pausiren.

Wien, 1. Juli 1893.

F. Schaller.

In Nr. 9 des V. Jahrganges der »Schwalbe«, 1881, berichtet Herr Secretär Kolazy ebenfalls über ein im Käfig bei Frau B. Panzner, Wien, mit vollem Erfolg brütendes Pärchen der Rauchschwalbe ♂ 6jährig, ♀ 3jährig.

Ph.

Literarisches.

Die Geflügelzucht. Von Dr. Přibyl in Wien. Verlag von Paul Parey, Berlin. Das Erscheinen dieses Buches in dritter Auflage werden mit uns viele Geflügelzüchter freudig begrüsst haben. Dasselbe ist ein ganz vorzügliches Handbuch über Geflügelzucht, das in keiner diesbezüglichen Bibliothek fehlen sollte. Der Herr Verfasser zeigt, dass er nicht nur auf dem Gebiete der Geflügelzucht in jeder Beziehung vollständig zu Hause ist, er hat auch den Stoff in formvollendeter Sprache bearbeitet, dass es für den Gebildeten eine Freude ist, die einzelnen Capitel aufmerksamer Durchsicht zu unterziehen. Dem Inhalte entsprechend hat auch der Verlag alle Sorgfalt angewandt, ein recht angenehmes harmonisches Ganze zu schaffen. Das Buch verdient mit Recht die wärmste Empfehlung besonders für mehr intelligente Züchter, für die es allem Anscheine nach geschrieben ist. Was den geringen ungebildeten Mann betrifft, so dürfte dessen Horizont wohl etwas beschränkt sein, den ganzen Inhalt zu beherrschen. Nach unserer unmassgeblichen Meinung dürfte der Herr Verfasser sich um die Geflügelzucht noch mehr verdient machen, wenn er bei einer weitern Auflage die Beschreibung der einzelnen Racen etwas vervollständigen und gute Abbildungen derselben anfügen wollte. Bei dieser sowie der weiter unten folgenden Ansichtäusserung wolle man gütigst berücksichtigen, dass der Stand der Sport- sowie der Nutzgeflügelzucht für die einzelnen Länder als sehr verschieden von uns angenommen wird. Wir denken an die deutsche Geflügelzucht, speciell in den Rheinlanden. Wenngleich wir dem Ganzen unsere ungetheilte Anerkennung zollen, so sind wir in einigen wenigen Punkten doch anderer Ansicht, und man wolle es uns nicht verargen, wenn wir dies in Folgendem begründen. Es heisst in dem Buche Seite 17. »Zur Brut hingegen sind dünnschalige Eier vorzuziehen . . . .« Wir sind gerade entgegengesetzter Ansicht und glauben das Fehlschlagen so vieler Bruten auf die geringe Widerstandsfähigkeit der Eischalen zurückführen zu müssen. Heute werden als Bruthennen, abgesehen von den Truthühnern, meist Cochin, Brahma, Langschan etc., überhaupt schwere Racen oder doch Kreuzungen derselben verwandt. Da werden dünnschalige Eier leicht zerbrochen und zerdrückt, der Einhalt ergiesst sich über die unbeschädigten Eier, verstopft die Poren und der Embryo stirbt ab. Das Abwischen kommt in der Regel zu spät. Wir geben den Bruteiern mit fester aber doch normaler Kalkschale den Vorzug. — Seite 27. Durch Bäder, Waschungen, Einreibungen mit Salben sucht man das Brutthier von den Parasiten zu befreien. — Das Einreiben mit Salben dürfte sich nur dann empfehlen, wenn das betreffende Thier nicht weiter brüten soll. Im anderen Fall ist in der Regel die ganze Brut verloren. Die Salbe wird unbedingt auf die Eier gebracht, die Poren der Schalen werden verschlossen und der Embryo erstickt. Erneuerung des Brutnestes und Einstreuen von gutem Insectenpulver zwischen die Feder der Brüterin würden wir vorziehen. — Die Anleitung zur Anlage von Wurmgruben hätten wir gerne vermisst, damit eben keine Versuchung zur Anlegung einer solchen entstehen möge; die Uebelstände, wie der Herr Verfasser selbst angibt, sind gar zu gross. Wir fügen den genannten noch bei die grosse Gefahr für die Menschen durch Uebertragen des Giftes seitens der Fliegen. — — Wenn der Herr Verfasser auf Seite 128 anführt, dass bei Hühnern die Leistungsfähigkeit sich auf 230 Eier vielleicht steigern liesse und bei Enten bereits 208 Stück pro Jahr erzielt seien, so wird man in Deutschland mit dem Dichter denken: »Die Kunde hört' ich wohl, doch mir fehlt der Glaube.« Diese Leistungsfähigkeit wird nach unserer Meinung das Gebiet der Wünsche schwerlich übersteigen. Nach unserer Ansicht darf bei Hühnern die Leistung von 150 Eiern eine gute, von 180 Eiern eine vorzügliche genannt werden, bei Enten 80, beziehungsweise 100 Stück; was darüber hinaus geht, gehört zu den Ausnahmen. Noch mehr dürfte es in unserm Deutschland zu den Ausnahmen gehören, dass ein Züchter feiner Racethiere durch Abgabe theurer Bruteier ein Geschäft macht. — Im Ganzen aber findet das Buch unsern vollsten Beifall.

Dackweiler.

Verlag des Vereines. — Für die Redaction verantwortlich: Gustav Röttig.
Buchdruckerei Helios, Wien, I. Schreyvogelgasse 3.

XVII. JAHRGANG. Nr. 8.

Blätter für Vogelkunde, Vogelschutz, Geflügelzucht und Brieftaubenwesen.
Organ des I. österr.-ung. Geflügelzuchtvereines in Wien und des I. Wiener Geflügelzuchtvereines „Rudolfsheim“
Redigirt von C. PALLISCH unter Mitwirkung von Hofrath Professor Dr. C. CLAUS.

16. August. 1893.

„DIE SCHWALBE“ erscheint Mitte eines jeden Monates und wird nur an Mitglieder abgegeben.
Einzelne Nummern 50 kr., resp. 1 Mark.
Inserate per 1 □Centimeter 4 kr., resp. 8 Pf.

Mittheilungen an den Verein sind an Herrn Präsidenten Adolf Bachofen von Echt sen., Wien, XIX Färbergasse 18, zu adressiren. Jahresbeiträge der Mitglieder (5 fl., respective 10 Mark) an Herrn Dr. Carl Zimmermann, Wien, I. Bauernmarkt 11, einzusenden.
Alle redactionellen Briefe, Sendungen etc. sind an Herrn Ingenieur C. Pallisch in Erlach bei Wr.-Neustadt zu richten.
Vereinsmitglieder beziehen das Blatt gratis

Inhalt:

Ornithologische Beobachtungen

aus dem Aussiger Jagd- und Vogelschutzvereine 1891. 9. Theil.

Von **Anton Hauptvogel.**

1. Cerchneis tinnunculus (Thurmfalke). Am 5. April 3 Paare am Marienberg, woselbst sie nisten. Ein Paar begattete sich.

2. Athene noctua (Steinkauz). Im Winter öfter in der Stadt gehört. Die Leute am Lande beklagen sich, er hole die jungen Tauben aus den Schlägen.

3. Nyctale Tengmalmi (Rauchfusskauz). In Mosern sah ich am 5. Juli ein Junges, welches vor einiger Zeit aus einem Neste genommen worden war.

4. Syrnium aluco (Waldkauz). Am 6. Mai in einem hohlen Wallnussbaume ein Nest mit Jungen in Pömmerle.

5. Strix flammea (Schleiereule). Am 1. Jänner wurde im Gasthause des Herrn Tschirnstein in Kleinpriesen Abends eine gefangen, welche in das Vorhaus geflogen war.

6. Bubo maximus (Uhu). In Thomasdorf bei Nixdorf steht auf einem Berge das Zollhaus für Sachsen und Oesterreich. Der sächsische Theil des Hauses hat einen russischen Rauchfang, der im österreichischen Theile ist ein Cylinder. Eines Tages war das ganze Haus voll Rauch. Der sächsische Beamte kam zum österreichischen Zollamtsleiter Herrn Rechtaczek und theilte ihm mit, dass er nicht einmal sein Frühstück kochen kann, der ganze Rauch komme herein. Gegen Mittag wurde wieder Feuer angemacht, derselbe Fall; man musste das Feuer ausgehen lassen. Es wurde, wo man konnte, im Rauchfange nachgesehen, um den Grund dessen zu entdecken, allein man fand nichts. Da es Nachmittags wieder so ging, schickte der österreichische Beamte um den Rauchfangkehrer nach Nixdorf.

Am andern Morgen, nachdem derselbe angekommen, wurde ihm Alles mitgetheilt. Er untersuchte den Rauchfang unten, fand nichts, endlich machte er oben das

Thürl, welches in den Rauchfang ging, auf und siehe! da sah er das Hinderniss. Er rief: Jetzt hab' ich's, gleich wird's herauskommen. Mit Spannung sah man der Procedur zu. Da — ein ungeheures Federvieh kam zum Vorscheine — ein Uhu. Derselbe war in der Nacht in den Rauchfang gerathen, erstickt und ein Stück heruntergerutscht. Derselbe wurde vom Oberlehrer Marschner in Nixdorf ausgestopft und der dortigen Schule geschenkt. Es war im April 1864 oder 1865.

Am Jungfernsteine zwischen Salesl und Wannow nistet der Uhu seit 1889 nicht mehr. Ueberhaupt wird er in der ganzen Gegend sehr selten.

7. Caprimulgus europaeus (Nachtschwalbe). Am 7. Mai bei Pömmerle im Dolletschken mehrere schon da.

8. Cypselus apus (Mauersegler). Am 26. April in Pömmerle 2 Stück. Den 30. April Früh 10 Uhr kamen 2 Stück in Aussig an (nebelig), am 1. Mai während des Tages einige 20 Stück. Am 16. Mai sah ich bei Reichen und Algersdorf 8 Stück. Am 1. Juli scheinen in Aussig schon Junge ausgeflogen zu sein, da sie an diesem Tage in grosser Zahl und unter viel Geschrei ihre Flugübungen machten. Am 16. Juli Vormittags 11 Uhr grosse Flüge über der Stadt, hoch in der Luft. Es waren jedenfalls Alte mit den Jungen, die sich zur Reise vorbereiteten. Uns verlassen sie gewöhnlich den 26. und 27. Juli. Am 12. August Vormittags nach 10 Uhr ging ich in Pömmerle auf den Damm der Staatsbahn und betrachte meine auf den Bäumen daselbst hängenden Staarkästen. Da auf einmal flog rasch in den Kasten Nr. 31 ein Vogel hinein. Ein Mauersegler? unmöglich, da doch alle schon fort sind. Rasch wurde eine Leiter geholt und nachgeschaut. Meine Ueberraschung war noch grösser. Im Kasten fand ich nicht nur den alten Mauersegler, sondern auch 2 flügge Junge, welche alle drei eng aneinandergedrückt mich verwundert ansahen. Den zweiten Alten sah ich nie, wahrscheinlich war er fortgezogen und die mütterliche Liebe sorgte für die Jungen ganz allein. Am 22. August Abends ¼8 Uhr sah ich in Pömmerle noch ein Stück bei Stadtschwalben, die sich dann sehr hoch in die Luft erhoben und gegen S. zogen. 7 Stück Stadtschwalben kehrten nach kurzer Zeit wieder zurück. Die Zahl war über 100 Stück.

9. Hirundo rustica (Rauchschwalbe). Am 4. April sollen einige, die ersten in Obersedlitz gesehen worden sein. An demselben Tage kamen 2 Stück in Pömmerle an, welche im Stalle des Hauses Nr. 10 ihr Nest haben. Am 9. April je ein Stück in Zibernik und Kulm. Den 10. April sah ich ein Stück am Marktplatz in Aussig herumfliegen. Den 11. April kamen 2 Stück in Pömmerle an, welche in Paul's Schupfen ihr Nest haben. Denselben Nachmittag sah ich auf der Biela 5 Stück, niedrig am Wasser fliegend und Insecten suchend, + 5° R. Am 11. April kam ein Paar Vormittags in Pömmerle an, welche in Paul's Scheuer nisteten; beide waren so ermattet, dass sie vom Strohbalken, auf den sie sich setzten, herunterfielen. Die eine wurde von der Katze erwischt, die andere aber gerettet. Am 14. April um ¼10 Uhr flogen über Aussig niedrig und schnell einige 30 Stück gegen W. weiter. Den 18. April kam 1 Paar mit 3 Stück, wahrscheinlich Junge vom vergangenen Jahre, in der Maschinenfabrik in Aussig an. Am 24. April sah man sie das erste Mal in Aussig in grösserer Anzahl herumfliegen, es war warm und schön. Den 25. April kamen sie in Mutzke an, und auch in der Schönpriesner Brauerei. Am 26. April die in der Malzfabrik in Aussig nistenden. Am 20. Juli sammelten sie sich in Pömmerle in grossen Mengen auf den Telegraphendrähten um 6 Uhr Abends. Den 24. Juli sah ich einen grossen Zug um 8 Uhr Früh zwischen Grosspriesen und Nestersitz, sollte es schon ein Abzug sein? Am 8. September sah ich auf der ganzen Strecke von Aussig an der Elbe bis Wolfsschlinge nicht eine Schwalbe mehr, erst in Kojeditz flogen 2 Stück herum und zurückgekehrt in Aussig auf der Biela 1 Stück. Den 15. September um ½2 Uhr (Regen) flogen einige 30 Stück bei der Stadtkirche herum, sie schienen weither gekommen zu sein und ruhten hier aus. Den 17. September sah ich die letzte bei der Stadtkirche in Aussig. In diesem Jahre waren wenig und ein grosser Theil scheint schon vor Mitte August fortgezogen zu sein.

10. Hirundo urbica. Am 26. Abends einige in Pömmerle angekommen, am 27. Früh eine grössere Zahl, welche aber wieder weiter zogen. Am 2. Mai Früh kamen in Pömmerle an 30 Paare an. Am 28. Juli bei Tage sammelten sie sich in Aussig auf der Klosterkirche. Am 7. August sammelten sich an 200 Stück auf den Telegraphendrähten in Pömmerle und flogen dann hoch in die Luft. Desgleichen eine grosse Sammlung auf den Pappeln in Pömmerle am 12. August Abends. Am 10. September Nachmittag 3 Uhr ruhten auf der Klosterkirche in Aussig an 300 Stück aus. Es war sehr schön und SW.-Wind. Am 11. Semptember, sehr schön, an 200 Stück auf der Klosterkirche und eine Feuerschwalbe am Zuge, sie flogen nach Insecten herum und dann zogen sie wieder weiter gegen W. — Den 20. September kam ein grosser Zug in Aussig an; derselbe hielt sich bloss auf der Westseite des Marienberges auf, am sogenannten Schwalbenstein. Von hier aus flogen sie nach Nahrung aus, und zwar entweder in die Luft, oder niedrig am Berge, um die daselbst wachsenden Sträucher, Bäume und Gräser. Sie hielten bloss einen bestimmten Theil inne. Auch krochen sie in die an den Felsen haftenden Schwalbennester hinein und heraus. Es war Nachmittag gegen 2 Uhr und ihre Zahl betrug an 600 Stück. An demselben Tage gegen 3 Uhr sah ich bei dem Neubau der Nestomitzer Zuckerfabrik an 150 Stück, welche um das schon fertige Dach herumflogen und dann gegen W. weiter zogen. Es war dies an diesem Tage der zweite Zug. Der Tag war hell und schön. — Am 9. October sah ich die letzte. Es war Abends um 5 Uhr; diese flog in Aussig an den Häusern herum.

11. Hirundo riparia. Am 28. April Früh in Aussig angekommen. Am 3. Mai 3 Stück auf der Elbe bei Grosspriesen.

12. Cuculus canonus. Am 27. April bei der Wolfschlinge den Ersten gehört. Am 28. April angekommen in Mutzke und in der Pradel bei Pömmerle. Am 29. April am Reichberg (Skřitin). Am 1. Mai bei Kleinpriesen und am Marienberg (Aussig) Früh ¾6 Uhr, woselbst ich ihn 14mal rufen hörte.

13. Oriolus galbula. Am 25. April 2 Stück in der Winterleiten bei Doppitz, und 2 Stück am Hauberg bei Postitz. Den 5. Mai wurde sie auf der Insel in Aussig das erste Mal gehört. Am 18. Mai in Grosspriesen und am 20. Mai auf der Ferdinandshöhe.

14. Sturnus vulgaris. Die ersten 30 Stück wurden schon am 7. Februar in Kleischa gesehen, welche sich auf einer Linde aufhielten und fröhlich sangen. Am 17. Februar 1 Stück beim Staarkasten des Herrn Hajek in Aussig, den 18. Februar 2 Stück in Pömmerle. Den

23. Februar 1 Stück in Kleinpriesen und einige im Schulgarten in Karbitz. Am 25. Februar trafen sie in mehreren Orten ein, und zwar in Kleintschochau, in Kleinpriesen 6 Stück, in Pömmerle bei meinen Staarkästen 6 Stück und in Mutzke. Am 27. Februar kam der Hauptzug in Mutzke an und die beim Herrn Frieser in Aussig im Garten Nistenden. Am 28. Februar in Aussig die beim Lehrer Jentsch. Am 1. März die im Garten der Schönpriesner Brauerei und der Malzfabrik in Aussig. Am 15. Mai hatte ich in den Kästen in Pömmerle schon Junge. Am 23. Mai sah ich sehr viele auf den Feldern bei Aussig. Am 7. Juni waren noch Junge der ersten Brut in meinen Nistkästchen. Am 25. Juli sah ich bei Weisskirchen in der Nähe von Melnik in der Ebene eine Schaar von 100 Stück, weiterhin auf den Feldern mehrere Schaaren, welche dort entweder zur Mauserzeit nicht fortziehen oder anderwärts hingezogen waren. Ebenfalls sah ich am 2. August auf den Wiesen bei Rosawitz einige 20 Stück, welche sich bei einer Rinderheerde aufhielten. Am 20. August hinter Dux auf den nassen Wiesen mehrere Schaaren von einigen 100 Stück. Es ist dies die Gegend, wo ich denke, dass alle Staare aus unserer Gegend Mitte Juli dorthin ziehen, um ihre Mauserzeit zu vollbringen. Am 4. September kamen sie in Pömmerle und anderen Orten von ihrer Mauserzeit wieder an. Den 21. October sah ich die letzten 3 Stück in Aussig.

15. Lycos monedula. Am 26. Jänner 7 Stück in Aussig, welche sich auf den Dächern aufhielten. Am 5. April 20 Paare am Marienberg. Am 14. April $^3/_4$7 Uhr Abends zogen über Aussig niedrig an 70 Stück gegen W. Sehr schön + 4° R. Am 18. Mai Nachmittag 1 Stück über Pömmerle von W. gegen O. Am 23. December um $^1/_4$1 Uhr 1 Stück über Aussig von O. gegen W. (trüb).

16. Corvus corone. Am 5. März um 3 Uhr Nachmittag über Aussig schnell und niedrig ein Zug in kleinen Theilen von 200 Stück zog gegen NO. Windig und regnerisch.

17. Corvus cornix. Im Maistersdorfer Reviere bei Algersdorf wurden am 16. Mai aus einem Neste 5 Junge mit schon grossen Kielen ausgenommen.

18. Gecinus canus. Am 13. März 1 Stück bei Wesseln.

(Fortsetzung folgt.)

Biologische Gruppirung der Ornis der Schweiz.

Von H. Fischer Sigwart in Zofingen.

Einleitung.

Trotzdem unsere Schweiz nur ein kleines Land ist, so bietet sie durch ihre Lage und ihre Höhenverhältnisse in klimatologischer Beziehung auf ihrer Oberfläche so grosse Verschiedenheiten, dass es schwierig erscheint, ihre Vogelwelt in biologische Gruppen zu zerlegen, die sich auf die Lebensweise der Vögel basiren, da diese ja mit den klimatischen Verhältnissen in innigstem Zusammenhange steht. Dennoch soll in dieser Arbeit der Versuch einer solchen Gruppirung gemacht werden, um so ein allgemeines Bild des Lebens unserer Vögel, zugleich auch einen besseren Ueberblick über die ganze ornithologische Fauna zu gewinnen.

Die Gruppen, in welche die bis jetzt in der Schweiz beobachteten Vögel eingetheilt werden können, sind folgende:

1. Nordische Zugvögel und nordische Wintergäste, die im Norden brüten und bei uns den Winter zubringen:

a) Nordische Zugvögel, die in der Schweiz ausnahmsweise brüten, selten und nur in einigen Individuen.

b) Nordische Zugvögel, welche die Gewohnheit angenommen, in der Schweiz regelmässig, oder ziemlich regelmässig, in beträchtlicher Individuenzahl der Art, zu brüten.

2. Nistvögel oder südliche Zugvögel, die im Sommer bei uns brüten, im Winter aber nach dem Süden ziehen.

3. Stand- und Strichvögel, welche unser Land nicht verlassen.

4. Irrlinge und aussergewöhnliche Erscheinungen, welche unser Land nur in unregelmässigen Zwischenräumen und zu unbestimmter Jahreszeit besuchen.

Trotzdem diese Gruppen nicht genau abgegrenzt werden können, indem von einer zur anderen Uebergänge stattfinden, wobei die Vertheilung der Arten und die klimatischen Verhältnisse ihrer Aufenthaltsorte mitwirken, so dass eine Art oft als mehreren Gruppen zugleich angehörig betrachtet werden muss, so sind doch hier über die zugehörigen Arten abgeschlossene Verzeichnisse angelegt worden, in denen aber bei den kritischen ihr biologischer Charakter durch Anmerkungen und Notizen erläutert ist. Auch sind diese dann in den anderen Gruppen, zu denen sie, vielleicht in der Minderheit der Individuen oder an anderen Stellen unseres Landes, gehören, ebenfalls erwähnt. Eine Vogelart kann z. B. leicht im Süden Standvogel sein, währenddem sie in dem nördlichen Theile der Schweiz nur Nistvogel ist, oder sie kann im Süden Nistvogel sein, währenddem sie in anderen Gegenden Zugvogel ist. In den nachfolgenden Listen ist die Art stets in erster Linie der Gruppe zugetheilt, zu der sie in der Schweiz in der Mehrzahl der Individuen gehört. Der Süden der Schweiz hat eine kleine Anzahl eigener Standvögel, die als solche aufgeführt werden. Zu diesen Letzteren werden auch die verhältnissmässig wenigen echten Alpenvögel gerechnet. Die grösste Zahl unserer Vogelarten bewohnt die Mittelschweiz, das schweizerische Plateau, zu dem auch noch der Genfersee zu rechnen ist, gegen den hin sich dasselbe verengert, und die Nordschweiz. Die Arten, welche namentlich hier sich finden, wenn sie auch zugleich andere Gegenden der Schweiz bewohnen, sind nach ihrem Verhalten in diesem Theile beurtheilt.

Bei der Schwierigkeit der Einreihung der Vogelarten in die verschiedenen Gruppen ist es in erster Linie nöthig, die Ausdrücke, die gebraucht werden, und die Benennungen dieser Gruppen zu präcisiren.

Unter nordischen Zugvögeln sind diejenigen Arten verstanden, die für gewöhnlich ihren Sommeraufenthalt im Norden haben und dort brüten, dann aber im Herbst südwärts ziehen, um ihren Winteraufenthalt in einer südlicher gelegenen Gegend zu nehmen. Diejenigen, die hiebei in die Schweiz gerathen und hier den Winter zubringen, bilden unsere Wintergäste. Es gibt aber auch solche, die in gewöhnlichen Wintern ihren Winteraufenthalt nicht so weit südlich verlegen, nicht bis zu uns kommen, sondern ihr Ziel noch nördlich von der Schweiz finden. Von diesen können durch ausserordentlich kalte und ungünstige Winter, vielleicht auch etwa einmal durch Stürme oder andere Ursachen, einzelne Individuen oder auch Truppen weiter nach Süden getrieben werden und zu uns gelangen. Noch andere reisen weiter südlich, als die Schweiz liegt, halten sich hiebei auf ihrem Hin- oder Rückzuge oder während beiden temporär in einzelnen Gegenden der Schweiz auf, und wieder andere fliegen in einem Zuge über das ganze Land weg. Diese sehen oder hören wir nur fliegend, mit seltenen Ausnahmen, wo sich etwa ein Exemplar oder auch ein Schwarm, durch ungünstigen Wind oder Sturm bewogen, zur Erde niederlässt.

Noch andere Arten haben sich im Laufe der Zeit mehr oder weniger an unser Klima angepasst und nisten nun auch bei uns, gehen also nicht mehr nach Norden. Wenn dies alle Individuen der betreffenden Art thun würden, so wäre diese zum Standvogel geworden. Allein von vielen Arten haben nur einige Individuen, von anderen ein mehr oder weniger grosser Theil der Individuen diese Gewohnheit angenommen, und der grössere Theil geht im Frühling wieder nach dem Norden, oder auch, es bleiben die meisten Individuen der Art im Sommer hier, und nur einzelne haben noch die Gewohnheit des von der Schweiz aus Nordwärtsziehens im Frühlinge beibehalten. Alle diese bilden den Uebergang zu der Gruppe der Standvögel, von denen gewiss ein Theil aus nordischen Zugvögeln nach und nach entstanden ist. Auch bilden diese Uebergangsarten die oben im Schema enthaltenen beiden Unterabtheilungen der nordischen Zugvögel.

Unter südlichen Zugvögeln oder Nistvögeln sind diejenigen Arten verstanden, die im Sommer hier bei uns leben, brüten, aber beim Herannahen des Winters unser Land verlassen und ihren Winteraufenthalt in südlicheren Gegenden nehmen. Auch bei ihnen kommen Ausnahmen vor, indem von einigen Arten einige Individuen oder auch grössere Truppen bei uns bleiben und den Kampf mit dem harten Winter aufnehmen. So lange noch ein nennenswerther Theil der Artgenossen nach dem Süden reist, so ist die betreffende Art der Gruppe der Nistvögel zugerechnet, wird aber auch bei den Standvögeln aufgeführt, wozu sie den Uebergang bilden. Bei der Gruppe der Standvögel wird bei diesen Arten darauf hingewiesen, dass sie bei den Nistvögeln aufgeführt sind und eigentlich dorthin gerechnet werden.

Unter Zugvögeln im Allgemeinen können sowohl nördliche als auch südliche gemeint sein. Nur ausnahmsweise wird die nähere Bezeichnung weggelassen, wenn z. B. von beiden Gruppen zugleich gesprochen wird.

Standvögel sind solche Arten, welche Sommer und Winter über in der gleichen Gegend leben, und Strichvögel solche, die sich nie sehr weit von der Gegend entfernen, in der sie gebrütet haben, die also etwa bei Nahrungsmangel oder ungünstiger Witterung grösser oder kleinere unregelmässige Reisen unternehmen, welche sich jedenfalls in unserem Falle nicht, oder nicht weit über die Grenzen der Schweiz hinaus ausdehnen. Diese Reisen heissen »Das Streichen«. Sie haben keine bestimmte Richtung, wenn auch grosse Schwärme daran theilnehmen. Ein Zug dagegen ist nur eine Reise einer grösseren Anzahl Vögel zu nennen, die eine ganz bestimmte Richtung und ein bestimmtes Ziel hat, auch zu einer bestimmten Jahreszeit ausgeführt wird und nach einer ebenfalls ganz bestimmten Zeitperiode wieder den gleichen Weg und auf die gleiche Weise zurückgeht.

Echte Züge finden nur im Frühling nordwärts und im Herbste südwärts statt, und werden von den nordischen und den südlichen Zugvögeln ausgeführt. Es ist dabei nicht gesagt, dass die Flugdirection stets stricte nach Norden oder nach Süden gerichtet sei. Diese kann durch Gebirge abgelenkt werden und durch Thäler und Flüsse eine etwas andere Richtung bekommen; aber das Endziel ist stets im Norden, respective im Süden. Alles Andere gehört dem Streichen an und wird von den Strichvögeln ausgeführt, oder aber es sind Irrzüge von fremden Vögeln, die durch irgend einen Zufall oder ein Ereigniss verirrt, und in die Schweiz gerathen sind. Die Arten, die in solchen Zügen erscheinen, gehören zu den Ausnahmeerscheinungen, Irrlingen oder Irrgästen. Noch häufiger als Züge kommen einzelne Individuen als verschlagene Irrlinge zu uns. An diese reihen sich eine Anzahl aussergewöhnlicher Zugvögel an, die aus dem Süden zur Seltenheit zu uns kommen und noch seltener bei uns brüten. Auch aus dem Osten kommen einzelne Arten nicht regelmässig, aber doch in unbestimmten Intervallen. Alle diese sind in der Gruppe der Ausnahmeerscheinungen, Irrlinge und aussergewöhnlichen Zugvögel eingereiht.

Zwischen allen diesen biologischen Abtheilungen unserer Fauna gibt es aber Uebergänge, so dass man bei einer Art etwa im Zweifel sein kann, wohin sie in der Mehrzahl ihrer Vertreter gehört. Es soll deshalb durchaus nicht gesagt sein, dass die hiernach folgende Einreihung der Arten in die Gruppen ausnahmlos richtig sei. In der Hauptsache wird wohl Niemand etwas gegen die Gruppirung einwenden können. Wenn auch im Detail etwa noch ein Fehler oder Zweifel bestehen sollte, So kann dies daher kommen, dass nicht bei allen Arten aus eigener Beobachtung Schlüsse gezogen werden konnten, sondern dass bei vielen eingehende Studien der Beurtheilung vorangingen.

Nach dem letzten von Prof. Dr. Th. Studer und Dr. V. Fatio herausgegebenen Kataloge der schweizerischen Vögel (3. Auflage, 1892) sind in der Schweiz 356 Arten von Vögeln beobachtet worden, wovon 35 Arten selten oder sehr selten vorkommen, 41 Arten zu den Ausnahmeerscheinungen gehören, und 17 Arten zweifelhaft sind, oder auf einem einzigen Citate beruhen. Seit der Herausgabe des Kataloges hat sich die Zahl aber schon wieder um eine Art vermehrt, indem auf dem Rhein bei Basel zwei Schwäne geschossen wurden, von denen Herr G. Schneider in Basel in einem Briefe schreibt, dass es Cygnus olor sei, der bis jetzt wild bei uns noch nicht beobachtet wurde. Auch bei Strassburg wurden aus einem Schwarme dieser Art einige erlegt und aus andern Gegenden kamen ähnliche Nachrichten, welche als unzweifelhaft erscheinen lassen, dass es wirklich der wilde Cygnus olor war, womit die Gruppe der nordischen Zugvögel um eine Art vermehrt wird.

Nach Abzug der 17 zweifelhaften Arten bleiben also 340 als sicher beobachtete, von welchen 130 Arten nie in der Schweiz nisten, und 23 Arten nur unsicher als nistend beobachtet worden sind. Es bleiben also als sicher nistende Arten noch 187. Diese bestehen aus den Standvögeln, aus den Nistvögeln und denjenigen nordischen Zugvögeln, die sich mit der Zeit unserem Klima angepasst haben und bei uns nisten, wie Anas boschas, Podiceps cristatus, Xema ridibundum und Andere. Von diesen 187 nistenden Arten sind 67 eigentliche Standvögel, 97 echte Nistvögel und 23 nordische Zugvögel.

(Fortsetzung folgt.)

Zur Ornis der Kurischen Nehrung.

Von Pastor Friedr. Lindner und Dr. Curt Floericke.

(Fortsetzung.)

45. *Anthus pratensis* (*L.*). Wiesenpieper. Der Zug dieses Vogels pflegt erst im October zu beginnen. 1888 war er am 3., 9. und 12. dieses Monats bei Rossitten sehr zahlreich. (L.)

46. *Anthus cervinus* (*Pall.*). Gelegentlich einer zu culinarischen Zwecken angestellten grossen Strandläuferjagd, die wir am 8. September bei Ostwind und kühlem Wetter in der Nähe von Pillkoppen abhielten, schoss Herr Krüger einen vor ihm aufgehenden Pieper, in dem ich zu meiner grossen Freude ein junges Exemplar von *cervinus* erkannte. Am 20. September erbeutete ich selbst ein zweites Exemplar und am 21. holte ich ein drittes vom Telegraphendraht herunter gelegentlich einer Fahrt nach Nidden. Der rothkehlige Pieper scheint demnach dieses Jahr in ziemlicher Anzahl durchgezogen zu sein, und ich möchte beinahe vermuthen, dass dies öfters der Fall ist. Bisher war der Vogel in Ostpreussen noch nicht nachgewiesen. (F.)

47. *Anthus trivialis* (*L.*). Den Baumpieper habe ich Ende September mehrmals beobachtet und auch einmal erlegt. (F.) Bei Grenz zur Brutzeit. (L.)

48. *Anthus campestris* (L.). Der Brachpieper kommt auch zur Brutzeit vor und wurde 1891 und 1892 im Mai und Juni bei Rossitten gesehen. Sein Durchzug vollzieht sich schon Ende August und Anfang September in zahlreichen kleinen Gesellschaften von 5—20 Stück. Nachzügler trifft man auch noch Ende September. Mehrere Belegexemplare wurden geschossen. Auch bei Sarkau im August beobachtet. (L.)

49. *Anthus obscurus* (*Lath.*). Strandpieper. Am 8. October 1888 schoss ich bei Ostwind und klarem Wetter an einem Wassergraben zwischen dem Bruch und Rossitten ein Exemplar. Die Richtigkeit der Bestimmung wurde von Herrn Prof. Rudolf Blasius bestätigt. Den Balg zerrissen leider Katzen und ich besitze nur noch Füsse und Flügel als Beleg. Auch hier handelt es sich wieder um ein Unicum der Provinz Preussen. (L.) Wie man sieht, bietet der Pieperzug auf der Nehrung ein hervorragendes Interesse. Ich musste leider zu früh fort, da die besten Sachen erst im October kommen. Hoffentlich ist es mir aber im nächsten Jahre vergönnt, das hier Versäumte nachzuholen. Ich zweifle kaum daran, dass sich auch *A. aquaticus* und *A. Richardi* noch werden nachweisen lassen. (F.)

50. *Emberiza schoeniclus* (*L.*). Der Rohrammer brütet am Bruch und anderen geeigneten Punkten auf der Nehrung. Am 28. Mai 1889 befanden sich in einem Neste an der Lunk vier etwa fünf Tage alte Junge. (L.) Der Hauptzug geht Anfang October von statten.

51. *Emberiza hortulana* (*L.*). Gartenammer. Am 19. Mai 1889 ein ♂ bei Grenz. (L.)

52. *Emberiza citrinella* (*L.*). Am 24. August 1888 fütterte der Goldammer bei Sarkau noch Junge. (L.) Ende September streicht er in Menge über die Nehrung.

53. *Emberiza calandra* (*L.*). Am 11. October 1888 bei Rossitten ein Exemplar der nicht seltenen Grauammer erlegt. (L.)

54. *Calcarius nivalis* (*L.*). Der Schneeammer zählt zu den regelmässigsten und am frühesten eintreffenden Wintergästen. Herr Krüger sah schon am 25. October d. J. zwei Stück zwischen Rossitten und Sarkau, welche ganz vertraut neben seinem Wagen einherliefen. Es fiel nur auf, dass die Schneeammern, von denen ich im Jänner 1893 drei Stück erbeutete, in Rossitten sich immer nur einzeln zeigten, während ich sie bei Breslau stets in grossen Schwärmen beobachtete. (F.)

55. *Pyrrhula rubicilla* (*Pall.*). Im Winter 1888 bis 1889 fing ich ein ♂ in einem Fliederbusch des Förstereigartens in Grenz. In und bei Rossitten werden häufig im Winter Gimpel und Dohnen gefangen. (L.)

56. *Pinicola erythrinus* (Pall.). Der Karmingimpel ist durch die Berichte Hartert's als Brutvogel im nördlichsten Theile von Ostpreussen bekannt geworden, und war demnach auch sein Vorkommen auf der Nehrung zu erwarten. Das erste ♂ hörte L. am 22. Mai 1889 am Bruchberge und schoss es hier schliesslich von einer Erle herunter. Am 24. wurden fünf ♂♂ und ein ♀ beobachtet. Auch in den folgenden Sommern gehörten die Karmingimpel zu den regelmässigen Brutvögeln Rossittens. Einmal wurde auch ein Exemplar in einer 10 Fuss hohen Kieferschonung geschossen. Ein am 21. Juni eifrig singender Karmingimpel wurde erlegt und entpuppte sich als ein einjähriges ♂ ohne jede Spur von Roth. Am nächsten Tage fing ich ein ♂ in dem mit Taraxacum-Samen beköderten Schlagnetz, es wurde aber wieder frei gelassen, da es einen deutlichen Brutfleck zeigte. Das grasmückenartige Nest entspricht durchaus Hartert's Beschreibung und steht 3—5 Fuss hoch im dichten Gebüsch; es enthielt am 21. Juni 1892 ein Ei, welches leider, als »Muster ohne Werth« versandt, verloren ging. Der Wegzug scheint in den letzten Tagen des August zu erfolgen; 1890 wurde der letzte am 25. dieses Monats gesehen. Junge ♂♂ kürzen den bekannten Pfiff »Dlie, dlie, diwidhu« in »Dlie, dlieju« ab. Auch lässt der Vogel während der Paarungszeit noch leise grünlingsartige Töne hören. (L.) Ueber die Stimme des Vogels habe ich mich schon anderwärts genügend ausgesprochen. (Ornith. Monatsschr. XVII. Bd. p. 117—119 u. Ornith. Jahrbuch, IV. Bd. p. 4—114). Ein von Herrn Krüger acquirirtes lebendes und jetzt meine Vogelstube in Marburg zierendes Pärchen hat meine Ansicht nur noch mehr gefestigt. Wie man schon aus dem Abzugstermin ersieht, kam ich für die Karmingimpel bereits etwas zu spät. So erhielt ich nur noch am 25. August ein altes invalides ♂, welches ein Bein verloren hatte. Der Vogel lebt vor seinem Abzuge sehr versteckt, fast nach Art der Rohrsänger, kommt nur auf kurze Augenblicke im Gewirr der Sträucher zum Vorschein, und die Beobachtung dieses sich durch seinen weichen aber lauten, halb grünlings-, halb laubsängerartigen Lockton dem Ohr des Kundigen auf weithin verrathenden Gimpels ist deshalb eine höchst schwierige. Mir passirte es z. B. aus diesen Gründen einmal versehentlich, dass ich einen harmlosen Goldammer als Karmingimpel im Dickicht schoss. Auch ich fand im Epha'schen Garten mit Hilfe des Herrn Krüger noch ein diesjähriges Nest, welches demjenigen einer *Sylvia rufa* zum Verwechseln ähnlich sah. (F.) Ganz anders beträgt sich der Vogel zur Brutzeit, wie man aus den folgenden, völlig abweichenden Bemerkungen L.'s sehen kann: Der Vogel ist gar nicht scheu und lässt sich von allen heimischen Finkenvögeln mit am besten beobachten. Selbst ein fehlgegangener Schuss treibt ihn nicht weit weg. Ich habe allerdings die ♀♀ scheuer gefunden als die ♂♂, die ihren Gesang oft längere Zeit hindurch auf der Spitze

einer Baumkrone erschallen lassen und während des Singens den Beobachter nahe ankommen lassen. Einmal liessen sich ein ♂ und ein ♀, die in einem Weidenbaum im Dorfe (am Krauseschen Garten) sich an den Samen gütlich thaten, in ihrer Fressarbeit durch meine Beobachtung aus nächster Nähe gar nicht stören. Ich bekam es nicht über das Herz, das Paar herunterzuschiessen, wie ich denn überhaupt in fünf Jahren im Ganzen nur fünf ♂♂, — die entschieden vor den ♀♀ in der Ueberzahl sind, — aber kein einziges ♀ erlegt habe. (L.)

57. *Pinicola enucleator* (*L.*). Ich sah einen Hakengimpel im Käfig, der im Winter 1888—89 im Ephaschen Garten gefangen worden war. Jetzt ziert der Balg desselben meine Sammlung. (L.) Dieses Jahr scheint Nachrichten aus Königsberg zufolge eine ganz besonders starke und frühzeitige Einwanderung von Hakengimpeln stattzufinden. Frl. Epha fing mehrere in ihrem Garten. (F.)

58. *Carduelis elegans* (*Steph.*). Der Durchzug der Stieglitze beginnt Mitte September und ist in manchen Jahren sehr stark.

59. *Chrysomitris spinus* (*L.*). Zeisig. Zur Brutzeit bei Grenz, auch später an mehreren Stellen beobachtet. (L.)

60. *Acanthis cannabina* (*L.*). Bei Grenz brütet der Hänfling ziemlich häufig in ca. 15 Fuss hohen Fichtendickichten. (L.)

61. *Acanthis linaria* (*L.*). Der Leinfink, den ich bei Königsberg öfter gesehen und auch gefangen habe, zieht unzweifelhaft auch über die Nehrung. (L.) Ueber den Berghänfling liegen uns bisher noch keine Nachrichten vor.

62. *Chloris hortensis* (*Brehm*). Grünfinken sah ich im August und September mehrmals auf den Bäumen der Dorfgärten sitzen. (L.)

63. *Fringilla coelebs* (*L.*). Ein am 25. Juni 1891 im Rossittener Walde aufgefundenes Buchfinkennest war ganz aus Renthiermoos erbaut und inwendig mit Elchhaaren ausgefüttert. (L.) Auf dem Zuge stellen sich die Buchfinken Ende September zu Tausenden ein; oft wandern sie mit den Piepern gemeinschaftlich. Am 9. October 1888 zogen viele Finken und Pieper bei starkem Nordwind und kühlem, regnerischem Wetter nach Nordost zurück. (L.)

64. *Fringilla montifringilla* (*L.*). Bergfink. Am 24. April 1889 bei Grenz beobachtet. (L.)

65. *Passer Montanus* (*L.*). Feldsperling, gemein.

66. *Passer domesticus* (*L.*). Haussperling, gemein.

67. *Loxia curvirostra* (*L.*) Kieferkreuzschnabel und

68. *Loxia pityopsittacus* (*Bchst.*). Fichtenkreuzschnabel, erhielt ich durch einen Schuss zwischen Grenz und Sarkau. (L.).

69. *Sturnus vulgaris* (*L.*) Während des Herbstes pflegen wahre Wolken von Staren am Bruch einzufallen und dort zu übernachten. Auf allen Viehweiden, an den Dörfern, im Walde, auf der Pallwe und auf dem Telegraphendraht trifft man sie zahlreich an. Ueber die systematische Stellung der dortigen Stare später an anderer Stelle Ausführliches. (F.) Einmal sah ich bei Rossitten unter einem Schwarm Stare auch ein auffallend hellgrau gefärbtes Exemplar; leider konnte ich dasselbe nicht erlegen. Ich vermuthe in ihm einen jungen Pastor roseus, der in demselben Jahre sehr zahlreich in Südosteuropa beobachtet wurde. Böse Buben fangen die Stare zum Verspeisen in Pferdehaarschlingen in den Büschen am Bruch und Haff, wo sie sich Abends massenhaft niederlassen, sowie auf den die Viehweiden umfriedenden Pfählen und Latten. Viele Stare quälen sich dabei elendiglich zu Tode. (L.)

(Fortsetzung folgt.)

Beiträge zur Ornithologie Böhmens.*)

Von J. Prok. Pražák (Prag).

I.

(Fortsetzung und Schluss aus Nr. 5.)

30. *Pinicola enucleator* (*L.*) wurde schon einige Male in Böhmen erlegt, und zwar 1876 bei Pisek (Mathyásko), 1880 ein Paar im Reviere Neu-Wiese bei Voigtsbach (in Nordböhmen);[1]) im Jahre 1889 wurde der Hakengimpel in Nordböhmen beobachtet von Michel[2]) und 1891 in Rovinka bei Königinhof erlegt.

31. *Serinus hortulanus* (*Koch.*). Dieser Vogel, welcher früher in Böhmen nur selten war, ist jetzt im ganzen Lande verbreitet und besonders in östlicheren Theilen sehr häufig; bei Königgrätz und Jaroměř fand ich den Girlitz in grosser Anzahl. Auch in der Umgebung von Pardubic, wo er noch im Jahre 1876 selten war, ist er jetzt häufiger Brutvogel.[3]) Herr Knězourek, der mit seltener Genauigkeit die Vogelwelt seines Gebietes schon jahrelang beobachtet, fand ihn sehr häufig im Čáslauer Kreise[4]) und beobachtete in den meisten Ortschaften bis sechs nistende Paare (in litt.). Zahlreich ist er nach meinen Beobachtungen bis am Fusse und nicht selten auch im Riesengebirge selbst; auch bei Aussig beobachtete Herr Hauptvogel, dass seine Anzahl wie längs der Elbe, so im Gebirge sich stark vermehrt.[5]) Auch bei Lomnic in Südböhmen — nach Špatný[6]) — und bei Klattau — nach Heyda von Lovčic[7]) — vermehrt sich der Girlitz von Jahr zu Jahr; im Piseker Kreise nimmt ebenso seine Verbreitung nach verlässlichen Angaben der Forstmänner und siebenjährigen Beobachtungen des Herrn Vařečka zu.[8])

32. *Carduelis elegans albigularis* (*Mad.*). Den Vogelliebhabern ist diese weisskehlige Varietät schon lange bekannt und gilt für sehr guten Sänger. Ich habe ihn am Prager Vogelmarkte schon dreimal gefunden und im September 1892 auch 4 Exemplare aus der Umgebung von Hořic bekommen.

33. *Chrysomitris citrinella* (*L.*), Citronenzeisig, wurde in 80 Jahren in Böhmen gefunden und im Jahre 1889 wieder, wahrscheinlich in der Umgebung von Prag, und in die Naturalienhandlung des Herrn W. Fritsch gebracht.[9])

---

*) Durch ein Versehen der Buchdruckerei Bondi blieb der Schluss des I. Theiles der »Beiträge zur Ornithologie Böhmens« zurück; derselbe hätte in Nr. 6 gebracht werden sollen, wir bringen denselben in der heutigen Nummer.

[1]) Thomas »Ornis«, IV. 235.

[2]) »Nordböhm. Vogel- und Geflügel-Zeitung«, II. 119 120.

[3]) Bělohlávek, l. c. p. 29.

[4]) »Vesmír«, XVII. 80—81.

[5]) »Orn. Jahrb.«, III. 255.

[6]) »Ornis«, VI. 100.

[7]) Ibid.

[8]) »Mitth. d. orn. Ver.«, XVI. 185.

[9]) »Vesmír«, XIX. p. 47.

34. *Acanthis linaria holboelli* (*Brehm*), der grosse Birkenzeisig, wurde für Böhmen entdeckt von Herrn Michel, welcher sie im Jahre 1885 im Isergebirge gefunden hat.[10]) Heuer wurden mir 2 Exemplare von Dobrovic bei Jungbunzlau und von Roth-Kostelec (in Nordostböhmen) eingeschickt.

35. *Acanthis linaria rufescens* (*Vieill.*), südlicher Leinfink, erscheint manchmal häufiger als die Stammform auf dem Zuge vom Norden (im November) und bleibt oft bis März, ja bis April, wie z. B. bei Pisek von Herrn Vařečka[11]) und bei Jaromeř beobachtet wurde.

36. *Fringilla nivalis* (*L.*). Das einzige, sicher aus Böhmen stammende Exemplar, welches im Jahre 1858 auf Leimruthen gefangen wurde, befindet sich im Fürstenberg'schen Museum in Nischburg.[12]) Alle anderen Angaben über Vorkommen der Schneefinken sind sehr unverlässlich oder beruhen, wie ich mich überzeugt habe, auf der Verwechslung mit Calcarius nivalis (L.).

37. *Passer domesticus* (*L.*) fehlt in vielen Ortschaften, obzwar er im Allgemeinen sehr häufig ist. Die von Schier[13]) gegebene Liste der Orte, wo der Haussperling fehlen soll, hat sich als fehlerhafte erwiesen und scheint auf unverlässlichen Nachrichten, die der sonst sehr verdiente Ornithologe von vielen, grösstentheils aber unkundigen oder vielleicht lügenhaften Berichterstattern bekommen hat, zu basiren. Zahlreiche Aberrationen, die ich beim Haussperling beobachtet habe, können hier nicht beschrieben werden. Ganz weisse Exemplare sind eben keine Seltenheit. Herr Vaněk, Vogelhändler in Prag, hat einen schmutzigweissen Sperling schon über drei Jahre.

38. *Pica rustica* (*Scop.*) nimmt in vielen Gegenden der heftigen Verfolgung zufolge an Anzahl sehr ab. In der Umgebung Prags ist sie fast gänzlich ausgerottet und eine in Hajek, unweit der böhmischen Hauptstadt, erlegte Elster (1889) galt für grosse Seltenheit (Vařečka in litt.); auch im Hocherzgebirge, wo sie vor 20—30 Jahren kein seltener Vogel war, fehlt sie jetzt gänzlich;[14]) im Časlauer Kreise, wo sie im Jahre 1887 nach Knězourek[15]) nur sparsam vorgekommen ist, verschwand sie auch in letzter Zeit (in litt.). Bei Haida, wo die Elster nie häufig war, scheint sie sich nach Hegenbarth[16]) jetzt seltener zu machen; auch bei Nepomuk — nach Stopka[17]) — nimmt sie ab, ebenso bei Klattau ist sie nach Heyda v. Lovčic nicht mehr zahlreich.[18]) Bei Jaroměř habe ich aber keine Verminderung beobachtet.

39. *Corvus frugilegus* (*L.*), die Saatkrähe, brütet noch jetzt in einigen Nistcolonien, von welchen besonders jene in Veltrus bei Raudnic[19]) anzuführen ist; eine andere grosse Colonie befindet sich im einsamen Walde bei Račic (Bezirk Jaroměř), wo Tausende von diesen schwarzen Vögeln alljährlich brüten. Aus der Hetzinsel in Prag, wo früher unzählige Nester waren, ist er aber verschwunden.[20])

40. *Corvus cornix* (*L.*), die Nebelkrähe.

41. *Corvus corone* (*L.*). Nicht ohne Interesse ist die Verbreitung dieser Krähen in Böhmen. Nach bisherigen Beobachtungen scheint die Ansicht Palliardi's,[21]) dass die Rabenkrähe nicht nur im Westen, sondern im ganzen Lande seltener ist als die Nebelkrähe, wahr zu sein. Bis jetzt kann man wohl nichts Bestimmtes sagen und ich beschränke mich bloss auf das Wiedergeben der mir bekannten Angaben und meiner eigenen Beobachtungen. Bei Klattau (Heyda v. Lovčic),[22]) Nepomuk (Stopka),[22]) Lomnic (Špatný),[22]) ist C. corone selten; im Eisengebirge (Knězourek in litt.) ist sie auch im Winter selten; in Prager Umgebung fehlt sie gänzlich. Seltener ist sie auch im Pisecker Gebiete (Vařečka in litt.), sowie bei Jungbunzlau, Pardubic, Neu-Bydschow, Königgrätz und Jaroměř, wo auf 100 Stück Krähen etwa 20 Rabenkrähen kommen; aber auch in gebirgigen Gegenden ist die Rabenkrähe nicht zahlreicher, vielmehr bleibt ihre Anzahl nicht so weit hinter jener der Nabelkrähe, Oberhand aber hat sie nicht; bei Haida z. B. ist auch die Nabelkrähe — nach Hegenbarth[23]) — zahlreicher als ihre schwarze Verwandte. Im Nordosten bleibt die Rabenkrähe hinter der Nebelkrähe beinahe bis zur Linie, die man sich von Hohenmauth—Reichenau—Böhmisch-Skalic—Königinhof—Neu-Paka gezogen denken kann, zurück und hinter dieser Grenze gleicht sich die Zahl beider Arten — und das noch nicht überall — aus. Weitere Nachrichten über diesen Gegenstand wären sehr wünschenswerth.

42. *Lanius serrator* (*L.*) ist keineswegs so selten in Böhmen, wie man gewöhnlich sagt, aber sehr ungleichmässig verbreitet. Im Königgrätzer Kreise traf ich den rothköpfigen Würger nur selten, einige Male aber bei Jičin, Deutsch-Brod und Tábor. Voriges Jahr Anfangs Juni habe ich ein Paar, sowie ein schön gebautes Nest sammt 5 Eiern aus Aufihoves bei Prag bekommen. Bei Pardubic kommt er nur vereinzelt — nach Bělohlávek[24]) — am südlichen Abhange des Eisengebirges im Časlauer Kreise aber nach Knězourek (in litt.) und im Pisecker Gebiete nach Beobachtungen meines Freundes und eifrigen Beobachters Herrn Vařečka (in litt.), sowie bei Hajek unweit Prag häufig vor. Bei Smečno hat Dr. Vandas[25]) den rothköpfigen Würger im Frühjahre 1876 zum ersten Male beobachtet; in dieser Gegend war er bis zu jener Zeit unbekannt und im Jahre 1880 verschwand er wieder.

43. *Lanius minor* (*Gm.*) ist, einige Gegenden ausgenommen, häufig. Bei Königgrätz und Jaroměř sowie in der weiteren Umgebung von Prag habe ich den grauen Würger, welcher auch im Pisecker Kreise (Vařečka in litt.) oft vorkommt, nicht selten beobachtet. Herr V. Ritter von Tschusi fand ihn im Böhmerwalde,[26]) Bartuška (in litt.) ziemlich oft bei Budweis. Knězourek hat ihn im Jahre 1892 im Časlauer Gebiete zum ersten Male erbeutet (in litt.), auch bei Pardubic ist er nach Bělohlávek[27]) selten.

---

[10]) »Mitth. d. orn. Ver.«, XIII. 397—398; »Vesmír«, XIX. 23; cfr. auch »Orn. Jahrb.«, I. 27.

[11]) »Mitth. d. orn. Ver.«, XVI. 185.

[12]) »Orn. Jahrb.«, I. 214.

[13]) Op. cit. III. 86

[14]) W. Peiter in »Mitth. d. orn. Ver.«, XVI. 64.

[15]) »Ornis«, V. 520.

[16]) Ibid.

[17]) »Ornis«, III. 114.

[18]) »Ornis«, V. 520.

[19]) »Vesmír«, XV. 221.

[20]) »Vesmír«, XVI. 215.

[21]) »Systematische Uebersicht der Vögel Böhmens«, Leitmeritz 1852, p. 33.

[22]) »Ornis«, V. 507.

[23]) Ibid.

[24]) Op. cit. p. 27.

[25]) »Vesmír«, XVI. 151.

[26]) »Journ. f. Orn.«, 1871, p. 60.

[27]) Op. cit. p. 27.

Die Angabe meines hochverehrten Lehrers Prof. Dr. A. Fritsch,[28]) dass der graue Würger in Böhmen seltener ist als der Raubwürger (L. excubitor L.) ist wohl nur ein Versehen.

44. *Lanius excubitor* (*L.*) ist wenigstens jetzt nicht so selten, wie gewöhnlich angegeben wird. Seine Anzahl nimmt immer, was auch für übrige Würger gilt, sichtlich zu.[29]) In Mittelböhmen ist er durchaus keine seltene Erscheinung; Hamböck hat mehrere Raubwürger aus der Umgebung von Schwarz-Kostelec, wo er ihn auch mehrmals brütend gefunden hat, ausgestopft.[30]) Vařečka (in litt.) beobachtete ihn einigemal bei Hajek unweit Prag. Ich beobachtete ihn auf verschiedenen Orten der Prager Umgebung, und am 4. Juli 1892 habe ich auch ein auf einem Strauche bei dem Feldwege hinter Neu-Lieben sitzendes ♂ mit einem Steine getödtet; dasselbe war ungemein furchtlos und liess mich bis auf einige Schritte ankommen. Bartuška (in litt.) fand ihn bei Budweis; Ritter von Tschusi[31]) hat ihn öfters im Böhmerwalde gesehen und nach Bělohlávek[32]) kommt er auch bei Pardubic häufig zum Vorschein. In Nord-Ostböhmen sowie bei Písek (Vařečka in litt.) und Přelouč (Kněžourek in litt.) kommt der Raubwürger sehr oft vor. Bei Smečno aber hat ihn Vandas[33]) nur vereinzelt, am öftesten noch im Winter gesehen.

45. *Lanius excubitor major* (*Pall.*) wurde bisher nur sehr selten beobachtet; vielleicht wurde er oft für den gewöhnlichen Raubwürger gehalten. O. Hegenbarth[34]) hat 2 Exemplare aus Wellnitz bekommen. Ich habe den östlichen Raubwürger im Jahre 1891 auf dem Vogelmarkte in Prag gekauft und nach mehrjährigem Suchen endlich am 20. December 1892 ein stark schreiendes ♂ in der Remise bei Želkovic (Bez. Jaroměř) geschossen.

46. *Muscicapa parva* (*Bchst.*). Unsere Kenntnisse über Vorkommen des Zwergfliegenfängers in Böhmen wurden erst durch Arbeiten des bekannten nordböhmischen Ornithologen J. Michel[35]) etwas erweitert und es lässt sich erwarten, dass andere Beobachter, dadurch angeregt, tdiesem interessanten Vögelchen verdiente Aufmerksamkeit widmen werden. Sichergestellt wurde diese Art erst von Schier,[36]) welcher sie am 10. Juni 1870 im Böhmerwalde beobachtet hat; in demselben Gebiete fand sie im Jahre 1871 Ritter von Tschusi.[37]) Desselben Jahres (1871) im Mai erlegte Hamböck[38]) ein ♂ bei Schwarz-Kostelec. Jedoch erst in neuester Zeit berichten mehrere faunistische Arbeiten etwas mehr über die Verbreitung des Zwergfliegenfängers in Böhmen und über sein Nisten in nördlicheren Theilen des Landes.[39]) Dass der Zwergfliegenfänger bis jetzt am öftesten in Nordböhmen beobachtet wurde, hat meiner Ansicht nach nur in besserer Organisation der ornithologischen Beobachtungen und zielbewusstem Bestreben einiger wissenschaftlich geschulten Forscher seine Ursache. W. Wagner hat den Zwergfliegenfänger bei Franzensbad[40]) geschossen, R. Eder bei Neustadtl,[41]) Vařečka (in litt.) bei Písek, Rosa (in litt.) bei Hořiček und Ratibořic (bei Náchod) beobachtet. In der Umgebung von Prag ist er mir nur aus drei Localitäten bekannt: aus Točna[42]) (2 Ex. im August 1891), Hájek, wo ihn mein Freund Vařečka, und aus dem Kundraticer Walde, wo ich ihn am 14. Juni 1892 gesehen habe. Nebstdem habe ich den Zwergfliegenfänger bei Miletin und Lanžov (unweit Königinhof) beobachtet und im Jahre 1892 auch aus Doubravice (Bez. Königinhof) 2 Exemplare bekommen. Bei Laun soll er nach Feygl[43]) sparsam nisten.

47. *Muscicapa collaris* (*Bchst.*) gehört, sowie die folgende Art, zu den selteneren Erscheinungen. In der Gegend zwischen Königgrätz und Königinhof fand ich den Halsbandfliegenfänger nur zweimal; Dr. Schier[44]) hat ein ♂ aus der Aulibicer Fasanerie bei Jičín bekommen (1876): Kněžourek (in litt.) hat ihn nur auf dem Zuge, Špatný bei Lomnic[45]) häufig im Frühjahre beobachtet; in der Umgebung von Schwarz-Kostelec soll der Halsbandfliegenfänger häufig vorkommen — nach Hamböck[46]) — und ziemlich häufig auch nisten (bei Vodeřad); bei Pardubic nimmt nach Bělohlávek's Angabe[47]) seine Anzahl zu. Im Piseker Gebiete hat ihn Vařečka selten beobachtet, aber sein Nest mit Eiern fand er bei Čišt, wo der Halsbandfliegenfänger regelmässig nisten soll.[48])

48. *Muscicapa atricapilla* (*L.*), der Trauerfliegenfänger, ist etwas häufiger als die vorige Art, wird aber auch meist nur auf dem Zuge, besonders im Frühjahre beobachtet.

49. *Chelidonaria urbica* (*L.*), die Mehlschwalbe, vermehrt sich stark in den Dörfern, wo sie früher nicht so zahlreich war. Auffallend ist hie und da ihr spätes Brüten; in Hořeňoves (Bez. Jaroměř) beobachtete ich ein brütendes Paar noch am 11. September, Kněžourek in Litošic sogar am 22. September (in litt.).

50. *Hirundo rustica pagorum* (*Brehm*). Diese Varietät hat Herr Wolf in 2 Exemplaren mit schön rostgelber Unterseite im Sommer 1892 aus Náchod bekommen.

51. *Micropus apus* (*L.*), der Mauersegler nistet auf mehreren Orten nach meiner Beobachtung in Erd- und Lehmwänden, wie z. B. bei Plotišť unweit Königgrätz und »Dolce« bei Jaroměř.[49])

---

[28]) »Wirbelthiere Böhmens«, p. 61.

[29]) Man beobachtet besonders in den ökonomisch vorgeschritteneren Landestheilen eine erfreuliche Vermehrung der Singvögel, was sicher der grössten Schonung und dem Füttern der überwinternden, theilweise auch der Verfolgung der Raubvögel zu verdanken ist.

[30]) »Vesmír«, II. 127—128.

[31]) »Journ. f. Orn.«, 1871, p. 66.

[32]) Op. cit. p. 27.

[33]) »Vesmír«, XVI. 151.

[34]) »Ornis«, I. 369.

[35]) Vgl. u. A. »Nordb. Vog.- u. Gefl.-Ztg.« II. 9.

[36]) »Vögel Böhmens«, II. 127.

[37]) »Journ. für Orn.«, 1871, p. 71.

[38]) »Vesmír«, II. 127; vgl. auch Fritsch »Journ. f. Orn.« 1876, p. 78.

[39]) KralLert in »Ornith. Jahrb« I. 157—158; »Vesmír«, XX. 85.

[40]) »Orn. Jahrb.«, II. 210.

[41]) »Orn. Jahrb.«, I. 216.

[42]) »Orn. Jahrb.«, III. 206.

[43]) »Ornis«, I. 368.

[44]) »Vögel Böhmens«, II. 128.

[45]) »Ornis«, V. 558.

[46]) »Vesmír«, II. 127.

[47]) Op. cit. p. 27.

[48]) »Mitth. d. orn. Ver.«, XVI. 176.

[49]) Vgl auch »Waidmannsh.«, V. 213.

52. *Merops apiaster* (*L.*). Das Frauenberger Museum hat in seiner für die Ornithologie Böhmens sehr wichtigen Sammlung ein im Jahre 1878 in einem Garten in Ponědrážko[50]) geschossenes und ein anderes im September 1882 bei Wittingau (in Hurka) erlegtes Exemplar;[51]) das Fürstenbergische Museum in Nischburg hat einen Bienenfresser, welcher im Jahre 1880 in der Kruschowicer Fasanerie erbeutet wurde.[52]) Ich bekam ein prachtvolles Exemplar aus Hněvčoves (bei Hořic) im Jahre 1890.

53. *Cuculus canorus* (*L.*). Es wurde in vielen Gegenden beobachtet, dass mit der Vermehrung der Singvögel auch die Anzahl der Kukuke wächst; auch wird er weniger verfolgt, weil der Aberglaube, dass er sich im Herbste in den Sperber (Accipiter nisus) verwandle, endlich verschwunden ist.

Prag, am 31. Jänner 1893.

[50]) »Ornis«, V. 183.

[51]) »Orn. Jahrb.«, II. 71.

[52]) »Orn. Jahrb.«, I. 213.

Das Rothkehlchen in seiner Bedeutung als Singvogel.

Eine Mittheilung für Stubenvogelfreunde von **F. Anzinger.**

Nimmt man was immer für ein Buch über die Naturgeschichte unserer einheimischen Singvögel zur Hand und liest dasselbe sorgfältig durch, so wird man finden, dass unserem Rothkehlchen bezüglich seiner Gesangsleistungen gegenüber anderen Singvögeln ein verhältnissmässig bescheidenes Lob zu theil wird.

Neben der meist sehr ausführlichen Beschreibung dieses Vogels in Bezug auf Gestalt und Gefieder, Nestbau und Brutverlauf, sowie seiner Eintheilung in die verschiedenen Vogelsippen, wird über den nach meiner Ansicht schönsten und wichtigsten Theil: nämlich den Gesang, in der Regel nur sehr wenig berichtet. Was hier mit mehr oder weniger Worten noch gesagt wird, ist so unbedeutend, dass der wirkliche Kenner dieses Vogels hiedurch nicht befriedigt, das Interesse des Unkundigen aber nicht im Mindesten angeregt und auf die Eigenthümlichkeiten des Gesanges hingelenkt wird.

Als mehrjähriger Kenner und Verehrer dieses allerliebsten Sängers will ich es in Anbetracht des Vorhergesagten versuchen, über den wirklichen Werth des Rothkehlchens als Singvogel etwas ausführlicher zu berichten und will folgendermassen beginnen:

Die Rückkehr des Rothkehlchens aus der Winterherberge in seine Heimat fällt bekanntlich in die Zeit von Anfangs März bis über die Mitte April. Wenn das Rothkehlchen auf dieser Rückreise tagsüber in irgend welchen sonnigen Vorhölzern, auf lebenden Gartenzäunen und sonstigen Gebüschen Rast hält, so können wir bereits seinen matten, heiseren, in kurzen, abgebrochenen Sätzen vorgetragenen Gesang belauschen, welcher jetzt so traurig und schwermüthig klingt, als wollte uns der Vogel von seinen Leiden und Entbehrungen auf der bestandenen Wanderschaft erzählen.

Wer den eigentlichen Rothkehlchengesang nicht kennt und jetzt auf das Lied des halb verhungerten und stark ermatteten Vogels aufmerksam gemacht wird, wird wahrscheinlich, und zwar mit Recht, geringschätzend behaupten: dass dieser Gesang von gar keiner Bedeutung sei.

Hat nun aber der Rothkropf*) seinen eigentlichen Standort, beziehungsweise den Platz erreicht, an welchem er sein Heim einzurichten gedenkt und findet er bei halbwegs günstiger Witterung ausreichende Nahrung, so vervollkommnet sich auch sein Gesang. Derselbe wird kräftig, rein und helltönend, die Strophen erhalten Zusammenhang und mannigfache Abwechslung, folgen regelmässiger aufeinander und die Pausen werden kürzer.

Nicht mehr niedrig an der Erde unter schützendem Brombeergeranke oder in einer Haselstaude versteckt, sondern frei auf dem Gipfel einer mittelhohen Tanne oder Fichte sitzend, begrüsst er uns jetzt mit seinem Gesange. Nun ist auch die Zeit da, wo man auf das Rothkehlchenlied zu achten hat, um dasselbe richtig kennen und geniessen zu lernen.

Das langsam, gleichsam ernst und feierlich vorgetragene, mitunter wieder hellaufjubelnde Lied wirkt mit seinen einschmeichelnden, herzinnigen Melodien so angenehm und wohlig auf uns, dass ein empfängliches Gemüth unwillkürlich sagen muss: »Ja! du bist der echte und rechte Frühingskünder, du verstehst es, in unserer Brust jenes unnennbare wonnige Gefühl erwachender Frühlingsfreuden und neuerblühender Hoffnungen wachzurufen!«

Kein Vogelgesang dringt so zu Herzen, als das eigenartig weiche und gemüthvolle Lied des Rothkehlchens und es ist daher kein Wunder zu nennen, dass die deutsche Hausfrau im Gebirge das Rothkehlchenlied fast ausnahmslos jedem anderen Vogelgesange vorzieht.

Als sehr bezeichnend mag das naive Urtheil eines mir bekannten Vogelfreundes gelten, welches in die einfachen, aber treffenden Worte gekleidet wurde: »Der Rothkropf hat sein G'sang in der Kirch'n g'lernt und 's Schwarzblattl seine G'sangl im Wirthshaus.«

Mitte April nun zieht der leidenschaftliche Vogelliebhaber, mit allen möglichen und unmöglichen Fangmitteln ausgerüstet, hinaus in den Wald, um einen schon verhörten, sehr guten Rothkropf zu erlangen. Wenn ihm dies gelungen, eilt er mit seinem Schatze nach Hause, bringt ihn in einen verdeckten Käfig, versorgt ihn ausreichend mit lebendem Futter, räumt ihm in seiner Wohnung einen ruhigen, nicht allzu lichten Platz ein und glaubt nun Alles, und zwar allerdings Richtigste gethan zu haben, um den Vogel zum Singen zu bringen. Er horcht eine, zwei Wochen, vielleicht auch noch so viele Monate, ohne je einen anderen Laut zu Gehör zu bekommen, als das markante Schnalzen des hitzigen Vogels. Er hatte nämlich das Unglück gehabt, einen alten Veteranen zu erwischen, welchem es im Traume nicht einfällt, in der Gefangenschaft zu singen. Wohlgenährt wird derselbe in Freiheit gesetzt.

Manche Rothkehlchen fangen schon am zweiten Tage ihrer Gefangenschaft leise zu singen an, werden aber nie »laut« und bleiben daher für den Liebhaber werthlos. Es trifft dies meistens bei herbstgefangenen Rothkehlchen zu, welche nie die Kraft und den Wohllaut im Gesange haben, als die im Frühjahr erlangten.

Gute Sänger beginnen in der Regel am dritten, vierten oder fünften Tage, manchmal auch erst nach acht Tagen halblaut zu singen, werden in den nächsten

*) Provinzialismus für Rothkehlchen in Deutsch-Oesterreich und Südbayern.

Tagen vollkommen laut und hören vor der Mauserzeit nicht wieder auf; vorausgesetzt, dass ihr Standort nicht geändert wird. Die Veränderung des Platzes, wo der Rothkropf eingewöhnt wurde, wird von diesem Vogel ebenso empfunden wie von der Nachtigall, und es kann hiedurch eine Gesangspause von einer Woche eintreten.

Nach dem Federwechsel im August, welcher in der Gefangenschaft bei halbwegs guter Pflege ohne Schwierigkeiten überwunden wird, beginnt der Rothkropf wieder halblaut zu singen, fährt in dieser Weise bis Ende Februar, längstens bis Ende März fort und wird dann wieder »laut«.

Um diese Zeit scheint das Rothkehlchen alle seine Kräfte zusammenzunehmen, um seinen Gesang zu vervollkommnen. Die ersten lauten Töne werden mit grosser Anstrengung und mit Ueberwindung anscheinender Heiserkeit hervorgebracht, und erst nach mehreren Tagen erlangt der Gesang seine volle Geltung.

In diesem allmäligen Aufthauen der über Winter zurückgehaltenen Stimmkräfte liegt ein eigenthümlicher Reiz für den Vogelliebhaber. Mit einer gewissen Sehnsucht wartet er auf diesen Vorgang und vernimmt nun mit kindlicher Freude das Wiedererwachen der Frühlingslust in der Brust des gefiederten Sängers.

Wer auf Gesangsfleiss mehr reflectirt als auf Gesangskunst, der suche einfach im August einen noch im Jugendkleide befindlichen Rothkropf zu erlangen. Er wird vielleicht die Freude erleben, an langen Winterabenden beim Lampenscheine dessen trauliches Lied zu vernehmen.

Bezüglich der Eingewöhnung des frischgefangenen Rothkehlchens verweise ich auf die in meinem Artikel: »Die Gartengrasmücke als Stubenvogel und ihre Behandlung« angeführten Verhaltungsmassregeln. Es tritt hiebei nur der bemerkenswerthe Unterschied ein, dass manche Rothkehlchen sehr hart an das künstliche Futter gehen. Ich verfahre bei der Eingewöhnung dieses Vogels folgenderweise:

Der im verhüllten Käfig befindliche Rothkropf erhält als Anfangsfütterung 40—50 Mehlwürmer (lebend) per Tag, und zwar so lange, bis er vollkommen rein und laut singt. Hierauf wird gemischte Kost: Gelbrübe und altbackene Semmel, beides gerieben und frischer Käsequark, reichlich vermengt mit fein zerschnittenen Mehlwürmern, die obere Schicht mit halbzerschnittenen und ganzen todten Mehlwürmern belegt, so lange gereicht, bis das ganze Gemengsel vom Vogel verzehrt wird. Nun fahre ich mit dieser Fütterung einige Tage noch fort, und lasse die zerschnittenen Mehlwürmer allmälig ganz weg. Als Zugabe dienen nun täglich 12 bis 14 ganze Mehlwürmer oder zwei starke Theelöffel voll Ameiseneier in zwei Rationen gereicht (zeitlich früh Morgens und gegen Abend). Der Käfig wird jetzt abgedeckt.

Die ängstliche Auffassung, dass die Fütterung von viel Mehlwürmern im Allgemeinen schädlich sei, kann ich nur bei einigen Grasmückenarten gelten lassen, bei allen übrigen Insectenfressern behaupte ich das Gegentheil.

Wer über einen guten Mehlwurmsatz verfügt, der zähle nicht ängstlich, sondern füttere reichlich.

Auf die obenbeschriebene Art eingewöhnt und verpflegt, besitzt man am Rothkehlchen einen Stubenvogel, welcher nicht nur sehr fleissig singt und ungemein zutraulich wird, sondern auch 10 bis 15 Jahre in der Gefangenschaft ausdauert. Man hat einen Waldgesang im Zimmer, welcher dem Geschmacke des Naturfreundes entschieden mehr zusagt, als das fade, ewig gleiche Gezetter und Geklingel eines Kanarienvogels.

Ich erwähne noch nebenbei, dass das Halten von zwei oder mehr Rothkehlchen in einem Zimmer (Freiflug) oder gar in einem Käfig unthunlich ist, denn das Rothkehlchen ist seltsamerweise nicht nur gegen seinesgleichen sondern auch gegen andere Singvögel unverträglich. Sogar mit der mordlustigen Kohlmeise bindet es ohne Verzug an und jagt sie in der Stube umher.

Eine Beschreibung der Aeusserlichkeiten des Rothkehlchens habe ich aus dem Grunde weggelassen, da dieselben ohnehin zur Genüge bekannt sind und eine solche auch nicht gut in den Rahmen dieser Mittheilung passt.

Mein Bestreben war, dem bisher noch wenig gewürdigten Gesange des Rothkehlchens die gebührende Anerkennung zu verschaffen, und wenn dies der vorstehenden Mittheilung gelingen möchte, so hätte ich die freudige Genugthuung, einem längst bestehenden Bedürfnisse entgegen gekommen zu sein.

Nutzung des Geflügels.

Von **Dr. L. Přibyl.**

d) Der Dünger.

Nach den erhaltenen Bruchstücken der römischen Autoren, welche in ihren Werken der Geflügelzucht erwähnten, war ausser der Fleischnutzung das Augenmerk der Geflügelhalter auf die Gewinnung des Düngers gerichtet, dessen vorzügliche Eigenschaften vollste Anerkennung fanden. Man kannte genau die Wirkungen des Vogeldungs und verwandte denselben meist als Kopfdüngung mit ausgezeichnetem Erfolge. Die Arten des Vogeldungs wurden genau getrennt. Tauben- und Hühnerdünger standen mit Recht am höchsten; eigene Wärter mussten den grossen Geflügelhöfen das Sammeln des Vogeldüngers überwachen; diesem zunächst standen die Excremente aus den Ornithones, Aviarien und anderen Geflügelhöfen, wo keine Tauben oder Hühner gehalten wurden. Am wenigsten geschätzt, in manchen Schriften zum Dungen als gar nicht verwendbar, ja sogar als schädlich betrachtet, war der Gänsekoth, überhaupt der des Wassergeflügels. Dieser Werthschätzung des Geflügeldüngers erwähnt besonders Palladius (I. 23), wo er den Vogeldünger als das nothwendigste Erforderniss des Ackerbaues erwähnt, zugleich aber auch sagt, dass Gänsekoth allen Saaten schadet. Varro rühmt die günstige Wirkung des Vogeldüngers auf das Viehfutter, indem durch denselben erzeugtes Futter das damit genährte Vieh rasch fett macht. Palladius empfiehlt auf Grasland den Dünger im frischen Zustande zu verwenden.

Die hohe Bedeutung des Geflügels als Düngerproducent verlor sich mit dem Verfalle der römischen Weltherrschaft; im Mittelalter finden sich nur hie und da Verordnungen, die den Auftrieb der Gänse auf die gemeinsame Viehweide in den Gemeinden untersagen, weil der »scharfe Dung das Gras verderbe«, und sonach für die Gänse eigene Weiden bestimmten.

In den wenigsten landwirthschaftlichen Schriften des Mittelalters finden sich Erwähnungen der vorzüglichen Eigenschaften des Vogeldüngers, als Rückerinnerungen an die hohe Blüthe der Geflügelzucht bei den Römern. Erst in der Neuzeit, wo die Erschöpfung der Felder gebieterisch Hilfsmittel verlangte, um diesem trostlosen Zustande Abhilfe zu schaffen, richteten sich die Blicke wieder auf den nährstoffreichen Vogeldung, nur war es diesmal der Guano, der aus den mächtigen Lagern der regenlosen Zone mit grossen Kosten hergeschafft wurde, bis endlich die Chemie der Landwirthschaft Mittel und Wege angab, auf andere Art der Bodenerschöpfung entgegen zu wirken. Und doch könnte bei einiger Sorgfalt und Aufmerksamkeit das Geflügel einen reichlichen Zuschuss an Dünger liefern, der dem besten Guano gleichkommt. In der Jetztzeit, wo die Geflügelhaltung hie und da erfreuliche Fortschritte macht, könnten die Millionen Stücke Geflügel ein schönes Quantum der nützlichsten Dungstoffe liefern. Leider ist die Ernährungsart des Geflügels in den meisten Fällen darauf gestützt, demselben freien Auslauf in den Hof, Feld und Flur zu gewähren, wobei der grösste Theil der Excremente verloren gehen muss, und die ganze Ausbeute sich auf jene geringen Quantitäten beschränkt, die während der Nacht in den Stallräumen sich ansammeln; allein auch selbst diese geringe Menge geht zumeist unbenützt verloren, höchstens dass dieselbe auf die Dungstätte geschafft wird, während ein eifriges Sammeln und zweckentsprechendes Verwerthen die geringe Mühe reichlich lohnen würde.

Die chemische Zusammensetzung reiht den Vogeldung unter die werthvollsten Dungstoffe. Nach den Untersuchungen des Professors E. Wolf enthalten 1000 Theile frischen Mistes von

	Wasser	Organische Substanz	Asche	Stickstoff	Kali	Natron
Tauben	519	308	173	17·6	10·0	0·7
Hühnern	560	255	185	16·3	8·5	1·0
Gänsen	771	134	95	5·5	9·5	1·3
Enten	566	262	172	10·0	6·2	0·5
Frischer Stallmist	710	216	44·1	4·5	5·2	1·5
Peru-Guano	148	514	338	139·0	24·0	14·0
Backer-Guano	100	90	810	5·0	2·0	12·0

	Kalk	Magnesia	Phosphorsäure	Schwefelsäure	Kieselsäure
Tauben	16·0	5·0	17·8	3·3	20·2
Hühnern	24·0	7·4	15·4	4·5	35·2
Gänsen	8·4	2·0	5·4	1·4	14·0
Enten	17·0	3·5	14·0	3·5	28·0
Frischer Stallmist	5·7	1·4	2·1	1·2	12·5
Peru-Guano	110·0	12·0	130·0	10·0	17·0
Backer Guano	415·0	15·0	348·0	15·0	8·0

Zur Vergleichung sind die Analysen des frischen Stallmistes, welcher in jeder Beziehung dem Vogeldünger nachsteht, und die von Peru- und Backer-Guano beigefügt. Wird der hohe Wassergehalt von 51—77 Procent des frischen Geflügeldungs berücksichtigt, so stellt sich die Zusammensetzung des Geflügeldungs ganz ähnlich der des besten Peru-Guano, für welchen jährlich Millionen Mark ausgegeben werden, während der ebenso werthvolle Geflügeldünger fast unbeachtet bleibt. Bei etwas grösserer Sorgfalt könnte hier manche unbenützte Summe dem Geflügelhalter zukommen, wenn mehr Aufmerksamkeit auf das Sammeln des Geflügeldüngers verwendet würde. Zumeist tritt aber auch der Umstand hindernd entgegen, dass die Geflügelexcremente durch die erdigen Bestandtheile, welche als Sand, Erde, Torfmull, Asche etc den Stallraum behufs leichterer Reinigung bedecken, stark verunreinigt werden und so infolgedessen einen ziemlichen Beisatz von anorganischen Bestandtheien enthalten. Die intensive Nährkraft des Vogeldüngers gebietet bei der Anwendung als Düngemittel grosse Vorsicht; schon die Römer verwendeten denselben nur als Kopfdüngung; am besten ist es jedenfalls, den gesammelten Vogeldünger zu compostiren und dann erst der Verwerthung zuzuführen.

Nach den Untersuchungen von Dr. Heiden liefert im Jahre Kilogramm Excremente:

die Taube	2·16
das Haushuhn	5·20
das Truthuhn	11·05
die Ente	8·29
die Gans	11·05

Wo Geflügelhaltung im Grossen betrieben wird, ist das Sammeln der Excremente bedeutend erleichtert, da die grosse Menge derselben mit wenig Mühe zusammengefegt werden kann. Auf diese Art können grosse Quantitäten zusammengebracht werden. Rechnet man z. B. bei einem Geflügelhofe, wie ihn Mr. Robinson zu Greene in Nordamerika mit einem Stande von 6000 Enten, 4000 Puten und 1200 Hühnern besitzt (Neue Freie Presse 9. Jänner 1877), die von jedem Thiere täglich gewonnenen Excremente nur zu 17·5 g, was doch sicherlich sehr geringe angeschlagen ist, so repräsentirt dies im Jahre eine Menge von 650 q des besten Düngers, der zu 6—10 Gulden per Centner sicherlich willige Abnehmer finden müsste und nicht wenig zur Ertragssteigerung beitragen würde.

Die Nahrung ist jedenfalls sowohl in Bezug auf Qualität als Quantität der Excremente von grosser Bedeutung. Intensive Ernährung macht zwar die Quantität geringer, erhöht aber die Qualität. Besonders werthvoll ist der Dünger des Mastgeflügels, und sehr zu bedauern ist, wenn derselbe aus Mangel an Absatz oder auch an Verständniss gänzlich unbenützt verloren geht, wie z. B. in der bestandenen Mastanstalt in der Krieau bei Wien, wo die Excremente einfach auf den Hof geworfen wurden und durch die Atmosphärilien ihrer werthvollsten Bestandtheile beraubt wurden. Gärtner und Landwirthe hätten sicherlich zu guten Preisen diese kräftigen Dungstoffe mit Vortheil verwerthen können.

Der grosse Wettflug zwischen Wien—Berlin und Berlin—Wien.

Dieser friedliche Wettstreit, welcher kürzlich ausgefochten wurde, ist durch Einmischung einer fremden Macht gestört worden, die Macht der Elemente griff in einer Art verheerend ein, dass ihr von den beiderseits eingesetzten prächtigen Tauben die weitaus überwiegende Zahl derselben zum Opfer fiel. Ruhm und Ehre sei den wenigen, welche sich auf diesem langen Wege, durch so vielfach feindliche Gegenwirkungen noch durchzukämpfen und die so unendlich geliebte Heimat mit ihren Taubenschlägen noch zu erreichen vermochten, aber auch unser, dem bewegten Herzen entquellendes Mitgefühl all den Unglücklichen, welchen es nicht mehr vergönnt gewesen, die Stätte wieder aufzufinden, wo einst ihre Wiege stand, und die nun, verschlagen von rauhem Unwetter, in fernen Gegenden und Ländern heimatlos herumirren und damit das ärgste Los erfuhren, welches dem treuen Wesen einer Botentaube widerfahren kann. Innerhalb der Constatirungszeit, d. i. vom 31. Juli bis 4. August, sind in Wien von 117 Tauben 17, in Berlin von 92 4 Stück angelangt und eine mit dem Stempel »Berliner Posttaube« zu Prysusza in Russisch-Polen eingefangen und dem Ortsvorsteher übergeben worden, von allen anderen fehlt bis zum 7. August jegliche Nachricht, sie gehören auf die Liste der Vermissten und Verschollenen. Wenn aber in diesem Wettturnier die österreichischen Tauben Sieger wurden, so wird es doch Niemandem beifallen, aus den Resultaten einer glücklicheren Conjunctur das Uebergewicht puncto Leistungsfähigkeit des einen Theiles abzuleiten, denn bei dem hingebungsvollen Eifer und Verständnisse hüben wie drüben und angesichts der vortrefflichen, in Wien vielbewunderten Qualität der Berliner Tauben musste die Chance des Sieges von äusseren Umständen abhängig werden, welche, ausserhalb aller menschlichen Macht liegend, den Erfolg des Werkes, wie vom blinden Glück geleitet, auf diese oder jene Fahne heften.

Nachdem die Trainirung der beiderseitigen Tauben vollendet war, wurde am Schlusse des vorigen Monates die igentliche Action eingeleitet. Die Berliner Vereine, mit Ausnahme des »Pfeil«, entsendeten 92 Tauben unter Aufsicht des Herrn Gastwirthes Schmidt und delegirten Herrn Professor Mathes in das Wiener Ortscomité. Die Wiener ihrerseits schickten 117 Tauben unter Begleitung des Herrn Vogel nach Berlin und delegirten vier Herren in das dortige Ortscomité. Sie wählten dazu den Senior des Wiener Taubensports, Herrn Rath J. B. Bruszkay, der zugleich als Obmann des Generalcomités fungirte, ferner den rühmlichst bekannten Kurzschnäbler Herrn Architekten Otto Reuther und die Herren Pisecker und Goldstein. Nachdem Sonntag ein elend schlechtes Wetter war, so wurde das gegenseitige Auflassen auf den nächsten Tag verschoben und erfolgte beiderseits Montag den 31. Juli, ungefähr um 4 Uhr 45 Minuten Früh. Die Tauben schlugen hier wie dort anfänglich die gehörige Himmelsrichtung ein, kehrten aber, das Häusermeer der Grossstädte gewahrend, wieder zu diesen zurück. Ihr feiner Spürsinn witterte entweder das herannahende Unwetter oder sie täuschten sich durch die allgemeine Aehnlichkeit grossstädtischer Vogelperspectiven, kurz, sie brachten zum überwiegenden Theile den ganzen ersten Tag am Auflassorte zu und liessen daheim ihre Constateure vergeblich auf sich warten. Nachdem beim Trainiren die Wiener Tauben noch acht Tage vorher aus Lübben in Preussen in sieben Stunden vollzählig heimkehrten, so erwartete man die erste in Berlin aufgelassene Taube um circa 1 bis 2 Uhr Nachmittags in Wien und um dieselbe Zeit die in Wien aufgelassenen in Berlin. Aber »es wär' zu schön gewesen und hat nicht sollen sein«, um 6 Uhr Früh fing es zu regnen an und regnete bis zum anderen Morgen; so kam die erste Taube erst den nächsten Tag 11 Uhr 40 Minuten Vormittags in Wien an und folgten ihr am selben Tage nur weitere vier, währenddem von den offenbar ganz verschlagenen Berliner Tauben die erste (Schmidt) erst am vierten Tage, d. i. Donnerstag 7 Uhr 40 Minuten Früh, in Berlin einzutreffen vermochte. Von den Wiener Tauben wurden zwei Stück noch am Tage des Auflassens in Berlin eingefangen und dem dortigen Ortscomité vorgewiesen, worauf Otto Reuther seinen in Wien harrenden Genossen die scherzvollen Worte depeschirte: »Soeben in Berlin zwei Wiener Tauben constatirt.« Nachdem das Uebereinkommen getroffen wurde, dass nur diejenigen Tauben Anspruch auf Prämiirung haben sollen, welche innerhalb drei Tagen nach der Ankunft der ersten Taube eintreffen, so erscheinen von den Wiener Tauben siebzehn, von den Berliner vier Stück prämiirungsfähig, während die noch übrigen drei Preise wahrscheinlich auf die gemeinsamen Kosten repartirt werden dürften.

Die Reihenfolge der Ankunft der am 31. Juli in Berlin aufgelassenen Wiener Tauben ist folgende:

1. Taube des Herrn Jacques Helfer am 1. August 11 Uhr 40 Min. Vormittags.
2. Taube des Herrn Anton Dimmel am 1. August 2 Uhr 8 Min. Nachmittags.
3. Taube des Herrn Wenzel Pascher am 1. August 3 Uhr 42 Min. Nachmittags.
4. Taube des Herrn Pinter am 1. August 4 Uhr 21 Min. Nachmittags.
5. Taube des Herrn Zeinlinger am 1. August 4 Uhr 28 Min. Nachmittags.
6. Taube des Herrn Jacques Helfer am 1. August 7 Uhr 59 Min. Abends.
7. Taube des Herrn Fleissner am 2. August 7 Uhr 30 Min. Früh.
8. Taube des Herrn Ehrmann am 2. August 7 Uhr 32 Min. Früh.
9. Taube des Herrn Dorn am 2. August 9 Uhr 46 Min. Früh.
10. Taube des Herrn Ehrmann am 3. August 7 Uhr 30 Min. Früh.
11. Taube des Herrn Jacques Helfer am 3. August 8 Uhr 52 Min. Früh.
12. Taube des Herrn Fleissner am 3. August 11 Uhr 45 Min. Vormittags.
13. Taube des Herrn Dorn am 3. August 5 Uhr 45 Min. Nachmittags.
14. Taube des Herrn Fleissner am 4. August 6 Uhr 30 Min. Früh.
15. Taube des Vereines »Rudolfsheim« am 4. August 8 Uhr 15 Min. Früh.
16. Taube des Herrn Dorn am 4. August 8 Uhr 52 Min. Früh.
17. Taube des Herrn Mittermeyer am 4. August 9 Uhr 2 Min. Früh.

Von den Berliner Tauben kam, wie schon erwähnt, die des Herrn Schmidt, Beamten im Bankhause Bleichröder, am 3. August 7 Uhr 40 Minuten als erste in Berlin an und sind derselben bis inclusive 4. August weitere drei nachgefolgt.

Die Wiener brachte dieser friedliche Wettkampf näher an die lieben Genossen in Berlin heran, und frohe Stunden, wie angenehme Erinnerungen entschädigen die Ersteren für Mühe und Opfer, welche sie der Sache dargebracht. Die Wiener Delegirten wurden bei ihrem Eintreffen am Berliner Bahnhofe durch Vertreter der dortigen Vereine empfangen, an deren Spitze Herr Oberst Tauber stand, der durch seine unvergleichliche Liebenswürdigkeit und geistvolle Conversation die Wiener Herren förmlich bezauberte. Auf der anderen Seite wurden die Berliner Herren, Professor Mathes und Gastwirth Schmidt, durch Vertreter der zwei Wiener Vereine am Bahnhofe empfangen und ihnen zu Ehren gleich am Tage des Auflassens im festlich geschmückten Vereinshause im Prater ein Banquett gegeben, an welchem etwa vierzig Brieftaubenzüchter und Taubenfreunde, sowie mehrere schöne Damen theilnahmen. Das Bewusstsein der bishin völlig gleichen gemeinschaftlichen Sachlage und die Hoffnung, dass der nächste Tag viel Gutes bringen werde, erfüllte die erschienenen Festtheilnehmer mit dem entsprechenden Trostgefühle, so dass sie sich schliesslich über all ihren Kummer hinwegsetzten und im Becherklange verstummen liessen, was das arme, eitle Menschenherz so unendlich leicht bewegen kann. Zudem gab es gedeckten Tisch, Bier, Wein, Musik und holde Weiblichkeit, und da gibt es für den Wiener keine weinerliche Stimmung mehr, da muss es »aussa mit die tiaf'n Tön«, denn immer lustig, immer munter, das ist so »dem Weana sein Schan«. Herr Mathes aus Berlin liess seine hochamusante Rede in einem Hoch auf Kaiser Franz Josef ausklingen, und A. V. Curry (Wien-Währing) feierte Kaiser Wilhelm in geziemend festlichen Worten. Dann trank man wieder weiter, was klar ist, und sprach, was wahr ist, man tanzte, scherzte und sang sich frohe Lieder, bis der Morgenstern vor Helios' anfahrendem Sonnenwagen zu verblassen begann. In Berlin wurde den Wiener Delegirten durch Herrn Hofconditor Kranzler beim Berliner Sacher, Dressler, ein wahrhaft lucullisches Mahl gegeben, an welchem die überschäumende Festesstimmung schliesslich um alle Theilnehmer das Band herzlicher Duzfreundschaft gewoben hat.

Wenn wir aus dem ganzen Wettfluge die entsprechende Schlussfolgerung ziehen wollen, so drängt sich uns immer wieder die Erwägung auf, ob es denn nicht, wie beim altbekannten Wettreiten, eine allzu strenge Aufgabe gewesen, die man da den armen Thierchen zugemuthet. Für die Praxis hat eine solche Gewaltleistung kaum Werth, denn man wird Strecken, wie zwischen Wien und Berlin, im Kriege, wenn überhaupt nöthig, kaum anders als durch Relaisflüge bewältigen lassen, dann kann man's auch riskiren, dem Stande des Wetters keinen solch entscheidenden Einfluss zu gestatten, denn soll die Taube zum Verkehrsmittel werden, dann muss sie es eben sein, ob es schön ist oder regnet. Das Fliegen von einer Grossstadt zu der anderen aber scheint nach den Ergebnissen dieses Wettfluges kaum zweckdienlich zu sein, da die Tauben sich irrig an das gewöhnte Häusermeer zu halten scheinen und im ängstlichen Absuchen desselben Kraft und Lust verlieren, den grossen Abstand zu durchmessen, der sie von ihrer wahren Heimat trennt.

Ich kann diesen Bericht nicht schliessen, ohne der grossen Verdienste zweier Herren zu gedenken, welche diesem sportlichen Unternehmen vom Anfang an ihre ganzen Kräfte weihten, durch ihre unermüdliche, hingebungsvolle Thätigkeit die gegenseitigen Verhandlungen zu erfolgreicher Reife brachten und die ganze Organisation des Werkes vermittelten. Es sind dies die Herren Löcher in Berlin und Gerhard in Wien, welchen alle Betheiligten zu wärmstem Danke verpflichtet bleiben.

A. V. Curry, Wien-Währing.

Die Pfau-Perückentaube. Die Red. der »Chasse & Peche« bringt in ihrer letzten Nummer nach »l'Aviculteur« die Photographie und Beschreibung dieser neuen Taubenvarietät, von der gesagt wird, dass sie die Hauptrassenmerkmale der Pfau- und der Perrückentaube in hoher Vollkommenheit vereinige: den schönsten schottischen Pfautaubenschwanz mit Kopf und Kappe der edelsten Perrücke. Die Farbe der vorgeführten Neuheit ist reinweiss; der Züchter, dessen Name einstweilen noch nicht genannt wird, und der erst vor die Oeffentlichkeit treten will, wenn er sechs Paare von gleicher Qualität aufweisen wird können, wollte sich die schwere Aufgabe, die er nun gelöst hat, nicht noch durch Farbe und Zeichnung compliciren, und begnügt sich einstweilen, die neue Varietät in weisser Farbe zu vervollkommnen. Die Red. des »Aviculteur« setzt grosse Hoffnungen in die neue Taubenart und glaubt die Zeit nicht ferne, wo die Pfau-Perrückentaube eine regelmässige Erscheinung grösserer Ausstellungen sein werde.

Ph.—

Ein Muster-Taubenschlag. Schon längere Zeit von Herrn Stadtbaumeister Kernast eingeladen, seinen Taubenboden einmal anzusehen, fuhr ich eines schönen Sonntag-Nachmittags nach Mauer und sprach bei dem genannten Herrn vor. Es hatten sich noch zwei andere Taubenfreunde eingefunden und nun ging es an die Besichtigung der Taubenböden, Pardon: Tauben-Salons: denn das waren veritable Zimmer mit grossen Fenstern, wie man sie in Wohnräumen sonst zu haben pflegt, Alles stuccaturt und die Mauern reingeweisst, der Boden von Asphalt mit fingerbreiter Sandschichte, die Nistkästen alle weiss angestrichen, mit irdenen Schüsseln, innen rauh, aussen glasirt, damit das Ungeziefer nicht so leicht hineinkriecht; jedes Fach mit leichter Mühe, durch Herausziehen eines Stiftes, herauszunehmen, überhaupt jede Kastenabtheilung sehr leicht zu reinigen, nachdem man den Blendladen entfernt hat. Dass die Futter- und Wassertröge ebenfalls höchst praktisch angebracht waren, ist nach dem Vorausgeschickten wohl selbstverständlich. Alle Räume luftig, doch ohne Zug, mit einem Worte Räume, die auch für den menschlichen Aufenthalt gesund und freundlich wären. Man konnte aber auch die Folgen dieser günstigen Umstände in jeder Abtheilung wahrnehmen, überall gab es Junge in Hülle und Fülle, in allen Stadien der Entwicklung. — Wenn wir der Reihe nach das Gesehene recapituliren, so waren in der ersten Abtheilung durchgehends feine Brünner Kröpfer in allen Farben, von denen aber besonders die weissen durch zarten Bau und zierliche Figur auffielen. Im zweiten Boden waren mehrere Racen gemischt durcheinander, diverse Farbentauben, Mockeh's, Tümmler und einige nicht üble Pfautauben in Weiss. Die dritte Abtheilung enthielt prächtige Malteser, von denen besonders rothe und gelbe durch ihre seltene Farbe auffielen. Der Glanzpunkt der ganzen Collection war in dem vierten Boden (Zimmer) untergebracht. Ich habe schon lange nicht so viele und schöne Römertauben auf einem Fleck gesehen, mitunter wahre Riesenthiere: weisse, blaue, schwarze (von denen aber einige Montaubanblut oder von ungarischen Kröpfern, Blut beigemischt zu haben schienen) und endlich grispiqué-farbige, von denen ein Paar so schön war, dass sie mich, wenn ich das siebente Gebot nicht so tief eingeprägt hätte, zu einem Attentate hätten verleiten können. Es dürften vielleicht 80 Stück Römer allein dagewesen sein, ohne die vielen Jungen im Neste; die Gattung hatte nebenan einen Balcon mit Draht gedeckt, um sich in Sonne und Regen ungefährdet bewegen zu können. Zum Schlusse folgte nach Besichtigung der Tauben ein kleiner schmackhafter Imbiss im Garten der Villa, kredenzt von der lieblichen jungen Hausfrau, so dass ich erst spät mich durch das Dampfross heimführen liess, vom diesen Taubenboden-Besuch sehr befriedigt.

J. B. Brusskay.

Aus den »Circular-Verordnungen« der k. k. Post- und Telegraphen-Direction für Oesterreich u. d. Enns:

Beförderung von Sendungen mit lebenden Tauben aus Oesterreich und Ungarn nach Deutschland inclusive Bayern und Württemberg. In theilweiser Abänderung der hieramtlichen Circular-Verordnung vom 27. Mai 1893, Z. 31.929, wird den k. k. Aemtern eröffnet, dass in Gemässheit des Erlasses des hohen k. k. Handelsministeriums vom 21. Juli l. J., Z. 37.197, Sendungen mit lebenden Tauben aus Oesterreich und Ungarn nach Deutschland inclusive Bayern und Württemberg, so lange dieselben vereinzelt vorkommen, auch dann mit der Post befördert werden dürfen, wenn die Tauben nicht ausdrücklich als »Ziergeflügel« auf der Begleitadresse oder der Sendung selbst bezeichnet sind. Wien, 27. Juli 1893.

Kleine Mittheilungen.

Ornithologisches vom Hocherzgebirge. »Hupp, hupp,« erscholl es durch mehrere Wochen hindurch im heurigen Frühjahre in frühen Morgenstunden aus dem Hohlwege der Wiesenthaler Höhe (981 m) am nördlichen Abhange des Keilberges. So fremdartig allen Beobachtern der Ruf klang, ebenso fremd war ihnen auch der Rufer, ein prächtiger Vogel mit drolligem »Gethue«, wie es der Volksmund benannte. Ein Pärchen Upupa epops L. hatte den bezeichneten Hohlweg zu seinen Morgenspaziergängen ausersehen und wagte sich ohne Scheu öfters selbst bis auf zehn Schritte Entfernung in die Nähe der Häuser der Ortschaft Stolzenhan. —

Wie ich schon in Nr. 17, Jahrgang 1892, dieses Blattes berichtete, hatte ich im vorjährigen Sommer Gelegenheit, zwei Stück einer noch nie im Hocherzgebirge gesehenen Schwalbenart aus weiterer Entfernung zu beobachten. Den 28. Juni l. J. schwärmten zu meinem grössten Erstaunen in nächster Nähe des Stolzenhaner Schulhauses die Unbekannten in fünf bis acht Exemplaren mit Hirunda urbica L. um das genannte Gebäude. Da ein Pärchen seitdem jeden Tag zu sehen ist, so kann ich nach genauer Ueberzeugung mittelst Opernglases constatiren, dass es die noch niemals im Hocherzgebirge beobachteten Schwalben Hirunda rupestris Gmelien sind. Sollten dieselben während des ganzen Sommers auf dem hohen Erzgebirge bleiben, so werde ich seinerzeit darüber berichten. Peiter.

Personal-Nachricht. Unser langjähriges Mitglied und eifriger Mitarbeiter Herr Dr. Paul Leverkühn wurde zum Director der wissenschaftlichen Institute und Bibliothek Sr. königlichen Hoheit des Fürsten Ferdinand von Bulgarien in Sofia ernannt.

Aus den Vereinen.

Der Wiener Geflügelzucht-Verein »Rudolfsheim« hat in seiner Sitzung vom 30. Juni den Beschluss gefasst, zur Hebung der Geflügelzucht und zur Verbesserung der einheimischen Landracen dem Rannersdorfer Landwirthschaftlichen Casino einen Stamm 1.4 schwarze glattbeinige Langshan, sowie 1.2 Toulouser Gänse unentgeltlich zu überlassen und werden im Herbste dieses Jahres noch weitere zwei Stämme gesperberte Italiener zu Kreuzungszwecken an Lehrpersonen auf das flache Land hinausgegeben.

* * *

Um vielseitigen Wünschen seiner Mitglieder entgegenzukommen, ertheilt zum Zwecke der Hebung der Race- und Nutzgeflügelzucht in Oesterreich der Wiener Geflügelzucht-Verein »Rudolfsheim« auf Grund einer statistischen Geflügelzucht-Tabelle einschlägigen Rath in An- und Verkauf von Race- und Nutzgeflügel unentgeltlich. Reflectanten wollen sich an die Vereinskanzlei, Wien, Rudolfsheim, Schönbrunnerstrasse 70, wenden.

Erster mährischer Geflügelzucht-Verein in Grumberg. Am 7. Mai l. J. fand die constituirende Generalversammlung dieses Vereines statt und wurden folgende Herren in den Ausschuss berufen: Franz Weiss, Grundbesitzer in Grumberg, Präsident; Alois Weiss, Grundbesitzer in Klein-Morau, Vicepräsident; ferner als Ausschussmitglieder die Herren: Hannieg, Bürgermeister, Cahanek, Lehrer, Bubich, Kaufmann, Göttlicher, Kaufmann, Ertl, Pfarrer, Frömel V., Gemeindesecretär, Frömel B., Hausbesitzer, Kesselgruber, Hausbesitzer, sämmtlich in Grumberg; Winter J., Grundbesitzer, Winter F., Grundbesitzer, Beide in Klein-Morau; Langer, Schulleiter in Glasdörfl; Hlavatsch, Förster in Potschaike; Klameth, Erbgerichtsbesitzer in Blaschke; Klameth, Hofpächter in Grulich, und Dr. Renner in Hannsdorf. Der neue Verein trat dem Ersten österreichisch-ungarischen Geflügelzucht-Verein in Wien als Mitglied bei und bestimmte »Die Schwalbe« zum Vereinsorgan. Monatlich findet eine Vereinsversammlung statt, womit Vorträge verbunden werden. Bisher fanden solche Vorträge statt: am 18. Juni »Ueber die Bedeutung der Geflügelzucht in Oesterreich-Ungarn« (Herr Oberlehrer Langer in Grumberg), und am 30. Juli »Ueber Wohnung, Fütterung und Gesundheitspflege des Geflügels (Herr Alois Weiss in Klein-Morau).

Ausstellungen.

I. grosse allgem. Ausstellung des Vereines »Ornis« zu Leipzig. Unter dem Ehrenvorsitze des Herrn Dr. E. S. Zürn veranstaltet der Verein für Zier- und Singvögelliebhaberei und Vogelschutz »Ornis« in den Tagen vom 22. bis 26. September 1893 in Köhler's Gesellschaftshaus (früher Stadtgarten) in Leipzig eine grosse allgemeine Ausstellung von ausländischen Zier- und Singvögeln aller Art, einschliesslich der Gestalt- und Farbenkanarien, von Fasanen sowie Park- und Volièren-Ziergeflügel, kleinen Raubvögeln, Käfigen und Utensilien zur Zucht und Pflege, sowie für den Vogelschutz, desgleichen von ornithologischen Sammlungen, Futterproben und Fachliteratur, verbunden mit Prämiirung — nach einem neuen, einheitlichen System — und Verlosung. Einheimische Singvögel können auf Grund der königlich sächsischen Verordnungen über den Vogelschutz zur Ausstellung nicht zugelassen werden, desgleichen sind auf Gesang gezüchtete Kanarienvögel, sowie das Race- und Nutzgeflügel ausgeschlossen. — Von dem auf den seitherigen ornithologischen Ausstellungen üblichen Prämiirungssystem weicht der obige Verein vollständig ab und bietet an dessen Stelle eine Neuerung, welche ohne Zweifel die Anerkennung nicht nur der Züchtung betreibenden Aussteller, sondern namentlich auch die Anerkennung der nicht ausschliesslich züchtenden Liebhaber und Händler, sowie derjenigen Theilnehmer finden wird, welche die Ausstellung mit sogenannten Hilfsmitteln etc. — dem seitherigen Aschenbrödel der Ausstellungen — beschicken, so dass eine rege Betheiligung umsomehr zu erwarten ist, als auch den auswärtigen Händlern und Liebhabern eine Garantie für den Absatz verkäuflicher Objecte zur Verlosung geboten ist. Ferner ist der gewählte Zeitpunkt der Ausstellung ein sehr günstiger zu nennen, da derselbe in die Leipziger Michaelismesse fällt, zu welcher der Fremdenzufluss schon ohnehin ein grosser ist und schliesslich bietet die ebenfalls günstige Jahreszeit dem entfernter wohnenden Beschicker der Ausstellung eine sichere Garantie gegen etwaige Verluste auf der Reise. Für die Prämiirung sind drei Classen geschaffen; in der ersten wird eigene Züchtung ausländischer Zier- und Singvögel, sowie des grösseren Volièren-Ziergeflügels aller Art berücksichtigt; in der zweiten die Einführungen seltener und interessanter Vogelarten, hervorragende Collectionen, hervorragende Sänger und abgerichtete, sowie gutgepflegte Vögel; in der dritten Classe endlich werden hervorragende Leistungen in praktischen Käfigen, sowie sonstige Utensilien für Zucht, Liebhaberei und Vogelschutz, desgleichen die Sammlungen ausgestopfter und aufgebalgter Vögel, deren Nester und Eier, sowie Futterproben und Fachliteratur ihre gerechte Würdigung finden. In allen drei Classen kommen durchaus gleichwerthige Prämien zur Vertheilung und werden sowohl werthvolle Ehrenpreise als auch Geldpreise gegeben; von letzteren als erster Preis 10 Mark, als zweiter Preis 6 Mark und als dritter Preis 3 Mark. Die Prämiirung erfolgt am 22. September a. c. Früh und wird durch drei hervorragende und durchaus sachkundige Preisrichter ausgeübt, von welchen ein Preisrichter für die ausländischen Zier- und Singvögel, beziehungsweise die eigentlichen Stubenvögel, ein zweiter Preisrichter für die Fasanen und das grössere Volièren-Ziergeflügel, und ein dritter Preisrichter für die ornithologischen Sammlungen, Utensilien, sowie Futterproben und Literatur gewonnen ist. — Programme und Anmeldebogen kommen demnächst zur Versendung und sind durch den Vorsitzenden, Herrn Fr. Kloss in Leipzig-Anger, Hauptstrasse 7 a, zu beziehen.

I. Kärntnerische Geflügel-Ausstellung in Klagenfurt 8. bis 10. September 1893. Diese bereits in der letzten Nummer der „Schwalbe“ angekündigte Ausstellung des „I. kärnt. Geflügelzucht-Vereines in Klagenfurt“ ist sehr reich dotirt; es kommen zur Vertheilung: vier silberne Staatsmedaillen, drei silberne, vier bronzene Medaillen der „Landwirthschafts-Gesellschaft für Kärnten", 40 Kronen in Gold als Ehrenpreis der Stadt Klagenfurt und circa 200 fl. Geldpreise des Geflügelzucht-Vereines, ausserdem stehen noch diverse Privat-Ehrenpreise, Anerkennungs-Diplome etc. zur Disposition der Preisrichter.

Wie uns mitgetheilt wird, werden im In- und Auslande anerkannte Fachleute die Jury bilden. Bisher liefern zahlreiche Anmeldungen an Tauben, Ziergeflügel und Singvögeln ein, während das Grossgeflügel noch weniger zahlreich angemeldet wurde. — Wir verfehlen nicht, unsere Züchter hiermit aufzufordern, den jungen Verein durch zahlreiche Anmeldungen thatkräftig zu unterstützen und sich auch im Lande Kärnten durch Vorführung ihrer besten Zuchtproducte bekannt zu machen.

Der Jahreszeit entsprechend wird auch Junggeflügel vollste Berücksichtigung seitens der Jury finden.

Geflügel-Ausstellung in Breslau, Anfang November 1893. Die drei verbündeten Vereine Breslaus: »Brieftaubenliebhaber-Verein«, »Verein schlesischer Taubenliebhaber und Züchter »Columbia« und der »Verein für Vogelkunde und Geflügelzucht«, haben eine internationale Ausstellung für diesen Herbst beschlossen. — Die Genehmigung zum Vertrieb von 10.000 Losen à 50 Pfg. wurde ertheilt und wird das Comité nunmehr mit weiteren Arbeiten energisch vorgehen. Da von berühmtesten Züchtern Beschickung zugesagt worden ist, so verspricht die Ausstellung eine glänzende zu werden.

Junggeflügel-Ausstellung in Hannover. Der »Verein für Geflügel- und Singvögelzucht« in Hannover hält seine diesjährige Junggeflügelschau unter Mitwirkung des »Club deutscher und österr.-ungar. Geflügelzüchter« in den Tagen vom 22. bis 24. September ab, und sind eventuelle Anfragen an Herrn O. Bruhn, Hannover, Bürgerstrasse Nr. 9, zu richten.

Prämiirungs-Liste der ersten Wander-Geflügel- und Vogel-Ausstellung in Krems a. d. Donau.

(Veranstaltet vom I. österr.-ung. Geflügelzucht-Vereine mit dem k. k. landwirthschaftlichen Bezirksvereine Krems.)

Es erhielten für

GROSS-GEFLÜGEL:

Silberne Staats-Medaille.

1. Frau Bar. Haber für Plymouth-Rocks, weisse Cochins, Malayen und Endener Gänse.
2. Herr C. Mitterer für weisse Cochins.

Bronzene Staats-Medaille.

1. Frau F. Shaniel für schwarze Langshans, Plymouth-Rocks und Dorkings.
2. Herr A. Feischl für gelbe Cochins und Holländer.
3. » J. Kienast für Goldsprengel.

Silberne Medaillen.

Ver.-M. 15. » J. D. Cavood für Kämpfer.
K. A. M. 2. Herr A. Spitzner für Langshans, schw.
K. A. M. 3. » F. Swoboda für Langshans, weisse.
K. A. M. 13. Frau Betti Nagl für Minorcas.
K. A. M. 4. Frau Bar. Haber für Pecking-Enten.
K. A. M. 17. Geflügelhof Slawentzitz für Plymouth-Rocks, Italiener, Silbersprenkel, Rouen-Enten, Smaragd-Enten und Toulouser Gänse.
K. A. M. 5. » Isabella Pallisch für Plymouth-Rocks.
Medaille der Landwirthschaftl. Gesellschaft:
6. Frau Isabella Pallisch für Cochins, weisse.
K. A. M. 7. Herr A. Feischl für Houdans.
Ver.-M. 8. » Johann Diener für Phönix.
K. A. M., hiezu einen Ducaten.
9. Frau Johanna Tintara für Houdans.
K. A. M., hiezu einen Ducaten:
Ver.-M. 16. » Ed. Hengstenberg für Rouen-Enten.
10. Frau Irma Nagl für Houdans.
Ver.-M. 11. Herr Graf Waldegben für Dorkings.
Ver.-M. 12. » K. Gudera für Fasanen.
Ver.-M. 14. Herr Carl Becker für Italiener.
K. A. M. 1. Frau F. Shaniel für Endener Gänse.

Die für Züchter aus dem Waldviertel vorbehaltenen silbernen Medaillen:

1. Frau Marie Brutscher, Krems.
2. Besserungsanstalt Eggenburg.

Erste Preise.

1. Frau Th. Thornton für Paduaner.
2. Herr Johann Schmidt für Italiener.

Zweite Preise.

1. Frau Karoline Zeinlinger für Kämpfer.
2. Herr A. Schönpflug für Langshans, schw.
3. » A. A. Spitzner für Holländer.
4. Frau Th. Thornton für Silberlack-Paduaner.
5. Herr A. Feischl für Brahmas, dunkle.
6. » » » La Flèche.
7. » Joh. Diener für rebhuhnfarb. Cochins.
8. » K. Taucher für weisse Cochins.
9. » Th. Wichmann für helle Brahmas.
10. Geflügelhof Janowitz für schwarze Minorcas.
11. Herr Josef Kirchmayer für Peking-Enten.
12. » Emil Speth für Gold- und Silbersprenkel.
13. » Ferd. Fricke für Kämpfer.
14. » Hans Enzinger für Zwergkämpfer.

Bronzene Medaillen.

1. Herr Bar. Suttner für schwarze Langshans.
2. Frau Anna Sowak » » »
3. Herr A. Schönpflug für Peking-Enten.
4. » F. Swoboda für helle Brahmas.
5. Frau Th. Thornton für Langshans weisse, Plymouth-Rocks und Holländer.
6. Herr Joh. Diener für Zwergkämpfer, Peking-Enten, Endener Gänse.
7. Herr Jos. Klein für Wiandotte.
8. » J. Brusskay für Paduaner, weisse.
9. » K. Gudera für Holländer, blaue.
10. » F. Schlinkert für Italiener.
11. » Jos. Kirchmayer für Leghorns.
12. » Fürst Ypsilanti für Silberlack.
13. » Joh. Kienast für Truthühner, weisse.
14. » Emil Fischer für Jokohama.
15. » Vonhausen für Bantams.
16. » Konrad Widter für Bantams.
17. » W. Blowsky für Rouen ented.
18. » C. Gudera für Red cap.

Dritte Preise.

1. Herr Anton Dimmel für Langshans, schwarz.
2. » A. Schönpflug für Houdans.
3. » Theod. Wichmann für helle Brahmas.

Diplome.

1. Frau F. Shaniel für Norfolk-Truthühner.
2. Herr Baron Suttner für Houdans.
3. Frau Karol. Zeinlinger für Langshans, schwz.
4. Herr Jos. Leithner für Langshans, schwarz.
5. » Jul. Fuchs für Plymouth-Rocks.
6. » » » » Zwergkämpfer.
7. » Oscar Frank für Cochings, gelbe.
8. » Adolf Limbrunn für Cochings, gelbe.

9. Herr Joh. Diener für Ramesloher, weiss.
10. » C. Mitterer für Peking-Enten.
11. » Theod. Wichmann für Peking-Enten.
12. » Joh. Schneider für Wiandotte, Silberlack.
13. » K. Gudera für Toulouser Gänse.
14. Geflügelhof Janowitz für Norfolk.
15. Frau L. v. Schweizer für Italiener und Leghorns.
16. Herr Engelbt. Pichler für Siebenbürger Nackthälse.
17. » Joh. Kowacs für Kreuzung Plymouth × Cochins.
18. Landes-Besserungsanstalt Eggenburg für Kreuzung türkischer Enten.
19. Frau Marie Siller für Kreuzung von Enten.
20. Herr Max Wachs für Toulouser Gänse.
21. » Karl Schmidt für Laer Gänse.
22. » Guido Findeis für Goldfasan.
23. » J. Richter, Kritzendorf, für Rouen-Kreuzung.
24. » Blowsky für Fuchsgänse.

Verlag des Vereines. — Für die Redaction verantwortlich: **Gustav Röttig.**
Buchdruckerei Helios, Wien, I. Schreyvogelgasse 3.

XVII. JAHRGANG. Nr. 9.

Blätter für Vogelkunde, Vogelschutz, Geflügelzucht und Brieftaubenwesen.

Organ des I. österr.-ung. Geflügelzuchtvereines in Wien und des I. Wiener Geflügelzuchtvereines „Rudolfsheim“

Redigirt von **C. PALLISCH** unter Mitwirkung von Hofrath Professor **Dr. C. CLAUS.**

16. September. 1893.

„DIE SCHWALBE“ erscheint **Mitte eines jeden Monates und wird nur an Mitglieder abgegeben.**
Einzelne Nummern 50 kr., resp. 1 Mark.
Inserate per 1 □Centimeter 4 kr., resp. 8 Pf.

Mittheilungen an den Verein sind an Herrn Präsidenten **Adolf Bachofen von Echt sen.**, Wien, XIX Färbergasse 18, zu adressiren. **Jahresbeiträge** der Mitglieder (5 fl., respective 10 Mark) an Herrn **Dr. Carl Zimmermann,** Wien, I. Bauernmarkt 11, einzusenden.
Alle redactionellen Briefe, Sendungen etc. sind an Herrn **Ingenieur C. Pallisch in Erlach** bei Wr.-Neustadt zu richten.

Vereinsmitglieder beziehen das Blatt gratis

Skizzen aus Montenegro und Albanien mit besonderer Berücksichtigung der Ornis daselbst.

Von **Ludwig von Führer.**

(Fortsetzung.)

Der folgende Vormittag wurde mit dem Ordnen der Bälge ausgefüllt. Mittags ging ich auf den Bazar, um bekannte Albanesen aufzusuchen. Bald begegnete ich auch einen mir befreundeten Gusinjianer,[1]) Avdul Starov genannt, der, ungeachtet dass er durch eine Gewehrkugel vor mehreren Jahren ein Auge einbüsste, ein ausgezeichneter Schütze und Gemsjäger ist.[2]) Nachdem derselbe seiner Freude, mich wiederzusehen, laut Ausdruck gab, erzählte er mir vor Allem, dass zwei seiner Brüder, welche ich auch kannte, der Vendetta anheimgefallen sind. Avdul hat aber Murat und Hassan schon gerächt, indem er vier Klimenti in die ewigen Jagdgründe sandte. Ob die Sache mit dem ausgetragen sein wird, steht natürlich sehr in Frage.

[1]) Gusinjie ist ein Ort in Albanien nächst Peć (türk. Ipek). Die Einwohner, ausschliesslich Türken, gehören zu den gefürchtetsten Helden Albaniens. Diese vorzüglichen Schützen und Reiter sind immerwährend in Fehde mit den angrenzenden Klimentis und Montenegrinern; eine Brigade der letzteren wollte vor einigen Jahren durch einen nächtlichen Ueberfall den Ort einnehmen; beinahe Alle bezahlten aber diese Kühnheit mit ihrem Leben. Die Blutrache fordert hier die meisten Opfer.

[2]) Gelegentlich einer Excursion nach Albanien lernte ich diesen Mann, dessen Name im ganzen Lande durch die Verwegenheit seiner Vorfahren und noch lebenden Brüder bekannt ist, unter ganz eigenthümlichen Umständen im Jahre 1890 kennen. Er gab mir das Amanet und wir verbrüderten uns, dies hatte den Zweck, dass, wenn mir in seinem Lande etwas zu Leide gethan würde, ich unbedingt von ihm oder einem seiner Brüder gewaltig gerächt werden müsste; der schönste Zug im Charakter der Albanesen.

Für den nächsten Tag beabsichtigte mein albanesischer Bruder heimzureiten. Er bot mir eines seiner Pferde an, um ihn nach Gusinjie zu begleiten und sein Haus als das meinige zu betrachten, ebenso wie ich es im Jahre 1890 that, als wir gemeinschaftlich 15 Tage in den albanesischen Bergen jagten. Ich acceptirte dankend diesen liebenswürdigen Vorschlag und lud den Mann ein, für heute mein Gast zu sein, gleichzeitig erkundigte ich mich nach dem Befinden des mir bekannten Paschas von Gusinjie, bekam aber zur Antwort, dass derselbe — wie seine elf Vorgänger — erschossen wurde.[3])

Nach dem Mittag gingen wir auf Malo brdo in nächster Nähe von Podgorica.

Dieser Berg stellt ein Conglomerat von Felsblöcken mit spärlicher Vegetation dar; die Flora besteht hauptsächlich aus dem officinellen Salbei, einer Pflanze, welche die Steinhühner besonders lieben. Auf dem höchsten Punkte finden sich die Ruinen einer türkischen Verschanzung, wo mit Sicherheit Hühner anzutreffen sind.

Ich wollte meinem Begleiter ein Schrotgewehr geben, er refusirte aber mit dem Bemerken, dass er bloss mit der Kugel schiesse, und zwar mit seinem Martini; auf Vögel schiesst er nie, da ihm um die Patrone leid wäre.

In einer Stunde erreichten wir die Schanze und liessen uns im Schatten einer zerfallenen Mauer nieder. Ballo sprang aber von einem Felsblock zum andern und bevor wir uns noch vom Aufstieg erholten, gab der Bracke auch schon einen ganz eigenartig unterdrückten Laut, als sicheres Zeichen, dass er auf frischer Spur von Steinhühnern sei.

Wir sprangen auf und postirten uns in der Nähe des Hundes; jeder auf einem Felsen. Kaum hatten wir Stellung genommen, als auch schon zwei Hühner gleichzeitig auffliegen, von welchen ich eines erlegte; kurz darauf stöberte Ballo noch drei auf, wovon eines im Feuer blieb, das andere aber geflügelt wurde. Das dritte fehlte A v d u l mit der Kugel.

Nun traten wir den Heimweg über die andere Seite des Berges an. Ausser den gewöhnlichen Typen, als: Felsenspechtmeise, Thurmfalken, Felsentauben und Steinkäuze, war nichts zu sehen. Am Fusse des Berges, schon bei Vranicka niva brackirte Ballo einen Hasen, den mein Begleiter mit der Kugel streckte.

Der Hodscha[4]) rief vom Minarett die Gläubigen zum Gebet — es war Akscham[5]) — und wir erreichten unser Domicil.

Nach dem Nachtmahl ging mein Bruder seine Pferde zu holen aus dem Han (Gasthof), wo er die vorige Nacht schlief; ich packte währenddem die Satteltaschen und richtete alles Nöthige für die morgige Excursion zusammen.

Des Morgens am 11. September wurde ich von meinem Schlafkameraden mit dem Bemerken geweckt, dass die Pferde gesattelt seien. In einigen Minuten war ich auch angekleidet, da mein Costüm bloss aus Opanken, einer unten ausgezackten Leinwandhose, ebensolchem Hemde mit sehr weiten Aermeln und bis zu den Knien reichend, einer türkischen Binde über den Hüften und einem weissen Fez mit grosser blauer Quaste bestand. Nachdem ich Kugel- und Schrotpatronengürtel umnahm, steckte ich den Revolver hinter dieselben, warf meinen Winchester nach Art der Cavallerie über den Rücken und das Schrotgewehr über die Achsel. A v d u l bekam den Waterproof mit den Präparir-Utensilien, die Weidtasche mit dem Proviant und die Feldflasche. Nun schwangen wir uns auf die schon unruhigen Pferde; ich pfiff meinem treuen Ballo und der Zug setzte sich in Bewegung.

Bei einem Rafandschia hielten wir und tranken ohne abzusitzen fünf Mokka, A v d u l drei bittere und ich zwei süsse, wofür ich 9 kr. ö. W. bezahlte. Wir ritten dem Flusse Ribnica entlang der Kakarizka gora zu.

An den Ufern des Flüsschens waren unzählige Felsentauben auf der Tränke. Graue Reiher, punktirte Wasserläufer, Flussuferläufer, Eisvögel und Wasseramseln waren ebenfalls anwesend; von letzteren erlegte ich eine vom Pferde aus und bestimmte selbe als die südliche Varietät.

Nach dreiviertel Stunden erreichten wir das Gebirge und nach einer weiteren halben Stunde die Grenze. Von hier aus schlugen wir einen wahren Höllenweg, der bedeutend kürzer sein soll, auf A v d u l's Anrathen ein.

Anfangs bestand das Terrain aus Karst mit Eichen- und Eschengestrüppen durchsetzt, je höher wir aber kamen, um so dichter wurde die Flora, bis wir in einem Walde waren.

Um die schroffen Felswände des Orlovkamen kreisten braune Geier, Schmutzgeier, sowie ein Steinadler und ein Schreiadler. Hier befinden sich auch ihre Horste, die ich im Jahre 1890 erstieg.

Hinter Fundine führt der Weg zwischen unzulänglichen Felswänden, wo ebenfalls Horste von Geiern, Adlern, sowie Uhus vorhanden waren, ausserdem brüteten hier noch in Gemeinschaft Felsentauben, Felsenspechtmeisen und Felsenschwalben.

Wir gelangten auf eine theilweise bewaldete Anhöhe, von wo aus wir eine herrliche Aussicht hatten. Gegen Süden die unabsehbare Ebene Čemosko, in deren Mitte die Stadt Podgorica mit den vielen Minaretts liegt; im Hintergrunde die montenegrinischen Berge, mit dem Leško polje beginnend und dem Lovčen endend. Südöstlich der von schwarzen Bergen umrahmte Skutarisee. Nördlich erheben sich die Hochalpen des Kuči kom mit ihren Urwäldern und schliesslich im Osten die grösstentheils unzugängliche Prokletia mit den in der Sonne röthlich glänzenden, zerklüfteten Felsmauern und den bewaldeten Abhängen.

Dieses über 2000 m hohe Gebirge beherbergt noch Thiertypen, welche von der um sich schreitenden Cultur verdrängt wurden, nämlich den Alpensteinbock und den Bartgeier positiv und wahrscheinlich auch noch ein wildes Schaf, ähnlich dem Muflon. Der Vater A v d u l's erlegte einen Steinbock, das Gehörne sah ich, es befindet sich ober der Thüre seines Hauses und da es dem Aberglauben nach vor jedem Unglück schützt, so ist es auch um keinen Preis verkäuflich, ebenso wie die von Montenegrinern herrührenden Schädel — viele noch mit Bart und Haaren — die als Kriegstrophäen auf Stangen vor dem Hause prangen.

Ich werde mir erlauben, anderenorts über das Vorkommen dieser mysteriösen Thiere genau zu berichten.

Was den Bartgeier betrifft, so muss ich sagen, dass dieser ziemlich häufig ist. Ich erlegte 1890 zwei Exemplare,

---

[3]) Wenn die Gusinjianer mit ihrem vom Sultan eingesetzten Gouverneur nicht zufrieden sind, so wird er einfach erschossen. Den letzten, ein äusserst gebildeter Mann, der auch Jäger war, traf das tödtliche Blei während er sich rasiren liess. Der Mörder feuerte den Schuss von einem über 200 Schritte gegenüber der Barbierstube gelegenen Berge ab.

[4]) Türkischer Priester.

[5]) Abend.

das eine am Kom mit Schrot, das andere mit der Kugel bei Dinoš in Albanien. Kenne auch mehrere Horste — leider alle unzugänglich — in der Prokletia, die ich bis zur Schneeregion oftmals erstieg.

Unsere Reise fortsetzend, bemerkten wir, gerade um eine Felswand biegend, mehrere Albanesen, die Avdul als seine Verwandten begrüsste. Aus dem schwer zu verstehenden Dialecte entnahm ich, dass diese meinem Begleiter entgegengingen, um ihn zu warnen, diesen Weg einzuschlagen, weil sie in Erfahrung brachten, dass einige Klimenti auf ihn lauern. Er entschuldigte sich daher vielmals bei mir, dass er gezwungen ist, einen anderen Weg zu benützen, der jedoch um zwei Tagreisen länger ist. Es ist selbstredend, dass ich unter solchen Umständen meine Reise mit Avdul nicht fortsetzen konnte, deshalb verabschiedete ich mich mit dem Bemerken, nächstens von seiner Einladung Gebrauch zu machen. Nach einem »Akscham bairum« und Händedruck kreuzten sich unsere Wege. Ich ging zu Fuss retour und gelangte spät am Abend nach Medun bei Fundine, wo ich beim grössten Helden Montenegros, dem Wojwoden Marko Milanof,*) übernachtete, um Tags darauf die Wände des früher erwähnten Orlovkamen zu ersteigen. Auf das Freundlichste vom Wojwoden empfangen, unterhielten wir uns einen Theil der Nacht über Jagd und Politik, welch letztere sein Lieblingsthema ist. Bevor wir zur Ruhe gingen, empfahl ich mich von ihm, da ich vor Tagesanbruch die Wände zu erklimmen gedachte und bei meinem Aufbruch nicht stören wollte. Nach dem üblichen »Sretan ti put brate« (»Glück auf, Bruder«) begab sich der Held in ein anderes Gemach seines nach Art einer Festung gebauten Hauses.

Den 12. September, 2 Uhr Morgens, erstieg ich Sack und Pack mit meinem treuen Begleiter die zerklüfteten Felsmauern. Nach beinahe zweistündigem mühevollen Steigen kam ich in der Nähe der Horste an und machte, zwischen Felsen gedeckt, Halt.

Bei Tagesanbruch erhoben sich dunkle Gestalten von den in Nischen auf Felsplatten befindlichen Horsten, welche jetzt als Schlafstätten benützt werden, und strichen geräuschlos ab. Es waren Aasgeier. Einige Meter höher verliessen bald darauf einige braune Geier ihr Nachtlager, begannen zu kreisen und verschwanden dann gegen den Skutarisee hin.

Zum Schlusse kamen bloss zwei Neophrons, welche ich auch erlegte. Auf einen abstreichenden Steinadler gab ich dreimal Feuer, aber ohne Erfolg. Unzählige Thurmfalken verliessen ihre Schlupfwinkel und trieben ihr Spiel in den Lüften.

Während des Tages beobachtete ich noch Zwerg- und Schreiadler, sowie zwei Bonelliadler. Am 2. September vorigen Jahres erlegte ich einen Nisaetos Bonelli in der Nähe des Orlovkamen am südöstlichen Abhange des Vrbič. Ausser den gewöhnlichen Typen notirte ich nichts Neues. Die Hitze war sehr gross, deshalb begab ich mich Mittags zu einer in der Nähe gelegenen Quelle, wo ich bis gegen 4 Uhr verblieb. Hierauf stieg ich abermals in die Nähe der Horste, um am Abende die Gesellschaft beobachten zu können. Schon im Laufe des Nachmittags kamen einzelne Geier, um den Schatten der Felsen aufzusuchen.

*) Der Sultan liess auf seine Kosten diesen Mann nach Constantinopel kommen, nur um ihn zu sehen. Er ist ein intelligenter Mensch, dessen Kühnheit und Energie keine Grenzen kennt.

Als die Sonne schon hinter den Bergen verschwunden war, bot sich ein interessantes Schauspiel, das noch gewann durch die herrliche Fernsicht vom Orlovkamen.

Einzeln oder auch zu mehreren kreisten die Geier hoch in den Lüften, bald kamen sie immer tiefer und tiefer, bis sie in gleicher Höhe mit den Felswänden waren, dann schwebten dieselben ohne Flügelschlag, immer näher kommend, bis schliesslich die Nischen erreicht wurden. Ich erlegte einen Gyps fulvus, der die Felswand herabfiel. Nächsten Morgen fand ich bloss Reste von ihm, jedenfalls haben sich die Füchse seiner bemächtigt.

Es begann dunkel zu werden; ich suchte ein geeignetes Plätzchen aus, um mit den Geiern unter einem Dache zu übernachten. Nach dem Souper übernahm Ballo die Rolle eines Kopfpolsters, weil die Felsen doch etwas zu hart waren.

(Fortsetzung folgt.)

Beiträge zur Vogelfauna Oesterreichisch-Schlesiens.

Von Emil C. F. Rzehak.

Wenn auch Einiges von dem, was ich heute bringe, nicht den Anspruch auf den Titel »Neueste Nachrichten« erheben darf, nachdem schon Decennien darüber verflossen sind, so glaube ich diese Thatsachen hier dennoch anführen zu müssen, da dieselben die ehemalige Vogelwelt Jägerndorfs und seiner Umgebung charakterisiren.

Leider ist über unsere österreichisch-schlesische Vogelwelt noch wenig in die Oeffentlichkeit gedrungen, da sich bis jetzt nur wenige Männer gefunden haben, die aus Interesse für die Sache zur Erforschung unserer Vogelfauna etwas beigetragen haben.

Der bedeutendste vaterländische Ornithologe, der 1883 in Jägerndorf verstorbene Apotheker Joh. Spatzier, hat wohl viel zur Kenntniss der heimischen Vogelwelt beigetragen, aber zum grössten Leidwesen wenig von seinem reichen Wissen und vielen Erfahrungen und Beobachtungen niedergeschrieben und dem Drucke übergeben.

Ich beklage diesen Umstand umsomehr, nachdem mir durch seine reiche Erfahrung so Vieles erleichtert und so mancher Zweifel aufgeklärt worden wäre; mit den damaligen günstigeren Verhältnissen kann man heutzutage durchaus nicht mehr rechnen, da jetzt Alles viel schwerer zu erreichen ist als damals in der »guten alten Zeit«.

Auch beklage ich den weiteren Umstand, dass ein Zweiter, mit dem ich Hand in Hand arbeiten und so manche Beobachtung über unsere Vogelwelt austauschen könnte, sich nicht gefunden hat und ich demnach für unser Schlesien auf mich selbst angewiesen bin, wenngleich ich in unserem heimischen Gelehrten, dem bekannten Entomologen k. k. pens. Professor H. Urban eine Stütze finde.

Wie ich schon oben erwähnte, ist Spatzier literarisch wenig hervorgetreten und ist dadurch so manches Wissenswerthe unbekannt geblieben.

Umsomehr hat er sich aber durch Geschenke von naturhistorischen Objecten hervorgethan und besitzt das Troppauer Gymnasial-Museum sowie auch andere Anstalten noch so manches Spatzier'sche Stück.

Gelegentlich einer Durchsicht der dem Gymnasial-Museum gehörigen Schenkungsurkunden habe ich in diesen letzteren Manches gefunden, wovon ich das Wissenswertheste hier mittheilen will.

Wie ich schon in meiner Broschüre: »Zur Charakteristik der Vogelfauna von Jägerndorf und Umgebung«*) näher erörterte, haben aus verschiedenen dort angeführten Ursachen so manche Vögel Jägerndorf und seine Umgebung ganz verlassen; zu diesen gehört auch die Beutelmeise. Dem emsigen und fleissigen Forschen und Beobachten Spazier's ist es gelungen, ein Nest der Beutelmeise nächst Jägerndorf aufzufinden, welches er im Jahre 1862 dem Troppauer Gymnasial-Museum schenkte. Bisher war mir nur ein einziger Fall über das Auffinden eines Beutelmeisennestes in Oesterreichisch-Schlesien bekannt; dieser ist von Professor Alb. Heinrich in seinem Werke »Mährens und k. k. Schlesiens Fische, Reptilien und Vögel«, p. 125, 1851, und von mir in meinem »Systematischen Verzeichniss der bisher in Oesterreichisch-Schlesien beobachteten Vögel« etc., p. 13, angeführt. Seither fehlen jede Nachrichten und Beobachtungen.

Lanius excubitor L. Mir ist es bis heute noch nicht gelungen, diesen Vogel hier brütend zu finden. Spatzier schenkte im Jahre 1858 dem Troppauer Gymnasial-Museum ein Nest sammt Eiern dieses Vogels, welches er bei Jägerndorf aufgefunden hat.

Ich traf und erlegte solche Vögel meist nur zur Winterszeit und ein einziges Mal fing ich im Spätherbste, Ende October 1889, einen solchen in ein grösseres Schlaggebauer, in welchem eine Kohlmeise als Lockvogel figurirte.

Ich hielt das Exemplar eine Zeit lang lebend in Gefangenschaft; es hat sich sehr störrisch benommen.

Gelegentlich einer im Juni d. J. in die weitere Umgebung Troppaus unternommenen Sammelexcursion entdeckte ich bei Kreuzendorf kleine Brutcolonien der Lachmöve (Larus ridibundus L.) und an den steilen und hohen Ufern der Oppa die Uferschwalbe (Chivicola riparia L.), ebenfalls brütend. Leider konnte ich zu den Nisthöhlen nicht gelangen, da das Ufer an dieser Stelle vollständig unzugänglich ist.

Bis jetzt war mir in unserem Schlesien nur ein einziger Ort (bei Drahomischl) bekannt, an welchem die Uferschwalbe brütend beobachtet wurde.**)

Am 18. Juni d. J. besuchte ich den Präparator Herrn J. Novak in Oppahof-Stettin nächst Troppau, bei welcher Gelegenheit er mir neben siebenbürgischen Uhus auch einen Dreizehenspecht (Picus tridactylus L.) zeigte, welchen er in seinem Hausgarten erlegte. Es ist merkwürdig, wie sich das Thier dorthin verfliegen konnte.

Den Sanderling (Charadrius hiaticula L.) fand ich heuer an mehreren Stellen der Oppa, so bei Kreuzendorf und oberhalb der sogenannten »Grenzmühle« bei Troppau brütend. Die Jungen hatten bereits die Nester verlassen und habe ich mehrere gefangen, aber wieder freigelassen.

Troppau, 15. August 1893.

*) In den »Mittheilungen der k. k. mährisch-schlesischen Gesellschaft für Ackerbau, Natur- und Landeskunde«. 1891. Separatabdruck. p. 2 u. folg.

**) Vergl. mein »Systematisches Verzeichniss der bis jetzt in Oesterreichisch-Schlesien beobachteten Vögel« etc. Separatabdruck aus den Mittheilungen des Ornithologischen Vereines in Wien »Die Schwalbe«. p. 20, 1891.

Biologische Gruppirung der Ornis der Schweiz.

Von **H. Fischer-Sigwart** in Zofingen.

Darnach bekommen wir folgende Tabellen:

Tabelle I.

I. Nordische Zugvögel.		
a) Die bei uns nie brüten	96	Arten
b) Die selten oder ausnahmsweise brüten	13	»
c) Die häufig nisten und brüten	23	»
II. Echte Nistvögel	97	»
III. Stand- und Strichvögel	67	»
IV. Ausnahmeerscheinungen etc.		
a) Die gebrütet haben oder gebrütet haben sollen	10	»
b) Die nie brüten	43	»
c) Unsichere Citate	8	»
Zusammen	357	Arten

Tabelle II.

Zweifelhafte Citate, wovon 9 zu den nordischen Zugvögeln und 8 zu den Ausnahmeerscheinungen eingereiht worden sind. Nie brütend	17	Arten
In der Schweiz nie nistende Vögel	130	»
Unsicher nistende Vögel	23	»
Sicher nistende Vögel	187	»
Zusammen wieder	357	Arten

Es ist selbstverständlich, dass alle Nistvögel und nordischen Zugvögel in gewissen Gegenden nur als »Zugvögel« bekannt sind, nämlich in solchen, wo die ersteren nicht brüten, weil ihnen die Localitäten nicht zusagen, und die letzteren nicht genügend Nahrung finden, währenddem die Nistvögel vielleicht gleich daneben, etwa in einem andern Thale, günstige Nistplätze finden, und dann als wirkliche Nistvögel auftreten, die nordischen Zugvögel aber günstigen Winteraufenthalt finden, der ihnen die nöthige Nahrung bietet, z. B. offene Gewässer, und dann als Wintergäste erscheinen. Auch ist in den nachfolgenden Gruppirungen davon abgesehen worden, eine Vogelart deswegen nicht nur als Nistvogel, sondern auch zugleich als Standvogel zu erklären, weil einige, vielleicht auch ziemlich viele Exemplare überwintern. Erst wenn von einer Art ungefähr die eine Hälfte der Individuen im Winter hier bleibt, die andere Hälfte aber fortzieht, ist sie als beiden Gruppen angehörig angenommen worden. Auch bei den Standvögeln ist davon Umgang genommen worden, diejenigen Arten zugleich den Nistvögeln beizuzählen, die etwa einmal ausnahmsweise einer grossen Kälte weichen und für kurze Zeit wegziehen, oder vom Gebirge im Winter sich in die Ebene hinunter begeben. Die Käuzearten und die Meisen sind z. B. deshalb als Standvögel betrachtet worden. Jäger haben zwar die Behauptung aufgestellt, dass die Sumpfohreule »ziehe«, weil sie im September, wenn im Wauwylermoos eine Menge Zugvögel sich sammeln, namentlich auch Wachteln, und zugleich auch Wintergäste eintreffen, sich in grösserer Anzahl ebenfalls einfindet. Eher die Anhäufung von Vögeln, also Beute, lockt sie, als dass der Wandertrieb hier eine Rolle spielt. In sehr kalten Wintern, wie z. B. 1879/80 und wieder 1890/91, erfroren eine Menge Eulen, was wohl als ein Beweis gelten kann, dass sie keine

Zugvögel sind, sonst würden sie eher weggezogen sein, als dass sie der Kälte erlegen wären. Bei den Präparatoren konnte man in jenen kalten Wintern eine Menge solcher erfrorener Eulen sehen, die ihnen zum Ausstopfen gebracht worden waren.

Zur Construirung der nachfolgenden Verzeichnisse sind als Hilfsmittel gebraucht worden:

Dr. C. G. Giebel, Thesaurus ornithologiae. In diesem Werke existirt aber der Fehler, dass es bei den Arten als Verbreitungsgebiet und Heimat alle Gegenden (meist nur die Erdtheile) angibt, in denen der betreffende Vogel zu irgend einer Jahreszeit angetroffen wird, also auch auf dem Zuge. Man ersieht daraus allerdings mehr oder weniger deutlich, wie weit eine Art ihre Züge ausdehnt, nicht aber, welches ihre eigentliche Heimat ist, wo sie lieben und brüten.

J. R. Schinz: Eier und künstliche Nester der Vögel. In diesem Werk wird für die einzelnen Arten nur die Gegend als Heimat angegeben, wo der Vogel brütet. Es diente deshalb zur Ergänzung des vorhergehenden, indem durch Vergleichung beider sowohl die eigentliche Heimat einer Art, als auch das Gebiet, das sie bei ihren Zügen berührt, ausfindig gemacht werden konnte. Wenn es auch 1818/19 herausgegeben ist, so ist dies Werk nicht zu unterschätzen.

Oft musste, um näheren oder sicheren Aufschluss zu erhalten, zum Werk des alten Meisters gegriffen werden, nämlich zu Brehm's Thierleben.

Die Reihenfolge, sowie die Namen der Arten, aber auch andere Notizen, die zur Ergänzung des Selbstbeobachteten und aus den andern Hilfsmitteln Entnommenen nöthig waren, sind aus dem »Katalog der schweizerischen Vögel, von Prof. Dr. Th. Studer und Dr. V. Fatio, 3. Auflage, 1893, entnommen worden.

Die Nomenclatur ist nach Giebel's Thesaurus ergänzt worden.

Abkürzungen:

Thes. = Dr. C. Giebel, Thesaurus ornithologiae.
Sch. = J. R. Schinz, Eier und künstliche Nester.
Br. = Brehm, Thierleben.
Cat. = Prof. Dr. Th. Studer und Dr. V. Fatio, Katalog der schweiz. Vögel.

(Fortsetzung folgt.)

Ornithologische Beobachtungen

aus dem Aussiger Jagd- und Vogelschutzvereine 1891. 9. Theil.

Von **Anton Hauptvogel.** (Fortsetzung.)

19. Picus minor. Bei Gartitz wurde am 30. Jänner 1 Weibchen geschossen.

20. Garrulus glandarius. Bei Pömmerle 5 Stück am 26. März streichend.

21. Junx torquilla. Am 20. April in Mutzke angekommen. In Pömmerle Männchen und Weibchen, welche in meinem Nistkasten nisten. Am 1. Mai gehört bei Zibronik.

22. Upupa epops. Ein Männchen am Zuge traf ich in Pömmerle auf den Elbewiesen Würmer suchend am 26. April.

23. Lanius rufus. Auf den Elbewiesen zwischen Pömmerle und Rongstock, wo sie in den Sträuchern nisten, am 14. April 1 Männchen. In Mutzke am 27. April angekommen. Am 16. Mai 1 Männchen bei Schnepfendorf. Waren dies Jahr sehr wenig.

24. Muscicapa grisola. Den ersten am 6. Mai in Pömmerle.

25. Muscicapa albicollis. In Pömmerle am 5. Mai angekommen.

26. Cinclus aquaticus. Am 1. März 3 Stück an der Bach in Leschtine, sehr laut und viel singend.

27. Parus major. Am 19. September in Aussig 2 Stück in den Anlagen der Stadtkirche am Zuge. Das Männchen singt: »Bissel was« — »Pfiffcus«. Herr Weis, Oekonom in Meischlowitz erzählte mir, dass er einmal in einem Winter beobachtet hat, wie eine Kohlmeise immer zum Bienenhause hinflog, an einen Bienenstock hinanklopfte, und bis eine Biene herauskam, dann erhaschte sie dieselbe, flog mit ihr fort und verzehrte sie. Dann kam sie wieder. Da dies öfter geschah, sah sich Herr Weis veranlasst, sie zu schiessen.

28. Acredula caudata. Sie nehmen seit einigen Jahren in der Gegend sehr ab. Am 14. Februar einige Stück bei Schönpriesen und Nestomitz. In Pömmerle am 4. Jänner 7 Stück. Am 1. März bei Leschtine eine Anzahl. Am 6. Mai einige bei Meischlowitz und am 10. Mai einige Stück in Paul's Garten in Pömmerle.

29. Phyllopneuste sibilatrix. Den ersten gehört am 1. Mai in Pömmerle.

30. Hypolais salicaria. Am 5. Mai in Pömmerle angekommen. (Sehr schön.) Am 16. Mai bei Algersdorf und Reichen gesehen. Im Garten des Herrn Wenzel Heinrich, Elbstrasse am 25. Mai ein Nest mit Jungen.

31. Sylvia cinerea. Am 3. Mai in Pömmerle am Schulberg die erste gesehen.

32. Sylvia atricapilla. Am 23. April 2 Männchen im Schulgarten in Pömmerle. Am 6. Mai sehr viele prächtig singend im Tschikengraben, Pömmerle.

33. Turdus musicus. Die erste singend bei Pömmerle am 10. März, in der Winterleiten bei Seesitz am 18. März.

34. Turdus pilaris. Im Jahre 1847 waren im Winter in Peterswald so viele auf den Ebereschenbäumen, dass der damalige Zollamtsleiter Rechtaczek auf einen Schuss 14 Stück erlegte.

35. Turdus iliacus. Ich traf dieselbe am Zuge in Pömmerle in einem mit Obstbäumen besetzten Garten an der Elbe und auf einem freien mit Dünger bedeckten Felde am Schulberge, und zwar am 26. März 5 Stück, am 29. März 8 Stück und am 30. März 7—8 Stück. Dieser Punkt ist zugleich die Zugstrasse dieser Vögel.

36. Merula vulgaris. Am 18. März singend in der Winterleiten bei Seesitz.

37. Merula torquata. Am 1. August traf ich im Walde zwischen Eulau und Schneeberg ein ausgeflogenes Junges. Ein Beweis, dass diese Drosselart in diesem Gebirge nistet. Es ist das Elbesandsteingebirge, welches sich da an das Erzgebirge anschliesst.

38. Ruticilla phoenicura. In Pömmerle am 21. April ein Männchen auf einem Felde und ein zweites am Bache. Am 26. April 1 Stück bei Doppitz, am 1. Mai 1 Stück bei Zibernik.

39. Luscinia minor. Bei Seesitz im alten Weinberge nistet schon einige Jahre ein Paar. Am 8. Mai in der Nacht das erste Mal schlagend. Im heurigen waren unter der Dubitzer Capelle 6 schlagende. Von Teplitz waren Vogelsteller gekommen, um sie abzufangen; diese wurden aber erwischt und 2 Mann wurden abgestraft, 2 Mann

durchgeprügelt, dadurch ist ihnen die Lust vergangen, wiederzukommen. Früher waren viele bei Aussig im Münzer und im Krippel alle Jahre. Als aber zu Anfang der Vierzigerjahre Wolfrum die Fabrik baute und Weber aus dem Niederlande heraufkamen, fingen diese die Nachtigallen ab. Seit dieser Zeit nisteten keine mehr da. Im Schönpriesener Schlosspark war zu Anfang der Sechzigerjahre auch eine Nachtigall, auf welche der Besitzer Herr Dr. Nuss besonders sein Augenmerk richtete und Befehl gab, auf sie zu achten; trotzdem wurde sie von einem Vogelsteller abgefangen und nach Aussig an einen Vogelliebhaber Stolle um 1 fl. verkauft.

40. Rusticilla tithys. Am 28. März in Mutzke angekommen. In Pömmerle auf Siechen's Hause 1 ♂ am 17. März. Auf der Stadtkirche in Aussig das erste Männchen singend am 26. April. Am 29. April in Rongstock 1 ♀, auf den Wiesen zwischen Pömmerle 1 ♀ und 1 ♂, in Ober-Eulau soll ein weisser gewesen sein. Im Gasthause »zum Walfisch« hier nistete in der Veranda, wo die Gäste sitzen, ein Paar, welches am 23. Mai schon grosse Junge hatte. Am 11. October bei schönem Wetter traf ich in Soblitz Nachmittags $^1/_4$5 Uhr 1 ♂ und in Seesitz 5 Stück, welche sich auf den Dächern munter herumtrieben.

41. Cyanecula leucocyanes. Am 16. April 2 Stück im Parke des Schlosses von Kulm.

42. Dandalus rubecula. Im Berthagrunde in Aussig überwinterten 2 ♂ und 1 ♀, in Pömmerle 1 ♀, in Gross-Tschochau auch 1 Stück. Am 28. März 1 Stück in Pömmerle am Zuge. Am 8. September sah ich im Walde bei Kojeditz 1 Stück.

43. Saxicola oenanthe. Am 20. Juni sah ich am Marienberge ausgeflogene Junge.

44. Pratincola rubetra. Am 16. Mai bei Schnepfendorf 1 ♂, am 18. Juni 2 Stück auf der Holomirsche, woselbst sie auch nisten. Sie setzten sich auf Königskerzen mit Stieglitzen, welche auf einem trockenen Raselkleefelde an einer Lehne wuchsen.

45. Pratincola rubicola. 1 ♂ am 5. April bei Meischlowitz auf Zwetschkenbäumen auf den Feldern.

(Schluss folgt.)

Zur Ornis der Kurischen Nehrung.

Von Pastor Friedr. Lindner und Dr. Curt Floericke.

(Fortsetzung.)

70. *Oriolus galbula L.* Pirol. Einigemal auf der Nehrung beobachtet. (L.)

71. *Nucifraga caryocatactes L.* 1888 wurde der erste Tannenheher bei Rossitten am 14. September geschossen; von da ab zogen sie täglich in kleiner Anzahl durch. Am 29. d. M. herrschte Früh Nebel, bei dem die auf der Wanderschaft begriffenen Vögel ziel- und richtungslos über dem Haff umherirrten. Mir wurden zwei Tannenheher gebracht, die sich in eine Kahnkajüte verirrt hatten; unberufene Hände aber erlösten sie bald wieder aus der Gefangenschaft. 1888 zeigte sich *Nucifraga* schon am 22. August; jedenfalls handelte es sich dabei um ostpreussische Brutvögel. (L.) 1892 wurde das erste, und während meiner Anwesenheit auch einzige Exemplar am 20. September gesehen. (F.)

Masse von zwei am 14. October 1888 erlegten Exemplaren (L.):

	Nr. 1	Nr. 2
Totallänge	36 cm	35 cm
Flugbreite	56 »	54 »
Flügellänge	25·5 »	24 »
Nr. 1: 4. Schwinge die grösste.		
Nr. 2: 4. » = d. 5.		
Schwanz	12 cm	11·5 cm
Aeusserste Feder: weisses Ende	2·5 »	3 »
Innerste, am Kiel weiss	0·8 »	0·4 »
Schnabel, Stirnspitze	5 »	4·5 »
Winkelspitze	5·3 »	5 »
Oberschnabel überragend	0·3 »	0·1 »
Höhe	1·6 »	1·6 »

72. *Garrulus glandarius L.* Der Eichelheher ist auf der Nehrung nicht so häufig und fehlt in manchen Jahren. Am 9. October 1888 war er bei Rossitten auf dem Striche. Am häufigsten traf ich ihn noch bei Grenz. (L.)

73. *Pica rustica Scop.* Elster. Wurde von Krüger erlegt. (L.)

74. *Corvus corax L.* Der Kolkrabe zeigte sich am 7. und 8. September bei östlichem und nordöstlichem Winde am Haffstrande zwischen Rossitten und Pillkoppen. Es waren zwei starke Exemplare, die nach einem Fehlschusse meinerseits verschwanden. (F.)

75. *Corvus frugilegus L.* Saatkrähe beobachtete ich Ende September mehrmals auf den Bruchwiesen vereinzelt zwischen einer grösseren Schaar von *cornix*. (F.)

76. *Corvus cornix L.* Die Nebelkrähe gehört zu den Hauptzugvögeln, wird aber erst Ende September zahlreicher, während October und November die eigentlichen Zugmonate darstellen. Am 21. Juni 1892 plünderten Nebelkrähen vor unseren Augen trotz wüthender Abwehrversuche der Seeschwalben die *Sterna*-Nester. C. cornix ist auch Brutvogel der Nehrung. (L.)

Es erübrigt nur noch eines ornithologisch und volkswirthschaftlich interessanten Charakteristicums der Kurischen Nehrung hier kurz Erwähnung zu thun: das ist der berühmte Krähenfang der Nehrungsbewohner. Da ich denselben nicht aus Büchern oder gar Jagdzeitungen, in denen hierüber viel gefabelt wird (wie über den Triebsand), sondern aus eigener Anschauung kennen gelernt habe, so will ich auch diese lehrreiche Beobachtung hier veröffentlichen. Die zu unzähligen Tausenden im Frühjahr und Herbst über die Nehrung ziehenden Krähen spielen für die meist sehr arme, nur auf Fische und von Litauen herüber gebrachte Kartoffeln angewiesene Bevölkerung eine volkswirthschaftlich sehr wichtige Rolle, indem ihrer viele gefangen und entweder frisch gekocht oder eingesalzen verzehrt werden. Auch viele der gebratenen Tauben, die die Badegäste in Cranz für theures Geld verzehren, gehören der Gattung Corvus an. Der Preis pro Stück schwankt zwischen 5 und 15 Pfennigen. Der Fang geschieht in folgender Weise: Die Krähenfänger errichten sich am Meeresstrande oder auf Waldblössen oder Dünenabhängen aus Kiefern- und Tannenreisig eine kleine bienenkorbartige Hütte (*H*), in der zur Noth zwei Personen in zusammengekauerter Stellung Platz finden können. An der dem niedrigen Eingangsloch (*E*) gegenüberliegenden Seite befindet sich eine kleine Oeffnung zum Auslugen (*A*), darunter eine zweite (*B*), durch die ein etwa 30—40 Schritt langer Strick zum eigentlichen Fangplatz läuft.

Der Strick wird etwas mit losem Sand bedeckt und dient dazu, im geeigneten Augenblick die Schenkel oder

Rahmen eines circa 15 Fuss langen und 6 Fuss breiten Netzes gleichzeitig anzuziehen und zum Aufschnellen und Umfliegen (in der Pfeilrichtung) nach der anderen Seite der bei C^I und C^{II} in den Sand geschlagenen Pfähle zu bringen, so dass nun die Fläche *a b c' c"* von dem vorher nach der anderen Seite (*c' c" d e*) ausgelegten und im Sand verborgenen Netze bedeckt wird. Das Umschlagen geschieht in einem Augenblick. Die Fangfläche (*a b c' c"*) wird vorher mit kleinen Fischen belegt und zum Anlocken der vorsichtigen und misstrauischen Krähen werden eine oder mehrere, die man gezähmt hat, mit einem am Fusse befestigten und mit dem anderen Ende an einen in den Sand eingebohrten Pfahl gebundenen Faden hingesetzt. Sobald Krähen vorüberziehen und aufmerksam werden auf ihre am Boden angebundenen Genossen und die lockende Fischspeise, kreisen sie, immer niedriger kommend, über der Fangstelle. Hat sich erst eine niedergelassen, so folgen bald mehrere nach, und nach wenigen Secunden sind sie von dem tückischen Netze bedeckt. Der Fänger eilt aus seiner Hütte, ergreift mit der einen Hand den Körper, mit der anderen den Schnabel der Krähe und — horribile visu! — beisst ihr die Schädeldecke ab oder reisst ihr den Kopf ab. Jedes Jahr werden beim Krähenfang, der über die ganze Nehrung hin ausgeübt wird, auch Raubvögel, die nach den angebundenen Krähen stossen oder die ausgelegten Fische aufnehmen wollen, gefangen. So sah ich Haliaetus albicilla, Pandion haliaetus und hörte von Aquilla naevia, die bei Rossitten ihm Krähennetz gefangen waren. Krähen

82. *Muscicapa grisola L.* Auf dem Zuge während des ganzen September in wahren Unmassen da. Am 22. Mai 1889 bei Rossitten. (L.)

83. *Bombycilla garrula L.* Der wohl in jedem Winter in Ostpreussen erscheinende Seidenschwanz ist u. A. auch im Epha'schen Garten gefangen worden.

84. *Chelidonaria urbica L.* Eine von den Zecken entkräftete Rauchschwalbe im Juli 1888 bei Grenz gefunden; dieselbe stirbt bald. Brutvogel in Grenz und Rossitten. (L.)

85. *Hirundo rustica L.* Die Rauchschwalben der Nehrung sind mir durch ihre Färbung wie noch mehr durch ihre in Vielem abweichende Lebensweise sehr aufgefallen und behalte ich mir nähere Mittheilungen darüber vor. Sie verschwanden am 25. September. (F.)

86. *Clivicola riparia L.* Uferschwalben sah ich häufig zwischen *rustica* auf den Telegraphendrähten sitzen. (F.) Sie brüten an den Lehmwänden des Haffufers bei Grenz und Rossitten. (L.)

87. *Micropus apus L.* Mauersegler. Am 24. August 1888 noch 1 Stück bei Sarkau, am 29. noch bei Rossitten.

haben früher in Nidden zur Pfarrkalende gehört. Unser Freund, Pfarrer Schmökel in Rossitten, freilich bestreitet das für seine Stelle auf das Entschiedenste, wird aber oft genug damit geneckt, oft auch allen Ernstes danach von Reisenden gefragt und in Freund Krüger's köstlichen Nehrungsliedern (»Dünenbilder«) ist auch diesem Nehrungswunder ein würdiges Denkmal gesetzt. (L.)

77. *Monedula turrium.* Dohle. An einem Tage wimmelte es in Rossitten von Dohlen, von denen ich zwei erlegte. (F.) Sonst sahen wir keine.

78. *Lanius collurio L.* Während der Brutzeit (22. Mai 1889) bei Rossitten und häufig bei Grenz beobachtet. (L.) Der Wegzug des rothrückigen Würgers vollzieht sich Anfang September. Die erlegten Exemplare zeigten auf dem Rücken ein viel dunkleres und auffälligeres Roth als west- und mitteldeutsche. (F.)

79. *Lanius minor Gm.* Am 22. Juni 1892 schoss ich einen Grauwürger bei Pillkoppen. (L.)

80. *Lanius excubitor L.* Raubwürger. Anfang October 1888 mehrmals bei Rossitten, Ende des Monats auch bei Grenz beobachtet. (L.)

81. *Muscicapa atricapilla L.* In der ersten Hälfte des September pflegt der Trauerfliegenfänger in ziemlicher Anzahl durchzuziehen. Auch Ende April und Ende Mai bei Grenz und Rossitten, also wahrscheinlich Brutvogel. (L.)

sitten. Brutvogel, nistet u. A. auch unter gerillten Dachziegeln der niedrigen Häuser auf der Nehrung. (L.)

88. *Caprimulgus europaeus L.* Der in Ostpreussen sehr häufige Ziegenmelker ist auch auf der Nehrung nicht selten und erscheint insbesondere Ende August und Anfang September ziemlich zahlreich auf dem Durchzuge. Herr Lork ergriff am 22. October 1888 ein Stück mit der Hand, welches Verletzungen am Schnabel aufwies und wahrscheinlich deshalb zurückgeblieben war. Wurde auch schon zur Brutzeit (24. Mai 1889) L. geschossen. Bei Grenz besonders häufig. (L.)

89. *Coracias garrula L.* Die schöne Blauracke pflegt Mitte September auf dem Zuge zu sein und treibt sich dann mit Vorliebe an den Kunzener Büschen herum. (F.) Am 25. Juni 1890 waren circa 12 Stück am Ende des Waldes zwischen Rossitten und Pillkoppen; es befanden sich darunter auch junge Vögel, so dass ein Brüten der Mandelkrähe auf der Nehrung sehr wahrscheinlich ist. Am 22. Juni 1892 ebendaselbst ein grösserer Flug. Auch bei Grenz wurde sie wiederholt beobachtet und erlegt. (L.)

90. *Upupa epops L.* Der Wiedehopf hat nach Krüger in einem Paare bei Rossitten gebrütet. Auf dem Zuge ist er eine regelmässige, wenn auch nicht eben häufige Erscheinung. Am 21. September 1888 zwischen Grenz und Sarkau 1 Exemplar erlegt. (L.) Am 16. Sep-

tember 1892 sah ich 2 Stück in den Kunzener Büschen. (F.)

91. *Picus viridis L.* Grünspecht. Einmal von Herrn Krüger beobachtet, jedenfalls sehr selten. In früheren Zeiten sollen die Spechte auf der Nehrung so gut wie gänzlich gefehlt haben.

92. *Dendrocopus minor L.* Den niedlichen Kleinspecht beobachtete ich am 29. September in einem Exemplar im Epha'schen Garten. (F.)

93. *Dendrocopus medius L.* Mittelspecht. Bei Cranz beobachtet. (L.) Krüger und ich schossen je 1 Stück in Rossitten. (F.)

94. *Dendrocopus maior L.* Der grosse Buntspecht ist die auf der Nehrung am häufigsten vorkommende Art. Besonders zahlreich war er bei Schwarzort vertreten, ist aber auch bei Rossitten durchaus nicht selten, und während des September konnten wir ihn täglich in den dortigen Gärten beobachten. Einmal sah ich (L.), wie ein Buntspecht sich nach Meisenart verkehrt am äussersten Ende eines Birnbaumzweiges aufhing. Ein andermal hüpften 4 Stück wie Grün- oder Grauspechte Nahrung suchend auf der Erde im Grase herum und kletterten an niederen Pflanzen, wie Disteln und Cichorien, herum. (L.) Mir fielen die auf der Nehrung geschossenen Buntspechte zuerst durch ihre aussergewöhnlich langen Schwänze auf; doch bekam ich nachher auch wieder 1 Stück, welches diese Eigenthümlichkeit nicht zeigte. (F.)

95. *Dryocopus martius L.* Schwarzspecht. Nach Lork bei Grenz beobachtet. (L.) Von uns selbst jedoch nicht angetroffen.

96. *Jynx torquilla L.* Der Wendehals wurde im Frühjahr bei Grenz und Ende September 1890 mehrfach bei Rossitten gesehen. (L.)

(Fortsetzung folgt.)

Erste Wanderausstellung des „Ersten österreichisch-ungarischen Geflügelzucht-Vereines" in Krems a. d. Donau.

Ph. — Getreu seiner Aufgabe, der Geflügelzucht in immer weiteren Kreisen Anhänger und Freunde zu gewinnen, hat es der »Erste österreichisch-ungarische Geflügelzucht-Verein in Wien« unternommen, diesem Ziele durch Veranstaltung einer Wanderausstellung näher zu rücken. Der k. u. k. Landwirthschaftliche Bezirksverein in Krems erklärte sich bereit, diese erste Wanderausstellung unseres Vereines zu übernehmen und schuf mit dem Kremser Volksfestcomité zusammen durch Veranstaltung von allerlei Volksbelustigungen im grossen Park der dortigen Turnhalle einen Rahmen für unsere Ausstellung, durch die nicht nur der pecuniäre Erfolg des Unternehmens von vorneherein gesichert ward, der uns auch breite Schichten der Bevölkerung zuführte, die vielleicht durch die einfache Geflügelausstellung allein nicht in dem Masse angezogen worden wäre, die aber auf diesem Wege unwillkürlich mit unseren Bestrebungen bekannt gemacht, gewiss mannigfache Anregung mit sich genommen haben dürfte. Die Veranstaltung von Wanderausstellungen stellt, wie sich in Krems gezeigt hat, an die Arrangeure seitens des ausstellenden Vereines so ungeheure Anforderungen, dass wir fürchten, es dürfte schwer fallen, solche so oft zu wiederholen, als dies im Interesse der Sache wünschenswerth wäre.

Unser ungetheiltes Lob, der vollste Dank unseres Vereines, gebührt dem Directionsmitgliede Herrn Oscar Ebersberg, der mit aufopfernder Selbstlosigkeit die Vorarbeiten und die ganze Durchführung des Unternehmens an Ort und Stelle leitete; ihm dankt der Verein in erster Linie den schönen Erfolg der Ausstellung!

Von Seite des landwirthschaftlichen Bezirksvereines und Volksfestcomités haben sich besonders die Herren Gasanstaltsdirector Lodtmann und Gemeinderath Josef Wallenstorfer um die vorbereitenden und Arrangementsarbeiten verdient gemacht.

Mit Eintreffen der ersten Geflügelstämme langten auch die Wiener Comitémitglieder, an ihrer Spitze Herr Rath J. B. Brusskay, die Herren Kernast, Dimmel, Schönpflug, Nagl, Pallisch etc. an und legten die letzte Hand an das nun seiner Vollendung rasch entgegenstrebende Werk.

Das Auspacken und Einstellen ging rasch von statten und, abgesehen von einigen verspätet eingelangten Collectionen, präsentirte sich die Ausstellung am Morgen des Eröffnungstages ziemlich fertig.

Vormittags 10 Uhr wurde dieselbe in Gegenwart zahlreicher Honoratioren aus Krems und Umgebung durch den Obmann des landwirthschaftlichen Bezirksvereines Carl Graf Eichelburg feierlich eröffnet; den Schluss der Eröffnungsrede bildete ein Hoch auf Se. Majestät den Kaiser, das jubelnden Wiederhall seitens des bereits zahlreich anwesenden Publicums fand und in die von der Militärcapelle vorgetragene Volkshymne einklang.

Bezirkscommissär Baron Klezl, in Vertretung des Bezirkshauptmannes, beglückwünschte sodann die Veranstalter der Ausstellung Namens der Regierung, worauf nied.-österr. Landes-Rechnungsrath J. B. Brusskay, Vicepräsident des »Ersten österr.-ungar. Geflügelzucht-Vereines in Wien«, auf die wirthschaftliche Bedeutung der Geflügelzucht in Oesterreich-Ungarn hinwies und die Anwesenden aufforderte, auch ihrerseits beizutragen zur Hebung der Geflügelzucht, zum Wohle des Vaterlandes. — Schliesslich begrüsste Bürgermeister Dr. Heinemann im Namen der Stadt Krems die Veranstalter der Ausstellung und feierte die Bedeutung der Wanderausstellung als praktische Anleitung der Bevölkerung auf diesem Gebiete.

Nachdem der Beifall verklungen war, den diese kernige Rede hervorrief, trat die Festversammlung mit Herrn Grafen Eichelburg an der Spitze den Rundgang durch die Ausstellung an, gefolgt von dem immer zahlreicher ankommenden Publicum.

Inzwischen constituirte sich die Jury für die beiden Geflügelabtheilungen und nach beendetem Rundgang trat dieselbe ihre Arbeit an.

Die Jury für Grossgeflügel bestand aus dem Herrn Grafen Eichelburg, G. B. Schick, Obmann des Wiener Geflügelzuchtvereines Rudolfsheim, und C. Pallisch, Vicepräsidenten des »Ersten österr.-ungar. Geflügelzucht-Vereines in Wien« (in Vertretung des durch Krankheit verhinderten Präsidenten Baron Villa-Secca).

Die Jury der Taubenabtheilung bestand aus den Herren J. B. Brusskay, J. Mantzell, Schriftführer des Wiener Geflügelzuchtvereines in Rudolfsheim, und M. Wohlschläger, Secretär des landwirthschaftlichen Bezirksvereines in Krems.

Die Arbeit ging, besonders in der Grossgeflügelabtheilung, langsam vor sich; die Beurtheilung des meist stark im Federwechsel begriffenen Geflügels machte viel Arbeit und dazu kam, dass die Leistungen für Zucht- und Junggeflügel häufig gegeneinander abzewägen waren, da die Zahl der zu vergebenden Preise sehr gering im Vergleich zur Zahl der ausgestellten Thiere ausgesetzt war.

Abends war die Arbeit beendet und das Protokoll zusammengestellt.

Die Prämiirungsliste haben wir bereits veröffentlicht — es muss aber bemerkt werden, dass sie angesichts der vorhandenen Qualitäten wesentlich reichlicher hätte ausfallen sollen; leider waren die Preisrichter, besonders in der Grossgeflügelabtheilung (trotzdem weit mehr als das eingegangene Standgeld und viele Ehrenpreise ausgegeben wurden) so beschränkt in der Zahl der zu vergebenden Auszeichnungen, dass bei der Schlusssitzung die vorgemerkten Preise wesentlich reducirt und zusammengezogen werden mussten.

Der Grund dieses fatalen Umstandes war der, dass man das Standgeld viel zu niedrig, mit 50 Kreuzer per Stamm, angesetzt hatte.

Die Unterbringung des Geflügels in den weiten, hellen und luftigen Räumen der Turnhalle war vollkommen entsprechend, der Gesundheitszustand der Thiere ein vorzüglicher.

Der Besuch der Ausstellung war ein andauernd starker; nicht nur aus Krems und der Umgebung, sondern auch aus weiterer Entfernung, besonders aus Wien, waren sehr viele Geflügelzüchter und Liebhaber erschienen, was nicht wenig der schmeichelhaften Beurtheilung der Ausstellung seitens der Tagespresse, die diesmal besonders ausführliche Berichte veröffentlichte, zu danken ist.

Die Herren J. B. Brusskay, Fritz Zeller, Vicepräsident des Ornithologischen Vereines in Wien, und Rud. Gerhart hielten während der Dauer der Ausstellung Vorträge über Geflügelzucht, Vogelschutz und Pflege und Brieftaubenwesen ab, auf die wir noch ausführlich zurückzukommen uns vorbehalten.

Die von Herrn Diener, München, und dem »Club der Taubenfreunde« in Wien-Währing veranstalteten Brieftaubenflüge einerseits nach München, andererseits nach Wien, interessirten das anwesende Publicum lebhaft und wurde an das Auflassen jedesmal seitens der anwesenden Herren des Geflügelzuchtvereines erklärende Besprechungen und Erläuterungen geknüpft.

Die jungen (1893er) Tauben des »Club der Taubenfreunde« legten die Strecke in $1\frac{1}{2}$ Stunden zurück (I. Herr Bartuschek).

Die allgemeinen Daten vorausschickend, gehen wir nun zur Besprechung des ausgestellten Geflügels über.

Langshan eröffnete mit 32 Nummern die Grossgeflügelausstellung. Der Stamm der Frau F. Shaniel, Katzelsdorf, Niederösterreich, erhielt ersten Classenpreis; ihm bezüglich des Hahnes überlegen, aber etwas schwächer in den Hennen, war der Stamm von A. A. Spitzner, Wien-Währing, dem die silberne Ausstellungsmedaille zufiel. Einen Stamm mit vorzüglichen Hennen und recht hübschem, ungemein feurigem Hahn stellte Herr A. Schönpflug, Wien, zur Schau (II. Preis); weiters seien erwähnt: die Stämme des Freiherrn V. Suttner, Harmannsdorf (bronzene Medaille), A. Dimmel, Wien (III. Preis), der sehr edle Hahn von J. Leithner, Wien, und der hübsche Stamm der Frau C. Zeinlinger, Wien-Rudolfsheim.

Für eine Collection gut entwickelter Jungthiere in den Farben schwarz, weiss und blau erhielt Frau Anna Sowak, Wien-Ottakring, die wohlverdiente bronzene Medaille.

Weisse Langshan waren zahlreich vertreten, doch hatten dieselben neben dem Prachtstamm des Herrn Ferd. Swoboda, Wiener-Neustadt, schweren Stand. Dieser schöne Stamm erhielt, wie schon wiederholt, den ersten Preis: silberne Ausstellungsmedaille. Ein Stamm mit schwachem Hahn, aber sehr guten Hennen der Frau Therese Thornton, Wien-Hietzing, erhielt den III. Preis, die weissen Langshan des Herrn Vanhausen in Witzhausen genügten den Anforderungen, die man hier an diese, in Oesterreich herangezüchtete Race zu stellen gewohnt ist, nicht.

Plymouthrocks waren qualitativ wie quantitativ (21 Nummern) gut vertreten. Hier siegte spielend der schöne Stamm der Frau Baronin Haber, Geflügelhof Erlach-Linsberg (I. Preis), ihm zunächst kam ein zwar schwacher, aber feiner Stamm der Frau F. Shaniel (II. Preis). Frau Thornton zeigte einen Stamm mit gutem, hellem, sehr scharf gezeichnetem Hahn (III. Preis).

J. Fuchs, Wien-Meidling, einen hübschen, sehr starken Stamm (Diplom).

Junggeflügel dieser Race war zahlreich vertreten, doch konnte ausser dem sehr schönen, egal gefärbten Stamm der Frau J. Pallisch, Brünn-Pitten, Niederösterreich, der fast voll entwickelt ist (silberne Ausstellungsmedaille) nichts prämiirt werden. Die Hähne waren meist ganz licht, die Hennen fast schwarz, ohne Zeichnung; der verspätet eingelangte Stamm des Geflügelhofes Slaventitz war besser und hätte gewiss eine Auszeichnung erzielt.

Gelbe Cochin, in 22 Nummern erschienen, litten im Allgemeinen am meisten an dem bereits stark vorgeschrittenen Federwechsel. I. Preis erhielt die Collection von A. Feischl, Wien, dessen Nachzucht sehr vielversprechend ist. II. Preis J. Wiener, München. Ein von O. Frank, Wien-Hietzing, ausgestellter Stamm erhielt Diplom; ohne die verunstaltenden Kalkbeine hätte es der Stamm leicht höher gebracht. Die Nachzucht von Ad. Linbrunn, Ampfing, Bayern, verdiente redlich das erhaltene Diplom.

Weisse Cochin gewinnen bei uns immer mehr an Verbreitung, in Krems bildeten sie eine der Glanzclassen.

Herr C. Mitterer, Weissenbach a. d. Triesting, Niederösterreich, stellte zwei Zuchtstämme und 39 Stück Nachzucht aller Entwicklungsstadien aus, worunter sich einige Prachtthiere ersten Ranges befanden. Die silberne k. k. Staatsmedaille konnte mit Recht dieser grossen Collection zugesprochen werden. In Qualität den besten obiger Collection ebenbürtig, aber noch entwickelter, präsentirte sich ein Stamm 1893er Frühbrut der Frau J. Pallisch, Brunn bei Pitten, Niederösterreich, der die Bewunderung der Besucher in hohem Masse erntete und mit der silbernen Medaille der k. k. Landwirthschafts-Gesellschaft in Wien ausgezeichnet wurde.

I. Classenpreis erhielt der schöne Zuchtstamm der Frau Baronin Haber (Geflügelhof Erlach-Linsberg), II. Preis die Collection von K. Taucher, Waltersdorf, Steiermark. Bronzene Ausstellungsmedaille die Collection von G. Reckendorfer, Erlach, Niederösterreich, aus Zuchtstamm und vier Stämmen Nachzucht bestehend.

Die erschienenen sogenannten schwarzen Cochin konnten den Beifall der Preisrichter nicht finden, es fehlte ihnen Alles — vorerst die Figur! Was die Bein- und Schnabelfarbe betrifft, so ist ja bekannt, dass sie reingelb nicht gefunden wird; mit dunkelbleigrauen Beinen und schwarzem Schnabel, ohne Spur von Gelb sind aber Cochin nicht zu denken oder gehören zum Mindesten nicht auf Ausstellungen.

Dunkle Brahma waren ziemlich zahlreich vertreten, das Preisgericht glaubte aber genug gethan zu haben, indem es Herrn A. Feischl für Collection II. Classenpreis der Frau Baronin Haber für Nachzucht III. Preis notirte.

Auch die hellen Brahma, sonst bei uns sehr gut vertreten, entsprechen nicht höheren Anforderungen. Bronzene Ausstellungsmedaille erhielt Herr Ferd. Swoboda, Wiener-Neustadt, auf seine Collection, bestehend aus: drei alten und einem 1893er Stamm. III. Classenpreis Herr Theodor Wichmann, Hernstein, Niederösterreich, für alten Stamm, woraus eine der Hennen die beste der ganzen Classe war.

Die weissen Brahma desselben Ausstellers waren schon stark im Federnwechsel, erhielten jedoch trotzdem II. Classenpreis.

Wyandotte werden bei uns jetzt häufiger als in früheren Jahren gezeigt; aber die Qualität geht zurück und es ist selten ein auch nur halbwegs entsprechender Stamm zu finden.

Bronzene Medaille erhielt Herr J. Klein, Pfalzau bei Pressbaum, auf drei Stämme Gold- und Silberwyandotte. Weiters gefiel uns ein Stamm Goldwyandotte des Herrn Paral L., Urfahr, Oberösterreich.

Houdans bildeten wieder eine Glanzclasse der Ausstellung. Die Concurrenz war äusserst scharf. Frau J. Nagl, Graz, Frau J. Tintara, Mödling, Herr A. Feischl, Wien, brachten sämmtlich viele und sehr schöne Thiere, sowohl Zuchtthiere, als auch Nachzucht, zur Schau. Ausser diesen Hauptzüchtern der Race waren noch viele kleinere Aussteller mit theilweise recht gutem Materiale vertreten.

Die Jury entschied wie folgt: Silberne Ausstellungsmedaille und 1 Ducaten Geldpreis der Frau J. Tintara, Mödling, und Frau J. Nagl, Graz; silberne Ausstellungsmedaille Herrn A. Feischl, Wien, bronzene Ausstellungsmedaille Herrn A. Linbrunn, Ampfing; III. Preis Herrn A. Schönpflug, Wien, und Anerkennungsdiplom Freiherrn v. Suttner, Harmanndorf. Auf einen hübschen Stamm Laflèche und Nachzucht hievon, erhielt Herr A. Feischl, Wien, II. Classenpreis.

In der Docking-Classe hatten wir das Vergnügen, die prächtigen Thiere — bekanntlich langjährige Specialzucht — des Herrn Grafen Maldeghem, Graz, bewundern zu können. Es waren je ein prachtvoller silberhalsiger Zuchtstamm und ein ungewöhnlich entwickelter Stamm heuriger Nachzucht ausgestellt, wofür die silberne Ausstellungsmedaille zuerkannt wurde. Frau F. Shaniel-Katzelsdorf zeigte ihren bekannten dunklen Stamm, wofür sie den II. Classenpreis erhielt.

Die Paduanerclasse war nicht sehr stark besetzt; es erhielt Frau Th. Thornton auf ihren prachtvollen Stamm Chamois den I., auf ihre Silberpaduaner den II. Classenpreis, während Herrn Rath J. B. Brusskay auf weisse Paduaner die bronzene Ausstellungsmedaille zufiel.

Holländer waren sehr gut vertreten; die bekannt schönen Holländer des Herrn A. Feischl erhielten (Zuchtstamm und Nachzucht) den I. Preis, Herr A. A. Spitzner, Wien, auf Collection den II. und Frau Thornton auf Zuchtstamm den III. Preis. Für einen netten Stamm blaue Holländer wurde Herrn Gudera, Wien, die bronzene Medaille zuerkannt.

Minorka waren besonders die weissen des Frl. Betti Nagl, Wien-Purkersdorf (silberne Medaille) und die schwarzen des Geflügelhof Janowitz (II. Preis) bemerkenswerthe; der Hahn des letzteren Stammes ist von besonderer Schönheit.

(Schluss folgt.)

I. Kärntner Geflügelzucht-Verein in Klagenfurt. Ph. — Die in den Tagen vom 8. bis 10. l. M. unter dem Protectorate Sr. Excellenz des Herrn Landespräsidenten in Kärnten Franz Freiherrn von Schmidt-Zabiérow abgehaltene erste Geflügelausstellung des I. Kärntner Geflügelzucht-Vereines kann als durchaus gelungen bezeichnet werden und hat die Lebensfähigkeit desselben glänzend erwiesen.

Der geschmackvoll mit blühenden Pflanzen, Tannengrün und Fahnen decorirte Hof sowie die schöne geräumige Turnhalle der Volksschule hatten in durchwegs entsprechenden Volièren und Käfigen etwa 100 Stämme Grossgeflügel und 30 Paar Tauben nebst einigen reichhaltigen Collectionen Zier- und Singvögel und zahlreichen gewerblichen Objecten aufgenommen; darunter zahlreiche Stämme Grossgeflügel und Tauben von hervorragender Qualität, dass dieselben auch weit grösseren Ausstellungen zur Zierde gereicht haben würden.

Ausser Kärnten war besonders: Steiermark, Niederösterreich und Ungarn vertreten, doch hatten auch mehrere Aussteller aus Deutschland — Wiesbaden und Halle — ausgezeichnet schöne Thiere exponirt. Um das Zustandekommen der Ausstellung haben sich besonders verdient gemacht der Präsident des Vereines: Gutsbesitzer Franz R. v. Edlmann, der Vereinscassier Herr Fr. Rudholzer, Herr Präparator Ant. Zifferer und die übrigen Herren des Ausschusses. In hervorragendster Weise unterstützten das Unternehmen Herr Gutsbesitzer Baron Helldorf, die k. k. Kärntner Landwirthschafts-Gesellschaft sowie deren Präsident Herr Ernst R. v. Edlmann. Das Preisgericht bestand in den Classen für Cochin, Plymouthrocks, Malayen und Gänsen aus den Herren: Freiherr Dr. Stefan v. Washington, Graz, und Professor P. Norbert Lehinger, Klagenfurth, in allen übrigen Classen und Abtheilungen aus den Genannten und Ingenieur C. Pallisch; das Ziergeflügel prämiirten Freiherr v. Washington und Ingenieur C. Pallisch. — Möge die gelungene Ausstellung beitragen, den jungen Verein im schönen Lande Kärnten zu kräftigen und ihm recht zahlreiche Freunde und Anhänger zu schaffen; er findet ein noch wenig gepflegtes Feld für seine Thätigkeit, und der vom Präsidenten in der Eröffnungsrede vorgezeichnete Weg: dass der Verein „durch Einstellung von Musterstämmen an zahlreichen Punkten des Landes die vorübergehende Ausstellung gleichsam in eine permanente verwandeln wolle," dürfte sich bald als der richtige erweisen und zu wirklichen, dauernden Erfolgen führen!

Kleine Mittheilungen.

Bozen, 20. August. In der letzten Nummer (8, S. 121) der Mittheilungen unseres Vereinsorgans widmete Herr F. Anzinger dem Rothkehlchen einen liebevollen Artikel. Aus diesem Anlasse sei mir gestattet, auf eine sonderbare Gepflogenheit dieses traulichen Sängers die Aufmerksamkeit zu lenken. Bei einem neulichen Besuche meines Freundes, des Forstmeisters Götz auf Schloss Büchsenhausen bei Innsbruck, fütterte dessen gleichfalls natursinnige Frau Gemahlin ihren Liebling mit lebendigen Ameisen. Hastig pickte Rothkröpfchen eine um die andere auf, lüftete regelmässig bei jeder seinen rechten Flügel und streifte sie an dessen Unterseite erst ab, bevor er sie verzehrte. Es wäre, wie mich bedünkt, ebenso interessant als leicht zu constatiren, ob auch andere Individuen dieser Art die gleiche Gewohnheit einhalten, ob sie bereits mehrfach beobachtet worden und welches wohl das Motiv derselben sein mag?

Gredler.

Grus cinerea, Platalea leucerodia und Falco cenchris in Böhmen. Obzwar der Kranich schon mehrmals in Böhmen auf dem Zuge erlegt wurde, gehört er doch zu grosser Seltenheit, so dass es nicht ohne Interesse sein dürfte, dass ein schönes Exemplar dieses Vogels bei Libřic unweit Königgrätz im Juni 1893 erlegt wurde. Es erschienen nämlich mehrere auf dem grossen Teiche, wo sie sich zwei Tage aufhielten. Der von Herrn Hans Richter aus Königgrätz geschossene Vogel befindet sich in seiner Sammlung Derselbe Herr hat bei Königgrätz einen Löffelreiher erlegt. Merkwürdig ist das verhältnissmässig häufige Vorkommen dieses Vogels in Nordost-Böhmen während des heurigen Sommers, denn neben diesem Exemplare wurden noch zwei andere (bei Střebeš, Bezirk Königgrätz, und Ratic, Bezirk Jaroměř) im Juni und Juli geschossen.

Zu den interessantesten Vorkommnissen gehört ein schönes Paar von Röthelfalken, welches in der Hofinoveser Fasanerie am 9. Juli l. J. erlegt wurde. Beide Vögel hielten sich dort schon seit Anfang April und nach glaubenswürdiger Mittheilung des Herrn A. Biemann sollten sie dort auch genistet haben.

J. P. Pražák.

Eine Sperlingsgeschichte. Ganz kürzlich brachte man mir einen kleinen Sperling, der zwar schon gut befiedert war, aber noch nicht selbstständig fressen konnte. Eben im Begriffe, einen unerlässlichen längeren Besuch zu machen, liess ich das Thierchen (es war schon nach Mittag) bis zum Abend in der Pflege einer thierfreundlichen Nachbarin. Des anderen Tages stellte ich das Vogelhaus mit seinem kleinen Insassen an das Fenster, dessen Jalousien aber herabgelassen und geschlossen waren; denn da ich nicht wusste, ob das Spätzchen in dieser Gegend der Stadt gefangen worden sei, so rechnete ich nicht darauf, dass die Alten — wie dies ja nichts Seltenes ist — kommen würden, es zu füttern. Als jedoch die Sonne sich entfernt hatte, zog ich die Jalousien auf und nun stand das Vogelhaus am offenen Fenster. Zu meiner angenehmen Ueberraschung lockte sehr bald das fortwährende, ziemlich lästige Geschrei des Vögelchens ein Sperlingsweibchen herbei, welches ich zuerst für die Mutter des kleinen Schreihalses hielt, die mir nun die Mühe des Fütterns abnehmen würde. Doch sah ich mich in meiner Erwartung getäuscht! Zwar flog die Spätzin den ganzen Nachmittag ab und zu und kosete eifrig mit dem kleinen Gefangenen, aber sie fütterte ihn zu meiner Entrüstung nicht, woraus ich endlich schloss, dass sie doch nicht die Mutter, sondern etwa eine Tante oder mütterliche Freundin des Kleinen sein müsse. Am dritten Tage — zu früher Morgenstunde — steckte ich das Vogelhaus, nachdem ich dem Spätzchen sein Frühstück beigebracht hatte, wieder ans Fenster, das jedoch geschlossen war, und schickte mich an, meinen unterbrochenen Morgenschlaf fortzusetzen, als ich durch heftiges Picken und Geflatter an den Fensterscheiben und ein vermehrtes Geschrei des Kleinen mich bewogen fand, das Fenster zu öffnen. Kaum hatte ich dies gethan und mich zurückgezogen, als zu meiner Ueberraschung drei Sperlinge, ein Männchen und zwei Weibchen herbeigeflogen kamen, die das Kleine unter lebhaftem, erregtem Geschnatter beaugenscheinigten. Aus dem was folgte, glaube ich mit ziemlicher Sicherheit den Schluss ziehen zu können, dass das eine Weibchen identisch mit jener »gütigen Dame« war, welche Tags zuvor so viel Interesse für den kleinen Gefangenen bezeugt hatte, und dass die andere Spätzin und das Männchen die Eltern desselben waren, die durch sie eruirt und herbeigeholt worden waren. »Eruirt« sage ich; denn da es so lange Zeit brauchte bis sie sie zur Stelle brachte, scheint die Spätzin nicht einmal eine Verwandte oder Freundin der Familie, sondern für dieselbe eine Fremde gewesen zu sein, die dem Kleinen erst Namen und Charakter der Herren Eltern abfragte und diese zu ermitteln einige Mühe hatte. Nachdem das Spätzchen, wie es scheint, richtig als das verloren geglaubte Kind agnoscirt worden war, entfernte sich die edle Wohlthäterin der Familie — wahrscheinlich unter ihren Segenswünschen — und bald darauf auch der Vater, welcher sich seitdem nicht mehr zeigte, wahrscheinlich hat er die in elterlicher Obhut gebliebenen Kleinen zu betreuen, denn die Mama begann sogleich ihres Amtes bei dem wiedergefundenen Kinde zu walten, dem sie sich ausschliesslich zu widmen scheint. Sie füttert es nun seit zehn Tagen mit einem solchen Eifer, dass das Spätzchen schon ganz kugelrund ist. Ich dürfte ihm nun bald die Freiheit zurück geben können, da es schon kräftig die Flügel regt.

Baden bei Wien, 17. August 1893. Frl. v. R...y.

Aus den Vereinen.

Jahresversammlung der Allgemeinen Deutschen Ornithologischen Gesellschaft.

Die statutenmässige Jahresversammlung der Gesellschaft findet in diesem Jahre in Kassel vom 23.—26. September statt.

Programm.

Samstag den 23. September.

Abends 7 Uhr: Versammlung im »Lese-Museum«.

1. Eröffnung der Jahresversammlung.
2. Feststellung des Programms im Einzelnen. — Anmeldung von Vorträgen.
3. Erledigung geschäftlicher Angelegenheiten. (Ein von 20 Mitgliedern eingebrachter Antrag auf Erweiterung der Gesellschaftsschriften liegt zur Berathung vor.)

Sonntag den 24. September.

Morgens 8½ Uhr. Aufbruch zu einem Spaziergang durch die Karlsaue nach dem Felsenkeller, woselbst ein Frühschoppen genommen wird. Fahrt mit Dampfwagen nach Wilhelmshöhe.

Gemeinsames Mittagessen um 4 Uhr im Hotel Schombart auf Wilhelmshöhe.

Abends Versammlung im Stadtpark in Kassel.

Montag den 25. September.

Versammlung um 10 Uhr Vormittags im »Lese-Museum«. Wissenschaftliche Sitzung. Vorträge sind angemeldet von:

Freiherrn v. Berlepsch: »Ueber die Wichtigkeit äusserer Merkmale zur Feststellung der natürlichen Verwandtschaft unter den Vögeln.

Derselbe: »Das sogenannte Gesetz der natürlichen Zuchtwahl vom ornithologischen Standpunkt aus betrachtet.«

Dr. Reichenow: »Ueber eine Anzahl neuer und seltener Vogelarten.«

Hermann Schalow: »Darf die Erforschung der deutschen Vogelwelt als abgeschlossen betrachtet werden?«

Mittagessen im »Lese-Museum«.

Abends: Zusammenkunft im Stadtpark.

Dienstag den 26. September.

Besuch des Museums H. v. Berlepsch in Münden. Abfahrt von Kassel 8 Uhr 14 Minuten Morgens, Rückfahrt nach Kassel 3 Uhr 52 Minuten.

Nachmittags: Sitzung im »Lese-Museum«.

Schluss der Jahresversammlung.

Die Herren Mitglieder der Gesellschaft sowie alle Freunde der Ornithologie werden hiemit zur Theilnahme an der Versammlung freundlichst eingeladen.

Der Vorstand:	Die Geschäftsführer:
H. Schalow. stellvertretender Secretär.	**H. v. Berlepsch. K. Junghans.**

Club deutscher und österreichisch-ungarischer Geflügelzüchter. Die ausserordentliche Generalversammlung des Clubs deutscher und österreichisch-ungarischer Geflügelzüchter findet am Sonntag den 24. September dieses Jahres, Vormittags 11 Uhr, auf dem Vahrenwalder Thurm (bei Herrn H. A. Wedde) zu Hannover gelegentlich der daselbst vom hannoveranischen Vereine für Geflügel- und Singvögelzucht mit Anschluss des Clubs veranstalteten Junggeflügelschau statt. Tagesordnung: 1. Anträge des Herrn A. Barkowski, Königsberg, die Club-Mittheilungen (Organ) betreffend. 2. Nächstjährige Clubausstellung, eventuell Veranstaltung einer zweiten nationalen Geflügelausstellung 1894 mit dem Leipziger Geflügelzüchter-Verein. 3. Sonstige Mittheilungen, beziehungsweise Anträge der Herren Studti-Oliva, Section Breslau, u. A. Der Generalversammlung geht Morgens 9 Uhr eine Vorstandssitzung voraus.

Ausstellungen.

Bei Gelegenheit der vom 24. September bis 1. October dieses Jahres in Wien stattfindenden **Herbstausstellung des Ersten österreichisch-ungarischen Geflügelzuchtvereines in Wien** werden aus der vom hohen Landtage bewilligten Subvention Stämme der besten Racen von Nutzgeflügel unentgeltlich zur Vertheilung gelangen. Die betreffenden Casinos haben sich mittelst

Reverses zu verpflichten, die Thiere zu Zuchtzwecken zu verwenden und im Herbste des nächstfolgenden Jahres ein männliches und zwei weibliche Zuchtthiere der erzielten Nachzucht an den Verein zur weiteren Vertheilung abzuliefern, wofür sie eine Entschädigung von 1 fl. pro Stück erhalten, ferner hat das betreffende Casino alljährlich im Herbste einen kurzen Bericht über die erzielten Zuchterfolge zu erstatten. Die Gesuche um Erlangung von Subventionsgeflügel sind bis längstens 15. September, vom betreffenden Bezirksvereine begutachtet, an das Secretariat des Ersten österreichisch-ungarischen Geflügelzuchtvereines in Wien, II. Bezirk, k. k. Prater Nr. 25, einzusenden, wohin auch alle jene Vereine, welche 1892 Subventionsgeflügel erhalten haben, bis 20. September die abzugebenden Stämme Junggeflügel, nämlich ein männliches und zwei weibliche Zuchtthiere der heurigen reinblütigen Nachzucht der erhaltenen Race einsenden wollen. Die zur Vertheilung bestimmten Racehühner sind vorzugsweise: Langshans, Plymouthrocks, Brahmas und Houdans; an Enten: Peking, Aylesbury und Rouen; an Gänsen: Pommer'sche und Toulouser. Wegen der Höhe des Ankaufspreises können jedoch nur einige Paare Gänse zur Vertheilung gelangen.

Baron Villa-Secca,
Präsident des Ersten österr.-ungar. Geflügelzuchtvereines in Wien.

Berlin. Der Verein der Geflügelfreunde »Cypria« versendet soeben das Programm seiner in den Tagen vom 6. bis 9. October dieses Jahres stattfindenden allgemeinen Ausstellung mit Jugend- und Altersclassen. Schluss der Anmeldungen 25. September. Zuschriften sind zu richten an den Vorsitzenden des Vereines Herrn Bruno Dürigen, Berlin SW., Friesenstrasse 8.

Die allgemeine Geflügelausstellung zu Breslau findet vom 4. bis einschliesslich 6. November d. J. in den schönen und geräumigen Sälen des Schiesswerdergartens statt. Programme und Anmeldebögen gelangen in den nächsten Tagen zum Versandt. Die Ausstellung umfasst: Hühner, Puten, Gänse, Enten, Tauben, Kanarien-, Sing- und exotische Vögel, Käfige für Wassergeflügel, Fachliteratur und sonstige auf die Geflügelzucht Bezug habende Gegenstände. Für praktische Käfige von Wassergeflügel, welche auf ihre Brauchbarkeit hin auf der Ausstellung erprobt werden, hat der Generalverein der schlesischen Geflügelzüchter hohe Preise gestiftet. Die Beschickung der Ausstellung ist Jedermann gestattet; innerhalb des Stadtkreises Breslau aber nur den Mitgliedern der ausstellenden Vereine und den directen Mitgliedern des Generalvereins. Die Anmeldungen haben bis spätestens 20. October d. J. beim Schriftführer Kuno Seeck, Breslau, Schillerstrasse 7, zu erfolgen. Das Ausstellungscomité, dessen Ehrenvorsitzender Herr von Wallenberg-Pachaly auf Schmolz ist, besteht aus den Herren: Berndt, Böhm, Czerwenka, David, Fischer, Georg, Hanke, Kalke, Kegel, Lange, Prussog, Scheibel, Seeck, Stephan, Tylle. Der Vertrieb der Lose ist dem allbekannten Cigarren- und Lotteriegeschäft C. O. Streckenbach, Neue Sandstrasse 17, hierselbst übertragen worden und sind Anfragen wegen Lose nur an vorgenannte Firma zu richten.

Literarisches.

Liebe's ornithologische Schriften.

Von Paul Leverkühn.

Bisher war es ein Privilegium der reichen Briten, »In memoriam«-Ausgaben der gesammelten Arbeiten hervorragender Ornithologen zu veranstalten und damit dem arbeitenden Forscher eine sehr angenehme Erleichterung zu gewähren hinsichtlich des oftmals zeitraubenden und mühsamen Hervorsuchens an zerstreuten Orten gedruckter Abhandlungen. Ausserdem bilden solche Sammlungen der Publicationen eines Autors eine sehr verdiente Ehrung des betreffenden Schriftstellers, verdiente — da von Equites minorum gentium derlei nicht zusammengetragen wird. So haben wir von England aus die schöne Grossquartausgabe der Collected scientific papers des Marquis of Tweeddale, früher Viscount Walden, mit Porträt und ausführlicher Biographie, Bibliographie und Index, aber ohne Reproduction der seine zahlreichen Arbeiten begleitenden Tafeln, ferner die von Garrod für Forbes und von Sclater für Garrod veranstalteten In memoriam-Editions in Octav in würdigster Ausstattung, mit Porträts, Bio- und Bibliographie, Index und Reproductionen sämmtlicher Tafeln (meist aus den Proc. Zool. London, und dem Ibis, aber auch den Trans. Zool. Soc. London, welch letztere natürlich gebrochen werden mussten); durch diese reiche Beigabe von Illustrationen — auch alle Holzschnitte und Clichés im Text wurden getreulich nach den sorgsam aufbewahrten alten Stöcken wiedergegeben — ist natürlich der Preis dieser Werke ein hoher. Für den soeben verstorbenen Richard Owen ist bereits ein ähnliches Werk in Vorbereitung. Dr. med. Carl R. Hennicke hat es nun unternommen, mit den Engländern zu concurriren und die ornithologischen Arbeiten des Hofrath Professor Dr. Liebe in Gera, langjährigen Redacteurs der »Ornithologischen Monatsschrift« und zweiten Vorsitzenden des »Deutschen Vereines zum Schutze der Vogelwelt«, gesammelt herauszugeben. Das Werk*) erscheint in 15 Lieferungen à 1 Mark oder 3 Abtheilungen à 5 Mark; Lieferung 1—4 (ohne Jahr!) sind bereits erschienen.

Wir beglückwünschen die Idee und ihre Ausführung auf das Lebhafteste. Liebe's grosse Verdienste um den Vogelschutz durch Verbreitung der Kenntniss der Vögel sind so bekannt, dass wir sie hier nicht erst darzulegen brauchen. Der Erfolg der kleinen Abhandlungen Liebe's über das Aufhängen von Nistkasten und die Anlegung von Futterplätzen ist ein so enormer gewesen, dass kaum die Gloger'schen Schriften, welche in der geschicktesten Weise noch post mortem buchhändlerisch fructificirt worden sind, ihn erreicht haben dürften. Für die zahlreichen Vogelschützer und die Freunde der einschlägigen Literatur ist es äusserst angenehm, die Liebe'schen Abhandlungen in einem Bande vereint zur Verfügung zu haben. Auch für den Fachornithologen und Bibliographen ist diese Gesammtausgabe von besonderem Nutzen. Wir müssen allerdings vom Standpunkt des letzteren aus unser Bedauern aussprechen, dass nicht — wie in jenen englischen Ausgaben — die genauesten Citate durch Marginalien erkenntlich gemacht, sondern stets nur am Kopfe jedes Aufsatzes das »Unde« mit Anfangsseite, nicht auch Schlussseite, vermerkt wurde. Dadurch ist nur ein Theil der Mühe in oben gedachtem Sinne erspart. Auch finden wir es im Interesse einer solchen Ausgabe gelegen, Alles bis auf den Buchstaben genau zu reproduciren und nie kraft eigenen Urtheiles auch nur eine Zeile, geschweige denn ganze Aufsätze (vgl. S. 40 Anm.) dem Leser vorzuenthalten, mögen die Gründe für den Herausgeber so richtige wie immer sein! Letzteres Moment kommt natürlich für den »general reader« nicht in Betracht; er findet seinen Tisch reich gedeckt mit Essays über Vogelschutz und Vogelkunde, mit Beobachtungen über das Gefangenleben und Freileben unserer Vögel, mit Bemerkungen über geographische Verbreitung, Einwanderung, Nahrung, Nutzen, Schaden, Brutgeschäft, Krankheiten u. s. w. vieler europäischer Arten. Es mag besonders betont werden, dass Liebe sich vorwiegend mit dem Studium paläarktischer Formen beschäftigt. Auch ein Porträt, und zwar eine vorzügliche Reproduction mit facsimilirtem Autograph, ist beigegeben; die Biographie (nur $2^{1}/_{2}$ Druckseiten!) ist entschieden zu kurz gehalten. Ein genauer bibliographischer

*) Leipzig, Verlag von W. Malende (29 Nürnbergerstrasse).

Nachweis und sorgfältigster Species-Index, ein ganz unentbehrliches Postulat für ein solches Werk, werden hoffentlich der letzten Lieferung beigegeben werden.

Sofia, 30. April / 12. Mai 1893.

—

Versuch einer Avifauna der Provinz Schlesien von C. Floericke. Marburg i. H. 1893. II. Lief. p. 163—321, mit 1 colorirten Tafel.

Die eben erschienene zweite Lieferung bringt die Oscines zum Abschluss und behandelt weiter die Strisores, Insessores und Scansores. Die von O. Kleinschmidt gezeichnete Abbildung der ersten in Schlesien erlegten Locustella naevia ziert diese Lieferung. Ph.

Taubenracen. Illustrirtes Handbuch zur Beurtheilung der Racen der Haustaube von Jean Bungartz, Leipzig, Verlag v. E. Twietmeyer.

Die vor Kurzem erschienene zweite Auflage dieses beliebten und weit verbreiteten Werkes bringt ausser den in der ersten Auflage enthaltenen Beschreibungen und Abbildungen noch weitere zehn, in bekannter Meisterschaft vom Herausgeber entworfene Tafeln, enthaltend die neueren oder weniger bekannten Species des Taubengeschlechtes nebst erläuterndem Text. Es sind neu abgebildet: Die grosse italienische Feldtaube und Eichbichler Taube, Berliner Tümmler und Flugtauben, Ulmer und Kreuzschecken und der schwarz und weissgeschuppte Weissschwanz, Olmützer Strausstaube und mährische Bagdette, das deutsche Schnippen und Schildmövchen, die Smyrnaer, anatolischen und Aidiner Mövchen, Pfautauben und endlich indische Lowtans und Korallenauge. In einem Nachtrage sind die im Werke nicht angeführten oder neu entstandenen Farben, respective Zeichnungen für verschiedene Taubenracen nachgetragen.

Dieser Hinweis auf das Neuerscheinen wird genügen, einer Anpreisung bedarf das anerkannt vorzügliche Werk gewiss nicht. Ph.

Ehrenpreisvertheilung für den Brieftauben-Wettflug Wien-Berlin.

Im Vereinshause des Ersten österreichisch-ungarischen Geflügelzucht-Vereines, Prater Nr. 25, wurde am 18. August Abends die feierliche Vertheilung der Ehrenpreise und der Geldpreise für den Brieftauben-Wettflug Wien-Berlin vollzogen.

Von den 117 nach Berlin zum Wettfluge gesendeten Brieftauben waren innerhalb der Constatirungszeit trotz des miserablen Wetters 17 Tauben hieher zurückgekehrt, deren Eigenthümer dadurch Anspruch auf einen Ehrenpreis und einen Geldpreis gewannen. Bis heute haben fast 80 Tauben den heimischen Schlag wieder gefunden, so dass der Verlust an Materiale bei diesem Wettfluge in Ansehung der sehr schlechten Witterungsverhältnisse kein überraschender genannt werden darf.

Schlimmer sind die Berliner Theilnehmer daran. Von ihren 99 Tauben sind nach den letzten brieflichen Meldungen bisher nur 12 Stück in Berlin eingetroffen. Von Wien aus sind für die Berliner Preisgewinner vier Preise gewidmet worden, und zwar ein silberner Becher mit der Widmung: »Ehrenpreis des Ersten österreichisch-ungarischen Geflügelzucht-Vereines« und drei silberne Medaillen des ornithologischen Vereines.

Bei der Preisvertheilung war die englische Sitte angenommen worden, welche eigentlich eine Preiswahl darstellt. Auf einem langen Tische, an welchem die Herren vom Comité Platz genommen hatten, waren die von verschiedenen Persönlichkeiten gewidmeten Ehrenpreise ausgestellt. Die Gewinner hatten nun in der Reihenfolge, wie ihre Brieftauben hier eingetroffen sind, das Recht, einen Preis auszuwählen. Ferner erhielten die vier ersten Gewinner je einen Geldpreis von 30 fl., die übrigen je 15 fl.

Wir geben im Nachfolgenden die Namen der 17 Gewinner in der festgestellten Reihenfolge wieder und fügen bei jedem den Ehrenpreis bei, welchen er sich selbst wählte:

1. Herr Jacques Heller, die vom Reichs-Kriegsministerium gespendeten 10 Ducaten.
2. Herr Anton Dimmel, die vom »Ornithologischen Vereine« gewidmete goldene Medaille mit dem Bildnisse des Vereinspräsidenten GR. Bachofen v. Echt.
3. Herr Wenzel Pascha, das vom Linzer Geflügelzucht-Verein gespendete Essbesteck.
4. Herr Pinter, die vom Architekten Reuther gespendeten 60 Kronen.
5. Herr Zeinlinger, den von den Berliner Herren gespendeten Ehrenpreis, eine Bronzefigur.
6. Herr Heller, den vom Geflügelzucht-Verein Wien-Rudolfsheim gewidmeten Becher.
7. Herr Fleissner, den zweiten Berliner Ehrenpreis, zwei prächtige Bronzefiguren.
8. Herr Ehrmann, die vom Fürsten Starhomberg gespendeten 6 Ducaten.
9. Herr Dorn, die vom Grazer Geflügelzucht-Verein gewidmeten 50 Kronen.
10. Herr Ehrmann, die von Baron Springer gespendeten 50 Kronen.
11. Herr Heller, die vom Erzbischof Kohn gewidmeten 40 Kronen.
12. Herr Fleissner, die von Herrn Golwitzer gespendeten 20 Kronen.
13. Herr Dorn, den dritten Berliner Ehrenpreis, zwei Statuetten.
14. Herr Fleissner, die von der Marinesection überschickten 20 Kronen.
15. Herr Mantzell, als Vertreter des Geflügelzucht-Vereines Wien-Rudolfsheim, die von der Brieftauben-Gesellschaft in Freudenthal gespendeten 20 Kronen.
16. Herr Dorn, die von Baron Pirquet gewidmeten 10 Kronen.
17. Herr Mittermeyer, die anonyme Spende von 10 Kronen.

Sämmtliche Herren erhielten ausserdem je eine vom Ornithologischen Vereine gewidmete silberne Medaille, welche Auszeichnung auch folgenden Herren, die sich mit ihren Tauben an dem Wettfluge betheiligt hatten, zu Theil wurde, und zwar den Herren Reithauer, Breselmayer, Mostler, Holler, Reuther, Gerhart, Kirchmayer, Sickha, Piseker, Goldstein, Sess, Zimmermann und Bruszkay.

Die Preisvertheilung in Berlin fand am 31. August im Brandenburgerhause statt.

Indem nur drei Herren während der Constatirungszeit Tauben vorweis n konnten, entfielen auf jeden derselben eine ganze Anzahl von Ehrenpreisen.

Den vom »Ersten österreichisch-ungarischen Geflügelzucht-Verein in Wien« gewidmeten silbernen Pokal erhielt Herr Richard Pohl, je eine silberne Medaille des »Ornithologischen Vereines in Wien« die Herren Carl Schmidt und Alfred Kranzler. Die dritte vom »Ornithologischen Verein« gewidmete Medaille erhielt der Schriftleiter des Generalcomités in Berlin Herr Carl Loechel in Ansehung seiner erspriesslichen Thätigkeit um das Zustandekommen des Distanz-Wettfluges.

Nach Berichten aus Berlin haben die Wiener Preise dort allgemeine Bewunderung hervorgerufen.

Ebenso kamen Dankschreiben an das Wiener Generalcomité für den liebenswürdigen Empfang des Berliner Delegirten Herrn Fr. Matthes und des Brieftaubenbegleiters Herrn Schmidt, welche beide während ihres Wiener Aufenthaltes Gäste im Vereinshause des Ersten österreichisch-ungarischen Geflügelzucht-Vereines waren.

Was die finanzielle Seite dieses Unternehmens betrifft, so haben sowohl die Wiener als auch die Berliner Züchter nicht unwesentliche Opfer gebracht. Nach dem vom Schriftleiter Herrn R. Gerhart vorgelegten Rechnungsausweis betrugen die Gesammtspesen 886 fl. für Wien, welche Summe von den 23 Wiener Concurrenten aufgebracht wurde. Ausserdem fanden sich vier Herren, und zwar: Rechnungsrath J. B. Bruszkay, Architekt Otto Reuther, Hans Pisecker und Emil Goldstein, bereit, die Reise nach Berlin auf eigene Rechnung zu machen, und selbst der Brieftaubenbegleiter Herr Vogl beanspruchte keine Entlohnung für seine Bemühungen; ein Zeichen wahrer Opferthätigkeit für eine edle Sportsache.

I. Kärntn. Geflügelzucht-Verein in Klagenfurt.

(**Prämiirungsliste** der in den Tagen vom 8. bis 10. September 1893 abgehaltenen I. Kärntnerischen Geflügelausstellung in Klagenfurt.)

Es erhielten für

GROSS-GEFLÜGEL:

Frau Isabella Pallisch, Brunn bei Pitten, N. Oe., für vier erste Preise auf weisse Cochins, weisse Malayen, gesperberte Plymouth-Roks und Emdener Gänse die silberne Staats-Medaille sowie die für hervorragende Nutzracen gestiftete silberne Medaille der k. k. Landwirthschafts-Gesellschaft in Kärnten;

Herr P. Norbert Lebinger, Klagenfurt, für hervorragende Erfolge auf dem Gebiete der Fasanenzucht die silberne Staats-Medaille;

Herr Alois Aegid Spitzner, Wien, für zwei erste Preise auf schwarze Langshans und schwarze Holländer sowie für einen dritten Preis auf gelbe Cochins die bronzene Staats-Medaille, ausserdem die bronzene Medaille der k. k Landwirthschafts-Gesellschaft in Kärnten;

Frau Fanny Gironcoli, Klagenfurt, die bronzene Staats-Medaille.

Fräulein Betty Nagel, Purkersdorf, und Herr Ferdinand Swoboda, Wiener-Neustadt, je eine silberne Medaille der k. k. Landwirthschafts-Gesellschaft in Kärnten;

Frau Marie Kautz, Lebmach an der Glan und Herr Carl Taucher, Waltersdorf, die beiden Ehrenpreise des Herrn Landespräsidenten Baron Schmidt-Zabiérow zu 25 Kronen;

Frau Johanna Tintara, Mödling, für ihre Collection Houdans den Ehrenpreis der Stadt Klagenfurt zu 20 Kronen und die bronzene Medaille der k. k. Landwirthschafts-Gesellschaft in Kärnten;

Herr M. Komposch, Klagenfurt, den zweiten Ehrenpreis der Stadt Klagenfurt;

Ritter v. Rosmanit'sche Gutsverwaltung Rothwein für Silber-Wyandottes und Frau N. Wanggo für Lockengänse die beiden Ehrenpreise des Herrn P. Lebinger zu 20 Kronen.

Freiherr v. Moll'sche Gutsverwaltung in Südtirol für zwei zweite Preise 15 Kronen;

Gut Haselbrunn; Gut Sonnek; Frau Marie Puntschart, Klagenfurt; und Frau Emma Hillebrand, Klagenfurt, je 12 Kronen;

Frau Marie Jobst, Friesach; Herr Georg Reckendorfer, Erlach; Frau Marie Krassnigg, Weizelsdorf; Herr Baron Helldorf, Thalenstein; Frau Kath. Hochenberger, Klagenfurt, und Frau Sofie Hansa, Villach, je 8 Kronen;

Frau Johanna Moser, Klagenfurt, und die Herren Anton Liendl, Maria-Saal; Ferdinand Moritsch, Villach; Josef Druck, Viktring, je ein Anerkennungs-Diplom mit 5 Kronen.

Ausserdem nahm das Preisgericht Veranlassung, die Bestrebungen der Meiereischule zu Marienhof auf dem Gebiete des Unterrichts in der Geflügelhaltung und Verbreitung einschlägiger nützlicher Kenntnisse lobend hervorzuheben.

TAUBEN:

Herr Josef Götzendorfer für zwei erste und einen zweiten Preis (Malteser, Samabia und Perücken) die silberne Staats-Medaille;

Herr Anton Horváth für zwei erste Preise (Wiener geganselte Tümmler und Budapester Gestorchte) die bronzene Staats-Medaille;

Herr Friedrich Schuch für einen ersten Preis (Florentiner) die silberne Medaille der k. k. Landwirthschafts-Gesellschaft in Kärnten;

Herr Paul Čačinović für einen ersten Preis (Collection Perücken) die bronzene Medaille der k. k. Landwirthschafts-Gesellschaft in Kärnten;

Herr Johann Burger, Budapest, 20 Kronen in Gold;

Herr N. Schuhmacher, Wiesbaden, 20 Kronen in Gold;

Herr Carl Heine, Halle, 20 Kronen in Gold;

Herr János Kovács, Debreczin, 15 Kronen.

Sing- und Ziervögel und diverse andere Ausstellungsobjecte.

Herr Guido Findeis für Exoten und ein Paar weisse Dohlen 25 Kronen;

Herr Josef Holz für europäische Vögel 10 Kronen;

Herr Friedrich Theuer die besonders lobende Anerkennung für seltene Raubvögel;

Herren E. Häusler & Comp. die lobende Anerkennung für Exoten. (Verspätet eingetroffen.)

Herr Martin Wrann für Kanarien die lobende Anerkennung.

Herr Graf v. Egger für Drahtgewebe und -Geflechte die silberne Staats-Medaille;

Herr Ferdinand Jergitsch für dergleichen die bronzene Staats-Medaille;

Gutsverwaltung Grabenhof für Torfproducte und Geflügelfutter die bronzene Medaille der k. k. Landwirthschafts-Gesellschaft in Kärnten;

Herr Johann Sadnikar für Vogelbade-Cabinen 20 Kronen in Gold;

Herr Josef Keuschnigg für Vogelfutter und Nistkästchen die lobende Anerkennung;

Herr Murero für Brutkörbe die lobende Anerkennung;

Herr Eurich für »Mittheilungen über Gartenbau, Geflügel- und Bienenzucht« die lobende Anerkennung;

Herr Anton Zifferer für seine erspriessliche Thätigkeit auf ornithologischem Gebiete die besonders lobende Anerkennung.

Prämiirungs-Liste der ersten Wander-Geflügel- und Vogel-Ausstellung in Krems a. d. Donau.

(Veranstaltet vom I. österr.-ung. Geflügelzucht-Vereine mit dem k. k. landwirthschaftlichen Bezirksvereine Krems.)

Es erhielten für

TAUBEN.

Ausser Preisbewerbung hat ausgestellt Rath J. B. Brusskay, Wien

Silberne Staatsmedaille.

1. Herr Adolf Friedl, Wien, für Malteser.

Bronzene Staatsmedaille.

1. Herr Johann Kernast, Wien, II., für Malteser.
2. » Johann Kienast, Wien, XVI., für Strasser.

Bronzene Landw. Medaille.

1. Herr Franz Koberger, Wien, XIX., für Trommler.

Silberne Medaille, öst.-ung. Geflügelzuchtverein.

1. Herr Rudolf Paradieser, Wien, XIII., für Tümmler.

Bronzene Medaille, öst.-ung. Geflügelzuchtverein.

1. Herr Franz Czerny, Wien, IX., für Kropftauben.
2. » Johann Kernast, Wien, II., für Kropftauben.

Silberne Medaille, Wiener Geflügelzuchtverein.

1. Herr Rudolf Harrand, Wien, XVI., für Trommler.

Bronzene Medaille, Wiener Geflügelzuchtverein.

1. Herr Adolf Kejla, Wien, XIV., für Kropftauben.
2. » Johann Burger, Budapest.
3. » P. v. Heede, Halver, Westphalen.

Silberne Kremser Ausstellungs-Medaille.

1. Herr A. Horvath, Pest, Steinbruch, für Tümmler.
2. » Fr. Fricke, Magdeburg, für Tümmler.
3. » Br. Villa-Secca, Wien, für Perrückentauben.

Bronzene Kremser Ausstellungs-Medaille.

1. Herr Jos. Oesterreicher, Alt-Erlaa b. Wien, f. Tümmler.
2. » Joh. Burger, Budapest, für Perrückentauben.
3. » Gust. Reissner, Wien-Speising, für Carriertauben.
4. » Anton Dietrich, Wien, für Tümmler.
5. » Jos. Kirchmayr, Wien-Hietzing, für Mövchen,

1 Ducaten in Gold.

1. Herr Anton Dietrich, Wien, für Tümmler.
2. » Fr. Fricke, Magdeburg, für Blondinetten.
3. » Johann Kienast, Wien, XVI., für Malteser.

5 Gulden ö. W.

1. Herr Fr. Fricke, Magdeburg, für Satinetten und Turbitins
2. » » » » » Indianer.

30 Mark, Ehrenpreis.

1. Herr Fr. Fricke, Magdeburg, für Tümmler, Indianer und Perücken.

10 Kronen in Gold gesp. vom Grafen Aichelburg.

1. Herr J. Seydl, Laa a. d. Th., für Römer.

10 Kronen gesp. vom Bürgermeister Heinemann

2. Herr Franz Karl, Perchtoldsdorf, für engl. Kröpfer.

10 Kronen.

3. Herr E. Szokolowitsch, Baja, Ungarn, für ung. Kröpfer
4. » V. Textoris, Nyiregyháza, Ungarn, für Perücken.
5. » Baron Villa-Secca, Wien, für Pfautauben.
6. » L. Höllwarth, Wien, für Orientalen.
7. » Fr. Fricke, Magdeburg, für weisse Anatolier.
8. » Fr. Fricke, Magdeburg, für Perücken.
9. » H. Horvath, Steinbruch bei Budapest, für Indianer.
10. » E. Sinner, Hetzendorf, für Pfautauben.
11. » W. Klimser, Wien, für engl. Kröpfer.
12. » Fr. Fricke, Magdeburg, Carrier.

5 Kronen.

1. Herr E. Sinner, Hetzendorf, für Gimpeltauben.
2. » Joh. Kernast, Wien, II., für Römer.
3. » L. Sess, Wien, für deutsche Tümmler.
4. » Emil Fischer, Treuen in Sachsen, für Altstämmer.
5. » Ferdinand Michl, Krems, für ital. Mövchen.
6. » A. Dimmel, Wien, für Pfautauben.
7. » J. Seydl, Laa a. d. Th., für engl. Kröpfer.
8. » von Heede, Halver, Westphalen, weisse Brünner.
9. » Mich. Völkl, Linz, für Malteser.
10. » Al. Tresky, Wien, XIV., für Trommler.

Diplome.

1. Herr Kroch, Wien, für Silber-Elster und Pfautauben.
2. » A. Dimmel, Wien, für Budapester.
3. » C. Frühwirth, Wien, für Tümmler.
4. Herr Jos. Klein, Pfalzau b. Pressbaum, für Tümmler.
5. » Joh. Burger, Budapest, für Mövchen und für Lockentauben.
6. » Paul von Heede, Halver, Westphalen, für Mövchen, Perücken und Pfautauben.
7. » Lud. Höllwarth, Wien, für Satinetten.
8. » Emil Fischer, Treuen in Sachsen, für Perücken.
9. » Kienast, Wien, für Perücken.
10. » Ypsilanti Prinz, Rappoltenkirchen, für Pfautauben und Malteser.
11. » Johann Kernast, Wien II., für Pfautauben, Harlekins und Dragons.
12. » Fr. Fricke, Magdeburg, für Dragons, Holländer und Reinangen.
13. Besserungsanstalt Eggenburg, für Malteser und Strasser.
14. Herr Josef Kirchmayr, Hietzing, für Malteser.
15. Frau Betti Nagl, Purkersdorf, für Malteser.
16. Herr A. Friedl, Döbling XIX., Wien, für Florentiner.
17. » A. Tresky, XVIII. Wien, für Florentiner.
18. » Josef Traunsteiner, Kitzbühel, Tirol, für Strasser und Schwalben.
19. » Schmiedt Carl, Stronsdorf, für Strasser.
20. » R. Schmucker, Wien, für Trommler.
21. » R. Heinzinger, Wien, für Bagdetten.
22. » L. Saxl, Wien, für Carrier.
23. » J. Ehrmann, Wien, für Carrier.
24. » Ed. Podivin, Wiacownisch, Galizien, für Luchse.
25. » Ferd. Michl, Krems, für Kröpfer.
26. » Jos. Götzendorfer, Wien, für Samabia.
27. » J. Kovács, Debreczin, für Lockentauben.

ORNITHOLOGISCHE PRÄPARATE:

Silberne Kremser Ausstellungs-Medaille.

1. Herr Andreas Reischek, Wien.
2. » Carl Kunrzt, Schütt-Somerein.

SING- UND ZIER-VÖGEL:

Silberne Kremser Ausstellungs-Medaille.

1. Herr G. Findeis, Wien.
2. Zoologische Handlung Ornis, Wien (Häusler & Cie.).

Bronzene Kremser Ausstellungs-Medaille.

1. (Singvögel) Franz Stamminger, Wien.
2. (Waldvögel) Ferd. Michl, Krems.
3. (Kanarien) Joh. Doppler, Krems.

Anerkennungs-Diplom.

(Uhu) Rögelsberger, Zöhing.

GEWERBLICHES.

Silberne Ausstellungs-Medaillen.

1. Rudnicker Korbwaarenfabrik, Prag.
2. Fritz Zeller, diverse Nistkästchen.
3. Hutter & Schranz, Volieren und Drahtgeflechte.
4. Josef Künzel, Federnschmuck-Gegenstände.
5. J. H. Kaiser, Fächer von Nutz- und Ziervögeln.

Bronzene Ausstellungs-Medaillen.

1. J. H. Skoff, Zimmerdecorations-Gegenstände.
2. Joh. Meerkatz in Wien, Drahtgeflechte.
3. Ant. Pauly, Bettfedern und Bettwaaren.

Anerkennungs-Diplome.

1. Franz Rainer.
2. J. B. Wallenstorfer.
3. Joh. Doppler, Vogelbauer.
4. Rudolf Lorenz, künstliche Glucke.
5. Josefine Meister, Photographien-Ständer.

Inserate

per Quadrat-Centimeter 4 kr. oder 8 Pf.

Um den Annoncenpreis auch den Laien geläufig zu machen, gilt Folgendes: Der Raum in der Grösse einer österr. 5 kr.- oder 10 deutschen Pfennig-Briefmarke kostet den 4fachen Betrag derselben; und sind diese Marken oder der Werthbetrag gleich jedem Auftrage beizuschliessen. Bei öfters als 6maliger Insertion wird $1/4$ Rabatt gewährt, d. h. mit 3 Marken anstatt 4 Marken die Markengrösse des Inserates gerechnet. Die Bestätigung des Empfanges der Inseratengebühr wird durch die Einsendung der betreffenden Belegnummer seitens der Administration dieses Blattes geliefert, wohin auch alle Inserate zu richten sind. Es werden nur Fachannoncen aufgenommen.

Avis für Geflügelzüchter!

Das österreichische **Fleischfaser-Geflügelfutter** von **Fattinger & Co.**

288 **Wien-Hernals, Bahngasse 40**

ist das vorzüglichste und bestbewährteste Futtermittel für Zuchtgeflügel. Zur Erlangung von schönen, gesunden und kräftig entwickelten Thieren unentbehrlich! Empfohlen von den ersten Geflügelzüchtern des In- und Auslandes. **Für beste Erfolge wird garantirt.** Preis für Geflügelfutter per 50 Kilo fl. 12.—, 5 Kilo Postpacket fl. 1.40; Preis für Küchenfutter per 50 Kilo fl. 11.50, 5 Kilo-Postpacket fl. 1.40 inclusive Packung, ab Wien.

Abtheilung I. BERLIN N. Usedomstr. 28.

Alleinige Lieferanten für die Meute Sr. Majestät des **Kaisers Wilhelm II.** zu Jägerhof-Potsdam. — Königl. engl. Hoflieferanten.

Man beachte die Preisermässigung.

KEINE SIND ECHT SPRATTS SCHUTZ PATENT MARKE WENN NICHT SO GESTEMPELT

Fleischfaser. Hundekuchen.

Fleischfaser. Geflügelfutter.

(1) ab Fabrik unter Nachnahme (8–12)

PREIS-LISTE:

Fleischfaser-Hundekuchen
für Hunde aller Racen, per 50 kg M. 18·50.
Puppy-Biscuits
für junge Hunde, per 50 kg M. 20·—.
Leberthran-Biscuits
für Reconvalescenten, per 50 kg M. 24·—.
Hafermehl-Biscuits
ohne Fleisch, per 50 kg M. 16·—.

Fleischfaser-Geflügelfutter
für Hühner, Enten, Gänse, per 50 kg M. 19·—.
Fleischfaser-Kückenfutter
unübertroffen zur Aufzucht, per 50 kg M. 19·—.
Fleischfaser-Taubenfutter
siehe unser. Broschüre, per 50 kg M. 22·—.
Fleischfaser-Fasanenfutter
vorzügl. zur Aufzucht per 50 kg M. 19·—.

Prairie-Fleischknorpel-Crissel
ersetzt Insecten etc., per 50 kg M. 25·—.
Fleischfaser-Fischfutter
in 5 Körnungen, per 50 kg M. 25·—.
Hunde- und Geflügel-Medicamente
siehe unsere Prospecte und Broschüren.
Proben und Prospecte
gratis und postfrei.

NIEDERLAGEN:

Brünn (Mähren):
Jos. Lehmann & Co., Ferdinandstrasse.
Prag (Böhmen):
Carl Lüftner, Graben u. Bergmannsgasse.

Budapest:
Math. Huselka & Szenes Ede.
Pressburg:
Berghofer János, Marktplatz 22.
Reichenberg (Böhmen):
Emil Fischer, Droguenhandlung.

Wien:
Wieschnitsky & Klauser's Nachf., Wallfischgasse.
Anton Ig. Krebs' Nachf., Wollzeile 3.
Carl Wickede & Sohn, Asperngasse 3.

BRUTEIER

Crève-Coeurs schwarz, 12 St.	5.20
La Flèche „ 12 „	5.20
Houdan dunkel, 12 St.	4.—
Andalusier blau, 12 St.	4.—
Minorka schwarz, 12 St.	4.—
Hamburger schwarz, 12 St.	5.20
„ silberlack, 12 St.	4.—
„ goldlack, 12 St.	5.20
Sebrightbantam gold, 12 St.	4.—
„ silber 12 St.	4.—
Zwergkämpfer goldhalsig, 12 St.	4.—
„ silberhalsig, 2 St.	4.—
„ rothschecKig, 12 St.	5.20

incl. Emballage in Kistchen zu 6 und 12 Stück gegen Nachnahme und nehme Vormerkungen jetzt schon entgegen.

(2) (6—10)

(8–10) **Robert Echinger**

Wien, XV. Neubaugürtel Nr. 7—9

Ein

Vorweltliches Riesenhirsch-Geweih

(*Cervus megaceros*)

in einem Moor ausgegraben, 24ender, circa 1 Centner schwer, 230 Centimeter Geweihbreite, vollständig gut erhalten, mit Schädel (Unterkiefer fehlt), verkauft

J. BIERING

Zoolog. Präparator, Warnsdorf in Böhmen.

(6) Geflügel-Zuchtanstalt (7—12)

NOVIMAROF

Croatien.

Offerirt Zuchtstämme, sowie einzelne Exemplare ihrer vielfach prämiirten Rassegeflügelstämme.

Besonders seien empfohlen:

Gelbe Cochin, schwarze Langshans, Plymouthrocks, Peking- und Rouen-Enten.

Bruteier:

Von Cochin à 45 kr., von den übrigen Rassen à 30 kr. mit Emballage werden abgegeben.

Verlag des Vereines. — Für die Redaction verantwortlich: Gustav Röttig.
Buchdruckerei Helios, Wien, I. Schreyvogelgasse 3.

XVII. JAHRGANG. Nr. 10.

Mittheilungen des ornithologischen Vereines in Wien „DIE SCHWALBE"

Blätter für Vogelkunde, Vogelschutz, Geflügelzucht und Brieftaubenwesen.

Organ des I. österr.-ung. Geflügelzuchtvereines in Wien und des I. Wiener Geflügelzuchtvereines „Rudolfsheim"

Redigirt von **C. PALLISCH** unter Mitwirkung von Hofrath Professor **Dr. C. CLAUS.**

16. October.

„DIE SCHWALBE" erscheint **Mitte eines jeden Monates** und wird **nur an Mitglieder abgegeben.**
Einzelne Nummern 50 **kr.**, resp. **1 Mark.**
Inserate per 1 □Centimeter 4 kr., resp. 8 Pf.

Mittheilungen an den **Verein** sind an Herrn Präsidenten **Adolf Bachofen von Echt** sen., Wien, XIX. Färbergasse 18, zu adressiren. **Jahresbeiträge** der Mitglieder (5 fl., respective 10 Mark) an Herrn **Dr. Carl Zimmermann,** Wien, I. Bauernmarkt 11, einzusenden.
Alle **redactionellen Briefe, Sendungen etc.** sind an Herrn **Ingenieur C. Pallisch in Brunn,** Post Pitten, Niederösterreich, zu richten.
Vereinsmitglieder beziehen das Blatt gratis.

1893.

Beiträge zur Ornithologie Böhmens.

Von **J. Prok. Pražák** (Prag).

V.

In folgenden Zeilen will ich einige Vögel, welche theilweise bei uns mit ungenügender Aufmerksamkeit beobachtet, theilweise übersehen oder mit anderen verwechselt werden, sowie einige Farbenaberrationen, die ich entweder während meiner sechsjährigen Sammelthätigkeit selbst bekommen oder bei meinen Untersuchungen in vielen Privatsammlungen, auf dem Prager Vogelmarkte, bei Ausstopfern und Vogelhändlern gesehen habe, erwähnen. Ein vollständigeres Verzeichniss der in böhmischen Sammlungen befindlichen sowie eine Uebersicht der in böhmischen, meist unbekannten oder schwer zugänglichen Zeitschriften beschriebenen Farbenveränderungen hoffe in unweiter Zeit zusammenstellen zu können.

1. *Erithacus suecicus* (*L.*) ist auf dem letzten Herbstzuge häufig bei Jaroměř und Smiřic vorgekommen, wie zahlreiche Exemplare beim Ausstopfer Rozsivač in Smiřic beweisen. Unter 6 Exemplaren, die ich bei diesem Präparator unlängst gesehen habe, fand ich ein Stück, welches jenem ♂, das ich am 3. April 1889 von Chlumec a. C. bekommen habe, ungemein ähnlich war; es hat nämlich den rostrothen Fleck sehr schmal, im Vergleiche mit übrigen mir bekannten Exemplaren geht aber derselbe sehr tief, so dass er sich noch durch das schwarze Band zieht und dann unmittelbar in den fast gleichfarbigen Streifen übergeht. Das Blaue auf der Kehle ist rein und tief. Die äusseren Schwanzfedern sind sehr schwach rostroth gefärbt. Die Aehnlichkeit beider Exemplare ist wirklich merkwürdig, was noch interessanter wird, als andere Stücke, wie die von Herrn Rozsivač, so jene meiner Sammlung (5), vollkommen mit meisten Abbildungen[1]) übereinstimmen.

[1]) z. B. Naumann, IV. 319, t. 108; Fritsch, »Vög. Eur.«, t. 23, f. 9; Dubois, »Ois. de la Belgique«, 676; Brehm, »Handb.« t. 21, f. 1 etc.

2. *Calcarius lapponicus* (*L.*) wurde bis jetzt nur aus einem einzigen Falle als seltener Wintergast Böhmens bekannt. In letzter Zeit aber habe ich das Glück gehabt, einige in Böhmen erlegte Exemplare zu sehen. Der heurige ungemein strenge Winter, der in unserer Vogelwelt so viele Unregelmässigkeiten hervorgerufen hat, beweist, dass die Spornammern sich auch zu uns bemühen. Herr Wolf, einer der eifrigsten und glücklichsten Sammler, hat am 25. Jänner 2 Exemplare bei Nedělišt (Bez. Königgrätz) erlegt und auch ich habe aus Lisa a. E. 3 Exemplare, welche am 14. Jänner (♂) und 2. Februar (♂ ♀) gefangen wurden. Das erstere Männchen ist oben, das Schwarz am Kopfe und das Rostroth am Hinterhaupte und Scheitel sehr matt und unrein; die weisse Binde auf beiden Wangen sehr breit, zieht sich aber an den Halsseiten, wie z. B. beim anderen ♂, das ganz normal und sehr lebhaft gefärbt ist, nicht herab, sondern geht in weisslich-braune Farbe, welche sich dann im Rostrothen des Nackens verliert, über; die Unterseite ist rostfarbig, nur Kehle und Bauch sind ungewöhnlich weiss. — Vielleicht wurden noch mehrere Spornammern schon in vorigen Jahren und besonders heuer bei uns erlegt, sind aber — wie auch bei anderen Vögeln geschieht — nicht erkannt worden.

3. *Fringilla nivalis* (*L.*) wurde bisher auch nur aus einem einzigen Falle bekannt. Heuer wurden 2 Stück bei Vršovic unweit Prag auf Leimruthen gefangen (Mitte Jänner) und von mir für meine Sammlung gekauft; beide Exemplare sind schöne Männchen. Nach Angabe des Herrn Lieut. S—er wurden die Schneefinken in der genannten Ortschaft im grossen Hofe des k. u. k. Train-Etablissements im heurigen Jänner mehrmals gesehen. Ich bin überzeugt, dass auch diese Vögel auch anderswo schon früher beobachtet werden könnten; die unorganisirte Arbeit auf diesem Gebiete, wo die Landesdurchforschung so weit hinter anderen Zweigen der Zoologie geblieben ist, die falsche Ansicht, dass Böhmen ornithologisch durch und durch bekannt ist, Mangel einer Centralstelle der ornithologischen Beobachtungen — das Alles hat zur Folge, dass über heimische Ornithologie nur »disiecta membra« vorliegen, dass das Erscheinen mancher Vögel unbekannt bleibt oder als zufällig aufgefasst wird.

4. *Acanthis linaria Holboelli* (*Brehm*) wurde mir in 2 Exemplaren aus Starkenbach von Herrn Med. stud. Hrubý geschickt; nach brieflicher Mittheilung dieses Herrn soll der grosse Birkenzeisig dort jedes Jahr beobachtet und gefangen werden. Auch beim Herrn Vaněk, Vogelhändler in Prag, habe ich diese Varietät unter gewöhnlichen Birkenzeisigen gesehen und gekauft. Es scheint, dass er nicht eben viel seltener ist als die Stammform und es ist nur räthselhaft, wie er früher übersehen werden konnte.

5. *Parus ater* (*L.*). Unter den 7 Exemplaren der Sammlung des Herrn Wolf befinden sich 3 Tannenmeisen, welche sich schon auf dem ersten Blick von anderen, welche dunkelaschgrauen Rücken haben, durch schöne olivengrüne Farbe desselben unterscheiden. Ebenso gefärbtes Exemplar habe ich im Graf Harrach'schen Pavillon auf der Landesausstellung in Prag 1891, aber nie im Fleische gesehen. Das weitere Materiale wäre sehr wünschenswerth.

6. *Certhia familiaris brachydactyla* (*Brehm*). Seinerzeit habe ich mich an alle meine ornithologischen Freunde mit der Bitte gewendet, mir gelegentlich einige Baumläufer, für welche ich mich sehr interessirt habe, zu schicken und so habe ich Gelegenheit gehabt, 19 Stück aus verschiedenen Landestheilen zu untersuchen; aber das, was ich suchte, nämlich einen typischen kurzzehigen Baumläufer, habe ich nicht gefunden. Unter allen 19 Baumläufern war erstens kein gewöhnliches Exemplar mit rein weisser Unterseite, was auch Herr J. Michel im Isergebirge beobachtet hat[2]); zweitens kein Exemplar, welches grossen Schnabel und grauen Rücken hätte, dem entgegen aber 3 mit lohfarbigem Rücken und grossem Schnabel sowie mit einem verhältnissmässig kurzen, stärker gekrümmten Nagel der Hinterzehe, und 2 Exemplare mit grauem Rücken, aber mit »sehr schmalem Schnabel« (wie ihn Brehm beim gewöhnlichen Baumläufer haben will[3]) und langen Zehen (was letzteres nach II. Theil seiner »Vögelkunde« nur ein ungenügendes Kennzeichen ist) und so variiren in einigen Combinationen der Merkmale alle Exemplare meiner Sammlung sowie jene, die ich in mehreren Collectionen böhmischer Vögel gesehen habe. Ich selbst habe aus der Umgebung von Jaroměř, wo so viel Laubholz ist, nie var. brachydactyla bekommen, oft aber die familiaris getroffen; und Herr Biemann hat mir wieder ein Exemplar, das am meisten der von Brehm beschriebenen brachydactyla geschickt, nach Angabe meines Gewährsmannes aber in den Tannenwäldern bei Doubravic (unweit Königinhof) erlegt wurde; also auch die Angabe des Aufenthaltes stimmt nicht mit Aussagen des alten Meisters Brehm[4]), so dass — wenn man beide Formen weiter festhalten will — nur die Stimme, das charakteristische, in Absätzen sich wiederholende »Tittit-tit« des »kurzzehigen Baumläufers« das einzige verlässliche Unterscheidungskennzeichen bleibt.

7. *Bombycilla garrula* (*L.*) erscheint in Böhmen, wenn auch nicht gleich zahlreich und auf denselben Orten, jedes Jahr; manchmal kommt der Seidenschwanz in grossen Zügen und im ganzen Lande, andersmal nur in einigen Gegenden oder endlich nur hie und da in geringerer Anzahl vor. Mit Bestimmtheit kann man aber sagen, dass er in gewissen Gegenden alljährlich erscheint, so z. B. bei Račic (Bez. Jaroměř). Ohne die gedruckten Nachrichten zu benützen, will ich in umstehender Tabelle einige Daten über sein Vorkommen in 10 nordostböhmischen Bezirken vorlegen.

Farbeveränderungen.

1. *Saxicola oenanthe* (*L.*) von Gradlitz (Bez. Königinhof) lichtgrau, Kopfplatte, Oberseite des Halses, Rücken aschgrau, Bauch und Schwungfedern rein weiss. Die Zeichnung auf dem Schwanze kenntlich markirt, die Stellen aber, welche bei regelmässig gefärbten Exemplaren schwarz, sind hier lichtgrau. Schnabel und Füsse sind auch etwas lichter.

2. *Erithacus rubeculus L.* von Deutsch-Brod, ♂ ganz weiss, Schnabel und Füsse schmutzig weiss.

3. *Acanthis linaria L.* Rücken hellgrau, alle Federn mit breiter weisser Umfassung; Unterseite des Körpers und untere Schwanzdeckfedern weiss; Kehle und Brust roth-weiss. Gefangen bei Königstadtl im Herbste 1888.

4. *Parus major L. a*) ♂ von Oulibicer Fasanerie bei Jičín Brust, Kehle, Kopf und Hals schmutzig weiss, Oberseite und Flügel hellbraun.

[2]) Mitth. d. orn. Ver. XV. 100. Anm.

[3]) »Handbuch etc.« p. 211.

[4]) »Naumannia« 1856, p. 358.

	November	December	Jänner	Februar	März	Anmerkung
1875	II. V. X.	I. X. VIII.	III. IV.	V. X.	VI.	—
1876	I. VIII. III.	I. II. IV. VII.	V. VI. VII.	I. IV. IX.	—	—
1877	I. IV. VIII.	VII. X.	—	X. VIII. V.	I. IV.	In I. häufig auf dem Rückzuge
1878	V. IX.	IX. I. III.	IV. IX.	X. V. II.	II. III.	—
1879	—	IV. I.	VI. VIII. II.	—	I.	—
1880	—	—	X. III. VIII.	IV. I.	IV.	Sehr kleine Menge
1881	II.	I. VII. X.	II. VI.	—	—	—
1882	I. IV. X. VIII.	II. IV.	—	I. X.	—	—
1883	III. VIII.	I. IV.	IX. V.	—	VIII	—
1884	—	V. VIII. X.	I. II. IX.	—	—	—
1885	X. IV.	I.	IV. VIII.	—	—	Sehr kleine Anzahl
1886	—	I. X. VII.	IV. X.	II. IX.	—	—
1887	—	II. VII. VIII.	VIII. I. IV.	I. VI. III.	I. IV.	—
1888	I. VI. IX.	VI. IX.	VI. III.	II.	I. VIII.	—
1889	—	IX. IV. II.	I. IX. IV. III.	IV. III. I.	II.	—
1890	—	I. IV.	II. VIII. X.	VI. III.	—	—
1891	IV. VI.	IX. V. VIII.	I.	—	—	In I. in grosser Menge
1892	V. I. IV. VIII. IX.	I. II. IV. VI.	IX. VIII. I. VI.	IX. X.	I. VI.	—
1893	—	—	I. III. V. VI. X.	II. I. V.	—	Die letzten am 13. Febr. gesehen

I. Jaroměř, II. Königinhof, III. Königgrätz, IV. Neustadt a. M., V. Nechanic, VI. Chlumec a. C., VII. Neu-Bydschow, VIII. Jičin, IX. Hořic, X. Neu-Paka. — Die bezüglichen Mittheilungen verdanke ich vielen Herren Forstleuten, Vogelliebhabern und Beobachtern, besonders Herrn Wolf, Novotný, Kubik, Ullmann, Polák, Biemann u. A.

b) ♂ von Schlan. Ganz weiss, mit seltener Reinheit. Irisroth, Füsse und Schnabel semmelfarbig.

c) Neu-Bydschow 1887, ganz schwarzes Ex., nur die Wangen hellgrau.

d) ♂ im Käfig bei H. Pešek in Prag, ganz schwarz, nur am Bauche nehmen die Federn dunkelbraune Farbe an.

e) ♀ von Jung-Bunzlau. Scheitel, Nacken, Wangeneinfassung, Brustbinde und Kehle licht graulich-braun, Rücken, Brust, Bauch gelblich-weiss; der übrige Körper ist weiss, roth überhaucht. Schnabel und Füsse licht semmelfarbig.

5. *Hirundo rustica L. a)* Benátek bei Smiřic. Ganz weiss, Schnabel und Füsse lichtgelb. Die Flügel leicht gelblich überflogen.

b) Kopf und Oberseite des Halses braun, Flügel graulich-braun; Schwingen und Schwanzfedern schmutzig, Unterseite rein weiss. Kehle rostroth. Der Schwanz fast rund ausgeschnitten.

c) Hellgrau, Brust und Hals etwas dunkler.

6. *Chelidonaria urbica L. a)* Im Jahre 1892 brütete ein Paar der Mehlschwalben knapp vor dem Eingange in die Küche im I. Stocke des stark bewohnten Hauses Nr. 13 in der Palackygasse in Prag. Anfang Juni waren im Neste 5 Junge, von welchen 2 ganz normal, die anderen 3 aber auch nach vollständiger Entwicklung unten rein, oben schmutzig weiss waren. Iris war schön roth.

7. *Parus caeruleus L.* von Starkenbach. Kopf, besonders Theile, die sonst schwarz sind, Rücken, Flügeldecken, Schwung- und die Endspitzen der Schwanzfedern röthlich-braun.

8. *Fringilla coelebs L. a)* Rein weiss, die normale Zeichnung leicht markirt.

b) ♂ Kopf, Nacken, Oberseite des Halses und Oberrücken rothgrau; Flügeldeckfedern, die letzten Schwingen und Oberschwanzdecken rostroth.

9. *Chloris hortensis Brehm. a)* ♂ gefangen in Krč bei Prag 1889, November. Die sonst grün gefärbten Stellen sind bei diesem Exemplar röthlich-gelb, die gelben Stellen regelmässig; Schnabel und Füsse lichtgelb.

b) ♀ am 24. October 1892 auf dem Prager Vogelmarkte gekauft; angeblich bei Vršovic gefangen. Scheitel, Nacken, Hals, Rücken, Kehle, Brust und Bauch weiss gefleckt. Flügeldeckfedern, die Schwingen zweiter Ordnung weiss, mit gelblicher Umfassung.

10. *Chrysomitris spinus L.* Gesehen ausgestopft bei Herrn Alexius in Neu-Bydschow. Kopf, Hals und Kehle rein schwarz, Brust schwarzbraun, Rücken und Schwanzfedern dunkelgrau.

11. *Pyrrhula rubicilla Pall. a)* Erlegt im December 1892 bei Hustiřau (Bez. Jaroměř). Rein schwarz mit blauem Metallglanz, auf der Brust schwarzbraun, am Bauche fast roth; die Binde auf den Flügeln grau.

b) ♂ von Hohenmauth. Die rothe Farbe auf der Brust kaum angedeutet, der Bürzel, Hinterbauch und die unteren Schwanzdeckfedern rein schwarz.

Prag, am 10. März 1893.

Ornithologische Beobachtungen

aus dem Aussiger Jagd- und Vogelschutzvereine 1891. 9. Theil.

Von **Anton Hauptvogel.** (Schluss.)

46. Motacilla alba. Am 28. Februar die erste in Pömmerle angekommen. Am 13. März mehrere bei Nestomitz, Wesseln und Pömmerle der Elbe entlang. In Mutzke am 17. März. Am 24. September ein Zug auf der Klosterkirche in Aussig um 3 Uhr Nachmittags. Diesen Herbst schliefen sie zu Hunderten auf den Kastanien und anderen Bäumen in den Elbanlagen vis-à-vis »beim Matrosen«, wo sie immer gegen Abend hinzogen.

47. Motacilla sulphurea. Am 30. März in Pömmerle ein Paar, welches im Eisenbahnviaducte nistet; das Männchen war früher schon angekommen.

48. Anthus campestris. Am Zuge in Pömmerle am 12. April einige Stück, Nachmittags 4 Uhr (kalt, regnerisch). Am 20. October retour gezogen.

49. Lullula arborea. Am 2. März bei Borngrund die erste gehört.

50. Alauda arvensis. Die erste am 17. Februar singend bei Borngrund; denselben Tag eine zweite singend hoch in der Luft bei der chemischen Fabrik in Aussig 1 Uhr Nachmittags. Viele am 3. März auf den Feldern zwischen Nestomitz und Wesseln, desgleichen viele auf den Feldern zwischen Aussig und Zibernik am 17. März. In Mutzke am 3. März angekommen.

51. Miliaria europea. Anfang bis fast Ende Jänner an 50 Stück in Pömmerle. Den 21. Jänner einige das erste Mal am Futterplatze in Aussig. Mehrere singend am 18. März Nachmittags auf den Feldern zwischen Aussig und Zibernik.

52. Emberiza hortulana. Am 26. März den ersten gehört. Am 1. Mai einige bei Zibernik.

53. Passer montanus. Am 17. Mai in Bongstock in einem Zwetschkenbaum schon flügge Junge.

54. Passer domesticus. In einem Neste fand ich in Pömmerle 7 Junge. Auf Gärtner Hajek's Felde bei der Malzfabrik sollen das ganze Jahr zwei weisse gewesen sein.

55. Coccothraustes vulgaris. Am 20. August 1 Stück im Wald bei Osseg im Erzgebirge gesehen, woselbst sie jedenfalls nisten.

56. Ligurinus chloris. Ein Weibchen am Futterplatze am Marktplatze am 20. Jänner.

57. Serinus hortulanus. Am 1. Mai 1 ♂ bei Grosspriesen. Am 18. Mai einige bei Reichen und Algersdorf. Dieses Jahr waren sehr wenig.

58. Carduelis elegans. Am 1. November 1 Stück in Pömmerle.

59. Cannabina sanguinea. Am 1. November 2 Stück in Pömmerle in der Luft hoch fliegend.

60. Columba palumbus. Am 18. März 1 Stück am Brande. Am 12. März bei Pömmerle im Walde girrend. Am 5. März Nachmittags 3 Uhr bei windigem und regnerischem Wetter an 40 Stück am Zuge. Diese flogen über einem Zuge von Rabenkrähen von SW. gegen NO., aber langsamer als diese über den Marienberg.

61. Columba oenas. Die erste im Fasangarten in Borngrund, am 28. Februar 5—6 Stück. Am 7. März 2 Stück Nachmittags von W. gegen NO. über den Ladenberg bei Pömmerle.

62. Aegialites minor. Am 3. Mai 9 Uhr Vormittags an der Elbe bei Pömmerle 2 Stück von O. gegen W. fliegend.

63. Ciconia alba. Am 8. März flogen 2 Stück in Gartitz über der Kirche von O. gegen W. Am 4. April 7 Stück Nachmittags $^3/_4$6 Uhr über Aussig und dem Marienberg von SW. gegen NO. Sehr schön. — Am 7. April 1 Stück von Türnitz gegen Aussig Nachmittags 3 Uhr. — Am 13. April Nachmittags waren 2 Stück auf den Biela-Wiesen bei Aussig; einer davon wurde angeschossen und ist noch lebend in der Patzenschänke hier. Am 9. April zogen 3 Stück über Karbitz. Am 11. April waren 5 Stück auf den Wiesen zwischen Arnsdorf und Böhm.-Kahn. Am 24. April zogen 10 Stück über Kleinpriesen. Am 6. Mai flogen 15 Stück über den Ziegenberg von S. gegen N.

64. Ardea cinerea. Am 13. April zog 1 Stück bei Kulm über das Erzgebirge von N. gegen S.

65. Crex pratensis. Am 11. Mai bei Pömmerle, am 14. Mai bei Gartitz, am 18. Mai auf den Nestomitzer Elbwiesen, am 23. Mai bei Aussig, am 25. Mai bei Zibernik gehört. In Pömmerle fand ich dieses Jahr 8 Nester. Am 6. August fand hier Herr Klepsch ein Nest, worin 8 Eier waren.

66. Scolapax rusticola. Die ersten 5 Stück wurden im Breitenbusch bei Kaudern gesehen. Bei Arbesau wurde 1 Stück geschossen.

67. Anas boschas. Am 23. Jänner kamen auf den Duxer Teich, obwohl er noch ganz zugefroren war, einige hundert Stück geflogen. Sie ahnten wohl das Thauwetter, denn am anderen Tage wurde es linde und das Eis fing an zu schmelzen. — Am 3. April 14 Stück über Aussig und den Marienberg von SW. gegen NO.

68. Anas crecca. Am 11. April in Kleinpriesen auf der Elbe 1 ♂ geschossen.

69. Mergus merganser. Am 3. Jänner bei Wesseln 40 Stück auf der Elbe. Am 11. April bei Kleinpriesen 1 Stück geschossen.

70. Xema ridibundum. Am 4. März die erste angekommen auf der Elbe bei Pömmerle. Am 21. März die zweite gesehen bei Aussig.

Aussig, am 10. April 1893.

Zur Ornis der Kurischen Nehrung.

Von Pastor **Friedr. Lindner** und **Dr. Curt Floericke**.

(Fortsetzung.)

97. *Cuculus canorus L.* Während des August und in der ersten Hälfte des September gehört der Kukuk mit zu den ersten Charaktervögeln der Nehrung und kommt auch zahlreich in die Gärten, um dieselben von von den braunen Bärenraupen zu reinigen. Höchst auffallend ist auf der Nehrung die ungewöhnliche und den Neuling geradezu verblüffende Zutraulichkeit dieses sonst so scheuen Vogels. Er sitzt ungenirt auf den Bäumen der Dorfstrasse und man kann ruhig unter demselben fortgehen, ohne dass er sich zum Fortfliegen entschliesst. Im Freien bildet der Telegraphendraht seinen Lieblingssitz, auf dem er sich urkomisch und sehr breitspurig ausnimmt. Einmal sah ich (F.) im Walde auch ein der rothen Varietät zugehöriges Exemplar. Geradezu massenhaft erschien er im August 1888 in Rositten. Rothe Exemplare nicht allzuselten. (L.)

98. *Strix aluco.* Waldkauz. Ich erhielt im Februar 1893 zwei Stück aus Rossitten. (F.)

99. *Nyctea ulula L.* Sperbereule. Geschossenes Exemplar gesehen. Ferner schreibt uns Herr Krüger: »Gelegentlich einer kleiner Treibjagd im December 1890 stand ich an einer etwa 4—5 m hohen Fichtenlisière, als ich zwischen den Wipfeln dieser Bäume einen kleinen, mir unbekannten Raubvogel in sehr elegantem und raschem Fluge daherkommen sah. Anfangs hielt ich ihn für einen Sperber, mit dem er im Flug entschieden Aehnlichkeit hatte, bis ich ihn später für eine kleine Eule erkannte, die nichts anderes sein konnte als *nisoria*. Die Sperbereule umflog meinen Stand leider so ungünstig, dass ich nicht zu Schuss kam, und fiel dann ins nächste Treiben auf einen umgebrochenen Erlenstamm, kurz über dem Boden, wo sie meinen Blicken entschwand. Im nächsten Treiben wurde sie, wenn ich nicht irre, durch Hilfsjäger Brause erlegt. Leider ging das wunderschöne Exemplar verloren, als es, da es in dem Schlackwetter sehr nass nach Hause kam, zum Trocknen in die Küche

gehängt, dort aber von einer unverständigen Küchenfee herausgeworfen und von den Katzen zerrissen wurde. Die ‚Uhl' ist nun einmal verpönt beim Landvolk.

100. *Nyctea scandiaca L.* Im Winter 1888—89 bei Grenz erlegt. Erscheint wohl jedes Jahr. (L.)

101. *Asio accipitrinus Pall.* Die Sumpfohreule, die ich bei Königsberg erbeutete, wurde meines Wissens auch bei Grenz erlegt. (L.)

102. *Asio otus L.* Die Waldohreule ist bei Grenz nicht selten. (L.)

103. *Bubo ignavus Th. Forst.* Der Uhu ist einmal von Herrn Epha erlegt worden. Sonst wissen wir sehr wenig von den dort vorkommenden Eulen. Jedenfalls sind dieselben bei dem Mangel an alten und hohlen Bäumen, abgesehen vom Grenzer Revier, überhaupt nur sehr spärlich vertreten. Um über die Eulenfauna einer Gegend ins Klare zu kommen, bedarf es vor allem fleissigen Fallenstellens.

104. *Falco vespertinus L.* Rothfussfalk. Am 12. October 1888 zog bei Rossitten Abends ein kleiner Falk schnellen Fluges ca. 10 Fuss hoch über unseren Wagen dahin, unter dem ich obige Art vermuthe. (L.) Ich bin zu meiner Freude in der Lage, diese zweifelhafte Beobachtung L.'s mit Sicherheit zu bestätigen. Als wir am 8. September bei lebhaftem Ostwind und ziemlich klarem Wetter nach Pillkoppen fuhren, sahen wir einen Falken auf dem Telegraphendraht sitzen, der sich ruhig anfahren liess und von Herrn Krüger herabgeschossen wurde. Es war ein junger *Vespertinus*. Gleich darauf stieg ein zweiter über den Wagen hinweg, um schwer getroffen ins Dickicht zu fallen. Unterwegs sahen wir noch mehrere, und dicht vor Pillkoppen sassen wieder zwei auf dem Telegraphendraht, die aber schmählicherweise von uns gefehlt wurden. Am 12. jagte ich an den kleinen, hinter dem Bruch gelegenen Lachen und erlegte dabei wieder einen Rothfussfalken, der auf einer Erle aufgehockt hatte. Am nächsten Tage sah ich ebendaselbst einen Flug von 8—12 Stück, welche ziemlich niedrig über die Wiesen und Felder strichen und dazwischen von Zeit zu Zeit nach Thurmfalkenart rüttelnd stille hielten. Ich holte einen Falken herab, worauf die anderen mit kläglichem Geschrei herbeikamen und über ihrem gefallenen Kameraden kreisten, so dass ich mit leichter Mühe den ganzen Flug hätte aufreiben können. In der Folgezeit beobachtete ich solche in Gemeinschaft jagende Trupps fast täglich, bis dieselben um den 23. September herum vollständig verschwanden. Nie aber konnte ich ein altes, ausgefärbtes Stück dabei zu Gesichte bekommen, so sehr ich auch darauf achtete. Hartert hat in ähnlicher Weise grosse Flüge des Rothfussfalken im September 1881 bei Königsberg beobachtet. (F.)

105. *Falco subbuteo L.* Der Baumfalk kommt zwar regelmässig im August und Anfang September auf dem Zuge vor, ist aber keineswegs häufig. Er jagt namentlich auf Bekassinen und Strandläufer und weiss insbesondere mit den angeschossenen oder sonstwie verletzten Stücken sehr bald reinen Tisch zu machen. Zum Ausruhen setzt er sich auf die kleinen Erdhügelchen der Pallwe. Bei seinen Streifzügen entwickelt er oft eine an den Sperber erinnernde Tollkühnheit. So holte ein *Subbuteo* mir einmal eine geflügelte *Tringa alpina* unmittelbar vor den Füssen weg. (F.) Der Baumfalk wurde auch schon zur Brutzeit bei Rossitten und Grenz gesehen. (L.)

106. *Falco tinnunculus L.* Thurmfalk. Anfangs September spärlich durchziehend. Zwischen Grenz und Sarkau ziemlich häufig brütend. (L.)

107. *Falco peregrinus Tunst.* Von Ende August an ist der Wanderfalk den ganzen Herbst hindurch anzutreffen. Enten, grössere Regenpfeifer und Strandläufer bilden seine Beute. Er streicht sausenden Fluges dicht über den Boden hin, schwenkt dann pfeilgeschwind um die Ecke der Düne und wirft sich erst jetzt urplötzlich in die Höhe, bereits mitten unter der auseinander stiebenden Schaar seiner vor Schreck im ersten Momente wie versteinerten Opfer.

108. *Falco lanarius L., Pall.* Am 29. September ging ich, mit Vogelkäfigen und Büchern schwer beladen, in Gesellschaft des ebenso bepackten Herrn Krüger durch die Dorfstrasse. Da kam ein grosser Raubvogel ganz langsam und niedrig über unsere Köpfe gestrichen, so dass ich ihn wohl eine Viertelminute lang aus nächster Nähe ins Auge fassen konnte. So schnell als möglich setzte ich meine Last nieder und nahm die unglücklicherweise nicht geladene Flinte von der Schulter; ehe ich schussfertig war, war der Falke bereits hinter den Dächern verschwunden. Ich bin fest überzeugt, dass es nur *Lanarius* gewesen sein kann. (F.)

109. *Falco spec.?* An demselben Tage sah Herr Krüger einen Jagdfalken mit fast rein weisser Unterseite. Wie sehr bedauerte ich, gerade an dem Tage von dem rasch liebgewonnenen Rossitten Abschied nehmen zu müssen, wo solche Gäste sich einstellten. Heftige Weststürme waren vorhergegangen. (F.)

110. *Aquila pomarhina Brehm.* Der Schreiadler ist bekanntlich in Ostpreussen eine relativ häufige Erscheinung, und dies ist auch zur Zugzeit auf der Nehrung der Fall. Bisweilen werden dort auch Adler in den grossen Krähennetzen mitgefangen und dann meistens ohne Gnade und Erbarmen — aufgegessen. Ich (F.) brachte mir ein solches lebendes Exemplar mit nach Marburg und werde an anderer Stelle über die an demselben gemachten Beobachtungen berichten.

111. *Archibuteo lagopus Brünn.* Dass der im Winter in Ostpreussen so häufige Rauchfussbussard auf seinen Wanderungen aus dem Norden auch der Nehrung seinen Besuch abstattet, ist selbstverständlich. (L.)

112. *Buteo vulgaris Leach.* Der Mäusebussard ist auf dem Zuge nicht selten, aber auch nicht so häufig wie in West- und Mitteldeutschland. Am 21. September 1888 bei Rossitten ein fast ganz schwarzes Exemplar, am 22. über dem Bruch ein weisslich-gelber mit dunklen Flügeln. (L.) Einmal habe ich auch in Gemeinschaft mit Herrn Krüger das von Gätke so anschaulich geschilderte ballonmässige Aufsteigen der abziehenden Bussarde beobachtet. (F.)

113. *Circaetus gallicus Gm.* Am 25. August 1890 beobachtete ich über dem Bruch einen grossen Raubvogel. Derselbe war unten weiss, oben schwärzlich-graubraun, die Schwingen dunkler, der lange Schwanz an der Wurzel breit weiss gebändert. Ich vermuthe, in ihm einen Schlangenadler vor mir gehabt zu haben. (L.)

114. *Haliaëtus albicilla L.* Der Seeadler ist während der Zugmonate auf der Nehrung durchaus keine Seltenheit. In diesem Jahre trieb sich bei Rossitten wochenlang ein sehr starker Adler herum, den der ungemein helle Kopf und der blendend weisse, weithin leuchtende Stoss als einen uralten, prächtigen Burschen zu erkennen gab, wie ich ihn so schön weder ausgestopft noch lebend je gesehen habe. Derselbe brandschatzte fleissig die auf der Pallwe weidenden Gänseheerden und erhielt alle Jäger von Rossitten und Pillkoppen in Auf-

regung, bis er schliesslich — leider! — von mir krank geschossen, verloren ging. (F.) Am besten konnte man diese grossen Adler beschleichen, wenn sie sich zur trägen Mittagsruhe auf der Düne niedergelassen hatten, das Gesicht dem Meere zugekehrt. Auffällig war es mir, dass unten an der Düne oft ganze Schaaren von Enten sassen oder Strandläufer und Regenpfeifer ihrer Nahrung nachgingen, ohne scheinbar irgend welche Furcht zu zeigen. (F.) Alte wie junge, dunkle Exemplare sah ich öfters bei Rossitten, ohne dass es mir trotz eifriger Verfolgung gelungen wäre, einen zu erlegen. Bei Grenz wurde mir vom Förster ein alter, riesiger Horst gezeigt, der früher von Seeadlern bewohnt gewesen sein soll; jetzt dürfte der Vogel kaum noch auf der Nehrung brüten. Ein wahrscheinlich vollgefressener und deshalb fest schlafender Seeadler liess einen Bekannten von mir im Walde bis auf wenige Schritte herankommen und hätte mit dem Stock erschlagen werden können. (L.)

115. *Pandion haliaetus L.* Der Fischadler ist Brutvogel bei Grenz. Ich erstieg daselbst im Juli 1888 drei Horste, von denen einer leer war, und konnte den eines weiteren Pärchens nicht auffinden. Zwei der Horste standen auf Kiefern, der andere auf einer Eiche. Ein vergeblich beschossener *Pandion* liess Nistmaterial (zu einem zweiten Horste?) zur Erde herabfallen und kehrte dann neugierig wieder an dieselbe Stelle zurück, um sich nach dem Schützen umzuschauen. Einmal sah ich bei Grenz einen Fischadler ins Haff herabschiessen und mit zwei Fischen in den Fängen wieder emportauchen; den einen musste er der Schwere wegen wieder fallen lassen. (L.)

116. *Milvus migrans Bodd.* Schwarzer Milan. Häufiger Brutvogel der Nehrung. Zur Zugzeit eine alltägliche Erscheinung. Im Juli 1888 schoss ich bei Grenz ein mauserndes ♀ am Horste. (L.) Für den unzweifelhaft auch (bei Grenz) vorkommenden M. regalis bedarf es nur noch der sicheren Constatirung.

117. *Accipiter nisus L.* Sperber. Im September auf dem Durchzuge.

118. *Astur palumbarius L.* Am 28. October 1888 holte sich ein Habicht ein Huhn aus dem Forsthofe von Grenz. (L.) Am 22. August 1882 verwickelte sich einer bei Rossitten in die zum Trocknen ausgespannten Fischernetze und wurde erschlagen. (F.)

119. *Circus aeruginosus L.* Die Rohrweihe war während des ganzen September am Bruch fast jeden Tag in einigen Exemplaren vertreten. (F.)

120. *Circus cyaneus L.* Junge Exemplare der schönen Kornweihe, die schon von Weitem durch ihren blendend weissen Bürzel in die Augen fielen, schaukelten häufig in grösserer Anzahl während der ersten beiden Drittel des September ganz niedrig über den Bohnen- und Kartoffeläckern von Rossitten. Ich erlegte ein sehr schönes Exemplar am 6. September. (F.)

121. *Circus macrurus Gm.* Am 29. August 1890 sah ich am Bruch Weihen, welche nur dieser Species angehören konnten. Leider vermochte ich keinen zu erlegen; doch wurden um dieselbe Zeit dem Königsberger Museum 7 Steppenweihen eingeliefert. (L.)

122. *Coturnix communis Bonn.* Am 20. September lagen bei Südwestwind alle Felder voll Wachteln, so dass die Jagd auf sie lohnend war. Als aber an den folgenden Tagen östliche und nordöstliche Winde eintraten, zog die Mehrzahl bald weiter. (F.)

123. *Perdix cinerea Lath.* Das Rebhuhn findet sich nur ganz vereinzelt und ist die Hühnerjagd deshalb kaum der Rede werth.

124. *Turtur communis Selby.* Turteltaube. Am 19. Mai 1889 bei Grenz beobachtet. (L.)

125. *Columba palumbus L.* Ringeltauben waren vom 16. September an sehr stark auf dem Zuge und hielten sich insbesondere am Waldrande zahlreich auf. (F.)

126. *Columba oenas L.* Während des September einzeln durchziehend; Herr Seddig schoss eine Hohltaube am 3. September 1890. Bei Grenz grössere Flüge am 24. April 1889 nach Norden ziehend. (L.)

127. *Ardea cinerea L.* Ende August und im September pflegen sich täglich einzelne Fischreiher am Bruch herumzutreiben.

128. *Botaurus stellaris L.* Am 12. September 1888 fiel Abends eine Rohrdommel am Bruch ein und ebenso am 24. Juni 1890. (L.)

129. *Ciconia alba J. C. Schäff.* Weisser Storch. Am 6. Juni 1889 wurde ein Exemplar bei Rossitten gesehen. (L.)

130. *Ciconia nigra L.* Der schwarze Storch zeigte sich zu wiederholten Malen Ende Mai und Anfang Juni 1889. (L.)

131. *Syrrhaptes paradoxus Pall.* Am 20. April 1888, als noch hoher Schnee lag, wurde das erste Steppenhuhn von Fischern bei Cranz todt auf der Ostsee treibend gefunden. Am 2. Mai d. J. erhielt ich ein in Cranz lebendig gefangenes Weibchen. (Ornith. Monatsschrift, Jahrgang 1888, p. 172 ff.) (L.) Merkwürdigerweise konnte ich in den so geeigneten Localitäten der Dünen und Palwen der Nehrung nie Steppenhühner beobachten.

132. *Fulica atra L.* Blässhuhn. Zahlreicher Brutvogel auf dem Bruch, denselben zur Zugzeit oft in Schaaren bevölkernd.

(Fortsetzung folgt.)

Biologische Gruppirung der Ornis der Schweiz.

Von **H. Fischer-Sigwart** in Zofingen.

(Fortsetzung.)

I. Gruppe.

Nordische Zugvögel und nordische Wintergäste.

Neben dem Umstande, dass einige Arten mehr oder weniger auch im Sommer hier bleiben und nisten, erschwert die Erstellung eines Verzeichnisses der Arten dieser Gruppe noch der Umstand, dass von einigen die eigentliche Heimat oder der Brütbezirk nicht genau bekannt ist. Es nisten von diesen Zugvögeln eine Anzahl im hohen Norden, andere etwas weniger nördlich und es ziehen nicht alle jedes Jahr gleich weit nach Süden, sondern wenn im Norden früher sehr grosse Kälte eintritt, so reisen sie auch früher südwärts, und, je nachdem diese grosse Kälte sich mehr oder weniger weit nach Süden ausdehnt, gehen sie auch mehr oder weniger weit in jener Richtung. Für einige Arten ist ihr Süden schon da, wo für andere der nördlichste Standort ist und wo diese nisten. Andere nisten zwar im hohen Norden, ziehen dann aber in einem Zuge sehr weit nach

Süden, wobei wieder einige die Schweiz ganz überfliegen und nur im Fluge gesehen oder gehört werden. Andere machen in der Schweiz wenigstens eine Station. Die ersteren überfliegen Gebiete weit, in denen für viele Arten ihr Norden und ihr Süden enthalten ist. Wieder andere haben ihre Heimat gar nicht weit im Norden, z. B. schon in Norddeutschland, sogar in Mitteldeutschland, und wandern zum Winteraufenthalt doch nach Süden, bilden also einen Uebergang zu den Nistvögeln oder südlichen Zugvögeln. Es liesse sich so eine fortlaufende Reihe von Gegenden construiren, in denen verschiedene Vogelarten, als in ihrem nördlichsten Standorte, nur die Sommer zubringen und nisten, von wo sie aber im Herbste südwärts ziehen, die vom tiefsten Norden bis zur Schweiz reichte und in der die Arten, welche in den nördlichsten Stationen dieser Reihe brüten, echte nordische Zugvögel wären, diejenigen aber, die in den südlichsten Punkten der Reihe brüten, zu den Nistvögeln gehörten, so dass auch aus den Arten vom am nördlichsten brütenden Zugvogel bis zum am südlichsten brütenden Nistvogel eine ununterbrochene Reihe sich construiren liesse, wenn man nämlich aller Lebensgewohnheiten und Zugstrassen genau kennte, was leider nicht der Fall ist.

Die in Sibirien heimischen Vogelarten, die im Winter zu uns herüberkommen, sind auch zu den nordischen gerechnet worden, obschon sie von Nordost her zu uns kommen, oder sogar auf etwelchen Umwegen von Osten her.

Bei den Arten, die in der Schweiz brütend beobachtet worden sind, ist dies bemerkt.

Zur besseren Orientirung ist bei allen Arten ihr Verbreitungskreis nach Giebel's Thesaurus angegeben und daneben, wo es möglich war, ihre engere Heimat oder ihr Brütebezirk nach Schinz. Auch Citate von Brehm haben Platz gefunden da, wo es zweckmässig erschien.

***Falco gyrfalco (Aut.) (Falco gyrfalco L.). Sein Vorkommen in der Schweiz ist nicht sicher.
Ther.: Terrae arcticae.

Archibuteo lagopus (Brünn). (Archibuteo lagopus Kaup. = Buteo lagopus Yarr.). Brütet hie und da am Saleve und im Unterwallis. Im Winter nicht selten in der Ebene.
Thes.: Nordeuropa, Sibirien, Nordamerika.

**Nyctea nivea (Thunb.) (Nyctea nivea Bonap. = Strix nivea Thunb. = Surnia nyctea Selb.). Ihr Vorkommen ist zweifelhaft.
Thes.: Terrae boreales.

***Surnia nisoria (Wolf.) (Surnia nisoria Brehm. = Strix ulula L. = Surnia ulula Bonap.). Einmal vorgekommen.
Thes.: Verbreitungskreis ist Europa und Nordamerika.
Br.: Ihre Heimat ist der Norden, jenseits des arktischen Kreises.

Corvus cornix (L.) Ist bei uns Wintergast.
Thes.: Verbreitungskreis ist Europa, Asien und Nordafrika.
Sch.: Nistet in nördlichen Gegenden.

Corvus frugilegus (L.) Ist bei uns Wintergast. Oft in Flügen.
Thes.: Verbreitungskreis ist Europa.
Sch.: Nistet im nördlichen Deutschland.

*Bombycilla garrula (L.) (Bombycilla garrula Vieill. = Ampelis garrula L.). Erscheint bei uns nur in kalten Wintern als Wintergast. Oft in Flügen.
Thes.: Terrae arcticae.

***Parus cyaneus (L.) (Parus cyaneus Pall.). Vorkommen in der Schweiz nicht ganz sicher.
Thes.: Europa, Sibirien.
Br.: Von ihrer Heimat Sibirien streift sie alljährlich nach Europa herüber.

Turdus pilaris (L.) Soll in den Alpen brüten. (?)Häufiger Wintergast.
Thes.: Europa und Asien.
Schinz: Brütet im Norden.

Turdus iliacus (L.) Soll in den Alpen selten brüten. Hauptsächlich im Herbstzuge.
Thes.: Europa und Grönland.
Schinz: Nistet in Nordeuropa.

***Turdus Naumanni Temm. Ein Vorkommen in der Schweiz.
Thes.: Europa und Asien.
Br.: Hat sich bei uns von Sibirien her eingebürgert.

***Phileremos alpestris (L.) (Phileremos alpestris Brehm. = Alauda alpestris L.). Nur ein zweifelhaftes Vorkommen in der Schweiz.
Thes.: Schweden, Sibirien, Deutschland, Schweiz.

Plectrophanes nivalis (L.) (Plectrophanes nivalis Meyer = Emberiza nivalis L.). Vereinzelt vorgekommen, meist im Winter.
Thes.: Europa, Nordamerika.
Schinz: Nistet nur im hohen Norden.

Plectrophanes lapponicus (L.) (Plectrophanes lapponica Selley = Emberiza lapponica L.). Hin und wieder im W. beobachtet.
Thes.: Nordeuropa, Nordamerika.
Br.: Seine eigentliche Heimat ist der Norden.

Fringilla montifringilla (L.) Nur Wintergast, oft in grossen Flügen.
Thes.: Europa, Asien.
Schinz: Nistet in Nordeuropa.

Linaria alnorum (Br.) = Fringilla linaria L. Brütete schon am Rhonegletscher. Gewöhnlich als Zugvogel angetroffen.
Thes.: Europa, Asien.
Sch.: Nistet in Nordeuropa.

**Carpodacus erythrinus (Pall.) (Carpodacus erythrinus Kaup. = Loxia erythrina Pall.). Zwei bis drei junge Exemplare wurden bei Genf erlegt.
Thes.: Europa, Asien.
Schinz: Nistet in Nordeuropa und Nordasien.

**Loxia bifasciata (Selys, Br.). Im October 1889 erschien ein Flug im Rheinthal.
Thes.: Nordeuropa und Nordasien.
Br.: Scheint vorzugsweise im Norden zu hausen.

Charadrius squatarola (L.) (Charadrius squatarola Naum. = Charadrius varius Nitzsch. = Squatarola helvetica Licht.). Hin und wieder auf dem Zuge in sumpfigen Gegenden.
Thes.: Ubique.
Schinz: Nistet in Nordeuropa.

Charadrius pluvialis (L.) (Charadrius apricarius L. = Charadrius auratus Suchon.). Brütet hin und wieder in der Schweiz.

Thes.: Europa, Asien, Nordafrika.

Schinz: Nistet in Nordeuropa.

Br.: Ist ein Charaktervogel der Tundra und kommt zu uns zweimal im Jahr bei seinen Zügen nach Süden.

Endromias morinellus (L.) (Endromias morinellus Kayserling = Charadrius morinellus L.). Hin und wieder auf dem Zuge in der Schweizer Ebene.

Thes.: Europa, Sibirien, Afrika.

Schinz: Nistet in Europa, Sibirien und Nordafrika.

Br.: Ueberall im Norden. In Deutschland auf den höchsten Höhen des Riesengebirges. Gelegentlich seiner Winterreisen besucht er Deutschland.

Vanellus cristatus (L.) (Vanellus cristatus Meyer = Tringa vanellus L.). Brütet in der Schweiz nicht selten. Kommt auf dem Zuge in grossen Flügen.

Thes.: Europa, Afrika, Asien.

Schinz: Brütet namentlich im Norden.

Br.: Ist in Holland Charaktervogel des Landes.

Strepsilas interpres (L.) (Strepsilas interpres Illiger = Tringa interpres L.).

Thes.: Nördliche Halbkugel.

Sch.: Brütet an der Ostsee und in Norwegen.

Haematopus ostralegus (L.)

Thes.: Nördliche Halbkugel.

Schinz: An den Küsten Hollands und Englands häufig.

Br.: Findet sich auch auf den Inseln der Nordsee, des Eismeers und in Grönland. Nach Südeuropa kommt er während des Winters.

Grus cinereus (Bechst.) (Grus cinerea Meyer = Grus communis Bechst.). Zieht gewöhnlich ohne Aufenthalt über unser Land weg.

Thes.: Europa, Sibirien, Nordafrika.

Sch.: Nistet in Norddeutschland, Polen und weiter nach Norden.

Rallus aquaticus (L.) Brütet häufig in der Schweiz und Deutschland.

Thes.: Europa, Asien, Afrika.

Schinz: Nistet häufig bei uns.

Br.: Ist in südlicheren Ländern Wintergast. Nord- und Mitteleuropa sowie Mittelasien, nach Osten bis zum Amur, sind ihr Heimatsgebiet.

Die Ralle wird für die Schweiz auch als Nistvogel angegeben. Doch scheint die Beurtheilung richtiger zu sein, dass sie im Herbst auf ihrem Zuge nach Süden die Schweiz berührt und im Frühlinge auf dem Rückzuge wieder und dann ein Theil bei uns und auch in Deutschland ein Theil bleibt und brütet. Ein kleiner Theil kann dadurch allerdings zum Nistvogel werden, dass er bei uns brütet und im Herbst südwärts zieht. Es bleiben aber den Winter über auch Exemplare bei uns, vielleicht die im Sommer bei uns gebrütet haben.

Gallinula porzana (L.) (Gallinula porzana Lath. = Porzana maruetta Bonap. = Rallus porzana L.). Brütet ziemlich häufig bei nns.

Thes.: Europa, Nordafrika, Sibirien, Ostasien.

Brehm erwähnt das getüpfelte Sumpfhuhn nicht speciell, sagt aber im Allgemeinen über die Wasserhühner (Gallinulae): »Nach der Brutzeit verlassen Alt und Jung gemeinschaftlich die Heimat und wenden sich südlicheren oder überhaupt günstigeren Gegenden zu« und »einzelne von den nordischen Arten wandern auffallend weit, bis Afrika.« Da nun Thes. auch Sibirien als Heimat angibt, so darf Gallinula porzana als zu den nordischen Arten gehörend betrachtet werden und ist für die Schweiz in einem Theil seiner Individuen nordischer Zugvogel. In der Mittelschweiz ist dieses Wasserhuhn als brütender Vogel nicht bekannt, wohl aber wird es häufig im Zuge beobachtet.

Numenius arquatus (Cuv.) (Numenius arquata Lath. = Numenius lineatus Cuv.). Brütet selten bei uns. In grossen Zügen ziehend. Wenige überwintern bei uns.

Thes.: Europa, Asien, Afrika.

Sch.: Nistet in Nordeuropa.

Numenius phaeopus (L.) (Numenius phaeopus Lath. = Scolopax phaeopus L.).

Thes.: Oestliche Halbkugel.

Schinz.: Scheint nur im hohen Norden zu brüten.

**Numenius tenuirostris (Vieill.) Nur vereinzelte wurden bis jetzt in der Schweiz erlegt.

Thes.: Europa, Nordafrika.

Es konnten keine nähere Daten ausfindig gemacht werden. Nach Analogie mit dem ähnlichen phaeopus wird er ebenfalls ein geborener Nordländer sein.

Limosa lapponica (L.) (Limosa lapponica Gray = Limosa rufa Briss. = Scolopax lapponica L.). Erscheint im W. regelmässig, sonst unregelmässig.

Thes.: Europa, Asien, Afrika.

Br.: Nordeuropa und Nordasien sind die Länder, in denen der Sumpfwater brütet.

Limosa aegocephala (Bechst.) (Limosa aegocephala Bonap. = Totanus aegocephalus Bechst.). Erscheint ziemlich regelmässig auf dem Zuge im W.

Thes.: Europa, Asien.

Schinz: Brütet in Holland.

Scolopax rusticola (L.) Brütet häufig in der Schweiz.

Kommen in die Schweiz auf dem Herbstzug sowohl als auf dem Rückzuge. Wenige überwintern. Auf dem Rückzuge bleiben viele in der Schweiz und nisten namentlich in der Bergregion und in den Alpen, welche ihnen den Norden ersetzen.

Thes.: Europa.

Schinz: Nistet namentlich im Norden von Europa und Asien.

Gallinago scolopacina Bp. Brütet in der Schweiz.

Thes.: Europa, Asien, Afrika.

Sch.: Brütet in ganz Europa.

Br.: Als die eigentliche Heimat der Bacassine muss der Norden Europas und Asiens angesehen werden.

Gallinago major (Bp.) s. Leach. Soll ausnahmsweise im O. brüten. Erscheint in der Mittelschweiz ziemlich regelmässig.

Thes.: Europa, Nordafrika und Sibirien.

Er verhält sich im Zuge wie Scolopax rusticola.

Gallinago gallinula (L.) (Gallinago gallinula Bonap. = Scolopax gallinula L.). Brütet hin und wieder in der Schweiz. Erscheint ziemlich alle Jahre in der Mittelschweiz.

Thes.: Europa, Asien, Nordafrika.

Sch.: Nistet im Norden.

Totanus fuscus (L.) (Totanus fuscus Leissler = Scolopax fusca L.). In der Schweizer Ebene ziemlich selten.

Thes.: Europa, Asien.

Schinz: Brütet im Norden.

Br.: Die Wasserläufer, Totani, gehören vorzugsweise dem Norden an.

(Fortsetzung folgt.)

Die Straussenzucht in Matarije bei Cairo.

Nachdruck verboten

Eine Fahrt oder Ritt hinaus nach Matarije, dem einstigen Heliopolis, das von der alten Chalifenstadt in etwa einer Stunde zu erreichen ist, bringt uns, bevor wir in dem genannten Dorfe anlangen, zu jener denkwürdigen Stätte der geschichtlichen Erinnerungen, wo einst das Heer des Tscherkessen Tuman Beg vom Sultan Selim I. vernichtet wurde, und später der berühmte Marschall Kleber des ersten Kaiserreiches mit 10.000 Franzosen über mehr als 50.000 Türken und Egypter einen glänzenden, für die französischen Waffen ewig ruhmreichen Sieg erfocht. In gerader Linie, quer über diesen historischen Flecken der Erde Afrikas, kommt man hinüber nach dem Heliopolis unserer Vorfahren.

Wir waren unser Vier hingefahren, meine Gefährten mehr, um den Garten, worin jene Sykomore steht, unter welcher der Sage nach Maria mit Jesus auf ihrer Flucht nach Egypten ausruhte, und den Obelisk von Heliopolis zu sehen. Besagte Sykomore (allgemein der Marienbaum genannt) wird von den mehr oder minder frommen Besuchern trotz zweier Wachen, die nach echt orientalischer Sitte für einen Bachschisch nicht nur eines, sondern beide Augen zudrücken, besonders am Stamme arg zugerichtet, da wenn es nur einigermassen thunlich ist, jeder ein Stück der Rinde mitnimmt. Kaum zehn Minuten von hier entfernt erhebt sich der Obelisk, dieser fast einzige Rest so vieler, höherer, antiker Cultur. Und unwillkürlich denkt man hinüber in jene Zeit der hochberühmten Sonnenstadt. Wo sind die Tempel des Sonnengottes Ra? Hier, wo später griechische Sitte und Wissenschaft eine eifrige Pflegestätte fand, wo ein Plato und Exodus, nachher Strabo wirkten, und welcher Gegensatz — heute an derselben Stelle das Dorf Matarije! Wie sind sie versunken, jene Zeiten, welche Welt war die bessere, die damalige oder die unsrige? Wahrhaftig, das ganze Wirken, Thun und Lassen der Menschheit, nichts als ein grosses Fragezeichen?

Aber ich entferne mich von dem eigentlichen Zwecke dieser Beschreibung und meiner Fahrt, anstatt mich ihm zu nähern. Von Matarije östlich, etwa 20 Minuten entfernt, liegt die von einer Privatgesellschaft gegründete Straussenzucht, welcher in erster Linie mein Besuch galt. Wenn die oftgenannte Ortschaft die Grenzmarke bildet zwischen Culturland und Wüste, so ist die Straussenstation als Beginn der letzteren anzusehen. In der Mitte dieser Zuchtanstalt mit ihren weitläufigen Umfriedungen und Gebäuden erhebt sich ein aus Holz erbauter, nicht hoher, aber doch unendlich weiten Ausblick gewährender Thurm. Unser Auge schweift über eine ockergelbe, oft durch mehr oder minder hohe Hügelketten oder Gruppen unterbrochene, aber überall gleich einfärbige Ebene. Ein klarer Horizont, dessen Durchsichtigkeit und krystallene Bläue uns zur Bewunderung hinreisst, wölbt sich wie eine unermessliche Kuppel über die ganze Landschaft; ein noch nie gefühltes Erfassen der Unendlichkeit, des Ewigen bewegt uns — es ist die Wüste.

Die Straussenzucht ist für Jeden, der sich für Thierzucht überhaupt und Vogelzucht im Besonderen interessirt, höchst sehenswerth. Von dem äusserst zuvorkommenden Director der Anstalt geführt, besichtigte ich das wirklich musterhaft gehaltene Etablissement. Bemerkenswerth ist vor Allem, dass man mit 6 Stück Straussen begonnen und heute die stattliche Zahl von 650 bereits überschritten hat, wobei die junge Nachzucht, welche ebenfalls mehr als 100 Stück aufweist, nicht hinzugerechnet wird. Die Ausläufe dienen theils zur Unterbringung der Zuchtpaare, anderseits sind selbe den zur Federgewinnung bestimmten, nach Hunderten zählenden Exemplaren eingeräumt. Erst im dritten Jahre wachsen die kostbaren, im Handel so gesuchten Federn, welche dann jenen Thieren, welche zu dieser Ausnützung bestimmt wurden, in Zeitläufen von je 10 zu 10 Monaten gerupft werden. Um den Vogel nicht allzu sehr zu schwächen, wird nur die eine Hälfte gezogen (solche Federn sind theurer) und die andere geschnitten. Die zurückgebliebenen Kiele werden dann successive genommen.

Die Ausläufe fand ich überraschend klein, kaum 20—25 Meter im Gevierte; in solchen, fast alle sind gleich gross, werden von den Nutzthieren, je nach Altersunterschied, 6—12 untergebracht. Die Zuchtpaare bewohnen einen Auslauf selbstredend allein. Kämpfe zwischen mehreren zusammengehaltenen Weibchen sollen auch öfters vorkommen, besonders bei älteren; ein Männchen in solchen Fällen beigegeben, schlichtet den Streit sofort. Die Paare hatte ich, durch die gütige Erlaubniss des Herrn Leiters, Gelegenheit in den verschiedenen Stadien der Fortpflanzung zu beobachten. Der Strauss tritt ganz eigenthümlich, ja der Ausdruck »treten« wäre hier überhaupt unrichtig. Das Weibchen kauert sich nieder und er reitet auf demselben, indem er die Läufe wagrecht auf die Erde legt. Das Brutgeschäft versahen, so oft ich zugegen war, die Weibchen; nach dem Gebahren des Männchens zu urtheilen, welches sich bei Annäherung sehr besorgt und kampfbereit zeigte, dürfte es wohl auch daran Antheil nehmen. Die Jungen werden sofort nach dem Ausschlüpfen dem Neste entnommen und ward mir Gelegenheit, dieser, für die Wärter nicht gerade angenehmen Procedur beizuwohnen. Zwei Araber verfügen sich in den betreffenden Raum, der eine hängt sich ein färbiges Tuch um und beginnt, mit einem entsprechend langen Stocke bewaffnet, den Scheinangriff auf den immer kampflustigen Strauss als Vertheidiger der Brut. Das Weibchen stösst ein dröhnendes, unarticulirtes Geschrei aus, verlässt jedoch, sobald sich der zweite Wärter nähert, das Nest und flüchtet in eine Ecke des Käfigs. Während sich der Erstere vor den ganz vehementen Angriffen und pferdeartigen Fusstritten des männlichen Vogels zu wehren hat, nimmt der Andere die Jungen aus, flieht so eilig er kann, während der mit dem Männchen beschäftigte noch ein Rückzugsgefecht zu liefern hat. Die

Alte schleicht langsam, immer schreiend und pfauchend zum Brutorte zurück, wo der Gatte sie dann mit höchst possirlichen, dem schweren Vogel durchaus nicht gut anstehenden Sprüngen und Trippeln umtanzt. Ganz im Widerspruche zu Brehm's Ausführungen in seinem Thierleben, 2. Auflage, Band III, »Die Vögel«, S. 202—203, erzählte mir der Director, dass er gerade, um die Nachkommenschaft vor dem Männchen zu schützen, gezwungen sei, dieselbe den Alten zu nehmen. Ich glaube, dass die Ursache dieses unnatürlichen Betragens wohl in erster Linie in den beschränkten Räumlichkeiten zu suchen sein dürfte. Die Eier der zahmen Strausse sind um ein Beträchtliches grösser als jene der wild lebenden, welche sich im Besitze der Anstalt vorfanden. Leider war es mir nicht vergönnt, die Gewichtsverhältnisse feststellen zu können, da die Letzteren alle schon ausgeblasen waren. Ebenso wie die Grösse ist auch die Färbung eine verschiedene; die der zahmen sind einheitlich elfenbeingelb, oft noch lichter, während die anderen, wenn auch auf heller, polirter, glänzender Grundfarbe, viele grünliche, grüngelbliche oder bräunliche Tupfen zeigen. Die Bruldauer hat man mir mit 56—58 Tagen angegeben; die Bebrütung wird einerseits, wie aus dem oben Angeführten zu entnehmen ist, den Thieren überlassen, aber auch durch Brutmaschinen des Systems Odile-Matin besorgt und sollen die Resultate in beiden Fällen recht befriedigende sein. Mit den überzähligen Eiern wird ein lucratives Geschäft getrieben, selbe werden ausgeblasen und auf der Schale meist Nachahmungen altegyptischer Sculpturen oder arabische Sprüche eingravirt, auch ähnlich bemalen. Derartig ausgestattete Eischalen variiren, je nach der sorgfältigeren oder minderen Arbeit, im Preise von $3^1/_2$—5 Francs. Da ich das Glück hatte, gerade Kücken ausfallen zu sehen, so will ich auch diesen eine kleine Erwähnung widmen. Sie sind ganz ähnlich wie Malayen oder braune Leghorn im Dunenkleide gezeichnet, nur ist die Grundfarbe gelb. Die Beschreibung wäre annähernd folgende: Grundfarbe goldgelb, Rücken grauschwarz mit zwei den Rückenstreifen parallel laufenden Längsstreifen. Kopfstreifen gleich, ebenso die Augenstreifen, Brust wie die Grundfarbe, Schnabel und Füsse dunkelfleischfarbig. Das Thier ist, erst geboren, nicht gross, erscheint aber durch die auffallend hohen, dicken Beine in Bezug auf Gestalt sehr unschön und unbehilflich, doch gibt sich, wie ich an den verschiedenen Altersstufen erkennen konnte, die in grosser Zahl da waren, dieses Unproportionirte sehr bald; der Hals wird länger, der Oberkörper, speciell die Brust breiter, und sohin gewinnt der Vogel an Ansehnlichkeit. Die Entwicklung ist, wie man mir versicherte, eine überraschend schnelle, die Aufzucht leicht, sowie die Pflege des Strausses im Allgemeinen drüben eine sehr wenig Umstände erfordernde. Ich lege auf das »drüben« besonderes Gewicht, weil ich sehr bezweifle, ob es im mittleren oder nördlichen Europa mit dieser Zucht so glatt abginge. Ueberzeugt bin ich dagegen, nach all dem Gesehenen, dass es im Süden unseres Welttheiles auch möglich wäre, die so rentable Straussenzucht mit Erfolg zu betreiben. Da würden in erster Linie Spanien, Süditalien, Südfrankreich geeignete Versuchsstationen abgeben und ob es nicht in Südungarn auch ginge? Wer weiss, vielleicht finden sich hiezu Berufene durch diese Zeilen angeregt, einmal in der angezeigten Richtung etwas zu riskiren; freilich gehört hiezu dreierlei, Verständniss, Zeit und das nöthige Kleingeld. Zum Schlusse sei noch erwähnt, dass mir gesagt wurde, die vielverbreitete Ansicht über die Gefrässigkeit des Strausses sei nichts weniger als gerechtfertigt und in das Reich der Fabeln zu verweisen. Man schilderte mir seine Genügsamkeit als eine ganz ausserordentliche. Meist wird Pflanzenkost verabreicht, die Jungen bekommen die allererste Zeit hartgesottene Eier mit Grünzeug zu zwei Drittel vermengt. Da ich bei einer Fütterung zugegen war, überzeugte ich mich, dass die Aufzucht unserer in der Freiheit lebenden Hühnervögel sich schwieriger gestaltet als die der Strausse.

Endlich sei an dieser Stelle noch des liebenswürdigen Führers gedacht, der durch sein Entgegenkommen es ermöglichte und mich in den Stand setzte, den Lesern unseres Fachblattes diesen kleinen Beitrag zur Kenntniss der Aufzucht und des Gefangenlebens unseres Vogels zu bieten.

Brunn bei Pitten, Niederösterr.,
im October 1893.

Siegfried Gironcoli.

Die spanische oder Sperbergrasmücke, Silvia nisoria Bechst., als Stubenvogel.

Von Engelbert Langer sen.

Die spanische Grasmücke hält sich im Freien am liebsten in wilden Hecken und Spalieren auf und erbaut auch an solchen Oertlichkeiten ihr Nest. In Auwäldern oder Waldsäumen ist sie selten, denn dichtes Gestrüppe ist für sie Lebensbedürfniss und sie verlässt eine Gegend, wo ihr dieses ausgerodet wurde.

In der Umgebung Wiens war der Vogel früher sehr häufig; vom Kahlenberg bis zum kaiserlichen Thiergarten in Hütteldorf haben Hunderte genistet; doch Regulirung, Verbau und Ackercultur haben zusammengewirkt, diesen edlen Sänger zu vertreiben. Wenn auch hie und da ein Park, ein schöner Garten angelegt wurde, sie waren nicht nach Geschmack unserer Grasmücke, sie boten nicht die nöthige Sicherheit für die Brut, sie sind von Menschen zu sehr besucht und das am Boden erbaute Nest fällt nur allzuleicht herumstrolchenden Katzen zur Beute.

Wie die Nachtigall die Au, die Schwarzplättchen den Wald, die Lerche das freie Feld, so liebt und bevorzugt die Sperbergrasmücke dorniges Gestrüppe, zwei- bis dreijährige Schläge, möglichst etwas feuchtes, doch nicht sumpfiges Terrain.

Im März kommen die Ersten ungefähr gegen den Fünften, die Uebrigen bis zur Mitte des Monats bei uns an; sie machen zwei Bruten und erziehen in jeder derselben 3—6 Junge. Ende Juli sind diese erwachsen und im August findet man selten mehr eine Sperbergrasmücke in unserer Gegend.

Die Sperbergrasmücke wird in der Gefangenschaft ungemein zahm, nur möchte ich jedem Vogelfreund rathen, sich keinen alten Wildfang einzustellen, denn in der Zugzeit ist dieser äusserst wild und ungeberdig.

Zur richtigen Pflege der Sperbergrasmücke ist ein mittelgrosser Käfig von solcher Höhe erforderlich, dass der Vogel bequem auf der Sitzstange noch aufrecht stehen kann; ist der Käfig zu hoch, so stösst sich der Vogel zu Tode, denn während der Zugzeit fliegt die Sperbergrasmücke Nachts häufig auf. Ausser der Zugzeit ist ihr jeder Käfig recht.

Die Pflege der Sperbergrasmücke ist sehr einfach: das Futter, bestehend aus wenig und unausgedrückter gelber Rübe, Semmelbrösel, zerquetschtem Hanf, trocken zerriebenem Topfen oder Käsequark, muss sehr flaumig und trocken sein; in der Mausezeit wird etwas rohes Rinderherz, in der Singzeit einige Mehlwürmer und ein Stückchen in Milch erweichtes Biscuit gereicht.

Die Sperbergrasmücke mausert zweimal jährlich; im December beginnt der Federwechsel und damit der Gesang, der durch den ganzen Sommer und die im Mai beginnende zweite Mauser hindurch bis zum Herbst andauert.

Der Gesang ist wohlklingender als der des Schwarzplättchens und deutlicher im Vortrag als der des Gelbspotters; auch im Nachahmen fremder Gesänge ist die Sperbergrasmücke sehr gewandt.

Ich habe beobachtet, dass dieser Vogel im Freien oft von Schmarotzern gequält wird; so fand ich einst ein Nest mit Jungen in deren Fleisch, ja selbst in der Kopfhaut weisse Maden in solcher Zahl eingebohrt sassen, dass es zu wundern war, dass die Thierchen überhaupt noch leben konnten. Ich nahm zwei der Vögel mit nach Hause, entfernte die Schmarotzer und hatte die Freude zu sehen, dass die Wunden bald heilten und die Thierchen gesund wurden.

Einen zweiten Fall hatte ich am Landgute eines meiner Freunde, wo ich fast jeden Sonntag zu Gast war, zu beobachten Gelegenheit.

Die Hausfrau erzählte mir, dass sie wiederholt todte Vögel im Garten finde, welche keine äusserlich erkennbaren Verletzungen aufweisen, und sprach ihre Verwunderung über diese Erscheinung aus. Ich beschloss, die Sache zu untersuchen, fand auch eine am Boden krank sitzende Grasmücke, die einen langen blutig-schleimigen Faden nach sich zog — leider konnte ich den Vogel nicht ergreifen — er hatte doch noch so viel Lebenskraft, zu entfliehen.

Die Sperbergrasmücke wird, wie schon bemerkt, sehr zahm; ich besass einen solchen Vogel, den ich im kleinen Käfig mit mir tragen konnte, überall sang er sofort. Oeffnete ich die Thüre des Käfigs, sogleich flog er auf meine Hand und sang seine schönsten Touren. Ja, er setzte sogar den Gesang auf der Hand fort, wenn ich ihn mit dem Finger der anderen Hand liebkosend berührte. Von allen von mir im Laufe der Jahre gepflegten Vögeln machte mir keiner so viel Freude wie diese Sperbergrasmücke.

Wien, im Mai 1893.

Die Taubenabtheilung der Wanderausstellung in Krems und bei der Herbst-Geflügelausstellung im Prater (Wien).

Die Beschickung der Kremser Geflügelausstellung mit 500 Paaren edler Racetauben ist ein in den Annalen solcher Ausstellungen noch nie dagewesenes Ereigniss, da ausser der grossen land- und forstwirthschaftlichen Ausstellung in der Rotunde anno 1890, wo freilich über 1000 Paare Tauben ausgestellt waren, die Durchschnittszahl der Wiener Ausstellungen circa 500 Paare beträgt, und in einer kleinen Provinzstadt meistens nur ein Fünftel obiger Ziffer erreicht zu werden pflegt. Aber nicht nur die Masse der Thiere war imposant, sondern mehr noch ihre Qualität. Schade, dass den Preisrichtern nicht jene Fülle von Prämien zur Verfügung stand, welche die ausgestellten Thiere verdient hätten, obwohl sowohl die Stadt Krems als auch der »Erste österreichisch-ungarische Geflügelzuchtverein« gerade nicht kargten mit Ehren- und Geldpreisen, wie dies die seinerzeit veröffentlichte Prämiirungsliste kundgab, aber trotzdem mussten die Aussteller collectivweise und nicht nach Verdienst jedes einzelnen Paares prämiirt werden.

So zeichnete sich die Tümmler-Collection der Herren Paradieser, Wien (15 Nummern), Oesterreicher, Erlaa (13 Nummern), Horvath, Steinbruch (13 Nummern), Dietrich, Wien (11 Nummern), Fricke, Magdeburg (10 Nummern), Sess, Wien (8 Nummern), und 1 Paar Altstämmer von Fischer, Treuen, durch ihre feine Kopf- und Schnabelbildung aus.

Unter den diversen Mövchen waren die Blondinetten und Satinetten der Herren Fricke, Magdeburg, und Höllwarth, Wien, dann die deutschen des Herrn Kirchmeier, Wien, und die italienischen des Herrn Michl, Krems, die besten.

Sehr schöne Lahora in allen vier Hauptfarben zeigte Herr Höllwarth, Wien.

In der Classe der Perrücken kämpften Baron Villa-Secca, Wien, Fricke, Magdeburg, und Burger, Budapest, um die Siegespalme, alle drei Genannten hatten die Perrücken in allen Hauptfarben in wahrhaften Prachtexemplaren, Herr Textoris, Nyiregyháza, die schönsten weissen ausgestellt.

In Pfautauben excellirten die Herren: Baron Villa-Secca, Wien, Sinner, Hetzendorf, Dimmel, Wien, und Kernast, Wien. Die Collection Brusskay, Wien, stand ausser Preisbewerbung, erregte jedoch durch 1 Paar Seiden-Pfautauben allgemeines Interesse.

An diversen Kropftauben waren 56 Paare ausgestellt, wovon die englischen des Herrn Czerny, Wien, den ersten Platz einnahmen, ihnen folgte die Brünner Collection der Herren Kernast, Wien, und v. Heede, Halfer, Westphalen, die englischen der Herren Kejla, Wien, Karl, Perchtoldsdorf, Klinner, Wien, und Seydl, Laa, endlich die ungarischen des Herrn Szokolowitz, Baja.

Unter den schweren (sogenannten Nutz-) Racen erhielten die wohlverdienten silbernen und bronzenen Staatsmedaillen die Herren: Friedl, Kernast und Kienast, Wien, für ihre Malteser, Florentiner und Strasser, einen Geldpreis für Malteser Herr Völkl, Linz.

Hühnerschecken und Modeneser waren ebenso wie Lockentauben und Bagdetten sehr schwach vertreten und zeigt sich wenig Vorliebe für diese früher so favorisirten Taubengattungen, die völlig aus der Mode gekommen sind. Dagegen waren diesmal die Trommler in 36 Paaren glänzend vertreten, die besten hatten die Herren Koberger und Harand, Wien, ausgestellt, zunächst kamen die Thiere des Herrn Treski, Wien.

An Indianern mit kolossalen Augenringen war die beste Collection des Herrn Fricke, Magdeburg, denen sich die Thiere des Herrn Horváth, Steinbruch, und v. Heede, Halver, würdig anreihten.

Ebenso war es bei den Carriers, wo Fricke, Magdeburg, Reissner, Speising, und Burger, Budapest, feine Vögel eingesendet hatten. Auch Ehrmann und Saxl, Wien, hatten einige gute Mittelthiere beigestellt.

Römer hatte Herr Kernast, Wien, allein 14 Paar in fast allen vorkommenden Farben ausgestellt, nur roth und gelb fehlen seiner Collection noch, die letztere Farbe hatte Herr Seydl, Laa, in einem Prachtpaare zur Ansicht gebracht, aber ich glaube, diesem Paare schon mehrere Jahre in diversen Ausstellungen begegnet zu sein.

Unter den Farbentauben zeichneten sich die bekannten blauen Gimpel mit weissen Binden des Herrn Sinner, Hetzendorf, die Schwalben des Herrn Traunsteiner-Kitzbichl, die Luchstauben des Herrn Podivin, Wiacownisch, die Harlekins des Prinzen Ypsilanti, Rappoltenkirchen, die Eistauben des Herrn Kovács, Debreczin, die Samabia des Herrn Götzendorfer, Wien, aus.

Endlich sind noch zu erwähnen die weissen Bagdetten von Herrn Heinzinger, Währing, die Tigertrommler des Herrn Schmucker, Dornbach, die blauen Strasser des Herrn Schmiedt, Stronsdorf, die schwarzen Malteser des Fräulein Nagl, Purkersdorf, und die der Besserungsanstalt in Eggenburg, die gestorchten Tümmler des Herrn Frühwirth, Wien, und die geganselten Tümmler des Herrn Klein, Pfalzau.

Im Gegensatze zu dieser Provinzialausstellung war die Taubenabtheilung der Herbst-Geflügelausstellung im Wiener Prater vom 24. September bis 1. October sehr schwach beschickt, und liess auch die Qualität sehr viel zu wünschen übrig, es waren meistens Thiere der sogenannten Verkaufsclasse.

Ausser einigen Collectionen von Brünner und englischen Kröpfern der Herren Schmid und Czerny, Wien, dann einer grossen Collection von Pfau-, Perrücken- und Mövchentauben des Herrn v. Puskas, Klausenburg, welche wirklich einige sehr gute Thiere enthielt, dann einer Tümmlercollection des Herrn Horvath, Steinbruch, der wir auch theilweise in Krems begegneten, ebenso des Herrn Burger, Budapest, Szokolowitz, Baja, und einer (ausser Preisbewerbung stehenden) Collection von 70 Paar Pfautauben, ferner einiger kleinerer Collectionen von Koberger, Döbling, Kovács, Debreczin, Treski, Wien, Groch, Währing und Dobrowolski, Jaroslau, war wirklich meistentheils nur der Ueberschuss der Taubenböden zu sehen, dessen sich die Besitzer entledigen wollten. Kaum 300 Paare waren erschienen und es war ein wahres Glück zu nennen, dass die 260 Paare der Helfer'schen Concursmasse, welche der Verein übernommen hatte, in den letzten Tagen der Ausstellung die leergebliebenen Käfige ausfüllten.

Interessant waren die ausgestellten Berliner Sieger (Brieftauben), welche die Tour Berlin—Wien trotz des höchst ungünstigen Wetters in mehr oder minder kurzer Zeit zurückgelegt hatten.

Es musste einen wahren Taubenfreund sehr wehmüthig stimmen, wenn man diese, heuer einzige Taubenausstellung im Wiener Prater mit den früheren in diesen Räumen stattgefundenen verglich.

Wollen wir hoffen, dass im nächsten Jahre die Mitglieder des »Ersten österreichisch-ungarischen Geflügelzuchtvereines« sich wieder aufraffen werden, eine Taubenausstellung zum Besten zu geben, die, auf der einstigen Höhe stehend, sich die Bewunderung des Publicums erwirbt. J. B. B.

Erste Wanderausstellung des „Ersten österreichisch-ungarischen Geflügelzucht-Vereines“ in Krems a. d. Donau.

(Schluss.)

Grossgeflügel.

Auch Italiener waren stark, und besonders die schwarze Varietät durch einen prächtigen Stamm des Herrn Joh. Schmidt, Rüdenhausen, vertreten, der den I. Classenpreis erhielt. Herr Becker, Mainz, hatte 6 Jungstämme in allen bekannten Farbenschlägen exponirt, wofür ihm die silberne Ausstellungsmedaille zuerkannt wurde. Bronzene Ausstellungsmedaillen erhielten noch die Herren J. Kirchmeyer, Wien, für rebhuhnfarbige Zuchtstämme und F. Schlinkert, Gresten, für dergleichen Jungthiere. Diplom Frau Schweitzer, Oneixendorf. Die schönen weissen Italiener des Geflügelhofes Slaventzitz kamen leider zur Prämiirung zu spät.

Hamburger waren in den Hauptfarbenschlägen gut vertreten, hervorragend ein Stamm Silbersprenkel des fürstl. Hohenlohe'schen Geflügelhofes Slaventzitz. Die Goldsprenkel des Herrn Kienast, Wien, waren sehr gut, hätten aber den ihnen zuerkannten I. Classenpreis nicht erhalten, wären die vorgenannten Silbersprenkel zur Prämiirung rechtzeitig zur Stelle gewesen. II. Classenpreis erhielt der Goldlackstamm des Herrn Spräth Tettnau (Württemberg), Diplom die Silberlack von J. Schneider Lustenau (Oberösterreich).

Grosse englische Kämpfer waren in Krems so zahlreich vertreten, wie wir sie in Oesterreich noch selten zu sehen Gelegenheit hatten. Silberne Ausstellungsmedaille erhielt Herr J. D. Cawood, Enzesfeld, für seine braunbrüstigen sammt Nachzucht. II. Preis Herr Fricke, Magdeburg, für desgleichen und Frau C. Zeinlinger für altmodische Goldhälse. Ausser den Genannten hatte noch Herr E. Fischer, Treuen, in Sachsen je einen Stamm Gold- und Silberhälse ausgestellt.

Malayen waren dagegen quantitativ schwach vertreten der schon öfter gezeigte und stets mit I. Preis prämiirte Stamm weisse der Frau Baronin Haber (Geflügelhof Erlach-Linsberg) erhielt auch hier I. Preis; die braunen Malayen aus Sachsen waren n Figur ungenügend.

Yokohama sandte Herr E. Fischer, Treuen i. S., einen hübschen rothgesattelten Stamm, der die bronzene Ausstellungsmedaille erwarb.

In Phönix war von Herrn J. Diener, München, ein sehr schöner, noch in vollem Gefieder prangender Stamm »goldhalsige« ausgestellt und erntete derselbe die silberne Medaille.

Unter diversen Racen erschienen diesmal recht zahlreiche interessante Arten, worunter ein Stamm Redcaps von K. Gudera, Wien, ein Stamm Barthühner und ein Stamm Sumatra auffielen. Sehr schön waren die Ramelsloher von J. Diener, München, sowie jene des Geflügelhofes Slaventzitz. Seidenhühner von Th. Wichmann, Hernstein, und der Frau Baronin Haber (Geflügelhof Erlach-Linsberg), diverse Strupp, und Kaulhühner beschlossen diese gemischte Gesellschaft.

Die unter Kreuzungen ausgestellten Thiere konnten uns wenig befriedigen, ein Diplom wurde der massigen Plymouth×Cochin Kreuzung des Herrn Kovács, Debreczin, verliehen. Sportlich interessant war die Phönix×Goldbantam-Kreuzung wilder Aufzucht des Geflügelhofes Slaventzitz, über die bereits Herr Rentmeister Finckler in Nr. 14, Jahrgang 1892 der »Schwalbe« berichtete. Der Hahn zeigte wenig Aehnlichkeit mit den Stammeltern, während die Henne entschiedenen Phönixtypus aufwies.

Siebenbürger Nackthälse waren durch 6 Stämme vertreten, worunter der Stamm weisse des Herrn O. Frank, Wien, egale, correcte Thiere zeigte und mit bronzener Medaille ausgezeichnet wurde. Charakteristisch in hervorragender Weise war der weisse Hahn des Herrn Engelbert Pichler; leider war die Henne unbedeutend, weshalb auch nur Diplom zugesprochen werden konnte.

Die Bantam-Classe war zwar stark besetzt, zeigte aber wenig Bemerkenswerthes. Für je ein Stämmchen Gold- und Silbersebright erhielt Herr K. Widter, Wien, Landstrasse, die bronzene Ausstellungsmedaille; für ein Paar schwarze Cochinbantam Herr Vonhausen, Wetzhausen (Bayern), einen III. Preis. Die Goldsebright des Herrn A. Fleischl gefielen uns in Zeichnung, waren aber zu stark, die 1893er dieser Race von J. G. Bambach waren sehr egal und versprechen gute Thiere zu werden.

Zwergkämpfer waren etwas besser vertreten, namentlich gefiel uns ein Paar goldhalsige von H. Enzinger, Wien, Neulengbach, ein Paar silberhalsige von J. Diener München ein Paar goldhalsige von A. Feischl, Wien. Auch die silberhalsigen des Herrn Fuchs, Wien, Meidling, waren nett, die weissen des Herrn Wichmann, Hernstein, waren recht vielversprechend, konnten aber doch als junge Thiere noch nicht beurtheilt werden.

Das Wassergeflügel fanden wir noch selten so zahlreich und, es möge gleich hier gesagt sein, so gut vertreten.

Pekingenten waren von den ersten Züchtern der Race ausgestellt, und es wurde schwer, aus den prächtigen Stämmen den besten auszuwählen, wozu noch kam, dass die Unterbringung der Thiere im Freien in nicht erhöhten Boxes die genaue Prüfung erschwerte. Das Preisgericht entschied folgendermassen: Silberne Ausstellungsmedaille Frau Baronin Haber (Geflügelhof Erlach-Linsberg). II. Preis: Josef Kirchmayer, Wien-Hietzing. Bronzene Ausstellungsmedaille: A. Schönpflug, Wien-Hetzendorf. Diplom: J. Diener, München; Th. Wichmann, Hernstein, und C. Mitterer, Weissenbach.

Rouenenten waren ebenfalls schön vertreten; die grosse Collection von 6 Stämmen 1893er Zucht von S. Hengstenberg Mechan (Bezirk Breslau), wurde mit silberner Medaille ausgezeichnet. Sehr kräftige Thiere stellte auch der Geflügelhof Slaventzitz sowie der Geflügelhof Janowitz i. B. aus.

Unter diversen Entenracen fanden wir hübsche Smaragdenten des Geflügelhofes Slaventzitz, türkische von Herrn R. Lederer, Wien, Spiess-, Knäck- und Brandenten von K. Gudera, Wien. Unter Kreuzungen waren sehr massige Thiere der Landesbesserungsanstalt Eggenburg (Landente×Bisamente, Landente×Peking und Landente×Rouenente), sowie des Herrn J. Richter, Kritzendorf (Rouen-Kreuzung) und der Frau M. Siller, Altmannsdorf, zu verzeichnen.

Gänse erschienen ebenso zahlreich wie schön auf der Kremser Ausstellung; die Emdener der Frau Baronin Haber (Geflügelhof Erlach-Linsberg) und der Frau Shaniel, Katzelsdorf, waren die besten und erhielten I. Preis, respective silberne Medaille; wenig stand ihnen der Stamm von J. Diener, München (bronzene Medaille) nach, der auch einen schönen Stamm Pommersche zur Schau stellte.

Unter den Toulouser Gänsen konnte bloss der Stamm des Geflügelhofes Slaventzitz genügen.

Die Classen für diverse Gänse waren auch wieder ausserordentlich reich besetzt. Vorerst seien erwähnt zwei Stämme Laaer Gänse, offenbar eine Kreuzung der Landente mit Emdener oder Pommerscher Gans, die aber, durch viele Jahre fortgezüchtet, in der Laaer Umgebung, wie uns ein dortiger Fachmann berichtet, allgemein verbreitet ist. Die Thiere zeigten gute Körperbildung und sollen gemästet ein bedeutendes Gewicht erreichen. Italienische Gänse waren vom Geflügelhof Slaventzitz, japanesische Höckergänse von Hochholz, Köln-Nippes, und Löffler, Wien, ausgestellt, Fuchsgänse brachte N. Blowsky, Wien-Döbling, und je ein Paar weissstirnige und Saatgänse K. Gudera, Wien.

Ueber Truthühner ist wenig zu berichten; es waren 3 Paar weisse und 2 Paar schwarze (sog. Norfolk) eingesendet worden. Die weissen von Kienast, Wien, waren noch die besten, wenn sie auch nicht den sog. Australiern glichen, die man auf früheren Ausstellungen zu sehen Gelegenheit hatte; sie erhielten bronzene Ausstellungsmedaille. Frau Shaniel, Katzelsdorf, erhielt auf Norfolk, der Geflügelhof Janowitz auf ein Paar Norfolk und ein Paar weisse Truten Anerkennungsdiplom.

Perlhühner waren in weiss und grau ausgestellt und wurde das stärkste, dabei reinweisse Paar der Frau Baronin Haber mit bronzener Medaille prämiirt.

Den Schluss der Grossgeflügelabtheilung bildeten eine Collection Fasanen, von der Firma K. Gudera, Wien, ausgestellt; neben den gewöhnlichen Arten: Jagd-, Ring-, mongolischer, Gold-, Silber- und Lady-Amherstfasan, waren auch noch je ein Paar Königsfasanen und ein Paar Swinhoe- oder Formosafasanen vertreten.

Endlich sahen wir von demselben Aussteller einige Stück Pfauen, und zwar ein Paar gewöhnliche blaue und einen weissgescheckten Hahn.

Die in diesem Berichte angeführten Preise sind jene, wie sie sich in den Original-Prämiirungskatalogen finden; wie schon in der Einleitung bemerkt, mussten häufig zuerkannte Preise — besonders die Geldpreise — zusammengezogen werden und wurden dafür dann die in der Prämiirungsliste verzeichneten Staatspreise u. s. w. substituirt. Der Erste österreichisch-ungarische Geflügelzüchterverein, der wohl das Arrangement übernommen hatte, aber an dem finanziellen Erfolg in keiner Weise participirte, musste sich eben in die gegebenen Verhältnisse fügen, und die Aussteller mögen sich in dem Bewusstsein zufrieden geben, durch ihre rege Betheiligung das glänzende Gelingen der ersten Wanderausstellung des Vereines ermöglicht zu haben.

Die Junggeflügelschau des Vereines für Geflügel- und Stubenvögelzucht zu Hannover fand unter Mitwirkung des Clubs deutscher und österreichisch-ungarischer Geflügelzüchter und des Centralvereines der Provinz Hannover in den Tagen vom 23. bis 25. September in Hannover statt. Diese in Deutschland unerreicht dastehende, alljährlich wiederkehrende Jungthierausstellung war heuer infolge der Betheiligung des Clubs besonders glänzend beschickt. Der Katalog weist 72 Classen (694 Nummern) Grossgeflügel und 57 Classen (436 Nummern) Tauben, ausserdem eine Marktabtheilung (256 Nummern Grossgeflügel, 205 Nummern Tauben), sowie Abtheilungen für Ziervögel, Literatur und Geräthe auf. Die Prämiirung fand nach Clubsystem statt.

Oesterreich-Ungarn war bloss durch zwei Aussteller vertreten: Frau J. Pallisch, Brunn bei Pitten, stellte weisse Cochins und weisse Malayen aus und erhielt für erstere den Ehrenpreis, für letztere III. Classenpreis. Herr A. Horwáth in Steinbruch brachte eine Collection von 12 Paar Tauben zur Schau, wofür ihm auf: schwarze und rothe einfärbige, dann schwarze, rothe und gelbe geganselte Wiener, endlich auf ein Paar Budapester Gestorchte der Ehrenpreis, zwei III. Classenpreise und zwei Anerkennungen, auf englische Owls I. Preis, auf gelbe Indianer II. Preis, auf englische Weissköpfe III. Preis, auf Calotten eine Anerkennung zuerkannt wurden.

Kleine Mittheilungen.

Eine gut bezahlte Nachtigall. In einer geselligen Unterhaltung des Vereines für Vogelkunde in Innsbruck erzählte das Mitglied Herr Ludwig Mayer nachstehenden nicht uninteressanten Fall: Als genannter Herr noch als activer Beamter in Bozen domicilirte, besass er eine Nachtigall (Sylvia luscinia), welche infolge ihres guten Schlages und ihres besonderen Fleisses eine allseitige wohlverdiente Anerkennung genoss. Am bemerkenswerthesten aber war der Umstand, dass das ebene Dach des im Freien an der Aussenseite des Hauses placirten Nachtigallenkäfigs von einer Hauskatze als Lieblingsplatz auserkoren wurde, um sich dort bei heiterem Wetter zu sonnen. Der Schweif der Katze hing dann immer über die Vorderwand des Käfigs herunter und bewegte sich je nach den Gemüthserregungen des Herrn Katers pendelartig hin und her. Trotz der anscheinend gefährlichen Nähe des Murrner-Peter schlug die Nachtigall lustig weiter und kümmerte sich um diesen Gesellschafter nicht im Geringsten. Dieses sonderbare Beisammensein von Vogel und Katze in solch ergötzlicher Situation zog die Aufmerksamkeit von zwei fremden Damen (Engländerinnen) auf sich und beschlossen dieselben, die Nachtigall zu erstehen. Ohne weiter um den Preis zu fragen, würde der Vogel sammt Käfig fortgebracht und nach einigen Tagen überbrachte die Kammerzofe der beiden Damen dem genannten Herrn einen Geldbetrag von neunzig Gulden mit der Frage: ob er mit diesem Kaufpreise einverstanden sei. Herr Mayer wollte diese hohe Summe nicht annehmen und sich mit einem bedeutend niederen Betrage einverstanden erklären. Alle seine bescheidenen Bedenken wurden jedoch von der redseligen Zofe überwunden und ihm von derselben bedeutet, dass die Nichtannahme dieser Geldsumme von den beiden Damen missdeutet werden könnte. So wurde denn der hübsche Betrag schmunzelnd in die Tasche gesteckt und mehrere Gläser von einem guten „Rothen" auf das Wohl der beiden Engländerinnen geleert.

F. A.

Aus den Vereinen.

Club deutscher und österreichisch-ungarischer Geflügelzüchter. In der zu Hannover abgehaltenen Generalversammlung wurde beschlossen, die zweite nationale Geflügelausstellung in Leipzig im Februar 1894, und zwar auf eigene Rechnung zu veranstalten.

Ein sofort gezeichneter und noch zu erhöhender Garantiefonds von circa 3000 Mark wird den Club vor Verlusten sichern. Nachdem bekanntlich das Organ des Clubs, die trefflich geleitete »Geflügelzeitung«, seit Jänner d. J. zu erscheinen aufgehört hat, wurde die »Allgemeine deutsche Geflügelzeitung«, redigirt von C. Wahl, Leipzig, zum Cluborgan bestimmt.

Brieftauben-Wettflug für 1893 geborene Brieftauben, veranstaltet vom „Ersten österreichisch-ungarischen Geflügelzuchtverein in Wien", II. k. k. Prater 25. Zu diesem Wettfluge wurden Donnerstag den 7. September a. c. 112 Stück Brieftauben von 15 Concurrenten des Vereines eingesetzt.

Dieselben wurden am nächsten Tage nach Lundenburg (circa 71 Kilometer Luftlinie) gebracht und um 9 Uhr Vormittags bei schönem Wetter in Freiheit gesetzt. Für dieses Jahr ging man von dem bisherigen Systeme, der Entsendung von Vertrauensmännern nach den einzelnen Schlägen, ab und bestimmte das Café Kremser am Kärntnerring als Constatirungslocal. Hiebei wurde den Concurrenten für die Ueberbringung der Tauben per 1 Kilometer Luftlinie 6 Minuten als Laufzeit vergütet. Jede Art des Transportes war gestattet.

Die erste Taube wurde um 10 Uhr 52 Minuten durch einen Cyclisten vom III. Bezirke überbracht, dem bald verschiedene Vehikel, wie Einspänner, Fiaker etc. folgten. Einzelne kamen auch im Laufschritt mit Tauben zur Constatirung.

Innerhalb einer Viertelstunde waren die acht ausgesetzten Preise vergeben.

Es erhielten nach genauer Berechnung der einzelnen Distanzen von Lundenburg und der vergüteten Laufzeit die Preise, wie folgt:

I. Herr J. Siekba, Floridsdorf. — II. Herr O. Reuther, Josefstadt. — III. J. Ehrmann, Landstrasse. — IV. Herr Th. Mittermeyer, Fünfhaus. — V. Herr C. Reithauer, Leopoldstadt. — VI. Herr J. Holler, Margarethen. — VII. Herr O. Zimmermann, Wieden. — VIII. Herr Pinter, Leopoldstadt.

Hierauf folgten die Tauben der Herren H. Zischek, Breslmeyer, Schmidt, Gerhart und Mostler.

Trotz des nicht ungünstigen Wetters war der erzielte Record ein nicht guter, da diese Strecke in einer Stunde ungefähr zu durchfliegen ist. Allerdings ist zu bemerken, dass an einem so schönen Septembertage hunderte von Feiertagsschützen nach Rebhühnern spähen und einen Schwarm Brieftauben nicht ungestraft vorbeiziehen lassen, wenn sie auch nicht ganz in sicherer Schussweite ziehen. Die Tauben kamen daher auch ziemlich versprengt und nur einzeln an.

I. österreichisch-ungarischer Geflügelzucht-Verein in Wien. In der am 14. October abgehaltenen Directoriums-Sitzung wurde der Beschluss gefasst, die zur Feier des zwanzigjährigen Bestandes des Vereines zu veranstaltende Jubiläums-Ausstellung in den Tagen vom 24. bis 29. März 1894 in den Sälen der k. k. Gartenbau-Gesellschaft in Wien, I. Parkring 12, abzuhalten. Das Vorbereitungs-Comité wurde gewählt und werden die Vorarbeiten sofort begonnen.

Die Clubabende finden in den Wintermonaten jeden Freitag im Altdeutschen Zimmer der Pilsenetzer Bierhalle, I. verlängerte Wollzeile, statt.

Prämiirungsliste der Junggeflügelausstellung des „Ersten österreichisch-ungarischen Geflügelzuchtvereines in Wien".

I. GROSSGEFLÜGEL

Ausser Preisbewerbung.

Frau Isabella Pallisch, Brunn bei Pitten, Niederösterreich.

K. k. silberne Staatspreismedaille.

Herr J. C. Schulz, Hetzendorf, für gelbe Cochin.
» C. Mitterer, Weissenbach a. d. Tr., für weisse Cochin.
» M. Lindmeyer, Kagran, für Pekingenten.

K. k. bronzene Staatspreismedaille.

Frau Johanna Tintara, Mödling, für Houdan.
Herr Adalbert Schönpflug, Hetzendorf, für Pekingenten.
Frau Therese Thornton, Hietzing, für weisse Langshans.
Herr A. Feischl, Wien, Alsergrund, für gelbe Cochin und Holländer.
Fürstl. Geflügelhof Slavenitzitz für Wassergeflügel.

Silberne Vereinsmedaille.

Frau Irma Nagl, Graz, für Houdan.
Herr A. v. Puskás, Klausenburg, für grosse Collection verschiedenen Junggeflügels.
Frau Anna Sowak, Wien, Hernals, für schwarze, weisse und blaue Langshans.
Herr Ferd. Swoboda, Wiener-Neustadt, für weisse Langshans und helle Brahma.

Bronzene Vereinsmedaille.

Herr A. A. Spitzner, Wien, Währing, für gelbe Cochin und Holländer.
» M. Völkl, Linz, für Silberlack-Hamburger.
» A. Cawood, Enzesfeld, für englische Kämpfer und Schotten.
» A. John, Wien, für helle Brahma.

Privat-Ehrenpreise des Herrn A. Horváth, Steinbruch bei Budapest, à 20 Kronen.

Herr Christian Rossbach, Rossbach, für schwarze Langshans.
» C. Mitterer, Weissenbach, für weisse Cochins.

Sehr lobende Anerkennung.

Frau B. Böckling, Speising, für helle Brahmas.
Herr Anton Thomaset, Linz, für helle Brahmas.
» Klima, Wien, für Silber-Wyandotte.
» Widter, Wien, für Silberpaduaner und Bantams.
Frau A. Nagl, Wien, für verschiedenes Junggeflügel.
Herr L. Alb. Taschner, Rossbach, für gelbe Cochin.

Lobende Anerkennung.

Gutsverwaltung Jistebnitz bei Tabor, für Perlhühner, Truthühner und Nackthälse.

Herr G. Jäckl, Gottmannsgrün, für Silbersprenkel.

» J. Sikha, Floridsdorf, für verschiedenes Junggeflügel.

» Th. Mittermeyer, Wien, für Plymouth-Rocks.

Frau A. Dolezal, Podiebrad, für Gänse.

Die beiden Preisrichter, Herr L. Freiherr v. Villa-Secca Präsident des »Ersten österreichisch-ungarischen Geflügelzuchtvereines in Wien«, und Herr C. Schick, Obmann des »Wiener Geflügelzuchtvereines in Rudolfsheim«, sprachen endlich der Frau Isabella Pallisch in Brünn bei Pitten, Niederösterreich, für ihre vorzüglichen Leistungen auf dem Gebiete der Geflügelzucht, insbesondere für ihre hors concours stehende Collection weisser Cochin, Plymouth-Rocks und helle Brahma das **Ehrendiplom** des Vereines zu.

II. TAUBEN.

Ausser Preisbewerbung.

Herr nied.-öst. Landesrechnungsrath J. B. Bruszkay.

Silberne Staatsmedaille.

Herr Max Schmid, Wien.

Bronzene Staatsmedaille.

Herr A. Horváth, Steinbruch.

» C. Czerny, Wien.

Silberne Vereinsmedaille.

Herr A. v. Puskás, Klausenburg.

» Koberger, Wien.

» J. Burger, Budapest.

Bronzene Vereinsmedaille.

Herr A. v. Szokolovitsch, Baja.

» J. Kovács, Debreczin.

» Tresky, Wien.

» C. Groch, Wien.

» K. Dobrowolsky, Wien.

Diplom.

Herrn A. Dimmel, Wien.

Fräulein Eipeldauer, Wien.

Herr J. Klein, Pfalzau.

» L. Grabner, Achau.

» H. Sess, Fünfhaus.

» Zimmermann, Wien.

» Sikha, Floridsdorf.

III. GEWERBLICHE ABTHEILUNG.

Anerkennungsdiplom.

Herren Fattinger & Comp., Wien, Hernals, für Fleischzwieback etc.

»Die Thierbörse«, Wien.

Druckschriften-Einläufe im I. Semester 1893.

Mittheilungen des nied.-österr. Jagdschutzvereines 1893, Herausgeber Secr. R. Markowsky, Wien, 10 Hefte.

Cook's Welt-Reise-Zeitung 1893, Wien, monatlich.

Illustrirte nützliche Blätter 1893, Red. Otto Pfeiffer, Wien, Monatshefte.

Waidmanns-Heil 1893, Red. Friedr. Leon, Klagenfurt, am 1. und 15. jeden Monats.

Ornithologisches Jahrbuch 1893, Red. und Herausgeber V. R. v. Tschusi zu Schmidhoffen, Wien, 6 Hefte.

Zeitschrift für Ornithologie und prakt. Geflügelzucht 1893, Red. H. Röhl, Stettin, monatlich.

Schriften des nat.-wiss. Vereines für Schleswig-Holstein 1893, Kiel, in Heften.

Allgemeine Thierschutz-Zeitschrift 1893, Herausgeber Dr. L. Bossler, Darmstadt, monatlich.

Zeitschrift des landw. Vereines in Bayern 1893, Red. Gen. Secretär Otto May, München, 12 Hefte.

»Fauna«. Verein Luxemburger Naturfreunde 1893, Red. M. Kraus, in Heften.

Sitzungsberichte der Naturforscher-Gesellschaft bei der Universität Dorpat, X. Band, 1892 Red. Prof. Dr. J. v. Kennel, in Heften.

Mittheilungen der deutschen Gesellschaft für Natur- und Völkerkunde Ost-Asiens 1893, Tokio und Berlin, bei A. Asker & Cie., in Heften.

»Sylwan«, Organ des galizischen Forstvereines 1893, Red. Kas. Achtl, Lemberg, in Heften.

Tromsoe Museums Aarshefter, Tromsoe.

Atti della reale Academia dei Lincei, Roma.

Il Naturalista Siciliano, Palermo.

Feuille des jeunes naturalistes, Paris.

Bulletin de la Soc. belge de microscopie, Bruxelles.

Bulletin de la Soc. imp. des naturalistes de Moscou, Moscou.

Gazette médicale de l'Orient, Constantinople.

The Naturalist, Leeds.

Journal of the United Service Institution of India, Simla.

Records of the Australian Museum, Sydney.

Annual Report of the Smithsonian Institution, Washington.

Proceedings and Transactions of the nat. hist. Society, Glasgow.

Die gefiederte Welt, Red. Dr. K. Russ, Berlin.

Ornithologische Monatsschrift. Red. Hofrath Prof. Dr. Liebe, Gera.

Allgem. deutsche Geflügel-Zeitung. Red. C. Wahl, Leipzig.

Süddeutsche Blätter für Geflügelzucht. Red. Joh. Greif, München.

Schweizerische Blätter für Ornithologie. Red. Ferd. Wirth, Zug.

Der praktische Geflügelzüchter. Red. L. Ehlers Hannover.

Schleswig-Holstein'sche Blätter für Geflügelzucht. Red. Heinr. Köhler, Kiel.

Der Waidmann. Blätter für Jäger und Jagdfreunde. Red Paul Wolff und v. Hohenberg.

Nordböhmische Vogel- und Geflügel-Zeitung. Herausgegeben vom Ornithologischen Vereine in Reichenberg.

Geflügelbörse. Red. Rich. Freese; Leipzig.

Chasse et Pêche, Acclimatation, Elevage. Red, Louis van der Snickt, Brüssel.

Blätter für Geflügelzucht. Red. Richard Becker, Dresden.

Der Geflügelfreund. Red. Conrector Dr. Blanke Herford in Westphalen.

Zeitschrift für Oologie. Red. H. Hocke, Berlin.

Zeitschrift für Brieftaubenkunde. Red. J. Hoerter, Hannover.

Monatsblätter des »Wissenschaftlichen Club in Wien«. Red. Felix Karrer.

Verlag des Vereines. — Für die Redaction verantwortlich: Gustav Rottig.
Buchdruckerei Helios, Wien, I. Schreyvogelgasse 3.

Als Beilage: „Die fremdländischen Stubenvögel“.

XVII. JAHRGANG. Nr. 11.

Blatter für Vogelkunde, Vogelschutz, Geflügelzucht und Brieftaubenwesen.
Organ des I. österr.-ung. Geflügelzuchtvereines in Wien und des I. Wiener Geflügelzuchtvereines „Rudolfsheim“
Redigirt von **C. PALLISCH** unter Mitwirkung von Hofrath Professor **Dr. C. CLAUS**.

16. November. — 1893.

„DIE SCHWALBE“ erscheint **Mitte eines jeden Monates** und wird **nur an Mitglieder abgegeben.**
Einzelne Nummern 50 kr., resp. 1 Mark.
Inserate per 1 □Centimeter 4 kr., resp. 8 Pf.

Mittheilungen an den Verein sind an Herrn Präsidenten **Adolf Bachofen von Echt** sen., Wien, XIX. Färbergasse 18, zu adressiren. **Jahresbeiträge** der Mitglieder (5 fl., respective 10 Mark) an Herrn **Dr. Carl Zimmermann,** Wien, I. Bauernmarkt 11, einzusenden.
Alle redactionellen Briefe, Sendungen etc. sind an Herrn **Ingenieur C. Pallisch in Brunn, Post Pitten**, Niederösterreich, zu richten.
Vereinsmitglieder beziehen das Blatt gratis.

Das Vorkommen und die Verbreitung des Zwergfliegenfängers (Muscicapa parva Bchst.) in Oesterreich-Ungarn.

Von **Emil C. F. Rzehak.**

Zu den selteneren Erscheinungen der österreichisch-ungarischen Ornis gehört unter anderen auch der Zwergfliegenfänger (Muscicapa parva Bchst.), ein kleines, schönes und munteres Vögelchen, dessen eigentliche Heimat der Osten und Südosten Europas ist.

Schon Naumann[1]) erwähnt von diesem Vogel, dass er einem milderen Klima angehört, und Herr Major Alexander v. Homeyer[2]) theilt uns im »Ornithologischen Jahrbuch« mit, dass Muscicapa parva zu den interessanten Vögeln gehört, die nordwärts streben, wofür auch sein Erscheinen in Schweden spricht.

Dieses niedliche Vögelchen ist auch für das mittlere Deutschland als selten zu bezeichnen und zählt in Südwestdeutschland, jenseits des Rheins, zu den seltensten ornithologischen Vorkommnissen.

Auf seinem Zuge findet man den Zwergfliegenfänger in Südasien und Nordostafrika; es haben sich aber einzelne Exemplare auch weit nach Norden verflogen.

Was speciell unsere österreichisch-ungarische Monarchie betrifft, so ist dieser Vogel beinahe in allen Kronländern (das Occupationsgebiet inbegriffen) entweder als Brutvogel oder als seltener Passant angetroffen worden, nach den vorliegenden Berichten öfter auf seinem Frühjahrs- als auf dem Herbstzuge.

Er bewohnt den Hoch- wie den Mittelwald, reine Buchenbestände lieber als solche mit gemischten Holzarten und siedelt sich am liebsten da an, wo Buchen von verschiedener Grösse vorherrschen und es an jungem, dichtem

[1]) »Naumannia«, Bd. I, p. 8, 1851.

[2]) Major Alexander v. Homeyer: »Ueber den Zwergfliegenfänger (Muscicapa parva) als Brutvogel Neu-Vorpommerns.« »Ornithologisches Jahrbuch«, Bd. I, Heft 1, p. 16, 1890.

Ausschlag in ungleicher Höhe nicht fehlt, aber auch da, wo Edeltannen und Rothbuchen in buntem Gemisch stehen.

Interessante Mittheilungen über die Lieblingsplätze dieses Vogels gibt Herr Major Alexander v. Homeyer[3]) im »Ornithologischen Jahrbuch«, die ich in kurzem Auszuge hier reproduciren will:

»In Neu-Vorpommern habe ich den Vogel nur in einem Buchenbestande angetroffen. Unsere Eichenwaldungen sind gewöhnlich mit allerlei anderen Baumarten gemischt, die Buchenwaldungen aber bilden reine Culturen. Diese Culturwaldungen sind naturgemäss in sich gleich alt und demnach im Wuchse gleich hoch. Mit Vorliebe hält sich Muscicapa parva in den alten Beständen (hundert bis zweihundert Jahre) auf, doch traf ich sie bei Sievertshagen in einem jüngeren, circa siebzigjährigen Bestande an, der sehr dicht stand, sehr schlank in die Höhe gegangen und tief schattig war. Dies ist entschieden ein Ausnahmsfall, da Muscicapa parva sehr die kleinen, offenen Waldplätze liebt, wo es sonnig ist, weshalb sie auch den Waldessaum vor dem tiefen Wald bevorzugt.«

Und weiter schreibt Herr v. Homeyer: »So ist auch das Terrain des Vogels im Salzburgischen ein ganz anderes als hier. Ich sehe im Geiste vor Augen genau die Thalmulde bei Tännenhof, die mir Freund Tschusi als den Hauptplatz der Muscicapa parva zeigt, die ausser Buchen auch viele andere Laubbäume und auch Tannen aufwies; aber solche Oertlichkeiten liebt Muscicapa parva in Neu-Vorpommern nicht.«

Und derselbe Autor — ich glaube es hier auch einschalten zu müssen — schildert in »Brehm's Thierleben«[4]) das Treiben dieses Vogels folgendermassen:

»Der Zwergfliegenfänger treibt sich auf dürren Zweigen dicht unter dem grünen Blätterdache in einer Höhe von ungefähr 13 bis 18 m über dem Boden mit besonderer Vorliebe umher. Er hat nur ein kleines Gebiet, innerhalb desselben aber gibt es keine Ruhe, wie man sonst wohl von einem Fliegenfänger erwarten dürfte. Unser Vogel erhascht im Fluge ein Kerbthier, setzt sich zehn Schritte weiter auf einen Ast, klingelt sein Lied, fliegt sofort weiter, nimmt einen kriechenden Kerf vom benachbarten Stamm für sich in Beschlag, sich dabei vielleicht ein wenig nach unten senkend und steigt dann wieder bis unter das grüne Dach der Baumkronen empor. Hier singt er abermals, um sich gleich darauf um 6 m gegen den Boden herabzustürzen, dem brütenden Weibchen einen Besuch abzustatten und, wenn dies geschehen, sich wieder aufwärts zu schwingen. So geht es den ganzen Tag über.«

Nicht minder anziehend schreibt Herr Professor Josef Talský[5]) über Muscicapa parva:

»In steter Bewegung, mit Flügeln und Schwanz schlagend, treibt er sich daselbst theils in den Kronen der höchsten Bäume umher, theils streift er in dem schattigen Dunkel der schlankgewachsenen Tannen und Fichten von Stamm zu Stamm, wobei er auf ihren dünnen, abgestorbenen Seitentrieben mit ausserordentlicher Vorliebe kurze Rast zu halten pflegt.«

»Wer den kleinen Fliegenfänger und sein Leben einigermassen kennen gelernt hat, der wird sich nicht wundern, warum dieser Vogel im Allgemeinen so wenig bekannt ist. Seine geringe Grösse, das unansehnliche Kleid, der Aufenthalt in entlegenen, hochstämmigen Forsten sowie sein unstetes Wesen sichern ihn zum Glück noch lange vor dem nicht immer freundlich gesinnten Menschen. Eine Muscicapa parva ausfindig zu machen, nachdem die Zeit ihres Gesanges verstrichen ist, könnte selbst für den erfahrensten Kenner derselben zu einer schwer lösbaren Aufgaben werden.«

»Nur im Monate Mai und in den ersten Tagen des Juni, wenn im Walde aus dem vielstimmigen Vogelconcerte auch das einfache, aber weit vernehmbare Liedchen des bescheidenen Sängers erschallt, nur dann kann es dem aufmerksamen Beobachter gelingen, sein Ziel zu erreichen.«

Herr Chernel v. Chernelháza[6]) beschreibt die Lieblingsplätze dieses Vogels in den kleinen Karpathen in folgender Weise:

»Sie lieben Waldtheile mit gemischtem Holzbestande, wo aber Tannen oder Buchen vorherrschen und wo feuchte Stellen und üppiger Unterwuchs sich findet.«

Und anderen Orts:[7])

»Den von S. Petényi in Ungarn entdeckten Vogel sah ich am 3. Juli in Modern am Rande einer Buchenpartie im Jungholz nahe einer Quelle, und am 19. Juli traf ich wieder ein Exemplar an. Wie die flinkeste Meise hüpfte er beständig herum und zeigte eine ungemeine Wildheit. Als ich mich ihm näherte, flüchtete er sich, indem er zwischen dem Grase am Boden eine Weile davoneilte, bald von Busch zu Busch fliegend, bald sich wieder auf die Erde herablassend, so schnell, dass ich ihm nicht folgen konnte.«

In ähnlicher Weise schildert auch Herr Julius Michel[8]) den Aufenthaltsort des Zwergfliegenfängers: »Der Zwergfliegenfänger ist eigentlich ein östlicher Vogel, welcher aber schon in Ungarn und Galizien hie und da ziemlich häufig vorkommt und selbst in Deutschland vereinzelt brütet. Er bewohnt mit Vorliebe die hohen, aus Buchen und Fichten gemischten Bestände unserer Waldungen und treibt daselbst meist still und unbeachtet sein Wesen. Nur sein Gesang ist auffallend und verräth ihn dem aufmerksamen Beobachter.«

»Der Zwergfliegenfänger treibt sich sowohl in den Baumkronen als auch auf den unteren, abgestorbenen, dürren Zweigen der Nadelbäume umher und hat an seinem Aufenthaltsorte gewisse Lieblingsplätze, zu denen er gerne wieder zurückkehrt.«

Und an anderer Stelle:[9])

»Hochstämmige, ausgebreitete Buchen und vereinzelte mächtige Fichten beschatteten den laubbedeckten, von Unterholz freien Boden vollständig. Jetzt vernahm ich die fremden Laute ganz deutlich und sah auch bald den kleinen Sänger, der sich ziemlich hoch oben umhertrieb.«

---

[3]) Major Alexander v. Homeyer: »Ueber den Zwergfliegenfänger (Muscicapa parva) als Brutvogel Neu-Vorpommerns.« »Ornithologisches Jahrbuch«, Bd. I, p. 15, 1890.

[4]) »Brehm's Thierleben«, Bd. II, p. 523.

[5]) Jos. Talský: »Beitrag zur Ornithologie Mährens«. In den Mittheilungen des Ornithologischen Vereines in Wien »Die Schwalbe«, IV. Jahrgang, Nr. 3, p. 26, 1880.

[6]) Vgl. fünften Jahresbericht (1886) des Comités für ornithologische Beobachtungsstationen in Oesterreich-Ungarn, p. 160, 1888.

[7]) Vgl. vierten Jahresbericht (1885) des Comités für ornithologische Beobachtungsstationen in Oesterreich-Ungarn, p. 130, 1886.

[8]) Jul. Michel: »Der Zwergfliegenfänger (Muscicapa parva)«. »Nordböhmische Vogel- und Geflügelzeitung« vom 1. April und 1. Mai 1889.

[9]) Jul. Michel: »Der Zwergfliegenfänger (Muscicapa parva Bchst.) als Brutvogel Böhmens«. »Nordböhmische Vogel- und Geflügelzeitung« vom 1. Juli 1890.

In ganz anderer Weise schreibt Herr E. Perzina[16]) über das Vorkommen des Zwergfliegenfängers als Brutvogel an Oertlichkeiten, wo gar keine Buchen vorkommen: »Ich beobachtete seit Jahren den Zwergfliegenfänger in seinem Freileben, kann auch aus den Angaben der Fänger, welche mir die frisch erbeuteten lebenden Exemplare dieser Art als einzigen ihnen bekannten Reflectanten auf dieselben stets zu bringen pflegen, Schlüsse über seine Aufenthaltsgebiete, die Zeit seines Zuges bilden; in diesem Falle stehe ich aber vor einem Räthsel. Einerseits habe ich den Zwergfliegenfänger noch nie in einer Gegend, welche dem vorderen, im Style eines englischen Parkes angelegten Prater, in welchem meines Wissens auch gar keine Buchen — bekanntlich die Lieblingsbäume unserer Vogelart — vorhanden sind, ähnlich ist, als Brutvogel getroffen, auch nie während der Fortpflanzungszeit aus einer derartigen Gegend erhalten. Andererseits wieder habe ich junge, unverfärbte Muscicapa parva stets nur an jenen Orten oder doch nur in geringer Entfernung von diesen gefunden, welche als Brutstätten dieser Art bekannt sind, auch stets nur von diesen Oertlichkeiten gefangen erhalten, so dass ich annehmen zu können glaubte, dass der junge Zwergfliegenfänger sich regelmässig erst nach erfolgter Mauser aus seiner Geburtsgegend zu weiterem Streifen entfernt. Der vorliegende Fall stösst nun aber eine dieser Voraussetzungen um, entweder brütet Muscicapa parva doch auch an Oertlichkeiten, welche der beschriebenen ähnlich sind, wo Mangel an Buchen ist — und das könnte man nach dem Vorkommen eines alten und eines jungen Vogels dieser Art an fast derselben Stelle beinahe auch glauben — oder aber beginnt der Strich des jungen Vogels schon zu einer Zeit, wo er noch das Nestkleid trägt.«

Wenn reine Buchenbestände oder wenigstens mit anderen Hölzern und vorzugsweise mit Fichten untermischte Buchenwaldungen seine Lieblingsaufenthaltsorte sind, solche aber nicht überall vorzukommen pflegen, so ist es auch nicht zu verwundern, dass dieser Vogel nur solche aufsucht, und ausser in der Zugzeit, während der man ihn übrigens auch in kleinen Feldhölzern und Bauerngärten antrifft, in solchen Landstrichen entweder gar nicht oder äusserst selten angetroffen wird.

(Fortsetzung folgt.)

Zur Ornis der Kurischen Nehrung.

Von Pastor **Friedr. Lindner** und **Dr. Curt Floericke**.

(Fortsetzung.)

133. *Gallinula chloropus L.* Das grünfüssige Teichhuhn brütet wahrscheinlich ebenfalls auf dem Bruch; wenigstens bemerkt man es dort zwischen den anderen Brutvögeln. (L.)

134. *Ortygometra porzana L.* Gesprenkeltes Sumpfhuhn. Herr Zimmermann schoss Anfang August ein Exemplar; ich selbst hörte diese Art mehrmals an warmen Abenden. (F.) Dass das auch am frischen Haff vorkommende Zwergrohrhuhn, *Ortygometra minuta Pall.*, auch bei Grenz, vielleicht auch bei Rossitten wird nachgewiesen werden können, ist sicher anzunehmen.

[16]) E. Perzina: »Der Zwergfliegenschnäpper (Muscicapa parva Bchst.) im Wiener Prater«. »Ornithologisches Jahrbuch«, Bd II, p. 238.

135. *Crex pratensis Bchst.* Der Wachtelkönig traf am 28. Mai 1889 bei Rossitten ein. (L.) Bei Grenz Brutvogel in den feuchten Haffwiesen zwischen Grenz und Schwentlund. (L.)

136. *Rallus aquaticus L.* Am 3. April 1889 schoss ich ein ♀ der Wasserralle bei Grenz. (L.)

137. *Grus communis Bchst.* Der Kranich soll an einem Bruche zwischen Grenz und Cranzbeck nisten, ebenso am Predinberge, in dessen Nähe ich am 22. Juni 1892 9 Stück beobachtete. Ebenso sah ich am 24. April 1889 bei Grenz und am 6. September 1890 bei Cranzbeek einige Exemplare. (L.)

138. *Scolopax rusticula L.* Die Waldschnepfe pflegt im September durchzuziehen, aber immer nur in geringer Anzahl.

139 *Gallinago gallinula L.* Kleine Sumpfschnepfe. Herr Hilfsjäger Lockwald schoss am 28. September 1888 ein Exemplar bei Rossitten. (L.)

140. *Gallinago coelestis Frenzel.* Der Durchzug der Bekassinen, welcher Anfang August beginnt und bis Anfang October anhält, ist in der Regel ein ungemein starker. Auch während der Brutzeit sieht man viele am Bruch, wo sie also wahrscheinlich nisten. Ein in Laufschlingen lebendig gefangenes Exemplar musste leider getödtet werden, da es sich den Unterschnabel am Käfigdraht abbrach. Wiederholt sah ich Bekassinen in 8—12 Fuss hohe Kieferschonungen einfallen, welche ziemlich weit vom Wasser und feuchtem Boden entfernt waren. Einmal überraschte ich auch einige in einem Saubohnenfelde. (L.)

141. *Gallinago maior Gm.* Grosse Sumpfschnepfe. Am 25. August 1888 und am 22. Mai 1889 am Bruch beobachtet. (L.) 1893 daselbst erlegt. (F.)

142. *Numenius phaeopus L.* Regenbrachvogel. Im September 1888 und im Juni 1889 durch Herrn Seddig erhalten; am 30. August 1890 bei Rossitten ein Stück beobachtet. (L.) Von Mitte September ab sah ich viele Regenbrachvögel, theils in kleinen Gesellschaften, theils einzeln als Führer einer grösseren Schaar von Tringen, Gold- und Kiebitzregenpfeifern und Limosen oder riesiger Schwärme, die aus allen diesen Strandvögeln gemischt waren. Sie zeigten sich ungemein scheu. Diese Art erscheint beinahe vier Wochen später als *arcuatus*, dessen Durchzug schon Mitte August zu Ende zu gehen pflegt. Nach einiger Uebung vermag man beide Arten schon an der Stimme zu unterscheiden. (F.)

143. *Numenius arcuatus L.* Der grosse Brachvogel zieht im August zahlreich durch.

144. *Numenius tenuirostris Vieill.* Herr Zimmermann erlegte am 2. September des Jahres 1891 ein schönes Exemplar des für Deutschland sehr seltenen dünnschnäbligen Brachvogels an einem der kleinen Tümpel hinter dem Bruch. Der Balg dieses Vogels wurde am 4. October 1892 der Generalversammlung der »Allgem. deutsch. orn. Ges.« zu Berlin vorgelegt und die Richtigkeit der Bestimmung von den anwesenden Fachmännern bestätigt. Dieser Brachvogel ist sonst noch nie für das östliche Deutschland nachgewiesen. Vielleicht geht er im Osten viel weiter nach Norden hinauf, als man bisher angenommen hat.

145. *Limosa aegocephala L.* Uferschnepfe. Nur einmal mit ziemlicher Sicherheit beobachtet. (L.)

146. *Limosa lapponica L.* Die Pfuhlschnepfen sind im September zahlreich auf dem Durchzuge, aber meist im Jugend- und Herbstkleid. Doch beobachtete und

erlegte L. am 2. September 1890 zwei Exemplare, von denen das eine ein hochrothes ♂ im schönsten Sommerkleide war. »Lim. rufa brütete 1891 auf dem Skilwith-Haken südlich von Pillkoppen« (Krüger).

147. *Totanus pugnax L.* Von Anfang August bis Ende September ist der Kampfhahn sehr häufig anzutreffen, gern in Gesellschaft der Tringen. Mit Vorliebe findet er sich am Bruch und in dessen nächster Umgebung, wo L. ihn auch zur Brutzeit angetroffen hat. Er ist von allen Totaniden am wenigsten scheu und man kann ihn oft aus nächster Nähe betrachten, wenn er, eifrig nach Nahrung suchend, mit gravitätischen Schritten im Sumpfe oder Grase herumstorcht. Trotz seines scheinbar unregelmässigen Fluges ist er leicht zu schiessen und, wie es L. glückte, auch in Laufschlingen unschwer lebend zu fangen.

148. *Totanus hypoleucus L.* Der Flussuferläufer ist gleichfalls während der Zugmonate eine regelmässige Erscheinung und treibt sich namentlich an steinigen Stellen und Vorsprüngen des Haffstrandes herum. Im Allgemeinen ziemlich scheu und jede Gefahr schon von Weitem fliehend, pflegt er sich überrascht um so fester zu drücken. So wurde einmal bei Rossitten ein Exemplar mit der Hand ergriffen, welches sich unter Weidengebüsch verborgen hatte. Bei Grenz und Rossitten Brutvogel am Haffufer. Zur Zugzeit auch an der See. (L.)

149. *Totanis calidris L.* Rothschenkel. Im August und später nicht selten auf dem Durchzuge.

150. *Totanus fuscus L.* Dunkler Wasserläufer. Am 26. August 1888 sah ich am Bruch Wasserläufer, welche wahrscheinlich dieser Art zugehörten. (L.) Ich kam für den hauptsächlich Ende Juli und Anfang August stattfindenden Zug der Wasserläufer schon etwas zu spät nach Rossitten. Doch sah ich von allen den aufgeführten Arten noch Belegexemplare bei Herrn Zimmermann. Um diese Zeit wurden auch in dem dem litauischen Haffufer gegenüberliegenden Gilge durch einen dortigen Gastwirth 6 *fuscus* auf einen Schuss erlegt. (F.) Im Juli 1891 von Krüger am Bruch beobachtet. (L.)

151. *Totanus littoreus L.* Heller Wasserläufer. Diese Art ist zu der oben angegebenen Jahreszeit auch öfters am Bruch und den dahinter gelegenen Tümpeln anzutreffen, aber gewöhnlich nur einzeln. Er ist sehr scheu, und auch die übrigen Langbeine achten auf seinen wohllautenden, für den Jäger so unangenehmen Warnungsruf; doch haben wir mehrere erlegen können, da er mit grosser Zähigkeit an einmal erwählten Lieblingsplätzen festhält.

152. *Totanus ochropus L.* Der punktirte Wasserläufer zieht zu allererst ab; bei meiner Ankunft in Rossitten (20. August) war er schon beinahe gänzlich verschwunden. (F.) Ich habe ihn auch im Frühjahr bei Grenz beobachtet. Hier flog er am 24. April 1889 über dem Walde und schrie: »Dididit, troilit, troilit.« (L.)

153. *Totanus glareola L.* Der Zug des Bruchwasserläufers geht ziemlich langsam von statten, obschon er mit am frühesten einsetzt. Im Allgemeinen ist der Vogel wie alle Totaniden scheu; doch habe ich auch einzelne auffallend zutrauliche Exemplare getroffen. (F.) Diese Art sah und erlegte ich auch im Frühsommer am Bruch und auf der nassen Pallwe vor Rossitten. (L.)

154. *Totanus stagnatilis Bchst.* soll von Herrn Lockwald erlegt worden sein. (L.)

155. *Tringa minuta Leisl.* Der Zwergstrandläufer pflegt Ende August und Anfang September am häufigsten zu sein. Man findet ihn entweder für sich in kleinen Trupps an den Dünenlachen oder mit *Tringa alpina* und *subracuata* gemischt. Wenn er sich mit seinen Artgenossen allein befindet, ist er ungemein zutraulich. Doch weiss gerade diese Art jede, auch die geringste Bodendeckung so meisterhaft zu benutzen, dass man minutenlang mit dem Gewehr davor stehen kann, ohne einen sicheren Schuss anbringen zu können. Charakteristisch für den Zwergstrandläufer ist seine grosse Necklust.

156. *Tringa Temmincki Leisl.* Dies ist von allen kleinen Strandläufern die am seltensten vorkommende Art. Immerhin ist auch sie in jedem Herbste zu finden. L. sah indess nur einmal, am 26. August 1890, 1 Stück bei Rossitten. Ich habe sie öfters angetroffen und 3 Stück erlegt. Die Vögel waren stets den Alpenstrandläufern zugesellt, aber nie mehr als 1 *Temmincki* bei demselben Fluge. Uebrigens schien der gegenseitige Verband ein sehr lockerer zu sein, denn *Temmincki* ging stets abseits für sich einsam seiner Nahrung nach, ohne sich viel um seine grösseren Verwandten zu kümmern. Infolge dessen übersieht man den mäusegrauen, still und geräuschlos über den Schlamm huschenden Vogel sehr leicht, da da man natürlich den Blick auf das lebhafte Gewimmel der grossen Schaar zu richten pflegt. Bei seiner Harmlosigkeit und seinem ruhigen, fast etwas phlegmatischen Temperament hält es dieser Strandläufer oft nicht einmal für nöthig, mit den übrigen zusammen aufzufliegen; er scheint zu wissen, dass dieselben doch bald wieder an denselben Platz zurückkehren. (F.) L. fand ihn im Gegensatz scheuer als *minuta*.

157. *Tringa subracuata Güld.* Bogenschnäbliger Strandläufer. Ende August und Anfang September gemein, aber fast stets mit *alpina* untermischt. Zu Anfang des Zuges überwiegt in diesen gemischten Schwärmen entschieden *subarcuata*, später tritt *alpina* immer mehr hervor und zu Ende September bestanden die grossen Tringen-Flüge nur noch aus letzterer Art. Zu Beginn des Zuges haben viele noch zum Theil rostrothe Bäuche. L. traf *subarcuata* auch mit *Charadrius curonicus* vergesellschaftet an.

(Fortsetzung folgt.)

Biologische Gruppirung der Ornis der Schweiz.

Von H. Fischer-Sigwart in Zofingen.

I. Gruppe.

Nordische Zugvögel und nordische Wintergäste.

(Fortsetzung.)

Totanus calidris (L.) (Totanus calidris Bechst. = Scolopax calidris L.). Brütet in der Schweiz hie und da. In der Schweizer Ebene mehr im Zuge.
Thes.: Europa, Asien, Afrika,
Sch.: Brütet im nördlichen Europa.

Totanus glottis (Bechst.) (Totanus griseus Bechst. = Scolopax glottis L.). Ist schon brütend beobachtet worden. Erscheint nicht regelmässig überall in der Ebene.
Thes.: Oestliche Hemisphäre.
Sch.: Nistet im Norden.

Totanus stagnatilis (Bechst.) (Scolopax totanus L.). Ist noch seltener bei uns als der vorige.
Thes.: Europa, Asien, Afrika.
Sch.: Nistet im Norden.

Totanus ochropus (L.) (Totanus ochropus Temm. = Tringa ochropus L.). Brütet in der Schweiz. Erscheint ziemlich regelmässig im Zuge.
Thes.: Europa, Asien, Afrika.
Sch.: Brütet durch ganz Deutschland und in der Schweiz.
Br.: Gehört vorzugsweise dem Norden an.

Totanus glareola (L.) (Totanus glareola Temm. = Tringa glareola L.). Brütet hin und wieder in der Schweiz. Erscheint auf dem Zuge in der ebenen Schweiz. Bis jetzt im Tessin nicht beobachtet.
Thes.: Europa, Asien, Afrika.
Sch.: Nistet im Norden.

Actitis hypoleucos (L.) (Actitis hypoleucos Boie = Tringa hypoleucos L.). Brütet regelmässig in der Schweiz. Auf dem Zuge häufiger im W.
Thes.: Ubique.
Es ist vielleicht zweifelhaft, ob der Flussuferläufer eigentlich oder ursprünglich ein nordischer Brüter war, da auch Brehm ihn überall als nistenden und brütenden Vogel angibt. Doch sagt er, dass »die im Norden wohnenden höchstens bis Südeuropa oder Nordafrika ziehen«. Dieser Theil der Art ist also nordischer Zugvogel, währenddem die bei uns brütenden und im Herbst südlich ziehenden Nistvögel sind und die überwinternden als Standvögel erklärt werden müssten, wenn das nicht solche sind, die im Sommer nördlicher gebrütet haben und dann auf den Winter zu uns gekommen sind.
Diese Art dürften der Mehrzahl der Individuen nach Nistvögel sein.

Machetes pugnax (L.) (Machetes pugnax Cuv. = Philomachus pugnax Moehring = Tringa pugnax L.). Ziemlich regelmässig auf dem Zuge in der ebenen Schweiz.
Thes.: Europa, Asien, Afrika.
Sch.: Brütet im nördlichen Europa.
Br.: Seine Heimat ist der Norden der alten Welt.

Tringa cinerea (L.) (Tringa cinerea Brünn. = Tringa canutus L.). Erscheint hin und wieder an den grossen Seen.
Thes.: Europa, Asien, Afrika.
Sch.: Brütet im nördlichen Europa.

**Tringa maritima Brünn. Auf dem Zuge am Neuenburger-, Bieler- und Murtensee.
Thes.: Nördliche Halbkugel.
Sch.: Nistet im Norden.

Tringa alpina (L.) = Tringa cinclus L. Brütet in der Schweiz. In der Mittelschweiz erscheint er nur im Zuge.
Thes.: Ubique.
Sch.: Brütet im nördlichen Europa.

Tringa Schinzii (Br.) (= Tringa cinclus L. varietas). Wahrscheinlich eine kleinere Form der vorigen Art, aber seltener und bei uns noch nicht brütend getroffen.
Thes.: Tringa alpina L. und Tringa Schinzii Br. werden als Synonymen angeführt.

Tringa subarquata (Güld.) (Tringa subarquata Temm. = Scolopax subarquata Güldenstädt). Wird nicht häufig auf dem Zuge getroffen.
Thes.: Ubique.
Sch.: Nistet im Norden.

Tringa Temminkii (Leissler).
Thes.: Oestliche Halbkugel.
Sch.: Nistet im Norden.

Tringa minuta (Leisl.). Hat bei Genf genistet. Auf dem Zuge etwas häufiger als der vorige.
Thes.: Oestliche Halbkugel.
Br.: Brütet mehr im Norden.

**Tringites rufescens (Vieill.) (Tringites rufescens Cabanes = Tringa rufescens Vieill. = Actitis rufescens Schlegel). Wurde nur einmal bei Genf erlegt.
Thes.: Amerika, Europa.
Wurde nach Analogie, als zu den Strandläufern gehörend, hier eingereiht.

Limicola platyrrhyncha (Temm.) (Limicola platyrrhyncha Lichtenstein = Tringa platyrrhyncha Temm.). Wurde einige Male beobachtet, meist im W.
Thes.: Ostasien, Europa, Afrika.
Sch.: Nistet im Norden.

Calidris arenaria (L.) (Calidris arenaria Illiger = Tringa arenaria L.). Hin und wieder auf dem Zuge.
Thes.: Ubique.
Sch.: Nistet im Norden.

*Phalaropus hyperboreus (L.) (Phalaropus hyperboreus Lath. = Tringa hyperborea L.). Wird zuweilen an Seen beobachtet.
Thes.: Terrae arcticae.

Phalaropus fulicarius (L.) (Phalaropus fulicarius Bonap. = Tringa fulicaria L.). Wie der vorige, besonders im W.
Thes.: Nordamerika, Sibirien, Nordeuropa.
Sch.: Brütet im Norden.

*Bernicla leucopsis (Bechst.) (Bernicla leucopsis Baird. = Anser erythropus Flemming). Hie und da auf den Seen. Zieht oft ohne Aufenthalt über das Land.
Thes.: Nördliche Hemisphäre.
Sch.: Brütet im Norden.

*Bernicla torquata (Bechst.) (Bernicla torquata Brehm = Anser bernicla Bonnaterre = Anas bernicla L.). Wie die vorige.
Thes.: Nördliche Hemisphäre.
Sch.: Brütet im Norden.

*Anser albifrons (Bechst.) (= Anser erythropus Flemm.). Wurde hin und wieder erlegt. Zieht oft ohne Aufenthalt über unser Land weg.
Thes.: Nördliche Hemisphäre.
Sch.: Brütet innerhalb des arktischen Kreises.

**Anser minutus (Naum.) (= Anser erythropus Flemm.). Ist einige Male erlegt worden. Zieht vielleicht oft ohne Aufenthalt über unser Land weg.
Thes.: Nördliche Hemisphäre.
Sch.: Brütet innerhalb des arktischen Kreises.

Anmerkung. Nach Thes. ist Bernicla leucopsis Baird., Anser minutus Naum. und Anser albifrons Bechst. der gleiche Vogel und unter dem Namen Anser erythropus Flemm. aufgeführt. Bernicla leucopsis Bechst., sowie auch Anser minutus Naum. ist im Thes. nicht enthalten. Im Kat. sind Bernicla leucopsis Bechst. und Anser albifrons Bechst. als zwei verschiedene Arten aufgezählt.

Anser cinereus (Meyer). Wird auf dem Zuge überall beobachtet. Zieht häufig ohne Aufenthalt durch.
Thes.: Europa, Asien.
Sch.: Brütet in den nördlichen Gegenden von Europa.

Anser segetum (Meyer) (Anser segetum Bechst.). Wird vielfach beobachtet. Zieht oft ohne Aufenthalt durch. In der Mittelschweiz aber etwas häufiger als die vorige.

Thes.: Europa, Asien und Nordafrika.

Wird von Sch. u. Br. nicht erwähnt, gleicht aber in der Lebensweise der vorigen.

**Anser hyperboreus (Pall.). Wurde bis jetzt hie und da beobachtet, aber selten.

Thes.: Amerika, Asien, Europa.

Sch.: Brütet im nördlichsten Amerika.

Cygnus musicus (Bechst.) (Cygnus ferus Ray). Kommt in kalten Wintern als Wintergast, oft auch in grösseren Flügen.

Thes.: Europa, Asien, Egypten.

Sch.: Brütet nördlich des arktischen Kreises.

***Cygnus minor (Pall.) (Cygnus olors minus Pall. = Cygnus minor Keyserling und Blasius). Bis jetzt wurde nur am Bodensee ein Exemplar erlegt.

Thes.: Sibirien, Europa, Nordamerika.

Br.: Gehört dem nördlichen gemässigten und kalten Gütel an.

***Cygnus olor. (Vieill.) (Cygnus gibbus Bechst.).

Am 28. Jänner 1893 wurden auf dem Rheine bei Basel zwei Höckerschwäne im Jugendkleid erlegt, wie Herr G. Schneider mir schreibt. Aus einem Fluge wurden um dieselbe Zeit bei Strassburg einige erlegt und auch von anderwärts her kamen Nachrichten über solche Vögel, so dass nicht daran gezweifelt werden kann, dass es der wirkliche, wilde Höckerschwan sei.

Thes.: Europa, Sibirien, Syrien, Australien.

Sch.: Bewohnt die grossen Binnenmeere des nordöstlichen Europa.

Br.: Lebt noch heute in Nordeuropa und Ostsibirien als wilder Vogel.

Tadorna cornuta (Gm.) (Anas tadorna L. = Anas cornuta Gm. = Tadorna familiaris Boie). Als Zugvogel und als Wintergast auf den Seen nicht häufig beobachtet.

Thes.: Europa, Asien, Nordafrika.

Sch.: Brütet im nördlichen Europa.

Spatula clypeata (L.) (Spatula clypeata Boie s. Flemm. = Anas clypeata L.) Soll schon in der Schweiz gebrütet haben. Während des Zuges auf den Seen und Sümpfen. Zieht kleine Gewässer und Seen den grossen Seen vor.

Thes.: Ubique.

Sch.: Scheint nicht innerhalb des arktischen Kreises zu nisten.

Br.: Nistet vom südlichen Norwegen an südlich. (a. L.) Zieht im Winter nach Süden und kommt bis in die Schweiz.

Anas boschas (L.). Brütet in der Schweiz fast überall und regelmässig.

Thes.: Europa, Asien und Nordamerika.

Sch.: Nistet allenthalben.

Br.: Von der Mitte des nördlichen Polarkreises an bis gegen den Wendekreis, aber im Süden bloss im Winter. Im Norden zieht sie im Winter südlich.

In der Schweiz ist sie zum Theil Standvogel, zum Theil Nistvogel, zum Theil Strichvogel, der im Winter in Schaaren den offenen Gewässern nachstreicht, und zum Theil nördlicher Zugvogel.

Es ist anzunehmen, dass der grössere Theil der Entenschwärme, die im Winter in den Flussthälern der Mittelschweiz auf die Wässerungen einfallen, solche sind, die im Sommer weiter nördlich gebrütet haben, also nordische Zugvögel, und dass ein grosser Theil derjenigen, die bei uns gebrütet haben, südwärts ziehen, also Nistvögel sind. Nur so kann man sich erklären, dass sie, die bei uns so häufig brüten und die auch im Winter so häufig sind, doch ziehen, wenn man annimmt, dass das verschiedene Schwärme oder Völker seien, die im Sommer bei uns nisten, die im Winter unsere offenen Gewässer beleben und die im Frühlinge und Spätherbste ziehen. Immerhin gibt es auch Standvögel darunter, wie die eingebürgerten Wildenten im Hafen von Luzern, die im Sommer oben im See brüten, im Winter bei Luzern bleiben, wo sie vom Publicum viel gefüttert werden.

Anas acuta (L.). Hat in der Schweiz schon einige Male gebrütet. Auf dem Zuge und als Wintergast auf Seen, Sümpfen und Flüssen.

Anas strepera (L.). Wird auf dem Zuge öfters beobachtet.

Thes.: Nördliche Halbkugel und Afrika.

Sch.: Geht nicht sehr weit nach Norden.

Anas querquedula (L.). Brütet in der Schweiz. Auf dem Zuge bei Urseren und im Ober-Engadin.

Thes.: Europa, Asien, Nordafrika.

Sch.: Brütet mehr in Mitteleuropa als im Norden.

In der Mittelschweiz ist sie mehr Wintergast und wird selten brütend getroffen.

Anas crecca (L.). Brütet in der Schweiz. Wird in der Mittelschweiz meist nur auf dem Zuge beobachtet.

Thes.: Nördliche Halbkugel.

Sch.: Brütet im Norden bis nach Island.

Anas penelope (L.). Auf dem Zuge und als Wintergast.

Thes.: Nördliche Halbkugel.

Sch.: Brütet im Norden.

Fuligula rufina (Pall.) (Fuligula rufina Stephens = Anas rufina Pall.). Wird auf dem Zuge und als Wintergast beobachtet, jedoch ziemlich selten.

Thes.: Südeuropa, Südasien und Nordafrika.

Sch.: Nistet im Norden?

Fuligula nyroca (Güld.) (Fuligula nyroca Blyth. = Anas nyroca Güldst.). Wird ziemlich selten auf dem Zuge oder als Wintergast beobachtet.

Thes.: Europa, Asien, Nordafrika.

Sch.: Mehr in Osteuropa als in Nordeuropa. Brütet im nördlichen Deutschland, in Mittel- und Süddeutschland aber nicht. Nach Faber brütet sie auch in Island. Für Schweden führt sie Nilsson nicht an, ebensowenig Boie unter den Vögeln Norwegens.

Fuligula ferina (L.) (Fuligula ferina Stephens = Anas ferina L.). Als Zugvogel und Wintergast in der Schweiz nicht selten.

Thes.: Nördliche Halbkugel.

Sch.: Brütet im Norden.

Fuligula marila (L.) (Fuligula marila Stephens = Anas marila L.). Als Zugvogel und Wintergast in der Schweiz nicht selten, doch etwas seltener als die vorige.

Thes.: Nördliche Halbkugel.

Sch.: Brütet tief im Norden.

Fuligula cristata (Leach.) (Fuligula cristata Stephens = Anas fuligula L. = Anas arctica Leach.). Scheint am Genfersee zu brüten. Als Zugvogel und vielleicht Wintergast regelmässig.

Thes.: Nördliche Halbkugel.
Sch.: Brütet tief im Norden.

**Clangula histrionica (L.) (Clangula histrionica Boie = Anas histrionica L.). Wurde vereinzelt auf einigen Seen angetroffen.

Thes.: Nördliche Halbkugel.
Sch.: Bewohnt den kalten Norden.

Clangula glaucion (L.) (Clangula glaucion Brehm. = Anas glangula L.). Brütete mehrmals in der Ostschweiz. Regelmässiger Wintergast.

Thes.: Europa, Asien und Nordamerika.
Sch.: Brütet im nördlichen Europa.

**Harelda glacialis (Leach.) (Anas glacialis L.). Selten als Wintergast.

Thes.: Nördliche Halbkugel.
Sch.: Brütet an den Küsten des Eismeeres.

(Fortsetzung folgt.)

Geht der Gesang der schwarzköpfigen Grasmücke (Sylvia atricapilla) im Allgemeinen zurück oder darf die Verschlechterung ihres Gesanges nur eine stationäre genannt werden?

Eine Frage an besondere Schwarzblattl-Kenner von **F. Anzinger.**

In Brehm's Thierleben, 2. Auflage, Band 5, Seite 184, finden wir folgende, hier nur auszugsweise wiedergegebene Stelle:

»Der Vogel, welcher von allen anderen der Kanarischen Inseln den schönsten Gesang hat, der Capriote, ist in Europa unbekannt. Er liebt so sehr die Freiheit, dass er sich niemals zähmen lässt. Ich bewunderte seinen weichen, melodischen Schlag in einem Garten bei Orotava, konnte ihn aber nicht nahe genug zu Gesicht bekommen, um zu bestimmen, welcher Gattung er angehörte.« So sagt Alexander v. Humboldt, und es sind nach des grossen Forschers Besuch auf den Inseln noch Jahre vergangen, bevor wir erfuhren, welchen Vogel er meinte. Jetzt wissen wir, dass der hochgefeierte Capriote, welchen der Kanarier mit Stolz seine Nachtigall nennt, kein anderer ist als die Mönchsgrasmücke (Sylvia atricapilla), einer der begabtesten, liebenswürdigsten und gefeiertesten Sänger unserer Wälder und Gärten.

Mit den letzten Worten dieser Aeusserung hat Meister Brehm nicht zu viel gesagt.

Wir Oesterreicher — namentlich der Wiener Vogelfreund — schätzen den Schwarzkopf über Alles, wissen wird doch, dass wir in ihm einen der lustigsten, sangesfreudigsten und dabei besten Singvogel besitzen, der uns vom frühen Morgen bis zur sinkenden Sonne mit seinem fröhlichen Lied erfreut und zudem nicht jene Weichlichkeit besitzt, welche anderen Grasmückenarten mehr oder minder eigen ist.

Leider haben wir heute mit einer sehr traurigen Thatsache zu rechnen: nämlich mit der Abnahme des Melodienreichthums im Liede dieses Vogels. Frägt man einen Salzburger, Tiroler, Kärnthner oder Steierer Vogelliebhaber, wie bei ihm zu Hause die Schwarzblattln singen, so zieht er in der Regel mit verächtlicher Geberde die Schultern hoch und den Mund schief und sagt mit bündigen kurzen Worten: »sie können nichts mehr«. Diesem Ausspruche muss auch ich mich anschliessen, und zwar gestützt auf mehrjährige Erfahrungen, welche ich früher in Salzburg und jetzt in Innsbruck zu sammeln Gelegenheit hatte.

In der Mitte der Siebzigerjahre, als ich noch den weissen Rock mit den orangegelben Aufschlägen des 59. Infanterie-Regimentes trug, hatte ich das besondere Vergnügen, durch zweiundeinhalb Jahre auf der Festung Hohensalzburg kasernirt zu sein. Während dieser Zeit hatte ich Gelegenheit, auf dem südlichen Abhange des Festungsberges ein Schwarzblattl zu belauschen, welches mit seinem wechselvollen, melodiösen Gesang nicht nur mich als »Vogelfexen«, sondern auch andere Soldaten auf das Höchste entzückte.

Es war ein Schwarzkopf non plus ultra. Ich habe weder früher noch später einen solchen gehört und werde auch kaum mehr in die Lage kommen, einen solchen Schwarzblattlgesang belauschen zu können. Der Gesang des erwähnten Vogels hatte nicht jenes dem Schwarzkopfliede eigenthümliche Anfangspianissimo, sondern der Vogel setzte kräftig und volltönend an und zog seine verschiedenartig gestalteten Strophen*) derart in die Länge, wie eine Gartengrasmücke. Zudem war die Tonscala nicht eine so gleichartige wie bei letzterwähntem Sänger, sondern wechselvoller in hohen und tiefen Lagen.

Die früher und später zum Theil selbst besessenen, zum Theil bei anderen Vogelliebhabern in Salzburg und Umgebung, ebenso auch im Freien, abgehorchten Schwarzköpfe waren minder gut als der Vorerwähnte, aber immerhin bei weitem noch besser als diejenigen, welche jetzt dort angetroffen werden.

Weit schlechter noch als im Salzburgischen ist es mit den Schwarzblattln in Nordtirol bestellt.

Als ich den ersten, gekäfigten Innsbrucker Schwarzkopf singen hörte, staunte ich über die Langmuth und Geduld seines Pflegers. Auf meine Frage: »Aber Herr! Warum halten Sie denn einen solchen Stümper? Der Bursche ist ja das Futter nicht werth!« gab er mir kleinlaut zu verstehen, dass er doch eines der besten Schwarzblattln besitze. Mein ganzes Bemühen, all mein Suchen und Fahnden nach einem halbwegs guten Schwarzkopf blieb sowohl in der Nähe als auch in der Ferne von Innsbruck erfolglos. Was am meisten mein Interesse erweckte, war der Umstand, dass alle von mir abgehorchten Schwarzköpfe nahezu die gleichen Strophen sangen, also alle gleich schlecht waren. Mit leiser, kaum hörbarer Stimme begannen sie ihre Weisen und mit einem abscheulichen Accorde wurden dieselben beendet. Die laut herausgesprudelten letzten Silben lauteten immer: »Wi—dl, Widl, Widl, Widl —«; das »Wi« in höherer, das »dl« in tieferer Tonlage.

Der Tiroler bezeichnet diesen total verpfuschten Gesang mit dem Worte: »Wirrler« und hat, was leicht begreiflich ist, eine ausgesprochene Abneigung gegen denselben. Ihm ist jeder andere Vogelgesang lieber, weiss er doch, dass derselbe noch echt ist. Das salomonische

*) Strophe bedeutet hier so viel wie ein in sich abgegrenzter Gesangssatz im Liede des Vogels.

Urtheil: »dass das ‚Gebirgsblattl' besser singt als das ‚Blattl' vom Flachlande«, hat bei mir schon längst alle Bedeutung verloren. Ich möchte lieber den Satz umkehren und sagen: »Der im Flachlande anzutreffende Plattmönch ist ein grösserer Gesangskünstler als der im Gebirge«. Ich kann jedoch diese Behauptung nicht mit Sicherheit aussprechen, da ich die Durchschnittsgüte der Flachlands-Mönche weder in früherer noch in späterer Zeit kennen gelernt habe; ich glaube aber annehmen zu dürfen, dass dieselben, wenn nicht schlechter, sicherlich auch nicht besser geworden sind. Die Frage, wie es kommt und wo die Ursache zu suchen ist, dass sich der Schwarzblattl-Gesang innerhalb eines Zeitraumes von ungefähr zwanzig Jahren so verschlechtert hat, kann ich nicht beantworten. Alle hierüber abgegebenen Aeusserungen, die ich bis jetzt gehört habe, sind mir zu wenig stichhältig und logisch, um sie hier wiedergeben zu können. Nur die eine Frage wird sich beantworten lassen: »Geht der Gesang des Schwarzkopfes im Allgemeinen zurück oder darf die Verschlechterung seines Gesanges nur eine stationäre genannt werden.«

Sowohl im Interesse der Vogelkunde als auch im Interesse der Schwarzblattl-Verehrer stelle ich hiemit an alle Leser und Mitarbeiter der »Schwalbe«, welche besondere Gesangskenner sind, die höfliche Bitte: Dieselben wollen ihre diesbezüglichen Erfahrungen und Kenntnisse in Bezug auf diese gewiss nicht unwichtige Angelegenheit hier gefälligst veröffentlichen.

In unserer Zeit, wo sich die Vogelkunde mit jedem Vorkommnisse in der Ornis, und sei dasselbe auf den ersten Blick auch noch so unbedeutend, beschäftigt, um unser Wissen nach jeder Seite hin zu erweitern und zu bereichern, glaube ich die vorstehende Frage nicht umsonst gestellt zu haben.

Die Abgabe von Zuchtgeflügel an wirthschaftliche Casinos als Förderungsmittel zur Hebung der heimischen Geflügelzucht.

J. N. »Mit Ausschluss jedes eigenen Gewinnes die Geflügelzucht in allen ihren Theilen zu fördern und zu veredeln, sowie die möglichste Hebung des aus der Geflügelzucht zu erzielenden Nutzens anzustreben«, ist die statutenmässige Aufgabe des I. österr.-ungar. Geflügelzucht-Vereines in Wien. Wie es die anlässlich seiner letzten Herbst-Ausstellung stattgefundene Subventionirung der landwirthschaftlichen Casinos bewiesen hat, gilt der citirte Grundsatz auch thatsächlich als leitendes Motto dieses Vereines.

Mit den geringen, ihm zu Gebote stehenden Mitteln und mit den im Vergleiche zu anderen Ländern so kärglich zugemessenen Subventionen erscheint es geradezu überraschend, dass es möglich war, eine verhältnissmässig so reiche und allseitige Betheilung vorzunehmen.

Von 64 eingereichten Gesuchen konnten 43 berücksichtigt werden und es participirten an der Betheilung:

im V. O. M. B. 18 Casinos
im V. U. M. B. 9 Casinos
im V. O. W. W. 10 Casinos
im V. U. W. W. 6 Casinos.

Anbelangend die Rasse der Hühner wurden vertheilt:

14 Stämme schwarze Langshans
2 Stämme weisse Langshans
6 Stämme Plymouth-Rocks
2 Stämme Houdans
6 Stämme Brahmas
6 Stämme Peking-Enten
2 Stämme Aylesbury-Enten
2 Stämme Rouen-Enten
1 Stamm Wyandottes-Hühner.

Es wurde bei der Zutheilung theils auf die in den Gesuchen zum Ausdrucke gelangten Wünsche Rücksicht genommen, theils den der Rasse entsprechenden klimatischen oder anderen massgebenden Verhältnissen sich angeschmiegt.

Gehen wir von der gewiss bescheidenen Annahme aus, dass der Verein Dank der Opferwilligkeit seiner Mitglieder in der Lage war, den Stamm Hühner zum Durchschnittspreise von 10 fl. zu erwerben, was bei Rasse-Hühnern gewiss nur bei Opferwilligkeit der Mitglieder möglich ist, so repräsentiren die abgegebenen Thiere einen Werth von über 400 fl., eine Summe, welche für die Verhältnisse unserer Vereine zwar recht respectabel genannt werden kann, bei deren Anführung uns aber für die Vereine ein aufrichtiges und tiefes Mitleid erfassen muss, wenn bedacht wird, was in anderen Ländern zur Förderung und Veredlung der Geflügelzucht gethan wird und welche Summen dort gewidmet werden.

Der I. österr.-ungar. Geflügelzucht-Verein nimmt die Vertheilung des Subventionsgeflügels nach demselben Principe vor, wie es in Deutschland gebräuchlich ist und sind die jeweilig betheilten Casinos verpflichtet, sich im folgenden Jahre mit einem Stamme der Nachzucht zu revanchiren, erhalten aber für jedes, den Bedingungen des Reverses entsprechend abgeliefertes Stück Geflügel den Betrag von einem Gulden.

Innerhalb des Zeitraumes von drei Jahren, seit welchen ein systematischer und in strenger Evidenz gehaltener Vertheilungsmodus stattfindet, konnten schon an 100 Casinos Subventionsgeflügel abgegeben werden.

Zu unserer grössten Befriedigung kann constatirt werden, dass auch hinsichtlich der Abgabe der Nachzucht qualitativ und quantitativ von Jahr zu Jahr bessere Erfolge zu bemerken sind. Schon aus diesem Umstande ist zu entnehmen, dass das Interesse für die Geflügelzucht und das Verständniss für den Werth derselben in erster Linie durch den vom I. österr.-ungar. Geflügelzucht-Vereine gegebene Anregung auch in der ländlichen Bevölkerung zunimmt.

Bei der Abgabe des Zuchtgeflügels wird strenge darauf gesehen, dass nur nutzbringende Rassen und gesunde, kräftige Thiere abgegeben werden. Die gewissenhafteste Einhaltung dieses Vorganges ist geradezu Pflicht eines Geflügelzucht-Vereines, wenn er es mit der Hebung und Förderung der Geflügelzucht wirklich ernst meint, um der ländlichen Bevölkerung das nothwendige feste Vertrauen und die hiemit auch von selbst entstehende Lust und Liebe zu diesem, wie des Weiteren ganz kurz nachgewiesen werden soll, so fruchtbringenden Zweig der Landwirthschaft beizubringen.

Es werden dann in nicht allzu langer Zeit auch die, namentlich in unseren Gebirgsgegenden noch vielfach verbreiteten, ganz grundlosen Vorurtheile schwinden und das noch gebräuchliche Sprichwort vergessen werden, welches lautet:

»Bei dem Taubenhandel
Verliert man Rock und Mantel,
Aber bei dem Hühnerkauf
Geh'n auch noch die Hosen drauf.«

Zur drastischen Widerlegung dieses Sprichwortes sind wohl auch die in Nachstehendem angeführten statistischen Daten des Jahres 1891 geeignet, nach welchen sich der Werth des aus dem Zollgebiete unserer Monarchie ausgeführten Geflügels und der Producte desselben folgendermassen stellt:

Für Geflügel lebend und geschlachtet	3,912.240 fl.
Eier	15,925.830 »
Eiweiss und Dotter	30.723 »
Bettfedern	11,700.330 »
Schmuckfedern	1,021.500 »
Andere Federn und Kiele	686.000 »
Zusammen	33.276.623 fl.

Demgegenüber betrug die Exportziffer des Jahres 1889 rund 26 Millionen Gulden, woraus die hohe wirthschaftliche Bedeutung der Geflügelzucht wohl nicht schwer zu entnehmen ist.

Sind diese Ziffern auch noch immer bescheiden gegenüber jenen, welche Frankreich aufzuweisen hat, woselbst an Eiern allein die enorme Zahl von 5—600 Millionen Stück mit einer Einnahme von 18 Millionen Gulden exportirt werden, wobei nicht zu vergessen ist, dass in Paris allein 150—200 Millionen Eier jährlich verbraucht werden, so sprechen dieselben doch gewiss sehr beredt für die Thatsache, dass bei rationellem Vorgange auch in unserem Vaterlande noch viel Erheblicheres geleistet werden könnte und — hoffentlich — auch erzielt werden wird.

Pekingenten mit und ohne Halskrause.

In Nr. 5 von »Chasse et Pêche« vom 29. v. M. wird von Herrn R. Ortlepp, Magdeburg, die Frage aufgeworfen, ob Pekingenten mit oder ohne Halskrause bei der Prämiirung zu bevorzugen seien, respective ob überhaupt die neue Zuchtrichtung, die die Halskrause verwirft, Berechtigung habe.

Diese Frage kam dadurch ins Rollen, dass auf der letzten Cypria-Ausstellung ein Paar Pekingenten des Herrn Ortlepp — nach seiner Ansicht — nicht nach Gebühr prämiirt worden sind, und der betreffende Preisrichter, Herr E. Thiel, Gr. Jänowitz, auf Befragen antwortete, die Thiere hätten »zu viel Halskrause«.

Herr Ortlepp führt in seinem erwähnten Schreiben aus, dass er einer der ersten Pekingzüchter in Deutschland gewesen sei und dass die Thiere aus der Zucht des Mr L. van der Snickt, Redacteur der »Chasse et Pêche« stammten, der sie im Jahre 1870 in London entdeckte, wohin sie durch ein aus China kommendes Schiff als Tafelgeflügel gebracht, jedoch vor dem Messer des Schiffskoches gerettet worden seien.

Durch Vergleiche mit einer englischen Abbildung habe Herr van der Snickt festgestellt, dass diese aus China importirten Thiere Pekings seien, und zwar hätten dieselben neben stark entwickelter Krause alle Merkmale guter Pekingenten aufgewiesen: kurzen orangegelben Schnabel, hohe Stirne, gelbliches Gefieder, aufrechte Haltung und die nur dieser Race eigenthümliche Bildung des Hintertheiles.

Im Lauf der Zeit wurde nun diese Ente in England durch Kreuzung mit Aylesbury »verbessert«, in Deutschland fand sie durch Kreuzung mit der weissen Landente eine Veränderung.

Dadurch ging besonders eine der Eigenthümlichkeiten der Pekingente — die Halskrause — verloren!

Herr Ortlepp schliesst seinen Bericht wie folgt:

»Es ist mir unverständlich, wie diese den direct eingeführten Thieren sowohl als auch jenen über Amerika nach England importirten eigene Halskrause jetzt als Fehler betrachtet werden kann. Ich hoffe nicht der Einzige zu sein, der diese Eigenthümlichkeit der Pekingente erhalten zu sehen wünscht.«

Herr van der Snickt stimmt in einer Nachschrift den Ausführungen des Herrn Ortlepp bei und betont, dass er als Preisrichter auf der Geflügelausstellung in Lille im vorigen Jahre einen Stamm Pekingenten mit besonders entwickelter Krause, die sich am Hinterkopf zu einer förmlichen Muschelhaube erweiterte, und zwar nicht wegen dieser besonders ausgeprägten Federbildung allein, sondern wegen Zusammentreffens der für Pekings bester Qualität geforderten Punkte prämiirt und in seiner mehrfach erwähnten Zeitschrift abgebildet habe.

Auch er ist der Ansicht dass die Halskrause als eine den ursprünglich importirten Enten zukommende Eigenschaft erhalten bleiben solle.

Ueber die Ortlepp'schen Enten auf der Cypria-Ausstellung sagt übrigens H. Marten sen. in einem Berichte: »— — — — Diese Auszeichnung (den III. Preis) hätte das Paar von Ortlepp verdient, die zwar nach altem Styl Halskrausen haben, aber an Racereinheit von keinem Paar übertroffen wurden.«

Vortrag über das Brieftaubenwesen,

gehalten während der Geflügelausstellung in Krems von **Rudolf Gerhart**, Obmann der Brieftaubensection des »Ersten österreichisch-ungarischen Geflügelzucht-Vereins« in Wien.

Die Verwendung der Taube zu Botenzwecken ist sehr alt, ja sie reicht nachweisbar bis ins graue Alterthum zurück. Wir wissen aus der biblischen Geschichte, dass sich ja Noah schon einer Taube bediente, um durch sie Kunde zu erhalten, ob sich schon trockenes Land zeige. Nach Bruchstücken egyptischer Wandmalereien wissen wir ferner, dass etwa 3000 Jahre vor Christi unter Ramses III. schon Tauben dazu verwendet wurden, um entfernt Wohnenden Nachricht zu geben von besonderen Ereignissen, wie einer Königskrönung etc.

Nach Belon bedienten sich die egyptischen Seefahrer aus Cypern und Candien schon der Brieftauben, um ihre baldige Ankunft im heimatlichen Hafen anzuzeigen, und ebenso benutzten die Griechen Brieftauben, um errungene Siege in den olympischen Festspielen ihren Freunden in der Heimat mitzutheilen.

Auch die Römer kannten die Verwendung der Brieftaube, indem bei der Belagerung von Modena, 43 v. Chr., der belagerte Brutus durch Taubenpost seine Freunde um Hilfe bat.

Staatlich und rationell eingerichtete Taubenposten entstanden 1167 unter Sultan Nour-Eddin zwischen Egypten, Arabien und Syrien, woselbst Stationen von 12 zu 12 Meilen eingerichtet waren. Die Tauben wurden mittelst Kameele in Körben verpackt, von einer Station zur anderen gebracht und zumeist mit Staatsdepeschen versehen, hochgelassen. Auch in Persien stand die Taubenpost in hoher Blüthe.

Wenn die Taube als Attribut der Liebe bezeichnet wurde so geschah dies gewiss nicht deshalb, weil sie selbst gerne kost, und der Tauber der Täubin viel den Hof macht, sondern die Taube eignete sich ganz besonders zum geheimen brieflichen Verkehr unter Liebenden, und deshalb mag sie als Liebesbotin auch unter den Schutz Juno's gestellt worden sein.

Auch während der Kreuzzüge kamen Brieftauben in Verwendung und es ist wahrscheinlich, dass die Verwendung derselben von dort her auch in Holland schon bekannt wurde, nachdem während der Belagerung von Haarlem und Leyden durch die Spanier 1574 Brieftauben zur Verwendung kamen.

Zu Beginn dieses Jahrhunderts war es speciell das Londoner Bankhaus Rothschild, das sich durch Brieftauben alle Vorkommnisse am continentalen Kriegsschauplatze übermitteln liess und somit in der Lage war, durch den erreichten bedeutenden Zeitvorsprung günstige Börsespeculationen zu unternehmen.

Obgleich auch während der Belagerung von Venedig im Jahre 1849 die Brieftauben eine Rolle spielten, blieb doch deren unvergleichliche Verwendbarkeit gänzlich unbeachtet.

Erst während des deutsch-französischen Krieges von 1870 bis 1871 kamen Brieftauben wieder zu Ehren. Die Belagerten von Paris überliessen durch kleine Ballons einige Tauben einem günstigen Winde, der sie über die Belagerer hinweg nach neutralem

Gebiete brachte. Durch eine unendlich verkleinerte Photographie war man im Stande, Tausende von Depeschen einer Taube anzuvertrauen, die dieselbe nach Paris brachte und dadurch die Belagerten von den Vorbereitungen Gambetta's unterrichtete.

Seit dieser Zeit haben sich auch sämmtliche Militärverwaltungen der Brieftauben bemächtigt, theils selbst Militär-Brieftaubenstationen angelegt oder die Privat-Brieftaubenzucht durch Gewährung von Ehrenpreisen bei Wettflügen unterstützt.

Zur Uebertragung von Nachrichten eignet sich mehr oder weniger wohl jeder Vogel, der einen festen Stand einhält, somit jede Taube, aber auch die Schwalbe und Andere.

Von Entfernungen aber, die weitab von dem Gesichtskreise des heimatlichen Bodens liegen, hat sich bis heute nur die sogenannte belgische Brieftaube bewährt.

Dieselbe ist ein Nachkomme derselben Taube, die schon vor Jahrtausenden den Egyptern als Botentaube diente, nur musste sie durch rationelle Kreuzung unserem Klima angepasst werden.

Die eigentliche Brieftaube der Alten war die Cariertaube oder heutige englische Bagdette.

Worin die Fähigkeit der Brieftaube besteht, aus bedeutender Entfernung ihre Heimat wieder aufzufinden, ist bis heute ohne endgiltige Lösung geblieben Dr. Sigmund Exner, k. k. Professor und Vorstand der physiologischen Lehrkanzel der Universität in Wien, hat im Jahre 1891 Untersuchungen und Versuche angestellt, welche die Annahme, dass die Otholythen und Bogengänge im Gehörorgane ein Organ des Orientirungssinnes bilden, sehr wahrscheinlich erscheinen lassen. Weitere Versuche dieses Gelehrten haben ihn aber selbst veranlasst, diese Hypothese wieder zurückzunehmen.

Durch fortgesetzte Trainirung hat sich speciell bei Brieftauben ein erbliches Intellect herausgebildet, das der Taube gestattet, auch aus grossen Entfernungen und ohne den heimatlichen Ort zu sehen, nach Hause zu finden.

Allerdings ist das Heimkommen der Taube nichts unbedingt Sicheres, indem sie ja mitunter mit vielen Schwierigkeiten zu kämpfen hat und auf weiten Reisen unzählige Fährlichkeiten zu bestehen hat.

In erster Linie ist für einen günstigen Flug trockenes Wetter erforderlich, denn im Regen fliegt keine Taube, ja ältere Tauben suchen selbst entgegenstehende Wolkenmassen zu umkreisen, wodurch sie natürlich oft weit vom Wege abkommen. Bricht allenfalls auch die Dämmerung an, so sucht die Taube auf irgend einem Dache aufzusitzen und unterbricht ihren Heimweg, selbst wenn sie schon ziemlich nahe ihrer Heimat wäre.

Weitere Gefahren sind der Taube die Sperber und Habichte und zum nicht geringsten Theile die Berufs- und Sonntagsjäger.

Zur erfolgreichen Expedition einer Depesche durch Brieftauben bedarf es daher einer mehrfachen Ausstellung derselben und einer genügenden Vortrainirung der Tauben selbst, welch letztere immer mit Verlusten verbunden ist.

In dem von den Wiener Züchtern heuer unternommenen Brieftaubenwettfluge zwischen Berlin und Wien wurden zum Beispiel die ersten Etappen mit circa 500 Tauben beschickt und doch war man nur im Stande, 117 Stück Tauben nach Berlin zu bringen.

In Friedenszeiten vermag die Brieftaube wohl nicht den heutigen Verkehrsmitteln Concurrenz zu machen; in Kriegszeiten und anderen exceptionellen Fällen hingegen ist sie fast unersetzlich.

Im Uebrigen bietet der Brieftaubensport für den Züchter so viel Unterhaltung und Interessantes, dass ich nur wünschen kann es mögen sich recht Viele der geehrten Anwesenden Brieftauben halten, und sind die Wiener Züchter gerne bereit, jedem bei Anschaffung von Brieftauben mit Rath und That an die Hand zu gehen.

Ausstellungen.

Die Herbstausstellung des „Ersten österreichisch-ungarischen Geflügelzuchtvereines“ in Wien.

24. September bis 1. October 1893.

Die heurige Herbstausstellung ist bedeutend schwächer beschickt gewesen als ihre Vorgängerinnen, was auch vollkommen begreiflich erscheint, wenn man bedenkt, dass die meisten Vereinsmitglieder und sonst mit dem Vereine in Verbindung stehende Geflügelzüchter einige Wochen früher sich in überraschend starker Weise an der vom Vereine in Krems veranstalteten Wanderausstellung betheiligt hatten, daher unmöglich Lust haben konnten, nach so kurzer Zeit ihre Thiere abermals einer Ausstellung zuzuführen, überdies hat auch die ebenfalls vor kurzer Zeit stattgehabte Ausstellung des Ersten Kärntner Geflügelzuchtvereines in Klagenfurt manchen Züchter von einer weiteren Beschickung für den heurigen Herbst abgehalten.

An die Herbstausstellungen in Wien darf man eben nicht den Massstab einer eigentlichen Ausstellung stellen, sie haben nämlich den Zweck, den Vereinsmitgliedern und sonstigen Züchtern Gelegenheit zu bieten, sich vor Winter ihres entbehrlichen Geflügels entledigen zu können, anderntheils soll den Geflügelfreunden die Möglichkeit verschafft werden, billiges und auch gutes Geflügel zu erwerben, eine weitere Bestimmung haben die Herbstausstellungen nicht und wäre es daher bedauerlich, würde bei dieser Gelegenheit viel werthvolles und tadelloses Geflügel aus den Händen bewährter Züchter in die minderwerthiger übergehen, was ganz besonders heuer sehr beklagenswerth gewesen wäre, wo wir im Frühjahre die grosse Jubiläumsausstellung des Vereines vor uns haben, welche grosse Ansprüche an alle Züchter stellen dürfte und zu welcher alle Vereinsmitglieder sich eine möglichst grosse Auswahl unter ihrer Nachzucht reserviren sollten.

Die Herbstausstellung ist mehr Verkaufs- als wie Schauausstellung und darf daher auch nur von diesem Standpunkte aus betrachtet werden.

Die Prämiirung erfolgte, wie alljährlich bei diesen Herbstschauen der Fall ist, nach Collectionen, um eben die Zuchtleistung des Einzelnen beurtheilen zu können.

Die Siegespalme bezüglich hervorragender Leistung erwarb sich Herr Schulz in Hetzendorf bei Wien, welcher 50 gelbe Cochins brachte, ein gewiss seltener Erfolg; ihm zur Seite stand Herr Mitterer in Weissenbach, Niederösterreich, mit seinen 10 Stämmen weisser Cochins, welche bereits in Krems die verdiente Würdigung gefunden hatten, sie wurden ziemlich verkauft, was bei der Schönheit der Thiere auch begreiflich war. Besonders schön waren die von Frau Isabella Pallisch in Brunn bei Pitten gesendeten Stämme, hierunter herrliche weisse Cochin helle Brahmas, Plymouth Rooks und Langshans; recht nett war ein Paar schwarzer Plymouth Rooks, welche die Züchterin als Geschenk zur Vertheilung an landwirthschaftliche Casinos spendete (sind nach Mark V. O. W. W. gekommen).

Herr F. v. Puskás in Klausenburg hatte schöne helle Brahmas ausgestellt, welche zur Vertheilung für Casinos angekauft wurden, ferner Langshans, Plymouth Rooks etc.

Herr Adalbert Schönpflug, Hetzendorf,*) hatte schöne Langshans, Houdans und Pekingenten gebracht. Besonders hervorgehoben sei die grosse Collection schöner Pekingenten des Herrn Michael Lindmayer in Kagran, eines wohlbekannten eifrigen und glücklichen Entenzüchters, die auf einem der Teiche des

*) In der in Nr. 10 veröffentlichten Prämiirungsliste wurde angegeben: Die k. k. bronzene Staatsmedaille Herrn A. Schönpflug für Pekingenten; sie wurde für Langshan-, Houdan- und Pekingenten verliehen.

Vereinshauses allgemeine Bewunderung fanden. Dass Herr A. Foischl, Wien, vorzügliche Thiere, Houdans, Holländer und Cochins, gesendet, ist von diesem anerkannt vorzüglichen Züchter selbstverständlich.

Die bekannte Houdan-Züchterin, Frau Irma Nagl in Graz, hatte auch diesmal, wie schon gar oft, ausgezeichnet schöne Houdans geschickt, welche von hier direct zur „Cypria"-Ausstellung nach Berlin abgingen, wo sie sich hohe Preise holten. Der fürstlich Hohenlohe'sche Geflügelhof in Slaventzitz Preuss.-Schlesien, brachte, wie alljährlich, schöne Toulouser Gänse, Smaragdenten, Rouenenten etc.

Schliesslich müssen wir auf die Houdans der Frau Johanna Tintara in Mödling, die schönen blauen Langshans und Hamburger Silbersprenkel der Frau Anna Sovak in Ottakring verweisen; es möchte uns zu weit führen, wollten wir jeden einzelnen beachtenswerthen Stamm erwähnen.

Die im Jahre 1892 mit Subventionsgeflügel betheilten landwirthschaftlichen Casinos hatten, den Normen entsprechend, junge Thiere der heurigen Aufzucht gesendet, welche sie zum Preise von 1 fl. per Stück dem Vereine zur weiteren Vertheilung zur Verfügung zu stellen haben, obwohl nicht alle Casinos dieser ihrer Verpflichtung nachgekommen waren, so dass sie im nächsten Jahre die doppelte Anzahl werden nachliefern müssen, so konnten damit und sonstigen angekauften Geflügelstämmen wieder 43 landwirthschaftliche Casinos mit Stämmen guter Nutzracen unentgeltlich betheilt werden.

Die Taubenabtheilung war heuer offenbar quantitativ und qualitativ schlechter als sonst beschickt.

Besonders hervorragend konnte nur die Collection von 70 Paar Pfautauben des Herrn J. B. Bruszkay, Wien, genannt werden. Dieser bekannte, eifrige Pfautaubenzüchter hat heuer einen Beweis seines Züchterfleisses gebracht, namentlich müssen 10 Paare weisser Pfautauben als musterhaft bezeichnet werden, ebenso ein gelber Pfautauber, bei den übrigen zeigte sich das Bestreben des Züchters, weissbindige Pfautauben in allen möglichen Farben zu züchten, wovon derselbe schon höchst anerkennenswerthe Erfolge erzielt hat; besonders in zarten Farbennuancen. Hervorragend waren ferner die mit der silbernen Verdienstmedaille ausgezeichnete schöne Kröpfer-Collection des Herrn Max Schmid, Wien. Recht hübsch hatte Herr v. Puskas, Klausenburg, ausgestellt: Pfautauben, gemönchte Perrücken, Schmalkalder und Blondinetten. Sehr schön, wie immer, waren die Tümmler des Herrn A. Horváth in Steinbruch bei Budapest, worunter einige vorzügliche Paare.

Ferner verdienen die Herren J. Berger, Budapest, J. Kovács, Debreczin, J. Szokolovics, Baja, J. Klein, Pfalzau bei Wien, noch besonders genannt zu werden.

Grosses Interesse erregten die Brieftauben, welche den Wettflug Wien—Berlin mitgemacht hatten. B. V.

Ausstellung der „Cypria", Berlin, 6. bis 9. October 1893.

Die diesjährige Ausstellung der »Cypria« enthielt in 92 Classen 574 Nummern Grossgeflügel, in 93 Classen 756 Nummern Tauben; ausserdem gutbesetzte Classen für geschlachtetes Mast- und Tafelgeflügel, für Eier, für Canarien, für Sing- und Ziervögel, Fachliteratur, endlich für Geräthe und Futtermittel.

Für uns ist diese Ausstellung u.A. auch darum sehr interessant, weil der Prämiirung ein System zugrunde gelegt wurde, das dem bei den Ausstellungen des »Ersten österreichisch-ungarischen Geflügelzuchtvereines in Wien« in den letzten Jahren eingeführten in vieler Hinsicht gleicht.

Nach dem bei der »Cypria« eingeführten Prämiirungssystem (Dr. Heck) erhält jede erschienene Nummer eine Qualitätsbezeichnung, und zwar die vollkommensten Thiere Qualität I racereine, aber mit kleinen Schönheitsfehlern behaftete Thiere Qualität II, und endlich solche, die zwar racerein, aber mit Race- und Schönheitsfehlern behaftet sind, Qualität III.

In jeder Classe werden nun die drei besten Nummern ausgewählt und mit 1., 2. und 3. Classenpreis prämiirt — mit der alleinigen Beschränkung, dass ein Thier III. Qualität keinen ersten Classenpreis erhalten darf. Im Uebrigen haftet aber diesem System noch immer der Nachtheil an, dass an II. Qualitätsthiere, also an Exemplare mit Schönheitsfehlern behaftet, der erste Classenpreis doch unbedingt zuerkannt werden muss, wenn Bessere in der betreffenden Classe nicht vorhanden sind, wenn schon die frühere Gepflogenheit, dem erschienenen Besten ohne weitere Frage den ersten Classenpreis zu ertheilen, über Bord geworfen wurde.

Bekanntlich ist unser Prämiirungssystem (Baron Villa-Secca) dem Besprochenen ähnlich, aber es gestattet nicht, den ersten Classenpreis an ein Thier minderer als erster Qualitätsclassification zu vergeben, wodurch also die bei uns immer bestandene Beschränkung des Clubsystems: nicht das erschienene Beste, sondern immer nur absolut Prämiirungsfähiges mit Classenpreisen auszuzeichnen, gewahrt bleibt.

Die Berichte bezeichnen die Qualität des ausgestellten Geflügels als sehr befriedigend.

Oesterreich-Ungarn war auf der Cypria-Ausstellung durch vier Aussteller vertreten, die alle hochprämiirt wurden.

Frau Irma Nagl, Graz, sandte ihre auf der Wiener Herbstausstellung gezeigten drei Stämme Houdan und erhielt darauf die bronzene Staatsmedaille (zwei erste und eine zweite Qualitätsclasse).

Frau J. Pallisch, Brunn bei Pitten, für ein Paar weisse Cochin 1893er Eigenzucht zweiten Classenpreis (erste Qualitätsclasse).

Herr Ant. Horváth in Steinbruch auf 16 Nummern Tauben zehn erste, sechs zweite Qualitätsclassen (einen ersten drei zweite und zwei dritte Classenpreise).

Die ungarische Export- und Packettransport-Actiengesellschaft in Budapest für eine Collection Milchmastgeflügel einen ersten Preis.

Aus unserem Vereine.

Protokoll

der am 30. October 1893 stattgefundenen Ausschusssitzung des Ornithologischen Vereines in Wien.

Anwesend: Präsident Bachofen v. Echt, Mayerhofer, Dr. Přibyl, Reischek, Zecha, Zeller.

Entschuldigt: Hofrath Dr. Claus, Dr. Zimmermann, Ingenieur C. Pallisch.

Präsident Bachofen v. Echt eröffnet um 6 Uhr die Sitzung und gedenkt mit warmen Worten des verstorbenen Ausschussmitgliedes Freiherr Kotz v. Dobř sowie des am 24. August verstorbenen Administrators Wilhelm Gamauf. Die Anwesenden bezeugen durch Erheben von den Sitzen ihre Trauer.

Das Protokoll der letzten Sitzung (4. Mai 1894) wird verlesen und einhellig genehmigt.

Einläufe:

Dr. Přibyl bringt die Zuschriften des hohen kön. ungarischen Ackerbauministeriums (Nr. 207) zur Kenntniss, wonach dasselbe dem Ansuchen unseres Vereines thatkräftigste Unterstützung zu Theil werden liess. Ferner des k. k. Cultusministeriums, das unser Ansuchen abweist (Nr. 241), endlich des k. k. Ackerbauministeriums, welches dem Vereine als Stifter mit dem Betrage von 200 fl. beigetreten ist. Diese hohe Entschliessung wird mit besonderem Danke zur Kenntniss genommen.

Ueber schriftliche Anzeige, dass der »Erste österreichisch-ungarische Geflügelzuchtverein« Ende März 1894 eine Jubiläumsausstellung in den Gartenbausälen veranstalten wird, wird einstimmig beschlossen, dass sich der Ornithologische Verein daran nicht betheiligen werde. Herr Vicepräsident Fritz Zeller motivirt diesen ablehnenden Beschluss damit, dass die Zeit bis zur Veranstaltung viel zu kurz sei, um eine gediegene ornithologische Ausstellung zusammenzubringen, die in den Rahmen einer Jubiläumsausstellung sich einfügen könnte.

Der Custos-Stellvertreter Herr Heinrich Glück erstattet schriftlich Bericht über den Fortschritt der Arbeiten; demzufolge ist die einheimische Ornis (Ornis des palearktischen Faunengebietes) vollständig katalogisirt und aufgestellt; die Balgsammlung Dr. Finsch ist nahezu fertig katalogisirt und wird der Rest in nächster Zeit fertiggestellt werden. Der Bericht wird mit Dank zur Kenntniss genommen.

Dr. Přibyl beantragt die monatliche Regelung der Druckereirechnungen für die »Schwalbe«. Dies wird zum Beschlusse erhoben und ist der bisher aufgelaufene Betrag von fl. 210·84 sofort zur Auszahlung zu bringen und fernerhin monatlich die Rechnung zu reguliren.

Ueber Dr. Přibyl's Antrag wird beschlossen, die provisorische Ernennung des Herrn J. Riessberger als Administrator der »Schwalbe« in eine definitive umzuwandeln und demselben eine Monatsremuneration von 25 fl. zu gewähren.

Es wird ferner beschlossen, den Bestand der alten Jahrgänge der »Schwalbe« dahin zu reduciren, dass jahrgangsweise complete Exemplare zusammengestellt und der Rest der Nummern verkauft werden sollte. Im Maximum sind 20 complete Jahrgangsnummern aufzubewahren. Lose Nummern werden nur fünf Jahre aufgehoben, nach diesem Zeitraume nach obigem Beschlusse vorgegangen. Bei eventuellen Reclamationen früherer Nummern wird nur der complete Jahrgang abgegeben.

Ferner wird das Präsidium und Secretariat ermächtigt, den Bestand der angesammelten Einsendungen verschiedener Publicationen zu restringiren, da der vorhandene Raum im Vereinslocale nicht mehr ausreicht. Ueber das Ergebniss ist in einer der nächsten Ausschusssitzungen zu berichten.

Die Zuschrift des Vereinsmitgliedes Herrn Gaston Gaol de Gyula, in welcher derselbe ersucht, ihm ausser der »Schwalbe« die übrigen Vereinspublicationen zu senden, wird dem Präsidium zur Erledigung überwiesen.

Herr Vicepräsident Fritz Zeller verliest die beiden Zuschriften des Wiener Thierschutzvereines, in welchen ein Gutachten unseres Vereines über den Gebrauch der kleinen Vogelkäfige bei dem Transporte sowie das Halten von Vögeln in zu kleinen Käfigen erbeten wird. In Erwiderung wird einstimmig beschlossen, dem Gutachten des Herrn Fritz Zeller zuzustimmen und demselben der Dank des Ausschusses ausgesprochen.

Das Gutachten lautet:

Löbliches Präsidium des Wiener Thierschutz-Vereines

Wien.

Sie beehrten uns mit Ihrer Zuschrift vom 30. Juni Nr. 470 und 24. Juli Nr. 558 a. c. mit Beilagen, in ersterem drücken Sie den Wunsch aus, zu erfahren, welche Stellung wir gegenüber dem Halten von Vögeln in zu kleinen Käfigen, insbesondere in einer Dimension als der uns gleichzeitig zur Ansicht eingesandte Käfig einnehmen, und in Ihrem zweiten Schreiben wünschen Sie, dass wir unsere Mitglieder mittelst Circuläre oder in einer anderen entsprechenden Weise beauftragen sollten, bei Vogelausstellungen keine zu kleinen Ausstellungskäfige zu verwenden.

In erster Linie sind wir Ihnen verbunden, dass Sie uns zum gemeinschaftlichen Handeln in Sachen gegen Vogelquälereien angehen, zweitens, dass Sie sich wegen eines fachmännischen Gutachtens über Vogelkäfige an uns wenden.

Was nun den uns zur Ansicht übergebenen Drahtkäfig anbelangt, der hier wieder retour folgt, müssen wir einmüthig bekennen, dass ein solcher bei einer Länge von 16 cm, Höhe 16 cm, Tiefe 10 cm unbedingt unter allen Umständen zu klein ist, sei er für was immer für eine Vogelspecies.

Er wäre höchstens zulässig, wenn er für einen Transport von ein paar Tagen Dauer in Verwendung käme, also höchstens zum Uebertragen oder Versenden von einem Orte zum anderen.

Als Lock-, Wand- oder Ausstellungskäfig erklären wir denselben für absolut unzulässig; nachdem wir aber in unserem letzthin abgegebenen Gutachten wegen Hinderung des unbefugten Vogelfanges in Wien und Umgebung Ihnen gegenüber unsere principiellen Ansichten dahin ausgesprochen haben, dass zu kleine Käfige unter allen Umständen zu verbieten sind und sammt dem darin befindlichen Vogel confiscirt werden sollen, damit sich Jeder hütet, seinen Vogel zu riskiren, so erklären wir hiemit und erledigen zugleich Ihr zweites Anliegen, »dass Vogelkäfige für was immer für Zwecke mit Ausnahme zum Transporte auf 1—2 Tage als Lock- oder Standkäfige oder zum Zwecke einer Ausstellung unter den Normalmassen der sogenannten hölzernen Bauer, die unter dem Namen Harzerbauer im Handel und Gebrauch sind, nicht verwendet werden dürfen, oder mit anderen Worten: Käfige unter den Minimalmassen der Harzerbauer, d. i. Höhe 20, Länge 20, Tiefe 16 cm, unstatthaft sind«.

Obwohl wir von der Verwendung solcher noch verhältnissmässig kleiner Käfige nicht erbaut sind, neigen wir zur Gestattung solcher aus dem Grunde zu, weil diese Harzerbauer in der ganzen Welt existiren, mithin gekannt sind und dem Händler und dem Liebhaber unentbehrlich erscheinen, die Abstellung dieser Käfige aber auf internationalem Wege angestrebt werden müsste, unterdessen aber der Uebelstand verwendeter zu kleiner Käfige fortbestehen würde, somit eher zum Ziele zu gelangen ist, wenn wir in dem Rahmen der Handhabung durchführbarer österreichischen Gesetze verbleiben und dadurch den Hauptübelstand absolut zu kleiner Käfige rasch abzustellen in der Lage sind.

Dies unsere Ansicht, verbleiben wir mit collegialem Grusse

A. v. Bachofen,
Vorsitzender.

Wintersaison 1893/94. Es wird beschlossen, die Ausschusssitzungen nach Bedarf einzuberufen. Nach den bisherigen Erfahrungen ist von der Abhaltung regelmässiger wöchentlicher Versammlungen Abstand zu nehmen. Dagegen wird beschlossen, an nachstehende Herren die Bitte zu richten, in unserem Vereine Vorträge zu halten, die belebend und belehrend zu wirken berufen sind:

Anton Abrahams jun., Andreas Reischek, Fritz Zeller, Hofrath Dr. Claus, Ing. C. Pallisch, Othmar Reisser jun., Hodek sen. und jun., Haffner, Dr. Ritter v. Lorenz, C. Mayerhofer. Die Wahl des Themas wird den Herren freigestellt.

Dr. Přibyl richtet an die Ausschussmitglieder die dringende Bitte, für Vermehrung der Mitglieder Sorge zu tragen. Das heurige Jahr habe erfreulich die Mitgliederzahl vermehrt. Die Verfügung, dass das Vereinsorgan »Schwalbe« nur an Mitglieder abgegeben werde, hat unserem Vereine neue Mitglieder zugeführt.

Der Vorsitzende Präsident Bachofen v. Echt schliesst um ¾8 Uhr die Sitzung.

Ad. Bachofen v. Echt, Präsident. Dr. Leo Přibyl, Schriftführer.

Aus den Vereinen.

Im „**Verein für Naturwissenschaft" zu Braunschweig** hielt am 19. October l. J. Herr Professor Dr. R. Blasius einen Vortrag über **„Das neue japanische und russische Jagdgesetz vom Standpunkte des Vogelschützers aus betrachtet."**

Beide Jagdgesetze, sowohl das japanische wie das russische, bieten sehr vieles Neue, das man im Sinne des Vogelschutzes mit grosser Freude begrüssen kann.

Wir bringen daher im Nachstehenden den auszugsweisen Inhalt des sehr interessanten Vortrages:

Das am 5. October 1892 für das Kaiserreich Japan erlassene Jagdgesetz enthält in §§ 24 und 25 die Schonbestimmungen. Nach § 24, ist es verboten folgende Thiere zu schiessen oder zu fangen: Störche und Kraniche, Schwalben und Segler, Lerchen, Pieper und Flugvögel, Bachstelzen, Meisen, Rohrsänger, Zaunkönige, Kukuke, Spechte, Erdsänger, Fliegenschnäpper, Rothkehlchen und Staare. § 25 lautet: »Vom 15. März bis 14. October ist es verboten folgende Thiere zu schiessen oder zu fangen: Fasanen, Haselhühner, Wachteln, Gänse, Enten, schnepfenartige Vögel (Regenpfeifer, Kiebitze, Austernfischer, Brachvögel, Wassertreter, Wasserläufer, Uferschnepfen, Schnepfenläufer, Steinwälzer, Strandläufer, Schnepfen und Bekassinen), Wasserhühner, Sumpfhühner, Reiher, Tauben, Drosseln und Würger. Der § 25 entspricht im Allgemeinen den bei uns bestehenden Bestimmungen über Schonung der jagdbaren Vögel, nur ist die Schonzeit bei den meisten Vögeln viel länger ausgedehnt als bei uns. Auffallend ist nur, dass die Reiher, die bei uns wegen ihrer Schädlichkeit für die Fischzucht überhaupt keine Schonzeit haben, während der ganzen Fortpflanzungszeit und bis in den Spätherbst hin nicht geschossen werden dürfen. Vielleicht rührt dies daher, dass die Reiher, wie bei uns die Störche, im Volksglauben sehr hochgeschätzte Thiere sind, wie aus den vielen bildlichen und plastischen Darstellungen derselben in der japanischen Kunst hervorgeht. Dass die Würger geschützt werden, ist wohl daraus zu erklären, dass sie im Sommer durch Insectennahrung besonders nützlich werden. Die Drosseln sind ähnlich wie bei uns bis zum Herbst geschützt, sind dann aber auch dem Fange preisgegeben. — Der § 24 entspricht eigentlich ganz den Bestimmungen unseres Vogelschutzgesetzes, indem bis auf Ziegenmelker und Wiedehopf fast alle insectenfressenden, dadurch der Bodencultur nützlichen Vögel unbedingten Schutz geniessen. Auffallend ist nur, dass den Kranichen und Störchen unbedingter Schutz gewährt ist, vermuthlich aus denselben Gründen wie bei den Reihern.

Das am 3. Februar 1892 erlassene russische neue Jagdgesetz enthält die betreffenden Schonbestimmungen in § 17. Die Bestimmungen lauten:

§ 17. Die Ausübung der Jagd ist verboten:

f) Auf Auerhähne und Birkhähne vom 15. Mai bis zum 15. Juli.*)

g) Auf Waldschnepfen vom 1. Juni bis zum 15. Juli.

h) Auf wilde Gänse und Schwäne vom 1. Mai bis zum 29. Juni.

i) Auf Erpel und Kampfhähne vom 1. Juni bis zum 29. Juni.

k) Auf weibliche Enten aller Art, Bekassinen, Doppelschnepfen, Haarschnepfen und alle übrigen Schnepfen, Kiebitze, Schnarrwachteln, sowie auf alles übrige Wasser- und Sumpfwild vom 1. März bis zum 29. Juni.

l) Auf Feldhühner und Berghühner vom 1. December bis zum 15. August.

m) Königsrebhuhn (Tetraogallus caucasicus) vom 1. December bis zum 1. October.

n) Auf Fasanen und Hasen vom 1. Februar bis zum 1. September.

o) Auf Auerhennen, Birkhennen, Hasel- und Morasthühner, Trappen, Zwergtrappen und Wachteln vom 1. März bis zum 15. Juli.

Anmerkung. Der Fang der Wachtelmännchen mit Netzen ist vom 1. März bis 15. Juli nicht verboten.

p) Auf alle übrigen Thiere und Vögel — ausgenommen die Raubthiere und Raubvögel — vom 1. März bis zum 29. Juni.

Es fällt hiernach auf, dass die Waldhühner und Schnepfen geringere Schonzeit haben als bei uns, dass aber z. B. das Königsrebhuhn, das in den hochalpinen Regionen des Kaukasus lebt, nur vom 2. October bis 30. November geschossen werden darf, also in einer Zeit, wo schwerlich viele Jäger in die Eisregionen kommen werden. Ganz besonders wichtig im Sinne des Vogelschutzes ist die letzte Bestimmung 17 *p*, wonach alle übrigen Vögel, ausser den Raubvögeln, in der Zeit vom 1. März bis zum 29. Juni, also während der Hauptfortpflanzungszeit, nicht geschossen werden dürfen. Es entspricht dies den weitgehendsten Wünschen der Freunde des Vogelschutzes. Ausserdem findet sich noch ein vortrefflicher § 19, worin ausdrücklich angerathen wird, Raubthiere und Raubvögel, vor allen Dingen aber die in Wald und Feld sich umhertreibenden Katzen und Hunde mit allen Mitteln, mit Ausnahme des Vergiftens, zu vertilgen.

Ein grosser Theil der namentlich in dem japanischen Gesetze einbegriffenen Vögel wurde durch Vorzeigung der betreffenden Arten in Vogelbälgen demonstrirt.

I. Oesterreichisch-ungarischer Geflügelzuchtverein in Wien.

Ein flüchtiger Brieftaubenzüchter. Ein Verein kann gewiss nicht für die Solvenz seiner Mitglieder im bürgerlichen Leben einstehen; peinlich berührt es aber immerhin, wenn ein Mitglied, dem Agenden des Vereines anvertraut waren, mangels seiner Zahlungsfähigkeit das Weite sucht!

Im vorstehenden Falle handelt es sich um den im August l. J. mit grossen Passiven flüchtig gewordenen Spediteur Jacques Heller, der durch mehrere Jahre Mitglied des »Ersten österreichisch-ungarischen Geflügelzuchtvereines« war, in dem grossen Berlin—Wiener Brieftaubenfluge eine Rolle spielte und ohne Rechnungslegung über eventuelle Einläufe von Ehrenpreisen für diesen Flug das Weite suchte, nachdem er die ihm zukommenden Preise früher noch eingeheimst hatte.

Der »Erste österreichisch-ungarische Geflügelzuchtverein« ersucht daher, eventuelle Reclamationen über von ihm nicht bestätigte Sendungen an seine Adresse: Wien, II. k. k. Prater 25, gelangen zu lassen.

Wiener Geflügelzucht-Verein „Rudolfsheim". Um vielseitigen Wünschen zu entsprechen, ertheilt der Wiener Geflügelzucht-Verein »Rudolfsheim« auf Grund einer statistischen Züchtertabelle seiner Mitglieder einschlägigen Rath in An- und Verkauf von Rasse- und Nutzgeflügel ohne jedweden Nutzen.

Reflectanten wollen sich an die Vereinskanzlei, Wien, XIV. Schönbrunnerstrasse 70, wenden.

Der Wiener Geflügelzucht-Verein »Rudolfsheim« veröffentlicht im »Weltblatt«, Wien, VII. Kaiserstrasse 10, in der wöchentlichen Extrabeilage »Der Thierzüchter« jedesmal ein Gesammtinserat. Der Verein übernimmt für dieses Inserat von seinen

*) Die entsprechenden Daten im russischen Gesetze entsprechen dem russischen Style, lauten also 12 Tage früher als nach unserer Zeitrechnung.

Mitgliedern unentgeltlich die Anzeige über An- und Verkauf von Hühnern und Tauben.

Zur Anlegung einer statistischen Zuchttabelle ersucht der Verein um baldmöglichste Bekanntgabe, welche Geflügelrassen die einzelnen Mitglieder züchten (Hühner, Tauben und Wassergeflügel).

Kleine Mittheilungen.

Mauersegler. Am 1. August Abends 1/2 8 Uhr (+ 10° R.), als ich von Kleinpriesen nach Pömmerle fuhr, bemerkte ich einen Mauersegler. Ich traute meinen Augen kaum, als ich sah, dass er sich auf einen wagrechten Ast einer Pappel setzte. Ich glaubte, er suche Insecten von den Pappelblättern ab. Nach einiger Zeit liess er sich auf einen etwas tieferen Ast nieder, verweilte daselbst wenige Augenblicke und flog dann fort. Ich weiss nicht, ob schon einmal beobachtet wurde, dass ein Mauersegler sich auf einen Baumast niederliess; deshalb mache ich die Mittheilung. — Am 24. Juli zogen sie von da fort, bloss ein Paar, welches noch nicht flügge Junge hatte, blieb da Am 2. August sah ich keine mehr.

Pömmerle am 4. August 1893. Ant. Hauptvogel.

Nachschrift des Red. Mein gefangen gehaltener Mauersegler zieht als Ruheplatz einen starken rauhen Ast jeder anderen Sitzgelegenheit vor, und ruht weit seltener hängend an der Tuffwand des Käfigs u. dgl. (siehe »Schwalbe« XV. Jahrgang Nr. 22).

Ph.—

Ornithologisches vom Hocherzgebirge. Die in der gleichnamigen Notiz in Nr. 8 der »Schwalbe« erwähnten seltenen Schwalbengäste weilten nur vier Tage auf dem hohen Erzgebirge. Wie gekommen, so waren sie auch wieder über Nacht verschwunden. Sollten dieselben sich nächstes Jahr wieder einstellen, so werde ich mir Mühe geben, eine derselben geschossen zu bekommen, um deren genaue, nicht mehr anzweifelbare Charakteristik zu erhalten. — Der Staar schwärmt noch — Anfang October — in grossen Schaaren auf den Hochplateaus, ja selbst die Gebirgsbachstelze und das Schwarzblattl ist noch auf den Höhen zu beobachten und schon stellen sich unsere hochnordischen Gäste ein. Fringilla montifringilla L. hat in grossen Zügen seinen Einzug gehalten, Turdus pilaris L. umschwärmt bereits die mit Früchten reich behangenen Vogelbeerbäume der jetzt einsamen Gebirgsstrassen, und selbst Bombicilla garulla L., der sich doch nur erst im December und Jänner, und da nur in sehr strengen Wintern sehen lässt, ist heuer ebenfalls in zahlreichen Exemplaren in den hocherzgebirgischen Forsten zu finden. Letztere Thatsache muss als ornithologisches Phänomen bezeichnet werden. — Mitte September konnte ich zu meinem grössten Erstaunen auf einem Holzschlage des gräflich Thun'schen Revieres Weigersdorf unweit des Wirbelsteines (1094 Meter) mehrere Sylvia sibilatrix Bechstein beobachten. — Am 1. October traf ich das erste Mal eine Corvus pica L. in dem nach Norden sich öffnenden Goldbachthale oberhalb des Dorfes Goldenhöhe. Der dortige Förster bezeichnete mir den Vogel als einen Irrling, da sich die Elster nicht ständig auf der Nordseite des Erzgebirges aufhalte. — Ueberraschend war für mich bei meiner heurigen Anwesenheit in Wien die ungemeine Zutraulichkeit der Turdus merula L. in den dortigen öffentlichen Gärten, besonders im Stadtparke. Im Hocherzgebirge, wo die Schwarzamsel sehr zahlreich vertreten ist, ist sie ungemein menschenscheu und verliert sich bei dem geringsten Geräusche im Unterholze. Peiter.

Ueber die sich über Deutschland erstreckende Einwanderung des **schlankschnäbligen sibirischen Tannenhehers (Nucifraga caryocatactes leptorhynchos R. Bl.)** machte Dr. R. Blasius in der letzten Sitzung des »Vereins für Naturwissenschaft« folgende Mittheilungen.

Nach einer Benachrichtigung des Herrn Gymnasialdirectors Schweder in Riga wurde dort am 2. October ein schlankschnäbliger Tannenheher erlegt, nach einer Postkarte des Herrn Prof. A. Nehring in Berlin erhielt derselbe am 13. October ein Exemplar aus der Oberförsterei Ussballen bei Lasdehnen in Ostpreussen, am 10. October zwei Exemplare aus Gr.-Kruschin in Westpreussen und sah am 17. October ein Exemplar aus der Uckermark. Am 19 October wurde hier ein vom Rentner Lohdahl in Gr.-Dahlum daselbst erlegtes Exemplar eingesandt. Der Schnabel dieses Exemplars sowie charakteristische Vögel der dick- und schlankschnäbligen Race wurden vorgelegt. Der Vortragende bat, ihm weitere Mittheilungen über eventuelles Auftreten des schlankschnäbligen sibirischen Tannenhehers zukommen zu lassen. *)

Tannenhäher (Nucifraga caryocactes), wurden Anfangs October wiederholt am Nordharz, Fallstein und Huy erlegt. Ich erhielt ein dünnschnäbliges Exemplar.

Osterwieck a. Harz, 8. Nov. 1893. F. Lindner.

Das neue Winter-Sumpfvogelhaus in Schönbrunn, das bereits im verflossenen Winter, obwohl noch nicht ganz fertig, in Verwendung stand, wurde im Laufe des heurigen Sommers vollendet und unlängst bevölkert.

Das prächtige Haus, nach Entwürfen des Inspectors Herrn A. Kraus äusserst zweckentsprechend gebaut, bildet einen Glanzpunkt des sich von Jahr zu Jahr verschönernden Thiergartens und ist dessen Besuch jedem Thierfreund wärmstens zu empfehlen.

An einen geräumigen, von hohen Fenstern und Oberlichten hell beleuchteten Mittelbau, der Gesellschafts-Volière, schliessen sich beiderseits eine Reihe Abtheilungen für die einzeln gehaltenen Vögel, wie: Kraniche, Marabus, Flamingos etc. an, während die ganze andere Längsseite des Gebäudes ein geräumiger mit Bänken und Pflanzengruppen ausgestatteter Saal für das besuchende Publicum einnimmt, das hier Gelegenheit findet, die interessanten Bewohner bequem in allen ihren Lebensgewohnheiten zu beobachten und zu studiren.

Das ganze Gebäude ist äusserst rein gehalten, gut ventilirt und mittelst Wasserheizung gleichmässig temperirt.

Jede der Abtheilungen ist mit einem seichten, beliebig verdeckbaren Wasserbassin, die grosse Mittel-Volière ausserdem mit einem, feinen Sprühregen verbreitenden Springbrunnen ausgestattet.

Als Sitz- und Ruheplätze, besonders für die Reiherarten, sind dickästige Baumstämme angebracht, während die Wände wöchentlich erneuerte Tannenbäume zieren.

In der Mittel-Volière fanden wir untergebracht: sämmtliche europäische Reiherspecies, zum Theile hier, d. h. in der Sommer-Volière gezüchtet, einschliesslich des Löffelreihers und dunklen Sichlers, schwarze und weisse Störche, den Sattelstorch, Mycteria senegalensis, Jungfernkraniche, ferner Singschwan (seinerzeit bei Wien gefangen), Nonnengänse, Brand- und Rostenten, Scharben, Eis- oder Bürgermeistermöven, Silber- und Lachmöven etc. etc.

Die Seiten-Volièren enthielten: gem. Kraniche, Antigone-, Mönch- und australische Kraniche, Flamingo, Grosstrappe, Nimmersatt (Tantalus Ibis) Marabu (Leptophilus cromifer).

Das Sumpfvogelhaus ist täglich für das Publicum geöffnet.

Ph.

---

*) Herr Jul. Michel, Bodenbach, war so freundlich uns einen Bericht über das Vorkommen des schlankschnäbligen Tannenhähers in Böhmen zuzusenden der in nächster Nummer der „Schwalbe" erscheint. D. Red.

Ornithologisches aus dem Budapester Thiergarten. Dieses wackere Institut wies im Jahre 1892 Dank der vortrefflichen Leitung des Directors Carl v. Serák bedeutende Fortschritte auf. Im selben Jahre betrug der Stand der gefiederten Bewohner 1149 Stück; während dieses Jahres wurden angekauft: 2 Stück Casuarius galeatus, 13 Pfauen, 1 Truthahn, 50 verschiedene Fasane, 2 Lophotrix californica. 1 weisse Dohle (Corvus monedula), 23 verschiedene Papageie, 124 verschiedene Stubenvögel, 26 verschiedenartige Tauben, 147 Schwimmvögel, 217 Stelzvögel, 4 Rebhühner, 49 Haushühner, 8 Raubvögel, zusammen 637 Stück. Zum Geschenk erhielt das Institut: 1 Circus aeruginosus, 1 amerikanische Blaudrossel, 1 Kolkraben, 2 Mäusebussarde, 1 Vultur fulvus 1 Haliaetus albicilla, 1 Paar abyssinische Hühner, 2 Caccabis saxatilis und 1 Uhu (Bubo maximus), zusammen 12 Stück, Summa 649 Stück.

Ausserdem ist zu erwähnen, dass im Juni 1893 das Institut einen afrikanischen Strauss erwarb.

Pettend, 14. October 1893.

Ladisl. Kenessey von Kenese.

Bevorstehende Ausstellungen.

Der Jubiläums-Ausstellung des I. österr.-ungar. Geflügelzucht-Vereines in Wien wird ein bedeutend erweitertes Programm zugrunde gelegt und die Classenaufstellung wesentlich vergrössert; ausserdem sind für die bei uns hauptsächlich gezüchteten Rassen Jugendclassen für 1893er Thiere in bedeutender Zahl bereits garantirt. Die Genannten verpflichten sich, die eventuell entstehende Differenz zwischen dem in der betreffenden von ihnen garantirten Classe eingezahlten Standgeld und den in derselben zur Auszahlung gelangenden Classenpreisen aus Eigenem zu bezahlen.

Neben der Classenprämiirung ist auch eine von derselben gänzlich unabhängige Prämiirung von Zuchtcollectionen in den einzelnen Rassen in Aussicht genommen.

Ausser den Classengeldpreisen werden eigens für diese Ausstellung zu prägende Jubiläumsmedaillen, für Gesammtleistungen k. k. Staatspreismedaillen, werthvolle silberne Ehrenbecher und Ehrendiplome zur Vertheilung gelangen; auch werthvolle Privat-Ehrenpreise wurden bereits angemeldet.

Bezüglich Garantie weiterer Jugend- oder auch Altersclassen werden die Züchter gebeten, ihre Wünsche baldigst dem Secretariat des I. österr.-ungar. Geflügelzucht-Vereines in Wien, II. Prater 25, bekanntzugeben, um dieselben in dem demnächst in Druck kommenden Programme berücksichtigen zu können.

Zweite nationale Ausstellung in Leipzig. Ueber die Ergebnisse der Conferenz mit den Vorstandsmitgliedern des Clubs deutscher und österreichisch-ungarischer Geflügelzüchter gelegentlich der Cypria-Ausstellung in Berlin machten die beiden Vorsitzenden des Leipziger Geflügelzüchtervereins in der Versammlung vom 18. d. M. Mittheilungen, denen wir das Wichtigste entnehmen:

Werthgeschätzte Mitglieder! Wenn wir vor Monaten schon gewusst hätten, was wir heute wissen, und wenn Sie alle so klar und deutlich hätten bemerken können, mit welchem Eifer, mit welchem Interesse und mit welcher Spannung man der zweiten nationalen Ausstellung in Züchterkreisen entgegensieht und wie es namentlich allgemein freudig begrüsst wird, dass Leipzig wiederum in Frage kommt, so würden wir sicherlich alle niemals auf den Gedanken gekommen sein, dass die zweite nationale Ausstellung an einem andern Orte als in Leipzig geplant sei. Die Bedenken, die von uns von vornherein geltend gemacht wurden und die, wie Niemand bezweifelt, vielmehr jeder Einzelne voll anerkannt hat, der Erwägung auch werth waren, sind vollständig beseitigt. Wir können mit Ruhe in die Zukunft blicken, denn die finanzielle Seite hat der Club, beziehungsweise seine Mitglieder in so zufriedenstellender Weise zu erledigen gewusst, dass es, offen gestanden, bei uns Staunen erregte. Nicht die Art der Lösung dieser Aufgabe, sondern das besonders opferfreudige Verhalten eines jeden Einzelnen und das Vertrauen, welches man dadurch zugleich in den unsrigen Verein setzte, stimmte uns hierbei freudig und fordert nicht nur uns, sondern alle deutschen Züchter auf, dafür dem Club deutscher und österreichisch-ungarischer Geflügelzüchter zu danken.

Mit Beifall wurde das Gehörte aufgenommen, auch dem Wunsche zugestimmt, einen geschäftsführenden Ausschuss zu wählen, welcher die nothwendigen Vorbereitungen zu treffen und aus den Herren R. Kramer, Leipzig, Scheithauer, Gaunnitz, und Ohms, Halle, von Seiten des Clubs und den Herren Seeling, Weissbach und Wahl aus der Mitte des Leipziger Vereins zu bestehen hat. Die vorjährigen Localitäten im Krystallpalaste während der Zeit vom 6. bis 15. Februar 1894 sind wieder gewonnen worden, so dass vom 9. bis 12. die zweite nationale Ausstellung bestimmt stattfinden und demnächst die provisorische Classenaufstellung der Oeffentlichkeit übergeben werden wird.

Wir sprechen hierbei das dringende Ersuchen aus, von der beliebten Einrichtung der Classengarantie recht ausgiebigen Gebrauch zu machen und ersuchen alle Diejenigen, welche einzelne Classen zu garantiren beabsichtigen, dies möglichst umgehend dem Vorsitzenden, Herrn F. H. Seeling in Leipzig, Volkmarsdorf, mitzutheilen, um den Wünschen thunlichst schon in der ersten provisorischen Classenaufstellung Rechnung tragen zu können.

Literarisches.

„Die fremdländischen Stubenvögel“, ihre Naturgeschichte Pflege und Zucht von Dr. Karl Russ. Bd. II (Weichfutterfresser). Lief. 1. Mit einer Farbendrucktafel. (Magdeburg, Creutz'sche Verlagsbuchhandlung).

Mit dem II. Band schliesst der bekannte Verfasser sein grosses Werk, das für die Pflege und Zucht der exotischen Vöge in der Gefangenschaft von hervorragender Bedeutung ist.

Die Weichfutterfresser (Insecten-, Frucht- und Fleischfresser) sollen in diesem Bande behandelt werden, so weit sie bisher lebend eingeführt und beobachtet wurden. Ein Anhang wird die fremdländischen Tauben und Hühnervögel dem Leser vorführen.

Die Ausstattung der ersten uns vorliegenden Lieferung ist in jeder Hinsicht empfehlenswerth, die nach einem Aquarell von E. Schmidt gefertigte Farbendrucktafel äusserst naturgetreu.

Wir kommen nach Eingang weiterer Lieferungen wiederholt auf das Werk zu sprechen.

Der II. Band soll mit 10 Farbendrucktafeln in 20 Lieferungen à 1 M. 50 Pf. erscheinen. Wir wünschen dem Werke die verdiente weiteste Verbreitung. Ph.

Herr Thiermaler **Gustav Mützel** starb am 29. October l. J. zu Berlin.

Herr Dr. phil. h. c. **Eduard Baldamus** am 30. October l. J. zu Wolfenbüttel.

Friede ihrer Asche!

Inserate

per Quadrat-Centimeter 4 kr. oder 8 Pf.

Um den Annoncenpreis auch den Laien geläufig zu machen, gilt Folgendes: Der Raum in der Grösse einer österr. 5 kr.- oder 10 deutschen Pfennig-Briefmarke kostet den 4fachen Betrag derselben; und sind diese Marken oder der Werthbetrag gleich jedem Auftrage beizuschliessen. Bei öfters als 6maliger Insertion wird 1/4 Rabatt gewährt, d. h. mit 3 Marken anstatt 4 Marken die Markengrösse des Inserates gerechnet. Die Bestätigung des Empfanges der Inseratengebühr wird durch die Einsendung der betreffenden Belegnummer seitens der Administration dieses Blattes geliefert, wohin auch alle Inserate zu richten sind. Es werden nur Fachannoncen aufgenommen.

Verlag des Vereines. — Für die Redaction verantwortlich: Gustav Röttig.
Buchdruckerei Helios, Wien, I. Schreyvogelgasse 3.

XVII. JAHRGANG. Nr. 12.

Blätter für Vogelkunde, Vogelschutz, Geflügelzucht und Brieftaubenwesen.

Organ des I. österr.-ung. Geflügelzuchtvereines in Wien und des I. Wiener Geflügelzuchtvereines „Rudolfsheim“

Redigirt von **C. PALLISCH** unter Mitwirkung von Hofrath Professor **Dr. C. CLAUS.**

16. December.	„DIE SCHWALBE“ erscheint **Mitte eines jeden Monates und wird nur an Mitglieder abgegeben.** Einzelne Nummern 50 kr., resp. 1 Mark. **Inserate** per 1 □Centimeter 4 kr., resp. 8 Pf. **Mittheilungen an den Verein** sind an Herrn Präsidenten **Adolf Bachofen von Echt** sen., Wien, XIX. Färbergasse 16, zu adressiren. **Jahresbeiträge** der Mitglieder (5 fl., respective 10 Mark) an Herrn **Dr. Carl Zimmermann,** Wien, I. Bauernmarkt 11, einzusenden. **Alle redactionellen Briefe, Sendungen etc.** sind an Herrn **Ingenieur C. Pallisch in Brunn,** Post **Pitten,** Niederösterreich, zu richten. **Vereinsmitglieder beziehen das Blatt gratis.**	1893.

Beiträge zur Ornithologie Böhmens.

Von J. Prok. Pražák (Wien).

In der letzten Zeit habe ich von einigen ornithologischen Freunden so interessante Sendungen bekommen, dass es vielleicht am Platze sein wird, die Ergebnisse überraschender Untersuchungen, einem grösseren Kreise bekannt zu machen. Herr Jos. Padĕra sowie Herr Klemera, einer der glücklichsten ornithologischen Sammler, haben mir eine ganze Reihe von schönen Vogelbälgen, welche sie voriges Jahr und im heurigen Winter gesammelt haben, eingeschickt, und andere Herren in liebenswürdigster Weise so viele interessante Beobachtungen, grösstentheils mit werthvollen Belegstücken begleitet, mitgetheilt, dass vielleicht auch die geehrten Leser der »Schwalbe« mit Nachsicht und Geduld meine bescheidenen Zeilen empfangen werden.

1. *Erithacus cyaneculus Wolf.* Obzwar das weisssternige Blaukehlchen in Böhmen zu beiden Zugzeiten recht häufiger Vogel ist, kommt er als Stand- und besonders Nistvogel ziemlich selten vor, wie schon Dr. Schier [1]) richtig bemerkte, dass die Nistplätze dieses Vogels nur sehr sparsam zerstreut sind. Es hat mir deshalb grosse Ueberraschung bereitet, die Sendungen von ganzen Gelegen aus drei verschiedenen Localitäten (Jezbin bei Jaromĕř, Loučná Hora bei Smidar und Miletin) zu bekommen; auch bei Opatovic (Vysoká) unweit Königgrätz nistet das weisssternige Blaukehlchen jedes Jahr, und die Vogelsammlung des Königgrätzer Gymnasiums hat ein Nest mit Eiern aus dieser Ortschaft.

2. *Monticola saxatilis L.* Mehrjährige eifrige Beschäftigung mit der böhmischen Ornis hat mich nicht nur über die Richtigkeit der von Dr. Schier entworfenen Karte, [2]) welche die Verbreitung und Zugstrassen dieses interessanten Einwanderers sehr gut illustrirt, völlig überzeugt, sondern es ist mir mit Hilfe mehrerer Freunde gelungen, dieselbe — besonders im Nordosten und Süd-

[1]) „Blätter des böhm. Vogelsch.-Ver., Prag“. II. p. 183.

[2]) Ibid. II. p. 3.

westen — zu vervollständigen. Neben den zwei Richtungen, welche auf der Schier'schen Skizze durch viele die Nistplätze bezeichnende Punkte markirt sind und von welchen jene im Allgemeinen die Richtung der Moldau und mit dieser verbundenen Elbe verfolgende die am meisten frequentirte Strasse ist, zieht die Steindrossel auch über Nordostböhmen und wählt hier auf manchen Orten auch ihren Sommeraufenthalt. Indem Schier in Nordostböhmen nur zwei Stellen als Brutplätze angeben konnte (im Braunauer Bezirke), kann man jetzt ganz sicher nicht weniger als neunzehn ihrer aufzählen. Wie sporadisch auch die Nachrichten über Vorkommen der Steindrossel, sei es auf dem Zuge oder im Sommer, im Südosten Böhmens, mir zugekommen sind, hoffe ich doch annehmen zu dürfen, dass ein nicht geringer Theil der ziehenden Vögel im Süden, etwa bei Neuhaus oder Wittingau, sich gegen Nordosten wendet, erst aber in den nördlichen Gegenden dieser Hälfte des Landes seine Nistplätze auswählt. Anders könnte man sich das keineswegs sehr seltene Auftreten dieses Vogels in den Gegenden bei Deutsch-Brod, Časlau, Heřman-Městec, Tyništ, Skalitz und Hořic nicht erklären, ebenso wie auf der Karte von Schier die zwei isolirten Punkte bei Braunau sehr unnatürlichen Eindruck gemacht haben. Wenn wir bedenken, dass der mittlere Theil (der geogr. Breite nach) nebst den auf der erwähnten Kartenskizze eingetragenen 34 Brutplätzen noch 14 neuentdeckte aufweist und das östliche Gebiet zusammen 21 solche Orte hat, ohne die mir vom hochverdienten böhmischen Beobachter Hr. Fierlinger (†) eingeschickte Mittheilung über das Brüten der Steindrossel in der Umgebung von Sobotka ohne nähere Bezeichnung der Localität in Betracht zu ziehen, so erscheint Westböhmen, wo überhaupt seltenere Vögel verhältnissmässig sparsamer erscheinen und wenige unserer gewöhnlichen Zugvögel ihre Zugstrassen wählen, sehr arm (10 Brutplätze S hier, 4 Vařečka.[3])

3. *Locustella fluviatilis Wolf.* Herr Klemera von mir auf diesen und folgende zwei Vögel aufmerksam gemacht, hat sich nicht vergebens bemüht und zwei schöne Bälge dieses seltenen Rohrsängers (♂ und ♀), sowie ein ausgestopftes Exemplar, welches die Volksschule in Račic besitzt, beweisen sein nicht eben seltenes Vorkommen auf den Ufern der Elbe bei Josefstadt und Smiřic.

4. *Locustella naevia Bodd.* bleibt jetzt der seltenste Rohrsänger Böhmens und trotz meines eifrigen Suchens konnte ich nur vier Exemplare auftreiben während meiner ganzen mehrjährigen Sammelthätigkeit; das letzte Stück aus dem vorigen Jahre stammt aus Malšovic bei Königgrätz.

5. *Acrocephalus arundinaceus L.* Die Rohrdrossel bekam ich in mehreren Exemplaren, grösstentheils aber aus den mir aus früherer Zeit bekannten Localitäten. Ein Paar sammt Nest befindet sich in der Königgrätzer Gymnasialsammlung von Černilov. Herr Klemera hat voriges Jahr mehrere in seinem Beobachtungsrayon zwischen Smiřic und Jaroměř beobachtet und erbeutet.

Anmerkung. Wie ich mich überzeugt habe, beruhen die Nachrichten über Vorkommen von Acr. luscinioides zum Theil auf der Unkenntniss, zum Theil auf der oberflächlichen Namensverwechslung mit Acr. arundinaceus (turdoides), ebenso wie es mit Falco peregrinus und Falco peregrinoides der Fall war; besonders alle Angaben über diese zwei Falken habe ich kritisch geprüft und alle haben sich als grobe Fehler erwiesen, nur eine einzige hat sich mir bis jetzt entzogen.[4])

6. *Sylvia nisoria Bchst.* scheint immer neue Nistplätze zu wählen. So brütete voriges Jahr ein Paar in Kuklen und im botanischen Garten in Königgrätz (nach Prof. Hofmann [5]) etc.

7. *Acredula caudata rosea Blyth* ist im heurigen Winter in mehreren Gegenden beobachtet und erlegt worden. So erhielt ich sie wieder aus der Umgebung von Budweis, von Deutsch-Brod und Hohenelbe.

8. *Sitta europaea caesia Wolf.* Ein Exemplar aus Hořinoves, sowie ein anderes von Nechanic haben grosse Aehnlichkeit mit Sitta europaea L.; Kopf, Halsseiten und die ganze Unterseite sind weiss, besonders auf einem von Nechanic sehr rein; nur die dunkler gefärbten Partien der Seiten und des hinteren Theiles vom Bauche erinnern an die typische Sitta caesia. Bis jetzt habe ich noch nie so gefärbte Kleiber aus Böhmen gesehen.

9. *Budytes cinereo capillus Savi.* Palliardi erzählt in seiner gelungenen Uebersicht der böhmischen Vögel, dass diese Varietät von Budytes flavus öfter vorkommt, und auch W. Koch erzählte Herrn Talsky,[6]) dass er einigemal diesen Vogel auf den Flüssen Eger und Tepl beobachtet hat. In neuerer Zeit habe ich mich wiederholt über grosse Glaubenswürdigkeit Palliardi's überzeugt und es freut mich auch, seine Angaben über Bud. cinereocapillus bestätigen zu können. Prof. Fritsch macht nur eine sehr bezweifelnde Anmerkung,[7]) obzwar er viele andere Vögel, deren Vorkommen in Böhmen erst in den letzten Jahren festgestellt wurde nur auf Grund der Palliardi'schen Angaben in seiner Arbeit angeführt hat. Auch die schöne Sammlung des verstorbenen Herrn Wenzel Koch, welche einige sehr schöne Exemplare enthielt, hatte diesen Vogel, und zwar von sehr typischem Exterieur. Herr Jiřička hat mir schon voriges Jahr die Vermuthung ausgesprochen, diesen Vogel bei der Bystřice unweit Sadowa erlegt zu haben aber erst eine Sendung von zwei Belegstücken hat mich zum Gläubigen gemacht. Beide wurden von ihm auf dem Ufer dieses kleinen Flusses Anfang Juli 1892 erlegt; das Männchen hat ganz »vorschriftsmässige« Färbung des Kopfes, aber der Augenstreif beim Weibchen ist sehr breit.

10. *Anthus cervinus Pall.*. Es ist mir schon öfters vorgekommen, dass ich nach dem die Sendung meiner Freunde begleitenden Briefe den rothkehligen Pieper erwartend, bloss den häufigen Wiesenpieper fand; es waren das immer alte Vögel, welche bekanntlich nicht selten an der Kehle rostrothen Anflug haben und die ich in zwei Sammlungen der böhmischen Mittelschulen als cervinus bestimmt angetroffen habe. Herr Padëra hat die Güte gehabt, für mich zwei Exemplare dieses seltenen Vogels bei Semonic (Bez. Jaroměř) zu

[3]) In litt.

[4]) Enderl Jos.: „Ornithologische Seltenheit" (Falco peregrinoides), Waidmannsh. VIII. p. 100 (1887) und „Ornithologische Seltenheit", Oest. Forstztg. V. (1887) p. 52.

[5]) Mündl. Mitth.

[6]) „Mitth. d. orn. Ver. Wien." XI. p. 3.

[7]) „Wirb. Böhmens" Nr. 78, Anmerk.

sammeln und schreibt mir, dass der rothkehlige Pieper in jener Gegend fast jedes Jahr von Herrn Klemera erlegt wurde. Wie verdächtig auch diese Nachricht beider mit seltenem Glücke und grosser Liebe arbeitenden Beobachter klingt, bezweifle ich sie doch nicht im Geringsten und unwillkürlich erinnere mich auf die Worte, die mir der hochverdiente Führer der österreichischen Ornithologen, hinter welchem sich nicht nur erprobte Forscher, sondern auch wir Jünger der von ihm mit grossen Erfolgen gepflegten Wissenschaft reihen, Herr Victor Ritter von Tschusi zu Schmidhoffen geschrieben hat: »Offenbar ziehen manche Arten ziemlich regelmässig und am gleichen Orte durch und es fehlt nur Beobachter, der sie erkennt. Ist ein solcher vorhanden und erlegt derselbe eine solche Art, weil er Zeit der Ankunft und die Oertlichkeit kennt, wo sie sich aufhält, so glaubt man es mit einer neuen oder seltenen Erscheinung zu thun zu haben und doch fand wahrscheinlich der Durchzug — unbeobachtet — schon lange statt.«

11. *Emberiza hortulana* (*L.*). Die heurigen Osterferien haben mir Gelegenheit geboten, einige Beobachtungen über die Zeit des Frühjahrszuges des Ortolans zu machen. Die ersten hörte ich bei Hořiňoves (Bez. Jaroměř) schon am 25. März und am 30. habe ich ihn schon auf allen mir aus früheren Jahren bekannten Localitäten gefunden und ich denke, dass er alljährlich schon Anfang, höchstens Mitte April zu uns kommt. Die neueren mir zugekommenen Mittheilungen berichten schon über das ziemlich häufige Vorkommen der Gartenammer in einigen Gegenden des Chrudimer und Časlauer Kreises, sowie bei Hohenmauth im vorigen Jahr.

12. *Pyrrhula rubicilla Pall.* Nebst den schon früher angeführten Fällen habe ich auch aus anderen Gegenden Nordost-Böhmens die grossen Gimpel erhalten. Die meisten von ihnen haben auch die weissen Längsflecke auf der Unterseite der äussersten Steuerfeder, aber nur ein einziges Exemplar (♀) auf beiden Seiten.[8]) Dass diese nordischen Gimpel lebhaftere, intensivere Färbung hätten als die gewöhnlichen, kann ich nicht sagen, ja bei einigen war nur die Grösse entscheidend.

13. *Lanius excubitor major Pall.* Zu den spärlichen Angaben über Vorkommen dieses Würgers in Böhmen erlaube ich mir noch einige Zusätze und Bemerkungen beizufügen. Herr Wolf, der sich für die Würger schon lange interessirt und schöne Suite von ausgestopften Exemplaren mir zur Verfügung zusammengestellt hat, erlegte im heurigen Winter, besonders im Februar, mehrere Raubwürger, so dass ich jetzt sammt den mir von Herrn Rudolf in Lanžov und Bieman in Doubravic (Bez. Königinhof) eingeschickten neun Stück besitze; alle wurden in Nordost-Böhmen erlegt und beweisen, dass der östliche Raubwürger, besonders im Winter, weit nicht so selten ist, wie man nach verschiedenen Angaben, welche ihn mit der Stammform verwechseln oder nach Prof. Fritsch nur für eine und dieselbe Form halten, urtheilen könnte; theilweise wurden mir als Lan. excubitor major junge Exemplare des gewöhnlichen Raubwürgers, bei welchen bekanntlich die zweite Binde beim zusammengelegten Flügel verdeckt zu sein pflegt, bezeichnet und gesendet. Bei einem Männchen, welches bei Cerekvic (Bez. Hořic) am 14. December erlegt wurde, welches unbedingt ein alter Vogel ist und reinweissen Unterkörper hat, sind die Schwingen zweiter Ordnung nicht ganz schwarz, sondern zeigen bei näherer Untersuchung auf beiden Fahnen abwechselnd ein unreines Weiss.

14. *Nyctea scandiaca L.*, einer der seltensten Wintergäste, wurde vor zwei Jahren bei Vrchovnic erlegt und befindet sich jetzt im Eigenthume des Herrn Černý, Gutsbesitzer in der genannten Ortschaft.

15. *Aquila chrysaetus fulva L.* wurde am 9. April 1889 bei Opatovic geschossen und befindet sich in der Sammlung des Königgrätzer Gymnasiums. Diese Form ist gewiss seltener in Böhmen als A. chrysaëtus L.

16. *Buteo desertorum Daud.* Herr Förster Ullmann hat mich unlängst, als ich noch auf den Osterferien in Hořeňowes weilte, mit zwei frischen, von ihm am 21. und 24. bei Gross-Petrowic unweit Mechanic erlegten Raubvögeln überrascht. Auf den ersten Blick habe ich beide für Buteo vulgaris Leach gehalten und nähere Untersuchung einer späteren Stunde überlassen; dann aber in dem dunkel rostbraun gefärbten Vogel mit kupfrigem Glanz und starken, kurzen, plumpen Läufen und gelber Iris den meines Wissens bis jetzt noch nie in Böhmen sicher beobachteten Steppenbussard erkannt[9]). Doch aber wollte ich nicht meinen Augen glauben, suchte alle mir zu Gebote stehenden ornithologischen Werke durch, verglich den interessanten Vogel mit allen in meinem und des Herrn Wolf Besitz befindlichen verschieden gefärbten Mäusebussarden und prüfte sorgfältig einigemal die an diesem Vogel sowie an jenen, als sie noch im Fleische waren, ermittelten und notirten Masse, so dass ich jetzt ganz sicher und ruhig meinen Vogel als Weibchen von Buteo desertorum erklären kann.

Länge	47·3	Centimeter
Unterflügel	19·5	»
Oberflügel	16·3	»
Schwanz	18·7	»
Schnabel	2·7	»
Mundspalte	3·3	»
Hackengelenk	7·3	»
Mittelzehe	2·92	»
Kralle	1·52	»
Innenzehe	1·95	»
Kralle	1·9	»

Wie viele dieser seltenen Gäste blieben wahrscheinlich unerkannt! Meine Ahnung, dass dieser Vogel auch zu uns sich verirrt, hat sich also bestätigt, aber ich habe ihn immer eher im Herbste erwartet.

17. *Totanus stagnatilis Bchst.* Die Gymnasialsammlung in Königgrätz hat ein Exemplar von Bohdaneč ohne Zeitangabe.

18. *Charadrius alexandrinus L.* Herr Wolf hat einen Seeregenpfeifer von New-Pless, wo er im Juni 1892 von Herrn Procházka erlegt wurde, bekommen; es ist das zweite sichere Exemplar aus Böhmen.

19. *Charadrius squalarola L.* Meine letzte »Revue« der Schul- und Privatsammlungen nebst mehreren anderen Ergebnissen hat mich auch mit der höchst seltenen Erscheinung unserer Ornis, wie es doch der Kiebitzregen-

[8]) Dybowsky in „Journ. f. Orn." 1874 p. 39; Cabanis ibid. p. 314; v. Tlusesi, „Mitth. d. orn. Ver." III. (1879) p. 34.

[9]) Den Steppenbussard aus Böhmen hat Herr Hegenbarth selbst für den gemeinen Bussard erklärt. Vgl. „Ornis" V. (1889).

pfeifer ist, bekannt gemacht; ein sehr schönes Stück dieses Vogels, welcher in Libřic bei Königgrätz im Jahre 1887 erlegt wurde, ziert die Sammlung des Königgrätzer Gymnasiums.

Wien, den 18. April 1893.

Zum heurigen Tannenhäherzuge.

Von **Jul. Michel.**

Wie man aus den diesbezüglichen Notizen der Ornithologischen Blätter ersehen kann, ist der Tannenhäher wieder in grosser Anzahl in Mitteleuropa erschienen.

Die erste Nachricht von dem Vorhandensein des Vogels in meiner Gegend erhielt ich am 1. October aus Schönborn, wo man während der Jagd zwei Tannenhäher bemerkte und einen davon erlegte, welchen ich erhielt. Weitere zwei Exemplare bekam ich von Kolmen, wo während der Zeit bis zum 12. October mehrere beim Futtersuchen auf den am Waldrande gelegenen Feldern beobachtet wurden. Ein weiteres Stück erhielt ich am 10. October aus der unmittelbaren Umgebung, und den letzten am 1. November von Schneeberg. Auch in Niedergrund a. E. wurden Tannenhäher bemerkt.

Alle sind typische Schlankschnäbler (Nucifraga caryocatactes var. leptorhinchus), also asiatische Einwanderer, und hatten meist nur Insectenreste, besonders Dungkäfer und kurzflügelige Raubkäfer, vermischt mit einigen Beerenresten, im Magen.

Herr Stellzig, Herrschaftscontrolor auf Schloss Struharz bei Lubenz, schrieb mir, dass er im October und November in den dortigen Haselnuss- und Eichengestrüppen eine Menge Tannenhäher bemerkte, welche sich mit viel Lärm umhertummelten. Er bekam auch ein lebendes Exemplar, welches bald sehr zahm wurde.

Bodenbach a. E., am 9. November 1893.

Beobachtungen über den Herbstzug der Vögel durch Gospic.

Von **Anton Pichler**, Gymnasiallehrer an der Handelsschule zu Mostar.

Herbstzug 1892.

29. September: Crex pratensis am Heideboden geschossen.

5. October: Scolopax major geschossen von Oberförster Kozjak.

11. October: Taubenflüge selten, Abends Caprimulgus europaeus 1 Stück. Scolopax rusticola geschossen.

12. October: Columba palumbus einige Exemplare; aus Agram die ersten erlegten Scolopax rusticola gemeldet.

13. October: Phyllopneuste rufa, Hunderte von Columba oenas in Begleitung von Astur palumbarius. Cerchneis tinnunculus.

14. October: Ein Flug (circa 30) Hirundo rustica, sämmtlich junge Exemplare, den Kirchthurm umschwärmend 2 Uhr Nachmittags. Nachts heftiger Sturm und Regen. Columba palumbus und C. oenas zahlreich. 7 Uhr Abends Scolopax gallinula gemeldet.

15. October: Dicht bewölkt. Hirundo rustica anscheinend gleich an Zahl wie gestern. Scheinen wegen bewölkten Himmels hier geblieben zu sein. Columba palumbus und C. oenas zahlreich in geschlossenen Zügen bei 500 Stück; Fringilla montifringilla der erste Schwarm. Ein Flug von 20 Stück Anas boschas (brütet hie und da) in nächster Nähe des Ortes. Scolopax rusticola und Sc. gallinago trotz eifriger Suche mit dem Hunde in den besten Lagen 0. Von den höchsten Punkten des Velebit wird leichter Schneefall gemeldet; von hier aus nicht controlirbar. Abends leichter Südwind, sternenhell. Nachträglich wurde 1 Stück Scolopax rusticola gemeldet, lag im Heideboden!

16. October: Morgens hell und klar. Falco aesalon 1 Stück. Turdus iliacus sehr zahlreich in allen Hecken. Calamoherpe arundinaceus 1 Exemplar am Likaflusse. Phyllopneuste rufa 1 Stück. Anthus pratensis (sp.?) ungemein zahlreich am Heideland, auf Wiesen und Aeckern. Sturnus vulgaris zahlreiche zu Hunderten zählende Schwärme. Sturnus ist nach verlässlicher Angabe des Herrn Oberförster Kozjak hier nicht Brutvogel. Columba oenas und Columba palumbus sehr zahlreich. Saxicola oenanthe 2 Exemplare. Hirundo rustica verschwunden (die Nacht war klar). Oedicnemus crepitans 5 Exemplare an Brüchen im Heideboden. Scolopax rusticola 0. Scolopax gallinago am sumpfigen Ufer des Likaflusses 5 Exemplare. Vanellus cristatus 1 Exemplar in den Lüften. Ardea cinerea 2 Exemplare; scheint hier auch Brutvogel zu sein. Anas crecca ♀ ein Exemplar scheint hier zu brüten. Abends dicht bewölkt, nach 1 Uhr Früh Regen.

17. October: Morgens dicht bewölkt, vor Mittag Regen, getrieben von einem heulenden SW. Der ganze Tag gleich, Beobachtung unmöglich. Scolopax rusticola 6 Exemplare geschossen vom Abhange des Velebit eingebracht. Nachts SW.-Sturm mit Regen.

18. October: Morgens hell und klar ONO. Velebit bis zu Fusse dicht bewölkt, tagsüber bewölkt sich der Himmel, Columba palumbus noch immer zahlreich im Walde, Jasikovac auf reich fruchtbeladenen Eichen scheinen hier längere Rast zu halten. Columba oenas in fabelhaften Schwärmen. Turdus iliacus sehr zahlreich. Alaudra arborea 1 Pärchen. Zahlreiche Anthus (sp.?) Caprimulgus europaeus 1 Exemplar. Oedicnemus crepitans am Abendanstande gehört. Scolopax rusticola wird von Hegern gemeldet, 3 Exemplare im Walde Jasikovac gefunden. Abend trübe.

19. October: Morgens Regen, nach Mittag hell. Columba palumbus sehr gering an Zahl. Columba oenas minder als am 18. Turdus iliacus sehr wenige. Phyllopneuste rufa 1 Exemplar. Scolopax rusticola mit dem Hunde keine gefunden.

Abends NO. Gewitter mit heftigem, kühlem Regen.

20. October: Hell und kühl, Velebit tief herab mit Schnee bedeckt. Columba palumbus sehr wenige; Columba oenas sehr zahlreich. Turdus musicus und iliacus einzelne Flüge. Phyllopneuste sp.? mehrere, Sturnus vulgaris, Serinus hortulanus ein zahlreicher Flug. Scolopax rusticola 1 Exemplar. Gallinago scolopacina 1 Exemplar. Abends sternenhell. Nacht leicht umflort.

21. October: Morgens kühl, dicht bewölkt, darauf heftiger Regen, von der Bora getrieben, mit Schnee gemengt. Von allen Orten der Umgebung wird Schnee telegraphisch gemeldet. Columba oenas in den Gärten des Ortes, Hirundo rustica, ein diesjähriges Exemplar,

verkroch sich am Fenster des Gymnasialdirectors Herrn E. Kramberger. Ich übernahm es zur Pflege, es starb jedoch schon nach einigen Stunden. Abends Schnee mit Regen, jede Beobachtung unmöglich.

22. October: Das ganze Comitat mit Ausnahme der Meeresküste mit Schnee bedeckt; Morgens tiefer Schneefall, hört gegen 11 Uhr auf, darauf tagsüber hell, Abends Regen. Columba palumbus nur 1 Exemplar. Columba oenas sucht in zahlreichen Flügen in den Gärten der Stadt Nahrung. Phyllopneuste sp.? mehrere. Anthus pratensis und 1 sp? Turdus musicus und iliacus zahlreich. Mehrere Flüge von Anas boschas. 1 Pärchen Charadrius pluvialis, Scolopax rusticola 0. Abends am Anstande Charadrius pluvialis und Gallinago scolopacina vernommen.

23. October: Schnee in der Ebene geschwunden. Alles wimmelt von Vögeln. Cerchneis tinnunculus. Columba palumbus wenige Exemplare. Columba oenas zahlreich. Turdus musicus und iliacus alle Hecken geradezu dicht besetzt. Phyllopneuste sehr zahlreich. Anthus aquaticus in grosser Menge. Anthus pratensis auf allen Heiden und Wiesen in Menge. Accentor modularis in Hecken. Fringilla montifringilla 1 Schwarm Canabina linota 1 Schwarm. Anas boschas zahlreich auf der Lika und Novčica. Anas crecca 2 einzelne Exemplare, eines davon in einem Eichenwalde. Scolopax rusticola wird zahlreich gemeldet. 1 Exemplar eingebracht. Gallinago scolopacina 1 Exemplar. Charadrius pluvialis ein Pärchen, auf derselben Stelle wie vorher 1 Exemplar geschossen. Abend sternenhell. Turdus meldet laut in den Lüften.

24. October: Früh trübe, Mittags und nach Mittag Regen. Scolopax rusticola 5 Exemplare eingebracht Nicht beobachtet.

25. October: Regen, zeitweise unterbrochen. Falco peregrinus knapp am Stamme einer hohen Eiche mit eulenartig aufgedunsenem Gefieder, auf Wildtauben lauernd. Schuss verpasst. Cerchneis tinnunculus 2 Exemplare. Columba palumbus zu Tausenden, hungrig, überfallen gierig die Eichen. Kröpfe der Geschossenen theils ganz leer, theils mit wenigen Eicheln gefüllt. Neu angekommen Falco peregrinus in der Begleitung Columba oenas sehr zahlreich. Von Turdus musicus und Turdus iliacus wimmeln geradezu unglaublich alle Hecken, Wiesen und Wälder. Anthus sp.? mehrere. Phyllopneuste zahlreich. Fringilla canabina zahlreich. Scolopax rusticola 3 Exemplare. Totanus sp.? Entfernung zu gross, Explorativschuss erfolglos. Abends Regen. Turdusstimmen in den Lüften.

26. October: Morgens Regen sowie den ganzen Tag. Columba palumbus und Columba oenas zahlreich wie gestern. Serinus hortulanus 1 Flug (bei 50 Exemplare). Turdus musicus und iliacus zahlreich. Ruticilla tithys 1 ♀. Crex pratensis 1 Exemplar. Sturnus vulgaris 1 Schwarm. Anas boschas mehrere Züge. Charadrius pluvialis meldet Abends laut. Nacht stürmisch. Gewitter.

27. October: Morgens hell und klar, Gefilde mit Reif bedeckt, auf kleinen Wasserflächen Eis. Columba palumbus bedeutend geringer an Zahl, Columba oenas anscheinend gleich wie gestern. Turdus musicus und T. iliacus nur stellenweise in unglaublicher Menge, andere Waldpartien ohne Drosseln. Turdus merula scheint zahlreicher geworden zu sein. Anthus verschiedene Species allenthalben vorhanden. Phyllopneuste noch verbreitet. Accentor modularis hie und da in Hecken. Canabina linota in dichten Schwärmen. Serinus auch in Gesellschaft derselben. Scolopax rusticola nach 7stündiger Suche 10 bis 15 Exemplare, sogar 1 Exemplar am Heideboden. Gallinago scolopacina 0, dagegen Gallinago gallinula 1 Exemplar am Heideboden. Platincola rubicola 6 Exemplare ♀ und ♂ in Gesellschaft von Anthusarten.

28. October: Morgens Frost und Eis. Columba palumbus in einzelnen lockeren Flügen bedeutend weniger, Columba oenas ebenfalls geringer an Zahl. Turdus musicus und iliacus nahezu verschwunden, nach 4stündiger Schnepfensuche kaum 3 Exemplare beobachtet. Sturnus vulgaris in dichten Schwärmen. Phyllopneuste nur 1 Exemplar. Anthus hie und da. Scolopax rusticola 2 Exemplare gefunden. Gallinagospecies 0. Accentor modularis in den Hecken. Lullula arborea 1 Exemplar. Regulus sp.? mehrere Exemplare. Nacht hell und kühl; Mondschein.

29. October: Morgens Nebel und feucht, tagsüber sonnig warm. Die ganze Gegend vogelleer. Columba palumbus verschwunden. Columba oenas in kleinen Flügen nur hie und da. Beide Turdusspecies mit Ausnahme von 2 Exemplaren verschwunden. Anthus vorhanden. Phyllopneuste 0. Accentor 0. Cerchneis tinnunculus 1 Exemplar. Scolopax rusticola nach 3stündiger Suche 4 Exemplare. Sturnus vulgaris in Schwärmen. Pyrrhula europaea meldet zum ersten Male.

30. October: Morgen kühl, nebelig, erst Mittags sonnig. Columba palumbus 0. Columba oenas ein dichter Schwarm. Cerchneis tinnunculus 1 Exemplar. Phyllopneuste 1 Exemplar. Chrysomitris spinus 1 Schwarm zum ersten Male. Turdus 5 Exemplare bei 5stündiger Schnepfensuche gesehen. Scolopax rusticola 2 Exemplare. Abend mondhell.

31. October: Morgens hell, mild, Sonnenschein. Columba palumbus ein kleiner Flug. Columba oenas mehrere Schwärme. Turdusarten zahlreicher als in den letzten Tagen. Scolopax rusticola 0.

1. November: Prächtiger Tag. Krank gelegen. Collegen melden Taubenschwärme sowohl als Sturnus vulgaris. Abend trübe.

2. November: Morgens Regenwetter, mit heftigem Gewitter begleitet. 11 Uhr 35 Minuten mehrere dichte Schwärme von Corvus frugilegus zogen von NO. gegen SW., liessen sich hinter dem Orte nieder. Columba und Turdusspecies immer seltener, verschwinden nach einigen Tagen vollkommen.

Zug hört auf.

Nur spärlich und gering an Zahl bleiben die Standvögel in der Nähe des Ortes.

Im Laufe des Monats Jänner 1893 kamen zahlreiche dichte Schwärme von Turdus pilaris auf die zerstreuten Bäume von Sorbus aucuparia und verschwinden, nachdem sie sämmtlichen Beerenvorrath verzehrt. Von einigen Orten wurde das Auftauchen bunter Vögel gemeldet, deren Beschreibung auf Bombycilla garrula passt. Gesehen keine.

Zur Ornis der Kurischen Nehrung.

Von Pastor **Friedr. Lindner** und **Dr. Curt Floericke.**

(Schluss.)

158. *Tringa alpina L.* Der Alpenstrandläufer ist wohl die am häufigsten vorkommende Art. Nach Krüger hat *alpina* sogar höchst wahrscheinlich bei Rossitten gebrütet, was sehr bemerkenswerth wäre. K. sah während des ganzen Sommers einige Pärchen

aus deren Benehmen sich auf die Nähe der Brutstätte schliessen liess; doch wurden keine Eier gefunden. Auch von dieser Art haben manche Individuen noch Ende August den schwarzen Brustfleck. Sie sind ebenso muntere und regsame wie harmlose und zutrauliche Vögel. In den letzten Tagen des August 1892 lief ein grosser Trupp täglich ganz gemüthlich auf der Dorfstrasse herum und durchsuchte dieselbe in Gesellschaft der Staare nach etwas Geniessbarem. Aber ihre Zuthunlichkeit verwandelt sich rasch in unbegrenzte Scheu, sobald sie erst einen *Machetes*, *Totanus* oder *Charadrius* zu Führern angenommen und dessen ewig wachendes Misstrauen auch sich zu eigen gemacht haben. Die grossen Tringenschwärme charakterisiren vor allem die Landschaft von Rossitten. Bei dem dort stets herrschenden Mangel an Fleisch müssen sie vielfach auch für culinarische Zwecke herhalten; der Braten ist köstlich und steht dem der Bekassinen wenig oder gar nicht nach. Auf einen Schuss wurden einmal (von Herrn Nöske) 33 Stück erlegt.

159. *Tringa canutus L.* Für gewöhnlich scheint der isländische Strandläufer nicht eben häufig durchzuziehen. L. erbeutete 1888 keinen, 1889 ein Exemplar am 31. und 1890 2 Stück am 25. August, 1891 wiederum keinen. Dagegen war 1892 der Durchzug ein ziemlich starker, vollzog sich aber sehr rasch und blieb im Wesentlichen gleichfalls auf die letzten Tage des August beschränkt. Die Vögel erschienen entweder in kleinen Trupps von 2—4 Stück oder führten auch wohl einzeln eine Schaar ihrer kleineren Gattungsverwandten. Sie waren zumeist geradezu dummdreist und zum Theil mit der Wirkung des Gewehres überhaupt offenbar unbekannt. Zuerst traf ich am 26. August 2 Stück am Haffstrande, die ich erlegte. Besonders zahlreich waren sie dann am 27. August und am 1. und 2. September. An den beiden letzten Tagen sammelte ich 7 Stück. Herr Zimmermann erbeutete ebenfalls 2 Exemplare am Seestrande. Nach dem 2. September sah ich keine mehr. (F.) L. fand auch diese Art ziemlich scheu.

160. *Tringa Schinzi Brehm.* Dieser Strandläufer kommt ganz regellos unter den Flügen der *T. alpina* vor, von der er sich, abgesehen von der geringeren Grösse durch nichts unterscheidet. Wir können *Schinzi* nicht als selbstständige Art ansehen, sondern höchstens für eine südwestliche Localform der *alpina* und würden deshalb vorschlagen, sie trinär zu benennen.

161. *Calidris arenaria L.* Sanderling. Am 24. August 1888 traf ich 7 Stück am Meeresstrande zwischen Sarkau und Rossitten, die sich sehr zutraulich zeigten, so dass ich einen mit dem Katapult erlegen konnte. (L.) Ich schoss am 7. September ein Exemplar auf der Haffseite dicht beim Dorfe. (F.) Herr Zimmermann erbeutete gleichfalls 2 Stück. Der Sanderling gehört zu den selteneren Erscheinungen auf der Nehrung.

Limicola pygmaea, s. Nachtrag.

162. *Phalaropus hyperboreus L.* Hochinteressan dürfte es sein, dass der schmalschnäblige Wassertrete Anfang September in manchen Jahren, wenn auch nur in geringer Anzahl auf der Nehrung erscheint und vielleicht ist uns damit ein neuer werthvoller Fingerzeig zur Deutung der noch so räthselhaften Wanderungen dieses zierlichen Vögelchens gegeben. Am 4. September beobachteten wir auf einer kleinen Dünenlache zwischen Sarkau und Rossitten bei kühlem, regnerischem Wetter und Nordostwind schon in der Abenddämmerung ein einzelnes, sehr zutrauliches Exemplar, welches Herr Zimmermann erlegte und ausstopfte. (F.) Im August 1893 wurden eine ziemliche Anzahl Wassertreter bei Rossitten erletgt. (F.)

163. *Recurvirostra avosetta L.* Als ich am Nachmittag des 31. August am Ufer des Bruches entlang pürschte, bemerkte ich von weitem ein weisses schimmerndes Etwas, das ich zuerst für ein Stück Porzellanscherbe hielt, in dem ich aber dann beim Näherkommen durch meinen Krimstecher deutlich einen Säbelschnabel erkannte. Leider vermochte ich nicht, auf denselben zum Schuss zu kommen. Auch Hartert (l. c. p. 47) hat diesen für Ostpreussen sehr seltenen Vogel einmal am Kurischen Haff gesehen, aber gleichfalls nicht vor die Flinte bekommen können. (F.)

164. *Vanellus capella J. C. Schäff.* Kiebitz. Vom August bis October am Bruch in kleinen Gesellschaften. Dazwischen aber sieht man oft wochenlang keinen einzigen. Er will mir (F.) scheinen, als ob der Metallschimmer der nördlichen Kiebitze mehr ins Röthliche spiele als bei westlichen und südlichen Individuen, womit wir ein hübsches Analogon zur Staarenfrage hätten. Einige wenige auch zur Brutzeit bei Rositten. (L.)

165. *Charadrius curonicus Gm.* Der Flussregenpfeifer ist Ende August und Anfang September recht häufig anzutreffen, theils für sich allein in kleinen Trupps, theils einzeln oder zu zweien in der Gesellschaft verwandter Strandvögel; besonders scheint er sich zu *Ch hiaticula* hingezogen zu fühlen. L. sah ihn auch zur Brutzeit (22. Mai 1889) am Bruch, sowie am Haff bei Grenz und an mehreren Stellen des Seestrandes.

166. *Charadrius hiaticula L.* Der Sandregenpfeifer zieht ganz um dieselbe Zeit wie die vorige Art und auch ziemlich in derselben Weise.

167. *Charadrius morinellus L.* Einen Mornellregenpfeifer, und zwar den ersten ostpreussischen, schoss ich am 6. September 1888 auf der Pallwe in der Nähe des Bruchs. Es war ein ♂. (L.) Im August 1893 erlegte Herr Jacobi an einem Morgen 6 Stück.

168. *Charadrius pluvialis L.* Der Goldregenpfeifer ist während des ganzen September und der ersten Hälfte des October stark auf dem Zuge und treibt sich gern wochenlang auf der Nehrung herum, wo ihm die weiten kahlen Pallwen recht geeignete Tummelplätze bieten. Man findet unter diesen Schaaren bisweilen auch noch sehr schön ausgefärbte Stücke im ungemauserten Sommerkleide. Er ist nicht allzu schwer zu erlegen, da er weit weniger scheu ist als die folgende Art.

169. *Charadrius squatarola L.* Der Kiebitzregenpfeifer erscheint im Allgemeinen etwas später als *pluvialis*. Auch bei ihm bemerkt man noch prächtig ausgefärbte Stücke mit schwarzem Bauch. Doch hält es bei dem Mangel jeglicher Deckung auch für den geübten Jäger schwer, diese ungemein misstrauischen Vögel zu erlegen. Junge Exemplare werden leichter erlegt. (L.)

170. *Arenaria interpres L.* Steinwälzer. Ich erlegte am 26. und 30. August 1890 je ein Stück bei Rossitten und habe ihn auch sonst wiederholt im letzten Drittel des August einzeln und in Flügen bis etwa 10 Stück zu Gesicht bekommen. (L.) Auch mir fiel am 22. August 1892 ein einsam auf der Haffdüne herumlaufendes Exemplar zum Opfer. (F.) Uebrigens ist dieser interessante Vogel auch für die Nehrung eine ziemliche Seltenheit; Herr Krüger und Herr Zimmermann z. B. haben noch kein Stück erhalten können. Häufiger

noch als am Strande fand ich ihn im Dünengrase und auf feuchtem Anger bei der Nahrungssuche. (L.)

171. *Haematopus ostrilegus L.* Zur Zugzeit trifft man am Seestrande, namentlich bei Westwind stets einige Exemplare an. Sie sind aber ungemein scheu und deshalb schwer zu erlegen. Sowie man nur den Kopf über die Düne streckt, ergreifen sie auch schon unter lautem Pfeifen die Flucht, und gewöhnlich ist die Entfernung von der Dünenspitze bis zum Strande zu gross, als dass man einen erfolgreichen Schrotschuss anbringen könnte. Herr Forstmeister Hoffheinz schoss am 14. September 1888 ein Exemplar zwischen Sarkau und Rossitten. Auch bei Memel wurden schon mehrere Exemplare erlegt. Im Februar 1892 schrieb mir (L.) Herr Krüger u. A.: »Auf dem Bruch fand sich zu Anfang oder Mitte Mai ein Pärchen *Haematopus ostr.* ein, wollte dort wahrscheinlich brüten, wurde aber durch das tägliche Möveneiersuchen, dem vielleicht auch ihr Gelege zum Raub geworden war, verscheucht. Zu meiner grossen Freude aber hatten sie doch eine Brut, wahrscheinlich auf der Pallwe hinter den Predinwiesen, grossgebracht. Leider fielen sowohl ein altes als zwei junge Exemplare, von denen eins noch in der See verloren ging, der Forschungs-, respective Schiesswuth zum Opfer.« Ich halte diese Mittheilung für ganz besonders wichtig; verdanken wir doch auch Herrn Krüger, dem Kunst- und Wissenschaftscollegen Gätkes, die werthvolle Nachricht vom Brüten der *Limosa lapponica* und *Tringa alpina* auf der Nehrung. (L.)

172. *Cygnus olor Gm.* Höckerschwan. Am 22. Mai 1889 ein Stück auf dem Haff beobachtet. (L.)

173. *Cygnus musicus Bchst.* Der Singschwan erscheint noch häufiger als *olor* im Herbst und Frühjahr an den Haffküsten. Wahrscheinlich war er es, den ich 1889 bei Grenz sah. (L.)

174. *Anser albifrons Scop.* Herr Krüger bemerkte am 12. September 1890 bei Rossitten einen Flug Blässgänse und erlegte daraus 1 Stück; die Vögel waren gar nicht scheu.

175. *Anser ferus Brünn.* Die Graugänse ziehen im September regelmässig, aber nicht eben häufig durch. Viel zahlreicher erscheint

176. *Anser segetum Gm.* Der Durchzug der Saatgänse erfolgt etwas später.

177. *Tadorna damiatica Hasselqu.* Die Brandgans kommt zwar auf dem Zuge vor, aber die von Hartert mit aufgeführte unverbürgte Angabe, dass sie auf der Kurischen Nehrung brüte, beruht entschieden auf einem Irrthum. (Krüger erhielt Nachrichten vom Nisten derselben auf der Halbinsel Hela.)

178. *Anas crecca L.* Die Krickente ist Brutvogel auf dem Bruch und zur Zugzeit ungemein häufig. Sie ist von allen Wildenten am wenigsten scheu und ihr zartes Fleisch übertrifft das aller anderen Arten an Wohlgeschmack.

179. *Anas querquedula L.* Knäkente. Im Juli 1888 bei Grenz geschossen. (L.) Auf den Vorsprüngen des Haffstrandes sassen oft hunderte von Enten, die schon auf grosse Entfernung aufgingen und ins Haff flüchteten. So weit ich das aus der Ferne durch mein gutes Fernrohr feststellen konnte, schienen sie mir zumeist dieser Species anzugehören. (F.)

180. *Anas acuta L.* Spiessente. Am 7. October 1888 bei Rossitten ein junges ♂ erlegt. (L.)

181. *Anas penelope L.* Pfeifente. Nur einmal, Mitte September, in einem mässigen Flug auf dem Bruch beobachtet. (F.) Soll auch zwischen Cranz und Grenz erlegt sein. (L.)

182. *Anas strepera L.* Schnatterente. Bei Sarkau sah ich sie einmal vom Wanderfalken verfolgt werden und glaube sie auch zur Brutzeit auf dem Bruche beobachtet zu haben. (L.)

183. *Anas clypeata L.* Die Löffelente zählt gleichfalls zu den Brutvögeln des Bruchs. (L.) Ich sah sie 1wederholt ganz vertraut auf der Pelk dicht am Dorfe zwischen den zahmen Enten herumschwimmen. (F.)

184. *Anas boscas L.* Die Stockente ist auf dem Zuge wohl die gemeinste Art und brütet auch auf dem Bruch.

185. *Fuligula hyemalis L.* Am 25. October 1888 wurde eine Eisente bei Sarkau gefangen. Am 24. April 1889 war das Haff bei Grenz von wahren Unmassen dieser Art bedeckt. (L.) Ich erhielt am 26. November 1892 ein Exemplar im Fleische aus Rossitten zugeschickt. (F.) Localname »Karkeliter«.

186. *Fuligula clangula L.* Auch die Schellente war am 24. April 1889 in riesigen Mengen auf der See vertreten. Sie gehört neben der vorigen Art zu den häufigsten Wintererscheinungen der nordischen Vogelwelt. Localname: »Backente.« (L.)

187. *Fuligula nyroca Güld.* Am 30. September 1888 erschienen sehr viele Moorenten bei Rossitten, am 1. October waren circa 20 auf der Pelk, am 2. noch mehr, aber am Abend zogen alle weiter. (L.)

188. *Fuligula ferina L.* Tafelente. Häufiger Brutvogel auf dem Bruch. Im Herbst sieht man auch diese Art bisweilen unter den zahmen Enten auf der Pelk. (L.)

189. *Fuligula marila L.* Bergente. Am 6. October 1888 bei stürmischem Wetter am Landungssteg von Rossitten ein Exemplar geschossen. Der Färbung nach ist dieser Vogel vielleicht ein Bastard mit *ferina*. Er befindet sich ausgestopft in meiner Sammlung. (L.)

190. *Oedemia nigra L.* Trauerente. Im März und April auf der Ostsee.

191. *Mergus albellus L.* Selten. Im April 1888 sah ich ein Paar auf dem Haff bei Grenz. (L.)

192. *Mergus merganser L.* Gänsesäger. Im Winter an der Meeresküste. »Gelbbauch.« (L.)

193. *Mergus serrator L.* Mittlerer Säger. Wurde am 23. October 1888 erlegt. (L.)

194. *Phalacrocorax carbo L.* Kormoranscharbe. Die etwa im Jahre 1857 (s. Otto Glagau, Litauen und die Litauer, S. 178 f.) wohl von den dänischen Inseln oder vielleicht auch von der skandinavischen Küste eingewanderten Kormorane hatten früher, wie auf der frischen, so auch auf der Kurischen Nehrung Nistcolonien, und zwar bei Schwarzort. Dort haben die Kormorane die Reihercolonie nach heftigem mehrtägigen Kampfe occupirt und bis vor wenigen Jahren behauptet. Jetzt sind sie den systematischen Verfolgungen der Menschen unterlegen und wohl nur noch an den masurischen Seen anzutreffen. Nur einmal habe ich bei Königsberg einige Exemplare fliegen sehen. (L.)

195. *Hydrochelidon nigra L.* Die schwarze Seeschwalbe sah ich am Ostufer des Haffs in der Labiauer Gegend. (L.) Unzweifelhaft werden bei näherer Beobach-

tung sich noch mehrere Arten von Seeschwalben für die Nehrungsornis constatiren lassen.

196. *Sterna hirundo L.* Die Flussseeschwalbe brütet zu Tausenden auf dem Bruch. Das Gelege besteht regelmässig aus drei Eiern. Am 1. September 1888 sah ich sie noch Junge füttern, aber zwischen dem 3. und 5. zogen sie bereits ab. Am 6. Juni 1889 hatten die Seeschwalben noch keine Jungen, während solche von *Larus ridibundus, Fulica atra, Colymbus cristatus et nigricollis* bereits vorhanden waren. (L.) Bei meiner Ankunft in Rossitten waren die Seeschwalben schon nahezu gänzlich abgezogen. Ich sah und erlegte nur noch 2 Exemplare am 21., bezüglich 25. August. (F.)

197. *Sterna cantiaca Gm.?* Am 21. Juni 1890 beobachtete ich am Bruche ausser *hirundo* noch eine andere Art, die sich durch ganz taktmässigen Flügelschlag und lange, schmale und scharfeckige Flügel auszeichnete. Leider konnte der betreffende Vogel nicht erlegt werden. (L.)

198. *Larus minutus Pall.* Zwergmöve. Am 23. Mai 1889 sah ich diese Art ganz nahe und deutlich, wie sie über der grossen Brutcolonie von *ridibundus* ängstlich herumflog. Am 24. erblickte ich über dem Bruch wieder zwei zweifelhafte Möven, welche recht merklich kleiner als *ridibundus* waren. Die Unterseite, auch der Flügel, war ganz weiss. Die eine war auf der Oberseite der Flügle ähnlich gefärbt wie alte *tridactylus;* das Schwarzbraun des Kopfes war intensiv und reichte kaum bis zum Auge; der Schwanz hatte einen schmalen dunklen Endrand. Die Andere zeigte am Kopfe die Jugendfärbung von *ridibundus:* also jedenfalls junge *minutus* im zweiten Federkleid! Am 26. beobachtete ich daselbst 4 Stück und erlegte ein altes ♂. Der Ruf unterscheidet sich sehr von dem der Lachmöve und klingt wie »Genneggenneggereg« oder »Emeck, eweck«. Am 31. August waren noch ziemlich viele über dem Haff, aber keine *ridibundus* mehr. Auch 1890 beobachtete ich diese schöne Möve am 23. August am Haff bei Kunzen. 1891 schoss Herr K r ü g e r am 19. Juni 1 Exemplar. 1892 endlich machte ich auf dem Bruch vom Kahne aus kurz vor dem Landen am 20. Juni eine glückliche Doublette auf ♂ und ♀. Ende gut, Alles gut! (L.) — Auch für die Zwergmöve kam ich leider schon zu spät nach Rossitten und habe nur noch ein paarmal vereinzelte Exemplare flüchtig beobachten können; ein krank geschossenes Stück entkam mir leider ins Haff. Gerade in diesem Jahre soll *minutus* besonders häufig, ja an einzelnen Tagen zu Hunderten da gewesen sein. Viele wurden geschossen. Ich sah bei Herrn Z i m m e r m a n n noch frisch präparirte alte und junge Vögel dieser Art. (F.)

199. *Larus ridibundus L.* Eine grosse Colonie der Lachmöve befindet sich auf dem Bruch. Die Gelege bestehen aus 3, selten aus 4 Eiern, unter denen man viele Abnormitäten findet. Es werden jährlich etwa achtmal je 700 Eier gesammelt und zu 10—12 Pf. pro Stück verkauft. Einmal erlegte ich eine Lachmöve, welche eine kolossale Balggeschwulst am Oberschenkel hatte. Der Abzug erfolgt Mitte September in mehreren grossen Zügen. (L.) Auch bei den Möven lässt sich dabei dasselbe ballonmässige Aufsteigen wie bei den Bussarden beobachten. (F.) Manchmal occupiren die Lachmöven die Nester von Ohrentaucher (*Colymbus nigricollis*) wobei dessen Eier verloren gehen. Die Lachmöven- und Seeschwalbennester werden vielfach vom Fuchs geplündert. (L.)

200. *Larus canus L.* Sturmmöve. Das ganze Jahr hindurch, namentlich aber vom August an sehr häufig am See- wie am Haffstrande, von wo sie gern Streifereien nach dem Bruch und den denselben umgebenden Feldern macht. Ich (L.) sah sie auch nach Bussardart über den Kartoffel- und Getreidefeldern rütteln, wo sie jedenfalls nach Mäusen jagt. Ihr Brutplatz ist unbekannt.

201. *Larus fuscus L.* Die Häringsmöve ist am Seestrande häufig und stellt sich namentlich bei Westwind und stürmischem Wetter sehr regelmässig ein.

202. *Larus marinus L.* Die Mantelmöve ist ziemlich selten (von L. zweimal, von F. nur einmal beobachtet) und kommt noch am ehesten bei Westwind und recht bewegter See.

203. *Larus argentatus Brünn.* Silbermöve. Mehrmals am Haffstrande, theils allein, theils unter *canus* gesehen, aber stets nur im Jugendkleid. (L.)

204. *Rissa tridactyla L.* Am 25. September 1888 bei Schwarzort gesehen, ferner mehrere sehr typische Exemplare am 13. October auf der Rückkehr nach Königsberg. (L.)

205. *Lestris spec.?* Eine Raubmöve bemerkte ich am 21. September 1888 bei Rossitten. (L.)

206. *Colymbus fluviatilis Tunst.* Zwergtaucher. Am 20. Juni 1892 sah ich 4 Exemplare, welche zu dieser Art gehörten, auf dem Bruch. Herr Forstreferendar G e i g e r hat den Vogel selbst ebendort schon 1890 erlegt. (L.)

207. *Colymbus nigricollis Brehm.* Der schwarzhalsige Taucher brütet colonienweise (auch in der Bartschniederung fand ich ihn nur in grossen Colonien brütend, F.) in den Wasserschachtelhalmen auf dem Bruch. Das Gelege besteht aus 3, selten 4 Eiern, welche beim Verlassen des Nestes stets bedeckt und deshalb sehr bald braun gefärbt werden. Bisweilen kommen Collisionen mit *Larus ridibundus* vor. So fand ich am 20. Juni 1891 ein Ei von *nigricollis* und zwei von *L. ridibundus* in einem Neste. Ferner am 20. Juni 1892 eine Nest mit zwei Eiern, welches gleichfalls eine Lachmöve occupirt und zweier Eier hinzugelegt hatte. Von den Tauchereiern war das eine im Neste geblieben und unter der Brutwärme der Möve verfault, das andere, welches ins Wasser geworfen war, hatte sich darin bis fast zum Ausschlüpfen des Embryo entwickelt, doch war derselbe schliesslich abgestorben, weil nur wohl eine Hälfte des Eies aus dem Wasser hervorsah. Der Abzug erfolgt schon in den letzten Tagen des August oder in den ersten des September. (L.)

208. *Colymbus cristatus L.* Auch der Haubentaucher nistet auf dem Bruch, wo ich an einem Tage 5 Stück schoss, und ferner befindet sich eine Brutcolonie von ihm im Haff zwischen Grenz und Sarkau. Bei Pillkoppen wurde am 1. October 1888 ein Stück im Fischernetze gefangen. (L.) Anfang September waren ihrer viele auf dem Durchzuge im Haff und Bruch. (F.) Im Frühjahr halten sie sich erst längere Zeit auf der Ostsee auf, ehe sie die Brutplätze auf dem Haff und dem Bruch beziehen. (L.)

209. *Colymbus cornutus.* Gehörnter Steissfuss. Im Februar 1893 wurden mir 2 Stück aus Rossitten übersandt. (F.) Im Sommer war diese Art auf dem Bruche nie zu bemerken. (L.)

210. *Urinator septentrionalis L.* Am 24. April 1889 sah ich auf dem Haff bei Grenz und am 21. Juni 1892 auf der See bei Rossitten Seetaucher, deren Species ich nicht genau feststellen konnte. (L.) Ich erhielt am 31. October 1892 aus Rossitten einen sehr schönen *septentrionalis* im Jugendkleide zugeschickt. (F.)

211. *Urinator arcticus L.* Polartaucher. Wird in den Wintermonaten öfters in Fischernetzen, namentlich in der See, gefangen und ist bei Memel und Grenz mehrmals erlegt worden. (L.)

212. *Uria grylle L.* Am 16. April 1888 fand ich eine von der See ausgespülte todte Gryllumme. (L.)

Nachtrag:

Im August 1893 hat Dr. Floericke noch weitere 2 Species bei Rossitten beobachtet und erlegt:

213. *Muscicapa parva Bchst.* Zwergfliegenfänger. Derselbe war 1890 von L. im Krause'schen Garten, woselbst er jetzt von Dr. F. erlegt worden ist, nicht ganz sicher beobachtet, deshalb auch im bisherigen Verzeichniss nicht mit aufgeführt. Bisher war der Zwergfliegenfänger nur (vom verstorbenen Robitzsch) bei Norkissen sicher beobachtet (L.), doch konnte ihn daselbst im Jahre 1890 nicht wieder auffinden.

214. *Limicola pygmaea Koch.* Am 15. August (1893) hatte ich das Glück, in Herrn Jacobi's Gegenwart den seltenen Sumpfläufer als Novum der ostpreussischen Ornis auf der Vogelwiese bei Rossitten zu erlegen. (Dr. Fl.)

* * *

Mit dieser Nr. 214 schliessen wir das Verzeichniss der bis September 1893 für die Nehrung sicher constatirten Vogelspecies; wir werden jedoch ohne Zweifel in der Lage sein, in den nächsten Jahren dieses Verzeichniss bedeutend erweitern zu können. Die Kurische Nehrung ist ja Vogelzugstrasse im eminentesten Sinne des Wortes. Die Zeit der Beobachtung ist im Verhältniss zu den bisher erzielten, doch schon recht werthvollen Resultaten eine sehr kurze. Da Rossitten von nun an von Ornithologen immer häufiger besucht wird, so wird der wahre Vogelreichthum dieser Vogelwarte auch je länger je mehr erforscht und bekannt werden. Wir zweifeln nicht im Geringsten, dass Rossitten eine ähnliche Berühmtheit wie Helgoland erlangt.

Biologische Gruppirung der Ornis der Schweiz.

Von **H. Fischer Sigwart** in Zofingen.

I. Gruppe.

Nordische Zugvögel und nordische Wintergäste.

(Fortsetzung.)

Oidemia nigra (L.) (Oidemia nigra Fleming = Anas nigra L.). Kommt selten und unregelmässig in die Schweiz.
Thes.: Nordeuropa.
Sch.: Brütet innerhalb des arktischen Kreises.

Oidemia fusca (L.) (Oidemia fusca Fleming = Anas fusca L.). Auf dem Zuge und als Wintergast, nicht häufig.
Thes.: Nördliche Halbkugel.
Sch.: Brütet innerhalb des arktischen Kreises.

***Oidemia perspicillata (Dayl) (s. Fleming s. Swainson = Anas perspicillata L.). Wurde einmal, 1818, am Genfersee erlegt und soll einer unsicheren Nachricht zufolge auch schon am Bodensee erlegt worden sein.
Thes.: Nordamerika und Europa.

*Somateria mollissima (L.) (Somateria mollissima Leach. = Anas mollissima L.). Selten auf den grösseren Seen im Herbst und Winter.
Thes.: Nördliche Halbkugel.
Sch.: Brütet im tiefen Norden.

***Somateria spectabilis (L.) (Somateria spectabilis Leach. = Anas spectabilis L.). Auf dem Genfersee einmal erlegt worden, nicht sicher.
Thes.: Terrae arcticae.
Sch.: Brütet im hohen Norden.

Mergus merganser (L.). Brütet in der Schweiz. Auf dem Zuge und als Wintergast auf Seen und Flüssen.
Thes.: Nördliche Halbkugel.
Sch.: Nistet im Norden.

Mergus serrator (L.). Nistete 1876 am Bodensee und soll auch am Neuenburgersee brüten. Zugvogel und Wintergast, wie voriger.
Thes.: Nördliche Halbkugel.
Sch.: Brütet innerhalb des arktischen Kreises.

Mergus albellus (L.). Ziemlich seltener Zugvogel und Wintergast auf Seen und Flüssen. Auf letzteren häufiger als die vorigen beiden.
Thes.: Nördliche Halbkugel.
Sch.: Brütet im Norden.

**Uria troile (Lath.) = Alca lomvia Schl. Im Westen bis jetzt drei Mal gefangen.
Thes.: Terrae arcticae.
Sch.: Brütet an den nördlichen Meeren.

***Uria grylle (L.) (Uria grylle Brünnich = Alca grylle L.). Ein Exemplar wurde einmal im Frickthal erlegt.
Thes.: Nördlicher Atlantischer Ocean.
Sch.: Brütet innerhalb des arktischen Kreises.

**Alca torda (L.). Bis jetzt sind am Genferse drei Exemplare erlegt worden.
Thes.: Nördlicher Atlantischer Ocean.
Sch.: Brütet selten südlich des arktischen Kreises.

Podiceps cristatus (L.) (Podiceps cristatus Latham. = Colymbus cristatus L.). Brütet in der Schweiz. Auf dem Zuge, auch in den Bergregionen und als Wintergast auf allen Seen.
Thes.: Europa, Asien, Afrika, Nordamerika.
Sch.: Brütet auf Seen.
Br.: Im Norden erscheint er im Frühlinge nach der Schneeschmelze und verlässt sein Vaterland wieder längstens Ende November.
Hat sich nach und nach daran gewöhnt, auf unseren Seen zu brüten; aber dies geschieht nur von einzelnen Paaren.

Podiceps rubicollis Gm. = Podiceps griseigena Gray. Soll am Neuenburger- und Bodensee nisten. Erscheint nicht regelmässig als Wintergast.
Thes.: Europa, Asien, Nordamerika.
Sch.: Im nördlichen Deutschland brütet er häufiger als im südlichen.

Br.: Die Steissfüsse gehören dem gemässigten Gürtel an, gehen nicht weit nach den Polen hinauf, aber wandern auch nicht weit nach Süden.

In der Schweiz erscheint der rothkehlige als Wintergast, und zwar ziemlich selten.

Podiceps arcticus Boie. = Podiceps cornutus Latham. Auf dem Zuge und als Wintergast erscheint er ziemlich selten.

Thes.: Europa, Sibirien, Nordamerika.
Sch.: Nistet nördlicher als der vorige.

Podiceps nigricollis Sand. s. Brehm = Podiceps auritus Lath. Erscheint auf dem Zuge und als Wintergast in der ebenen Schweiz.

Thes.: Nördliche Halbkugel
Sch.: Brütet im nördlichen Deutschland.

Podiceps minor Gm. (Podiceps minor Latham = Colymbus hebridicus Gm. Brütet in der Schweiz. Ist Stand- und Nistvogel in der Ebene, ebenfalls Zugvogel und Wintergast in der Mittelschweiz.

Thes.: Europa, Asien, Afrika, Molukken, Australien.
Sch.: Brütet überall.

Br.: Erscheint im nördlichen Deutschland im März, verweilt, so lange die Gewässer offen sind (brütet also auch dort) und wandert dann nach Süden, findet aber bereits in Südeuropa eine geeignete Winterherberge.

Die Wanderungen im Herbst von den nördlichen Gegenden nach Südeuropa deuten darauf hin, dass er ursprünglich ein nordischer Zugvogel war und sich vielleicht ähnlich verhält wie Anas boschas. Sein Vorkommen auf den Molukken und in Australien machen dagegen seine nordische Abkunft wieder zweifelhaft, wenn nicht dort etwa eine ähnliche Art mit ihm verwechselt worden ist oder nur einzelne verschlagene Exemplare vorgekommen sind.

Colymbus arcticus L. Auf dem Zuge und als Wintergast auf den Seen.

Thes.: Terrae septentrionales.
Sch.: Brütet im Norden.

(Fortsetzung folgt.)

Singt oder schlägt unsere Singdrossel (Turdus musicus)?

Eine Gesangsfrage von **F. Anzinger.**

»Amselschlag« und »Drosselsang« sind beliebte Wörter nicht nur im Munde der Dichter und Schriftsteller, sondern auch mancher Ornithologen. Wie weit der Sinn dieser Worte zutrifft, braucht die Ersteren wohl nicht zu kümmern, da es sich bei diesen doch nur um poetische Wortspiele handelt; für den Vogelkundigen aber, welcher sich namentlich für den Gesang des befiederten Volkes interessirt, bleiben die verschiedenen »technischen Ausdrücke«, wie: Schlagen, Singen, Pfeifen, Flöten, Rufen etc. für die verschiedenen Gesangsarten nicht belanglos, obwohl sie für den tieferen, wissenschaftlichen Werth der Vogelkunde nur bedingte Geltung haben.

Die so oft gehörte Redensart: »Die Drossel*) singt«, zwingt mich zu der Frage: ob dieser Ausdruck hinsichtlich der Gesangsart dieses Vogels wirklich zutrifft. Unter Singen versteht man nach Dr. Carl Russ, wenn der Vogel seine leisen, mehr oder minder zwitschernden oder zirpenden Töne mit lauten, schmetternden vermischt und das Ganze harmonisch in Einklang bringt, der Gesang also — wie ich mich ausdrücken will — in einem gebundenen, zusammengehörigen Ganzen zum Vortrag gebracht wird, ohne dass sich innerhalb der Silbenzeilen oder Strophen kleinere oder grössere Abstände, sogenannte Pausen, befinden. Der Vogel schlägt, wenn er die lauten, einzelnen Töne oder Strophen seines Gesanges immer in gleicher Folge aufeinander hören lässt.

Vergegenwärtigen wir uns nun den Gesang der Singdrossel mit nachstehenden Silbenverbindungen, welche nach meinem Gehör ungefähr folgenderweise lauten: »huidijt! huidijt! huidijt! — dadodadü-datit! dadodadü-datit! — daadak! daadak! daadak! — odilio! odilio! — daradadak! daradadak! — daadit! daadit! daadit! — inkerererer! inkerererer! — haudijo! haudijo! haudijo! — ilililojdo! ilililojdo!« u. s. w. Diese klangvollen, melodiösen, im stillen Gebirgswalde weithin vernehmbaren Laute wiederholen sich in verschiedener Reihenfolge, und zwar so, dass man aus der vorangehenden Strophe selten auf die nächstfolgende schliessen darf.

Dies hat zur Folge, dass man dem Drosselgesange, welcher an und für sich keine besonders grosse Abwechslung bietet, immer und immer wieder gerne lauscht. Den Drosselgesang ein Lied zu nennen, wäre aber vom kritischen Standpunkte aus ein verfehltes Wort, eher träfe die Bezeichnung »Schlag« zu, wenn wir die zwei-, drei-, ja oft viermal nacheinander gebrachten Strophensilben in Betracht ziehen wollen. Sie haben aber nicht jene markante Klangfarbe, jene Abrundung und scharfe Kürzung, wie sie dem Wachtel- und Finkenschlag sowie einzelnen Schlägen im Sprosser- und Nachtigallengesang eigen ist. Viel eher liesse sich die Bezeichnung »Ruf« für den Drosselgesang in Anwendung bringen. Einzelne Schläge scheinen der Silbenart nach der menschlichen Sprache entlehnt zu sein; sie werden gedehnt und mit einer solchen Reinheit in den Wald hineingerufen, dass sie vom Volke, ähnlich dem Kuckucksrufe, mit Leichtigkeit aufgefasst werden können. Klangbilder, wie: »Wilddieb« oder »Kuhdieb«, »Saudieb«, »David« und »Ottilia« dürften die bekanntesten sein, welche der Volkswitz aus dem Drosselschlage herausgefunden hat.

Ich bin überzeugt, dass ich mit der letzteren Annahme, für den Drosselgesang die Bezeichnung »Ruf« zu setzen, auf gerechten Widerstand stossen werde, da man unter dieser Bezeichnung doch nur solche Klangbilder zu verstehen hat, die sich in ihrer Eigenart vollkommen abgrenzen, sich immer gleichartig wiederholen und man immer im Voraus weiss, dass sich die kommende Strophe von der eben verklungenen durch nichts unterscheiden wird. In diesem Sinne kann auch der Wachtelschlag »Wachtelruf« genannt werden.

Anders verhält es sich mit dem »Schlag«. Derselbe kann sich in verschiedenen Varianten, Tonabstufungen und Zeitintervallen wiederholen, kann zwischen regelrecht vorgetragenen Liederstrophen zum Ausdrucke kommen und sich mit diesen in innigen Zusammenhang bringen lassen.

Nachdem nun die Singdrossel die meisten Strophen ihres Gesanges mehrmals wiederholt, ehe sie zu einem anderen Tonbilde übergeht, dieselben mit Kraft und voller

*) Unter der Bezeichnung Drossel wird in Deutsch-Oesterreich allgemein die Singdrossel verstanden.

Reinheit zur Geltung bringt und überdies in ihrem Gesange einen bestimmten, festen Tact einhält, so wäre die Definition »die Drossel schlägt«, jedenfalls richtiger, als »die Drossel singt«.

Ich wäre sehr dankbar dafür, wenn dieses Thema einer eingehenden Kritik von Seite berufener Vogelgesangskenner gewürdigt würde, damit ein frageloser, feststehender Beweis für diese oder jene Annahme erbracht würde.

Kanarienvogel mit abnormem Schnabel.

Mein College, phil. Dr. Edvin Bayer, Assistent der Botanik an der k. k. böhmischen Universität in Prag, hat mir interessante Daten über ein Kanarienweibchen mitgetheilt, das, mit einem abnormalen Schnabel versehen, längere Zeit von ihm gefüttert wurde. Da dieser Fall wohl das Interesse manches Ornithologen erregen dürfte, nehme ich keinen Anstand, die diesbezüglichen Beobachtungen meines geehrten Freundes mit dessen freundlichster Genehmigung kund zu thun. Das besagte Kanarienweibchen entspross aus vollkommen normal entwickelten Eltern mit regelmässig gebildeten Schnäbeln.

Dem im Käfige bei meinem Freunde ausgeheglen Männchen wurde ein Weibchen aus einem fremden Gehege beigesellt. Das starke Männchen war ausser dem etwas schwärzlichen Schnabelgrunde und dem Scheitel ganz gelb. Das Weibchen war mehr scheckig und das Junge war wie seine Mutter gefärbt. Bald zeigte sich dieses gelehrig und dem Menschen anhänglich. Anfangs beobachtete ich, schreibt mein Freund, den jungen Vogel aufmerksam, um zu ersehen, welches Futter seinem abnormen Schnabel besser zusagen, d. i. welche Sämereien er bevorzugen würde. Oft verweilte ich deshalb längere Zeit bei seinem Käfige und bemerkte, dass er Hafergries und Hanfsamen besonders gern frass, während ihm Hirsekörner minder zu behagen schienen. Es war augenfällig, dass der Vogel das grössere Korn mit dem Schnabel bequemer zu fassen, eigentlich zu schöpfen vermochte, indem der den Oberkiefer überragende Unterkiefer zum Schöpfen wie geschaffen sich zeigte. Ich war oft nicht wenig erstaunt, zu sehen, wie geschickt und flink der Vogel den Hanfsamen entschälte, wobei der Schnabel wegen des kürzeren Oberkiefers immer sehr weit gegen den Schnabelgrund zu geöffnet war. Ich fütterte den Vogel zwei Jahre lang mit gemischtem Kanarienfutter, wobei er gesund und immer munter blieb. Begierig, zu wissen, ob die Abnormität des Schnabels bei dem Weibchen etwa auch auf dessen Nachkommen irgendwie sich vererben würde, gesellte ich zu ihm ein angekauftes Männchen. Leider hatte sich dieses später als ein kränkliches und steriles Exemplar gezeigt. Das Weibchen machte sich an die Herrichtung eines Nestes und legte bald ein Ei ab. Aber das Ei blieb unausgebrütet und seitdem machte das Weibchen kein Gelege mehr, obwohl es immerhin noch an seinem Neste sich geschäftig zeigte und dasselbe mannigfach umlegte, ordnete und polsterte. Beim Bebrüten war dem Weibchen der Unfall begegnet, dass das Gefieder am After sich durch Koth verklebte, wodurch dem Vogel die Entleerungen vermuthlich sehr schwierig wurden. Ich wurde auf diesen Umstand eines Abends aufmerksam gemacht, da ich im Käfig ein wiederholtes Pochen und Stossen an die Käfigstange hörte. Beim Besichtigen des Käfigs sah ich, wie der Vogel mit seinem Gesässe heftig an die Käfigstange schlug, vielleicht um sich der unliebsamen Bürde zu entledigen oder auch die erschwerte körperliche Entleerung sich zu erleichtern. Der an das Gefieder angeklebte und erhärtete Koth hatte sich aber schon derart angehäuft, dass ihn der Vogel nicht mehr abstreifen konnte. Der Kothknollen hatte die Grösse einer Haselnuss erreicht. In der Meinung, der Vogel werde sich wohl selbst von der Last befreien, wollte ich ihm erst des anderen Tages zu Hilfe kommen, falls er es nicht selbst vermocht hätte. Des anderen Tages konnte der Vogel sich nicht mehr gut auf die Beine stellen, wurde krank und schleppte sich mühsam auf dem Boden. Da ich sah, dass er keinen Willen zeigte, das im Käfig aufgestellte Wasserschälchen aufzusuchen, obwohl er in dasselbe alle Tage hineinstieg, tauchte ich seinen Hinterkörper ins Wasser, um den Afterknollen zu erweichen. Da dieser sehr hart war, schor ich ihn sammt den Federn, woran er sich angesetzt, ab und machte die ganze Stelle kahl. Nach dieser Operation genas wieder das Weibchen. Ohne meine Hilfe wäre es ohne Zweifel umgekommen, ausser dass es ihm gelungen wäre, sich die mit dem Knollen behafteten Federn auszureissen, das es in seinem geschwächten Zustande mit verzweifelter Anstrengung jedoch vergeblich zu versuchen schien.

Da ich ein anderes Männchen zu kaufen keine Gelegenheit fand, liess ich den Sonderling inzwischen bei dem vollkommen genesenen Weibchen. Das sterile Männchen wurde nun oft heftigen Angriffen des Weibchens ausgesetzt. Dieses rupfte ihm allmälig den ganzen Schwanz weg und zerrte es oft im Käfig herum.

Eines Tages vergass ich, frisches Kanarienfutter zu kaufen und streute den beiden Vögeln nur Hirsesamen vor. Am Morgen des anderen Tages fand ich das Weibchen im Käfig todt, das Männchen war gesund und frisch. Beim Seciren des todten Vogels fand ich den Kropf leer, den gesunden Magen aber angefüllt mit rundlichen Quarzkörnern von der Grösse eines Stecknadelkopfes, die fast alle gleich gross waren und zwischen denen einige nicht entschälte Hirsekörner lagen.

Es scheint, dass das Weibchen Hungers gestorben ist.

Daraus ist zu ersehen, dass der Vogel nur aus Nahrungsmangel starb. Denn da er die glatten Hirsekörner nicht gut aufheben konnte, verschluckte er damit die grösseren Sandkörner, was seine Verdauung wahrscheinlich gestört hatte, wonach der Hungertod erfolgte. Dieser Vorfall schien mir darum interessant zu sein, weil er zu beweisen scheint, dass eine derartige in der Natur vorkommende Abnormität, wie sie hier vorkam, genöthigt ist, um das Dasein zu fristen, nur eine bestimmte Nahrung zu wählen.

Prag, II. 285. Nr. alt. Karlsplatz.

Ph. C. Dal. Vlad. Vařečka.

Pekingenten nach altem und neuem Styl.

So viel uns bekannt, wurden in allen Fachschriften die Racemerkmale der Pekingente folgendermassen angegeben: »Aufrechte, pynguinartige Haltung, kurzer orangegelber Schnabel, hohe Stirn, etwas dicker Kopf, mittellanger Hals, auf dem Nacken Halskrause, kurzer gedrungener Körper mit tiefem Hintertheil, senkrecht stehender Schwanz, reiches loses Gefieder von weissgelber Farbe.« — In dem Berichte über die letzte Cypria-Ausstellung in Berlin sagt Herr Marten sen. über die mit dem III. Preis prämiirten Pekingenten des Herrn Ortlepp; »Diese Auszeichnung hatte das Paar verdient, die zwar nach altem Styl Halskrausen haben, aber an Racereinheit von keinem Paar übertroffen wurden.« So wie viele andere Züchter durch diese Bemerkung überrascht wurden, hat es auch uns gegangen. Vergleichen wir mit dieser Bemerkung des Herrn Berichterstatters die uns übermittelte Begründung der Prämiirung des Herrn Preisrichters, dahin lautend: »Die Thiere hätten zu viel Halskrause«, so fällt uns sofort ein Unterschied, man darf vielleicht sagen ein Widerspruch zwischen der Ansicht der beiden Herren auf. Während der Herr Preisrichter sagt, die Thiere hatten zu viel Halskrause, sagt der Herr Berichterstatter, dass Thiere mit Halskrause nach altem Styl seien. Einmal wird also zugegeben, dass eine Halskrause, die nicht zu gross ist, statthaft sei, das anderemal wird gesagt, die Halskrause sei veraltet, die Peking dürfen also nach heutigen Anforderungen keine Halskrause haben. Wir müssen voraussetzen, dass es dem Herrn Preisrichter nicht unbekannt sein kann, dass im Herbste nach der grossen Mauser sowohl bei alten als bei jungen Peking die Halskrause besonders stark hervortritt, nachher ist sie nicht mehr so scharf. Dies vorausgesetzt und in Verbindung mit dem Umstande, dass die mit dem I. und II. Preise auf der Cypria-Ausstellung prämiirten Peking ohne Halskrause gewesen sein müssen, darf man das Urtheil der beiden Herren wohl dahin zusammenfassen: ›Pekingenten mit Halskrause sind nicht mehr standardmässig.‹ Diesem tritt nun Herr Ortlepp mit seiner Ansicht entgegen, indem er Thiere mit stark entwickelter Halskrause ausstellt und es auch öffentlich ausspricht, dass er die Halskrause als ein wesentliches Racemerkmal anerkennt. Herr Ortlepp ist ein alter bewährter Züchter dieser Race, wohl einer der ersten Pekingzüchter in Deutschland hinsichtlich der Dauer der Zucht und des Erfolges in derselben. Sein Urtheil kann also durchaus nicht gleichgiltig sein. Wir treten der Ansicht des Herrn Ortlepp bei. Auch wir haben fast zwei Decennien Pekingenten gezüchtet und unsere jetzigen schönen Thiere sind nicht um eine Zollbreite dem Messer nähergerückt, weil sie Halskrausen haben. Und so uns wieder Pekingenten auf den Ausstellungen der Beurtheilung unterstellt werden, so erhalten die mit guter Halskrause bei uns den Vorzug. Wenn nicht ganz neueren Datums in England ein diesbezüglicher Schluss gefasst worden, dann ist auch dort die Halskrause noch nicht verpönt, wenigstens bezeugen uns das englische Züchter, und die Thiere, die wir aus England importirten, hatten ebenfalls Halskrausen. Wir hegen die Hoffnung, dass die vielen Pekingzüchter sowohl hier in den österreichischen Staaten als in Deutschland sich nicht beirren und die wirklich anerkennenswerthen Erfolge in der Zucht dieser Race nicht mit einem Schlage ruiniren lassen. Ganz ernstlich haben wir uns die Frage vorgelegt, was wohl der Grund für Beseitigung der Halskrause sein möge. Ist es vielleicht mit besonderen Schwierigkeiten verbunden, dies Racemerkmal zu erzielen?

Oder widerspricht die Halskrause etwa dem ästhetischen Sinne? Beide müssen wir entschieden bestreiten. Da bleibt für uns allenfalls noch der Grund, dass es irgend einem züchterischen Genie oder einem speculativen Kopfe eingefallen sein muss, sich bemerklich zu machen. Da sollte man die Race doch lieber bantamisiren; es geht ja kaum mehr anders. Wir wagen es auszusprechen auf Grund vielseitiger Beobachtungen, dass man hier bei uns sowie in Deutschland in der Zucht der Pekingente so rühmende Erfolge erzielt hat, wie kaum bei einer anderen Race. Da halten wir dafür, dass wir an unserer bewährten Zuchtrichtung festhalten. Sind wir Züchter einig, dann halten wir unsere Peking nach altem Styl und züchten auch für die Folge Thiere mit Halskrausen.

Andermaar.

Ueber Taubenzucht.

(Vortrag des Rathes J. B. Bruszkay, Vicepräsident des Ersten österreichisch-ungarischen Geflügelzucht-Vereines, gehalten gelegentlich der Geflügelausstellung in Krems.)

Geehrte Versammlung! Ich begrüsse Diejenigen, die an der Taubenzucht Interesse zeigen und möchte nur wünschen, dass grössere Kreise sich für diesen Zweig interessiren möchten. Die Taube ist die älteste Begleiterin des Menschengeschlechtes, ja sie ist älter wie der Mensch, welcher bekanntlich am letzten Schöpfungstage geschaffen wurde. Meiner Ansicht nach dürfte der Adam nicht durch die Schlange verführt worden sein, sondern angeregt durch ein Paar schnäbelnder Täubchen, auf die famose Idee verfallen sein, der wir Alle unser Dasein verdanken. Die Taube Noah's ist ein Beweis ihres Alters, die Taube gehört zur Ordnung der Girrvögel und unterscheidet sich von den Scharrvögeln durch ihre eigenthümlichen Liebeslaute (girren, gurren, rucksen), während die Scharrvögel, zu denen alle Hühnerarten gehören, den Boden nach Futter aufscharren, was Tauben nicht thun, demzufolge die Tauben am Felde keinen Schaden machen. Die Taube scharrt kein Korn aus, sondern sie pickt nur die obenliegenden Körner auf, welche ohnehin keinen Nutzen bringen würden. In den wissenschaftlichen Werken wird die columba livia (Höhlentaube) als die Stammmutter aller Tauben genannt. Jedenfalls steht unsere Haustaube in Bezug auf Abstammung ihr am nächsten und es wurden sogar Beobachtungen gemacht, dass sie sich mit den frei auf Thürmen und Hausdächern lebenden Tauben gekreuzt (gepaart) haben. Die klimatischen und andere Verhältnisse veranlassten eine Unmasse von Abstufungen dieser Thiere und zwar nicht nur unter den wilden Tauben, von denen es über hundert Abarten gibt, von der kleinen, in China lebenden Sperlingstaube angefangen bis zu der die Grösse eines Huhnes übersteigenden Kronentaube, darunter sind hauptsächlich zu nennen die Kragentaube mit einem grün schimmernden Halskragen, die Dolchstichtaube, die wir vor einigen Jahren durch den Afrikareisenden Doctor Holub in Wien zu sehen Gelegenheit hatten, welche auf der Brust einen rothen Streifen mit zwei blutstropfenähnlichen Flecken zeigt, die wilden Turtel- und Ringeltauben und viele andere. Von den zahmen oder Haustauben gibt es auch über hundert Abarten (Raceabstufungen). Wir Taubenzüchter theilen sie in vier Hauptclassen: Nutz-, Zier-, Jage- und Brieftauben. Die Nutztauben, die wir ihres Körperbaues wegen, da sie breite Brust mit grosser Fleischentwicklung zeigen, als wirthschaftliche Racen bezeichnen und welche das her einen guten Braten für die Küche liefern: Malteser, Hühnerschecken, Florentiner, Modeneser, Strasser, welche alle auch Hühnertauben genannt werden, weil sie einen kurzen Körperbau und einen hühnerartigen Gang haben, während andere sie an Grösse überragende Tauben, wie z. B. Kröpfer, nicht viel auf die Schüssel bringen, sondern ihre Grösse in den Federn liegt. Zu den Ziertauben rechnen wir zahlreiche kleinere Taubenracen, wie z. B. Mövchen, besonders die kleinasiatischen Abarten, welche nebst der auf der Brust hervorragenden Federkrause besonders reizende Zeichnungen aufweisen, eine zierliche Gestalt besitzen und erst in den letzten zwanzig Jahren nach Europa gebracht wurden. Ferner die Perrückentauben, welche eine der Allongeperrücke ähnliche Federkrause um den ganzen Hals tragen, weiters die jedem Laien auffallende Pfautaube, welche ihre fächerartig aufwärts getragenen Schweiffedern (Stoss) wie ein Pfauenrad aufstellt und eine stolze Haltung einnimmt und so weiter. In dritter Reihe sind die Jagetauben, Purzler oder Tümmler genannt, welche in stundenlangem Flug bis in die Wolken spiralförmig sich erheben und ihren Besitzern durch ihren Flug viel Vergnügen bereiten. Diese Passion des Jagens, welche noch vor dreissig Jahren im Schwunge war (in Wien und anderen Städten) ist zwar gegenwärtig in Abnahme begriffen, wird aber trotzdem noch an vielen Orten betrieben. Um 5 Uhr Früh wurden die Tauben von ihrem Besitzer mittelst einer schwarzen Fahne aus dem Schlage gejagt, erhoben sich bis zur Höhe der Unsichtbarkeit und kamen erst in drei bis vier Stunden zurück. Einen speciellen Fall habe ich selbst erlebt, indem eine meiner aufgejagten Purzeltauben der Morgens um 7 Uhr von einem Falken verfolgt, fortwährend sich über dem Vogel erhielt, bis beide am Horizont verschwanden und Nachmittags 2 Uhr heil in ihrem Schlage angelangt ist, so dass anzunehmen ist, dass ihre Ausdauer im Fluge selbst den Falken übertraf. In vierter Linie die Brieftaube, welche nicht nur in ganz Europa bekannt, sondern gegenwärtig sogar eine gewisse Berühmtheit erlangt hat, wurde in Belgien zuerst, und zwar bereits seit hundert Jahren gezüchtet, ihm folgten Frankreich, England und Deutschland, bis endlich Oesterreich seit ungefähr 12—15 Jahren auch diesen Sport betreibt. Es sollen zwar schon lang früher Besitzer von Brieftauben in Oesterreich existirt haben, welche denselben grosse pecuniäre Erfolge zu danken hatten, indem vor Erfindung des Telegraphen die Brieftauben zu rascher Ueberbringung wichtiger Mittheilungen benützt wurden.

Dass die Brieftaube ein ganz interessanter Vogel ist, kann Niemand leugnen. Eine Taube wird Abends in einen Korb gegeben und in ein finsteres Bahncoupé gestellt und nach einem entfernten Ort Hunderte von Kilometern weit gesendet und wird am anderen Morgen aufgelassen, wo sie ihren Weg zur Heimat findet, oft nach mehrwöchentlicher Internirung. Selbst nach Jahren kommt sie öfter noch zurück zu ihrem heimatlichen Schlag. Sie bekunden damit den Besitz eines Sinnes, der sel st dem bevorzugten Geschöpfe, dem Menschen, abgeht und den wir bisher nicht enträthseln konnten. Ich war jetzt in Berlin Obmann des Generalcomités für den Distanzflug Wien—Berlin und Berlin—Wien und habe dort in Gegenwart des Obmannes des Berliner Generalcomités, Oberst Taubert, unsere Wiener Brieftauben dort am Tempelhoferfelde hochgelassen. Bei meiner Rückfahrt, welche bei Tag erfolgte, überschaute ich die vielen Berge, Seen, Waldungen, Felder und dachte dabei, wie dieses kleine, arme Thier sich zurechtfinden konnte. Raubvögel, Schützen, Gewitter und andere ungünstige Zufälligkeiten erschweren ihm noch das Auffinden seines richtigen Weges. Die Heimatsliebe der Brieftaube überwindet alle diese Hindernisse und sie kehrt immer wieder an den Ort ihres Entstehens zurück. Ich züchtete selbst in Wien Brieftauben durch acht Jahre und musste beim Wohnungswechsel die Erfahrung machen, dass alle Brieftauben wieder zur alten Wohnung zurückkehrten, wo sie trotz Mangel jeder Fütterung ausgeharrt haben und völlig verwilderten, trotzdem dass sie in dem neuen Schlage die beste Wartung erfahren hätten. Ein Flug Tauben belebt jedes Haus, gewährt durch das saftige Fleisch einen schmackhaften Braten und liefert einen sehr werthvollen Dünger, der dem Guano gleichwertig gehalten und ein Sack desselben mit einem Gulden gezahlt wird. Der Vorwurf, der den Tauben gemacht wird, dass sie mit ihren Schnäbeln Dächer ruiniren, ist völlig unbegründet, da sie einen viel zu schwachen Schnabel haben, um etwas Festes und Hartes beschädigen zu können, sondern die etwa locker gewordenen, frei am Dache liegenden Mörtelstücke, die ohnehin dem Dache keinen Nutzen mehr bringen können, unter ihren Tritten herabkollern machen. Ein weiterer Vorwurf, welchen man den Tauben macht, ist der, dass sie das Ungeziefer vermehren; dieser ist ebenso unbegründet wie der, den man den Kröten macht, dass sie giftig seien, oder den Fledermäusen, dass sie die Haare der Menschen verwickeln.

Allerdings wird sich dort, wo auf den Dachböden mit Ungeziefer behaftete Bettstätten und andere Hausgeräthe aufbewahrt werden, das Ungeziefer in den Nestern die wehrlosen jungen Tauben als willkommene Opfer aufsuchen und dort auch bei dieser reichlichen Nahrung vermehren. Die Tauben sind ihrer Natur nach Nesthocker, d. h. sie werden von ihren Eltern aus dem Kropf gefüttert, gegenüber den Nestflüchtern, welche sogleich nach dem Ausfall aus dem Ei ihrer Nahrung nachgehen können, nämlich alle hühnerartigen Vögel. Eine nicht überall bekannte Thatsache ist, dass bei diesen Thieren auch die Männchen brüten, und zwar sitzt das Männchen regelmässig von 10 Uhr Vormittags bis 3 Uhr Nachmittags, die übrige Zeit brütet das Weibchen. Die Taube legt immer nur zwei Eier, denen regelmässig ein Männchen und ein Weibchen entschlüpft. Auffällig ist auch, dass gewöhnlich das alte Männchen das junge Weibchen im Neste füttert, während umgekehrt die alte Täubin den jungen Tauber ätzt. Die Tauben leben in Monogamie gegenüber den Hühnerarten, welche fast durchgehends in Polygamie leben, ausser den ebenfalls paarweise lebenden Feldhühnern. Die Liebe der Gatten ist oft so gross, dass bei Verunglücken des einen Theiles der andere oft sogar eingeht.

Wer einen unbenützten Bodenraum, von Katzen gesichert, zur Verfügung hat, soll es daher nicht versäumen, einige Paar schöner Tauben einzustellen und er wird gewiss an denselben so viel Vergnügen erleben, dass ihm die geringen Erhaltungskosten reichlich aufgewogen werden. Mancher sonst flüchtige Ehemann wird bei seinen schönen Tauben zu Hause bleiben, statt das Gast- oder Kaffeehaus aufzusuchen und es sollen daher die Ehefrauen mit uns sich verbünden und dieses u schuldige und minder kostspielige Vergnügen der Taubenliebhaberei ihrer Ehemänner gutheissen. Gemeine Tauben fressen ebensoviel wie edle Thiere dieser Gattung und sollten daher letztere gezüchtet werden, wo der Verkauf eines einzigen Paares die Futterkosten vieler Paare durch das ganze Jahr begleicht.

Ich möchte wünschen, dass die Taubenzucht sich besonders in ländlichen Kreisen immer mehr verbreite und schliesse, indem ich für das meinem Vortrag entgegengebrachte Interesse meinen Dank ausspreche.

Ausstellung.

Racegeflügelmarkt des „Ungarischen Landes-Geflügelzuchtvereins“ in Budapest. Dieser Markt wurde in den Tagen vom 8. bis 18. October d. J. im Circusgebäude des Budapester Thiergartens abgehalten. Derselbe war von 73 Züchtern mit 770 Stämmen = circa 1800 Stück Grossgeflügel beschickt, ausserdem sandten vier ungarische landwirthschaftliche Schulen, zusammen mit mehreren Zuchtstationen 279 Stück.

Zumeist vertreten erscheinen: Plymouthrocks mit 281 Stämmen, schwarze Langshan mit 178 Stämmen, Pekingenten mit 162 und Emdener Gänse mit 54 Stämmen; alle anderen Racen waren schwach, nur in verhältnissmässig wenigen Stämmen vertreten; fast ganz fehlten Truthühner! Tauben waren in 161 Paaren ausgestellt.

Der Gesammtverkauf beziffert sich auf 2150 fl. ö. W., daran participirt vor Allem das königl. ungarische Ackerbauministerium, das für 577 fl. Plymouthrocks, für 217 fl. Langshan und für 527 fl. Emdener Gänse — in Summa für 1321 fl. Geflügel zur unentgeltlichen Vertheilung an kleinere Grundbesitzer, Lehrer etc. etc. ankaufte. Der Verein selbst erwarb für 187 fl. und Private für 642 fl. Geflügel auf diesem Markte.

Es wurden 227 Züchter mit je einem Paar Racegeflügel betheilt, und zwar kamen zur Vertheilung: 93 Paar Plymouthrocks, 50 Paar Langshans, 17 Paar Brahma, 33 Paar Pekingenten und 34 Paar Emdener Gänse.

Die Zahl der Bewerber war naturgemäss viel grösser und konnten kaum die Hälfte derselben für dieses Jahr Berücksichtigung finden.

Die Zahl der pr 1892 und 1893 gratis hinausgegebenen Racegeflügelstämme beläuft sich nahezu auf 600.

Die Leitung des „Ungarischen Landes-Geflügelzuchtvereines“ ist zu diesem schönen Erfolg und zu der ihr von der Regierung bewiesenen thatkräftigen Unterstützung vom Herzen zu beglückwünschen. Ph.

Aus den Vereinen.

Allgemeine deutsche ornithologische Gesellschaft in Berlin. Das „Journal für Ornithologie“ wird laut Beschluss der diesjährigen Jahresversammlung in Kassel und nach demgemäss mit Herrn Professor Dr. Cabanis getroffener Vereinbarung mit dem 1. Januar 1894 in den Besitz der Gesellschaft übergeben. Mit der Herausgabe der Zeitschrift ist Herr Dr. Reichenow betraut worden. Das rückständige zweite Heft des laufenden Jahrganges des „Journal für Ornithologie“ wird demnächst ausgegeben, das dritte und vierte Heft dagegen innerhalb des ersten Quartals 1894 nachgeliefert werden. Das erste Heft des Jahrgangs 1894 befindet sich bereits im Druck und wird im Laufe des Januar 1894 erscheinen.

Wiener Geflügelzuchtverein „Rudolfsheim". Die Vereinsleitung hat in der Freitag, 10. November 1893 stattgefundenen Sitzung beschlossen, im Frühjahr 1894 eine grosse allgemeine Geflügelausstellung mit Lotterie zu veranstalten.

Auch werden von nun ab Specialschauen für einzelne Rassen, woselbst die einzelnen Thiere eingehend verglichen, nach ihren Vorzügen und Mängeln besprochen, — Anschauungen über künftige Weiterzucht — über Wegzüchtung der Mängel und Auszüchtung der Vorzüge ausgetauscht — jeden ersten Freitag im Monat im Clublocal abgehalten.

Das als mustergiltigst befundene Exemplar wird als Type festgestellt und nach diesem Vorbild ferner gezüchtet. — Die photographischen Aufnahmen dieser Typen werden in dem Atelier J. Sess, Wien, XV. Schönbrunnerstrasse 53, in eigens für diesen Zweck aufgestellten Glaskäfigen angefertigt.

Die Abbildungen der in den einzelnen Specialausstellungen festgestellten Typen werden reproducirt und nebst genauester Beschreibung in der „Schwalbe" publicirt.

Die Erste dieser Specialausstellungen fand bereits am 1. December d. J. statt, und zwar wurden Maltesertauben gezeigt. Der schwarze Tauber des Herrn Kirchmayer, ein Paar Schwarzschecken und Blaue des Herrn Friedl und die Gelben des Herrn Kienast wurden als die hervorragendsten Exemplare der Schau bezeichnet.

Wir kommen in der nächsten Nummer ausführlich auf diese erste Specialschau zurück.

Freitag den 5. Jänner findet eine Specialschau für Florentiner, Hühnerschecken und Modeneser statt.

Club deutscher und österreichisch-ungarischer Geflügelzüchter. In der Herbst-Generalversammlung in Lehrte am 10 l. M. wurde die Neuwahl des Vorstandes vorgenommen und folgende Herren gewählt:

H. du Roi, Braunschweig, Vorsitzender; Fr. v. Voigtländer, Braunschweig, erster Vors.-Stellvertreter; N. D. Wichmann jun., Hamburg, zweiter Vors. Stellvertreter; M. Scheitbauer, Gaumnitz, Schriftführer; Fr. Ohms, Halle a. d. S., Cassier; ferner die Herren: Ortlepp, Magdeburg, Müller, Bremen, Seegers, Hannover, Barkowsky, Königsberg, Siede, Magdeburg, Ledosquet, Boppart und Kramer, Leipzig.

Kleine Mittheilungen.

Ein hartnäckiger Streit. In meinem Kuhstalle, der jetzt nicht mehr als solcher, sondern als Werkstatt gebraucht wird, hat schon jahrelang ein Rauchschwalbenpaar genistet. Die Schwälbchen haben zwei Nester gebaut und wird stets in dem einen die erste und in dem anderen die zweite Brut aufgezogen. In dieser Zeitschrift habe ich früher schon beschrieben, wie diese Schwalben bei jeder drohenden Gefahr um Hilfe rufen und dabei bis in mein Zimmer kommen. In diesem Frühjahre kam mein Hausrothschwanz am 8. März hier an und hat sich, seiner Gewohnheit entgegen, das eine Schwalbennest als Nistplatz auserkoren, jedenfalls dazu veranlasst, weil den ganzen Tag die obere Hälfte der Thüre aufstand. Dass ich manchmal an der Hobelbank oder der Drehbank arbeitete, kümmerte ihn gar nicht, er baute das Nest innen aus und kam bald zur Brut. Da, am 15. April, kamen meine Schwalben an. Als sie den Eindringling gewahrten, machten sie grossen Lärm und kamen auch wieder in mein Zimmer, woraus ich schliesse, dass es die Schwalben vom vorigen Jahre, also meine Schwalben sind. Was war da zu machen? Ich sollte ihnen helfen, den Röthel fortzuschaffen. Nun ging ich in den Hof und zur Werkstatt. Der Röthel sass ruhig im Neste und liess sich nicht stören durch das Geschrei der Schwalben. Ich befühlte nun das zweite Nest und fand es leer. Damit wollte ich zugleich die Schwalben darauf verweisen, dass sie dieses Nest in Besitz nehmen möchten. Sie schienen mich aber nicht verstanden zu haben oder nicht verstehen zu wollen, denn sie setzten ihr Angstgeschrei immer fort und als ich in das Zimmer zurückkehrte, kamen sie auch wieder nach. Ich sollte jedenfalls der Richter sein und den Rothschwanz zum Verlassen des Nestes bringen. Das wollte ich nicht und so liess ich sie schreien. Am folgenden Tage waren die Schwalben verschwunden, aber am dritten Tage kamen sie wieder und die Anklage wurde abermals erhoben. Da ich auch da nicht eingriff, so kamen sie die folgenden Tage nicht wieder. Ich dachte schon, dass meine Schwalben dauernd vertrieben seien, allein nach einigen Tagen liessen sie sich wieder einmal sehen und hören, blieben aber nicht da. Erst am 15. Mai fingen sie an, das leere Nest auszubessern und an dem Tage (21. Mai), als die jungen Rothschwänze aus dem Neste flogen, legten sie das erste Ei. Der Rothschwanz hatte vierzehn Tage gebrütet und in vierzehn Tagen seine Jungen grossgefüttert. Dabei habe ich oft beobachtet, dass jedes der beiden Alten in einer Minute zweimal mit Futter ankam. Die Schwalben haben sich bis jetzt beruhigt und sind auch wieder vollständig versöhnt, denn wenn sich die Katze blicken lässt, dann rufen sie und kommen auch wieder in das Zimmer. So wurde dieser Streit, der anfangs mit grosser Hartnäckigkeit geführt wurde, glücklich zu Ende geführt, zur Zufriedenheit aller Parteien.

Raunheim a. Main. L. Buxbaum.

Vom Velenczeer See (briefl. Mitth. a. d. Herausgeber). Der heurige Herbstzug war am See sehr interessant. Im September wurden erlegt: Phalaropus hyperboreus (schmalschn. Wassertreter), Calidris arenaria (Ufersonderling) und ein Limicola platyrhyncha (kl. Sumpfläufer). Im October: eine Oidemia fusca (Sammtente) und eine Branta rufina (Rothhalsgans) letztere in einer Fischreuse gefangen. — Jetzt haben wir die Colymbusarten am See; am 15. November erbeuteten wir ein Exemplar Colymbus septentrionalis (Nordseetaucher).

Branta rufina und Limicola platyrhyncha sind hievon für unser Gebiet neu!

20. November 1893. L. Kenessey v. Kenese.

Der Tannenhäher (Nucifraga caryocatactes) auf der Wanderschaft. Wie in den Jahren 1885 und 1887 scheint der Tannenhäher auch heuer wieder eine Reise durch Deutschland angetreten zu haben. Im October ist er bei Offenbach mehrfach gesehen und geschossen worden und in der unteren Mainebene habe ich ihn jetzt zum ersten Male gesehen. Zuerst hielt ich ihn, in einiger Entfernung beobachtet, für einen Schwarzspecht, als ich aber näher kam, erkannte ich meinen Irrthum und an einem todten Exemplar bestimmte ich ihn genau. Es war die dickschnäbelige Art, die ich vor mir hatte und habe ich daran folgende Masse genommen:

Länge des ganzen Körpers	335 mm
Länge des Schnabels an der Firste	42 „
Vom Mundwinkel bis zur Spitze	46 „
Vom Nasenloch bis zur Spitze	38 „
Höhe des Schnabels in der Mitte	11 „
Breite des Schnabels in der Mitte	8 „
Breite an den Mundwinkeln	18 „
Der Oberkiefer überragt den Unterkiefer um	3 „
Breite des Kopfes	35 „
Länge des Schwanzes	123 „
Breite der weissen Querbinde am Ende des Schwanzes am Schaft der äussersten Schwanzfeder	25 „
Vom Flügelbug bis zur Spitze	180 „
Länge des Laufes	46 „
Länge der Mittelzehe	32 „

Die Farbe des ganzen Körpers ist braun, nur die Schwungfedern der Flügel und der Schwanz sind schwarz und haben einen blauen Schiller, letzterer hat am Ende eine weisse Querbinde, Brust, Hals und Rücken sind mit kleineren und grösseren weissen Flecken bedeckt, die Unterdecken des Schwanzes sind weiss, Schnabel und Füsse schwarz. Die Farbe ist bei allen die ich beobachtet, gleich, die Bewegungen sind denen des Eichelhähers ähnlich. Die Stimme ist auffallend, doch nicht gerade hässlich, ich kann sie durch folgende Laute bezeichnen: Tu—it, tu—it; rätsch, rätsch; rütt, rütt, rütt.

Ich beobachtete zwei Stück, die in den Nadeln der Kiefern herumpickten, an die Stämme anflogen und da etwas abzulesen schienen und auf dem Boden herumsuchten.

Jedenfalls sind sie auch an anderen Orten beobachtet worden, so dass man später ihren Weg durch ganz Deutschland verfolgen kann.

Ob auch Dünnschnäbler dabei sind, konnte ich bis jetzt noch nicht feststellen. In der Nähe von Frankfurt gibt es viele Haselnüsse und werden sich da wohl mehr einfinden, um ihrer Lieblingsspeise nachzugehen.

Die Tannenhäher sind nicht so scheu wie die Eichelhäher und lassen sich in der Nähe beschauen. Es ist mir interessant, zu sehen, wie lange sie sich in unseren Wäldern aufhalten werden.

Raunheim a. Main. L. Buxbaum.

Am 20. November wurde ein Tannenhäher ♂ auf dem Laibacher Moor bei Laibach erlegt. — Der Vogel befindet sich in der Sammlung des Krainer Landesmuseums.

Laibach, 23. November 1893. Ferd. Schulz.

Die Brieftauben des verstorbenen Ehrenbürgermeisters Zurhelle. Am 6. October l. J. starb zu Haus Schurzelt bei Aachen Herr Ehrenbürgermeister Zurhelle, einer der ältesten, weit über die Grenzen des Deutschen Reiches hinaus bekannter Brieftaubenzüchter und eifriger Förderer dieses Sportes.

Im Nachlasse des Verstorbenen befanden sich 100 Stück Brieftauben, diese wurden von den Erben zum Verkauf ausgeboten und lagen sehr hohe Angebote aus Deutschland und besonders aus Belgien vor.

Indess schlugen die Erben die höheren Anbote aus dem Auslande aus und überliessen die 100 Stück Brieftauben für 5000 Mark dem deutschen Kriegsministerium.

Bevorstehende Ausstellungen.

Jubiläumsausstellung des I. österreichisch-ungarischen Geflügelzuchtvereines in Wien. Dem eben fertiggestellten Programm und der provisorischen Classenaufstellung entnehmen wir, dass das Standgeld per Stück Grossgeflügel, respective per Paar Tauben 75 kr. ö. W. beträgt, während die Classenpreise für Grossgeflügel mit 20, 10 und 6 Kronen, für Tauben mit 10, 6 und 4 Kronen festgesetzt wurden.

Collectionspreise können auf Zuchtcollectionen von mindestens drei Stämmen Grossgeflügel derselben Race und Farbe, respective auf 5 Paar Tauben derselben Race ohne Rücksicht auf die Farbe, erworben werden und gelten als Collectionspreise k. k. Staatspreismedaillen, die neben eventuell erworbenen Classenpreisen vergeben werden. Zahlreiche Garantieclassen — besonders für 1893er Thiere, sind in die Classenaufstellung bereits aufgenommen. Weitere sind zugesichert.

Auch wurden mehrere sehr werthvolle Ehrenpreise angemeldet, so: vom Präsidenten Herrn Baron Villa-Secca, vom „Ornithologischen Verein in Wien", von Herrn A. Horváth in Steinbruch, Herrn Stadtbaumeister Kernast und Herrn K. Widter, Wien etc.

Als Preisrichter wurden nachstehend verzeichnete Herren gewählt, die die Wahl auch angenommen haben, und zwar:

Für Grossgeflügel: die Herren: Bayer, Linz, Oberingenieur Beiwinkler, Budapest, Friedrich, München, Trübenbach, Chemnitz i. S., Baron Washington, Graz, Weisser, Aussig, Sinner, Hetzendorf, Zdeborsky, Bockfliess, Vorbach, Tannwald.

Für Tauben die Herren: Freihard, München, Mantzell, Wien, XIV., Michael, Berlin, Parthay, Budapest, Steinmetz, München, Zooralek, Wien.

Das Grossgeflügel wird in drei, die Tauben in zwei Abtheilungen durch je drei Preisrichter prämiirt.

II. Deutsche nationale Ausstellung in Leipzig. Die provisorische Classenaufstellung für die vom 9. bis 12. Februar 1894 im Krystallpalast zu Leipzig abgehaltene II. Deutsche nationale Ausstellung ist bereits veröffentlicht und enthält dieselbe einstweilen 68 Klassen für Hühner, 6 für Enten, 3 für Gänse, 3 für Truten, 1 für Ziergeflügel, 93 für Tauben; ferner Verkaufsclassen und etliche für Mastgeflügel, Eier, Geräthe und Literatur.

Bezüglich Uebernahme von Garantieclassen gibt Herr Rud. Kramer, Leipzig-Reudnitz, jede gewünschte Auskunft.

Das Standgeld ist bemessen: für die Nummer Hühner (1,1 bez. 1,0 oder 0,1) und Enten (1,1) auf 4.50 Mk.; für Gänse und Truten (1,1) auf 6 Mk., bei Preisen von: I. Preis 20 Mk., II. Preis 15 Mk., III. Preis 10 Mk., bez. IV. Preis 5 Mk.; für Tauben auf 3 Mk. die Nummer (1,1 bez. 1,0 und 0,1) bei Preisen: I. Preis 15 Mk., II. Preis 10 Mk., III. Preis 5 Mk., bez. IV. Preis 3 Mk.

Vierte Geldpreise werden denjenigen Classen hinzugefügt, bei welchen auf eine starke Beschickung im Voraus mit Sicherheit gerechnet werden kann. In den Garantieclassen brauchen nur je ein I., II. und III. Geldpreis garantirt zu werden.

Den Wünschen, Garantieclassen zu errichten, soll im weitesten Umfange entgegengekommen werden, jedoch müssen dieselben in den Rahmen des Programms passen. Eine Beschränkung erleidet die Einrichtung solcher Classen insofern, als ein besonderer Farbenschlag einer Rasse oder eine besondere Federstructur (glattbeinig, federfüssig, glattköpfig, kappig) nicht ohne Weiteres in das Programm eingefügt werden kann, sofern der Garant, oder nach voraufgehender Vereinbarung der Verein nicht für die Errichtung eigener Classen für die übrigen Farbenschläge oder Feder-Strukturen Sorge trägt. Dasselbe ist für dem Alter oder dem Geschlechte nach getrennte Classen vorbehalten.

Die Garanten schiessen in den von ihnen garantierten Classen den sich etwa ergebenden Fehlbetrag zwischen den vertheilten Preisen und dem eingegangenen Standgeld zu und haben ausserdem die dem Verein programmmässig zukommenden 15 Procent für Futterkosten zu decken.

Ausländer sind von der Betheiligung an der zweiten nationalen Ausstellung ausgeschossen.

Den Mitgliedern des „Clubs deutscher und österrreichisch-ungarischer Geflügelzüchter" in Oesterreich-Ungarn steht natürlich die Betheiligung offen.

Der **Club der Flugtaubenfreunde** in Wien-Meidling hält am 6. Jänner 1894 in seinem Clublocale: Kobinger's Gasthaus, Gaudenzdorf, Hauptstrasse 57, eine mit Prämiirung verbundene Wiener Tümmler-Schau ab. Es sind für Wiener Gestorchte, Geganselte, Einfärbige, Gescheckte und Budapester Gestorchte je 6 Geldpreise ausgesetzt.

Verein für Geflügelzucht in München. In der Generalversammlung am 8. November l. J. wurde beschlossen, in den Tagen vom 16.—20. März 1894 eine allgemeine Geflügelausstellung abzuhalten. Die beantragte Prämiirung nach Classensystem wurde abgelehnt.

Herr W. Probst legte die Redaction des Vereinsorgans „Süddeutsche Blätter für Geflügelzucht" zurück und wurde Redaction, Druck, Verlag und Expedition der Firma Carl Gerber, Verlagsdruckerei in München, übertragen.

Inserate

per Quadrat-Centimeter 4 kr. oder 8 Pf.

Um den Annoncenpreis auch den Laien geläufig zu machen, gilt Folgendes: Der Raum in der Grösse einer österr. 5 kr.- oder 10 deutschen Pfennig-Briefmarke kostet den 4fachen Betrag derselben; und sind diese Marken oder der Werthbetrag gleich jedem Auftrage beizuschliessen. Bei öfters als 6maliger Insertion wird 1/4 Rabatt gewährt, d. h. mit 3 Marken anstatt 4 Marken die Markengrösse des Inserates gerechnet. Die Bestätigung des Empfanges der Inseratengebühr wird durch die Einsendung der betreffenden Belegnummer seitens der Administration dieses Blattes geliefert, wohin auch alle Inserate zu richten sind. Es werden nur Fachannoncen aufgenommen.

AVIS FÜR GEFLÜGELZÜCHTER!

Das österreichische Fleischfaser-Geflügelfutter von Fattinger & Co.
Wien-Hernals, Bahngasse 40

288 ist das vorzüglichste und bestbewährteste Futtermittel für Zucht- und Nutzgeflügel. Zur Erlangung von schönen, gesunden und kräftig entwickelten Thieren unentbehrlich! Empfohlen von den ersten Geflügelzüchtern des In- und Auslandes. **Für beste Erfolge wird garantirt.** Preis für Geflügelfutter per 50 Kilo fl. 11.50, 5 Kilo Postpacket fl. 1.40; Preis für Kückenfutter per 50 Kilo fl. 11.50, 5 Kilo-Postpacket fl. 1.40 inclusive Packung, ab Wien.

Spratts' Patent (Germany) Ltd.

Alleinige Lieferanten des königl. preuss. Hof-Jagdamtes. — Königl. engl. Hoflieferanten.

Fabrik: BERLIN N. Usedomstrasse 28.

Hundekuchen.
fl. 32.— per 100 kg ab Wien.

Geflügelfutter.
fl. 33.— per 100 kg ab Wien.

Bestes und gedeihlichstes Futter für Hunde und Geflügel.

(1) **Proben und Prospecte gratis und franco.** (8—12

General-Depot in Wien, WIESCHNITZKY & CLAUSER's Nachfolg. I. Wallfischgasse Nr. 8

NIEDERLAGEN:

Korneuburg bei Wien: F. Joh. Kwidzda.
Brünn: Jos. Lehmann & Co.
Prag: Carl Lüftner.
Reichenberg (Böhmen): Müller & Nick.
Innsbruck: Joh. Peterlongo.
Salzburg: Carl Geissler.
Linz: F. M. v. Haselmayer's Erben.
Budapest: M. Huzella, Hermann A. Frommer.
Pressburg: János Berghofer.
Oedenburg (Ungarn): P. Müller.

Wir bitten, genau auf unsere Schutzmarke zu achten, da geringwerthige Nachahmungen unserer Fabricate in den Handel gebracht werden.

John Baily & Son

116 Mount St. 116
LONDON W.
offeriren

Geflügel und **Tauben**, welche eingekauft wurden in dem Krystall-Palast zu London und in Birmingham, Geflügel-Ausstellungen und Auctionen.
Cochins, Brahmas, Plymouth-Rocks, Hamburger, Langshans glatt und rauhbeinig, Italiener, Andalusier, Minorkas, Cochin-Bantams, Kämpfer, Holländer, Houdans, Crève-coeur, Zwergkämpfer u. s. w.
Toulouser und Emdener Gänse.
Englische Kröpfer in roth, schwarz, blau und gelb geherzt, sowie auch weisse.
Pfautauben, Indianer, Almonds, Mövchen, Carriers und Orientalen.

---

(6) Geflügel-Zuchtanstalt (7—12)

NOVIMAROF

Croatien.

Offerirt Zuchtstämme, sowie einzelne Exemplare ihrer vielfach prämiirten Rassegeflügelstämme.

Besonders seien empfohlen:

Gelbe Cochin, schwarze Langshans, Plymouthrocks, Peking- und Rouen-Enten.

Soeben erschienen:

„Der Brieftaubensport"

von **W. F. ROSSMANN.**

Franco zu beziehen gegen Einsendung von Mk. 1— in Marken durch **Walter Rossmann**, M.-Gladbach.

La Librairie J. B. Baillière et fils, 19 rue Hautefeuille à Paris, vient de publier une **Bibliographie ornithologique**, qui contient l'annonce détaillée de plus de six cents ouvrages sur les Oiseaux, modernes et anciens, français et étrangers. Cette brochure in-8° à 2 colonnes sera adressée à toutes les personnes qui en feront la demande à M. M. J. B. BAILLIÈRE ET FILS.

Verlag des Vereines. — Für die Redaction verantwortlich: Gustav Röttig.
Buchdruckerei Helios, Wien, I. Schreyvogelgasse 3.

FSC
www.fsc.org
MIX
Papier aus verantwortungsvollen Quellen
Paper from responsible sources
FSC® C141904

Druck:
Customized Business Services GmbH
im Auftrag der KNV-Gruppe
Ferdinand-Jühlke-Str. 7
99095 Erfurt